U0110179

自由人（十）

自由人總目錄

動盪時代的印記——《自由人》三日刊始末

陳正茂（北台灣科學技術學院通識教育中心教授）

一、前言：《自由人》三日刊創刊之背景

民國三十八年是中國歷史上驚天動地的一年，隨著戡亂戰局的逆轉，中共席捲大陸，國府敗退遷台，真是國命如絲風雨飄搖的危急存亡之秋。處此動盪時代中，除大批軍民同胞隨政府播遷來台外；尚有一部分人士選擇避難香江，南下港九一隅，這些人當中，有不少是失意政客和知識份子。基本上，當年選擇避秦來港的知識份子，其心態上有兩種，一則對國、共兩黨均感不滿；再則係看上香港為自由民主之地，較能有揮灑發展的空間。此情勢考量，誠如雷嘯岑所言：「在一九四九－五〇年之間，因大陸淪陷，香港乃成了反共非共的中國人士望門投止的逋逃之藪」。

這些投奔港九的政治難民，以高級知識份子居多；兼以香港時為英屬自由之地，所以只要不違背港府法令，一般而言從事任何活動是百無禁忌，相當自由的。不僅可以高談政治問題，甚至於從事政治活動亦不加以限制。於是，「從大陸流亡到港九的高級知識份子群，乃相率呼朋引類，常舉行座談會，交換對國事意見，而美國國務院的巡迴大使吉塞普（Philip Jessup），斯時亦在香港鼓勵中國人組織『第三勢力』運動，目的以反共為主。」在此背景下，港九地區的自由民主人士，在美國幕後撐腰下，「各種座談會風起雲湧，熱鬧非凡；而諸多以反共為職志的大小刊物，更是應運而興，琳瑯滿目了。」所以，《自由人》三日刊，就是在此大時代氛圍下孕育而生的。

二、《自由人》三日刊誕生之經過

《自由人》三日刊醞釀誕生之經過，最早鼓吹者，一般而言，說法有二，一為由王雲五號召發起。據其《岫廬八十自述》書中提及：「自民國三十九年開始以來，由於中共匪幫建立偽政權，並先後獲得蘇俄、緬甸、印度、巴基斯坦及英國的承認，於是匪幫的勢力在香港突然大振，不少反共分子漸呈動搖態度。旅港有識之士深感囂風日長，漸使全港華人隨而動搖，乃相與集議挽救之道。我因在港主辦一個小規模出版事業（按：即華國出版社），尤以一貫堅持反共方針，遂由多數參加集議人士推任領導。由臨時的集會，變為固定的座談；其地點經常利用國民黨在銅鑼灣某街所租賃之四樓房屋一層。每次參

1 馬五，〈「自由人」之產生與夭折〉，見馬五（雷嘯岑）著，《政海人物面面觀》（香港：風屋書店出版，一九八六年十二月初版），頁二一二。又此種座談會多在週末舉行，也有人稱之為「週末座談會」或「星期六座談會」。見馬五先生著，《我的生活史》（台北：自由太平洋文化事業公司出版，民國五十四年三月一日初版），頁一六一。

加座談者，多至三十餘人，少亦一二十人，皆為文化界人士，或為舊日與政治有關係者，各政黨及無黨派人士皆有之。後來我以香港政府最忌政治性的集會，凡參加人數較多，尤易引起猜疑，動輒干涉。加以如此散漫的座談，亦未必能持久，因於某次座談中提議創辦一小型之定期刊物，每週或半週出版一次，既可藉此刊物益鞏固反共人士之維繫，且刊物一經向港政府註冊，則在刊物辦公處所舉行的座談，皆可諉稱編輯會議，可免港政府之干涉。此議一出，諸人咸表贊同，遂計劃如何組織與籌款。結果決辦三日刊，定名為自由人，其資金由參加坐談人士各自量力提供。我首先代表華國出版社提供港幣一千五百元，此外各發起人分別擔任，或一千，或五百不等；並經決定撰文者一律用真姓名，以明責任。其後，又決定委託香港時報代為印刷發行。因是，籌備進行益力，發起人等每星期至少集會一次，間或二次，一切進行甚為順利。」[2]

二為眾人集議，早有志於此，雷嘯岑即主此說。雷言：「這時候，即有原在大陸上服務新聞界的報人成舍我、陶百川、程滄波，協同青年黨人左舜生、民社黨人金侯成，以及國民黨人阮毅成、無黨無派的王雲五，外加香港時報社長許孝炎、新聞天地雜誌社社長卜少夫一干人等，於每週末午後在香港高士威道某號住宅中，舉行文化座談會。大家談來談去，得到一項結論，要辦一份刊物，以闡揚民主自由思想，在文化上進行反共鬥爭。……適韓戰爆發，預料東亞局勢將有變化，刊物必須及時問世，刊物取名「自由人」，由程滄波書寫報頭兼撰〈發刊詞〉，標題是〈我們要做自由人〉。」[3]

然由當事人之一的阮毅成事後追記，似乎《自由人》三日刊能草創成功，仍是由王雲五一手主導的。阮說：「民國三十九年十二月二十日，雲五先生在香港高士威道約大家茶敘，其中特別提及『今日我約諸位來，是想創辦一份反共的刊物，以正海外的視聽。間接幫助臺灣，說幾句公道話。我們讀書人，今日所能為國家效力的，也只有此途。』」[4]由阮之記載，合理推論，《自由人》三日刊能順利催生問世，王氏為登高呼籲之首倡者，可能性是很高的！

但就在王氏積極創辦《自由人》三日刊之際，突發一件暗殺事件，則頗值得一述；且對後來《自由人》三日刊的發展不無影響。事緣於三十九年十二月下旬，王氏在《自由人》三日刊諸人集會散會後，在香港寓所遭遇暗殺，幸子彈未命中，逃過一劫，這突如其來之舉，使王氏決定立即離港赴台定居。此事來台後，王氏曾將真相告訴繼我而來的成舍我。王氏謂：「到臺以後，除將此次提前來臺的秘密暗中告知兒女外，他人皆不使知。後來事過境遷，才漸漸透露給若干至好的朋友，首先是對於不久繼我而來的成舍我君；因為他覺得我向

2 王雲五，《岫廬八十自述》（台北：商務版，民國五十六年七月一日初版），頁一〇四～一〇五。

3 馬五，〈「自由人」之產生與夭折〉，同註一，頁二一二～二一三。又見馬之驌，《雷震與蔣介石》（台北：自立晚報社文化出版部出版，一九九三年十一月一版），頁八一。

4 阮毅成，〈王雲五先生與自由人三日刊〉，見蔣復璁等著，《王雲五先生與近代中國》（台北：商務版，民國七十六年六月初版），頁三〇～三一。有關《自由人》之發起，另有一說為萬麗鵑博士論文所言：「《自由人》為『自由中國協會』成員所辦之三日刊。」見萬麗鵑，〈一九五〇年代的中國第三勢力運動〉（台北：國立政治大學歷史研究所博士論文，民國九十年七月），頁一六四。但根據「自由人」社發起人之一的雷嘯岑回憶說：「自由中國協會」為當時在美國的胡適、蔣廷黻、曾琦等人所發起，胡、蔣、曾諸氏希望以『自由人』全體發起人為主幹，先在香港成立總會，台灣暨歐美各省都設立分會。嗣經提出座談會詳細研討，大家認為總會以設在台灣為妥，香港亦只設分會，庶合體制。結果不知如何，這個會沒有成立，終於流產了。」馬五，〈「自由人」之產生與夭折〉，同註一，頁二一四～二一六。故萬氏此說，恐不確。

來很少患病，在約定聯合宴客之日，我竟稱病缺席，舍我不免將信將疑。其後到我家探病，見我毫無病容，更不免懷疑。及我不別而赴臺，他懷疑益甚，所以在他來臺後，偶爾和我詳談及此，我也就不好意思對朋友有所隱瞞了。」[5]

上述言及之十二月下旬，實際上是民國三十九年十二月三十一日，除夕。阮氏說：是日「王雲五先生約在高士威道午餐，我應約前往，王臨時以腹瀉未到，由成舍我兄代作主人，謂『自由人』籌備事，大致已妥。」而四十年的元月三日，阮氏也說到是日，「應卜少夫、程滄波二兄之約，到高士威道二十二號四樓午膳。據滄波兄言，是日原應由王雲五先生作東，而王於當天上午，離港飛台，臨行前以電話托其代為主人。」[6]

王氏的不告而別倉促離港赴台，也使得後續有不少參與「自由人」社同仁跟進，紛紛來台，這對於原本人力吃緊資金短絀的《自由人》三日刊之發展，當然有不小的影響。至於《自由人》三日刊籌組的經過梗概，雖在王氏離港來台後，仍按部就班的進行。四十年元月十日下午，阮毅成與程滄波及左舜生又約至高士威道聚談。關於創辦刊物事，左舜生主張宜立即出版，卜少夫則以須現款收有相當數目，方能創刊。是月三十一日，雷震自台灣來，亦參加「自由人」社活動。會中大家一致決定《自由人》三日刊，於農曆年後出版。並在職務安排上初步有了規劃，即推程滄波撰〈發刊詞〉，以辦報經驗豐富的成舍我任總編輯，陶百川為副總編輯。又另推編輯委員十四人，分別是劉百閔、雷嘯岑、陶百川、彭昭賢、程滄波、陳石孚、許孝炎、張丕介、吳俊升、金侯城、成舍我、左舜生、王雲五、卜少夫。[7]

四十年二月九日，內定為總編輯的成舍我自香港致函王雲五，說到：「自由人半週刊已將登記手續辦妥，『館主』係由少夫出名，因渠後來未再提出不能兼任之困難，……編輯人經由弟以本名登記。股款雖交者仍不太多，但讀者則頗踴躍。……據弟觀察，維持六個月，在經濟上當可辦到。惟編輯方面，則危機太大，因主力軍如我兄及秋原兄均不在此，其他如滄波兄等不久亦將赴臺，（即弟本身亦恐將於三月間來臺）稿件來源，異常枯涸，然既已決定辦，弟亦只有勉力一試。」[8]尚未正式創刊，但資金人才捉襟見肘的窘境，已被成氏料中，這對好事多磨的《自由人》三日刊日後之發展，已埋下艱困之伏筆。

二月十四日，成舍我向雷震、洪蘭友等人報告，《自由人》三日刊已得港府核准登記，一俟台灣方面准予內銷，即行出版。二十八日，成舍我向「自由人」社同仁報告：台灣內銷事已辦好，《自由人》三日刊即將出版，並出示創刊號大樣。因與會者多係辦報老手，提供不少意見，而成舍我也很有風度，博採眾議，為慎重起見，同意改遲數日出版，以便從容改正，並呼籲社員踴躍撰稿以光篇幅。[9]可見在王氏離港後，《自由人》三日刊真正之台柱角色，已責無旁貸的落到成舍我肩上。

5 王壽南編，《王雲五先生年譜初稿》第二冊（台北：商務版，民國七十六年六月初版），頁七四三。

6 阮毅成，〈「自由人」參加記〉，《傳記文學》第四十三卷第六期（民國七十二年十二月），頁一四～一五。

7 見《自由人》創刊號（民國四十年三月七日）第一版的編輯委員會名單。《自由報二十年合集》（一）（香港：自由報社出版，民國六十年十月十日）。阮毅成說為十六人，疑有誤。見阮毅成，〈「自由人」參加記〉，同上註。

8 〈成舍我致王雲五函〉，同註五，頁七四六。

9 阮毅成，〈「自由人」參加記〉，同註六，頁一五。

三月七日，《自由人》三日刊正式創刊，社址位於香港德輔道中一四九號四樓。目前所知參與的發起人有王雲五、王新衡、王聿修、端木愷、程滄波、胡秋原、吳俊升、黃雪村、閻奉璋、樓桐孫、陳石孚、陳訓悆、陶百川、雷震、阮毅成、劉百閔、左舜生、雷嘯岑、徐道鄰、徐佛觀、陳克文、成舍我、金侯城、張丕界、彭昭賢、許孝炎、卜少夫、卜青茂、范爭波、陳方、張純鷗、張萬里、丁文淵等三十餘人。[10]

發刊後，一紙風行，各方咸予重視，發行之初，每期印八千份。為打開台灣銷路市場，內容安排方面，特別增加一些軟性文字，勿使論文過多，淪為說教。雷嘯岑即言：「『自由人』的作者確實很自由，各人所寫的文字題材雖相同，而見解不必一致，祇要不違背民主憲政與反共抗俄的大前提，儘可各抒己見，言人人殊，真有百家爭鳴，百花齊放的景象，……首任的『自由人』主編是成舍我兄，他包辦大陸通訊版，把大陸上的共報消息，參以陸續從國內逃到香港的難民所述情形，寫成有系統的通訊稿，可謂費苦心。」[11]

誠然如是，由於文章精彩，見解深入，內容多元，析論入理，所以出版後不久，南洋各地僑報即紛紛轉載《自由人》文章。故在香港一隅辦一刊物，無形中等於在數地辦了幾個刊物，影響所及，至為廣大。不僅如此，有關《自由人》所發揮的影響力，可以曾任該刊主編雷嘯岑之回憶為證，雷說：「自由人半週刊，頗受台灣以及海外；尤其是美國一般華僑的注意，原有的每週座談會照常舉行，參加的人亦陸續增多了，風聲所播，國際人士來到香港的，亦來參加我們的座談會，交換政治意見，如美聯社遠東特派員竇定，南韓內閣總理李範，日本工商與新聞界人士前來訪談者尤多，……唯有駐在香港鼓勵華人組織『第三勢力』的美國巡迴大使吉塞普，始終沒有接觸過，大概是他認為『自由人』半週刊這些人，多數係國民黨員，氣味不相投，我們亦以對『第三勢力』之說，不感興趣，因而絕交息游，毫無來往。」[12]

雷氏這段記載很重要，不只說明了《自由人》發刊後之影響力；也道出了《自由人》與「第三勢力」毫無瓜葛，這對坊間有不少人一直以為《自由人》是「第三勢力」刊物有澄清作用。《自由人》三日刊甫發行，負責盡職之成舍我隨即寫信給王雲五提到：「連日為自由人半週刊事，頭昏腦暈，尊函稽答，至為罪歉。現半週刊已於今日出版，附奉一份，即希鑒察。大著分兩期刊佈，並盼源源見賜。今後應如何改進之處，統希指示為荷。」[13]另針對其後外界對《自由人》諸多揣測，如與「自由中國協會」之關係等等，「自由人」社也在三月二十一日的高士威道聚會中也做出決議，大家皆一致表示，「自由人」應獨立組織，以別於其他團體，乃推定董事九人，以左舜生為董事長。監事三人，為金侯城、王雲五、雷儆寰。成舍我為社長兼總編輯，卜少夫為總經理。[14]

---

10 「自由人」社成員，據筆者統計為此三十餘人，且各會員加入時間先後不一，有關會員名單散見於雷嘯岑、阮毅成等人之回憶文章及《雷震日記》中。

11 馬五先生著，《我的生活史》，同註一，頁一六一。

12 馬五，〈「自由人」之產生與夭折〉，見其著，《政海人物面面觀》，同註一，頁二一三～二一四。另萬麗鵑博士論文也提到，為打擊「第三勢力」運動，「國民黨亦透過黨報如《香港時報》、新加坡《中興日報》、美國《美洲日報》，及其所資助的報刊如《自由人》報、《民主評論》等，展開對第三勢力的文宣戰，此即是《香港時報》社長許孝炎所說的以『與論對與論』的鬥爭。」萬麗鵑，〈一九五〇年代的中國第三勢力運動〉，同註四，頁一六四～一六五。又見〈許孝炎意見〉，《總裁批簽》，台（四一）央秘字第〇〇八五號（一九五二年二月二十二日），黨史會藏。

13 〈成舍我致王雲五函〉，同註五，頁七四七。

14 阮毅成，〈「自由人」參加記〉，同註六，頁一五。至於《自由人》與「自由中國協會」之關係，馬五在〈「自由人」之產生與夭折〉已言之甚為了稿源，三月二十二日總編輯成舍我又致函王雲五拉稿，其中說到：「自由人在香港銷路尚好，一般觀感亦不錯。惟共匪刊物正以全力抨擊，弟等亦一反過去自由派刊物置之不理的辦法，強烈反攻。臺灣發行未辦好，少夫兄不日來臺，或能有所改進。同人撰稿，此間仍不太踴躍，盼公能以日撰五千字之精神，多寫數篇，並乞即賜惠寄，無任感幸。又此間稿酬，公議千字港幣十元，前稿之款，已送託香港書局轉交。此數雖微細不足道，然吾輩合力創業，知識勞動之所獲，在道德標準上說，固遠勝於以吃人為業之共匪萬萬矣。盼尊稿如望歲，望即賜寄，以慰饑渴。」[15]除簡略報告社務外，重點仍是稿源問題，而此問題也是《自由人》三日刊以後長期揮之不去的夢魘。

三、《自由人》之命名與經費及發刊宗旨

華路藍縷，創業維艱，有關《自由人》之命名，似乎是由阮毅成所起。原本成舍我欲名為《自由中國》，因與台灣雷震負責的《自由中國》半月刊同名而不獲採納。故阮毅成認為可參考台灣趙君豪所辦之《自由談》，而稍改其為《自由人》，卒獲大家一致同意，名稱問題因此而敲定。[16]其實若從五〇年代的背景去觀察，刊物取名為《自由人》並不足為奇。蓋彼時海外正刮起一陣「自由中國反共運動」浪潮，其中尤以香港地區為最。為壯大「自由中國反共運動」，於是乎，海內外的一些知識份子刻意以「自由」二字為雜誌刊物名稱，以凸顯有別於大陸的獨裁極權。職係之故，各種以「自由」為名之刊物如《自由中國》、《自由陣線》、《自由談》、《自由世界》等雜誌，如雨後春筍般紛紛出籠，《自由人》三日刊之命名，應該是在此時代背景下而正名的，且的確有其時空的特殊意義存在。[17]

至於現實的經費來源問題，早在三十九年十二月二十日的聚會中，王雲五即定調說：「我要先與諸位約定，這是一份自由的刊物，所以，一不能接受外國的幫助，二不能接受政府的支援。同仁不但要寫稿，還要負擔經費。」[18]王氏之所以要如此約法三章，是要避免外界將《自由人》視為拿美國人錢所辦的「第三勢力」之刊物的疑慮或揣測；另外，不接受政府支援，也是想以獨立身分之姿，能在言論上暢所欲言，而不受政府掣肘，更不想貼上政府刊物之標籤。揆之《自由人》草創之初，因經費來源由各會員出資，確實能夠如此。例如在籌備階段，王雲五首捐港幣三千元，各會員至少認捐港幣一千元，所以誠如雷嘯岑言：「大家分途進行，未到一個月，即籌募到港幣一萬七千元了。」[19]

創刊經費有著落，但接下來長期的經費支出，恐怕就不是由會員認捐可解決。到最後仍不得不仰賴台灣國府的金錢支助，在《雷震日記》中即披露不少箇中內幕，茲舉日記一則為證。民國四十年五月二十五日：「雪公（按：指王世杰（字雪艇），時任總統府秘書長）

詳，同註一。

15 〈成舍我致王雲五函〉，同註五，頁七四七～七四八。為稿源及素質起見，成舍我亦曾寫信向阮毅成拉稿，信上提到：「在臺同人寫稿，原約每期供給八千字。希望以兄之熱忱毅力，催請同人，公誼私交，達此標準。」又說：「自由人聲譽，雖日有增進。惟經濟及稿件，均危機太大。現此間已只賸左（舜生）、許（孝炎）、雷（嘯岑），及弟共四人，稿荒萬分。如濫用一般投稿，則水準即無法維持。」阮毅成，〈「自由人」參加記〉，同註六，頁一六。可見身為主編的成舍我，為稿源及《自由人》之內容水準，真是心力交瘁，煞費苦心。

16 同註六，頁一四。

17 馬之驌，《雷震與蔣介石》，同註三。

18 同註六，頁一四。

19 同註一二，頁二一三。

來電話，可助《自由人》三千港幣，但不可明言，因《新聞天地》一再要求援助而未允許也。……《自由人》因經費困難，而負責又無專人，致有停頓之可能，由予（雷震）約集雲五、滄波、孝炎、毅成、端木愷、少夫諸君會商，由予等籌款接濟，每月假定虧二千五百元，至年底約為一萬七千五百港元，改組組織，推定成舍我為社長，左舜生代理董事長，予負臺北催稿及催款之責，總統府之三千元，由予負責，予另外再籌五百元。」[20]由《雷震日記》可知，創刊才二月餘之《自由人》，經費已拮据如此，而不得不靠政府補貼，在此情況下，其日後之文章言論，就頗受台灣國府當局之制約影響了。

另有關《自由人》之創刊宗旨，其實早在刊物出版以前，對於未來言論與編輯方針，「自由人」社同仁即做了幾點規約：（一）、發揚民主自由主義；（二）、發起人按期撰寫頭條論文，且須署出真姓名；（三）、文責各人自負，但須不違背民主自由思想暨反共救國的大原則；同時將全體發起人的姓名亦在報頭下面，表示集體責任。[21]創刊後，首由程滄波撰發刊詞，題為〈我們要做自由人〉，擲地有聲的強調：「我們今天大膽向全世界人類提出一個問題：便是世界人類，現在與將來，要不要做人？如果想做人，從什麼地方去著手奮鬥？……今天世界人類只有兩個壁壘，一個是『人的社會』之壁壘，一個是「非人社會」之壁壘。這兩個社會的磨擦，今天已到了白熱化的程度。『人的社會』中每一個人，是有人性，有人格，根據人性與人格，發揮其個性，以增加社會之幸福與個人之生活水準，從而增進世界的和平與人類的文明。反觀『一個非人社會』中，人除了具備人的形態外，沒有思想與靈魂。『非人社會』中，人只是一群動物，既不許其有人性，亦不讓其有人格，他們是奴隸、是機器。」

程滄波言：很不幸的，今天的中國大陸，全大陸數萬萬同胞一年來，即陷入共匪的非人社會中。因此我們和全世界愛好和平民主的人們，要發動正義的呼聲，救自己，救同胞，救人類。我們要揭著自由的大纛，叫著「做人」的口號，開始「自由人」的運動。爭自由，爭人性，發動全人類自由人性的力量，去打倒與剷除共產帝國主義反人性的非人社會。不殘殺，不掠奪，在不流血革命的原則下，使人人有飯吃。本此目的，以建立新中國新世界。所以，「從今天起，根據以上主張，我們謹以此小小刊物『自由人』，貢獻於全世界凡是不願做奴隸的人們，也就是我們這一群人，決心獻身於這一運動的開始。全世界和平民主的人士：我們要做人，我們要做自由人。每個人爭取了自由，世界才有民主和平，人類才有幸福與光明。」[22]我們要做人，我們要做自由人，起來，不願做奴隸的人們！程滄波這篇發刊詞，簡直是一篇慷慨激昂的宣示詞，代表全世界不願在「非人社會」生活下的自由人，向共產專制極權政權，發出堅決的怒吼。[23]

《自由人》三日刊，每星期出兩次，每次十六開一張。主編人規定由原先的「座談會」同仁輪流擔任，一年一換，為義務職，故內部人事組織極為簡單，只有一主編，一助理員和事務員，共三人而已。

20《雷震日記》（民國四十年五月二十五日），見傅正主編，《雷震全集》（三三）（台北：桂冠版，一九八九年八月初版），頁一〇〇～一〇一。

21 同註一二，頁二一三。吳相湘，〈成舍我為新聞自由奮鬥〉，見其著，《民國百人傳》第四冊（台北：傳記文學出版社印行，民國六十年元月初版），頁二七五。

22 程滄波，〈「自由人」發刊詞〉，見其著，《滄波文存》（台北：傳記文學出版社印行，民國七十二年三月十五日初版），頁一五七～一六〇。

23 阮毅成也說到，這是一篇代表知識份子愛國反共心聲的大文章，義正辭嚴，擲地有聲。同註六，頁一五。

該刊內容，第一版分「專論」、「時局漫談」、「自由談」各欄；第二版刊大陸共區消息；三版則記述港、台的社會新聞；四版是「副刊」。「專論」亦由座談會同仁分別撰寫，或徵用外界志同道合人士之作品；唯「時局漫談」和「自由談」二專欄，係由左舜生與雷嘯岑二氏負責包辦。《自由人》三日刊，因撰寫團隊堅強，且作者大多具有清望，故在海隅香港頗有號召力，銷路亦不壞；又可以銷台灣，雖無廣告收入，仍可勉強維持下去，在五〇年代的香港，可謂雜誌期刊界之奇葩。[24]

四、《自由人》的艱苦經營

平情言，《自由人》三日刊從四十年三月七日發行，到四十八年九月十三日停刊，維持約八年餘。這八年多的歲月，可謂艱辛撐持，多災多難。

首先為組織渙散不健全，於是才有民國四十年下半年的重組之舉。此中最大原因為「自由人」社大多數同仁均已離港在台，分別有：王雲五、王新衡、端木愷、程滄波、胡秋原、吳俊升、黃雪村、閻奉樟、樓桐孫、陳石孚、陶百川、陳訓悆、雷震，及阮毅成，幾乎佔了一半以上；而在港的僅有左舜生、金侯城、許孝炎、成舍我、劉百閔、卜少夫、雷嘯岑等人。其後在台參加的，又增加徐道鄰，共二十二人。為連絡方便起見，在台同仁乃公推王雲五為董事長，但又因刊物在港出版，故推左舜生為在港之代理董事長，就近處理刊物，成舍我則為社長。[25]

24 雷嘯岑：《憂患餘生之自述》（台北：傳記文學出版社印行，民國七十一年十月十五日初版），頁一七六。

25 同註二三，頁一六。

然因「自由人」社未有組織章程，也未在台辦理社團登記，所以才有民國四十一年一月十日，在台同仁在王新衡家為此商議之事。時適值端木愷甫自香港返台，報告港方同仁最近決定取消社長制，亦推左舜生代董事長，成舍我為總經理，劉百閔為總編輯。此事，在台「自由人」社同仁有不同意見，在三月七日及十五日的兩次餐敘商討論中，均決定仍採社長制，並仍推成舍我兄任社長。只是一個三十餘人的「自由人」社，就為了區區的刊物人事組織問題，港、台同仁即不同調，其他之事就可想而知了。所幸意見儘管有異，但同仁感情尚佳，阮毅成即言：「自由人在香港創辦之初，同仁常有餐會，交換意見。在臺同仁，於民國四十年七月十二日起，舉行聚餐或茶會，由同仁輪流作東，平均每兩週一次。除談自由人社各事外，亦泛論時局，交換見聞。」[26]

民國四十一年二月九日，「自由人」社在台同仁餐敘時，有鑒於《自由人》三日刊創刊已近一年，但組織與人事及編輯立論之困擾問題仍在，因此大家有必要提出意見交換，以尋求解決之道。席間程滄波首次提出編輯態度問題，但遭雷震反對。程又謂：「劉百閔不宜任總編輯，上次，此間同仁推成舍我任社長，何以改變？此間皆未知悉。」雷震與陶百川又認為，台方不宜干涉港方人事，雙方爭論甚久。最後由阮毅成提出折衷解決方案為：（一）、自由人本係超黨派立場。只知民主、自由、反共，不知其他。此後仍須守定此項立場。（二）、港方報刊如對台灣中華民國政府，有惡意攻訐，或無理批評，自由人不可自守中立，須起而加以駁斥。（三）、人事問題，另函在港之許孝炎查詢，不作決議。

26 同上註，頁一七。

眾皆贊成阮毅成之方法，並請其起草一函，致在香港之左舜生、許孝炎、成舍我、劉百閔、雷嘯岑諸人。阮函送各人簽名後發出，信中報告：「弟等今午聚餐，談及自由人編輯態度。回溯創辦之初，原屬超於黨派之外。……兄等在港主持，辛勞至佩，自亦必贊同弟等態度也。邇後港方報刊如對於臺灣中華民國政府惡意攻訐，或無理批評，自由人似不便自居中立，宜即加以駁斥。如有中國之聲作者來稿，希勿予以刊登，以嚴立場。再則，此間對第三方面各事，多持私人消息。語多片斷，難窺全貌。斯後尚懇時將各方動態，擇要見示。既可為撰稿時之參考，亦為知彼知己之一道。自由人素以民主反共為宗旨。署名：王雲五、程滄波、黃雪村、王新衡、樓桐孫、吳俊升、陳石孚、陶百川、雷震、阮毅成。」[27]

民國四十一年三月十五日，《自由人》創刊已屆滿一年，留台「自由人」社舉行全體會議。會議主席推王雲五擔任，其中：

（一）報告事項：（甲）、經費小組許孝炎報告——擬募集港幣三萬元（其中成舍我、許孝炎約洪蘭友，被分配擬向各紗廠募台幣一萬元）。（乙）、編輯小組成舍我報告：1、組織擬仍採現制，並請加推一人為必要時接替編務工作之用。2、發行擬請先行籌集基金以期達到日後之自給自足。3、編輯方針方面：積極在倡導民主自由，消極在反共抗俄，至對於台灣態度應仍許有批評，但不可損及自由中國之根本。4、在台同人集體意見推定專人執筆寄港，決登載第一版，並不易一字，如係個人稿件，在編輯方面擬請仍保有斟酌之權。5、每期需要稿件二萬四千字，在港同人無多未能盡任，在台同人時惠稿件。

（二）討論事項：（甲）、《自由人》三日刊社是否仍採社長制案。決議：仍採社長制，成舍我擔任社長。（乙）、《自由人》三日刊社費應如何加募案。決議：1、經費小組在進行籌募之港幣三萬元，於兩個月內籌足，作為基金，備日後擴充發行之用。2、另由經費小組加募港幣一萬元，作為最近數月經常費不足之需，在未募起前由許孝炎、成舍我負責維持現狀。3、加推樓桐孫、程滄波參加經費小組，並以王董事長雲五兼經費小組召集人。（丙）、《自由人》立論態度應如何確定案。決議：1、除積極的主張民主自由，消極的反共抗俄外，並須維護現行憲法倡導議會政治。2、凡外界對台灣有惡意攻擊影響國本時，應予駁斥，立場務須堅定，態度務須明確。3、除專門問題研究外，宜多載通訊及趣味性文字，理論文字及新聞性宜各佔三分之一。[28]此次會議至關重要，它為已紛擾年餘的《自由人》定調，但此為台方同仁之共識，港方同仁只是被動告知，並不見得完全同意，所以日後港、台雙方仍存有歧見。

其次更嚴重的是經費短絀，入不敷出，以至於時有停刊之議。這棘手問題其實打從創刊起即已浮現，只是苦撐待變，能維持多久算多久，但情況並沒改善且持續惡化中。四十一年六月十四日，王雲五、阮毅成與程滄波等聚會，商議如何應付《自由人》三日刊之困難。王雲五謂得左舜生與成舍我二君信，信上，成舍我堅辭社長，又每月不足港幣二千元。如無法解決，則自本月十八日起停刊。劉百閔則說香

27〈阮毅成致左舜生諸氏函〉，見王壽南編，《王雲五先生年譜初稿》第二冊，同註五，頁七六八。

28同註五，頁七七〇～七七一。

港紙價日跌，印刷係由《香港時報》代辦，印費可以欠付。以往亦每月虧空，並不自今日始。

對此，王雲五建議是否能改為月刊，移台出版，但眾意覺得移台出版，則《自由人》功用全失，仍宜繼續在港發行。最後決定由王雲五函復，請成舍我維持至七月底止。[29]是年十二月二日，「自由人」社同仁又再行會商，由王雲五主持，會中卜少夫表示願接辦，至少可免招致停刊命運。然未幾（十二月六日），卜少夫以有人表示異議，乃謂其《新聞天地社》同仁不贊成其再兼辦另一刊物，打消原意。王雲五即席宣布仍在港出版，推成舍我兄回港主持，並改為有給職。[30]

成謙辭未果，旋即表示接受。後當場推定王雲五、程滄波、樓桐孫、胡秋原、陶百川、黃雪村為在臺撰述委員，程為召集人。另推成舍我，程滄波、胡秋原三人起草言論方針。王雲五、端木愷、王新衡為財務委員。香港方面撰稿委員，由成到港後約定人員擔任。事後，當事者之一的阮毅成，對是晚之會的結果表示很滿意，還稱為是《自由人》中興之會，同仁莫不興奮。但其後，主要的重點之一，《自由人》未來的言論方針並未草成。[31]四十二年三月十四日下午，「自由人」社同仁聚集在成舍我處，參加茶會。會中，成舍我出示香港許孝炎來信，謂自由人又不能維持。因已積欠《香港時報》印刷費港幣六千元，稿費十一期。且人力亦明顯不足，雷嘯岑將來台灣，左舜生又將赴日本旅行，主持無人，不如停刊。經同仁交換意見，仍認為不能停辦，並催成舍我兄速赴港負責。

因茲事體大，三月二十一日，「自由人」社另一要角阮毅成，也在家中約集在台同仁茶敘。會上，成舍我表示其有困難不願赴港，而港方近日來函，支持為難。眾意乾脆移台編印，仍推成舍我主持。[32]二十五日下午阮氏親訪成舍我，成表示三點立場：（一）、決不去香港。（二）、《自由人》如移台出版，願意主持。（三）、未移台前，可先在台編輯，寄港印行。同月二十八日下午，以《自由人》問

---

29 同註五，頁七七四。《自由人》經費之窘困，自創刊伊始至結束均如此，阮毅成即言：「我只記得在創刊第一年中，就賠去了港幣參萬參仟元。時歷八年半，為數甚為可觀。這尚是距今三十多年前的幣值，如以現在幣值計算，則更為巨大。」阮毅成，〈王雲五先生與自由人三日刊〉，同註四，頁三四。到《自由人》停刊止，其經費仍入不敷出，茲舉結束前致王雲五等人之二信函為證。四十八年九月十一日許孝炎自港來信王雲五，報告「自由人」結束時經費情況。「雲五先生並轉鑄秋舍我儆寰滄波新衡秋原佩蘭少夫諸兄惠鑒：關於自由人停刊事，前經兄等決定函達克文。兄弟回港後，復經再三磋商，始於前日由在港各有關友人舉行特別會議議決定停刊，並於本月十三日起實行。茲將會議紀錄抄奉敬祈鑒察。」「預計自由人可能收入之款（連登記費在內）約為乙萬四千餘元，支出除舊欠稿費約乙萬三千元；及克文兄之欠薪近九千三百元暫不計入外，此外薪工紙張印刷房租，今年稿費應退報費及空運費等，共計約為二萬乙千餘元，不敷之數約為七千餘元。倘預計可能收入之款有一部分不能收入時則虧欠之數將必更多，如何籌還以資結束頗費周章。而有把握之登記費乙萬元則尚待少夫兄回港簽字後始能提出備用。」又十二日社長陳克文亦致函王雲五。「岫公賜鑒：茲奉上『自由人』在港同人特別會議紀錄一份，請 察閱。『自由人』經濟情形截至本年九月十二日止，共欠債務三萬餘元，除登記費一萬元外，尚可能收回之款二千餘元，結束用費約五百餘元，並此奉告，統請轉知在台各位同人為禱。」見王壽南編，《王雲五先生年譜初稿》第三冊（台北：商務版，民國七十六年六月初版），頁一〇五二～一〇五三。

30 同註五，頁七七九。《自由人》主編是不支薪的，可見其艱困於一般。同為主編的雷嘯岑曾說：「首任主編人成舍我兄苦幹了一年之後，因為準備移家台灣，不能繼續盡義務了——主編人不支薪——大家公推下走承其乏，因係義務職，唯有接受而已。」馬五，〈「自由人」之產生與夭折〉，同註一，頁二一六。

31 同註五，頁七七九。

32 雷震日記當天即記載：「下午三時半至《自由人》座談會，阮毅成提議《自由人》表面在港，實際遷台，無一人反對。我內心不贊成，但不願表示，因《自由人》遷台完全失去效用。今日雲五未到，他們囑我報告。」《雷震日記》（民國四十二年三月二十一日），見傅正主編，《雷震全集》（三五）（台北：桂冠版，一九九〇年七月二十日初版），頁四八。

題緊迫，急待解決。「自由人」社同仁乃在端木愷家中餐敘。對《自由人》前途，共有四種主張：（一）、停刊。（二）、移台出版。（三）、在台編輯，寄港印行。（四）、推成舍我赴港主持。討論結果，決定用第四法，成亦首肯。然成謂：《自由人》除發行收入外，每月須虧四千元，此問題亟需解決。[33]

四月十八日，因港方同仁頻頻催促速做決定，眾議又思移台編印，王雲五亦同意移台出版，但謂須改為半月刊或月刊。三十日下午，成舍我與端木愷、阮毅成、王新衡、程滄波等人，又應王雲五約茶敘。時端木愷甫自港返，謂港方「自由人」社已無現款，勢不能繼續。因以由今日到會者商定：（一）、香港方面自五月十日起停刊。（二）、在台登記改為月刊，推王雲老為發行人，成舍我兄為總編輯。[34]然不久，港方同仁又變掛，五月十一日，阮毅成訪成舍我，成即謂卜少夫前日到台，攜有左舜生致王雲五函，主張《自由人》仍在港出版。

此事經緯，雷震在其日記亦提到：「見到雷嘯岑來函，對我們囑香港停刊，決議移臺辦月刊則大不以為然，來信措詞甚劣，決定去電並去函說明，以免誤會。」[35]雷嘯岑甚至為此來函欲辭去社長職務。

33 雷震日記載：「下午四時，在端木愷處討論《自由人》移台問題，王雲五、徐佛觀、端木愷及我均不贊成，程滄波、阮毅成、成舍我願移台，最後決定請成舍我至港辦至六月再說，因行政院之款發至六月底止，如停刊或移台亦須至六月底再說。」《雷震日記》（民國四十二年三月二十八日），見傅正主編，《雷震全集》（三五），同上註，頁五二。

34 這問題一直延伸至四十三年依舊如此。雷震日記：「《自由人》在港不易維持，決遷台辦週刊，由成舍我任社長，王雲五任發行人。」《雷震日記》（民國四十三年八月七日），見傅正主編，《雷震全集》（三五），同上註，頁三一四。

35 《雷震日記》（民國四十二年五月九日），見傅正主編，《雷震全集》（三五），同上註，頁七四。

《雷震日記》記載：「今日午間約來臺之《自由人》報有關各位來鄉午膳，除端木鑄秋、阮毅成、吳俊升、胡秋原外，到有十五人，即王新衡、樓桐孫、陶百川、張純鷗、陳訓悆、卜少夫、卜青茂、程滄波、范爭波、王雲五、成舍我、黃雪村、閻奉璋等及另約陳方。飯後討論雷嘯岑來函辭去社長職務一事，經決議慰留。」為此事，雷震感慨的說：「《自由人》發起人在臺者，不過十餘人，港方不過數人，兩方意見不合，終會扯垮。民主自由人士之不易合作，於此可見一班。」[36]

由於雷嘯岑堅決辭社長職務，八月一日，《自由人》在台同仁藉由茶敘機會，聽取甫自香港來台之劉百閔報告，劉謂：在港同仁意見為（一）、必須在港繼續出版。（二）、改推陳克文任社長。（三）、每月不足港幣八百元，在港有辦法可以籌得。王雲五說：「左舜生有信來，克文係其物色，本人絕對贊同。」眾亦皆表示贊成。但成舍我認為每月八百元之說，計算必有錯誤，至少每月亦需賠二千五百元，所以決定請王雲五再去函新社長，請重為估計。其實《自由人》經費之短絀，可由總其事的總編輯都不支薪一事更可看出，四十三年七月十日，左舜生自香港致函王雲五即說到：「弟意，自由人編輯者，原規定每月可支三百元，以舍我、百閔兩兄任編輯時，未支此款，後任編輯一年，亦即未支。」[37]如此窘境，要不是有台灣國府當局在幕後經費贊助，《自由人》三日刊能支撐八年餘，根本是不可能的。[38]

36 《雷震日記》（民國四十二年六月二日），見傅正主編，《雷震全集》（三五），同上註，頁八五。

37 〈左舜生致王雲五函〉，同註五，頁八二四。

38 雷震日記：「王雲五約『自由人』社在台同仁晚餐，以「自由人」在港經濟困難，重申移台出版，由成舍我任編輯之議。」《雷震日記》（民國最後為文章之尺度問題，除上述言及《自由人》三日刊甫創刊即面臨稿源不濟的困難外，更麻煩的為自從接受政府補助後，基本上，《自由人》的言論立場在相當程度上已受政府箝制。以至於在很多議題上，不僅不能秉公立論、暢所欲言；且須為政府妝抹門面，極力辯解。稍一不慎，隨即惹禍，遭致抗議。如民國四十一年六月一日，「自由人」社王新衡即訪阮毅成，談話重點就說到，《自由人》最近兩期，刊載左舜生〈論中國未來的政黨〉一文，有人表示不滿。[39]為避免誤會，乃一起同訪王雲五，請其以董事長身份，致函香港總編輯成舍我，請其勿再刊出此類文字。[40]

雖係如此，但言論自由乃是知識份子的普世價值觀，用強制力約束是沒用的。果然到民國四十四年又發生更嚴重的文字賈禍事件，差一點讓《自由人》無法在台銷售。事緣於是年三月二十三日，王雲五即接到司法行政部部長谷鳳翔來函，表示《自由人》三日刊，登載雷嘯岑文章，影響政府信譽，要求王雲五代向該社方面解釋。全函內容為：「頃閱本月二十三日自由人刊載『自由談』及『半週展望』雷嘯岑先生文內謂，揚子公司貪污案牽涉本部，曷勝駭異，此種無稽之詞，殊足影響政府信譽，茲特寄上函稿二份，送請　察閱，並祈賜檢一份轉致雷君查明更正，仍乞代向該報社方面照拂解釋為幸。」[41]

由於《自由人》所刊文章得罪當道，引起了國民黨中央黨部對《自由人》言論的不滿。三月二十六日，時任《中央日報》社長，亦是「自由人」社同仁的阮毅成至中央黨部參加宣傳政策指導小組會議時，即受到中央黨部秘書長張厲生的警告：「香港《自由人》三日刊，近日言論記載，愈益離奇，須採取停止進口處分。」幸阮毅成趕快緩頰，除報告《自由人》艱難創辦經過外，並謂：「現在台北各同仁，久未與聞港事。王雲老曾去函港方，請以後勿再刊載不妥文字。又以所載台省情形，與事實相距甚遠，曾通知港方，以後遇有記載台省情形稿件，先行寄台複閱。認為可用者，方予刊布，亦未承照辦。惟自由人參加者，多為各方知名之人。如忽予停止進口，恐反而使海外人士，對政府有所批評。不如一面先採取警告程序，依照出版法，由內政部為之。一面通知在台之董事長王雲五氏，促其改組。如再有違反政府法令之事發生，則採取停止進口處分。」[42]

為此，是晚十時，阮氏尚先訪成舍我，說明會議經過；再與成同訪王雲五，報告此事。王雲五似乎對此頗為不悅，乃決定於三月三十日下午五時，在端木愷家中，約集「自由人」社在台全體同仁會商。在三月三十日的決議中，提到《自由人》的現實問題，「本刊如不能銷台，勢必停刊。為避免使政府蒙受摧殘言論之嫌，希望政府妥慎處理，使其能繼續出版。在台同仁，願意退出。惟在港同仁意見如何，亦盼政府逕與洽商。」並推阮毅成與許孝炎二人將此項決議，轉達黃少谷，另函告在港同仁。[43]

四十三年七月十一日），見傅正主編，《雷震全集》（三五），同註三二，頁三〇二。有關國民黨高層提供《自由人》之經費支援，尚可參閱〈對港澳政治活動之指示〉，見中國國民黨中央改造委員會第一六五次會議紀錄（一九五一年七月四日——附件），黨史會藏。

39 左舜生〈中國未來的政黨〉（上）、〈中國未來的政黨〉（下）二文分別發表在《自由人》第一二九期（民國四十一年五月二十八日）、《自由人》第一三〇期（民國四十一年五月三十一日）。

40 同註五，頁七七三。

41 雷嘯岑，〈半週展望〉，《自由人》第四二三期（民國四十四年三月二十三日）。雷文所寫之論揚子公司案，因涉及上海時期之揚子公司，對孔祥熙有所批評，遂奉命查辦。又〈谷鳳翔致王雲五函〉，同註五，頁八四七。

42 同註五，頁八四七～八四八。

43 同上註，頁八四九。

換言之，針對當局對《自由人》的不滿，「自由人」社在台同仁採取了委曲求全的態度，一方面願意退出，此舉可能有兩層深意，一為逼香港「自由人」社同仁，小心謹慎，莫再刊登批評政府之文章，否則與渠無關，二為多少有向政府交心之意，明哲保身，不想惹禍上身；再方面亦有請政府介入之意，希望儘量保留能讓《自由人》繼續在台銷售。[44]果然如此，四月七日，王雲五即致函總統府秘書長張群，說明「自由人」之情形，並建議將「自由人」社改組，由政府指定負責主持言論之人實行接辦。信的內容為：「惟是該刊經費本奇絀，全恃內銷而維持，一旦停止內銷，勢必停止刊行，外間不察，或不免對政府妄加揣測，弟愛護政府，耿耿此心，竊認為消極制裁，不如積極輔導，將該刊改組，由政府指定負責主持言論之人實行接辦，可變無用為有用，弟當力勸原發起各人，本擁護政府之初衷，竭誠合作。」[45]

一週後，以國民黨並無接手之意，在恐不能銷台的情況下，成舍我與王雲五、陶百川、徐道鄰、陳訓悆、程滄波、胡秋原、吳俊升、端木愷、黃雪村、阮毅成等決議：「茲因環境困難，經濟無法支持，決議停刊，由主席（王雲五）根據本決議徵求在港同人意見。」其後，在台同仁復在成舍我宅聚餐，決定在台同仁既已必須退出，而中央黨部又規定不得再與《香港時報》，發生關聯，則無地可以印刷，亦無處可再欠印刷費。外界聞知中央處分，亦必不願再行認指，環境困難如此，只可宣布停刊。並請王雲五函詢港方同仁意見，如港方同仁堅持續辦，在台同仁自不能再行參加。[46]

由於文章得罪當局，以致有禁止銷台之聲，在港負責《自由人》編輯工作之陳克文旋致函阮毅成、王雲五等人，表示「咎衍實無可辭」，「自由人停止出版，唯覺可惜，形勢如此，亦復無可如何，文與左劉兩公對此均無成見，惟此間尚有其他股東，又年來出錢出力者，頗不乏人，此事似不宜由文等三人遽作決定，即為港方同人之全體意見，擬於最近邀集會議，提出報告，徵求多數意見，再作正式答覆。」[47]但不久，事情又有變化，四月二十九日，一向敢言的左舜生，終於自香港來函，明確表示反對《自由人》停刊，並謂在港「自由人」社同人決暫予維持。信中言：

「雲老賜鑒：四月七日阮毅成兄來信，並附有留台同人退出決議一紙，十八日奉　公手書，知同人復有集議，以經濟環境關係，主張停刊；均已誦悉。此間於當地環境，已洞悉無遺；對　公等所採態度，並無不能諒解之處。惟念同本刊宗旨，一面在『堅決反共』，一面在『爭取民主』，四年以來，奉此週旋，雖不無一、二開罪他人之處，但大體上並未

44《自由人》三日刊，國民黨中央當指示「扶助」之，以批判中共，擁護政府並同情國民黨為原則。故該刊早期立場為中間偏右，後來對國民黨的批評言論日益激烈，台灣當局乃禁止其輸入，並停止所有經費資助。故《自由人》能否銷台，對該刊影響至鉅。萬麗鵑，〈一九五〇年代的中國第三勢力運動〉，同註四，頁一六四。

45〈王雲五致總統府秘書長張群函〉，同註四三。

46同註五，頁八五〇。有關王雲五在此問題之角色，阮毅成有相當持平之看法，阮說：「雲五先生名為董事長，出錢出力，卻不便範圍各黨及無黨人士，一定均作統一的宣傳，致反而完全成為俗套，失去向海外為政府說話的影響力。於是在發刊期中，常常發生選稿欠當的問題。每次有問題發生，雲五先生首當其衝，常為他人所不諒解，致生煩惱。臺港兩地同仁，為此書信往返，謀求各種補救辦法，效果均不甚彰。」阮毅成，〈王雲五先生與自由人三日刊〉，同註四，頁三六。

47〈陳克文致王雲五、阮毅成信〉，同註五，頁八五一～八五二。

逾越範圍。今亦欻正復高張，而民主亦勢非實現不可；大約在二、三月內或有變化，前途殊未可知！故此間同人，經過再三考慮，仍決定暫予維持，並囑舜代為奉復，即乞轉達諸友為荷。公等即不得已而必須退出，仍望不遺在遠，隨時予以指導，除宗旨不能犧牲以外，同人無不樂於接受。海天遙望，曷勝悲憤憂念之至！」[48]

從此以後，《自由人》三日刊似乎終於渡過了這段風風雨雨的歲月，儘管港、台大多數「自由人」社同仁情誼依舊，但經費、稿源、立論尺度等問題仍在。《自由人》三日刊即帶此痼疾，跌跌撞撞的支撐八年餘，在民國四十八年九月十三日宣佈停刊。[49]

五、結論——從《自由人》到《自由報》

無論如何，在五〇年代那段風雨飄搖的歲月，《自由人》能以香江一隅之地，在內外環境相當險惡的情況下，擎起「我們要做自由人」的大旗，反抗共產極權，與中共做誓不兩立的言論鬥爭，其勇氣和決心仍另人刮目相看的。另一方面，《自由人》雖義無反顧的支持台灣國府當局，但在恨鐵不成鋼的期待心理下，對台灣當局若干錯誤的舉措，仍一本忠言逆耳之立場，毫不留情的提出批判或建言，即使在經費斷炊的威脅下，亦不為所動，這份苦心孤詣之意，也令吾人感佩。

而此即所以《自由人》在發行的八年餘中，雖屢有遷台之議，但大多數同仁始終仍以在香港立足為佳之看法，因其言論立場較客觀中立，雖稍偏向國府，但非無原則的一面倒，兼以香港為基地，較少政府、政黨色彩之觀感，且因對國、共雙方均有批評，是以其在香港作用較大之故也。當然《自由人》之悲劇，除上文已詳述之經費、稿源、言論立場受到制約等外緣因素外，尚有深一層內緣因素存在，此即中國傳統知識份子屬性使然。知識份子主性強的「書生本色」，誰也不服誰之個性，長落人「秀才造反，三年不成」之譏，因渠主觀意識強，所以容易堅持己見，是其所是，不大能夠為大局著想，且因自視太高，未能屈己就人，所以較乏團隊精神。

這情況在「自由人」社這批高級知識份子間亦是如此，雷嘯岑曾舉一事證明之，在《自由人》是否遷台之際，「王雲五以董事長資格，致函於我，囑將自由人報遷赴臺北發行，且將繳存港府的押金萬元一併匯去。旋由代董事長左舜生召集在港同仁會商，決議仍在香港出版，但在臺北的同仁，亦可刊行臺灣版，然王雲五很不高興，說我不以他為對象，悻悻然嘖有煩言，殊堪詫異。未幾，許孝炎由臺北回港，主張自由人停刊，他怕我不贊成，先囑我莫持異議，我表示無所謂，而自由人三日刊，即於一九五八年九月十二日宣告停刊了。現代中國高級知識份子之沒有團隊精神，於此又得一實驗的證明，曷勝慨嘆！」[50]所以當年左舜生在《自由人》創辦之初，樂觀的夸談「自由人」社同仁可以組織聯合政府，永遠合作無間之見解，雷嘯岑說，實係幼稚幻想。文人相輕，自古而然，《自由人》三日刊的緣起緣滅，依然落得一個「殺雞聚會，打狗散場」的結局，這也是中國現代高級知識份子的悲劇，想來仍不禁令人浩歎！[51]

48 〈左舜生致王雲五函〉，同上註。

49 雷嘯岑說為四十八年九月十二日停刊，恐有誤。雷嘯岑，《憂患餘生之自述》，同註二四，頁一八二。

50 同上註。

51 馬五，〈「自由人」之產生與夭折〉，同註一，頁二二〇。其實雷嘯岑自己亦如是，當《自由人》剛成立時，「大家的情感很融洽，精神上團結

《自由人》雖然走入歷史停刊了，但未及五個月，一份延續《自由人》餘波的《自由報》在民國四十九年二月十七日，另起爐灶又在香港創刊了。《自由報》社址位於香港銅鑼灣高士威道二十號四樓，也是採取半週刊（三日刊）的形式，於每個星期三、六發行。社長為雷嘯岑，督印人黃行奮，出版第一期有由以本社同人署名撰寫的〈我們的志願和立場〉為發刊詞。該文強調「我們是一群崇尚自由主義的文化工作者。對社會生活篤信『人是生而平等的』這項義理，珍重個人的人格尊嚴；對政治生活認定『政府是為人民而存在的』，要求基本人權之確立與保障。……我們膺受著共產極權主義的荼毒，深感國破家亡之痛苦，流落海隅，於茲十載，內心上大家不期然而然地具有強烈的愛國情操和政治理想，要從文化思想方面，努力培育民主自由精神，發揚其潛能，成為救國救民的偉大力量。職是之故，本報的言論方針是國家至上，民生第一，我們的立場是超黨派的。」[52]

簡言之，民主、自由、愛國、反共乃為《自由報》創刊之四大宗旨，嚴格而言，此宗旨仍是延續《自由人》三日刊的精神而來。阮毅成曾說：「後來，雷嘯岑兄在香港出版自由報，乃係另一新刊物，與原來的自由人，完全無關。」[53]此話恐有商榷之餘地。《自由報》在《自由人》的基礎上，發行至民國六十幾年才結束，期間刊布了《香港自由報二十年合集》、《自由報二十週年年鑑》，影響力不在《自由人》之下。

無間，對任何事體決無爾詐我虞，或以多數箝制少數的作風。我（雷嘯岑）當時曾聲言：假使憑這種精神組織『聯合政府』，擔當國家政務，國事沒有不振興的。」馬五先生著，《我的生活史》，同註一，頁一六一。

52 本社同人，〈我們的志願和立場〉，《自由報二十年合集》（一九（香港：自由報社出版，民國六十年十月十日）。

53 阮毅成，〈「自由人」參加記〉，同註六，頁一八。

自由報
THE FREE NEWS
第九十三期
中華民國僑務委員會頒發
台教新字第三二三號登記證
中華郵政台字第一二八二號執照
登記為第一類新聞紙類
（半週刊每星期三、六出版）
每份港幣壹角
台灣零售價新台幣弍元
社　長：雷嘯岑
督印人：黃行蠶
社址：香港銅鑼灣高士威道二十號四樓
20. CAUSEWAY RD 3RD FL
HONG KONG
TEL. 771726　電報掛號．7191
承印者：田風印刷廠
地址：香港灣仔高士打道二二一號
台灣分社
台北市西寧南路壹壹本號二樓
電話：三〇三四六
台郵撥儲金戶九二五二

恭賀新禧

本報同人鞠躬

蠡測今後美國的外交

王厚生

在競選期間，美國總統當選人甘迺廸氏曾說，如他當選為美國下屆總統，必採取主動，多所作為，俾每日報紙所載之國際要聞，非共黨國家的首要如何動作，而是美國總統如何動作。

甘氏此話，極具吸引力量，也含有深義。美國作為自由世界的領導國家，為抑制赤流泛濫，確應主動有所作為，否則，便不免有隨共黨樂曲跳舞之嫌。總統為美國的最高行政首長，所謂美國有所作為，實際即美國總統的作為。

甘氏自當選總統以來，對遴選未來內閣閣員，態度慎重，設想周到，輿論反應甚佳，過去一個多月來，甘氏的動向，確已勾引各國政要之嚴密注意，即視「美帝」為「紙老虎」的毛澤東，也不例外。因此，便有人說，甘氏上任以後，如能一貫採此態度，則赫魯曉夫異日將大傷腦筋。

就現有的各種跡象看，甘迺廸氏反對總統時常出國，此將打破艾森豪總統的個人外交或噴射機外交。甘氏挑選魯斯克氏為國務卿，即表示他自已將為美國今後外交的最後決策人，而不若艾森豪總統前此委任外交大權予已故杜爾斯氏之情形。魯斯克氏被選為未來國務卿後，即曾發言，表示民主黨政府對於高層會議一事，雖不淡漠，至少需要審慎考慮，凡預見其必無結果之會議，總統絕不親自參加；其次，國際會議將回復昔日之傳統，即總統甚可能命令國務卿赴會，而國務卿亦甚可能命令駐外使節從事外交上之折衝。假如美國今後外交依此方式進行，則總統出國之機會或可能性便不多了。

赫魯曉夫念念不忘者為高層會議，而甘迺廸總統當選人處理美國今後外交之方式既如上述，則赫魯曉夫行將感到失望，殊屬可能。但是，最近蘇聯最高蘇維埃舉行會議，其外長葛羅米柯發表外交政策演說，翻覆申述蘇聯欲與美國增進邦交之意，且望甘迺廸氏回復羅斯福時代的對蘇政策。現以赫魯曉夫為首的蘇聯政府既然有此態度，則他日縱無高層會議，必可能有其他花樣，誘美人上勾。譬如，赫魯曉夫可能重施去年九月間的故技，死不要臉，親率蘇聯代表團，出席聯合國大會，登上講壇，發動宣傳攻勢，一忽兒裁軍，一忽兒太空，弄得大多數會員國眼花撩亂，心惑意動，再由這些不居重要地位和沒有切身利害關係的會員國出來活動，向美國施加壓力，而美國欲以聯合國機構為保障世界和平之工具，又欲爭取大多數會員國家，便於投票表決，縱使不對壓力低頭，亦必大費口舌，而拉攏和聯絡工作，不僅艱苦，且有時而窮，所以，如果一對一，美對蘇，美國綽有餘力，但將事情帶進聯合國中，混在大雜院間，則美國所能施展的機會，恐怕也不甚多。此或甘迺廸氏慎選史蒂文生氏為駐聯大首席代表之原因也。

美國在從事今後外交工作時，應注意英國的動向。麥米倫首相具有雄心，欲使英國在國際舞台上再扮重要之角色。過去的高層會議，經麥米倫首相的居間拉攏，竟成事實，後來雖不歡而散，亦可見英國的作用不小。

甘迺廸氏在歐洲的聲譽，實在不及尼克遜氏，這是因為甘迺廸氏過去與西歐大國缺少接觸之故。今後，如甘氏不願出國，則西歐大國的首腦們也將減低訪美的熱心，這一局面要是出現，可能影響美國和西歐各國之間的關係，從而使西歐國家改採更為自主的政策，何況，西歐的輿情早已有此傾向，而西歐國家在經濟上已能獨立，不必唯美國的馬首是瞻。相反的，美國對於西歐（特別是西德和英國）的要求抑日漸增高，所以，除非將來民主黨政府退回到孤立主義的舊觀，不然，甘迺廸氏決不能以「資本家」的姿態傲視一切，反之，形勢甚強，可逼甘迺廸氏還就現實，相當地接納西歐國家的觀點，尤以外交為然。不過，在這方面，英國和德國的觀點頗有出入，甘迺廸氏的抉擇工作，可能十分微妙。

除聯合國外，甘迺廸氏似注目於亞洲、非洲與拉丁美洲。魯斯克為前任民主黨政府的副國務卿，主理亞洲事務。鮑爾斯曾為駐印大使，曾唱「兩個中國」論調。甘氏當選總統後，派乃弟往非洲考察，為他重視非洲事務之顯明表示。古巴之反美與拉丁美洲之動盪無疑在他注意之列，那一地區為美國後門，任何一黨的總統都是注意的。在重視亞洲之中，派鮑爾斯為副國務卿，寓有聯絡中立集團之意。因鮑氏曾任駐印大使，在印度人緣甚好，且熱心於經援印度。鮑氏能討好印度，間接可爭取亞非中立集團。

甘氏選鮑爾斯為副國務卿，並不一定是強調「兩個中國」，事實上，我們不必諱言，「兩個中國」不是鮑爾斯一個人的政策，而是美國兩黨都有的政策，雖然，這種兩黨都有的政策有時為某些外交詞令所掩蓋，但其確實存在，無可懷疑。

今後的問題在乎：美國承認中共乎？美國容許中共參加聯合國機構乎？第一個問題較為明朗，即民主黨政府不致於可見的將來承認中共，原因殊多，一、美國的輿情反對承認中共；二、參衆兩院曾有決議，不主張承認中共，亦不主張中共參加聯合國機構；三、美國政府與中華民國政府簽有聯防條約，負有承認中華民國政府為中國人民代表者的義務；四、承認問題不能片面決定，倘對方因尚未滿足某種要求而毫無反應，承認也無用，這一點，鮑爾斯氏頗為了解。

關於第二個問題，便比較暗昧，一時難可作斷定之語。原因也很多；一、美國未來首席代表史蒂文生氏曾作主張，希望中共參加聯合國機構，民主黨要人之中，不獨史氏作此主張，其他抱類此觀念者大不乏人。在過去，美國曾努力協助中華民國，阻撓中共入會，今後，由民主黨執政，且由史蒂文生上場，他是否一反前此自已所作之主張，而熱心於維護中華民國的席位，值得注意。二、自非洲新興國家參加後，席位分配的傳統慣例已告打破，此可見諸於最近經社理事會之票決情形，這種情勢演變下去，美國所能把握的多數未必可靠。三、蘇聯近來似有決心，要將中共擠進聯合國之中，假定美國不出全力，赫魯曉夫再度出場，再加上亞非中立集團的依附，那末，聯大票決的情形將令人寒心。

為全局着想，美國似應顧慮那一形勢的後果，這不僅是中華民國蒙受莫大損害的問題，而是整個自由世界的挫敗，尤其可以引發亞洲局勢的格外混亂，其中包括千萬以上華僑的徬徨，與亞洲國家的迷惑，至於聯合國講壇上今後的囂張詭辯和肆意攻訐，尤為餘事。

某些民主黨議員最近發言，形形色色，我以為，失之消極，缺乏積極意義，這與甘迺廸氏搶走俄共頭目的鏡頭的原意也不相符。民主黨政府所應為者，不宜是應付的對策，應該是進取的揮手政策。

走筆至此，不禁自問：我們自已有何主動作為否？我們自已可有搶鏡頭的作法否？局勢危急，望國人奮起！

（一月二日）

小論天下

△寮國戰局突轉。寮共借重外援，扭轉局勢，連佔要鎮數處。美國警告中共北越勿干預寮戰，並召開東南亞公約國會議，傳已要求英法出兵。

共黨的「決心」業已表露無遺了！西方國家能不能一致表示決心？如不能？美國如何單獨表示決心？

△周恩來訪問緬甸的隨行人員，武有蔡廷鍇等，文有一羣美艷女明星。

寮國熱戰全面展開當中，看這一羣人怎樣在緬甸做戲也好，周恩來本身已是一個第一流的花且了。

△卡斯特羅在大聲呼叫，指美國定期進攻古巴。莫斯科高喊不甘坐視。

很顯明的，共黨正以寮國的熱戰增強古巴在冷戰的地位。蘇俄中共在這方面合作得如此緊密，又給西方的「幻想家」以一次諷刺。

△中共揚言慘遭破百年紀錄的天災。英國工黨有人揚言發動救濟，說中國曾經是偉大的國家，此時遭此不幸，值得同情。

既有五千年所無的人孽，又何怪有百年所無的天災？英國的同情者在此時而有此語，無異「幽默」毛澤東一番，指這個「偉大的」毛澤東慘使中國變得飢餓和落後。

△蘇俄農產成績又告不佳，農業部長被貶投邊開荒。

以「貶使歸農」為刑罰，是即視農人為囚犯，此農業之所以不振也。蘇俄的「先進經驗」如此，中共尤而效之，怪不得共黨成為飢餓的代名詞了。

△剛果內戰危機嚴重，聯合國應付維艱。

請看今日的自由世界，被燃起了多少火頭？

△台灣有兩個大學生製造新政黨成立的謠言，發表「成立宣言」，自稱為「臨時正副主席」，曾有若干報館受騙，事發之後受訊究。

是誰給青年學生以「搞政治」只如兒戲的感召？

△印尼購買蘇俄軍火，並接受蘇俄貸款。

世間儘有不少吸毒的人，而自信不會受害。

方南

自由談

肚量與胆量

馮丑先生

跟朋友聊閒天，話題不期然而然地扯到政治問題上，尤其對於民主與獨裁制度的利弊得失，多所探討。

我倆都是撇開自已的主觀，專憑客觀的理論和事實，各抒所見。最後得到兩句共同的結論：搞民主要有肚量，搞獨裁要有胆量。

民主政治的精義就是「容忍」，亦即中國古書上所謂「休休有容」「豁達大度」的心理動態。民主生活的理論很淺明，誰也能知之，能言之的，問題是一般人在事實上每每控制不住自已的成見和偏見，更不習慣聽受異已的言論主張，有時候且流於意氣用事的下乘境界，恬不為怪，而猶自認為是民主作風。所以，沒有相當休養，肚皮中不能容物的人，最好不必趨附時髦，而人云亦云地瞎談民主政治。

搞獨裁政治固然比較民主生活簡單多了，但必須具有「天命不足畏，祖宗不足法，人言不足恤」的胆量，再附以威加海內的實力，我行我素，朕即國家，臨民如同牧羊，御衆恍若畜犬，而殺人有如殺雞。非如此，即不配稱為獨裁政治。

中國歷史上的統治階級，漢文帝與唐太宗賦有民主精神，而秦始皇的獨裁作風亦負絕古今，罕有其匹。此外不是沒有肚量，便是缺乏胆量的庸碌之輩，既非民主，亦不夠獨裁，治績殊無可觀者。民主政治是現代人類一致嚮往的生活方式，搞政治的人如果希望不失敗，請先從休養工夫練習起，肚量狹窄的，很抱歉，還是不要涉足政壇的好！

推動美國外交的三人小組
魯斯克・鮑爾斯・史蒂文生

紐約航訊

十二月十九日的紐約時報轉載了一幅有趣的漫畫，畫了地球儀上的一個有齒輪的大輪盤，美總統當選人甘迺廸拿着一根指揮捧，要把後面站着的三位——鮑爾斯、史蒂文生，和手裏提着有「國務卿」字樣的公字皮包的魯斯克——推動外交政策，起領導作用。

他們如何去領導，且聽下回分解。但美國的今後外交上的參謀團顯然是這三人小組。國務卿爲首席部長，其職權之重要，不在話下。但依美國憲法，總統獨負外交之責。國務卿的實際權力如何，要以國務卿對總統之關係而定。近十餘年來，已有三種典型。第一是羅斯福對赫爾之典型，國務卿辦理例行外交，幾乎成爲傀儡。第二是艾森豪對杜勒斯，言聽計從，由後者獨負外交全責，總統予以批准而已。第三是杜魯門對貝爾納斯之典型，任憑後者在相當範圍內放手做去，過此即予以擊回。究竟甘迺廸對魯斯克的關係將屬于那一種典型呢？依筆者推測，甘迺廸向讚佩羅斯福當不會採取艾森豪典型；但如眞正慕倣羅斯福作風，羅氏會重用霍浦金斯爲助理，幾乎等於一位太上部長的，此情景亦不會重見。那麼，甘迺廸的作風或近乎杜魯門典型；但魯斯克較貝爾納斯爲圓通，故府院間的關係可望融洽，尤以甘迺廸已宣佈廢除那大權在握的總統助理，可使總統與各部長間的關係更密切。

不過這實際創議並執行外交政策的三人小組確係很關重要的。當魯斯克拜命之初，外間即有甘迺廸担任他自己的國務卿之說，乃無異低估了魯斯克的影響力。這觀察似乎並不正確。據華京盛行的觀察，魯斯克不會願意替總統的個人外交充門面的。魯斯克的一位密友更說：

「魯斯克是一位很容易使人錯看的人。他的喬治亞語尾，和優雅的風度，掩蓋了一項爲他人所不易置之一傍的決心和目的之堅定。」（見十二月十九日紐約時報）如果要考究這一論評之正確性，祇須一閱魯斯克在一九六〇年四月號外交季刊中的「論總統」一文，當可得到佐證。

元爲他的副手的鮑爾斯本來比他著名得多。鮑爾斯任過許多要職，亦發表了許多文章，並出版了若干專書，而且係甘迺廸競選時的外交顧問。不過也許正因爲他發表了的主張很多，不免招來許多批評；因此他的國務卿呼聲一度甚囂塵上，結果却是副國務卿。自他的新職宣佈後，他倒也不大發表主張了。他自係佔着三人小組內的重要席次之一。

甘迺廸所最費周章，而特別値得重視的，自是三人小組中之史蒂文生。這位兩充總統候選人，並担任了民主黨黨魁八年的政治家竟肯退若干步而就駐聯合國首席代表，頗有我國王荆公當年所謂「丈夫出處非無意，猿鶴從來自不知」之氣概。而且其經過頗爲有趣，與美國今後外交政策之運用有關，不妨簡述一二。

當甘迺廸經民主黨提名後，艾森豪宣佈願將外交機密情報隨時供應兩位候選人時，甘迺廸指定聯絡人，爲史蒂文生和鮑爾斯，因此外間推測此兩人之一將爲甘迺廸的國務卿。但實際上甘迺廸早有原則上的決定，要自已主持大計，那麼，史蒂生文在國務院自非適宜。遲又而久，到了十二月八日，總將聯合國職務向史氏徵求同意。史氏答覆是要考慮兩件事：第一，他要知道新國務卿人選爲誰；第二，他要參加外交方面的籌策；如果祇是担任一個在聯合國的發言人，他決不幹。十二日，他得到甘迺廸的消息，新國務卿爲魯斯克，史蒂文生的首席代表係閣員級，可以出席內閣會議，又如與他的職務有關時，亦出席國家安全會議。十四日魯斯克招待記者會議中，宣佈史氏將「任製訂外交政策中之主角」又談到新政府盼史氏對外交政策之制訂充份提供意見；更謂史氏了解聯合國大約較任何其他美國人爲多。史氏繼感到滿意。

照以上情形看來，今後美國外交的重心顯然是落在這三位的身上。甘迺廸的外交見解，是要主動，要打破僵局；這三位外交參謀團人物頗可配合。史蒂文生說，他不相信蘇俄能夠破壞聯合國。他認爲「我們的希望是聯合國將爲結束冷戰之因素，而非加緊冷戰」。這樣的外交詞令是無問題的。問題祇在寮國和剛果等地之有戰方興未艾，這有轉熱之勢。固然，是美國政權移轉中，蘇俄的試探策略；但在陰霾四塞，八方風雨會中州之時刻，但要來打破僵局，眞是談何容易，且看這美國外交方面的三人小組如何施展其回天妙手吧！（本報紐約特約記者甘克）

由大選結果看日本各黨派前途

羅堅白

東京通訊

（社會黨如何消化所圖吞下之禁果）此次大選，社會黨推出候選人，不過百十六名，是以衆議院席數五分之二爲最大目標；故縱使全部當選，也不能從自民黨手中把政權奪過來。可以說：在官司未打以前，似乎社會黨業已自己服輸。這一點，非常值得我們注意：因爲這是該黨沒有意思經由選舉取得政權的確證。然則它的目的，還是在於馬列主義的革命，而不在於從事議會政治。質言之，它逐鹿於選舉，祇是爲着服務革命，姑求插足於政界而已。然出而競選國會議員的黨員們，却以全付精神，期其必勝；這是爲着爭取三分之一以上的議席，阻止修改不許擴充軍備的現行憲法，俾便繼續有利於共黨陣營之前來解放日本，以促成馬列主義革命。其反對日美保安條約的出發點，實亦在於不使第三國阻障共產陣營對於日本之解放。其敵視美國與夫排除「國民政黨」理念，亦無非出發於歡迎來自國外之解放。這是社會黨的正規路線，在原則上，縱使爲着競選獲勝，也是不容逸出這路線的。去年西尾派分裂出去，別樹一幟成立所謂國民政黨的民社黨，乃社會黨逼之使然；那便是爲着糾正逸出這路線。此次大選的結果，社會黨從民社黨手裏搶回二十三個議席，使去年的分裂，眞不過如同決行一次大手術，可謂收到所豫期改進健康的成果。惟此成果，主要來自所謂親蘇同時親美的口號；從黨的正規路線說來，是一種右廻旋禁果。在大選前廹於必要，把它倉卒而圖圇吞進肚裏；如何將其消化，乃一焦眉而急待解的難問題。

（河上派忍耐殘羹冷飯的極限）　按社會黨自西尾派脫出後，以保有從前「右派社會黨」嫡系傳統的河上派，爲右廻旋的中心。此次大選結果，河上派由衆院解散時的十三議席，增加到三十議席，顯示社會黨的右廻旋縱屬僞裝，却已大有所獲。所以該派可被看作誘致社會黨增加二十三議席的獵媒。換言之，這次大選所以能僥倖掩蓋社會黨的失敗，是河上派的功勞。然該派之三十議席，在社會黨全體一四五席中，所佔份量，只畧相當於五分之一。倘非得有佔着絕對多數的左派甘願拱手相讓，則河上派憑功勞所獲致的報酹，不過殘羹冷飯，與夫使人窒息的黨內左傾幼稚空氣的高壓；然而這是他們所能永遠忍耐下去的嗎？那麼，等到他們的忍耐到達極限時，與他們原有血統關係的民社黨，却正堅守着社會主義國民政黨的獨立堡壘健鬥不休；雖其殘敗哀兵僅十七名，但這種雄心和霸氣，對於他們，實具有一種超越誘惑而無可抗拒的精神感召。則他們難免不像去年春天一樣，來一次分裂脫走的循環，而再歸併於民社黨。（四）

寶島飛絮

擇婿居然要跛足

▲台南市某君有一盲女，年華雙十，迄今尚未字人，據說並非無人求親，而是擇婿條件過份「苛刻」，以致芳華虛度。或有人以爲盲女求偶豈能附有苛刻條件？但熟悉內情的人却認爲此中大有道理在。原來，某君擇婿的條件有三：一、年齡不能低於乃女，但不能超過三十歲；二、必須有一技之長，不能坐吃山空；三、必須跛一腿，不能良於行。這三大條件看起來不算苛刻，但要找一個男人具備此三條件者却是踏破鐵鞋無覓處。有人曾質之於某君，爲何硬要三樣俱全，缺一不可？某君答曰：第一、年齡較大的知道疼愛太太，第二、不怕失業，足以維持家庭，第三、殘廢的丈夫不致輕視殘廢的太太，而且跛腿不能到處亂跑拈花惹草。

妯娌原來是雙生

▲高雄市一對雙生兄弟吳民光、吳世光，均於民國廿八年七月十四日先後出生，中壢鎮一對雙生姊妹黃梅妹、黃美妹，亦均於民國廿八年九月十四日同時出生，雙方親友以男女雙方都是雙生兄弟姊妹，又係同年，認爲這是一椿天定良緣，自效紅娘，協力奔走，爲雙方促成好事，在今年一月間行聘訂婚，並於十一月十日同在高雄市舉行婚禮，終於結成連理。這兩對雙生兄弟姊妹，身體高矮，面貌，皮膚，語言聲音均不相上下，如果稍不留意，即可能弄錯對象。新郎之祖父爲高市名流，家庭富裕，新娘之娘家亦家道小康，堪稱得上是「門當戶對」，爲寶島平添不少佳話！（嘯谷）

是不是宣傳噱頭呢？
「情天」果眞「夢回」了

（台北通訊）鬧了很久的影劇界官司，到目前爲止已告一段落了。這宗官司是最熱烈不過了，自始至終都有蛛絲馬跡的新聞刊出，甚至還長篇大論地印在報上，現在一切都眞相大白了，誰是誰非，讀者可知其梗概了。但，早知如此，雙方又何必鬧此官司，鬧得風風雨雨呢？

國語片「情天夢回」官司，該片女主角吳驚鴻，控告監製人徐中齊，製片人廖宗耀涉嫌詐欺背信，徐中齊，廖宗耀則反控吳驚鴻誣告一案，台北地方法院刑庭推事羅必達審結，七日判決：徐中齊，廖宗耀，吳驚鴻均無罪。

該判决書文長數千言，洋洋大觀，對吳驚鴻控徐中齊，廖宗耀部份，認爲「情天夢回」雖遲緩完成，但倒底已完成，而且雙方在合約中並未制定可日完成，並未形成背信食言。至於「情天夢回」之對日作交換，吳驚鴻事先在同意書中同意了的，且有蓋章又簽名，無法構成詐欺。片中其他製作，交換，抵押等細務，非刑事範圍，係屬民事範圍。至於徐中齊，廖宗耀反控吳驚鴻誣告部份，吳驚鴻所控，非以不實之事相控，惟那些事實並未構成刑事責任，故無法謂之誣告。庭上乃將徐中齊，廖宗耀，吳驚鴻都諭知無罪。但吳驚鴻仍表示不服上述判法，將再度提出上訴。（張希明）

老舍挖苦趙樹理

——岳騫——

大陸文壇萬花筒

老一代成名作家中，老舍最富有幽默感，他雖不似魯迅的刻薄，但是也並不忠厚，要挖苦一個人，也眞能入木三分。例如他以前寫的老張的哲學趙子曰、牛天賜傳都具有一種特殊的風格。

大陸陷共後，所有老作家幾乎全部變成了啞吧，只有老舍寫了幾個劇本，內容都是歌頌「新社會」的，可是，讓人看了之後，總覺得還是「舊社會」好，他這份本領，當代可說無第二把手，共產黨也奈何他不得，所以茅盾、巴金、沈從文等一個字也寫不出，老舍依然能維持一定產量，而且從未受過批評，幾次大風浪都未把他捲進去。

最近老舍看了趙樹理的短篇小說「套不住的手」，竟然寫了一篇書評，趙樹理是中共一手捧起來的「作家」，最初發跡是因爲他提倡創作要依「觀音老母坐蓮台，一朶祥雲降下來」爲範本，合了毛澤東的味口，就這樣共方各種雜誌，報紙一齊捧，居然把趙樹理捧成一個作家，近幾年來也寫了幾個長篇小說，如「李家莊的變遷」、「三里灣」、「靈泉洞」，完全都是赶任務寫的，大概中共有一項運動，他就要寫一本書。這樣的故事，配上他的「觀音老母坐蓮台」的大手筆，寫出來的東西，不用看也可以想見它的內容。

這次老舍怎麼會給他寫了一篇書評，也算是一件不尋常的事，估計若非「組織」的命令，就是老舍有事請求趙樹理幫忙，因爲他現在已當了文化官。

老舍這篇書評，開頭說：「每逢讀到趙樹理同志的小說，我總得到一些啟發，學到一些竅門兒。」學到什麼竅門呢？「歲數越大，文字越嚴整。」因爲趙樹理這篇小說是比較以前嚴整了。

這一段話應該算是恭維了，可是下面有這麼一段：「在年輕的時候，天不怕，地不怕，總以爲自已天才橫溢，下筆雲烟萬態。及至年齒加長，寫作的經驗多了，一來二去就懂得了一點什麼叫做控制。」於是「原來所謂的雲烟萬態，也不怎麼却是烏烟瘴氣。」

用「烏烟瘴氣」來評趙樹理的作品，實在的當不移，但是除去老舍，誰也寫不出這樣美妙的書評。

儒林九尾龜

吳敬鉡

第四回　人何寥落鬼何多

黃安民奇怪道：「烏鴉怎會誤他的事？」

李鴻飛道：「這件事情眞象還鬧不清楚，可能性有兩點，一是烏鴉根本未敢向統戰部的人員提出，因爲烏鴉雖自以爲是共產黨的人，但共產黨對他毫不客氣，任意呼喝叱罵，所以烏鴉實在不敢多事。還有一個可能就是烏鴉提出來未被統戰部接納。不過，不問怎麼樣，到了大家動身之前，小羊得到消息沒有他，再去求左報社長已經來不及了。回頭去找烏鴉，烏鴉早以記者身份，先期去北平採訪新聞去了。小羊這一惱非同小可，馬上又宣佈反正了。」

李鴻飛說到這裏，黃安民和小石却驚的張大了口無法合上，小石問道：「他根本就不是共產黨，怎麼叫作反正。」

李鴻飛道：「妙就妙在此處，小羊很聰明，他知道這次弄得兩頭不到岸，總要靠上一邊才成。左邊看情形是一定不要他了，向右邊靠總要有一點表現，於是他就發通電反正了。」

小石越聽越糊塗，問道：「他電報從那裏拍發，又發給誰呢？」

李鴻飛笑着說道：「他是用油印印的快郵代電，前面列了幾個中共海外黨組織負責人的名字，中間把共產黨痛罵一番，然後鄭重聲明，自己迷途知返，脫離共產黨，最後勸他們也早日覺悟。」

黃安民皺着眉道：「照這樣說來，他倒眞是一個共產黨了，否則怎麼會知道共黨海外負責人的名字。」

李鴻飛笑道：「你想不想玩這一手，我可以告訴你個法門，你最好的辦法是自己編共黨海外組織你可以根據大陸的情形，橫豎不外是什麼市委書記，行動組長之類，至於人名你若是編不出，就乾脆把我們幾個人改頭換面，就寫林仲平，石鴻飛不就完哩！」

李鴻飛說過，兩人都是搖頭歎息，小石說道：「他玩這一手是什麼意思呢？」

李鴻飛說道：「他表面意思是藉此立功好重回自由陣營，骨子裏還不是待價而沽，總以爲他這麼一作，番鬼佬一定會找他斟盤，自然就可騙到一筆錢去狂嫖爛賭了。」

黃安民問道：「結果怎樣呢？」

李鴻飛說道：「結果算是達到一半目的，番鬼佬未來找他，當地一個專門管閑事的機構却找到他，問他眞正情形，要他指出誰是共產黨，他那裏說得出，又扯了許多鬼名，人家知道他是胡扯，也就算了。眞相露出，他不能立足，只好另開碼頭了。」（五十四）

淚

姚詠萼

人有傷心事才會哭泣，哭泣才有眼淚，可見眼淚是傷心的表示。男人云女人的眼淚最不值錢，因爲女人感傷性重而容易流淚。這是站在男性立場所講的話，其實並不盡然，女人中也有意志剛強不流淚的，而男人也有動不動痛哭流涕，且以之爲武器的。

提到女人流淚，首先會想起林黛玉。瀟湘妃子是病美人，最愛哭，會無緣無故暗自垂淚，甚成痛哭起來，因此流的淚特多。而她的哭却也贏得後世讀紅樓夢的人爲之一掬同情之淚。林黛玉流的淚多半爲了兒女私情，有許多場合是不必要的。列女傳裏的孝女曹娥，年僅十四歲，父親於端午日給浪潮捲去，屍骨無踪，沿江涕泣旬有七日，終於沉江抱父屍而出。後人憑弔曹娥，不知道有沒有想起這位孝女當時驚天動地的痛哭的哀傷？這是純孝的淚。

男人的淚，歷史上最有名的當首推劉豫州了。三國演義上有數次提到劉備流淚的故事：最精彩的，是魯肅來討荊州，孔明教他不要說話，只管掩面痛哭的一幕了。劉備原是裝哭的，後來哭到傷心處，據說觸動眞情，搥胸頓足，眞的痛哭起來了。這一哭，哭得有聲有色，竟把大好江山哭了來了。是千古以來最夠本的一哭。還有一位申包胥，秦庭一哭，感動了鐵石心腸的秦穆公竟爲出兵救楚；後世讀史的人，不禁拍案叫絕，說是哭得有價值。這是愛國之淚，值得讚揚。至於樊於期仰天嘆息，潸然淚下；阮籍途窮搶天呼地；這些都是男人的哭，且垂之竹帛。誰謂男人的淚是珍惜的！

漢元帝和番時，據漢書的記載：「帝謂後宮欲到單于者起。昭君喟然而嘆，即席而起。」江淹恨賦則云：「若夫明妃去時，仰天嘆息。」參照這兩句話，可見明妃雖有怨恨而並未流淚，故云「喟然而嘆」，再曰「仰天嘆息」。所謂仰天嘆息，或喟然而嘆，也即江淹恨賦所說的「飲恨吞聲」；飲恨即是傷，吞聲是把眼淚望肚子裡吞，與痛哭流涕的發洩感情，適得其反。感情發洩淨盡，痛苦也隨之而消，倘若飲恨吞聲，讓感傷深沁肺腑，事情便嚴重了。流淚有多有少，有哀有悲，要看各人的身世與情形而流與怎樣流罷了。

水滸傳上說哭有三種：「有聲有淚謂之哭，有淚無聲謂之泣，有聲無淚謂之號。」這是哭的三部曲，把哭的種類與神態刻劃盡了。我們雖還有酸鼻、掩面、哀號、悲啼、唏噓、嚎啕、嚶嚶等許多形容詞，總括起來，還是脫不了這三部曲的。

以歌當哭，應該是文人們的事。古往今來，有不少不自量力的文人，因憤世嫉俗，憂國殤民而「詠之詩」、「發爲文」的。而其結果，輕者丟掉紗帽，重者坐牢，甚或送命的，頗不乏人。最近報載有公然在民意殿堂上登壇痛哭，爲了半官半商而大哀其「娘」的，則與那些吟詩作文，而取其禍的書獃子，成了一個強烈的對照。寫到這裡，我不禁擲筆三嘆；蓋嘆淚之妙用，竟如百齡機之有「意想不到的効力」也。四十九年，十二，廿七。

社會小說　香港地

木客著

六、人情味

原來老糊竟是一個雄辯之士，他所說的一番道理，雖似近乎詭辯，但不能不說合理，只那「裝飾文學」四個字，用在他那一段新聞上面，未免誇大了一些，梅大亮終竟是老實人，便在沉吟半晌之後，說道：「你說得對，但『文學』一詞，範圍廣濶。你寫的只是一段新聞而已，和文學並不相干。」

老糊也就點頭笑道：「這也不過是加倍形容吧了！加倍形容原就有裝飾的意味呀！你且別吹毛求疵，試再想想，天下許多莊嚴繁瑣的禮儀，包括了朝廷廊廟的，宗教會堂的，越裝飾得妙就越使人景仰嚮往，不自由主，聖人經世治國之道，施行教化之功，都在裝飾藝術裏面發揮得淋漓可觀呢。關於這個道理，霍新開懂得未必比我深，只是他小有才幹，運用得有胆有識，才顯得太不平凡吧了！」

梅大亮一想起昨天的事，便要對霍新開生氣，聽到老糊對他滿口稱贊，一時勃然不平，不覺衝口而出的反問道：「照你所說，受你贊歎稱美的裝飾藝術，其實就是作僞的藝術。」

老糊竟也不假思索地，立即應聲回答道：「不錯，裝飾就是作僞。前人有些看不起禮法的，稱禮爲僞，就是這個意思。但是，你也要知道，作僞不見得都是壞的而沒有好的。譬如一種好東西，加上幾分裝飾，雖則是作僞了，但會使人覺得越加好看。難道這更該大驚小叫，駡他不好嗎？東施效顰，是作僞得不好，西施捧心，便算作僞也好。」他說到這裏却又一歎，咳的一聲道：「你可不會原諒我的苦衷，我替霍新開寫那段新聞，原對韋大悲原沒什麼害處呀！假如沒有像霍新開那種裝飾專家，以社會名流的身份，登高一呼，給韋大悲以一個「風光大葬」，大開其追悼會，憑你和我這種性格和能力的窮傢伙，能給韋家多大幫忙呢？做得頂好時，怕也比抬一副鹹魚出殯較爲好看一點而已。」

梅大亮，直給他說得惱將起來，憤憤道：「韋大悲一死便休，那還管得身後哀榮不哀榮？抬一條鹹魚出殯又怎樣？總比死後無端受霍新開要弄侮辱爲好？他可能死得不瞑目啊！」（九十一）

工展特輯

工展攝影比賽

經評定各組冠亞季殿軍

每組尚有優異獎十名

（本報訊）哄動已久的工展會攝影比賽，爲時已逾三星期，大會經於去月（十七）廿八日截止收卷，昨（卅）日大會宣傳部朱朝欽氏，邀請前經聘定的攝影權威，鄔衎厚、何宗熹、張汝釗、簡慶福、陳復禮、馮元侃、何德輝等七位，到中華廠商聯合會的聯誼廳，由下午六時半，開始評閱各參加比賽照片，工作至爲愼重，每件均細閱多次始作初步取舍，在初步取錄的照片，再復從頭至尾更翻審閱，再來一個準決賽，然後將準決賽的照片，由各評判委員各別給分，統計最高者則爲冠軍，如此依次定爲亞、季、殿軍及優異等獎，據宣傳部透露，歷向評判攝影比賽照件，亦極豐富，但不及此屆之多，大會此次收獲可稱美滿。茲將各組評判結果分列如后：（融）

第一組：大門樓日夜景

- 冠軍：譚寧　大門樓日景
- 亞軍：顏震東　轅門夜暉
- 季軍：Mr. S. Y. Johnsoyma.　工展的輝煌
- 殿軍：顏震東　雄壯轅門
- 優異獎：楊鵠翀、陳雲泰、王鍱、李國衡、李健暉、陳雲泰、趙錦波、趙錦波、程寶祺、顏震東

第二：攤位組

- 冠軍：鍾文略　鋁業鐘樓
- 亞軍：葉玲　金錢攤位
- 季軍：周錫鎏　白桂油攤位夜色
- 殿軍：蘇日華　光管的行列
- 優異獎：顏震東、盧濂、鍾漢翹、蔡祖謙、譚寧、雷華英、楊一鳴、張維新、趙錦波、張維新

第三組：會場攤位人物動態

- 獎軍：譚寧　拖男帶女
- 亞軍：陳雲泰　盛況空前
- 季軍：程寶祺　爭相購買
- 殿軍：張維新　是眞是假
- 優異獎：葉偉、董展雁、阮雄偉、李健暉、甘展、余振球、雷鎭球、鍾漢翹、黃鵬飛、Mr. Harry, Wilson, Cheuhg,

- 冠軍：馬信耀　門樓
- 亞軍：張伯根　選購
- 季軍：黃新發　香港漆廠
- 殿軍：黃新發　金錢牌熱水瓶
- 優異獎：傅錦、鍾漢翹、高智燻、何文業、趙錦波、馮繼泉、程健、黃新發、鍾文略、李保銓

遠東貨式靚，紅棉牌暢銷

工展會裏各個攤位的貨品，都是美觀、新穎，且價廉而耐用，眞是琳瑯滿目美不勝收？邇來天氣寒冷，對於禦寒物品特別暢銷。尤其是十七街遠東棉產工業廠之出品，紅棉牌尼龍被更爲遊客所樂購，因其品質優良、美觀、溫暖而便利且價錢廉宜，毛被由十餘元起，尼龍絲被由數十元起，且在工展期內特別優待，固甚爲旺盛也。（白）

嚴俊遊工展

大讚豪華公司出品

豪華實業公司出品均獲好評，本攤位設於十七街，全部製品精緻美觀，富有藝術氣息。日前，邵氏名導演紅影星嚴俊遊工展時，特到該攤位參觀，對該公司之出品優美，備致讚許（坤）

工姐競選已逾半程

（本報訊）工展會選舉「工展小姐」前日已進入第五天，計選舉時日已達半途，所以前天各參加競選，展開熾燃的爭奪戰，爭持甚爲劇烈，至前日林佩儀數突超過鄭安娜，高據第五天的首位，鄭安娜是日雖被壓倒，但五天累計選票數字，則爲一六、一四三票，仍把握着群芳首席，國際容貌嬌治的舒玲玲，近來進步矯捷，緊握着第三位置，大有相機衝前之勢。至於金錢之寶關玉蓮，則保持氣力。其他各競選人位置互換不大，票數起落輕微（何）

李寶瑩小姐投梁婉兒一票

代表香港筆廠之太空小姐梁婉兒，爲此次參加競選之大熱門人物，梁小姐以含苞待放之妙齡，嬌羞淺笑，媚態迷人，大得觀衆之讚賞，故雖處於不利之地點，仍能逐日猛追，越過前頭，昨明伶李寶瑩小姐到工展會遊覽，對梁小姐大加讚賞，多方鼓勵，並親自投梁小姐一票，以資提倡。圖爲李寶瑩小姐投梁婉兒一票情形。

釋耒集

賤儒之論

論語孔子誨子夏曰：「女爲君子儒，無爲小人儒。」是儒有君子小人之分，自春秋時已然也。昔人謂，儒家者流出於司徒之官，帝王世紀載：「舜爲堯司徒，子孫氏焉，」其職掌則爲敷陳教化，選古爲政倫德，司徒屬官，自爲當時貴族階級之俊秀，世官世祿，鑽營奔競之風氣未啓，故大抵均雍容閒雅，足以爲人倫師表，是春秋以前，尚無所謂小人之儒也。東遷以還，王綱失墜，諸侯各自爲政，而平民學者蠭興，儒之流品，乃日以淆雜，降至戰國，百家議出並作，紛紛馳說，迎合時君侵地稱霸之要求，欲立談以取卿相，往往屈己求申，士之立身，以至辭受取予之間，乃日以苟且。荀子非十二子篇曰：「禹行而舜趨，是子張氏之賤儒也，正其衣冠，齊其顏色，然而終日不言，是子夏氏之賤儒也，偷儒（儒）憚事，無廉耻而嗜飲食，必曰君子固不用力，是子游氏之賤儒也。」子張、子夏、子游，均孔門高弟，自夫子之沒，收朋勸誨，其門當甚盛，末流乃致詆爲賤儒，則所謂儒者，徒知慕聖人之威儀，貌爲沈默不可測量，以示其淵雅，又其次者，則以不知爲知，以不能爲能，又偷儒不足以圖事，飲食聲色之前，不顧廉耻，是故稱之曰賤，非過言也。然余讀荀子儒效篇，則荀子之於儒，固自許甚高者也，其言曰：「儒者法先王，隆禮義，謹乎臣子而致貴其上者也，人主用之，則勢在本朝而宜，不用則退編百姓而慤，必爲順上矣。雖窮困凍餒，必不以邪道爲貪，無置錐之地，而明於持社稷之大義。」又曰：「儒者在本朝，則美政；在下位，則美俗。」故儒之末流，其弊至於不顧廉耻者，則戰國奔競之風使然，而荀子乃曰：「子思倡之，孟軻和之」，以子思孟軻爲孔子之罪人，高言激論，抑又甚矣。戰國之世，詆儒術者，莫甚於莊周，韓非，莊周之學，儻於滑稽亂俗而止，故壞先王之制者實始於李斯，王充曰：「韓非著書，李斯采以言事。」而韓非、李斯；實皆出荀子之門。非之言曰：「天下皆以孝悌忠順之道以行之，是以天下亂；皆以堯舜之道爲是而法之，是以有弒君，有曲父。堯、舜、湯、武，或反君臣之義，亂後世之教者也，堯爲人君而君其臣，舜爲人臣而臣其君，湯武爲人臣而弒其主，刑其尸，而天下譽之，此天下所以至今不治者也。」儒者之道，祖述堯舜，憲章文武，宗師仲尼，今乃曰：反君臣之義，亂天下之教者，堯舜也，故稱述堯舜，即同於誹謗時君，此李斯之所以悍然不顧，摋詩書百家之語，付之一炬而不悔者也。然世有賤儒，詩書百家之語不能任其咎，此則論學之士，所不可不知者也。

、曲齋

歷史人物

韓愈論

謝康

現在讓略談韓公送孟東野序，此序近年經香港大學中國文選採錄，認爲韓文的代表作，宋時學之者以眞西山爲最，以爲「如揚鞭振策於九軌之衢，有蕩蕩平平氣象」，眞是氣盛言正，與聲之短長高下皆宜，令人百讀不厭，自來選家，俱推爲濡染大筆，慷慨淋漓的傑作。然自宋兪文豹已有微詞，以其將太平盛世之音，混入不平之鳴，禹夔皋陶伊尹周公，都成爲牢騷抑鬱慣作不平鳴的人物，而蟲鳥聲，亦都是發洩不平的徵兆，所有能鳴的動物都成爲寃苦衆生了！這於常識和論理，都是不合的。此外，孟子距楊墨，而此文則以楊、墨爲能鳴；原道篇排佛，而此序却以老聃爲能鳴，似乎都不合純正儒家的態度，尤其是作爲繼承孔孟道統的韓昌黎，更未免有點那個吧（？）

至於韓氏諛墓之文，原以斂財爲目的，與其文以載道的主張，大相逕庭，也可謂行不顧言了。愈死時劉禹錫的祭文，已明白指出云：「公鼎侯碑，志隧表阡，一字之價，輦金如山，」李商隱記齊魯二生亦曰：「劉乂持韓退金之數斤去，曰：『此諛墓中人所得爾，不若與劉君爲壽，』退之不能禁止。」顧亭林以爲「發露眞贓」（見日知錄）深致不滿，昌黎先生九泉有知，亦將無詞以自解了。

最後，我們可以總結一句說：人非聖神，孰能無過，韓愈詩文，元氣淋漓，文學評論，有口皆碑，至少是譽多於毀的。從他對中國文學的偉大貢獻而言，以上所陳，也可以説是大醇中的小瑕疵而已！不過，我們論世知人，要「惡而知其美，好而知其惡，」不要存心詆毀，過份貶抑他；也不要一輩子瞎吹亂捧，盲目崇拜纔好。試看晚唐詩人皮日休，他一方面請政府以韓愈配享太學，稱爲孟荀後一人；另方面答陸龜蒙詩却說：「昌黎道未著，文教如欲瘖（按：瘖爵也）。其中有聖病，於戲如蜓蟬。是敢驅頹波，歸之於大川。其文如可用，不敢佞與便。……唯思臨陣敵，與彼爭後先。」筆者以爲這才是批評家應有的態度，不知讀者諸君以爲如何？（完）

閒話二喬

介人

有關大喬與小喬的故事，據一般的考證，說是並不確實，是附會的。但三國演義强調說大喬小喬俱國色天香，在四十四回寫諸葛亮江東之行，曾故意激怒周瑜說：「亮居隆中時，聞操於漳河新造一臺，名曰銅雀，極爲壯麗，廣選天下美女以實其中，操本好色之徒，久聞江東喬公有二女，長曰大喬，次曰小喬，有沉魚落雁之容，閉月羞花之貌，操曾發誓曰：吾一願掃平四海，以成帝業；一願得江東二喬，置之銅雀臺，以樂晚年，雖死無恨矣。今雖引百萬之衆，虎視江南，其實爲此二女也。將軍何不去尋喬公，以千金買此二女，差人送與曹操，操得二女，稱心滿意，必班師矣。」瑜曰：「操欲得二喬，有何證據？」孔明曰：曹操幼子曹植，字子建，下筆成文，操嘗命作一賦，名曰銅雀臺賦，賦中之意，單道他家合爲天子，誓取二喬。瑜曰：此賦公記得否？孔明曰：吾愛其文華美，竊嘗記之，瑜曰：試請一誦。孔明即時誦讀銅雀臺賦曰：

「從明后以嬉遊兮！登層樓以娛情。見太府之廣開兮！觀聖德之所營。建高門之嵯峨兮！浮雙闕乎太清。立中天之華觀兮！連飛閣乎西城。臨漳水之長流兮！望園果之滋榮。立雙臺於左右兮！有玉龍與金鳳，攬二喬於東南兮！樂朝夕之與共：……。」

「周瑜聽罷，勃然大怒，離座指北而罵曰：老賊欺吾太甚！孔明急起止之曰：昔單于屢侵疆界，漢天子許以公主和親，今何惜民間二女子乎？」瑜曰：公有所不知，大喬是孫伯符將軍主婦，小喬乃瑜之妻也。孔明佯作惶恐之狀曰：亮實不知，失口亂言，死罪！死罪！」這是一段絕妙好文，極堪欣賞，所以到了唐時，像杜牧大詩人，亦爲之讚嘆不置，因之有詩云：「折戟沉沙鐵未消，自將磨洗認前朝；東風不與周郎便，銅雀春深鎖二喬。」

按之史實，這實在不實不符。查銅雀臺亦名銅爵臺，與金虎臺，冰井臺合稱三臺，故址皆在今河南臨漳水西南，均曹操所造，但曹操建銅雀臺之時，據魏志魏武記載，乃建安十五年冬。赤壁之戰，在建安十三年，故此作臺時間係赤壁之戰後的第三年，自無疑義。既是赤壁之戰在先，造銅雀臺在後，與史實不符。但演義作者隨口將「連二橋」的橋字，改爲「攬二喬於東南兮」，信手拈來，天衣無縫，不能不說是高明。

因爲在演義五十六回曾大寫曹操大宴銅雀臺，說：「曹操自赤壁敗後，常思報讐；只疑孫、劉併力，因此不敢輕進。時建安十五年春，造銅雀臺成，操乃大會文武於鄴都，設宴慶賀。其臺正臨漳河，中央乃銅雀臺，左邊一座……，右邊一座……，各皆十丈，上橫二橋相通，千門萬戶，金碧交輝。」

至此，我們當知子建賦中所說二橋，原是指的此處，所謂「上橫二橋相通」之二橋，實與江東二喬無關了。但二喬的旖旎風流，一直爲人所附會傳誦，亦至今已成爲積習難返了。

在明末清初，廣州，眞有「二喬」其人，是一人姓張，而不是兩人。據詩人楊雲史題她的「墨蘭小卷」介紹她的身世云：「前明廣州詩妓張二喬，善歌、工詩詞，與黎遂球、彭孟陽輩開南園詩社，侍文酒，才名重一時。及病危，孟陽取市骨之義，贖之脫籍，竟卒，年十九，時崇禎十七年月也。明亡弘光元年六月，孟陽爲葬於白雲山麓，諸名士送葬者百餘，各賦一詩，植花一本，號百花塚。遂球爲之銘誌，題曰『歌者二喬張麗人之墓』九字，且刊其集『蓮香集』行世，一代風流，斯爲盛舉。及民國丁丑歲春，粵中文士於白雲山麓得其塚於榛莽，纍纍儼然，因爲之修葺，補植梅花百株，敘述其事跡，未及報南而戰禍作，迨倭寇侵南，白雲山數經燬炸以迄淪陷，二喬舊塚不可復問矣。張君棹雲得此卷，致秀雅，不讓橫波，風余前歲未及題，棹雲適以見屬，是不今可以無詩也。己卯三月識。」

偶然十指畫瀟湘，露葉風枝怨恨長。垂死孤根移九畹；至今黃土有詩香。

絕代埋香怨奈何！南朝豈獨弔橫波；墓門新補紅梅樹，開到今年戰血多。

三國時的二喬艷麗，不一定有其人；而明末的張二喬麗人，則其人其墓，哀艷絕倫，斑斑可考，屬千古風流佳話，因同今併述如上。

海嶠叢談

財聚則民散（二）

諸葛文侯

對日抗戰勝利還都後，政府忙於接收工作，設置了「敵產」與「逆產」兩種管理機構，主持其事者，一是皆以搶克聚斂爲本，任意搜索，有如瓜蔓之抄。除掉眞正敵人與著名漢奸人物所有的財產一律沒收以外，對於淪陷區一般稍有資財者，即製造「經濟漢奸」「文化漢奸」「附逆份子」這類名詞，分別指認，照樣先行拘捕勒索賄賂，逼供財產數目，然後予以全部藉沒。例如汪精衛的一個汽車司機，汪死後即在南京開設了一個小飯館，亦難逃查緝與藉沒財產之災，而周佛海妻楊淑慧曾經三次被捕，逼她招認財產，最後她受逼不過，實行服毒自殺獲救，這才不再找她爲難了。

同時各級法院審理各色漢奸人等，亦以送賄多少爲判罪量刑的標準，眞所謂「有條（金條也）有理，無法無天」。據周佛海妻楊淑慧在南京告訴我，當佛海在獄中病重時，她爲着向司法行政部申請將佛海暫准保外就醫，即花了十八根大金條，然結果不行，周氏如此，其他的情形可想而知了。迨周佛海瘐斃於牢獄後，楊淑慧逢人訴說政府不仁，孤憤塡膺，我想她的兒子周幼海之投入共黨，亦就是基於這種憤激心理而然的吧？

凡屬奉派從事接管敵產與逆產工作的人員，都是如同餓貓走進了鮑魚之市，恣意吞吃，肆無忌憚；他們所「刼收」的財物，列交政府的只是些剩餘數量，或沒法搬動，或價值不大，或者藉以聊備一格而已。例如接受陳群的私人藏書，所有宋元版本，皆經接收人員以僞換眞，盜爲私有，這些珍本書籍，原接收人曾在香港出售，我就看見過一部，其中鈐有陳群的藏書章，一望而知其爲盜賣品也。即此可見政府所得到的敵產與逆產——尤其是逆產，爲數殆不及原有之半，然民間的怨毒，却完全集中在政府身上，此中得失利害，寧堪推究耶？

抗戰末期的黃金儲蓄，政府不顧信用，且並未到羅掘俱窮的境地，而悍然以變相的刼掠手段，扣發人民所有財富四成；戰後的接受工作，又以搜刮人民勒索人民財物爲能事。有此兩大秕政，民心早已喪失殆盡，加以共匪乘機宣傳煽惑，大亂的形勢，業經積成到了總爆發階段，即使沒有軍事上的挫敗，亦將難以撥亂反正了。世人每以民國卅七年政府實施「金元券」政策爲神州陸沉的一大因素，實則這決非正確之論。「金元券」政策只是有如爆炸物的引火線，那炸藥早就裝得滿滿的，觸着一點太陽光的熱氣，亦會轟然爆炸，不可收拾，「金元券」的關係並不大也。

財政經濟之敗壞，實爲大陸淪陷的主因，希望自由中國政府當局懲前毖後，好自爲之，毋使後人復哀後人，幸甚！（完）

垂釣瑣談

・漁　翁・

吳越春秋時，伍子胥在江邊遇一漁者，與之語，並問其姓氏，漁父曰：「子爲蘆中人，吾爲漁丈人，何姓氏爲！」這漁者連姓名都不願以示人，對功名富貴，當更視爲流水浮雲矣。

南史載：潯陽太守孫緬，見一漁父，垂綸長嘯，甚異之，問「有魚賣否？」漁父笑而答之曰：「其釣非釣，寧賣魚者乎？」乃鼓棹而去。這漁人對當地太守，不假顏色，足見傲骨嶙峋之一斑。

六朝時，王弘之性好垂釣，累徵不就，常把竿於廬江上，此處有三石頭，即其垂綸之所在，不識者向其買魚，不賣，到日暮，携魚入城，路經親友門前，各放下一二尾而去。

蔡京在撫州任刺史時，誤捕一放生池下之釣者，那釣者在法案前，不即不離的吟道：「拋却長竿捲却絲，手攜蓑笠獻新詩，臨川太守清如鏡，不是漁人下釣時。」蔡京聞之，知其非普通漁人，乃志存邱壑之隱士，笑而釋之。

自由報

THE FREE NEWS

第九十五期

中華民國僑務委員會頒發
台教新字第三二三號登記證，
中華郵政台字第一二八二號執照
登記爲第一類新聞紙類
（本週刊每星期三、六出版）
每份港幣壹角
台灣零售價新台幣弍元
社長：雷嘯岑
督印人：黃行富
社址：香港銅鑼灣高士威道二十號四樓
20 CAUSEWAY RD. 3RD. FL
HONG KONG
TEL. 771726　電報掛號．7191
承印者：田風印刷廠
地址：香港灣仔高士打道[illegible]一號
台灣分社
台北市西寧南路壹壹本號二樓
電話：三〇三四六
台郵撥儲金戶九二五二

展望一九六一年

盧家雪

一九六一年以紛亂開始，亦必然以紛亂終場。

在任何和平時期，國際局勢之糟，未有過於今日者。各個地區的個別戰爭，把整個國際局勢激盪得波浪滔天，而共產集團乃得以從中漁利，此將爲七十年代戰爭的典型。（亦有稱六十年代者，但依照「二十世紀」的說法，則今年應該是七十年代的開始。）

再過十幾天，艾森豪時代即將結束，代之而起的是甘酒迪時代。作爲自由世界的盟主地位，這位四十三歲的甘酒迪，其才智與經驗，是否能應付此種滔天波浪之襲擊，倘不可知。或以甘氏之朝氣與衝勁，當勝於多病的艾森豪，此一表面看法當能爲吾人所同意。問題却在，國際間事，徒憑衝勁，無終於事，領袖人物，還必須勇而有謀。

杜爾斯去世以後，美國的幕僚人材，繼起無人。史蒂文生非幕僚之才，魯斯克，鮑爾斯輩，或有謀畧，亦不見得有見識與魄力。今後的美國外交政策，恐仍須甘酒迪親自籌劃指揮吧！

運籌於帷幄之中，而欲決勝於千里之外，除勇氣與謀畧而外，尤須經驗。今日世界的第一要務是反共，談到反共的經驗，甘氏可能是一張白紙。雖說經驗乃由行動中來，錯誤的行動往往是寶貴的經驗，可是，在反共鬥爭中，任何錯誤的行動，將引致千百萬人淪於悲慘的命運呢！

羅斯福一錯，而引致中國東北之淪亡；

杜魯門一錯，而引致韓戰之膠着。

艾森豪一錯，而引致今日世界之混亂局面；

甘酒迪如果再錯，人類文明將面臨末日。

全世界人民，都在密切地注視着這一位年輕的美國總統上台。大家都希望他能有新的作法，來打破當前的僵局與悶局。

僵局與悶局是否能打開呢？這就要看甘酒迪的魄力了。

美國總統的魄力，不僅在於應付美國的敵人，同時還要應付美國的盟邦；不僅在於應付美國的盟邦，同時還得應付國內的政黨。

應付國內的政黨，甘酒迪的潛力或可勉強應付；但對於應付美國的敵人及其盟邦，這位年輕總統是否有此魄力，最低限度在目前，我們是要存疑的。

自羅斯福執政以後，歷屆美國新任總統上台之際，英國的首相，照例要遠涉重洋，來到白宮的石階上，照幾幅相，然後大談其美英親善之道。今年是不是仍然有這種鏡頭出現呢？

可以斷言，這種鏡頭必然出現，只是時間問題而已。英國首相麥美倫，當然想趁這個機會到白宮去和甘酒迪親善一番，但他在去美國之前，還得顧慮西歐兩位老友戴高樂與阿登諾的意見。從去年九月麥美倫參加聯合國大會歸來以後，即未曾和戴高樂見過面，看情形，麥美倫可能會先去巴黎然後再去美國的。去美國的時間應在二月尾三月初。（編者按：五日的倫敦消息，麥美倫已定本月底訪巴黎。）

阿登諾這個強人，前曾有於今年一月訪問美國的消息，但最近一個多月來，音沉響絕，從不提起了。是不是爲了美國要德國負担駐軍軍費的問題，有些不大愉快呢？

國際間的訪問，一切以本身利益爲前提。今日之西德，富冠西歐，幾無所求於美國。八十餘高齡的阿登諾，如果僅只是爲了聯絡感情，怕也不必遠涉重洋吧！至於說是爲了西柏林的問題，則以阿登諾之外交經驗，當能看得出美國與英國對保衛西柏林的決心，倒也不必遠涉重洋的。

法國那位強人戴高樂，是不是會訪美呢？依現有的跡象來推測，至少在今年五月以前不致有此舉動。主要原因是由於阿爾及利亞的問題，使他分身不暇。另一原因則爲北大西洋公約國的軍隊指揮問題，經已令得美法間頗不愉快，法國正在加緊試驗原子武器，以期建立法國的原子部隊，在此種情形之下，戴高樂是無訪美之必要的。

美國與英法德各國間的關係，不如一年以前的密切，這是事實。如何彌補此種家庭間的歧見與裂痕，雖然也是英法德各國的責任，但無可否認，作爲自由世界盟主的美國，尤應負更多責任。

以甘酒迪的年齡，到歐洲來和這幾位老政治家見見面，談談天，當不算紆尊降尊。但以美國總統之尊，談到頻頻出國，就不僅爲勢所不能，亦且爲法所不許。這麼一來，國務卿和巡廻大使之流，就正好派用場了。

可以斷言，魯斯克或者哈里曼，在今年五月以前，大概是應該有西歐之行的。

蘇聯的赫魯曉夫又如何呢？

老赫當然想和甘酒廸會談，但他不會那麼着急。這個老奸巨滑，深懂縱橫之術，他當然要考慮到與甘酒廸會談的適當時機，而且他還得造成會談的氣氛。此種氣氛之培養與彌漫需要相當時間，看情形，在今年九月以前，他們大概不會見面吧？

這麼說來，高峯會議是不是有可能開得成呢？

除非有突發事件，否則，此種高峯會議，不可能出現在九月以前。

過去的經驗，人們對於所謂高峯會議的結果，並不存有任何奢望。因此，高峯會議是否開得成功，並不算是大問題。今日世界，熱中於高峯會議者，非美國，亦非蘇聯，而是英國。以英國政治家的智慧，當然看得到此種會議之必然無成，但以英國的地理環境與歷史背景，却不能不藉高峯會議之安排，以緩和國際局勢而待變。

待變爲英國外交政策之傳統，而待變的方式，第一、莫過於經常提起開高峯會議。第二、隨時訪問他國，亦隨時邀請他國政治人物來訪。

倫敦的每日郵報，日前透露英相麥美倫將於今春訪問東方，英外部隨後加以否認。外交上的否認，本不足重視，麥美倫訪問東方的可能性，隨時存在，不能抹煞。馬來亞、泰國、印度、與日本，爲麥美倫必去之地，固不待言。是不是深入北平，展開他個人的外交活動，此刻尚須存疑，但以英國外交傳統衡之，如果眞有此舉，我們亦毫不奇怪。

我們所要注意的，倒是今年九月的聯合國大會，有關中共闖入聯合國的問題。去年的八票之差，對於中華民國來說，委實是一個不必諱言的危險訊號，此刻來展望九月以後的事，雖屬言之過早，但我們必須早作戒備，則是無人可以懷疑的事實。

台灣海峽的風浪，足以影響今年九月在聯合國大會投票的結果。而在這九個月時間中，台峽風雲如何，殊難預測。美國對台灣海峽的政策，在一九六一年內，不致有突變，此則爲吾人所可斷言。但即令是維持現狀，對自由中國而言，已是一個莫大的僵局與悶局。應如何打開這一悶局呢？此不獨爲羈居港澳的中國人所關心，抑且爲大陸上億萬同胞所關心；不僅爲大陸同胞所關心，抑且爲全世界人士所注視。

世界局勢之均衡，端視亞洲國家之動向；而亞洲國家之動向，又端視中國大陸是否繼續赤化，或者重見光明？

這是一個黑暗的時代，也是一個光明的時代；這是一個奴役的時代，也是一個自由的時代；這是一個平凡的時代，也是一個偉大的時代；這是一個迷惘的時代，也是一個開明的時代。人類的文明，究竟是趨於毀滅，還是醞釀着新生？在一九六一年中，可以看出端倪。

不論是毀滅或者新生，一九六一年，既以紛亂開始，亦必然以紛亂終場。（元月二日）

小論天下

△古巴驅逐美國使館官員，限留十一名。美國宣佈對古巴絕交，仍保留在古巴的軍事基地。美洲國家與古巴絕交者達七國。古巴卡斯特羅政權指稱美國進攻在即。

箭在弦上，不得不發。後門火急，不容更緩。

△寮共軍節節進取，進圍王都。蘇俄飛機空投北越共軍入寮境，已獲證實。英擬採積極行動，因英法不贊同而突變軟化，東南亞公約組織決不動兵，擬由談判解決寮局。

東南亞公約果然是一張廢紙。西方國家果然沒有決心作戰。共黨果然擴大了佔領地區。他們但願蠶食成功，何妨談談打打？於是泰國苦矣。

△緬甸已承認有中共軍入緬，圍攻緬邊反共游擊隊。周恩來在仰光受勛觀賽馬，隨行的特務頭子羅瑞卿備受注目。

西方觀察家只注意中共在寮國跳，沒注意中共在緬甸笑。

△共黨間諜在印度活躍。印度當局已提高警覺，指共諜會用勒索手段及美人計。

香港人也該明白：中共在這裏公開使用「美人計」，是以整個社會各色人物爲對象。「齊人開女樂」和「越王獻西施」都已是古老落後的「美人計」，因它迷惑的對象太過簡單。

△英國大老邱吉爾指一九六一年是從動盪中的開始，寄望於西方國家團結應付。

對於西方國家政治大亨們的思想路線，東方反共人士已是愈看愈覺糊塗。如果唯一的希望是在乎他們認眞團結，便耐心等待第三次大戰爆發好了。

△艾森豪已準備離職時的宣言，將要開一次記者招待會。

予欲無言，不得不言，苦哉！

△阿爾及尼亞續有動亂發生。比利時社會黨準備再向政府發動示威與暴動。

就自由世界整個氣候而言，這年頭太適宜於共黨推動全面攻勢了。

△自由中國深恐失去聯合國席位，認爲今年是具有決定性的一年。副總統兼行政院長陳誠預料今年將有驚濤駭浪，必須鼓勇應付。

向好處是動，向壞處也是動，不動是不成的。抱破釜沉舟的決心，一切都作動的打算吧！

方南

自由談

選舉的觀感

這次美國的總統選舉運動費用，據說甘酒廸先生的父親就破費了三千萬美元，此外尚有民主黨方面以及甘氏弟兄姊妹們所消耗的助選經費，至少亦在二千萬元以上。這項數字確實可觀，而尼克遜的失敗，自非偶然了。即如日本自民黨這次的選舉費，據其公開透露的數目，也有幾十億日元之多，但未見美、日人民認爲是賄選哩！可見眞正的民主政治，非花錢不行的。共產黨人根據這種情形來攻訐資本主義社會的民主是假的，可是，像它們那種「黨主」欽定的選舉把戲，若說是眞民主，豈不笑煞人也麼哥！

資本主義社會的民主生活，是以中產階級爲主要的推動力，產業不發達，教育不普及的國家，要想實現全民政治，決不可能。但民主生活乃是現代人類的普遍要求，非朝着這條路線前進不可，全靠一般智識份子起帶頭作用。假使一般智識份子多沒有生活基礎和職業技能，而以搞政治爲謀生之道，所謂爲貧而仕，捨我其誰，那就很糟糕。

就選舉而言，個個都有資格競選，都是勢在必得，雖然得不到手的就使用一切歪主意，瞎鬧胡來，如是乎，選舉運動即形成了以違法舞弊爲能事的卑污勾當，先給社會大衆以惡劣觀感，因而賢者不爲，爲者不賢。這癥結就是沒有中產階級存在，欲求如美國的民主實質，固不可能，即日本那種選舉情形，亦非吾人所能企及也。

民主生活要從一點一滴地逐漸創進，才是確實可靠的成果，選舉運動係民主政治的精髓，越是進步的民主社會，搞選舉花錢亦越多，眞正靠學問德行來吃選舉飯的，却是微乎其微的現象。明乎此，即可憬悟我們的民主生活何以不能跟別人看齊之所以然了。

馮五先生

歲暮的政治插曲

缺公

台北通訊

正在陽歷年關這幾天，台北市面上忽然流傳着幾令人特別注意的新聞，好像是迎接新年的插曲，不可不記也。

第一是兩個台大學生——針冰操、盧華棟——於十二月卅日夜間，向各報社致送「中國民主黨」正式成立的宣言，說是「在特務的槍口刺刀之下，用無比的勇敢精神和毅力，成立「中國民主黨」，併發表敦聘胡適等一二十人爲該黨「顧問」的名單。這兩位對社會人士很陌生的英雄好漢，自封爲「中國民主黨」正副主席，同時還分別登門拜訪他們所聘請的顧問先生如成舍我，胡秋原、夏濤聲等，又往見那位尙在縲紲之中的「中國民主黨發言人」雷震的夫人宋英女士。這些人皆感到愕然，認爲莫名其妙，而眞正的「中國民主黨」籌備大員李萬居，高玉樹更不能不以「老老睦稿薦」的招牌，對外聲明他們並不知情。一時滿城風雨，頗聳聽聞，累得治安機關趕忙偵查這兩位好漢的身份和職業，纔知道那位姓氏很奇怪的正主席，四年前畢業於台大哲學系，而那位盧副主席尙在台大政治系修業中，兩人都是浙江縉雲縣人氏，且曾經因案被治安當局管訓過一個時期，或許他倆就因爲受過政治的委屈，才有此驚人的傑作演出吧！到了卅一日晚上，他們却對新聞記者表示自己少不更事，錯幹了這樣事件，深致懺悔之意，治安機關亦就對他們沒有往下追究了。社會人士一致認爲他們不愧爲「豐沛子弟」，乃敢於組黨對抗「沛公」，可惜行同兒戲，鬧了一天就告吹了。

第二是立法院長張道藩近來又鬧情緒，上書本黨總裁，請求辭職。外間紛傳他患着精神分裂症，蔣總裁有意准他休息，但他對着台北聯合報記者堅決否認自己有病，指別人作此揣測者才眞是患着精神分裂症呢！他的辭職表示，這回是第十五次了，看情勢，假戲亦將眞做，問題只待當局推轂何人繼任而已。據馬路消息，極願嘗嘗院長味道者，有執政黨員的立委胡建中，倪文亞二人，但大多數立委似乎對此二公皆不感興趣，很難博得多數選票，因此，現任副院長黃國書以「黑馬」姿態，很可能被抬上正座去，一則他的人緣不壞，素有「好好先生」之名，二則他是台省籍的社會賢達之流，此時此事，頗能受到最高當局的青睞，而有得來全不費工夫的大好時機也。至於胡，倪二公在立委心目中之所以成問題者，乃因他們對黨國太過重要了，大家不忍將院長職務綑住他，反而違背「君子愛人以德」的義理，殊有未合。

第三是以「叛亂」罪被判刑十年的雷震，亦於除夕之日，提起非常上訴，要求宣告無罪。同時，中國民主黨籌備諸公，亦擬聯絡各方面同情雷震的人，對政府來一次減刑運動，方法不外是集體請願，公開招待記者，發表宣言等等。究竟雷震有無減刑之可能，這似乎不能憑純粹的理論來衡量，而要看蔣總統對雷震的觀感如何？因爲只有總統可以援用憲法上的特權，予以減刑或特赦的裁定。雷震原是國民黨的老幹部，過去廿餘年間，由國民黨起家，風雲際會，顯達一時，如今一變而爲國民黨的對抗者，他雖然被開除了黨籍，然在蔣總裁的心目中，還是把他看成黨員，無形之中，雷震除卻國法的責任以外，兼有黨紀制裁的因素潛存着，這才是問題的癥結點。（元月二日於台北）

台灣的盜印之風

（台北通訊）「冒名頂替」是一件可恥之事，但今日台灣社會上已成爲一種通行無阻之生意經，恐怕在一九六二年將列入正式職業之一了。

文抄公已夠可恥了，但現今市面上出現這更可恥可悲的罪物、惡人。有人以陳紀瀅之「赤地」一書，來個改頭換面，將「赤地」改成「革命精神文獻」封面，封底印成「革命精神文獻委員會編輯」，「浪風文物出版社」「九一出版社經銷」。而其內容則與「赤地」全書無一字不同。更奇者，他還大冒×立法委員之推介函，向各機關強行推銷，書價高至一百二十元以上，比「赤地」原書價高出六至七倍之多。

自己沒有著作能力，以別人現成之貨品，來掠人之美（錢），肥了自己腰包，可恥到極點！

過去社會上曾發生過「藍與黑」「古樹下」「政治學」「經濟學」……等等被竊印，侵害個人之著作權利，雖然其中某些人已科刑或罰款。此種祇是針對某人而言，效力極微，無足輕重，並未影響到他人。因其未予重刑處之。不過也有人以自己的大作不夠出名，也來個被人盜印，來哄騙讀者耳目。

眞正作「盜印」之書商，應科以重刑，否則著作人權益，將無從保障。我們希望「盜印」者，只此一家，而且「到此爲止」。否則受害者勢將擴大，正當的文人與正當的書商就更苦了。（張希明）

由大選結果看日本各黨派前途

羅堅白

東京通訊

（又是一個不折不扣的待時炸彈）　關於社會黨左派今後能否安撫擁河上派使勿如此走極端，有兩個指標可供吾人觀察之依據。即淺沼死後虛懸未補的委員長遺缺是否讓河上派補，及在大選前所開出派遣代表團訪美修好的支票如何兌現是也。然吾人由此兩個指標所能看取的形勢，迄現在止，都不是可爲樂觀的。日昨自民黨對社會黨要求馬上舉行黨首會談，曾發表談話，謂在社會黨的黨首正式決定以前，礙難應允。社會黨立予反駁，謂自民黨這種說法，顯屬干涉他黨內政。又在即時召集的臨時國會中，照例舉行新內閣首班指名選舉時，社會黨方面的首班陪選者，傳已推定現在代行委員長的江田書記長。這都暗示河上委員長的產生，尙大有曲折與距離。而訪美代表團，又已同時傳出難產的消息。蓋重量不夠的代表人選，去了反不如不去。夠重量的左派份子，卻極少願意充此代表者；因恐染上親美色彩，將來在黨中處處不利。右派份子，更欲遠避「與美帝勾搭」嫌疑，亦少肯踴躍充任代表前去。且在左派立場，倒眞怕右派借訪美機會，與美方秘密勾搭，成爲將來在黨內發酵之酵母，成爲黨的禍根。既然如此，則現在擁有三十議席的河上派，在社會黨中，也是一個不折不扣的待時炸彈。

（盤旋於腦海深處的中蘇矛盾）　除此以外，社會黨中還有一個更大於河上派的待時炸彈，就是左派中鈴木前委員長的嫡系派閥——所謂鈴木主流派。該派這次由三十七議席增加到五十六議席；若把這五十六議席，加在河上派的三十議席上，便早已超過該黨全議席百四十五的半數。而現在的江田代行委員長，原是鈴木的腹心；自鈴木把委員長讓給淺沼時接任淺沼的書記長起，趁着淺沼最適宜做傀儡的粗線條性格，得放手把持家務。因而鈴木雖然離開委員長的地位，得有江田代爲看家，對於黨的綱維，並未放鬆而依然控制在手。所以社會黨今後對於河上派的處置與待遇，鈴木是有力量決定的。不過鈴木的腦海深處，現正盤旋着一個極難取決的蘇俄與中共間的矛盾問題，使其深刻苦惱。

（被間接操縱在中共手中的日本社會黨）　社會黨以總評爲後台老板；而總評又以中共爲後台老板；所以社會黨間接被操縱在中共手中；中共的方針，在黨內具有潛在的最後裁決力。關於這一點，擬留待另一機會詳加解說，此處只請讀者訴諸直覺，或姑妄聽之。又總評組織的一部，有一個日本左翼全體的智囊團「日教組」（日本中小學校教職員工會）；此次在社會黨候選衆議員的六十四新人中，佔着二十二人，竟有十八人當了選。這種出身於日教組的國會議員，代表中共在社會黨中担任「監軍」的嫌疑，原極濃厚。而鈴木主流派此次所增加的新議席，幾全出身於日教組，日後是鈴木所最感頭痛的事。（五）

可愛的「捉放」

寶島飛絮

△上月某日晚十時陽明山士林鎭警察分駐所，獲悉中正橋頭一幢新落成而未編門牌號碼的大厦裏內，有五六十個青年男女正在大跳其舞，乃由該分駐所巡官率同大批員警並借用一部公共汽車開往現場，來勢洶洶，一聲令下，要衆舞迷上車赴警所受罰，膽小者先已上車，但另一部份人卻認爲開生日派對，並不違法，大概巡官覺得對方頗具理由，乃悄悄的又將業已上車者請了下來。

有人以爲：「此一「捉放」，演得「可愛」。

△屛東縣長李世昌又創新猷，訂下了縣府員工推行禮貌運動實施要點，交由縣府勤員月會通過施行，作爲他就任第四屆縣長所放的第五把「火」。李縣長深深體會禮貌爲治事之本的眞諦，爲求上下有序，相互有禮，以達到推誠相與，合作無間，特規定集會、會客、談話、相見、文字、服飾、握手、乘車、電話等九項禮貌運動實施要點，要求縣府員工由懂得禮貌，而做到上下有序，推誠合作。該實施要點中規定和女性握手要輕鬆，讓女性先行等西洋社交常識，可見李縣長尊重女權之一斑。縣府一職員解釋該要點中訂有會客辦法，應延客而坐、奉茶、誠懇接談及送行。做爲主人的老百姓。如果人人眞能獲得此項禮貌待遇，相信個個將有口皆碑，讚譽李縣長的德政了。

△桃園縣龜山鄉兎坑村有位流浪漢簡某，年屆而立，仍過着流浪生活，於日前溜來龜山，無意中踏進表揚好人好事的會場中，聽到台上介紹好人好事的感人鏡頭，他方驀然醒悟，反省他自己在近十五年來所作所爲，無一不是罪惡，因此含淚跑出會場，前往壽山岩觀音廟前號啕大哭一場，事爲該廟住持知悉，向他勸慰一番，所謂「誰人無過，知過能改，善莫大焉！」並勉勵他從今以後好好做人。他當即在神前發誓，決心利用他自己的一雙手，以贖回他近十五年來的罪惡，並將尙存的不義之財全部按址寄還失主。（嘯谷）

豐子愷

——岳騫——

大陸文壇萬花筒

中國畫家中，豐子愷要算是自成一家，他那種三筆兩筆就勾出的一幅畫，別有一種意趣，可以使人百看不厭，較之後來的漫畫家要高明得多。

大陸陷共後，子愷先生也和其他老作家一樣，經年沒有一件作品面世，在中共舉行「三反五反」運動時，子愷曾經畫了一幅貓捕老鼠的畫，頗合乎當時情景，中共看了大不開心，只因爲子愷先生長年奉佛茹素，與世無爭，所以中共也奈何他不得。

最近中共又發動一項逼稿攻勢，凡是成名作家，不准再裝啞吧，必然要寫幾篇歌頌「新社會」的文字，冰心等人都已寫過幾篇，子愷自然也難逃劫數，最近他寫了一篇「君子國」的散文，敘述他有一次出去看朋友，在馬路上叫了一輛三輪車，上了車和車夫聊天，車夫聽說他姓豐，就問識不識豐子愷，他承認自己就是豐子愷，車夫大爲開心，連忙停下車買了一本紀念冊，請他坐在弄堂裏畫了一幅畫，又題了款，然後車夫又送他到了地方，下車之後，他要付車費，車夫却不肯受，最後勞動了「人民警察」，才把問題解決。

這篇文字表面上是很捧場的，把上海稱爲「君子國」，但是究其實際，却與「新社會」的情況不合。人所共知，大陸人民忙到氣都喘不過來，日日夜夜在苦戰中，上海一位八十多歲在前清中過舉人現在又被中共聘爲文獻委員的老先生（姑隱其名），每月尙需勞動三天，何況子愷先生不過六十多歲，中共怎會准許他出去訪問朋友，還能呆在弄堂裏替三輪車夫畫上一個鐘頭的畫，這種情形在「舊社會」也許可以，「新社會」就絕無可能了。

子愷先生這篇文章表面上是恭維中共的德政，內心裏也在發自己的牢騷，試想一個三輪車夫聽說他的名字一定要買個紀念冊，請他畫，而且還不肯收車費，可見子愷先生的畫實在爲市民所愛好，但是十年來中共却不讓他繼續從事藝術工作，只作一些無聊的事件，雖然也曾畫過兩幅有成就的畫，以後又被禁止了，逼得他的作品無地方發表，只有躲在弄堂裏對車夫揮毫了。君子國是這樣的嗎？

儒林九尾龜

吳敬鋅

第五回：一失足成千古恨

談過小羊的事，大家嘆息了一番。黃安民說道：「從高不成同小羊的經過來看，他們失敗的最大原因是學識、能力、經驗都差，可是政治慾望特別強，總以爲這樣鬼混一番就可以出人頭地，再加上生活奢侈，揮霍無度，最後必然要墮落了。」

過了兩個月，李鴻飛一天到旺角去買物，正在擁擠不堪的行人道上走，忽然背後有人拍了一下，李鴻飛回頭一看，竟是夏作人，不由得呆了。

夏作人笑嘻嘻地說道：「李兄，許久未見了，喝杯咖啡談談好嗎？」

李鴻飛想知道這批猪仔到底玩些什麼把戲，略作考慮也就坦然跟隨夏作人走進一間咖啡館。

剛坐定夏作人劈頭就說：「孟德兄這次到北京去並不得意，他有信給你沒有。」

李鴻飛搖搖頭：「我早就同他斷絕關係，他的情形我一點也不清楚。」

夏作人笑了一笑，明白了一半，接着說道：孟德這次去北京，並未參加我們的行列，他不承認去觀光，他自稱是去找周總理討論中國問題，結果撞了大板，周總理根本就沒有接見他。」

李鴻飛冷笑道：「他不是周恩來請去的嗎？」

夏作人笑起來，說道：「我們都是周總理請去的，難道他還下拘票拘去嗎？孟德兄接到請帖就想入非非，以爲周總理請他去商量國家大計，起碼總要恰他一個部長省長，所以他興高采烈的去了。臨走時和我見面還表示對教育部或司法部有點興趣，結果恐怕想作一個副部長也很難。」

李鴻飛搖搖頭：「太下作了，他怎麼還不回來呢？」

夏作人說道：「他到北京之後，去信約會周總理見面，周總理未理會，由章漢夫出面和他見了一次。他見了章漢夫就說來北京是打算和周總理商量解決國是，促進共國和談，章漢夫聽了只是搖頭苦笑，等他說完之後，章漢夫說道：『關於和談事，我們是想盡了辦法，作了多種試探，結果沒有回音，也會派了許多人進去活動，却都變成了泥牛入海，所以最近我們不好意思再提了。盧先生既然挺身而出要爲促進和談而努力，自是好事，不知道盧先生會經和台灣方面談過具體計劃沒有，盧先生這次到北京是台灣那個大員派你來的，那邊是不是有正式委派文件，請盧先生拿出來，我可以轉呈總理。』

他一看章漢夫答非所問，不由呆了。」（五十五）

畧論如何保嗓

瘦西湖

好唱平劇的朋友，首先應知字與嗓之重要，因爲字是戲的基礎，嗓是戲劇的樞機，此猶人之手足，二者必須相輔共存，缺一不可。

不過學平劇之初步，須先察自己的嗓如何，如屬大嗓，就學大嗓，如屬小嗓，就學小嗓，不要想生，且，淨，丑一把抓，這是萬忌的事，茲將保嗓應有的認識介紹於後，以供平劇愛好者之參攷。

嗓有眞假，又名陰陽聲，用眞嗓的屬於，生，末，淨，丑，用假嗓的屬於且角和小生，眞嗓其音沈寬而堂，假嗓其音尖細而脆，往年伶界生唱時，忌參假音，近年來則不然；無假音則不能完韻，而能使人聽來順耳也。

烟嗓，愛好烟癖，嗜者甚夥，如馬連良之愛抽大烟，抽越足，嗓越好，如登台前未被抽夠，上台唱時必致精神渙散，運氣無力，唱來再好也只能點到爲止，如給抽足，則精神大振，運嗓十足，卯上之處，必受大衆讚賞。這種嗓，即謂之烟嗓。

酒嗓，有的人非事先喝酒不可，如無酒給喝，馬上就會有氣無力，使不出勁，所以過去曾有很多伶人飲場時，會以酒代茶者，如四大名且之程硯秋即如是，其嗜酒如命，愛好之深，在中國伶界，可以首屈一指了，因此，程於抗戰勝利，駐滬獻唱時，身子雖已較前大爲發胖，但嗓依然故我，此上場時，以側身出之與觀衆相見，如正面上台亮相，則必顯出其臃腫不堪，大失其所扮少女之情態矣。

餓嗓，這種嗓在伶界算最多，又名餓腹唱，此即行家所謂飽吹餓唱者是也，飽吹者，文場上之吹笛朋友，必須把肚子吃飽了才吹得動，不然，怎樣也提不起勁了，餓唱者，因恐食後作嘔，或怕吃飽了會氣促，故而寧願不食，讓肚去餓，否則，吃飽了的張飛，走到蘆花蕩時，哇呀呀的一聲尚未叫出來，而先在台上大吐特吐了，你看笑話不笑話。

飽嗓，這種嗓，就是說在未唱前必需要吃得很飽，不飽，唱起來就沒勁，唯有吃飽，嗓才能運用自如，丹田氣方能十足，具此種嗓之人，必會精神充沛，身心愉快，生活正常，不熬夜，不賭博，不喜嫖，不抽烟，與餓嗓相較，大有千里之別。

靜嗓，具這種嗓的人，戲界伶人謂之養嗓，養嗓時須靜靜的坐在一邊，沉默寡言，閉目養神，這種功夫是專以培備其氣，而養其音，不鳴則已，一鳴驚人，果能如此，則無氣竭音澀之疵矣。

勵嗓，行家又謂溜嗓，往年伶人們每日必赴山野清泉之地溜灣一次，（溜灣即兜圈子名詞），回來後則胸襟開暢，丹氣充足，運匀自如，而上場時嗓音即無悶鎖不順之病也。

慾嗓，患這種嗓的人，在未唱前，必須往幽會一次，或自動手淫一次，讓精發洩出來後，嗓音即能潤滑響亮，大唱特唱，在短時間內雖能克救一時之急，然在戲長之中終難久持，於嗓既無益，於身實有害，如目前還有患這種嗓的人在，希愛惜自己身體，幸勿爲之。（上）

社會小說　香港地

六、人情味

梅大亮說得非常嚴重，倒教老禤一時覺得難過，便自苦笑了一下，答道：「對的，你說的是另一方面的眞理，但你可不要誤會了我。我並未想到，這會是對韋大悲做成死後的侮辱呢。而且，你也得相信，我這一方面說的也是眞理。你且想想，你日常接觸到的東西，有那幾種是沒經過裝飾的呢？你穿的一件衣服，吃的一盤菜，都和裝飾脫不了干係呀！」

老禤說得其詞若有憾焉，梅大亮才覺自己說話的口氣未免過重了一點，有些不好意思，便把話題撐開，接住說道：「且休談這些吧！霍新開的事，還是不談的好。現在我明白了，他在利用韋大悲做幌子，爲他自己做沽名釣譽的裝飾功夫，我們既然管不着他，便由他僞裝得一時便算一時好了。話得說回來，你爲什麼要住在這等地方，毫不覺得討厭？」

老禤聽他這麼問，先自按了一下電鈴，叫侍役到房裏來，吩咐替他叫咖啡店十送來兩杯咖啡，才笑道：「住在旅館就有這種好處。你要什麼都隨時有得供應。你要洗澡也好，要打電話也好，一切都快捷方便，不比向普通人家賃房間來居住，說來有好幾百種麻煩。你知道我是王老五一名，像我們這種王老五，香港委實多得很，最苦是單獨租一個房間，會受到包租人懷疑，甚至用白眼相向。這種苦頭，料你知得是太多了。我是『本縣會經此苦』，才覺住旅館是一個好方法，雖則這也有它的缺點。」

梅大亮這才明白，可是，他仍確實自有苦衷，老禤忍不住再問道：「那麼，你以前住的又是什麼樣的地方呢？便算非住旅館不可，也不該住在這種流鶯亂飛，穢汚所聚之處呀！」

老禤祇是搖頭發笑，應道：「你是有家之人，大概又是愛潔成性，很難了解像我們這種王老五的苦處呢？從前我住的地方，好在有一個相熟的包租公，也有一個電話，結果是和包租婆鬧翻了，弄得不歡而散，急遽之間，要找一處可以有電話和朋友聯絡的住處，談何容易？高等的旅館是我這種人住得起的嗎？這裏價錢便宜，我又是老主顧，才正合適得很。」（九十二）

木客著

工展特輯

工展小姐選舉揭曉
關玉蓮榮獲冠軍
鄭安娜林佩梁婉兒分膺亞季殿軍
昨五日在會場舉行加冕

（本報訊）第十八屆「工展小姐」競選，經十日來之投票競選，至前四日下午五時截止投票，宣告功德完滿。於當晚由各攤位派員與宣傳、稽核兩部人員負責點票，直至午夜一時始核計完畢，結果關玉蓮以一〇六五七八票獲得第十八屆「工展小姐」冠軍，鄭安娜九五八六九票獲選亞軍，林佩三〇二六九票獲選季軍，梁婉兒一八八六〇票敬陪末座，榮獲殿軍。大會於昨五日下午三時半在會場禮堂舉行加冕典禮，隨即頒獎。可是本屆舉行加冕典禮，情形和熱烈的競選成了個反比，參加競選的十五名小姐，祇有冠軍關玉蓮，季軍林佩，殿軍梁婉兒到場，亞軍鄭安娜遲遲未到場，據說，不到場參加加冕典禮，內中另有因果。其餘的工姐們個個都芳踪杳杳。

典禮開始，首先由會長朱石麟致詞，祝賀當選姐兒，繼由宣傳部長朱朝欽報告競選情形，再由朱會長太太爲工姐們配彩帶，然後由朱會長主持加冕禮，余達之頒發獎品，遂宣佈禮成。（安）

攤位比賽昨日頒獎

（本報訊）本屆工展會攤位裝飾陳列比賽，于工展會開幕後翌日舉行，由晏嘉士担任評判委會主席，羅伯遜夫人、鄭棟材夫人，史柏堅、何少庵等爲委員，担任評判，結果香港鋁業聯營有限公司榮膺冠軍，利華民恤衫廠亞軍，香港捷和製造廠季軍，另有十一家獲榮譽獎，十五家獲優異獎，以上優勝各廠商，於昨（六）日在工展會大禮堂頒獎，由工商管理處處長晏嘉士夫人主持頒獎，工展小姐關玉蓮向晏嘉士夫人獻花致敬，並拍照留念。（何）

工展已近尾聲　攤位大貴平貨

（本報訊）本屆工展的會期，祇有明天一天了，本月八日晚上十時半，本屆工展會便告圓滿閉幕了，工展會自去月六日開幕以來，至昨晚止，入場人數已近一百一十萬人，較上屆人數爲多。各攤位見距離閉幕期已近，所以連日來各攤位紛紛將貨品盡量減低售價，藉以引起遊客採購興趣，使貨物盡量沽清，以免搬運返廠之麻煩，故價錢之廉宜，爲市面上少有。（東）

香港筆廠梁婉兒道謝

婉兒此次代表香港筆廠競選第十八屆工展會小姐，荷蒙梁氏宗親會全體首長宗親並蒙伶星梁醒波先生、梁素琴、梁飛燕、梁君麗、梁寶珠、文蘭、袁小雲、韓菁清、李寶瑩、白光、李香琴小姐，親臨投票，得榮獲殿軍，高情隆重，不勝感謝

工展會第九街　香港筆廠梁婉兒再拜

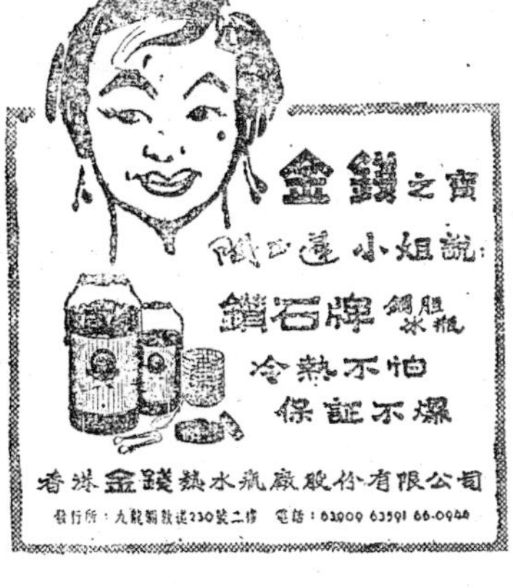

中華民國五十一年一月十七日　自由報　星期六　第四版

釋耒集

文辭之士

梁簡文帝與當陽公大心書，云：「立身之道，與文章異，立身先須謹重，而文章且須放蕩也。」簡文，武帝第三子，即昭明太子之弟，其論文之見，亦貴文采而賤行誼，六朝文士，固大率如是矣。夫立身之道，六經是也，所謂立君臣，親父子，別夫婦，明長幼，浹朋友之義，舍六經之外，無非偏激之論，今曰文章之道，與立身異，是爲文不必師六經也。然則六朝人宗經之論，不過徒有其詞而已，蓋以經學言之，漢人口授微言，篤守師說之傳統，固亦至此中絕，而南人說經，不過名言霏屑，騁揮塵之清談，屬詞尙腴，修雕蟲之小技而止。亦一時學術風氣有然，不足深怪也。唐人顧況有言：「霍去病辭第，曰：匈奴未滅，何以家爲？於國如此，不得謂之無文；范蔚宗著後漢書，妻子不勝珠翠，老母惟樵薪一廚，於家如此，不得謂之有文。」則持論與六朝人適相反，尤極詆范蔚宗，余讀范氏獄中致甥姪書云：「常恥作文士文，患其事盡於形，情急於藻，義牽其旨，韻移其意，雖時有能者，大較多不免此累，政可類工巧圖繪，竟無得也。常謂情志所託，故當以意爲主，以文傳意。以意爲主，則其旨必見；以文傳意，則其詞不流，然後抽其芬芳，振其金石耳。此中情性旨趣，千條百品，屈曲有成理，自謂頗識其數，嘗爲人言，多不能賞，意或異故也。」夫恥作文士文，以文士文均無可觀，不足以褒崇學術，表彰節義也。而「事盡於形，情急於藻，義牽其旨，韻移其意」，又嘗爲六朝文士爲文之通病，然亦惟立意紀言，思以文章經世之士，乃深知之。六朝文士，聲虛逐微，遣理存異，爲風月花草之文，矜宮商清濁之巧。故雖「嘗爲人言，多未能賞」，則「楚艷漢侈，流弊不還」，此劉彥和之論，范氏固早見之矣。至曰：「以意爲主，則其旨必見，以文傳意，則其詞不流」，則又與後世言義法者，實相表裏，蓋其旨必見，詞達也；其詞不流，雅潔也。詞達其旨而不流，則爲文之能事畢矣。湘人王先謙氏，論文宗主桐城，輯古文辭類纂續編，以繼姚氏，其後漢書集解序曰：「范蔚宗氏後漢書，拔起衆家之後，獨至今存，其褒尙學術，表彰節義，既不蹈前人所譏，馬、班之失，至於比類精審，屬詞麗密，極才人之能事，雖文體不免隨時，而學識幾於邁古矣。」推許恰如其分，余特怪後世言論文之士，未嘗一言及范氏此書，則亦以人廢言之故耳。竊嘗思之，文章之所以可貴，以其可以本性情之哀樂，關世運之盛衰耳，雖曰垂空文以見意，實未嘗矜翰藻以沽名，文辭之士，固無此見解，抑亦不能有此抱負，此文士之文之所以不足爲者乎？　曲齋

抽象畫

徐學慈

抽象畫究竟是什麼東西呢？如果要替它下一個定義，應該是：「爲任何人所看不懂（包括畫家本身在內）的畫，就是抽象畫。」抽象畫有什麼價值呢？一言以蔽之，對人類無價值，而對畫家本身卻有價值。此種價值，任何抽象畫者得於「抽象」之義，自然不便明說，但我們這些並不「抽象」的人，却可以毫無愧赧地說出，那就是：有「抽象」這一名詞作護身符，立即有點鐵成金之妙。我這句話，可能是受了抽象畫的影響，仍然說得很抽象。明白一點說，應該是：凡以「抽象派」自命的人，其人雖不必有繪藝之才，但可以在一朝一夕之間，蒙畫家之名。

任何抽象畫家開畫展，幾乎都是百分之百「成功」的。原因乃在於沒有人能欣賞，也就沒有人敢批評。

年前有某抽象畫家開了一次畫展，某公買了一幅「人生幾何」的複印品，歸而懸之中堂，此公當然不知道這幅畫究竟是些什麼抽象的內容。有一天，遇一絕頂聰明的人，爲他逐一指點，才知道「人生幾何」中畫的是一些乳罩、底褲、酒杯，最妙的是還有男人與女人的生殖器，某公大呼倒霉，連忙將那幅名畫撕下，此後絕也不敢去看抽象畫了。

這不是笑話，這是事實。在抽象畫者說來，必以爲畫男女的生殖器不過是爲了表現藝術；藝術如果是必須要表現到男女的生殖器上，那就不藝術也罷。

前任香港總督葛量洪爵士最近由倫敦寄來一封信給本港一位西洋畫家陳福善先生，發表了他對抽象畫的意見，充份表露出英國式的幽默，急爲錄出，以資共賞。

「親愛的陳先生：謝謝你的聖誕咭和好意。我很喜歡得悉你仍健康，但我不知是否喜歡聽到你現在趨向着抽象畫。雖然，我沒有資格給你一個意見，但用着你的抽象畫你可否能夠或會表現一個海景，或整個風景，像你那幀用來印你的聖誕咭一般呢？這個夏季在倫敦泰的畫廊舉行一個世界各地搜集在一起的畢加索的作品。關於他的後期作品，我自認不敏，完全不能了解，猶如我預料着你今天的抽象畫一般，不過這也好，因爲我不在香港了——在一二百年後，畢加索陳福善和其他抽象畫將否仍被讚許呢？這是一件很有趣味的事情。你和我將永遠找不着這個答案的。」

中藥瑣談

筱臣

由於大陸上人民均已驅使於「大躍進」，變成了農奴，因此，對於中藥的採集也就無法兼顧，不能輸出。致令海外的中藥價目，莫不陡漲，星加坡的中藥業，還認爲香港的商人故意居奇哩。

談到中藥，大家都知道是神農氏嘗百草，用來治療人民的疾病。其實，這幾百種的藥物，都是累積若干人的智慧經驗陸續發現的，由於數千年之累積，才有此種成就。

有些藥物就是用發明人的名字來命名的。例如「蘿」科植物中的「徐長卿」，古代中醫常拿它治療，癘和神經系病，它之所以叫徐長卿，就是因爲最先應用這種藥草爲人治病的人，是晉元帝以前一個名叫徐長卿的緣故。與此相同的還有「戴文裕」，「杜仲」等。杜仲現在還是常用藥，戴文裕則已不知爲何物。

在「徐文卿」，「杜仲」之後，又有「劉寄奴」，它是一種菊科植物，古代中醫常拿它作爲藥末，敷治金瘡傷和燙傷。它之所以叫劉寄奴，這裏面並有一段神話。

據說：寄奴是南北朝對立期間首建南朝政權的宋武帝劉裕的小名。劉裕少年時落魄江湖，在江邊斫柴，看見一大蛇當道，就用箭把它射傷。第二天再去，且有幾個童子在那裏圍着一只石臼搗藥。劉裕問知是治那被自己射傷的所謂蛇神的，便大喝一聲，嚇跑了那幾個童子，把石臼裡的藥統統拿走了。

這個神話，大概已經流傳得相當廣泛，在劉裕死了不久，就有一種具有這種療效的草藥，被稱爲「劉寄奴」。公元六五九年，蘇恭編輯「唐本草」，把這個藥名紀錄進去，就成了定名了。

因爲我國藥材種類名稱很多，許多常用藥材已爲家喻戶曉，成爲日常生活所必需，好事的文人，更用來作爲製謎語的材料，其中有很多是頗費匠心，值得一談的。

例如「錢財散盡剩孤身」，這是以一個謎面而猜幾種藥材名稱，猜金銀花，獨活。「你這樣肚顏有術，心廣體胖？」猜何首烏，大腹皮。但這兩個謎語不見甚好，從前有人以「趙子龍單騎救阿斗」射三種藥材：常山，獨活，使君子，公認爲佳作。原來趙子龍常山人，單騎喻獨，使君即劉備，此謎語妙在於運用歷史故事，十分貼切，一氣呵成。

用從前的詩文來做謎面的亦頗多。例如「初到貴境」猜生地，又有用王勃的「滕王閣序」的話：「關山難越，誰悲失路之人」來猜生地的，後者似較前者較爲雋永。「春色滿園關不住，一枝紅杏出牆來」，猜花葉上露；「寒夜客來茶當酒」猜款冬；「意恐遲遲憶舊吟」猜當歸；「春風吹又生」猜夏枯草；「曾爲項羽策烏騅」猜霸王鞭；「歲寒然後知松柏之後凋也」（孔子語）猜耐冬等，均屬較爲文雅，亦頗耐人尋味。

用成語和典故來作謎面的不少。例如「皆呼爲大樹將軍」猜無名異，按漢朝名將馮異，當朝廷論功行賞時，他不誇己績，獨立大樹下，世稱爲大樹將軍。「樂不思蜀」猜劉寄奴，是用劉後主（阿斗）答司馬昭的故事。「三宿而後出晝」猜王不留行，「春蚓秋蛇」，用的是求鳳格，猜冬蟲夏草。

最後，則有人自撰詩句，用來作謎面的，每句含有藥名一個，詩做得好，謎語亦隱藏得很好的。例如清人黃宜燦撰的「藥名謎詩」七律三首，就是此中之佼佼者，茲錄其一，以見一斑。

盼到韶光五月時（半夏）燈前何處寄相思（黑豆）蓋將預擬東坡句（蘇荷）市近喧傳太白詩（金星草）萬里何由酹素願（遠志）一生端不誤情癡（女貞子）褒巾莫笑空空甚（金銀花）贏得肖郎爾鬢絲（白頭翁）

海嘯雙談薈

美式生活（一）

諸葛文侯

「小孩兒的樂園，青年人的戰場，老年人的墳地」，這是一般人對於美國社會生活現象的批判之詞。你如果到新大陸去游覽一下，耳濡目染當地各界人士的生活實況，就知道這三句評語深中肯綮，決不過份的。

在美國，小孩兒一聲呱呱墮地之後，一切飲食起居，都按照極科學的方法處理，例如飲食物應該分期調配，某種維它命須佔幾分之幾，早晚的份量怎樣不同，室內溫度與室外溫度如何適應，使小孩兒的生理上不致感受妨碍等等，皆有精當的規定，而每星期必須經過醫生檢查身體一次，尤爲必不可少的撫育工作。美國的賦稅是相當繁重而嚴格的，但小孩兒的用品却可以格外通融。所以，美國社會上阿飛少年之普遍產生，良有以也。美國朋友對於旅美的華僑子弟那末知禮盡孝，從不發現阿飛行爲的情形，頗爲驚奇羨慕，殊不知這是自幼即從家庭教育培養而然的結果，不揣其本，而齊其末，自不能瞭解問題的癥結所在。

美國的青年和壯年人，一旦涉足社會，從事職業生活時，他們那種追求財富，爭取享受的緊張奔忙情況，可說是舉世所罕有的現象，每天除睡眠以外，連吃飯的時間，亦表現着食而不知其味的緊急狀態。我的朋友劉君，前年到美國游歷，在紐約街上遇着一位美國的老友，班荊道故，甚爲親切，他約劉君赴餐館吃午飯，劉君以其中國人的傳統習慣，對着久別重逢的故人，暢話別後，娓娓清談，歷時頗長。最後結帳時，那位美國朋友很歉然地說道：「今天的餐費應該由我全部支付的，但我因爲跟你談話的時間過久，所損失的金錢收入數目，超過餐費若干倍，衹好彼此均攤這餐費用了。」即此一端，可見美國一般青年和壯年人的生活奮鬥情形，何等緊張而忙碌呢！

談到老年人生活在美國的景況，可舉數例以明之：我國立法委員劉震東先生，前幾年重游美國時，住在紐約一個公寓中，某夕深更，鐘鳴二下了，他睡夢正濃，忽有人來拍門，察其聲音係女性，急啓門覘之，乃一年近七十歲的老太婆，問她何事見教？她答以因爲身不能入睡，枯坐寂寞，有如置身墳墓間，希望跟劉先生談談話。迨入室對談時，她說自己有兒有女，且有孫輩了，住在公寓內，生活頗優裕，電視機、收音機都有。可是，兒女們不願意跟她在一塊，常年亦少見面，孤居旅舍中，早晚靜寂無聊，沒有絲毫的人生樂趣。劉先生告訴她：「我也有兒孫了，全家老幼同堂，朝夕相處，怡然自適，兒孫們侍奉承歡，習以爲常。」那位老太婆聽罷，即以驚詫的神色說道：「你這話如果不是騙我的，那你眞是住在天堂上啊！」

歷史人物

岳飛

翩康

「新亭一掬淚汪汪，哭遍天涯事可傷。四海風雲成浩劫，九霄鴻鵠墜翱翔。百年氣餘悲胡虜，萬古精忠痛鄂王。多少奸奴甘賣國，憐予對影弔斜陽！」

——黃花崗烈士羅仲霍作

岳武穆王飛精忠報國，婦孺皆知。尤其是讀過他底滿江紅詞，岳全傳，或游過西湖參觀岳墓的人，沒有不低徊流連，一心景仰岳王節概和痛恨奸賊秦檜，甚至那頑鐵鑄成的檜妻王氏也陪着她底丈夫跪在岳王墳面前，袒胸露乳的醜怪象，受着後世人的摩弄和辱罵呢。「人生自古誰無死？」像岳武穆文相國陸秀夫史可法和黃花崗七十二烈士這許多英雄義士的死，那是天地間最英烈勇壯，可歌可泣的光榮紀念了。尤其是武穆，我們可以借用杜甫詠諸葛的詩句並酌改一兩個字來贊歎他，正所謂「萬古大名垂宇宙，忠臣遺塚肅清高。」「出師已捷身先死，長使英雄淚滿襟。」令人更不勝其景慕和感慨了。

記得中學時代唱西湖十景歌第一首云：

「風暖艸如茵，春水碧如鄰，岳王舊墓，蘇小孤墳；英雄俠骨，兒女柔情。湖山古今，滄桑滅盡興亡恨……。」

這歌詞以蘇小配岳王，更使人有英雄兒女並峙千秋之感。我想錢塘蘇小作死後同鄉，當亦感覺榮幸吧。（一）

自由報
THE FREE NEWS
第九十五期
中華民國僑務委員會領發
台報新字第三二三號登記證
中華郵政台字第一二八二號執照
登記為第一類新聞紙類
（半週刊每星期三、六出版）
每份港幣壹角
台灣零售價新台幣弍元
社長：雷嘯岑
督印人：黃行憲
社址：香港銅鑼灣高士威道二十號四樓
20. CAUSEWAY RD 3RD FL
HONG KONG
TEL. 771726　電報掛號．7191
承印者：四風印刷廠
地址：香港灣仔高士打道二二一號
台灣分社
台北市西寧南路壹叁柒號二樓
電話：三〇三四六
台郵撥儲金戶九二五二

論調整省區問題

金達凱

報載立委一百零八以我國省區流弊叢生，亟應調整。認為中共之竄擾陷國，省區問題實釀禍始。因而建議將內政部前所擬訂之調整省區方案正式審定，以備復國後迅速實施。其用意良善。然大陸陷共，主要因素是否即為省區問題，復國後之首要工作，是否即在改變過去之行政區劃，似有詳加考慮必要。本文非對提案者提出否定或肯定之意見，只是將中國省區沿革，及大省區和小省區的利弊稍加說明，以供關心此一問題者的參考。

一

中國之有統一的地方行政區劃，始於秦代。秦併吞六國，廢封建，置郡縣，初分全國為三十六郡，平百越又置四郡，合為四十郡。此為中國行政區域之嚆矢。

西漢初封建與郡縣並行，將全國分封和劃分為一百零三個郡國。武帝時則在中共與郡國間設司隸校尉和刺史，代表中共對郡國之監督。東漢將郡國改為卅郡，十三刺史也就演變為十三州牧。三國、兩晉南北朝，大都沿襲舊制。隋初，廢郡，存州縣，將州縣由中央直轄；後又廢州存郡，以郡統縣，恢復秦制。後又于郡之上設司隸刺史十五員，仿漢武舊制。

至唐代，則按地理環境與山川形勢，將州郡合併，分全國為十道。玄宗開元間增至十五道。唐在道制之外，復于形勢重要及邊疆地區設置府制，計一是在國內各衝要區設都督府，統轄州縣，統理軍民；二是沿邊地帶設都護府，治理邊地少數民族；三是在京都設立府尹，等于今日的特別市。中唐以後，又有節度使的設置，其初為邊防軍事制度，後漸推行至內地，變為實際的行政區。

北宋初，行政區劃因唐制略加改變，始分全國為十三道，後改為兩京十道。又再改道為路，以水路和陸路為區域的界劃，初定十五路，後增至二十三路。南宋偏安江左，減至十六路。

以上為秦至宋的行政區劃情形。至行政區之稱為省，則自元代開始。元將全國分為十三省，一個是中書省，十二個是行中書省，以省統御各路，府，州。明代分全國為南北二直隸及十三承宣佈政使司，性質與省同，故習慣上仍稱行省。清順治改南直隸為江南省，與江西省並立；康熙時再將江南改為江蘇安徽兩省，又將陝西改為陝西甘肅兩省，將湖廣劃出湖南湖北兩省，合共為十八行省。清中葉，回疆亂定，建新疆省，光緒初年將台灣改省，庚子後，將東北劃分奉天、吉林、黑龍江三省，共二十三省。甲午之役，台灣割給日本，減為二十二省。

民國初年，除保持二十二個行省外，並增設熱河、綏遠、察哈爾、川邊（西康）四個特別區，民十七年國民政府將四特別區改建為省，再增設青海、寧夏兩省，共計二十八省，另有西藏、蒙古兩個地方。

抗戰勝利後，台灣光復設省，復將吉林、遼寧（奉天）、黑龍江三省劃為吉林、遼寧、遼北、松江、合江、嫩江、黑龍江、安東、興安等九省，共計三十五省。此外尚有十二個直屬行政院的特別市，除戰前已設立的南京、上海、北平、天津、廣州、青島六市外，戰後復將重慶、漢口、西安、瀋陽、哈爾濱、大連等六市改為特別市。又于勘匪期間，在省與縣之間設行政督察專員公署一級。至于縣級建制，則自始迄今甚少變動。這是中國二千餘年來行政區劃演變的輪廓。

二

在上項行政區演變過程中，其發展規律，不外是由小改大和由大變小兩種。即小區制發生流弊時，則改為大區；大區制發生流弊時，又改為小區。清末民初，曾有「聯邦制」的倡論，後演變為「聯省自治」的主張，但這種紕視中國省（Province）的特質，將其與外國的邦（State）相提並論，把一個統一的向心的行政區域，分裂為半獨立性的聯邦或聯省，自是不切實際的定法，故為國人所反對。

抗戰期間及撤出大陸後，一部份人士認為中國的變亂之根源，係由于地方權力過大，即省區過大，中樞鞭長莫及，是一方面形成地方特殊勢力的割據，一方面造成邊遠省份的動亂，因而又有縮小省區之主張與擬議。省區縮小，可使地方在經濟上和地理環境上失去封建割據的條件；同時附帶把省級政府權力縮小，地方自治的重心放在縣的單位上。在此意義下，國府內政部會擬訂出調整省區方案，以自然形勢、語言習慣、宗教信仰、及經濟資源等條件作為劃分新省區的標準。

內政部的調整省區方案，是將全國劃分為六十六個省，即將現在的省區小兩倍至三倍。其方式包括縮小不打破原省界、和縮小而打破原省界兩種。縮小不打破省界者，如將新疆省劃為天南、天北、西疆三省；河北省劃為冀南、中州、保定三省；湖南省劃為衡岳、沅澧等省。縮小而打破原省界者，如將豫南的南陽、信陽和鄂北的襄陽一帶劃為三陽省。據統計，方案中的新省區，人口密度平方公里在一百人以上者有二十九省，每平方公里滿一百五十人者有二十省。每省總人口達五百萬人者有四十省，滿一千萬人者有十三省。其餘則在五百萬人以下或一千萬人以上不等。

此一方案健全與否，現暫不置論。但可以指出的，國家治亂的關鍵，主要是決定于政治、社會、經濟、軍事、文化諸問題，並不在省區的大小。從歷史上看，有文景之治，百餘郡國，但也有七國之亂；唐分十道和十五道，有貞觀，開元之治，但也有天寶之亂；東漢以十三州牧而傾覆，隋煬又以百九十郡而滅亡。宋元明清各朝的興替，也都不是省區的問題。抗日戰爭勝利後之縮小省區，先實行于東北，但大陸局勢之惡化也在東北開其端。由此可見省區的大小，並非國家治亂的決定因素。而行政區劃的合理與否，只不過對行政和經濟關係發生若干影響而已。

三

目前我國的省區經歷了二千餘年的演進過程。過去某些省區的劃分，雖未盡合理，但仍有其重要的根據。從政治意義看，如徐州居江淮平原，為四戰之地，形勢重要，于是將其週圍數百里地區，分屬于蘇、魯、豫、皖四省，以免某一省控制這易于多事的地帶，以致製造變亂的局面。從經濟意義看，如浙東配上浙西，皖南兼搭皖北等，都是為了避免社會經濟的偏枯。這些是前代政治家長期的經驗與適應某些特殊環境而決定的。現在要改變省區必須拿出更合理更完善的辦法來，否則仍於事無補。

其次，就縮小省區問題來說，如將全國細分為六十餘省，省級單位增至兩倍到三倍，再加上十幾個特別市，則不僅公職人員隨之大量增多擴大政費之支出；而且政務之繁雜，亦非行政院所都能直接處理得了。因之勢須在中央與省之間設軍政公署一類的機構。這樣又成為變相的大省區。從內政部的調整方案看，實質上是將專區升格為省，或將省降到專區或行署區的地位。這既不能減少地方政府的層次，反而增加地方的負担，且更易給大區的軍政公署以各行其是的機會。

中共竊據大陸後，最先設立「大行政區」縮小省區如將東北劃為六省，又在山東河南間設「平原省」等。以後撤消「大行政區」而擴大省區，裁併熱河、察哈爾、綏遠、西康等省。而在省與縣之間仍保留專區一級。此外則將廣西、寧夏、新疆等區改為「民族自治區」—這自是違背中國地理特點和民族特點的一種逆施。

因此，我們光復大陸時，首先要注意恢復原有省區的面貌，改正人民觀感，符合原有心理習慣，以安定社會秩序。然後再針對實際問題，權衡利弊，作穩步和漸進的改進，不可作急速的全面的變更，以免引起再度的混亂。

小論天下

△寮戰未已，共軍與反共軍互傳得失，談判途徑尚未打開，美已屈從英法主張，但仍發表白皮書責共侵寮。泰總理乃沙立恐寮國變成破瓦。印總理尼赫魯謂寮局仍嚴重。英在遠東軍政外交人員集星加坡會議，傳特別注意共黨滲入英屬北婆羅洲。傳火箭及核子武裝將納入防衛系統。

「瓦已破了」是事實，彌補得一時便算一時。泰國既已認真着急，尼赫魯也該認真替他自己打打算盤了。

△傳中共軍，進攻緬邊反共游擊隊，部向寮邊開動。亞洲反共聯盟倡組志願軍赴援寮國。

亞洲反共志士縱有義勇精神，西方國家只作功利打算，奈何？回想抗戰時期滇緬路被封塞的一個微妙階段，倒不該黯然洩氣，更不妨仰天大笑。

△非洲幾內亞摩洛哥等八個國家開「小型高峯會議」，決定支持剛果被黜總理魯蒙巴，已使聯合國增加應付剛果問題的困難。

他們製上了一個大花臉的新臉譜，一半兒紅，一半兒黑。比那一半兒白一半兒黑的顯得特饒殺氣。

△法國已在本土及海外屬地舉行投票，為「阿爾及尼亞自決」政策作一最後決定。總統戴高樂因民意支持而獲得勝利。

戴高樂在危疑震撼中所表現的鎮定和勇敢，確已在政治博賽中樹立了偉大而動人的榜樣。

△傳美國未來總統甘迺廸擬派巡迴大使哈爾曼赴莫斯科，探求蘇俄的意圖。現任駐蘇大使湯普遜及國務院蘇俄問題顧問波倫仍留職。

甘迺廸確是配製鷄尾酒的好酒。只怕眞正的酒徒會作這樣的批評；鷄尾酒並不是酒。

△北平食物嚴重缺乏，曾出現「自由市場」，但迅被禁止。

在思想方面從地下開放的「自由市場」，是廣大而無可禁止的。

△古巴戰氣瀰漫，美國報紙認為：古巴軍隊有半數裝備叛變。美艦隊又在加勒比海舉行演習。

移此種眼光以觀中國大陸，共產世界不足平！

△台灣有一位「大砲」議員，昌議收回香港澳門及琉球。

議會不能沒有大炮，只怕有倒轉炮口亂轟一頓的大炮。

方南

現代牛浦郎

盧家雪

掠人之美，為一極不道德的行為。不論是政治上的掠美，或者是文學上的掠美。

儒林外史第二十一回，題為「冒姓字小子求名　念親戚老夫助病」。描寫牛浦郎將牛布衣的遺詩據為已有的情形，直寫得有聲有色。不妨引述一段：

『浦郎把鎖打開，見……兩本錦面線裝的書，上寫「牛布衣詩稿」，浦郎喜道：「這個是了！」慌忙拿了出來……因想，「他這人姓牛，我也姓牛，他詩上只寫了牛布衣，並不曾有個名字，何不把我的名字，合着他的號，刻起兩方圖書來印在上面，這兩本書可不算了我的了，我從今就號做牛布衣！」當晚回家盤算，喜了一夜。』

儒林外史的作者距今已逾二百年，當然想不到二百年後仍然有牛浦郎那樣的冒名小子。

下面便是今代牛浦郎的冒名法。

「新華社」緬甸毛淡棉一月五日的電訊報導：『周恩來今天上午乘專機從仰光到達毛淡棉，……毛淡棉市各界代表……在市政委員會隆重集會……周恩來總理在春雷般的掌聲中講話……當場朗誦了陳毅副總理歌頌中緬友誼的熱情洋溢的詩句：「我住江之頭，君住江之尾。彼此情無限，共飲一江水。」』

這首詩好嗎？好的。可是，這種美不能歸於陳毅，必須要歸於死去近一千年的宋代詞人李之儀。

請看李之儀的「卜算子」詞：

「我住長江頭，君住長江尾，日日思君不見君，共飲長江水。　此水幾時休，此恨何時已。只願君心似我心，兩不負相思意。」

把「長江水」改為「一江水」就算是陳毅的詩了，這一笑話，應列為一九六一年最大滑稽之一。

單是滑稽還不要緊，盜竊中國古典文學遺產之罪，卻是一定得加以口誅筆伐的。

小啓：馬五先生有事，自由談暫停一期，謹向讀者致歉。

同姓拒婚記

當是前生孽債，應知今世同宗

張希明

台北通訊

台南縣一同姓青年，在女友閨房中服毒自殺。二十六歲的高市青年吳士印，三年前結識南縣籍二十二歲少女張月雲，經媒婆撮合，準備結成良緣。後知女父亦姓吳，因此之故，同姓不婚，堅決拒絕。據悉張月雲之父與其母並未結婚，張女之外祖母膝下無子，當年係招贅張父為壻，但也為同居性質，迄未辦理正式結婚手續，故張女出生後，隨同母姓。

吳士印被女父拒婚後，一時憤怒，於十二日中午在女宅，找女家理論，與張女傾談，結果女父堅持已見，同姓不婚而未果。事後吳用殺蟲劑了絕了自己一生。

天涯何處無芳草，父母養育自己不容易，了絕自己太容易了。真正的愛情，捨此之外，難道找不到嗎？

弱者，你的名字是男人！

學生惡作劇　搭車割座椅

公路局蘇澳區運輸處，上週向花蓮各中等學校及學生家長發出呼籲，希望學校和學生家長，共同管束搭乘公路局班車上學的子弟，不要攜帶刀片割破公路班車的座椅。

公路花蓮地區的班車，一週來連續發現被不良少年用刀片割破座椅，損失很嚴重，公路局已飭各站車人員注意防範，如再有發現，當要求賠償，依法辦理。

乘座公共交通工具，應共同負責道德行為，誰看到誰都應該予以制止或檢舉。一個安定繁榮的社會，是需要人人是一個守法的人，並不是限於局部性的某一階層的人。

狂犬吠火車　議員有妙論

省議員張富在省議會質詢省政府時，引用一句令人發笑的比喻，來指責若干官員，未能充份採納民意代表所提的質詢與建議。

張議員說：民意代表向政府質詢，大吹大擂，政府官員亦我行我素，不予採納。等於「狂犬吠火車，蚊子叮佛公」一樣。政府官員不採納民意代表之建議，即不重視民意代表所提之建議，民意代表似乎是多的了。（明）

寶島飛絮

山東四大漢兩男兩女　雲南一奇人半陰半陽

△立法院為中國最高民意機構之一，最近流行一副妙聯，頗富諧趣，這妙聯是：「山東四大漢兩男兩女，雲南一奇人半陰半陽」。原來，山東籍的男立委延國符，劉振東和女立委王雋英，楊寶琳四人，身材均特別高大，因此被稱為「山東大漢」，而雲南籍的女立委羅衡，雖身為女性，却喜着男裝，因此被呼為「奇人」；而此聯則允稱妙絕！

△科學倡明現已進入核子時代，但古城鹿港却發生了一宗人鬼聯婚的怪聞。鹿港鎮中山路青年阮某，現年二十七歲，數年前與小他兩歲的鄰女黃小姐相戀，嗣男方即央媒前往說親，但女家予以婉拒，私訂終身，婚事遂擱置下來。三年前，黃小姐病逝，阮另與該鎮泉州街某小姐訂婚，並擇於十一月廿七日在自宅舉行婚禮。惟據聞在幽界異路的黃小姐曾數度托夢請求阮某娶她為妻，使伊有所歸宿，阮某並因此染病，毫無起色，最後到戀人墓前祈禱後始告痊癒。於是，阮某認定黃小姐「生是阮家人，死是阮家鬼」，雖然兩人在幽明不同的世界，却仍於廿六日先與黃小姐舉行形式上的婚禮，然後再於次日娶他現在的未婚妻為妻。（梁）

人性皆沒落　幼女充私娼

省議員簡欣哲在省議會民政質詢中說：報載台北市中山北路私娼館收容十三、四歲稚娼賣淫。這種情形，固然由於就業困難及不良的養女惡習，使窮苦者將養女作搖錢樹所致。但誘良為娼或強迫賣淫的龜頭鴇母，却是罪無可逭。全省各地均有茶室，僱用稚齡女童充當茶孃，誘陷幼女為娼。

人性的沒落！幼女為娼，下一代的主人翁，如此受害，國民健康怎可提高水準。社會問題一題不解決，此種惡習一日不減。私娼者，性病流行之溫床也！

洞房花燭夜　香消玉殞時

人與花燭同落淚，新娘洞房竟服毒，何事傷心，淚灑床頭。澎湖吉貝島少女謝月桂，廿一歲，憑媒撮合，與同村青年陳仁明（廿四歲）結秦晉之好，佳期定本月十日。按島上習俗，女的應於前一天深夜，由媒婆陪同，偷偷摸摸步行到男家，第二晚才是正式的洞房花燭夜。謝月桂依約由媒婆陪同步行到男家。當天中午，男家設宴歡客，照習俗應一連宴客三天。斯時，夫家為了舖場，連神廟裏大小神像都請來，據云單是酒菜就花了一萬餘元。十日席散後，新娘於晚八時左右入洞房，一進去即哭泣着，新郎頓時丈二和尚摸不着頭腦。經友朋勸慰，兩人始安枕。新郎已有些醉意，一上床即進入夢鄉。至晚十時四十五分醒來，即聞新娘呼吸短促，似有異樣，後伸手摸女手已冷若冰冰，起床觀之，見女的口吐白沫，急請醫生，已回天無術，終告玉殞香消。

據告死者服烈性毒藥致死，而且死者並非處女，何故了結自已一生。據查死者養父陳××為一酒鬼，且家貧。婚前曾告死者強索親友送給死者「添粧」錢，但是否如此，殊堪懷疑。就此一場喜事，終告以悲劇了結。

寶島拾遺

△在台灣的公教人員，大都有一個難逃的沉重負担，那就是婚喪喜慶的禮金、負儀，像「結婚典禮」、「彌月」、「過壽」、「喪儀」、「認繼」等等，請貼花樣繁多，使薪水階級有透不過氣之感。連一市之長的台北市長黃啓瑞，也不得不叫苦。

△外匯貿易審議委員會主任委員有一次在記者招待會上對唐榮鐵工廠聘請的一批支領高薪而實際上既不「顧」又不「問」的顧問以兩則諧聯詠之說：「顧之則笑，問而不答。」以及「顧影自憐，問心有愧。」有人以為：兩聯共僅十六字，惟對這批拿薪水而不做事的顧問，可稱極盡刻劃之能事。

△有一位從嘉義到台北來的小姐，在親戚家裏玩。有天，她無意間發現一張舊報紙上有市婦女會代辦徵婚的消息，於是芳心大動，親自跑到市婦女會去辦理登記。將來這位小姐如果因而獲得一個如意郎君，眞可以說是一段「舊報紙姻緣」呢！

△彰化縣長呂世明為轉移社會風氣，特發起評選孝順學生運動，該縣教育科並已訂定辦法選評，通令各縣立中等學校實施，繼續推廣到各國民學校。這項評選的要點，不外尊敬、善侍父母、友愛兄姊妹、親睦鄰居等，學生家長、鄰里長、鄰居，或導師均得為推荐人，列具具體事實向學校推荐，由學校訓導處負責調查，由校長初步核定，再造列孝順學生名冊送縣府複核，每學期表揚一次，由縣府酌情發給獎狀、獎品或獎金。自上項評選辦法公佈後，彰化縣現正展開此一富有社教意義的運動。

由大選結果看日本各黨派前途

羅堅白

東京通訊

（老前輩資歷及蘇俄關係均非中共所喜）

在日本馬列主義信徒隊列中，鈴木資歷最老，無異於日共的德田。大正初年日本社會主義者代表們第一次赴莫斯科出席會議，當時是鈴木與德田同去的。所以他與蘇俄間，也許關係相當深切。這兩點已經是中共所不喜歡，加上戰後他屢次朝蘇，數月前又曾赴蘇與赫魯曉夫晤談；再加上那次赴蘇本預定歸途兼訪北平，但嗣後竟從東歐直返日本，使中共對之愈難釋然。尤其他返國未幾，淺沼忽喊出親蘇同時親美，以與前謂美帝為日中（共）共同敵人的話相對照，前後判若兩人。淺沼既死，那同時親美之聲，遂進一步變成社會黨擁派代表團訪美修好的公開諾言；證明淺沼並非信口開河後，大家追隨附和，意自係表演出右翼派的姿態來；極可能在鈴木暗中導演下，醞釀成並非偶裝而如此突兀的新動向。有了這些事實，鈴木應該是中共所嫉視而必將被其敬而遠如鬼神的。

（鈴木可能站在赫魯曉夫一邊）

鈴木若果然與蘇俄有秘密深切關係，則對中共現在堅決違抗蘇方所謂和平共存政策，而到處惹禍尋釁的作風，應該站定在赫魯曉夫一邊，不予苟同。尤其面臨中共對日本壓迫挑戰，盛氣凌人，更難免於潛意識的愛國心，而抱有反感。則他極可能不肯乖乖服從中共的奴役領導。那麼他在社會黨中，應與河上派深相結托，較為穩妥安全。對於委員長的缺位，鈴木自己還是不宜回就，宜暫時安居幕後，伺機觀變，較能避免來自中共方面的打擊。因而這個缺位，最好是讓給河上去遞補，而以河上承認江田留任書記長實際徹底當家為交換條件。問題只在河上那種基督教徒的頭腦，能否如此通融就範。若果能如此做到，則社會黨的右迴旋姿態，可能再維持一個較長時期。則中共對日本正以全力策動推進中的和平革命戰略，恐不免遭逢最大的試鍊難關。而其作戰陣容，或須要在大動搖中排着興廢存亡，以求刷新與整頓。

（看兩個少數黨的出路）

筆者應不忘替兩個少數黨，即民社共產兩黨，看看它們能否抓住機會打開自己的出路。有人以為民社黨既然在大選中慘敗，前途已缺乏光明，將來仍可能向社會黨裏找回頭草吃，而為河上派所吸收。這是因為社會黨的背後支持者總評，已在開始向民社黨的背後支持者全勞呼籲團結共鬥，以保持勞動戰線之統一；以為可以看作社會黨勾引民社黨復歸的前兆。然此次民社黨的落選大抵是河上派；就是該黨現在擁有的衆議員，差不多全是西尾派，所以它的陣容並非河上派所能動搖。而且西尾抱有堅定的民主社會主義信念，除非河上派被左派從社會黨中排擠出來，或河上派能拉着鈴木主流派共同轉向民主社會主義，毅然決然與其他左派分道揚鑣，當極不容易看到河上派與舊西尾派破鏡重圓。勝敗兵家之常；民社黨的出路，祇有埋頭發展組織及理念，以備下次捲土重來。至於它合併他黨游離派系的「多數工作」，其吸引力不僅可以指向社會黨的河上派，也同樣可以指向自民黨的政策同志會派。不過它總是將以自己為主體，以不變應萬變，以待機會之自來。至於日共，現在雖然似乎再被蘇俄垂青，而顯示正在親蘇的宮本志賀派領導下重整旗鼓。但自赫魯曉夫立場言之，在日本扶植關係複雜而名聲狼藉的現成日共，實不如扶植鈴木或其他類似傾向之人為首魁，能擺脫中共暗中糾纏，另起爐灶，並另一名義的新日共。且為貫徹與美國和平共存方針，如此且較能減少予美方以刺激。故就日共方面立場言之，筆者尚看不出有何特別機會，能供應它開闢新出路。所以推測日共前途，恐難脫離只被中（共）蘇聯合輸出當公司作馬列主義商品陳列所的境遇，依然是半死不活的現狀的延續。（完）

大陸文壇萬花筒

「紅珊瑚」指桑罵槐

——岳騫

檢討一下共區的文藝作品，發現其中有一個特徵，只要有關於罵「舊社會」的東西，仔細看來都是罵共產黨，尤其以話劇方面最甚。

譬如老舍作的「茶館」一本話劇，借着幾個人坐茶館擺龍門陣說出的話，罵過去的清朝，罵民國，罵過去的一切，用意本來是頌揚「新社會」的，可是話劇寫成之後，大家看了劇本都覺得這些壞事在清朝，民國未曾有過，實實在在是「新社會」的情形。在當時我們還以為老舍是外紅裡白，抓住機會就罵共產黨一聲，可是最近看了「紅珊瑚」一劇之後，發現中共所有話劇都是如此，固不獨「茶館」一個劇本。

「紅珊瑚」是中共海軍政治部文工團歌舞劇團創作及演出的，立場應該是沒有問題了，可是，其中有些地方竟然和「茶館」犯了一個毛病。

「紅珊瑚」的故事內容是敘述沿海一個小島，在淪陷前當地漁民受到保甲長的欺負，後來中共派了一個偵察參謀到了島上，鼓動漁民反抗政府，秘密組織團體，及至大陸整個陷落，共軍開到對海，島上漁民就起而響應，於是就被「解放」了。

這種內容是千篇一律的共產八股，表面看完全符合共黨的宣傳路線，但是其中却有這麼一段最精采的對白，是保長孫富貴和老更夫的問答，現在摘錄在下面，看看是罵誰。

孫富貴：夜裡打更有什麼動靜？

更夫：有點風吹草動，不是什麼正經事！

孫富貴：什麼事？

更夫：三更半夜，有人想逃大陸，被保丁抓回，好一頓毒打。

孫富貴：這我知道，還有什麼？

更夫：還有……：孩子餓得哭，老婆婆餓得叫：山上有人燒香，海灘上有人禱告，有人罵老天，還有……就不好說哩！

孫富貴：什麼？

更夫：說……說……說七爺封船封島，不讓漁民出海小心挨刀。

這一段對白若更動幾個字就是一篇罵共產黨的妙文，但是共產黨實在沒有劇本可演，還是恭維備至，眞正可笑。

社會小說

香港地

六、人情味

老闆一再說出做王老五的苦處，當然值得同情，但梅大亮仍認爲不可能的是：他爲什麼會成爲這家旅館的老主顧。

老闆給他一個最後的解釋，道：「在這家旅館做固定的住客，我已不只一次了。自從大陸垂下了鐵幕，來往行旅減少，大部份中下級旅館便喪失了顧客的主要來源，爲了掙扎求存起見，便只好減收房租，吸引長期寄住的單身客人，這對於王老五們自然是一個好消息。由那時起，我已在這裏住過一個時期。如今猶如再來燕子，重尋舊處，不是老顧客是什麼？連不少看熟了面孔的流鶯野鶯，也都是舊相識呢。」

梅大亮聽罷，才完全明白老闆所說都是眞話，並無虛假。

這時候，旅館隔壁的咖啡店已送來兩杯咖啡，眞是方便得很。同時，老闆也給侍役叫去，聽了一次電話。

老闆和侍役們儼成了熟朋友一般，給服侍得相當週到。他匆匆去聽了電話回來，然後和梅大亮一齊喝咖啡，邊喝邊道：「你看，我在這裏住得多麼舒適和利便？在香港這個地方，有許多人沒有了電話便等於沒法混飯吃，我雖則還未達到那種程度，但老實說，住旅館也就是爲了容易保持一部份朋友的聯絡。不妨說給你聽，剛才的電話正是崔新開打來的，他的事情多得很，一連串的計劃和一連串的活動，看來眞有他的一套本領。」

梅大亮本來不想再提崔新開和韋大悲的事，聽他這樣稱許崔新開，又不覺想開了他在馬行時住宅大大請客那一回事，便隨便重提出來，要老闆把事情內幕揭穿。

老闆這回不再拒絕，便笑着回答道：「不瞞你說；這事最初連我也在狐疑之中，明知他葫蘆裡面有藥，却猜不出那是什麼藥。經過好幾番打探，最後又由他自己透露了口風，我才知道他果眞要在文化事業開展拳脚，闖出一個局面來。像他目前的作法，你我都有所不如，但說不定他有一天打成了天下，會叫你大大吃驚呢」？

（九十三）

木客著

略論如何保嗓

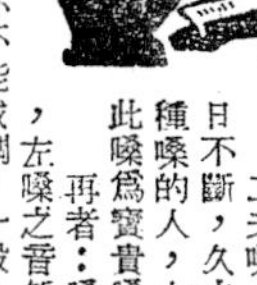

瘦西湖

工夫嗓，這種嗓必須每日早晚各吊一次，間日不斷，久之遂成爲一種了不起的功夫嗓，具此種嗓的人，十人中難得其一，所以，內行人又稱此嗓爲寶貴嗓耳。

再者：嗓中最懼怕者有兩種，一種名曰左嗓，左嗓之音係反逆支义，即不能入絃之謂，患此嗓者，無絃亦不能成調，一般人所謂黃腔冒調者是，其音非常刺耳，聽來令人難受。另一種名爲倒嗓，此嗓係隨人生發育而定，自十二歲至二十歲之間，爲最危險的關頭，而且此關爲任何人所難免，如果眞要吃這行飯，你想逃也逃不掉，唯有自己提高警覺，隨時小心，於嗓將倒之前，必須要注意保養的事，如平日能吃正工調，此時倏忽吃乙字調，縱有最高之腔，亦能隨意翻上，竟毫不費力，且音韻，亦反而較前甜醇動聽，如是者約一月，音調逐漸以次低弱，其啞澀鎖閉之病，亦隨之而生，此即倒嗓者必有之現象，如此時仍能保養得法，早則一星期，即可復原，如保養不得法，遲則須數年，甚至於一生中都不能恢復者，當初楊寶森之兄寶忠，即遭此劫，倒嗓後棄唱戲改爲拉胡琴，其手上的功夫，亦能紅遍大江南北，使李慕良、周長華輩名琴師亦不能專美於前，大有後來居上之勢耳。

其次，在嗓音中最難唱爲，衣期轍、中東轍，要克其難，理應保嗓，但一般人祇知要保嗓，而不知究竟如何保法，茲將保嗓之道詳列於后：

保嗓應忌之食物（一）酒類：白蘭地、威士忌、伏特卡，紹興酒、高粱、清酒、當歸酒、福壽酒、糯米酒、桂圓酒、五加皮、茅台酒等、唯啤酒、菊汁酒、葡萄酒例外，可約喝一小鍾，無傷脾胃，亦不致碍嗓。

（二）煙類：香煙、水煙、旱煙、草煙、紙煙、鴉片、雪茄、白粉、嗎啡之類，凡愛好平劇者，千萬不能食用，否則食之火生，對嗓不利。

（三）酸類：如酸類之水菓、楊桃、檸檬，李子、酸蜜橘、酸菠蘿、酸葡萄、青芒菓、及話梅，酸菜等亦不能食之，因酸性之物入到口中，具有刺激，應盡量避免食用。

（四）辣類：胡椒、茄末、紅辣椒、生大蒜頭、大洋葱、及過鹹物、過甜物、過苦物、生痰物、生火物等都屬於辣嗓之類，最佳忌之勿食。

（五）其他：於唱後如覺出汗，應勿食涼物及冰水之類，並應對氣候寒暖亦應特別注意，如受涼易會咳嗽，咳嗽則嗓音將會啞澀不暢，但也不得過暖，過暖則身體將會火氣，生了火氣嗓音即要枯塞，因此，不論是內外行，凡有興趣研究平劇，提倡國粹的朋友，宜望謹慎、如節食慾、愼飲食、防寒涼、勤吊嗓，每人若能注意到這許多細微要節，則前途必躍乎人上，出人頭地矣。（下）

儒林九尾龜

吳敬鋅

第五回：一失足成千古恨

李鴻飛笑道：「他爲什麼不說準備召開蔣毛盧三巨頭會議嗎？」

夏作人大笑道：「在那種氣氛下，他這句話就不敢說了，本來他未去之前，去信給周總理自稱有一套解放台灣的辦法，到了北京之後，章漢夫副部長問他有什麼辦法，他還是像以前在鷺濤上發表的那一套共國和談的老調，主張由海外民主人士簽名，呼籲雙方停戰和談，台灣給共黨，蔣先生光榮下野，你想這一套話共產黨聽了怎麼會感到興趣，我未動身之前，周總理約我去談話，就扯到盧孟德頭上，周總理看得非常清楚，他說：『國共兩黨到了今天還有什麼和談可言，不用說把台灣交給我們，要蔣先生下野，蔣先生不肯，就是說國共重組聯合政府，仍由蔣先生担任元首，他也不會答應了。盧孟德那一套辦法，我們也不好意思提出來，怕局外人說我們無知。』你看周總理說的多麼透澈，盧孟德那一套貨色共產黨根本就看不到眼裏，派章漢夫接見他都算客氣了。」

李鴻飛嘆口氣：「既然這樣，他爲什麼不回呢？共產黨又儘養活他作什麼呢？」

夏作人笑道：「李兄，你是一個青年人，看問題仍然太直覺，你不替盧孟德兄想想，他過去把希望寄在紅娘身上，不意紅娘回台灣走私失手，自己的部長希望也幻滅了，那裏還有力量照應他，於是他就向左轉了，這次去時也覺得周總理見面總要給他一個部長，不料連人面都未見到，若是一氣回來，希望也就永遠斷絕了，不到最後不會死心的，因爲他和我們這批人不同，我們是明賊明賣，每人三千元去觀光一次，他却獨創一格，要去和周恩來談判國是的，他假若和我們一同回來了，豈不被人輕看了。另外一個原因，你知道他害了一個部長病，好似今生不當一次部長，死了都不能合眼，所以還想多住幾天，看看有沒有挽救之策。」

李鴻飛冷笑道：「他自己雖然臉皮厚能住得下去，那難爲共產黨還肯花錢招待他。」

夏作人鼓掌笑道：「李兄，你未免太小看了共產黨了，招待一個人住上半年還能吃得窮共產黨嗎，我這次到北京看見了人民政府的豪華奢侈，我自己承認算是見了世面，雖然我曾聽說過清宮帝后的生活，見過羅馬皇帝舊日的排場，比起毛主席都如同小巫之見大巫，他們的氣派簡直是合慈禧太后與尼羅王爲一人，他們那裏在乎盧孟德一個人的招待費，何況盧孟德兄也確有利用價值呢？」

李飛鴻奇怪道：「他有什麼利用價值？」（五十六）

山城之憶

台北淡江文理學院

·林正雄·

我愛青山，我更愛碧海！我曾經置身在山巒間，但却未曾上過海邊。海！在我的腦裏，是旣綺麗，又神祕！

去年的初秋，我來到了有山又有水的小城——淡水，一年的日子裡，在生活中憑添了不少樂趣，也帶給我許多綺麗的回憶！

學校是在淡水港口的岡陵上，背後是大屯山，面對着一座葱綠的觀音山，嶺下環繞着的是浩浩的淡水河，極目遠眺，是那波瀾壯濶的台灣海峽，這大自然的景色，襯托着小山上宮殿式的屋宇，古色古香，景色絕佳。

清晨，旭日初昇，金光普射，我喜歡獨自個兒，徘徊在清幽的校園裡的小徑，呼吸着清凉的海風，以及原野花兒芬芳的香味。俯瞰着晨光照射下的淡水河，波光閃閃爍爍的，宛若是一面光亮的鏡子，以及那碧綠的大海，心胸是無限的舒暢！

黃昏，大地染上了一片金黃，佇立在夕陽餘輝裏的山崗，聽一曲清流似的大自然美妙動人之歌，對落日，晚霞，碧海，以及點點歸帆……所構成的一幅黃昏畫面，作一回盡情的凝視，……

夜晚，置身在這暮色裏有着無邊的安逸。我愛在河畔漫步，看河上點點的漁火，聽淙淙的水聲，編織着一曲美麗又甜的流水歌，柔和的月光，遍洒在山上，河面和人家，小城都沉醉在美麗的夢裡。……

我並不是生在有山的地方，更不是長大在海邊的村落，但我深深地憧憬着碧綠的山嶺以及浩瀚的大海！

青年之聲

遠東畫報第二期出版

（本報訊）中國唯一大型彩色中英文雙月刊「遠東畫報」自發行以來，深得海內外一致好評。第二期現已出版，開始在國內外發行，內容有「襄陽」軍事大演習，四十九年國慶閱兵，故宮名畫，世界攝影名作，非律賓華僑攝影學會影展，台灣「工業起飛」之原動力、羅馬風光、甘迺迪當選美國總統，等卅三頁●內容豐富，印刷精美，尤以廣告畫面，係由該刊發行人昌培親自拍照，精心設計，新穎不落俗套，較外國刊物之彩色廣告，有過之而無不及。

（又訊）遠東畫報係在台灣創辦，爲求彩色精美能達國際水準，乃在香港印刷。第一期於去年十月出版，首批運台一萬五千冊業巳售罄，同期二批再到一萬五千冊運抵基陸，因申辦進口與結匯手續延誤至今。該刊發行人昌培動驟於登記之印刷所地址，即爲香港大象橡皮印刷公司，及國內刊物在港、日印刷者，不乏先例，據理與各方不斷交涉，日前內政部已函覆台灣省新聞處，仍暫准在香港印刷。唯定期刊物過時已久，向外發行，則將大有困難，因此，並使該刊第二、三期延誤出版。

談處世之道

南新

與朋友談及處世問題，朋友告訴我一個有趣故事：

小木初來香港時，人地生疏，加以他那一腔混集大江南北的重濁腔調，和把辦公時間寫作「辦」公時間的學問，當然不容易找到一份差事，只好住在木屋區裏，晚間挑着一担「雲吞麵」担子到拍片場附近叫賣討生活，逐漸地從顧客中認識幾位朋友，這些顧客十居其七是西裝煌然，一派頭「十足的！小木心儀萬分！於是，他也從故衣店裏買來了一套，結起大紅領帶，攬鏡自照，好不威風！

那一晚，小木竊至心靈，他穿起西裝，挑起「雲吞麵」担直趨片場，一路上精神抖擻，勇氣陡增，洒開大步，直闖片場。奇怪？司閽者僅瞧他一眼，竟毫不阻攔而讓他長驅直進。小木自行找個適合位置把「檔口」擺開，大做其生意。這時在片場工作疲得要命的大明星、大導演、和各式工作人員皆爭來「幫襯」，不一會兒就全部售罄了，而且還請他明晚再來。片場管理人當然不好拂大明星，大導演之意，便特准他在片場內售賣。「西裝雲吞麵」之名從此流傳各片場，小木除大有所獲外，還參悟出一條處世途徑來！

不久，他生意不幹了，洗淨那油膩的雙手，揖起「文教」招牌，當起「××學校校長」！逢人便笑臉相迎，不論遇見生張熱李，男女老少皆主動地伸出枯瘦的手來熱烈求握掌！這個禮貌而又「誠摯」的動作，果然七分有效！不兩年光景，甚多社會團體，宗教會所，文教機構，救濟組織，小木皆摸索得其門而入，且居間認識不少名流朋友。憑他那套本來；湛爲拙劣的混雜腔調，竟捕避開了許多查詢；譬如，有人問他的學校在哪裏？有多少學生？教的是甚麼課程？他便會答非所問，天南地北，胡扯一番，而且一講便兩三個鐘頭不閉咀；令問者不耐煩聽下去而自動罷詢！明天見面時，小木仍是一樣笑臉伸手相迎，拍肩膊請喝茶，無人願再追根問底了。

現在小木眞有他的一手，居然唸得上幾句刻板式的英語，名片上也如印上英文的一面，據他自己說，已溝通了國際關係和國際友人的協助，奉派爲獨當一面的負責人了！還花上了近千塊錢佈置了一所寫字樓，設在人煙最稠密的某區大廈裏，寫字間的屏上貼着一張白箋紙，上面用中文寫着「辦」公時間：上午九時至一時，下午二時至六時。辦的甚麼事？那除了小木之外，眞是「天曉得」！

這就是適合於香港——這個被稱爲冒險家的樂園底「混世之道」吧？可悲！可歎！

釋耒集

名士

世有士之一名，或云始自孔子，意謂春秋以前，諸侯分國而治，學術統於王官，貴族之外，悉皆黔首，實無所謂士也。自孔子以六藝教弟子，又倡爲有教無類之說，平民俊秀者，皆得列於門牆，受詩書禮樂之教，孔門弟子，有能治賦者，能作宰者，可使南面者；故曰：「學而優則仕」，是則所謂士者，平民而可以束帶立於朝者也。白虎通云：「士，謂能任事之人也，凡通古今，辨然否，皆謂之士。」禮月令曰：「勉諸侯，聘名士，禮賢者。」注云：「名士，不仕者。」然則古之所謂名士，即後世所稱之隱者。故雖諸侯欲見，亦必以禮聘之，所謂「不事王侯，高尙其事」，天子不得臣，諸侯不得友者，或庶幾近之。後世之所謂名士，一則借名士之名以避禍，一則藉名士之名以沽名者也。避禍之說如阮籍，脫郭載：「世多以阮生爲放浪不羈之士，此蓋但以跡視，余觀其沉醉不理，若與世忘，然當其觀楚漢覊場，則曰時無英雄，豎子成名，是豈無意於世變者乎？口不臧否人物，然待人以青白眼，夫豈無意於人世者乎？居喪飲酒食肉，哭則嘔血數斗，夫豈不戚於人道者乎？當日權臣擅威，張華以清直死，嵇康以高簡死，機，雲以俊才死，而籍獨以沉湎處之，其杜徵見遼，晦跡保身，非高出數子之上，安能免於陷阱？」至於藉以沽名者，則茶餘客話載：「江陰是鏡，詭詐誕妄人也，胸無點墨，好自矜飾，居之不疑，海寧陳相國爲其所惑，高東軒相國亦信之，尹繼善侍郎江左，因二公之言，造廬請謁，結布衣交。鏡遂闢黌院，招生徒，與守令往還，冠蓋絡繹，常州守黃靜山亦與過從，其後因囑託公事，不復往。鏡因於書院靜室中，供陳、高、尹、黃四公木主，俗所謂長生祿位也。稍有識者，皆非笑之。辛未，雷翠庭先生督學至，廣文以爲言，先生貽書令其來見，以覘其學，鏡不往，而希廣文通意，欲先生造廬，如尹故事。先生笑之：吾固知賢士不可召見，但恐吾往見後，則四公木主之外，又增一人，故不爲耳。後鏡爲人告訐，亡命，不知所終」。世傳吳敬梓儒林外史中之權勿用，即所以喈指是鏡者，鏡父死，廬墓，講學，不考試，以冀得高名，袁子才移書責之曰：「……講學必講禮；禮不墓祭，而何廬墓爲？不應試，必隱，隱，而不與人接，而何講學爲？……以子之名，考子之行，吾爲子危之也。」以名士之名以避禍，出於不得已，故兩晉名士雖傲而實可喜；以名士之名以沽名，居心惑人以掩一已之拙陋，故明清間名士多可惡。當今之世，亦頗有游食於洋場，而自稱名士者矣，不知將以避禍，抑將以沽名邪？

曲齋

香港大學

徐學慧

香港大學創辦至今已逾五十年，自一月九日起，開始祝慶其金禧紀念，盛事也。

作爲一個香港市民，對於一家已有五十年歷史的大學，理宜引以爲榮。但我們卻不想純粹歌頌讚美，落入俗囿，因爲我們覺得，這個大學的歷史雖然已有五十年，而急待改正之處仍然很多呢！

評定一間大學的價值，不在乎她是否能夠授予博士學士。最主要的，乃在乎她對於當地社會是否能產生移風易俗的作用。如果以這一點標準來衡量香港大學，則我們簡直可以說，這間大學在這五十年中的進步實在是很輕微的。

將近三十年前，胡適博士到香港，對於「如要停車乃可在此」的電車站標語，曾經有過嘲笑。據我們所知，此種標語一直保存到今天，似乎還沒有甚麼更改。電車站路牌上的詞句，與香港大學雖然沒有直接關係，但間接關係卻是有的。

無人能夠否認香港社會乃是以港大學生爲基幹，照常理說，提高一個地方的文化水準，乃是這一最高學府所必須肩負的責任。說來慚愧，香港大學對於這一方面的貢獻，委實是太少了。

一間大學之存在，而至於對當地文化全不產生任何好的影響，則這一大學究竟尙有何種更崇高的價值，尙須存疑。如謂每年可以產生幾十個醫生或建築師，即可以作爲此一大學已有價值之證據，那也就未免太小看了大學教育的眞正意義。

十年樹木，百年樹人，香港大學已歷五十年，究竟產生了一些什麼人才呢？時代在不斷地變，香港大學也得變一變了。否則，五十如此，百年可知。

漫談陰陽曆

漁翁

曆者，推算日月星辰以定歲時節氣之法也。有曆頭曆尾之分，曆頭，謂曆書之首，施樞詩：「曆頭只有今朝臘」。按道書有五臘，以正月一日爲天臘。曆尾，謂曆書之末，猶歲除也。宋祁詩：「曆尾無餘日」。我國沿用陰曆，由來已非一日。

陰曆，係以地球自轉紀日，月繞地紀月，地球繞日紀歲，因其特異之點在紀月，以月爲主，月屬陰，故名。我國向以農立國，農人終歲從事於春耕，夏耘，秋收，冬藏，一以陰曆爲依歸，故又稱之曰「農曆」。

昔有太上隱者，居終南山，不以姓氏告人，人問之，答之以詩：「偶來松樹下，高枕石頭眠，山中無曆日，寒盡不知年。」彼隱於山中，枕石而眠，因無歲曆，不知年月時節，但見暑往寒來，不憶其爲何年月也？

因此，曆推天象以定四時，爲世人所重視。在一元復始，萬象更新之前，家家戶戶，離不了此一書，近則花樣翻新，曆上印有美女像，各商店以此贈顧客，以廣招來，同時又在曆之反面，印紀事一欄之空格，以備按日紀事，俾免遺忘，故爲人所樂用。

按曆書開宗明義第一頁，旁有十字云：「世界行陽曆民間紀夏時。」是則陰曆爲我國固有曆法。陽曆，適用於世界上大多數國，以三百六十五日爲一年，惟地繞太陽一周，須三百六十五日又四分之一日，因有奇零，故每四年閏一日，一三五七八十十二各月，皆三十一日，四六九十一各月，皆三十日，二月爲二十八日，遇閏二十九日，以日爲主，故曰「陽曆」，又名「公曆」。

在非農業國家，固然以用陽曆爲便當。有歌一首：「陽曆便，陽曆便，叅上好分辨，七個月大，五個月小，惟有二月二十八，四年加一天」。讀此歌，即在手指上可知各月份之大小矣。

當第六世紀時，最初實行以耶穌誕生年爲紀元之羅馬人帝奧尼細阿斯，據所推算，耶穌誕生在羅馬建國後七百五十年；即以此年爲耶穌誕生年，至八世紀時，始傳入英國，其後漸通行於世界。成爲今日國際上共同適用之「公曆」。

但據猶太歷史家約瑟福斯氏考證，以耶穌生在赫洛德王時代之一次月蝕前後，此次月蝕，在紀元前四年三月十三日，即羅馬建國後七百五十四年春間，而較奧尼細阿斯所推算者少四年，積重難返，到今日猶未改正。

古羅馬每年在春分祝祭戰神馬爾斯之月，定爲一年工作開始，至紀元前四十五年，凱撒改用「陽曆」，依據埃及曆習慣，以守門神之月，定爲新年開始，稱之曰「凱撒曆」。及至公元一五三年，羅馬教皇葛萊哥里，對凱撒曆置閏法，加以修正，命曰「公曆」，而以一月一日爲元旦。

再談陰曆，係以太陰會太陽一次爲一月，惟太陰會太陽一次，約爲二十九日十三小時，故陰曆之月，或爲三十日而大，或爲二十九日而小，積十二月之久，又與陽曆之一年，約差十日二十一小時，故有添置閏月之必要，恒三年而一閏，五年而再閏，十九年而七閏焉。

姑無論陽曆與陰曆，總以適合人生之需要，工業國家，用陽曆爲簡便，而農業國家，則以陰曆爲適宜，我國六億人口，百分之七十以上爲務農者，根據四時八節二十四氣，何時而耕？何時而耘？何時而收？何時而藏？非陰曆不足以資依歸。

陽曆便、陰曆亦便，我想今後科學如何倡明，而陰陽合曆，將仍依然不變，易曰：「分陰分陽」，其是之謂歟！

海嶠雲談薈

美式生活（二）

諸葛文侯

南開大學一位老教授張先生，他是留美出身的，兒子亦在美國學醫畢業，且在紐約設有醫務所，另外又兼任了其他幾所醫院的醫師職務，每月收入甚爲豐富，媳婦是美國人，也有職業。老教授夫婦倆住在紐約，生活費由兒子供應，決無匱乏之虞，但日常很難得跟兒孫們晤面，在美國又不能僱用傭工——不是禁止僱工，而是沒人可僱，縱然出高價工資，也只能論鐘點工作，還要派車迎送——老年人的日常生活，必須有人服侍才行，張教授行年已過七十，早晚全靠自已那位年老的太太照顧一切。繼而老太婆因病去世了，親朋們聞訊趕來幫忙料理喪事，兒子當然亦在場。可是，他由於職業忙迫之故，當着親朋們不斷地看錶，表示不能久躭擱的焦急心情，最後祇好讓他先走，而由親朋們負責經紀喪葬殮事。老太婆下世之後，老教授煢然無依，既無法單獨營生，又不能跟兒子同住，晚境淒涼，不知如何是好，嗣由三藩市的一位華僑老友，接到他家中去，這才解除了老教授的困苦。

至於美國籍的老年人生活情況，如前述那位老太婆算是最幸福的了，一般的年老者，被社會視爲廢物，誰都白眼相向，不會對他表示半點溫情的，貧乏之無告之輩，每天指望領政府規定給與的少數救濟金苟延殘喘而已。我國國大代表張振鷺先生某次由巴西到美國遊歷，初到紐約瞧着那種社會生活景象，大呼「這是畜類世界」，旋順便看看留學美國的兒子，兒子陪着他出門時，扶持將護之不遑，尙不失中國人傳統的禮教，他慨然語兒曰：「我見着你很歡慰，因爲你還是人，並未變成畜類世界的一份子啊！」

美國人的祖先們，都是隻身遠涉重洋，憑着兩手兩足之力，在新大陸拓荒起家，凡是有人力，肯奮鬥的，即可以成業致富，自已享樂。所以，他們最珍視兒童，尊重青年和壯年人，而十分鄙薄沒有生產能力的年老者，基本原因就是迷信拜金主義，大家只講究現實的生活享受。這種人生觀的好處，即爲美國今日富强甲於全球，科學高度發展，工商企業日新月異，武備獨步一時。壞的方面便是文化根基甚淺薄，只能產生杜威的實驗主義學說思想，風靡全國，儼然一代大師，此外則爲馬克吐溫一流人物的幽默作品罷了。我國林語堂先生在美國可以藉幽默小品文藝的寫作名利雙收，他若在本國或歐洲，便不見得有如在美國那種成就吧！戰後十餘年來，美國領導自由世界對抗共產極權侵略主義，但其主要方法，只是跟蘇俄作武器比賽，前年帝俄搶先放了一枚人造衞星，美國的朝野人士相顧失色，慌張不可名狀，而英國人的表情卻大不相同，這就是文化的關係。共產主義的鬥爭武器是思想第一，美國卻應之以純物質的戰術，我認爲這是自由世界的最大弱點，可慮也夫！（完）

岳飛

·謝康·

自來歌詠武穆的詩詞頗多，明文徵明用滿江紅詞寫出宋高宗和秦檜怕中原恢復的心事。又淸代詩人趙懷玉滿江紅詞詠岳墓云：

「十二金牌，風波起，雄圖竟歇。千載後我來憑弔，尙餘激烈。朔騎不嘶春隴艸，杜鵑還叫南枝月。與諸君痛飲搗黃龍，平生切。傷北伐，雙難雪；歸北寺，寃難滅，歎長城壞後，水殘山缺。三尺烏金魑魅像，一抔黃土英雄血，看宋家遺骨記冬靑，空陵闕！」

這首詞也寫得很悲恨激切，百戰忠魂，千秋義烈的精神，躍然紙上，直可與武穆兩首滿江紅原作並讀。說到原作第一首，眞千古絕唱，流傳之廣，幾乎家喻戶曉的了。朱彊村「宋詞三百首」曾採錄此詞，沈際飛草堂詩餘正集認爲：「有此願力，是大聖賢，大菩薩。」陳廷焯白雨齋詞話評云：「何等氣概！何等志向！千載下讀之，凜凜有生氣焉。『莫等閒』二語，尤爲千古箴銘。」有人以爲「瀟瀟雨歇」一句，儼然有荆軻「風蕭蕭兮易水寒」的蒼涼音節。其實全首九十三字，一氣呵成，是師和志的表現，是血和淚的結晶，慷慨激昂，悲壯沉鬱，前乎此者東坡之豪放，稍稍導其先路。後乎此者，稼軒、放翁，依稀得其彷彿。彼此都有縱橫不可一世之槪。稼軒所以有「將軍詞客」，放翁所以有「愛國詩人」之稱，亦緣其忠憤之氣，庶幾可與武穆比美的緣故吧。只有那些喜歡剪翠刻紅，爭紅門豔的花間派詞人，纔敢於挑剔「飢餐胡虜肉，渴飲匈奴血」這類句子認爲「粗獷」罷了。（二）

歷史人物

徵稿小啟

有內容有意義之筆、散文、掌故、小說、雜感等類文字，本刊均所歡迎。請用有格稿紙繕寫，如需退還，請附信封及郵票。

一千六百字左右的隨筆比較容易刊出，過長則以篇幅所限，請特別留意。

自由報
THE FREE NEWS
第九十六期
中華民國僑務委員會頒發
台報新字第三二三號登記證
中華郵政台字第一二八二號執照
登記為第一類新聞紙類
（半週刊每星期三、六出版）
每份港幣壹角
台灣零售價新台幣弍元
社　長：雷嘯岑
督印人：黃行齋
社址：香港銅鑼灣高士威道二十號四樓
20 CAUSEWAY RD 3RD FL
HONG KONG
TEL. 771726　電報掛號．7191
承印者：四風印刷廠
地址：香港灣仔高士打道二二一號
台灣分社
台北市西寧南路壹叁柒號二樓
電話：三〇三四六
台郵撥儲金戶九二五二

論領海及領空問題（上）

黃少游

自從近年太空科學發展氫原子兵器進步後，向日所遵守的國際公約條約和慣例，都相繼發生根本動搖了，不但各自逞強及各自行事之外，而且曖曖乎變成無法狀態或無政府狀態了，其中最顯明的及最發生爭議的和帶有嚴重性的莫過於領海和領空問題，茲就此問題，分別一一加以論述：

一、國際問題中的領海問題

甲、何謂領海？所謂領海乃是一個國家主權行使支配力底對象範圍或所在地之一，她的被支配性質與領土和領空一樣，故也可以說，她是國家物質構成要素之一部。領海是與公海對稱的名詞。公海是自由的開放的，不屬於任何國家主權支配的範圍，故不受任何國家權力的支配，但領海則不同，領海是介於公海與一個領土之間的一定範圍的水域，為一國主權所及，換言之，即為一國所「領有」故名為「領海」即含「領有」此海或水域之意。依照一九五八年聯合國第一屆海洋法會議所通過之領海公約，謂：「國家主權及於本國領土及國內水域以外鄰接本國海岸之一帶海洋，稱為領海」。又謂：「沿海國之主權及於領海之上空及其海床與底土」故他國船舶和飛機雖有在領海和領海上空的無害交通權，但須受管轄及限制。

乙、領海的範圍：領海的範圍自十八世紀以來各國大都以三浬為遵守的領海的範圍，即各自自己的海岸的春季平均低潮線向外伸展三浬。此種範圍的確定或形成，乃「有效控制」原則，被一般國家普遍承認或接受的結果。而此原則乃國際法學之父葛老秀斯（Grotius）於一六二五年所出版之名著：「戰爭與和平法」中所提出。氏認為國家能從岸上控制沿海的地區便是領海。一七〇三年又有賓克蕭克（Bynkershoek）出，乃在其所著「領海論」中具體主張「武器的力量終止的地方，便是陸地對於海的支配終止的地方」，按當時大炮的射程為三浬，故主張三浬為領海之範圍，惟此種原則或主張日後不但為太多數國家所接受且為若干國家正式加以規定，如美國一七九三年，即作此規定。其後雖兵器進步，大炮射程增加，但三浬領海之原則，大體仍如故。

丙、領海問題的發生：自第一次世界大戰之後，領海問題便已發生，但不如今日之嚴重，如一九二一年蘇俄人民委員會曾決定領海為十二浬，一九二七年又宣佈除條約另有規定外，領海為十二浬，但多數國家亦未予承認，亦無一支持其意見者，一九三〇年國際聯盟在海牙召開第一次國際法編纂會議，對於領海範圍問題亦未獲得協議。按會中主張維持領海為三浬者有：美、日、丹、荷、英、德、法、加、澳、南非、中、印、埃、波、愛爾蘭，愛沙尼亞，希臘等十八國。主張四海浬者有：瑞典、挪威、冰島、芬蘭等四國。主張六浬者有義大利、智利、巴西、哥倫比亞、西班牙、古巴、伊朗、土耳其、拉脫維亞、南斯拉夫、羅馬尼亞烏拉圭等十二國。蘇俄主張在國際交通不頻繁的海面如蘇俄海而得擴充至十二浬，協議雖未達成，但當時主張領海為三浬的國家仍佔多數。以上為第一次世界大戰后所發生之領海爭議及其協調實際的經過。惟自第二次世界大戰以來，領海問題，日趨嚴重，爭議日烈，如韓國之李承晚綫，劃定距韓國海岸平均約六十浬之地，不准日本漁船作業，因而日韓之間頻起糾紛。又如冰島規定十二浬海域內禁止他國捕魚，因而與英時起衝突。又如一九五八年八一三金門炮戰朱毛匪幫宣佈十二浬海域，因而美國對我補給船隻遠離金門，逗留公海。

丁、領海問題發生的原因：領海問題的發生，一般而言，第一、有保護本國之領土領空使不易受來自海上之侵犯者，因現代科學技術進步，飛機船艦，極為快速，三浬之領海不適合國防要求，而領海之擴大，相對的減少了領土、領空受威脅之可能性。第二、為保護漁權者，如加拿大、冰島、韓國及菲律賓等之主張擴大海域，其主要之原因，乃在排斥他國在該國近海捕魚，保護本國漁業。第三、為擴大領土主權範圍，此等國家之主張擴大領海乃出於領土的擴張慾，如印尼主張領海六十浬並認印尼羣島間之水域皆為其領海。又如南美的智利、秘魯、厄瓜多爾等三國，皆主張以沿海岸二百浬的水面為其國家的領土界線。第四為抵制他國航行，如阿拉伯國家中，阿聯沙地阿拉伯一方面宣佈領海擴展為十二浬，同時宣佈阿卡巴灣為「阿拉伯內海」，其用意乃在抵制以色列船隻航行。第五為政略戰略的原因，蘇俄堅持領海十二浬之主張外並鼓舞他國作同樣之主張，除其本身擴大鐵幕於海洋及排斥他國捕魚等企圖外，另有其政略戰略作用，在政略上因領海擴大之爭使西方發生歧見與分化，如英國與冰島、如中南美若干國家與美國等。在戰略上，擴大領海即縮小公海。據專家估計如各國領海擴大為十二海浬，則將有三百萬平方英哩之公海變為領海，此與大洋相毗，雖不算大、但其影響航行與其對於航行的困擾限制亦即對西方的海洋國家的困擾甚大。此外蘇俄在海洋上以潛艇為作戰主力，如領海寬則潛艇便於沿中立國領海航行，易受掩護，領海窄則因距岸近而水淺，潛艇航行不便，故擴大領海在戰略上有其必要。

戊、領海擴大問題的影響：現在的領海問題乃是領海的擴大問題，在海權國家，如美、英、日、荷蘭、法國等國家因擁有衆多商船或漁船作業範圍甚廣而不欲三浬領海擴大，但以現在之情勢視察，極不可能，惟與領海範圍相關聯之問題，即鄰接區與大棚區，亦因領海擴大問題而發生，第一所謂隣接區問題乃指在領海外而與領海鄰接區海域而言，領海既為一主權所至之區，為維護領海權利，有時必在此鄰接海面自必行使其一定之權如緝私權、警察權、漁產物保護權等；關於鄰接地區之範圍過去國際間雖無一致之規則，但通常連同領海不得超過十二浬，今領海擴大，則此雖非領海但有一定行使權力之鄰接地區勢必隨之伸延。其次之問題即所謂大陸棚（Continental Shelf）或譯作大陸灘，或大陸礁層，按此名原為地理學上之概念，乃指大陸週圍水深不過二百公尺傾斜緩和的海底而言、大陸棚常伸至海外數十浬乃至兩三百浬，若干國家之主張領海擴張兩百浬即基於大陸棚之觀念。由於大陸棚常蘊藏有礦產及其他資源，而近代的科學技術已足開發此類資源，而在事實上已在開發中，如美國之開發墨西哥灣大陸棚上之石油，因而自五十年代以後，國際已有一國管轄權擴展至領海外大陸棚之主張。關於此問題，一九五八年第一次海洋法會議已通過大陸棚公約並規定：「沿海國家對其沿海岸灘棚上之天然資源，享有發掘與利用之主權」，但資源以海床底及固着於海床上之不動之礦或有生機物為限，浮游其上之漁類並不在此限，即大陸棚如在領海或排外性漁區別外，他國仍有自由。惟大陸棚通常為漁區最繁殖之地區，隣接國家眼見他國漁船作業，不免生不愉快之心，而有特殊之限制，故大陸棚公約確已簽訂，但漁區糾紛，仍未能消除，凡此問題又莫非領海擴張問題所聯帶所引起者。

小論天下

寮局愈見混沌，俄機繼續空投接濟共軍。高棉倡由十四國開會議調停寮戰，蘇俄法國及北越已表贊同。東南亞公約組織似將瓦解，泰非同樣洩氣。

這時讀香港赤報最有意思，他們嘲笑英美法意見紛歧，並且繪圖為證，說明寮共已佔據大部農村，反共政府只能保守城市據點。西方人士如果看得還覺臉紅，最好了解到如下的一點：共黨視亞非為將可控制的「線」與「面」，西方國家則是必將消滅的一「點」又一「點」而已。

△傳英國希望由印度總理尼赫魯出面，說服赫魯曉夫，緩和寮局。

大概因為他是尼「赫魯」和「赫魯」曉夫同聲容易相應吧！

△緬軍與中共入緬的軍隊合攻反共游擊隊，廹令向寮邊轉進。周恩來離仰光返北平，特務頭子羅瑞卿留駐。

△這真正是一齣「假虞滅虢」。

△緬甸報紙諷刺周恩來與冀朝鼎，指兩人所稱大陸人口數字不符，一日之間，增加了二千五百萬。

向信口開河的共產黨吹毛求疵，資料俯拾即是。他們口頭增產得快，手頭殺人也快。

△共產國家全部缺糧，赫魯曉夫就蘇俄農業問題大發咆哮，責農業幹部謊報增產數字，聲言要整肅黨內欺騙國家者。

他何嘗不知道：如不懂得說謊便不致做共產黨徒？

△大陸糧荒愈急，英報又倡議救濟，認為美國新總統甘迺廸就任後第一件事，該是撥糧救濟中國大陸。香港郵局因居民投寄大陸糧包過多，專僱帆船急運。

中共從蘇俄的「先進經驗」學到了打腫臉皮充胖子，只香港人才有辦法用尖針刺破他的腫臉。

△盛傳寮國有一「神秘」的美國軍官，以平民身份訓練反共寮人作戰。另傳美國在危地馬拉秘密訓練游擊隊，準備對古巴進攻。

以發動游擊戰對付共產黨國家，等於向火藥庫擲入火種。可惜自由世界從來不懂得以毒制毒。

△法國總統戴高樂召開閣議，準備從速與阿爾及尼亞叛軍開和平談判。

他還要走一半路才可到達勝利的終點，而下一段路卻特別難走。

△毛澤東與赫魯曉夫會晤之說，近又有人盛傳。

假如眞有此事，必然是目前整個共黨陣營在寮國獲得的勝利，給他們以非常興奮的刺激，樂得藉此機會見面談談。

△英揆麥米倫預測十年內不會有大戰。對共鬥爭將以經濟為主。

共產黨猶如白蟻，自由世界在處處受蛀的長期損蝕情況下，有辦法在十年內保持經濟的優勢嗎？

方南

小啓：上期「小論天下」第一段，植字頗多錯誤，恐讀者或未明瞭，特誌歉。——編者

自由談

談羞惡之心

人生在世，無論是幹的那項職業，過的甚末生活，祇要平日立身行已尚有羞惡之心，遇事保持着「外衛清議，內疚神明」的良知觀念，他的事業前途一定大有希望。如其恬不知恥，無所不為，那就是無可救藥的人，輕則為患社會，重則貽禍國家，雖小有才，亦適足以長其惡，濟其奸而已。

我國流行着兩句貪污吏的形容詞，說是「笑駡由他笑駡，好官我自為之」。為人民服務的公僕，若以這種昧廉鮮恥的態度來對人處事，政治那有不糟糕透頂，國事那有不敗壞的呢？不幸，我們在最近卅年來所看到的官吏，十九都是這類形相的人物。他們只是挖空心思，絞盡腦汁，想法子去誑騙欺朦若一個最高權威者，希寵固位，驕其妻妾朋友，過其奢靡生活，於願足矣。至於輿論之指摘抨擊，民意代表之詰責糾彈，皆不值得一顧，其意若曰：隨便你們怎末取笑詈駡，那最高權威者聽不到，瞧不着，他不下令罷免我，別人豈奈我何？若問這些人的政績，除卻會議紀錄，工作報告書，並附以五顏六色的現代化圖表等類證據以外，還有研究總統或總裁言論的「心得」筆記，更有官辦訓練班第幾期畢業的資歷，而且對人隨時表現着變料「忠貞份子」的詞色。這樣的官吏，能說不是國家的棟樑之材嗎？

中原的錦繡山河，就是這類棟樑之材搞垮的，我盼望「海外扶餘」的寶島，再不要被這般人物又搞成出陸沉之禍，幸甚！

馮丑先生

八方傳言集一身
張道藩堅決辭職記

台北通訊

最近，立法院長張道藩堅決辭職，可說是國內政壇上的一件大事。雖則，張氏前此已辭過十四次，但卻沒有此次這樣堅決，據此間聯合報於十二月廿日所發表的訪問記中說：「談到他這次辭職，辭意非常堅決，他說即使有人用轎子抬他回去，他都不肯。」由此可見他辭意的堅決。

當張氏辭職的消息傳出之後，各方面猜測紛紜，有人說他的辭職，可能是因為立法院內部問題，有的說是可能由於唐榮問題，又有的說是因為失眠關係。

張氏自民國四十一年三月當選立法院長以來，迄今已八年又十個月，這不是一段短時間，因此，各方面對於張氏之堅決請辭，自然是深表關切了。

此間中央社、中央日報、聯合報等通訊社、報社記者為此特於十二月三十一日前往廬山溫泉訪問張氏，提出幾個問題，請予答覆，茲擇錄於次，由此可見他自己的意見。

張氏對於「院長這次堅決辭職動機何在？」這個問題的答覆，據中央社十二月卅一日的報導是：「我這次堅決辭職，動機非常簡單。我做立法院長已經有八年又十個月，我覺得對國家並無貢獻，因此不應該戀棧留任。立法委員目前無法改選，至於立法院長，依憲法可以三年改選一次，因為每一位立法委員都有資格做立法院長，所以我要退讓賢路，讓其他立法委員也可以當選做立法院長。」

又據中央日報一月一日的報導是：「張院長說：你這問題非常的好，我要辭職的動機是因為我沒有把立法院長的工作做好！因為立法院長所管的事太多，重要而複雜，立委同仁大家雖都盡責，但仍不易做好，更不易獲得好評。我們的立法院只有十二年的歷史，自難和英美等國具有悠久優良傳統之議會政治相提並論。有些案子到立法院後，不能順利通過，往往被誤會是我們在掣肘，其實，外國國會不能通過的案子也很多啊。但我總覺得自己能力薄弱，未能做好，同時，我做院長已八年又十個月了，也該換個人做做才對。今年五月立院有人提議改選院長，後來又沒有改選。不過，我這次的辭職，並非為那件事要求辭職，而是一面讓賢，一面想以其餘年幹一點自己所學和所好的事能了。」

張氏對於「如果院長辭職不准，將作何打算？獲准後又有何計劃？」這個問題的答覆，據中央日報十二月卅一日報導是：「張院長說：我這次辭職一定能邀准的。因為這次是我第十五次提出辭職了，在本黨總裁准我病假三月時，我並會力請總裁考慮我的辭職問題，因此，這次與以往不同了。同時，我的身體經兩位美國醫生和榮民總醫院肺結核專家的檢查結果，認為我的胸部有一大如蠶豆的肺結核，現在雖已結疤，但仍須六個月以上的時間休養才能消去。我的興趣在文化事業，如所願能償，將來對國家社會也會有少許貢獻的。」

據嘉義商工日報十二月廿六日所刊「三訪休養中的張道藩院長」一文中說：「院長談到他所喜歡工作一事，精神大振，他說，我喜歡文化、文藝、戲劇、電影。（中署）他繼續表示：如對今後藝術文化貢獻，他將決定，在台北或某地建一『中興文藝圖書館』及以一千五百萬元在日月潭建一『文藝小憩』。他說：我是沒有錢的人，決以『沿門托缽』來化緣，促其早日實現。」

張氏對於「請問：外傳院長患有精神分裂症，現在您的健康情形如何？您對這種傳說有何感想？」這個問題的答覆，據中央日報一月一日的報導是：「張院長說：對這種傳說使我啼笑皆非！你們看我有無精神分裂症？今天你們和我在一起已近五小時了，你們認為認為我有精神分裂症嗎？說這種話的人可能是一種惡意中傷，也可能是『愛之深，而責之切』。至我的健康情形，經過這些時的休養很有進步，但睡眠仍覺不好。」

張氏對於「請問院長，外傳您很袒護唐榮鐵工廠，這件事在自由中國是件大事，您對此有何感想？」這個問題的答覆，據中央日報一月一日的報導是：「張院長說：唐榮鐵工廠如果倒閉，你們認為後果將要如何？我坦白告訴你們，我是袒護唐榮，但我也袒護各種不同階層的債權人，我也袒護行政院對唐榮的政策。唐榮是台灣一家純民營的最大的重工業，在我們積極獎勵外國人和華僑來台投資的今天，我們不能讓唐榮鐵工廠倒閉，難道這種幫忙袒護是罪惡嗎？如果不予救助，讓它倒閉下去，我們立法院經過三個月審議通過的投資條例還有何用？外人和華僑還敢來自由中國投資興建重工業嗎？其實，我贊成政府處理唐榮的辦法，不特協助唐榮，更顧到債權人，因為這樣才使他們不致蒙受重大損失，我一切問心無愧，毀譽在所不計。」

張氏對於「外傳立法院部份委員有『倒張』『罷免院長』的活動，是否有此事？」這個問題的答覆，據聯合報一月一日的報導是：「張院長說：我判斷可能會有，我認為『倒張』有兩點可能：（一）也許有人認為我不打會自倒，由此倒張可容易。（二）無論任何人在政治舞台上，即屬未樹立大政敵，總也有不喜歡他的人。譬如：像有人說我神經分裂和唐榮鐵工廠債務案，這些都拉來為『倒張』藉口，以達到目的。罷免院長也有此傳說，過去就有人說我不好，會擬提議罷免我，立法院通過選舉罷免辦法規定，有立委一人提議，超過十分之一的連署，罷免案即告成立、再經立委半數之同意，當可進行改選，這樣就是罷免。對此舉無論任何同仁提議，我決不懷恨，而祇有感謝。也或許立法院部份同仁以為我常常辭職，不顧為他們的主席，倒不如乾脆罷免我來的痛快。可是，我並不是不願與同仁共事，這點請諒解我，我自感既然院長沒作好，人家能免，又有何不可？由於我辭職出自內心，至於如何能讓我速去，不論任何方式，我均所歡迎與感謝。」（嘯谷元月四日寄）

市長的「屁股」
男人的「禁區」

（台北通訊）△台中市長邱欽洲有一雅嗜，就是喜歡吃雞、鴨、鵝等家禽的屁股，他曾向友人表示：每餐祇需有雞、鴨、鵝等家禽屁股吃，就深感心滿意足了。所以，每次宴會時，他的部屬親友都知趣的將雞、鴨、鵝屁股奉敬給他吃。某次，邱市長參加「鹿鳴春」的宴會，當烤鴨上桌的時候，他正在敬酒，待敬酒完畢，卻發現鴨屁股已不翼而飛，他就叫：「我的屁股呢？」其時有一位和他同好的客人正將鴨屁股咬在嘴上，聽到邱市長發問，就馬上用手指着嘴巴說：「你的屁股在這裡！」此語一出，引得哄堂大笑。而這條花邊新聞，也就在市民間不脛而走了。

△居住在台北縣風景區新店鎮的一位現年卅六歲的褚太太，最近又生了雙胞胎，兩位小千金，連前共為一打，賀客們都稱呼之為「褚家十二金釵」。褚太太和他的先生結婚迄今已十有一年，到去年止已生了十位千金，男孩卻一個也不見。前些時她又大腹便便，鄰居們以為她這一次可能雙生兄弟，結果事與願違，仍然是千金出世。有人開玩笑說：照這樣下去，如果她到了四十歲，褚家豈不變成「男人的禁地」了嗎？（梁）

是世界大同，還是畸形「小同」
至聖後裔下嫁美軍少校

（台北通信）我國衍聖公孔德成的女兒，最近在美國跟一位美軍少校結婚了。消息傳到台北之後，頗引起社會人士的詫異，大家議論紛紛，視為特別新聞，這並非一般人基於孔夫子垂訓「嚴夷夏之防」的義理，認為他老先生的後裔不應該跟「夷人」婚配，也不是思想頑固，覺得本國「閥閱世家」的女兒，不宜充當王昭君的「和番」任務。大家祇想到了一個問題，即孔子後裔在國家體制上待遇崇隆，襲爵封祚，永垂罔替的。將來衍聖公萬一沒有子嗣，而女兒亦僅此下嫁於洋人之一位的話，如果需人襲爵，那就祇好教洋外甥來承其乏了，豈不笑話嗎？近十年來，中華女兒多喜歡嫁給美國人，卻少有跟歐美其他各國的子弟結成佳偶者，道理很顯然，美國人比較其他的洋人富裕，生活享受很好，她們都是以物質條件為論婚的大前提，固不足怪。可是，孔聖人的後裔似乎不宜隨俗浮沉，以致有忝先德吧！

世界人類進化到現在，婚姻的國界觀念已經打破了，如果語言文字再能普遍而統一，構成書同文，車同軌的現象，所謂世界大同的理想境界，業已相距不遠，最後只是國家壁壘這一關不容易充破，而其癥結即在資源之分配不均。像美國得天獨厚，富甲全球，別國的女子為着追求物質享受，都鍾情於「花旗公子哥兒」，連我國孔聖人的後代子孫亦不例外，這就談不到世界大同，祇能說是畸形「小同」啊！

中日合作策進委員會議正在東京舉行，我方代表十二名浩浩蕩蕩地參加，這一以增進國民外交為職責的組織，在我方是朝野一致的，殊為重視。但在日本方面，卻認為是該國政治上少數人物的玩藝，即係自民黨少數派大野伴睦一流人的政治「看板」，沒有多大的號召力，祇是藉此從台灣販運一些香蕉，牟取若干政治資金罷了。每年舉行一次例會，成績殊不多見，且因代表人選不甚適當，反有貽笑之處。例如一九五七年在東京舉行會議時，日方向我方號稱為經濟專家的代表某君，詢問對於中國大陸上共匪五年經濟建設計劃的觀感如何，他竟答以「沒有帶資料來！」然則參加會議的目的，只在逛逛異域都市，玩玩「和服」美人，虛耗國家外匯，而其代表任務即為喊幾句「中日親善合作」口號，就算功德圓滿乎？據說，當時我方代表某某二人因事互相爭吵，揮手怒罵的鏡頭，曾被日本記者快速攝取，至今留為紀念品呢！搞國民外交的人才，比正式外交官更重要，必須由第一流的學者專家們出馬，纔有績效可觀，起碼的條件，代表人物亦應懂得對方的實際情況和其語言文字，庶幾乎能夠增進友誼，免除客套，彼此明心見性地披瀝意見，表現識力。國民外交不是裝點門面的行為，人選如不適當，一定令人瞧不起，若再鬧些笑話，結果是徒然丟人而已。我國對日本問題有研究，對反共問題有專門學識的人，現時在台灣的亦就不少，何以不予羅致，實在費解了！形式主義，小圈子主義，決不足以奏反共抗俄之功，中日合作策進會搞了幾年了，效用安在呢？（黃炎，元月十日）

大陸文壇萬花筒

無法分類的「作品」

——岳騫

近來看中共文藝方面的東西，越來越覺得困難，第一點是句子太長，使你讀了一遍兩遍之後還要閉目想想，有時甚至要打個手式或者畫張圖才能解釋明白。第二點是「切口」太多，因為它的小說，散文和宣言，文告是一樣筆法，其中經常見到什麼「三包一獎」，「三勤」，「四最」，「十好」，這些切口又不是中共中央統一發佈的，完全是各地共幹靈感來時自撰的，甚至甲地就不懂乙地的「切口」，至於比較普通的，各地解釋又不同，正是「神而明之，存乎其人」。例如「三包一獎」，農業是農業的解釋，畜牧業是畜牧業的解釋，工商業又是工商業的解釋，試問我們局外人如何能了解。

第三點是無法分類，前面已經說過，文藝同文告是一樣筆法，現在更連體裁也合一了，看了一篇「作品」，費了很大力氣都分不出它是屬於那一類，例如十二月二十八日人民日報刊出一篇「新來的泥水匠」，我就分不出它是什麼東西。

人民日報第八版常刊一些小說，散文，詩，漫畫，有時還有木刻，雖然它沒標明，但也應該算是副刊了。這篇「新來的泥水匠」登在副刊上，照理是應該當作文藝看的。可是內容並非如此。

「新來的泥水匠」故事是這樣的，公社黨委副書記陳志超一早跑到秀才場生產隊，一直跑到一個老婆婆楊玉秀家裏，進門就替楊玉秀泥牆，借一套泥牆工具，赤着腳泥了半天，楊玉秀趕快燒開水，又偷着放進四個雞蛋在鍋裏，還放了茶，鹽。泥好牆之後，楊玉秀讓他洗手，陳志超一看鍋灶太大了，費柴火，馬上又動手，泥了一個新灶，泥好之後，熱水也沒喝，又跑到七十九歲的老媽媽冷運梅家裏去，看到冷運梅家裏房漏了，馬上又借個長梯爬上房去修屋，冷老媽媽又去燒水，還打算炒香豆子，可是等到水燒好了，陳志超又不見了，他又跑到別家去修屋去了。

就這麼一篇東西，讀者看看它是什麼？說它是小說，它又有名有姓有地點，好似真的一樣，說是報導文學，這個書記為什麼老遠跑來專門泥牆，修屋，而且這兩個被稱為貧農的家庭，還能燒火，煮茶鹽雞蛋，炒香豆子，又怎能算是「新社會」呢？這種文體相信起劉彥和於地下，也必為之瞠目結舌，不知把它列入何類了。

社會小說

香港地

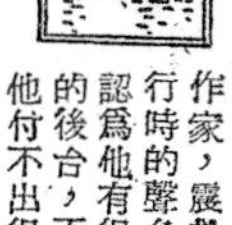

六、人情味

他們一邊喝咖啡一邊談着霍新開的文化事業大計劃。據老楊所知，霍新開正在打算和外國人合作，經營一個文化機構。外國人方面的條件是：要他弄出一個像樣的事業基礎，才可接受援助。大概他至少拿得出相等於全部資金三份之一的財產，才有資格邀求他們投資。在他們投資之後，還可按時發給一份可觀的津貼。霍新開所以要在馬行時家裏舉行一次宴會，無非想擺擺陣容，給人家看看。他並不希求馬行時做幌子，令他的另外一班朋友有了信心，樂得幫他的忙，也令一班要養字為炊的作家，震於馬行時的聲名，認為他有很好的後台，不怕他付不出很高的稿費，當然，更不愁他拖欠稿費了。這樣一來，他便很乖巧的利用了馬行時的聲名和地位，希望「豎起旛杆有鬼來」，很快便可集腋成裘，做成一個像樣的局面，令外國人澈底信任。他一面有的是符合條件的資產，他一面有的是作家的陣容，只要外國人眞的答應投資，以後便是財源廣進，黃金滾滾，他的場面更會大到不得了，了不得了。

梅大亮覺得這似是天方夜談，更覺自己猶如鄉下佬出城，所有見到聽到的每一宗事都是難解難明，便不禁呆呆的發了幾聲太息，最後仍然忍不住要提出疑問，道：「照你所說，難道那些外國人都是傻瓜，有錢愁沒得花的去處嗎？如說是義助，乾脆義助便好了，怎會弄成合股做生意一般，才有資格接受援助呢？他們到底是為做生意而來的呢？還是要助人做文化事業。這就教我覺得非常不解了。似商非商，似文非文，我們可把這種中國地道文人連頭腦也弄得發昏了！」

老楊見梅大亮正似「牛皮燈籠」一般，並不是一點便明」的傢伙，便把一杯咖啡喝得乾乾淨淨，還燃着一枝香煙吸了幾口才答道：「你不懂得，世間有一種最聰明的傻瓜，也有一種最愚蠢的聰明人，既有學而優則商，也有商而優則學，你不能把你住在木屋區裏的天地，和外面廣大的天地齊觀並論的。」（九十四）

木客著

由學生到教師

汶津

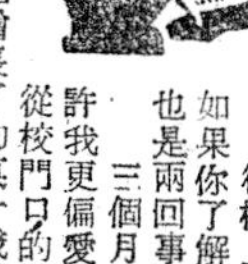

從樓上看樓下跟從樓下看樓上是兩個味兒；如果你了解這點，那麼，做學生和「誤人子弟」也是兩回事，雖然學校仍舊是學校。

三個月來，我幾度忘懷了自己的新身份，也許我更偏愛「大孩子」這個頭銜吧。每到學校，從校門口的糾察隊對我喊「敬禮」開始，我便下意識地使自己增長了約莫十歲的光景。否則的話，我和學生之間，也許只差着一襲制服了，那還談什麼傳道，解惑？好在人多少總能夠適應環境的，我似乎也逐漸為學生們所改造而「變化氣質」了。

板臉孔並不是大難事，但持之以恆卻需要幾分天才。有一次一名調皮的「高足」在週記上婉勸我多給他們一些笑容，結果使我大上其當，兩天的笑意非要用加倍的訓話來彌補不可。發作之後，心底還着實欽佩後生可畏。

碰到一個比你個子高的學生，你必須仰着臉向他訓話（如果不怕麻煩把他召入辦公室的話），好在世間兒子比老子高的例子尚且指不勝屈，我又何必在乎這些？

有時在學生的喧鬧聲中，我也會「一鳴驚人」，爆怒一番。但事後一想，不覺好笑。在此以前，我從來沒有經驗過心裡不火而表面上真像天要塌下似的。

學生，是一種不馴的動物，每個人都體會到這點的，尤其是初出茅廬的教師。對於鞠躬超過九十度的學生，我心裡總有些懷疑，因為一個初中學生不會這樣的不知愛惜精力的。叫「老師」叫得最甜的，也往往是滿懷鬼主意的小精靈。很多事實是局外人難以想像的。

走馬上任之初，最受考驗的是嗓子。聲嘶力竭已成了家常便飯。善造空中樓閣的人每每把教師想作神聖不可侵犯；表面上的確有那麼點兒，骨子裏可就有些酸、有些澀。

坐在辦公室裡也有種種不同的情境，。有時冷冷清清的，其他同事或在上課，或在另作謀生之道，連找人聊幾句天都不可能，可是每當考試過後。辦公室便熱鬧，擁擠起來了。有些是幫忙算分數的「高足」；有些則是唯恐吃紅字而急於打探消息的游擊份子。眞可與春天的百花齊放比美。

改作業自然不是一件賞心樂事。在這方面，勞美音樂老師不免使人羨慕不已。他們往往是上完了課便一了百了，即使有幾張畫，幾樣工藝品，也很容易對付，只要將下課時間略加利用，便有無事一身輕的感覺。所以畫家以教書糊口易，作家以教書作「副業」則幾乎不可能。一本作文簿足可抵得上百幅塗鴉。

但苦中有甘。當幾疊考卷改完，居然鮮有紅字出現時，心中之快慰自不待言。有一次最高記錄居然出現在一名會考末席的學生卷子上，我眞似發現了奇蹟。把他當衆誇獎一番，還使他着實受寵若驚呢。

教員受學生的尊敬，可分兩類，一類是近乎「等因奉此」的。否則學生難免有受處罰之虞。另一類則心悅誠服，如果你發現學生之一鞠躬，已相當於情人之一吻，你便已成功了一大半。

「教書匠」也罷，「文化鬥士」也罷，這一行即使不「高」，也眞可以算得「清」了。既無貪污的可能，也沒偷巧的餘地。最大不了是濫竽充數，但至少你還得[illegible]

如果說天下眞有不是白痴的傻子，那麼就非我們這一輩莫屬了。目前初臨斯境，尚不敢自詡有什麼「專業精神」，但一想我舊日的老師們，多半是教了十幾年書而不輟的，心中就有一種異樣的感觸了。

讀書

·劉　杰·

「飯後一支烟，賽過活神仙」，如果在飯後讀一點輕鬆的書，比吸烟的享受還高。書的種類很多，諸如：科學、哲學、文學、宗教等等。以各人的興趣去選擇喜讀的書。

林語堂論讀書，特別強調「趣味」，這與梁啓超的觀點相同。但「趣味」是培植起來的，不是自然產生的，比方：有的人喜看電影，有的人反對看電影，固然是趣味不同，所謂「道不同不相為謀。」如果反對看電影的人，連看了幾部好片子，而且情感深入到裏面，直覺趣味無窮，還可以回憶。所以「趣味」是培植的，是後天的，不是天生帶來的。

不過，在我認為讀書應該輕鬆一點的。在這個偌大的工業時代裏，一天到晚都在工作裏打滾，心情是夠煩悶的。有人說：這時代是夠悲哀的，實在的，這一時代的人類也夠悲哀。在這悲哀裏讀點輕鬆的書，還是有很大的補助。

這幾年，搜集的文學書籍，少則也有二百來本。我沒有分類：應該詩歌放在詩歌一起，散文放在散文一起，小說放在小說一起。詩歌、散文、小說混在一起，我隨手拿到什麼就看什麼。我身上經常裝着兩本書，不是詩就是小說。讀書是最起碼的享受。有時，我也讀讀哲學，那是吊吊胃口的，不是如林語堂先生說的「趣味」。

（編者按：眞正做學問功夫，就未必是這麼輕鬆了。所謂趣味與輕鬆，不過是指一般以讀書作為消閒的人而言。）

儒林九尾龜

吳敬鋅

第五回：一失足成千古恨

夏作人說道：「他手下有你們這一批青年人，他又和海外這些作民主運動的老先生都是朋友，必要時可以連合這些人發一個通電，就替共黨助了威了。」

李鴻飛聽到這裡不由得大笑起來。夏作人奇怪道：「你笑什麼？」

李鴻飛說道：「夏先生，你的消息如此靈通，難道盧孟德有一次請客撞板的事，都不知道。」

夏作人愕然道：「我到眞未聽說過，怎麼撞的板。」

李鴻飛笑道：「說來就妙透了，他在發表共國和談之後不久，可能因為雙方都沒有反應，他覺得太失面子，就想在海外發起一個運動，推動國共雙方接受，他當時第一個步驟是邀請在此地的文化界有聲望的人聯合通電，他忘記了這些人都是堅決反共的，以為別人和他一樣投機。可是，他也顧慮到這些人未必肯來，於是就找到胡克圖老先生出名請客，胡老先生是一個老好人，也未打聽他請客作什麼，貿然就發出請帖，這幾位先生一看胡克圖請客都到了，等到大家入了席，酒過三巡之後，他竟然掏出一個現成電報稿子，呼籲國共雙方停電，大家一看都楞住了，他還不識相又站起來演說一番，促使大家簽字，到了這時候非攤牌不可了。其中一位廣東籍的先生拍桌而起，大罵『丟那媽』就走了，其他幾人也都起身和胡克圖先生道個歉就走了。最後一位老先生勸他道：『孟德兄，搞政治不是這樣搞的，劉牢之一人三反，狗彘不食，歷史上的事情你也許不知道，但是中國這幾十年的經過你該記得，凡是善於投機的人，有幾個能在社會立住腳的。所以一個人要搞政治還是先從作人起。』老先生說過也就走了，只剩下他和胡老先生面面相對，一席豐盛酒菜也吃不下去了。」

夏作人捧着肚子大笑，說道：「這麼一段笑話我到未聽說，現在這批人大概都不同他來往了。」

李鴻飛道：「只有胡克圖老先生一個人。」

夏作人十分詫異，問道：「胡克圖怎麼還會同他來往。」

李鴻飛笑道：「此胡克圖之所以為胡克圖也。此老為人只講私交，以助人為樂，但是對於是非大義卻分不清楚的。」

夏作人嘆口氣：「這樣說來，他這趟恐怕沒有結果了，因為共產黨是講現實的，你沒有實力，什麼都談不到，例如這次我們這批人，賈虹就受盡了閒氣，說來還是因為他沒有一點本錢。」

李鴻飛笑道：「賈虹表現得不錯呀！他在此地經常在自由報刊上替共產黨吹噓，向政府及國民黨放冷箭，技術比曹蛀人高明得多，何以會受閒氣呢？」（五十七）

漫談飲酒

·白　荷·

每逢年節，或是喜慶宴會席上，猜拳飲酒，誰可製造喜氣洋溢，精神愉快的氣氛，古人有云：「酒逢知己千杯少」，知友三五，歡聚一堂，淺斟低酌，也是人生一大樂趣。

古來英雄豪傑之士，莫不用飲酒以壯行色，而文人雅士，亦多借酒澆愁，或助長文思。考諸古來酷嗜杯中物者，首推劉伶，伶為晉之沛國人，字伯倫，嘗[illegible]建威參軍，泰始初對策，盛言無為之化，與阮籍、嵇康同隱，為竹林七賢之一，放情肆志，嘗攜酒乘車，使人荷鍤隨之，曰：「死便埋我！」妻切諫，不從，著酒德頌以壽終。

酒仙李白，其嗜酒程度可以杜甫「飲中八仙歌」中見之，歌曰：「李白一斗詩百篇，長安市上酒家眠，天子呼來不上船，自稱臣是酒中仙。」再次當推耶律和尚，據遼史記載：「耶律和尚，[illegible]嗜酒不事事，晚年沉緬尤甚，人亦稱為酒仙。」

談到各人飲酒的姿態，大多因各人個性而異，有文靜，亦有粗野，酒酣耳熱，各有千秋，大別之可分為三種姿態：第一種是豪飲，有時喜愛乾杯，有時「一口一杯」，尚嫌杯小，不夠過癮，要改用玻璃茶杯或小飯碗作豪飲，很有些像水滸傳裡的花和尚魯智深，大口酒大塊肉的風味；又有些像武松路過景陽崗，「三碗不過崗」的氣魄。第二種是淺酌，二三知己，佳餚數品，談笑風生，上自三皇五帝，以至原子彈，乃至於人造衛星，以及社會新聞，都是大好題材，皆可於酒氣芬芳中各抒己見。第三種人是品酒，一壺在手，一口一口，細細品味，雖是一碟花生，一盤油炒豆，也津津有味，樂趣無窮。第[illegible]是指一些無酒癖的人，在宴會場中，不得不做出禮貌上的一種姿態：「聞端公」是逗着別人舉杯敬酒時，也裝做飲酒姿態，而鼻子「聞端公」則[illegible]杯不是放在鼻子上聞，而是祇是微微呷少許，以示敬意而已；這種姿態多見之於宴會上的小姐太太們中，在男士的宴會上，多半是表現得勇敢豪爽！

酒的起源，根據說文上記載：「古者儀狄作酒醪，禹嘗之而美。」又見通志上載：「儀狄作酒。」正字通上有：「黃帝時已有酒名，本草有酒名，素問有酒漿，則酒自黃帝始，非自儀狄也。」酒在我國的歷史悠久，於此可見。

酒以醇者為上品，我國有名的酒很多，如山西汾酒，洋河高粱，紹興花雕，四川瀘縣大麯等，以往都是遐邇聞名的，如今大陸上人民在「公社」裡，一日三餐，飯都吃不飽，遑論飲酒作樂了。

釋耒集

狂者狷者

伯夷、柳下惠，孔子曰「皆古之聖賢也」，弟子之中，又有取於曾點，閔子騫。太史公傳游俠，並及季次，原憲，所謂「不得中行而與之，必也狂狷乎？」是聖人之取于人，必其人卓然有以自見於世，而正其衣冠，齊其顏色，嚗然終日不言，以取合於流俗，又聖人之所深斥者也。前史氣節之士，莫盛于東漢、南宋、與晚明；而范滂、張儉，狂者也，黃叔度、郭林宗，狷者也。文文山、張世傑、謝翺羽，狷而亦狂者也。晚明之世，張煌言、瞿式耜，狂者也。顧炎武、王夫之，狷者也，夫鞠躬致命，臨大難則殺身以成仁，此本原于經術。然守經術而不能自化，每易流爲庸腐；其浮薄無根者，又易流爲權譎，楊子雲作劇秦美新，譙允南言天命仇國，終不免爲世所詬病，而龔芝麓投身殘賊，錢謙益俯首腐曾，遂爲終身之玷。此狂狷之士之所以爲聖人所尚者矣。至于老莊之術，後儒譏爲滑稽亂俗，然孔子實嚴事老聃，譬其人曰猶龍，而狂者狷者之立身行事，往往反與之相近，晉初之劉伯倫、阮嗣宗，晉末之陶元亮，以至北宋時之蘇長公，均大抵不矜細行，或對士大夫恣其嘲謔，深爲言理學者所不取，而其用舍行藏，實卓然有以自見於世，雖臨患難窮阨，未嘗求苟合于流俗也。有明一代，承平日久，物力豐裕，文人學士，跌蕩于詞場酒海之間，傲誕通脫，或更甚於前代，迄于天崇以後，此風愈甚，娜嬛文集王謔菴（季重）先生傳，稱其矢口放言，畧無忌憚，對人調笑狎侮，至自號曰「謔菴」，則其爲狂者，固不論矣，然甲申國變，弘光蒙塵，馬士英逃亡入浙，乃公然以書抵之曰：「閣下文采風流，吾所景羨，當國破衆疑之日，擁立新君，閣下輒驕氣滿腹，政本自由，兵權在握，從不講戰守之事，而但以酒色逢君。門戶固黨，以致人心解體，士氣不揚，叛兵至則束手無措，強敵來則縮頸先逃，致令乘輿播遷，社稷邱墟，觀此茫茫，誰任其咎？職爲閣下計，無如明水一盂，自刎以謝天下，則忠憤之士，尚爾相原，若但求全首領，亦當立解樞柄，授之守正大臣，呼天搶地，以召豪傑，今乃逍遙湖上，潦倒烟霞，效賈似道之故轍，人笑褚淵，齒已冷矣。且欲來奔吾越，夫越乃報仇雪恥之國，非藏垢納污之地也，職當先赴胥濤，乞素車白馬，以拒閣下」。及明社既屋，不薙髮，不入城，絕食以死，死前連呼高皇帝者三。嗚呼，及我庚寅國變，縮軍符之將帥，守封疆之大吏，敵來縮頸先逃如馬士英者，實更僕難數，今方倩人執筆作回憶錄，期委過於身後者亦有人矣。如王謔菴者，反寂然無所聞，則平日自負爲抗言高論之士，亦可以少愧矣。

曲齋

人生哲學

徐學慧

談到人生哲學，中國人實在是不必自慚形穢的。不論這世界如何變化，科學如何進步，終有一天，人與人間的相處，是會要根據中國的儒家哲學來作爲尺度的。

近百年來的國勢衰弱，那是無可否認的事實。但衰弱的原因，與我們的人生哲學並無任何關係。可是，由於媚外心理作祟，遂令得若干沒有腦筋的人，認爲中國文化一無是處，而不惜一味洋化，這總是一個莫大的悲劇。

中國詩歌，在國際文壇上有其不可動搖的分量。而一班淺薄之士，可能僅只是讀了一本唐詩三百首，甚或連這些詩句都沒有瞭解，就信口開河認爲中國詩已無可爲，只有莎士比亞或歌德的詩纔是正道。其幼稚淺薄，實不堪一哂，而彼等固沾沾自喜，自以爲這纔是時髦呢！

英國德國的學者，研究東方文學與歷史的風氣正盛。當我們的五經四書等經典被介紹到西方的時候，他們都認爲這是了不起的著作。而反觀我們自己，如果有誰要提倡讀四書五經，怕不要被那些淺薄的傢伙目爲瘋子哩？

歐洲有漢學研究會，中南美洲各國的政府首長，對中國文物收藏甚多，越南有孔學會，日本那些研究漢學的人，其成就可能還要高過於中國人，諸如此類，也就足以證明，中國的儒家哲學，是絕無時間限制的。

我舉出這些例子，不知道那些一味洋化的人士看了有什麼感想？

細想起來，他們大概是不會有任何感想的。最主要的原因，乃在這些人並不會研究過孔子的學說，因此，他們也就根本不知道什麼叫做孔子學說，什麼是中國的哲學與固有的文化。

這纔是一個眞正的莫大的悲劇。

大寒趣話

筱臣

今年的一月廿日，亦即農曆的十二月初四日是大寒，這是一年廿四節氣的最後一節。據「考經緯」云：「小寒後十五日，斗指丑，爲大寒，至此栗烈極也。」又「詩含神霧」云：「大寒者上形於小寒，故謂之大。十一月一陽爻初起，至此始徹，陰氣出地方盡，寒流併在上。寒氣之逆極，故謂大寒。」所以大寒的意義，簡言之，是根據黃河流域的氣候的，而且並非十分準確的。

上古時在大寒有送寒之儺。「漢書」云：「十二月，立土牛六頭，於國都郡縣城外丑地，以送大寒。」又「後漢書」禮儀注云：「季冬土牛送寒自令章句：丑爲牛，寒極出像，以示送達，且申陽也」但這種習俗，到了漢以後很少見了。因爲後世注重了臘日，朝野在這個節日上都極爲鋪張揚厲，於是遂忽畧了大寒。所以歷代關於節令習俗的書籍，極少有關於大寒的紀載，故世人對於這節氣，一點紀念性的儀式也沒有了。

再因爲地球本身是冷冰冰的地層，離開太陽光線發射的熱力越遠，地面上所放散的冷氣，和天上的寒流，交至侵襲陸居的動物，因爲日期的遠近和太陽的距離關係，就有小寒與大寒之分別了。

相傳某年大寒來到的時候，朔風怒號，寒氣逼人，有一個和尚出門，帽子忽被大風吹去，給一位詩人看見，就套黃鶴樓詩諷刺他道：

「帽子已隨大風去，此地空餘和尚頭；帽子一去不復返，此頭千載光悠悠。」

我想如果是在嶺南的人，那就不會遭受到這種慘事了，因爲嶺南人多是不喜歡戴帽子的。

但是，在嶺南地方，除非氣候有極大的變化，對於大小寒似乎不太察覺。「格城隨筆」說：「閩粵爲極南，得氣最暖，其人生不識霜雪之狀，隆冬不製裘絮，桃李以臘月而華，大寒之候，桂香襲人，殊爲可愛。」所以在嶺南的大寒，正是「臘梅吐艷，山茶淸潔，水仙凌波，松秀寒姿，桂榮貞質」之候。韓琦詩：「一簾濡留終在臘，萬花潛發欲驚春。」張九齡歲暮登逾台序云：「南土融和，覺寒氣之向盡；東郊物暖，愛春色之方來。」這些都堪以拿來形容嶺南的大寒風光的，生爲嶺南的人們，也當感到「冬天裏的春天」的妙趣。

在大寒的時候也是冬眠開始的時候，此時萬類深藏，最宜擁被高眠，但却是鼠竊狗偷們最活躍的時候。據傳吳中有一位貧儒沈文卿，某年臘月大寒，凍得睡不着覺，忽見一個竊賊在室內覓物，一無所得，文卿從容招呼他道：「穿窬君子，虛勞下顧，聊以小詩奉贈：

「風寒月黑夜迢迢，辜負勞心走一遭；架上古詩三四束，也堪將去教兒曹！」

在嶺南的氣候，固然在大寒的時節，還是溫暖如春，但在北方已經是冰雪交加，朔風刺骨了。過了冬至以後，進入了「寒令」，一直要經過九九八十一天，才能冰解花開，渡過寒季。在這個階段，人們都瑟縮在屋子裏，圍爐向火，足不出戶，文人雅士，深閨淑女於是便有「九九消寒圖」之作。

「九九消寒圖」的習俗起自何時已不可考，但是淸季中葉已盛行於士大夫之家。「帝京景物略」載云：「冬至日畫素梅一枝，瓣爲八十有一，日染一瓣，瓣盡而九九出，則春深矣，是爲『九九消寒圖』」。這是以素梅作底的消寒圖，但也有別出心裁的，那是以白紙畫橫豎格，九行，每格給一圖，共八十一圖，自冬至那天起，每天塡一圖，方法是：「上[illegible]，左風右雨，[illegible]」這種圖的畫法雖然不同，但其旨趣則完全一樣。

[illegible]

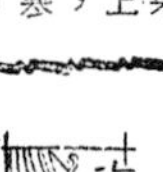

現代人的風義

諸葛文侯

最近在香港去世的山東濟寧人吾友李筱和（家驥）先生，民國七八年間曾在浙江講武堂担任敎官，前國民革命軍名將蔣鼎文（銘三）乃其及門弟子也。蔣氏畢業後，於役浙軍排長職務，以少年志氣，對當時的軍閥作風，甚表憎惡，流露反抗言行，致被上官查究，棄職逃赴廣州，投入革命行列，迨黃埔軍校成立，受任爲軍校敎官兼區隊長。越民國十六年，隨北伐軍入南昌，以功升任國民革命軍總司令部警衞團長，漸露頭角矣。斯時筱和早已離開浙省，入北洋軍中參贊戎機，與蔣氏音問久闊，彼此皆不知近況如何了。

既而蔣氏洊任至軍長職位，自忖雖有衝鋒陷陣之勇，殊缺整軍理政之才，憶及恩師李筱和，欲挽其襄贊指導，但不悉行踪所在，乃於上海報紙中刊登啓事，博訪周諮，筱和見報即欣然前來，樂爲門生助手，屈就蔣氏參謀長職責。從此師生相處甚久，直至蔣氏解甲，方卸去運籌帷幄之任，出爲湖北第五區行政督察專員兼保安司令，此民國廿一年間事，亦即愚與筱和訂交之始。

筱和以師傅身份，佐門人治軍垂十載，身膺專寄，而師生間融洽信賴，了無參商，迥異乎流俗之所爲，蓋賓主皆有古人風義，躬行實踐，始終不渝，固非傖俗勢利之輩所可同語也。筱和堅守公誼，對於蔣事之以長官之禮，從不稱呼別號，如世俗所謂「銘三老弟」或「銘三兄」之類，即在背後與朋友言談間，每道及軍中業務時，亦稱「蔣長官」而不名，恪盡份際。友輩有以蔣銘三氏日常和生活情況向筱和探詢，作爲閒談資料者，筱和輒微笑不答，若強聒，卽亂以他語，決不說短道長，絮非丹是，此係愚與筱和相處廿餘年來所得的深刻印象，歎服不置。蔣銘三氏則篤於私情，無論任何場合，皆稱其幕僚長爲「筱師」，而不循俗指呼「李參謀長」，表示其尊師重道的眞誠意念。常見今之富貴功名場中人，驕矜狂妄，渾忘一切，對於父執輩亦動則稱爲某某兄，尤其漠視師生關係，相逢形同路人，相處有若傭役，旁觀者爲之太息齒冷，彼却夷然恬不知羞，以視銘三對筱和之執禮守義，終身無間，其高下爲何如耶？

蔣銘三得意時，登報求賢，不忘師傅，而信任彌專；李筱和守份盡責，而事之彌謹。一則不以富貴驕人，禮賢下士，一則不恃舊有情誼，毋忝軍人模範，風義藹然，互相輝映，當今之世，像這種風格的文武要人，能有幾個呢？筱和善書，頗得六法神髓，文采斐然，可見其高風亮節，乃由讀書而來，豈偶然哉！

岳飛

·謝康·

歷史人物

武穆滿江紅第二首，（以遙望中原作起句），讀的人比較不多，自題爲「登黃鶴樓有感」而作，意態雖不如前首激昂雄傑，但忠勇愛國之懷，依然溢於言表，正壯士悲歌未徹，我以爲當與第一首合讀，自見其妙。

武穆集另有「五嶽祠盟記」全文只一百三十五字，似可爲兩首滿江紅詞的註腳。近人林紓對此記有評語云：「此不名爲文，但名爲一團血淚；只抗聲讀去，自生忠憤之氣。必逐字推敲，便不是矣！」我想讀此文的人，都有同感，並且知道武穆一生只活到三十九歲，半生戎馬，加以板刻精忠錄已殘缺不全，所遺的作品不多，連同收復河南能兵表，不過寥寥數首，已可看出他的「萬古精忠，一團血淚」了！

此外另有小重山詞一首，也是忠心耿耿，哀思感人的至性文學，原詞云：

「昨夜寒蛩不住鳴，驚回千里夢，已三更。起來獨自繞階行，人悄悄，簾外月朧明。白首爲功名，舊山松竹老，阻歸程。欲將心事付瑤琴，知音少，絃斷有誰聽！」（見花草粹編）

這首詞反映出當時主和派的惡勢力，從「知音少，絃斷有誰聽」兩句話，已看出宋高宗對他的不信任，在朝中和支持他熱誠主張的人已逐漸少了。這也可說是武穆風波亭殺身成仁的預兆吧！（三）

自由報
THE FREE NEWS
第九十七期
中華民國僑務委員會頒發
台報新字第三二三號登記證
中華郵政台字第一二八二號執照
登記爲第一類新聞紙類
（半週刊每星期三、六出版）
每份港幣壹角
台灣零售價新台幣弍元
社　長：雷嘯岑
督印人：黃行甕
社址：香港銅鑼灣高士威道二十號四樓
20. CAUSEWAY RD 3RD FL
HONG KONG
TEL. 771726　電報掛號．7191
承印者：田風印刷廠
地址：香港灣仔高士打道二二一號
台灣分社
台北市西寧南路壹叁叁號二樓
電話：三〇三四六
台郵掛號金戶九二五二

論領海及領空問題（下）

黃少游

巳、國際海洋法會議對於領海及有關問題解決之努力，關於領海擴大及有關問題，在國際聯盟時代即一九三〇年，首次在海牙召開第一次國際海洋法會議，出席者雖有八十個國家政府代表，但對此問題惜未獲得協議。二次大戰之後迄今，在聯合國主持之下，前後共開二次會議，第一次會議於一九五八年二月二十四日在日內瓦舉行，即聯合國第一屆國際海洋法會議。出席者有八十六國的代表，由泰國溫萬泰耶公親王任主席，會期爲九星期，主要論題爲擬議中的公約以規定領海及公海的國際法，其會議情形和成效如下：

第一、關於領海擴大問題，約有以下主張：子、主張三英里者爲美、英、法、丑、主張十二英里者，爲蘇俄集團。寅、主張二百英里者爲秘魯、智利、厄瓜多爾、哥斯達黎加等國。卯、主張擴大三英里限制者爲我中華民國出席國際海洋會議領海委員會代表薛毓麟氏所提出。其主要意旨爲：我國在現行三英里限制之現制下，仍須考慮已使現行法不適用的國家之新需要，即我國將不反對爲擴大漁業管制等特殊目的而擴大此三英里限制的補充，即解決此類領海問題，必須符合以下規範：A、不應距離現行法過遠，因任何根據極端意見而作的改變，難期獲得普遍接受。B、本會議在確定領海限制的界說時，應就寬度的明確數字獲致協議以免混亂，因一國若依照其個別的需要而劃定其領海時，此種混亂即告發生。C、問題的公正解決辦法，惟有賴於三種利益適當平衡，此三種利益即海洋國家的合理需要，國際社會的一般利益及海事國家的利益。

第二、關於領海擴大問題協調的經過與失敗　出席各國代表的主張和意見，既有如以上巨大的不同，於是便有（一）美國所提主張把領海最大範圍定爲六英里及附加六英里的專有捕魚區之折衷建議，該項捕魚區將爲業已在該地經常捕魚之國家而開放。惜此議經會議的結果，棄權者九國，贊成者四十六國，反對者三十八國故，僅以兩票之差未獲通過。（二）及其他一項即墨西哥主張定十二英里爲最大領海範圍之建議，則以一票之差，未能獲得過半數——以三十五票對三十五票平手。棄權者十二國。（三）以上折衷兩案既均未獲得通過，故領海寬度問題未能獲得協議而失敗。

第三、三項有關領海問題的四公約的簽訂，本次會議，領海寬度問題雖未解決，但有關問題已成立協議。如：

（一）大陸棚條約規定：1.海岸國有查勘和運用大陸棚礦產和自然資源的「主權」，其運用的程度達於屬技術之所能及；包括海下隧道，或達於海深超過二百公尺之處，其他國家得以共同運用這些資源，但以得海岸國同意爲限。2.可以運用的資源爲海岸國保留，其中包括生物，但僅以在海床上或床中且不能脫離之所謂「固着物」爲限，在海床以上自由游泳任何物件均屬諸公海，該區得由各國漁撈。3.大陸棚的水域及空間屬諸公海，對各國公開。4.但海岸國得利用該區以建設鑽油塔及其他類似設備，唯不得妨害航行，危及漁撈，被壞海底電綫或油管，或妨害科學研究。此項條約以五十七對三票，八票棄權通過。

（二）漁撈及海中有生命資源的保藏條約規定：1.各國在公海漁撈權利，但各國亦有義務採取或與他國合作採取各項措施，於必要時爲各該國人民保藏公海的有生命資源。2.保藏措施應在公海分區實施，該區或爲該國單獨漁撈或由一國以上從事漁撈，或新國家進入建立漁業。4.特別委員會特別仲裁。在某種情形下，委員會在認爲有爭執發生時，得停止或同意海岸國的片面行動。此項條約以四十五票對一票，十八票棄權，通過。

（三）公海一般政權條約　此項條約以六十票對零票、票棄權通過，在二十九條的條約中，包括公海自由，船隻國籍與豁免權，海上安全措施及援助遭難船隻的義務，撞船的司法管轄權，奴隸買賣與海盜的防止及懲罰，訪問權利，窮追權利，油污或放射塵染污的防止，海底電綫及油管的敷設維持與保護。

（四）領海及鄰接區條約規定一國爲維護領海權利起見，必要時得在此鄰接區海面行使一定的私權，警察權，漁產物保護權等。但此區域連同領海不得超過十二英里。

第二屆國際海洋法會議於一九六〇年三月十七日在日內瓦召開，繼續討論領海擴大範圍和沿海捕魚權問題，會議費時月餘，雖經會議主要委員以四十三比三十三票，另十二票棄權，通過一項美國和加拿大提出的主張，將領海的寬度由三英里延長至六英里，同時遣一案通過，即將使領海國於一九六〇年後享有在自海岸起遠及十二英里的海域中專有的漁業權。惟此案後經提交海洋法會議全體會議，以未達三分之二多數之同意而未通過，致未能協議，故本問題即國際領海寬度問題，迄今仍懸而未決，尚待下屆會議協議。

二、國際問題中之領空問題

甲、何謂領空？　所謂領空，簡而言之，即是一個國家在其所領有之土地上與海洋上之上空有其不可侵越之主權，換言之，即是一個國家爲求其自己之安全與保障對於其國之上空，在消極方面，有絕對不許任何國家之空中飛行有其任何侵越之權；在積極方面，任何國家得任意使用其自已國土之上空而不受任何之干涉之權。又所謂領空乃構成國家領土之一部，或視同領土，此猶之領海構成國家領土之一部或視同領土然。

乙、領空的範圍　關於領空範圍問題，在目前各國接受之國際公法條例中規定：「一個國家之領空權祇以由地面到達大氣之上層爲限」。一九四四年成立之國際民航協會（蘇聯未參加）該會規定：「各國在其領土之上空間均有其主權」。直至最近爲止，在國際法律規定下認可之領空權，係以在地面上六十英里至八十英里之高度爲限。如一九四四年芝加哥公約（蘇俄乃簽字國，而美國祇承認一部分條約）第一條規定：「每一個國家對於其領土上之空間有完全的自主權」。惟「空間」的含義並未確定，但隨後於解釋飛機一詞時乃謂：「飛機是指在空氣支持之下運動的機器」，因此，目前所謂領空的範圍根據以上資料，祇及於其國土上空空氣活動範圍之內，而非及於外太空。因此時（一九四四年）人類科學及技術進步尚未達到外太空境地，故各國領空也祇及於飛機活動所及之範圍，此猶之從前大炮射程只能達於三英里內故以領海三英里爲其範圍之同一道理與依據。

丙、領空問題的發生　自美蘇兩國於一九五七年前後相繼發射人造衛星後，國際間即發生領空問題或其領土上之太空問題。如前所述，一個國家之所以主張領空或領空權，乃在爲一國一切之生存安全保障，今人造衛星發明，且隨時可以携有原子氫彈或其他兵器之人造衛星侵犯各國之領空，是各國之生存與安全，已無保障之可言。雖然，目前此項問題，事實上已存在，但並不嚴重，亦未見有任何國家提出投訴。如美蘇兩國過去及現在均未投訴對方的人造衛星之侵犯領空，尤其是美國放射的「森奴斯」偵察人造衛星以代替美蘇交惡最大的U2飛機事件之U 飛機之後，蘇俄並未投訴美國侵犯領空。

丁、領空或外太空問題的解決　現在科學技術進步，一日千里，武器發明又日益驚人。太空問題，國際間非得協議，即建立太空法律秩序或太空法，則國際共同生存安全大有問題。因之，聯合國本身機構及其他各國學者對此問題之研究亦饒有興趣者，惜至今尚未見有其具體成果提出。吁衛世局，今後爲避免世界大戰。除喚起共產集團下之民衆起而推翻共黨政權瓦解共產國家之外，誠如美總統艾森豪所言：「非建立國際法律秩序及實行國際法治」，則人類末日勢將不可避免。所望於國際間有遠識有魄力有人性的大政治家及世界各國之眞正愛好和平與自由之人民之共同努力團結與奮鬥。（四十九年十二月二十日）

小天地

△中韓菲越四國外長，定期在馬尼拉開會議，泰國巴基斯坦未決定參加。亞洲反共國家沒有不能團結的理由，這會議實在開得太遲。如非反共立場實際不夠堅定，或者背後正在有人搗鬼，泰巴不參加是無可理解的。

△寮國仍有戰事，談判由高棉帶頭提倡，印度從中賣力，英法協助。誰是打打談談的最後勝利者呢？難道還要費腦筋去猜測？

△艾森豪送出最後一次國情文，列舉任內政績。美國一個反對集權專制的民間組織同時發表年報，命名爲「自由的收支對照表」，列舉自由世界十五點挫折，指出錯在純採「防守」戰略。既是有守無攻，當然有支無進，有損無益。艾森豪當在歷史上定名爲「原子馬奇諾」。

△美國當選總統甘迺廸業已售清股票，變爲州市公債，準備上場。這種化私爲公，表示重視公債和對公債負責的觀點和作風，值得我們袞袞諸公體念體念。

△蘇俄將舉行大整肅，農業生產病態嚴重，赫魯曉夫正覓取代罪羔羊，農業官員紛紛認錯。共產國家有五十年歷史的農業「總偏差」，已使中國大陸萬里沃地變成磧沙，固當起列寧於地下而鞭屍，拍幾個蒼蠅有何用處？

△中共向澳洲購糧。印度證實大陸糧荒消息。大陸農村「人民公社」五十多萬生產隊中，中共指出百分三十爲窮隊，另落後隊百分之十，受災隊百分之四十六，指爲三個沉重的包袱。同憶十年前中共叫人民毀家拋包袱，什麼都由他們包辦。看現在他們怎樣拋掉這個大包袱吧！人人都已被迫毀家，他們唯一的工作就是毀國。

△中共特務頭子羅瑞卿繼周恩來之後離緬。緬邊反共游擊隊已受打擊。中共賞欵與緬甸一事，正由共報誇揚中。中共並非恃有花不完之錢和用不竭之兵，只恃有可以驅之不盡的蠢材。

△古巴卡斯特羅，備戰忽弛，揚言勝利，並向美國新總統甘迺廸送秋波。他學共產黨忽張忽弛的作風，業已相當到家，別笑他虎頭蛇尾。

方南

自由談

談「羅斯福時代」

馬五先生

據說，美國新任總統甘迺廸將要派遣特使到莫斯科，向赫魯歇夫探詢促進世界和平的眞正意見。如果這是政治舞台上演員初顯身手的噱頭，倒無所謂，尤其美國人素來喜歡搞新鮮玩藝，世界形勢反正是在既不能眞和，亦不能實戰的僵持狀況中，兩大對壘集團的頭兒，表現一些和平姿態，義所應爾，毫不足奇。

假使甘迺廸眞想以妥協主義，乞取俄帝的諒解，實行「和平共存」，那我就敢於打賭，赫魯歇夫一定欣然同意，認爲美國政府已表現着他所期待的「羅斯福時代」精神之復活了，善哉善哉。他誓言蘇俄是絕對厭惡戰爭，嚮往和平的，不信，馬上就可以跟美國以及西歐各國簽訂一種百年或千年的互不侵犯協定，大家把原核子武器拋擲到大海中去，永遠禁止製造，美俄兩國對於別國的內政，發誓不再過問。如此澈底的和平共存方法，美國能說不贊成嗎？

既然贊成，那就請美國澈消在海外的軍事基地，解散國際間的集體聯防公約組織，蘇俄當然亦誠意照辦，不成問題的。這樣一來，今後美俄兩國祇有彼此以「民主自由」和「社會主義」的思想問題，在國際間作和平競賽之一途了。結果我又可以打賭，赫酋所謂「埋葬資本主義社會」的諾言，一定實現，不信，就請美國看看古巴，剛果和東南亞的情形，

你有什麼能耐，可以跟俄帝和平共存，而立於不敗之地呢？靠美元？靠電視廣播？靠拜金主義的美式生活？抱歉得很，一向恃美元爲生的古巴，它現在就滿不在乎了，其他不問可知，這就是俄帝所希望的「羅斯福時代」吧！

耗兩年時間，存一朝舊典

新編「清史」出版

慕雲

台北通訊

民國五十年元旦，「清史」第一冊出版問世（其餘七冊，將按月發行，並至遲於五十年國慶日以前出齊），這應該是學術文化界的一盛事。

新編之「清史」，以趙爾巽所著之清史稿爲藍本，然體例與內容則頗有增訂，全史包括本紀二十五卷，志一百三十六卷，表五十三卷，列傳三百十五卷外，尚有補編二十一卷，即南明紀五卷，明遺臣列傳二卷，鄭成功載記二卷，洪秀全載記八卷，革命黨人列傳四卷，共五百五十卷，達千萬言。此書係以國防研究院與中國文化研究所合作名義發行，而董其事之前教育部長，現任國防研究院主任張曉峰先生，出力最多。

尤其難得的事此「存一朝之舊典」之「清史」編纂工作，是開始於四十八年四月張氏籌辦國防研究院時，至今不過一年多的時間匆促修訂完成的。其所以如此，蓋甚因外國治清史者日多，而清史之關係十七世紀至二十世紀初的文化交通，外交政治者至鉅，如沒有一完善之「清史」，至易爲國外研究清史者之徵引失實；尤其是中共目前亦在「編纂」清史，其謬誤之「史觀」，足以淆亂是非，顚倒黑白，故我「清史」之宜儘先問世，不能于此二者無因。

至此「清史」與民」三年趙爾巽等所編之清史稿不同之處，據叙例所列約共有十八九項之多，語其大要有（一）補訂缺遺部份，如太祖攻明，以七大恨誓天，爲藉口興兵之由，清史稿而不書，以太祖自承爲夷也。慈禧垂簾聽政，廢德宗爲昏德公，史稿曲爲之諱。庚子拳亂，慈禧實啓之，史稿未嘗質言。宣統遜位，中華民國臨時政府優待皇室條例史稿亦畧，茲篇悉行補入。（二）嚴辨統閥，激濁揚清。昔史稿書明史止于崇禎，而對南明諸王之建帝號者，一律斥爲僞僭，茲篇改稱明某帝，示明未忘。對明末遺民，不忘故國，力圖恢復者，史稿以逆賊稱之，悉予改正。南明弘光，隆武，永曆三朝，事同殷宋，謂不宜以載記處之，特立南明紀。鄭成功以延平郡王開闢台灣，傳祚三世，史稿屈居爲列傳，茲篇別立載記，附于南明紀後。洪秀全揭民族大義，建國十五年，史稿置諸列傳末與三桂傳後，以逆臣處之，茲亦別立載記。台灣歸清以後，朱一貴，林爽民等時謀光復，史稿以逆民視之，不爲立傳，茲篇爲之補傳，以存民間正氣。明遺民如張煌言，李定國諸人，以死殉國、史稿置列傳中，與孔有德，孫可望比肩，茲篇以其侯擬不倫別立明遺臣列傳。顧炎武、黃宗羲、王夫之、不仕清朝，史稿以之入儒林傳，欲揚反抑，茲篇仿宋書陶潛傳例，改入遺逸傳。（三）關於民國事蹟部份。以革命先烈申民族大義，蹈死不渝，特創例作革命黨人列傳，爲清史之殿。史稿對革命多所貶詞，如宣統紀謂革命軍作亂于武昌，及選舉臨時大總統，而不書國父名。盛宣懷等傳，不書民國正朔，悉予改正。（四）屬於外輯者，以史稿各志，疏漏舛陋，不一而足，史稿中之表，亦詳于人而畧于事，今一律加以補輯，以求完整。

以一年多工夫，負此艱鉅之工作，當不能謂其絕無懈可擊。但其辨統閥，勵忠貞，其用心亦可知矣。張其昀氏於其「清史序」有云：「清史公佈以後，有關著作自宜繼續刊行，研究無窮，貢獻亦無限」是此一「清史」之出版，實爲打開進一步研究清史之道路。（四十九年十二月卅一日）

宣室求賢訪舊臣

魯斯克才調更無倫

甘克

（本報紐約航寄特稿）「或立談間而封侯」這是戰國時代智識份子的特殊機會；揚子雲的「解嘲」中祗有艷羨而已。

十二月八日（星期四）美國總統當選人甘迺廸約晤了從未謀面的魯斯克于他的華京私宅，談了約三十分鐘，四天以後（十二月十二日）甘氏便宣佈魯斯克將任新政府的要職。簡短一席話，換來國務卿。這不僅中國官場和一般業餘觀察家感到莫名其妙，即大多數的美國人亦覺得頗爲意外的；但筆者有理由推測，這事對于魯斯克本人似乎並非意外。

究竟這位身高六英尺，體重二百磅，含笑非笑，面如滿月；予人們的印象是有熱情，有勁兒，有毅力（那毅力就像優良的彈簧鋼一樣），腳踏實地，眞正的自由主義者，並被稱爲「有百萬主意的人」，其來歷如何，爲遠東一般人士所不甚了了，因之大家對于新政府的作風和趨向亦無從推測。但我們如果不是有意漠視各項已發表的當前資料，尤其是魯斯克本人最近所發表的作品，應不難窺知梗概。

這位出生于喬治亞洲，畢業于北卡羅萊娜洲的大衛遜學院，又赴牛津聖約翰學院研究，名列 Phi Beta Kappa 優秀生，現年未滿五十二歲：照我國北伐時的標準論，他應算是老成練達；倘依現時自由中國的眼光看，他應是年青或少壯。

魯斯克原係國務院裏的幹員，曾任副國務卿而于韓戰發生時調任主管遠東事務的助理國務卿的。當蘇俄封鎖柏林時，他曾經說過：「我們何不把裝甲車一直開過去，看看會有什麼事發生？」若干時日以後，美國的將官中纔有人提出同一的意見。

一九五〇年六月，韓戰發生時，他正赴華京近郊喬治城的晚宴。國務院的消息來了，國務卿艾奇遜有請；魯斯克放下了刀叉，立即驅車返院。軍情緊急，決政畧于俄頃，是當時事勢之要求。那時杜魯門總統正在故鄉休假，國務院必須立即提出具體辦法，專候裁決。在一小時又半之內，艾其遜請杜魯門總統將這問題提交聯合國。據說國務院作此決定之原動力就是魯斯克。可想而知的，他在國務院五年間——一九四七至一九五二年——的內部獻替一定很多，尤其是在對日和約之最後談判中；這祗有他的老同事和他的老上司最知道得眞切。

一九五二年，杜魯門任滿時，魯斯克亦挂冠而轉就洛克非勒基金會會長了。在他辭職時，杜魯門寫給他的一封批准信當中，曾稱讚他的「服務爲多才多藝，難能可貴」、並稱以如此英年而能「以機敏、技能，效率：智慧、和耐心，長期爲國家服務，備徵幹練」，殊不多見。這一串的考語是和我國事務官年終考績之「工作勤奮」，「操守純正」，那些舊調濫套是不同的，因爲西人用字，每字都有其眞正的意義，而非隨便摭拾的。（甘克上）

讀者來函

政風何時改善？考績是否公平？

常聽見那些大官在訓示或者在會議指示中，總要提出『總統說的，或者是總統提示我們的。』好像他奉行總統訓示不遺餘力，充分表現他是一位忠貞的好幹部。可是事實上呢？滿不是那末一回事。

就拿各機關辦理年終考績這件事來說吧！總統會一再指示各機關，切實辦理考績，務求公正翔實。

結果呢？別說切實奉行，會因工作不力記大過的人，卸考列一等，考語是工作努力。對於「汰劣升優」之提示是做了「汰優升劣」。這不知是改善政風的笑話調味品，還是認爲是忠貞的表現。

考績本來就是要對每一公務員，在一年工作表現上，來個總結，如果徒具形式，就失掉意義。好壞不分，如何能求得「公正翔實」呢？

希望一天到晚抬出總統來提高身分與嚇人的那些自命忠貞的人，用事實來表現吧！

看台北市

從一堆統計數字

嘯谷

△據主管生命統計的衛生機構的紀錄：四十九年全年台北市經過衛生單位正式發給埋葬或火葬證明書的死亡人數爲五、七〇九八人，以此計算台北市的人口死亡率尙不到千份之六。台北市人口死亡率之所以如此低的原因爲：現代醫藥的進步、國民經濟的安定、一般國民生活水準的提高以及公共衛生的改善。

△據台北市公共汽車管理處統計：四十九年全年出動公車計一百三十多萬班次，營業收入所得之票價，爲一億三千一百萬元，總計乘客有一億六千二百七十二萬人次，獲得公車之便而解決了行的問題，這對台北市一般市民來說，確實是感到十分方便的。

△據台北市家畜市場管理處統計：四十九年全年台北市屠宰毛猪總數二八九、八九一頭，宰牛總數爲二、九〇六隻，宰羊總數爲三、二五六隻。上項宰猪總數二八九、八九一頭，如以台北市人口八十五萬人計算，即在去年中每三人吃掉毛猪一頭，每頭毛猪淨肉以六十公斤計算，每人所吃猪肉恰爲二十公斤。

△據台北地方法院公證處統計：四十九年全年參加公證結婚的男女，共有二、一二六對。又該處四十九年全年受理公證離婚事件一六四件，與公證結婚相比，尙不及十三分之一。

△台北市自來水廠統計：台北市每天必須供應自來水十八萬噸，四十九年全年台北市供應連用帶飲的自來水，一共要六千五百七十萬噸以上。

△據警方調查統計：四十九年全年台北市火災有二六七次，其中有五一次成災損失，二一六次幸未成災，在歷次火災中所燬房屋計有二九棟，二〇一住屋付之一炬，因火災罹難死亡一人，傷二八人，全年火災蒙受財產損失的金額，達一千三百二十三萬八千一百三十元。

△據警方統計：四十九年全年台北市發生破獲的竊盜案件計有四千五百零二件，市民因失竊損失約在一億元左右。

△據警方調查統計：四十九年一月底止，台北市發生車禍案件計有五七一次，市民爲市虎所噬死傷總數爲四七三人，其中死於車禍的無辜市民計二九人，傷四四四人（十二月份尙未計算在內）。（一月三日寄自台北）

大陸文壇萬花筒

中共的文抄公

——岳騫——

本報元月十一日第一版刊出盧家雪先生的一篇「現代牛浦郎」短文，把那個風流人物陳毅挖苦得一文不值，讀了足令人浮一大白。

其實當新華社發表了周恩來扮出花旦相端出那首詩時，我就知道不是陳毅作的，一定是「解放」來的，不過，我沒有盧先生淵博，找不出這首詩的娘家，因此未敢多嘴。我所以敢斷定這首詩不是陳毅作的，因爲陳毅的才華我曉得，他作詩的水準大概在「天雨花」與說唱鼓兒詞之間，試看民國三十五年他盤據魯南時，被政府軍打得一敗塗地，隻身躲在禾田裡幾乎被捉，他當時曾經寫過一首詩：「斷頭此日意如何，創業由來百戰多，好向泉台尋舊部，旌旗十萬斬閻羅。」人之將死，其言也眞，這首詩到眞能代表陳毅的水準，若同新倫來的「我住江之頭，君住江之尾，彼此情無限，共飲一江水」相比較，稍懂詩的人都曉得不會是一個人作的，但是若指不出這首詩從何處「解放」來的，此間尾巴們必然會翹然大怒，指爲惡意誹謗了。

其實共黨頭目中間能作詩的大概可以分爲三類，一類是作鼓兒詞的，如毛澤東之「綠水青山枉自多，華陀無奈小虫何」；如林伯渠之「偶因小病臥農場，聯袂來訪不敢當」，如上舉陳毅的大作；一類就是專門從古人詩中「解放」來的，如毛澤東把李長吉昌谷集「致酒行」中一句「雄雞一聲天下白」改爲「一唱雄雞天下白」。於是大小黨閥一齊捧場，郭沫若就抓住這一句硬說毛澤東的詩超過三李（太白、長吉、義山），毛澤東的詩讀者想必都見過，我翻遍他那個二十一首詩詞，除去這一首之外，看不見任何地方和三李有關聯，假若說是偷了古人一句，就算是保了古人眞傳，我們明天從陶杜中借來一句，就自詡爲陶杜傳人，天下事有是理乎。

一類是根本不通的，例如朱德在延安和董必武的詩，其中有兩句是「神州尙有英雄在，堪笑法西意氣浮」。

這兩首詩我最初看了就不知法西典故出在那裏，後來看了共黨自己註解才知道是「法西斯」的簡稱，這種詩若不是他自己說明出處，相信神仙也不能懂的。

香港地

社會小說

六、人情味

老搦只是隨口直抒眞實的感想，話却說得重了一些。當最後一句話說出了口時，他又覺得有點過份，便歎着氣笑道：「希望你不要怪我。」

梅大亮也是透着感慨，答道：「我怎會有怪你之理？你說的是實話。我也確實知道，木屋區裡面是一個天地，外面又是一個天地。我從木屋來，怎能不自認是大鄉里？我知道自己是一個有鄉氣和土氣的人，而你也是。你知得外面的事情比我多，有時也肯用欣賞的心情去看，但我不敢說你已沒有了鄉氣和土氣，不然的話，你我便不會成為朋友，也不會有今天的談話了。」

梅大亮這樣回答，倒令老搦呆了一呆，他深思半刻，遲遲點頭，說了幾個「是」字，最後便道：「我還得告訴你：霍新開就是為了要在文化事業裡面出人頭地，才會為韋大悲的飾終典禮，大賣氣力。我希望你也不要太過認眞。韋大悲是你我的同道中人，只有同道中人對同道中人的哀悼，才是眞切的，有人情味的，霍新開想冒充也冒充不來。你如眞要怪我替他寫那段新聞，那在我也不會怪你不對，只是彼此觀點不同罷了。你可懂得我這話的意思？」

梅六亮聽他這樣解釋，覺得再沒有什麼話好說，稍為歇了一歇，便向他告別，笑道：「多謝你一杯喫啡和一頓妙論，我認為這也夠人情味了。」

老搦哈哈笑道：「這杯喫啡也屬於裝飾藝術的範疇呢。天下許多妙趣，都從這裏面出來。人情味少了裝飾，但裝飾決不就是人情味。你能常來喝喫啡，聽雞鳴狗鬥也好，談霍新開的文化計劃也好，總是歡迎之至！」

梅大亮臨走時，經過好幾個房間的門口，都有流鶯野鶯在裏面打情罵俏，也有些向他擠眉弄眼。他暗自歎了一口氣，匆匆下樓，才出到門口，看到遠處半邊天都紅了，瀰漫着黑的濃烟，猶如雲陣，不禁大吃一驚，又見得路上許多人在遙指着叫喊，都道：「那是九龍仔木屋大火啊！」

他這一驚非同小可，整個心兒似乎從胸裏猛跳出來，同時失聲一叫。(九十五)

木客著

沒有人味的故事

柯仁

記得某晚報副刊有一篇說銀行家的故事，大意是「有三位朋友出去旅行，半路上碰到獅子，那二位嚇得連忙爬到樹上去，另一位却站在原處不動，在樹上的二位見獅子祇聞聞他，就夾着尾巴走了，後來問他是何道理，答覆的是：我是銀行家——沒有人味。」這笑話很有意思，笑話總是笑話，却不料這笑話却包含眞實性。

事情是由我退伍而起。那天我領到了一筆在富人們不足吃兩次酒家，騙人們却是一筆不少數目的新台幣，這是國家體恤軍人從軍報國多年的酬勞，以便這些錢可以使退伍軍人作為在社會上求生存的工具。因為做生意事尙未安排好，這些錢領下來無處可放，於是到衡陽街一家「頂好」銀行去存一下。

見面請教，那位先生不耐煩的嘴一擺，十九號去。到了十九號窗口見是一位小姐，因為平常從沒到過銀行，一見氣派已經心驚肉跳，碰上這位小姐也許是昨晚跳舞跳得不痛快，或者與男朋友鬧別扭。我一問，就變眼一瞪：「你有沒有戶頭」？我恭敬的答「小姐我是第一次存錢」，嗯：「身分證帶來沒有？圖章有沒有？把這塡清楚到七號去存錢，再把「拿回來「，一連串的示，頭也不抬，神氣得一付銀行老板娘派頭。

到了七號窗口，那位小姐大概也跟十九號小姐犯了同一毛病，理也不理我。不進了有錢的銀行怎敢不低頭，我祇好」小動聽的聲音「小姐，小姐的叫。存錢嗎」？是的。「拿來」。雙手奉上，等她一張一張的數過明白。她數好往後面櫃枱一送，又擺好了有錢「姨媽」面孔。這我可嚇一跳，錢給她又沒有收據，萬一她不認賬，則我十幾年的汗馬功勞不就一下子報銷了嗎？一催問，哈！可來了勁，「急什麼？怕什麼？這幾個錢怕吃了你，哩！到十九號去等着」。末了還加上一句長尾音的似安慰似諷刺的——不要怕啊——」

到了十九號一問，這位小姐對我眼睛一瞪，好像刑警太太要勞她先生破案的派頭，研究我錢的財路是偷還是搶的樣子。

等……等……等……總算等到手續辦好，拿到了存摺，身分證，圖章。

我因想以後如果取錢，可叫我的小三子或小六子跑一下，所以順便問她要兩張空白取款單，不料換來……

「喂！這取款單不是支票，你可不能亂開空頭支票啊！」

我的天，我總算親身體認了這家「頂好」銀行職員們的嘴臉了。

其實，在銀行中做事，雖然一天到晚見到錢，但這錢並不是你的，何苦那樣勢利，需知顧客是你們的衣食父母，大家不跟銀行往來，你們的老闆才不會賣田賣地來養你們，以後多「有點人味」吧！

末了，我得帶上一筆的是，那天我穿的是一套布中山裝。

人馬墳

·漁翁·

貴州居我國西南部，距省城東九十里為貴定縣，縣之南有一大村，容居民七八百戶，內有廣大之坪，為營狗業而闢，故稱之曰「狗場」，每逢墟日，熙來攘往者，絡繹於途，至為熱鬧。

狗場之側，有墓墳二，周圍砌以石塊，繞以竹木，兩墳排列，但未豎碑，不知所葬者何人？又係何年何月所建？每為過客所不解。詢之當地居民，始知墳內所葬，一為少女，一為雄馬，並係最近數十年事。

據云：『民國四年，狗場附近有一黃姓大戶，家小康，生一女，姿色可人，年十八待字，狗場內有一稅務官，羨其色，欲以重金聘之，得黃之允許，並定期成婚，其女聞之不滿，以稅務官年逾不惑，匹配不均，欲却之，又為父母所包辦，終日哭泣於閨內，而外人不之知也。

黃女以婚期在邇，欲逃奔，為乃父所悉，即禁諸一室，如囚犯然，室之側，為馬廄所在，一夕，有一雄馬，破門而入禁室，陳倉暗渡，適女熟睡，即作洞房之舉，待女驚醒而已為所污，羞憤下，用利刃刺入馬之要害，馬斃而自殺，於是地方人議論紛紛，不曰孽緣，即云妖魔，認為空前離奇之事，乃父見之，追悔莫及，遂將人馬分葬於狗場之一角，並為之修墓，地方人即以「人馬墳」稱之。』

男女間之交合，出於自然，非有情投意洽者不能成為佳偶，而人與獸交，則未之常聞，今於人馬墳見之，不亦咄咄怪事乎？書此以為父母包辦婚姻者戒。

儒林九尾龜

吳敬鋅

第五回：一失足成千古恨

夏作人笑道：「這些事情在共黨看來是不值一文的，他主要問你能起什麼作用，空口說白話他們決不發生興趣。譬如這次我們到北京之後，各民主黨派聯合舉行一次招待會，一開始中共統戰部長李維漢致詞，十分客氣，說是歡迎各位來看看，有什麼地方不對，請多指教。李部長講過之後，李任公上來了，一句好話未，就拍桌大罵，說你們在海搞風搞雨，與祖國為難，為什麼不趕快回來，說了又罵，罵了又說，後來簡直聲淚俱下。我當時實在莫明其妙，我追隨任公也有一段時間，他過去那是這種人，散會後我見到曹蛀人，把開會情形告訴他，他笑了，這小子不愧是個讀書人，心眼眞多，他笑着說『任公今天表演得好，他是讓李部長看到海外這批人聽我的，雖然我的民革被你們連根拔了，但是我在還有一部份力量，我還有點用處，并未白吃你們的飯。這一手實在高明極了。』我當時聽了恍然大悟，反問他道：『依你說，任公要我們回來也是假的了？』

烏鴉笑道：『當然是假的，何止要你們回來是假的，就連他們日日夜夜掛在口邊上的解放台灣，也是百分之百假的，他們嘴裏越叫的響，心裏越希望台灣強盛。』

我當時十分詫異，不懂得烏雅這話什麼意思。

烏鴉笑道：『追女人我沒有你內行，觀察大局你就不如我了，因為我是記者出身。試想台灣眞解放了，你還有機會來北京觀光嗎？我還敢來採訪新聞嗎，李任公他們這批人還有活命嗎。人民要這些人作什麼。你聽說蘇聯老大哥有民主黨派沒有？』

烏鴉當時一段話說的直透澈，這一下子我才把全盤局勢看清楚了，孟德兒就差了高人指點，還在那裏痴漢等婆娘哩！換了我別說周總理不給我部長作，就是給我我也不幹，那些民主黨派的部長我都見到了，他們倒是我們坐坐茶樓談談天，就做不到了。」

李鴻飛問道：「你們這次去觀光，大概是你最得意了。」

夏作人搖搖頭：「他們對我還算客氣，因為我有得公的背景，他們想利用我拉得公回去。所以我還是因人成事。最有辦法的實在算是烏鴉，他那一套拍馬術的實在學不來，例如有一次他當面恭維周總理，周總理是八百年的第一位政治家，周總理聽了喜歡的眉開眼笑，連稱幾句妙人兄，親熱非常，出來之後我問烏鴉，我們中國據說有四千年歷史，你為什麼不說周總理是四千年的第一位政治家呢？

烏鴉笑道：『你沒讀過歷史，北京自遼代建都，到現在共計，只有八百年。』聽了烏鴉的話，我才知道拍馬也要讀書。」（五十八）

作者與編者

夏之靜先生：詩稿已分別轉致諸葛文侯及徐復觀二先生。不擬在本報發表矣。

鐵學文先生：惠書謙悉，過蒙獎飾，愧不敢當。大作已拜讀，惟不擬發表，乞諒。

梁嘯谷先生：尊址不明，請即來示，以便寄奉稿費通知單。

瘦西胡先生：「梨園漫聞」如能在九百字左右最佳；否則，為編幅關係，恐難逐期發表。

孜津、姚詠蓴、雲無心等諸位先生：請續惠稿，最好在一千六百字左右。

梨園漫談

早年戲班中無論何等名角，從來未聞有自備行頭（內行人稱服飾為行頭）之說，後來因江南各地本頭戲盛行，致使伶人原有之眞實藝能，逐告日漸退化，伶人為了補救這種缺點起見，只好在行頭上下功夫，大家爭奇鬥艷，彼此競爭着眼，故凡稍露頭角之伶人，莫不自備私房行頭以討好觀衆，自此風一起，爾後有着官中者（後台呼大衣箱，二衣箱內之服裝為官中行頭）都認為毫無派頭，大為可恥之事，因而從此衣箱之行頭，已不似昔日之完備矣。

管箱的責任

——瘦西湖——

舊例凡劇中應用之物件，如衣服、盔頭（即冠帽總名）、旗、靶、刀、槍、盾、馬鞭等等，其種類名目之繁多，實不下有數千件，至於某劇應由若干人扮演，某人應穿何色蟒靠、何種褶帔、以及戴甚盔頭，持何武器，凡此種種無不皆有定制，絕不能稍有紊亂或差錯，因此，戲班方面為了避免有錯誤起見，乃設法區分為若干門類，每一門類特設一專責負責人員，管理一切，担任此項職務者，同行謂之管箱者是也。

管箱的責任，是將每日按照戲碼所需的東西，整備停當安放一旁，以便適合某人之身份時，隨時可向其取用，免得演員臨時還要自己去翻箱倒籠，大費手脚去找他所需的配備，這不但是一件非常麻煩的事，且甚有影響誤場之虞。

蟒、帔、官衣、褶子等，則藏大衣箱中，王冠、紗帽、口面（即口鬚）、角帶、靴巾、硬盔等，則由盔頭箱管理人員負責，刀、槍、靶子、旗傘等，則由旗靶箱管理負責，大家分工合作，各司其職，絕少有錯誤之事發生，此外尚有狗形、虎形、豹形、兎形、魚形、猿形、蝦形、蟹形、龜形、蛇形之類，則擇本日應用者預掛在壁上，扮此行之角色，上場時可自往穿着，亦勿須再向管箱人員索取，戲班有例，凡穿狗形等人，尚可向班中支領彩錢，但今已無此例，其餘尚有奇寶箱者，則歸前台檢場人員負責管理，奇寶箱者，即存放在令箭，文房四寶等台上之應用各物，演員皆可隨手取用，不必再赴後台旗靶箱取之矣。

讀「蓬萊詩草」

——道南——

「蓬萊詩草」是吳佩孚將軍的遺著，這是去年爲了紀念他的八十六歲的壽辰，一般友好特別搜集攏來，而爲之印行的。這種篤念舊交，發揚潛德幽光，也正是中國傳統的美德，山陽鄰笛，同其哀思。

筆者讀了這一本詩草後，特別對於他之「春感」詩，具有若干感慨。他之詩是在北平所作，那時他已身處於日人鐵騎之下，正如釜底遊魚，毫無自由之可言。所以那一種無可奈何渴望自由的心情，也就不免自然流露於字裡行間，引起人們的共鳴。詩云：

大地春回二月中，試衣天氣漾和風；聞從雲外俯寰內，處處韶光自不同。

踏過山限又水限，幾回躊躇幾徘徊；江南正是好風景，處處偏多劫後灰。

連天烽火悵離居，何處春風到草廬；景物不殊人事改，臨流顧影羨游魚。

春風料峭變輕寒，柳欲籠煙花未殘；如此江山如此景，白雲影裏又重看。

載酒看花興未慵，韶光又是隔年逢；只憐烽火連江右，愁聽寒山寺裏鐘。

擬將詩酒遣良時，遙望南天淚已垂；一語寄君應努力，滿盤棋局仗誰支。

避秦舊地莫重論，渡口雲迷古洞門；十里桃花紅似昔：還從方寸覓仙源。

吳之詩饒有唐晉，各詩均言中有物，感慨誠摯。迴誦之餘，不禁聯想起今天陷身北平的若干知識份子，其處境適與吳子玉將軍，大有「蕭條異代不同時」之感。

因爲吳之反日是始終一貫的，雖然在那時日人對吳，威脅利誘，吳終不爲所動，黃花晚節，大義凜然！猶憶吳氏曾畫竹一幅，蒼勁挺拔，宛如其人；自題七律一首，詞意雄健，抱負不凡，其能臨大節而不可奪，固由於修養有素，天君泰然。其詩云：

老幹亭亭挿碧霄，技如戈戟葉如刀。呼號風雨聲悲壯；俯仰乾坤影動搖。洪濤萬竿應借取；瀟湘千頃放光豪。祇憑勁節根深固，那怕東瀛起怒潮。

據說吳氏作「春感」詩後，詩成不久，即以謝世聞。

小啓：由齋先生因事，釋未集暫停一期。

江南才子

徐學慧

所謂「江南」，就字面上說，凡是長江以南的都得稱爲江南。可是，習慣上所說的江南，卻只是指的蘇浙二省，再說得狹義一點，僅只是指的南京上海杭州這一三角地帶。也許這是受南北朝時代有名的文人丘遲的一篇文章的影響，丘遲在一篇書信中寫到：「暮春三月，江南草長，雜花生樹，羣鶯亂飛。」江南之名，由此始著。嗣後至唐宋年間，詩人詞人筆下，多有憶江南之句，於是乎「江南」一詞，就成爲「京滬杭」三角地帶的專利品。說起來，我們這些住在長江以南而非蘇浙二省的人，倒眞是應該爲之呼冤的。

江南這個名詞，在每一個人們的心目中，是代表美麗和清秀。從南京到上海，再從上海到杭州，這兩條綫上的山水，眞可以說得上是秀麗絕倫。在這樣的山川風物孕育之下，可以產生美人，也可以產生才子，更以南京爲歷代名都，自昔爲天下才人薈萃之地，流風所被，才人輩出，原也是很自然的。

不過，江南的才子，不論其爲詩人或詞人，要皆綺麗有餘，雄勁不足。因此，他們的詩詞雖然美麗，最多也只能作到令人盪氣迴腸，却不能令人悲歌慷慨，這似乎是由於地域的關係，倒也無可奈何。

在中國歷史上，江南確實產生過許多詩人，可是，就詩人來說，那些最負盛名的，如李白、杜甫、蘇東坡、黃山谷、白居易、陸放翁諸人，却沒有一個是產在生江南的。

江南的風水雖然美，可惜，平疇千里，連小山亦不多見，（此處專指京滬杭三角地區）也未免太貧乏了。智者樂山，仁者樂水，詩人詞人的智慧與魄力，與其說得力於大水，毋寧說得力於高山，其奈江南無高山何！

試場趣話

筱臣

現在的會考制度，一如過去的科舉考試，爲人所詬病，因而留下的趣聞也頗多，茲選擇其特別富有奇趣足供茶餘酒後之談笑者，以博一粲。

在前淸科舉時代，主考衡文多看文的第一段，倘起首文理通順，認爲可取錄的，才繼續耐心的看下去，此殆成爲一時通病。政府雖三令五申，令主考人員留意人才，但試卷太多，限於時日，事實上亦不能全篇盡讀。

相傳廣東有某才子，光緒十四年，赴羊城鄉試，第一場經文中，即大書「一二三四五，明遣樓上鼓，姐在床中眠，郎在場中苦。」房考官讀了以後，大爲驚訝，持以告主考。主考讀其文終篇，則典麗矞皇，居然是名作。因囑將此數語設法去掉，並將畀以解元。卻主考以爲恐招物議，力持不可，遂以楊裕芬爲解元，某才子亦高中。

以奇語獲得主考官注意的，則有吳沃堯「二十年目睹之怪現狀」，說某科房考官得一文，題爲「邦君之妻」。某一卷之起講爲「望人思邦君之妻，愈思而愈有味焉。」房考官見及爲之大笑不置，未幾，十七房同考官皆來索觀，事爲正副主考所聞，乃將某卷調去，則全篇讜論皇皇，完全代聖人立言，並無一猥褻之語。乃囑其將起講更易，而拔之以爲元，其事與廣東某才子之趣聞頗相類似。

梁章鉅（福建長樂人，道光間官至江蘇巡撫，梁鴻志的祖先）所作的「制義叢話」，所載逸事，頗與上文亦有相類似之處。據說：「國初嘉應州有諸生李文固者，善諧謔，考試日，宗師以「古之人古之人」六字命題，並未注明何章。李文固乃擬兩進曰：「孟子中有兩處古之人古之人，不知宗師所出者是上句古之人，抑是下句古之人古之人；若是上句古之人古之人；生員好做上句古之人古之人；倘是上句古之人古之人，做了下句古之人古之人；或於下句古之人古之人，做了上句古之人古之人，便將宗師所出的古之人古之人做錯了，敢請？」數句皆一氣說下，聞者無不失笑，宗師急瞪之曰：「任你去做！」

[illegible]

說「第三」

諸葛文侯

在中國人傳統的觀念中，「第三者」這名詞的涵義是調和性質，甲乙二人因事發生爭訟，請出第三者從場作和事佬。所以，對日抗戰時期以及戰後數年間，以「民主政團同盟」爲綜合體的青年，民社黨和一般社會知名之士，在政治上都號稱爲「第三方面」，擔任着調解國共之爭的工作。等到共黨醞釀禍國的陰謀顯露之後，青、民兩黨即退出「民主政團同盟」，而與執政的國民黨站在一邊，原有的綜合體政治機構，亦發生分化作用，最後由張瀾，沈鈞儒等仰承共黨意旨，同惡共濟，改稱爲「民主同盟」，儼然以政黨姿態出現，不復居於「第三方面」了。當初創進「民主政團同盟」這一臨時機構的動機，是因爲政府在重慶改組「國民參政會」，把原有幾個屬於「第三方面」資格的參政員如章伯鈞等人剔除了，大家認爲政府當局太小氣，不無「行自念也」的感觸，乃聯合在野黨派，組織「民主政團同盟」，旨在共同維護在野人士參預國事的政治權益，這時共產黨亦是其中的成員之一，並無「第三方面」的意義與作用，左舜生先生就是首任的「民主政團同盟」秘書長。今人每以「民主政團同盟」和變質改組後的「民主同盟」混爲一談，認定凡屬參加前者組織的都是受共黨利用驅策而禍國的罪人，涇渭不分，黑白混淆，將來勢必產生歷史上的錯誤紀錄，不能不辨正的。

大陸淪陷前夕，美國人對中國問題乃創造了一個「第三勢力」的新名詞，首先見之於白宮的外交文書——「對華外交白皮書」——說來像煞有介事，當時美國駐華大使司徒雷登公開鼓勵中國的知識份子搞第三勢力，繼而白宮的巡迴大使吉賽普更來，更到處策動中國人組織「第三勢力」集團，表示美國必予盡力支持。由於大陸急速淪陷之故，美國當局即在香港策動一般反共非共，而又不是執政黨的中國政治難民搞第三勢力，因而有些人爲着獲得美元作生活費用，亦就張出「第三勢力」的旗幟，表示既反共，又反國民黨的言論，民國四十一年我在香港看見過一個名叫「第三勢力」專號的 [illegible]

歷史人物

岳飛

謝康

清儒姜炳璋先生著「尊行日記」引宋郭象「睽車志」云：「岳侯死後，[illegible]

[illegible]

（本節完）

[illegible]

自由報

THE FREE NEWS

第九十八期

中華民國僑務委員會頒發
台教新字第三二三號登記證
中華郵政台字第一二八二號執照
登記爲第一類新聞紙類
（半週刊每星期三、六出版）
每份港幣壹角
台灣零售價新台幣弍元
社長：雷嘯岑
督印人：黃行憲
社址：香港銅鑼灣高士威道二十號四樓
20 CAUSEWAY RD 3RD FL
HONG KONG
TEL. 771726　電報掛號．7191
承印者：田風印刷廠
地址：香港灣仔高士打道二二一號
台灣分社
台北市西寧南路文武巷十號二樓
電話：三〇三四六
台郵撥儲金戶九二五二

割除毒瘤·創造新肌

——拯救東南亞的唯一方法——

雷嘯岑

編者按：本報社長雷嘯岑先生刻正在台灣訪問，此文於九日自台北寄出，十三日收到，適以黃少游教授所著「論領海及領空問題」一文經已付印，未及即時發表。雷社長在本文中提出「拯救東南亞的唯一方法」，乃在「建立新的集體聯防」。並主張「這項新體系的成員，必須是具有直接共同利害的國家居於主幹地位，第一步以泰、越、非，中華民國和南韓爲發起人，其他亞洲國家願意參加者，聽其自便，決不勉强。」與此次在馬尼拉舉行之四外長會議，可謂不謀而合。足徵對當前局勢之應如何演進，已是人同此心。所望四外長會議之後，繼之以新的集體聯防之建立，則不僅爲亞洲之幸，抑亦爲世界之幸。

由於寮國局勢之危急，東南亞地區險象環生，前途凶多吉少，而所謂「東南亞公約」也者，連紙老虎的作用亦沒有，反而成了東南亞地區的一種毒瘤。亞洲的自由人類如其不願意把自己的命運聽受强權主義者擺佈玩弄，作爲他們的犧牲品，此時此事，應該一致團結自救，無所用其瞻徇了。

舊的毒瘤要割掉

東南亞公約產生的動機，原是美國政府當年爲着遮蓋其默認出賣越南的「日內瓦協定」那種醜事，藉以誑騙亞洲人，企圖挽回美國在自由世界的一點面子而已。這種名爲「東南亞公約」，而實際却是歐美幾個國家營私作惡的工具，對東南亞人民有害無益的玩藝，其價值眞不及抄寫公約的那張白紙。今天如果還有人相信藉東南亞公約的能力，可以解決寮國問題，維護東南亞的和平安全秩序，他若非白癡呆漢，即係爲共黨効統戰顚覆之勞的高級共諜！美國只是揹着這項「公約」的旗幟，保存它在國際間的領導場面，英國利用「公約」名義以維護它在這方面的既得權益，法國在東南半島的殘存利益更捨不得放棄，非參預「公約」組織不可。他們同床異夢，各有所圖，意志矛盾紛歧，而美援所到之處，工商企業即形成「唯美主義」，跟英法發生衝突，法國尤其痛心疾首，敢怒而不敢言，如是乎，千方百計地從中作梗搗鬼，不讓美國在東南亞獨佔和平經商之利，爲目的不擇手段，雖通共媚共，間接助共，亦所弗惜，寮國的戰禍，就是這樣釀成的。偏是美國在政治上又沒有世界盟主的氣魄和識力，遇事總要拉着英法一道，俾壯膽量，而聲言「不單獨行動」，英法就利用美國這一點弱點，盡量發揮扯腿作用。美國過去對印尼一會兒支援反蘇卡諾的革命軍，一會兒又以武器和金錢贊助蘇卡諾進攻革命軍；現在對寮國的共禍，時而表現積極行動，時而採取消極態度，今天贊成反共政府，明日又讚美中立政策。都是基於「不單獨行動」之一念而然的。英法和美國亦有一種共同的心事，即於必要時，他們皆不惜退出亞洲，自固吾圉，除非俄共集團的砲火延燒到了倫敦，巴黎，華盛頓，他們決不願意爲着本身以外的反共利害，有所作爲，亞洲人固然不應希望西方國家專爲我們的生存利害，舍己耘人，甘冒戰爭危險，但亦決不能相信他們在亞洲玩弄的政治把戲，眞是可以保全亞洲人的自由生存，而將自己的命運寄托在他們所搞的集體聯防組織上，這是很淺明的義理，且已有若干事實可資印證的。

建立新的集體聯防

自助者人助，自侮者人侮，今後如要拯救東南亞乃至於整個亞洲的危殆局勢，必須我們自己作主奮鬥，首先就要割去東南亞公約這個毒瘤，另行組織自主的區域聯防體系，對於西方國家，除了美國以自由世界領導者的資格，從中指導支持而外，一概不必借重，以免他們時有原子大戰的恐懼。最近南韓，非律賓，越南和自由中國方面，對東南亞局勢倡導四國協商之議，泰國亦表示參加，這是很正確而適時的主張，可以創進亞洲人的新生命，我們盼望及早見諸行動，自求多福。

在過去十餘年間，我們對於反共運動，完全唯美國的馬首是瞻，認爲如不取得美國同意，任何方法皆不切實際，徒勞無益。這種聽天由命的倚賴性，祇是增加美國的精神負担，加以美國人的想像力過於「高超」，認定在任何地方，任何形勢之下，祇要有反抗共黨的行動，蘇俄一定不坐視，牽一髮而動全局，美國勢必無法置身事外，因此即將觸發世界大戰。同時美國又要實施「圍堵政策」，在國外到處建設軍事基地，跟個別各友邦簽訂安全互助協定，用意只在維持其軍事基地的安全建立，並非眞正要保障別國的安全。所以，美國遇到友邦遭受共黨侵襲而期待白宮應援時，即以「負担過重」的理由，勸友邦忍受痛苦，不必輕啓戰端，靜候整個解決，而這所謂整個解決云云，是要大家等到美國本土挨了俄帝的越洲飛彈襲擊之後，才彼此履行「安全互助」的義務。否則不妨將自由國家暫時讓共黨蠶食，分成「兩個」政府組織，使當地人民一半兒自由，一半兒奴役，這就叫作「安全互助」啊！

職是之故，亞洲和非州的自由國家，即不能倚賴跟美國訂有安全互助協定，便認爲「泰山石敢當」，可以高枕無憂，殷鑑不遠，請看寮國的近事：寮國是東南亞公約明文規定受其安全保障的，美國又是創立東南亞公約的主持人，無論在條約義務上或國際信義上，都應該對寮國的安全，担負保障責任，然結果如何呢？他爲着遷就西方友邦，祇好實行「不單獨行動」政策，畏首畏尾，模稜兩可了。所以，今後拯救東南亞自由人類的唯一途徑，就是亞洲的自由國家一致團結合作，建立新的、有效用的聯防體系。這項新體系的成員，必須是具有直接共同利害的國家居於主幹地位，第一步以泰、越、非，中華民國和南韓爲發起人，其他亞洲國家願意參加者，聽其自便，決不勉强，參加新體系的份子，大家即須患難與共，休戚相關，履行應有的職責，無所推委。這樣的集體聯防，庶幾名符其實，於事有濟。美國只站在同情支持的立場上，也就可以避免西方國家的煩惱牽扯，且可以杜塞俄共集團的叫囂指摘之辭。

世人流行着一種錯覺，以爲在亞洲的反共措施，如有自由中國參預，即容易刺激中共，招致嚴重後果，因而引起大戰。實則這是西方姑息主義者的宣傳口實，乃完全不切實際的無稽之談。當年韓戰發生時，美國杜魯門政府公開拒絕自由中國遣奉聯合國決議派兵參戰，就是爲要避免刺激中共，然中共的百萬「志願軍」，依然大舉入韓，與美軍對壘鏖戰不休，等到中共慘遭敗仗之際，史達林亦不敢起來應援，觸發世界大戰，祇好以第三者姿態，向美國提議和談。最近剛果的變亂，古巴的反美動亂，中共與俄帝皆公開介入，不斷的以武器和技術人員暨金錢相應援，難道這亦跟自由中國有關係嗎？至於世界大戰是否發作，必有其發作的條件，戰爭的時機如果成熟了，雞毛蒜皮大的事情，亦可以作爲戰爭的導火綫，否則任何刺激亦不致發生戰爭行爲的。認爲自由中國一經參加國際間的反共運動，即可能觸發世界大戰者，在他們是恐共畏戰的神經錯亂症，在我們却有受寵若驚，愧不敢當的感想，因爲這未免把我們的能量估計太高了！可是，强調這種說法的西方國家，平日又常常露出一派優越感，表示瞧不起我們的損象，這是頂可惡的。我們亞洲人應該瞭解這種事實，不要誤中强權主義者自私自利的宣傳毒素。這一觀念如不澄清，將來我們進行新的集體聯防計劃時，姑息主義者即容易施展挑撥離間的詭計，使我們自相猜忌，築舍道謀，終無成就。亞洲人被西方强權主義者玩弄作了百餘年，此時應知警覺，不能再上當了。

小歸天下

△中韓非越四國外長，已在馬尼拉開首次會議，對寮國問題立場一致，一說亞洲將出現反共新陣綫，一說非外長促成此次會議，圖增强其個人在國內競選資本。

這次會議總是一個良好的開端，雖則未宜作太過樂觀的期望。非外長未必有這種「政治天才」，共產黨却會有這種造謠破壞的長才。

△美國第七艦隊司令葛里芬中將提出警告：寮國北部如落入中立主義或親共部隊手中，最後將導致共黨奪取整個東南亞。他不信一個國際管制委員會可造成寮國眞正的中立。他並期望有一個東北亞反共聯盟。

所有美國曾經在太平洋區担任過重要職位的軍人，看亞洲局勢都是如此明澈。無奈「軍强政弱」，「軍明政昧」，却成了美國今天的致命傷。

△赫魯曉夫發表長篇演說，指出他在進行「第三種戰爭」，並指出「和平共存」是一種鬥爭的手段。

赫魯曉夫在這時候才對西方國家說明：第三次大戰早已循「第三種戰爭」的形式而進行，這等於表示他對「贏得冷戰」的信心，指着西方國家的鼻子說：「咱老子就這樣要把你幹掉，你敢動？」

△艾森豪在其最後一次的記者招待會中聲稱：渠在任內大感失望之事，爲未能使美國進至可能見合理和平之境地。

最適當的評語是：此「和平總統」之所以爲「和平總統」也！整個自由世界的最大遺憾是什麼？

△印度新德里傳出消息：飢荒在西藏甚爲普遍，中共入藏部隊官兵餓死數千。

我們應該相信這個消息；更應該深信：將來中共崩潰在首先餓死了幾百萬士兵的家屬，再而餓到士兵也起義反共。

△印度總理尼赫魯責周恩來造謠，說周恩來指他利用邊界爭執而圖取西方經濟援助，使他覺得非常遺憾。

尼赫魯和周恩來這一對冤家還有好戲在後頭。好在他們都是會做戲的人。

△剛果被黜總理魯蒙巴再傳獲釋不確，囚禁地地點又有變更。

一齣「捉放魯蒙巴」演不成，改演了一齣「魯蒙巴起解」。

方南

自由談

法國的民主精神

法國總統戴高樂在任內處理國家大事，兩次採取了公民投票方法，一是爲要修改憲法以結束癱瘓昏瞀的內政現象，二是最近對於阿爾及利亞政策遭到國內一般頑固份子的阻撓，爲要貫澈主張，只好問信於人民。這兩次公民投票，戴氏皆獲得了大多數民衆的信任，這實是一個政治家值得驕傲的事，更表現着法蘭西民族的民主憲法修養，殊爲深厚也。

這種問題如果發生在美國，那般國會議員們成天爭辯吵鬧，此亦一是非，彼亦一是非，糾纏不清，而行政當局甲也出席作供，乙也到會備詢，鬧得頭昏腦脹，不知要費若干時間，說若干廢話，才可望得到結論。同樣情形如其發生在民主憲政修養尙屬淺薄的國家，必然因此產生莫大的政潮，甚至危及國本，否則那行政首長率性實行獨裁，斐夷異己者，二者必居其一，毫無疑問。

我羨慕法國人的民主精神，亦贊美戴高樂先生的政治風度，這都是導源於文化的潛力，非可倖致的。一個國家民族，有它的文化傳統及其相應而滋生的社會結構，同樣的民主生活，因地因時而互異，未可膠柱鼓瑟，用自己的尺度以衡量別人，也未可用來當一時期的方法，隨便向別人看齊。如南韓最近政黨林立，政見龐雜的情況，世人或許稱其爲民主政治的進步表現，我却替韓國擔心，知道：民主生活不是惡變戲法的行爲可以創進的！

馮丑先生

台省地方選舉景色

自由競選·耳目一新

·黃炎·

台北通訊

本月十五日舉行的台省各縣市議員選舉結果，已經全部揭曉了。總額九百二十九名縣市議員中，國民黨人士當選者佔得百分之八十點四，獲致壓倒性的優勢。但這次選舉情形，却比過去自由公平得多，例如候選人可以推薦監選委員，而各縣市的國民黨部主持人不得兼任監選委員會的主任委員等等，都是打破了過去的成規，給人民以清新之感。同時關於候選人的若干限制，亦已放寬，而國民黨員亦可以自由競選，不受黨紀約束。所以，這次普選的經過情形，相當良好，沒有甚末糾紛爭訟發生，台北縣一位候選人林澤清以一票之差，敗於另一候選人高撫貫（林的票數爲二五〇一票，高爲二五〇二票），亦並未引起爭執，林澤清且聲明他相信選舉事務所沒有弊竇。

在這九百二十九名新貴中，台灣人佔七百多名，外省人佔兩百多名，其中無黨派人士佔兩百名，女性佔九十多名，因爲婦女有保障名額之故，如台北縣第一區的候選人蕭昌銅雖得票三千多，然不能不讓給同區候選人僅得千餘票的雷毓清女士當選，即其明證。就各縣市個別的選舉結果而言，國民黨固然佔優勢，但亦有一個例外，即雲林縣（青年黨名人李萬居的家鄉）二十餘議席中，國民黨人只獲得了四席而已，其餘的席位也不是多屬之於青年黨，而是無黨派的人佔着大多數。號稱反對黨的籌備大員高玉樹，楊金虎，郭國基等，這次聯袂出發到各縣市爲國民黨以外的人士助選，十分落力，到處公開發表攻擊國民黨，以政治力量操縱選舉，用金錢收買選票的激烈言論，頗具煽動性，然結果大爲失望，他們所支持的候選人，十九皆告落選，尤其是基隆市，竟至全軍覆沒。基隆市長林番王原係民社黨員，而反對黨的助選大員楊金虎，亦係民社黨的高級幹部，可是，基隆市乃特別，使這些助選大員洩氣，這證明台省民衆的政治意識並不薄弱，決非煽動攻訐的宣傳詞令所能左右的。

在投票之前，各候選人的競選活動甚爲熱烈，台北市街上到處皆有候選人的宣傳車往來梭巡，「拜託」之聲不絕於耳，到晚上又向住宅區域挨戶請求幫忙，用擴音機在門前大呼「拜託拜託」請投某某一票。曾有一戶人家被這「拜託」之聲喧擾難耐，主人開門走到宣傳車前說道：「我也拜託你，請到別家去拜託罷！我這一票投給你就是了。」還有捉狹鬼式的市民，聽到候選人在宣傳車上演說，聲稱他如果當選了，絕對爲民衆服務，任何事情皆願意盡力幫忙云云，乃對這位候選人說道：「我現在有緊要事體趕往市外接洽辦理，請你幫幫忙，把宣傳車借給我使用一下何如」？候選人當然歉難應命，如是，這捉狹先生答曰：「這點小忙你都不能幫我，怎能相信你的宣傳諸言呢？」眞是惡作劇，缺德之至。

觀察這次台省的地方選舉情形，的確可以垂爲模範，這亦不是偶然的。台灣地區交通便利，國民教育十分普及，每一公民皆可以自由投票選舉自己所贊成的候選人。像過去大陸上的選舉，由於文盲太多與交通阻滯的關係，選票常是集中在地方少數紳士人物手中的現象，台省絕對沒有。但選舉要花錢，却係無可避免的事實，據調查統計所得，這次地方選舉，每一候選人至少要花去五萬元以上，而且是名正言順的耗費，窮乏之士，即使你才高百斗，學富五車，也休想吃選舉飯啦！（元月十七日於台北）

香港風情

△中共爲了向海外宣傳，並套取外匯，特組「上海越劇團」來港演出，連日大吹大擂，各左報莫不奉命捧場如儀。據說原定在九龍普慶戲院及香港高陞戲院各演十天，惟現則擬開不擬過海演出了。

△據悉，該越劇團有一音樂師及一拉幕的經已失踪，鑒於此種情形，致渡海來港演出之議，曾被一再討論，仍難獲得結論。主要原因，據聞乃在顧慮香港高陞戲院附近並無酒店，每日演員往返，難保不中途失踪云。

△該團主要演員全部下榻普慶戲院上面高華酒店某樓。自三樓以上，每一樓梯均有類似糾察隊之人馬把守，除高級共幹外，任何人不得前往探班，而該團團員亦不得越雷池一步。

△該團次要演員被安頓在某海員公會，每日伙食由九龍彌敦道金×酒樓包辦。該公會門口及梯間，連日均有三山五岳人馬巡邏把守，有如小型鐵幕。（文）

電影與廣播廣告

·柯仁·

廣告的目的是，要人看了聽了對這商品產生興趣，而不是看了聽了感到討厭。可是在台灣却恰巧相反。祇要是看電影的或收聽廣播的，每個人都免不掉縐眉頭感到十分討厭。

電影院的廣告一映就是二十分鐘，對觀衆精神的虐待到無以復加程度，一張連一張的映個不停，還加上幾張短片廣告，看電影當然張開眼睛的，誰又會跑到電影院去睡覺。電影院老闆祇知道增加廣告收入，就不講一點商業道德，化錢做廣告的廠商其實是得到了相反的效果，不僅不能達到宣傳的目的，事實上給觀衆一個惡劣的影響，很多人都說：要買我也不買了。

聽說：電影院放映廣告的時間是有管制的，可是事實上是具文，希望警察局的主管單位，不要認爲一紙通知就算是盡了責任，好好的去檢查一下。這雖是小事，但在這小事上，可以充分說明警察局的行政效率。

還有的是電台的商業廣告，可說是低能到極點，一支好好的音樂放到一半，聲音忽然低了下去，插入幾句廣告，眞叫人聽了惡心，有的是一支音樂三分鐘，嚕囌的廣告詞句却播了四五分鐘，好像是『你要聽音樂，就必須聽我的廣告』。至於聽播音小姐介紹腎虧陽萎立刻見效的春藥廣告，眞是叫人爲那些小姐難受。電台收入雖是靠廣告收入，但也不能爲了錢，叫聽衆受罪，至於那些化錢做廣告的廠商，也是跟電影廣告一樣的化了冤枉錢。

有時收音機內正聽到一個好節目，忽然來上一段狗叫貓叫聲的廣告，如果正好在吃飯，那末一定倒胃口少吃一碗。做廣告做到這種地步，主其事者似乎應該好好的多去讀點書，最好對觀衆的心理下點功夫，去研究一下。

現在，常看電影的人，寧可買好票子後在外面逛馬路，等十幾分鐘再進場。

聽廣播的寧可收聽自由中國之聲與美國之音，因爲唯有這兩個電台是沒有廣告的，可以使聽衆的情緒能保持正常。

奉勸電影院與電台的老闆們，多替你們的顧客與聽衆着想，大家不看電影，不收聽你們的節目，你們祇好喝西北風。

至於化錢做廣告的廠商老闆們，也得拿點主意出來，化錢得到相反效果是十三點作風。

再後得再嚕囌一下，警察局的仁兄們，希望不要太顧情面。

宣室求賢訪舊臣

魯斯克才調更無倫（中）

甘克

（本報紐約航寄特稿）魯斯克担任了八年餘的洛氏基金會會長，這慈善機構的職務似乎與政治或經濟沒有關係。可是在這八年內，經他核准分贈予各國的欵額達二四七、〇〇〇、〇〇〇美元；這在私人機構的慈善欵項中不可謂不鉅。我們可以徵引十二月十二日甘迺廸招待記者所說的話：

「他的最近在一個偉大的基金會的經驗，使他接觸到世界各地的情形，尤其是美洲，拉丁美洲，亞洲，和非洲的經濟和社會的發展。……」

儘管基金會是如何重要，儘管他任職國務院時的考評是如何的好（如甘迺廸在招待會中答覆記者問他何以會垂青魯斯克時說，「我想魯斯克先生在前屆政府的服務極被參加那政府的人們所推重。」），怎麼會特別約談，而在三十分鐘的談話後，便予以如此重任呢？甘迺迪的答問已提供我們以思考的路線了。

如果讀者不忘記的話，應已注意到十一月底和十二月初的時期，甘迺廸決心要組成其人才內閣，曾以幾分「宣室求賢訪舊臣」的精神，分別訪問和約見以前杜魯門政府時代的元老或要角，包括前國務卿艾奇遜和前國防部長羅維特在內，另有參議員羅素等人。很可想見的，魯斯克大約是這些元老中特別推許的人物；甘迺廸答記者問自是有根據的。

間接的資料和報紙的述評，姑且不必詳述；我們試從魯斯克本人的言論來看。迄本文草擬時止，他並沒有發表其就任後的外交政策之路線。這是很明智的。因爲第一，他還沒有走馬上任；第二，照美國憲法，外交政策是由總統來決定的。此時還不是他說話的適當時機。所以他的答覆記者並沒有發表他的抱負。他祇是提到歐洲應被看重。

他不像杜勒斯之著作等身；可是他偶寫一篇文章，便可以看出他之思密慮微，可以說是錦心繡口，饒有創見和抱負，而剛勁內斂的。這例證便是一九六零年四月號的美國外交季刊中的首篇「論總統」一文。這篇長近萬言的論文係根據他在「外交協會」爲舉行故國務卿路德（Elihn Root）紀念所發表的講演，這些講演已刊行專書。這文章無疑的是一篇傑作，而且必然經甘迺廸看過的。何以見得？因爲甘迺廸本人亦是名作家，曾經獲得過最高榮譽的普立茲獎，而亦參加外交協會，並于一九五七年十月發表過一篇「一個民主黨人看外交政策」于外交季刊，該文緊排列杜勒斯一文之後的。因爲外交協會對美國實際政策影響之重大而迅速，而魯斯克此文又指明係向下屆總統說話的，甘迺廸對此文必早已擊節欣賞無疑。固然，如果說他這一篇文章做得好，遂輕輕取得國務卿；那實在未免稍近誇張。不過如果這篇「論總統」的文章做壞了，那麼，國務卿要職是斷不會輪到他的。

大陸文壇萬花筒

中共的文抄公（下）

——岳騫——

不過就以抄襲而論，毛澤東和陳毅還講點江湖義氣，偷搶也都是以古人爲對象，總還不會打自己人的主意，至於以前因抄書而倒台的山東大學校長華崗，那就是白日鼠之流了，生熟全不拘，粗細一把抓，他竟然偷到毛澤東頭上，你說可笑不可笑。

華崗早年曾任中共河北省委書記，中共中央宣傳部長，中國共產主義青年團書記等職，並曾主編過「新華日報」及「列寧青年」、「羣衆週刊」等雜誌，大陸淪陷時，華崗原任上海市委會副書記，以後就被任爲山東大學校長。

華崗所以能當上大學校長，一方面是因爲他在中共黨內有相當地位，另一方面因爲他是個「作家」，曾經寫過「中國大革命史」「中國民族解放運動史」，當了大學校長之後，大著其書，先後出版的計有「五四運動史」，「蘇聯外交史」，「太平天國革命戰爭史」，「中國歷史的翻案」，「魯迅思想的邏輯發展」，「辯證唯物論和物理學」，「辯證唯物論大綱」。

這一批書最「妙」的是「五四運動史」中，竟說五四運動的不是胡適，也不是領導魯迅和陳獨秀，而是李大釗和毛澤東，今天參加過五四運動的人還多得很，要是聽說毛澤東領導五四運動，相信沒有人不爲之捧腹大笑的，中共黨徒臉皮雖然厚，但是敢說毛澤東領導過五四運動的，據我所知，前前後後好似還只有華崗一人，因爲這件事太沾不上邊也。

華崗大作發表之後，中共報刊也曾循例捧場。到了高饒事件發生之後，華崗因爲是饒派，也跟着倒了楣，一九五五年十二月二十四日人民日報刊出一篇評華崗的「辯證唯物論大綱」，指出這本書是抄自「中國人民大學」出版蘇聯高級黨校一九五一年教材「辯證唯物論」，及該校的哲學講義，還有是抄自毛澤東的「實踐論」和「矛盾論」，這一來麻煩了，小抓手偷到「賊阿爸」家裡去，非重打不可。一九五六年一月十八日人民日報刊出一篇：撕下「冒牌學者的假面具」，經過考證，原來華崗所有著作全是抄的。人民日報到這時才承認「華崗完全不是什麼理論家，而是一個欺世盜名的文化騙子。」要把「清除出去」，從此再看不到華崗的名字在報紙上。但是共幹們已被騙了十六年了。

社會小說　香港地

七・可憐一炬

木屋大火災的悽慘和恐怖，大凡有過切身經驗的人都會知道。梅大亮一向住在九龍仔木屋區裡，經歷過多次大大小小的火災，總算僥倖沒有被燒掉他的住屋，但也看盡了種種可恐可怖的情景，聽盡了各種慘厲的呼聲，眞是聞火失驚，談虎色變，於今聽說發生大火的地方，正是他所住的一個角落，怎不魂飛魄散，心驚胆落？他關心不只是他的住屋和財產，而且是他的渾家和許多鄰里熱人的安全，當下便惶惶似喪家之犬，速向九龍仔奔跑回去，途中因爲搭不到巴士，便特別破費叫了一架的士，風馳電掣般，算是他自到香港以來自僱的士代步的第一次，每聽到救火車和救傷車的響號，整顆心兒便似要從心窩跳將出來，那種焦急之情，委實難以描寫得貼切。

好不容易才回到火場前面，下了車，離家還遠呢。沒有路徑可以進入他所住的一個小崗，眼前是一片火海，由火海逃出的每一個面孔都是失了魂魄似的，有些在狂叫，有些在乾號，有些連聲也出不得，呆了似的要別人拖動才能成步。救火人員在把守住各個交通路口，不許人隨便闖入。有些人本是來看熱鬧的，便停在火場前面遠遠之處，一堆一堆的分佈開來，在指劃着和議論着。他們也被大火的氣勢和災民的慘況嚇得動容變色，不能用看熱鬧的心情來觀賞了。有許多是像梅大亮那樣的人，家住在火場裏面，他本身在外面聞訊趕回，遙看着火場而着急。他們會料到家人可能在這裏面被燒死了，或者被踐踏死了，更或者仍沒法逃得出來，在火巷中覓路奔馳，左衝右突，狂喊着救命，却沒法能夠理會。他們苦於沒法進入火場去救人，便恃住熟識路徑，找可以鑽隙竄走的小路，攀上山頭，找一處可以遙望到他自己的家的地方，無可奈何地眺望一下。梅大亮也作這樣的打算，團團轉的繞着火場找小路，正在奔走駭汗當中，忽聽得有人在他後面喊道：「梅老兄，你回來了嗎？我在這裏找得你好苦！」

梅大亮回頭一看，認得這是譚福祿。（九十六）

木客著

五虎將

汶津

三國演義是我國流傳最廣，膾炙人口的一部說部，不但讀書人自幼誦之，就是稍識文字的婦孺，也都傳閱披覽。說及三國事，莫不興奮忘形，如數家珍，甚至到了二十世紀的今天，仍然很叫座，修正史三國志的陳壽先生，恐怕在九泉之下也會恨恨不平的——這部演義眞搶盡「顧客」呢！

三國演義的作者羅貫中，並無意抹煞史實，其實書中有好幾段文字，顯然是直接取自正史的。但他在書中特別尊崇蜀漢爲正統，藉以提倡忠義之思想，故劉玄德、諸葛孔明這一輩人物，就成爲全書的中心人物了。武將方面，則首推如雷貫耳的五虎將。

其實蜀中人才缺乏，五虎將也不過是其中較特出的人物，亦可謂僅有可造之材。同時中國對數字素來有所講究，「三呼」、九天」、「八美」……都是借數字來擬託出某種氣象，「五虎將」亦復如此，五人之中，也未必個個都是棟樑之材。現僅以一已之見，分析諸將之爲人與事功：

先說關羽。羽字雲長，爲五虎將之首，劉先主結義兄弟，爲人忠義有胆魄，後人對他尊崇備至，稱爲「關公」、「關帝」，視爲神祇，到處築廟塑像，民間對他的奉拜，更是普遍的，這當然是受了羅氏的影響。然而細考關羽其人，忠義有餘，機變則不足；且爲人驕傲自大，不可一世，視他人爲鼠輩，爲草芥，乃至失荊州，喪頭顱：壞桃園結義事小，傷蜀漢元氣事大。先主爲關羽復仇，又有夷陵七百里大火之慘敗。關某雖死，難辭其咎！但回過來說，他輔佐先主半生，東征西討，爲蜀漢奠定基業，亦屬首功；況且忠義之氣，直貫日月，破五關斬六將之事，雖屬子虛烏有，也足見雲長非忘恩負義之徒，秉燭護嫂，尤見千古奇男子的不凡氣概。可惜生性激強，亢而不卑，乃使孔明力保荊襄的苦心孤詣付諸東流。荊州之失陷，可說是雲長的終生污瀆。

次及張飛。飛在桃園三結義中年齡最小，但脾氣最躁，急性直爽。爽快是其長處，魯莽是其短處。但也正因爲他不足以當六任，故始終未有大失（只有徐州一次，挫于呂布，失陷先主家屬），而且他在急躁之中，尚有智謀，義釋嚴顏，尤使他成了入蜀第一奇功。他在劉備手下屢立大功，但必須有精明善謀的人爲之輔佐，方不致「一失以毫釐，差之千里」。

常山趙子龍（雲），在讀過三國演義的人的心目中，是一個何等忠肝赤胆的勇士！在單騎救主的一幕中，他表演了一場「赴湯蹈火，在所不辭」的英雄劇，而開始了他轟轟烈烈的戰將生涯。在五虎將中，要找一個比較十全十美的人，恐怕非子龍莫屬了。論忠義，他不下於關羽；論英勇，他不下於張飛；論謀略，亦爲五虎將中的首乘；論心眼，更是天地間第一至誠人！可惜他沒有機會獨當一面，因此我們沒法看到他辦事的魄力如何，但無論如何，當初孔明能以子龍代雲長守荊州，必是萬無一失的。

馬超在五虎將中沒有什麼特長。他是將門之子，悍勇善戰，又兼年輕英俊，一表人材，但除了他的「勇」外，人格上簡直一無可取，若眞像雲長所說的，因爲他是虎門後裔，才有資格入五虎將之閣的，那就未免太勢利眼了。他固不似張飛的暴跳如雷，但急躁則殆有過之，說到義氣，也不無慚愧，而且很有點「反覆無常」的陰影，這種「坏子」除了用作「戰匠」一門猪之流外，並無更大價值。

最後一個是黃忠，黃忠最老，也是五虎將的殿後，他頗有廉頗之勇，同時還有一份藺相如之智，所以自感雲長義氣而歸附，以後東西戰討，每每奏凱，先主亦不禁歎其老當益壯。以一個古稀之年的老人，而縱横疆壤，卒以馬革裹屍，鄉變苦，忠來蓋棺論定，也不可與馬超輩同日而語了。

十七個世紀之後，我們的武事已與六朝時迴然不同，但世界仍不能沒有戰爭；馬革裹屍已成陳跡，英雄烈士們在空中，海中殉難，戰爭也立體化了。當此反攻前夕，有識之士，可也能爲自由中國的將領們擬一個「五虎將」的陣容？

儒林九尾龜

吳敬鋅

第五回：一失足成千古恨

李鴻飛笑道：「賈虹書也讀的不少，爲什麼竟然受閑氣呢？」

夏作人道：「他讀的書沒有用啊，他只會抄書，到了北京唯一關心的事就是爲到玻璃廠一些舊書店去買舊書，因爲他專抄掌故，所以買的都是些無用的書，有些在共產黨眼裏看來還是反動的，在一次開會時，李維漢部長聲色俱厲的說：『賈虹先生，你名叫假紅，我看你是眞白吧！你此來有什麼任務，請你坦白說出來。』這以來賈虹嚇死了；那一付煙灰臉本來就夠蒼白的了，這時更是白裏夾青，青裏又泛灰，站在那裏直哆嗦，一句話也說不出。後來看見下不了台，我站起來替他講了幾句，說他性好抄書，買了這些舊書是準備到海外抄的，決沒有任何反動意圖，我們何來的人都敢負責。

李部長說：『既然是這樣，爲什麼不買些馬恩列史及毛主席的經典著作去抄呢』？

李鴻飛大笑道：「抄那些東西登在報上，大概不要錢也沒有人肯看吧！」

夏作人笑着説道：「當時我也想這樣講，不過一講出來，恐怕連我也出不來了。」

李鴻飛問道：「後來什麼結局呢？」

夏作人笑道：「其實賈虹是個什麼樣的人，李部長也清楚的很，不過還是因爲賈虹派不上用場，所以才故意嚇他一下。可是，賈虹老病不改，我們回到廣州時，他又去逛舊貨攤，買了一串銅錢，過海關時又出了問題，幾乎罪把他留下，後來大家一齊懇求，海關同志命令他自動捐給廣東省文獻委員會，才算放他過來，賈虹過了邊界之後，長吁了幾口氣，相信下次給他六千元他也不敢去了。」

李鴻飛說道：「賈虹是個斯文敗類，不必說他，可是你們這次去了北平一趟，究竟有什麼收獲呢？」

夏作人笑道：「共產黨有什麼收獲，我不知道，我們這些人每人有三千元路費可拿，另外也眞見了一些世面，共產黨官員的享受，比我們在南京時強的太多了。」

李鴻飛問道：「你見到毛澤東沒有呢？」

夏作人笑道：「當然見到了，毛主席見面還問我太太好，難得他老人家這樣忙，還記得我太太的名字，眞是難得。」

李鴻飛冷笑一聲：「你們這段婚姻，說來還該感謝毛澤東，他實在是個媒人，當初在南京時，不是那批職業學生，連你的姨妹子在內，利用你掩護他們，把她姐姐嫁給你，恐怕你的這位太太也不會嫁你吧！」

夏作人誕臉笑道：「一點不錯，眞該感謝毛主席。」

李鴻飛又想說話，忽然走過一個人來，一看竟是一拙（五十九）

山川風物

廬山

・漁翁・

廬山，在江西星子與九江兩縣間，古名「障山」，周威王時，有匡俗兄弟七人，結廬於此，故名，又曰「匡山」，總稱之爲「匡廬」。朱子以爲卽禹貢之敷淺原，王褘六老堂記：「其陰土燥石枯，岡阜並出，是爲九江，其陽千巖萬壑，土木秀潤，是爲南康。」不僅爲江西之名山，亦我國惟一之勝地也。

古之詩人，詠廬山者至多，而以蘇東坡一絕，爲膾炙人口，詩曰：「横看成嶺側成峯，遠近高低各不同，不識廬山眞面目，只緣身在此山中。」可爲斯山眞實寫照。

此山由於九十餘峯所組成，最高處爲五老峯，而爲遊山起點之牯嶺，亦有一零九六公尺之高度。山上有四大特點：一，變幻莫測之雲霧，二，騰空飛流之泉瀑，三，極態盡研之峯巒，四，風聲鶴唳之松濤，處處使人流連。

明太祖朱元璋，以此山爲駐軍要塞，與陳友諒戰於鄱陽湖，爲追兵所廹，傳天降金龍而爲橋，助明軍安然渡過，迨追兵至，而巳龍飛橋斷，至今爲五百七十餘年事，猶爲遊者茶餘酒後暢談之資料。

近數十年來，此地成爲避暑之名勝區，冠蓋往來，絡繹於途，美國特使馬歇爾之八上，英國名將魏菲爾之三臨，爲斯山增輝不少。筆者曾一度留居，飽嘗風味，今雖投荒南天，而猶有無限留戀！

梨園漫談

管事的由來

——瘦西湖——

清末民初之期，劇界每一劇團的人數，平均至少有百名之多，每到一地演出，舞台都是臨時建搭而成，如許衆多之人，若麕集後台一隅之地，簡直擁擠之至，故而彼此如稍一不愼，即有發生口角，或鬪毆等事發生，惟以往伶人乃多不學無術，然皆好迷信，故雖屬[illegible]粗莽之夫，而對後台所供之祖師爺則十分敬畏，其人卽有萬夫莫敵之勇，亦不敢斗胆在祖師爺面前大顯威風也。

其次；復有例行班規二十條，凡屬梨園伶人，無不均應遵守，倘有故違，重則被逐出伶界，永遠不許搭班演戲，輕則需被杖責若干，或罰點香燭自跪於祖師爺前悔過領罪，因之，其人數雖衆，然尙能相安無事，但彼等日常演劇，事務紛繁，如欲排定逐日戲碼，或分派角色，以及處理後台一切事宜等，非有專責之人，不克應付裕如，因而乃有後台管事之設置，然担任斯職者，必須資望高於儕輩，戲學尤須淵博，方能爲衆人所折服。

梨園向有規律，決不許以三小任管事之職，三小者，卽小生、小且、小丑，其理由則以此三行多有連帶關係，舉一例子，譬如小生行担任管事，其必有維護小且，小丑之偏心，反之如屬小且，或小丑任之，其亦必設法拉一與巳相契之人爲伍，決不會如老生，或武生之大公無私，對任何人皆能一致看待，不存偏祖之心，故早歲凡任管事者，十九皆爲老生行者居多，後來對日抗戰期中，因各地本頭戲盛行，班規乃被破壞無餘，而各地劇團中，從此遂起用小丑担任後台管事，使昔日莊嚴肅穆之氣氛，竟一變爲滑稽散亂之現象，記得抗日勝利後，上海中國大戲院韓金奎任管事時（韓爲丑行），其資望雖不能服衆，然計巧奸滑則遠勝他人，使當時同台之林樹森、陳鶴峯、王少芳等大爲不滿，閙初會有林等發動罷免之議，後經前台經理孫蘭亭出面調解，方息衆議，韓遂繼續担任斯職有年。

再者，後來丑行鼎盛，梨園界爲了適應環境，後台管事遂更以丑角爲宜，因而從此這種管事，祗知趨炎附勢，拍馬顯能，以博大角之歡心，原有管事之威嚴，不但喪失殆盡，即派戲原有之權職，亦被蠶蝕剝奪無存，每日唯有俯首聽命，仰承大角之鼻息，角兒（頭、二、三牌者，內行稱爲角兒）愛唱何戲，開單或吩咐一聲，管事者卽唯命是從，應聲而去矣。

釋耒集

古文之弊

曲齋

幼時於學校課本中，讀章學誠古文十弊一文，覺其言甚辨，而終不愜於心，蓋章實史學家，以撰史之法繩古文，故均着眼於體裁，且以古文爲經世之業，不宜加以評選，則尤嫌其未免偏激，恐亦實指姚姬傳而言，及余讀文史通義全書，始知章氏論古文之說，實得之朱竹君，而詆袁子才尤不遺餘力。近讀袁氏尺牘答家惠堂書云：「去冬在杭州，見朱石君（即竹君之弟）侍郎，蒙其推許云：古文有十弊，惟隨園能掃而空之，余問其目，曰：談心論性，頗似宋人語錄，一弊也。俳詞偶語，學六朝靡曼，二弊也。記序不知體裁，傳誌如寫帳簿，三弊也。優孟衣冠，摹秦仿漢，四弊也。謹守八家空套，不自出心裁，五弊也。餖飣成語，死氣滿紙，六弊也。措詞率易，頗類應酬尺牘，七弊也。窘於邊幅，有文無章，如枯木寒鴉，淡而可厭，九弊也。鈎章棘句，以艱深文其淺陋，十弊也。」夫掃而空之，恐亦溢美之譽，而朱石君之確有是論，未必爲袁氏所臆造，可斷言也。至章氏所臆陳之十弊，是否即本諸朱石君，雖不得而知，然以之論古文，則朱氏所言，實遠比章氏爲明切，而其所論，實大體同於方望溪所云：「古文中不可入語錄中語，魏晉六朝人藻麗俳語，漢賦中板重字法，詩歌中雋語，南北史佻巧語。」義法之說，首倡於方氏，故宗主桐城者，亦尚雅潔，惟刻意求雅潔，則往往蹈謹守八家空套之陋習，其文遂如枯木寒鴉，淡而無味，此則桐城後起諸作者之通病也。自來古文家，均自許爲約六經之旨以成文，其託體本甚高，然六經之辭未嘗相襲，固無論矣。即諸子如孟、荀、莊、韓之書，亦無不卓然自創一體，雖互不同而絕不能相掩，亦未嘗互相詆娸其文辭。此則韓愈氏之所謂：「氣盛則言之短長與聲之高下者皆宜」也。後世作者，不務爲諸子之思想，先求有所樹立，但殫心力於字句音節之間，極意揣摩，又不敢衝決義法之網羅，故遂僨於八家空套之中，曳行作姿，徘徊瞻顧，以求自附於作者之林，是猶托足權門，沾沾自喜，則其所以去古文者愈遠矣。往者古文家每喜譏齊梁爲委靡，詆考據爲蕪穢，然齊梁之文，未嘗無文彩，乾嘉考據，未嘗無實學，以之與枯木寒鴉之文相比較，孰優孰劣，宜必有人能辨之者。余藏陳柱尊所撰中國散文史，見其所述近世桐城文學家相授受之蹟，遂如一家族中之譜牒然，而考論其文，實無相異之處，其不能自出心裁，亦可知也。古文家論文重立意，立意又貴自己出，苟不能立意，即不必爲文，然則既不能立意，又必強爲之辭，不如綴風月，弄花草之轉足以自娛矣。

詩與情

徐學慧

詩源於情，無情即不成其爲詩。古人詩中，對於朋友兄弟夫婦之間，其至性眞情，往往流露於十數字或數十字中，宛轉纏綿，令人低徊悵惘而不能自已。此種句子，固不隨時代而湮沒也。

白樂天與元微之，是最要好的朋友。微之在江陵，病中聞樂天貶江州司馬，乃作一絕句以寄之，詩云：「殘燈無焰影幢幢，此夕聞君謫九江。垂死病中驚起坐，暗風吹雨入寒窗。」樂天見此詩，不覺凄然歎道：「此句也，人尚不可聞，況僕心哉？」或有作「垂死病中仍悵望」，則大失原意矣。殊不知此詩傳神處，乃正在「驚起坐」三字，病中垂死，乃至一聞而驚，一驚而起，朋友之情，已是躍然紙上，此等句，直可以驚天地而泣鬼神矣。

蘇東坡守彭城，其弟子由來訪，留百餘日乃去。東坡作二小詩以自遣，其一云：「逍遙堂後千尋木，長送中宵風雨聲。誤喜對床尋舊約，不知今已在彭城。」其二云：「秋來東閣涼如水，客去山公醉似泥。困臥北窗呼不醒，風吹松竹雨凄凄。」十四年前，余客重慶，讀此詩，適接余二弟鐵堅自湖南來書，並附其習作之聞已賦，中有句云：「只須發奮爲雄，將相何曾有種；若不因循坐誤，富貴未必在天。」中心有感，乃爲長句以寄之，題爲「長句寄鐵堅並懷幾星鐵泉諸弟」，余詩已難憶及，猶記前數句云：「對床風雨聲，舊夢許重記。轉眼各成人，猶憶兒時味。兒時未可追，遠遊縈夢寐。我今在渝城，何以有羽翼⋯⋯」。事隔十餘年，迄未能一返滬中故里，一視老母與諸弟，頻年漂泊，音訊不通，不知讀「誤喜對床尋舊約，不知今已在彭城」之句，不覺淚潸然下。遭時多艱，所謂天倫之樂，亦惟有求諸夢寐，想讀者中，或亦有不少與余同一感觸也。

宋王臺

漁翁

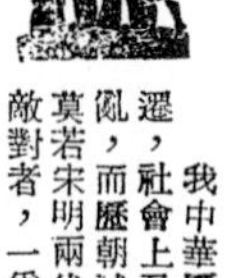

我中華歷次朝代之變遷，社會上免不了一度混亂，而歷朝滅亡最慘者，莫若宋明兩代，因兩代之敵對者，一爲蒙古，一爲滿洲，與漢人似乎有畛域之分。尤其蒙人成吉思汗，背脊彎弓，一味強取豪奪，志在以劉道而征服世界，所以宋朝君臣，分奔流離，較明朝下場爲更悲哀。自宋室南遷後，僅餘下半壁山河，君臣昏醉於杭州，以西湖風景秀麗，不思進取，作小朝廷以圖苟安，給敵人整軍經武，隨時奪取之機會。故林洪詠西湖，有云：「山外青山樓外樓，西湖歌舞幾時休？暖風薰得遊人醉，直把杭州作汴州。」讀此詩，已知宋室無復興之望。

元兵佔臨安，恭宗被俘，死在沙漠，群臣在福州立恭宗之長兄趙昰爲端宗，封三弟昺爲衞王，因環境關係，兄弟二人過着流亡生活，元兵追端宗於岡州，積憂而死，此時趙家後代，僅趙昺耳。忽發現黃龍於嶺南海上，群臣認爲有復興預兆，改元爲「祥興」。

時陸秀夫爲左承相兼樞密使，與保康節度使張世傑，共掌軍政大權，護着帝昺，顛沛轉徙，其艱苦有非筆墨所能形容。據宋史載：有一次走到官富場，即今之九龍城，暫駐一時，近年李鄭屋村因建築而掘出之貴重古物，說不定爲宋王播遷埋藏之遺物。

按九龍半島，三面臨山，一面瀕海，當時海道未開，如敵軍從深圳侵入，勢必坐以待亡，以此地非安全之所，乃轉移到廣東新會之厓山，又爲宋降將張弘範所迫、無力抗禦，陸秀夫負帝昺蹈海而殉國，以結束趙家十八代之天下。

後人以宋王曾在九龍城駐蹕，乃就城南小崗上建「宋王臺」，並於石壁上鐫「宋王臺」三字，以留紀念。此小崗東臨大海，南西北三面，則環繞禾田菜畦，其間有一小池，頗饒雅致，騷人墨客，登臺憑弔者不少，成爲具有歷史性，民族性之勝境。

清宣統三年，港紳李瑞琴，願輸已財，倡議重修，並向香港撫華道請求備案，即今之華民政務司，撫華道予以核准，並出示佈告云：「據李紳瑞琴自稱以九龍宋王臺起建日久，已就頹廢，倘不修葺，殊非保存名勝之道，特以自行出資修建，並圍以石欄，設以坐椅，以便憑弔、尋幽者得所留憩，請予核准等情，本道以李紳此舉，係爲保存勝蹟，且所有工費，均屬自行出資，殊堪嘉許，業經詳奉政府允准在案。乃傳聞近有不法棍徒藉修宋王臺爲名，私設緣簿，四處勸捐，冀飽私囊，殊屬可惡。合行出示佈告本港商民人等知悉，爾等須知李紳瑞琴修宋王臺，全係自行捐資，並無緣簿勸捐，如有冒名到捐者，慎勿爲其所愚，並可將其拘捕，送官究治，各宜週知，切切此示。」

上項文告，爲清末民初李瑞琴修建宋王臺之歷史性文獻，重修蕆事後，面目爲之一新。臺前豎一牌樓，鐫聯云：「一聲望帝啼荒殿，百戰河山見落暉」，爲太史賴際熙集陳獨漉詩句而成，詞旨蒼涼，令人有與故國黍離之感！

可是日本人侵佔香港後，要擴大啟德機場，宋王臺，亦劃入飛機場範圍內，在民國三十二年一月九日，此巍然巨石，即被炸倒，幸古蹟有靈，尚未完全破壞，而日本就宣告盟國投降矣。

近年又因擴建飛機場，而必須將此小崗剷平，爲保存歷史性古蹟，在宋王臺道前面大坪上，闢「宋王臺公園」，將原有「宋王臺」三字墨蹟，移刊於一巨石上，置諸園之中間，兩旁有花草，有椅櫈，供遊人賞玩與休息，入其門，追念前朝滅亡之慘劇，不禁一搔首，一徘徊，而充滿無窮之滄桑感矣！

關於西安事變

諸葛文侯

民國廿五年十二月十二日西安事變發生的基本原因是甚麼？嗣後何以又由悲劇演成喜劇的結局？至今言人人殊，莫可究詰，這是近代史上的一大謎，將來歷史家亦不免有迷惑之感。近廿年來，我曾經就西安事變問題，請教過兩位當時身歷其境的朋友，他們告訴我的一些事實，不失爲眞確的史料，特記述之。

愚友苗劍秋先生在西安事變時，是張學良戎幕中的重要幹部，兩年前，我在東京問他：奉軍當時何以竟一致聽從張少帥這項魯莽行爲，而無人表示異議呢？他說：「自民國十九年張學良統率奉軍入關，助中樞討平馮閻叛變後，自信對國家立下了大功，繼而『九．一八』事變作，東北人士深感家破國危之痛，張少帥教大家擁護中央，靜待報仇雪恥的機會來臨，打回老家去。因此，奉軍亦就遵從中央「攘外必先安內」的決策，南下剿匪，轉戰中原及西北各地區。可是，每一次戰役以後，軍中所受的傷亡損失，不能補充，而東北人士流落關內者，亦未得到中央的照顧，皇皇如喪家之犬，東北籍的軍民心理，皆覺得中央並未視東北人如同胞，還是兩樣心腸，厚彼薄此，相率抑鬱苦悶，悲憤填膺。共產黨乘機煽惑，施展統戰策略倡導一致抗日的民族統一戰綫，大呼『停止內戰』口號，這在東北人聽來，特別激動而共鳴。恰好張少帥向最高統帥進言主張聯合全國力量，一致抗日，又受到嚴厲的斥責，經不住共黨的煽動，乃有兵諫之計。所以東北軍人翕然景從，認爲實獲我心，無暇慮及後果了。』

西安事變之際，愚友張國燾先生是中共中委兼任「西北邊區政府主席」，我在香港問他：當時中共竭力鼓動張楊劫持蔣委員長，中途又變卦，教周恩來出面向張楊游說調停，是否接受史達林的命令而然？他說：「史達林從來不對中共下命令，有事祇由第三國際向中共說話而已。西安事變發生後，第三國際致送了一種說帖式的公文書給中共，內容大別爲三段，首先說明國際間法西斯勢力猖獗情形，完全是以蘇俄爲攻擊對象的。其次說明蘇俄在國際間策動的反法西斯「人民陣綫」，對於當前的世界革命鬥爭前途，關係最鉅，日本帝國主義是世界法西斯軸心之一環，隨時可以跟蘇俄發生戰爭，尤須利用『人民陣綫』運動，予以防制。最後指出日本帝國主義一定向中國侵略擴張，作爲進攻蘇俄的策源地，蘇俄不能忽視這項危機，必須援助中國人民的抗日鬥爭，而默察實況，在現階段中能夠領導中國全民抗拒日本帝國主義侵略者，只有蔣委員長，因此，第三國際認爲 張楊 此舉不啻是助桀爲虐，應設法使蔣委員長及早回到南京去」。我說，史達林素來對我們蔣委員長懷有夙怨，何以他不落井下石呢？國燾笑道：「人家是專講現實利害關係，決不意氣用事的！」這也就是共黨的可怕之處，足資自由世界政治家警惕也。

論關羽

·謝　康·

說到岳武穆和關壯繆，兩位武聖，都是民間崇拜的歷史英雄人物，而廟祀之隆重和普遍，關帝似乎超過岳王，而論其忠勇義烈，兩人本可齊名萬古，各有千秋的。因爲在事功上，都有極煊赫的成就，最後功敗垂成，父子俱成仁取義，忠臣孝子，青天皎日之心，公爾忘私，不知有利害，不知有榮辱，一輩子以國家民族爲心，以君臣大節爲念，也都是一樣的。咱們中國人相信聰明正直者歿而爲神，英靈不昧，宜乎二公之廟食百世，受全國民衆的崇敬謳歌，馨香膜拜了。

關帝廟聯語甚多，亦不乏佳作，如云：

「史官擬議曰矜，誤矣，視吳魏諸人，原如無物，

後世尊崇爲帝，敢乎？論春秋大義，還是漢臣。」

此聯主要的意思是爲關帝解釋後人評他「驕矜」二字，同時表明他的心跡是仍對漢室忠貞的。按陳壽三國志蜀志評：「關羽張飛皆萬人敵，爲一代虎臣。關報効曹公，張義釋嚴顏，俱有國士之風，然而關氏剛而自矜，張飛暴而無恩，故均以短取敗」。陳壽並且認爲這是「理數之常」，不足爲怪的。後來加上羅貫中三國演義的渲染，戲劇上的演出，於是這一個桃園結義中的紅臉美髯英雄——關公的生平，遂變成一般老百姓談話或論評的通俗的資料了。（一）

歷史人物

徵稿小啟

有內容有意義之隨筆、散文、掌故、小說、雜感等類文字，本刊均所歡迎。請用有格稿紙繕寫，如需退還，請附信封及郵票。

一千六百字左右的隨筆比較容易刊出，過長則以篇幅所限，請特別留意。

自由報

THE FREE NEWS

第九十九期

中華民國僑務委員會領發
台教新字第三二三號登記證
中華郵政台字第一二八二號執照
登記為第一類新聞紙類
（本報刊每星期三、六出版）
每份港幣壹角
台灣零售價新台幣弍元
社長：雷嘯岑
督印人：黃行憲
社址：香港銅鑼灣高士威道二十號四樓
20. CAUSEWAY RD 3RD FL
HONG KONG
TEL. 771726　電報掛號．7191
承印者：四風印刷廠
地址：香港灣仔高士打道二二一號
台灣分社
台北市西寧南路查查本號二樓
電話：三〇三四六
台郵撥儲金户九二五二

從這次台灣地方選舉說起

——政府應該提高自信心，盡其在我——

雷嘯岑

這次台灣各縣市議員普選的經過情形，比較過去好得多，首先是選舉監察人可由候選人推舉參預其役，這視政黨派員監察的辦法尤為進步而公允。其次是執政黨的各縣市黨部主持人，不兼任監選委員會的主任委員，杜防包攬把持之弊。再次是執政黨准許黨員自由競選，不加限制。因此，這次普選中很少發生糾紛，平靜安穩地完成了民主政治的中心工作，皆大歡喜。選舉結果：廿一個縣市議員名額共為九百廿九人，百分之八十當選者，皆係國民黨員，據說：國民黨員自由競選者十九落選，而由黨提名的多獲勝了。

即此可以證明過去執政黨對選舉總想盡力控制，且拒卻在野黨參加監選工作的策畧，實在是庸人自擾，平添無謂的是非爭端，釀成政治上不和諧的氣氛，何苦乃爾呢！執政黨過去那套不開明的作風，完全是由於沒有自信心的關係，害怕選舉結果對政府不利。這如同身體孱弱的人，一遇刮風下雨即發愁驚心，唯恐感受風寒，招致疾病，而不從培育本身的抵抗力着想，可謂舍本逐末，毫無是處。現在經驗告訴我們，台省的一般民衆並不是沒有辨別力，選舉方法越是公平合理，選民對政府越就表示擁護；相反地，政府越想控制操縱，民衆的反感即越大，而政府徒然蒙受不民主的惡名，無以自解。搞政治如果搞成這等景況，豈非愚蠢！

無可諱言，這次台灣地方選舉的開明進步現象，應歸功於社會各界人士之民主運動，尤其是以「改進選舉」為旗號的反對黨，厥功未可抹煞。可見民主生活是要一點一滴的逐步創進，纔可以奠立真實的基礎。今後台省的地方選舉，只有比現在更進步，更公平，決無開倒車之可能了。若就這項民主憲政成果而言，吾家「儆寰」雖在縲絏之中，亦足引以自慰。任何國家的民主憲政生活，都是若干志士仁人以拋心血，忘生命的犧牲精神，知其不可而為之，不顧成敗利鈍，爭取得來的，民主決非上帝的恩賜品！

二

由於這次台灣地方選舉所表現的良好成績，聯想到政府一向宣稱「團結一切反共力量」，「開拓新局面」，「創造新機運」之說，滔滔不絕，洋洋盈耳，而始終沒有實際行動的最大原因，亦是缺乏自信心所使然的。例如政府當局自動提倡的「反共救國會議」，迄今閱時八年，依然是坐言而不起行，何以有此失信的情形呢？就是政府顧慮到這會議難免不產生一些驚世駭俗，且為政府所不能實行的主張，結果只是擴大離心力，與團結意義背道而馳。實則這是多餘的猜疑，不足為訓。今日海內外一切反共非共的中國人，誰也不願意把中華民國政府搞垮的，同時任何在野黨派或個人，誰也沒有爭取現階段政府領導權的意念和勇氣。大家只是抱有國破家亡的切膚之痛，對於庶政得失，知無不言，言無不盡，旨在鞭策執政者向上發展，克奏反共復國之功，動機是善良的，而凡是願意接受政府號召，到台灣參加國事會議的人，除非他是個共諜，即無存心搗亂之理。若干年來，有些海外人士對政府的觀感由失望而怨望，而表示悲憤不合作的情形，都是政府缺乏政治技術所致，「行有不慊於心，則反求諸己」，當局者應該有這種氣度，若因而訑訑拒人於千里之外，那就不是促進團結，適以增加反裂罷了。老實說，政府如果我行我素而能打倒毛共政權，光復故國，那就誰亦沒有話說，將一致歌頌擁護之不遑了。否則團結一切反共力量這一着，即須以最大的誠意與毅力，及早促其實現，才是謀國的大道。召集各界領袖人物以協商反共救國的策略，實為團結工作的要務，有何不可呢？誠然，開一次綜合性的國是會議，未必即有意想不到的救國效能，但至少至少可以藉此溝通意志，消弭隔膜，增進團結的心情，對國家前途總是有益的。政府既然號召團結，即是有不團結的事實存在，這需要執政者以「反求諸己」的謙抑心思，公忠體國，表示着毋固、毋我、毋必的民主精神，使大家發生感應作用，翕然景從，相忍為國，而團結的實績即可出現了。不能容忍異己，我慢自是，而以對庶政得失有所批判訾議者視為敵人，襲取共黨的鬥爭手段，昌言「分清敵我」，那就根本說不上團結的話。革命運動與民主生活水火不相容，決不能混為一談的。前者是要厲行「非我種類，鋤而去之」的排他主義，無所謂團結；後者是要以異中求同，同中容異的寬容作風，共濟時艱，非從事團結不可。現時我們只能以革命手段對付賣國殘民的共產黨，對於其他一切反共非共的中國人，即令他是個反對派，也談不到以革命手段相向的話。搞政治的最高藝術是要化敵為友，決不宜迫友成敵，尤其是現在的政府當局，遇事應該以負疚贖愆的心情，跟國人推誠相見，畀以自牧，才可以博得社會大衆的諒許，樂於擁戴。當政者對人民表現謙遜態度，並無損於世俗之所謂「威望」，且越增加其偉大性。這種政治哲理原甚淺明，一般人何以昧然罔覺，我真不懂！

三

時人談到團結問題，即斤斤於「憲政體制」必須維護之說，我也莫名其妙。所謂憲政體制，當然是指依憲法而產生的行政制度和機構，然今日海內外崇尚自由生活的中國人，對現行憲法沒有不竭力擁護實行，而唯恐予以損害的，某些不滿現狀的人，且以政府未能切實遵照憲法行事為立言的根據，還有誰個反對「憲政體制」？唯一發生疑惑而涉及憲政體制的問題，就是中央各級民意代表任期早滿而不能改選，這種非常的事實困難，原與政府無關，如果在不違背憲政原則之下，大家詢謀僉同，有方法實行改造或改進，又有甚末不可的呢？我亦是忝為民意代表一份子，每念及任期已歷十二年猶未改選，心裡總不免浮起一陣慚恧的感想，倘再過十年，政府依然遷播台灣，而各級民意代表日漸凋零，人數逐年減少，究將何以善其後呢？所以，只就這項憲政體制的困難問題設想，亦有召集海內外各界領導人物協商處理之必要。凡是在法律上陷於窮途的政治行為，除採協商辦法而外，別無良策可尋。我們不能因為過去跟共黨從事政治協商而失敗了，即以「驚弓之鳥，畏聞秋籜之聲，脫餌之魚，怕見新月之影」的恇怯心理，厭談「政治協商」的話，這是意氣用事，決非忠誠謀國之道。

政治問題有兩點原則不可不知：大多數人同意了的事，縱使於法不合，也是對的，此其一。執政者只要本身健全，對國計民生處理得當，表現着天下為公的事實，即不怕有人反對，孔子曰：「天生德於予，桓魋其於予何？」看台灣這次地方選舉情形，即可證明吾言為不謬，此其二。恢宏氣度，提高自信心，善與人同，這是政府當局團結一切反共力量的基本條件，能如此，國家即沒有不復興之理。

小調天下

△美新任總統甘迺廸就職，演說申明憑實力與蘇俄談判，並對自由世界各方面表達友善。他認為必須窮人獲得援助，富人始可得救，強大國家要公正，弱小國家要得到公平。他強調必須對專制，貧乏，猜疑與戰爭長期作戰；指出他所期望的新世界並不是新的均勢。

這似是面面俱圓，可能「先禮後兵」。其實，他目前主要是對「陰謀」作戰。

△大陸糧荒慘狀大暴露，中共正部署「大整肅」，估計將有六千萬人被視為「整肅」對象。大陸將被劃分六個區域，施行更嚴酷管制。中共正向緬甸大購番薯，及向加拿大購糧。

我們的看法是：必須首先「整」去一個毛澤東，大陸幾億人才有得救希望。

△中韓菲越四國外長會議結束，發表宣言，高呼「不讓與任何侵略者以一塊自由領土。」盛傳四國軍盟將實現。

「人為刀俎，我為魚肉」，其何以堪？西方妥協主義者是俎，共產黨是刀，亞洲反共國家應該不是「死魚」。

△蘇俄農產萎縮情形嚴重。赫魯曉夫言準備下鄉「勸農」，仍揚言農業生產五年內趕上美國。烏克蘭總理因農業失敗遭猛烈抨擊。

放火箭升天易，勸農民回頭難。赫魯曉夫如之何？

△英工黨領袖蓋斯基爾訪美，為「承認中共政權」進行游說。

美國經已由民主黨執政，這類說客怎不蠢蠢欲動？等着瞧吧！要出馬的人還多着呢！

△寮戰仍在雙方「拉鋸」中，中共揚言以米格機助寮作戰。美國對寮援助漸趨減縮。

這又是和美國作忠實「盟友」的一個榜樣。甘迺迪的就職演詞雖是面面俱圓，卻對堅決反共的國家淡漠得可怕。美國人需要的到底是什麼樣的朋友？

△南斯拉夫「新階級」一書作者吉拉斯獲假釋出獄。

不錯，這是「新階級」對他的恩典。

△印度總理尼赫魯聲言決心退休。

是不是周恩來給他的麻煩太多了？

△古巴卡斯特羅對美態度愈見軟化，希望與甘迺迪政府恢復外交關係。

這是拉丁美洲共黨佯作「冬眠」之時。古巴留美的反卡份子勢必洩氣。共黨這種戰略並不怎樣難懂，西方國家只求息事寧人，怎不隨着人家的指揮棒來跳舞？

方南

自由談

不亦傎乎

據台北消息：銓敘部長最近聲明政府將實行改進人事制度，修訂有關法令，在不違背憲法的原則下，賦予行政首長以較大的權能。祇就這項官式言談來觀察，亦知道現時各級行政機構的人事制度是一團糟，行政首長對於所屬機關的人事進退以及升遷調補，不能絲毫自主的。

不管人事制度如何改進，先要問一問：現行所謂「人事凍結」的辦法，是根據甚末法令而然的？這種養老院式的終身職若不變革，縱有新的人事制度，還不是廢話一場嗎？命令可以隨便變更法制，還有甚末憲法原則之可言？我聽到過一位部長階級的朋友訴說道：他發覺一個所屬機構主管有瀆職行為，要將其調職亦不可能，而不可能的關鍵，就是銓敘機關依據人事保障法規從中作梗。像這樣互相尅制牽挂的人事制度，再寫些白紙黑字的法令規章又有甚末用場呢？

一面儘量開辦大學校，大批派遣留學生，一面實施「人事凍結」辦法，同時又瞎吹「用新人，行新政」的口哨，這是何等可笑可歎的怪象，我不知一般鐘鳴鼎食的袞袞諸公，在良知上作何感想？國家實行憲政之治已歷十二年，而一切訓政時期以及勦匪抗日時代所頒訂的法令規章，原封不動的照樣適用，從來不見有人想及這項立國的大道，祇是斤斤於枝節瑣碎問題，難怪行政機構好像一部失去機能的陳舊機器，行政效率有如一池死水了。以此而侈言反共救國，不亦傎乎！

馮五先生

「文滙報」車大炮

郁明

本報特稿

偶然拈起去年十月二十四日本港文滙報，看到三版上列出的一段「中國新聞社哈爾濱消息」；以華僑東北所見」爲標題，畧謂：「一批在東北參觀的華僑觀光團員，訪問了工人、農民的家庭，參觀了撫順市工人養老院……人民公社敬老院、醫院、托兒所以後，有了很深刻的印象，那就是：「祖國勞動人民過着豐衣足食、安定幸福的新生活」。接着還有一個回憶；據說：在「過去的悲慘日子」裏；「日本帝國主義者不准中國人吃口飯，違反了這一條的，就被當作政治犯投進監獄，因此，東北人民只能靠野生的橡子充飢；還披上破麻袋。工人們時刻有工傷事故發生。生病的工人不但得不到醫療，並且還會被開除，甚至被扔到死人堆中去」。

這篇報導文字是「華僑觀光團員」的所見、所聞。不知這批「華僑」在僞滿時代有沒有去過東北？如沒有去過，這篇驢唇不對馬嘴的報導，自然是「中國新聞社」編輯的手筆了。這篇文字的編輯以至文滙報三版編輯可能都是被「政治掛帥」弄昏了。說什麼「日本帝國主義和國民黨反動派統治時期，東北人民的生活是極其悲慘的」。怎樣悲慘呢？那就是「中國人吃口飯……就被當作政治犯投進監獄」；只有「靠野生橡子充飢，披上破麻袋」才算合法。若眞是這樣的話，東北九省三市五千多萬老百姓，早在八、一五以前死光了。第一，投進監獄的「政治犯」死的成份較多。再說，因「吃口飯」成了「政治犯」而被關起來，在監獄裡當然連一口飯也吃不到了。所以，我說必死的。第二，東北的冬天經常都在零度下的，有時冷到零下三、四十度，如果只「披上破麻袋」，那就變成「路倒」而無疑了。第三，「靠野生橡子充飢」；這種既無營養，又不可能充份供應的「主食」；不用說常常吃它，就是只靠這種東西吃上了一兩個星期，也把人全都送到「極樂世界」去了。可是，東北人爲什麼沒有餓死、凍死或監在獄裡被迫害死因而死光呢？那就是：文滙報的報導完全是車大炮，並且簡直是車得離譜。

筆者並無意在此替「日本帝國主義者」和「國民黨反動派」來辯護，但是，事實就是事實；我們必須提出事實來告訴文滙報：你們閉着眼睛亂車一輪，可眞是離譜得過份了！

僞滿時代的配給是比較合理的。以瀋陽市爲例：按人口計，一人一月豆油不下於三斤；高粱米、苞米麵等主糧，在三十五斤左右。那時候，像「米糠搾油」，和什麼小球藻磨粉作的「點心」；連聽都沒聽說過。至於用「橡子充飢」那眞是彌天大謊。東北有四、五千萬人民，橡子能產多少呢？讓筆者在此向不瞭解此物爲何物的海外同胞介紹一下：

橡子是柞樹實，像栗子而比栗子小。東北雖有廣大的森林，但森林中多是油松、落葉松、水曲柳、白楊等樹，而松樹根本不多。松樹多生在通化、安東、遼南一帶山區。能結橡子的必須是十年以上的大松樹。上述有松樹的通化等地區，能結橡子的大松樹又不多。這因爲：一、有松樹地區多飼松蠶。爲了利用嫩松葉，所以，每年砍伐，以便永遠保持小柞樹；小柞樹的葉子才嫩，才可以養蠶。三、東北天氣寒冷，每年由山區運出大量山柴供應本地和城市。其中，一部份是山柴，一部份是木炭。秋後劃的山柴叫「秋板柴」，其中之主要的是小柞樹。至於木炭，在東北主要的是用柞樹燒。製柞樹炭，敲之有鏗鏘之聲，燒化後是白灰；至於雜木炭，因爲火頭不旺，不易應市。有以上原因，所以柞樹不易長大，所以橡子也不多。

僞滿時代既沒有搞過「小秋收」，更未提倡對那些可充飼料，可作工業原料的野生植物加以保護。文滙報上的報導，是說今天東北人民的生活實況吧？

在同篇報導中，還有一首僞滿時代東北工人「歌謠」：「鞍鋼是個大猪圈，居友是個閻王殿；要想吃口飯，就得拿命換」。這首歌謠雖只有四句二十八個字，可是却烏龍百出了。「居友」在瀋陽，即原「居友株式會社」；到中共的手裡改稱「瀋陽重型機器廠」。文滙報你們錯了，那是「住友株式會社」，可從[illegible]來「個「居友」呢？你們天學習，可學習什麼了呢？連你們「毛主席」那句「不經過調查研究就沒有發言權」的話都忘了！

「歌謠」中提到「鞍鋼」這個稱呼，當然也是指僞滿了。文滙報又錯了！這個錯誤，可提高到「原則性」上去，也可以說是「政治性」的錯誤。「鞍鋼是個大猪圈」，是說僞滿時代或說是「國民黨反動派」統治東北時代，那都文不對題；因爲，「解放」後才有「鞍鋼」這個名字呀！

今日的「鞍鋼」，在僞滿時代以至九、一八以前叫作「昭和製鋼所」。當時一般人均呼之爲「製鋼所」；或呼之爲「搖葫蘆」。「搖葫蘆」三字與「熔礦爐」日語音調相同，故一般工人這麼稱呼它。大平洋戰爭爆發後，改稱「鞍山製鐵所」，但工人還是把它叫作「製鋼所」或「搖葫蘆」一直沒有改變過。國民政府接收後，縱橫三四十里範圍的「製鋼所」，已經變成廢墟了！鐵架傾圮，廠房破亂；大煙卣也東倒西歪了。這是任何人都知道的；是「偉大的蘇聯紅軍」的傑作！他們把能夠拆運的都拆運下來運到西伯利亞去了，不能拆運的，那就鑿之以TNT！國民政府接收後雖然名之爲「鞍山鋼鐵公司」——名與今同，也可簡稱「鞍鋼」；但那時，只有一千百數工人，一部份是「[illegible]」，一部份只作恢復生[illegible]。一九四[illegible]四八年[illegible]去參觀，當時的生產情況，值得一提的是可以生產無縫鋼管。其他的，還有少數鋼板、火車軸，多數的倒是供應軍用帶刺鐵絲。當時引導我們參觀的是總經理邵逸周，現在他是「人民代表」了。當他引導我們參觀時，指着一座分成兩瓣的巨型鍊鋼爐說：「蘇聯紅軍眞行！你們看，破壞這座鍊鋼爐是在下邊打孔放進炸藥炸壞的」。

現在「鞍鋼」的工人，已在一九五九年春天按生產單位、生產部門統一安排「調整了宿舍」；吃、住、學習、開會，以至醞釀競賽，進行所謂「技術革新」和「技術革命」，都是在工人宿舍裡由黨委領導進行的；「鞍鋼是個大猪圈」的說法，倒眞眞是諷刺今天的情況。

香港與大陸

春雷

△大陸糧荒的嚴重處，由許多冒死逃來香港的飢民口中所述，確已到達不可想像的程度。以接近香港的東莞縣農村爲例，最近每天每人獲得的口糧是白米二兩多些。他們說「連雀鳥也吃不飽」，確是事實。

△廣東各地新製的餅，已不是糖餅，而是禾桿餅，禾桿即是乾的稻莖（本作燃料）用浸透鹽水，加以某種泡製，變成漿狀，和勻另一種粉，可用以製餅成麵條。此已是普遍流行的食品。

△英國倫敦「每日郵報」曾揭載由北平來的消息，說大陸曾發生飢民叛變，未說明地點香港各報迭載廣東四邑新會縣，北部四個縣份，均會有此事，本報記者由友人家信中獲知，東北地區亦會有搶糧暴動，兒童因飢餓而死的很多，惜語焉不詳。

．△盛傳由大陸來港表現之越劇團，曾有三個團員逃亡，致該劇團一度停演多天，經各報揭載以後，左派各報隻字未提，未有反駁。某報提出：此因該團各團員奉令在香港期中，須閱此間左報，各家左報不敢反駁此訊，其原因爲恐各團員讀報發生惡劣反感。

可以推斷：該劇團確會有逃亡事實發生。此項指證，最爲有力。

※　※　※　※

宣室求賢訪舊臣　魯斯克才調更無倫（下）

甘克

那文章說來話長，但不妨畧述梗概。他首述美國在二十世紀的後半期不是「泛泛若不繫之舟」，任憑歷史力量的風波蕩漾。美國的原動力，物質的和觀念形態的，產生了歷史的力量；美國所作爲的和不作爲的，對于這時代的人類的歷史有很大的差異。他這話的意思就是主張美國應有主動的政策。他在首段之末說到，當人家的討論過于着重政策之限度，而不合他的興趣時，他就憶起童年時一位巡迴牧師的勸告：「祈禱就像是要聽憑上帝，工作就像是要聽憑你自己。」這話經各報尤其是紐約時報徵引了。

就在這篇文章第一節中，他很含蓄但很有力的指出幾項問題。第一美國現有許多應做而未做的事。第二，美國現處在變化很快而且很根本的時代，這變化的因素之一就是科學和技術上的變化。第三，另一種變化因素就是數十個獨立國家之出現，它們還沒有確定它們的國策路線的；而這些國家之增多，使美國必須加以考慮。

由于上述三項之考慮，魯斯克指出了第四項就是美國有加强領導之必要。對於此點，他有幾句特別精彩的話。他說他比許多評論家更相信美國人民的智慧，和美國人民對於政策要素之瞭解能力。他接着却說：

「……與論既不能設計政策，亦不能實施政策。各項問題須經擺列出來，提付討論，並附以事實的根據，否則輿論便不能作有效的辯論。在我們這種社會裏，輿論除非知道我們朝何處去，否則連追隨和擁護亦辦不到。總統藉他的國務卿的輔助，和國會的支持，就提供了我們的外交上的領導。在討論這種事件中，直接的或含蓄的批評，係不可避免的，但問題是兩黨性質的。……」

這是何等深刻而透澈的分析，比起憑懸想以設計，藻飾問題之關鍵，甚至點綴事實，而號稱博採衆議，表現民主者，相去眞不可以道里計。

在此整個的世界正陷于嚴重的危機，且看這位學人外交家，輔佐美新總統的國務卿魯斯克，如何施展其旋轉乾坤之手段。

大陸文壇萬花筒

郭沫若又作新詩

——岳騫

最近郭沫若率領了一個文化代表團到古巴去活動，這個代表團組織相當龐大，看情形活動對象尚不止古巴一國，不過，其他國家是否准許入境，尚未可料。

近兩年來，郭沫若已經逐漸失寵，雖然他原來担任的職務並無變動，可是風頭已大不如前，去年中共在北平召開的文化代會，郭沫若的演講相當收歛，已不似過去張牙舞爪的態度。

郭沫若失寵的原因雖然不清楚，推測恐怕還是文字賈禍，前年十月間他搶着註解「毛瘟詩」，把「坐地日行八萬里，巡天遙看一千河」說是咏懶漢的，結果證明是毛澤東的自況，中共黨組織勒逼郭沫若在報上公開認錯，承認對毛澤東思想體會的不夠，這次對郭沫若打擊很大。以後他又編了一個蔡文姬劇本，替曹操翻案，又引起大夥人的攻擊，結果又是一敗塗地。

共產社會是最現實的，一個人要是聲望向下降時，四面八方的打擊都來了。所以郭沫若這兩年的處境眞是八方風雨，勉强能支持得住，還是靠了他在國際上有一點名氣。這次率領代表團去古巴，要算是郭沫若訪日本之後最出風頭的一件事，所以郭沫若眞是盡力以赴，把一生所參悟的拍馬心得都用上了。

郭沫若此次率領代表團名義上是去參加古巴革命二周年紀念，一月三日晚上，加斯特羅在哈瓦那廣場檢閱民兵，郭沫若也應邀觀禮，於是他又作了一首詩，題目是「何塞．馬蒂在歡呼。」大捧加斯特羅，正當在檢閱時，忽然起了一片烏雲，下了一點小雨，郭詩竟有「槍斃它！槍斃它！槍斃它！槍斃它！把烏雲和驟雨當成反革命的虎倀。」這些話實在荒謬而又可笑。

馬蒂是古巴愛國詩人，逝世已經六十幾年，郭沫若又把他拉出來陪襯加斯特羅。也是一件無聊的事。

郭詩有一點很有趣，頌揚別人的詩專愛用些不吉利的字眼，史大林被他高呼了爺爺之後，只有兩年時間就完了，這次加斯特羅必然更快垮台。郭沫若這個本領被毛澤東發現後，下次一定派去替赫魯曉夫祝壽，到那時郭沫若又要竄紅了。

徵稿小啟

有內容有意義之隨筆、散文、掌故、小說、雜感等類文字，本刊均所歡迎。請用有格稿紙繕寫，如需退還，請附信封及郵票。一千六百字左右的隨筆比較容易刊出，過長則以篇幅所限，請特別留意。

社會小說

香港地

木客著

梅大亮料不到譚福祿會在此時出現，見他臉上仍綳着紗帶，竟是帶病扶傷而來，便倉忙道：「你怎會來到這裏呢？我怕我的家早已完了。我剛從外面趕回，却已沒路回去。」說得其聲悽然，欲哭無淚。

譚福祿牽着他的手，急道：「我才聽到火警便趕來，你跟我打這條小路走吧！你的家被火燒了，大嫂就在那個崗子上面，我正要找你！」

梅大亮一聽，發狂似的叫道：「她！她怎樣了？你看到她嗎？」他以爲家已被燬，連他的老妻也已遇難，才會驚慌失措，憬急發問。

譚福祿一把拉住他從人潮裡面擠去，像衝鋒似的，衝開一個缺口，費了無限氣力，才到達一個小崗下面，再由小崗往上爬去，急不擇路，也不管前面有人攔阻，只揀可爬的地方，手足並用，到達崗頂，然後由小崗走向更高的去處。他當先開路，邊爬邊走，走到可以歇一口氣的地方，才說道：「梅老兄，你的家雖已燬了，大嫂還好，趕得及逃出火坑，只因她哭得太過傷心，叫嚷不停，沒誰能夠勸她歇下來，我剛趕到你家後面的一塊高地，見她給好幾個人挾持着，不讓她胡亂跑動，我也會趕上前去，勸了幾句。她實在激動得太利害了，同時惦念你在外面未回，怕你會湊巧闖入火巷裏面，脫不得身。我見她驚憂過度，便即自告奮勇，說是要到外面找你去。其實，對着這熊熊火海，茫茫人海，叫我向那裡找你才是？我姑且說說，也姑且走走，聊以慰她的心，料不到由這條荒僻小徑走下來，竟然會和你碰個正着！」

梅大亮聽他這麼說了，心裏如放下一塊大石，却不知怎地竟自淚下如雨。這不關他痛惜家財受了重大損失，是因患難才見眞情，一則聽說渾家在萬二分倉惶中仍然如此關懷，這種夫妻情份，使他不得不哭，二則見譚福祿能在這種情況之下奔到火場來看他的家，還替他如此辛苦奔走，這種古道熱腸，更不由他不感極而哭呢！（九十七）

鏡中人語

沙漠

我很疲倦，靜靜的，我把大半個身子躺靠在沙發上。沙發的對面是一張大衣厨，衣厨上有一面大的衣厨鏡。我整個人在衣厨鏡裏躺靠着……。我很疲倦，悄悄地的躺靠在沙發上，閉上一雙欲睡的眼睛。

「沙漠！睜開眼睛，看看你的老友。」一個童稚的聲音在我的耳畔響了，我驚訝的睜開眼皮，室內除了單獨的一個我，沒有任何人。我無可奈何的又將要閉上眼睛，而那童稚的聲音又響了：

「沙漠！允許我來拜訪你，看這裏，看我。」

我又一次的睜開眼睛，我終於尋找到了他，在衣厨鏡裏，我看到一個孩子，一個可愛的男孩子躺靠在沙發上。他有一張真誠的臉，一對清深的眼睛，紅紅的臉頰，他掛着孩子特有的微笑。他望着我，使我想不起他是誰家的孩子！我以奇怪的低啞的聲音問：

「孩子！你是誰？你怎麼認識我的？你來拜訪我有什麼事？」我一連串的問話，使鏡中的孩子笑了，他笑得很美。接着，他笑着說：

「你不認識我嗎？我是你，我是沙漠，我是你的童年。」

他的回答，更使我摸不着頭腦，我苦笑的自語着：

「孩子！可憐的孩子！你是我？你是沙漠？你是我的童年？那麼你有什麼證明你是我呢？你再來拜訪我，又需要什麼呢？」

「啊！我愛一切，愛一切有生命的人，我愛那些笑的與哭的，愛那些幸和不幸的。你說，這不是你的童年嗎？」那鏡中的孩子笑着說。

「是的！那是我的過去，而不是現在。我現在只愛自己，只愛使自己能夠得到幸福的東西。可憐的孩子，愛別人對你又有什麼用？」我帶着玩世的口吻答復他。顯然的，這孩子被我的答復刺傷了他的心，他瑩潔的眼眶中含着淚珠：

「可憐的沙漠！可憐的沙漠！你以爲現在的你是在追求幸福的嗎？你愛金錢，你以爲金錢能給你一切所需要的愛情和幸福嗎？你不敢搶劫、不敢欺詐、不敢以一切不合法的手段來贏得一切。你只是一個可憐的娃娃頭，整天吃粉筆灰。再不然，整夜裡埋頭苦寫，賺取那一千字肆拾元的稿費，你說，你是不是可憐的？」鏡中的孩子滔滔不絕的說，他的語言刺傷了我的心，我從沙發上站立起來，向他走去，鏡中的孩子也站起來了，我指着他說：

「你講的話，不是一個孩子所能說出來的，你不是我、不是沙漠、不是我的童年！」

他笑着指着我說：

「可憐的沙漠！休息吧，和我一樣，和你的童年時一樣無憂無慮罷！想想看，那時的你和我，懂得這樣多嗎？只要沒事時，常常想到我，你的心會得到安寧的。再見：我走了。」他走了，他笑着走了，鏡裏的孩子消失了。一張烙印着勞苦、憂鬱的臉在對我苦笑着……。

我悵然若失，頹唐的坐到沙發上，疲倦的閉上我的眼睛：……。

×××××××
××××××××

儒林九尾龜

吳敬鉾

第五回：一失足成千古恨

李鴻飛看見一拙就想走，他却笑嘻嘻地說道：「李兄，不用害怕，我不會向你借錢。」

李鴻飛無奈何只好坐下。夏作人却熱烈同一拙握手，問道：「一拙兄，聽說你最近很得意。」

一拙笑道：「夏先生，你也很得意啊……這次一趟北京，連裏帶外怕不有五千元好拿，以後每月還有爲人民服務費照支，比我定得意的多了。」

夏作人看見一拙在茶樓大嘆，也有點着忙，連說：「咱們不說這個，你坐下叫點心吃。」

一拙吃了東西仍不放鬆，又追問道：「聽說老共定出價錢，若能把項公勸回去，可得酬勞三十萬，就連手無寸鐵的卓先生，也值五萬，得公頭的值得更多，你可以同他們談好數目，我最近去美國可以把得公勸回來，然後你再設法把他送往那邊去，得了錢我們兩個平分，你說成不成。」

李鴻飛不料有這麼多的內幕，瞪眼只是看夏作人。夏作人灰色的臉，也被一拙說的發紅，勉強支吾道：「一拙兄，你從那裏聽來的消息，我怎麼不知道有這回事。」

一拙拍手笑道：「夏先生，你眞不夠爽快，大家都是一條路上的人，說穿了都是在行騙，你騙老共，我騙老美，可說是殊途同歸，你瞞我幹什麼？」

夏作人苦笑道：「有，是有這麼一回事，可是，你知道我同項公根本就處的不好，從北京回來之後，怎敢再去找他，況且找到了又有什麼用，無非多挨幾句罵，所以這筆錢我是不想拿了。」

一拙說道：「你大可以勸其他的人回去啊！例如黃銅臭，也可買賣幾文哪！」

夏作人笑道：「他一文也不值，恐怕倒貼幾個，人民也未必歡迎呢？」

一拙笑起來，夏作人反問道：「一拙兄，你最近活動得怎樣了。」

一拙得意洋洋說道：「我下月就動身去華盛頓了，美國參議院民主黨領袖富爾伯萊德有信歡迎我去演講，美國政界要人對我都十分重視。」

夏作人忍住笑問道：「那你怎麼不去呢？」

一拙嘆口氣：「就是路費未籌到，我又不能要老美寄路費來，只好自己想辦法了。」

夏作人笑道：「一拙兄，你那一套辦法已經不成了，國共兩方面的人都知道你是要把戲，誰也不會資助你路費，我看你還是換個手法吧！不要再談去美國了，大家都曉得你那些信是假的，不過沒有人好意揭穿就是了。」（六十）

小啓

本文因讀者紛紛來信催促，早出單行本，因連載時間過久，自即日起，暫停刊出，俟整理就緒，即當付印，特此敬告，諸希鑒察。作者謹啓

武則天

·道南·

李麗華飾演的武則天的歷史名劇，快將上演，因此使筆者回憶起鄉賢陳寅恪先生曾經在港大主講過武則天。因爲他曾經留學美國、日本、德國，懂得英文、法文、德文、梵文，對於中國史有極精湛的研究，他尤精研隋唐史，凡是聽過他講演的人，莫不爲之心折。

抗日戰爭時，他由北平南下，避居香港，香港大學的文學院當即聘他講學，那時他才年方不惑，說起來年當壯盛，大概因用功過度，身體不好，每次由九龍尖沙咀寓所到港大講學前，必先注射維他命補針，講完回寓，又注射一針，不注射他便無法支持了。

他這次在港大的講題是「武則天」，是用英語演講的，外國人知道武則天是中國一位最風流的皇后，大家抱有聽講艷史的心情去聽他講學，殊不知聽講之後，才曉得他所講的是武則天的宗教思想。他一講就講了兩個月，內容無非引述他的發明，佛經說女人不能成佛，但武則天却是成佛，因爲武則天養有許多男子，所以就能成佛了。

香港淪陷後，陳寅恪抱病自越南間關逃抵桂林，半生藏書都在此時散失，遭難後身體更不行了，在抗戰時期，醫藥缺乏，他自已担心不久於人世。後來，他自桂林入成都，在燕京大學任教，因患眼病，開刀割治，不幸雙目失明，戰後又往英倫求醫，到底不能使他雙目復明，而成爲一生缺憾了。

文壇軼事

作者與編者

勞克先生：尊稿投寄過多，本刊編幅有限，請暫緩寄，以免積壓。

家琳先生：本刊暫不擬刊載新詩稿，乞諒。

筱臣、道南、介人諸兄：函悉，已轉經理部矣。

閒話蘇州

山川風物

昔時在大陸上，江南最負盛名的遊覽區，莫若蘇杭二州；諺云：「上有天堂，下有蘇杭。」又云：「生在蘇州，住在杭州，吃在廣州。」由以上所說讚美俚語中，蘇州之如何使人嚮往與留戀之鄉，可見一斑。提起蘇州，不但是山明水秀，而且具有樓台亭閣之勝，其中如獅子林的曲徑通幽，滄浪亭的古意盎然，都是以往遊客們的探勝尋幽之處。

蘇州最令人嚮往的古寺，自然要算寒山寺了，也許是因爲張繼的一首楓橋夜泊七言詩，寫得太美麗動人的原故吧；詩云：「月落烏啼霜滿天，江楓漁火對愁眠，姑蘇城外寒山寺，夜半鐘聲到客船。」在詩人筆下的蘇州，被描繪得已入畫境，無怪乎凡是到蘇州遊覽的人，莫不以一遊寒山寺，才算不負此行。

蘇州城市之美，美在是座景色別緻的水鄉，有一條街道，就會有一條小河流，有陸上的城門洞口，也有水上的橋洞，你若駕着輕舟，穿城而過，倒是別有情趣的事哩。

蘇州因爲在地理環境上的優美條件，因此也會產生出不少的才子佳人，和一些香艷故事，如絕代美人的西施，還有那三笑姻緣中的男女主角，唐伯虎與秋香，都爲民間流傳，不少佳話，更爲騷人墨客們塡辭賦詩的大好題材，有關於吟詠蘇州的詩文，古往今來，爲數不少，如白居易的一首：「閶閭城碧舖青草，烏鵲橋紅帶夕陽，處處樓前飄管吹，家家門外泊舟航，雲埋古寺山藏色，月耀娃宮水放光，曾賞錢塘兼茂苑，今來未敢苦誇張。」又見杜荀鶴詩云：「君到姑蘇見，人家盡枕河，古宮閒地少，水港小橋多，夜市賣菱藕，春船載綺羅，遙知未眠月，鄉思在漁歌。」另有一首是劉廷璣的七言詩：「近水重樓幾萬家，湘簾高捲玉鈎斜，何須越國求西子，只合吳宮門館娃，兩苑花明燈富貴，六街月繁華，居人只作等閒看，四季笙歌五夜。」由以上這些詩句之中，已將這美麗的「威尼斯」水城，其精萃之處，描繪得非常細膩動人，使人懷念無已。

憶往日，尤其是在蘇州城外踏雪尋梅，春暉來臨的情景，和那採芝齋的糖食點心，各種如松子糖、水晶糕、眉毛酥、蔴酥糖，還有各種瓜子，五香瓜子，用罐頭裝，經久不壞，他如陸稿薦的醬肉，醬鴨，不也是在這舊歷歲尾年頭中，家人團聚，閒話時，最好的下酒美肴嗎？如今回想起來，身在異鄉爲異客，猶有些饞涎欲滴呢！可是，早已在大陸上的苦難同胞，受共匪奴役壓迫，已無法享受這些了！

釋耒集

致用與求是

嘗見章太炎先生漢微言，論宋學與清學會通，有云：「朱晦庵不尙高論，其治經知重訓詁，以少長福建，爲呂惠卿蔡京舊鄉，習聞新學，性好勇改，故多廢先師大義，而以己意行之，其言道以天理人慾不並立，內以持躬，固足寡過；外以之滋政，卽不能以百姓心爲心。羅整菴始言天理卽在人慾之中，氣質之性卽義理之性，此爲朱學之辟角矣。至清而戴氏有作，少學於江愼修，其補正毛鄭詩，頗采朱氏集傳。其文中或尊稱爲子朱子，明其推重朱氏也。生當雍正乾隆之交，見其詔令譏人，輒介程朱緒言以委法，民將無所措手足，故爲原善、孟子字義疏證、斥理慾異實之謬，近本羅氏，而遠匡鄉先生之失……是故東原之術，似不與朱氏相入；而觀其會通，則爲朱學之幹蠱者，厥爲東原。」章先生自謂少時治經，謹守樸學。觀此所論，實遠較空言調和漢宋之論者爲切實。然戴氏之後，清儒說經，類皆擯斥程朱，卽程朱有最明當者，亦必故爲立異，以見其壁壘之森嚴而不可犯，竊嘗論之，宋儒說經，實求致用，故均標榜以天下爲己任，具先憂後樂之懷抱，所謂爲往聖繼絕學，爲萬世開太平者是也。而一入心性理慾之爭，則公私王霸之道，遂以不講，末流乃致斥爲僞學；又可悲矣。清初諸儒，則大抵縱論唐宋，考索明末遺事，及文字獄與，先王經世之志日衰，乃轉而辨錯字，考生日，皆在於求是，雖極工眇踳善，究無補於時鄭，而有識之士，亦早見其無用矣。隨園先生亦乾隆時人，撰隨筆數十卷，大要亦以考據之類，當其抄本，寄奇麗川發刻時，附以書曰：「考史証經，都從故紙堆中得來，我所見之書，人亦能見，我所考之典，人亦能考，雖費盡氣力，終是疊床架屋，老生常談，有如賈人屯貨，胥吏寫供，得人之得，而不自得其得，就使精鑿異常，亦便他人觀覽，與我何與？況詞章之學，最古始於六經，盛於三傳，皆殷周聖賢之才，考據之學，最後始於鄭馬，盛於邢孔，皆漢唐[illegible]之士，甚至[illegible]歐陽，欽，盡賦吏矣。其拘牽附會，穿鑿僻張，殊非大樂必易，大禮必簡之旨，不過天生笨伯，借此藏拙消閒則可耳，有識之人，斷不爲也。」夫學問務爲求是，本無可議之處，惟以己之所見爲是，則必攻人之所見爲非，及門戶既立，則別人之是者，亦必從而非之，即以經學言，尙書今古文之眞僞，詩經齊魯韓毛之是非，二千年來，傳注講疏，以千萬數；承學之士，如入迷山霧海，明人張岱有言：「六經四子，自有註腳而去十五六矣，自有詮解而去八九矣。故先輩有言，六經有解不如無解」。可謂慨乎言之矣。

曲齋

集句聯

徐學慧

集古人成句爲聯，有時比創作還要難。難就難在有了上句而沒有下句，或有了下句而沒有上句，因此，作集句聯必其人學貫古今，方能運用自如。此在古人倒還不難，要是現代人而要他作集句聯，那可比創作還要難上百倍呢！此無他，古人因科舉關係，於經史子集詩詞歌賦，多能背誦，胸中即是一部辭書，集古人成句，自然可以揮灑如自了。

王闓運先生輓其眷妓「秋雲」一聯云：「竟夕起相思，秋草獨尋人去後；他鄉復行役，雲山況是客中過。」此聯均集唐人詩句，中嵌秋雲二字，用在此處，可謂天衣無縫。第一句爲張九齡的「情人怨遙夜，竟夕起相思。」第二句爲劉禹錫的「秋草獨尋人去後，寒林空見日斜時。」下比第一句爲杜甫的「他鄉復行役，駐馬別孤墳。」第二句爲李頎的「鳴雁那堪愁裏聽，雲山況是客中過。」

爲人所最稱道的，莫過於「勸君更盡一杯酒，與爾同銷萬古愁」此聯常見於酒樓門外，集王維與李白詩句，倍見貼切。（此聯爲清乾隆年間黃莘田所集，想讀者或誤以爲今人，特錄於此。

魏松侍御，書欲集一齋聯，先有杜句云：「古來才大難爲用」，而難于對句，其侄滋伯在旁，說道：何不用放翁句，老去詩名不厭低。公大喜。由此一例，可悟集句之難。

相傳徽州城中，有戲台初成，有一徽州巨商自撰聯，僅得一句云：「鑿爲律呂身爲度」。久不能對，乃向衆宣傳，有能集成語以對者，當厚酬之。時方朴山先生命其子德經對曰：「雲想衣裳花想容」。徽商酬以百金，先生笑曰：「七字百金，李太白惠我無彊也。」因此，爲李太白清平調三章中句，故云。（上）

臘月雜談

筱臣

時序已經踏進十二月季冬，這個季冬之月，依中國的習俗叫臘月，「風俗通說」：「臘者獵也，新故交接，大祭以報功也。」「禮記註」說：「臘者索也，歲十二月合聚萬物而索饗也。」原來古人以季冬草木凋零，鳥獸無可藏匿，將狩獵所得，在未吃用之前，拿來祭祀百神及祖先，這便是臘的起源。由此可見中國人的生活情調，純粹是農產社會的意味。

惟臘祭日期，各代均不盡同。據「玉燭寶典」云：「漢以戌日爲臘，魏以辰，晉以丑。」可知各朝代並不一致。原書又云：「臘者祭祖先，腊者祭百神，同日異祭也。」原來古代除臘祭外，還有祭蜡神之俗，這大概是農產發達以後的事情，因爲所祭的腊神，這是和農業有關的。所謂腊，始稱於漢，無論朝野民間，皆十分隆重予以重視，不腊的，只是一些國破家亡的人們。所以虞公許晉假道的時候，左傳上即有「虞人不腊」之嘆，因爲亡國以後無宗廟可腊，王莽篡漢，改易漢法，陳咸謂祖先不知王氏臘，請用漢腊。可知腊在國家的意義，和人民的視聽，均是極爲重要，未可等閒視之。

流亡的我們，離鄉背井，整個的大好河山，已爲奸人所竊據，臘鼓聲中，國人之不腊，已經整整十有一年了，感時撫事，觸景傷懷，能毋兎於亡國之痛麼？

還有關於腊月的小醜聞，敘述在朝的小人，互相汲引，把持朝政，將國家弄得不可收拾。這一類的人物，似乎在今天也還有不少呢。據「唐書」嚴挺之傳所記，李林甫與張九齡同輔政，李所引用之戶部侍郎蕭炅，不知書而好典，與挺之言，稱蒸嘗伏腊爲「伏獵」，挺之問於九齡曰：「省中乃有伏獵侍郎乎？」乃出之爲岐州刺史，不識字而貶官事小，貽笑於天下後世爲禍國家也就不小了！據說蕭之不通所以得官，就是因爲李林甫不通之故，物以類聚，事所必然。

至於今俗所習尙的腊日，則是始於「荆楚歲時記」：「十二月八日爲腊日。諺云：腊鼓鳴，青草生。村人並擊細腰鼓，作金剛力士以除疫。」所謂「腊鼓」，就是驅除疫鬼的鼓，乃是古「儺」的遺俗。

在魏晉南北朝以後，道家以十二月八日宜修百福齋，就確定此日爲腊八日。後來佛教流行中土，又以十二月八日爲佛成道，北俗以腊八爲灌佛節，是日僧家造「臘八粥」，供佛，並沿門散給，從此就變成道佛合流的臘日。俗云做完了臘，在歲除就可以把窮鬼送走了。

爲了要送走窮鬼，要想發財，所以有的地方臘日祭灶，這大抵是根據「搜神記」所載一段故事的。據云：「漢宣帝時，陰子方至孝，且有仁心，嘗於臘日神炊時，灶神形現，子方再拜受慶，家有黃羊，封以祀之，自是以後成巨富，故後常以臘日祀灶。」

因此，在此必須提醒一般想致巨富的人們，不妨學學於臘日提前祭灶，這應該是信而有徵的。

現在，正在臘鼓叮咚響的時候，也就是「月窮於紀，歲且更新」的時候，人這樣的東西，是世界上存在的生物之一，却仍有許多蠢得可笑的地方。例如世傳美人多痴獃，故兒輩諱之，於歲除之夕，繞街叫曰：「賣汝痴！賣汝痴！」（村田樂府序）擬獃都可以在歲除賣掉，那麼聾公盲啞子之流，也應該發願在歲除賣掉了吧？

最有風趣的還是唐代詩人賈島，常以歲除配一年所作的詩，祭以酒脯。曰：「勞吾精神，以是補之。」（金門歲節錄）我們這些搖筆桿的朋友，「償不了惟詩酒債，樂無窮是水雲鄉。」與其效法韓愈寫送窮文的無聊，不如效法賈島酒脯祭詩的雅典。但願大家「歲闌吏喜人強健，小草書成鬱壘符」，相率共渡「季冬除夕換新年」吧！

運氣說

諸葛文侯

命運之說，足以增加人的惰性觀念，認爲人生的窮通貴賤，禍福利鈍，皆是命裏註定的，非人力所能變移，唯有隨遇而安，聽受冥冥中的主宰者如何發落而已。這種思想徒然汨滅人類的向上發展精神，因屬妄誕不經，未可置信。但運氣之說，我却不反對，因爲我生數十年間，自己所經歷的一些不可思議的事情，除了歸諸於「運氣」以外，別無解釋了。曾國藩說是「不信書，信運氣」，我亦云然。

民國十五年秋八月中浣，我于役薊北張家口的西北軍中，以戰事失利（吳佩孚、張作霖合力進攻馮玉祥的西北軍），倉皇撤赴綏遠，我是文職人員，不能隨軍出發。是時適有孫岳所領國民第三軍的旅長山西人袁君，扣留着一輛火車頭和一節車皮，停在站上備用，袁旅長約我同行，說車上祇有他和幾個幹部人員，愛幾時出發就命令開車，十分迅便。我將行李搬到車上，看見袁旅長用若干砲彈箱排列作臥榻，置烟燈於其中，吞雲吐霧，極其悠閑，不禁大爲忻慰，也照樣集中十幾個木製的砲彈箱，展衾假臥，靜候拔退。既而友人張秋白先生（當時在任的平綏鐵路督辦）來車上尋我，堅決挽我跟他一道搭乘張之江總司令的專車而行，我拒卻之，認爲這節車中的乘客甚少，極其舒服，不必移動了。但他決意要拖我下去，他的年齡大我十幾歲，又是民黨的前輩同志，不便過於拂逆他，祇好辭謝袁旅長的好意，快快然下車別去。當夜袁旅長下令開車西行，因爲沒有跟火車站長聯絡好，一出站外，即與對面疾駛而來的火車頭相撞，由於震動力過大，車上的累累砲彈，一齊發生爆炸，全車乘客被炸成齏粉，無一倖免，連車箱亦燒毀無存了！

民國卅八年十月，共匪席卷大陸之際，我南走粵垣，而妻室兒女皆在重慶外家寄居，很想回到四川去，但一時沒法搭乘政府人員專用的飛機，[illegible]騷動，殊爲煩惱。旋接西昌軍事委員長行轅主任賀國光先生及其參謀長王夢熊兄函電，囑我前往西昌行轅擔任高級職務，且謂西昌與當[illegible]之地接壤，交通阻塞，共匪勢力決難竄入，大可攜眷同往，保證安全。是時友人賴少魂君（粵省國大代表）來告愚：河南（廣州市對岸）有一乩壇，指示人間叩問事項甚靈驗，約同前去試看。我以客居無聊，亦樂得藉此消遣一番。比至乩壇，見室內空懸乩筆，桌上置有砂盤，我如法密書叩問事項（問我向何方走爲好）於一張紙條上，再摺成小塊，置之神龕上，然後跪拜者三，執事者即將摺紙取下焚之。未幾，乩筆自動疾書，字迹殊不易辨認，據執事者抄錄「來，只有「東行爲佳」四字。我乃決計不去四川，準備東行到台灣，迨行至香港，即被朋友留住了。

這兩種情形，都關係個人的生命安危，而我自己當時亦毫無定見，更沒主意，只是聽從朋友的意思，姑試爲之，結果轉危爲安了，這不是運氣嗎？

論關羽

謝康

歷史人物

諸如「華容道上放曹操」，「過五關，斬六將」，「侍衛二嫂，秉燭達旦」「騎赤兎追風」，「刮骨療瘡，而不改色，」「單刀赴會」，「帶酒意斥罵孫吳使臣」，「斬龐德水淹七軍」，」……這許許多多的故事，把這個關帝君，說得眞像生龍活虎一般。尤其是當他獨守荊州，出師北伐，威震華夏，曹魏擬遷都以避其鋒；蜀志關羽傳及魏橫海將軍呂君碑，和三國演義都把這一幕寫得有聲有色，這正是關公得意之秋呢。誰知孤軍奮鬥，抵不住魏吳的前後夾攻，詭計陰謀腹背受敵，結果殉難盡忠，贏得千秋讀衆同情的哀悼。可是諸葛公後出師表對於此事，只是很冷淡地描寫一筆說：「然後吳更違盟，關羽毀敗……凡事如此，難可逆料」。元，「三國志平話」對關公的描寫，也不如對張飛的起勁。陳壽更一口咬定他「剛而自矜」，失敗乃是自然的道理了。於是近人祝秀俠先生寫「三國人物新論」，以爲關羽的功績，無論如何夠不上後人對他那樣尊崇的程度。民間尊他爲神，一個地位超逾其他神的神，顯然地受三國演義及清代順治乾隆時加封爲靈佑忠義神武大帝的影響。秀俠先生又謂：「關羽不過是一個勇而無謀的軍人，而且論武勇也不見得比張飛、黃忠強、論韜略，似乎還不如趙雲、馬超；而他的政治頭腦，更遠不及趙子龍呢！」（二）

自由報
THE FREE NEWS
第一〇〇期
中華民國僑務委員會頒發
台敎新字第三二三號登記證
中華郵政台字第一二八二號執照
登記爲第一類新聞紙類
（本報刊每星期三、六出版）
每份港幣壹角
台灣零售價新台幣貳元
社長：雷嘯岑
督印人：黃行齋
社址：香港銅鑼灣高士威道二十號四樓
20 CAUSEWAY RD 3RD FL
HONG KONG
TEL. 771726　電報掛號．7191
承印者：田風印刷廠
地址：香港灣仔高士打道二二一號
台灣分社
台北市西寧南路[illegible]號二樓
電話：三〇三四六
台郵撥儲金戶九二五二

從甘迺廸登台展望世局（上）

·顧翊羣·

編者按：本文爲我國旅美學者顧翊羣先生遠自華盛頓寄來。顧先生於致本報社長雷嘯岑先生函中表示，鑒於文中對彼邦朝野人物多所批判分析，發表時可不必披露眞實姓名。編者細讀全文，深覺其中論點，不僅爲東方人所應深知，抑且爲美國新政府人士所宜反省，此等堂堂正正之文字，自無別署之必要。雷社長刻正在台訪問，未及事先閱讀顧先生之函件及文稿，謹此說明，並乞作者見諒。

美國新當選總統甘迺廸氏已於本月廿日履新就職，入主白宮。甘氏屬天主教徒，出身富貴家庭，並卒業於美國第一學府哈佛大學。伊之著作第一本論英國在二次大戰前之因循債事，第二本則贊揚美國過去參議院中有道德勇氣之政治家，均會傳誦一時。伊本人於二次大戰時爲海軍突擊艇艇長，所乘艦被擊沉後，曾奮不顧身，救助他人，甚膺睾譽。美政府以其戰績昭著，曾先後頒給勳章，就中最顯著者爲赤心章 Purple Heart。戰後甘氏迭次當選衆議員參議員，代表麻省，先後計十四年。其夫人溫文嫻雅，畢業於女子大學，通曉多國文字，兼爲藝術欣賞者。自開國以來之白宮主人，以甘氏伉儷年事爲最輕。中國詩人所謂「天上神仙侶，人間宰相家」者，惟甘氏當之，了無愧色。

西方自文藝復興宗教改革之後，科學技術崛起，工商業與航海探險等活動分途並進。白種人成爲天之驕子，既征服自然，更欺凌異族。十九世紀末年樂觀論者謂人類循此科學技術途徑，走向民主政治，自可不斷進步而終躋於大同。但廿世紀全球大戰兩次，小戰十餘次，屠殺慘酷，超越往代，加以人口爲爆炸式之上升，財富生產與分配不均，種族、階級、男女、長幼之間時生歧見，宗教界哲學家人文學者之有遠見者，遂僉認西方文明有病態而需要改造。共產政權於第一次大戰後在俄國成立，第二次大戰後則席捲中國大陸與東歐各國，美國在過去十餘年中，雖力圖制止蘇共與中共勢力之膨脹，但事與願違，情勢日非。甘氏登台時，美國正值國內經濟衰退，對外收支不敷，黃金繼續流出，以及在亞非歐美各地受共黨之壓迫威脅，其情勢之嚴重，匪僅爲美國立國以來所未有，亦爲人類歷史上所罕見。故甘氏之當前任務實至爲艱巨。

甘氏視事後之兩大問題，以經濟問題爲較易處理，而制止共黨問題則遠爲棘手。前者在財政金融兩方面，人才與機構既甚完整，復得其他工業國與國際機關之合作，故荷甘氏決定採用健全政策，不接受凱因斯派學者之建議，不從事膨脹通貨，並切實商得國內企業家與勞工領袖之合作，勿使物價與工資爲螺旋式之上升，則經濟景氣應可恢復，黃金流出應可停止。世界經濟間接亦獲其益。

然就世界經濟長期展望而言，則尙難樂觀，蓋世界人口日增，經濟落後國對工業先進國之貿易比率日益不利。例如在過去六年落後國之出口收入減少百分之十，而西方工業之出口收入則增加百分之七。後者對前者雖不斷予以投資及經援，然前者之每個人之生產與所得數字，則匪僅不上升，而大多下降。此等國家在一九五三年之出口爲進口百分之九十，屆一九五八年此數字則降爲百分之六十五。各落後國政治不安，社會騷動。其青年大衆更傾向共產思想，當時舉行示威運動。有類於三四十年前之中國。此則有賴於人口增加過速之國家採取合理之人口政策，非外援所能爲力。

美國對蘇聯實力及其征服世界之策略，曾由公私各方面聘請多數專家，作無數之專題研究。各部門權威學者，在各政府機關與哈佛、本雪凡尼亞等大學，蘭特「Rand」等研究公司，從人類學、社會學、心理分析學、政治學、歷史學、地理學等等方面，精心研究，並與英國公私研究機關合作。故從知的方面而言，共產之陰謀策略，已如犀燃燭照，纖微悉顯，所缺者「顧力行何如耳。」

甘氏之種種新猷，雖尙待次第推行，然就其所發表之各重要人選，以及各專家對甘氏所提供之專門報告而言，則其「用新人行新政」之決心，已昭然若揭。

去歲十二月十日之週六評論出版以「和平」爲主題之專刊，登載論文五篇。其大旨謂美國科學家對實現和平有決心有辦法，但過去艾克總統主政時，科學家之企圖，曾爲政客所阻止，故甘氏登台後，重要政府部門將有變動，不熱心和平之政客將爲大批科學家所代替云云。此諸文中最主要者爲對維斯勒氏 Jerome Wiesner 工作之贊揚。維氏者，麻省理工大學教授，電子研究所與通信科學中心主持人，而甘迺廸氏所最親信之科學顧問也。該刊謂維氏之同事與友人，均稱維氏爲一具豐富感情之人道主義者，而舉維氏在十一月底正參加莫斯科所開之第六屆卜格瓦許科學家和平會議 Pugwash Conference 爲例證。此和平會議創始人爲美國工業與金融巨子伊登氏 Cyrus Eaton 其人思想前進，在美國不斷高唱和平共存主義，並於赫魯來聯合國開會時，設盛宴介紹美國工商界聞人與赫氏晤面。據報載去冬在該會議場中，維斯勒教授曾對蘇聯科學家痛切陳詞，謂兩國科學家應攜手合作，強迫其政府從事軍縮與停止核子試驗，以免人類同歸毀滅，週六評論又謂維氏雖受甘氏之倚重，但或將不參預政府，避免受人指摘，而以在野之身推動和平工作云云。

近若干年來，西方科學界與人文學者之裂痕日益擴大。前者目後者爲抱殘守缺，後者則批評前者之工作冷酷無人情味。英國科學家兼文學家斯諾爵士曾謂現代科學文化與人文文化之顯分壁壘，殊屬不幸。伊主張科學家應熟讀莎翁樂府，而人文學者亦應了解熱力學第二律，蓋前者昧於古而後者不知今，兩皆失之。斯氏因之對麻省與加省理工大學等之提倡人文學科，庶免專家教育趨向野蠻化 barbarization of specialization 之舉措，大事贊揚。

赫魯曉夫的裁軍計劃

小論天下

△大陸農業總崩潰，全面糧荒眞相大暴露。英國權威報紙指出：中共每年缺糧一億餘噸，料將發生政治危機；并責中共視人民爲「六億芻草」。美議員建議以剩餘小麥援濟。台北研究敵情專家指中共遭此打擊，需三年始能恢復元氣。

既知「人孽」爲糧荒的主因，便當知「除孽」才是根本的大計。除孽是去火抽薪，救災是揚湯止沸。中共在三年之內又會造成多少災害？所謂「元氣」何從恢復？我們倒不要繼續坐待三年，讓中共在喘息當中，再戕害更多的人口。

△葡萄牙反政府份子在海上騎劫「聖馬利亞」號商船，宣稱起義。葡京指爲有共黨從中作祟。

總而言之，「自由之舟」又多了一個漏洞。

△寮政府擬向聯合國控訴越共侵略，卒予延擱。聯合國展開試探，擬派視察團赴寮。美同意英國向蘇俄提議展開國際調解會。美總統甘迺廸聲言期望寮國中立。

英國這位「調人」此時當有信心，爲的是蘇俄中共正在同鬧糧荒。我們却要看寮共在這談談打打的悶局裡面，收了多少「佔面，斷線，打點」的實益。

△傳中韓越三國外長將在交換訪問，又傳中菲韓三國將舉行高峯會議。美報建議中韓越加入東南公約，不妨任由英國退步。

亞洲堅決反共的國家需要有一雙不受束縛的「自由的手」，要提防某些「公約」只是一細使你動彈不得的繩子。

△蘇俄釋放美國兩名被俘虜的飛機師，赫魯曉夫向甘迺廸賣第一個笑臉。甘迺廸認爲美蘇關係好轉。據傳甘迺廸政府決定：將循正常外交途徑進行談判，不須舉行「高峯會議」。

赫魯曉夫賣笑有術。甘迺廸無心裝蒜。誰也不能憑第一着看出這兩位棋手的眞工夫。

△中共透露「九中全會」的決議：繼續擴大反美運動。英外交界預料：中共仍設法破壞東西方新談判。

英國一部份人士對於離間中共和蘇俄所做的「心戰」工作，從不見得如何卓越，也可說不放過任何機會。

△剛果的駐聯合國軍有瓦解之虞。摩洛哥印尼等國決定撤兵。剛果總統呼籲重訂憲法及改革行政。聯合國已在剛果燒焦了頭，難得還有勇氣把額頭碰向寮國火燄去。

方南

自由談

為政只在多言

馮五先生

「議論未定，敵兵業已渡河」，這是歷史上紀述南宋時代的政府施政情形，使後人不禁掩卷太息，引爲恨事的。生存在憂患中的政治人物，應該特別重視着「爲政不在多言，顧力行何如耳」這項義理，摒除因循苟泄之風，才可望撥亂反正，轉危爲安。

我看自由中國政府目前在台灣的情形，一切機構皆以開會爲服務之本，每天除了必須舉行的正式會議以外，所謂臨時會議，綜合會議，聯席會議，小組會議，機密會議等等，名目繁多，不勝備數，任何一個行政機關的首長及其高級助手，早晚不是在本機關開會，就到別處出席會議，馳逐皇皇，席不暇煖，如果沒有汽車可坐，大官們都實行節約的話，我相信許多人一定會要爲奔走赴會而倒斃在馬路上呢！開會是爲的解決重要問題，既非藉此推卸責任，更不是藉此以表現成績的。掛一次電話即可解決的芝蔴綠豆般問題，也要像煞有介事地舉行會議。這種形式主義，誤國有餘，救國不足，只是貽害政務，阻滯行政效率，終蹈南宋覆轍而已。

開會爲服務之本的結果，大家照例胡扯瞎說，藉以消磨時間，諉卸責任，身歷其境的人，亦不知道自己說的是些甚末了！稍有抱負和幹勁者，莫不感覺痛楚悶鬱，唯有敬謝不敏，望望然去。如是乎闒茸之輩得其所哉，而官僚腐敗的政治風氣集其大成，整個政府乃陷於癱瘓麻木的痼疾中，然嘴上還要掛着反攻復國，打回大陸去的口頭禪，可恥孰甚，可哀又孰甚哉！

中共的小學教育

郁明

本報特稿

中共的小學教育，是與其他各級教育互相配合「全面發展」的。它強調採用所謂「新民主主義教育」來培養新生的一代。什麼是「新民主主義教育」？一九五〇年「教育部長」馬敘倫在教育會議上提出時沒有進一步說明，一直到一九五七年仍舊沒有具體的規劃；結果，那只是一句怪好聽的空洞口號而已！一九五七年五日，湖北省教育廳為了明確這個「教育方針」曾向「教育部」提出質詢說：「以前說是新民主主義教育，後來『人民教育』月刊提出討論，但沒有結果……給下面教課的人造成許多困難」（五七、五、二八「教師報」）。弄得什麼是「教育方針」？大家都不知道。教育部心中無數，使下面無所適從，以致工作迷失方向」（五七、十九期「新華半月刊」二十八頁）。

這也該算是「新中國的新事情」吧？從一九四五年到一九五七年的七年多時間中，中共的小學教育「只是糊糊塗塗的辦學」。事實上，一直到一九五八年提倡「民辦小學」止的十年中，中共的小學教育是忽左忽右，搖擺不定。無異「教育部閉着眼睛瞎搞一通。「一九五二年來了個大發展，五三年來了個整頓；五五年重點發展的方針將要傳達下去，又要加速全面發展了。造成了五六年的大發展，在教育部檢討工作時，不承認冒進，只說『步子跨大了一點』。可是這種情形，給下面工作不知帶來多少困難」（五七、五、二四「教師報」）。

中共在宣傳上倒像特別重視小學教育。主張「用充份的共產主義陽光和雨露來培養年青一代的禾苗花卉，使他們健康的生長」，好成為共產主義事業的「接班人」。但中共的政治經濟都不按正常規律發展，所以它的小學教育方針和政策，也隨着「半年河東半年河西」地變化無常。就拿普及小學教育來說：「最初教育部想包下來，否定一切群衆辦學的方法。五五年以前從未允許民辦，廠礦企業辦的都接過來了」（五七、五、二八「教師報」）。五六年經濟「冒進」政策，小學也跟着「冒進」了。結果，造成五七年大批小學畢業生無法升學。但中共還講了一篇大道理，說是：小學教育的「基本任務，是為各種生產戰線輸送後備軍」（五八、一二、一一「人民日報」）。五七年中共乃提出「適當收縮，保證重點」的方針；同時，又出乎爾反乎爾地號召「破除小學教育由國家包下來的思想」，又大力主張「民辦小學」了（五七、九、三「教師報」）。

本來，過去大陸上有很多私立小學。但中共卻認為：教會辦的「會傳播帝國主義思想」。富商和「地主」辦的「會滋長反動思想」。因此，中共對舊有的私立小學，不是裁併就接管了。僅一九五〇到五二這二年，在滬、江、浙、粵、桂、滇、川等省市就給接管或裁併達七九・〇二七所。有少數沒有政治背景的私立小學，中共利用「加強領導，逐漸改進」的辦法允許維持下去。但在一九五六年以前，有的中共認為「不能與需要相應」；有的，中共以「正規化」為藉口，全都接過來了。中共一會兒「收縮」，一會兒「正規化」，一會兒「大發展」；總之，它的雄心倒不小，頗有小學一下子就可普及的架門。結果，小學的發展形勢成「下面大上面小的寶塔」了。以一九五五年為例：大陸共有中小學生五千九百萬名；其中，小學佔五千一百廿一萬七千餘名，而初中只有七百餘萬名，高中卻有五十萬零二千多名。這個「寶塔」也不大相稱，頂如針尖而根卻像磐石了（五六、一二、一一「人民日報」）。

以中、小學生數字相比較，小學倒像是「大發展」了，其實，學齡兒童入學率並不高。一九五六年——就是中共說的小學「大發展」的一年，甘肅省入學兒童只佔適齡兒童的百分之二十八（五七、四、二一「人民日報」）。瀋陽市適齡兒童有百分之三三、五不能入學（五七、四、四「人民日報」）。河南、吉林兩省平均有百分之三十四的學齡童失兒學（五七、十五期「新華半月刊」一〇五頁）。

在上述情況下，中共認為是「冒進」，「[illegible]多數失學。牛皮吹爆了，於是才有所謂「民辦小學」的主張。至此，中共由「國家包下來」改變為「不能對教育投資過多」了（七五、三、一七「光明日報」）。過去強調的「正規化」才改變腔調說「一定要克服盲目追求統一和正規化的傾向」。同時，也拿出「總路綫」的那幾句詞兒。什麼「一窮二白」，應從現實情況出發；小學教育也要堅決貫徹「兩條腿走路」方針，國家也辦，要求群衆也辦（五八、十八期「學習」半月刊十八頁）。

中共提出「辦學的群衆路綫」——發展民辦小學主張後，首先嚴厲地批判了「反對派」，和「教育工作者中間存在的各種右傾保守思想」。進一步在群衆中利用「大辯論」方式，「破除了辦學的神秘觀點」（五八、六、一「人民日報」）。中共大張旗鼓地由「黨委掛帥」搞了一陣子辦學的群衆運動後，據說：「教育事業立即進入了新的躍進高潮」（五八、八、四「人民日報」）。

民辦小學，是「在黨的領導下，由群衆自辦，自管，自養。因陋就簡，就地取材」；總之，中共的黨只去「掛帥」；不用國家一分錢」，完全由「群衆自己解決」。連教師都是「就地取材能者為師」；教師的工資由群衆捐獻「工分」；校舍則有的利用礦房、倉庫，更有的利用山洞；就這麼地湊齊一群孩子，由一個也許斗大的字識有兩蔴包的帶齋就算「學校」了（五七、七、一出版「人民教育三七頁，及五九、十、九「光明日報」）。中共也承認，民辦小學的教師只是「政治質量較好」，而「文化水平都很低」。其中，小學畢業的佔有百分之八三、四（五七、七、一出版「人民教育」十九頁）。

民辦小學「搞得亂哄哄」；有人用「偏、亂、糟」三字來形容它（五九、十、九光明日報」）。同時，根本就沒人把這種玩意兒看成是學校（五七、七、九「人民日報」）。可是，中共卻大事宣傳它在領導「普及小學教育」上的「成就」。

經過「民辦小學」的「大躍進」，在一九五八年內大陸上的小學就「普及」了。以吉林省為例：一九五六年小學在學兒童有九十九萬多人，佔學齡兒童的百分之六六、〇七。到一九五八年三月，全省已共有小學六千八百多所，在學兒童達一百四十二萬多人。五八年三月「民辦小學進入高潮」後，到同年七月末的四個月中，小學驟增至一萬一千一百七十一所，學齡兒童入學率達到百分之九六、四（五八、八、四「人民日報」）。

中共的「民辦小學」成就如何呢？用一個小學生的話來結束這篇報導罷：「學習不學習無所謂，今天是農民明天還是農民」（五七、七、一一「文匯報」）！

法國與阿爾及利亞

關超

巴黎航訊

如果今日歐陸的局勢有賴于法國之恢復其力量，那麼，法國恢復其力量之先決條件便是阿爾及利亞問題之解決。這問題曾經使法國的政治家傷透腦筋，這問題曾經使法國多屆內閣倒台。固然這問題曾經給予戴高樂重作馮婦的機會，但他上台後一年又半，纔由含糊而明朗表示他的阿爾及利亞政策：原則上是讓阿爾及利亞人自治和自決，使法國的右翼人士對他頗表失望。但戴高樂既已決定了政策原則，便不遺餘力的推行；在元月的複決投票中，戴高樂贏得了第一回合的勝利。

複決投票係本年元月七日、八日和九日在法國本土和阿爾及利亞，分別舉行的。複決下的問題為：是否贊成戴高樂的計劃，第一步先使阿爾及利亞的機構阿爾及利亞化，第二步由阿爾及利亞人再自行票決獨立與否。這複決的結果已于投票後一週內分別統計完畢如左：

合格投票人總數	三一，六〇〇，九四八
在法國本土的	二七，一八六，三一二
贊成的	一五，一九六，六八八
反對的	四，九九五，九一二
放棄的	六，三八九，四二五
無效的	六〇四，三〇七
在阿爾及利亞的	四，四一四，六三六
贊成的	一，七四七，五二九
反對的	七八二，〇五二
放棄的	一，七七五，一四二
無效的	一〇〇，〇一二

上述數字的重要性，說明了法國本土絕大多數人士是贊成戴高樂的和平政策的，而在阿境的法國人已不復享有大多數的法國本土的人們之支持。至于阿境城市裏的回教徒仍受那在突尼斯境內設立的民族解決陣綫的影響頗大；解放陣綫原斥戴高樂的複決為假面具，並促請阿境回教徒以放棄投票為原則，僅在法軍強迫下纔投贊成票。事實上法國軍隊僅在阿境鄉村勸導人民投贊成票，而在城市裏因顧慮衆目睽睽，未便公然勸導。

至于阿境法軍對戴高樂之抵抗現已實際上近于消滅，而幫助推行戴高樂政策，僅中級幹部會自一九四零年以來，在法國本土或海外作過戰的，仍感憤懣罷了。

今天阿爾及利亞問題之關鍵在那裡？這個（自一八三〇年以來）經法國統治了一百三十一年的地區是否可有一個和平解決的方式呢？

關鍵倒是容易找到，很明顯的就是阿境九百萬回教徒對一百二十萬歐洲人（其中一百萬為法國人）之問題。這一百二十萬人大都係法籍大小公務員和軍人的後裔，具有優越感，不肯對本地人讓步；而若採取民主普選方式，他們自無法以一對九之比例贏得任何選任的職務。因此法國的政治家（包括戴高樂）所提的解決方式多為地方分治辦法，但若干分治辦法又為回教徒所反對。更大的關鍵則在亞巴斯所領導的民族解放陣綫在阿境無相當的號召力。亞巴斯去年曾訪北平，有國際背景。倘戴高樂不以該陣綫為談判之對手方，由巴黎逕自指定若干「合作的」阿人以組阿地方政府；那真易如反掌，但不足以服大多數阿人之心。但如與民族解放陣綫談判，亞巴斯似不易改變其向所標榜之完全獨立之原則。據巴黎元月十八日電訊，戴高樂係採取與該陣綫談判之政策，而該陣綫之初步反應尚好；但即據此而抱樂觀，尚嫌過早。這是關係法國和歐洲的長期安危的，姑看戴高樂如何展開其次一步驟。

大陸文壇萬花筒

趙樸初的訪緬詩

——岳騫——

周恩來這一次到緬甸去進貢，共帶了八個代表團，其中有一個佛教代表團，團長是中共青海省副省長，佛教協會會長喜饒嘉錯，副團長是佛教協會副會長兼秘書長趙樸初。趙樸初並不是出家人，只是一個在家的居士，中共據有大陸之後，在各種宗教裏都找兩個敗類供驅使，如基督教找到吳耀宗，佛教就找到趙樸初，十年多趙樸初就在中共慫恿下，控制着整個大陸的佛門弟子。中共因為東南亞各國信佛教者多，常常派趙樸初出國訪問，進行國際統戰，他曾到過日本，印度，尼泊爾，至於緬甸這次是第三次了。

中國社會上流行一種習慣，越是有錢人越叫窮，越是窮人越充闊，此種現象不僅流行於舊社會，即中共統治下的新社會亦不免。就拿作詩來說，如毛澤東，朱德，林伯渠，陳毅之流，哪裏會作詩，假若他們安份守已，去胡謅些的哩嗎吗的東西，也就沒有人加以理會，偏偏他們要冒充內行，學作詩，於是就鬧出了許多笑話，不是偷來的就是鼓兒詞的調子。至於趙樸初之流，到真會作舊詩，他偏偏要趕時髦學作新詩，於是就變成了四不像，和陳毅的「我住江之頭」堪稱兩絕。

趙詩也有許多妙處，值得一提，開頭就是：「看哪！在『總理的率領下，有這許多行行的狀元，有這許多隊的人馬。有做詩的元帥，有唱歌的將軍，還有念經的老喇嘛。有的扮着心花怒放的喜劇，有的演着靈魂出竅的雜耍。」

這種詩通不通還在其次，最麻煩的還是難於索解，所謂行行的狀元，是指周恩來這次帶了許多「勞動模範」，「戰鬥英雄」，還有什麼「修路專家」，土法鍊鋼的「工程師」，這批人到緬甸去協助緬甸打中國的游擊隊，幫助緬甸去開工廠，修公路，宇努受了賄賂，以為中共割讓了這麼多的土地，又送了一筆龐大的貸款，宛如清朝在鴉片戰爭之後，向英國割地賠款的情形，周恩來又穿上緬甸的衣服，載歌載舞，大演其「文明戲」。他不知道這些「狀元」將來必然成為顛覆緬甸的火種，及至發現時就晚了。趙樸初也許覺得彼此都是佛門子弟，藉作詩透露一點眞消息，只不知宇努有沒有悟性了。

訂正

上期「香港與大陸」一文，內提及廣州現時流行之「糠餅」，誤植為「糖餅」，糠乃由穀皮研成之粉末，從前只是豬的食品，但今天糠餅已是廣州新食譜中的主要品了。

社會小說

香港地

木客著

譚福祿見梅大亮哭不成聲，也覺酸鼻，便道：「梅老兄，這時哭也沒用，只要人口安全，損失了財物也不打緊。我們還是繼續走路，趕快下去，給大嫂安慰安慰吧！」

梅大亮也不作什麼解釋，和他爬上前面的山，再拐兩個灣，便到了一個高坡，剛剛現出身子，立即聽得有人喊道：「梅太太別哭了，梅先生回來了！」

梅大亮一看，一班熟識的鄰戶都正聚集在這裏，男的女的老的少的，悽惶慘沮，當風露立，其中有好個婦人伴着他的渾家，圍坐在地上，他的渾家正在搥胸哭泣，大概是哭得聲都啞了，所以說不出什麼話來。

梅大亮來不及察看前面的火場，便即騰步上前，走到他渾家那裏去。這時梅太太剛正抬起頭，瞪眼望着他，也不知她是悲是喜，又是哇的一聲哭將起來，用沙啞的聲音說道：「你回來了嗎？好！你看，我們的家成了什麼樣子？」

梅大亮一搖心神，忍住眼淚，勸道：「算了吧！只要大家能夠趕得及逃走，也就好了，別哭壞了身子要緊。」說了，他便轉身朝向火場望去。只見他那間文山書屋早已燒光，連左近的住戶也一概化為火場，火仍然很燃烈，越燒越濶，最不好是風吹得很大，而且風向不定，一忽兒把火舉向東，一忽兒把火舉向西，火便似有腳一般會跳，一時引出無數的火頭，數也數不清，四下裡全多呼吸聲，哭泣聲，木屋倒塌聲，火燒竹木的爆烈聲。他愴然立在那觀看，不知該說些什麼，也不知該想些什麼。忽聽得有豬兒狂叫的聲音在他後面起來，這才使他吃了一驚，回頭急看。

原來那就是在他屋前養的幾頭大豬，給救了出來，放在離火場不遠的地方，因見風勢突轉，大火似乎繼續要掃向那裏去，才又轉移陣地，由幾個人協力扛移到這裏存放。這幾頭豬也似被嚇得失魂，叫得特別響亮。（九十八）

挨罵與我

汶津

我不知道天下有沒有患挨罵癖的仁兄。無聊的時候想想挨罵的經驗，倒也可以竊取一份「無心的微笑」。有些尖頭鰻罵起人來字字表現天才，彼時既已相形見絀；回憶起來，也只能讓你深一層的覺悟到自己是蠢貨一件。我這兒說的可是另一種：用字「古拙」或者罵來竟帶濃郁底人情味的。

有次我提醒自己幾年以前母親會罵我「死人」，我噗嗤的笑了出來——天下竟有這等生氣蓬勃的死人?!其實，知子莫若母：有時打牀上爬起來吸第一氣的時候，我就頓悟過「復活者何？」這種哲學上的大難題。

當然我不能昧着良心說我接受這兩個字時連嘴都不會嘟一嘟。巧在有一次我讀到文天祥的詩，短視的目光所及，不禁使我心花怒放，幾乎失口叫出媽來。那一句我依稀還記得，是：「人生自古誰無死！」不過，如果那幾句話兒晚幾年賞給我，我就會裝傻了：「媽，要我做詩人，將來養不起媽怎麼辦？」這原也是通俗的反攻戰略之一。

有回考試臨頭，難免伏案署作用功狀，詎料一位天才兒童奪門而入，戟指我額厲聲疾呼曰：「書呆子！」於是，面對頭痛的教科書，我真個發「呆」了。驚魂甫定，才想到這可不是天外飛來打瞌睡的好藉口！天曉得，那本書上厚厚的積塵，才被拭去不過十來分鐘呢！

中學時代，我很幸運受學校當局的青睞，作為四二制教學的試驗品之一，高中兩年中，得免理科之困擾，可是為恐前途無亮，仍勉強接受一位頗沾洋風的老師，攻讀解析幾何。這真是「時代考驗青年」！一次，我的作業簿上赫然出現一個洋字：「Poor!」乍看之下，莫知所云，總而啞然失笑，原來我所畫的橢圓形既不似鴨蛋，亦不似砲彈，而且大有在十二月寒風中瑟瑟發抖的情味，難怪蒙受那位恩師的青睞了。其實擴而大之，那四個字母對我自己來說，也似乎頗為傳神。尤其在與一位肌肉驚人的運動家相提並論時。

中國人素來注重溫柔敦厚，但「他媽的」也往往會出自所謂高級人士之口。這樣看來，眞個是世風不古。若干年前，有人賜我一字，使我百思不得其解。後來不知那裏學了點推理術，使我榮享了一份愛因斯坦發現相對論時的欣喜。又讀到報章「『土』大使……」一云云，才算疑團冰釋：原來名詞形容詞畢竟迥異！從此卻似獲得免疫出「洋」相的保證，十二萬分的感激那位舊相識。

「人們因為不愛聽惡消息，往往會連帶憎恨那報告惡消息的人。」莎士比亞這話，該是經驗之談吧。某次，一位同學闖入校室，不及待的告訴我說：「這回你落伍了！」我自然也是以前進自許的人物，怎受得了「落伍者」的奚落！「不遷怒」的古訓早拋到九霄雲外去了。正在怒目相向時，一紙成績單飄落面前，一個紅字刺入我的眼眶，天哪！我向他苦笑了。

另一位老友對罵人有票友式的研究。在他孜孜於其農藝實驗之餘，我也充當過好幾次前無古人的實驗品，（與免費模特兒的滋味畧異），好在都不負所望，順利完成使命。事後為了報知遇之恩，我還寫了一篇神龍型的文章，聊為唱和；且替我數以億計的紅血球稍盡國民外交之責。奈何其時我已被冠以「瘋子」之號於前，恐怕那一番心血也只能作廢了。

買屋記

程外

某天。我偶然看到鳥兒有一個窩。於是，我的靈機一動，也許是感情衝動，我也應該有一個屋子。（當然，我還有很多「應該有的」而沒有。）我雖沒有住在露天裏，但那屋子不是屬於我的，祇是讓我暫時遮蔽風雨的處所。我興起了買屋子這樣偉大的念頭，憑我這爬格子匠能嗎？豈不笑掉別人的大門牙。

本來，我租了鴿子籠般的屋子，每月租金三百元。照現在一般稿費的行情：一千字由二十元到六十元不等。平均計算，千字四十元。我每月必須爬八千個格子的稿費，才能付房租。那麼，照我最低的生活估計，每天平均爬一千五百字，並且要能順利賣掉。這可不是大米，家家非要不可。這只能賣給雜誌報紙。

說到這個問題嚴重了。你和誰一幫？像我這樣「死硬派」，對於吃喝嫖賭，既不隨和，也不應酬。那麼，你的貨色的銷路，就窄狹的很。比方說：我給某一家報紙副刊投稿，（後來才曉得是一位胖女人主編，年青時可能風騷一點。）最初，我連寫三篇，都徼倖的很快發表了。以後，一篇也不肯刊登了。經過好多時日，那位胖女人調開了，我再試投一篇，又發表了。好景不常，那胖東西再作馮婦，我的貨色又打道回衙了。難道我爬格子退步了？後來，據說她另有一幫人，並且還要為她的丈夫按日「割據」一塊八百字的「地盤」。假如不講人事關係，硬碰硬，就是莎士比亞生在這個文化圈子裏，也叫他一籌莫展；否則，請他老人家改行。

我既然做了買房屋的夢，至少也得策劃財源。策來劃去，還是一個爬格子的財源。這如何是好，我又不願意打退堂鼓。

有好心的朋友建議我：「請一個一萬元的會。」我記得家鄉那句老話：「寧做龜頭（老鴇），不做會頭。」我婉謝了。

借債買房子划不來，利錢負担不起。我也不是做房地產生意，更不想來個「時髦頑意」：倒會！名譽是人生第二生命，豈能隨便就喪失了！

左思右想，挖空了心思還是爬格子。此是我最大的財源，也是我最後的一着絕招了。據我多方打探房價，起碼，買一個小屋子，非三萬元不可。這我要爬多少格子！

我祇有求上帝賜我以靈感，文思滾滾而來，日試萬言，倚馬可待。禱告上蒼，我爬滿字的原稿紙，「紙貴洛陽」，這還不夠，還得日進「百金」，那麼，買屋子的計劃，三年才能兌現。還要三年屋價不漲。這比祈求上帝還難萬倍。因此，我這老牛破車的爬格子，那能追上物價？豈不痴人說夢。所喜，我是樂天派。於是，我先自我陶醉，做起屋主人的夢，過癮！然後，自我解嘲的說：

「有計劃總比沒有計劃好。」

閒話大王

・勞克・

大王眞多：什麼「豆腐大王」，「水餃大王」，「栗子大王」；最近新開張的舘子，門頭上粘着紅紙條：「牛肉大王」，「羊肉大王」。也許有一天，開撞球場的會貼個「撞球大王」。

我沒有考證過，大王起源於什麼時候。記得武俠小說書上，常常提到寨主，提到大王。那個大王是手握板刀，大眼睛珠，濃眉毛，滿嘴鬍鬚，身長八尺，腰粗如桶，還有那滿面橫肉，站在那裡，就有九分殺氣。

那個大王照例招兵買馬，以山作寨，凡官商經過必留下買路錢。殺人不眨眼睛皮，而且一吃酒時，豪放瘋狂，就是個江湖上英雄好漢。我們讀武俠小說的，雖然對這個大王，沒有好的評語，但也有幾分可愛處。

也許就是我們對大王有幾分可愛，弱者還存點可敬。文明時代，科學時代，沒有大王這個名稱，也不能佔山為寨，胡作妄為，但這些商人卻掛起大王牌子。

近來，我在小鄉鎮上看到「理髮大王」，「燒餅大王」，七十二行，行行出狀元，可是有一天七十二行中就有七十二行的大王。最近某議員選舉，我們發現有「大砲」，「原子砲」，可是就沒有「吹牛大王」，儘管那些助選員，拿着名片奔門走戶東拜託西拜託，陪着笑臉，不停的哈腰，握手。對這些人，我們也應該送個名字「助選大王」。

許是將來有一天，我們從街上走過，街頭上所掛的招牌，都是「××大王」。我們的商業社會成了「大王社會」。

徵稿小啟

有內容有意義之隨筆、散文、掌故、小說、雜感等類文字，本刊均所歡迎。請用有格稿紙繕寫，如需退還，請附信封及郵票。一千字或一千六百字左右的隨筆比較容易刊出，過長則以篇幅所限，請特別留意。

燕塵小識

霍光傳不可不讀

・無負生・

遜清末造，度支匱乏，大開捐納之門，以為籌款之計。於是紈袴少年，洋場巨富，爭先輸款，換取榮名，大約捐款一萬大洋上下，即可捐得「花翎二品銜，分省補用道」之崇階。等而下之，府廳州縣，價值以次遞減。至于從九品，未入流一類卑官，所費不過數百元，以致各省候補人員，良莠不齊，不成體統。外官固然如此，皇城圈裏，亦復笑柄流傳，奇聞迭出。白雲觀的老道，木廠子的掌櫃，都能交納內監，賣官鬻爵。孽海花第二十二回，描寫魚陽伯賄放上海道一段笑話，實有其人，實有其事（曾見光緒上諭）。仕途之冗濫至此，吏治之敗壞可知。事窮則變，所以到了光緒三十四年，清廷有旨命各省督撫甄別屬員，其有文理欠通者，勒令休致。此亦為光緒末年，大政之一端。

其時江蘇巡撫（駐蘇州）是湖南陳啓泰先生。陳大中丞翰林出身，由御史外放，歷府道臬藩，開府吳中。在當時疆吏之中，雖無赫赫之名，總是守正不阿一派。對於捐納人員，自有些微輕視。既奉整頓之論，自然遵旨而成，就在本年，蘇州舉行一次官員甄別，上有候補道府，下迄佐雜末僚，應命與試者若干人。當時看法，以為官樣文章，無非虛應故事。初不料陳大中丞博通經史，出語不凡。題目下來赫然是：「霍光傳不可不讀論。」捐納人員不能說必無博學能文之事，而大多是僅識之無，未嘗學問。此題字面並不艱深，而苦於不知出處。應試諸君大半草草成篇，交卷了事。不久出榜，取列一二三等者若干人。候補道浙人劉某榮膺冠軍。其餘四等四人，勒令休致回籍。此事在當時不過熱鬧一陣，事後早已無人憶及唯此「霍光傳不可不讀」一語，在我心目中五十年不忘。彼時我僅十三四歲，當然不知此語何來，其後十年，受業大庠，始從宋史寇準傳，查出此言來歷。茲先將寇準傳原文節錄于後：

初張詠在成都聞準入相，謂其僚屬曰：「寇公奇材，惜學術不足爾，及準出陝，詠適自成都還。準嚴供帳，大為具，待詠將去，準送之郊。問曰：何以教準？徐曰：霍光傳不可不讀也。準莫喻其意，歸取其傳讀之，至不學無術，笑曰：此張公謂我矣。」

（上）

釋耒集

原道明道與載道

自來文士論文，有原道、明道、及載道之說。原道說創自劉彥和，以爲前聖垂文，本原於道，而道則原于天地自然。繼又發爲徵聖宗經之論，以爲敷采摛文，必本諸經術，欲以矯六代文風之靡，然徵聖宗經，則託體彌尊，文儒仰止，未易躋攀，終不免託之空言，故綺麗之文，頹波日下，漸而至于文筆日繁，而其政日亂，及隋唐混一，改革之論以起，而韓昌黎倡言「文以明道」之旨，始覺壁壘旗鼓，爲之一新，蓋昌黎言道，切指事情，質而言之，曰「先王之教」，故曰：「其文詩書易春秋，其法禮樂刑政，其民士農工賈，其位君臣父子師友賓主昆弟夫婦，其服絲麻，其居宮室，其食粟米果蔬魚肉，其爲道易行，而其爲教易行也。」凡此所言，均六經之旨，仁義道德之教，孝弟忠信之德，兵農錢穀之政，或以至義夫節婦之常行，市井細民之憂樂，或則瑰奇絕特之山川，蕩意移情之風物，莫不可以收之入文，亦莫不足以闡發經傳之微旨，不必皆儼然危坐，學經師作莊語也。李漢氏序昌黎之文曰：「詭然而蛟龍翔，蔚然而虎鳳躍，鏘然而韶鈞鳴，日光玉潔，周情孔思，千態萬貌，卒澤於道德仁義，炳如也。洞視萬古，愍惻當世，遂大拯頹風，敎人自爲，時人始而驚，中而笑且排，先生益堅，終以翕然隨以定，嗚呼！先生於文，摧陷廓清之功，比於武事，可謂雄偉不常者矣。」實非阿諛之論，故彥和之書，雖體大思精，而涵蘊萬有，衣被後學，振導文風，終未若昌黎之雄傑者，亦不爲無故也。降及有宋，理學肇興，周子敦頤，創爲載道之說，曰：「文所以載也，輪轅飾而人弗庸，徒飾也。況虛車乎？文辭藝也，道德實也，……不知務道德，而第以文辭爲能者，藝焉而已。」將道與文析而爲二，又貶文辭爲末藝。而理學之儒，相高以講學，作爲講章語錄，使弟子相傳習，以繁瑣冗濫之口語，述曲折庸陋之陳言，故語錄興，則明道之文弊矣。明以八股取士，不工八股，不得成進士，其間文士，大率中年以後，始習作爲古文，固無由以至文章之極詣，爲文飾其淺易，乃競以追躡周秦兩漢爲能事，故前後七子之文，均周秦兩漢之芻狗也。清儒窮老盡氣，爲名物制度之考索，戴段錢王，均厭薄文辭之士，蓋經說尚樸質，而文辭貴優衍，其相詆娸，固不足異，故方苞姚範劉大櫆諸人，遂有所謂桐城義法之說，論者以爲桐城之義，不出程朱，桐城之法，則會歸有光；雖標舉韓歐，實亦囿於載道之說，比之摧陷廓清，稍有間矣。竊嘗思之，原道之說，弊在因襲，載道之說，弊在守殘，獨明道之說，適於通變，此昌黎韓氏之所以獨絕者也。

曲齋

集句聯

徐學慧

作壽聯或送新屋落成聯，總不外單說一些吉祥語。這種對聯，如非有深切交情，自不如以集句爲佳。因古人詩句現成，讀者早有印象，集而爲聯，大家都有會心，而言外之意，亦復不待解釋，達誠齋權稅海關，喜讀文字，頗通易學，有別墅在署旁，名靜芳園，自集一聯云：「閒坐小窗讀周易，每依南斗望京華。」一集宋詩，一集唐詩，用於此處，則主人的生活及其胸懷，都表現出來了。

劉金門自出塞至賜環，凡閱三載，歸後集杜句作聯云：「三年奔走空皮骨，萬古雲霄一羽毛。」所至皆懸於壁，見者無不稱其工妙。惟下句略嫌其誇，然由此以足見集句者胸懷。

萬廉山郡丞喜蓄奇石，大有米海岳之癖，嘗以峨眉積雪石，自鐫此四字，贈唐陶山方伯。方伯集句爲聯以謝之云：「何當報之青玉案，可以橫絕峨眉巔。」切人切事，殆絕對也。

余少曾營屋於山間，於其門前寫一集句聯云：「隨遇而安，因樹爲屋，會心不遠，開門見山。」又於其書齋寫一集句聯云：「天半朱霞，雲中白鶴；山間明月，江上清風。」此二聯皆充分表現作者隱居之意。山間明月，江上清風，乃東坡赤壁賦中語，用在此處，不煩解而自明。

張仲甫曾集一聯云：「陰陽風雨晦明，受之以節；夢幻露電泡影，作如是觀。」此則以經對經，而非集古人詩句者，亦自渾成可喜。

筆者曩在湖南參加妙高峯中學高中入學試，國文科試題中，有一題爲「萬物皆備於我」，須以四書成語屬對，當即對以「一介不取諸人」，頗覺得意。後入學，校長方克剛先生詢余是否知有此集句對，余答以實不知之，方先生乃大喜。始知集句爲聯，如屬天然渾成者，古人多已爲之，只以讀書過少，乃竟自鳴得意也。（下）

閒話梅花

漁翁

蘇東坡冬景詩，有曰：「一年好景君須記」，歲云暮矣，松竹梅經霜而傲雪，世稱歲寒三友，而梅尤具特殊性，羣花未開而獨占先，衆芳已落而獨在後，清瑩皎潔，不同凡卉，每爲騷人墨客吟咏之資料。王淇詩：「不受塵埃半點侵，竹籬茅舍自甘心」，盧梅坡詩：「梅須遜雪三分白，雪卻輸梅一段香」，而要以林和靖所詠：「疏影橫斜水清淺，暗香浮動月黃昏」之句，爲古今絕唱。說到梅花盛事，載在典籍者，委實不少，特舉數事，介紹於下面：

鄧尉梅：晉代刺史郁泰元，葬於鄧尉，即今之蘇州，遍植梅花於四週，當冬去春來，郁郁芬芳，足以游目騁懷，故有「公子清歌山頂[illegible]，傑人油壁樹間來」等句，以描寫鄧尉看梅之盛事。又有「雪花如掌重雲障，一絲春向寒中釀，春信微茫何處尋，昨宵吹到梅梢上，……」一首長歌，亦爲看梅而寫，因此，此地成爲詩人載歌載詠之樂園，令人讀之，莫不欲載酒而千里訪遊。

嶺南梅：大庾嶺，一名梅嶺，秦末，番君吳芮率衆從漢高爭天下，卒後，其將梅鋗受封臺侯，鎮此區，故以姓名嶺，鋗卒，副將庾勝代之，故又名庾嶺，在江西大庾縣南，與廣東南雄縣分界，當贛之要衝，嶺路峻阻，自唐代張九齡開鑿之後，遍植梅花於嶺上，嶺分南北，嶺南入廣東界，氣候較熱，所謂「十月先開嶺上梅」者，即指嶺南而言，因遊人欲先睹爲快，所以又稱之曰「嶺南梅」。嶺北較寒，待嶺南梅落，嶺北始見其開放。五代後，驛路荒廢，宋時蔡挺夾道植松，立關嶺上，曰「梅關」。北伐時，余曾一度過往，舉杯看梅，而梅漸落，得句云：「沽來菊酒變肩聳，踏破梅花一路香」，往事回溯，不禁感慨係之。

林逋梅：林字君復，結廬西湖之孤山，恬淡好古，不趨榮利，二十年足不及城市，工書畫，善爲詩，卒諡和靖先生。以性愛梅鶴，故於山上，盛植梅樹，又豢養白鶴以自娛，嘗泛舟遊西湖，客至縱鶴，即把棹而歸，山上有亭曰「放鶴」。生平不近女色，故終身不娶，人問之，笑曰：「余已有妻有子」，又問妻子何來，即指梅鶴以示之曰：「此梅妻鶴子也」。卒葬孤山，今林墓與鶴亭[illegible]林則徐撫浙時，題聯於亭，文曰：「我已家風負梅鶴，天教處士領湖山」，瀟洒自然，惟梅樹零落，不復昔日之郁郁矣。

梅花嶺：在江蘇江都縣廣儲門外，江都即揚州，明州守吳秀濬河積土而成，因樹以梅，故名。李自成作亂，史可法以大學士督師江北，駐揚州，清兵平李寇，進攻揚州，城陷而可法被害，臨危時，留下遺言：「我死當葬梅花嶺上」，揚民求屍首不得，遂遺囑葬袍笏於梅花嶺，在衣冠塚旁，建有專祠，後人稱之爲史閣部。

三十年前，余隨軍過江都，謁史閣部祠，祠外梅松交翠，霜雪不凋，寓世亂而見忠貞焉。祠內匾聯甚多琳瑯滿目，就中一聯：「數點梅花亡國淚，二分明月故臣心」，爲最有意義。撫今追昔，不勝愴然！乃感賦一絕云：「揚鞭策馬過江都，嶺上梅花近萬株，拜謁英雄千古墓，一回搔首一長吁！」

再說以梅名山者，在安徽廬江縣東南三十里，多有山梅，相傳即曹操行軍望梅止渴處。在舒城縣西南七十里，有一山洞，繞以梅花，名「梅仙洞」爲漢梅福棄官歸隱處。在河南新鄭縣西北，有梅遍山原，春秋時楚師侵鄭西北，右回梅山即此。在湖南新化者，曰上梅山，在安化者，曰下梅山，宋神宗時，章惇招降梅山峒蠻，即此地也。

又以梅名書者，宋黃大與所編「梅苑」，凡十卷，所錄皆詠梅之詞，起於唐代，止於南北宋之間。同時邵康節所作「梅花數」，依易理以斷吉凶，爲我國七種預言之一，至今猶流傳於民間。

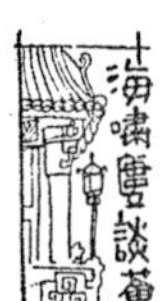

鎮嵩軍史話

諸葛文侯

前安徽省政府主席劉鎮華，以「鎮嵩軍」起家，迭領兵符，封圻主政，世人多視之爲北洋武夫，實則劉氏出身北京法政學校（後改爲國立法政專門學校），與前軍事委員會秘書長楊永泰有同學之雅。當年劉任皖省主席時，治績不佳，楊每迴護之。迨楊在鄂省主席任內被刺殞命，劉悲痛成疾，終致侘傺抑鬱而死，有由來也。

民國初元，陝西都督爲張鳳翽，劉氏任職都督府末秩僚屬，司案牘之勞，碌碌無所表現。既而張都督以所屬軍旅如陳樹藩等，多驕悍不聽節制，其他民軍如井勿幕等亦難以駕馭，而本身毫無實力，都督位置岌岌可危，急思建立私人武力以自保。斯時河南嵩山土匪憨玉崑，柴榮進等，擁衆數千，聲勢張甚，官軍莫能制，張都督乃密遣人員前往游說聯絡，擬予招撫入陝，編爲正規軍，各給官位，憨等欣然樂從。張都督旋派其參謀處長赴嵩山正式談判，以劉鎮華係河南人，命其隨往辦理文牘事項，兼與地方各界人士周旋接洽焉。劉隨參謀處長由西安出發，當時交通不便，旅途月餘間，參謀處長忽染疾逝世矣。劉氏一行到達洛陽後，電告張都督以前情，請示是否進行原定計劃，張復電飭其仍赴嵩山執行使命。

劉等至嵩山與諸綠林渠魁晤談，甚爲歡洽，劉雖係文人，且地位亦低，不足以當全權代表之任，但因其爲豫籍，憨玉崑等特示親善，信任在同行諸人之上。詎招撫工作尚未完成，而陝西張都督已受地方悍將咸脅去位矣。劉等祇得留住嵩山，與土匪沆瀣一氣，結盟合作。劉氏曾習法政，明白外間局勢及政情，諸匪酋更尊奉其爲梁山泊忠義堂中之宋大哥，對外皆由劉出面應付。經過半載後，劉氏回到西安，向當道報告嵩山匪軍情形。保證仍願受撫。維時陳樹藩軍力最強，與陝西民軍互相火併，繼任都督陸建章納陳氏議，委任劉鎮華爲「鎮嵩軍統領」，命其馳回嵩山，率領諸匪軍入陝，助陳抗禦民軍，嗣是劉以一介書生，風雲際會，蛻變爲綰領兵符之武將，連年參加陝西內戰，頗著戰績，軍力因而乘機擴充，最後取得陝西督軍職位，直至民國十五夏秋間，經馮玉祥圍攻數月後，乃率殘衆奔赴河南，向國民革命軍輸誠，仍任軍職如故，奉命在豫魯境內參加討唐（生智）與討閻馮諸役有功，所部改編爲國軍建制。民廿年劉出任安徽主席，所部由乃弟茂恩統率，隨劉入皖駐防。此爲劉鎮華之發迹史，而嵩山匪魁憨玉崑亦游任至正規軍之旅長及縱隊司令，唯柴榮進始終未顯露頭角也。

論關羽

‧謝　康‧

說起關羽的功過，秀俠先生認爲兩者都不小，尤其是和東吳鬧翻了，「破壞了蜀吳的邦交……結果，兵敗被殺，形勢反爲之一變。跟着劉備出師復仇，大軍覆沒，白帝城託孤，國勢由極盛而變成極弱，一落千丈。終使諸葛亮鞠躬盡瘁，也無從振起，此中根本所繫，就在關羽一人！」。秀俠先生接着說：「以恩若兄弟的劉關關係，再加以個性倔強，關羽的驕矜可以想見。諸葛亮爲大局籌謀，苦心策劃，不能不遷就關羽幾分。……從許多事實看，關羽對東吳有敵意，瞧不起孫權，曹操對關羽卻有一點感情，一點私交，曾經重加賞賜和優待，任他歸附劉備而不加以阻撓或傷害他。這點，恐怕也是關公並不怎樣恨曹操，反而覺孫權才是主敵的一種情感因素。……」

春秋責備賢者，秀俠先生對關公的責備，不能說完全沒有一點根據和理由。不過，按照當日的形勢看來，關公本身遭人暗算，功敗垂成。他自己固不能夠而且不應該背負完全責任的。我們對於關公也和對歷史上其他的民族英雄一樣，過度的讚揚，固然不必要；但是求全之毀，動輒要求一個人對歷史上的某一件大事負全責，而不注意考察當時的國內外形勢上各種客觀因素，也不仔細分析各種因素的力量是否比人強，而單獨責怪某一個人的措施不當，或態度不好，不夠運用之妙；就以爲他差了一着，全棋皆輸了，這種態度，我以爲十分要不得（三）

歷史人物

自由報
THE FREE NEWS
第一〇一期
中華民國僑務委員會頒發
台教新字第三二三號登記證
中華郵政台字第一二八二號執照
登記為第一類新聞紙類
（本刊逢星期三、六出版）
每份港幣壹角
台灣零售價新台幣弍元
社　長：雷嘯岑
督印人：黃行靈
社址：香港銅鑼灣高士威道二十號四樓
20 CAUSEWAY RD 3RD FL
HONG KONG
TEL. 771726　電報掛號．7191
承印者：田風印刷廠
地址：香港灣仔高士打道二二一號
台灣分社
台北市西寧南路壹壹零號二樓
電話：三〇三四六
台郵撥儲金戶九二五二

從甘迺廸登台展望世局（下）

·顧翊羣·

美國詩人前國會圖書館館長麥克勵許氏 MacLeish 去年底發表論文，謂當前人類之嚴重危機，不在共產主義或原子彈等等而在人類本身；科學發展對人類有益亦有害，要點在吾人方寸間之一念。麥氏謂如對美國任何學府提出原子彈若何改進問題，答案必為改進科學，與增加科學家；如提出非州問題，答案必為技術人員之對非洲協助；如提及蘇聯問題，答語則為斯諾爵士所高唱之蘇聯科學工程人員較美國者增加迅速。麥氏謂此等答案雖扼要而不夠深刻。蓋人類在科學所創造之世界中，雖易於樂生，但難於不死，廿世紀之人類儼然與小赫胥黎氏所著說一部「勇敢之新世界」中人相彷彿。麥氏謂在過去之傳統時代，人與世界之關係，曾充滿神性傳說 myth 與其意義者，在現代則為新的精確的客觀的無感情的觀察與分析所替代，世界依然存在，但吾人已不知何往矣。麥氏因之提出「非科學」之建議，即吾人不僅應從科學中，得到茲世上普遍與永恆之定律及方程式所給予之客觀的事實，而應對此事實有親切體驗之情感，使納粹式之屠殺與原子彈轟炸之意義得以顯現。易言之，即吾人須將藝術家與詩人對世界之看法，加在科學家對世界看法之上，亦即須恢復人情味，人類方可獲救。麥氏遂對詩與人生之關係大加發揮。

麥氏茲文發表前數日，詩人艾利奧特特 T.S. Eliot 亦撰一文，主張現代學子勿讀現代詩人（連同伊本人在內）之著作，而讀過去之古典詩，因唯有欣賞過去者方能了解現代，讀古典詩為學習英文文學之重要方法。

經濟學者華德女士 Barbara Ward 近亦撰一文，謂一國家在世界之聲望，不繫於武力與經濟之成就，而在於卓越之創造。華氏指出古代亞述，中古之蒙古，與本世紀之納粹德國，武力均異常巨大，然其對人類之重要性，則遠遜於雅典一小城。

本文著者列舉以上諸家論文之主旨，蓋實對甘氏行新政後之美國與世局有不安之觀念也。美國今日之智識分子，尤其甘迺廸總統所行將重用之智識分子，大多為自然主義實效主義科學主義世俗主義等等之信徒，而於無意中流露出人可替代上帝之思想。伊等蓋與羅斯福總統時之新政人物興趣相同，而不惜從事種種以社會為試驗室之新的嘗試者也。羅氏於一九三三年登台時，美國與全世界遭遇空前之通貨緊縮，物價暴跌，工農業生產驟減之情況，但當時蘇聯共黨亦毫無對外侵略之顯明的表現，而僅暗中從事工作，故羅氏得從容進行各種試驗性質而其後證明失敗之措施。甘氏當前之困難，與羅氏所遭遇之困難性質迥殊，但甘氏之若干顧問人員則對蘇共中共之新殖民主義，視若無睹，不加指斥，同時對蘇聯中共之各種計劃，以及尼赫魯狄多等人之社會主義中立政策，均願客觀的予以討論，而不就倫理道德觀點，予以批評指責，此吾人所不能了解者也。

此等人士雖自命為「科學的人文主義者 scientific humanist」，其實與孔子及柏拉圖以降之人文主義者有霄壤之別。質言之，則前者為倫理相對主義者，後者乃倫理普遍主義者，前者為達到目的不惜變更手段，後者則守死善道不以所欲害其生者也。美國學者如寇克麥佛等人，久對現代智識分子加以指斥，謂其應知悔改，因其領導民衆，走向賈可賓式之民主與富人政治，而與華盛頓哲佛孫林肯等思想不符。故伊等表面上雖號稱自由主義者，實際上則與美國傳統隔絕，然許萊辛格 Schlesinger 蓋爾勃萊斯 Galbraith 羅斯多 Rostow 等人，聲望仍蒸蒸日上。

哈佛大學神學與哲學教授狄立虛 Tillie 曾著「仁愛、權力、與正義 Love, Powre, and Justice」一書，發揮仁義與權力之關係，謂三者不宜偏重而應互相關連，從本體論上 Ontology 聯為一體。人與人之間，社會與社會之間，乃至人之存在之最後究竟，必須將斯三者聯合並論，方能得到答案。

吾人細察古代儒家敎義，謂王者仁義之兵無敵於天下，以及仲尼之門雖童子羞道桓文（霸者）之事，與狄氏議論相合，而嘆古今人之遠不相侔也。蓋際此科學技術日進千里之今日，智識即係權力，與仁義無涉。現代之政治學經濟學等社會科學為道德中性者，其實即權力之學耳。然今日之權力政治，隨原子彈製造程序之簡單化與其成本之減輕，以及多數殖民地之變為獨立國家，實已達到日暮途窮之階段。任何小國均識破諸大國之言行不符，而恣意敲詐，雖富如美國，亦難應無厭之求。為美國計：與其降低身分，受共產與中立國家之不斷的欺凌，毋寧高樹仁義之大纛，將敵我涇渭分清，運用其實力，聯合忠貞之盟友，與共產相周旋，則勝算仍有把握，第此恐非美國今日之智識分子所樂聞者耳。

中國當春秋以迄秦漢之交時，技術方面如醫藥農業冶金水利商業武器製造等等，組織方面如大兵團之管理，戰術戰略之運用，以及政治外交等等；造詣在西方希臘羅馬之上。學術思想之盛，在當時之中國與今日之世界相同。然春秋戰國時，各國當政者尚知尊師重道，行已有恥，對外交涉，一以詩禮為依歸。西方今日之議員部長與大使等，能精通詩敎者則如鳳毛麟角。甘氏所選拔之重要官吏，亦多為四十餘歲之技術人物，不足與談內聖外王之道。

吾人觀於周秦往事，自孔老而孟荀莊惠，而至儀秦非斯，學術思想已趨下游，最後則焚書坑儒，以吏為師，而直至漢代方始復興。現代之社會科學家亦重量不重質，重方法與技術不重道德，重組織與權力不重個人，安得不懷抱杞憂乎？西方之科學發達，道德下降，使人類失去自制與理性。縱使軍備減縮，原子戰不起，然各國內部革命，與互相殘殺，以及少數人憑借科學技術奴役剝削多數人，有如當前之共產國家之所為者，將用何法以制止乎？

甘迺廸氏雄才大略，禮賢下士，有類於我國之漢武帝，宋神宗。吾人對其所選拔之智識分子，技術專家，雖未能全部滿意，但對甘氏有宗敎信仰，具無畏精神，則寄以無窮之期望。際茲世界文明千鈞一髮不絕如縷之時會，深願甘氏以仁愛與正義為主，運用權力，使將共產主義制止，使人類恢復信心與理性，則吾人之杞憂，雖證實為錯誤，而吾人之歡欣鼓舞，將非文字所克形容於萬一者也。

張伯倫的雨傘，尼赫魯的帽子

小論天下

△美國與中共原定在華沙舉行的第一百零三次談判延期一月，美國擬使用壓力，要求釋放五名美俘。

乘「六億」人餓得要死，提出放還五個俘虜的要求。這敎我們認識人命價值的比例。

△大陸迭傳出「反饑餓」運動的呼聲，由東北，西北到粵閩各省均發生搶糧，焚倉，罷工，及罷課。

中共可能以製造虛偽的反饑餓運動而興起，亦以遭受真正的反饑餓運動而傾覆。大陸民變十變勢將蔓延，但必須與軍變連結，才會認真造成新的形勢。

△香港整個社會已為大陸全面空前糧荒所震驚，舊曆年關在即，救饑糧包大量湧入大陸。

台北民間對此事的關懷，是冷是熱，熱到什麼程度？

△倫敦電台廣播大陸糧荒，引述西方觀察家的懷疑：中共怎能在此種情況下還不垮台？英國「經濟學人」週報亦在此時著論，敦促美國甘迺廸政府引中共入聯合國，並促致台灣獨立。

中共還不垮台的原因很簡單，只因西方還流行着像「經濟學人」週刊所提出的見解。他們在以多種方法幫助這個殘酷政權生存下去。

△美國駐聯合國大使史蒂文生發表談話，透露他希望美國與中共打交道的口氣。共和黨參議員勃里奇予以斥責。美總統甘迺迪下令禁止各將領發表政策性演詞。

於是乎，史蒂文生之流的胡言亂說，乃獲「特許」了。

△英首相麥美倫訪巴黎，與法總統戴高樂密談大局七小時。

記得英前首相艾登近曾著文，對西方安全極表焦慮，並對安協主義，以及期待中共與蘇俄分裂的惰性思想，作沉痛指摘。麥美倫殆亦有同感乎？

△聯合國秘書長韓馬紹提議；寮國設聯合國政府，容許共黨入閣。英國方面盛傳：美國甘迺廸政府已與蘇俄暗中安協，使寮國中立。

美國共和黨議員有疑甘迺廸會與赫魯曉夫作「枱下交易」者，假如「秘密外交」由甘迺廸手上復活，這個「新境界」便太過可怕了！

南　方

自由談

文武之道

美國新任總統甘迺廸任命了一位大學教授為陸軍部長，這在美國原係「司空見慣」的事，鼎鼎大名的史汀生，亦作過羅斯福總統任內的陸軍部長哪！

部長是政務官，他的主要職責，在擬訂和執行軍國大計，關於純軍事的技術問題，有主管員司負責處理，並不需要部長多費心機。所以，大學教授担任軍事政首長，不特在美國是常事，即在任何國家亦毫不足奇的。

咱們中國在辛亥革命以前，重文輕武，凡統兵大員亦非文莫屬，如曾國藩，左宗棠、李鴻章等，皆以書生而總領師干，也曾立下了汗馬功勞。自民國肇造以後，一變而為重武輕文，政治拱在槍桿上，槍桿就是政權之所在，武人萬能，任何一種高級政務官，武人皆勝任愉快。迨國民政府成立後，各省的黨部首長，亦多由封疆的軍人兼任，偃文右武的風氣，視北洋軍閥時代更有甚焉。我認為這是最近五十年來國事蜩螗的基本因素，即神州陸沉之禍，亦導源於此也。

軍人應該研究政治，注意政治的利弊得失，却不可隨便干預政治，更不可胆大妄為，不知自量地隨便濫竽政界担當政務官職。這道理很簡單，政治問題極其複雜，需要高度的智慧和藝術來運用，纔可望行尚而往有功。軍人平日所受的軍事教育，比較單純，練兵專講控制服從，用兵但求打倒敵人，指揮軍事只是憑地圖和諜報為根據，而以命令行之，不許部下說二話，否則軍法從事，殺無赦！如果用這套觀念和方法臨民用民，肆應複雜萬分的政治問題，有不僨事害政，自誤誤國的嗎？

軍人萬能的惡習不滌除，所謂民主憲政之治，終歸是，我們湖南人流行的一句諺語：扯卵談！

馬五先生

美國政治趨向

甘克

美京通訊

一月十九日，記者因須赴華京訪友，趁便看看新總統就職時的熱鬧。紐約是漫天的風雪，偶經河邊馬路 Riversile Drive，一片蕭瑟，海港的怒濤與空中的雪花統治了這世界的第一都市。祇有自由神 Statue of Liberty 還是屹然的站着。

紐約車站的溫度是華氏二十二度，記者滿以爲華京一定溫暖些，但實況並不然，華京還是二十二度。半天的火車行程看不見溫度計上有何升降。這裏的擁擠情景是記者意料所及的：百萬人口的都市平添了數十萬的觀光客，如何不擠？要以「車如流水馬如龍」來形容，那是濫調廢話：爲實的話應是「車似蝸牛人似蟻」。儘管北風凜冽，雪花飛舞，凡爾農山 Maunt Vernon 華盛頓墓傍的櫻花毫無消息，總統府前的賓夕佛尼亞大馬路卻是「一番粧點一番新」，更是觀光客最感興趣，先睹爲快之地帶。旅館飯館雖不加價，都告客滿。商店門前都懸有各種慶祝總統就職的各色點綴。記者借住丑街友人的家中，加上一個行軍床，因爲向旅館找房間幾不可能。

總統就職典禮的莊嚴隆重和熱鬧，各報多以電報廣播電視傳達報道了，似可不贅。記者所要報道的是幾點綜合的觀察。

第一、由鬥爭到融和——這是美國近日的政治氣氛。三個月前民主共和兩黨正作劍拔弩張的競選，互爭攻擊，不遺餘力。可是自大選揭曉後，當選人儘量醫治這龍爭虎鬥的創痕，例如，訪問尼克森和胡佛，在就職演詞的第一句便說這不是黨的勝利，和拉攏共和黨的人才入閣。民主黨的政府中容二位共和黨員入閣並非創舉；一九三三年羅斯福的首屆政府便首先開例，史汀生任陸軍部長，諾克斯任海軍部長。但現在共和黨人所佔的兩席卻更重要得多：狄倫的財長，和麥克瑪納拉的國防部長，那國防部是綜管海陸空三個部的。另外還有一個規模很大的處，亦由共和黨人担任。似如此重要職務竟由非民主黨人担任，這已經是奇蹟；而民主黨內部並無怨言，任憑甘迺廸自由支配，這更是匪夷所思了。不過尼克森畢竟是道大莫容，現政府無法借重。在華京記者的社交集會中，紐約時報駐京第一號記者雷士敦曾談及這民主國家中，勝利者和失敗者的生活懸殊：尼克森倘若勝利了，則不僅爲一國之首領，亦爲自由世界之首領；失敗了，祇好去洛杉磯去當律師。他的結論是慨嘆這制度未免太酷。我把這話告訴一位頗明政治行情的中國朋友。這位朋友卻說這倒不算酷；要是在在中國，那競選失敗者恐怕隨即被「收拾」，決不任其重新佈置，準備四年後捲土重來的；因爲中國的政治哲學之代表，不是孔墨老莊申韓，而是王熙鳳的「不是東風壓倒西風，便是西風壓倒東風」。這位朋友繼續說，這種基本觀念不改變，儘管競選和投票，仍不會造成眞正的民主；因爲民主，尤其是美國的民主，所要求的不是如何如何澈底，而以「適可」「相持」爲巳足的。他又說，如果美國所採取是原則同乎中國歷史上的「英？」雄所說的「我不已甚」，他便已甚」；那就不會有今日的美國之一團和氣了。

第二、華京奔競之風——這卻說明了美國的月亮不比中國的爲圓。個別的情形筆難縷述，大抵讀過羅斯福時代的內政部長易克斯 H. L. Ickes 的秘密日記的人即不難想像其大概。易克斯在一九三三年三月十日寫下「歐文太太今日來電話，要來和我討論她所進行的內政部助理部長一職，但我約其過一再談。」三月十三日又寫下一段：「歐文太太來訪，暢談她的資格如何合於充內政部助理部長。我對此職並未作許可的表示，雖則她是一位動人的婦人：她要我早作決定：我告訴她這是重要事，須鄭重考慮。……後來她去見（羅斯福）總統，却說已和我談過，而且我已經答應她了。」這是美國的官場實況，現仍照常演出；因爲除部長閣員級職外，還有次要的政務性的職務數百由總統任命，很有歷史的，像羅斯福長公子曾任衆議員的，很想入閣而未如願。其他在競選上，應該論功行賞的還很多；民主黨內有一個非正式的小組可以向甘迺迪推薦人，但不一定完全生效。奔走者自然是各顯神通。

第三、「新境界」意味着改變嗎？——這是大家最關切的問題。照明瞭中國外交情形的中國人的觀測，美國的政策是不會變的，因爲一國有一國的歷史條件。倘令如此，則滿懷抱負的甘迺迪和魯斯克祇是爲着爭取選舉勝利而巳。如果眞正要變，則一九三三年羅斯福上台後百日內的新政立法便如雪片紛飛，甘迺迪應該毫不遲疑的幹去。事實上，兩者皆非。因爲今日美國內外之情勢，新任一接管機密以後，當知比那競選時所指摘的還要惡劣些。外交或軍事機密姑不論，即以黃金外流和空前的五百萬人失業兩大問題當前，已不是隨便一道命令，或僅顧及一方面的法案，便可收效的。這情景迥非一九三三年之比。因此新政府的態度是先應付目前緊急的問題，再作較劇烈的改變——這就是說，不是不變，亦不是即變。

香港與大陸

△香港各省人士接到家信，大部份說是缺油。據本報記者所知，湖南及廣東來的家信，說是半年來未曾吃過油的，共有好幾宗之多。

△廣東各縣配糧，每口每日最多的不過米八兩（如發番薯，照扣），小的僅二兩多些。

△香港金融界消息：中共因須向加拿大購糧，正在拋貨猛吸美元。一般人認爲：中共向澳洲向加拿大購糧，乃不得已之舉，且數量不多，大概是連軍隊及幹部亦嚴重缺糧，不得不急謀應付，防因軍中糧荒而發生大變。

△本報記者目擊：由中共派到香港表演之越劇團，在九龍普慶戲院煞科之一夕，全體劇員到高華宵夜，警衛森嚴，負責警戒人員對升降機乘客之上落，亦密切注意，務使其劇員與之隔離。劇員宵夜所吃，均爲窩麵。他們在香港吃得如此戰戰兢兢，仍擺不脫「飢餓的大陸」的影響。（春雷）

讀者投書

鐵路員工的申訴

編者先生：

我們是貴報的忠實讀者，素仰貴報言論公正，與論自由，爲高尙人士所愛讀，尤爲教育機關的正當刊物；茲有一事，敢借貴報之一角惠予刊登，則本路多數員工，均感激不盡矣。

我們是一群鐵路從業人員，素來安份工作，未敢非爲，近聞當局擬將台灣鐵路劃歸國營，我們歡欣極了，但是這歡喜爲台灣省少數議員所反對，不知道某議員所反對的理由什麼？是否爲了本身利益呢？就不得而知了。不過站在我們鐵路從業人員的立場，我們有許多苦衷如骨鯁在喉不得不傾訴，願爲社會人士所瞭解。

今天的台鐵，眞是百事待興，要改革的事太多了。關於員工待遇太低方面，省營事業不如國營，這是人人盡知的事實，鐵路是交通從業人員，但因受省府所轄，迄今仍未按交通從業人員送審，以致影響資歷吃虧甚大，其次編制尙未確定，前次省府通令仍要裁員一千八百人，致於員工宿舍，光復以來既未隨人員增加而興建，就是現居住宿舍員工，修理破漏，均感困難，現在省屬房貼月僅三四十元，比較國營五百元，相差至少十倍以上。由於員工待遇低，影響工作情緒，至於好人材，更不易招收，此次 CTC 號誌發生故障，技術人材缺乏，即爲明證。過去當局曾舉辦就業學生考試分發來路工作，由於待遇低，或經辦人事人員關門自守，分發所學非所用，均不久即往他處了。

鐵路交通猶如人之命脈，關係社會國家甚大，因此負担亦重，除負着人民的生命財產，需經常加強其設備舒適外；更有對各種免費減價負担，如軍人之搭車，軍品之運輸，學生公教票之減價，以及其他臨時招待運輸，年損數目可觀，以此重負，何能談到改革？現當局擬將軍運免費取銷，乃是賢明之措施。

鐵路既如此重要，省府力量是所不及的，例如去年發生「八七」水災，路線沖斷，南北交通受阻，影響民生，物價飛漲，若非總統蔣公頒佈緊急命令，搶救災黎，派兵工及飛機協助，並與災區房舍，民生安定，何至於有今天之情形？今後路政待興事項繁多，如北市交通的改道，南迴鐵路興建，中央號誌之添置或中部之變軌鋪設，行車電氣化之實施，無一不需要中央財力或美援之補助。國父說：「凡有獨佔事業，非地方財力能經營者，應由國營，如鐵路交通」。吾國實行三民主義，遵奉國父遺教，將鐵路劃歸國營乃是合法理合情的事，亦爲特多數人之期望，決非少數一二議員爲私人利益而反對，所可比擬的。甚望當局闡明國策及需要劃歸國營。否則亦應按國營交通從業人員的待遇與辦法去改進實施，方不致於有誤，員工幸甚，地方幸甚，國家幸甚。

一羣鐵路員工敬上

編者按：本函共有五人簽名，特遵囑不予發表姓名。所應聲明者，即任何讀者投書，並不代表本報之正式意見。

大陸文壇萬花筒

史料與史學的辯論

——騫岳——

最近中共廣東省史學會召開年會，會中提出了史學和史料問題的辯論。

一部份人認爲史料是客觀眞實的反映，中國歷史雖然是封建統治時代修成的，但是也同樣記載農民的史實例如史記就記載陳勝，吳廣，資治通鑑也敘述黃巢的事，所以史料本身仍有它的價值。

另一部份人持相反的意見，以爲在階級社會裏，人是有階級性的，這樣由人寫出來的歷史著作和歷史資料，都必然要刻上階級的烙印，如資治通鑑是爲皇帝「資治」而寫的。所以本質上仍然是反動的。

除去以上兩派爭執之外，還有第三種意見，以爲史料固然有用，但史料萬不能和觀點對立起來，必須由觀點統率史料，不能讓史料改變觀點。換句話說，有利於共黨的史料可以保存，甚至可以僞造，不利於共黨的史料，無論如何眞實也必須毀滅。

這三種論點，第一類還是內行人士的話，其實中國歷史學者修史的最大目標就是存眞，何嘗想到什麼封建，農民起義這些名詞上去。第二類的人根本就不懂得歷史，甚至把資治通鑑的「資治」兩個字也提出來挑毛病，他們不知道資治通鑑名字是神宗起的，根本和司馬溫公無關。

至於第三類意見，目前共區史學界最爲流行，早幾年華崗曾發現毛澤東領導五四運動的新歷史資料，最近兩年郭沫若，翦伯贊之流又替殷紂王、武則天、曹操、朱溫等人翻案的事也就是在僞造歷史，不過這種手法只能博取一時的虛譽，禁不住眞正的歷史學者提出反駁，馬上就烟消雲散，到現在沒人再提爲古人翻案的事了。

中共史學界最近相當沉默，基本原因是有意見的人不敢提出來，想寫文章的人又空空如也，根本寫不出東西，於是整個史學界變成了一灘死水，負責領導歷史學者的人，如郭沫若之流，也只能去古巴跑碼頭了。

少女跳出火坑 老板控告詐欺

台北通訊

一位弱女爲了祖母的病，而出去受人蹂躪，賺錢爲祖母治病。事後受不了人間的欺淩，而逃出火坑，老闆不甘，控告詐欺。主角是住在台北市的一位十七歲的少女，家貧，又加弟妹衆多，一家八口，全靠其父做工維持生活，四十八年十月間，因其祖母罹病，無錢醫治，這位少女由其媽媽楊氏帶至台中，把女兒押給連笑女經營之龍鳳公共食堂，楊女被押是以一萬元的債爲質，楊女被鴇母逼着當酒女，並兼淫業。一年來楊女作這地上酒家兼私娼館的特種營業站，受不了此種不幸，以吃拜拜爲由，因而出走，逃出火坑。事後連笑女認爲楊女搖錢樹一去不返，似有詐欺，告到法院。

這個不幸的少女，事因不在他本身，她的母規應負其責，早知有此不幸，也不應拿一萬元作押質，人，沒有不能解決的困難，一切均事在人爲。何必把女兒送去酒家兼營淫業呢？固然其動機是在救祖母之病，而白白地摧毀了一個妙齡少女的錦繡前程，也眞是太殘忍了。

社會小說

香港地

木客著

看着這幾頭豬，再看看他的渾家，梅大亮正在想說些什麼，一個鄰居婦人對他說道：「如果不是梅太太特別出力，怕這幾頭豬都救不出來呢！就是爲了這原因，你們家裡的東西便搶救得很少，大半留在屋裡燒光，但這也好。我們救出來的東西，有什麼比這幾頭豬更値錢？」

梅大亮聽了，點點頭，他深知他渾家的性格就是這樣，最能急人之急，每每先顧別人，才顧自己。這幾頭豬獲得優先搶救的便利，看來也是應該的。

他聽那幾頭豬叫得乙乙連聲，發出悲慘的哀鳴，和人們哭叫的聲音混和着，便不禁搖搖頭，再看附近地上，都是衣物狼藉，看雖沒什麼値錢的東西，也知是隣居們費了九牛二虎之力，才搶救得出的僅餘資産了。他便順口問那婦人損失重不重。那婦人指着遠處一堆雜亂的舊物，苦笑道：「那裏最重要的就是一個木盆，一張棉被，和幾件爛衫，連昨天買的幾斤米也救不出來，還有什麼好說？」

梅大亮聽得慘然，那婦人却道：「這也算了吧！我們大家都慘了，只有一件事還好。梅太太能救出來，大家都覺得很安心，剛才她瘋了似的搶救東西，最是危險，不是大家把她從火屋裏面拉回來，說不定她已葬身火坑，你這時也難和她見面了。」

梅大亮歎一口氣，回頭看他渾家，見仍有一大羣婦人簇擁着她，其中當然少不了向她租地養豬的劉大嬸。這一羣婦人因爲對她太過關心了，倒忘記了她們本身的損失，向她撫慰備至，這時她也不哭了，只垂頭在那裏呆想。

梅大亮暫時不敢驚動她，再轉身望着火場，心裡想道：「這叫做患難見眞情，渾家平時熱情待人的好處，如今着出頭了。她們都是窮人，這一場火，使這些窮人弄得窮到無可再窮，正唯如此，她們這點情份却是純眞的。也罷！我這所房子完是完了，能夠看得出這一點也算不無安慰，留得青山在，不怕沒柴燒，留得人情在，更是要緊呢！」

（九十九）

雜談書法

陸權

書法爲我國眞正的美術，晝次之，看來很輕巧平淡，但有孜孜不息，研究了幾十年，仍不能達到者，如曾國藩以文章傳而書法不傳，何紹基以書法傳而文章默默無聞，若論曾國藩的工夫，並不弱於何紹基，他在軍書旁午，槍林彈雨中，猶規定每天寫大楷數百，無日間斷，又何以不會自成一家呢？就因爲他始終不能專一而已，所以書法一道，並沒有什麼秘訣，很簡單的一句話，能認定一碑一帖臨摹不輟，久而久之，和原帖本來面目，變了式樣，即董其昌所說「初與古人合，漸與古人離」，就是「脫胎」二字的意思，則書法之道，已升堂而入室，如劉石菴、錢南國、何紹基、翁同龢，俱以顏平原爲宗，結果，各成一家，各不相同，都到了「脫胎」的一步，話雖如此，到達脫胎地步，談何容易，非放下二三十年功夫莫辦，茲姑舉書法中各要點，拉雜分別寫出於後。

一、讀書必先讀經，書法亦然，應先從篆隸兩者入手，因爲篆文的劃平豎直，和隸書的一鈎一捺，就是學習用筆，所謂筆法代有不同，用筆千古不易，先小篆，次大篆，再次則漢碑，學習時期，每種少則半年，多則一載，以能得其神似，再選擇一家，悉心臨摹。

二、臨摹碑帖，旨在揣摩古人筆意，在神不在貌，在骨不在表，況古碑古帖年久代遠，石刻剝蝕，勒而又勒，面目全非，如顏魯公眞蹟，絕不如今日一般的肥胖如潴者，於此可見。

三、臨帖時，必將本子豎頂面對，切勿平置於旁，因豎直了等於懸掛，以後自已所寫的字，亦能懸掛，如放在一旁，視線歪斜，且不方便。

四、古人作書稱圓腕，後人作書爲懸腕，圓腕是運全身全臂力量作勢，不靠手指之功，故在明清以前的大書家，但論筆力，不尙間架和功夫，如黃山谷的大字，劈如刀，直如鋼條，若論間架，則一無可取，蘇東坡在三十左右，名已大噪，若論功夫，充其量，不過三十年，後人就專論功夫，所以書法的範圍愈嚴，而魄力愈小，我國近數百年，無大書家產生，也就是這個道理。（圓腕懸與腕，容提出另文再述之）

五、怎樣可以稱大書家，如唐之歐、顏、宋之蘇、黃等，各成一派，絕不雷同，怎樣謂之書家，如清之劉（石菴）、錢（南園）、何（紹基）、翁（同龢），雖能各成一家，脫胎於顏，但依舊沒有跳出顏的藩籬。

六、爲古今書法之冠的王羲之，妙在每篇形體不同，每筆沒有失着，集篆隸精華之大成，而且變化無窮，可謂獨步今古，自羲之以後，任何人皆以羲之爲依歸，雖能得他一分之長，即可成爲大書家，決非虛談，例如，歐陽詢得其骨，顏魯公得其神，黃山谷得其力，趙子昂得其肉，否則就得他區區皮毛，亦足以傲視一切的。

七、書法既以筆力爲前提，還不過是硬功，久後又須講軟，以硬中帶軟，軟中有硬，剛柔相濟，方稱上乘，若剛中無柔，仍是死筆，還有什麼可貴，正如人死則硬，活人則軟，死蛇即僵，活蛇即軟，一樣的道理。又如工筆畫中的許多線條，和佛像上面一個圓圈，是從鐵綫篆歷練出來的，爲什麼不使用帶達尺和圓規呢，就因爲一則活筆，一則死筆。

八、寫篆字能如棉裏針，寫隸書能劈劃如截，楷書能越寫越快，草書能越寫越慢，如果到了這種地步，書法程度，已窺見了堂奧，不難入室了。

九、學草必先研究各種篆體，因草書的出處，都是根據篆文變化而來，王羲之的草書，愈變愈奇，一個字能變成很多種的草寫，沒一個沒有來歷，決不是捏造或杜撰的。

十、寫匾額的字體，宜下部稍寬，因匾額在懸掛時，上端聳出，而下面縮進的關係。

梨園漫談

鬚生與老生

瘦西湖

生之種類，約分九種之多，如鬚生、老生、武老生、紅生、武生、唱工小生、雉尾生、扇子生，窮生等等之名稱。

何謂鬚生，鬚生者，係屬於眞正唱功方面的，鬚生與老生稍有不同之處，其必須要具備鐵嗓鋼喉般的本錢，以及字正腔圓，百唱不壞的根基，具有這種功夫，應從幼時進科就要練起，能養成金剛不壞之身，更爲上佳，被人稱爲老生者，則不然，一班人僅注意其作派，而唱的方面雖亦望能合乎工整，但只要作派大路，扮像淸秀，台步穩熟，加之身上水袖等瀟灑不落俗套，決不像鬚生一般被人要求苛嚴也。

往年北平聽戲的人，都自帶鼓板，台上鬚生唱時如稍有差錯，其人必起立將板高舉過頂，拍拍亂敲，表示這鬚生已有慌腔脫板之處，被敲的伶人，若見到台下有這種情形，無不是臉紅耳赤，心慌意亂的。

所以，當年北平人不稱看戲，而稱聽戲是有道理在也。

眞正被人稱爲鬚生者，如已故之伶人譚鑫培，余叔岩，劉鴻聲，高慶奎，言菊朋等數人，目前伶人中具此工夫者，應推孟小冬，譚富英，楊寶森，馬連良，宋寶羅，奚嘯伯，貫大元等，孟小冬是余叔岩的得意傳人，其能戲之多、韻味之佳，較譚、楊、馬、宋、奚、貫等尤有過之，故而孟小冬在梨園界有伶王之稱，得來實非僥倖所致。

譚富英的鬚生能戲，如「珠沙痣」、「桑園會」、「二進宮等，除伶王孟小冬堪與匹敵外，餘皆非其對手，馬連良的鬚生戲重於二簧，其拿手劇爲「串龍珠」、「借東風」、「蘇武牧羊」、其餘如「十老安劉」、「失印救火」、「御碑亭」等，演來亦非他人所及，不過馬有一門生，已盡得其眞髓，唱來馬味十足，很受人聽，此人名叫馬盛龍，原是票友下海，半路出家，在上海開有古董店，其人不但生得俊逸非凡，扮起戲來身段之美，在現有伶人中，尙無人能駕其右。

台灣的鬚生戲，應推軍中伶人胡少安、哈元章、周正榮，這三人的戲，各有各的好處，但嚴格的來說，三人應均爲文武老生，因其戲路與眞正鬚生尙稍有出入，如胡少安之「打金磚」、「三家店」、「定軍山」等，還不單要在唱上有功夫，且做表亦須老到穩練，沒有武功根基，實不易爲也，胡前在寶島有警報老生之號，現已接受他人建議，改進良多，如胡君對唱上的功夫，再加精研一番，來日當不難列入鬚生之林耳。

懺悔

北一女　吳姍

巧合，它會給予我歡樂，但今天——一月十一日司法節我竟然給記了一個小課，不能說不是上天有意的安排吧！它帶給我煩惱，憂慮，但我並不巧辯，因爲我是犯了校規該當受罰的，唯一使我感到痛心的是如何對得起我的班導師。

我們班上在校中亦頗有小名，然而並非是成績，操行的優越領先，而是犯規的領頭，導師雖然是苦口婆心，諄諄教誨，耳提面命，但同學却仍是依然故我，悠悠忽忽，自暴自棄。

老師！我無顏對您訴說我的心情，只好藉文字來表達我的心念，我，您不肖的弟子，又連累了您，拙於言詞的我不知該如何向您懺悔。不易落淚的我也不竟腸斷魂銷，淚水湧出了眼眶，我愧疚，憂戚，因爲您爲我們犧牲太大了，您戴月披星的手足重繭，但仍難換出我們的心，我們這一群無知無識愚昧的女孩經常以不經心的事實及語言刺痛了您，但您仍憑着艱苦卓絕的精神奮鬥，如今我要跪在您的面前從心底吐出最坦誠的心語，我願意接受任何的懲罰譴責，只要您能寬恕我，往昔與今日的一切過錯。

絕望，空洞，迷惘，充塞了我的心竅，經此一擊，我已心神交瘁，無法支持，太陽下山，明日又將升上來，雖然創痕依舊，但大自然啓示了我，激起了我，抬起頭，望著無語蒼穹，心境頓時開朗，自問「這一點的小錯折，就使你跌倒了嗎？」不，我爬起了，勇氣又增，那創痕將會被那未來的人生掩飾，塗滿，以至於消失。

寫於一九六一年一月十一日，司法節夜

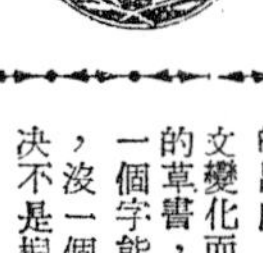

燕塵小識

霍光傳不可不讀

無貝生

經史子集，汗牛充棟，可取以試士發問者更不知凡幾，以觀陳大中丞何以獨取斯言，以題多士，一時論者，已知其借題發揮，意在暗刺袁世凱。考袁氏進身不由科舉。逞其權謀術數，歷甲午、戊戌、庚子諸役，一帆風順，驟致通顯，外而督撫直督，內而外尙軍機。升擢之速，倚畀之隆，一時無兩，而其人擁兵自重，氣焰薰天，畢竟是不學無術之輩（註一）。當其以直督入覲，竟敢以所練新軍，在頤和園中佈哨，蜀人高樹「金鑾瑣記」有詩詠之云！

衛士持鎗似虎熊，桓溫入覲氣何雄。玻璃窗內頻窺望，暗暗心憂兩相公。（註：項城在湖閣入覲，衛士虎頭貂尾，如虎如熊。有桓溫入覲之概。王瞿兩個相國在玻璃窗內觀之，觀後凭几而坐，默然不言者良久。）

如猊蹋從劍光寒，內監驚疑佇足看。裝飾猙獰誰不畏，滿身都畫虎皮斑。（註：項城荷鎗衛士，以黃布裹頭至足，畫虎豹頭虎豹斑，王公大臣驟見之皆辟易。宮監亦却立呆看。查東西洋無此軍服，惟中國戲場有之。項城入京城以此示威，可謂妙想。）

怒馬衛鋒孰敢當。舍人奔避入朝房。偏言海外眞天子，內監諷言亦太狂。（註：西苑當直下班，項城衛士驅逐行人。山人與徐博泉奔入朝房。行道者搖首曰，太凶猛。有一魁梧內監高聲囑于道曰，難道袁某非海外眞天子耶？無人與辯。京中非海外之比，且在宮門口，何得如此。此即清室禪位之影響，洪憲皇帝之先聲。）

權臣耀武，直逼宮廷，比之桓溫入覲，未爲過當。彼時如有敢言御史以大不敬之罪劾之，恐世凱之罷斥，不俟載灃監國年。惜乎竟無其人也。世凱之飛揚跋扈，在當時之所謂賢士大夫，直視之爲莽卓復生（註二），則以陳大中丞之恂恂儒雅，於命題課試之間，一抒其忿懣難平之隱，亦足窺前輩之風度矣。

（註一）世凱官外務部尙書時，嘗與駐京各國公使晤談，一次偶然談到張之洞，袁笑曰：張中堂是研究學問的，辦事也講學問。我則只在事情辦好，不拘於此的。辜湯生聞之笑曰：天下事除挑糞夫外，不知何有何事，不須學問。

（註二）光緒三十三年粱鼎芬以湖北臬司，入京陛見。召對時，奏言世凱有王莽曹操之才，而無王莽曹操之學，請早予罷斥，以免遺害社稷蒼生。廷旨以有意沽名斥之。（完）

釋耒集

文章之變

論語孔子曰：「如有用我者，吾其爲東周乎！」史稱仲尼「祖述堯舜，憲章文武。」然若使之爲政，則必爲東周者，蓋後王之跡。緐然，稽古無徵，則不取於杞與宋也。因天下無不變之政，故匡衡曰：「五帝不同禮，三王各異致，民俗殊務，所過之時異也。」余以爲文章之道，亦莫不然，昔袁小修花雪賦引有云：「天下無百年不變之文章，有作始自有末流，有末流還有作始，其變也若皆有氣行乎其間，創爲變者與受變者皆不及知，是故性情之發，無所不吐，其勢必互異而趨俚，趨於俚又將變矣，作者始不得不以法律救性情之窮。法律之持，無所不束，其勢必互同而趨浮，趨於浮又變矣。作者始不得不以性情救法律之窮，夫昔之繁蕪，有持法律者救之，今之剽竊，又將有主性情者救之矣，此必變之勢也。」文章原于性情之哀樂，無性情是無文章也，故易傳曰：「聖人之情見乎辭」，孟子曰：「讀其書不知其人可乎？」若其辭不足見乎性情，是讀其書亦無由以知其人，則孟子之所謂不可者也。然性情之發，無所不吐，無法律以持救之，則必流蕩而不返，欲文章之不趨于鄙俚凡俗，不可得也。故墨子曰：「凡出言談，由文學之爲道也，則不可而不先立義法。」太史公，千古文章之雄，撰史記以承孔子之作春秋自任，則其屬詞比事之不苟可知矣，所爲十二諸侯年表序曰：「是以孔子明王道，干七十餘君，莫能用，故西觀周室，論史記舊聞，興于魯而次春秋，上紀隱，下至哀之獲麟，約其辭文，去其煩重，以制義法，王道備，人事浹。」孔子筆削，游夏之徒不能贊一詞，太史公雖史家，其文章橫絕千古，則其約辭去煩，宗春秋義法之效也。然使無司馬遷之弘識孤懷，而又心有所鬱結，則其文章成就之高，未必至於如是，無疑也。劉嘗論之：文辭之士，興於屈宋，至東京則楚艷漢侈之弊已形，故矯之而爲建安，建安至于齊梁，風骨頹靡，形貌僅存，遂再變而至於唐宋；有明前後七子，句摹字擬，求似而不求通；其弊又彌甚，最後遂變而至于公安、竟陵；又復轉而入于歸方；代各有法律，以謂必法必嚴，而道始尊，則性情必日以汨沒，必至于枯木寒鴉然後止，此蓋不足以語于通變之道也。劉彥和曰：「參伍因革，通變之數也，是以規略文統，宜宏大體，先博覽以精閱，總綱紀而攝契，然後拓衢路，置關鍵，長轡遠馭，從容按節，憑情以會通，負氣以適變，采如宛虹之奮鬐，光若長離之振翼，迺穎脫之文矣，若乃齷齪於偏解，矜激乎一致，此庭間之迴驟，豈萬里之逸步哉。」信乎爲不刊之論矣。

曲齋

生活之藝術

徐學慧

時令已是「大雪」，香港的天氣，卻很有點像江南的春天呢！在香港，最好的季節，大概就在是這個時候，藍天白雲，眞正可以說得上是天高氣爽，而其最妙者，乃是在同一個時候，可以看到江南或北地的四季時光，雖則在我們的情緒上不免有些紊亂，但無論如何，賞心悅目，亦至足怡人。

幾乎是在一個多月前，桃花已開放了，連杜鵑花也早在兩三個禮拜前就開放了呢！在江南，這都是春天的花朶，桃花約在二月，杜鵑花尚須到暮春三月，而現在，僅只是到陽曆的十月或十一月之間就開放了，說起來，倒也眞是太雜亂了些。

如果不是幾千年來的詩歌，束限了花開花落的季節，我可以相信，我們對於花開花落是不會有這樣敏感的。這一個問題，如果要細說，可就牽涉甚多了。我們這個國家的歷史是這麼長久，過去的文人們詩人們又喜歡把我們周圍的一切點綴得很富有藝術，我們的祖先在這種藝術氣氛中生活過來，而我們也就從祖先們那裏承受了這種品質，這不是隨便可以改變的。就拿杜鵑花來說吧！如果說僅只是欣賞這一朶小小的紅花，倒也不値得怎樣讚美了，問題卻在我們一看到杜鵑花，就連想到杜鵑啼血的故事，而杜鵑鳥也要在三四月之間才出現呢！讀者諸君之中，縱有未去過江南者，當亦可以想象到，在暮春三月的時候，杜鵑花開遍山頭，杜鵑鳥啼於林際，此情此景，簡直是太美了。

一花一鳥之微，都牽涉到歷史和文化，這就是爲什麼我們的五千年文化可以値得驕傲。談到生活之藝術，中國人可以自誇於天下，我們這個民族，是情與理已經交融了的。換句話說，只有中國人才懂得什麼是天人合一，物理合一。

鬍鬚小語

介人

關於鬍鬚之類，在中國字裡有許多分別，曰鬍，曰鬚，曰髭，曰髯，如且不管這些分別，這裡所說的鬍子，總之是指的鼻子底下，嘴唇上邊的那兩撇小東西。

有的人喜歡留鬍子，有的人憎恨它，兩天刮一次，甚或每天刮一次。愛如珍寶，棄如敝屣，世間多少事，均作如是觀。關雲長睡時，把鬚套在袋子裡，張華好用帛綿纏鬚。因之，古人對於鬍鬚也有不同的估價，華洪史悟崗，他是反鬍鬚論的，作了一闋「剃鬚詞」。桃源華辟懷，以其鬍鬚遲遲不生，也作了一闋「乞鬚詞」。明人葉舟的「諧叢」說：葉月潭的鬍鬚初白，有人對他說：「尊鬍有一兩根報信。」月潭就在底袖中掏出一個夾子，拔去一兩根白鬍，曰：「報信者一錢（鉗）。」這一段明人的江盈科「雪濤諧史」也載及，只是末後那句「報信者一錢」之後，有「此語蓋里子中尋人招子（案）：「招子」即今日之賞格，（鉗與「錢」同意也，借用之甚當。」

「雪濤外史」又有一段鬍鬚與豹牙的趣事。據說，李源楚牙白面麻而多鬍鬚，曹前陽御史則口歪牙豹。會出對嘲李曰：「麻面鬍鬚，如羊肚石倒栽蒲草。」李對曰：「豹牙歪嘴，像螺亮杯斜嵌蚌珠。」

淸乾隆年間的陳句山太振，善八股文，年六十，鬍鬚還是黑的，沒有一根白色，裘日修戲之曰：「若以年歲而論公之鬚，可謂抱不白之寃矣。」

明朝末年，松江富豪顧威明最愛聽戲，一日，家中演戲，有名旦杜麗娟者，顧威明一定要他把鬍鬚剃淸，小旦曰：「可以照辦，但俗語說得好，去鬚一條，償米七石，官人如不吝惜，某敢不如命。」顧大笑，即命家人從旁細數，計剃去四十四莖，立取白米三百石送到小旦家裏，這可說是最貴的鬍鬚價了。

一百年前，北京四喜班名小生陳雙，年已四十餘，將留鬚（我國習俗，男子在二十歲以後留鬍，故以「鬍眉」稱男子之美）班主不肯，只以增加他的包銀，陳遂不留。

至於近人有關於鬍鬚的諧趣，莫過於章太炎先生的缺德。伍廷芳博士因隨孫總理受陳炯明之叛變威脅，蒙難於永豐艦，伍以爲國憂勤，心力交瘁，一夜之間，鬍鬚盡白，且因此抱病。其時伍廷芳之子伍朝樞，亦追隨在側。

有一天伍朝樞晤及章太炎，談及伍博士，夜鬚眉盡白，可說是奇蹟。章笑說：「此君家祖傳，又何足怪？令先祖伍員過昭關，亦復如是！」朝樞亦大笑，繼說：「家君曾預立遺囑，說是死後當用火葬，吾國向無此俗，先君殆首爲之倡。」章說：「不然，水滸傳上的武大郎，何嘗不是火葬。」朝樞嘿然，深感太炎先生出語之刻薄。及伍博士死，章忽憶及舊事，立取箋書一輓聯派人送與朝樞。聯云：

「一夜變鬚眉，難得東皐公仗義；
片時焚骨殖，不用西門慶化錢。」

這是取材於伍子胥過昭關的鬚髮盡白，及武大郎火葬二典實，可說極盡其挖苦之能事，伍朝樞收得此聯以後，實爲之啼笑皆非。

新官僚現形記

諸葛文侯

舊時政治上的官僚人物，多半都讀過一些線裝書，平日對人接物的態度，雖不免官派官腔，俗氣薰人，但其外爍的意識形態，尚不十分醜陋惡劣。唯有現代的一般新官僚份子，斗大中國字認識不了幾個，文不能等因奉此，武不會立正稍息，而其立身行已的風格，却下賤到了極點，說來令人作嘔。試舉一端，以概其餘云爾。

對日抗戰期間，軍事委員長侍從室，每星期舉行一次會報式的座談會，研究一般實際政治問題，及其得失利弊之所在，俾資興革。參加座談的人，都是在各方面負專責的幹部同志。某次座談會是由陳布雷先生主持的，討論一項關於經濟方面的問題，在座的侍從室「情報組」負責人徐復觀氏，首先發言，提出他所認爲妥當的意見，即有一個官位比徐氏崇高的官僚份子某，起而痛駁徐氏的見解種種不對之處，認爲不値得考慮。最後陳布雷先生作結論，說他個人對徐氏的主張頗表共鳴，且指述若干理由和事實，以資印證。此時某急起立而言曰：「布雷先生的說法很正確，我先前沒有聽到布雷先生的指教，莫名其妙地反對徐同志的意見，實在荒唐，我聲明自動取消前議」。在座的人皆匿笑不已，而某則極盡諂媚權貴之能事，滿不在乎。因爲陳布雷先生是侍從室主任，昕夕親君，布雷放個屁，某爲着作官的利害計，他亦要譽言香味馥郁哩！

我與這位官僚份子，在抗戰之前就認識的，後來我在外省從政多年，他在中央官至特任地位了。民國卅一年我在戰時首都作地方行政官吏，偶於朋友的宴會中與他久別重逢，我以老友態度，向他先打招呼，他竟掉頭不顧，視我若路人，在司席酒會二小時之中，始終未跟我談一句話。我想：他現在是大官了，而我仍對他行朋友之禮，實在是自己不明世故，味於官規，唯有深自疚悔而已。

越民國卅七年，憲政實施，中央各級民意代表的選舉糾紛大作，有抬棺遊行的，有絕食要挾的，更有走到總選舉事務所大鬧特鬧，住在所內不肯出來的。這時某是總選所的主持人，弄得焦頭爛額，無法應付。一日，有國大代表百餘人，爲選舉糾紛推舉了八個代表去見某，我亦是代表之一，某深恐我們是要向他找麻煩，憂心如搗。他一見着我走近辦公室門前，即大聲相迎道：「老朋友，多年不見了，你怎末好？唉，你的兩鬢都白了，回想當年我們在南京，在漢口相處的壯年情況，眞是恍如隔世呀！」他又留我們在公廨吃飯，席間對我特別招呼，敬酒敬菜，親切誠懇，無微不至，比較過去在重慶時那種對我視若路人的驕倨態度，也是恍如隔世了。他對我前倨後恭的原因很淺明，過去他好官自爲，不屑於理會貧賤之交，現在他害怕我不忘前嫌，乘機搗蛋，妨碍他的官位，祇好低聲下氣地大攀交情，夫是之謂能屈能伸吧？

假使我與某易地而處，像上述兩種醜惡相，絕對做不出來，癥結就在我比他多認識幾個中國文字，頗知廉恥。即此可知現代中國政治的本質是何內容，而大陸淪陷亦就不是偶然的了。噫！

夏日晴近詩

▲元旦讀諸葛文侯先生大作有感

杜陵辛苦賊中來，侷促鄉閭事事哀；聚斂成風如酩酊，謗邪聲日費疑猜。聊同腐史傳游俠，快讀雄文式霸才；十載聞雞虛起舞，坐忘令節罷銜杯。

▲讀工業江湖懷復觀先生

三年不見筆意辛，裂眥而還得幾人？妙到毫巔題短什，風生額末悼前麟。東瀛淺鑿收吟篋，南徼衣冠入網巾；漫道江湖多俠骨，羞無涓滴及烝民！

歷史人物

論關羽

・謝康・

歷來做史論的人，多好作翻案文字，如三蘇父子，如呂東萊，甚至王船山，有時都不免這種毛病。秀俠先生責備關公，不如「吳下阿蒙」（即呂蒙）指他，「在謀略上沒有一點建樹。當他威震華夏之時，不鼓氣直下，一不智。拒孫權求親，失吳之好，二不智。撤公安南郡之兵以赴樊城，中了呂蒙示弱之計，三不智。……」云云，我覺得這種說法總不免忽略客觀形勢，並且有以成敗論英雄的某種成見在內。不過這些話說來太長，非本文篇幅所能容許。這裏只能簡略地談一談，並請教於秀俠先生和喜歡看三國演義的讀者。

第一、當時曹操勢力最強，奄有半個中國，孫權次之，而劉備最弱，蓋自赤壁（西元二〇八），戰後至關公敗死（二一九），爲期大約十年。這是蜀吳聯盟分別抗魏時期，這時期荊州本爲三方所必爭之地，自曹仁退出江陵，（二〇九）荊州被周瑜佔領，瑜分荊州南岸地給劉備（俗稱爲「借荊州」）同時孫權進妹固好，劉孫結爲親家，關係總算不錯，但爲時不久，五年後（二一四），備佔領益州（成都），權即向備索取荊州，翌年（二一五）劉孫協議中分荊州，以湘水爲界，這時期，權移都建業（南京），方與操爭奪合肥，在巢湖附近會戰，爲張遼所敗，不得不緩和劉備，忍痛分割荊州。然吳蜀裂痕，實以爭荊州爲最重要的原因。（四）

自由報
THE FREE NEWS
第一〇二期
社長：雷嘯岑
督印人：黃行實
社址：香港灣仔高士威道二十二號四樓
20 CAUSEWAY RD 3RD FL
HONG KONG
TEL. 771726　電報掛號．7191
承印者：田風印刷廠
地址：香港灣仔高士打道一二二號
台灣分社
台北市西寧南路壹壹叁號二樓
電話：六四三〇三三
台郵撥儲金戶九二五二

白種人的負擔

李璜

「白種人的負擔」，當其英國詩人客卜林（Kepling）唱出這一句，以稱道歐洲人開化落後民族的工作時：正是十九世紀中間，英、法、德、荷、比、意、俄等國各自爭相向亞洲與非洲攫取殖民地，或瓜分其土地，或侵蝕其主權，或強取其貨財，或壓搾其勞力；至於所謂開化工作，則做得不多。而且因為各殖民地的習尚太異，程度相差，開化起來，確是重担。何況這些殖民帝國大都是為自私而來，一意為自身開發富源，在亞非兩洲土著民族身上，皆是取得甚多，予得甚少；如果說負担的話，恐怕指的是大洋船飽載而歸的貨運噸位那負担，尚較為適當點罷！

百年好運　逐次衰頹

在歐化式的開化上，如國民生活水準的提高，教育文化的普及，雖然在各殖民地並未能平等的惠及於土著之民，然而因為交通日趨便利與頻繁，耳濡目染，在比較的知識與歷史的回憶中，各殖民地土著的民族觀念油然以生。故在本世紀一開頭，民族主義的覺醒首先使英國最大的殖民地，南亞的印度起來堅決要求自治，東南亞的諸小邦逐次受其影響；西亞的回教民族，先後由波斯與土耳其的戰亂，以至影響到了北非；這些地方都是大英帝國的利權所在，因此英國人最先感到頭痛，勞心焦思，設法彌補，用力鎮壓；聰明而且冷靜的英國政治家已開始感到，好運將成過去，殖民地的動亂真成為白種人的負担了啊！

在第一次大戰後，威爾遜總統提出民族自決的原則，又使亞洲各殖民地的民族主義更進一步；第二次大戰後，俄國怪傑列寧所提倡打倒資本帝國主義，由惡魔史太林加緊第三國際組織，在殖民地到處煽動，於是這一把對火引遍亞非兩洲各地所埋藏的火頭，獨立與自治的民族主義運動，在這十餘年來，使英、法、荷、比、西、葡等國都感到狼狽，白種人的負担，至於今日，便愈加嚴重！

英法政策的差別處

應付殖民地要求自治與獨立，英國政府的決策，比較迅速，明智而且有步驟。一九二二年，英政府有感於俄國挑動波斯反英，毅然的立即將英駐軍撤退，讓波斯改名伊朗，而於一九二五年宣告獨立，仍與英國維持着經濟的友誼關係，將俄國的陰謀破壞了，這已足見明智。一九三五年，英政府宣告印度將能達到獨立自治，由英議會通過新的「印度政府法案」，後此一力維持印度國民黨人的自治與獨立步驟，使之不致發生內亂，竟令印度成為今日亞洲重鎮之一，而印度也在經濟與文誼上始終不願脫離大英聯邦，更足見英國政治家之頭腦冷靜，辦事有步驟，因此緬甸、錫蘭、馬來亞聯邦，以至新加坡的獨立或自治經過，都未鬧出亂子，未為俄國的煽動所乘，而將包袱（負担）輕輕的便卸了下來，這並未損害於英國立國的榮譽，而且英鎊集團至今存在。

反之，應付殖民地的獨立自治要求，法國政府歷來便不免有點感情用事。見機既不早，手法又不快，而乃處處為蘇俄的詭計所作弄，第五縱隊所滲透，硬要等到動亂起來，兵連禍及，狼狽撤退，以致越南打成兩個，被國際共產黨拿去北越一大塊，埋藏着印支半島的無窮禍患。今日的寮國內亂又是在重演越南故事，國際共產黨又想不費多的力量，而便將寮國又拿去一半，看看寮國的命運不久會繼越南之後，將又變做兩個寮國了啊！——比利時政府之於剛果亦然，比政府對剛果之獨立自治，既無步驟，又欠冷靜；剛果內亂一起，又復推波助瀾，加以分化，致國際共產黨又得着大好機會去公開放火，使聯合國出了兵，也陷於狼狽情景，進退不得，這真成了負担了呢！

美國政策　偏於消極

美國的國力富厚，而且歷來無事於外求，扶持弱小，幫助落後地區，也具有誠意；花錢貼米，富而好禮，事實俱在，舉世同欽。且自二次大戰以後，美國有鑒於國際共黨野心之大，史太林惡魔詭計之多，毅然以領導自由世界自任，於是西方也同之，初有杜魯門總統的第四點計劃，繼而有馬歇爾計劃。既參加了希臘的安定工作，又復介入西亞的聯防局面，不能說美國發生於亞非兩洲的效果不甚大。但對近年事變，出錢出人，而美國政府的政策既已定，一時總是偏於消極，乃想去穩住一面：既要假聯合國之名以出之，不免要使美國有畏首畏尾之處。英國對於今日世界上任何地方的動亂，都怕它引起了大戰，（兩次大戰使英國人夠受了）其原則在一味的放平了事，而法國總不免感情用事，對阿爾及利亞，在聯合國裏的事情如此，使美國與法國的感情不得。但是法國近年來在阿爾及利亞事件上，把法國拖得太苦，勇敢的戴高樂總統只有力拒死硬派，而訴之法國投票，投票下來的全法國人民還是贊成阿爾及利亞的自治——這本來應該是多年前的事，而今日已經稍遲了一點啊！比利時也應該早去了一點，總算贊成了！比起此兩國的態度也足與法兩國的態度中間，固然這樣說定下來再說。所以使法比懾服，事事起反要怕法、比生疑，事先沒有堅強的主張，為國際共產黨的宣傳所妨害，而未能快刀斬亂麻，戰勝蘇俄於機先，把亂事首先平擊時之處甚多；而又

美英法應當取得一致

美國的新總統甘迺廸登台，年壯而且勇氣可嘉，尤其我讀了他就職的演說，覺得乾脆明朗，不是一個無原則而消極敷衍了事的人。他的講演的最有力的兩句，是道：『且讓每一國家知道，不論她是希望我們好或是壞我們，我們會付出任何代價，負起任何責任，應付任何困難，支持任何朋友，和反對任何敵人，藉以確保自由的生存和成功的。』接着甘迺廸總統便面對着西歐國家說出他要謀取大家一致，去對付當前敵人的話：『對於文化和宗教起源相同的舊盟邦，我們提出可靠朋友的忠心保證，我們要是聯合起來，那麼在許多新合作事業中，沒有甚麼事情是我們所不能做到的。要是我們各自為政，那麼我們所能夠做到的事情便很少了——因為我們是不敢以支離散漫去應付強大的挑戰的。』這兩段話，甘迺廸總統可謂最透澈，而且最足以打動西歐最有力的人心，最能說明當前的事變所未得結好的形勢了！但要使支離散漫的西歐改變而求一致，則取最精明的眼光見諸實事，最緊要的是應付強大的挑戰，莫急於亞非兩洲的問題，尤其是亞洲的寮國問題與非洲的剛果問題，美英法三國政府必須早日首先取得一致的態度與做法（至於裁軍問題大可不急，那在我看來，乃是說來好聽，永遠不會有結論的！）

在亞洲的寮國，距我們很近，我們在香港居住的人看得比較清楚，其最近事變的遠因，姑且談起，忽然的，這內亂却是美英法三國的態度與做法都未能一致，而不但未能一致，且在緩進與冒進之間相持不下，相消相盪，然後纔會初而引起李江上尉的投機妄動，為國際共產黨所利用，幸而有諸沙旺將軍把李江上尉趕出來；則如果美英法在事變之先早能一致的話，敢於投機的便不會予以很容易的機會，即使投機也立時予以澈底消滅；又既有了合法的彭諾親王政府，合法又有旺寮國出來的，美國似乎也很有決心援寮，以免她又陷越南覆轍；但何以國際共產黨以槍炮人員公開援助寮共與李江，近來表現得非常積極，而美國的援助寮國合法政府，反不及以前一向的做法明朗，大有以飛機運點東西遮遮掩掩的樣子，這很明白是受了東南亞公約會議的決策影響！東南亞公約國的態度，歷來不像一個集團的辦法，並且早從軍事的自衛決心而退到經濟的合作玩意，這一所謂公約，簡直徒有其表，不在戰場上來，誤已誤人，不知死活，因此令參加公約而感到切身利害有危險的菲律賓都不耐煩起來了！

甘迺廸總統如果要實踐其所宣言的話，請先就最急迫的寮國及剛果問題，與英法政府取得新的合作與一致，否則很快的寮國與剛果又會變成兩個半邊各自對立的局面！不幸而如是，則白種人的負担只有愈來愈沉重了啊！

小論天下

△自由中國政府決以食米十萬噸運大陸救災，請國際機構代運，但被中共拒絕，即進行空投。蔣總統倡一元救災運動，台大學生首先響應。大陸沿海各省傳來飢民搶糧消息，猶如雪片。

大陸大規模民變已造成「兵變」必然起來的「心理氣候」，台北這樣做還不夠，應該盡可能發動各式各樣的呼喚，尤其要喚起共軍響應他們家屬的「反飢餓運動」。

△美總統甘迺廸首次向國會送出國情咨文，不諱言美國經濟衰退，但保證美元決不貶值，軍力立即加強，並警告蘇俄中共停止侵略，同時提及東歐人民的自由與幸福。他期望青年獻身於落後地區的和平開發，並在一次電視談話中，鼓勵美國青年鍛鍊體力。歐亞輿論對此反應尚佳。

大概是艾森豪老人的「高爾夫球時代」已成過去，甘迺廸青年的「橄欖球時代」真的來了吧！

△傳赫魯曉失業已決定，三月赴美，出席聯合國大會，乘便與甘迺廸會晤。

這時他應該玩這套把戲，却不能不對甘迺廸這個對手競競戒懼。

△緬邊反共游擊隊遭受夾擊受挫，傳設法經由寮泰邊境繞道乘輪返台。

固宜進也，惜其退也！

△東南亞公約對寮國現局毫無作為，菲泰極感憤懣。傳菲外長將赴泰國協商寮局。

中非韓越四角聯盟，應該加入泰國這一角。

△西方通訊社發佈由北平傳出消息：毛澤東患腸胃病甚重，遵醫囑節食。

這是大陸全面飢荒中給毛澤東腫臉上的一針。

△美國偵察衛星將猩猩送上太空，安返地球。瑞典醫學家發明能使人改變思想行為的「洗腦」奇藥。

人類在科學上的進展就是這樣奇妙，向地球外的展拓是一條路，向我們心靈和精神進行摧磨又是一條路。

△美法金市價同時低降，顯受甘迺廸宣告美元不貶值的影響。

「勢利眼」是最敏感的，但也是最現實的。甘迺廸先聲雖可奪人，未來仍受現實的考驗。

南方

自由談

開會亡國論

馮五先生

據說，自由中國內國家銀行和國營企業機構，為着應否增加員工薪資問題，從去年七月起，隨時開會研討，直到現在尚未有結論。開會主義發展到這步田地，真是曠絕古今，歎觀止矣！

國營機構的員工應否加薪，只要按照物價指數，參酌國庫的收支實況，即可以得到結論。經過一二次會商，為什末開會討論半年之後，依然不得要領呢？憑這種服務精神而侈言反攻復國，豈不是笑話一大堆？

然而，我亦不能責備這些國營金融企業機構的主管人沒有行政效率，因為整個行政機構都是以開會為服務之本，請示為負責之本，整人為快樂之本，會議紀錄愈多，工作成績就愈好，拚命想方法，藉口實以推卸責任，折磨黎民百姓的，才算是忠貞幹練的公務人員。惡劣的政風既已形成，誰如自外此道，便係異端份子，即發生忠貞問題，非栽觔斗不可。國營金融企業機構自然不敢例外，又何責焉。

我苦思勤想開會主義盛行的所以然，完全是政治人物沒有個性發展的關係。大家以台灣為安身立命之所，唯恐失去飯碗，無法生存，只好敷衍因循，得過且過。但上峯要考績，輿論要批判，終日無所事事亦難以為情，更沒法自圓其說，如是乎假藉「民主政治」這項時髦論調，朝夕開會說廢話，美其名曰集思廣益，號於衆曰民主作風。同時，開會的功用又可以爭權而不負責，諉過而能邀功。至於貽誤政事，折磨人民，固不在考慮之列，只要最高當局不說話，其他皆無所謂了。

我很想寫一部萬言書，題目叫作「開會亡國論」，不知讀者以為何如？

台灣的滬劇界

台灣通訊

章梓人

滬劇即係上海戲，以前俗稱灘簧，該類地方劇素爲勞工界所偏愛，（限於江蘇籍人士），自經改良後，水準逐漸提高，於是漸漸引起中上層階級興趣。

台灣方面滬劇人材頗爲缺乏，自民國四十三年，衛鳴岐抵台後，才申請了一批滬劇界同人，但爲數仍然不多，記得首批來台的計有陳鶴軒、舒泰然、張雲福、鍾振輝、陳志剛等數位，女角方面有丁貞娥、陸艷君、倪雪珍、丁艷華等幾人。這批人員來台未久，即由衛鳴岐領導，假座台北市大華戲院演出，開始確甚哄動一時，日期一久，營業清淡，乍起乍落，先後停停演演達數次之多，但賣座亦一次不如一次，原因實爲人員感到不足，以致使觀衆日久生厭。

衛鳴岐爲了欲挽救滬劇的命運，乃申請赴港，以便邀請留港一批滬劇界來台加强陣容，不料抵港未久，衛鳴岐與鄭福麟爲爭取領導問題發生裂痕，鄭福麟遂借祝壽機會，帶了一批演員浩浩蕩蕩進入祖國，陣容方面頗爲堅强，女角方面有滬劇皇后張素琴，滬劇新后胡玉曼，男角有孫一鳴、宋紀根、馬雪根、楊金根等。抵台未久，鄭即再拉攏一批台灣方面原有班底，在大華戲院登起台來，居然賣座奇盛門庭若市，只剩下衛鳴岐一人孤孤單單，依然留在香港，因任務未達，故無法返台向同人們作一交代。鄭福麟就這樣演出一個時期，忽然發生了一件不尋常的事故，原來這位滬劇新后胡玉曼下嫁一位自由中國的空軍飛行員。這在鄭福麟方面來說，確實大受影響，但是儘管懊喪也徒呼負負，返港之前，除了他原班人馬外，再帶走了一批台灣滬劇同人，準備到達香港之後，先爲政府作些工作，慰勞調景嶺難胞。不料該批人員抵港未久，才發覺鄭福麟原來是吃死人不吐骨頭的傢伙。

他利用台灣一批人員爲他賣命，利舞台三天客滿，除去開支外，居然還欠港幣八千元之多，這批債務都要每個演員平均攤還，其實這筆爛污賬還不是鄭福麟在信口亂噴，因此搞得這批台灣去的演員無不怨聲載道，甚至生活亦受影響，只得絡絡續續黯然返台。

過了個時期，由陳鶴軒再度領導，仍在大華戲院演出，除了原班人馬外，並有反共滬劇藝人張愛珍亦參加演出。初時情形尚可，日子一久，賣座情況亦趨下游。

正在彷徨之際，忽由香港方面傳來消息，張素琴因不堪忍受鄭福麟之虐待，擬單獨進入祖國，並盼台灣方面同人爲她設法向當局申請。這個消息無異是一針興奮劑，於是由丁貞娥、鍾振輝二人出面向當局申請，辦理入境手續，經過幾度奔走，張素琴終於順利進入了台灣，略作休息，即行參加演出。正在寶座清淡之下，張素琴之上演確然生色不少。當晚大華戲院即告滿座，就這樣演出了一個時期，「大華」方面因租約關係必須拆除，於是滬劇一行又遭中斷，不過這次停演時間並不太久，西門町紅樓劇場又來邀請，乃由鍾振輝出面以中國滬劇團名義與紅樓簽訂一個月的合約。這是民國四十八年秋冬季的事，演出情形尚臻理想，期滿之後再行繼續，就這樣總共維持了二個月另十天才告段落，每個演員仍靠播音來維持生活。

這階段中，張愛珍則擇人而嫁，脫離舞台生活，張素琴亦步後塵，下嫁於史君，胡玉曼早就作了空軍太太，賢妻良母，陸艷君亦然羅敷有夫，對方爲一西裝業商人龔某。四大坤伶倒有二對結了婚，剩下來的坤角，已然寥寥無幾，台灣的滬劇亦就變成體離支碎之勢，總算各人都有電台播音，生活尚不致恐慌，否則後果當更嚴重。每個人都很明白，滬劇若欲東山再起，實不可能，焉知事恰相反。

滬劇輟演了一年多之後，紅樓劇場因爲班子缺乏，再三邀請滬劇上演。鍾振輝初時實不敢作此幻想，經不住一班滬劇同人慫恿，一方面正因已向當局申請香港一批滬劇人員來台之事宜已頗具眉目，因此決作冒險一試，準備先行登台一期，及時如香港人員能予趕到，即可繼續演出。斯時孫一鳴亦已抵台甚久，遂即徵求全體同意後向紅樓簽約，爲期暫訂一月，因張素琴生產未久無法參加，只得邀請陸艷君協助演出。這次之全部演員計有舒泰然、張雲福、孫一鳴、袁一鶴、楊念慈等，任小樂亦作十五天客串。女角有陸艷君、丁貞娥、倪雪珍、桑鴿、朱也娥等。

第一炮由孫一鳴編劇上演古裝名劇「龍鳳蕭」，後台除了佈景燈光工作人員之外，一律拆賬，不料自登台日起到期滿爲止，各演員非但分文無着，反而虧債有五千元之多。香港人員之入境證依然遙遙無期。這的確使後台一批演員大感意外，事先大家認爲雖無把握，總不致慘得如此，現在生米已成炊，殘局如何收拾尚不得而知，不得已再請張素琴重行再次參加演出。張臨盆剛滿月未久，爲抱義氣，居然慨然應允，紅樓方面則再繼續半月合約。說也奇怪，張素琴一經登台，營業居然立有起色，第一天日夜竟然賣出三百多票，就這樣才維持了半月，非但把五千多元債務還清，最後一天大家拆到八成包銀，可謂不易，在這四十五天的演出，最後一天大家才看到進賬，總算功德圓滿。結束這天，湊巧是中華民國四十九年十二月十日。

照目前情形判斷，如香港人員能來台者，則滬劇還有希望演出，否則的話，滬劇這一行，恐怕在自由中國勢必遭受淘汰命運。這是無可諱言者，希望當局能切實扶植，避免使這一枝獨秀的滬劇步入了淘零的結果，這是值得關切的一件事。

香港與大陸

△廣洲新流行的餅子，由糠餅進到禾稈製的餅子，已是不可思議，另據廣洲人客到香港談，青苔被搜集爲製餅的材料，亦久已實行。（明）

△大陸飢民逃荒的消息，越來越多，報載浙江飢民逃入福建，被駐軍截回，係屬於集體逃荒的一類。本報記者從友人家信中獲悉：粵南各地青年集體逃向接近澳門地區，晝伏夜行，偷關搶卡，準備撲水逃往的門澳，連月均有多批，途中生死存亡莫卜，但港中親友多以接獲其家屬書信報告。（方）

△香港新興商業之一，爲有人接寄糧包回大陸，並保證在大陸妥收，出示回條，始收貨欵。營此業者多向街坊店戶口頭招徠，個中黑幕揭穿，又是共幹貪污舞弊之一證。（方）

△一位以辦理出國名義，經過三年向中共「僑委會」交涉，才獲准來港的僑眷告訴記者：目前台山發生飢荒，情況之嚴重，一如抗日戰爭時之淪陷區，人民普遍患上水腫，死亡率比往年大爲增加。

據稱：荻海、廣海、大江等地人民，因處平陽和臨海濱，土地狹窄，人民的飢餓情況尤爲顯著。即盛產番薯雜糧的附城公社，亦難倖免，這是中共把番薯提爲「主糧」後，列入征購，番薯的身價在「解放」初期還是二萬多元（舊幣折新幣二元多）一担，而現在搖身一變爲二十多元一担，且很難買到。

台山四九區路溪鄉、上坪鄉，玄潭鄉，東方鄉等十幾鄉的生產大隊，有足夠勞動力的每月才分配得二十五市斤谷，雜糧沒有，同時每天要出勤才有得吃，不出勤想吃要交現欵，若無現欵連這少許分配都吃不到。爲了照顧家庭無勞動的老年人和小孩，四九區各鄉人民紛紛上山採伐土茯苓、黃狗仔、水芋頭、水芋頭、木瓜頭、蕉樹頭等野生植物充飢。（自聯社）

大陸上的羣衆文藝創作

郁明

大陸上，經進一九五七年的「整風」和「反右派」運動；中共發覺「智識份子在思想和意識上大部份有問題」；因此，在一九五八年提出所謂「文化革命」的口號。主張「建成一支强大的成千萬人的工人階級的知識份子隊伍」（五八、六、一五「人民日報」）

進行「文化革命」的初步工作，是把老作家下放到工廠農村去「定期定點」的「落戶」。下放的作家，一方面參加勞動，從工農群衆中體驗寫作的「題材」；一方面還要「輔導」工農作家。其實，作家下放就是「勞改」。臨下放時差不多都是告訴他們：「要做長期安家落戶的打算」（五九、一〇、三滬「文滙報」）

中共把老作家「下放」了，另一方面「大力」地培養工農作家，於是，在工廠農村，普遍地建立「創作組」。說來也快，中共建立工農寫作隊伍，竟和製造塑膠公仔一樣，一籠一籠地大批出爐。譬如上海市，一九五七年羣衆文藝隊伍只有五萬人，到了五八年末，竟達七十多萬人。在農村的發展也是同樣的快。四川省農民，到一九五八年七月止，已組織有二萬二千多個「文藝創作組」（五七、七、九北平「大公報」）。參加的人數，也無異於戰場上的「人海戰術」。僅四川古藺縣就有五萬多人（六〇、三、五「人民日報」）

工農作家的作品，當以「新民歌」爲最多。到一九五九年十月止，上海市的羣衆作家們，就創作了一百多萬首（五九、滬「人民報」）。同期，廣州市群衆創作的以民歌爲主的文藝作品達六百萬件（五九、四、四「人民日報」）。五八、五九兩年，「省、市、縣都出版了民歌選集。甚至很多人民公社、工廠以至生產大隊和車間都編印了民歌集子」（五九、十八期「讀書」半月刊十二頁）。

所謂「民歌」，若用共產黨的術語說；那就是「順口溜」；若以一般文藝尺度去衡量，那就是「香蕉去皮——啥也不像」。不過，倒眞是歌頌了共產黨和毛澤東。因爲，民歌的創作是在「高舉毛澤東思想紅旗，爲政治、爲生產、爲工農兵服務」的方針下產生的（六〇、三、五「人民日報」）。

「農民詩人」王老九，於一九六〇年七月出席三屆「文代會」，毛澤東接見時，馬上就寫了一首「表達心意」的詩：「毛主席呀毛主席，祝你福壽與天齊；你愛人民民愛你，全國永遠插紅旗……。今後我更要鼓幹勁，肩扛鋤頭手握筆；多編多寫多宣傳，要和青年比高低」（六〇、七、二八「人民日報」）。

戰士吳小虎，因剛摘掉文盲帽子；他也寫首詩：「共產黨，共產黨，領導中國富强了；毛主席，毛主席，領導人民翻身了」（五八、八、二八、滬「文滙報」）。

就是這樣的「歌頌共產黨、歌頌毛主席」的所謂「詩」所謂「新民歌」。據說，這還算是「政治思想水手很高，藝術水手也不低」（五九、九、二五「光明日報」）呢！

大陸文壇萬花筒

書也買不到

——岳騫——

最近大陸出版的書籍，運到海外發售的愈來愈少，偶然來一兩種文學，史學書籍，都是用的粗紙，數量又特別少，據說整個港九一次只配售幾十本，聊以粧點門面。

在海外的人想買大陸出版書籍固然困難，在大陸的人買書更難，雖然比較買米麵油鹽還容易些，必不用排隊，但是新華書店門市部擺的書，實際是作展覽用的，若非經組織證明確有必要，書店是不會出售的。當「毛選」四集在海外發行時，廣州一位共幹就寫信托在港親友買了幾部寄回去，據說領導上逼着要學習，但是卻買不到書。

買不到參考書却勒逼大小共幹去學習，又變成「人民內部矛盾」之一，可能因爲有些共幹發出怨言，最近中共「北京」市委書記，人民日報總編輯鄧拓在一月二十三日的人民日報上寫了一篇「從借書談起」，文章寫得十分有趣，首先是讚揚借書的人，認爲去借書讀的人最値得尊敬，鄧拓也知道自己講的話不足服人，先拉出蘇東坡寫的「李氏山房藏書記」中說：「余猶及見老儒先生，自言其少時，欲求史記，漢書而不可得，幸而得之，皆手自書，日夜誦讀，惟恐不及。」證明古人讀書都是借來的。這還不算，更進一步把袁子才寫的「黃生借書說」由另一位作者陳友琴翻譯成白話文，附原文登在鄧文下面，所以要特別抬出袁子才，因爲他這篇文章强調「書非借不能讀也」正合了鄧拓的本意。

袁子才和蘇東坡談到借書讀，是因爲沒有錢買，今天大陸雖然「一窮二白」，但共幹卻都是既富且貴，要富人去借書讀，總有些比擬不倫，最後鄧拓說了實話，指出「我們也還需要借書，特別是目前紙張生產不足，書刊印數不能滿足要求的時候。」

從鄧拓的話又想到本港共報經常誇張大陸紙張出口的事，比較起來又是矛盾之一，這些前言不對後語的謊話，好在共黨也說慣了，不覺得臉紅，我們也就見怪不怪了。

經鄧拓拉出蘇東坡和袁子才一件事，我發現一個道理，就是中共遇到困難，要編謊話，騙人時必不提馬恩列史毛的話，而是要利用中國古聖先賢作爲工具，相信再過一個時期，電力也供應不上時，鄧拓又寫篇文章，勸人看書時用囊映螢雪的辦法呢？

社會小說

香港地

七、可憐一炬

梅大亮在呆着火場的時候，梅太太緩緩起來，心境大概已平復了。她首先撫摩一下那幾頭由她救回來的大豬，然後巡視地上胡亂堆置的各種雜物，問問這個，問問那個，看誰的損失比較少，最後才走到梅大亮身傍，和他同看着火場，慨道：「你看，火還燒得這麼濶，還不知要燒多少家才肯熄歇，這回是歷來火災最慘的一回了！」

梅大亮應了一聲「是」，梅太太忽然笑道：「你在看什麼？是不是看我們的屋子？那還有什麼值得留戀？什麼也完了，你用不着傷心，只想想我們初來時是怎樣的，也就不必傷心了。那時我們只憑一雙手，再憑那一塊平地，便有法子活下去。如今火是燒了屋子，還沒連平地也燒掉呀！」

她竟化哭爲笑，說得那麼豪氣，連梅大亮也覺得有點奇怪，譚福祿却湊將上來道：「這說得也是呀！大嫂就是這樣的人。她的一雙手做得許多事，再要她白手興家是不難的呀！」

這時大火仍在掃蕩着千千萬萬的木屋，使它們化爲平地，他們却對着熊熊烈火，要說「白手興家」那似乎是不倫不類，但事實却是：所有由火場一出來的人都有同樣的心。在他們心裏唯一的打算就是在大火熄滅了以後怎樣走回原來的一塊地，想法子重建他們一間屋，然後從頭做起，做他們所能做的一切。

譚福祿是這羣災民中唯一的賓客，他向梅大亮和梅太太建議，請他們到他家暫行寄寓一時。他願讓出他的寬大的騎樓，讓他們好好安睡一晚，解除因這場火災所遭受的驚恐和疲勞。

梅太太很感謝譚福祿的好意，可是，她很堅決地拒絕這個建議。她的理由是：眼前有這麼多間受患難的鄰戶，這正是「有難同當」的時候，大家既要守望相助，又有許多事情要共同商量，她決不能拋棄大家在這裏，自己前去貪圖一時的舒適。

她這時心神健旺，已回復了原來的活躍，便打算拿這塊地方做收容站和露宿站，並且作爲復興原有基業的中心，鼓勵大家一齊努力。（一〇〇）

木客著

旁觀者的閒話

汶津

未成年之前，對於有資格投票的人不勝歆羨。投第一票的時候，尤其是興奮不已，好像辦終身大事。可是太陽底下原沒有新鮮事兒，競選的「潮」儘管一年高似一年，投票落櫃時的勁兒却成了反比。

競選對於都市的居民來說，至少有三點不大不小的影響；噪音的音量猛然高升，私家汽車的喇叭聲再也神氣不起來了。紙張的消耗驟增，似乎形成了另一方式的「洛陽紙貴」。小市民們的身份突見提高，一些紳士豪富之流的人物竟「不恥下問」，到處拱手作揖，敎人受寵若驚。

今年的選舉公報之大，是突破歷屆記錄的，由此可見民主政治的日新月異。小弟弟可以用此當作看圖識字的活頁教材；小妹妹拿起蠟筆作着色遊戲，對象自然是那些威風凜凜的玉照。今晨買了副燒餅油條充飢，發現一位獲得多數票當選的「新官」已被分屍，而且沾了一臉的油漬。但是這些都不夠讓熱中的人齒冷。

「拜託」一詞如果被收入常用字彙中，選舉制度無疑是首席功臣。甚至十來歲的小學童選舉他們的「小市長」時，也大量翻版。「在此大小便者是王八」的字樣已極少見，因爲：「彼可取而代也。」現在出現於街頭巷尾的是「援救×××一票一」原來國父說全國人民都是皇帝，理由便在此地：皇帝一道聖旨，可以救十惡不赦的罪犯；如今老百姓一張票，也可以救一救那些「熱」鍋上的螞蟻，想不到別人忙着競選，我却悠閒地上了一課政治史。

有人在名單中找同鄉，找本家，找同行；也有人碰見熟人便說：「某某是我的老部下，想不到這回也出面競選了。」言下大有「非不能也，是不爲也」的意思。只不知是不是有人像學生考試遇到難題而用抽籤法解決的。在這種大場面中，何去何從的確不太簡單。伸手要代價的方法是最乾脆的，却又不適用於每一個人。大概天下事的難，就難在人心不同吧。

捐助、「義賣」已成爲半公開的選舉內幕。候選諸公，如聞夜半有人敲門，就跟聽到喜鵲叫春一樣。那位不速之客，很可能開門見山的說：「我有五百票，如何？」他說該如何？讓賢之舉，上追堯舜，可是到了二十世紀，這竟平白「無本生意」發生了糾葛。原來禮尚往來：我讓位，你讓財，幾乎使人懷疑是君子國再現。但沒有瞎眼的選民，却未免有些痛苦了。

最煞風景的一次是聖誕夜的晚會中，居然有貴客臨門，望之儼然，主人介紹，原來此客來頭眞不小，履歷可以讀上一分鐘，現在發願爲民服務，却先把一群無辜者的雅興一掃而光，眞可算是出馬第一功。就我來說，根本就沒有聽清楚他的尊姓大名，只是覺得握手的時候我的右手太涼了一些。這也難怪：不是有驚人的熱度，絕不會義無反顧的參與這個。

「義無反顧」並非我信口開合，有事實可證，某候選人受各方敦促（想當然耳），完成了登記手續，接着爲競選費用奔走四方。然而皇天不負苦心人，最後竟落得「光榮的失敗」！於是，有關人士透露說：負了一身債！該也算是爲民主犧牲小我囉。

開票結果，替新聞記者增加了不少資料。據統計，得票最多與最少者相差百倍。是的，百倍而已。照情理說，那位以寥寥數十票「殿軸」的仁兄，準是不肖之徒囉。但統計學在目前的選舉中是否完全可靠，誰也不敢說。幸而每屆議員中以遲到、缺席、早退著稱者雖大有其人，鼓三寸不爛之舌的君子也還沒有絕跡。

「天下烏鴉一般黑」，沒錯；好在烏鴉之外，尙有不少羽毛豐美的鳥兒，也不容你視而不見，我們仍不妨雙瞳閃着希望，不斷的說：「明天。」

編輯室小啟

近來有若干文友投寄舊詩或新詩稿者頗多，且有聲明不受稿酬者。本報例不登新詩稿，對舊詩登載亦極慎重，謹此說明，請各文友垂察是幸。

哭與笑

台北松山中學

·勞　克·

剛剛落地的我，望着房子的四周，一切都是那麼廣大、那麼陌生，我忍不住哇哇地哭出聲來；雖然我不知道，天有多廣，地有多厚，但我以爲這房子就是天下了，彷彿這天下已在我的手中了，我嘴裏雖一直哇哇地哭，但除了我之外，誰又能知道我心裏是多麼的高興呢？甚至我還在我的內心裏隱藏着笑意，眞想毫無忌憚的大笑一番呢？

生下來時，我自口內發出的聲音，人們以爲我在哭，因爲那時我的聲音是哭時的聲音，但我相信他們是錯了，那時我既害怕又高興，既陌生又混暖，在我的哭聲中，很可能表示我在笑，只因我不會發出笑聲，所以哭笑都用哭聲。後來隨着年齡的增加，頭腦複雜，我漸漸地知道哭與笑的區別，同時我的臉，也能做出各種姿勢，來表達各種不同的情感了。

隨着知識的逐漸開朗，我也逐漸懂事，以前的哭是無知的哭，現在則是傷心的哭了。更怪的是，會有一個老頭子高興的大笑，却笑死了，眞是樂極生悲啊！不過這是朋友告訴我的，有無此事，我可不知道。又有一次那位朋友講了些笑話，把我搞得啼笑皆非，這時弟弟在一傍叫着說：「又哭又笑，黃狗拉尿」。我說：「別胡說，我才沒哭呢」！

新年的驛站

林丹

我們是流浪的旅人。當一九五九年的最後一天晚上，我漂泊於駛往淡水的夜車上，車聲隆隆的響着；我眼望着窗外，諦聽着一九五九年最後的音響。於是當一九六〇年的第一秒來到時，我正襟危坐於寒冷的車裡，有往事的細懷閃進我寂寞的心靈裡。我打開車窗，探首窗外，舊的一年還在沉睡，而我却聽見新的日子挾着鏗然巨響，來敲叩沈睡的大地了。——那是一年以前的往事了。

而今，人生的旅站又加上了一圈寂寞的年輪。一九六〇年又駕着金馬車揚長而去；三百六十五個日子像三百六十五顆隕星，它們都曾在太空裡存在過，但時間老人把他一個個推落塵埃，它們跑向何處去？

希臘古哲人說：「你不能兩次投足在同一的河流裡，因爲不同的水長流着而又長流着。」「在同一的河流中，吾人投足，吾人亦未投足。」「逝者如斯乎！不捨晝夜。」用黑格斯的哲學來說：時間是一種存在；當它是是的時候，它已經是「不是」；但當它不是是的瞬間，它又是「是」了。

時間就是這樣一種把握不住的東西。從前我們都很小，幼年來到了，我們在草地裏打滾，在田野裏自在地亂跑，在大小的懷抱裏沈睡片響。青年時期來到了；跟來了膂力與青春的活力。但歲月不待人、不饒人；舊的以及完成了的東西，必須空出位子給新的。於是歲月給你生命的春天，然後又把生命的春天從你的手中搶去。年青的時代乃是黃金的日子；可是有多少人能夠盡情享受那斟滿了的生命之杯呢？老年跟來了白髮，人生萎頹下去，變成了無物。

年青人不應該這樣悲觀。在我的胸懷沸騰着熱血；祗是在這歲序更新的日子，想到那些把人生看透了的哲人們曾經說過的話，免不了油然而生的許多的感懷。

記得我曾讀過一首詩：「我騎着亞歷山大帝的戰馬，跟着媽媽來到人間，會記得——那是一個聖誕節之夜啊……從此——我鞭策着驍勇的生命之馬，馳騁在生命的疆場上。……」人生本來就是一個戰場；一場戰鬥終了，另一場戰鬥又已經開始。羅曼羅蘭說：「對於不甘生活於平庸的人，生命是一場無日無之的戰鬥」。我們也是從戰鬥的大原野中，來到新年的驛站。而在這新的驛站上，佇足回顧往昔的足跡，我們也該收拾起往昔散亂了的心，從新立定脚跟，以更多的努力，在未來的沙漠裏，尋找新的水草田。

⦿××××⦿
梨園漫談
⦿××××⦿

武生

——瘦西湖——

鬚生與老生之別，已如前述，如今再來談談武生。武生分長靠、短打兩種名稱，長靠如扮飾『長板坡』中之趙子龍，「兩威將軍」之馬超然，短打如扮飾『連環套』中之黃天覇，「四杰村」中之余千然。

在武生行中，以當年之楊小樓爲王牌，楊與梅蘭芳雙演之『霸王別姬』，在梨園界已成爲絕唱，故老一輩的戲迷談到這齣戲時，不論是見與未見，談起來總感到猶有餘味在耳也。

目前之武生伶人，應推李少春，李萬春，藍玉春，李環春，王金璐，張翼鵬，李仲林，郭玉琨，李桐春，和春等人，李少春當年在平津道上，和大江南北早負盛名，其拿手戲爲『洗浮山』，『三叉口』，李伶人頗聰明，不但武戲方面具有大好根基，而在文戲方面唱來亦膾炙人口，記得三十六年時期，李少春掛牌上海天蟾舞台，李萬春適於時此亦在中國大戲院貼演，二人本有郎舅親戚之分，然在戲藝上則各不相讓，譬如：李少春今天如掛唱文戲『烏盆計』，李萬春則掛武戲『林沖夜奔』，相反的，李萬春唱文戲『王佐斷臂』時，李少春則演『三叉口』，這樣一文一武來來往往唱起對台戲來，眞把上海人看得大開其心呢。

張翼鵬和郭玉琨的武生戰，雖屬南派，但張係名武生蓋叫天的親子，自幼即有根基，在蓋的一手薰陶之下，其能戲如『水簾洞』，『石頭人招親』，演來甚爲人所讚賞，尤其跌撲功夫和手上的本領，更稱一絕，實非稍具武功者所及也。

自由中國的武生伶人也不少，憑記憶所及，約有陸光劇團的孫元坡，及李金和，海光的趙君麟，大宛的李桐春，大鵬的李環春，這幾人均有着驚人的本領，記得年前八七水災時，伶人們救災亦不後人，爲了唱三天義務戲，遂聯合了國內所有的武生，假中華路國光戲院演出，其榮譽券雖已賣到新台幣壹百元之鉅，但仍被各界愛看武戲者搶購一空，其黑市票竟有高達三百元者亦被人競相爭顧，可見國人對武戲之愛好，實不下鬚生和老生也。

李桐春和李環春，係名武生李萬春之同胞手足，李桐春現爲大宛台柱，前不久在國光貼演「安天會」時，幾瘋魔了整個台北，其於此劇演出後，曾深獲內外行一致好評，李環春爲桐春之胞弟，該日爲其兄助演三太子哪吒，其邊式之佳，風頭之健，彩聲之多，實不在其兄桐春之下也。

釋耒集

復古與開新

孔子曰：「生乎今之世，返古之道：如此者，災及其身者也。」本此以言，孔子主張，雖未若孟子之急進，然亦未嘗主張復古，故又曰：「周監于二代，其損益可知也。」為道有損益，則其旨在開新，後世談文論政，所以倡言復古，不過假其名以行開新之實而已。昧於斯義，以為文必「粵若稽古」，詩必「飛土逐肉」者，非愚則誣者也。余觀史家論古文運動，多曰古文不自韓柳始，緣情者跡，大抵嫉韓柳之得行，遂發而為矯激之論，欲以震驚流俗而已。清人趙甌北廿二史劄記卷七，謂：「古文自姚察始」，曰：「梁書雖全據國史，而行文自出鑪錘，直欲遠追班馬，蓋六朝爭尚駢儷，即敘事之文，亦多四字為句，罕有用散文單行者，梁書則多以古文行之，……卓然傑出勁氣銳筆，一洗六朝蕪冗之習：……於駢四儷六之上，則姚察父子為不可及也，世但知六朝之後，古文自唐韓昌黎始，而豈知姚察父子，已振于陳末唐初也。」又同書卷二十云：「唐古文不始于韓柳」曰：「宋景文謂唐之文，由韓愈倡始，其實不然，案舊唐書韓愈傳，大曆貞元間，文字多尚古學，效揚雄董仲舒之述作，獨孤及梁肅最稱淵奧，愈從其徒遊，銳意鑽仰，欲自振于一代，舉進士投文公卿間，故相鄭餘慶為之延譽，由是知名，是愈之先，早有以古文名家者，今獨孤及文集，尚行於世，已變駢體為散文，其勝處有先秦西漢之遺風，但未自開生面耳。」今按著史以散文，則馬班創體于前，陳范承風于後，謂姚察不沿六朝之習則可，而謂陳書之文，實與後來所稱述之古文殊科，不得謂古文始自姚察也。至于梁肅、獨孤及，既曰未自開生面，即雖欲復古，而實未開新，若謂文似先秦西漢，即可以居功，則宜曰古文始自董仲舒與揚雄？即不宜曰始自梁肅、獨孤及也。昌黎獨擅處，轉在其不似先秦西漢而卓然為有唐一代之正宗耳。近人陳寅恪先生亦據舊唐書及元白詩注，斷曰古文運動之成功，由元稹與白居易（見陳著元白詩箋證稿）實亦便詞曲說之倫，辨之有類於爭墩，殊不足深論。韓愈有言曰：「漢朝人莫不能為文，獨司馬相如，太史公，劉向、揚雄為之最，然則用功深者，其收名也遠。若皆與世浮沉，雖不為當時所怪，亦必無後世之傳也。」又曰：「若聖人之道不用文則已，用則必尚其能者。能者非他，能自樹立不因循者是也。」譬前人之跡而不務通變，謂之因循，徒知因循者，即不免為與世浮沉，而不能有所樹立，故曰：所以倡言復古，不過假其名以行開新之實耳。韓愈至今日，一千有餘歲矣，若乃襲其跡而不知所以變之，則亦非愚即誣之類耳。

曲齋

人情味與政治

徐學慧

政治家或科學家能夠稍為有點詩人的情懷，這世界也許不致於弄到今天這個情形吧！

人類，不是生活在權力之下，也不是去活在數字和圖表之中。只有人情味才能夠使得人類過着適意的生活。

科學家懷特氏有言曰：「木石有情，故能成宇宙。」這到真是悟道之言。可惜，這樣的科學家亦不多見。我們所習見的，是一些冷酷無情的科學家，假起一副鐵青面孔，表示這世界上就只有他們才真是在為增進人類幸福而工作。

誰也不能否認，科學的發展可以使人類的生活過得舒服一些。可是，一味追求科學的結果，乃令人只看到權力，而喪失了人情味。

這一得一失之間，關係世界局勢的緊張與和平甚大。在我們看來，與其過權力的生活，遠不如過人情味的生活呢！

大學裏面的政治系學生，每天所讀到的只是一些政治學，國際法。這些學生們畢業出來，還能有點人情味麼？讓這些情味尚未全泯的年青人，讀一點陶淵明，王摩詰，或者白居易的詩，甚或讀一點柳耆卿，周美成或者姜白石的詞，對於培養他們的政治情操，大概會有些好處吧！

能夠寫得出「採菊東籬下，悠然見南山」這樣的詩的人，假定讓他厠身政壇，我們敢斷言，這個人不會一味追求權力；而我們亦可以相信，這樣的政治，一定會有點人情味。

捨棄人情味而侈談權力，結果是人為權力的奴役而不能自主。今天這個世界，我們只看到科學與權力，簡直看不到人。世變之亟，有由來矣。

消寒雅趣

筱臣

來自大陸的消息，由於西伯利亞寒流南侵，致氣候嚴寒。而這次寒流之南來亦為時甚久，一個寒流南去，另一個又接踵而來，因此大陸各地，氣候酷寒，即以華中一帶而言，近旬來氣溫經常在攝氏零下五度左右，其中尤以一月十五日至十八日為最。

據安徽省中共廣播台廣播，淮北一帶，十八日早上的氣溫低至零下五至七度。又福建沿海地區氣溫亦低至二至三度左右，至山區地帶，則低至零度到零度以下二度左右。

據廣東消息，在寒流侵襲時間，廣東各地溫度急劇下降，計北部地區達到攝氏零下五度，中部降到攝氏零度，南部沿海地區在攝氏零上二至四度，除湛江西部沿海和海南島部份地區外，其餘地區一連四天出現霜凍。這種寒冷的氣候，在嶺南確是罕見的。

儘管在香港今天還是暖如初夏，在北國已經是冰雪交加，朔風透骨了。尤其是冬至以後，進入了「寒令」，一直要經過九九八十一天，才能冰解花開，渡過寒季。在這階段，人們都瑟縮在屋子裏，圍爐向火，足不出戶，文人雅士，深閨淑女，於是便有「九九消寒圖」之作。

「九九消寒圖」的習俗起自何時已不可考，但在清季中葉已盛行於士大夫之家。「帝京景物略」載：冬至日畫素梅一枝，為瓣八十一，日染一瓣，瓣盡而九九出，則春深矣，是為「九九消寒圖」。還是以素梅作圖底的消寒圖，但也有更別出心裁的，那是以白紙畫橫豎格各九行，每格繪一圈，共八十一圈，自冬至那天起，每天填一圈，方法是：「上晴下陰，左風右雨，雪當中。」兩種圖的畫法雖不同，但其旨趣則完全一樣。

宮中也有類似消寒的遊戲，那就是道光年間，到了十一月底，道光帝御筆寫「庭前垂柳珍重待春風」九個字，字各九畫，每日寫一筆，至八十一日，九個字寫成，宮人多做效其雅趣。

除了「九九消寒圖」之外，還有「九九消寒會」，居住在北平的一些文士們，一到嚴冬十月，朋友們就相約作消寒雅集，約好了一些朋友輪流作東，一週作九集，取九九消寒之義，從農曆十月起到十二月止，一踏進孟春正月，已是春天，有「萬象回春」之意，就不必消寒了。

「九九消寒會」大都以九人為率，日期定於九日舉行。至期聞飲酒談讌，高興時還聯句作詩。記得同治末年，張之洞約了八個朋友在北平的私寓作消寒第一集，酒後他拿出宋人所畫的「香山九老圖」，請衆人題詩，李慈銘的一首七古，曾為大家所激賞。

北平某消寒會曾以「閨怨」命題，限「溪西雞齊啼」五韻，中嵌「一二三四五六七八九十千萬丈尺」等字，北冠軍云：

六曲圖屏九曲溪，尺書五夜寄遼西。銀河七夕秋填鵲；玉枕三更冷聽雞。道路十千腸欲斷；年華二八鬢初齊。情波萬丈心如一，四月山深百舌啼。

類似上詩還有一首。徐乾學是顧亭林的外甥，清初主持風會，以名士為顯官。某年他邀集八個翰林，作「九九消寒會」，限「溪西雞齊啼」為韻，還要把「一二三四五六七八九十百千萬丈尺兩隻半」十八字嵌入詩中，作七律一首。據金武祥的「粟香三筆」說：在翰林院編修顧偉權也在座，當時很多翰林都為之擱筆。顧偉權回家後，告知，太太吳位貞（名學素，江人）是才女，工詩，她雖然是才女，但也吟到天亮才吟成一首，第二天交給丈夫送去完卷，這首詩居然冠軍。詩云：

「百尺樓頭花一溪，七香車斷五陵西。六橋遙望三湘水；八載空鴛半夜雞。風急九秋驚燕去；雲開四面萬山齊。子規不解愁千丈，十二時中兩兩啼。」

這種詩雖見匠心，但為了嵌字，有時不免生吞活剝，究非文學「正宗」，不足為訓，此亦文字中之一種遊戲而已。

現代人陳友仁不識中國字，說中國話亦不如其說英語之順暢通達，他的中文名字，亦是本國朋友就他那洋文名的拼音而譯成的。因此，他的衣袋裡經常放着一本華英文對照袖珍詞典，以備不時之需。

鄂人余日章與陳友仁交誼甚篤，英語亦佳，但不能操普通的國語，一口湖北語極其地道。民國十四年陳友仁在北平主編「北京民報」（馮玉祥倡辦的）英文版，跟余日章住在一起。某日，陳由市街歸來，用英語對余說：「我在街上看見有人以一塊鐵板放在火爐上，烤着一種橢圓形的菓物售賣，那菓物有一層很厚的包皮，烤熟之後，用手一捏，那層厚皮就脫落了。不知道菓物叫作甚末名字？」余以鄉音笑答道：「哦，那是『芋頭』，恩家！」陳請余氏教工友到外面買些來嘗嘗滋味，余即斥洋一元，吩咐工友快去買幾個芋頭回來。繼而工友持着兩個大魚頭，施施從外來，對余說：「您的一元錢只夠買魚頭兩個」，余氏為之啞笑。原來北方人聽不清湖北話的音韻，誤以「芋」為「魚」了！這時陳友仁急取出衣袋中的華英袖珍詞典翻閱，把「芋頭」二字的英文拼音唸出，那工友纔恍然道：「您早不說是芋頭啊！」

方言的障碍

諸葛文侯

廣東方言對於物品名稱多與普通不同，例如軍中或學校所用的西洋鼓，普通話叫作「洋鼓」，粵語謂之「皮鼓」。在南京曾有一位粵籍的中學校長，用其半粵語的普通話，向一位非廣東人的市府主管長官告假兩天，說是「我要到上海去買皮鼓」。主管長官聽罷，登時愁鎖雙眉，厲聲答道：「你說的甚末話？為人師表者，竟作此不堪入耳之言，豈有此理！」校長遭受斥譴，也不知自己的說話究竟有甚末錯誤呢？原來該長官將「買皮鼓」這句話，誤聽為「買屁股」了。旋經第三者解釋，彼此不覺為之啞然失笑。前南京市長馬超俊的普通話語音，亦是半粵語性的。某年暑期，南京市學生舉行集訓時，在一次紀念週上，馬氏站在講台上，對學生大呼「你們都集中起來！」他把「集中」二字發為粵語音，學生們就聽成為「雜種」，大起反感，認為市長太過無禮，群情譁然，經說明才知道是一場誤會。

對日抗戰時期，中央政府設有「物資局」，專司後方物資的生產，分配，運銷等職責。民國卅年陝西一帶的棉花產量銳減，據調查是由於主管機關指導管理失措所致，最高當局飭令物資局長某馳往西北視察實情具報，以憑核處。局長從西北視察歸來，面陳詳情，認係天時關係，並非人謀不臧。最高當局頗為震怒，會以寧波官話斥謂「你還要強辯！」詎局長誤聽為「鎗斃」，觳觫陳詞曰：「報告委員長，部下家有七旬老母，沒人侍奉，請求委員長貸其一死」。最高當局知道他誤會了，乃霽顏道：「做錯了事，能夠知過必改才好，一味的狡辯是不可以的。你剛纔所報告的話，就是狡辯的啊！」連說「狡辯」二字，意在暗示對方以前係「強辯」云云，非「鎗斃」也。

咱們中華民族的方言，繁複到了極點，幸而文字徹底統一，所以立國五千年而巍然存在，發展着，不受方言障碍的影響，這是中國文化的深厚潛能，值得驕傲的！

論關羽

·謝　康·

其後二年，（二一七）權降操，操部張飛仍據漢中，劉備攻之不克；直至二一九年（建安廿四年）五月，始佔領漢中，稱漢中王；此時曹操勢力雖稍稍減退，然不過退出漢水上游罷了，絕不能動搖其中州兵力（黃河中下游一帶）。是年八月，關公攻取襄樊，「威震華夏」，操雖有遷都之議，然羽以半個荊州之力，初定襄樊，襄樊以北，水軍無所用力，若羽以少數南方部隊，孤軍深入河南，補給不繼，欲與曹魏大軍，會戰中州，絕無可勝之理。如果曹軍真是被打擊得好像摧枯拉朽一般，為什麼蜀兵變方，多少次分別北伐，都不成功；而劉備在這時期何以不能由漢中進窺長安，潼關，和襄樊的關羽軍，採取鉗形攻勢呢？所以要單獨責怪關公辭他「不乘勝直取中原」為不智，乃當時客觀形勢所不許可的一種空論。

其次，要批評關公拒孫權求作兒女親家為「二不智」，似乎也不免是忽略客觀形勢的隔靴搔癢之談。因為如果和孫權做親家可以改變他取回荊州之心，那末，劉備不已經是孫權的妹婿了嗎？難道關小姐的份量，會比孫夫人還重要嗎？關公拒權求婚，正是鑒於他義兄劉備和孫家成親既無濟於事，而終不免於遭凶終隙末的教訓，我們似乎不應該隨便批評人家的私事（兒女婚姻），當為聯吳外交失敗的一宗重要公案吧。（五）

歷史人物

自由報

THE FREE NEWS

第一〇三期

中華民國僑務委員會頒發
台報新字第三二三號登記證
中華郵政台字第一二八二號執照
登記爲第一類新聞紙類
（半週刊每星期三、六出版）
每份港幣壹角
台灣零售價折台幣弍元
社　長：雷嘯岑
督印人：黃行齋
社址：香港銅鑼灣高士威道二十號四樓
20. CAUSEWAY RD 3RD FL
HONG KONG
TEL. 771726　電報掛號．7191
承印者：田風印刷廠
地址：香港灣仔高士打道二二一號
台灣分社
台北市西寧南路壹壹零號二樓
電話：三〇三四六
台郵劃撥儲金戶九二二五二

甘迺迪總統的思想和作爲

·陶百川·

一月廿日就職的美國第三十五位總統甘迺迪先生，在去年七月十五日接受總統提名演說中曾經大聲疾呼：「現在是變的時候了」。「世界正在變，舊的時代正在沒落。舊的辦法將無能爲力」。「我們今天站在一九六〇年代新境界的邊緣。這是一個有着尚不可知的機會和危險的境界。這是一個有着尚未實現的希望和威脅的境界」。「今天沒有所謂維持現狀」。「全人類等候我們的決定。全世界仰望我們的做法。我們不能辜負他們的信託。我們不能不有所嘗試」。

甘迺迪這些號召和啓示，引起了全世界的關切。有人因而興奮，有人因而恐懼，有人因而疑慮。在甘迺迪當選總統以後，於是全世界都要問：他將做些什麼呢？他能做些什麼呢？

自由主義的觀點

寫甘迺迪傳記的柏恩思教授提供了一個答案。他在與「美國新聞和世界報導」記者的談話中，預料：「在未來一二年中，甘迺迪勢將放寬和延長民主黨的自由主義和國際主義的政策。」

民主黨是一個自由主義的政黨。即使被目爲國會保守派領袖的雷朋議長，最近對新聞記者發表談話，對此也不否認。去年七月民主黨全國代表大會所通過的政綱，確較共和黨的富於自由主義的色彩。而甘迺迪在接受提名時，曾明白表示：「人的權利，那些與人類尊嚴有重要關係的民權和經濟的權利，確是我們的目標和第一個原則。我們有這樣一個政綱，我就能有熱心和信心去競選了。」

再看甘迺迪本人的政見和政績。在兩黨開始總統提名前，美國全國總工會曾在國會所表決的議案中提出四十個議案作爲評判候選人政治立場的標準，以四十九案的表決完全符合工會要求的爲最優，而甘迺迪的投票紀錄居然有四十八案符合了工會的要求，而後者是帶有濃厚的自由主義色彩的。

在甘迺迪被提名爲民主黨的總統候選人以後，他衡時勢，覺得有採自由主義觀點的必要，因此他說：「假使你的理智判斷要你採自由主義的立場，你就只有採取那樣的立場，但這不是爲自由主義而採取自由主義。在一九六〇年，這是我的立場。在一九三二年，這是羅斯福的立場。」

自我節制的中間路線

最近一期的時代週刊，會就甘迺迪的思想和作風加以分析。它提出這樣兩個問題：「甘迺迪是一個自由主義者麼？還是一個保守主義者？」它說：「答案是介於二者之間，而與自由主義或保守主義的觀念尚有相當的距離。」在對他競選中所抱觀念沒有十分深刻印象的人們看來，甘迺迪雖不富於思想，但他並不是一個空想的觀念論者。他有着政治的才能和技巧。幾乎從他當選之日開始，甘迺迪就表演一個令人欣慰的紀錄；他剪裁了他的觀念使其適合實際的目標。

時代週刊舉出甘迺迪對閣員的任命作爲有趣的論據。它說，在國務院中，駐聯合國首席代表史蒂文生、副國務卿鮑爾斯和主管非洲事務的助理國務卿威廉斯都是著名的自由主義者，他們雖位居要津，但都得聽命於儀表文雅而心腸堅硬的魯斯克國務卿，後者在參議院外交委員會的證辭中明白表示新政府不會在外交上去放一把火。

其次，時代週刊又指出，甘迺迪雖請了自由主義的海勒爾擔任經濟顧問委員會的主席，然而他的財政部長却是共和黨的狄倫，後者最近告訴國會議員不要希望有什麼革命的「新境界」的經濟政策。申言之，幾乎在每一機構中，甘迺迪都安置着自由份子，但多半是在溫和派的指導之下。

時代週刊又透露，在過去一個月中，甘迺迪所邀請的專家小組（本文作者記得有十五個小組之多，組成份子都是一時之選）幾乎天天有漂亮的新計劃提供他採納。最先來的是參議員薛明頓主持的委員會所提澈底改組的五角大厦（國防部）的計劃，接着是麻省理工學院教授薩姆遜的大量援助教育、房屋和蕭條地區的計劃。甘迺迪怎樣處理呢？他表示了微笑的謝意，可是並未採取行動。他向國會所提出的五項計劃（以聯邦經費資助房屋、教育、醫藥、和蕭條地區並將最低工資從一元提高至一元二角五分）溫和得能爲任何中庸主義者所可接受。

幾塊絆腳石

就甘迺迪的個性思想和作風而論，他在競選期中的言行，應該就是他的本來面目的表現，現在所走的路線，乃在許多人的意料之外。然則他何以會有這樣的轉變呢？

時代週刊提供了一個解釋，它指出那是因爲他在十一月八日總選時得票太少，（在六千八百萬票中，甘迺迪僅多得十一萬票）；這樣的民意表現，不能算是國民已經支持了他的政見。假使艾森豪可以再連任一次，甘迺迪無論如何也不能入主白宮。甘迺迪有這感覺，所以不得不抑低他的調兒。

我還可以補充一項理由。在與總統同時舉行的國會議員的改選，民主黨雖仍獲勝利，然與上屆比較，參議員少了二席，眾議員少了二十四席。因此甘迺迪如果在眾議院中提出激進的法案例如有關民權或經濟政策的，反對黨（共和黨）只要聯合二百五十九位民主黨眾議員中的四十二位，（加上共和黨的一百七十八位），就可構成過半數（二百十九人）而予以否決，而美國國會議員因爲區域利害相同的原因常就特定法案作超黨派的臨時諒解和協同動作以反對本黨的決策。甘迺迪現在未始不想整肅眾議員中的保守份子，但在沒有十分把握前，他自不敢魯莽從事。

還有一個財經的因素。照上月的統計，美國黃金繼續外流，十一月份就損失了五萬萬元，失業人數繼續增高，目前快將突破五百五十萬人的大關，工業生產較去年同期減少了百分之七，其中鋼鐵業僅有半數的產量，足見經濟又到了蕭條的邊緣。財經狀況如此不如人意，甘迺迪當然不能爲所欲爲。

林肯的故事和精神

可是甘迺迪乃是一個英雄。他有大志，有野心，有作爲，有勇氣。他不會安於現狀，也不能安於現狀。他在「論總統」的著名演說中引用一句中國的俗諺：「只聽樓板響，不見人下來」，以批評艾森豪政府做得太少。我們且看這位英雄怎樣創造時勢，把美國帶入新境界。

最後，我要抄錄甘迺迪自己的一席話，以供印證；在「論總統」講辭中，他講了這樣一個故事以自勉：

「他（美國）總統——百註）必須模仿林肯總統召集他的戰時內閣會商解放（黑奴）宣言那種果敢的行動。那個內閣的人選是經仔細挑選以討好及反映全國許多派系的。（甘迺迪總統這次組織他的內閣，也有——林肯總統當年的氣魄——百註）然而林肯對他的內閣說：『我召集諸位來，是請聽取我已經寫下的東西。我不期望諸位對該主要問題提供意見——那個問題我已自作決定了』。

「後來，經過數小時使他手臂酸軟的疲勞握手之後，在他前往簽署解放宣言的時候，他對在場的人說：『如果我留青史，那將是由這個法案的緣故。我整個靈魂都在它裏面。如果我的手在簽署這解放宣言時發抖，後世所有閱讀這個文獻的人將要說：「他遲疑不決了」』。

但林肯的手並未發抖。他並未遲疑不決。他並未模稜兩可。因爲他是美國的總統。

「我們在未來的歲月中應該發展的，便是這種精神。」

但願甘迺迪總統能以林肯簽署解放宣言的精神來解放全世界被奴役被壓迫的全人類！（五十年一月二十四日於台北）

小廣天下

△中共向澳洲加拿大購糧達一億餘美元。英報指蘇俄與以財政援助，迫毛澤東走溫和路線。

中共沒法向「先進」的蘇俄購糧，還要不斷向蘇俄獻糧，那是千眞萬確的事實。英報借題向毛澤東幽默一下，作用仍在乎挑撥離間。

△大陸饑民搶糧，仍如風起雲湧。台北研究敵情專家指出：一千萬退役共軍將與饑民匯合，加入反饑餓運動。共酋陳毅則在北平宣稱：中共將可克服困難。他嘲笑「帝國主義者」及「反動份子」高興得太早。此外，他又揚言支持寮共作戰。

當中共正在派兵進駐「人民公社」，要對饑民作戰的時候，迫它要抽出軍隊到任何一個地方作戰，也就是對饑民一種有力的幫助。陳毅把自由人士的「悲憤」看作「高興」，面對熊熊的饑火而悍言戰爭，總有一天教他懂得什麼才是人民的力量。

△馬祖海面有激戰，共艦受創。又傳中共將作軍事冒險。

國府當前急務，莫如迫使中共開闢新戰場。

△美政府邀英揆麥美倫訪英。傳印度尼赫魯藉此向美施壓力，引中共入聯合國。

麥美倫與戴高樂議定了什麼錦囊妙計？能夠向甘迺迪提出西方全面合作的雄圖大略嗎？尼赫魯只是塚中枯骨，管他作甚？

△美國新任總統甘迺迪發佈首次國情咨文後，蘇俄及中共開始對甘迺迪作不客氣攻擊。

甘迺迪與赫魯曉夫的「蜜月期」怕不會很長吧！

△蘇俄放出六噸半人造衛星升空成功，傳已秘密載有「太空人」。赫魯曉夫準備訪問非洲七國。

赫魯曉夫很懂得在這時候應該賣弄些什麼。

△東南亞公約組織八國外長下月舉行年會，英法美外長將赴曼谷。美新任國務卿魯斯克首次出國參加會議。

他們能使東南亞公約由一張紙變成老虎嗎？魯斯克不是魔術家，要變怕也只能變出一隻紙老虎。

△寮國又鬧「變包政府」，傳逃亡的前中立總理受寮共支持，仍將組府，與現在的反共政府對峙。

到了這時候，寮共已牽着寮國「中立份子」的鼻子，猶如當年中共牽着大陸「民主人士」的鼻子一般，英法要搞「聯合政府」是不通的了，更壞在瓜分寮國也不容易。這一回，要看甘迺迪能否在寮國造成「新境界」了。

南方

自由讀

民主無例外

馬五先生

美總統甘迺迪就職之日，由民主黨總部的大典籌備委員會，綜持典禮諸事，凡是到場觀禮者，除新任的政府高官顯吏以外，皆得斥付相當的代價購買入場券。新總統的老太爺老甘迺迪當然特別高興，定要到場恭觀兒子貴爲國家元首的接任大典，藉娛老懷。詎未見大典籌備處恭送入場券前來，他以「總統之父」的資格，打電話詰問主持人：「我的入場券呢？」對方答道：「你的入場券須用支票來換取，府上可以免費入場者，只有傑克（新任總統）羅拔（新任最高法院檢察長，即新總統之弟）二人而已」。老甘迺迪無話可說，只好以一萬元支票購券乙張，纔得進入白宮觀禮焉。

這表示眞正的民主憲政國家，事無鉅細，一例公私分明，毫不含糊，兒子雖然作了總統，老子並不能因此而增高身價，享有特權，別人亦當伊嘸介事，決不對「總統之父」就另眼看待，故意推崇，有所諂媚。這才是如假包換的民主精神，即小喩大，思過半矣。

我國現代一般知識份子，好談反封建主義反官僚主義的論調，說來口沫橫飛，聲氣壯烈。但在事實上多見其背道而馳，一切法制政令，對於特權階級皆不發生拘束力，無所顧忌。例如台灣的入境手續，極爲嚴格，普通的文武官員亦不能苟且的，老百姓更不待言。可是，某些極少數的特權份子，却可以不具備正當手續而隨便出入，只要有個特權人物到場迎送就行了。像老甘迺迪這類事情，如果是在咱們這個自命爲實行民主政治的國家中，能有人敢對他拒給免費入場券嗎？主持典禮的人，唯恐巴結討好之不遑，而這「總統之父」聽到拒絕免費觀禮的話，亦將大發雷霆，認爲太沒面子了。所以，我感覺在中國喊民主口號最起勁的是知識份子，而事實上最缺乏民主生活修養的，亦是這般人，可慨也已！

笑話百出，欲哭無淚
今日大陸的形形色色

郁明

本報特稿

「自由報」老編，天天以電話逼我寫「特稿」——而且指定要我談大陸上的問題。適以事忙，只得把幾段發生在大陸上的「新社會裏的新事情」湊合到一起，先行交卷。事情倒是怪有趣的，讀者讀過之後，可能引得哈哈大笑，也可能欲笑無淚呢！

如此「大學生」

中共培養的工農學生，其文化水平之低是難於令人想像的。一九五九年八月二十五日「人民日報」上發表一篇一個當上「全國勞動模範」後入石家莊工學院當「大學生」閻金芬的一篇文章。這位閻姓「大學生」在文章裏說：「一九五一年冬天，石家莊成立工農速成中學，黨為了培養我，把我送到速成中學去學習，我真是又高興又心慌；我那時才剛剛在廠業餘學校裡只學會了六百個生字；有的還只是光認識不會寫，不能保證正常上課，這就更跟不上班了」。她的學業成績，「除了政治常識考了七十分外，其餘功課都不及格」。雖然如此，但她是黨「專門培養的」；所以，她不僅順利地畢業了，而且，就靠着這連生帶熟的千把幾百個字，黨又把她「送到石家莊工學院去上大學」。大陸上的教育也是「貫徹階級路綫」，盡量培植對黨忠誠的工農出身的「學生」；倒也是，「黨特別重視」這類人物，這類人物當然也就「對黨特別忠誠」了。

「掛牌學員」

大陸上在「文化革命」運動中，搞掃盲、業餘教育等等，眞是弄得翻江倒海熱火朝天！不過，那也只是「擠時間」——利用人們休息空隙，灌輸政治毒素而已！同時，有些「獨霸一方」的黨員幹部，所謂「學習」還不是那麼個事兒能了！眞是：「人民的天下了，該享受享受了，誰還扯那一套幹啥呢？」

中共中南第一工程公司一〇四工段成立了業餘學校。學校成立後動員職工入校學習時，團友部書記徐家鳳和工會主席劉國瑞；都是特別「熱情地對職工解說，學習文化，掌握知識，建設社會主義等等大道理。」可是，他們兩個人，雖也入了學，但是卻「經常曠課」。讀者不要誤會，一位團友兼一位工會主席，不管大小，總也算是領導幹部，文化水平一定很高了？那就不對了；其實，他們二人「都是參加高小二年班學習」（五六、四、一八「長江日報」。）

幹部「心中無數」

包頭市工業局對該局所屬企業的廠長、工程師、科長、車間主任、工段長和工會幹部，舉行一次測驗；題目是「各工廠的基本情況」。諸如「廠內有些什麼產品？據情理上說，題目是工廠本身的情況，參加測驗的又都是工廠裏的各級負責幹部，應該是瞭如指掌了；可是，測驗的結果卻「令人大吃一驚」！據說：「參加測驗的一〇九個人中，不及格的有九十五人，其中得零分的有三十五人。在十位廠長和八位工會主席中，及格的只各有一人」（五六、三、一〇「人民日報」）。

驢唇不對馬嘴

一九五八年六月，中共陝西省藍田縣委，對藍橋鎮的基層幹部，進行一次「時事政策測驗」。參加的共有十五人；其中供銷社十三人，收購組信用社各一人。測驗的結果，十五個人共得七百一十二分，每人平均得四十七點四七分。問他們「黨在農村的階級路綫是什麼」？答對的只有一個人。收購組的幹部張潤倉竟答是「勤儉辦社」。

有的人把「七一」黨的生日，答為「列寧逝世紀念日」；還有的說那一天是「兒童節」。

蘇聯發射了第一顆和第二顆人造衛星。可是，當進行測驗時，有的人說「是美國放的」；還有的人說「是英國放的」！

縣委的幹部，面對這種「亂說七八句」的情況；「你話吹脹佢吹唔脹佢」（五八、五、一二北平「大公報」）。

死人翻生

一九五八年五月，上海第二醫學院領導上，對該院附屬第五人民醫院的幹部進行一次測驗。測驗的結果，有百分之五十以上，考不出中國共產黨和「中華人民共和國」是什麼時候產生的。至於「新民主主義革命」什麼時候開始？什麼時候結束等等；竟有百分之九十以上的人答不出來。

當問他們「世界上有那些社會國家」時，有的把澳大利亞、印度、印度尼西亞、南韓和菲律賓等國，都說成是「社會主義國家」了。至於當時的「整風運動」和「雙反運動」（按即「反保守」、「反浪費」），很多人根本不知道。

上海市「人民政府」文化局，對屬下的「電影事業管理處」的幹部進行「政事測驗」中，知道赫魯曉夫是蘇聯部長會議主席的只有百分之二十一。百分之五十一答布爾加寧；百分之十七答馬林科夫、加里寧；乖乖，加里寧已死去十多年了！還有答史大林和列寧的。更妙的是有位幹部「就地取材」，竟把一個到上海訪問的蘇聯電影導演格拉西莫夫說成是蘇聯總理。

問他們「美國總統是誰」？不知道的更多。有一個說是福爾摩斯！

一個山西籍的公安幹部，在答覆「世界有幾大洲」時，他答「世界有兗州、膠州、亞洲三大洲」。這個「人民警察」倒也算不錯，他在上海服務，但還沒忘記在他家鄉的兗州和膠州。

如此七月一日

也在一九五八年，陝西省曾在全省範圍內進行一次大規模的「政治測驗」。有一項題目是「七月一日是什麼紀念日」？在參加的一千六百三十多名中下級幹部中，知道「七一」是中國共產黨生日的只有七十多個人。有的答是「列寧死的一天」；有的答是「中日停戰紀念日」；有的答是「兒童節」。另外還有二個幹部，連題目也看不懂；當問他兩人時；一個答：「是廟會日」！一個答：「陽曆七月一號是舊曆六月初三（五八、四滬「文匯報」）。

大陸是動物園

記得前二年一位印度學者，在大陸上經過數周訪問後，經過香港時他說「大陸成了大動物園。」我們看過上邊幾段「消愁解悶」的內容，就硬說是那位印度學者是「對人民祖國的惡意誹謗」也該「轉下腦筋」了。這篇文章的內容，是中共自已報紙登出來的，也不是那一個瞎編胡扯！

中共對幹部的要求是「絕對忠誠」，在工作中必須「不折不扣地照黨的政策辦事」。這就說明了中共的幹部為什麼有那麼多「獃子鍋煮元宵——混蛋一個」的寶貝卵子了！只有像這樣的腦袋裏連一點竅隙都沒有的「混蛋加三級」的貨色，方能作到「黨指到那裏就作到那裏」。至於事情本身的對不對，那就不是他們所能懂得的了！

現在大陸上又在以「整風」名義進行「肅反」了；在基層直接掌握生殺大權的人就是上邊所談的那些像猪不是猪——因為他們只有兩條腿——的幹部。想像可知，該閙成什麼地步？寫至此不禁擲筆搖頭，為大陸上的善良的父老兄弟姊妹們一掬同情之淚！嗚呼！哀哉！「毛主席萬歲」！

香港與大陸

△香港居民向大陸寄送救飢糧包的人，是不是相信這便可以達到救濟的效果呢？本報記者曾經分組進行測驗，向五十個不同身份的人作個別詢問。測驗的結果，有百份之七十作出同樣的答案：這只是個人聊盡一點心，明知救得今天救不得明天，也算個人還了心願。他們有一個共同認識是：國軍如不反攻大陸，留在大陸的親人決難眞正得救。

△由大陸申請來港的人，必須憑有在香港親屬去信，才有獲准的可能。最近香港居民接獲大陸親人來信，多請求去信以便辦理申請。為了去信措詞要投合共幹心理，他們多自行寫好底稿，請港中親人照抄。此類家書，大都悲涼之至，令人不忍卒讀。

寶島飛絮

筆友應徵原是親兄妹
姻緣一線全靠玻璃瓶

△苗栗縣頭份鎮黃姓青年，平素好友，曾在某雜誌上，連續以筆名刊登徵求筆友的啓事，數日前，突由綠衣使者手中，收到一封筆跡秀麗的信，經拆開一看，原來是一位女讀者的應徵信，從此以後就互相通信，日積月累，對方被他的熱情所感動，於是，雙方在無形中就由普通筆友變成情侶。日前，雙方函約在幽美的佛敎聖地獅頭山暢叙衷曲，兩人見面後，黃某覺得伊人面目與乃姊相似，就詳問她的身世，她就說出從幼被別人收養的經過。黃某至此才知道她就是十多年前音訊斷絕的親妹妹，當時悲喜交加，相偕回家認親，於是，父母子女得以團聚，歡樂不已，此誠所謂「人生何處不相逢」也。

△無獨有偶，頭份鎮發生了另一件徵求筆友的趣聞，該鎮三灣鄉內灣村林姓青年，在高中時代就喜交筆友，因之對寫信之道頗有研究，數月前，突然心血來潮，想出了一個別開生面的徵友方法，即寫一封徵友信裝入別緻的玻璃瓶中，由內灣村吊橋擲入中港溪中隨波逐流，看看有什麼好運來臨。不料，數日後，他忽然接到一封陌生的來信，那封信除了自我介紹是一位少女之外，並說她是在某日清晨前往中港溪下流洗衣時，突見一隻玻璃瓶，檢起打開一看，才知道是一封徵友信，所以，她才專誠應徵。嗣後雙方魚雁頻通，經過了數個月的時間，伊人對林姓青年愛慕不已，就相約見面。見面後，才知伊人不但年已及笄，而且十分美麗，林某一時驚為天人，於是很快的就結成情侶，並於日前經雙方家長同意，宣告訂婚。這對年青男女的結合，誠可謂「千里姻緣一線牽」也。

△屏東縣潮州鎮潘姓女子，芳齡二九，生得嬌小玲瓏，逗人喜愛，因家境清貧，只得外出工作，月前有一陳姓青年，年三十八歲，遠自澎湖歸來，偶與潘姓女子邂逅，大有相見恨晚之慨，於是想盡方法託人說項，經女母同意，就以九千元禮聘訂婚。不料，小姐另有愛人，所以，當男方談及婚期時，潘女才如夢初醒，向她的母親哭求解除婚約，但男方堅決不肯。女母以苦勸愛女無效，且未婚女婿與自已年齡相同，就異想天開，以開玩笑的方式說可不可以母身代替女兒出嫁？想不到男方竟然答允，弄假成真，形成尷尬的局面。附近鄰居聽說之後，莫不引為奇談。（元月廿八日嘯谷寄自台北）

大陸文壇萬花筒

農民與宗教

——岳騫——

中共御用史學家有一個始終不能自圓其說的問題，就是農民戰爭與宗教的問題。

本來中共史學家如翦伯贊、呂振羽之流是主張廢止歷代皇朝世系的，廢除之後中國歷史改用農民起義繫年，大概只有九個朝代，即（一）陳勝、吳廣；（二）赤眉、銅馬；（三）黃巾；（四）竇建德、徐圓朗；（五）王仙芝、黃巢；（六）陳友諒、張士誠；（七）張獻忠、李自成；（八）洪秀全；（九）毛澤東。

這個辦法後來所以未實行，大概因為九個「朝代」中間並不銜接，而所佔的時間在整個歷史上又實在太少，因此暫時擱置了。

不過，中共歷史學家在鼓吹農民起義時，發現絕大部份都是利用宗教為宣傳的根據，次一些的也自行編造出一種神話以愚弄農民。中共本身是無神論者，但是也不能一筆抹煞農民和宗教的關係，因此，進一步分析農民為什麼利用宗教。

一九六〇年十月十七日人民日報上發表了戎笙「試論中國農民戰爭和宗教的關係」一文，其中有些「新奇」的見解，他認為宗教中有關太平，平等等說法，原來就是封建統治階級來麻醉人民的「雅片烟的一陣誘人的芳香」。既然是統治階級用來麻醉人民的，何以又為農民所利用，據戎笙的看法，因為這些說法對被壓迫的人民「發生某些啓示作用」，把他們的「一些渴望解決的迫切問題提出來了」，所以農民起義就有借用「宗教教義的情形。」

這種說法實在無法服人，共幹自已也看不下去，本年一月十五日文滙報發表了楊寬的「再論中國農民戰爭中革命思想的作用及其與宗教的關係」一文，站在反對戎笙的立場，認為宗教的預言、信仰和戒律同農民的革命要求、革命思想和革命行動連結起來，才有可能被利用為宣傳鼓動和組織農民革命的一種工具。

從歷史觀點上看，楊寬的話比較有道理，但從共黨理論上說，戎笙的「黨性」則比較强，因為戎笙本意只在否定太平，平等是麻醉人的雅片烟，等於警告人民不要追求平等享受，事實上大陸人民普通吃小球藻、糠餅而不得，毛澤東依然大吃「全聚德」的烤鴨，人民如要求平等，只有起義了。

社會小說　香港地

七、可憐一炬

一場大火燃燒了六七小時，才得完全撲滅，大大的一個火場佈滿了灰燼和殘斷的炭枝，這猶如經過了一場大戰的寂寞戰場，縱橫佈滿了屍首和斷肢殘骸。梅大亮以憑弔戰場的心情來憑弔火場，特在送走了譚福祿以後，單獨在火場四面巡視了一遍，那時才有機會碰到更多的熟人，互相苦訴損失。就中損失最重的是那位開醫療所和衛生食堂的賈大夫。他辛苦經營的幾宗基業都給大火燒光了，但他還有恢復故業的信心。他笑着對梅大亮說：「我們住在木屋便等如住在虎口，也等如住在火山噴口上面，時時準備受這種驚險和折磨。怪不得廣東人說火是『冇牙老虎』，形容得眞是恰當。我們這次總算從虎口逃走出來了。然也沒用，還得動動腦筋，看馬上該做些什麼事情才是。」

梅大亮在這一帶木屋區裏面認識的人，算他最有辦法。這時他發揮的一段議論，也教梅大亮聽得點頭不迭，心想道：「這眞是一個打不死的人！大概打不死的精神就是難民的精神吧！前人說的『野火燒不盡，春風吹又生』，也眞說的不錯。假如不是這樣，大家不就老早死光了嗎？」

爲了這一場大火，梅大亮把許多事情都擱下了，他陪着太太在崗上露宿了一宵，和鄰戶商量好重建木屋的計劃和步驟。養豬的劉大嬸很夠義氣，自動向大家提出，等她馬上把幾頭大豬賣了，換回一筆款子，便馬上替大家買一批木料回來，凡是同里共過患難的人，都可向她借木材借錢，只求共同渡過目前難關，以後才再計算。

她這一個提議，等如拿一顆定心丸給大家吃下。她這一筆錢不算太多也不算太少，好在能夠應急，少許便勝過多許，正似水滸傳梁山首領宋公明的渾號，端的是「及時雨」呢。梅太太也料不到救出這幾頭豬，竟有這麼大的作用，賽過百萬富翁呆放在銀行裡不動不用的一大筆款子呢。這樣，兩口子便一連忙了好幾天，爲的都是重建住屋的事。（一〇一）

木客著

邊沿

冰山

深夜了，四周出奇的靜，一股股的冷風從他身邊刮過，他可不覺得冷，心裏升起一種異樣的感覺，情不自禁的，又向四周掃了一下，可是曠野上一片死寂，沒有人同情他，更無任何人挽留他，於是一聲微弱而絕望的嘆息從他口中吐出。

幾顆疏落的星星，散佈在那黝黑的天空，嘲笑似的指引着地球上的失意者，走上另一無可知的世界。他沿着河堤上沉默的走着，往事，往事！痛苦的往事，零落的出現在他眼前，生活的艱苦，人心的險詐，竟使在這最後的一刻亦不能獲得安靜，充滿創傷的心，浮起一絲的怒意，但隨又消逝了，「我已是快結束的人了，忘了那些可憎的事吧！」他痛苦的自語着。

他掏出了一支香烟，他需要靜一下，眼神朦朧的注視着遠空閃爍的星光，空洞的腦海突然像獲得決定似的，緩緩收回遠方的目光，燃着那隻香烟，死命的吮吸着。他已記不得這是第幾根烟了，只是這已是最後一根，而且只剩下短短的一截了，他貪婪的猛吸兩口後，把它投下足旁的河水裏，河水是靜靜的流着，只是太污穢了，這對他是惟一的遺憾，他望着那污水，微微一笑自言自語：「哈！甚至結束的地方也是髒的，生命對我是一團髒。」意識到該是時候了，從衣袋中掏出一條繩子，然後沿着河堤，一心一意的尋找一塊重量合適的石頭，……突然他覺察到一種生物的聲息，雖是如此的微弱，但此刻他的靈明太空靜了，它確是一陣陣的傳過來了。他側耳凝神的搜尋，那聲音的來源，不知覺的放下手中一塊石頭，朝那發聲的地方走去。

他爲眼前的情景所驚了，那是幻覺嗎？揉揉眼睛，一個女性的背影依舊在他眼前，似乎還微微抽搐着，漸漸地，已能聽出一聲聲非常淒楚的嚶泣。他下意識的想到這是一件甚麼事，他已完全的忘記了自己的事。

他冷靜地走過去，幸運地，她並未覺察到，於是他迅速地捉了她的手臂猛力往後一拖，於是，伴着兩人的倒下是一聲劃破死寂的尖叫。

一陣沉默過後，她又嚶嚶啜泣起來，他木然的立着，腦子裏亂得很，弄不清到底發生了什麼事，默默的望着那少女，看背影她該是一個美麗的女孩子，如此一朵盛開的花，爲什麼厭世了呢？難道她願放棄世人的讚美嗎？「該是愛情的煩惱吧！我早就不相信愛情了。」他想。又想到自己的可笑，但緊跟着又默默自問：你爲什麼選擇這一條路呢？

望着遠處的星光，迷糊中突然若有所悟。此刻那少女似已停止哭泣，默默的打量着他，望她那段微顫的身體，他無言地脫下外衣，徑自披在她身上，她沒拒絕，微抬起她感激的眼光，在她的眼光中他看到了他不曾看過，不懂得的東西，多麼傻，自己竟選上了這樣可憐愚笨的路，恨恨的把手中的繩子死勁往河中一丟，再次注視眼前的女孩時，他初次領悟到生命的奧秘，兩個生命離開了河水的邊沿，更離開了生死的邊沿，差點兩個人就跨過那另一世界的邊沿，唉！生與死的距離太近了，一剎那間兩個將毀滅的生命獲得新生了，他突然想通似的哈哈大笑！是的，生總比死好，自己應當好好的生活下去，人來到這世界，總有其不可淹滅的意義，是甜是苦，總是生命的滋味，應該多領悟一些生命的無窮奧秘。

他們緩緩的走向市區，默默地，偶而彼此交換一下目光，在彼此的目光中都能窺出對生命的熱愛。東方漸漸的發白了，望着那象徵蓬勃生命的朝日，他與她的嘴角上都泛起一絲淡淡而會心的微笑。

歲暮談梅花

・白荷・

梅花，爲落葉喬木，歲暮春寒時開花，色有紅、白二種，白者初開時，微帶綠色，亦名綠萼梅，可入藥，葉後花而生，卵形而尖，邊有鋸齒，果實生者青色，熟者黃色，可以蜜餞，久藏不壞。

由於梅花有不畏風霜的性格，象徵着一種超凡脫俗的孤高氣節，故爲古今詩人墨客所喜愛，古人中有名的愛梅者，允推林逋先生，字和靖，宋時人，隱居杭州西湖孤山，號稱孤山隱士，其所作詠梅花詩，久已膾炙人口，詩曰：「衆芳搖落獨鮮妍，占斷風情向小園，疏影橫斜水清淺，暗香浮動月黃昏，霜禽欲下先偷眼，粉蝶如知合斷魂，幸有微吟可相狎，不須檀板共金樽。」寫景抒情，的是引人入勝。

在歲暮天寒，草木凋零的季節，惟有梅花，暗香浮動，在昔日西湖孤山的梅花盛開，文人雅士們相率踏雪尋梅，附庸風雅，無錫梅園的「香雪海」美景，更令人留連忘返；再如往昔故鄉北平，每逢新春，趕廟會的仕女們，莫不趕往花市，買一束梅花，帶回家中，供養在古瓶中，令人發思古之幽情；猶憶在故都北平，我們住的獅幢住宅，後院中有一株素心臘梅，每逢寒冬臘月，春節前後，黃蕊點點，幽香四溢，穿過月亮門，便是我的書房，那股梅花香味，眞夠令人有超然脫俗之感，如今背井離鄉，瞬已十載，不知在此歲暮天寒時，古梅無恙否？

夢

程傑烽

夢，多麼富於幽靈而渺茫的名詞，是個不可猜測的謎。美麗的夢，人人想做，可怕的夢，人人討厭。但夢究竟是夢，不是事實；迷信者說，夢是人事的預兆，象徵喜與惡。人生一世皆爲夢；老翁有夢，兒童有夢，婦孺有夢，少女有夢，窮酸有夢，大官有夢，小兵有夢，夢是不分界限的，每個人都有其不同幻想的夢，夢太多了，變化莫測。

古人云：「日有所思，夜必有夢」，頗有道理。夜間之夢，屬於靈魂，白晝之夢，屬於腦想，前者是夢想，後者是空想，對於人都會起一種作用，重者影響做事的行動。

紅燈綠酒，酒醉金迷，洋房汽車，黃金美鈔，高官厚祿，呼奴使婢，是美麗的夢，但是有幾人能想到，漂泊異鄉，窮途潦倒，挨飢受餓，回首前程，不堪再想，也是一場夢。青年與愛人接吻，同遊，醒來時原是南柯一夢。窮人發財，鈔票疊疊，喜出望外，忽然驚起，原也是一夢。

夢是一首極優美的詩，當你失意於現實生活的時候，你會在夢裏找到安慰，找到覺得使你光明的出路，有時因爲一個惡夢，也許會打破了你現時生活的安寧。夢畢竟是可愛的，使你愉快的夢，能鼓舞你去追求那甜美幸福的生活，它爲你帶來無限的希望，那些毫無可能飄渺的幻變，在你的心靈上，夢卻有着不可磨滅的印象與價值。

使你恐怖的夢，也許正給與你一種警惕，一個危險的信號，要你去謹慎提防，雖然驚得你汗流浹背，卻只是一場虛驚，當你醒來的時候，就會驀然一笑：人生就是夢。有的人在夢裏長成，有的人在夢裡消滅，也有的人在夢裏被困永遠，始終打不出迷夢的包圍，于是我便記起了諸葛武侯唸過的一首詩：「大夢誰先覺，平生我自知」。

我活了三十個寒暑，曾做過若干的夢？到如今還是日夜做夢，夢想得中愛國獎券二十萬，在台灣主持一個眞善美的小家庭，補償我人生無能的缺陷，使其能安心從事現在反共抗俄的革命文化工作，拴住我如野馬奔騰的夢想，這點夢想，能否成爲事實呢！

或謂至人無夢，可惜我們都不是至人，所以我們都有夢？

我懷百結，君夢如何？

編者與作者

台灣各地通訊員先生：諸君爲本報撰寫通訊稿，曷勝感荷。惟有數點須請諸君注意者：第一、名流或準名流之演講詞恕不刊載，此類稿件亦不必投寄。第二、花絮之類，具有趣味性、教育性或諷刺性者，均所歡迎，惟請勿過時。第三、新聞稿件，須有眞實姓名，發生之時間與地點及其經過，請不必空發議論，浪費篇幅。第四、普通新聞，不必投寄。動態新聞，靜態新聞，須爭取時間。第五、屬於資料性，應有建設性之意見者，除非爲獨有資料，否則，不必投寄。須知台港兩地相距匪遙，諸君在撰述稿件時，必先考慮到此稿寄達後是否會成明日黃花，此則爲一基本原則也。

梨園漫談

紅生

——瘦西湖——

紅生又名紅淨，何以竟如此稱法，因紅生之塗面及扮相實與淨面大花臉毫無二致，故亦被人稱爲紅淨，但紅淨的唱腔、作表、念白、嗓音，則又與鬚生相同。所以，行家索興又把這紅淨列爲生部。

紅生大部爲關公戲者居多，唯一例外者，僅扮飾「龍虎門」中之趙玄郎，「大刀關勝」中之關勝二人也，據傳，前輩伶人擅長關戲之程長庚、王鴻壽、汪桂芬等諸人，皆係當時生部之名伶，後人爲了尊崇程等發揚國劇之功勞，遂將紅淨正式列爲生部，此亦自有來歷之說也。

擅唱紅生戲者，除前輩程長庚、王鴻壽、汪桂芬等外，尚有小三麻子、林樹森、麒麟童等人，小三麻子演關戲極佳，其一折「水淹七軍」，演來猶如眞的天神降臨，使觀者無不動容肅然起敬，其威儀神似之處，實非他人能演關公戲者所及，又傳，於「八一三」事變之前，小在上海三星舞台演唱，某日貼紅生戲『關公顯靈』，活捉潘璋一幕，小竟忘在塗關公面時，在其右頰下角點黑痣一顆，故上得台來，例由檢場者放彩火一把，以表示關公係由天而降，不意此彩一起火，後台竟被火燒滿天通紅，前台觀衆及台上執事們見此情形，無不大驚失色，紛紛奪門而逃，小則徇入戲房坐着眞似關公一般，事後經人檢查，不但未損一草一木，而其餘房屋佈景等仍完好如故也。

從此，演關公戲者必須事先點焚檀香，伶人潔身沐拜，開面亦不得隨意塗之，關戲自小三麻子去世後，林樹森演來亦稱絕活，林晚年專演「走麥城」、「古城會」、「華容道」等數折，其威儀之佳，台步之健，堪與小三麻子並駕齊驅，故林亦有活關公之稱，在當時林之紅生地位，在大江南北無人能敵耳。

麒麟童善關戲，嘗貼「華容道」於黃金大戲院，麒是南邊的有名做派老生，扮起關公戲來功架之好，大有駕輕就熟之感，惜其嗓音沙啞，不夠雄亮，雖有功架補其不足，但這樣勉從其事，總非紅生之材也。

李桐春近來身體大大發福，扮起紅生戲來倍覺威嚴，且其功架老到，台步穩健，身上有戲，在今日自由中國來說，實不作第三人想矣，其所演之「關公月下斬貂蟬」，尤爲當今藝壇一絕，故李之紅生戲，寶島亦已無人能及也。

釋耒集

民食

尙書洪範八政，列民食爲首，蓋食者民之所急，資之以爲生者也。孔子言爲政，既庶之後，曰「富之」，又曰：「足食、足兵、民信。」此聖人知天下大本之所在，所以愛天下之深也。鼂錯曰：「聖王在上，而民不凍饑者，非能耕而食之，織而衣之也，爲開其資財之道也。故堯禹有九年之水，湯有七年之旱，而國無捐瘠者，以蓄積多而備先具也。」……神農之教曰：「有石城十仞，湯池百步，帶甲百萬，而無粟，弗能守也。」考之國史，歷代立國規模之宏，無過于漢唐與有明，及其既衰，則均破亡於流賊，而流賊之起，則莫不緣於饑饉，後漢書桓帝紀：「已酉詔曰：比歲不登，人多饑窮，又有水旱疾疫之困……」司隸、豫州饑，死者十四五，至有滅戶者。」唐書黃巢傳：「巢據長安，百姓遁入山砦，累年廢耕耘，賊坐守空城，穀價涌貴，斗米三十千，官軍皆執山砦民鬻於賊爲食，人值數十萬。」高駢傳：「楊行密圍揚州，城中草根木實皮囊革帶俱盡，外軍掠人來賣，人五十千，張雄有軍糧，相約交市，金一斤、通犀帶一條，得米五升。」又明史李繼貞傳：「崇禎四年，斗米值銀四錢，民多從賊」，左懋第傳：「崇禎時，山東兵荒，米石二十四兩，河南乃每石一百五十兩。」人至于食草根木實皮囊革帶俱盡，甚且人相食，猶不免于滅戶，則生人之趣盡，而求生之計窮，寧有不從賊者乎？刑罰之可畏，以其足以置人於死耳，饑凍而死，與從賊而死，等死耳，翅從賊猶可以冀萬一之生乎？近聞中國大陸之上，自五八年以來，水旱風雹相繼，當局計顆粒限民之食，以便搜刮餘糧輸出，用以換取所謂軍火與機器，今時未入春，人民已被迫以稻稈蔗渣摻和少量米麥果腹，草根木實，螺蚌魚鱉之俱盡，可知矣。且臘前不見雨雪，冬耕已無所望，引領夏收，則西江之水，何補于涸轍之鮒魚？必將饑死者十四五，可斷言也。共產黨人之有政權，雖逾十年，然亦未足以語于漢唐有明之所樹立，計其年期，猶當不遠新莽，縱慘礉少恩，遠超前代，而嚴刑重法，御安民則有餘，制危民則不足，抽心一爛，則瓦解之後，隨之以土崩，亦自然之勢也。昔太史公作史記，爲平準書，懲秦之失，因而論曰：「於是外攘夷狄、內興功業，海內之士力耕不足糧饟；女子紡織不足衣服，古者嘗竭天下之資財以奉其上，猶自以爲不足也。無異故云，事勢之流，相激使然，曷足怪焉。」今中共援北韓，滅西藏，又以兵威劫西南鄰國，內則繫山築路，造長江大橋，侈言建設，而黔首之民，勤勞卒歲，生活比于牛馬，終乃袖手待凍餓以死，守國之道如此，謂可以長久，有是理乎？

曲齋

大學教育

徐學慧

大學裏面的課程，是不是要來一套有計劃的漸變，這應該是一個值得研究的問題。

在這樣一個動盪的時代，每一個國家爲了圖強，不免有意鼓勵那些年輕人研究自然科學。究其用意，本屬無可厚非，但因此而引起了另外一個問題，却又爲我們所忽畧，那就是：自然科學愈進步，而人文科學則愈低落。

世界各地的大學裏面，習人文科學的學生是愈來愈少了。這已成了一種普遍現象。形成此種現象的原因很簡單，第一、政府的號召。第二、環境的需要。第三、教育制度的安排。

因此，要解決這個問題，必須由社會人士通力合作，否則，即無從談起。

今日之大學教育，幾乎全是專科教育。在此種專科教育下所培養出來的人材，容或可以控制太空，控制海洋，但他們却無法提高人類的理性生活。換句話說，人類皆爲物質所奴役，而對於道德之說，全不講求。

追求科學捨棄道德的結果，乃必然引致人類文明的精神虛脫。美國已經有了這種現象，日本也開始感覺到這種危機，大抵科學愈發達的國家，人類的道德文明也就消失得愈快。

這是一個時代危機，而這危機正與日俱深。那些所謂專家們，可以計劃美國金元的危機，甚至可以規定美國黃金儲備必需在二百九十億的界綫。但他們却很少看出，人類道德的危機！

不論科學再怎麼昌明，人類的生活，最基本的還是在道德的維繫。而要人類道德不致淪喪，乃在性靈的陶冶。不談到陶冶性情，就不是自然科學所能爲力了。

粵語諧詩

介人

用粵語來做打油詩，據「兩般秋雨盦隨筆」載，有李寧甫潮州的竹枝詞，其詞云：

「銷魂種子阿儂佳，開檥千金莫浪誇；高擲蓬窗陳午宴，爭看老衍貌如花。」

註云：「阿儂佳」，幼女也，梳櫳曰「開檥」，婿曰「老衍」，指潮州方蓬船上人之語。他這種註釋，據說潮州人也有的不知其音義的。

其實晚近粵語入詩的，應該數廖鳳舒和胡漢民先生。廖先生做詩化名爲「珠海夢餘生」，別號懺盦，是國內很負名的詞家，又是廖仲愷先生的兄長，雖然他曾經出任外交使節，根本是一位文學家，沒有捲入政治漩渦。

他的打油詩集，名爲「嬉笑集」，印行於一九四九年，據他的跋後序云：「已未與胡展堂在橫濱，旅居無俚，讀漢書下酒，盱衡古今人物，有若干若合符節者，戲成廣州俗語七律若干首，展堂爲擊節，慫恿付梓，三十年來廢存散佚，……頃摘錄十分之四五，再補新作付梓排印。」關於寫詩的動機，已經很顯明的說出。

他詠老子詩云：

「長鬚迯過肚臍隆，好似瘋雞亂咁春；騎隻古靈精怪野，擔枝壞鬼熟煙筒。望人拜佢爲師傅；道士開山叫祖宗。昨晚函城嚟火燭，誰知就爲呢條龍。」

首句刻劃老子之狀，次句說他過關。「古靈精怪野」當係指青牛；「壞鬼熟煙筒」，不知何所指。五句指孔子問道於老聃，六句則指後來之一般道士奉老子爲祖師。第七句或係指紫氣東來，紫氣乃紅光，所以用火燭來形容，末句乃自「老子其猶龍乎」一句脫胎出來，全詩極其風趣，雖用典過晦，人所不易瞭解，而詠歷史人物能生動至此，實在不是容易的。

詠秦始皇第二首云：

「六國吞埋攞吓鬚，安心咁就着龍袍。收齊爛鐵燒銅像；堆起新書送火爐。過海點嚟求味藥；當天再去貼張符。既然攬到江山祿，生仔唔該叫亞胡。」

又有詠范增詩云：

「老貓燒剩幾條鬚，悔恨當年眼冇珠。濕水馬騮唔過坑；爛泥菩薩點能扶？明知屎汁專兜篤，重想孤番再殺鋪。一自鴻門佢錯過，神仙有法也難翻。」

又有詠項羽詩云：

「又高又大又囉嘈，臨死依然重唱謌；既然慶桂稱皇帝，何必頻淪殺老婆。三尺多長犀利劍；八千靚溜後生哥，如果烏江唔鋸頸，大兵退後屎難疴！」

以上這些詠史詩，不僅指詞幽默，而且論史有識，所謂「盱衡古今人物，若合符節」，裏面似也可以看出當時人物的影子。關於詠項羽的，胡漢民先生亦有一首云：

「一扳高大幾威風，唱隻歌來就眼紅。點解天公唔保佑，誰知妾侍亦英雄。專孖皇帝爭頭啖；氣到軍師出背瘟。得咁多人爲你死，因何冇面見江東？」

這些詩，我想即令不諳廣東話的人，也可以意會到的。但仍面上雖屬打油，規律井然，寄慨遙深，對仗工穩，廖鳳舒可謂與胡漢民之詩，二難並美了。只是胡漢民先生的詩集，並沒有將他的粵語詩採入，一鱗半爪，彌覺可貴了。

此外，廖鳳舒先生還有一首，諷刺社會現象的，係詠「自由女」詩。民初粵人稱摩登女子名「自由女」，蓋有以別於守舊禮教的女子。「自由女」行爲多屬浪漫不羈，予人的印象極不佳。但比較今天的摩登女性，又若小巫之見大巫，「自由女」雖屬浪漫，究不若現時女性之大膽作風。其詩云：

「姑娘飽吸自由風，唔想話文明想去學堂銷暑假；專嚟旅館扮春宮。梳成雙髻鬆毛狗；剪到條辮攞尾龍。靴仔洋遮高脚褲，長堤日夜兩頭春。」

所謂「靴仔洋遮高脚褲」，因爲那時女子的裝束，開始穿皮鞋，作半高跟形狀，一般人稱之曰「靴子」，褲長過膝，上身衣大襟衫，手執洋遮（當時還沒有手袋），剪髮短才及頸，額前亦有覆劉海，但還沒有電波曲髮，讀了他這詩，亦可以畧見當時「自由女」的裝束。

海嶠叢談

憶張溥泉先生

諸葛文侯

民黨老前輩張溥泉（繼）先生，於抗日戰爭勝利結束後，溘然逝世了。自大陸淪陷以來，十餘年間，我深感國破家亡之痛，即懷念張溥老不置，因爲他是民黨老同志中反共最早，而且最堅決不移者。「人之云亡，邦國殄瘁」，有以也夫！

民國十三年國民黨第一次代表大會通過「容共」政策後不久，張溥老即以中央監察委員地位，搜集中共陰謀篡奪國民黨領導革命的權力，實行赤化中國之各種文件，協同林森、謝持等，向孫總理提出彈核案，主張驅逐跨黨份子，引起軒然大波。總理召集中央執監委員聯席會議於廣州，討論這項問題時，溥老激昂慷慨地申述其反共理由，有憑有據，不屈不撓。最後孫公以同志的親切廢語溥老曰：「容共是爲達成革命目的的一種手段，有我在，決不會怕共黨威脅吾黨，希望你讓我試行既定決策，如其無效，再請你來主持黨務何如？」溥老應之曰：「謹遵命，從明天起，我自動停止黨權，不問黨事。」這段精采故事，是我在民國十六年冬留南京的「中央特別委員會」時期，聞諸謝慧生（持）先生轉述的。

溥老隨即離粵赴滬，糾合一般老同志在法租界環龍路十九號賃屋一椽，作爲同志們見面談話之所，也就是「西山會議」的策源地，後來這座房子便成了名聞全國的國民黨反共人士的司令塔。

西山會議以後，由於汪兆銘一般人挾共以自重，盤據廣州的國民黨部，發號施令，斥西山會議份子是「反革命」叛徒，認爲十惡不赦，許多參加西山會議的人，爲着政治利慾，相率向汪兆銘方面表示懺悔，撰呈悔過書，醜態可掬，然張溥老始終我行我素，堅守所信，不因流俗之毀譽，有所容心，且以「西山會議份子」的頭銜，引爲光榮。這種精神，眞可謂富貴不能淫，貧賤不能移，威武不能屈了！

對日抗戰軍興後，共黨詭稱一致抗日救國，宣言服從國民政府，而實際是利用抗日口號，厲行「一分抗日，七分發展，二分對付國民黨」的禍國陰謀。維時在重慶的某些民黨要人，又恢復了當年在廣州容共時代的氣概與作風，而以「中蘇文化協會」爲同惡共濟的總樞紐。張溥老怒然心憂，默察一切動態，勤求各般事證，曾經親赴陝甘一帶旅行考查，根據他所調悉的眞象，在國民黨中委某次全體會議中，指述共黨禍國陰謀，侃侃而談，如數家珍，且大聲提出警告，說是「本黨總裁左右，就有共黨份子潛伏着」，他指的是邵力子。當時舉座爲之震驚，似以溥老之言，未免過甚其詞。但事後證明，當民國卅七年冬十二月，蔣總統宣告引退前夕，召集中樞文武大員會議時，公然說出「打人家不過就投降」的荒謬論者，就是邵力子，可否認溥老的先見之明呢？可惜是時溥老已經下世，否則他可以說句「吾謀適不用」的大人話，致一般昏憒糊塗的黨國要人，哭笑不得，無地自容啊！

張溥泉先生有一種高尙的風範，即他爲着反共主張，雖然遭受到別人的攻訐侮慢，從不計校，也不像偷俗者流，在國民黨稍不得意，便不甘寂寞，而蟬曳殘聲過別枝，另扯旗號，跟當權者唱對台戲，他到死亦是個忠黨愛國的志士。今之所謂忠貞份子，有這種節操嗎？

論關羽

·謝康·

第三、要說關公中了呂蒙陸遜之計，這本是事實，無可置辯，亦不必置辯的。但是，我們應體諒關公當時腹背受敵，處境艱難已極，而外無援兵，並且和成都隔絕，消息不通呢。這時劉備，孔明坐鎮川西成都，何以不派兵救援，糜芳是劉備親戚，而以江陵降吳，這豈是關羽所及料的嗎？我們倘若同情他爲國捐軀，全家殉難，又何忍責難他調兵集中樊城，準備北伐的失策！觀秀俠先生一方面批評他「不乘勝直下中原」，另方面又責難他調兵集中樊城之失計，這兩個批評，似乎也有多少矛盾的地方吧？

歷來同情關公死國難守大節的學者頗多，清代江陰沙張仁氏作「讀史論畧」，曾著文專論其事，而深怪當日成都君臣之不救荊襄爲不可解，言下不勝爲關氏惋惜。孔明一生謹慎，這時位爲軍師將軍兼行相事，等於首相兼參謀總長或軍機大臣之類，論謀國之忠，知人之明，不應眼光狹隘，只顧西蜀漢中，而忽視荊州的重要性。而且孫權爲人志在割據，首鼠兩端，尙寄任計，立場不定，既怕曹操之強，又極力要收回劉備所借的荊州，關公處境的尷尬，個性的倔強忠梗，備與亮不應該不知道，知之而不預爲之防，諸葛妙算，似乎也不免於千慮之一失了。章詒燕讀史諍言，深責權之與蜀敗盟稱臣於魏，獻捷於魏之不當，其同情關公之心，亦自在言外了。又康熙間杜詔作讀史論畧，亦畧同此見解。（六）

歷史人物

自由報

THE FREE NEWS

第一〇四期

中華民國僑務委員會頒發
台教新字第三二三號登記證
中華郵政台字第一二八二號執照
登記爲第一類新聞紙類
（本報刊每星期三、六出版）

每份港幣壹角
台灣零售價新台幣弍元

社長：雷嘯岑
督印人：黃行奮

社址：香港銅鑼灣高士威道二十號四樓
20. CAUSEWAY RD. 3RD. FL
HONG KONG
TEL. 771726　電報掛號．7191

承印者：田風印刷廠
地址：香港灣仔高士打道二二一號

台灣分社
台北市西寧南路壹叁零號二樓
電話：三〇三四六
台郵撥儲金戶九二五二

論歷史的誤會

鄭學稼

每個知識分子，讀完一九三五年五月十七日瞿秋白在福建長汀獄中所寫「多餘的話」，該有感想的——至少我會發生了很多的感想。我不是輕視瞿秋白，我十分同情他。因爲他是映現「五四」浪潮中許多知識分子的另一面鏡子。如果看這鏡子中的影子的人，對似瞿秋白這類典型的人物，沒有同情心，還用諷刺或謾罵的文字，那表示他是不了解近四十年史的淺薄知識分子。

瞿秋白在「多餘的話」中，帶情感地暗示他的讀者：他的志願和興趣本是文藝，而環境却廹他幹政治。因爲他扮演了自己所不願扮演的角色，所以在政治舞台上只有以悲劇角色結束一生。黑格爾說：一個歷史人物，在歷史舞台上不是演悲劇就要演喜劇。也許他以喜劇角色出場，以悲劇角色下場；也許他先演悲劇再演喜劇。的確，在不平凡時代中，只有平庸的歷史人物，才演喜劇。瞿秋白無疑地是「五四」時代知識分子中的悲劇扮演者，使「多餘的話」讀者們驚訝的，該是他在走往刑場的前夜，用「歷史的誤會」爲自己政治生活的定評。

煮了這麼久，還沒熟呢！

「歷史的誤會」，是誤會歷史者的話。殘酷的歷史女神常吞噬自己的最優秀兒女。否則，人類不會發明紀念偉大歷史人物的銅像或紀念碑。銅像或紀念碑多是後代人對於已故歷史人物的懺悔。它本身就常是悲劇式人物的標誌。當然，銅像或紀念碑也有是紀念喜劇式的歷史人物的，但他不能十分感動觀衆。遊東京上野公園的人，看到「大西鄉」的銅像，該會發生面對伊藤博文銅像不同的心境；否則，表示他缺乏明治維新史的知識。

「歷史」從沒有對它的創造者有「誤會」的。歷史幾乎有這樣的公式：在偉大的歷史浪潮掀起時，一定出現多少英雄豪傑。他們的逸話，他們的言行，使後人展轉傳述。法國大革命時，羅蘭夫人、丹塘、羅伯斯庇爾們的光明磊落，使讀史者流下同情之淚。他們都是法蘭西民族傑出的兒女，可是他們和她們都被歷史女神吞噬了！享受他們和她們所創造的歷史果實者，却是秦林們。這是一群極卑劣的丑角，他們在「社會之花」——內有扮女神的美麗泰林夫人和未來「法蘭西人皇帝」的皇后約瑟芬——沙籠中，過着斷台上英雄們所未會想過的腐敗生活。只有嗜利的人，才敢說那樣活的人比不公平地殺戮的悲劇人物，更有歷史的價值。

再就中國近百年史而言：黃花崗英雄中似林覺民烈士，也是歷史不朽的人物。他的不朽，活現於他的使讀者感到一字一淚的遺書。他是中華民族最優秀兒女群之一。他的一切，使面對他的遺像者感到渺小。他太偉大了！因爲他忘我，他心裏只有一個大我，即中華民族。歷史女神吞噬自己最優秀兒女的殘酷行爲，是使後人崇敬歷史悲劇的角色之一原因。

當「反黨同盟」受赫魯曉夫們處分時，可能登上斯大林三世皇座的柯茲洛夫，如此地斥責莫洛托夫們：『那是歷史的廢物箱，應丟到歷史垃圾箱中去。』這句話不公平，但含有歷史的眞理。我說它不公平，因爲當莫洛托夫們建立斯大林帝國時，柯茲洛夫還是乳臭未乾的孩子。他享受莫洛托夫們所栽植的歷史菓樹的成果，却厚顏地謾罵種菓者。我說它含有歷史的眞理，由於歷史女神常拋棄完成她所要完成任務的人物。但我應補充一句：莫洛托夫并不是歷史的悲劇角色，他只是不名譽的下場者，或是歷史悲劇角色出台時的僕從——也許還可以用更刻薄的形容詞。讓我引這一記錄就夠了。布爾什維克傳記家庭察（Isaac Deutscher）在他的「托洛茨基傳」第二卷中引巴查洛夫（Bajanov）的記述：『托洛茨基，有一次出現於書記處，不滿該處所幹的某些事，那一切事都要「責書記處愚蠢的官僚莫洛托夫。莫氏口吃地說：托洛茨基同志，托洛茨基同志，不是每個人都是天才者喲。』布爾什維黨史爲人指證，似被列寧斥罵爲「盤中廢物」的莫洛托夫，也是歷史果實之一享受者，他的不名譽下場，是歷史女神另一責罰的形式，他不配和歷史悲劇的人物相提並論。「在『歷史垃圾箱』中，像莫洛托夫那樣的人物，眞是太多了。

現在回頭說瞿秋白。他不是莫洛托夫型，他也不是歷史悲劇式人物。他只是不自主地被時代牽着鼻子走。這是應該原諒的和同情的。他是破落大世家的子弟，爲着貧窮，目擊最親愛的母親自殺。他窮到進『不要學費又有出身』的北洋政府外交部立俄文專修館。如果他能夠得到留美的官費，他將是出色的文學家。「五四」的浪潮，推他向前，並接受時代思潮。「歷史的誤會」（如果眞有那「誤會」的話）給他以新聞記者遊歷「餓鄉」（蘇俄）的機會，又驅他加入共產黨。此後，他捲入他所說澎湃的「赤潮」就這樣地廹他不自主地結束一生。他回顧自己的經歷，在「多餘的話」中自供不是馬克思主義者，和早就脫離共產黨隊伍的人。他在這樣回憶中，沒有搖尾乞憐的情操，他只把「歷史的誤會」，作爲自已的蓋棺論定。他是一個讀書人，又以讀書人的面目走到另一世界中去。

瞿秋白的批評家，應該如此想：如果他生在太平盛世，如果他的環境給他滿足自已的志願，他會幹「赤匪」或「紅匪」嗎？就爲着他生在極不幸的時代，他才走了另一道路。又爲着那極不幸的時代，首先閱他的「多餘的語」的審判官，不肯留着他！當然，這是歷史的必然，而不是「歷史的誤會」。

人們從瞿秋白的思想，和由該思想而引他走上政治舞台的活動，可以做各種的評判，但是他本着自已的思想邏輯所展開的生活，却比許多人清白。以成敗論英雄，那是市儈式文人的特權。他的論評，不會使泉下的瞿秋白心服的。

晚年的瞿秋白，從他的思想看來，已脫離布爾什維克主義；雖然他還掛着市爾什維克主義者的牌子。就爲着他的心境，已走入另一世界，所以他的絕筆纔活現出禪宗和尚的面目。他在「多餘的話」中最後一段是這樣的：

『最後……

俄國高爾基的「四十年」、「克里•薩摩京的生活」，屠格湼夫的「魯定」，託爾斯泰的「安娜•卡尼寧娜」，中國魯迅的「阿Q正傳」，矛盾的「動搖」，曹雪芹的「紅樓夢」，都可以再讀一讀。

中國的豆腐也是很好吃的東西，世界第一！

永別了！』

只有眞正了解那幾本書的人，才知道瞿秋白的話的眞意義。爲什麼他突然轉了一筆說：『中國的豆腐也是好吃的東西』，而且加上『世界第一！』的形容詞？這是禪語。今日大陸上的毛共們以貓兒哭老鼠的心情，表示追思崇敬，其實他們不但是不瞭解瞿秋白，而且根本討厭他，他當年被發配到閩邊去送命，就是毛共集團有意遺棄他？這是歷史的插曲，却不是誤會啊！

小鍋天下

△倫敦傳出消息：英首相麥美倫擬於今秋訪北平，開始引中共加入國際社會，但須在四月訪問美國時，先徵甘迺廸總統同意。

這是一個現實主義者的夢。好在自由世界容許誰都有發夢的自由。要分析這個夢的潛意識，可得而言者有三：一是姑息以求避戰；二是利用毛澤東與赫魯曉夫現有的隙裂，進行離間；三是造成一個拖得下去和混和下去的「新均勢」。

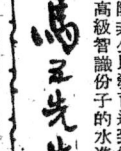

△菲律濱總統訪吉隆坡，傳進行邀泰國及馬來亞參加亞洲反共同盟。據說：菲認爲東南亞組織業已破產。英不贊成亞洲出現反共同盟。

亞洲反共同盟儼以非律濱爲軸心，北翼日本和南翼馬來亞都難拉動。但這是亞洲人自覺必須團結的開端。這應該有一個原則：把現已可能團結的力量儘先團結起來。

△美總統甘迺廸建議壓止黃金外流的論文，受國會兩黨議員熱烈支持。

因此，誰也不應該在此時對甘迺廸期望太高，他仍須「安內」始能「攘外」也。美國「經濟蕭條」雖不如共黨國家糧荒的嚴重，而仍有內憂則是事實。

△英國破獲十年來最大間諜案，業已公佈。西方國家防範蘇俄潛艇的全部計劃恐已爲蘇俄所知。

因爲人家做得乾淨了利，才覺得U2事件的軒然大波爲可笑。

△英首相麥美倫之子在國會發言，攻擊其父的經濟政策。麥氏答覆工黨議員詢問，自贊其家中的人既有智慧，又能自主，引起哄堂大笑。

不懂得幽默便不該從事政治。這是他們的信條。

△日本池田政府有因考慮承認中共而作出外交試探的跡象，國內外輿論迭予警告。

他們在看風使帆。我們應該料到：當一陣姑息的風把中共吹入聯合國去時，一羣投機者便會有所藉口，原形畢露。

△大陸糧荒慘狀，不斷傳到香港，港人因寄糧救濟大陸親友，影響舊曆年關消費。

十年已制思鄉淚，更入新年恐不禁？問他們來年的飢荒日子怎過？

南方

自由談

選舉災難

馬五先生

台北市議員女性候選人鍾文金落選之後，債主紛紛登門討債，絡繹不絕，因爲落了選，那些債權人對她的態度亦就不客氣了，洶洶逼債之中，還夾以冷嘲熱諷，使她刺激到發狂的狀態。這眞是民主生活的一幕悲劇，可歎可哂！

據說，她的競選費用已花去了十萬元台幣以上，尚負下一大堆的債，只是香煙一項，亦有六七百元的欠數呢！假使她當選了，情形自然不同，許多債主一定登門道賀，絕口不談債務，或許還要致送一些賀禮，以示親善之意。世故人情就是這末一種炎涼景色，自古已然，於今爲烈，受不了也得受，所謂「萬物之靈」的人，固如是也！

民主政治的中心機能，就是選舉。而選舉不管舞弊與否，必須花錢却無二致。一個市議員的競選費，消耗十幾萬元猶不能得，其他獲選人的費用，可以想見了。未當選的，物質債累累然不易償還；當了選的，人情債到處都是，一輩子亦還不淸。這種選舉災難，在英美那些先進的民主國家，也是不能避免的。例如美總統甘迺廸的弟弟羅拔•甘迺廸，因爲替老兄出力助了選，便要老兄內舉不避親，給他一個司法部長的官位，即其明證。

中國人素來貧窮，大家又以搞政治爲生財大道，因而在選舉中的物質債和人情債，尤其特別沉重。看了台北市這位鍾文金女士的選舉災難，我希望一般智識份子還是向着工商企業方面求發展的好，搞選舉實係自找罪受，何苦來哉！我讚美考試制度，而憎惡選舉這玩藝，所謂「選賢與能」，若憑投票方式，永遠是一句空話——除非公民教育達到個個都是高級智識份子的水準。

聖瑪利亞輪與葡萄牙

A.K.

倫敦航訊

儘管年前麥美倫首相訪俄時，曾告訴那些紅色首要，今日英國決非狄更斯小說中所描寫的那樣的英國；可是元月杪倫敦的深冬天氣還是狄更斯所描寫的一樣，好在因為暖流的影響，溫度表很少掉到華氏三十二度以下。

英國一般近況可以「穩定而且相當繁榮」一句話來包括。大家的眼光總是投向歐洲大陸和大西洋的彼岸，因為利害休戚是共同的。倫敦的蠟人館新添了美總統甘迺迪的模型，記者特去參觀一次，恍如置身白宮的新聞記者招待會一般。

在這昏霧襲衣，天意欲雪的當兒，戶外活動似乎是不宜的。這天（元月二十六）午後，記者剛在中國飯館吃過飯，回到Charing Cross青年會，恰好碰到一位英國同業威廉。我問他那兒去。他說要去那旅倫敦的葡萄牙流亡人士的招待會，可以同去；我說我亦願去作一位不速之客，因為日來街談巷議都是聖瑪利亞輪案。

會場已經到了兩三百人。同業威廉介紹我是香港「自由報」的代表。主席薩恭達拉Sacuntala小姐連說歡迎，同我握手，並轉介紹幾位「葡屬非洲民族運動」，「葡萄牙民主黨」，「臥亞聯盟」的代表握手。招待員送我一份「葡萄牙與殖民」Portuguese and Colonial Bulletin。這顯見得是早有準備的舉動，而恰好在此時機作戲劇化的演出。

這位女主席歷述加瓦奧的歷史，担任過縣知事，國會議員，是一向幹政治的，反對薩拉查總理「獨裁」的，當然不會是海盜。她敘述葡國人民三十餘年來，沒有自由，言時聲調非常激動，希望得到各記者的同情和支持。記者中亦有提出問題的，均經解答。

從上述情況看來，聖瑪利亞輪案並非偶發事件，而是反對政府的葡國流亡人士蓄謀已久的。

聖瑪利亞輪案的性質是複雜的，牽涉到國際法理，外交，政治，和軍事；亦特別牽涉到巴西，美國，和英國。一方的處理若不當，則「小鍬生大浪」也不是沒有可能的。

加瓦奧上尉的黨羽連他本人不過七十名，再加船上脅從的水手亦不到四百名。因為該輪原係客輪，說不上武裝，而加瓦奧攜帶的武器亦殊有限；但葡國當局惟恐該輪擄取葡屬的西非的任何一處為立足點，建立政權，獲得外國的承認，所以儘量戒備西非各地海面。葡國的軍力是不夠強的，在非洲西岸須賴英國海軍的協助。

照情勢發展看，聖瑪利亞既在巴西卸下全部五百六十名乘客，料不致再出港而影響非洲。至於該輪如何處理，當由葡巴兩國按國際法和邦交來妥善解決。另一方面，這事件卻反映了葡國的政治問題，或薩拉查政權問題。

葡萄牙雖然是最早的殖民帝國，可是近數十年的國際糾紛中，葡國很少被牽涉在內；因為她是「自帝其國」，政策以「和平」「同化」為主；不大引起反感。固然一九五五——一九五六年間，印度曾想收回其「臥榻之側」的葡屬臥亞，但老練的葡總理薩拉查理據力爭，兼得英美的暗中維護，該行省仍得保全。

葡萄牙是中華民國的友邦，堅決站在自由世界方面的，薩拉查的功過亦可從多種角度來看，不過有些事實未容漠視。這位行年七十有一的總理係由經濟學教授，於一九二八年担任財政部長，掌握全國實權，不久即任國務總理，一直到現在的。他維持了葡國的安定，這是毫無問題的，不過談到進步究嫌太慢。

據紐約時報（巴黎版）元月十一日發表的世界經濟一覽特刊，估三五、五九八方英里的九百零五十二萬葡國人口，其平均每人全年收益僅為二百四十五美元，比西歐任何國家的數字低。又貧富懸殊，益顯問題之尖銳性，該報元月三十日週評更指出葡國及其殖民地經濟乃操在少數家族之手——批評者估計僅五十家族哩。

以貿易論，葡國去年全年貿易入超約一萬五千萬美元，僅藉西非洲的安古拉Angola和東非的莫三鼻給，得以彌補了六千萬元。事實上葡國經濟，或者可以說，該國整個國家，就靠這兩處屬地——葡國已一律稱為行省——之支持。關於該兩地之專書，有James Duffy所著Portuguese Africa美國哈佛一九五九版。該書係持論較平的，認為葡國治理非洲之態度，總把那些地方當做自主的兒童看待，而葡人自以為了解非洲或非洲文化，實則僅是他們自己的印象。

英國自一九一三年，一直和葡萄牙結盟，所以官方對聖瑪利亞事件的態度很慎重。這事件是和葡帝國的前途密連的，未可等閒視之。

（元月廿六日）

香港與大陸

△廣州消息：中共設有秘密軍校，訓練東南亞地區共黨軍事幹部。最近寮局緊張聲中，一月八日，中共又在廣州成立一所軍事專門訓練學校，以「解放軍體育學院」之名目掩護。據稱，該校招收學員，都以「速成」訓練，如「運動系」有射箭、擊劍、軍事等門科目「輪訓」。

△中共驅殖人民上山狩獵，圖以參加獵物出口，減輕經濟上的惡劣情況。據一月八日「人民日報」社論說：這「對于支援國家經濟建設有很重要的作用」，因為「野生動物的肉、油皮、毛、骨、角、血都是有用之物，有的可作生活資料，有的是工業原料，有的是貴重藥材」，又都「是重要的出口物資」。目前，中共指示各地「應該積極提倡」狩獵，抽出「一定的勞力進行」，為什麼呢？該報社論的如意算盤這樣打着，「出口四張揚雪皮或四十七張元皮，可換一噸鋼材，十兩鷺鷥毛可換取回一兩黃金」。並說：「一九五九出口的黃狼皮，換回一千六百三十三台二十六馬力的拖拉機」。（自聯社）

△本報記者由返廣州探親的友人口中獲悉：目前廣州人最怕患腫病，每發覺腳腫及面腫，均認為容易致命之症。大陸各地人士現極需海外親友接濟食油，係因認為長久缺乏油類，營養不足，即為發生腫病之原因。友人在此次回廣州一行中，最覺驚心動魄者，乃為所見數歲大之兒童，大都軟弱如棉，每在其父母手中橫陳如死屍，此為極度缺乏營養所致。下一代幼苗遭受如此慘酷之摧殘，眞令香港歸人見而酸鼻，敢怒而不敢言。又，本報前報導廣州現有一種用禾桿製成之餅，亦由友人證實，廣州連日盛傳因吃此種餅而中毒死亡者達數百人。另一方面，中共對於由香港携糧歸廣州接濟親友之人，偵查盤詰，並不放鬆，歸僑多有戒心云。（友）

滇緬邊區的反共游擊隊

楊檳榆

民國卅八年大陸沉淪，雲南境內部份不甘受奴役的國軍，冒險犯難，退入到緬邊山區，那些地方，便是三國時孔明率兵征南蠻的不毛之地，叢山峻嶺，一片荒涼，吃的住的用的樣樣沒有，但在我國軍健兒披荊斬棘，胼手胝足的苦幹之下，空地蓋上了營房，蕪地種好了糧稻，慘淡經營，建立了一塊游擊基地。

卅九年間，緬政府竟誤中奸計，不以守大門的反共部隊為友，倒反以為敵，挾其優勢兵力，傾巢來犯，我游擊部隊忍無可忍之下，被迫作戰，以寡擊衆，以劣對優，結果卻打得緬軍落花流水，抱頭而遁；「大其力」一役，反共部隊打出了名。故以後西南後方不堪受共匪殘暴的老百姓，便紛紛嚮往來歸；滇緬越邊境愛自由恨共黨的土民，也自動的加入了反共部隊，對抗極權！如此一來，反共部隊便一天天強大，由單純的「中國游擊隊」，熔各民族於一爐，而壯大成為「東南亞自由人民反共聯軍」了！

四十三年國軍李彌部隊忍痛自滇緬邊區撤退來台後，「馬幫」與「擺族」便成了游擊隊的主流——「馬幫」是一種集團的稱謂，他們是滇西、南一帶的平民，為謀生活，在緬寮泰越邊角區域流動的做些購買土產洋貨的生意，日子久了，也有在沿途山區與異族通婚而成家立業的；這些人從作生意的往來途中，為了行走方便及防野人土匪的騷擾，每個人少不了一枝槍一匹馬，成群結隊，人多勢衆，故有「馬幫」之稱；雲南陷匪後，他們有家歸不得，所以很多參加了游擊隊，憑其驍勇善戰，加以地形熟習，在反共隊伍中，確是一般堅強的「生力軍」！「擺族」分佈於滇省與緬東北山區，是邊疆民族中較開化的一種，各自形成部落，每邦掌政權的叫「土司」，下為「貴族」，再為平民；他（她）們的民族性是與世無爭，好自由，但自共匪佔據滇省後，偏叫境內的人民活不成！這些保守的土民為求生存，故而風起雲湧的參加了反共游擊隊。至於在緬境的北邦民族，他（她）們仍忘不了是山那邊（滇省）來的，「中華大大！」故還以稱中國人為光榮；有些觀念，他（她）們對國軍游擊隊便視為家人，格外親善，當然，游擊隊的軍紀嚴明，愛護百姓，也使得這些人深受感動，我助你你幫我軍民打成一片，眞正做到水乳相融！這民族本愛自由，但以共匪的暴政，緬共的苛擾，耳濡目染，使他（她）們對共黨起了憤恨，幫助游擊隊，參加反共隊伍，是出自每一個人自願。

總之，共匪不滅，反共游擊隊便會一天天的滋長！最好把白居易的「草」詩，第二句畧改一字作其寫照：「離離原上草，一歲一歲榮；野火燒不盡，春風吹又生……」

嚴氏美術館開放
彌敦道五〇四號德富強大廈三樓
國畫西畫陳列室
兼備台灣美術陶器及各種文玩
舊曆除夕前一連四天歡迎參觀

大陸文壇萬花筒

共幹淺薄得可怕

——岳騫——

本刊一零二期我曾寫過一篇「書也買不到」，說明大陸書籍缺乏，鄧拓勸人借書的事。在鄧拓文字下面，有陳友琴寫的「袁枚的黃生借書說譯意」。附了袁子才寫的一篇「黃生借書說」及陳友琴翻譯的白話，當時因為「黃生借書說」這篇古文，初中學生都懂，應該不會有什麼問題，就畧而未看，萬萬料不到這麼一篇淺顯的文言文，陳友琴竟然讀不成句，標點錯了，共幹之淺薄無知，實在嚇死人，把國家交給這批人，難怪老百姓全體要餓死了。

「黃生借書說」其中有這麼幾句：「余幼好書，家貧難致，有張氏藏書甚富，往借不與，歸而形諸夢，其切如是。」下面接着說：「故有所覽，輒省記，通籍後，俸去書來……」

這段文字相信不問台灣，香港的初中學生都會懂的，可是後面這一段，陳友琴標點為：「故有所覽，輒省記通籍。後俸去書來……」因為他不懂得「通籍」是什麼意思，所以就讀不成句，標點錯了還不打緊，難為他又翻成白話文，以「啟迪後學」，這段白話文就翻成了：「因此我對於凡是借讀的書，都記得不少並領會其中要旨。後來有了俸錢，盡量用錢買書……」

他因為不懂得通籍何解，就囫圇吞棗把「通」解作「領會」，「籍」就變成「要旨」，再加上個「其中」，果然成了一句很好的白話文了。看了他的翻譯之後，不由得想起平劇「蘇三起解」時崇公道說的「你不說我還明白，你這一說我可就反而胡塗了」。

元月三十日的人民日報，陳援菴（垣）先生寫了一封信給人民日報編輯，指出這個錯誤，因為實在有憑有據，人民日報也只好承認「是工作上的疏忽」，說起來怪編輯也冤枉，換我們當編輯，也不會把大文再用力去審核的，難得的還是這位作者，對此並無答復，好似沒有半點責任。

援老大概是氣極了，信中並且指出翻譯的註解中，說四庫全書館編書十六萬八千餘冊，也有問題，實際上每部只有三萬六千餘冊，共計七部，怎麼也不會算成十六萬冊。

更妙的是援老又說人民日報登出「黃生借書說」一類短文，甚為有趣，「能多刊載這樣短文，可以省時省紙，對讀者大有到益」。「省時省紙」，眞是可圈可點，短文對讀者有益，像高級共酋一篇報告長上一兩萬字，對讀者有什麼呢？

社會小說　香港地

七、可憐一炬

重建家園的工作是吃力的，補置家具的錢也花得不少，梅大亮一連苦幹了多天才得就緒，最感不便的地方是：暫時和外面失了聯絡，因爲原來代他收受郵件的店子也燒平了，郵政在這一帶地區宣告不通，使他要另外想想法子。

譚福祿眞夠朋友，每隔一兩天便來看他一次，凡是他欠缺的東西，都自動供應給他，包括他非常急需的金錢，還勸他趁這機會做個決斷，在木屋區外面找個別的住處，休得隨時準備再受一次火的洗禮。梅大亮雖則很感謝他的好意，却奇覆得十分乾脆，他只笑着說道：「你應該知道內子的脾氣，她是天生要住在這等地方才覺舒服的人。」

他這麼一說，譚福祿便覺得沒有什麼可勸之處了。爲了便利他對外通訊，譚福祿還替他分別通告各個朋友，拿自己的住處做他的通訊站，只在幾天之內，便接到好幾封信，還是當報紙副刊編輯的白芒，寫偵探小說的丁乾，和在火警那天還和他見過面的楊先生等人的慰問函。此外，譚福祿還替張君寶太太帶來慰問的口訊，這都使梅大亮感受到人情上的溫暖，覺得這些都是對他認眞關懷的朋友。

一天，梅大亮在家裏沒甚事情可做，譚福祿剛來看他，便齊到外面散步，稍稍舒解一下身心的疲勞和鬱悶。

他們一直由重建的木屋區走出去，邊走邊談，剛離開了木屋區，便看到一排排新建的花園洋樓，堂皇矗立，美輪美奐，和先前移山倒右時的情景，已是截然兩樣。

本來，這些洋樓並不是突然湧出來的。梅大亮每次出外，大都要經過這個地方，也都有機會看到，只因從前仍在草創時期，而木屋區還未經過一場大火，所以他的感覺便沒有目前這樣鮮朗。他乍然看了兩眼，頓覺這瓊樓玉宇一般璀璨，眼睛一亮之後，竟不禁回想起自己這幾天重建木屋的酸辛，登時愕了一愕，接着不覺吐出一聲輕嘆。

譚福祿發覺他的面色和神氣變得突兀，問他覺得有什麼不妥。（一〇二）

木客著

說「奴」

汶津

沒有人擁護奴隸制度。不幸的是：不少人自甘爲奴。百年之前，黑奴制度引起了一場大戰。可是犧牲了無數的人力、物力之後，却還有埋怨林肯的黑人。「奴性」難道是與生俱來的？

販奴的黑市市場可能已很少存在，但另一批役奴的主人興起了。金錢、權勢……：自古以來，便是書胃；如今則更有數不清的奴才奉他們爲恩主。事情怪就怪在這裡：從前的奴隸，地位最爲卑下，現代化的奴才往往是「高級人士」。

如果你貧無立錐，必然會對這些人「物」嗤之以鼻。可是且慢：想一想，如果你突然中了獎券或馬票，一秒鐘之間，你像拜倫發現自己已經成名一樣，悟到你自己已躋成富翁了，你該如何呢？你當首先注意你的宿疾，像心臟病、高血壓之類的，最好先請一位私人醫生或看護，駐防在貴府。因爲你必然會興奮欲狂，想到往日的一切夢幻，一切憧憬，這，這可不是都將付諸實現了？「有錢能使鬼推磨」，你不禁想起那位曾對你不屑一顧的少女，那些舉眼望青天的勢利朋友，這回，哼，這回你可得出一口冤氣了！不過，那是最初半小時的熱潮，接着你忽然担心起來。不久以前，你還看過一張印象深刻的警匪打鬥片，其中有一位無辜的飲彈者，便是暴富的角色。保險箱也許會在午夜被人打開；存款的銀行也許會倒閉；你襁褓中的掌上珠可能會不翼而飛，然後接獲一紙恐嚇信。

還有，你拿起算盤來一算，如果去買一筆××股票，花花綠綠的大鈔準會滾雪球似的滾進門來的。於是，你失眠了，你在床邊的櫃子上預備了幾種安眠藥，可是你依然不易闔眼。你想這想那。過了一星期，你去量了一次體重——捐了八磅！你苦笑，自我安慰的說：「不多！世界馬拉松跑一場便少了十一磅呢！」別人會誇你天性樂觀。可是你知道自己心裏的味兒。當你自以爲做了半個世界的主人時，却無形中成了金錢的第一號奴隸！

甚至在學生羣中發現不少人對有權位的公僕們又羨又妒。「某某長的兒子犯了校規就沒什麼！」「誰教他老子是官啊！」這種對話本是司空見慣。於是「做大事不做大官」的定理成立了，理由是：國父也做過大官。我不了解某些人的心理是實，但某些人的技倆成爲最上市的貨色也是千眞萬確的。厚黑學的始祖雖已撤手而去；青出於藍，後繼不怕無人。鷄犬升天業已粉粹了動物學家的公理；許多衣敝腹飢的「寶眷」剎時間煥然一新，紅光滿面。可是吹、拍之術，不敢或釋。於是老萊子娛親似的，弄得後來連他的靠山都覺着膩了。最後——怎麼着？如果他的良心根本已經退休，那麼他也將極難例外的成爲某些報章的漫畫題材——他老兄正執着丈八鐵鏟，揮着鏟大刮地皮呢！這般的典型，實在是古已有之，於今爲烈。

至於最後的下場如何？沒有人會關心一名黑奴的屍骸，上帝也不會垂憐任何自甘爲奴的子民。「你是夠得上逃脫負軛的人麼？」尼采聲色俱厲的問。你是嗎？當你逃開了（或自以爲逃開了）某一樁事物的奴役，你可能又墜入另一種方式的役使。難怪那位剛性的哲學家要喚出超人的口號了。然而世間的人依然在受生活奴役，爲兒女作牛馬，或成爲情感的傀儡，甚至最自豪的智者，也難逃自己的思想的羈軛！

現代的科學文明，實際上正是一個心懷叵測的蓄奴者，數以億計的嘍囉，使它睥睨寰宇。可惜蒼穹之下，並沒有一面龐大的照妖鏡，使目迷五色的現代人回顧一下自己的醜態。數世紀後的史學家，也許會爲我們這一代的人們擬定如下的雅號：機器的奴隸。

岳王墳

漁翁

岳飛，字鵬舉，宋相州湯陰人，官至太尉，加少保，追金兵於朱仙鎮時，秦檜力主和議，一日降十二金字牌召還，並以「莫須有」三字而陷害其父子於獄中。迨孝宗時，追封鄂王，謚武穆，葬浙江杭州西湖之棲霞嶺，碣曰：「宋岳忠武王之墓」。墳旁鑄秦檜及其妻長舌夫人王氏，與佞臣張俊萬俟禼等四鐵像，長跪於左右，所謂「青山有幸埋忠骨，白鐵無辜鑄佞臣」者是也。

考岳王墳，初不在此處，當岳飛父子於風波亭就義後，均畏罪不敢收殮，有獄卒募其精忠，私將遺骸埋於風波橋下，即南宋監獄故址，並以玉環雙橘爲標誌，碑題「賈宜之墓」。至昭雪後，始遷葬棲霞嶺。而初葬處，亦建一祠，所遺「岳鄂王父子初瘞處」八字之石碑，今尚存，並有一聯云：「尚有精誠留瓦巷，更移忠骨鎮棲霞。」

據上所云，岳王墳有兩處，而遊人憑吊者，多在棲霞嶺。所異者，墳前之樹枝皆北向，就中有老檜樹一株，爲雷所劈，宋人以「分屍檜」名之。清高宗遊杭，以太牢祭之，忽大風作，莫能終禮，論者謂滿爲金後，岳王不歆祀也。

古之詩人，題岳王墳者，委實不少，趙孟頫詩云：「岳王墳上草離離，秋色荒涼石獸危，南渡君臣輕社稷，中原父老望旌旗，英雄一死嗟何及！天下中分遂不支，莫向西湖歌此曲，水光山色不勝悲！」爲最沉痛，又袁子才所題七首中有曰：「靈旗風轉陣雲涼，萬里長城一夜霜，天意小朝庭已定，那容公作郭汾陽。」亦爲岳王鳴不平也。

（山川風物）

聯語記趣

白荷

聯語，爲一種文字藝術，在我國已有悠久的歷史，亦爲一種美化文字，另成一格；有意義的聯語，不僅對仗工整，平仄協調，而且妙在言簡意賅，深入淺出，寓文字於詼諧，於詼諧中富有警世意義。故善於作此類聯語者，不但有文學根基，且須事理明白，頭腦清楚，非如此不能見到眞正功夫。

昔日大戶人家，廟堂寺院，屋宇中不乏名人撰書對聯，即富商大賈，做買賣生意的，亦多喜請文士撰寫對聯，在此類文字中，常常發現妙趣橫生，滑稽突梯手筆。記得在抗戰時期，筆者在大後方四川成都小住，暇時輒喜往各廟堂或名勝古蹟處，遊覽憑弔！某次在某處太白樓頭有一聯曰：「觀世若奕棋，勝負難分，惟高手先人一着。」「開懷宜暢飲，醉醒莫問，是同心歡我三杯。」又在某地財神殿見一聯曰：「想小子窮盡窮光，說什麼發財，提起那萬兩黃金，還煩君一點。」其下一句曰：「看先生醉來醉去，倒是個妙法，還剩下這一壺酒，何妨豁三拳。」妙趣橫生，意味深長，頗足以警世人。

昔日有一對新婚夫婦，往遊西湖，見月老祠內有一聯曰：「願天下有情人終成眷屬。」「是前生註定事莫錯姻緣。」不禁雅興大發，新娘見有僕從送冰水來，新郎用白糖調製，乃曰：「公子調冰水」。請新郎應對下句，新郎偶一沉思，觸景生情，見新婦正用手切西湖新花嫩藕，乃曰：「佳人切藕絲。」可謂對仗工整，應景佳作。

滿清時有一老童生，屢試不中，某年正逢大比之年，童生又往應試，主考官憐其老，乃謂之曰：「本主考因憐你屢試不中，竟能不中屢試，汝志可嘉；茲出一聯，如能對得恰到好處，則特別提拔，將汝錄取，汝意如何？」老童生唯唯聽命，請主考官出一聯句，以便答對，主考官云：「有鬍是考，無鬍是老，考老童生，老童生趕考。」老童生畧一沉思，對曰：「一大爲天，無一爲大，天大人情，大人情如天。」主考官聞之，撚鬚笑曰：「如果汝早有如此一套逢迎手腕，亦不致至今不中矣！」此雖笑話，但其中奧秘，若非對於文字學素有根基者，曷克臻此？此外尚有一個聯語故事，說一位秀才正在荷花池畔賞荷，忽見一老乞丐手持書卷，坐在柳樹下吟哦，怪之，乃走進一步，詢其究竟，丐曰：「因我一身傲骨，不容於世，乃淪爲乞丐耳。」秀才欲試其才，乃即景生情，出一聯語曰：「荷葉魚兒傘。」丐稍一思索，立即對曰：「棉花虱子窠。」秀才大喜，乃邀其返家，煮酒談詩，成爲文友。

恭賀春禧　大埔青年會同人暨　丘國忠　鄧善生　趙鎮東　鞠躬

恭賀春禧　沙田慎成置業公司　鞠躬

恭賀春禧　大埔商會同人暨　馬世安　鞠躬

恭賀春禧　大埔西河園　林漢　鞠躬

恭賀春禧　元朗青山　陳記園　陳昭文　鞠躬

恭賀春禧　榮泰祥木廠同人　鞠躬

恭賀春禧　九龍肉行總商會同人　鞠躬

釋耒集

爲治之體

大唐新語載：「張玄素，貞觀初，太宗聞其名，召見，訪以理道之。玄素曰：臣觀自古以來，未有如隋室喪亂之甚，豈非其君自專，其法日亂？向使君虛受於上，臣弼違於下，豈至於此。且萬乘之主，欲使自專庶務，日斷十事，而有五條不中者，何況萬務乎？乃至累年，乖謬既多，不亡何待？陛下若近鑒危亡，日愼一日，堯舜之道，何以加之。太宗深納之。」余按論語泰伯篇：「子曰：大哉堯之爲君也，巍巍乎，惟天爲大，惟堯則之，蕩蕩乎民無能名焉。」又：「子曰：巍巍乎，舜禹之有天下也，而不與焉。」衛靈公篇：「子曰：無爲而治者，其舜也與！夫何爲哉，恭已正南面而已矣。」有天下而不與，然後乃足以見其巍巍蕩蕩，民無能名，而所以致此之道，則又在于恭已正南面而無爲，所謂垂衣裳而治之者是也。夫無爲而治，原爲極高之理想，因其並見之于老莊，又衍而爲韓非之學，故後儒特鮮言之。老莊主無爲，而人所共知者也，至於韓非則曰：「人主操生殺之柄，課羣臣之能」而已，主逸而臣勞，其迹亦近于無爲。今按老子之無爲在無情，而韓非之無爲在用術；若孔子所言之無爲，則在于忘情，無情則天下將日陷于枯槁，是爲道而遠于人也。用術則天下必日流于奸偽，民免而無恥，則術亦有時乎而窮。故必忘情，然後可以虛受於上，黔首之民，不識天功，安知帝力，熙熙攘攘，但知所以藩其生而安其性而已，是故「鳴鼓而聚之，擊木而召之」，適足以援民而已。昔諸葛孔明爲丞相，嘗自校薄書，主薄楊顒諫曰：「爲治有體，上下不可相侵，請爲明公以作家譬之：今有人使奴執耕稼，婢典炊爨，鷄主司晨，犬主吠盜，牛負重載，馬涉遠道，私業無曠，所求皆足，雍容高枕，飲食而已。忽一旦盡欲以身親其役，不復付任，勞其體力，爲此碎務，形疲神困，終無一成，豈其智之不如奴婢鷄狗哉？失爲家主之法耳……故丙吉不問橫道死人而憂牛喘，陳平不肯知錢穀之數，云自有主者，彼誠達於位份之體也。」諸葛公號稱識治之良才，管蕭之亞匹，鞠躬盡瘁，效其忠勤，其所以猶不免過于丁寧周至者，以不能忘情故耳；後世之有國者，上不能忘情於天下，下不能知賢以任使，予智自雄，綜攬萬務，未嘗不曰：我欲躋于堯舜之治也，及庶事叢脞，蔡而不治之際，於是大權移于宦官宮妾之手，爲僉壬所包圍，勢不喪其國不止，是猶一家之主，不能任其子弟，而使奴僕主祭祀，婢妾治賓客，其政安有不亂者乎？諺有之曰：「天下者，天下人之天下也。」謂治天下舍我其誰者，堯舜不敢居，今反其道以行，而曰我將爲堯舜，則堯舜之罪人耳。

曲齋

戴高樂

徐學慧

英國的蒙哥馬利元帥，最近又大發讜論了。此人一向好作怪論，大概也是屬於不甘寂寞之流吧！七十三歲的老元帥，居然怪論連篇，老當益壯，精神可佩。近幾年來，此老所發怪論，多爲世人所譏評，但他在前幾天所作的電視廣播，卻有幾句話說得恰到好處。

蒙哥馬利說：「數當代西方政治領袖中，只有法國總統戴高樂一人夠得上是偉大的領袖。」當英法關係正在低潮時，他這話是否另有其他作用，不得而知，但即令平情而論，此語亦極有見地。

走馬燈式的法國政治，如果沒有戴高樂將軍的東山再起，則今日的法國命運如何，當是一個未知數。退隱十二年，居然臨危受命，斷然以鐵腕穩定法國政局，使法國在驚濤駭浪中，穩步前進，至於今日，蘇俄側目，英國不安，重洋之外，美國亦須看他的顏色。凡此皆須有組織，有魄力，有目光，是則爲戴高樂之所以過人處。

法德二國爲世仇，戴高樂一上台，卻能極力拉攏德國的阿登諾，而使法德二國在政治及經濟的合作方面，有如水乳交融。足見其目光如炬，不僅熟悉法國的歷史，而且看清楚了歐州的政局。

去年九月，赫魯曉夫率羣醜表演於聯合國，尼赫魯、納薩、狄托諸人，統被吸引前往，老成持重如麥美倫者，初則裝腔作勢，繼亦掩面前去。獨戴高樂坐鎭巴黎，視聯合國有如無物焉。

政治家須有爲有守，而此點乃極難做到。若戴高樂者，求之並世各國的政治家中，殆無人可以幾及。我個人從不欣賞蒙哥馬利的言論，惟獨對于他讚揚戴高樂的那句話，卻是深具同感呢！

水仙雜話

筱臣

歲暮天寒，又是一番年景氣象，大陸各地以及台灣、港、澳多數人家，都在此時培養水仙，作爲歲朝的清供，此種風俗，傳之已久。說到這室中的名花，花中的閨秀，它有那娟娟的姿容，淡淡的芳香，予人們以清新嫻雅之感，爲寒冷中頻添雅趣，使年景中欣然生色。

水仙花這一名詞，在我國很早就有記載。據文震亨所撰「長物志」云：「水仙，六朝人味爲雅蒜。」又「花史」有云：「唐玄宗賜虢國夫人紅水仙十二盆，盆皆金玉七寶所造」。又宋人趙湘南陽詰註有云：「此花（水仙花）外白中黃，葉幹虛通如葱，本生武當山谷間，土人謂之天葱。」

但是，上述的所謂「雅蒜」和「天葱」，可能不是今日的水仙花，因其所記述的生地和形態與今日的水仙花不相同。然而宋人筆下所描繪的水仙，則完全和我們今日所見的水仙相符合。

例如高似孫水仙賦云：「其狀也，皓如鷗輕，朗如鵠亭；瑩浸玉潔，秀含蘭馨。清明兮如風之剪雪，皎潔兮如瑤池之宿月。」又姜特立詠水仙花詩云：「六出玉盤金屈卮，青單叢裏出花枝；清香自信高羣品，故與紅梅相並時。」又楊萬里詠千葉水仙花詩序云：「世以水仙花爲金盞銀台，蓋單葉者，其中有一酒盞，深黃而金色。至小葉水仙，其中花片捲皺密蹙，一片之中，下輕黃而上淡白，如染一截者，與酒杯之狀殊不相似，安得以舊日俗名辱之。……」

這足見宋代的水仙花，已像今日一樣，有單瓣和重瓣者兩種，而單瓣水仙花稱爲「金盞銀台」，亦是始自宋代的。

至於詠水仙花的詩，最爲貼切者，當推宋劉邦直一首七絕云：「得水能仙天與奇，寒香寂寞動冰肌；仙風道骨今誰有，淡掃蛾眉篸一枝」，此詩首句嵌入了「水仙」二字，以下則把它的奇特習性和高雅形態都描繪了出來，確是貼切之至，不能用以移詠他花的。

至於水仙花的培植，據說內地花種，每年須從外地傳入，若將其舊球根留下再植，次年即不著花。這是因爲當年此花用水培養，致將其自身養料消耗的緣故，若用泥土培植，則當能年年花開不衰。

其實，我國出產水仙花最著名的地區，是福建漳州，在漳州沿山東麓縱橫七八里的花園裏，都是種水仙的。由於那裡的土質是輕鬆的沙質壤土，雨量豐富，氣候溫暖，地下還有溫泉脈通過，因此培養水仙十分適宜。漳州所產的水仙頭，不僅行銷國內各城市，而且每年有大量外銷出口。

每年冬天最適宜浸水仙，栽花並不困難，但把花栽得美，卻需要藝術，浸水仙也是這樣，尤其是雕那曲支蟹爪式的水仙。

浸種水仙花，要看氣節的遲早，也要注意浸種時間氣候的變化。如果是暮冬開始浸種水仙花頭的，四十天即可吐艷；花頭在十一月落水，則三十五天便可開花了。

浸種水仙有相當經驗的，過着反常的氣候時，卻有催花手法，將已浸種的水仙花頭，放在背風有陽光的地方晒，到晚上就移回室內，換微溫水浸之，這樣，花朶就可提前幾天苗放了。

要水仙花按着你的意願如期開放，固然要靠一番人事；使水仙的枝葉長成各種形緻，更要靠雕鏤花頭的藝術。雕鏤的技術越到家，花葉的形態便長得更美。

西洋人對於水仙的愛好，並不遜於東方；所以莎士比亞曾說：「它開在燕來以前，其姣美得自三月的和風」可見此花的名貴。水仙屬於石蒜科科芳族，是一種鱗莖植物，它的鱗莖部份即俗稱的水仙頭。它的品種也不少，以洋水仙較淡水仙的花期較遲，普通多以花朶的副冠，是喇叭形，盃盞形，盆碟形分爲三類，其中以黃花大冠的圍裙水仙爲最娟秀，以橙花長冠的明星水仙最爲清麗，以白花黃冠的中國水仙堪稱雅緻。更有那南歐出產的紅水仙和螺旋水仙，形色俱異，美妙絕倫，令人陶醉。

程潛投共眞象

諸葛文侯

前湖南省主席程潛，於民國卅八年夏初，共軍進攻上海最激烈之際，尙以親筆函件投送引退在台灣的蔣總裁，誓言「立不易方」，反共到底。旣而「華中軍政長官」白崇禧率大軍由武漢轉進至長沙，程氏貪夜避往寶慶，未幾即夥同長沙警備司令陳明仁，宣言投共了。世人多認爲程氏之變節，或由於桂軍威脅所致，其實非也。

民國卅七年冬，國軍於徐蚌大戰敗績後，程氏曾向中樞最高統帥建議改變戰略戰術以及指揮方法，未被採納，意頗怏怏，而湘省民黨舊幹部仇鰲等人，乃乘機倡導和平保境之說，聲稱擁戴程氏爲國民黨新領袖，與共黨試行劃江而治的和平談判，徐圖復興。程氏素性剛愎自大，聞斯議不免怦然動心，因而湖南首先宣佈停止徵兵徵糧，嚴禁金銀出口，長沙中央銀行分行奉總行令，裝運庫存銀元鉅萬赴滬，程氏派兵追至贛邊截回之。

是時，湘人李明灝（與程同爲醴陵人）程星齡（程氏之侄，共黨份子）皆奉共黨使命，在長沙對程氏游說煽惑，程氏意志雖不免動搖，然猶躊躇瞻顧，未敢遽作叛國行動，蓋怵於白崇禧所領桂軍鎭守湘境，有所忌憚，防陷昔年在武漢被扣押之覆轍也。維時中央政府已撤至廣州，程氏表示辭職，行政院長閻錫山與程爲日本士官學校同期同學，且係「丈夫團」秘密組織的盟員關係（丈夫團乃當時中國留學士官學校諸生中的革命黨小組織，李烈鈞即其主幹人。）派員赴長沙徵求程氏意見，擬請他担任考試院長，程未表示拒絕。旋白崇禧保舉陳明仁繼任湘省主席，而所有省府委員廳長，乃至於秘書長，皆由白長官指派，陳明仁亦就感到自已僅是個傀儡而已。李明灝等又從而煽動之，明仁原係不學無術的武夫，且與程李同爲醴陵人，氣味相投，對政局感覺大勢已去，更容易接受共黨的宣傳蠱惑了。

上述情況，是促成程潛背叛國家的潛在因素，而直接使程悍然投共的幕後策動人，卻別有所在焉。湘人章行嚴（士釗），原係李代總統宗仁派赴北平與毛共進行和談的代表之一，和議旣不成，章氏曾赴石家莊面晤毛酋澤東，聽取毛酋意旨而以長函致程氏，謂毛共並不欲消滅民黨勢力，若程氏能起而領導國民黨，保持華南局面，毛共願予合作。且毛共標榜「新民主主義」，亦與三民主義相脗合。果若是，則今後中國的統治權力，豈非完全操諸湖南人之手嗎？毛程協力主持國事，不特湖南人揚眉吐氣，內戰亦從此永遠消弭，何幸如之！程潛的領袖慾極強烈，然又缺乏政治知識，聞說毛共願意承認他爲國民黨領袖，不覺大喜過望，一心以爲鴻鵠將至，乃決意實行叛國，以期過過領袖癮。殊不知這是共黨利用敵人弱點以及內部矛盾，施行瓦解敵人力量的一套魔術，只有一般愚昧驕妄，而利慾薰心的武夫如程潛之流，纔莫名其妙地甘受其詐騙玩弄，猶惜然自以爲得計也。近五十年來，國事蜩螗不已，人民陷於塗炭，馴致國家民族亦瀕臨絕滅的境界，追本窮源，一般無知無識的武人，實難辭禍首之責。像程潛這類蠢材，過去在大陸上蜚黃騰達，竊據高位者，不知凡幾。求治而不重視人才，表現天下爲公的用人行政精神，適所以勵精圖亂耳。

論關羽

·謝康·

歷史人物

至於誅心之論，最厲害的莫過於章太炎先生。章氏「植書」第三十六「正葛篇」他以爲諸葛係法家之徒，法家所患，在魁柄下移。亮恐羽乃虎臣，功高而難禦，「故不惜以荊州之全土，假手於吳人以隕羽之命……雖殺之而疆土侵削，終不以易內訌……吾讀梁父吟，言二桃殺三士，葛氏少時蓋諳習之。……」章氏推測諸葛站在法家統一政令的立場，陰謀去羽，這種特別驚人的論調因缺乏證明，似乎很難取得一般宅心忠厚崇拜諸葛者的同意。然章氏所論，亦持之有故，言之成理。要是不然，諸葛不援助關公，而讓其「驕敗」，（語見後出師表，按驕敗二字，似有自毀之意，與所寫喪失趙雲的口氣大不相同。）至少是缺乏遠略，在那裏坐觀成敗，讓自己將來再「獎率三軍，北定中原。」否則便是蜀中對荊州襄樊前線的通訊聯絡太差，這一層倘若是事實，諸葛大名，也就不配稱爲「亮」了。我想二者似乎總該必居其一的。由此看來關公眞死得冤枉！

又如果照小說家之言：羽之敗亡，乃因當時求救的文書，被劉封暗中扣留，不能達到昭烈及諸葛軍師處之故，後來劉封被殺，也和此案有關。如此說來，那麼荊州之失和後來先主伐歸之敗，劉封這個人都應該負最大的責任了。世路險巇，人心狡詐，對人處世之難，（尤其是對小人！）眞令人不勝感慨之至。（本章完）

自由報

THE FREE NEWS

第一〇五期

中華民國僑務委員會登記證台新字第三三五號
中華郵政台字第一二八二號執照登記為第一類新聞紙類
（每星期三、六出版）
每份港幣壹角
台灣零售新台幣壹元
社長：雷嘯岑
督印人：黃行寰
社址：香港銅鑼灣高士威道二十號四樓
20, CAUSEWAY RD 3RD FL
HONG KONG
TEL. 771726　電報掛號：7191
承印者：四風印刷廠
地址：香港灣仔高士打道二二一號
台灣分社
台北市西寧南路壹壹六號二樓
電話：三〇三四六
台郵撥儲金戶九二五二

毛澤東的市儈算盤

王厚生

上月初，翻譯了南斯拉夫副總統卡達爾傑所著的「社會主義與戰爭」，這書針對中共的「戰爭不可避免論」，作徹底的抨擊，精彩之極。卡氏在書中說，共產黨人是不免要犯錯誤的。這話不僅正確，抑且普通，可是這話對於崇尚極權的共產政權來說，其意義就不平凡了。赫魯曉夫於一九五六年二月清算史太林，即說明人之犯錯是有普遍性的，共產黨人不是「超人」，不因高居統治地位而不犯錯。昔日列寧，將共產黨當做勞動階級的革命先鋒隊，將共黨領袖視為階級覺悟最高的職業革命家。這種思想眞是錯誤到了萬分。赫魯曉夫鞭屍，即証明列寧關於共產黨的理論是站不住的，是危險的。因為將勞工階級革命領導權和利益保障交託給易於犯錯的共產黨人去獨裁，難道還有比這更危險的事嗎？其結果必定是：小焉者，一國勞工階級的利益受到損害；大焉者，國際勞工運動的利益受到損害（今日世界上已有二個對立的勞工組織），國際和平因而也受到威脅。

一九五八年五月間，美國哈佛大學經濟學教授格爾勃雷斯(J.K. Galbraith)應邀到波蘭和南斯拉夫二國作旅行演講。據他的旅行日記所刊，南共官員們都有一項認識，即勞工階級應於現時（而非將來）享受生產的利益，社會主義的價值應以目前的生活水準來證明，今天，某些人講社會主義的福利應待諸來日，現在則應該艱苦犧牲，這話實際上是傷害了社會主義。又據說，南斯拉夫人民對於將來的美麗遠景，已不感興趣。

我們拿這項認識，來看蘇聯，革命以後，四十餘年的共產，尚不能完成「將來幸福」的結果，上一代的俄國人民艱苦犧牲了，這一代的俄國人民還是貧乏不堪。當然，「新階級」是例外。所以，史太林死後，初由馬倫可夫上台，即提出增產消費品的主張，似以改善民生為第一要務。馬倫可夫後來還有「自尊心」，知道自己犯了大錯，公開認錯下台，赫魯曉夫繼位，亦朝增產消費品的方向努力做去，他甚至主張多產冰箱、電視機等。

上面二段話，旨在說明二點：一、共產黨的領袖是易於犯錯的，決不是永遠都對的，因此，人民決沒有永遠跟着他們走的理由和必要，而且，現在犯了錯誤，應該負責，要有「自尊心」，不應厚着面皮，戀棧不去。二、社會主義的價值應在人民眼前的實際生活表現出來，將來的事不能作準，任誰也沒有把握，眼前就是一切，一切都在眼前。我們拿此二點來看今日大陸上的中共反動政權，眞有說不盡的憤慨。

毛澤東所曾犯和正在犯的錯誤，眞是屈指難數，今天大陸上的空前飢荒，毛澤東講：「關於正確處理人民內部矛盾的問題」，他為當時的農業合作化辯護，講到「統籌兼顧，適當安排」時說：「我這樣說，是不是要把一切人一切事都由政府包下來呢？當然不是。許多人，許多事，可以由社會團體想辦法，可以由羣衆直接想辦法，他們是能夠想出很多好的辦法來的。」

那時候的大陸情況是農業合作化搞糟了，地方幹部紛紛表示不滿，在浙江省，竟將已經組織了的合作社實行解散，毛澤東一意孤行，責罵他們是小腳女人。當時，毛澤東說一切人一切事不是都由「政府」包下來的話，已是喪盡天良，不夠自尊，我在「論毛澤東的錯誤」中，對此曾作如下的駁斥：

「這是不可以的，中共要推卸責任，我們人民是不容許的。幾年來，中共已將人民的財產搜刮一空，並且已將農工商各業統制在它手中，人民已無自由發展的餘地，已無自由擇業的機會，每年大專學生畢業，早已按中共的統一分配辦理。一切做法，都是中共包下來的做法，現在，中共的計劃、政策、指導等等犯了大錯，害了人民，把種種有關國計民生的問題弄僵了，忽然，毛澤東出來打退堂鼓，宣佈不能一切人一切事都由政府包下來，這當然是不可以的，我們人民應該尋到中共政權的負責人，要求將六億人民的生活問題作一個解決；不解決當然也可以，但中共必得準備下台，將權力歸還給六億人民自己，將全部已收為國有的財富和糧食物資歸還給六億人民自己，人民是能夠直接想辦法的，是能夠想出很多好辦法來的」。

以後，毛澤東扛出「三面紅旗」：社會主義建設總路綫、大躍進、人民公社。種種做法，分明是要將一切人一切事都進一步的包下來。將農民和城市居民一體地納進公社之中，一起勞動，一起吃飯（吃飯不要錢），甚至將家家戶戶的廚房用具都一概繳交公共食堂，縫紉組、養老院等等，難道還能說不是包下來的話嗎？

包下來以後，有沒有「適當安排」呢？顯然沒有。現在，幾億人民在飢餓綫上掙扎，每天有成千上萬的同胞們倒下去，毛澤東不能辭其咎。這一次，中共總不能推說嚴重糧荒是由於「人民消費量」普遍「漲高」的結果吧！

作者雖為「反動派」一分子，却不是亂說的，有中共八屆九中全會的決議為證，該決議說：

「……農業生產計劃沒有完成。……一九六一年應當適當地縮小基本建設的規模，調整發展的速度，……由於農業歉收和輕工業原料不足而形成的市場供應的暫時困難，是一個急需解決的重要問題。……但是也有極少數沒有改造好的地主階級分子和資產階級分子，……他們總是企圖復辟，他們利用自然災害所造成的困難和某些基層工作的缺點，進行破壞活動。在黨和政府的工作人員中，……而百分之幾却是混進革命隊伍和各種經濟組織的一些壞分子，……他們在農村或城市中遊法亂紀，危害人民的利益。……一九六一年的任務是異常艱巨的」。

現在，大陸上幾億人民應結合起來，一致向毛澤東要生活，叫他拿辦法出來，這是理直氣壯的！對於中共八屆九中全會的文字「慰問」，應予拒絕，因為今天的燃眉之急決不是「慰問」所能解決的，人民今天所急需的不是偽善、不是什麼馬列主義或「社會主義」、也不是什麼「東方太陽」「人類大救星」「英明領導」之類，而是眼前的活命口糧。難道所謂「共產天堂」並監牢都不如，在監牢裏，沒有自由，還有牢飯可吃，而在「共產天堂」裏，不但沒有自由，竟連活命也發生問題，這是什麼「天堂」呢？

毛澤東的無知相剛愎，現已具見於經建上的冒進。他對人民的搾取正是千方百計。他壓搾大陸上數億人民的勞力不算，還設計一些搾取海外華僑財力的方法，幾年以前，僑眷在大陸上被勒索，寫信至海外求救，這事大家當還能記憶。今日，毛澤東設想出另一套嫁禍華僑的辦法，使海外華僑代他代中共包下大陸上一部分人民的生活。中共將搾取大陸人民的勞力及其成果，據為黨中央極少數職業革命家所有，而將一部分人民的生活依靠變相的勒索。譬如，自實行公社之後，毛澤東理應包辦大陸人民的一切生活所需，但毛澤東不然，他却輸出一切應該配給大陸人民的糧食和生活必需品，大量出口，套取巨額外滙，供他作對外的軍事冒險之用，以滿足他的某種歷史性慾望，而不惜昧着天良，陷大陸數億「當家作主」的人民於飢寒交迫之中，逼一小部分人民冒死逃出「天堂」，一部分人民向海外親友求援，而華僑於接獲鄉間親友的求援信後，無不想盡方法，投寄糧包，而寄返大陸之食品，品多係中共的輸出品，就香港一地而論，如每日所寄糧包為五萬至八萬包，每包平均值港幣十元，則每月所寄糧包之總值為港幣一千五百萬至二千四百萬（港府目前每月增收郵費約三百六十萬，除車運外，又用船隻），水客代帶，尚不計算在內，則一出一進，中共每月向香港居民賺取港幣三千萬至五千萬（關稅另計）而大陸上部分人民的生活（包括中飽糧包的共幹）已於無形中轉由香港居民包下來，所謂「全國寄通」、「兩地劃交辦法」等等，眞是毛澤東的市儈算盤呢！

二月八日

小論天下

△英國外相荷謨在上議院稱：國際的現實生活，需要中共加入聯合國。他要求赫魯曉夫勿仍以寮國、古巴及剛果作為冷戰棋子。與此同時，倫敦官方人士否認麥美倫首相將於秋間訪問北平。

誰也沒本領叫赫魯曉夫放下棋子。西方國家慣於把對方的死棋子救活回來，變成活棋子，同時又把自由世界原來的活棋子弄成了死棋子。

△美國務卿魯斯克說，他看不到承認中共有任何前途。國務院發言人同時表示：美國或外國，未必有許多人欲依照中共的條件，准其入聯合國。

照此看來，英國這回向美國放出的汽球，很快便探出了那方面的氣候，到了麥美倫四月訪美時，說話也會有分寸了。

△非總統馬來亞之行結束。非馬發表聯合公報，呼籲東南亞國家經濟密切合作，並聲言兩國對華政策未獲一致。據傳，非擬邀泰馬及印尼組「東南亞協會」，印尼反應不佳。

顯而易見的是：非律濱還沒有力量拉動馬來亞。至於印尼，值得注意是某些觀察家提出的警告：蘇俄可能慫恿印尼向荷屬新幾內亞放一把野火，再給西方國家開闢一個新戰場。

△金門向大陸放出載有救濟包的汽球，內有衣物，糖果，玩具，及新春賀詞。

大陸人民需要的是：每一個糧包附着一枝槍和一盒子彈。

△印度傳出消息：中共迄未制服西藏。駐藏共軍因天寒缺糧，部份鬧嘩變。

當中共因大陸全面糧荒而手忙脚亂時，我們倒不要忘記他在西藏仍背着一個沉重的包袱。

△剛果前被黜總理魯蒙巴又越獄失蹤，蘇俄指其已被謀殺。此人如猴，蘇俄如狐。配合表演，可稱雙絕。

△法國戰鬥機在地中海上空，向蘇俄主席乘赴摩洛哥的座駕機攔截開火，蘇俄提出抗議。

這是非洲將成為一個火藥庫的警告。

方南

自由談

過年的感想

馬五先生

據我個人的觀感所及，人生最無謂的生活動態，殆莫過於所謂過年過節之類的玩藝了。尤其是過年一事，自民國肇建以來，既要過陽曆年，又要過陰曆年，大家張皇幽渺地緊張忙迫，除了浪費一些財物，增加一些人與人之間的虛偽禮儀——如送年禮，拜新年，家裏的傭工要發雙薪，機關上的職員要發年終獎金，自己的兒女們要添製新衣，分給壓歲錢等等而外，試問究有甚末意義呢？

至於彼此寄送賀年片，更是不必要的浪費。孩提之童隨着歲月的演進而發育成人，固有可賀之處，已經成了年的社會大衆，每逢過年過節，祇有馬齒頻增，深慚老大而已，慶於何有？賀從何來哉？所以我素性不慣於向親戚朋友投寄賀年片，或致送年節禮物，甘負疏親慢友之咎。但親友們若對我施下這類禮儀，又不能不勉強回敬，因而平添若干煩擾，思之不覺爽然，且以習俗移人之潛力為可畏也！

農村裏的民衆，於秋收冬藏之際，恰逢陰曆年關，為着稍慰終歲辛勤勞動的心情，在新年來臨時，就其生產所得的成果，略予消費，賞樂一番，原屬人情之常。住在都市中的人，經常過着娛樂享受的生活，實在沒有再為過年而特別耗費財力物力的必要吧？

目前大陸上的同胞飢寒交迫，呻吟憔悴於虐政之下，生死兩難，無可告語。我們微幸脫離魔窟，得遂自由生存之願，已是莫大的福份了。當此歲紀更新，念及大陸同胞的非人生活情況，易地而處，於意云何？因此，本報在農曆年初亦照常出版，聊示不敢逸樂的志趣，願與讀者共勉之。

原子時代的諷刺
中共大力發展原始運輸工具

本報特稿

中共的陸上運輸工具，據說早已進入現代化。中共「副總理」李富春，在一九五五年「人代大會」「關於五年計劃報告」中提到，「主要工業產品的建設規模和五年內增加的年產能力，汽車：全部建成後的年產能力將為九萬輛，五年內達到的年產能力為三萬輛。」

據李所說，在第一個五年計劃（一九五三年至一九五七年）中，汽車生產總數，可達十五萬輛，第二個五年計劃（一九五八至一九六二年）中，汽車生產總數，可達四十五萬輛。今年是中共第二個五年計劃的第四年度，所生產的汽車，包括第一個五年生產數，應是四十二萬輛。中共目前是否保有這現代化的陸上運輸工具，我們不敢斷言，但從中共官方報紙零碎透露有關運輸情況，只怕千不及一，李富春報告中所列計劃的增產數字，只是紙上談兵，給人犬代表一個美麗的希望而已。

中共目前使用於集中農產品和工業原料的工具，不是現代化的汽車，而是人的手推、肩負，比較「現代化」是畜拉列車和風帆化人推車。中共對這種人推、畜拉的運輸工具推行頗為積極，各省、縣、社都有專業隊組織：如：「四川省岳池縣公社有專業運輸隊五九個，隊員九〇五人，架子車六二九那、運輸畜力百一十九頭。各生產隊還組織有亦農亦運的副業運輸隊伍，擁有架子車五百一十部，可以參加運輸的耕牛五百廿四頭，一年至少有八個月時間參加運輸。」

中共認為用耕牛拉車較多，安全，要各地推廣使用。因此，「江西宜豐縣大搞牛拉板車運動，縣委還組織各公社、墾殖場，開辦連人帶牛的趕車訓練班，做到人識牛性，牛識車性。」

牛拉板車是北方田間運輸工具之一，因南方多山很少有採用。中共認為能在南方各省推廣，是種技術革新，特別牛拉列車，更是發掘運輸潛力的最佳方法。中共的湖南運輸部門，還開展了四化（風帆化、列車化、四輪化、裝車半自動化）八改（改雙輪為四輪、改重車身為輕車身、改單身為拖車、改畜力單行為風帆助行、改單軸為雙軸、改凹車箱為平板箱，改固定輪為轉盤輪，改兩人趕車為一人趕多車）為中心的競賽運動，中共發展「四化」「八改」民間運輸工具中所謂「列車化」，在湖南多彎的山道其效果如何，姑且不去管他，足以反映中共現代化工具的缺乏，不得不窮對付利用民間源始工具，担任繁忙的運輸。

中共頭目對於這種新的運輸工具，頗感滿意，認為易造、易修，就地取材，製造方便，並且不須燃料，運費低廉。因此，人民日報社論對不滿意此種運輸工具的下級幹部說：「人畜力運輸，各地應該十分重視，大鬧技術革新和技術革命，不要視作權宜之計」。

在中共整個運輸情況來說，人推和牛拉板車算是半機械化運輸工具，比起人挑肩負躍進了一步。「人民日報」自己也承認了這一點，該報說：「目前，我們機械化程度還比較低，許多田間運輸，仍沿用幾千年來的人背肩挑古老方式，佔用了大量勞動力。」「人民日報」是中共機關報，代表官方發言，所說具有推廣和教育性，上述事實，當然十分正確。

說良心話，中共並不是沒有汽車，各省運輸機構都有汽車運輸隊組織。擁有國府遺下的破舊車輛和北平、武漢等汽車製造廠的出品，這些汽車不能行動的原因，第一缺乏汽油，第二國府遺下的破車都是美國救濟物資，沒有零件補充。第三自己生產的汽車發動機，鋼的硬度不夠（鋼質不純），汽車既易發熱，零件又易損壞，停修多於行走時間。

抗戰時大後方使用的木炭車，一直在大陸盛行。最近中共上海運輸部利用焦煤煤氣作汽車燃料，據說全市的公共車輛，大部份已改用煤氣發動。「人民日報」說：「汽車上使用煤氣，比較普通的辦法把煤氣灌進膠布口袋。放在車或貨物上面，全市設立了五十多個固定的煤氣加氣站和便於汽車中途換袋的臨時供應站。據有關部門測定，一袋四點八方米的煤氣，可供一般滿載貨物的卡車跑十公里。」利用焦煤煤氣發動，顯然不能担任長途運輸，長途運輸汽車，中共規定每公斤汽油，必須跑十公里，因此，司機不得不實行下坡就空溜，在「不加油，勤關門，點滴都不浪費。」的情形下，時常造成嚴重的覆車事件。

國府遺下的破舊車輛，因零件損壞補充困難，只好用裝配的方法，將甲車上可以使用的零件移殖乙車，據人民日報說：「貴州交通所合營汽車場，從去年七月開展修理舊車的運動以來，已經修復各種舊件一百十三萬多件，併配各種車輛總成二萬三千多套，使許多長期停駛的舊車『返老還童』」。又說「這個車場有百分之七十的車輛是用過二十年以上的舊汽車，車輛的牌型復雜，許多配件國內已很少生產。」上述車輛牌型，當然是美國的大道奇。至說配件國內已很少生產，除掀騙那些不識之無的土包子共幹之外，誰不斥為無恥。

在中共宣傳進入機械化和半機械化的今天，顯然使共幹和人民都感不滿。此種情形已在「中共中央」和「國務院」聯合發出關於「大搞收購和運輸」運動的指示中充分表露了出來：「據統計，目前民間運輸工具負担的地方物資運輸任務，一般佔運輸量的百分之七十五左右，這是一個巨大的力量，可惜有些同志，對於這支力量還缺少足夠的認識，他們嫌民間運輸工具落後，總想一下子統統以汽車、輪船、火車近代工具來代替。」又稱：「在目前近代工具有限度的條件下，充分發揮民間運輸工具的作用，則是最現實，最節約的辦法」「改革民間運輸工具，提高運輸效率，決不是權宜之計」。事實非常明顯，毛澤東心裏明白，他們目前尚無力發展現代化運輸業務，因此，要共幹安於現實，革新民間原始的運輸工具，以維持物質交流，「南鐵北調」的任務。（焦毅夫）

香港與大陸

△中共為應付全面飢荒，恐學生參加反飢餓運動，將此次寒假期延長為四個月，此乃免使學生有機會集合，將之分散與隔離的緊急措施。港澳留穗學生如被認為頑皮份子，在此時份，雖欲留穗度假，亦被共幹婉勸返港澳度假。

△海外僑胞滙欵返大陸，如經由赤色銀行滙足一百元「人民幣」數額，在大陸親友可憑滙票往買若干糧食，作為「特別恩准」，如不足一百元者則無此例。此已為香港居民所熟知，惟另有一例則未經報紙佈露。本報記者探悉：凡滙欵每月達八百元（港幣）之數額者，大陸親人戶口可被列為華僑戶，有買取糧食之特別權利，並可持證往茶樓酒樓付欵食飯，此證作為「歸僑證件」看待。按例：香港歸僑可憑證到茶樓酒樓飽吃，當地居民則只限一盅一件，不能多吃。）中共渴於吸收外匯，不擇手段，由此可見一斑。

△大陸青年設法向港澳逃亡，近多急不及待，以種種方法冒險。本報記者由親友函件探悉：許多業已發信報告動程，但均久無續訊，亦有續獲不幸消息，知已在途中被捕，就近送入廣東沿海之「勞改」集中營。此亦可見中共對於防範逃亡，亦正在加緊佈網。

再訪金門

余村

難得的好天氣，我們在二月七日上午十時登上C—47專機，從台北松山機場起飛，在晴朗的天空下航行，朵朵白雲，環繞機翼飛揚。當它低得與透明體的海水飛行的刹那間，已靜靜的停息在金門機場，計算它航行一小時又四十五分鐘，我從機艙走下扶梯，與歡迎的梁將軍握手。

六年前，我初訪金門。它烙印在我腦海裏的是黃土荒涼、貧瘠、與窮困。可是，此刻，我第一脚踏在金門的土地上，第一眼看到金門的土地，我那陳舊的烙印，已被現實洗刷得一乾二淨。現實是不容人否認的。

——金門怎樣？

——它綠化了。

遍去那貧瘠的黃土，已遍植青青的松樹，田野是綠油油的菜蔬，青色的高粱，顯得生氣蓬勃，亦如戰地官兵們英勇奮發的好精神，有絕對勝利把握消滅來犯的敵人！

有人說：路是人走出來的。

這句富有眞理的話，已被金門的官兵們否定了，如同考古家推翻歷史的紀載。

——金門的路，是官兵們用血用汗與圓鏟十字鎬開闢出來的。

那條筆直的柏油馬路，一眼看不到盡頭，兩旁道上的樹，搖曳生姿，頓增情趣。

據說，在金門每一個人就有一條猪。這句話絲毫不假的。鄉下人養猪很多，那一排排的三合土蓋的猪欄很整齊，每一個猪欄裏豢養一條猪，長得肥肥的，說是要外銷香港。

再就是我看到很多狗，都被豢養得肥胖，跑起路來，它身體上的脂肪球在顫抖着。

我看到靠近古寧頭的村落，那是「八‧二三」砲戰後留下的「戰蹟」；十分悽涼；那村落上沒有一間房屋是完好的，壁與瓦被共匪砲彈炸得七零八落，村民都已遷到另一個比較安全的村莊，『變日』可以回到舊居整理「傢俬」。

妙！某一個村莊上的男青年（三十歲左右的人），討不到妻子。考究其原因：這村莊落下共匪的砲彈最多，破壞極慘，但是村民十分富有。他們不願離開那「老家」，寧可死守家園。歲月催人老，勢必要結婚。然而，何處娶得嬌妻？由于少女不肯嫁給他們——少女不願意生活在那危險地帶。除非他們要有姊妹嫁給有女兒的人家，那家女兒方能嫁給他。這樣，造成了「女兒對流，物物交換」的原始交易一種型態了？可以說這是戰地的一支頗具情調的插曲。

我停留金門足足二十六小時，浮光掠影的看了許多偉大的兵工建設。我敬佩戰地的官兵們，他們全是英雄好漢，不但對敵人作戰，還要創造自然，經營戰地。

我在C—47的機艙裏，望着平靜的海靜靜的凝想：

——金門是偉大的戰鬥堡壘！

——金門是官兵們創造奇蹟的起點！

大陸文壇萬花筒

共幹淺薄得可怕

——岳騫——

上次說到把袁子才「黃生借書說」一文點不斷句的陳友琴，讀者千萬不要以為他是一個軍隊中的政委或人民公社的黨支部書記，他到實在是如假包換的研究古典文學的專家。此公是浙江人，原來在浙江臨安縣「杭州幼兒師範學校」工作，一九五四年被調到北平，在北京大學文學研究所任研究員，專門研究古典文學，同時又担任光明日報「文學遺產」的編輯委員，負責看一部份稿子。

「文學遺產」是光明日報的副刊，每週出一次，專門談古典文學，是留在大陸的學者，要在報紙發表一點東西，只有寄給光明日報的文學遺產周刊，所以陳友琴不但是一個古典文學專家，而且還是文章司命，操着文章的發表之權，其人的地位算是夠重要的了。

不僅如此，他還特別注意校對工作，「新建設」一九五八年第八期他寫了一篇「對目前古典文學書籍出版工作的一些意見」。曾經對從事古典文學的人提出過指示，他當時指出古典文學經常犯的幾種錯誤，第一是在註解方面的，第二就是「關于標點符號方面的錯誤」，他開始就說：「關于標點符號方面的錯誤，目前在出版界這一方面是個極嚴重的問題，打開任何經過新手加了標點符號的古典文學書籍，幾乎都有或大或小的錯誤。」

他同時又舉出古典文學出版社出版的「百川書志古今書刻」中葉德輝「重刊古今書刻序」的標點有：「隆慶改元司禮，中書及落邸近侍廳錦衣，指揮以下至二十餘人。」這一段的標點當然錯了，陳友琴指出應改為：「隆慶改元，司禮中書及落邸近侍廳錦衣指揮以下至二十餘人。」其他還指出幾種書的錯誤，可見此君讀書都算細心，可是為什麼臨到自己身上就錯得更厲害。

別人的錯只是疏忽，陳友琴的錯誤再加上他又譯出白話，於是更無法挽救。把他的標點和譯文再看一遍，發現他最大毛病是不懂通籍二字何解，所以標點錯，翻譯錯，鬧了這麼一個大笑話，不過，他還算出色的，自鄶以下更不足觀矣。

社會小說

香港地

七、可憐一炬

梅大亮笑對譚福祿說道：「不是不是！我沒有什麼不妥，祇因看到這些巍峨的房子，忽然想起一個問題來，一時心裏開解不了，自才悃然一陣。你且替我想想，看有沒有更好的道理，來一個解釋？」說時，舉手向那些洋房一指。

譚福祿隨他所指望去，等他說出問題來。他在緩緩走着，低着頭思索着，說道：「我們曾經談了幾天，為的是建屋的事。看來，我們是雙手萬能，但仍然處在一個竹木的時代，而這些洋房的主人呢？不消說是金錢萬能，處在一個鋼鐵和機器的時代了。在未看到這些巍樓之前，我也曾為自己這幾天的工作而驕傲，疲勞雖是疲勞，精神却很興奮，但不知怎的，為了這回散步，看到這一排巍巍的洋房，竟就突然洩了氣，真的，我不是故意對你說牢騷話，這是我在這一煞那間真真實實的感想。我於是向我自己作出這樣的詢問：你是不是過慣了太低的物質生活，才會常常如此知足的呢？你和你的渾家為什麼從來不作住洋房之想呢？這算不算得是甘居下流，卑陋自喜，太不長進，很可能因跟不上時代而成為時代的渣滓呢？一經這樣詢問，我自己便不禁發慌起來了，我似乎被「渣滓」這個名詞弄得很不舒服，我才認識從前所說「卑田院」三個字的意義。我覺得所謂「卑田院中人」，就是「渣滓」的代名詞。同時，我眼中又似出現了幻景，這個社會便似是一個海，在我眼中的海，不是海面的半視，而是由海面到海底的剖視，我看到一層一層在活着各式各樣活動的海裡動物，而我便似是最低等的，吃得最少和活動範圍最小的東西。你說，這種想法和看法，究竟對不對？我曾經再想下去，覺得這似對也似不對。我當然不想抹煞一切，說這低等的東西沒有存在的價值。的確，住高樓是存在，住木屋也是存在。存在是均等的，但有些存在，得如此活躍，如此多姿多彩，有些却存在得如此黯晦，如此枯寂，這在存在的價值來說，難道不該有高等低等之分嗎？」

（一〇三）　木客著

年景

野楓

幾陣寒流襲來，雖然沒有雪花，但確也有些臘月的嚴冬氣象了。所謂急景凋年，在工業城市的社會裏，年的氣氛還不如在農業社會中為濃厚。而因流亡在海外十多年的我，並沒有渡過一次真正的新年。客居異鄉，在辭歲時，總是神情黯然的。幾杯悶酒下肚後，忙中的塊壘與鄉愁反而更重了。自從離開了故鄉，離開了家，便再也嚐不到年的滋味了。

記得在北方的家中，時序一進臘月，在意識上便浮出了熱鬧的景象。說實在的在預備渡歲前的那一段忙碌的日子，才是過年的趣味中心。而像我們這樣的大家庭，更顯得特別熱鬧。是一年中最光輝燦爛的日子。雖然吹着凜冽的北風，飄着鵝毛似的大雪，但人們却做得起勁，人人被「年」這趣味激勵着，在忙碌、緊張、愉悅與期待的心情中，預備迎接新歲的來臨。熙熙攘攘的人羣，裏裏外外撞趟兒似的跑着，有的人雖沒有事情，但也跟着瞎忙。為的是適應那情調，適應「年」的趣味。

一過臘月，便開始各項過年的準備了。大掃除、粉刷牆垣、辦年貨、縫製新裝。這種不大不少的緊張一直維持到臘月廿三的辭竈，俗謂過小年的時候，情緒才達到高潮。裏裏外外的人也跑得更歡。在外埠作事情的家人們，千里遙遙都趕回來團聚。帶來一份濃厚的天倫情趣，到處洋溢着歡笑，人們忙着斥各式各樣的年菜，蒸花兒（用麵製的各種花樣的模型），作糕點……從清晨到深夜，家家都響着一片刀杓聲，而裝燈籠，貼春聯，則更透着「年」的尖銳的顏色的刺激。

集塲上，街頭上，便更熱鬧了。到處擠擁着厚厚的人潮。萬頭攢動着，每一張臉上都抹着一層緊張而愉悅的表情。買辦年貨的人，與湊熱鬧，看熱鬧的人們，將雪地踩成了泥漿。人們被一股喜悅的勁衛着，在冷風雪片中擠來擠去，而這就是所謂「年」的情調。

年市中真是五花八門，應有盡有。但最使我懷念的是有濃厚鄉土風味的，還是「年畫」。年畫是在新年時買來貼在牆壁上作裝飾的，有一條街完全是畫市，掛滿在店裏的，擺滿在街頭上的，琳瑯滿目，美不勝收。觸目五彩繽紛，煞是好看。在那些使人眼花撩亂的年畫中，多為民間傳統的藝術品，有俚俗的美人圖，有八仙過海的唐僧取經等神話，也有三國演義，水滸傳等連環圖故事，其中多半是寓有四季平安，年年有餘（魚）等應節的圖畫。但也有名人山水畫的影印品。可以說是雅俗共賞的，長長的一條街，如開了一個龐大的美術展覽會，使人流連忘返，有在山陰道上的感覺。

這攤滿了人潮的年市，一直到除夕才收攤。經過長時的預備與期待中的新年終於來了。在歡笑與爆竹聲中，一片「恭喜」「發財」，令人聽起來有無比舒服。年夜飯的家宴上，全家老幼都聚齊了。那是幸福，歡樂與平安的象徵。也是新年最高潮的節目。辭歲以後。最重要的節目是拜年。穿着長袍馬掛，相互作揖恭喜象徵着中國五千年的文化傳統。而孩子們在這時是最開心不過了。一包包的壓歲錢，壓得口袋裏沉鈿鈿地，一些久久嚮望的糖菓玩具便能如願以償了。人們都收拾起了緊張忙碌的心情，而代之以輕鬆愉快的情致。沿街望去，家家門上貼着嶄新春聯，映壁上懸着斗大的福字。人們穿着簇新的衣裳，滿面春風地蹓着。大姑娘小媳婦更是打扮得花團錦簇，辮梢上扎着紅繩，鬢邊上插着花朵，花枝招展，喜氣洋洋，充分表現着「一元復始，萬象更新」的情趣。春風得意中，在這一年最歡樂消閑的日子裡，在我們故鄉小城的街道上，你可以隨時看到「家家扶得醉人歸」的情景。

新年的消遣中，有許多是值得一提的，賭博當然是其中之一，鬥葉子，擲骰子，抹骨牌，押寶等便都如火如荼地展開了。但我最欣賞的是「敲詩」，一種最風雅的賭博。擺這種攤子的多半是老學究們，每一詩句的下面有幾個不同的韻腳，你要費一翻推敲才能去押它。這其中有許多非常奇特晦澀與深奧的詩句。夠你費半天功夫思索的。

總之，這些年景都十足代表着中國農業社會的固有文化，非如此不夠味兒，也非在這樣的情景下，不能真正滿足新年的慾望，如今這些情調都嚐不到了。流浪在海外只有感慨與懷念的份兒。但北望故鄉，赤色主義正在進行徹底的毀滅中國固有文化的傳統。故鄉的年景，恐怕祇有在回憶中才能找到了！

論解釋

·劉杰·

好多事情，就理順序沒有什麼了不起，但左一解釋，右一解釋，事情就沒有那麼簡單的了。沒有事情，一解釋就有了事情；有了事情，解釋後成了大事情。

解釋分為好多類，在自由民主國度裏，任何人都有解釋權。由於怕誤會而來解釋，結果誤會越來越深。語云：「不知者不罪。」解釋就承認在動機上就不是正常的，是有意的安排。解釋人是希望大事化小，小事化了，大家彼此諒解，進而了解。接受解釋的人，想法很多，反而於事無補，心靈上有了不可磨滅的污點。

有一種解釋，是只許「州官放火，不許百姓點燈」。解釋只是某幾個有權有勢的人的事。沒有權，沒有勢的人只有聽的份兒，只有應諾的份兒。沒有權，沒有勢的人，沒有解釋的權利，只有「你是對的，我是錯的！」所以這種解釋，多在極權國家裡，多在政府官吏身上。

我不嚴格反對解釋。但我覺得「解釋」要不偏不倚，不要戴着「政治色彩」的眼鏡，解釋是在問題以內發言，就事釋事，就人釋人。

◎×××◎
×梨園×
×漫談×
◎×××◎

青衣

瘦西湖

旦之類別，就筆者記憶所得，約分為青衣，花旦，花衫，刀馬旦，闖門旦，玩笑旦，潑辣旦，貼旦，刺殺旦，武旦，老旦，彩旦等十二種之多，茲將青衣先概略申述於後：

青衣，注重唱功，唸白，表情，身段，水袖，台步，眼神，扮像等均須工整，方為上佳，若表作身段等不能配合得恰到好處，即有好嗓，亦是枉然，則不能稱為青衣之全材，如「祭塔」之白素貞，及「祭江」之孫尚香，這類戲係屬青衣專工，有大段反二簧，唱時非常吃重，如無佳嗓，亦休想能迴腸百轉，一氣呵成。

青衣最佳者，應推前輩伶人王瑤卿，陳德霖，雪艷琴等人為上，王有通天教主之稱，陳有青衣大王之號，雪為女伶中之翹楚。三人戲路雖有不同，然唱來之佳，實可謂各有千秋也，近代青衣中應推梅蘭芳，程豔秋，黃桂秋，張君秋，金素琴，章遏雲，顧正秋等人較為特出。

梅蘭芳為四大名旦之首，於袁世凱稱大總統時即已名聞遐邇，轟動全國，其戲路之佳，藝術之精，在中國伶界尚無人能駕其匹，所以，後梅伶在政府資助下赴美演出時，大受彼邦所歡迎，且因此還得到美國的博士學位，這在中國戲劇歷史上說，亦可稱為破天荒之紀錄。

程豔秋亦名列四大名旦之一，在青衣界中尚少有人能及，其所唱之戲，如「鴛鴦塚」，「青霜劍」，「鎖麟囊」，「六月雪」等皆為當今之絕活，惜其晚年老邁昏庸，甘受共匪利用，迄至鞭策至死，猶尚執迷不悟，雖程之人格現已蓋棺論定，不足一評，然其戲藝之佳，則仍為當道各界所器重。

目前尚能繼程腔一脈相傳者，除台灣之大鵬劇團顧問章遏雲外，應推票界女聞人穎若館主，穎為名琴師周長華之未亡人，周隨程伶多年，凡程所能，已盡為所得，故程伶雖已魂入地府去唱「探陰山」，但其戲腔則猶未成廣陵散也。

金素琴之「生死恨」，顧正秋之「韓玉娘」，演來均為戲迷所稱道，二人之青衣戲不但工整之極，且唱來亦非常悅耳動聽，其運嗓之甜，韻味之足，在自由中國實已無人可敵，然國人福薄，現已無法能欣賞他們的演出，因金大姐自當選戲協理事長後，工作已較前大為忙碌，無暇顧及演出，係屬當然之事，然顧伶下嫁後亦宣佈不唱，這真可算得是劇界之一大損失耳！

偷渡（上）

二等兵生活素描

·李約翰·

「下午有高級軍官蒞部訓話，今天的休假停止，上午全連整理環境……」

連長的話沒有一句能使我聽得入耳的，什麼高級不高級的，專揀星期天來訓話。眼望望對面列子裏的小張，正對我伸出舌頭做鬼臉，他媽的，真是！他倒怪沉着，還高興做得起來。心恨起來一跺腳，把右邊鄰兵的腳踩痛了，哎唷一聲叫了出來。正在分配工作的連長向這邊望了望，問道：

「有什麼事嗎？」

右邊那位大頭裂着嘴忍住痛狠狠瞪了我一眼，不敢作聲，我的心更忐忑跳得厲害。總算好，連長沒再追問下去，隊伍解散了，各就工作。

整整一上午的抬草皮，直做到十二點開飯。災情真夠慘重，昨晚吹了風的頭髮又亂得和雞窩一樣，洗的澡又是一身臭汗，最可惱累得爬都爬不動，下午還得曬兩小時太陽，聽那比嚼蠟還要乏味的訓話。這都不算數，把早晨八點鐘秀美的約會就誤了，這才是天塌下來的大事。見了面如何解釋，女孩子不管什麼公事不公事，生起氣來，美不美都叫人受不了。

午飯吃得一點味都沒有，一氣之下，午覺翻來覆去怎樣也睡不着。小張鬼鬼祟祟地拉了我一把，本想不理，只是想到這是我倆共同的事，起來跟着他走到室外。他裂開嘴向我直笑：

「怎麼？把約會給忘了！我的那位自有辦法應付，只是秀美小姐氣起來兩個月不說話，那就得看你的了。」

「你倒怪沉着的，好像看熱鬧一樣，現在幾點鐘了？八點只有下個星期會再有！有什麼辦法，這都是什麼高級不高級的，偏偏選他媽的黃道吉日！」我越說越氣，越大聲，衛兵當我倆在吵架，慢慢踱了過來準備干涉。小張還是滿不在乎地笑着說：

「小聲點好吧？急又有什麼用，想辦法才是正經事。」

「屁的辦法好想，這是命令，總不能犯法。」

「怎樣，讓我來想辦法，下午的費用老兄全部負担。」

我倒想聽聽這個詭計多端的小張有什麼辦法，他忍痛答應下來。一聽之下，還是那回事。他說：晚飯後一直到九點半點名，這段時間是自由活動，訓話之後值星官更不會找任何麻煩，大門口出不去，後牆前兩天下雨倒了一個大缺口，正是我們外出之道。我搖搖頭說道：

「那我不幹，這是違犯軍紀的，查出怎麼辦？」

釋耒集

救災與伐災

報載大陸共產政權，最近以現金向加拿大商人，購入大麥一百萬噸，證諸中共政權過去以全力爭取外匯之往事，今乃忽然忍痛以現金搶購食糧，則大陸往災荒之嚴重可知。而連年大豐收，所謂一日等於二十年，人民豐衣足食之謊言，亦以此不攻而自破矣。中華民國政府，乃因此而向聯合國呼籲，聲言願以餘糧，運濟大陸飢餓之同胞。考諸列國之世，諸侯原有救災恤難之誼，左傳昭十八年，書曰：「夏五月壬午，宋衛陳鄭災」，左氏記云：「……書焚室，而寬其征，與之材，三日哭，國不市，使行人告于諸侯，宋衛皆如是，陳不救火，許不弔災，君子是以知陳許之先亡也。」國有災而使行人告于諸侯，禮也，受其告而不恤，此君子之所以深責乎陳許者也。今台灣之與大陸，以種性言則手足，以政治言則讐仇，室如懸罄，野無青草，人民轉死于溝壑，中共固未嘗以告於台灣也。中華民國政府抱種性之痛，思以餘糧濟其手足之親，轉須呼籲於若秦越不相關之聯合國，而中共政權，又實非聯合國之會員，不受聯合國憲章所約束，此種呼籲之必將毫無結果，可斷言也。又左傳莊二十九年，書曰：「冬築郿」，隨又書曰：「大無麥禾」。穀梁氏解之曰：「山林川澤之利，所以與民共也，虞之非正也」。書曰大無麥禾者，指一歲言之也，而先書多築郿，明其荒歲仍勞民興作，所以深罪之者也。故繼又書曰：臧孫辰告糴於齊」。古曰告糴，即令之所謂購買糧食穀物也。缺糧而至于告糴于鄰國，則災荒之重可知矣。故穀梁氏論之曰：「國無三年之蓄國非其國也」：：國無九年之蓄曰不足，無六年之蓄曰急，無三年之蓄曰國非其國也。諸侯無粟，諸侯相歸粟，正也，臧孫辰告糴于齊，告然後與之，言內之無外也。古者稅十一，豐年補敗，不外求，而上下皆足也。雖累凶年，民弗病也，一年不艾而百姓饑，君子非之。」胡傳引劉敞曰：「不言如齊告糴，而曰告糴于齊者，言如齊則其詞緩，告糴於齊，則其情急，所以譏大臣任國事，治名而不治實之蔽也，魯人悅其名，而以急病讓夷爲功，君子責其實，而以不能務農重穀，節用愛人爲罪。」君子爲國，必有三年之蓄，此春秋之教，而先王之政，所以競競於民食者也。中共竊據以來，已逾十稔。人民實未嘗得一日之飽暖，所以日日自詡豐收，不過用以掩其黷武虐民之烟幕而已。國家除殘去穢，而欲以口舌爭，則南巢牧野，無弔民伐罪之師，之喻宋襄之仁，可以代湯武之伐矣。夫處不兩立之勢，敵人之有災，正我可乘之機也。空言恤手足之難，而忘其不兩立之仇，是亦悅其名而不知所以責其實者也。

曲齋

平安是福

徐學慧

新年附筆，萬事大吉。首先以此祝福讀者諸君，同時亦以此祝福自己。

在兵荒馬亂的時代，我們乃能深切體會到平安是福的眞正意義。所謂平安是福，並不是意味着我們會有一種得過且過的心理，正確的解釋應該是：爲了要達到平安，我們乃不能不競競業業，小心謹慎，這意義是積極的，絕不是消極。

能夠平平安安過日子，也就不容易了。世界上的事，必先求其穩定，而後方能談到進取，所謂穩定，即是平安。

平安決不是睡在床上可以獲得的，也不是凡事畏首畏尾就可以獲得的。這中間實在是包含了一個非常積極的意義，它乃是鼓勵人們用力量來求得平安。

在狂風暴雨的晚上，一隻船終於通過了風浪地帶，你將會從心底說一聲，「啊！我們平安了！」可是，你總得知道，這隻船之所以終於能通過風浪地帶，却絕不是偶然的。如果不是水手們全力與風浪相搏鬥，你將永不可能獲得平安；誰說這種平安是消極的呢？

親愛的讀者諸君，只要我們能在每一年的開頭，相互道一聲平安是福，那也眞是難得的了。再進一步說，只要我們相互平安，也即是意味着，在過去的一年中，我們已經盡了很大的力量。因此，不論你如何謙虛地說過去一年了無成就，但我仍然要說，你是有收穫的，因爲你平安。

閒話煎堆

筱臣

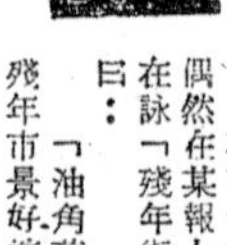

在某年的農曆年底，偶然在某報上，發現有人在詠「殘年街景」，其詞曰：

「油角煎堆又北瓜，殘年市景好繁華，街頭擁擠夾難拿。籌算團年籌送禮，買完糖果買枝花，行人心裡亂如麻。」

今年的街頭殘年又何如，恐怕較之往年猶有遜色，這眞是王小二過年，有一年不如一年之嘆罷。談起煎堆，每家南貨店內，眞是堆積如山。據說煎堆，實爲過年所不能缺少的，它是以糯米入油煎成，年晚若不自製，亦當市買多少，以應佳節。據「廣東誌」謂：「煎堆爲粵人特產，年節以祀先人及饋贈親友。」又據「廣州歲時雜記」云：「煎堆爲舊時置戶習俗，故一名麻置。以麵作團，炸油鑊中，空其內，大者如球，外黏之以芝麻花。亦有烈火爆開糯穀，名曰大花炮，以爲煎堆心餡者。」煎堆似乎廣東一省極爲盛行，近世各省各大都市，亦常有以煎堆爲禮品者，也許受了廣東的影響。不僅此地，舉凡有僑胞足跡的地方，商人均不辭道遠途遙，轉途應節。所以年貨之中，煎堆也和瓜子與糖果一樣，視爲不可缺少的東西。所以往時以產煎堆出名的廣東順德的龍江，與南海的九江，每年到了十二月，便開始忙到月尾，成爲農隊與商販中一年最大入息的機會。惟近年本港與運往外埠的煎堆，大多數都是港商就地裝造，美其名曰九江或龍江特產。

俗諺：「年晚煎堆，人有我有。」這句話是起源於嶺南婚姻習俗上的一項迷信，一般人認爲在臘月送灶以後，諸神上天，便「百無禁忌」。有些成年的男子，爲了料理家務或者是爲承先啓後起見，不得不趕忙要個老婆，只是年關迫切了，不暇選擇對象，但求「人有我有」，不致被人譏爲「寡佬」。所以這「年晚煎堆」一詞，即是馬馬虎虎要個老婆算數的意義。所謂「速辦婚姻忙何湛？只爲年前趕不均。」就是爲此寫照。

煎堆見之於韻事的，則有余半眉先生的詠煎堆詩八首，寓意鍼砭，語重心長，令人讀之具有同感。

其一

笑將輕薄驗鄉風，一派油腔到處同。安得規模如許大；不堪滿腹竟全空。煎來輾轉工何巧；堆就團圞體亦豐。却遇賣柑人勘破，並無敗絮在其中。

其二

牢九曾同列几筵，此公何事獨龐然。算來情薄神先假；想到心空計自圓。糊口妨吾胸磊磊，象形稱汝腹便便。輕飄軀殼虛無力，或恐隨風滾上天。

其三

肉化肌膚僅剝皮，聊同晝餅一充飢。顯頂此事終多僞；膚郭文章最不宜。抱影未沉堪作具；贅瘤已落不須醫。內儲果餡知多少，如此欺人亦太奇。

其四

客途已自愧空囊，對此饕餮益感傷。皮相錯教憐美滿；腹楞怪底費商量。椰雖不實猶生酒；瓜亦曾浮究有。飯信然嶺南饒異味，幾同圈套又親嘗。

其五

乾喉失德彼烏知，過去無心且恕之！夢裏黃粱原是幻，色迷紅粉亦嫌疑。不堅欲擬琉璃脆；其勢直同纍卵危。請據東床吹胡餅，個中滋味莫垂涎。

其六

命名強欲借胡麻，作僞無疑是宦家。四面圓光皆客氣；一番投擲半虛花。晉流正歷銅盤膩；漢視非關肉眼差。極意已荒包不得，空空妙手寄生涯。

其七

愈能奸作愈胡塗，紙樣人情有若無。未必一元含混沌；徒然依樣畫葫蘆。揀形已識存心胖，下箸還憎作法粗。我學題糕劉夢得，何妨燃根幾根鬚。

各詩以「空心煎堆」作題材，對於世態之醜惡，極其諷刺之能事，嬉笑怒罵，至爲深刻，此中有人，呼之欲出。作者滿腹牢騷，借題發揮，詩尙渾成含蓄，頗費匠心，錄之以作南國風物談助。

海嶠譽談薈

盜寶記

諸葛文侯

吾國建立已在三千年以上，是全球的文化先進之邦，自商周以來的歷代古物，或庋藏人間，或掩埋地下者，不知凡幾。這些國寶，眞正落在統治者手中，遺傳後代的，不過百分之一二而已。例如北平「故宮博物院」所藏的古物，就不及孫殿英盜掘滿清帝后諸陵墓所得的殉葬品那末珍貴，而孫氏的盜竊贓物，又不如陝西土匪黨玉崑在秦中盜掘的六朝遺物，更具有崇高的文化價值。孫、黨二人掘得的，固然沒有一片歸於國有，即故宮博物院的累累藏品，亦被監守者再三盜換，面目全非了。很奇怪，這些國寶的來去，多與馮玉祥直接間接有關係，殆國家氣運所使然歟？

陝西著名土匪黨玉崑，自民國初年即隸郭堅部下，號稱爲民軍，橫行陝境歷十餘年，遇有古墓或名勝古蹟，即以發掘古物爲急務，歷年所獲逾三百多件，中有秦代收藏的六朝遺物數十件最爲名貴。陝西省的軍政首長明知之而不敢收繳，特畀黨玉崑以「護寶營」營長名義，旨在羈縻，勿使古物完全化爲私有。越民國十六年，馮玉祥部將宋哲元由甘肅進佔陝西，受任爲陝省主席後，即將黨玉崑斐除之，解散「護寶營」，把那些寶物收歸公有，掃數陳列於省府內院，任人參觀。既而馮玉祥來到西安，指揮大軍出關進取中原。但餉糈奇絀，羅掘無方，當時的陝省財政廳長薛篤弼，曾因點金乏術，受馮氏怒罵掌摑而服毒，其艱苦可知也。一日馮瞥見省府陳列的古物，靈機一動，主張把它出售，以濟軍需之急，宋主席自然不敢有所異議，即命西安市長蕭振瀛（仙閣）董運其事。

蕭市長奉命後，說是「咱們都是些外行，應該先請精於鑑別古物的內行人來評定一番，斟酌其價格，然後向津滬間的外國商賈接洽出售，較爲穩妥。」言之成理，即被嘉納。旋由北平玻璃廠邀約一位古董商來西安從事審核，該古董商密語蕭氏：「作官終有賦閒之日，何不趁此機會，揀取幾件無價的寶物，藏之租界上，作爲個人一生的衣食之資呢？」蕭以爲然，即囑古董商挑選了二十件最上品，運赴天津，交由親信人家代爲保管，其餘大小數百件，乃以三十萬銀元的代價售予洋人了。

未幾，蕭氏盜寶消息外漏，有人報告馮玉祥，說「你被宋主席欺騙了。寶物中的珍品已由私人盜運出境，拍賣的盡是些次等貨，否則售價當在十倍以上」。馮聞之大怒，嚴詰宋氏何以有此行爲？宋謂：「我完全不知情，乃是蕭市長幹的」。蕭知東窗事發，禍必及身，貪夜棄職潛逃。馮聞蕭逃去，忿恨交迸，聲言「蕭振瀛這小子非殺不可！」從此馮蕭結怨成仇，不復相見了。後來宋哲元在察哈爾當都統，蕭振瀛是他的總參議，常駐南京担任廿九軍的代表；在北平作「冀察政務委員長」時，蕭任天津市長，成爲宋氏的政治智囊。迨對日抗戰軍興，馮氏担任第一戰區司令長官，而宋哲元的廿九軍便不聽調度，就是蕭仙閣從中播弄的結果。馮氏到重慶後，公開指說蕭某是大漢奸，政府不可任用，而蕭亦對人攻訐馮氏不遺餘力，皆種因於西安盜寶這回事。

據聞蕭氏由西安私運到天津密藏的廿件珍貴古物，抗戰時被日本人拿去了。究竟下落如何，仍屬未知之謎，馮宋蕭俱已作古，亦就無從根究了，惜哉！

歷史人物

李香君

謝康

「馬踏街西一路塵，紛紛紅袖溷青春，老夫判斷烟花久，不信香君有後身！」

——孔尙任：長留集。

南都舊事話明廷，一代興亡未忍聽。兒女心情關大節，香君千古最伶傳。

——謝康：瀛海集。

我記得在國立廣西大學兼主青年劇社事務的時候，曾經有話劇「桃花扇」（據周彥改編本）的演出，地點是桂林廣西省立藝術館，一連幾天，場場滿座，博得觀衆相當好評。抗戰時期，重慶和桂林兩地，爲文化人集中地，話劇水準相當高，我們以一個學校劇團，完全是業餘的性質，而能夠保持這個水準，自然感覺得十分榮幸。私意除演員素質和技術上的訓練外，最重要的還是應歸功於李香君這個故事的動人和劇本本身的號召力。

大家知道淸代初期的戲曲家，有南洪北孔之稱，洪昇的長生殿取材於明皇貴妃長恨歌本事；孔尙任的桃花扇，則寫南明宏光朝興亡史實。論內容都是膾炙人口的美談，論劇作形式據說也都是經十餘年之久三易稿而成的精心結構。近人吳梅作「曲選」評長生殿傳奇以爲「盡善盡美，集傳奇家之大成」；評桃花扇亟許爲「傳奇之尊，遂得與詩詞同其聲價……論其品格，直是前無古人。所可惜者，通本無耐唱之曲，不足動聽。」又云「桃花扇」此種毛病，爲「長生殿」所無，而後者文字之工，聲調之美，直可云到底不懈。（一）

內警僑台報字第〇三一號內銷證

自由報

THE FREE NEWS

第一〇六期

中華民國僑務委員會頒發
台僑新字第三二三號登記證
中華郵政台字第一二八二號執照
登記爲第一類新聞紙類
（半週刊每星期三、六出版）
每份港幣壹角
台灣零售價新台幣貳元
社長：雷嘯岑
督印人：黃行齋
社址：香港銅鑼灣高士威道二十號四樓
20. CAUSEWAY RD 3RD FL
HONG KONG
TEL. 771726　電報掛號．7191
承印者：田風印刷廠
地址：香港灣仔高士打道二二一號
台灣分社
台北市西寧南路壹壹柒號二樓
電話：三〇三四六
台郵掛號全戶九二五二

本報周年紀念詞

雷嘯岑

流光如駛，本報誕生已告週年了。一年的時間雖然很短促，但我們所消耗的精力，以及所遭遇的困難卻不少，值得回憶警惕的。

去年今日本報創刊時，我們曾經信誓且且地聲明是一羣自由主義者以超黨派的立場，在文化思想上，基於國家民族的生存發展利益，爲反抗極權奴役生活而努力奮鬥。因此之故，本報的作風仍與過去「自由人」半週刊相伯仲，言論態度是百家爭鳴，百花齊放，政治主張是異中求同，同中容異。不睹寫反共八股的文章，不空喊擁護打倒的口號，一是皆以維護國家民族的獨立自由爲本，除卻不讓人類自由生存的共產主義者而外，沒有第二個敵人。

在這種大前提之下，不用說，我們對於中華民國是熱愛不渝，相依爲命的。凡有直接間接危害中華民國生存前途的言行，皆期期以爲不可，不惜詞而闢之，無所瞻顧；同時，中華民國政府當局的一切措施，如有不適合於反共復國的利益，亦本着知無不言，言無不盡之義，毫無保留地據述所見，聊盡輿論職責。我們自信這是每個嚮往民主自由生活的中國人應有的態度。可是，因此卻招致了一些求全之毀，有的說本報是國民黨的外圍宣傳刊物，有的又說我們爲對政府不忠貞的異端份子，我們唯有啞然失笑而已。不錯，記者個人是一個國民黨黨員，而且具有相當長久的黨齡了。但我也是個中華民國的公民，中華民國並非國民黨的私有產業，愛護中華民國並不等於擁護國民黨，這是常識。當此國破家亡之秋，大家如果還希望有反共復國之日來臨的話，若不將黨派利益置於國家民族利益之下，寧有幸理？居今日而猶斤斤於一黨一派或個人的利害得失問題，動則戴着有色眼鏡，憑其短視渺小的觀察幅度以看人論事者，眞是未聞大道，非愚即妄也！本報如其是執政黨的「外圍宣傳刊物」，在台灣各界的發行，就不會受到限制，而於某些地方被列爲禁閱品。我們對國家對政府如其沒有愛護的心情，專爲個人生存設想，根本就不必搞這種吃力不討好，自尋苦惱的文化事業。假使要藉刊物來作謀生工具，自不妨對政府盲目歌頌，寫些「打倒共匪」「擁護領袖」的八股式和口號式的文字，乞得當局的欣賞資助，在海外度其寓公生活，悠哉游哉，聊以卒歲，至於這張刊物是否有人看，固不在乎。再不然，就在海外表示反共又反台灣的所謂「第三勢力」姿態，直接獲致國際人士的同情支援，間接又對台灣當局偶送秋波，飛媚眼，引起他們的重視，開着談判之門，左右逢源，必有名利雙收的意想不到之效力。這種玩藝我們亦頗懂得，就不願意做，原因是我們在先天上賦有一片良心血性，後天上又讀了幾句書，知恥自愛，有所不爲哪！這就是本報的精神，也是我們同人的志趣所在，呼牛呼馬，說是說非，皆所不顧的。俗言「事久見人心」，等着瞧吧！

民主自由生活爲今後人類進化必循的軌範，毫無疑問。今天自由世界所恃以反擊共產極權侵略主義的銳利武器，就是這項適合人生向上發展的思想潛能，沒有它，共產主義的魔力就無從抗禦而消滅之。中國受共禍最烈，而民主自由思想的根基卻最薄弱，產業貧乏，企業精神不發揚，中產階級建立不起來，端賴一般窮困的知識份子來倡導民主運動，已有事倍功半的毛病了。不幸，一般的讀書人又由於缺乏生活基礎之故，有時候乃明知故昧地把民主自由的崇高價值，容易犧牲於現實政治環境之中，以致在社會上發揮不了「負起前驅」的主力軍作用，甚且成爲反民主勢力的俘虜。試看有些在「五四運動」時期被譽爲民主健將的人物，一旦涉身政治舞台，即漸漸地蛻變爲民主罪人，至少亦是個時代落伍者的現實情況，不是很顯明的例證嗎？我們固不敢「以民主戰士」自任，但抱有一種樸素而誠篤的志願，即竭盡個人的能力所及，團結海內外反共愛國人士，爲促進國家的民主憲政建設而奮鬥，實事求是，不激不隨，堅持信念，不爲環境所屈服，我們不惜作時代的犧牲者，卻不願做時代落伍者。所以，本報的作家，除了共黨份子及其同路人以外，舉凡各黨各派暨無黨派的人士都有，個別的政治主張容或不同，然基本的政治思想並無二致。我們相信這樣才是反共救國的有效方法和有利途徑。

自從民國十三年國父孫先生爲着適應革命的需要，採取容共政策以後，在政治組織和運用上，仿效蘇俄方略的地方不少。這種權宜之計，若用歷史眼光來評判，原屬無可厚非，否則中國第一階段的國民革命運動，決不會在他去世未到兩年的辰光即告完成的。可是，由於共黨那套極權統治方略最容易激發人類的劣根性——支配慾與虐待狂——之故，有如嗎啡、海洛英的作用然，一經沾染，立刻中毒，要戒除就很難了。所以，到民國十六年雖然大舉反共，洎後且竭盡全國之力，從事勦共工作垂廿餘年，然昔日仿效共黨那套政治組織和運用方法，依然深中於人心，無論是意識形態或是思想行爲，皆照樣地仿效如故。朱舜水有言：「反虜之策，在事事與虜相反」。我們既以曆受共禍最烈而積極反共，若又襲取共黨的政略政術以戡亂求治，這在邏輯上極端矛盾，在事實上不啻以暴易暴，根本否定了民主自由生活，而反共乃成了無意義的浪費事業，烏乎可呢？我們是三民主義信徒，中華民國憲法亦明白規定咱們的國體是「基於三民主義的民治民有民享共和國」，三民主義的本質，顯然是高度的民主主義，當然唾棄共黨那套極權統治思想和行爲。這就國民黨員的立場說，是忠黨，就中華民國國民的立場說，是愛國，因而凡是有意無意地沿用共黨那類極權方法以對人處事的言行，必須予以批判指摘，不敢苟同。對於執政黨以外的各個在野黨派人士，只要她是愛護中華民國的，我們都視爲患難與共，休戚相關的親愛同胞，無所軒輊，更沒有猜忌的意念，現在如此，將來亦復如此。

我們處在海隅這塊緊鄰大陸共區的外國領土中，這是文化鬥爭的最前綫，對於大陸情況，乃至國際間一切動態消息，所見所聞，比較中華民國政府所在地的台灣更爲詳明而迅便，尤其是海外華僑社會的人心趨向和願望，體察最切實，瞭解頗深刻。本報的言論主張，不管是否有價值，但自信是跟海外大多數僑胞的意志相適應的。我們原係有政治理想而無政治野心和行動的書生，憑着文章報國的赤忱，綜合海外僑胞的願望以立言，言之不免直切，而爲執政者所不願聞，然我們還是鍥而不舍，以求其心之所安。我們的目的只在使台灣方面多多明瞭一些海外的實際情況，不要專那些嚮壁虛構，報喜不報憂的「情報」來判斷敵情與民情而已。至於本報的內容和版面，根據讀者的指示，尚待改進之處頗多，自當逐一實現，以副大衆期望。我們的能力和財力皆有限，然勇氣很大，志氣亦不小，本報的未來前途，是光明，抑是黯淡？完全繫於各界讀者與作家的支持應援之力。值茲周年紀念，謹述所懷。是什麼，就說什麼，毋隱諱，不矯飾，這也就是本報的風格所在，幸垂察焉。

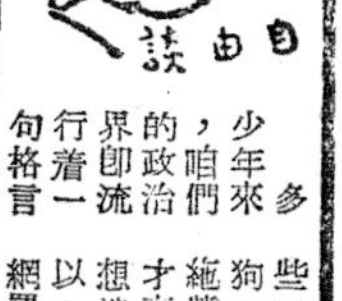

談「人事關係」

馬五先生

多少年來，咱們的政治界即流行着一句格言，叫作「人事關係」，如說某個官兒的人事關係很好，前程無量，某個官兒缺乏人事關係，很難發達。言之者泰然自若，聽之者恬不爲怪，認爲這是天經地義的定律。

所謂「人事關係」的涵義又是甚末呢？喏，那就是同鄉，同學，同裙帶，同小圈子（私人的政治派系）等等。居高位者以此爲用人的準則，次焉者以此爲「薦賢」的條件，考勤時以此爲衡量功過獎懲的尺度。適合這些「人事關係」的，阿貓阿狗，馬弁差役，皆可以紓青紱紫，蜚黃騰達，否則縱然才高八斗，學富五車，也休想涉足政壇，干役國事。所以，舊時一般統治階級那種網羅人才，明揚仄陋的求賢作風，固然已成絕響，不可復聞了，即上書言事，懷才請纓的情形，亦邈不可覩，因爲沒有人事關係，誰也不屑理睬的。

專憑人事關係以用人行政的必然結果，即爲小圈子主義極端發展，爭權奪利的怪象百出，政治上無是非，無公道，一是皆以排擠傾軋，徇私怙勢爲本，而分贓制度（Spoil System）乃告盛行，除卻官位之外，諸如，國營或公營的金融企業機構，亦得彼此平分秋色，各以其小圈子裏面具有特殊「人事關係」的皂隸走卒，惡霸一方，爲所欲爲。有了「人事關係」，烏龜王八都是幹練之才，忠貞之士，非他們即不能完成復興國家民族的大業，這般人都是上帝教他下凡來作救世主的!?

因此之故，今日中國政治上的真正人才，既不是學有專長之輩，也不是爲國勤勞，安份守己，有所不爲的志士仁人，而是擁有小圈子人事關係的奴才們，信不信由你！

小論天下

△美國甘迺廸政府反對中共加入聯合國，及不承認中共政權，表現態度鮮明。據說，英國甚感失望。

難道因爲要把中共引入聯合國而把聯合國分裂或毀滅，才正是他們的希望？

△寮王飛永珍主持閣議，討論擴大政府組織，容納在流亡中的前「中立政府」領袖。

寮共已對「聯合政府」嗤之以鼻，做了「中立份子」的「太上王」了。寮王其如之何？

△中共在大陸分設六「局」，以便控制，主持人選遲未決定，傳有困難。

毛澤東曾經「削藩」以利個人獨裁，取消「軍區」。現又從新「封藩」以便鎮壓叛變，分設「黨局」顯有張皇失措之徵，更卜難覺腹心之患。

△日本右派恐怖份子屢作過激行動，引起議員驚惶，政府正設法應付。

過激行動是一種烈藥，在某一時期可以鼓動羣衆和吸引群衆。但在不適當的時候用它，便會把業已吸引過來的羣衆一齊趕掉。日本右派份子似乎並未想到怎樣認真造成羣衆的力量，反而喜歡用烈藥來做自殺劑。可惜，這倒便宜了共黨。

△香港在舊曆年關發生兩宗震動全市的大新聞。一是：九個青年由廣州逃亡到香港，躲在直通火車的凍房裏，幸而沒有凍死一個；二是：一個百萬富翁被匪乘車當街截擄而去。

香港報紙花在一個富翁「肉票」的新聞篇幅，多過花在九個幾乎變成「凍死肉」的逃亡者有好幾倍。這是難怪的。大陸太大了，香港太小了。

△西德總理阿丹諾赴巴黎，訪法總統戴高樂，商西歐六國經濟合作。戴高樂亦將回訪西德。

他們雖是是一時瑜亮，但說到認真合作團結，怕他們多少仍是傳統觀念的奴隸，可比在天足運動中的纏脚女兒。

△自由中國作家訪問金門，向大陸文藝界老友作指名廣播，有預約將來光復大陸，請他們到東來順吃涮羊肉者。

他們太樂觀了，恐怕那時大陸連羊也沒剩一頭呢。

方南

天下之大，無奇不有

兒子向母親建議節育

寶島飛絮

在×報「社會服務欄」中有一個很文明的報導，是一位今日二十世紀的兒子向父母建議節育。寫信的人是李啟學，他的原信如下：

問：敝人父母養育子女已有九個，長子敝人已近服役期間，母親尚有生育能力，但因家庭困苦，若再生數人在家幫忙，父親負担將更重，我常聞及母親怨嘆云：「多產子連累父親，家庭難得幸福」，因此母親感到，若可不再生育，家庭將是非常幸福，但父母親均未曾受過普通教育，居於鄉間，更不知有科學方法可節育，我想將我所聽到或報章雜誌上所見到的告訴母親，但至今一直不敢透露：原因：請問：一、是否可以告訴她？是我直接對他講或是請與她接近的婦人給她講？若是我直接對她講要用什麼方式？二、若是我對她講，是否違背道德倫理？若被父親知道了會怎樣？三、若是可以告訴她，買那一種節育藥較爲有功效和安全？……

的確，住在鄉間較偏僻的地方，智識水準較落後的家庭，對節育問題——智識上較低落的人，實在是太少了一點，對子女的教育，實是無法提高，當然完全是由於經濟上的不足，無法使子女得到高深的學問，影響了他的社會生存上的基本技巧。

一個家庭沒有節育計劃，不但對夫婦帶來了不少煩惱，而且對子女教育上，經濟上負担，將受到很大的影響。在台灣省人口將達一個理想數字頂點，這個兒子倒是一個很明智的建議，對其父母是個良策，而對其兒弟輩，也可以在教育上有所幫助與幸福之途。

不過在一個作兒子的本身來說，對父母提出是項建議，在今日廿世紀中，倒可能是創見。

錢從天外來　奶粉藏荷幣

希明

台灣高雄發現金山奶粉中有小鎳幣，許爲工人失落所致。

高雄市中正路八十七號李宅，廿三日在金山奶粉裏發現荷蘭通用二角五分小鎳幣，與去年香港有人大聽的魚罐頭裏，發現一只男用手錶一樣。在報導中說：並非製造廠商有意作宣傳，乃是製造廠商工人在處理工作不慎失落之物，而混入食物裏，製罐出售，實有碍衛生，各誤混入供小孩飲用，且有發生危險之虞。在一磅裝的金山奶粉罐頭發現之荷蘭鎳幣，係荷蘭一九五七鑄製，通用二角五分鎳幣，其大小一如台灣一角鎳幣相彷彿，正面爲荷蘭女皇像，反面爲二角五分標誌，並註明荷蘭國製字樣。而金山奶粉，其中一種正是設廠在荷蘭製造，鎳幣表面雖光亮，但係一種行使已久之貨幣，因此被斷定爲工人在製造過程中不慎失落在奶粉中，而在已裝封口時未予發覺者。（明）

妻子離家別　幼女代陳情

一個中學的酗酒教員，無理虐待愛妻，妻子不忍受此虐待而告離婚。教員看太太走了，五個孩子無人照料，又自寫了一封陳情書叫十三歲的女兒「代書」，希望省婦會給予調解。這封充滿了血淚的陳情書中說：她叫詹月里，十三歲，她的父親是一個忠實的中學教員，母親賴芳慧是國校教員，從去年起，她的父親與母親常因小事發生爭吵，後來她母親要離婚，當時她爸爸託朋友來講情，都沒有效果，因此她剛由國校畢業，即不能升學，要看顧弟妹，代替母親的工作，不久她病倒了，四歲的弟弟也病倒了，家事都由十一歲的妹妹作，結果她月考只有四十幾分，她說：爸爸也病倒發給我媽的信，已經有廿多次，又在病危之中打電報三次，媽媽眞是無情，沒有一次回信，爸爸一人到台北去，拜托警察幫忙，找了五天才找到媽媽，但是媽媽無情不跟我回來，我怎樣哭，哀求都不回來，最後他送我上火車，離開的時候我很想不回去，很想回到高雄跳入愛河一死，又想到爸爸的可憐，才回到家裏。

省婦女會對此信甚爲感動，按址去訪問過賴芳慧女士，那時適其外出，據店中女老闆賴招紹說：這完全是她父親寫好的信，叫女兒抄的。詹某酗酒，酒醉之後即要他妻子跪着，一直到天亮，每三個月總有兩三次，賴女受不了，最後要求離婚，不料她離家後，家中四個女兒一個兒子無人照顧，又想賴女回家，因此用此完全虛構的手法。

數年前車敬亮對李宗芝有過一次槍殺神秘案，而未死的妻——虐待狂，人們還未完全忘了。詹某爲人之師，怎麼也害了虐待狂。作人之師，應自檢討檢討了。

被騙由港返大陸技術工人

黃灼如圖逃出被捕

據惠陽通訊報導：惠陽機械廠車間主任黃灼如企圖偷渡回港，被中共發覺逮捕。

自聯社記者根據可靠線索，採訪黃灼如返入大陸經過。事情是這樣的：黃灼如未返大陸前，係九龍船塢一位技術工人，住紅磡寶其利街某號三樓。他在九龍船塢工作，每月收入，本來足夠維持夫婦倆生活有餘，但他個性嗜賭，致生活搞不好，因此時常付高利向朋友借款，日子久了，便形成債台壘，無法清償。

黃灼如在這樣的環境下，給中共的海外人員知道，便向他進行游說，叫他返回大陸做「建設」工作，工薪如何「優待」，又可以在港先支三個月薪水買東西返入大陸，當時，在這次利誘之下，黃灼如上鈎了，便於一九五九年秋初偕其妻子返回廣州。

他在廣州住了一段時期，經中共「安排」好後，因他是惠州人，中共派他回惠陽機械廠工作，並給予該廠「車間主任」銜頭，月薪爲人民幣七十元。中共又利用他，叫他寫信回港告訴他所相識的工友，故意編造故事，說他在大陸所受的「優待」，希望發生「串連」作用，一個個的返入大陸供中共奴役。

但是，沒有人上鈎，而黃灼如的惡運跟住來了，中共一減再減他的薪水，又要他「學習」，使他不勝其煩，加以他所見到的大陸人民生活苦況，漸漸後悔，並在數月前決定偷渡回港，半途被中共發覺逮捕。（自聯社）

美國的經濟問題

美京航訊

近週來美京要人大都忙於會議，連中飯和晚餐的時間都是非正式討論的場合。白宮和各部首要之忙碌，固爲理所當然，分所應爾，可是還有些政府部門以外的學者專家三五成羣的專案小組自行研討方案，陸續提供政府。這些小組之多，有如雨後春筍。說他們是自行組合的，他們却似與政府或民主黨有點淵源；說他們是受了委託的，却又不像。好在在美國，人人有貢獻見解或方案之自由，至於如何綜合，自是政府首要的事了。

方案之絡繹繽紛，亦反映今日美國問題之多端與嚴重性。因爲美國既然事實上領導自由世界，作爲美國的盟邦人士，便不僅應了解美國的問題之種類和本質，還應該了解問題發展之程度。

單說經濟問題——這是很公開的部門，美國人從不諱疾忌醫的。據元月杪的可靠估計，失業者總數爲五百五十萬。鋼鐵業繼續在呆滯中，以致半數的鋼鐵廠陷於停頓。新汽車在元月中旬之銷售數字，爲三年來之最低水準。百貨公司最近的售貨數額，比起一年前，要低降了百分之五。元月份的天氣惡劣，對於經濟不無影響，現時整個的經濟景象仍在繼續衰退中。

關於黃金外流——這問題自一九五九年以來，漸趨嚴重。前財長安德遜于外交季刊中一九六〇年四月號論收支衡一文，已和盤托出；但他的斷語說，問題並非緊急，不難覓得解決方式。可是事至今日，似已非同小可。在元月最初的二十五天以內，美國的存金便減少了三一七百萬元，而金準備總數已降低到一七五〇〇百萬元。這是多年來未有的現象，亦就是等于全年減少了四〇〇〇百萬元的存金，無怪乎財經當局爲之坐臥不寧了。

黃金外流本身已經是一項問題，同時又影響到恢復經濟景氣之方案。舉例來說，利率問題便是一端。近年來國外的利率，尤其是歐洲國家的利率，比美國的爲高，以致美國私人的資金多向歐洲逃避。倘不提高利率，資金當不會自動流回本國。爲恢復景氣之辦法之一，原是降低利率，使企業家有喘息之機會。照現時狀況，利率殊不宜降，一九三三年羅斯福的新政中之「廉價貸款」（Cheap credit）已無法適用。至于暫行減稅政策，以刺激消費；早已有人提及，亦利弊互見。究竟如何對症下藥，須看新政府的經濟決策。

在元月二十六日的首次閣議中，甘迺廸總統已提到經濟問題之對策，出席者除各部長外，尚有史蒂文生，首席經濟顧問赫勒，預算局長栢爾等人。會後，出席者各從白宮的後門和側門走了，不肯對外人道及經濟政策之討論內容。元月二十七日，甘迺廸又與狄倫財長諸人研討一番，經公開宣佈的是儘速救濟失業者。詳細經濟政策，當俟國情咨文發表以後也。

人間有溫暖　損欵助詩人

一位曾經在文壇有聲譽的詩人葛賢寧，因病入住在醫院。他是過去以「常住峰的青春」一詩，獲文藝獎金。後他被任職文藝會，至結束時止。其後有人請他任公職，他未允而以撰稿來生活，寧賴過一生清高的窮文人生活，不善過上班制的公務員生活。

葛氏是忠於國家民族的詩人，他愛着國家，熱愛民族，更愛着自由，更愛着他手中的一枝筆，用筆來耕耘，養活一家人。可是他落得一個詩人貧病交廹。在自由中國的人間，溫暖是處處的。葛氏入院後，即有很多單位派員致贈慰問金，表示關懷。也有人在報上呼籲，希望社會人仕給予同情與溫暖。據有關方面的消息，葛氏的貧，社會各方面，都伸出了一雙溫暖的手，給予數以千計的同情。至於病的一面，據聞將入榮民總醫院治療，由此可知一個對社會國家有貢獻的文人，政府不會坐以視之。相信任何一個對國家有貢獻的人，都應有享受這份人間的溫暖。

由葛氏的貧病，更可見到台灣的公教人員保險的制度，辦得非常有效。葛先生曾對中央社記者說：他很後悔沒有充做公務員，以致治病要自己化錢，不能受到公教保險的利益。這次葛先生雖未得到公教保險的利益，但，中央社發表了他的病況後，各界紛紛給他作互助的支援。這種熱情，無形的潛在人們心中，積腋成裘，共同爲他解決貧病痛苦。他所得的人情的溫暖利益，比公教保險的利益，益增數倍。

大陸文壇萬花筒

無恥的宣傳與行動

——岳騫——

最近中共黨徒向中國政府及美國發動一須宣傳攻勢，硬指美國盜運在台古物。首先由海外尾巴翹然帶頭，繼而中共統戰人員就根據尾巴的資料，在北平召開大會，發動反美宣傳。

一月三十一日中共政協文化教育組織召開了一個座談會，到了一百多人，其中著名人物有陳叔通、張奚若、陳垣、許廣平、鄧初民、徐平羽、范文瀾、呂振羽、梁思成、侯外廬、裴文中、夏鼐、溥雪中等人，甚至九十多歲的朱啟鈐（此公是民國元年的南北議和總代表）不能到會，也被逼發表了一個書面說話。

會議開始先由「文化部文物局局長」王冶秋報告，硬提美國十多年來經常刦奪在台古物，接着大家一齊發言，無非是把美國痛駡一通，對中共擁護一番，就算圓滿結束。

中共經常作些無聊事件，本來不值得一提，不過當此大陸人民百分之九十（其餘百分之十是共幹及尾巴）活不下去時，何以還有閒情逸緻搞這種無恥的玩意，假若說因爲發起這種運動，就能夠轉移人們對大陸饑荒的看法，中共就未免太天眞了。

再進一步看，中共此時發起這種宣傳，基本上還是賊心胆虛，賊喊捉賊的手段。

中共竊號以來，先後以展覽，贈送，交換等方式送往蘇聯及東歐國家的古物不知凡幾，因爲鐵幕深垂，正確情形海外人士不十分清楚，但是留在大陸的學人如裴文中、夏鼐，等人必然知道，因爲古物裝運也是專門技術，中共非借重專家不可，大概最近運走太多，引起了大陸學人的憤慨，中共才這樣胡扯一通，表示盜賣古物並非我自己如此，台灣方面也是一樣。

其實，中共爲了換取外滙經常把古物偷運出口，經過海外某地流到自由世界去，最近美國破獲了一批盜運古物案，這批古物既不是來自台灣；請問是從那裏來的，光憑開會，喊幾句口號就能洗掉罪行，今後犯人就不用請律師了。

社會小說

香港地

七、可憐一炬

梅大亮這番話說得很慢，每說一段都稍爲間歇一下，然後再說下去，始終都似在沉思之中，有時俯首，有時抬頭，但俯首的時間比較多。時值天氣很好，陽光燦爛。他是沐在陽光裏面散步，應該有興奮的感覺，但說的竟是那樣沉重而帶着鬱悶的話，使得譚福祿覺的天色似乎也灰暗了。

譚福祿一直認眞用心細聽，越聽越覺他提出的問題不好答覆。

他們兩人有着差不多的年紀以及人生經驗，每在彼此一齊打開話盒子的時候，都有很多的感慨，但梅大亮這次表現出很不尋常的態度，和往常隨便發揮牢騷不同。譚福祿就只得這樣想道：「這回燒屋的事，大概使他受刺激得太利害了。難怪他的感觸會比平時特別尖銳。」

過了半晌，譚福祿終於想出幾句話，向他回答道：「那麼，你以爲海底最低等的動物，也和你一樣，有一種物質生活以外的精神生活嗎？你眼與高等和低等的比較，他們有嗎？不錯，住在木屋區裏，物質生活是低等，卻仍有精神生活方面的高等，像你的太太便是。你好意思說她是渣滓嗎？而且，在洋房裏面過着浮華生活的人，不見得便沒有生活腐爛和精神墮落的悲哀。間常也有人稱他們是社會的渣滓，這話又該作何解釋？」

梅大亮也是很用心細聽這番答話。他還未聽完，便舉起一隻手，打向自己的額頭，連說「該死，該死！」

譚福祿知道這話有了很好的反應，便不再說下去，心裏暗笑道：「這大概是提起他的太太，他便覺剛才把話說得太過份了吧！他最佩服他的太太，我恰巧下了對症的良藥。」

梅大亮卻在說了兩聲「該死」以後，笑道：「不錯！我們這種人是爲了生活的需要而做着各種的事。我們也以爲：凡是社會的正當需要的服務，我們才是正當該做的工作。我們只想正正當當地做人，正正當當地生活，至於生活得高或低，倒不大在乎。我們並不是財富的追逐者，沒有追逐財富的強烈慾望，這叫做自甘淡泊，但這也正是這個時代這個城市社會的自甘落伍者。（一〇四）

木客著

痛苦

汶津

一管靜脈針插進了我的血管，我的生命中又多了一種體驗。我想着藥力將在我的血脈裏沸騰。果然，立刻就感到一種難言的燒熱……拔出針，我久久不能把袖管捋下。

錐心的痛楚，該也不過如此吧！但終於，我平靜下來了，疼痛似乎已逐步撤出了我的軀體，我反而感覺前所未有的輕鬆與舒暢。

這只是一次小小的「皮肉受苦」。我不禁想起三國黃蓋的苦肉計，以及關羽刮骨療毒時的從容自若。我自嘲不已。方才，我簡直把那杏眼圓睜的護士小姐看成了劊子手。

一個死囚犯如何忍受他瞑目前的最後一頓鞭笞？一個被困於烈火中的無辜者如何呼叱出最後一陣的灸痛？沒有死過的人根本不了解死。但每個人都經歷過多彩多姿的痛苦——多彩多姿的酷虐。

午睡醒來，忽然幻見母親生我之後的慵倦之態。「孩子的生辰是母親的難日。」但母親分娩的痛苦是夾雜着甜蜜的希冀的。樹木結果實的時候是否也有任何相似的痛苦？沒有人能回答。但每一個爲人子者，必須了解自己是母親的最大驕傲。而那陣陣的劇痛，或許正說明了生命的本質，也是痛苦的。

佛陀將生老病死列爲人生的四大痛苦，自然有理。可是佛陀難道全無「寡人之疾」？他應該把強烈的愛戀也算進去。培根說得好：「戲劇比人生蒙受愛情的恩惠要大得多。」而實際上，「愛情有時像海上的女妖，有時又像復仇的女神，老在那裏惡作劇。」如果說人們在天性中都秘密的存着一種愛人的意向，這究竟是幸或不幸？「對方如果不以同樣的愛情作報酬，就是暗地裏在輕蔑你。」而要找一個「棋逢敵手」的對象又談何容易？那麼，「愛」竟是不可避免的一種痛苦？一定要爲它辯解，便只有引用丁尼生那句話了：「相愛過，又相失，總比沒有愛過好。」如果造物讓我們在諸般痛苦中自由選擇，恐怕什九都會垂青於此吧，

說到疾病，有些孩子認爲是天下無雙的樂事。他們樂意吞飲宛若糖水的藥液，並且索食可口的點心。他們一定很驚訝病患皺眉的爸媽。「天之驕子」連對於痛苦的感受也與成人不同！他們根本不了解造物者也有不仁之處，他們更夢想不到一場小病很可能使爸爸爲下半個月的伙食費失眠。話又要說回來，成人們寧可自己病倒，也不願看孩子整天與注射劑，藥罐爲伍的。人的自私心，在親子關係中往往成了「另一解」。可是長年臥病的成年人（如半身不遂或癱瘓病者），往往會想到死和毀滅。十年不離病榻的人，究竟前世作了何孽，注定要忍受這種蠶食之苦呢？

老年人的寂寞之情，可能因抱孫而化爲烏有，也可能因兒女「翅膀毛乾了」而更形嚴重化。尤其我們譽稱這是一個年輕的時代，一切老朽的都不再被重視了。老人而有風濕病和失眠症原是司空見慣，可是他的賢媳恐怕並不太合適充任他的看護吧。如果老夫老婦能在夕陽晚景中廝守，相對回憶那些年輕的故事，也還能以空中樓閣自娛。若是形孤影隻，眞像是患了慢性盲腸炎；天國的召喚之聲仍未傳來，而人間已無可戀棧。怎麼辦？寫回憶錄消遣時間是個好主意，卻也不是人人有能力，有資格的。一位勤耕終生的老農，即使粗識文理，恐怕也只能寫下八個大字：「日出而作，日入而息。」可是屆此將「入」的歲月，他該如何？也許上帝嫌他一生過於順利，讓他嘗一些痛苦的餘波再走吧。有人是樂於喝乾剩盞的；但那是一盞苦酒啊。

說來說去，「死」該是最微不足道的了。古代有種種酷刑，聽了也覺齒寒。可是一死之後，還有甚麼可說？死前享最後的福份，或受最後的痛楚，是否會影響死後在陰間的地位，似乎無人得知。但在我看來，與其老而不死，還不如慷慨的向世界告別。上刑場的「英雄」往往很有個性地高呼：「三十年後又是一條好漢！」大概這點殘餘的自尊心足以減輕一點受刑時的痛苦吧。可是三十年後的帳，誰也不能爲他「預算」。只不過我倒相信：只要世界一天不毀滅，痛苦也將一天不會失寵的。

梨園漫談

旦的戲路

瘦西湖

重刀馬旦，更佳唱，白，武穆柯寨工，能蹻更佳，如「穆柯寨」之穆桂英，「棋盤山」之竇仙童，「樊江關」之薛金蓮皆是，這類戲之演出，名列四小名旦之宋德珠爲頂佳，宋不但武工高超，且在唱的方面亦頗具功夫，其所演之戲，如「美人魚」，「百鳥朝鳳」，「穆桂英」等，確會紅遍一時，大爲各界所賞識。

閨門旦，重作白，身段，蹻工，眼神，表情，如「梅龍鎮」之李鳳姐，這種戲之演出，應算美豔親王焦鴻英，焦身段天賦適中，且有大家閨秀之風範，扮裝起來極爲雍容華貴，當年在香港與馬連良曾共同貼演多時，故深受港澳人士所歡迎，後焦鴻英歸國爲馬連良舖路來台，然馬伶係好芙蓉之人，如讓其投入祖國懷抱，無異承認其可公開吸毒，此例一開，後果將不堪設想，故政府當局考慮之下，原則上歡迎馬返國，然必須要將鴉片戒除方准回來，焦在無計可施之下，祗好一紙電報通知馬伶，勸其立即戒除，否則無能爲力，馬見來台不得要領，遂暗中潛返大陸去矣！焦現下嫁菲律賓富商，過着舒適愉快之生活。

玩笑旦，重作，白，善嬉戲，如「打櫻桃」之平兒，這種戲無專工之人，普通演時均係由丑角反串之，故無論述，恕不多述。

潑辣旦，重作，白，如「變釘記」之白金蓮，「武松殺嫂」之潘金蓮，「大劈棺」之田氏等，這戲以言菊明之寶貝女兒言慧珠爲最拿手，其次應推大洋馬童芷苓，二人均以劈紡起家，對潑辣之演出，頗有入木三分之感。

貼旦，重作，白，身段，表情，爲正旦之輔，如「西廂記」之紅娘即是，此戲演者甚多，然佳者以台灣乾旦梅視程爲上，不但演來表情十足，且唱兩句亦悅耳動聽也。

刺殺旦、重作、善跌撲工夫，如「刺虎」之費貞娥，名旦小翠花演此戲甚精，幾個跌撲，使看者即可得回票價。

武旦，重武生，大打出手，如「泗洲城」之水怪，閻世善演此戲極爲工整，單幾個出手，即可使台下觀衆看得眼花撩亂矣。

老旦，重唱工，說白，專飾老婦人者，然此戲近代以李多奎爲最佳，李爲吸白粉之大王，吸愈多，唱愈好。

彩旦，重說白，擅詼諧，如「法門寺」之劉媒婆，以上以彩旦，老旦爲本嗓外，餘皆係小嗓應工耳。

辛丑談往

·無負生·

六十年前的辛丑，是喪權辱國的一年。上年庚子拳匪之亂，引來八國聯軍攻陷京師，慈禧光緒狼狽西行，是爲慈禧一生第二次逃亡，亦爲近代史上瀕於滅亡之奇禍。清廷勢窮力竭，不得不腼顏求和，始命奕劻李鴻章全權議和便宜行事，旋又添派劉坤一、張之洞會同商辦和議。所以辛丑全年之大事，集中於議和，而以庚子殘冬光緒一詔力表言和之誠以冀各國之諒，爲之樞紐。

於是而本年七月和議成功，八月啓蹕回鑾，不絕如縷之皇綱，賴以不墜。至於歲首之加重懲處肇禍罪魁與夫冬初之撤去大阿哥名號，又無不與議和一事，相爲表裏。其尤堪大書者，則李鴻章之盡瘁和局積勞病故，可謂始終其事，生死以之矣。茲先詳錄庚子歲暮光緒罪己之詔，以發其端，其餘將依次誌之，庶有以觀其演進之跡云。

（一）降詔自責：光緒二十六年十二月二十六日奉上諭本年夏間拳匪搆亂開釁友邦，朕奉慈鑾西巡京師雲擾。迭命慶親王奕劻大學士李鴻章作爲全權大臣便宜行事，與各國使臣止兵議欵。昨據奕劻等電呈各國和議十二欵大綱業已照允，仍電飭該全權大臣將詳細節目悉心酌核，量中華之物力，結與國之歡心。既有悔禍之機，宜頒自責之詔。朝廷一切委曲難言之苦衷，不得不爲爾天下臣民明諭之。（一）

燕塵小識

偷渡（中）

二萬兵生活素描

·李約翰·

「你不幹就算了，讓你下個星期叩頭作揖，我可得看看熱鬧。」小張說着就要走。

「慢點，我幹，我幹，」我一把拖住他「不過這並不是什麼好辦法，費用還得平均負担。」

「你說話算數不算，這辦法是哥倫布立鷄蛋知難行易，你若不負担全部費用，恕我不能奉陪」小張用着威脅的口吻，聲音漸漸也提高起來。

值星官室的窗戶打開了，班排長的頭伸了出來；

「你們二位有什麼談不完的，午覺都不睡？」

「天哪！我們正好站在值星官的窗戶外面呢！」

晚飯後，按照計劃乘人正亂的時候，和小張偷偷地溜走，只是一走到那個缺口的地方，卻楞住了，小張抓抓頭皮說：

「今早晨我來看的時候，還什麼都沒有。」

一道屋頂形鐵絲網整齊地架在那兒。本來兩公尺的外壕一跳就可以過去，有了這勞什子東西擋住，便要大費周章了。小張拉起嗓門來了一句戲白：

「只道我行早，還有早行人。」韻味蠻夠，只是不在時候，兩百碼外面就有衛兵崗亭。作賊心虛，我的心快從嘴裏跳出來了。小張看到我這種畏畏縮縮的樣子，自告奮勇做示範給我看，一個臥倒下去，幹起匍伏通過鐵絲網的勤作來，口裏還喊着：

「快點，就照我這樣子。」

小張平時作障礙超越，過到五十碼低絆網通過，老是教班長踢屁股的，今天動作可俐落，很快站在鐵絲網對面催我動作。

輪到我來做可變了樣，心一緊張，鐵絲網掛住衣服，小張催得緊，又怕衛兵看見，這邊剛脫掉那邊又掛住了。等到爬出鐵絲網，混身上下已破了好幾處，模樣眞像一個逃犯。

當我們還未轉身，崗亭的衛兵忽然出現了，喊我們停住，我只感到眼睛一陣發黑，「完了，這一下什麼都完了。」小張像發神經病一樣又往鐵絲網裏跨。衛兵走到跟前說：

「這裏不准通行從大門走。」

小張還跟衛兵講理由，更使我丈二和尚摸不着頭。一把拉着小張就走，他還在嘟嘟嚷嚷，說什麼衛兵准人家走不他走，太不公平。離開營房很遠，我才敢開始說話，我問他剛才這舉動是幹什麼，他將姆指一翹，眉毛一揚，又是一句戲白：

「這個麼——就叫做欲擒故縱啦！」

釋耒集

學校與社會

閱本港工商日報台北通訊，獲悉台灣國立中央政治大學四年級英語系學生王道，涉嫌單身搶刧財物，案發被拘，供詞自稱爲挽救一風塵女子，免被賣充娼妓，遂致出此下策，一旋又自行推翻前說，牽涉更爲廣泛，其間有陳小姐，葉小姐，曾小姐，均爲其女友，因曾應許送與葉小姐；而不名一文，乃被迫出於一搶云云，此等供詞，如屬可信，則王道其人，頗有類於美國西部電影所常見之流氓，爲俠艷片之絕佳故事，不幸王道乃實爲一行將畢業於國立大學之學生，其作風竟至於如此大膽，則其平日對美國電影教育之淪肌浹髓，以至台北少數女學生對電影中英雄人物之色授魂與，概可想見。日前台灣論者，一則以爲大學之導師制度，徒有其名，未能收人格教育之實效，一則以爲社會風氣敗壞，學校家庭之間，督責欠週，遂使此青年學生，陷身於罪而無由自拔，吾人依常識言，學校與社會，本非截然對立之機體，學校教育與社會風氣，必相輔而後能相成，而禍弊之來，亦往往由學校不能振導社會風氣之結果，昔阮葵生茶餘客話，論敎官有關風俗之言曰：「士人有廉恥，則天下有風俗；蚩蚩氓庶不致傲虐淫蕩者，皆以自孩提至稍長，見長幼尊卑之節，有一定不易之理，故先入爲主，後起之私心，慾有所顧忌而不敢逞，此禮敎之化於無形者，而其本則由於學校之爲功甚鉅也。」惟今之學校，往往言物質功利者多，而言仁義禮敎者少，水流淫，火就燥，所從來者久遠，則死功利而不返者有之矣。故鑽營奔競之風，擬之官塲，未嘗少殺。逆流蓬衆，徒招讖訕，故今日而言人格敎育，恐亦耳食之論而巳。顧亭林有言曰：「愚所謂聖人之道者如之何？曰博學於文，行已有恥，……恥之於人大矣，不恥惡衣惡食，而恥匹夫匹婦之不被其澤，故曰：萬物皆備於我矣，反身而誠，嗚呼！士不先言恥，則爲無本之人，非好古而多聞，則爲空虛之學，以無本之人，而講空虛之學，吾見日從事於聖人，而去之彌遠也。」故欲正社會風氣，必使仁義禮敎，行于學校，杜其奔競之風，疑而養其廉恥之守，此則高明之地者之責也。昔匡衡上疏言政治得失，以爲敎化之行，道德之流，由內而及外，因而曰：「今長安天子之都，親承聖化，然習俗無以畀於遠方，郡國來者，無所法則，或見侈靡，而仿效之，此敎化之本原，風俗之樞機，宜先正者也。」閩之台灣僻客，台北仕女之紛華修靡，實遠過香港之上，故奢侈品之走私，咸以台灣爲利藪，士大夫不甘于惡食可知，而傲虐淫蕩之風，方興未已，是則一王道之行，特其小焉者耳，固亦不能獨責學校也。

曲齋

一週年

徐學慧

一週年，對于一件事業來說，實在不算長。但人類每每是重視這一週年的。爲的是，一件事業的創辦，不知要經過幾許艱難，而最艱難的時期，就是這最初的一週年。

在今天這個時代，創辦一張報紙，委實是太不容易了。華路襤褸，以啓山林，眼看着這一件事業，一步一步地向前開展，不論從何角度來看，都是値得快慰的。

我們以無比的愉快慶祝本報一週年，相信本報的讀者也會與我們有同感。

這一年來，本報的一切都表現在讀者面前。或好或壞，讀者自有定評。所應一爲申述者，即由於廣大讀者的愛護，因而引致各地作家的支持，珠玉紛投，爲本報生色不少。本報園地一向公開，惟以編幅有限，故不能不嚴加選擇，割愛之處，自屬不免，此則必須告罪耳。

有些作家，以長文見寄，動輒七八千字，對於這類文章，也就只有割愛了。當然，眞正有價值的文章，我們還是願意連載的，但報紙畢竟不同於雜誌，長文章還是可免則免，這是本報的原則，相信愛護本報的作者們是可以原諒的。

本報同人一向有一原則，那就是，本報雖僅爲四開一張，但我們有此雄心，要讓本報成爲一張具有權威性的報紙。因此，本報立論不避權貴，不畏強梁，過去如此，今後仍將如此，惟以報紙非一人私物，端賴社會大衆愛護支持，但願本報在諸君愛護支持之下，逐步前進，由一週年而十週年，而百週年，而億萬斯年。

新年雜話

漁翁

王安石元旦詩：「爆竹聲中一歲除」，按陰曆十二月晦日，俗稱「除夕」，謂革除舊曆而爲新歲也。周處風士記：「除夕夜圍爐團坐，達旦不寐，謂之守歲。」孟浩然詩：「守歲家家應未臥，」蓋一年三百六十日，而餘下僅此一宵，不願隨便虛度也。

元旦，一年之第一日也。晉書：「顓帝以孟春正月爲元，其時正朔元旦立春，」後世之稱元旦本此。民國以舊曆元旦爲「春節」，在全年各節令中，要以是日爲人間所最重視。

一元復始，萬象更新，家家戶戶，皆以紅紙，書吉祥語，貼於門上，名曰「春聯」。春聯始於桃符板，以桃木爲之，早在戰國時代，已有戶懸桃符板之記載。至五代時，有在桃符板上題聯者，名爲「題桃符」。據墨莊漫錄載：蘇東坡在黃州，而王文甫家東湖，公每興，必訪之。一日値歲除，至女家，見方治桃符，公戲書一聯於其上云：「門大要容千騎入，堂深不覺百男歡」。迨明太祖都金陵，除夕，忽傳旨公卿士庶門上，須加春聯一幅，此爲春聯之始。從此易桃符板而以紅紙代之，成爲今日普遍之風習。

新年掛鍾馗，此俗盛於唐宋時代。三餘贅筆載：「唐故事，歲暮賜羣臣曆日並鍾馗」。劉禹錫代杜相公謝鍾馗曆日表云：「圖寫神威，驅除群厲，頒行元曆，敬授四時，張弛有嚴，光增門戶之貴，動用協吉，常爲掌握之珍」。相傳鍾馗能捉鬼，此故事由於唐明皇夢中所見而起，時翰林例於歲暮進鍾馗像，民間亦書貼於門首以壓邪，後不知何時改懸於端午節？但今日亦間有於新歲懸掛者。

新年見面，彼此相互祝福，謂之「拜年」，此風由來已非一日。宋人范未安拜年詩云：「走賀紛闐歲篇更，素非識面已關情，添丁詩列懷中刺，過午飛留簿上名。」又明代文徵明亦云：「不求見面惟通謁，名紙朝來滿敝廬，我亦隨人投數紙，世情嫌簡不嫌虛」。因爲昔人拜年，往往不親去，用紅帖分送，答者亦然，名曰「飛帖子」，即不相識者，亦投帖一紙，故有「不求見面惟通謁，素非識面也關情」之句也。今人於新年開始，見面時，離不了「恭禧」兩字，也有不親去拜訪而投之以片者，片上書「恭賀新禧」，或「恭祝春禧」字樣，古今新年叩節之風，並無二致，不過爲避免麻煩，事前約定時間與地點，變行團拜，爲古所無也。

我們以農立國，民間一向沿用陰曆，由正月朔日至望日十五天時間，爲人民休息娛樂之機會，而其娛樂節目，不外玩龍燈，舞獅子……等玩意兒。

龍爲四靈之一，玩龍燈，爲我國民間一種藝術表演，有日龍夜龍之分，日龍以布蒙竹籠上，繪以顏色，夜龍以紙糊竹籠上，燃以燈火，鑼鼓導前，音樂隨後，遊行各戶，爲人所歡迎，以龍有靈瑞，可以兆一年之吉慶也。

獅爲獸中之王，舞獅子，亦爲我國民間一種傳統之武術，在獅子未舞以前，即有「唐僧取經」之一幕，並表演少林太極拳術，復以鼓鑼助興，舞獅時，首尾相應，躍於數丈高空，如生龍活虎一般，較今日之各馬戲團，不多讓焉。所到之處，認爲瑞氣臨門，不特欵以酒食，且饋之以金，俾盡歡而去。

古之詩人，有新年之作者，委實不少，韋應物詩：「今日花開又一年」，謝枋得詩：「桃紅又是一年春」，句中下一「又」字，以表示光陰如百代之過客。劉長卿云：「鄉心新歲切，天畔獨潸然」我輩流亡者讀之，不禁有今昔之感！

皇甫冉春思：「鶯啼燕語報新年，馬邑龍堆路幾千」，遠在胡天，故有機中錦字，樓上花枝之歎！末二句：「爲問元戎竇軍騎，何時返旆勒燕然」？吾人離家數千里，羈旅十二年，値此良辰美景，佳節思親，亦有同慨！只期望王師早發，收拾殘山與賸水，「青春作伴好還鄉」。

歷史人物

李香君

謝康

據此，則洪昇的藝術手腕，實勝過孔氏，梁廷柟「曲話」亦認爲長生殿千百年來曲中巨擘，不僅清曲第一，到了今天，桃花扇的地位，爲什麼超越了長生殿，而比較愈更受人歡迎呢？豈不是因爲在國破家亡這個動亂時代李香君的故事比較楊貴妃更爲人所喜愛嗎？善讀白樂天詩的人亦多感覺到長恨歌的趣味，不及琵琶行，（如張戒歲寒堂詩話），也就是楊貴妃不及琵琶女，多少有點類似的心理吧。（中華書局中國文學發展史頁四六四可參看）

李香君怎樣勝過楊玉環呢？說來話長，一言難盡，試從下面幾點看，也可窺見一斑：

第一、楊妃只是美人，而李香君則兼爲「才女」。

第二、楊妃自私自利，引用外戚傾人家國，終至隕身，屬於妲己、褒姒、飛燕一類的「女禍」型：而李香君則明正義、識大體、以兒女柔情，兼英雄俠骨，其見解不獨超越當時秦淮名妓及一般女流之上，而且影響到她所心愛的侯方域亦能守正不阿，保全令節。可說是秦良玉，秋瑾，一流的「俠女」型。

第三、楊妃具有濃厚的封建意識，香君却富有強烈的國家民族思想。

第四、楊妃信奉道敎爲的是得寵和固寵；香君信奉道敎，則爲的是求解脫。（二）

海嘯雲談薈

南京的抗日戰役

諸葛文侯

我國對日抗戰初期，南京準備撤守之前，最高統帥會召集高級將領會議，說明首都爲中外觀瞻所繫，軍事上縱使不能固守，亦必須劍及履及，作背城借一之計，盡力支持，未宜輕易放棄的。此項戰役，關係重大，誰願担任總領師干之戰，盼在座諸君自告奮勇，衆皆默然。統帥乃謂：「中央政府先行撤赴武漢，由我坐鎭南京指揮作戰可也。」是時唐生智奮起發言，以最高統帥不應置身危城之中，本人不才，願膺艱鉅。統帥語唐曰：「孟瀟你近來身體欠佳，須加考慮」。唐謂「爲國犧牲，雖死何辭！」其言殊壯烈，事乃定。

唐氏久已脫離戎行，並無舊部在南京供其驅策，斯時奉命防衛首都的各軍將領，平日亦與唐氏甚少往還，指揮官與部隊之間，皆存客氣，自難收推誠相與，協力抗敵的效用。敵將松井石根率大軍圍攻南京不數日，我軍即有不聽調度節制，自由撤防的情形發生，負責防守自明孝陵至句容之綫的王敬玖、孫元良、宋希濂各部，先後潛師別去，唐司令長官亦無所悉。軍事參議院中將參議官湘人周鰲山，受命爲城防運輸司令，會在下關江邊集中大小汽輪與木船不少，一夜之間，各船舶盡被守軍拉走，渺無踪影，而運輸司令不知也。後來軍部認定周氏失職，下令追究，周在武漢逢人即操其湘音，大聲拍桌道：「惹他的娘，老子還要按軍法殺那些違抗軍令的逃將呢！」表示不勝悲憤之情。

當戰事危急之際，最高統帥曾由鄭州以電話指示唐司令長官的進退方針，唐氏初不肯接電話，說是「我快要死了，還聽甚末電話？」旋告以是統帥致他撤防的命令，他纔奉命行事，集城廂內外諸守將，宣佈撤退計劃，有敎導旅旅長某，當場痛哭流涕，誓言與孫總理陵墓共存亡（他負責防守中山陵一帶），決不退却，大家不能說甚麼，唯有聽之而已。唐生智於敵軍攻破東華門之後，倉皇出下關，馳赴三叉河，乘汽輪於夜間渡江。改坐汽車至浦鎭，登上路局早已備安的專車，即見那位誓言與中山陵共存亡的某旅長已在座候駕了！唐氏一行於三叉河搶渡大江時，許多軍士夾雜着逃難的民衆，攀附汽輪周圍，希望逃過江去，人多假重，汽輪走動不得，輪下的士兵祇好用刀砍落那些攀援着汽輪前後左右的人手，慘狀難以形容。所以，南京我軍民被日寇屠殺之多，震驚世界，而敵將松井石根戰後亦被網爲如甲級戰犯，走上斷頭台，良有以也。

唐生智隨政府入川後，卜居重慶市外，老母在渝。友輩有向她慶幸其子孟瀟於危難中得告生還者，她郎佛然道：「這是唐門中最不榮譽的事，唯覺其羞，何慶之有哉？」此可與漢代王陵的母敎相輝映，雖曰未學，吾必謂之學矣。唐自南京敗績到武漢，輿論對他責難抨擊甚烈，然最高統帥嘉其臨危受命的義勇心情，諒其指揮多不如意的種種因素，置不究問，且任之爲軍法執行總監，用示倚畀之殷。迨「戰時軍律」頒佈後，格於法制的尊嚴性，乃准唐氏辭職，以彰政府威信。事後有人問唐氏：「明知防衛南京是勞而無功，苦而冒險的任務，別人都不願意幹，你爲甚麼要強出頭呢？」唐說：「這就是我們湖南人的騾子性格」。其然，豈其然歟？

內警僑台報字第〇三一號內銷證

自由報

THE FREE NEWS

第一〇七期

中華民國僑務委員會頒發
台教新字第三二三號登記證
中華郵政台字第一二八二號執照
登記為第一類新聞紙類
（半週刊每星期三、六出版）
每份港幣　角　台幣　角
社長：雷嘯岑
督印人：黃行靈
社址：香港銅鑼灣高士威道二十號四樓
20 CAUSEWAY RD 3RD FL HONG KONG
TEL. 771726　電報掛號．7191
承印者：四風印刷廠
地址：香港灣仔高士打道二二一號
台灣分社
台北市西寧南路壹壹叁號二樓
電話：六四三〇三
台郵撥儲金户九二五二

為甘迺廸先生進一解

唐昌晉

美國的地位繫整個自由世界的安危，所以美國的成敗得失，也就是自由世界每個人、每個國家的成敗得失。我們對美國一舉一動之密切注意，原是很順理成章的事。甘迺廸總統盱衡國際大勢，美國領導自由世界的方針與作法，確有重新檢討的必要。甘迺廸總統既以站在最前綫，爭取主動為其施政的原則，謹就目前美國亟感困擾的幾個問題，略抒管見，藉供參考焉。

一

中南半島以產石油橡膠和錫出名，蘇俄和中共之垂涎于這些戰略物資，由來已久，故目前以全力支持寮共，擴大內戰，決不肯中途罷休。然而英法建議的聯合政府，他們倒會慫恿寮共接受的，因為參加聯合政府之後，共黨可利用其所掌握的部份政權（如警察經濟權），由上而下清除其政敵，馴至奪取整個政權。一九四七年匈牙利小農黨（Small Holders Party）之被肅整，一九四八年的捷克政變，皆係採用參加聯合政府這一門式。英法政治家對這些歷史教訓，決不致忘得一乾二淨，對蘇俄和中共的企圖也不致茫無所知，他們所以如此建議，之所以扯美國的後腿，不讓它支援佛米，其目的在避免遠東發生戰爭，致減弱美國對西歐的防衛。因此我籲請甘迺廸先生千萬不要上英法的當。遠東是美國的門戶，英法可退出遠東，美國退出不了遠東。歐洲方面尚有英德士的部隊可助擋頭陣，遠東，尤其是東南亞，則非賴美國全力保衛不可。今佛米將軍已面臨最艱苦的作戰階段，美國應不惜任何犧牲，協助其獲得這次局部戰爭的勝利。

中南半島上寮國以外的地區，如像緬甸，似乎已在俯首貼耳，聽從中共的擺佈；如像泰國，共黨的勢力大有死灰復燃之勢；如像越南，共黨正在組織農村，圍困西貢，而吳廷琰總統以強力防制共禍之故，且為國際人士所不諒解，說他專制獨裁。由上所述，不難看出中南半島已處在風雨飄搖狀態之中，而寮戰為決定中南半島未來命運的關鍵之所在，萬不宜等閒視之！

二

古巴卡斯楚政權之崛起，已成了美國的心腹之患，而卡斯楚的想法和作法，大有蔓延到中南美洲其他國家的趨勢，是以卡斯楚一日不消滅，美國便一日不能高枕無憂。次就美國與其他中南美國家關係而言：墨西哥的卸任總統卡德納斯在二十年前卽提倡反美，主張沒收美國在墨的石油公司。現極力鼓吹卡斯楚主義，企圖煽動工農羣衆從事革命行動。又一八四六至四八年間的美墨戰爭，給予墨的創痛甚深，墨青年對北部失地迄今猶耿耿於懷。此為墨共及卡斯楚徒衆煽動反美的另一理由。他如巴西與哥侖比亞則埋怨美國買非洲的咖啡，而不買他們的咖啡；智利則要求美國減低對銅的進口稅率；秘魯和玻力維亞則要求美國減低對鋁與錫的進口稅率；烏拉圭與阿根廷認為美國剩餘農產品在國際市場的傾銷影響他們小麥的出口，同時烏拉圭更反對美國羊毛的關稅保護政策；委內瑞拉也担心美國對石油進口的種種限制。由上所述，足見南美洲對美國的不滿，主要是嫌美國在貿易方面對他們施惠太少。照我國儒家由近及遠，由親及疏之義，今後美國與中南美的經濟關係應優先予以改善。待中南美一般人民的生活水準提高了，反美的氣氛自可望平息。

另有一點值得一提的，就是美國雖宣傳民主，但仍有意無意地支持獨裁者，如古巴的巴廸斯塔（Batista）、多明尼加的楚長樂（Trujillo）、委內瑞拉的卽墨子（Jimenez），巴拉圭的史覺斯能將軍（Gen Alfreds Stroessner）等，因此引起青年很大的反感，而給共黨以另一煽動的口實。可是我們如果將視綫轉移至他處來看看，那末就會發覺，接受美援而不為民衆所擁戴的政府，並不止於上述的獨裁者，如像東南亞某國元帥所領導的軍人集團，可說是集軍閥地主資本家之大成，開設烟館賭場，包庇娼寮妓寨，無所不為，貪婪特甚。又如沙地阿拉伯由三十五位親王所組成的統治集團，也極其腐化，每年耗資近百萬美元。對這些政府，美國究應採何種態度，很值得研究。要是扶植新的領袖，現政府當然會出來反抗，說美國干涉他們的內政；要是支持現政府，則當地民衆會認為美國在庇護惡勢力，一旦革命爆發，美國的政治投資勢必盡付東流，古巴與委內瑞拉就是前車之鑑。因此我建議甘迺廸先生于軍援經援之外，對這些政府應該實行一種政治援助。卽以人力物力和技術，幫助他們訓練各部門的行政人材，幫助他們改革稅制金融，改良警政司法，提高一般行政效率，使人民能過着公平合理的生活，從而逐漸提高政府威望，增強人民對政府的向心力。這一來，政府與人民自能合作無間，在政府與人民合作無間的基礎上展開反共工作，當可收事半功倍之效。政治援助與內政干涉是迥然不同的兩回事。前者以協助當地政府訓練幹部，改革制度為限，後者是指當地政府預算及用人行政與決策方面的干預而言。政治援助是絕對需要的，干涉內政是不受歡迎的。

三

最近美國亟待處理而尚未處理好的一個嚴重問題，卽黃金外流問題，亦卽美元擠兌問題。

這個問題是瑞士銀行界挑起來的。他們老早就散佈謠言，說黃金漲價是無可避免的事；因為二次大戰後，工資與物價已漲了百分之二百，只有金價一直固定為每兩美金卅五元，故在物價與工資影響下，其必漲無疑。接着瑞士政府規定，瑞士銀行的存欵，每年須抽百分之一的佣金。于是瑞士銀行當局勸各存戶改存黃金，以避免佣金的損失。其結果是：倫敦金價隨漲，由官價每兩美金卅五元漲至黑市美金四十元六角。因為金價隨漲，各國政府及私人的美元存欵，遂紛紛要求美國兌付黃金。去年頭三個月美國庫流出黃金值五千萬美元，第二個三個月流出黃金值九千四百萬美元，第三個月流出黃金值六億三千七百萬美元，十月一日至十一月九日流出黃金值五億六千九百萬美元。美國國庫黃金總量，以每兩三十五元美金計算，共值一百八十六億美元，通貨及國內存欵為一百一十六億美元，外國政府及私人的美金儲蓄為一百九十五億美元，如全部支付黃金，卽擠兌的話，共差一百二十五億美元。所以黃金外流數字之激劇增加，對美國金融實為一極大威脅。艾森豪政府的緊急措施是：召回軍眷二十八萬四千人，限制美國民國外旅行，藉以節省國外開支；要求德國維持美在萊因河的駐軍；提高利率，吸回游資，同時阻止國民在國外投資；對各國的經援以採購美貨，並由美機船運輸為原則；減低成本，並要求盟國減低關稅，以鼓勵輸出了吸引外商來美投資。這一切措施都是欠妥的。

今天談任何問題都不能忽視一個大前提，卽美國與盟邦的安危榮枯是絕對不可分割的。美國召回軍眷及限制國外旅行，固然可節省美元的消耗，但原來靠軍眷屬及美國旅客賺錢的國家，勢必減少收入，增加失業。以法國為例，駐在法國的六千名美國空軍人員及其四千五百軍眷（其他兵種員工尚不在內），每年給法國人增加三千萬至四千萬美元的收入，如果軍眷全部回國，無疑會引起很多法國人失業。共黨在法的勢力相當雄厚，俄共二十次代表大會宣言裏，主張不用流血，而由議會政治以達到無產階級專政目的，卽係針對當時國際共黨在法意兩國選舉獲勝而制訂的。

（下轉第二版）

小論天下

倫敦外交觀察家的意見：蘇俄一九六一年的主要工作是在各殖民地及新獨立國推行高度反西方活動。另據華盛頓消息：甘迺廸總統開始把美國外交政策轉移入一條新軌道，要將注視力由歐洲移至其他三洲。

這可說是必然的趨勢。蘇俄仍將把握着西方的弱點：美國得不到西方一致團結合作的保證，將不能認真有所作為，而西方則決無可能認真團結。

△剛果前總理魯蒙巴因越獄而被殺，蘇俄及中共全面發動毒罵西方，向聯合國秘書長韓瑪紹拆台，阿聯及印尼激烈附和。美總統甘迺廸提出警告，決心維持剛果現狀。

共黨借一個魯蒙巴而鬧出震撼全球的宣傳，自由世界卻熱視中共餓殺幾億人而晏若無事。這回最值注意的，倒是阿聯和印尼的表演。大概由「反比」而「反蘇」「反葡」的戲碼，今年必將陸續上演。

△寮王宣佈新方案，大力搞「聯合政府」，但共黨不能入閣。

共產黨不愁沒有反對的理由，也不愁沒有「蠶食」的時間。

△非馬泰盛傳組盟成功，以經濟文化為基，但經泰國方面否認，復歸沉寂。

此事如希望得太高，必然失望得太大與太快。

△據傳中共與蘇俄交惡的秘密文件，已落在西方政府手中，但有人著論指出：此乃蘇俄故意洩漏。

西方政治首腦此時不只要熟讀我們的戰國策，更要熟讀三國演義。

△英國對中共放出的「友好」試探，北平反應不佳。美國與論仍堅拒中共入聯合國。

聯合國並不是一個可以劚落的鐵籠，妙在英國卻把聯合國席位看作可以餌虎的肉，而毛澤東卻是連鐵籠子也想踢翻的虎。

△國府飛機一架在緬邊被擊落，引起美國對緬邊反共游擊隊武器來源的調查。

中共要消滅東南亞反共戰線上唯一有活力的棋子，曾經假手於緬甸，進一步更由緬甸假手於美國。

△蘇俄第一次由「太空站」放出火箭，飛向金星，被形容為第一枝「太空鎗」，美國亦首次發出可在天空停止及再行發動的火箭。這只是：一方要賣弄高度「衝力」，一方要賣弄精細「技巧」。

方南

自由談

誰其信之？

剛果前任總理倫莫巴被國內政敵殺害了，俄帝及其附庸政權的嘍囉們，悲憤填膺，羣起叫罵，併且怨恨到聯合國秘書長韓馬紹，公然要求聯合國撤去韓氏的職務。本國人為着政爭而殺死了一個政治人物，這是古今來常有的事，無論誰是誰非，別國人都沒有干預的必要，吹縐一池春水，干卿底事？可是，國際共產黨卻為之大譁，好像是殺了他們的老子一樣，表示着不共戴天之仇，一副醜惡相，真是夠瞧的！

共黨這套不要臉的作風，習與性成，殊不足怪。最怪是對剛果問題具有處理權力的西方大國當局，坐視俄帝無理取鬧而默然無聲，不敢嚴予斥責。假使美英法各國的政治家問問俄帝：當年匈牙利總理納基被人殺死，你怎末又故作擬聾，一聲不響了呢？他如埃及總統那吉勃之被幽囚，伊拉克國王棄非爾全家遭殺害，乃至於錫蘭總理之被暗殺，中共頭目高崗之被廹自殺等等，何以你皆熟視無覩呢？我想俄帝就未必把越洲飛彈馬上發射到華府、倫敦、巴黎來吧？

沒事時，對於自由世界的弱小國家或所謂落後地區的事，不管大小皆要過問，儼然以救世主自居；稍有風吹草動的現象，這些西方大國卽縮頭縮腦，甘作「衰仔」，連公道話也不敢說一句了，可哂的紙老虎呀！

印尼的蘇卡諾政權更無聊可恥到了極點，讓一羣青年學生藉口倫莫巴之被殺而示威游行，竟至攻打美國使館，這是啥玩藝呢？

整個世界都是黑漆一團，瞎吵胡鬧，若說不發生廝殺大戰的後果，誰其信之？

馮五先生

春節聲中的政聞

彬彬

台北通訊

農曆新歲肇始，改名叫作「春節」，表示實行陽曆的現代化生活。但台灣社會各階層人士，連同政府的公務人員在內，對舊曆年卻特別重視，有兩點事實可資印證。

過去各級行政官署以及國營公營事業機構，在舊曆年關這個月終，都發給所謂「年終獎金」，數目是一個月的薪金所得。今年呢，由於公務人員待遇業經調整之故，這項「年終獎金」已告取消了。為甚末要取消？此中亦有掌故可述。當去年行政院籌劃調整公務人員待遇問題時，台灣省主席周至柔曾向行政院建議，希望新調整的數額不要太高，以免發生困難。行政院採納此項意見，即將「年終獎金」剔除之，藉資挹注。詎春節來臨之前夕，台灣省府又呈請行政院核示可否按照成例，酌發年終獎金？這一來，行政院頗感狼狽周章，如果准予照發，即係自打嘴巴，喪失政令的信譽；若批駁不准，衆怨將叢集於行政院，勢必引起輿論批判指摘，認為地方政府尚知體恤「官艱」，表現溫情，而行政院卻刻薄寡恩，不肯博施濟衆，這不啻是對行政院有意開頑笑，使當局者左右為難。果然，台北各家民營報紙乃大寫其評論，主張照發「年終獎金」，而以「自立晚報」提倡尤力，連續發表了四篇社評，說來振振有詞。可是，行政院情願挨罵，亦未便出爾反爾，核許發給獎金的。這是春節中的政治插曲，殊堪玩味。

其次是行政院陳兼院長再三告誡公務員在舊曆年節中，大家不要餽送年禮，也不要彼此奔走拜年，以免浪費財力人力，而表示臥薪嘗膽的生活狀態，其說甚是。然而，言者諄諄，聽者藐藐，送年禮的依然絡繹不絕，拜新年的尤其滔滔皆是。這一方面固屬積習相沿，難以滌盪，一方面亦是舊有的惡劣政風，全盤帶到台灣來，有增無已，政治人物貪汚風氣之不能戢止，這就是很顯著的現象。平日替人民辦一件事亦需要「紅包」，過年送禮物，更是名正言順的賄賂行為了！

隨着牛年的春節聲浪，台北馬路消息，盛傳自由中國政府對於外交陣營，將有一番刷新整飭。現已見諸事實的，如駐南韓大使王東原之調回，如駐日本大使館文化參事鄧友德之調部服務是也。可能更動的，還有駐美、泰兩位使節，據說駐聯合國首席代表蔣廷黻回國述職，即與新派駐美大使的人選問題有關。現時國際政治的重心在華盛頓，民主黨執掌政權以後，中美兩國的邦交，原則上雖不致有所變化，即在來月召開的聯大會議中，關於「中國代表權」問題，亦不會發生驚人的演變，固屬意料中事。但今後我國必須跟美國密切合作以應付國際局勢之推移，實為當務之急。葉公超在美國幹了兩三年外交工作，成績並不如理想，為期適應友邦的政治環境起見，政府乃有重新考慮駐美大使人選之必要。一般人認為與其派遣普通人物承其乏，倒不如數蔣廷黻兼任為佳，然亦有人主張要把駐合國代表團亦同時加以改組，因為蔣氏担任首席代表已逾十年，換換口味亦無不可。新派遣的代表們，且不妨網羅各黨派的知名之士，若能以「我的朋友」胡適之充當首席之任，在國際間似可一新耳目。

駐南韓大使王東原氏，平日說話走路皆效法領袖的聲容，忠貞愛國，迥異尋常，他這次調職，並非謫遷，據說另有更重要的任務教他担當，很可能出任駐泰國大使，藉收駕輕就熟之效。原駐泰大使杭立武曾作過教育部長，對人接物，十分和藹圓通，即說話亦表現十足的英國紳士氣味，繞灣抹角，令人煞費猜測，這樣的人才，殊不適宜在烽火頻驚，戰亂時聞的東南亞地區從事外交工作。恰逢現任教育部長梅貽琦年高多病，而且是輕微的癌症，他急於求去，俾得頤養天年。如是，有人想到以杭立武接長教育部，實在比做大使更為適材適任哩！至於駐日使館文化參事鄧友德之召還，並無外交作用，完全是屬於「內交」關係。因為駐日使館的人事問題，素來複雜到了極點，派系傾軋，由來已久，張厲生接任大使職務後，頗思整飭改進，公使楊雲竹告退於前，參事鄧友德召還於後，都是張氏的新猷。不過，據熟悉駐日使館內情的人說，張氏這種整飭之法，並未切中肯綮，要想除舊佈新，發揮對日外交的功能，必須從大使館的門房，司機，以至全部館員一律更換，纔有希望，積弊既已深沉，不用大刀闊斧來加以整頓，而枝枝節節地調換一二個職員，結果是無效的。

為甘廼迪先生進一解

（上接第一版）

目前法國社會之安定，是靠現役傘兵和退役傘兵在各地組織的俱樂部來維持的，因為他們都是中產階級以上家庭出身的，反共意志異常强烈。要是因失業而引起工人的騷擾，這一小撮力量是不易鎮壓下去的。美國駐守萊因河流域的部隊，其補給綫全須通過法境，倘若法國不靖，美軍立即有「在陳絕糧」之厄，那時候美國勢非不惜任何代價以協助法政府戡亂不可，其所費的金錢將不止于三四千萬美元。是以美國撤退海外軍眷及限制美國人海外旅行，對美國並不一定有利，也不一定能省錢。

美國要求西德供給駐萊因河流域美軍的給養，德國財長歐拉德氏已斷然拒絕，因為由德國公民納稅來供養外國部隊，將引起國內人民的反感，且損害其民族自尊心。這些理由美國是無法駁倒的。

至美商在海外投資，說起來是資金外流，事實上是替美國在賺錢，未可厚非。何況歐洲市場已分成兩大集團，一為由德法領導組成的「共同市場」，一為由英國領導組成的「外面七國」，壁壘異常森嚴，要是美商不在歐洲投資設廠，勢必眼巴巴望着自己被摒除于歐洲市場之外。工業先進國的消費量通常比落後地區大得多，失去歐洲市場，在別的地區是不易獲得補償的，所以阻止美商在國外投資，可說是不智之至。

他若種種獎勵輸出的辦法，多少帶點高資本主義（德經濟學人宋巴特教授創的名詞）色彩，行將影響與盟國間的合作。

甘廼廸先生競選期間曾有美元貶值的暗示，這也是值得考慮的。前年夏天法國法郎貶值百分之廿，目的在刺激輸出，但其反作用是物價上漲，結果輸出並未增加。我們中國人吃夠了貨幣貶值的苦，至今猶有餘悸哩！

然則要怎樣才能解除美國金融的危機呢？我認為現在各在國內已廢除金鎊本位而採行紙幣政策，在國際方面為什麼不採同一政策呢？要是目前在歐洲以北大西洋公約組織，在亞洲以東南亞公約組織及各個雙邊條約做基礎，把軍事聯防體系擴建為經濟同盟，在這經濟同盟下，國與國間的貿易採物質交易原則，而以美元為計算單位，廢除現行國際收支用黃金清算的辦法，則黃金外流問題當可迎刃而解。否則任令金價上漲（實即美元貶值），坐收漁人之利的唯南非與蘇俄而已。

美國的外交幻想曲

達哉

【紐約通訊】甘廼廸總統上台後，在外交政策上，標榜着爭取主動之說，根據種種迹象來觀察，所謂主動外交的對象，當然是蘇俄，而其目的乃在探明蘇俄究竟需要何種條件，纔願意跟美國實行「和平共處」？在未切實明瞭蘇俄的眞意以前，甘廼廸政府的妥協作風，還要更進一步地繼續表演，而以遠東問題為試金石。

遠東問題的核心就是中共問題，最近白宮對中共問題的動態，有幾點值得注意：一是停頓已久的美、毛華沙談判，國務院決定在下月恢復進行；二是新任國務長官魯斯克公開聲明將邀約中共參加裁軍會議；三是英國外相何謨，近在下議院宣稱英美對於允許中共進入聯合國一事，並無重大的歧見，而華府方面默然無聲。此外更有一項令人注意——尤其是我們中國人特別耽心的內幕消息，據說甘總統擬任命費正清主持國務院的遠東事務，費氏的親共思想，是世人皆知的。過去艾森政豪府是要中共正式聲明不以武力進攻台灣地區，纔可以談和平共處的話，現在甘廼廸政府只要求中共在秘密談判中，答應不向台灣海峽用武，就好商量了。如果毛共再把那拘囚在大陸上的五個美國人釋出，美國對遠東問題一定採取姑息政策無疑。似此情形，民主黨政府的遠東外交作風，依然是跟着俄共集團奏出的音樂而跳舞，「主動」云云，自欺欺人之談而已。

出身哈佛大學的甘廼迪總統，前後左右都圍滿了哈佛的同學和教授們，有的在前台担任政治要角，有的在幕後充當政治顧問。哈佛大學的教育思想，一向是崇尚倫理相對主義的，為目的不擇手段，無所謂正義公道，他們這般人言論主張，在美國社會上又頗有影響力。因此之故，民主黨政府為着要想跟俄共集團和平共處起見，必要時出賣一下自由中國這個友邦，毫不稀奇。此時對中國問題所採取的方針，是先與蘇俄斟盤，看俄帝是否眞心避戰，不再向自由世界擴張？答案如果適合美國的願望，就請蘇俄負責約束中共，今後在遠東不復搗亂惹事，而所謂「兩個中國」的既定方案，即可表面化了。記者從有關方面得到一種政治秘聞，甘廼迪總統準備在下個月纔接見自由中國的使節，原因是等待白宮與俄帝及中共的妥協外交結果如何，再行看風駛舵。

民主黨政府這項一廂情願的苟和計劃，當然行不通，但甘廼迪如其不受到赫魯歇夫過去在巴黎對艾森豪總統那種侮辱的話，還是自作多情，「主動」進行妥協的。記者報導這種令人洩氣的美國外交行為，用意是要自由祖國的執政當局務須提高警覺，謹防國際陰謀，再不要俯仰由人，而將國家民族的安危命運，完全寄托在別人身上，唯有急起團結海內外一切反共愛國同胞，自力更生，表現一些不可輕侮的能耐，才是救亡圖存的要着。記者敢肯定的告訴國人：美國一般知識份子包括政治人物在內，他們對於共產主義的本質並無正確的認識和瞭解，但求美國的安全繁榮能夠保持，而西歐現有局勢亦不再惡化，亞洲自由人類的安危禍福，他們是不甚關心的。尤其民主黨人士，每以進步份子自命，好談一知半解的社會主義，因而極容易誤受國際共產黨徒宣傳誘惑，憒然為共帮兇。我們自己若不發憤圖强，猶復自我陶醉於中，美安全互助協定，前途實在危險。

（二月五日寄）

大陸文壇萬花筒

中共搜集的史料

——岳騫——

最近中共為了轉移海外人士對大陸天災的關注，竟然無耻地把中國運美的古物說成盜賣，中共統戰部又召集一批人在北平開會，大叫大嚷了一陣，這些無聊舉動，只有他們自已欣賞，我們看來比較耍猴戲還不如。

不過，因此又想到中共保存古物，搜集史料的事，十年來中共理財專家始終把地下財地上財一樣重視。所謂地上財是指人民的財物，用各種手法全部勒索去。地下財則是墳墓內的東西，中共也有一套辦法，最初是發動平墳，理由是增加耕地，凡是世家大族的祖墳，多少都有些賠葬古物，錢幣，玉鼎，平墳時被中共挖去，最差者總有一幅棺材，中共也掘了去改作別用。以後把近世的墳墓挖盡了，就藉考古為名挖掘古人墳墓，最著名的就是萬曆帝的定陵了，連毛澤東都親自下手，終於掘開了，其中珍貴文物，不可勝數，這批東西那裏去了，中共從來不提。相信再假以時日，明清兩代帝王墳墓一定會挖光。

中共一向講究組織，挖墳也有自上而下的組織，如文獻保管委員會，博物館，通志館從中央到地方都有分支，一旦發現了某處有可掘之物，馬上報上去，中央就派專家來動手。

可是，墳墓有掘完的時候，博物館的搜集工作永沒有停止工作的日子，為了完成任務，搜集也不揀精粗，不值錢的也要，最近廣西僮族自治區博物館搜集太平天國史料，其中有許多古物，眞匪夷所思，不可不予以介紹。

其中一個古物是洪秀全在貴縣賜谷村進行宣傳活動時經常坐的石墩；還有陸川賴九打造武器的鐵練和鐵錘，胡以晃在平南花洲聚衆誓師時用的八仙桌。這三種寶物確實妙不可言，假若說洪秀全坐過的石墩都算古物，那麼隋煬帝行過的運河豈不更古，再推而廣之，萬里長城的磚是秦漢古物，也大可以拆了賣錢。

這到不是說笑話，依照中共的願望恨不得把禹貢九州都賣出去，只是一時找不到買主能了。

社會小說

香港地

七、可憐一炬

譚福祿聽梅大亮這麼說，忽然想起一個人來，即道：「不是因你的話提起了，我幾乎忘却了哈哈先生要叫我向你致意。」

梅大亮記得，很久以前在張家婚典中見過哈哈先生彭鑑然一面，以後便不再聽到他的消息，當下不禁訝問道：「彭鑑然托你向我致意嗎？他對你說些什麼？」

譚福祿笑道：「這是他的一片好意，你休得怪他。他做地皮和房屋經紀發了財，新近才買了幾房樓子，收租這話，好不寫意，他聽說你被火燒了木屋，好意地托我問你，要不要臨時找個住所。如果需要他幫忙的話，他可以撥一個房子給你，暫時不收你的租錢，或者收回最低的租金也可以。」

梅大亮聽了，恍然也是爽然，笑道：「原來他已發了財，也難爲他記得我這位老朋友。」

譚福祿道：「這個年頭在香港，做這門生意發財的人多得很，做經紀發財也不難，只要有好運氣便成。像他這樣新發財的人，並不會完全忘記了老朋友，只是心理也有矛盾。因爲，發了財而見不到老友，便等如衣錦而歸不得故鄉，心裏總覺有多少缺憾，却又怕老朋友向他揩油揩得大兇，或者開口借錢。我看彭鑑然還不至於怕你揩油，因他很知道你爲人的牲格，所以他樂於幫你一下忙。我相信不是徒然『賣口乘』說了等如沒說。」

梅大亮聽了，又是一笑，答道：「算了吧！你將來見到他，替我向他道謝便是。他既然有了追逐財富的慾望，發財是應該的」。

譚福祿似乎要給他來一個糾正，接住道：「你可知道，但凡工商業發達的國家，都因大家有了創造財富的志願呀！創造不比追逐好聽得多嗎？」

梅大亮道：「沒有追逐，怎有創造？這道理也是簡單得很啊！」

譚福祿覺得他說的也是，便不再說什麼。這時，兩人已把那一排排的新建高樓撇在後面，行行漸遠，不覺到了大路上去。（一〇五）

木客著

依賴

汶津

從小父母雙全的人，多少有一點依賴性。而母親更是培養此一習性的溫床。一位上了而立之年的老小姐，只要她的老太爺，老太太福壽雙全，也還總像個大姑娘似的，什麼事羞羞躲躲，只教長輩代她出頭。

依賴性一重，就讓人瞧着不太正常。以前小丈夫制盛行的時候，做媳婦的還得爲同枕的大孩子整衣沐浴的，心裏眞不是那回事。至於回回考試都要請「保鏢」的，大概注定了一輩子沒出息。兩隻胳臂都斷了的人，怎麼活？天天要人像對三歲孩子般的餵他，他的自尊心該往那裏擱？

所以才出門闖天下的小伙子，難免三步一回頭。以前；今後，完全是兩回事。衣服髒了，臭袜子破了，再也沒人不聲不響的幫你洗乾淨，補合適了。過團體生活可不會有老媽子早晚侍候你。任你怎麼個貪睡，別人都捲好了舖蓋你就沒有權利再留戀溫柔鄉。這種情況甚至會逼得男孩子背着人飲泣的。

依賴是一隻頑強的蠹虫，若不靠着自己內在的治安機關爭氣，它是很難絕種的。長期的酒鬼、賭徒、鴉片烟虫，都被依賴蠶食了靈魂。這筆賬該和誰去算呢？

紈袴子弟靠山吃山，不想到有山窮水盡的一天；農夫們「望天打卦」，只有眼睜睜的看荒年駕臨。

奈何奈何？科學文明也許是一位救命恩人，可是人力依賴了機器，脚力依賴着舟車飛機，甚至人民也依賴他們的民主政府了。那麼，反攻爲什麼不能依賴親愛的友邦呢？

依賴的面目是善良而柔和的，但揭去這一層假面具，你便會發現它的猙獰。「夫唱婦隨」不是幾千年不變的美德嗎？易卜生筆下的娜拉却醒悟於一旦。不爲別的，只因爲依賴所付出的犧牲是無價的「平等」。

小時候聽過一則故事。說是一個依賴成性的懶婦人，有沒人比她更徹底地做到「四體不勤」的了。有一次丈夫要遠行，好幾個月才能趕回來。苦思力索了很久，才想到一個辦法：他親手製了一個十幾斤的大麵餅，套在他內座的頸上，心想：這總可以免了後顧之憂吧。那知回來的時候，她已餓死在地。仔細一看，頸前的麵餅都已咬去，其他部份則安然未動，原來她連把餅挪動一下都懶呢。當時聽了只覺得滑稽。現在閱世較多，却覺得有些心酸。世間有依賴病的人，恐怕不止這麼一位吧！不知道達爾文發表物競生存說之前，有沒有聽過類似的故事。

歷史上的創業主多半是獨往獨來的，可是像唐高祖的根基得自父親，取天下又是次子世民的功蹟；說他無所依賴，未免矯情。骨肉之親當然沒有問題，而玄武門事變的發生却也與此不無瓜葛。石敬塘皇帝夢做得太急切，依賴了契丹番兵，於是一輩子兒皇帝的醜名磬洗也洗不清。近代光緒帝想依賴袁世凱，結果惱了「老佛爺」，打草驚蛇，讓後人爲他不值；袁世凱又想依賴日本軍閥，說起來竟有點像因果報應。

基督教徒食寢不忘禱告，每逢特別事故，更須抽出幾倍的時間來向上帝訴衷情。這叫外行人看了，多少像是吃奶的孩子，整天摟住媽媽的乳頭。幸而教徒們承受了許多眞假先知的遺訓，很有一套自圓其說的辦法。萬一什麼事再三禱告之後仍出岔子，他們也會說：「這是神的旨意！」彷彿壞了事還得感激神似的。這種情況能不能也列入依賴一類，我就不敢瀆言了。

還有一種屬於依賴的大事，却是印刷術進步以後才有的。博士論文中的引號，使你望而生畏；某些著作等身的名家，每一段文字都是「有書爲證」的。更奇妙的，一卷絕版書在手，即是後無來者的專家。像這豈不近乎無賴？那些被依賴者恐怕都會陰魂不散呢。

◎×××◎
××梨園××
××漫談××
◎×××◎

花衫

瘦西湖

花衫，重唱，作，唸，白，並須兼擅靑衣，花旦，二者之專長，如唱全部玉堂春之蘇三然，前段係寫蘇三起解時之悲慘局面，道盡風塵女子的遭遇，由[illegible]城內走至城外，內有大段唱功，須在不徐不疾中完成，如無良好之嗓，休想能討好觀衆，使到大家滿足而過癮，這類戲屬梅蘭芳爲傑出，故而，梅凡登台獻唱之時，其首天打泡戲即爲「蘇三起解」，解差崇公道則爲名丑角蕭長華飾演，因蕭文才方面頗有根基，又善現成抓詞，隨便道來即成佳句，故諷刺幽默之處，有如在吃淡香橄欖，另有一番滋味，在心頭大有先苦後甜之感，此戲後段係寫王金龍於三堂會審中，對情婦玉堂春之審問口供，一問一答，唱來頗覺猗妮風趣之極，再加上藍紅二袍由旁助湊，句子連接動聽，倒也益顯熱鬧之至。

當年顧正秋領導演出時，凡演「蘇三起解」，戲院必致爆滿，座無虛席，其一聲「蘇三……、離了洪洞縣」、再加之一個上場迅速亮相，正是滿堂彩聲猶如爆雷般響個不停，俟其全部西皮慢板一一唱來，正如珠落玉盤，鏗鏘有聲而動人，加上天賦蜜糖般的甜嗓，使聽者無不感到有繞樑三日，餘味猶在耳際之感。

卅九年，總統蔣公復職視事，各處競演晚會慶祝，以表普天同慶，全國深念中樞領導有人之時，台北中山堂有一晚會，極爲精彩，壓軸爲蘇三起解，演蘇三者年僅十歲左右之女小孩，此人即爲大大有名之徐露，可是當時徐之出場，曾爲大衆驚疑，認爲此戲是花衫中極難討好的一齣，成名之大人尙不能爲，何況係一稚氣未脫，天眞活潑之小孩乎，不意大家存此心理，竟完全估計錯誤，因徐露人雖嬌小，然唱來完全一派大路，與顧伶所作竟毫無二致，從此一泡而紅，紮下了今日屹立自由中國之基礎，徐現爲大鵬劇團台柱，對勞軍演出頗多貢獻，其能戲有「天女散花」，「麻姑上壽」，「木蘭從軍」等。

秦慧芬，抗戰時即已紅遍大後方，對青衣，花旦，花衫均所擅長，來台後爲空軍當局所賞識，遂被羅致大鵬旗下，前年曾隨團赴海外各地宣慰僑胞，演出名劇多齣，不但受到多數僑胞之歡迎，且更得各友邦國家朝野人氏所讚賞，聞其現在小大鵬學生班中兼教師之職，對教學方面亦從不藏私，這種良好作風，雖列爲教師中之模範亦不爲過。

故人廬隱

·道南·

談起近代的女作家，我們不能不想起廬隱，她原來姓黃名美，一八九六年生於福建閩侯，曾畢業於北京女子高等師範。廬隱是她發表「海濱故人」時所用的筆名，以後就一直用這筆名寫稿，如果憑着有人叫她廬小姐，也並不更正，只微笑着接受，由此可見她是個非常天眞而帶點孩子氣的人。

在五四時代的文壇上，她曾享過盛名，她寫的東西，充滿了苦悶、憂鬱、感傷，同時對社會的舊制度表示憎恨；尤其是對於封建勢力，被她攻擊得體無完膚，對於一般僞正人君子，假道學先生，也罵得狗血淋頭。

廬隱在「海濱故人」裏，描寫女主角露沙的相貌和情性說：「露沙有一個淸瘦的面龐和體格，朋友給她的贊語，是短小精悍，她的脾氣很爽快，但心思極深，對於世界的謎，彷彿已經識破，對人總是詼諧的。」

我們要所道，「海濱故人」是廬隱前半生的自傳，露沙就是廬隱自己，上面這句話，活躍地確切畫出了她自己的相貌和性情。

也許是一種巧合罷，廬隱小說裏面的女主角，多半是些悲苦命運的掙扎者，而她自己却串演着悲哀中的主角。

她的著作很多：如「海濱故人」、「靈海潮汐」、「歸雁」、「成人的悲哀」、「象牙戒指」、「曼麗」、「玫瑰的刺」等，文字非常流利，尤其是「海濱故人」一書，風行全國。因爲正如前所述，這是她自傳的一部份，所以寫來特別深刻動人。

偷渡（下）

二等兵生活素描

·李約翰·

一個傍晚的歡樂換來了一身輕鬆。九點鐘的時候，我們離營房還有二千公尺，小張看看手錶說道：

「伙計，還有廿分鐘點名，怎辦？」

聽了他的話，恨不得一脚踢碎他的腦袋。電影院出來本來算着有充裕的時間可以趕上點名，偏偏他非提議上咖啡館不可。在咖啡館小張在金錢和時間上都表現得落落大方，似乎忘記還有點名號，熄燈號，值星官查舖這些項目在等着，似乎更忘記了我們是爬鐵絲網出來的。幾次我看錶用脚踢他，他只用眼瞪我一下，又繼續和兩位小姐聊天，到八點五十分的時候，我實在忍不住，勉强帶着怕挨罵的心情說：

「離點名還有四十分鐘，回去還有一大段路要走。」

果然不出我所料，秀美把眼一翻，小嘴一嘟：

「不耐煩是不是？那你出來幹嗎？」

這一個釘子碰得我氣都不敢出。想又不敢說話，因爲小張告訴她們，我倆是解放特別假出來的。

現在他却將難題給我來答覆，我狠狠地說：

「怎辦，跑步也趕不上了。」

「對，就是跑步，鍛鍊下體格也好，聽我的口令；跑步——走！」小張眞跑步起來，我也只得跟上去跑。

到達我倆「偷渡」的出口，我已上氣不接下氣，滿頭大汗，幸好有了早晨的經驗，同時小張還在出口的地方做了記號，這次總算不費吹灰之力爬進了鐵絲網。

當我倆離開了進口地方，看看錶還有五分鐘點名，正好，沒有問題趕上。小張又吹開牛皮：

「怎樣，你花的錢不寃枉吧？山人自有道理。」

忽然我倆的背上都給人拍了一下。小張開口就罵：

「那個忘八蛋不要開玩笑！」回頭一看正是我的班長和值星班長二位，值星班長笑迷迷地說道：

「値星官妙算，在此候駕多時，請罷，上値星室。」

眼睛發花，耳朶嗡嗡叫，只聽到值星官說：

「商量事情也不走遠點，就在我窗前計劃偷渡，不假外出，罰禁足兩個星期。」

天哪！兩個星期禁足，下星期八點鐘還有秀美的約會！

外面響起了點名號，我們沒有遲到，正好趕上點名。

辛丑談往

燕塵識小

此次拳教之禍，不知者咸疑國家縱庇匪徒激成大變，殊不知五六月間屢詔勦匪保教，而亂民悍族逭人于無可如何。旣苦禁諭之俱窮，復憤存亡之莫保。迨至七月二十一日之變，朕與皇太后誓欲同殉社稷，上衞九廟之靈。乃當哀痛昏瞀之際，經王大臣等數人勉强扶掖而出。於槍林砲雨中倉黃西狩。是慈躬驚險，宗社阽危，闤闠成墟，衣冠塡壑，莫非拳匪所致，朝廷其尙庇護耶？夫拳匪之亂與信拳匪者之作亂均非無因而起。各國在中國傳教由來已久。民教爭訟地方官時有所偏。畏事者袒教虐民，沽名者庇民傷教。官無持平辦法，民教之怨愈結愈深，拳匪乘機，寖成大釁。由平日辦理不善，以致一朝驟發，不可遏抑，是則地方官之咎也。淶涿拳匪旣焚堂毁路，急派直隸練軍彈壓，乃練軍所至漫無紀律，戕虐良民，而拳匪專持仇教之說，不擾鄉里。以致百姓皆畏兵而愛匪，匪勢由此大熾，匪黨亦愈聚愈多，此則將領之咎也。該匪妖言煽亂愚民，王公大臣中或少年任性或迂謬無知。平時嫉外洋之强而不知自量，惑于妖妄，詫爲神奇，於是各邸習拳矣。各街市習拳矣。或資拳以糧或贈拳以械。三數人倡之於上，千萬人和之於下。朕與皇太后力持嚴拏首要，解散脅從之議，特命剛毅前往諭禁，乃竟不能解散，而數萬亂民，胆敢紅巾露刃，充斥都城，焚掠敎堂，圍攻使館。我皇太后垂簾訓政將及四十年。朕躬仰承慈誨，夙昔睦鄰保教，何等懷柔。而況天下斷無殺人放火之義民，豈有倚匪敗盟之政體。當此之時，首禍諸人叫囂隳突，匪黨紛擾患在肘腋。朕奉慈聖旣有法不及衆之憂，寖成尾大不掉之勢，興言及此，流涕何追，此則首禍王大臣之罪也。然當使館被圍之際，屢次諭令總理衙門大臣前往禁止攻擊並至各館會晤慰問。乃因槍砲互施竟至無人敢往，紛紜擾攘，莫可究詰。設使火轟水灌，豈能一律保全，所以不致竟成巨禍者，實由朝廷極力維持。是以酒果冰瓜聯翩致送，無非仰體慈懷，惟我與國應諒此衷。今玆議約，不侵我主權，不割我土地，念列邦之見諒，疾愚暴之無知，事後追思，慙憤交集。惟各國旣定和局，自不至强人所難。着奕劻李鴻章於細訂約章時婉商力辦，持以理而感以情，各大國信義爲重，當視我力之所能集，以期其議之必可行，此該全權大臣所當竭忠盡知者也。（二）

無負生

望海樓隨筆

拜年

徐學慧

中國的民間習俗，是中國文化與夫中國人的民族精神所在，那是不能以其爲繁文褥節而予省略甚或放棄的。

西方的聖誕節，朋友之間相互寄咭致意，其用意與我國的舊曆新年拜年無異。寄聖誕咭，咭到而人可不到，拜年則必須登門踵府，雖亦有人目此爲繁文褥節，但仔細想來，其社會意義之重大，誠有非言語文字所能形容者。

敬宗收族，敦睦鄕里，乃爲中國文化的基本精神。中國人僑居國外，往往歷數世紀而能團結一致者，老實說，民間習俗的維繫，具有莫大的影響力。「元旦日，男女以次拜家長畢，主者率幼卑，出謁鄰族親友，或遣子弟代賀，謂之拜年。至有終歲不相接者，此時亦互相往拜於門。」（淸顧祿著淸嘉錄）這幾句話裏面，男女以次拜家長，乃是申尊卑之義，即所謂敬宗；出謁鄰族親友，即是敦睦親友；至於終歲不相接，亦互相往拜於門，則意義更爲重大，此即中國古語之所謂不念舊惡了。

這一點非常重要，於此亦可見古先聖哲創造此種禮俗的用意所在。這絕不是繁文，而是社交上面的一個極其重要的工具呢！

如果說拜年是繁文褥節的話，我是甘願有此繁褥的，流傳了幾千年的習俗，必有其深長的意義，我們不必省略，更不要說放棄了。

一年之中，拜年的機會僅有一次，如謂拜年爲繁褥，則我倒要問你，你這一年中所過的生活，究竟簡單到甚麼程度呢？是不是連說話都簡單到不想說，是不是連訪友都簡單到不想訪？如果是，你是這種沒有半點人情味的人，是不必活在這個世界上的。如果不是，則拜年之道，又怎能批評其爲繁文褥節呢？

趁此向讀者諸君說一聲恭喜發財吧！

春

漁翁

春爲歲首，即一年四季之開端。我國習慣，以陰歷之正月，二月，三月爲春，歐美以陽歷三月，四月，五月爲春。在四季中，而以「一年之計在於春」，蓋春爲因，而秋爲果，不有耕耘，何有收穫？故古人於立春時，進「春書」，作「春盤」，送「春牛」，並剪綵以爲戲，李商隱詩：「請爺書春勝，春勝宜春日」，是民間之重視春節，已非一日。

春到人間，明媚之光，和綏之風，融洽之氣，美麗之景，以及鳥兒歌，蝶兒舞，羣花競秀，百草爭妍，普天下皆表現「無邊光景，一時新」，領署之餘，目爲之爽，心爲之舒，頭腦爲之淸新，精神爲之振奮，楊巨源所謂「詩家淸景在新春」，益信而有徵。

李白序「春夜宴桃李園」，有曰：「天地者，萬物之逆旅，光陰者，百代之過客」，好景難留，一去莫返，所以有夸父之追日，魯陽之揮戈，陶士行之惜陰，均不辜負此大好時光也。古之詩人，深知其意，乃有「一年又過一年春，百歲曾無百歲人」之載詠，以提高世人之警覺，而使其把握時機，爭取時間，向光明大道努力邁進！又讀東坡「春宵一刻値千金」句，更感浮生若夢，而欲效古人之秉燭夜遊也。

春之意義不一，周禮載：「仲春之月，令會男女，詩云：「有女懷春，吉士誘之」，後人因謂男女相悅之事曰「春」。唐人多名酒曰「春」，司空圖詩品載：「玉壺買春」。廣東方言，凡禽魚卵皆曰「春」。總之，春和煦可愛，人每以此命名，並以名物也。

詩人吟春者，各有所趣：李白醉春詩：「覺來盼庭前，一鳥花間鳴，借問此何時？春風語流鶯」，孟浩然春眠詩：「春眠不覺曉，處處聞啼鳥，夜來風雨聲，花落知多少！」二者一醉一臥，而不知春之來，花之落，足見陶然自得。但王安石詠春夜：「春色惱人眼不得，月移花影上欄干」。同一臥也，一睡不醒，一眠不得，非春有二意，蓋各所思不同耳。

杜甫春歸詩：「世路雖多梗，吾生亦有涯，此身醒復醉，乘興即爲家」。按杜構草堂於成都，已而去之，旣聞嚴武復鎖蜀，因還舊居，雖蜀地多亂，而仍在愁中取樂，興之所在，郎便爲家。可是賈至詠春思，「東風不爲吹愁去，春日偏能惹恨長。」同一春也，杜甫乘興，而賈至言愁，處境不同，故憂樂溢於言表。

余最喜程明道「春日偶成」之名句：「雲淡風輕近午天，傍花隨柳過前川，時人不識余心樂，將謂偷閒學少年」。此詩詠其閒居自得之趣，傍隨於花柳之間，憑眺於山川之際，及時行樂，隨遇而安，可爲今日吾人流亡者所效法。

猶憶甲子春，余初入大學之門，師以「春日言志」命賦，曾成一律云：「綠滿山原白滿川，流光如水水如天，花非冶艷非春色，志不軒昂不少年，可畏祇聞稱後輩，有爲那許讓先賢，請纓弱冠空今古，欲請長纓我亦然。」頗爲師友所賞識，流光如馳，忽忽不覺三十七年事，撫今追昔，感慨萬千！

春至矣，應如何播種？如何施肥？如何荽草鋤根？準備其耕耘之因，待秋高氣爽，便獲得良好結果，此果如聖靈所好之仁愛，喜樂，和平……，人人得而享受之。宇宙間愛好和平自由國家之人群，趁此時機，應抱着浩然蓬勃之朝氣，發揮其自强不息之精神，撥雲霧以見光明，化戾氣而爲祥和，止風雨於叢林，花逐人笑，[illegible]

海嶠瑣談

西安事變軼聞

諸葛文侯

廿四年前，西安事變發生之初，南京國民政府的文武大員，爲着應變的策略，曾經過一番激烈的辯論，有的主張和平解決，有的主張明令討伐，各持一說，言之成理。

主張和平解決的，是孔祥熙，宋子文等。他們認爲國家領袖被劫持在叛將手中，若採取武力營救之策，必無幸理，且將迫使叛徒挺而走險，難免玉石俱焚之虞，事與願違，未見其可也。倡言明令討伐的，有戴季陶、張溥泉、馮玉祥等。他們基於國家紀綱與政府威信，認爲若不加以討伐，其將何以立國呢？

在一次由何應欽主席的緊急會議中，兩派意見相持甚力，張溥泉先生的話尤其動聽，他說：「上海租界內發生了綁票案件，巡捕房只有查緝匪徒，維護治安之一法，決不肯向匪徒談判贖票的。難道說國民政府的威信，還不如租界裏的一個巡捕房嗎？」理直氣壯，無懈可擊。孔祥熙言道：「討伐是應該的，但須顧慮到全局的利害關係。現在宋哲元擁兵鎮守平津，韓復榘持節雄據濟南，中央軍一旦馳赴豫陝地區，實行討逆，京滬一帶頓告空虛，萬一華北方面有異動，南京豈不岌岌可危乎？」他這番議論也不無見地。大家正在研討之際，忽有平漢路局長何競武到場，說是剛從北平坐飛機來南京，有重要文件面呈何總長。

原來何競武氏常駐北平，負有與宋哲元聯絡的使命，他聞得西安事變消息，即擬到南京看看政府如何應變。臨行之時，特向宋哲元辭行，請教宋氏對大局作何觀感？宋答：「我始終擁護政府和蔣委員長到底。」何氏希望他寫一信件交本人帶至南京，宋即親筆函致何應欽曰：「總長鈞鑒：哲元擁護國民政府到底，擁護蔣委員長到底。敬叩鈞安。」寥寥數十字，樸實而剛健。此函由何應欽當場宣讀，大家歡慰不置，認爲適纔孔祥熙所顧慮的情形已不存在，乃決議對張（學良）楊（虎城）明令討伐，而以何應欽爲「討逆軍總司令」，何氏即命劉峙，顧祝同爲左右翼總指揮，汗渙大號，率軍向西安進發。

當中央討逆軍尚在集中洛陽時，韓復榘在濟南突然發出通電，主張召集全國名流學者，研究營救蔣委員長的方法，輿論譁然，中樞尤覺詫異。急遣何競武前往濟南探詢韓氏眞意，韓謂志在營救委員長，別無他意。何氏又以長途電話叩問宋哲元對韓氏通電有何感想？宋囑韓聯電話，即對韓大加訓誡，敎他不要胡來，韓唯唯。蓋宋韓皆係西北軍馮玉祥部將，宋之資歷與實力均較韓氏優越，韓對宋[illegible]安出來了，帶有蔣委員長致何應欽的手令，囑何展期數日再向西安施行轟炸，而南京國民黨中央宣傳部編印的討逆軍總司令「告民衆書」，不知何故，封面上所註「討逆軍總司令印發」的標誌，竟將「討」字誤印，變成了「逆軍總司令部」了！這一錯誤非同小可，連忙把此項宣傳品收回，重新換過封面，又要耽擱一二天的時間，討逆軍的行動因而延緩若干日。旋宋子文與蔣夫人到了西安，張學良[illegible]悔悟，[illegible]送委員長回京，一場大禍事乃化乖氣爲祥和，不可謂非國家之大幸也。

歷史人物

李香君

謝康

第五、楊妃愛享受，愛榮華富貴。爲着「可憐飛燕倚新妝」一句詩，恨死了李白，爲着她要喫荔支「一騎紅塵妃子笑」，那路上奔馳的驛使差官，不知踏壞了多少農田莊稼，製造多少糾紛，同時還撞死了人。香君則一生兒雅好是天然，不慕榮利，愛上了一個窮書生侯方域，却退阮大鋮的豐厚妝奩和田仰的千金之聘，寧願過着淸苦的日子。

第六、楊妃爲人脫不了市俗的「脂粉氣和富貴氣」；而香君的言行動作常帶有「書卷氣」和民族氣。

第七、楊妃馬嵬[illegible]只可洗刷自己的罪惡；而香君灑在桃花扇上的血淚，却是抵抗罪惡行爲的「一種英勇標誌」。

總之，長恨[illegible]天姿，爲荒淫的[illegible]乾兒，終於造成[illegible]不如桃花扇的女[illegible]家民族保存幾分[illegible]正義感和民族意[illegible]兩個歷史上的名[illegible]人生觀的不同，[illegible]爲兩個完全不同[illegible]是人心所同然的[illegible]比較得到更多人[illegible]名字所以比楊貴[illegible]當然佔了一個很[illegible]（三）

更正

第一〇五期本欄「盜寶記」中，有「秦代收藏的各朝古物」句，「各」字誤植爲「六」字。謹此更正。

內警僑台報字第〇三一號內銷證

自由報
THE FREE NEWS

第一〇八期

中華民國僑務委員會頒發
台教册字第三二三號登記證
中華郵政北台字第一二八二號執照
登記為第一類新聞紙類
（半週刊每星期三、六出版）
每份港幣壹角
台灣零售價新台幣貳元
社長：雷嘯岑
督印人：黃行憲
社址：香港銅鑼灣高士威道二十號四樓
20. CAUSEWAY RD 3RD FL
HONG KONG
TEL. 771726　電報掛號．7191
承印者：四風印刷廠
地址：香港灣仔高士打道二二一號
台灣分社
台北市西寧南路壹壹本號二樓
電話：三〇三四六
台郵備儲金户九二五二

聞台北請赦雷震有感

甘家馨

報載台北若干知名人士，於農曆新年前夕，聯名上書總統，請求對正在服刑中的自由中國半月刊發行人雷震，予以特赦。海外許多關心同情雷氏的人士，對於此事的發展，正在密切注意中，並期待有利的消息。

前數日，有些朋友談及此事時，問及我的意見，大家並推測特赦的請求有無結果；當時我無詞以對，心中百感交集。說句老實話，我雖然也是關懷雷氏的一人，也願意雷氏平安無恙，甚至也希望他能得到赦免，但我更重視的却是雷氏的立場和原則，以及特赦運動的意義和價值；因此，我對此事的態度，係感慨多於推測和期待。

這次的特赦請求，借用一個時髦名詞來說，是一種濫情主義的動作。這種動作；在一個嚴肅的政治場合，是否適當，當然頗成問題。不過說濫情主義並不就是說壞東西；反之，我們和共產黨的差別點最大的根本的正就是我們有這個濫情所寄的人性，故我們在最後關頭以表現人性，為最後步驟，並不是不好的事情。況雷氏年高體弱，長期牢獄的生活，實在不堪；而循法律途徑以營救援助，又計窮力盡；現在只的推開事理不談，專講人情，希望藉此使雷氏獲得寬赦，或最少能放出來過個年，此種用心不可謂不苦；事勢至此，何忍有所間言！

然從理性的立場說，立論則有所不同。中國古訓云：「君子之愛人也以德」；我想凡愛護援助雷氏的朋友們，熱心之餘，都不會忘記遵守某種應守的原則。十年以來，自由中國言論的功過是非，不能一概而論，但雷氏始終堅持其立場和原則，則為有目共覩的事實。現在雷氏雖身陷囹圄，我想他對其立場和原則，未必就此放棄取消，因此，今若專為想使他脫離牢獄，而完全不顧事理，盡將從前一切一筆抹煞，則所視其現實者未免太重，所視其理想者未免太輕，此舉是否合乎其本人的意願，就常理推之，似不無問題。

進一步說，雷氏過去既為其立場和理想，敢說敢言，推其心意，應有敢於負責的決心，應早有面臨一切的覺悟，心中應無傀怍成名的意思。且聞許多朋友傳說，雷氏平日常常對人表示，謂自知環境惡劣；命途危險，但國家興亡，匹夫有責，不容有所恐懼，只有支持到底成敗在所不計云云。斯言若實，則雷氏對其今天面臨的遭遇，似不特不致視為意外奇禍，且或已視為「求仁得仁」——應有的後果。

我這樣說，並不是有意慷他人之慨，說風涼大話；而是本君子愛人以德之義，以君子之心度雷氏之腹，重視個人人格理想及責任心，不以過重現實為然。我更以為倘大家如此為雷氏設想，則對請求特赦的希望如何，亦就沒有過分重視之必要了。反過來說，一個政治犯進牢門時風度堂堂，倘出牢門時悄悄地黯然失色，則他過去工作的價值，已極微末，而早知今日，又何必當初呢！

一個政治家，最後的人格是其最後的生命。這種寶貴生命的存在，主要是靠自己珍重，其次是環境關係。中國士人，最講究晚節，這是鼓勵人生在世，應竭力保持人格一貫；同時亦是一種啓示與鞭策，教人警惕不可隨意嘗試這個最後的課題，中國歷史上有許多歷史人物，半路跌倒，而失敗的原因，大都是不能過最後一關，以至小者為善不堅，甚者節變名裂，令人千古浩嘆。我近得王陸一先生詩詞集一冊，因其所詠者為近十年來史事，故人高論，分外親切，乃一口氣讀完。詩中有「哀降敵者」七律一首，中有句云：「燕市刀橫成淺笑，雁門詩好失元功」，一望而知這是批判汪精衛晚節不終的痛言，針砭政治家應當人格一貫，大足發人深省。雷氏現在的心境如何，我不得而知，不過我以為他既有當初，今日應不致有什麼後悔。尤其不致願意使過去事情弄成笑柄，或使當年文章失色貽譏罷。

站在民主運動的立場說，我對台北的請求特赦運動，感想最多，但又最感吉凶悔吝若無辭。那些簽名上書的人士，倘若是平日與政治運動無關，此次完全基於友誼與人道精神，出而請願，當然不發生立場的問題，且其熱心可佩。但就政治運動方面的人士，尤其是平日標榜反對黨民主運動的諸君子言，時至今日，倘置事理於不論，視過去的言論文章原則主張為無物，專講人情恩典，其政治風度和立場原則如何，頗令人有莫測高深之感。

政治運動就是一種政治鬥爭，最後終不免有勝有敗。參加政治鬥爭係一種嚴肅的行動，既不能抱存機會主義思想，務期有利，尤其不能中途自喪其所守，臨難苟免，而是事前必須具備負擔失敗責任和後果的決心的。一個政治運動陣營或政治領袖，倘若事前沒有失敗的準備，臨時拋棄理想，立場不定，豈不是自尋煩惱，大大缺乏責任感。這種現象，作為一個大黨或政治集團說，根本是不足為訓的。印度聖雄甘地，當年被關進英國監牢，不知若干次，但未聞印度獨立運動陣營，曾上書請求赦免，而甘地亦泰然於監獄中居之。就中國說，——包括現在許多人中國說，——包括現在台灣搞新黨運動中若干領袖人物在內，常常批評和輕視國民黨，但國民黨歷來被關被殺的人物，何止千萬，當年國民黨能夠拉攏的名流不可勝數，但國民黨何曾請賜恩典，要求赦免？尤其是後來變節的汪精衛，犯下刺殺攝政王的殺頭罪，國民黨亦無人出來上書清廷，請求特赦，而汪當時且以詩自壯其志，情意凛然。現在反對國民黨者，否定一切，但其自身在立場原則上所表現者如此，眞是中國民主運動的悲劇！

就政府方面說，此次請求特赦雷氏案，亦引起我無限的感慨。世界各文明國家以及現代世界政治潮流，除共產世界以外，對政治犯的待遇，無不採寬容的政策，最顯明的是近十年來，許有多新興國家的政治領袖，都是從殖民國家監牢中走出來的。他們登台執政之人，舊日統治者與之更平等相處，異族之間，個人恩怨渙然，尤其是英國，現在所接待的貴賓，談判的代表，幾乎有無數是以前殖民地的囚犯；這許多政治犯，「昔為階下囚，今作座上客」，而大英聯邦正賴這種文明政治家的風度，以鞏固其團結與生存。我總覺得中國視政治犯為「造反」，是一種被專制時代傳統思想麻醉的意識，為國家大不幸，而在政治上造成許多無謂的糾紛和損失。基於這種錯誤的意識，許多人對其他罪犯往往尚可寬大，而對政治犯則斷不容情。數月以前，報載台灣高等法院對某一處刑十年之毒犯上訴，予以減刑處分，而雷震案循法律程序上訴，毫無結果，兩相比較，我國法律精神對政治犯的嚴峻，灼然可見。但是作為一個文明國家，處在二十世紀的文明時代，異族之間且可以化敵為友，何況本是同根的自己人！深望我國法律精神和政治風度亦能有所改進，追隨時代，表現一種新興的面目，[illegible]。

小論天下

△緬甸爆發有史以來首次反美示威，仰光暴徒向美國使館攻擊，警察開槍鎮壓，死傷多人。

共產黨又在製造「慘案」，並把潛伏在緬甸的實力擺出來看。美國人在阿聯，印尼，甚至在南韓，最近都受到「反美」浪潮的襲擊。新的把舵者大概不至乞靈於「暈浪丸」吧！

△美總統甘迺廸以私函一封交付駐蘇大使，携赴莫斯科，傳該大使將以主動地位與赫魯曉夫會談。據傳：白宮業已全盤檢討美蘇關係，美對冷戰政策將有重大改變。

甘迺廸由登台以至現在，我們只看見他忙於對付共產黨在自由世界普遍佈放的跳虱，還未見他輕刺一下共產世界血肉淋漓的癩瘡。

△日本內閣決議：撥糧十萬噸，由國際慈善機構運中國大陸救災。日外相表示：如與中共締交，當依據互相貿易，互相尊重及互不干涉內政「三原則」。日揆有將訪問美印兩國之說。

這不只是「擺姿態」而已，在國際對中共姑息的暖流中，實在有一個隱形的運動正在進行着。

△印度對中共擺出強硬外交態度。雙方對不丹角逐愈烈。尼赫魯聲言決不在邊界糾紛問題對中共讓步。蘇俄宣佈貸印度以巨款。

就共產黨吞併全球的整個大計劃而言，蘇俄這一着棋走得妙。我們決不能說赫魯曉夫有意討好尼赫魯以打擊毛澤東。尼赫魯且慢得意！奉勸他在此時精讀「蘇俄在中國三十年」一書。

△寮王從新作出和平中立呼喚，贏得美英同時支持，正待蘇俄方面反應。前「中立政府」逃亡總理突赴寮共「紅區」閱軍。同時法國在寮基地又起風波。

這只是向共黨乞求恩准中立而已。共產黨實在不容許有這個獨立自主的國家存在，管什麼中立不中立？

△阿爾巴尼亞共黨大選結果，親中共的有力份子仍獲當權。此事被視為毛澤東向赫魯曉夫挑戰的一次勝利。

中共向阿爾巴比亞特別用工夫，對南斯拉夫刺激最大。在南斯拉夫，中共與蘇俄之間的恩怨錯綜，實在難以拈出一條清清楚楚的條理出來。

△剛果有爆發內戰之虞。聯合國安理會決議：必要時得使用聯合國軍，制止剛果內戰。

剛果也和寮國一樣，共產黨要繼續在這兩個地方鬧下去，將來定然演出更多更新的花樣。

△大陸傳出消息：西安飢民擊斃共幹二十餘名，並搗毀「公社」食堂。

革命的火花由飢餓的肚子爆出來，慘絕！難道這便是唯一的希望？

△國府副總統兼行政院長陳誠，呼籲大陸共幹起義，領導革命。

我們應該作出更廣泛更有力的呼喚，尤其是要針對大陸三軍將士，退伍軍人及民兵。

更正

上期「小論天下」第二段，內有「反比」「反荷」「反衛」句，中間「荷」字被誤植「蘇」字，意義相反，特予更正。

方南

自由談

醜惡的強權主義

美國新任總統甘迺迪於就職前夕，特別向西德保證美國不惜為保衛西柏林而戰，其言殊壯烈強硬，渾不似美國政治人物——民主共和兩黨人士都在內——經常掛在嘴上的和平口胎，英國的國會議員和執政者，對於這項激烈言論，也不表示憂慮批評了。同時，在美國肘腋之下的古巴政府，任意沒收美國的財產，不斷殺戮美國人民，甘迺廸先生却泰然自若也，寧非咄咄怪事乎？

仔細想想，也就毫不足怪了。西德戰後復興迅速，國力日見充沛，而其民族又剛毅沉着，很有作為，如其不尊重他們的意見，像對於亞洲國家那樣自私自利，隨便犧牲出賣的作法，德國人決不買帳的，西德萬一不跟英美合作，世界即為之大變，那還得了嗎？何況西德總理愛特諾又是個不信邪的倔強漢，對於同教的教友甘迺廸先生，似乎並不十分傾佩，所以，甘氏這項「戰爭邊緣」的火藥性言論，亦有安撫愛特諾的用意存焉。

英美執政者對中東的忠誠盟友伊拉克王朝之傾覆，當伊嘸介事，而且廹不及待地搶先承認反西方的賈山政權；對東亞的患難友邦中華民國落井下石，還要主張把金門、馬祖放棄給反西方最猛烈的毛共政權。這是甚末緣故？理由很簡單，中華民國與伊拉克都不如西德之具有對英美發生禍福利害的本能，犧牲出賣，在所不惜。所謂西方列強也者，都是些「駱駝型」——揹重不揹輕的。

明乎此，東方國家一向不知自強自立，而唯西方列強馬首是瞻的作風，應該有所省悟了。我們成事縱然不足，搗亂敗事總可能的，為甚末老是聽人擺佈玩弄，但知告饒乞憐？八年前我就說過，世界三次大戰之後，還有四次大戰，那就是人種戰爭，世界一切被欺侮的有色人種聯合起來，一致反抗速俄羅斯在內的白種強權主義者。非如此，世界永久和平決無奠立之可能！

馬五先生

「公論報」不符公論

羽飛

台北航訊

從去年十一月起，即已發生的台北「公論報」內部訴訟糾紛，最近高等法院裁定駁回被告債務人李萬居聲請撤消台北地方法院的判決，頗有急轉直下之勢，大概李萬居敗訴已成定局。這家純粹屬於地方企業的民營報館，將告除舊更新，另是一番氣象了。如此重要的新聞界之新聞，值得向海外人士報導其中經過情形，以明究竟。

公論報於台灣光復時誕生的，是中國青年黨幹部人物李萬居氏一手創立的文化事業，由於經營失策，業務並不發達，到去年春間，李氏感到無法維持下去了，乃邀約老友蔡水勝（青年黨人）等投資合作，蔡等慨然允諾，並約同台北市議會議長張祥傳（國民黨人）參加，亦經李氏同意的。蔡等集資百餘萬元來支持公論報，首先就按照一般企業組織，成立董事會，作為該報的最高權力機關，另設「公論報股份有限公司」，管理日常業務。全體董事十一人之中，計青年黨人六名（李萬居當然在內），無黨派者四名，國民黨人一名。初時公推李萬居為董事長兼發行人和社長，蔡水勝為總經理，未逾三個月，業務蒸蒸日上，發行數字由六七千份漲到一萬五千份，等到雷震案發生後，上昇到兩萬多份了。這時絕大多數的董事們，瞧着報社內部的經費出納與人事進退職責區分等情況，又恢復了舊時凌亂無章，不循軌序的現象，如總經理不能管制銀錢出納，即其一端。為保障投資的安全及報紙發展前途計，商得大家同意，召集董事會議，決定請李萬居專任發行人，另推張祥傳為董事長，再由新任董事長物色妥當人才來担任社長職務，今後必須嚴格執行公司組織法規，分層負責，不得踰越。李氏原是在場預議簽名的，但事後他拒不實行，蔡、張等再三向他磋商，答應一俟制度奠立，業務上了軌道以後，仍請他兼任社長或董事長，表示始終尊重他的意志，而李氏亦置之不理，又不肯將蔡、張等所投的資金退還，好像這些朋友是應該替他出錢而不許過問報社的事務，如是，蔡等亦有所不甘，初則在別的報紙上刊登啓事，聲明他們是「公論報」的債權人，依法有過問該報業務的權力；李萬居即在公論報登出文字，指蔡、張等同謀攫奪他所苦心經營的報業資產。各執一詞，無可調解，最後蔡水勝等乃依法提起民事訴訟，經台北地方法院審判結果，蔡等勝訴，限定李萬居於若干日內，將公論報股份有限公司和董事會與報社圖章交出，停止使用公論報發行人與社長名義，並停止收取報費廣告費及公論報之發行，否則強制執行之。如果不服這項判決，須繳台幣兩百萬元作保證金，靜候上訴解決，同時諭令原告蔡水勝等，亦須繳付台幣四十萬元，作為實行假扣押的担保品。

李萬居感覺事態不妙，在法律上站不住脚，決無轉敗為勝的可能性了。乃心生一計，聲稱這是政治問題，利用對方張祥傳是國民黨人這點關係，危言聳聽，大力宣傳，且將所謂反對黨——中國民主黨——籌備委員會的招牌，亦懸掛在公論報社門口，表示此是因為參加新黨運動，纔被張祥傳等藉故打擊迫害的，即暗示係執政黨教唆而然，藉以加強其宣傳效力。實則張傳祥投資於公論社的數額，不及蔡水勝等遠甚，而該報董事十一名中，就有六名青年黨人，只有張氏一人隸屬國民黨，孤掌難鳴，何能操縱那五個青年黨人（李萬居除外）和四個無黨派的董事們，來打擊李氏呢？

李萬居一面宣傳這是政治問題，一面即以「哀軍」的姿態，訴說他無力繳納兩百萬元保證金，呼籲社會人士捐助救援。但事實俱在，大家看得很清楚，不是光憑危言詭語所能煽惑的。因此，他所希望的各界人士捐欵亦甚有限。據聞新黨籌備會諸公，亦欲設法贊助李氏掌握公論報，作為新黨的言論機關，有人願意捐助五十萬元給李氏，但須享有過問公論報業務的法定權能，曾經托朋友向李氏表達此意，然李祇願接受贊助金，而拒談報社的事，其意若曰：「你捐欵給我打官司就得了，其他的事您毋庸議！」這樣，別人亦就愛莫能助了。現在李氏頗感走頭無路，聲言出國，總想把這場官司拖下去，成為不了之局，另教人出面把持公論報，不讓蔡水勝等接收辦理，長久糾纏，以期發現奇蹟，博得最後勝利。輿論界對李氏素表尊敬，經過這回事情之後，大家咲惜搖頭，而將原有尊敬他的心情，打了一個很大的折扣了！（二月十日於台北）

人約黃昏後，咫尺即天涯
閒話東西二柏林

一心

柏林航訊

「一紙疎籬，便隔巫山幾萬重！」好像是今日柏林的光景。不過疎籬不是紙的，而是布蘭敦堡鐵柵門，把整個的都市劃成了東西兩柏林，也就形成了兩個世界。

柏林自二次大戰後，一直是一個嚴重的國際問題，「柏林危機」經常出現于世界各大報紙的頭條標題，這問題如果遲早不得解決，必然會爆發戰爭：這是世界各地人士所特別關切的。可是，說也奇怪，居住柏林的人們倒並不感到迫切的危機，只認為這是長期的問題，國際問題。西柏林的人們時常說：「從外面看起來，比實際的情況為壞。」固然這些智慧水準很高的柏林人士並不是信天翁的想法，可是多少或者受了一點兒「存在主義」的哲學的影響。

先報導幾項基本事實。柏林全面積係八八三點七九方公里，東柏林為四零二點八一方公里，略較西柏林為小。人口却相差頗遠：今日西柏林人口為二百三十萬，東柏林僅一百一十萬。可是戰前的柏林人口原為四百三十餘萬哩。女多于男本是一般都市的現象，柏林尤為顯著，計西柏林女多于男約三十萬，東柏林約十餘萬。

在西柏林，新的建築物高聳，入夜則沿着古爾夫斯騰登馬路的各層霓虹燈，五光十色，行人車輛亦「肩摩轂接」，簡直令人不信有二次戰時的滄桑。那裏的國際酒吧間的旖旎風光，更是熱鬧。所有美國的小玩意兒，例如投下幾個分尼就會唱的 Juke Box，和芝加哥製造的彈球玩意，在這裏都是屢見不鮮的。

冬季在西柏林和東柏林，行人都比較少些，但在西柏林的商業區，仍有很多帶着急忙脚步的行人；濕潤的馬路上駛過的車輛亦予人以清新的感覺。東柏林仍不少僅剩空殼的建築物在瓦頹垣上；人們的面孔雖不見得頹喪或緊張，但各種事物所表現的景況係受了壓制的——就像橄欖的灰暗和皮鞋的棕黃一樣。在東柏林，你可以注目細數馬路走過你面前的婦女，一連四十個都是穿平底鞋的；在西柏林，高跟鞋雖非像巴黎那樣的不可少的，却是常見的。

這都市地面上的柵門雖然顯著，地道車和高架電車都是連接的。初到柏林的人感覺奇怪的，就是東西柏林人坐地道車或高架電車，自東徂西，或自西徂東，並不覺得有越界之危險，正如在紐約或倫敦地道車裏旅行一樣。這因為柏林的地道車是整個的環域系統，高架車亦然。不過車輛駛到東柏林區域內，你會看到許多紅底白字的共產黨標語，而且車站書店出售的厚厚一本資本論 Das Kapital 僅售八個馬克。

西柏林和東柏林之間，沒有越界的電話聯絡，但郵件是暢通的。無線電臺和電視上公開徵求答案時，西柏林和東柏林的居民都會提供答案應徵的。

東西兩區間青年男女的「人約黃昏」是不作政治學或經濟學上的考慮的，只以中意與否為準。約會的地點通常在東柏林的斐德烈街的波蘭文化亭外，或捷克文化亭外。良宵常在東柏林度過，因為那裏的一切娛樂——都可以用西柏林的馬克支付。

這種不正常的狀態何時可以恢復正常，這是柏林人心中的問題，不過他們並不過份着急。

香港與大陸

△本報記者有一位回順德縣（珠江三角洲著名產絲的縣份）省親的友人口中，獲悉該縣流行的一種餅子，是禾桿、蔗渣與少許米粉合製成的，人民每次購餅若干，照例亦須扣發米糧。當地患腫病的人最多，由香港回鄉省親者每見舊時親友，大都見面不識，不是瘦得太利害，便是腫得變了樣。

△從前在香港左傾學校畢業的中學生，回到大陸升學去的，這兩年回到香港度假不再回去，數字也有不少，其中亦有靠攏商人的兒女。靠攏商人為了商業上的關係，處境頗為尷尬。去年曾有某一個風頭甚盛的靠攏商人，因其子在大陸逃出，怕影響本身生意前途，苦勸仍回大陸去。此子曾經是激烈的左傾青年，此時却對老父聲稱：如要廹他回去，他便登報聲明脫離父子關係。李由親友從中斡旋，將此子改送某地留學，始得了事。（倫）

△廣州不斷有華僑所携糧食被搶的事發生，搶糧食行李者第一個步驟是向離開車站的歸客開聲要求用代價割讓物品，不答應就下手強搶。公安部人員抵塲拘捕，強搶者拿出紙幣來，以證明他們並非行搶。他會說看見一堆人包圍一個路客要爭購東西，他也捍走上去要買，但唯恐他人搶購一空，所以他也先下手拿得東西，然後交錢。

即使不出於强搶強購，廣州市民之餓到發昏者，會追隨在歸僑之後，哀聲請求分割少許食品。此則令歸僑感覺為難的事；若當時拒絕，回港後良心上追悔不置。尤令歸僑難堪者，則所携食物，祇能救親，不能濟衆，人心總是人心，有些疏遠的戚朋故舊，聞風來見，言談間，問及從香港帶來什麼東西。嘿不置答，顯不近人情，倘回答已帶了什麼東西回廣州，但無一斤幾兩分惠，更不近人情。所以許多人廣州，都秘不見人，悄悄而去，悄悄回來。甚至由香港出發也是靜悄悄的，蓋恐此間親友發覺，託帶一些東西，增了携帶負累，若祇託致在穗親友的言語，則見人時，無些少手邊信物，何以表示慰問之心跡，故內地一場饑荒，連在香港回去救饑的人也表現得勢利起來了。

× × ×

大陸文壇萬花筒

中共提倡散文

——岳騫——

最近中共忽然大力提倡寫散文，人民日報上有一個專欄「筆談散文」，一月二十八日老舍寫了一篇「散文重要」，一月三十日李健吾又寫了一篇「竹簡精神」，二月三日有一位署名勞榮的人，寫了一篇「我們現實的眞正名字就是革命」——從陳殘雲的兩篇散文談起。對陳殘雲寫的「水鄉探勝」，「竹棚佳話」大大恭維了一番。

中共統治大陸十一年來，文藝方面已變成眞空，可以說一篇像樣的東西也沒有。不過，小說、詩歌、劇本各方面雖然不好，也還寫出一點，只有散文可說交了白卷，不問好壞根本沒有。散文所以沒人寫的原因，可以分作兩方面來說，：過去在上海左聯時代的文人，寫散文都是學自魯迅的冷嘲熱諷，喜笑怒罵，其中著名的為胡風、馮雪峯、宋雲彬、黃源、甚至徐懋庸等人，可是，那種筆調在「舊社會」可以，新社會是只准捧的，批評尚且不可，漫罵就是大逆不道，胡風只因為上了一個建議，到現在生死不明，試問誰還敢寫，於是這一批散文家就擱筆了。

另一派的散文家要以朱自清先生為代表，他過去寫的「背影」，「荷塘月色」，相信三十歲以上的人都讀過。這倒眞是散文的正宗，但在「新社會」裏又嫌沒有戰鬥性，於是這一派人更不敢寫了。

至於「黨培植起來的新人」，連造句都造不好，寫小說還可以瞎扯，橫豎內容只要有個黨委書記就成了。散文就不同了，散文若沒有一點文學修養根本就寫不出，寫出來也沒有人懂。所以變成了能寫者不寫，想寫者不能，散文就在文壇上消失了。

老舍以幽默的口吻勸告正要學寫散文的人，必須多下些工夫，不要以為「只要寫出一本五十萬字的小說，或兩本大戲，就什麼都解決了。……一封信還寫不清楚，怎能夠寫出情文並茂的小說與劇本來呢？不把散文底子打好，什麼也寫不成」。

老舍又指出「有的人呢？散文還沒寫通順，便去作詩！我不相信，連一封信還寫不明白，而能寫出詩來。」

其實老舍也許忽略了共區絕大部份詩人是不識字的，如農民詩人王老九，早就戴上了詩人的桂冠，老舍先生不相信的事太多了，可是在「毛澤東時代」都出現了。

社會小說

香港地

七、可憐一炬

到了大路上，兩人才發覺沒有什麼目的地好去，便想向回路走，梅大亮忽然想起，遠在發生火燒木屋事件以前，曾經起念要到張君寶太太家裏去，看看他那個因撞車受傷的兒子，當下便對譚福祿提起那一回事，說道：「我們這時橫豎沒有什麼正經事情要做，便到張家那裏走走也好。張太太那兒子雖是不肯，照理說，我也不能不為她這不幸遭遇表示關懷之意呢！」

譚福祿聽說，即道：「這本來是你的好意，但我看倒是不必。我還沒說給你聽，昨天我也到過張家一次，張太太就是為了兒子和媳婦的事，鬧得不快。他的兒子和那個一同乘車的女朋友，都成了肢體殘廢的人，那架車子也太大損壞了。車子原屬她的媳婦所有，當然會鬧到媳婦不肯原諒兒子，這樣一來，她老人家可就難以調停，苦上加苦了。現在如此，將來可知。我看她實在太過頭痛和心傷，被那媳婦吵得沒做道理處，昨天也不敢和她說什麼話，只去看她的兒子一次，同時在醫院裏看到她兒子的女朋友。說來怕你也不相信，這小子的女朋友很有名氣，竟是一位女作家。據說他倆的關係並不尋常，才會鬧到事情不可收拾。」

這在梅大亮聽來，又是一宗怪事，忙問道：「什麼話？這小子肚裏沒有半點墨水，光靠一張漂亮面孔，娶到一個有錢女兒做老婆，怎會再勾搭上有名氣的女作家？這女作家叫什麼名字？」

梅大亮這樣問是有原因的。照他的回憶和聯想：張太太的兒子是憑一個相好的女工做媒介，認識了一個半跛的富家女兒，騙上了手，結了婚，以後便憑借太太的錢，成了有車階級，擴大他的交際圈，最後便因有了車子而闖禍，把他自己和一個同車女友的肢體都毀害了。這一串事實也不算太奇，但如說這樣的一個傢伙會勾搭上了有名氣的女作家做密友，哪就不由他不咄咄叫怪了。

譚福祿笑中有歎地答道：「這小子實在太有本事了，才會弄到這個田地。他既然有了車子去交結女朋友，肚裏有沒有墨水是另外一回事了，聽說這位女作家姓蒙，名叫莎莎，你認識嗎？我就是因為你也認識一些作家，才要特別對你提及呢。」

（一〇六）　木客著

演員與明星

汶津

「重複！」「累贅！」看了我的題目，一定有不少朋友會客串國文老師，吶喊出如上的評語。那麼容我先告訴你我的習慣：好的明星，名之曰演員；壞的演員，對不起，就稱作明星了。

自從電影的身價漸高以後，明星夢也到處散播種子。男女學生改變目標，不再崇拜英雄偉人了。也許是「偉大」的意義煥然一新了罷：「真帥！」一個女的中學生指着一張紅星的照片說。許多個女孩子都這樣地讚賞着。十目所視的可不只是那張白布幕啊，科學家們別自我陶醉了。電影公司的老闆才真知道行情。其實這一行吃得開的理由也不難說：這是掛人頭，賣人頭啊。

用老觀念看新名堂往往是不怎麼公平的。戲子和明星的地位到底不一樣；後者至少可以力爭上游。可惜咱們的「影劇從業員」只會嘴裏說「為藝術而奮鬥」，實際上卻跟在會議裏大談仁義道德的要人差不多；他們只是把第八藝術當作一張長期飯票罷咧。所以老當益壯和返老還童的小生就值得原諒了。

據說好萊塢是罪惡之都，人們經常談起那裏的大明星的桃色故事，而且很有點幸災樂禍的味道。不過套「不以人廢言」說一句，該是：不以私生活廢銀幕藝術。何況隨便不檢點的，似乎也只是一部份，可能比例高一些，未必嚴重到「只有石獅子才是乾淨的。」過份擴大事實，渲染敗德的人，不知道除了表示吃飽飯沒事幹之外，還有什麼用意。有些作品（指我們在銀幕前讀到的）看了第一遍，還想第二遍，第三遍。我知道有人看「翠堤春曉」七次之多；不說別的，連那位殺人不聞血腥味的史達林先生，竟也對此片傾心之至，並且因而「拿起了筆，在蘇聯電影界得獎人名單上打了一個大叉，把全部名字都劃掉。——『等他們拍得出像「翠堤春曉」那麼好的電影，才給他們獎章吧。』」這是一位蘇俄籍的戲劇家傑拉金記載的軼事，絕不是「美帝」的「宣傳攻勢」。至於我自己，狄保嘉主演的「新孽城記」（蘭克出品）看了五遍，是最高的記錄。我讀過狄更司的原著。搬上銀幕後顯然簡陋了不少，可是那種氣氛實在把握得太好，這一點真是好萊塢該拜下風的。

每當我想起「梵谷傳」（"Lust for Life"，港譯「人海慾潮」，牛頭不對馬嘴；散文家思果先生在他的「藝術家肖像」一書中「談起過，認為那是一種「侮辱」。）的主角寇克道格拉斯（港譯扣．德格勒斯）或修女傳（"The Nun's Story"）中的女主角奧德莉赫本（港譯夏萍）時，我便忘記一切平日看似不可原諒的小節了。前者飾演那位倩熱似火的藝術家，魯莽、眞摯，有基督的胸懷，有薛息佛斯（古希臘神話中人物，為竊火被罰長年推一巨石上山，將成而墜，已而復始。）的痛苦，那豈是一位毫無修養的花花公子所能勝任的？同樣的一個人，他扮演在別的演員輕鬆愉快的角何，如在最近「相逢色必曾相識」一片中談情說愛的建築師，便有格格不入之感了。夏萍的演技素來逗人喜愛，而在「修」片所表現的，才眞的稱得上「爐火純青」四字。我們終於覺得她不但可愛，而且可敬；流露着一位有涵養有深度的少女的情操，以一個西方人而兼具了東方精神的華粹，不是有沈潛的稟賦和後天的醞釀，又安能及此？他們的藝術，絕不遜色於古來任何大文豪、大畫家，只要能再上一層樓，繆司該不會不接納他們為祂的寵兒吧。無疑的，他們一直是我心目中貨眞價實的「演員」。

還有，像[illegible]利克利夫，像約翰潘傑（雨果名著「孤星淚」男主角），像狄娜華西（「冷暖人間」的女主角）都是獨具一格的演員。他們正好與那些紅透半邊天的大「明星」如貓王，M．M，B．B等成為一種強烈的對照吧？至於觀衆的反應呢？我不敢硬充樂觀派，也許竟要套一句易卜生的激憤之詞：「少數永遠是對的！」

不必驚訝！如果電影只是娛樂品，不是宣傳工具，我就閉口不談；不然，我願得堅持我的偏見——演員經得起時間的考驗；「明星」恐怕連空間的考驗也通不過！倘使少數人[illegible]的，大多數人眞不怕沒有受同化的一天。我眞想奉勸某些喜歡趕盡殺絕的朋友讀讀藝術史呢。

台灣歷史漫談

余又蓀

自由報要我寫一篇台灣歷史的文章。我從台灣來，略知台灣事：台灣大學和台灣省文獻館，所藏有關這方面的史料甚豐，有幾位朋友研究得很好。我身邊沒有資料，殊難下筆。但情不可卻，只好就普通史料來談談。即此已足證明台灣是中國領土的一部份了。

一、台灣即流求

台灣這個名稱，是明朝末葉（西紀十七世紀初葉）才出現的。在此以前，稱為「流求」。流求最早出現於我國的史籍，是在隋代（西紀五八一——六一八年）。

流求是古代台灣島上一個強大部族的名稱。相傳今日台南之恒春，舊名浪嶠，其地為古代瑯嶠十八番社居住之地。隋代將浪嶠或瑯嶠，轉為流求，又以這個部族之名，轉成全島的名稱。（見明史「雞籠傳」。明沈光文之平台灣序。荷蘭文獻稱為 Long—kiau 部族。）

據隋書卷三煬帝本紀上，卷二十九陳稜列傳和卷四十六流求傳所記。煬帝時（西紀六〇五——六一八年），海師（海軍）何蠻泛海遠行，曾隱約望到這個美麗的寶島。大業三年（六〇七）煬帝命羽騎尉朱寬入海求訪異俗，何蠻即以所見告之。朱寬遂約之偕行。他們到達流求，因言語不通，只俘了一個土人就返回。次年又命朱寬前往撫慰，流求不從。大業六年（六一〇）煬帝又派虎賁中郎將陳稜，朝散大夫張鎮州，從義安（今廣東潮州）率兵渡海討之。平定了不服從的土人，進至其都城。陳稜軍中有崑崙人，頗解其語，論土人而還。

就隋書所記進軍的路線，流求的位置，風土和氣候等觀之，隋代所謂流求，即是今日之台灣島。（有些中日學者說，早在西紀三世紀，東漢末葉至三國時代，當時福建已逐漸開發，中國人當時已知道台灣了，不過當時稱之為夷州耳。以台灣為三神山之一，此說尚難成立。）

自隋至元，七八百年之間，即西紀七世紀初至十四世紀中葉，都是稱台灣為流求。元代有時寫為瑠求或琉球。元史記元世祖曾討瑠球，元史有瑠球傳，汪大淵之島夷誌，亦記載得有琉球的事。（一）

筷子

・劉杰・

錢歌川在「理髮閒話」裏提到「功利主義」。那麼筷子對我有功又有利，倘若一餐飯不用筷子，菜沒法夾，飯沒法扒到嘴裏。我這餐飯只好束緊褲帶，做「阿彌陀佛」去了。

我也用過叉子。在一次高級的宴會裏，外國人很多，大家都用刀子叉子。我毛手毛脚，旁邊好幾個人都笑我，而且笑的聲浪特別高。我那餐飯也沒有吃，就溜下了席。

從此，我再不用刀子，不用叉子。我要做中國人，我要用筷子。

在大陸，我用過銀筷子。我是獨生子，父母一天到晚當心我的命不長，算命先生老是說：過了十五，就過不了廿五。那時，鄉下吃的菜不夠清潔，野味又多，比方：兔子、野鷄、野鴨等等。我又喜歡吃野味。為了防止野味裏有毒，父親特地製了一把銀筷子。據說：銀筷子可以鑑別毒出來，有了毒，銀筷子一放在裏面，不是變黑，就是變灰。我在鄉下呆了五六年，沒有一次看到顏色變的東西。之後，到外面，父母「鞭長莫及」，雖然還在信裡提到「保重」，「我只有你這一個孩子」，但我並沒有在台灣買銀筷子吃飯，卻用牙骨筷子和化學筷子。化學筷子便宜，在台灣一元五角就可以買一雙。化學筷子夾菜不大方便，尤其夾肉。筷子一夾住，慢慢提起來，肉在筷子縫中間滑了出去。我又是在大伙房吃飯，一桌五六個人，碰到加菜的日子，大家眼睛都睜得大大的。看中那一塊，就夾那一塊。竹筷子很毛燥，用起來特別輕便。夾肉最好是用「竹筷子」。價錢也便宜，一元五角錢可以買到十雙。掉了我也不在乎，因為我的筷子常常一買就是一把。自從我改用「竹筷子」，我還可以掉了一雙，拿一雙出來。

◎×××◎ ×梨園× ×漫談× ◎×××◎

花旦

——瘦西湖——

花旦，重唱工，說白，如「胭脂虎」之石中玉，這類戲唯四大名旦之尚小雲最佳，其次應推荀慧生，和小楊月樓，小原習老生，在滬百代公司還灌有「文昭關」唱片乙張，當時風行全國，且列為票界必學之標本，後因倒嗓之故遂改唱花旦，其能戲如「武則天」「馬寡婦開店」等，深為各界所愛好也。

戴綺霞的花旦劇，在台灣可稱首屈一指，無論唱、唸、作、表，皆為人所稱道者。前不久曾赴菲律賓宣慰僑胞，在當地深受尊崇，故在演出之時，觀衆擁擠而來竟以萬計，但因戲院狹小，無法容納，致使向隅觀衆不乏人，其戲藝之深，可想見於一斑。

張正芳，係上海戲劇學校高材生，與顧正秋、張正芬、周正榮、梁正璧、張正飛、關正明等為同班同學，其人花旦戲演來非常細膩，不但對唱、作、表、身段、扮像等均為上佳之才，且係天生麗質，艷光照人，台風之佳，風度之好，實較前輩伶人尤有過之，惜其出科後演唱不久，即下嫁青島市某富商為妻，其舞台生涯，[illegible]否則，其前途正大有可為，當不在話下也。

張正芬目前亦為佼佼者之一，當年在永樂戲院輔助顧正秋劇團唱有貢獻，在台灣亦可稱得起有風頭人物，然而唱時總不多，難獨當一面，因挑大樑尚欠火候，成績不夠理想，遂罷下嫁國大代表賴家麟先生，渡其夫唱婦隨之美滿生活矣。

李麗在伶界有北平李麗之稱號，其花旦戲如「貴妃醉酒」一折，不但演來表情動作細膩，且唱來韻味亦足，深為人賞，李不單劇中行頭均為自備，而宮娥太監之服裝亦由其獨資定製，其排場之大，在伶界向係少見，李對平劇深有研究，素為人知，然對話劇演出亦具心得，殊出人之意料，上次在台北新南陽協助張西西演「清宮秘史」時，在劇中飾西太后角色，其演技之佳，竟較老牌西太后唐若青尤有過之，信不信由你？

桑懷普，花旦戲極佳，早歲自組劇團演出，在杭州一帶，頗負盛名，其演技之精，曾使杭州杜月笙某君拜倒其石榴裙下，來台後遂與名琴師高政山結婚，現搭班陸光劇隊，夫拉婦唱，猶如牡丹綠葉，大有相得益彰之感。

燕塵識小

辛丑談往

京師擾攘之時會諭令各疆臣固守封圻，不令同時開釁，東南各省之所以相訂約章極力保護者，悉由遵奉諭旨不欲失和之意。故列邦商務得以保全，而東南疆臣亦藉以自固。惟各省平時無不以自强爲辭．究之臨事張皇，一無可恃。文不悉朝廷事處萬難，但執一偏之詞，責難君父。試思乘輿出走，風鶴驚心，昌平宣化間，朕侍皇太后素衣將敝，豆粥難求，困苦飢寒，不如氓庶。不知爲人臣者，亦嘗念及此憂辱之義否？總之，臣民有罪，罪在朕躬，朕爲此言，並非追已往之愆尤，實欲儆將來之玩泄。近二十年來，每有一次釁端，必申一番誥誡。臥薪嘗胆，徒託空言，理財自强，幾成習套。事過以後，徇情面如故，用私人如故，敷衍公事如故，欺飾朝廷如故。大小臣工清夜自思，卽無拳匪之變，我中國能自强耶。夫無事且難支持，今又構此奇變，益貧益弱，不待智者而知。爾諸臣受國厚恩，當于屯險之中，竭其忠貞之力，綜核財賦，固宜亟償洋欵，仍當深恤民艱，保薦人才，不尙專取才華，而尙內觀心術。其大要，無過去私心破積習兩言。大臣不存私心則用人必公，破積習則辦事着實。惟公與實乃理財治兵之根本，亦卽天心國脈之轉機。應卽遵照初十日諭旨妥速議奏，實力奉行，此則中外各大臣所當國爾忘家，正已率屬者也。朕蒙皇太后劬勞訓養垂卅年。一旦顚危至此，仰思宗廟之震驚，北望京師之殘毀，士大夫之流離者數千家，兵民之死傷者數十萬，自責不暇，何忍責人。所以諄諄誥論者，則以振作之與因循，爲興衰所由判，切實之與敷衍，卽强弱所由分。固邦交，保疆土、舉賢才、開言路、已屢次剴切申論。中外各大臣其各懍遵訓誥，激發忠良，深念殷憂啓聖之言，勿忘盡瘁鞠躬之誼，朕與皇太后有厚望焉。特此通諭知之，欽此。此庚辛之交重要文獻也，錄存於此，以窺全貌，後之君子，或有取焉。此詔名爲罪已，實亦責人。原夫庚子之亂，慈禧實爲禍首，光緒幾以身殉。大錯鑄成，光緒反須挺身出而任咎，代所謂「慈聖」也者。竭力洗刷，如何下筆，戛乎其難。此篇洋洋兩千言，曲盡當時之事務，就文論文未爲大悖。至於振作因循之別，興衰强弱之分。則固放之四海而皆準，不僅爲一時立言矣。追念滔天之巨禍，但傷孱帝之哀鳴，觀者於此，不以人廢言可也。後一庚子殘臘又逢立春之夜，無負生錄于海寬斗室，距此詔頒行之日，恰滿六十年矣。

無負生

望海樓隨筆

「政論」文章

徐學慧

政論文章，貴扼要，貴識大體，而行文則須乾淨利落，忌拖泥帶水，夾纏不清。

在香港，寫政論文章的人委實太多，而眞正寫得好的，倒也並不多見。最大的毛病，是作者本身對任何政治的本質全無認識，因而流露在其筆下的，也不過是一堆名詞或形容詞，簡單不像一篇文章，更不要說論政了。

近五十年來，寫報章文字之輩，新會梁任公應是其中之佼佼者。任公筆端帶情感，而又筆鋒犀利，再加上他的舊文學根抵甚深，故其爲文，大氣磅礴，凌厲無前。

當然，如果單純是以文字技巧取勝，而內容空洞無一物，則縱論文章再好，也算不得是上乘的政論。因此，寫政論文章的人，尤其應該具備豐富而又精細的歷史知識，同時還得了解並世各國的政治制度及民族文化。否則，必一無是處。

不明瞭甘廼廸的出身與夫美國哈佛大學的精神，我敢說，我們將很難推斷甘廼廸何以會擊敗尼克遜而當選美國總統。不了解日本自民黨的政策，我敢說，我們將然法理解日本現任外相小坂善太郎在前幾天所發表的向共產黨送秋波的言論。諸如此類，皆爲任何一個政治家或時事分析者所必須具備的基本知識。

不僅此也，政論家尤須有一套看法。這看法不僅適合於當時，尤應能概括未來，最低限度也得着出對未來五十年的影響。這就需要有智慧了。

智慧不可强求，亦因此乃限制了政論家之不能冒充。

香港的政論家，大多數是冒充的，彼等既無才思，又乏文采，往往連篇累牘，而內容空洞無一物。政論至此，我欲無言矣。

蘇州新春情趣

筱臣

「上有天堂，下有蘇杭」！蘇州是錦繡江南的精華所在，在沿京滬的各城市中，只有它最值得留戀。那兒，非但有吳儂軟語的吳姬，並且還有許多山明水秀的風景，另外還加上不少歷史的古跡，既可以遊目騁懷，極視聽之娛，同時更能夠使人感慨霸業銷沉，美人黃土，發思古之幽情。

蘇州的新春，也是特別有一番情趣的，令人懷念，令人遐想。在客裏度新年，似又泛起一片片的回思。新春燦爛的蘇州，帶來了生意盎然，那梅花滿嶺，那一片波光，水天一色，眞是冷艷宜人。

早已商業化的上海，洋腔十足，但蘇州的保守，在這農曆新年，會使你感到驚奇有趣。尤其是蘇州是魚米之鄉，魚我所欲也，米爲食之天，這都可能俯拾皆是，但花樣翻新，往往會使你意想不到。「三日新年息屐裙，覺閒窗下覺顏舒；忽聞吉語聽來切，元寶一雙金鯉魚。」

這是蘇州描寫新年喫魚的情態，有人把魚醬扣上紅絲，活潑地游在水缸裏，隨你選擇大小，最好是一對，那就是元寶成雙，新年的好彩口了。如今，中共的新春，每人配魚乙斤（肉則根本沒有），還要加上半斤鹹魚，原來的情趣，殆已破壞無遺了。

「家家摔粉製年糕，欵仿蘇台歲逐高；入肆悅如秋八月，桂花香細染寒袍。」

這是說用米碾成粉，以所藏桂花綴於糕面，芬芳四溢，襲人衣袖，或煎或煮，味盡東南之美，與福建年糕的風味，有異曲同工之妙。可是，如今「人民公社」以雜糧代米，那兒還有餘米製年糕呢？

「隱隱輕雷度短欄，磨勻香稻雪同看，卻教纖手爭奇巧，果餡翻新鬥粉團。」

從糰粉形容到做粉團，纖纖玉手，此中大有人在，令人不勝秋水美人之思。總之，還不過畧舉一二，以概其餘，在過去的蘇州，凡屬玲瓏精巧，色香味俱全的東西，在蘇州實在是琳瑯滿目，美不勝收。

最足令人流連的是畫舫，更是江南一絕，爲了運河多半是人工開鑿，她不能比黃河長江，浮在這窄狹的水面上，自然要輕舟容與。當你由陸地踏入這一葉快船時候，席地篷窗，頗感侷促。妙在這小天地裏竟會有層出不窮的韻事。著名的「船菜」，便是代表傑作，你會感到這小小的船上，竟要與廚房裏的大鍋大灶一般，更快更安靜的烹調出整桌的酒席來，供應你的食前方丈呢！會有人詠以詩云：

「春盤八簋勝家廚，纖手將來米似珠；遊遍江南舟欵乃，夕陽紅處忘歸途。」

當你伏在這兒，正將感到無聊的時候，欵乃的櫓聲紆徐地夾雜吳儂軟語而來，清脆嚦嚦，如柳浪聞鶯，這時，菜餚的香風過處，還可嘗見驚鴻照影，裙屐翩然。遊蹤所至，你還可以鄧尉尋梅，虎丘訪古，其他數不清的名勝古跡，錦繡山河，大地春回，自然逸興遄飛，大可登臨選勝，如其遊倦歸來，仍求小休，自然仍可枕藉舟中，不知東方之既白。

江南難道沒有在春天過着急景凋年的人物嗎？即以畫舫的船娘而論，便有訴不盡的衷曲，有詩爲證：

「横塘雙槳去如飛，何處豪家强載歸；此際焉知非薄命，當時只有淚沾衣。」

這也是過去司空見慣的事，她們所爲了要求生活，祇好勉强打起精神，笑靨迎人，而且她們似來自甘寄生在遠來遊客的偶爾揮霍上。這與珠江上的畫舫，其情調當無二致。

猶憶上海民國初年的過年竹枝詞有一首是與蘇州有關的，第五首云：

「梅花吐蕊柳呈祥，如意紅箋草八行；元字號封交信局，賀函大半寄蘇杭。」

於此亦可見上海與蘇州交往之頻繁，新年中的禮尙往來，蘇州也是受到重視的。總之，新春點綴了湖山，鬢影衣香，更增加了蘇州的嫵媚，繁華擾攘的新春，你如果能在這兒享受一兩天的清福，應該是新年中的賞心樂事。

海嘯樓談薈

報人非命記（上）

諸葛文侯

吾國近代著名報人死於非命者，計有三人：前北都「京報」社長邵飄萍，「社會日報」社長林白水，上海「申報」社長史量才是也。

邵氏浙江籍，創刊「京報」於舊都北京，平日與政治場中人物交游甚廣，消息靈通，因而京報在當時——民國十三四年之間——頗有聲譽。然邵氏的私生活殊靡爛，妻妾兼備，日用浩穰，本人且染阿芙蓉癖，專靠報業收入，難以措拄，乃藉報人身份，結交軍閥政客，不時弋取儻來之物，聊資補償焉。民國十四年冬臘，奉軍大將郭松齡自灤州班師出關反叛張作霖之役，通電聲明擁戴張學良繼承父職，聲勢張甚，世人皆認爲必告成功。是時邵氏在京報上寫文章讚揚郭軍行動爲義舉，發消息報導瀋陽旦夕可下，教關外奉軍勿作無謂的犧牲，擁立「少帥」，保持舊物。他按日把京報交由郭軍用飛機運赴前綫和瀋陽城廂內外空投散發，極盡宣傳之能事。

既而郭軍敗績，松齡夫婦亦在戰地被擒處決了。張宗昌率大軍入關進窺燕薊，原駐河北境內的國民第一軍鹿鍾麟與第三軍徐永昌各部不能制勝，津沽旋告失守，而北京的國民軍亦倉皇撤出居庸關外，京津乃儘在奉軍控制之下。張作霖早已閱及「京報」爲郭松齡捧場的各種紀載，密令宗昌必須緝邵飄萍歸案究處。邵於奉軍入京前，急避匿東交民巷，宗昌無從緝捕，但於巷口附近遍佈便衣偵探，窺伺邵氏蹤迹。一夕，邵之妻妾在家大起糾紛，親友不能勸解，邵聞訊焦灼，默念風聲已漸平靜，不妨潛回家中一行，比出至交民巷口，卽爲邏者捕去，卽夕槍斃，並無罪狀宣佈，而京報亦停刊了。

林白水福建人，文采斐然。民十四年他在北京創辦「社會日報」，日出一大張，以政治新聞見長，而且夾叙夾論，別具風格，一般知識份子及政治人物多喜閱讀，銷路殊不惡。奉軍進駐北京後，北洋政府照例改組，魯人潘復素與張宗昌友善，時論稱其爲張氏「智囊」，張推薦潘任國務總理，林氏在報上著文反對，譏潘爲宗昌的「腎囊」，潘恨之刺骨，構讒於宗昌，卽派兵拘捕之。林被捕後，親友急挽魯省名人孫寶琦夤夜向宗昌緩頰，宗昌素尊敬孫氏，晤面時歉謂「慕老遲來一步，林白水已於數小時前處決了。」實則此時林猶未死，追孫去，宗昌纔飭令速殺的。

李香君

謝康

余曼翁以「一代興衰，千秋感慨」的心情寫「板橋雜記」，文章悽縟旖旎，足令人導欲增悲，而趣味無窮，不似韓柳歐蘇大文章，有時讀罷令人昏昏欲睡。板橋雜記中卷寫李香君，列爲麗品：

「李香身軀短小，膚理玉色，慧俊婉轉，調笑無雙，人名之爲『香扇墜』。余有詩贈之云：『生小傾城是李香，懷中婀娜袖中藏。何緣十二巫峯女，夢裏偏來見楚王。』……香之名盛於南曲，四方才士，爭一識面爲榮。」

曼翁雜記下卷另有「李貞麗」一則，乃寫香君假母的，與侯方域（朝宗1618—1654 A. D.）所作「李姬傳」首段大同小異，茲不多贅。

據侯生「李姬傳」一文，可看出香君之爲人及其與方域關係大約如左：

一、香，俠而慧，略知書，能辨別當世士大夫賢否，其假母李貞麗亦有俠氣。

二、當時名流張溥及夏允彝對香君俱甚加賞識。

三、香君年少風調皎爽不羣，知音樂及彈唱。

四、崇禎十二年（一六三九己卯，距明亡前五年）方域訪香君於秦淮舊院，有終身之約。

五、魏忠賢養子阮大鋮於魏閹被誅後，居南京，爲時賢清議所譏，遂托王將軍設酒食納交於方域，囑其向賢士大夫疏通。香君疑王有作用，力諫方域與之絕。並云：『公子讀萬卷書，所見豈後於賤妾耶』方域稱善，與之絕，因此爲大鋮所恨。

六、其後方域因落第還鄉（河南、商邱縣），香君餞之，歌琵琶詞送行，並戒其勿效蔡邕依董卓，趨炎附勢，自毀名節。其識見自高人一等。（四）

歷史人物

在抗戰勝利之後，逗留在重慶以及成都的人們，因爲交通關係，不及趕回江南過新年，失望之餘，曾懸出於新年歲首一聯云：

「塞外忽傳收冀北；

夢中不覺到江南。」

對於江南的懷情見乎詞，這應該是一副集句佳聯，如此巧合，妙語天成，迄今我們南來，已經是十有二年了，何時才能復國，再度享受江南的佳景風光，這應該是夢寐所求的事。由於一元復始，新春又來，不禁重有感慨，故拉雜記之於上。

內警僑台報字第〇三一號內銷證

自由報

THE FREE NEWS

第一〇九期

中華民國僑務委員會登記
台教新字第三三三號登記證
中華郵政台字第一二八二號執照
登記為第一類新聞紙類
（本刊逢星期三、六出版）
每份港幣壹角
台灣零售價新台幣弍元
社長：雷嘯岑
督印人：黃行騫
社址：香港銅鑼灣高士威道二十號四樓
20 CAUSEWAY RD 3RD FL
HONG KONG
TEL. 771726　電報掛號：7191
承印者：四風印刷廠
地址：香港灣仔高士打道二二一號
台灣分社
台北市西寧南路壹壹本號二樓
電話：三〇三四六
台郵撥儲金户九二五二

從所謂「反面教員」說起

王厚生

去年十一月莫斯科共黨會議之前，曾有一段時期，中共因為強調世界戰爭不可避免，故屢言帝國主義是他們的「反面教員」，叫共黨不願對「帝國主義」存有幻想，這話很像是對赫魯曉夫說的。

據合衆國際社華盛頓二月二十三日的電訊，略謂美國總統甘迺迪氏對於毛澤東論游擊戰的著作深獲印象，在他的書桌上，可以發現一本毛澤東論著的摘要。於是，該電訊就說：「美國總統甘迺迪在一個方面上已成為中國共產黨領袖毛澤東的學生」。

甘迺迪閱讀毛澤東的著作，這事極其平常，今天，自由世界對共產世界作戰，理應研究對方，始可克敵制勝，這叫做知己知彼，百戰百勝。甘迺迪研究毛澤東的著作，談不到成為學生的問題，毛澤東頂多不過是一個反面教員而已。美國已故國務長官杜爾斯閱讀共黨著作甚多，故他最為清楚共黨的終極目標，以及達成這項終極目標的戰畧策略，是以反共也最堅決，雖蒙各方不諒不滿，亦在所不計，致被共黨視為死對頭。所以，杜爾斯的確可以算是共黨反面教員的學生之一。大凡堅決反共的人們，無不專心研究共黨的著作，倒是共黨對於自由世界的一切，採取故意抹煞的政策，不僅共區人民懵然不知鐵幕以外的一切，即身為共幹，也沒有讀反共非共著作的自由。異日共黨失敗，必以這種不知彼的因素為主要。

毛澤東自史太林死後，妄自矜狂，這是有目共見的。但是，至今看來，毛澤東實在不行，他的知識實在有限。民國十三年國民黨容共後，毛澤東一度担任農民問題講習所的教師，後來，又在湖南作農村調查，提過報告，抗戰時期，中共多方掩飾曚騙，被西方認為是土地改革者，一九五〇年以後，在大陸實行土改，他的戰略又是以農村包圍城市。這一切，似乎說明，毛澤東是個農業問題專家，他的農村知識在中共內部，好像是無可匹比的，一般人皆有此印象。可是，時至今日，我們已經知道，毛澤東的農村知識實在有限，他絕對談不到是中國農村問題的專家的話。從前，他所作的農村調查和所提的報告，以及土改時期的階級劃分，都已有活生生的事實證明是不科學的，至少不是全面的。他能實行土改，強劃階級成分，在農村進行有人導演的階級鬥爭，舉行事先佈置好的公審大會，其基礎在於武力，不在於客觀的情況或條件。

到了一九五五年，強行農業合作化，他的理論和做法已極其勉強，地方幹部雖然紛紛提出反對意見，但他還是冒充專家，罵一陣「小腳女人」之後，不顧客觀條件，頒下命令，繼續蠻幹，由初級合作社而高級合作社，由高級合作社而「大躍進」，自亂步驟，自毀預定計劃，至於一九五八年的人民公社。原來，毛澤東在一九五五年七月講「關於農業合作化問題」，一九五六年合作化遭遇挫敗，一九五七年二月，他講「關於正確處理人民內部矛盾的問題」，對於農業合作化問題，明明白白說過如下的話：「根據許多合作社發展的經驗來看：大概需要五年，或者還要多一點時間。（按：指鞏固合作社的時間而言）現在，全國大多數的合作社只有一年多的歷史，我們就要求它們那麼好，這是不合理的。（按：他這話是為一九五六年的挫敗掩過飾非）依我看，第一個五年計劃期內建成合作社，第二個五年計劃期內合作社能得到鞏固，那就很好了。」

依照中共的第二個五年計劃，其時間從一九五八至一九六二年。但是到一九五八年第二個五年計劃剛開始，高級合作社還來不及得到鞏固，換句話說，還等不到五年或者較多一點的時間，毛澤東就扛出「人民公社」這面紅旗，這不是他自亂步驟，自毀預定計劃是什麼？這不是毛澤東但憑主觀不憑客觀條件行事的反馬克思主義的盲動行為是什麼？

既有人民公社，再由鄉村人民公社推廣至於城市人民公社，以其淺薄的農村知識擴大應用至於城市，這一連串的「大躍進」，都是短短兩三年間的事，經驗不豐富，條件不具備，他那能不失敗？

面對天災，難道人民公社一點不起作用？則所謂人民公社的優越性安在呢？已往幾年來每逢冬季所搞的水利又怎麼講？去年駭人聽聞的草災又怎麼講？繼續大量輸出糧食又怎麼講？人謀不臧，才是今天大陸災禍的主因，這是毋庸亦無法狡辯的。

毛澤東因為太自負，自以為是農村問題專家，不把農民們的主動創造力放在眼裏，胡搞一陣，以致釀成今天這個慘局。從今以後，據我看來，農民將要真正翻身，主動地站起來，自想農業生產的辦法，並且叫毛澤東好好地重新做農民的學生，上農業課。總之，我們中國的農村和農業問題決不能像毛澤東那樣的搞法，已有眼前的部分事實加以說明了。

還有樁近事，也可表明中共中央的無知，需要從頭學習。二月二十五日是美共名譽主席福斯特的八十壽辰，中共中央電賀，電文中說：「中國共產黨人和中國人民從來認為，美帝國主義是我們的敵人，但是美國人民是我們的朋友」。這種電報打出去，適足表示中共中央對於美國的政治制度的無知，對於美國現狀的愚昧。

要知「美帝國主義」是抽象的名詞，具體言之，在中共中央的心意中，是指美國政府的政策。但對美國政府的政策受到美國人民的支持這一點，中共中央似乎佯裝不知，而假惺惺地要和美國人民交朋友，這真是滑稽可笑和自予盾之論。

美國政府是由美國人民選舉的，美國人民在投票作選擇時，要以政黨的政策作依歸，這是最為普通的常識，高小和初中生都能了解，中共中央豈有不知之理？假定美國政府的政策有「帝國主義」的色彩，那也是獲得美國人民擁護的政策，是朝野一致的意見，用美國習慣術語來說，那是「兩黨外交」。所以，即使中共中央硬要自作聰明，將美國政府的政策和美國人民的態度劃分開來，要想排斥前者，而拉攏後者，不但理論上講不通，事實上也行不通，美國人民儘管時有天真的表現，也不致因中共中央的故意賣弄而真以「帝國主義」看待他們自己的政府，而願意與中共交朋友，縱然願意，美國政府雖想推行「帝國主義」政策，也窒礙難行，這就是說，在美國的政治制度中，白宮的政策不可能沒有民意的或輿論的基礎，這也是所有民主政治制度的精髓所在。

在美國，當今的實際形勢是民主黨政府的政策反不及民間的輿論較有濃重的「帝國主義」色彩，說得明白一點，是美國人民有激烈的反對中共的情緒，而民主黨政府因為受到民間這種反對中共的輿論壓力，反而不敢和中共多所接觸了。實際形勢如此，則中共中央強調「美帝主義」不僅不符合事實，且使美國政府和美國人民益增憤懣和反感。中共中央如果想用討好美國人民的姿態，造成有利於它的形勢，殊不容易。回憶去年年底美國大選時，中共宣傳機關斥罵甘迺廸和尼克遜為一邱之貉，迨甘氏當選，却謂民主黨勝利，為美國人民拋棄共和黨政府實力外交之表示，言外之意，似謂甘迺廸比較艾克和尼克遜為好愛和平，一面又指出甘迺廸的「金融資本家」背景，依共黨理論，「金融資本家」必想從戰爭中大撈一筆，則甘迺廸之愛好戰爭，也是必然的，準此而論則美國人民之選舉甘迺廸，未必是拋棄艾克的實力政策。總之，中共這班領導人的知識已不合時代，決不配創進現代文明國家的資格，非予以剷除不可。

（二月廿七日）

小論天下

△東京觀察家指出：英日印三股力量正在極力促進中共加入聯合國。但彼等認為：縱使聯合國打拱作揖，中共亦不肯踏入會場。東京又傳出消息：華府當局正在暗中示意日本率先承認中共，以便美國政府有所藉口，逐步走上同一路綫。

「英、日、印」一條新陣綫的逐步形成，是一個「新均勢」的開始。這有其「歷史的因緣」。他們希望有一天能夠把中共和蘇俄拆開，他們便可能在亞洲建立一個新的中心力量。

△英工黨前首相艾德禮建議：印度與巴基斯坦應該締結共同防衛協定，對付中共侵略。印度報紙轉載倫敦「泰晤士報」專論，分析中共去年對外跋扈及對內失敗各種情勢。英外相休謨訪印，與尼赫魯商談。

這派人認識毛澤東的實力和野心並不相配，在等待他變成「紙老虎」之後，才把他放在籠子裏來玩弄。矛盾的言行基於矛盾的心理，在笨拙中不無聰明，但在聰明中却有更多的笨拙。

△蘇俄軍機恢復在寮空投接濟寮共，並擊落寮民航機。寮國前「中立政府」逃亡總理在「紅區」宣言，決擴軍「解放」全寮。

共產黨把寮國和剛果看作必須繼續擴大的戰場，西方國家在那裏即不然，只似在漫漫長夜中害怕有更多的惡夢。

△美國白宮消息：總統甘迺迪案頭有毛澤東的著作。他在研究毛澤東及卡斯特羅的游擊戰術。

直接從敵人的著作去研究敵情，並找尋敵人可受攻擊的弱點。這是一個好辦法。但解剖毛澤東這個像伙，他仍須借重中國人的刀子才成。

△巴西新總統上場，傳將變更立場，擬贊同中共入聯合國。

今日移一磚，明日移一石，此牆不倒，勢亦岌岌矣。中立主義者「自壞長城」，非把聯合國葬送不可！

方南

自由談

閒話國際商展

據台北中央社消息：我政府決定參加本年十月在秘魯舉行的「太平洋商品展覽會」。吾聞之，不禁一則以喜，一則以懼也。喜的是咱們的工業產品能夠參加國際間的展出，善莫大焉。懼的是人謀不臧，水準不夠，將來若在國際上丟臉失格，哀莫大焉。

去年在美國三藩市舉行的太平洋商展會，台灣亦是參加的一個大單位，臨到開幕之日，竟沒有商品展出，攤位空空如也。既而由一個原在當地經商的台省商人，勉強湊合一些物品，聊資點綴，但其中的磁器底面，却有「Made in Japan」字樣，被洋人瞧出，成為奇特的笑料。同時，別的國家駐在美國的商務官吏——領事及其同僚們，晝夜皆在展覽會中替本國參加商展的單位幫忙襄贊，不遺餘力。然我們駐在三藩市的領事館，却自視為「外交官署」，對於商展之類的「賤業」，它是不屑理會的！這些情形，是當時代表香港去參加商展的我國現任民意代表某君，回來親口向我敘述的，一點也不假。

近幾年來，台灣方面發展經濟事業，增加生產之舉，洋洋盈耳，事實上亦有可觀之處。但是，大量增加生產之後，一定要向外面輸出纔行，而其必備條件，即須產品足夠國際水準，乃可在國際市場上跟別人競爭，以期立於不敗之地。如果祇顧粗製濫造地增加產品，事前毫無計劃，也沒有合理的管制，其為害比不增產更壞，我們只看看唐榮鐵工廠的「工業江湖」現象，即為之不寒而慄了！廿年以前，陳公博作實業部長時，竟要在浦口設立「硫酸廠」，擬定計劃，大事宣傳，却不想及自己國家的「江防」亦門戶洞開着，虎視眈眈的國際帝國主義者，必要時，只用一艘淺水艦在下關江面開幾砲，那硫酸廠立刻就要化為灰燼呢！

時至今日，一般侈言經濟建設，大呼增加生產的鐘鳴鼎食者流，似乎還是保持着二十年前那種虛憍矜張的淺薄觀念，所以我要藉參加太平洋商展問題，談談這類不受歡迎的閒話也。

馮五先生

美國國務院與國務卿

美京航訊

今日美國國務院的上層角色幾乎全是新的。因爲階級和責任之不同，除薪俸之差異外，一般待遇之差別，外人看來，殊爲有趣。

在國務院大廈的七層樓上，僅有國務卿一人有專用的餐廳，他的辦公室大到和藍球場一樣大，而且還有一個警衞。

在同一層樓上，次于國務卿的，就是二位副國務卿鮑爾斯和波爾 George Ball 了。他們都沒有專用的餐廳和警衞，却亦像國務卿魯斯克之各享有專有司機和加底拉克座車，專用的盥洗室，專用的小廚房。這些並非意味着鮑爾斯和波爾恰恰處于同等的地位。鮑爾斯是第一副國務卿，而像國務卿一樣享有專有的電梯。波爾却是第二副國務卿，較爲遜色，需和他人合用一具電梯。

這三位就是七層樓的人物，號稱高級官員，不時在報紙上答覆詢問對于一個問題的意見爲「無評論」的。固然他們每天的接觸頻繁，可是比起較低的官員們總要寂寞些，不過並非「高處不勝寒」。這裏已不需更上層樓，波多瑪河的風光歷歷在目，比任何一層更適宜于觀賞。七層樓還有一項特色，就是地毯特別厚；因是有的記者開玩笑說，如果你看見國務院裏的人的皮鞋上或袖口上沾有毛絨，你很可以料定他一定是七層樓上的大亨。

低於七層樓的，當然是六層樓了；這裏是助理國務卿們的宿營處所。他們亦有顯著記號。辦公室中亦是全部地毯，不過沒有七層樓的那麼厚，而且不像七層樓的地毯之起毛絨的。他們沒有加底拉克，祇有福特轎車乘坐。國務院大廈的地底層雖有規定的停車空位，可是早晨便沒有司機替他們駛車下去。

六層樓的一批官員亦有他們的享受。官至助理國務卿的各有一把鑰匙可以開國務卿魯斯克的和副國務卿鮑爾斯的專用電梯，如果他們要急忙上樓的話。

副國務卿亦有些便利。他們可以使用八層樓上國務卿的餐廳，在那裏他們可以同時看到魯斯克和波多瑪河的風景。

低于副國務卿級職的，便不免要和院內一般公務員一樣，甚至和新聞記者一樣，下到一樓吃盤盛的公司菜了。

× × ×

再說國務卿房間之一角，陳設着一架第一任國務卿傑弗遜時代的古鐘，另一端在櫻桃木屏風後面，是一套有色的電視機：這兩種東西反映着不同的時代。

魯斯克的辦公檯後面牆上現在掛着的是一幅寮國，高棉和越南的立體地圖。

這位國務卿的日常工作情形如何呢？試以正月杪的一天爲代表日如下：

晨八時三十分——魯斯克踏進第二十二號電梯，輕鬆的步到七層樓辦公室，開始其每日十二時的工作。第一項便是閱覽各駐外大使館的情報電報和其他報告。

九時十五分——情報及研究處長肯明 H. S. Cumming 報告情報。主管歐洲，拉丁美洲，遠東，及其他別區的助理國務卿分地報告。主管公共事務助理國務卿達比 R. W. Tubby 報告。副國務卿鮑爾斯作評論。

十時——出席白宮由總統主持的裁軍會談，與會者尚有裁軍特別交涉員麥克樂 J. J. McCloy，國防部長麥克納瑪拉，國防部主管國際安全事務之尼茲 P. H. Nitze。

午後一時——在專用的餐廳中與國務卿的助手們用中膳並商談。

二時——與助理國務卿達比和發言人懷特會商發佈新聞事。

二時十五分——與主管國會事務之助理國務卿馬康伯 W. B. Macomber Jr. 會商。

二時三十分——會報，討論世界各主要騷動地區。

三時三十分——監誓新任禮賓司長杜克 A. B. Duke 之宣誓。

三時五十五分——與主管遠東事務之助理國務卿柏森斯會商（按柏森斯已于二月初調任駐丹麥大使）。

四時二十分——與主管歐洲事務之助理國務卿柯勒 F. K. Kohler 晤談。

四時三十分——晤聯合國派赴太平洋地區的委員會一行。

五時十分——晤本院新任法律顧問蔡斯 A. J. Chayes。

五時十五分——與鮑爾斯詳商現時重要問題。

六時五分——與流勒大使[illegible]曼會談。

六時五十分——會晤英大使加西亞。

七時四十五分——與柯勒及歐洲地區若干專家會商。

九時三十分——魯斯克離院赴旅館，攜帶一批文件，俾在就寢前閱覽。

在這一天內，魯斯克處理了五十次電話，從白宮，駐聯合國代表，及各部門來的。

在一月杪的一次幕僚會報中，他指示所屬：「大的問題係從小的問題形成的」他認爲最大多數的問題都是可以預見的；如果在徵象初顯時，迅速注意並採取行動，便容易處置。院內職員及駐外人員遇見此類徵象時，應即層報國務院勿延。他順便舉出一小事例：非洲新國家的外交人員在華盛頓和紐約尋覓房屋時，可能有困難；這就應該立予協助解決，以免發生麻煩。其他問題亦可準此事例處理云。可見這位國務卿之心細。

甘克

香港與大陸

近月來，由大陸集體逃亡到香港的饑民，源源不絕，而以粵人爲最多。從這些逃亡者的口中，得悉大陸人民的生活眞象不少，綜合起來，約有下列幾點：

（一）就廣東省境說，去年並未見有嚴重的旱潦之災，然農產品之歉收，確係事實，原因是一般農民實行怠工，不願替共黨作飢餓的奴役勞動。可是，省縣各級共幹對北平僞中央政府去年春間所頒訂的農業生產計劃，皆保證「超額完成」在案，毛酋們信以爲眞，乃隨便把糧食大量輸出，換取外滙或軍需工業機械和原料，等到秋收以後，各地區的糧倉多半空虛，而飢荒勃發，不可收拾了。

（二）各縣市地方的「人民公社」確有共軍駐在，但共幹決不讓他們隨便下鄉，害怕士兵們目擊民間飢餓慘狀，激發人性的惻忍是非之心，引起反叛思想，危及秧歌政權的生存。

（三）現在大陸上的人民並不怕勞動改造，而且希望到集中營去勞改，因爲在集中營勞改期間的食糧是由公家供給，比在「人民公社」的生活安定得多。同樣是以勞力換取一日兩餐的稀微食料，到集中營去勞改，反而好過些。

（四）大陸上一般人民的心理，在前兩年常常私下談到「台灣的蔣總統幾時回來」這類話，由於長期指望而毫無消息之故，失望之餘，轉趨消極悲觀，甚至感覺絕望了。現在大家祇希望早死，以脫離非人生活的苦海。這也就是民衆對共幹已不發生畏懼心情的根本原因，卽證明「民不畏死，奈何以死懼之」這句古人格言的眞理。

記者的一位四川籍朋友，早在香港經商，他的兒子在大陸畢業於大學醫科，分發貴州服務，最近寄信給乃父，說是去年冬臘月想做一件棉襖禦寒，需要十二兩棉花，貴陽省城買不到，寫信託人在重慶、成都購買亦缺貨，再託北平友好代購，回信亦無法購賺。因此。余友惦念兒子的健康，痛恨共黨更甚。卽此一端，大陸人民的悲慘生活景況，可以概見了。

桃園縣海岸造林參觀記（上）

林嘯松

台灣通訊

筆者於上月奉派代表財政廳前往林務局，參加抽查本省地區造林實況，工作十餘日，每日由林務局派車送往各抽查區，或爬山登嶺，或涉足海濱，雖然消耗了不少精力，但在工作中亦遊亦樂，精神倒也十分舒暢，尤其林局副領隊羅子剛先生沿途妙語如珠，風趣盎然，人情意境，都是文章，談笑之間，也就忘却工作疲勞了。

我們一行正好十人，連領隊陶玉田局長共計十一人，陶局長因公務繁忙，且常有重要會議必須出席，無法逐日率隊活動，只能擇定時間參與抽查工作，其組成機關包括林務局、農復會、經濟部、農林試驗所、省府視察室、農林廳、財政廳等單位，抽查地區包括宜蘭、基隆市、台北市、台北縣、桃園、新竹及苗栗等縣市到了桃園，我們卽進駐中壢，在桃園工作兩整日，跑遍桃園縣境的各鄉鎮，足跡所到之處，皆有可記資料，尤其對於桃縣海岸造林情形，頗多可述，特就見聞，草率成文，以介紹於讀者之前：

桃園縣位於本省的北部，東北毗連台北縣境，西北濱海，西南與東南分別與新竹宜蘭兩縣接壤，以地勢而言係由東南向西北傾斜，淡水河流貫中部，使得整個縣境劃爲東南與西南兩大部份，東南部份海拔由三百至三千公尺，形成丘陵山嶽起伏地區，大都份却是屬於林地。西北部份則地勢平坦，交通便利，爲極良好的農業地區，農作物因季節而易，每年稻谷兩熟，故該區民頗稱富庶。

桃園縣共轄十三鄉鎮，其中四鎮九鄉，四鎮爲桃園、中壢、大溪、楊梅等鎮，九鄉爲蘆竹、大園、龜山、八德、龍潭、平鎮、新屋、觀音及復興等鄉。在桃園縣所抽查的主要爲海岸造林，其次爲山區林地造林情形。因桃園沿海地區，時遭風砂侵襲，每當風暴瀕臨，砂隨風起，不少鄰接海岸的農田，爲砂湮沒，以致造成重大損害，同時桃園海岸新生地年年增加，砂岸頗爲遼濶，正宜利用生產，以增進地方經濟利益。在這種情形之下，海岸造林工作，乃獲得了各方的重視，並由林務局計劃策動，積極展開。年來縣境西北部份之濱海地區，計海岸造林面積共達一千五百公頃以上，總計造林株數約爲六百至七百萬株。此項成就，不僅對防風防砂及涵養水份上具有重大的價值，而在木材生產方面，其經濟利益，無疑的也必是相當可觀的。

海岸造林的樹林的樹種全係木麻黃，因爲木麻黃的特性適於生長在鹼性的砂地上，而且木質堅實，能耐強風吹而不折，惟究非棟樑用材，除供作薪炭材料外，在建築方面用途不多。

海岸造林的方法頗不簡單，要能因地制宜，筆者在桃園海濱所見的，是先將植樹區內有序列的遍植茅蒿草類，也有不採用茅梗插植方法的，而是移植一種叢生灌木的華露都，這兩種植物都很容易在鹼性砂地上生長起來，而其功用都能固定細砂流動，以及具有防風與涵水的作用，使新植的苗木，不致搖曳枯萎或受流砂湮沒。

大陸文壇萬花筒

吳晗談鬼

——岳騫——

一月三十日「人民日報」吳晗寫了一篇文章「再談人和鬼」，所謂「再談」，是因爲他以前在一九五九年五月十六日「人民日報」上寫過一篇「人和鬼」。

吳某發表「人和鬼」一文時，是毛澤東剛剛辭去「政府主席」三個禮拜時間，整個朝堂大改組，許多人倒下來，也有許多人竄上去，吳晗自從中共成立「北京市政府」以來，就是副市長，市長已經換了三個，由葉劍英而聶榮臻而彭眞，副市長也由二人增加到十一人，尤其原來和他拍擋的副市長張友漁調走之後，吳晗更有「譙周從此是老臣」之感。可是許多小妖都竄上去，他仍然坐着副市長的冷板櫈，觸景傷情，就藉古罵今。他那篇文章寫道：「死鬼是不可能有的，但活鬼還是有，倒如成天想吃人，欺侮人，磨折人，奴役人的剝削份子，反革命份子等等。」

其實當他寫那篇文章時，大陸上已沒有「剝削階級份子」，卽使有「反革命份子」，他安坐在北平，也不可能知道。在他眼中看來「成天想吃人，磨折人，奴役人」的還是劉少奇，周恩來以下共幹，也許包括他那位貴上司彭眞及第一副市長萬里在內，不過這些「鬼」雖然精明，可惜讀書太少，被他白罵一頓也就算了。

可是，這次再談「人和鬼」的內幕就不同了，吳某坦白承認「談人的事有時候可能不是很方便，容易得罪人，至於談鬼，那就方便多了，無論如何，卽使說錯了，也不至於有鬼來和你算賬」這一段話是註解上一篇文字的，說明他罵的不是鬼，而是人。

下面又說：「我們是唯物主義者，並不信鬼，但是，也不盡然，這一兩年，在閒談中，發見也還有個別同志，在理論上不信鬼，但在生活上還是怕鬼。」

共幹居然會怕鬼，到眞是奇聞，所以如此，恐怕是由兩種因素造成的，一個是精神空虛，對前途充滿悲觀失望，只見到一片灰色，高級共酋所鼓吹的美麗遠景，都變成了肥皂泡，生活一天天困苦，生命也一天天危險，走投無路之際，覺得活人不可信，還是信鬼吧！一種是過去殺人太多，精神失常，一旦獨處時就好似有寃魂來報仇，於是就更不能不信鬼了，無論是由於那一種原因，只說明一點，是共幹氣已餒了，最初那股桀傲之氣已經看不見了。

社會小說

香港地

七、可憐一炬

一聽到蒙莎莎這個名號，梅大亮不禁失聲叫道：「原來是她！」

譚福祿問她是不是很熟識這位女作家。梅大亮搖頭道：「不是，但我總算和她有一面之雅。」

他記起在馬行時家裏，見過一對形影不離的男女作家，在露台上面演出一幕熱烈擁吻的好戲，男的姓李，女的便叫蒙莎莎。

這事也湊巧得很，原來張太太的兒子闖出這場禍事，幾方面的人對梅大亮都不算陌生。他便將有關蒙莎莎這人的大概情形，對譚福祿說了幾句。譚福祿聽了，只好苦笑道：「既然如此，你便不該去看他們了，怕見了面的時，彼此都難爲情。至於張太太那裏，你也不必去，我替你代向她致意好了！」

說到這裏，剛好行經一個兌換錢鈔的小檔口，裏面不知怎的飛出一根竹竿，朝他頭上打來，他幸及時躲避得好，不致受傷，但也吃了一驚，細看時，那是一家很小的店子，前面左邊賣生果，右邊找換錢鈔和發售馬票，後面住有女人和孩子，剛才是一個女人把竹竿從裏面出來，大概是要用竹竿把一些馬票串將起來，橫掛在店門之內，以壯觀瞻，以廣招徠，卻因一時失手，連竹竿也丟了，才會鬧出這宗麻煩。

譚福祿不無生氣，本待向店主人教訓幾句，卻見店主人賠罪不迭，說話甚爲得體，店主婦更是笑口吟吟的，從傍解說，便也無從發怒。那店主婦妙得很，竟拿着一張馬票，對譚福祿勸銷，笑道：「先生，你是大量的人，也是有福的人。大人有大量，當然也有大福。這一張頭彩馬票，這然落在兩位先生的手上的了。祝你們鴻福齊天，順手發財，買這一張吧！」

譚福祿聽得不禁一笑。他做過解簽先生，口才總也不錯，這時卻不由不佩服那店主婦隨機應變得好，當下扭頭向梅大亮望了一眼，笑着問道：「梅老兄，我們便合兵破曹，將錯就錯；合股買這張馬票吧！可不知你意下如何？」（一〇七）

木客著

老馬

白楊

老馬明天就要離開這兒了！我整夜都無法入眠。這幾十年來，我們可說像兄弟一樣，從沒有分離過。現在他退休的年歲到了，也要離開這兒了，我怎能不難過?!

天氣很涼，外面的風一陣陣的吹着；我看看錶，已經是深夜兩點。我眼睜睜的躺在床上，腦海裏亂糟糟的，愈是想睡愈是睡不着。我乾脆爬了起來，披了一件上衣，趿着鞋，走進老馬的寢室去。他也沒有睡；正把一支香烟熄掉，翻了一個身，把被子向上拉了拉，好像準備睡的樣子。

「你怎麼也沒有睡？」我走近他的床舖說。

「睡不着。」他坐了起來。

我從自己披着的上衣口袋裏掏出烟盒子來。

「我頭暈得很，」他說：「不想再抽。」

我把準備給他的一支煙放進自己的嘴裏。

「我床舖底下還有半瓶酒。」我在他床沿坐下來說。過去我們兩個時常借酒消愁。

他沒有作聲，給自己披了一件上衣。寢室裏只有一盞四十支的光。老馬的臉在黯淡的光綫下顯得有點扭曲。他的眉頭綳得緊緊的，很深的皺紋也露了出來。我突然有個感覺，就是老馬的確老了。

「我去把酒拿來。」我站起來說。

「你應該去睡。」他阻止我說。

「我睡不着才到你這兒來的。」我說。

我跑去拿酒，我把披住的上衣裹得緊緊的。

「還是那瓶沒有吃完的高粱。」我把酒拿來說。

「臉盆裏有碗。」他說。

我從床底下的臉盆裏拿出一隻碗，又把酒倒進碗裏。

「你用碗！」我把倒了酒的碗給他：「我喝瓶子裏的。」

「我們都用這個碗。」他說。推我執碗的手要我先喝。

我知道他的脾氣，擎起碗喫了一小口。酒很涼，像冰一樣，喝上肚也是涼涼的。

「你再喝一口。」我把酒給他，他說。

他又喝了一口，較先前要多。

他從我手裏把碗接過去，慢慢的靠近嘴邊，先吸了吸；然後仰起頸子，就是一大口，像個酒鬼樣。其實他並不會太喝酒，也許他今兒個心情不好的關係。

「有點涼吧？」我含糊的說。

他搖搖頭，從枕頭邊拿出煙來。

「還有酒。」我喝了一口把酒給他。

他好像沒有聽到，把香煙點燃，深深地吸了一口。

「白楊！」然後他把煙吐了出來：「我是不是眞的老了？」

我驚愕的望着他，我不知道如何作答。我把頭低了下去。我不明白他爲甚麼要這樣問。

「我心裏很難過。」他訥訥地說。

「誰都要老的，」我溫和的安慰他說：「我不是也老了麼！」

「你是說我眞的老了？」他惆悵的，神色即時變了。

「不要想那麼多。」我說。

他拿起碗，仰起頸子就是一大口。

「我一直在瞞我自己，」他傷感的說：「我以爲我不會老的。」

「你爲甚麼不再以爲不老呢？」

他痛苦地搖了搖頭，然後說道：

「你知道我不願意走，」他說：「這十年來，我的最大指望就是能在這裏一輩子。」

「你要知道這是一個制度。」

「你也知道這是一個制度。」

他說：「所以我老了，這裏不再要我。」

他又喝酒，哀傷的。

「人爲甚麼要老？」他又說：「爲甚麼要把老當作一種無用的死狗也！我並沒有比他們少幹。」他說着，聲音哀怒的；我眼淚掉了下來。我把最後的幾點酒倒進碗裏。

「這是一個不幸麼？」他目光銳利的望着我。

「我要回去睡了。」我說：「我心裏也很難過。」

碗裏的酒是我把它乾了，我走出他的寢室：我沒有敢再回頭望他滿是淚水的多皺紋的面孔。

談年羹堯

·漁翁·

有清一代，以科甲出身，而文兼武備，功勳彪炳，盛極一時者，首推大將軍年羹堯。

羹堯，奉天省廣寧人，字雙峯，父遐齡，工於心計，長袖善舞，富冠全鄉，而對貧苦，不加周恤，爲羹堯所不同意。一日，羹堯由私塾放學歸，見老婦哭泣於道旁，憐而問之，婦曰：「吾年老而寡，有子四人，不務正業，因賭博欠債，出賣房屋以抵償，日來買主催促讓屋，將無家可歸，故爾哭耳。」羹堯又問買主爲誰？答曰：「年遐齡老爺！」聞之大喜，即奔歸請求乃父無條件將屋契交還老婦，不索回價欵，父有難色，轉懇其母，得將契約交出，對老婦焚燬之，時羹堯年僅十二也。

羹堯性聰穎，加以勤奮，學乃大進，康熙間，舉於鄉，會試而爲進士，但不拘拘於章句學，而又習武事，以班定遠自居。累官川陝總督，撫遠大將軍，定川邊，役西藏，平青海，以功封一等侯。因此，聲勢日盛，目無朝貴，大有普天之下，舍我其誰之概！

世宗即位，忌羹堯權勢，召入京，犒三軍，宴會之日，將士喧嘩於外，帝命肅靜，不得，羹堯仰空射一響箭，即又趨靜，寂，雍正以帝諭再三，不及將軍一矢，羞恨之下，即密詔羣臣，交劾羹堯，列出僭越反謀之九十二大罪狀，至此，羹堯終不免爲雍正帝所賜死，並抄其家，一代梟雄，如此下場，殊可嘆也。

台灣歷史漫談

余又蓀

二、臺灣與琉球

現在的台灣島之北部有琉球羣島。是在隋代之後發現的。有人說，這個羣島和比較早發現的台灣島，過去我國人統稱爲流求。這個羣島原來並不叫琉球，直到明太祖洪武初年（一三六八年——一三九八年），明帝國纔稱這個羣島爲琉球。但這個羣島上的人，自己並不稱爲琉球。琉球國王的稱號，也是明朝冊封的。一說，明洪武五年因封琉球國王，故稱琉球羣島爲琉球，稱台灣爲小琉球。

明代的琉球羣島，比較開化，交通發達，和祖國的關係密切，而原來的流求（台灣島），反而落伍了。據明史三二三琉球傳和大明實錄所載，當時琉球羣島分爲三部，曰中山，曰山南，曰山北。三部互爭，其中以中山爲強，而且比較開化。元世祖遣兵征討，一時與祖國關係疏遠。洪武五年（西紀一三七二年），太祖遣楊載持詔前往，告以明已代元建國，新君即位，改元洪武等事。中山王察度即遣其弟泰期等隨楊載入朝，上表貢物。明廷稱之爲「琉求朝貢使」。當時三部均臣屬於明，明廷撫諭息爭，皆封爲王。山南王最弱，明成祖永樂年間（一四〇三——一四二四），中山先與山北分併山南。明宣宗宣德初年（一四二六——一四三四），中山又併山北而統一全島。明仍封爲中山國王，其王尚巴志亦以中山爲號，而未稱琉球也。明神宗萬曆間，日本侵之甚亟，萬曆二十三年（一五九五）。其王尚寧嗣位，因不堪日本薩摩藩島津氏之侵擾，勉與之交通。日本遂視之爲藩屬，明治四年（一八七一）日本廢藩置縣後，竟以琉球爲其沖繩縣。日本侵吞我琉球羣島之事，茲置不論。

隋代以來所謂的流求（台灣島），在明代初期幾乎爲祖國的人們忘去了。明代中葉以後，張燮之東西洋考，以及何喬遠之閩書中，所稱東番之大員或大圓，大約即是指台灣島。明史琉球傳，大明一統志以及皇明四夷考等書中所謂之琉球，乃今日之琉球羣島，而非隋書中所謂之流求（台灣島）。

稱隋代以來所謂流求爲台灣，是明萬曆間的事（一五七三——一六一九）。明史卷三二三雞籠傳云：『萬曆末，紅毛番（荷蘭人）泊舟於此，因事耕鑿，設闤闠稱台灣焉。……台灣在澎湖島外，距漳泉止兩日夜程，地廣而腴』。又同書琉球傳云：『（萬曆）四十四年，日本有取雞籠山之謀，其地名台灣，密邇福建，尚寧遣使以聞』。

雞籠，即今日台灣北部之基隆。雞籠傳云：『雞籠山在澎湖嶼東北，故名北港，又名東番，去泉州甚邇……永樂時（一四〇三——一四二四），鄭和徧歷東西洋，靡不獻琛恐後。獨東番遠避不至。……』可見自明初以來，雞籠最著名，爲祖國所知，明史且爲之立傳，至明末，始有台灣之名出現。（二）

梨園漫談

漫談小生

——瘦西湖——

唱功小生，其戲路方面如「白門樓」之呂布，「羅成叫關」中之羅成，雖然小生之唱屬假嗓，但沒有眞功夫亦休想能一氣呵成，唱這類戲葉盛蘭則唯我獨尊，而唱「四郎探母」中之楊宗保時，則應推姜妙香爲上，然小生兪振飛，原本早具崑腔底子，唱這類戲理應不費吹灰之力，大大可爲一番，可是，當年從未見兪能貼演此劇，可見這唱功之難，實非一蹴可成也。

台灣的唱功小生，應推海光劇團之劉玉麟，劉爲名女伶劉玉琴之胞弟，前數年劉玉琴會自組班環島演出，玉麟亦會隨同偕行，其演唱幾折應工戲，頗轟動一時，故甚爲內外行人所器重，近年劉自參加海光後，戲藝更大有增進，唱來頭頭是道，令人刮目相看矣。

再者，女文藝作家兪眾友之侯榕生小姐，對唱功小生亦頗有研究，前不久會假國際學舍，及國立藝術館等地貼演名劇多齣，演出成績倘屬不惡，頗得各界好評。

雉尾生，如演「黃鶴樓」之周瑜，「虎牢關」之呂布，演這類戲除葉盛蘭外，儲金鵬亦可勉能爲之，惜此人認識不清，卅九年還由台灣返回大陸匪區，不然留在寶島，其小生地位當不難首屈一指耳。

扇子生，如「拾玉鐲」中之傅朋，「玉堂春」中之王金龍，演這類腳色，國內有位名票李寶淦，對扇子生工架頗有心得，前數年會見其時常公開露演，其扮像之好，風度之佳，即內行伶人中亦少有所及，惜此君現已改行，在某電台担任廣播員工作，如今已不復見其演出矣。

窮生——演這類戲務穿有紅綠布釘之彩衣，如「棒打薄情郎」中之莫稽，「狀元譜」中之陳大官，此戲凡屬小生行者，皆能爲之，並無有專工之說，只要演出時恰到好處，即小有瑕疵，亦無傷大雅也。

武小生，這類戲非常多，如「奪小沛」之呂布，「八大鎚」之陸文龍，「紅霓關」之王伯黨，「穆柯寨」之楊宗保皆是，演此戲除葉盛蘭是爲專工外，國內有位復興劇校的張復建，演來亦爲內外行所稱道者。

生角之種類，約如上述，然生在戲劇中所表彰者，多爲忠臣、孝子、賢相、學者、儒將、俠士等，其唱作唸白武工，身段皆須面面俱到，方可稱爲全材，但皮黃劇歷史甚淺，即有佳劇，亦均採自崑，秦、徽、漢等劇改編而成耳。

辛丑談往

燕塵小識

（一）重懲禍首：上年八月奕劻李鴻章受命議和即在京與各國公使開議。各國堅持先懲罪魁。先是閏八月已有旨懲治縱容拳匪諸臣，九月間及十二月廿五又兩次降旨加重治罪，而各使猶以爲未足，慶李等據以電奏，請旨酌奪。此時慈禧但求洗滿自己，何惜犧牲別人。新年才過，即於初三日匆匆下詔，再行加重懲治，以促和議之速成。初三日內閣奉上諭：「此案首禍諸臣昨已降旨分別嚴行懲辦。茲據奕劻李鴻章電奏按照各國全權大臣照會尚須加重，懇請酌奪，等語。除戴勛已賜令自盡，毓賢已飭即行正法，均各派員前往監視外，載漪載瀾均定爲斬監候罪名。惟念誼屬懿親，特予加恩發往極邊新疆永遠監禁，即日派員押解起程。剛毅情罪較重，應定爲斬立決，業經病故免其置議。英年趙舒翹昨已定爲斬監候，即着賜令自盡，派陝西巡撫岑春煊前往監視，啓秀徐承煜，各國指稱力庇拳匪，與洋人爲難，昨已革職，着奕劻李鴻章照會各國交回，即行正法，派刑部堂官監視。徐桐輕信拳匪，貽誤大局，李秉衡好爲高論，固執釀禍，均應定爲斬監候。惟念臨難自盡，業經革職，撤銷卹典，應免再議。至首禍諸人所犯罪狀，已於此旨內逐一明白聲叙矣。欽此。」

懲治罪魁，至此定案。此諸人者或少年任性，或迂謬無知，誤國殃民，罪有應得。則其正典刑，充極邊，罪不足惜。獨以此役使我中華民族在世界史上常留汙點，則信乎百世不能解矣。然世人於趙有恕辭。

吳漁川庚子西狩叢談於此事經過言之頗詳。據云：「剛趙之處分凡見過四次上諭。第一次革職留任，第二次交部嚴議，第三次斬監候，第四次斬立決，改賜自盡。足見前時太后尚有回護之意。其終受大辟，實出外人要挾，並非太后之心。受誅以後，則言者事事皆藉以諉罪，不免別有投阱之語，故此時太后亦深憾之。一朝失足則罪惡皆歸，此亦古今之常態。惟剛已先故竟逭誅夷。即謂剛趙同罪，則罪總浮於趙，乃剛免而趙不免，此眞所謂有幸有不幸耶？（四）

無負生

舊書

徐學慧

在荷里活道逛了幾天，竟然買不到一本舊書，香港之無文化，於此可見。

香港的荷李活道，俗認爲舊書集中之地，但對於一個眞正想要作點學問功夫的人來說，該地乃毫無一顧的價値。伯樂一顧冀北之野，而馬羣遂空，非無馬也，無良馬也，荷李活道之無書，與冀北之無馬同，非無書也，無好書也。

此地買賣舊書，論斤計算，書而至於談到斤兩，則其非好書也概可知矣。香港無世家，即有，亦不過爲世代發財之家，而非世代書香。那些以投機冒險走私販賣起家的百萬富翁，根本不需要讀書，有些且僅只是寫得出自己的名字。這樣的富翁之家，要書籍作甚？

舊書之好壞是與世家有關的。世家沒落，充其量是有幾件冒牌的古董，還有幾個能說半鹹不淡的英語的子弟，根本不會有任何舊書流傳下來的。是則荷李活道之沒有好的舊書，亦自毫不足怪。

且不必說那些投機冒險的富翁之家吧！如果你有興趣參觀一位香港「作家」之家，「文人」之家，甚或「學者」之家，其中氣氛容或不同，而其不讀書不買書的風格，倒也是並無二致的。

我不敢說香港文人或學者中，就完全沒有歡喜買書的人。像左舜生先生，在最近兩年來，不僅買書，而且賣舊書來維持生活了。左舜生的書，全部自置，並非祖先遺物，作爲一個學者，而至於要靠出賣自己用過的書來維持生計，這就怪不得我們讀到秦瓊賣馬的故事，往往會淚承於睫呢！

元宵艷話

介人

農曆正月十五日爲「上元」，我國民間均於此日嬉龍舞獅，入夜提燈遊行，因之稱爲「燈節」或「元夜」。一般對於元宵描述，尤其詩人詞客的吟詠，頗多富有男女相悅的佳句，而且是極富有奇趣的。

首先，要說的是婦女們在元宵有「走百病」的習俗，使得有機會外出，與情人接近。在過去北平，這夜婦女必聯袂外出，除看熱鬧外，必到正陽門下摸摸城門的銅釘，然後才回家去的。舊俗謂此舉能「走百病」，即能袪除百病之謂。當時有人作詞以紀其事。詞云：

「華灯看罷移香屧，正御陌遊塵絕，素裳紛袂玉爲容，人月都無分別；丹禁雲淡，金門霜冷，纖手摩挲怯，三橋宛似凌波蹋。斂翠黛，低回說：年年長向鳳城遊，曾望蕊珠宮闕。星橋雲爛，火城日近，踏遍天街月。」

大抵往昔的女性，很少獲得外遊的緣故，所以在元宵到外閒去看熱鬧，雖然自古已成習慣，但終不如託詞爲「走百病」，較爲名正言順的。

古今詩話：正月望夜，許三夜金吾弛禁，前後街巷，盛造燈籠燒燈，光明若晝，山棚高百餘丈，神龍巳後，復加嚴飾，士女無不夜遊，罕有居者，車馬塞路，有足不躡地，被浮行數十步者，王公之家，皆數百騎行歌。蘇味道詩云：

「火樹銀花合，星橋鐵鎖開。暗塵隨馬去；明月逐人來。遊騎皆穠李；行歌盡落梅。金吾不禁夜，玉漏莫相催。」

由於仕女有了外出機會，自然有不少的青年男女，以觀燈爲名，瞞了家人悄然赴約的。如朱淑眞的「生查子」的詞云：

「去年元夜時，花市燈如晝，月上柳梢頭，人約黃昏後。今年元夜時，月與燈依舊，不見去年人，淚濕春衫袖。」

這詞充滿了元宵的浪漫氣息，也寫出男女相思之苦，缺望的情緒。至於在元宵使有情人得親香澤，則有周邦彥的「解語花」詞云：

「風銷焰蠟，露浥烘爐，花市光相射，桂華流瓦纖雲散，耿耿素娥欲下，衣裳淡雅。看楚女，纖腰一把，簫鼓喧，人影參差，滿路飄香麝。因念帝城放夜，望千門如晝，嬉笑遊冶，鈿車羅帕，相逢處，自有暗塵隨馬。年光是也，唯只見舊情衰謝。清漏移，飛蓋歸來，從舞休歌罷。」

從這裏可以看元夜男女相逐的盛況，平日足不出門的深閨少女，到此夜也「鈿車羅帕」，出而「嬉笑遊冶」，而那些登徒子，也趁機擠入了人羣，大開其「滿路飄香麝」，一親香澤，大看其「楚女纖腰一把」，大飽眼福，大有神飛魄蕩，色授神予的態勢龍。

與此同一情趣的，則尙有明代才子唐寅的詩：

「有燈無月不娛人，有月無燈不算春；春到人間人似玉，燈燒月下月如銀。滿街珠翠遊村女，沸地笙歌賽社神。不展芳尊開口笑，如何消得此良辰。」

男女相悅，自然笑口常開，有人如玉，春情蕩漾，寫來極其生動，自不愧才人吐屬。

又歲林舊事云：「邸第好事者，問設雅戲烟火，花邊水際燈燭燦然，遊人士女縱觀，則迎門酌酒而去。又有幽坊靜巷好事之家，多設五色琉璃泡燈，更自雅潔，靚妝笑語，望之如神仙。」姜白石有詩紀實云：

「沙河雲合無行處，惆悵來遊路已迷，却入靜坊燈火室，門門相似列蛾眉。」

是上元看燈遊客，尙可登堂入室，迎門酌酒一番，其樂趣更是春色無邊，應該是上元佳節別開生面的創作。「歲林舊事」所述還是南宋時代的韻事。到了明初，燈市也很熱鬧，自初八日起至十七日止，張燈十日。劉侗記云：「絲竹肉聲，不辨拍煞，光影五色，照人無妍媸，燈骨塵籠，月不得明，露不得下。」此則不僅熱鬧異常，亦且香艷絕倫了。

上海申報社長史量才，既不似邵飄萍之參預實際政爭漩渦，亦不如林白水之毒罵軍閥官僚。他主持申報時，黃炎培，鄒韜奮等都替他効勞設計，當時春申江上的左傾文人以及灰色共黨份子，多在申報任職或投稿。民國廿三年冬，他偕妻兒自杭州乘汽車回滬，途中遇狙擊殞命，時論惜之，章太炎爲史氏撰墓銘，敍述其身世甚詳，文曰：

報人非命記（下）

諸葛文侯

君諱家修，字量才，晚以字行。其先江寧人，父春帆翁，避兵徙婁之泗涇，故君補婁縣學生。少時已卓犖有智行，既入學，尋棄去，習遠西文字，肄業杭州蠶學館，歸設小學於泗涇，數敎投上海，以所得，立女子蠶學館，太湖左右化之，後江蘇蠶業學校，本諸此。會滬杭甬鐵道事起，以集資被選董事。民國興，主松江鹽局及滬關清理處。君慮遇人，處事悉重名實，然尤專意新聞事。初，春帆翁雖不過，素持直道，常以是誨子。君自清末已主時報，其後主申報，殆二十年，值袁氏稱帝，以重賄要君，請毋撓帝制，拒之。自爾南北交閧者十餘歲，常有問遺，悉無所染，蓋受之家訓，亦天性骨鯁然也。少時家甚貧，初執敎上海，布單衣，徒行過雨，革履盡淖，望之寒甚，及與語，吐辭若然，精采動一座。久之，譽日起，所立工商事日衆，殖幣治纖，靡不爲也，號爲素封矣。然自守確固，不肯隨馴倫進退，人嚴憚君，而未嘗與近。民國廿年日本戰爭起，明年遂掠上海，君日夜資助十九路軍，卒無大敗，雖政府亦重君才，被推市參議會長矣。廿三年十一月，自杭西湖歸，道出海寧大閘口，遇盜環列狙擊，與同車一人及御者皆死，隨氏某，子男必恕，遁盜時皆在側，挺走得免。君半生領事雖叢脞，然能通繹氏書，時時宴坐，亦習技擊，身手矯捷，又與人無怨惡，內外皆無死道。或曰：暴得大名不祥，淸議之權，自匹夫尸之，常足賈禍。然自武昌倡義迄今，由屠酤稗販以陟高位，處方面者，蓋什百數。君本書生，積資不過比良賈，名雖顯，不能出一州，其視權要人，區徵港。且滿讓襄久矣，雖百計持之，僅乃振其標末，非有裁量剗至之事，如漢甘陵，近世東林比也。揆之區不足以召衅，而竟爲人狙擊以死，且若欲夷其宗者，抑命也夫！命也夫！君亡時年五十六。銘曰：史氏之直，自子魚，子承其流，奮筆不紓，賣漿酒倒，華屋以居，以子才高，宜其有餘。何焰孽任事，而不與俗同汚？恬智相蓑，則亦與天爲徒。吾聞夫：毅飾貌以內熱，豹苑中而外枯，昔之所不能辨者，雖聖哲有所不虞。唯夫白刃交胸，而神氣自如，斯古之偉丈夫歟！

李香君

謝康

後來崇禎帝死社稷（一六四四，甲申），弘光正位南京，阮大鋮得勢，欲陷害方域，方域早已聞訊，於癸未年再離去金陵，曾寫信罵阮，（見侯方域文集與阮光祿書）想亦係受香君影響所致。集中又有「致吳梅村書」，勸其必全臣節，勿仕清朝，這點亦與香君平日主張相合，後梅村因被迫出仕一年（一六五一），自悔晚節不終，乃作予侯方域詩以見志曰：「死生總負侯嬴諾，欲滴椒漿淚滿樽！」語極沉慟。我想李香君要是能讀到這兩句詩的話，必然擊節稱賞呢。方域於國變後以僧道服終其生，梅村死前遺囑，亦云以僧服斂。於此我們可以說香君影響了方域的生平節概，而方域又可能影響吳梅村的心事了。

孔尙任對李香君的這種氣節是非常同情和欽佩的。「長留集」中寫着這樣的詩句：「老夫判斷煙花久，不信香君有後身！」說明他的見解以爲像煙花叢中，以後是不會再有像李香君這種人物出現的了。這是何等的推重！「桃花扇」本是一部信史，四十齣中至少有十五齣描述香君和侯生的愛情，借兒女情，寫興亡恨，就在興亡恨事中，流露着君子小人鬥爭的正義感和濃厚的國、民族意識。當時具有這兩種思想的人頗多，而表現得最強烈的，男性方面應推黃得功和史可法，女性方面應數柳如是和李香君。但柳因錢牧齋晚節不終，她的忠義似乎不免受着一點影響，「嬋娟却被鬚眉誤，不作忠臣傳裏人！」「生平家國恨無窮，披緇甘向空門老。」陳雲伯題柳如是小像詩，道盡了兒女英雄箇中心事（五）

歷史人物

內警僑台報字第〇三一號內銷證

自由報

THE FREE NEWS

第一一〇期

中華民國僑務委員會頒發
台僑新字第三二三號登記證
中華郵政台字第一二八二號執照
登記為第一類新聞紙類
（半週刊每星期三、六出版）
每份港幣壹角
台灣零售價新台幣弍元
社長：雷嘯岑
督印人：黃行蜜
社址：香港銅鑼灣高士威道二十號四樓
20 CAUSEWAY RD 3RD FL HONG KONG
TEL. 771726　電報掛號：7191
承印者：田園印刷廠
地址：香港灣仔高士打道二二一號
台灣分社
台北市西寧南路壹壹零號二樓
電話：三〇三四六
台郵撥儲金戶九二五二

怎樣使國際局勢發生變化？

雷嘯岑

行政院陳兼院長最近在立法院作施政報告時說道：「現在我們不要問國際局勢將發生怎樣的變化，要問我們能使國際局勢發生怎樣的變化；不要問國際間將能幫助我們做甚麼，要問我們能替世界人類做甚麼。」其言極正確而雄傑，可謂切中時弊之談，在理論上固然無懈可擊，事實上我們亦不能俯仰由人，因循苟安，而依然拘持着以不變應萬變的惰性觀念了。否則人為刀俎，我為魚肉，將來即想苟安一隅，亦是不可能的！

先看國際局勢

號稱為領導自由世界的美國，由於文化根基淺薄之故，對於俄式共產主義的本質，及其征服世界的方法和步驟等等，只是具有一知半解的智慧。因而在戰後十餘年來，美國的外交政策始終是以重商主義為基準，只要美國的安全繁榮不受到嚴重的威脅打擊，則其所倡說的「自由運動」與「解放政策」，都不過是為商業利益着想的宣傳詞令而已。明乎此，即知美國政府當局何以由「圍堵政策」而化為「嚇阻政策」，再由嚇阻政策而化為「自我嚇阻」的退縮政策之所以然了。美國的國防安全感，一面是以大西洋彼岸的西歐地帶，一面是以太平洋西岸的日本、台灣、沖繩島和菲律賓地帶為第一道防綫。俄帝及其附庸嘍囉們，在西方如果不以武力進攻西柏林和巴黎，在東方不以武力進攻台灣和日本的話，其他的自由世界各地，縱使被俄共集團蠶食殆盡，美國及其他西方盟邦，亦必然要以避免核子大戰的理由，跟俄共集團妥協苟和的，而其方法總不外兩套，即促使受害國家採取中立路綫，否則實行一半自由，一半奴役的「兩個×國」。但求能夠避免戰爭——即令局部小戰——亦不惜付出重大的政治代價來換取它，而以繼續軍經援助為條件。因為美援所到之處，也就是商業利益所在地，對於美國的安全繁榮並無損害也。至於英國的姑息妥協思想，比美國更濃厚百倍，近十年來已有若干顯著的事實足資印證，毋待贅述，而英國的政治主張，又對美國具有意想不到的高度影響力。明乎此，即知美國前兩年對印尼反蘇卡諾親共政權的革命運動，始而積極支持，繼而忽然遺棄，終且以武器和金錢贊助蘇卡諾來消滅革命勢力；現時對寮國的戰亂，始而應援反共的薩諾萬政府，繼又主張寮國採取中立路綫這類波譎雲詭政策之所以然了。

再看俄帝方面，適如那位對共產主義瞭解最深刻，跟共黨鬥爭最久的「基督教反共十字軍」領導人舒華斯博士，於一九五七年五月廿九日在美國衆議院「非美活動委員會」作證所指述的：「共黨在一九五二年訂定的基本策略，已放棄第三次世界大戰不可避免的見解，不戰而征服世界（即所謂和平共存）已成為他們的基本策略」；「毛澤東和史達林在他們最後一次會議中，預定十年之後征服和鞏固亞洲，隨即威脅非洲和歐洲，同時美國便會繼續倒弱、軟化和退化，所以不必運用核子戰爭，到了一九七三年就可以完成征服世界的大業」（見一九五七年美國政府印發的第92964號官方文件）這證明赫魯曉夫繼續高唱史達林所唱出的「和平共存」論調，而肯定美國及西方資本主義大國的下一代子孫，必然過着「社會主義」生活的說法，決非信口開河之談。俄帝確實是不需要戰爭，終有克敵制勝的把握，而目前亞洲和非洲的局勢，以及美國在自由世界的領導削弱、軟化和退化的情形，亦與舒華斯的證言若合符節。

現在東南亞和非洲的亂象越見激化，俄帝干預剛果和寮國問題的態度越見強硬，而英國當局的姑息政策即愈為急進，美國當局的苟和言行亦日益表面化了。整個國際形勢，皆顯示着向俄帝告饒乞和的姑息氣氛，自由世界若干弱小民族國家，凡與英美的安全繁榮沒有直接利害關係者，都有被犧牲出賣之可能啊！

我們何以自立自救

基於上述情況，再看看英美政客最近表示對毛共政權獻媚作假的言行，只要毛共在華沙的「美、毛談判」中，對美國作一次不以武力進攻台灣海峽的秘密承諾，再繼續向加拿大、澳洲購買一些米麥，而以高價租用英國的船隻來運輸，則允許毛共政權闖入聯合國這回事，不管毛共是否無條件的欣然樂從，一定首先由英國起帶頭作用，在本屆聯大會議提出討論通過無疑。蔣總統雖然早已聲明過，如果毛共政權參加聯合國，自由中國即決然退出。可是，這種正義之聲，似不足以阻遏強權主義者的姑息自私行為，殆可斷言。屆時我們不但是不能使國際局勢發生怎樣的變化，相反地還可能將受某種侮辱，如所謂「兩個中國」和「台灣地位尚待國際決定」之類的玩藝與邪說，亦將層出不窮哩！

處在這種擬善怕惡，自私自利，毫無正義公道可言的國際局勢之下，要想使國際局勢產生對我有益的變化——至少亦使強權主義者不敢隨便蹂凌犧牲我們的自由生存，唯一方法即須採取唯力是視的行動。與其俯仰由人，徒供強權主義者作為姑息政策的籌碼，任意拋擲，何如破釜沉舟地一拚呢！

最近中國大陸人民陷於亙古未有的飢餓慘狀之中，我們要以糧食空投大陸上，救濟苦難的同胞，而號稱為領導自由世界從事解放運動的盟邦美國，竟表示不贊成我們使用美製飛機空投糧食的意見，給美援飛機只能用作防衛台灣的。這是什麼話！依照中美安全互助協定，僅限於我們對大陸採取軍事行動以前，須徵得美方同意而已。如今我們運糧救災亦受到外來的指摘干涉，這還成個自由國家嗎？這樣的「安全互助」法，何異作繭自縛？美援的目的如其只在永遠防衛台灣一隅之地，而教我們專替美國利益服務，「互助」云乎哉？還有滇緬邊境的中國人民反共游擊隊，原是由大陸上逃出來的政治難民，為爭取自由生存而組合的民眾武力，近來緬政府勾引毛共大軍入緬來圍攻這群義民。這不但自由中國政府負有義無返顧的應援責任，即號為自由世界領導者的美國，也應該予以鼓勵才對，然而美國務院却宣稱這支反共的民衆武力應予撤退。不特此也，美官方且再三聲明要調查這支反共游擊隊是否持有美式武器。這又是甚末話！毛共以及全球各地區的共黨武裝部隊，到處皆持有美國製造的武器和車輛，美國為甚末不去調查調查呢？

以糧食救濟大陸上的災胞，以實力支援滇緬邊境被共匪圍攻的義民，都是自由中國政府無可諉卸的應有職責。我們要求政府當局一面對大陸上展開空投糧食和武器的工作，大力「伐災」；同時運用各種方法，而以實力應援緬境的反共游擊隊，當地親共國家若要敵視我軍，即不妨以牙還牙，掃蕩而佔領之。我們相信只要有一師兵力，在東南亞必能所向無敵。我們除非表現着不顧成敗利鈍而從事乾坤一擲的勇氣和行動，終將成為姑息主義者的犧牲品，更談不到「能使國際局勢發生怎樣的變化」這類話。國際姑息主義者好倡「承認現實」之說，我們亦不妨製出一些既成的現實事情給他瞧瞧。要安全大家安全，要危亡大家危亡，決不讓姑息主義者專門利用我們的血淚汗以灌溉他的安全繁榮之花果。非如此，我們即有坐受宰割的危險也。

小論天下

△美國務卿魯斯克表示，贊同增強自由世界「普通軍力」，同時維持核子能力。

美總統甘迺廸正在對游擊戰術發生研究興趣，魯斯克也有必須增強「普通軍力」以應付「小型熱戰」的認識。循此發展倒有值得重視之處。

△中共「紅旗」雜誌建議恢復「百花齊放」政策。

當「陰謀」已被宣佈為「陽謀」之後，再叫人上當便難了。當百花放齊，果子都給中共吃光之後，其實連花也無了。毛澤東吃人的胃口縱然很強，再不能恃此療飢呀。

△西德報紙披露由印度傳出消息：中共駐西藏軍隊常因缺糧發生叛變。

中共「軍國」似一個快要潰爛的蘋果。這個蘋果已由頂端爛起來了。

△印度權威人士透露：蘇俄正暗中支持印度邊境建造國防公路與鐵路，俾可應付中共的壓力。

把這個「矛盾」在印度「統一」起來，共黨便可在印度眞正得勢了。尼赫魯要注意：當中共快要席捲大陸的前夕，蘇俄對國府的外交關係仍維持得很不錯的樣子呢！

△伊朗王在美國雜誌發表談話：「美國常常承認一項既成事實。美國從未有拯救任何國家，在韓國如此，在越南如此，今天在寮國亦如是。」

他說的是事實，非徒「快人快語」而已。准此，我們如以為光是倚靠美國便可拯救大陸，豈非做夢？

△南韓大邱二萬人舉行反美示威，反對美韓締結經援協定。張勉政府曾指出：反美運動係由韓共在日本暗中發動。

反美浪潮由星加坡擴到南韓，和起韓戰一場噩夢，只合「傷心嶺上說傷心」耳。

△英現行國防政策，在下院獲得投票信任，擊敗工黨議員所提彈劾。英決不放棄防衛香港，及其他地區業經担承的防衛責任。

那些要「放棄」這個和那個的工黨議員，可能是左眼患遠視，右眼却患近視。如非「怪眼」有病，何來如許「怪論」。

△美國務院宣稱：美國在下次對中共的「華沙會談」中，將提出與中共交換記者訪問的新建議。

我們眞的不知道，目前中國大陸怎還會有「記者」這一門行業。

方南

自由讀

讀書隨筆

「說苑」載：晉文公問咎犯「誰可使為西河守者？」對曰：「虞子羔可也。」公曰：「非汝之仇歟？」對曰：君問可為守者，非問臣之仇也。羔見咎犯而謝之，咎犯曰：「薦子公也，怨子私也。吾不以私事害公義」。

「呂氏春秋」載：晉平公問於祁黃羊曰：「南陽無令，其誰可？」對曰：「解狐可。」公曰：「解狐非子之讎耶？」對曰：君問可，非問讎也。平公又問：「國無尉（即今世之司法總長），其誰可？」對曰：午可。公曰：「午非子之子耶？」對曰：君問可，非問子也。

這兩項史事，指出古代據有親君地位的政治人物，確有一種「內舉不避親，外舉不避仇」的公忠體國精神，足資千秋萬世的楷模，永留佳話。

可是，自晉以後，一直到我降生成年為止，數千年來，中國政治上是否尚有這種優良的傳統作風，文獻無徵，固不敢逆臆而論斷之。但就我在最近卅年來所見所聞的現實情況而言，一般政治人物對於用人之道，除却大力實行「內舉不避親」這一點，尤稱超越古人以外，漫說「外舉不避仇」這類廢話，有如上海人所云，「談也弗要談」，即欲求一不朋比為奸與黨同伐異的正色立朝之宰輔大臣，亦復不可多得，滔滔者盡是些破格用「己」，發憤為「雌」，勵精圖「亂」之輩。在這般人的心目中，私人的派系小圈子以外無人才，裙帶血緣關係不濃厚者，都是不忠貞的異端分子，排斥傾軋之不遑，舉薦云乎哉？

有人說：世事進化到如今，時間與空間皆未可同日而語了。現代政治崇尚政黨制度，執政者當然要多多任用本黨的同志，以期貫澈主張。這是好聽的理論，實際上滿不是那回事，殆如平劇「梅龍鎮」飾正德皇帝的台詞，「大圈圈裏面還有個小圈圈」，政黨只是大圈圈，政治人才却盡在小圈圈之內哩！

這便是天下大亂，乃至於國破家亡的根源所在，悲夫！

馬五先生

投寄糧包的形形色色

白米百八十斤，課稅二千元

本報記者

中國大陸刻正陷入嚴重的糧荒中，這已是盡人皆知的了，三百萬香港華人，爲了接濟大陸的親友，以前是用現款匯兌，後來發覺匯欵多不能到達親友手上，而且，在大陸，有錢也買不到東西吃，現在，已一律改爲寄糧食了。

寄糧食有多種方式。第一種，是藉回鄉探親爲名，携帶糧食油糖鹹魚等物。不過這只是限於粵省籍的同胞，因爲他們離鄉較近，回港也較方便。第二種，是把豬油鹹魚等物加以包紮，交由郵局代寄。第三種，却是一種新興行業，那就是，香港那些買土產的商店，代寄郵包，而酌量收點手續費。第四種，那就更妙了。他們索性公開在報上登廣告，說是用兩地劃兌的方式，而且保證到達受件人手中，這種方式頗類銀行匯兌，到眞是別開生面。

這四種接濟大陸親友的方式，刻正在香港同時並行。幾乎每一家土產公司門口都有「代寄糧包」的霓虹光管，這些光管，並不足以增加市面的美麗，相反的，倒眞是對於中共政權的一個大諷刺。

且先抄一段代寄糧包的廣告吧！

「代付國內郵包，不限數量，中聯公司辦理，交收快捷。要點一、貨款稅款運費港方付淸，國內收件親友無須麻煩。二、遺失照補，保證到達，手續簡便，有回頭紙。三、直達寄付地區，上海、廣州、汕頭、福州、潮陽、流沙市。」

這一廣告見於香港星島晚報二月廿三日第十二版。類此的廣告見於其他各報者比比皆是，這不過是舉一個例子而已。

看來，這似乎是搶掉了香港郵局的生意。不過，請不必替香港郵局担心，在春節前一個月中，堆積在香港郵局中的待運糧包，有如山積。曾經有幾天下午，由於交寄的糧包過多，致郵局無地容納，於是乎，只要有空隙就堆放糧包，但交寄者仍然如潮水般擁進來，弄到郵局的辦事人員，連伸脚的地方都沒有了；結果，不得已宣布是日暫行停收糧包。而就在這個時候，有某土產公司，正用車運來糧包二千份，見郵局停止收受，只好又搬回去，這一筆搬運費的損失，當然不好向寄件人再補償，這就只有自歎倒霉了。

據郵政局季報公布，十二月份的糧包，由于交寄者過多，正常郵件處理方法已無法應付，結果，弄到要用機帆運送糧包自珠江口上溯廣州。據估計，在該段時期內，糧包交寄最多之日，竟達五萬包。

這些糧包裏裝的是甚麼呢？

最普遍的是生油豬油鹹魚麵餅之類，總之都是救飢的東西。而共產黨方面對於這些東西，却另有一套手法。他們把豬油煎好裝罐，每罐兩磅，而且聲明要買大陸的土產纔能寄回大陸，這麼一來，他們又可以大括外匯了。

最初，中共爲了不讓這種寄運糧包的醜事過分張揚，還定有數量限制。如每一次限寄豬油若干磅，但後來以大陸糧荒實在嚴重，也就半開半閉，一概不管了。不過，稅是抽得很重的，而且也漫無標準。

澳門方面的拱北關，爲由澳門進入廣東中山縣的交通孔道。這些日子來，已大開方便之門，不論是糧食或日用物品，一律准許入口，但有一個條件，納稅必須要交港幣。其實這所謂納稅也不過是一個好聽的名詞而已，事實上，貨物到了關卡之前，共幹明知是港澳僑胞爲了救急接濟他們的大陸親友，便任意抽取，形同勒索。

目前經由澳門三廠關卡進入大陸救荒的白米，共幹所勒索的所謂稅欵，竟達每斤十二元，僑胞對此激憤異常，但也無可如何。

有一位青年僑胞用三輪車盛載一包重約一百八十市斤之藍線包白米進入大陸，經三廠中共關卡時，就曾演出了一幕充滿了血淚與憤怒的趣劇。

事情是這樣的：關卡共幹，一見那位年青僑胞，携帶一大包白米要進口，即斥問他爲何要帶那麼多白米入口？他懇求說：「我家裏人多，十數人已快要餓死，這一包米，能吃得多少天呢？雖然我在港有吃有穿，但總不能忍心看到自己的親人餓死。」共幹聞言，又道：「你既然帶這麼多白米回來，當然經濟很好，非課重稅不可。」結果，你白米一百八十斤，要繳稅欵港幣二千元。幸而他早有準備，就從西裝口袋裏掏出一叠百元港幣，憤慨地說：「二千元夠嗎？不夠時這裏還有，反正國家那麼窮，做人民的捐獻多一點，也應該的。」此語一出，引起在塲僑胞一陣嘩笑。

但這位僑胞也很機警，他說了這話，繳交二千元稅欵後，即重酬請其他鄉親代帶回鄉，自己則立即折返澳門。

諸如此類的事，在最近幾個月來，幾乎無日無之。儒胞們爲了大陸親友正嗷嗷待哺，也就只有啞忍了。

上面說過，這種携帶糧食入口的多限於粵省籍同胞，至於非粵省籍同胞，則仍然是交郵局或土產公司代運的多。但香港郵政局對於那些包紮郵件不得其法者，近正深感頭痛。因爲依照英國郵政法例，郵政局不得規定郵件投寄人的包裹形式，而事實上，投寄人之不善包裝，却增加了郵局不少困難。有些包裹，簡直還在郵局堆放待運之前，就已經有漏有瀉了。

在這種情形之下，第五種投寄糧包的方式就應運而生了。本港某左派工會對其會員說，郵政局對於包裝得好的糧包，當然會運過去，但如果包裝得不好的呢？該工會乘機號召其會員，凡要寄春節禮（不叫糧食包，因爲這名詞叫出來總不免有些難堪。）回鄉者，可拿錢交由工會代辦，工會不在香港辦貨，而是派人到深圳（香港與中國大陸交界處，屬華界。）向土產機構辦好，按包先人，然後付運。寄件稅還可以收回收據。

此法實行以後，某左派工會會員尙稱滿意。看來，代運糧包這筆生意，現在已不是郵局和土產公司所能「專利」，連香港的左派工會也插手進來，要弄上一份了。

時人趣事

黃啓瑞出人頭地

△台北市長黃啓瑞，一向謙虛和靄。但是，有一次，他參加宴會，酒後與友人談笑，却說：「我一生沒有什麼值得驕傲的地方，就是『出人頭地』而已」宴會席上諸人聽了，以後他酒後失言，可是，他接着解釋：「本人身材特別高，與別人站在一起，總要高出一個頭！」

王雲五養生有道

△行政院副院長王雲五，有一次在省立師範大學演講時，曾講述他的養生之道，他說：晚上睡得早，早上起得早，吃飯吃得少。他每天晚上八時睡覺，凌晨四時起床，每天張口大笑十次，以勞動代替運動。他認爲：人的腦筋愈用愈靈。愈不用則愈不靈，因爲，「死水必臭」。他的如珠妙語，引得哄堂大笑。（谷）

桃園縣海岸造林參觀記（下）

（台灣通訊）

桃園縣的海岸造林，成績確是斐然可觀，不僅林木茂密，一望碧樹成林，而且碧林綠海，相映成趣，更增加了海岸上無限的美麗風光。尤其木麻黃雖屬闊葉樹種，惟葉形酷似針葉木，因此樹在海風中能發出與「松濤」相同之聲，人在樹林中，諦聽「松濤」「海濤」，相對呼嘯，使人竟有置身另一世界之感。

桃園的海岸林已經成爲縣內海岸一帶地區的風景綫了，每年都有不少國內外的旅客，從遼遠跑來觀摩或遊覽這兒的海岸林地，都一致絕口讚美這兒的幽美風光。現在海岸林內已經有了許多公園化的建築物綴列其間，水塡魚塘，小院花壇，以及接待旅客的廳堂，可以供應各種茶點，廳內一切佈置，堪稱雅潔，使來往遊客於借憩中，頗感舒適，確屬不可多得。據筆者探悉，這裏並不是林地俱樂部，也不是旅客招待所，而是海岸林地的管理中心，事實上海岸林似乎也是屬於國防性地區，普通人士如想深入參觀，可能是會遭遇若干困難的。

在桃園，筆者曾藉便前往石門水庫，並會參觀政府爲大壩淹沒地區移民而建立的模範新村，當時筆者因時間關係，雖只能坐在吉甫車上走馬看花，但對石門水庫的大壩工程，與移民新建的模範新村，亦有頗深的印象。石門都市計劃區東臨嵙溪，西迤山麓，北屛脊巒，南濱大壩，並包括人造湖及發電工程，自然環境，美麗幽靜，工程設計，奇妙偉大，形成了一個嶄新的風景區域。所有人造湖，發電廠、公園、遊憩塲、飯店、旅社，以及商人等等，都已先後興建起來，因此石門水庫的新都市計劃，將對桃園縣構成一幅美麗而光明的遠景。

石門大壩蓄水庫範圍內居民，現已擇定適當地區，妥予安置，由林務局指定縣內許厝、草漯、樹林、大潭、茄苳坑等地，撥出國有海岸林地數百公頃，供給移民使用，並指定中莊河川地，爲償付淹沒地區移民之損失，並爲顧念移民創業艱苦及導致農村經濟繁榮起見，悉符現代標準，目前是項新村計劃，業已次第付諸實施，諸如水利設備，村裏組織、派出所、衞生室、村內道路橋樑等，均已先後完成。新村位於海濱，在大溪公園對面之河川地帶，這一帶地方林木蒼鬱，氣候宜人，實在是非常理想的移民區域。尤其此間移民多屬山胞，得以藉此機會，集體遷居平地，於其生活方式之改善，知識水準之提高，裨益良多，這些都是石門水庫間接促成的莫大貢獻。對於這批移民本身而言實不啻人生另一良好轉變的開端，而走向一個生活安定的社會，這是非常值得珍惜的。

桃園縣的市鎭鄉村，在未遊歷之前，是如此令人向往，而在遊歷時，又是如此令人流連，各地民情惇厚，風俗優良。筆者在這裏還可以告訴讀者一個發現，就是桃園縣的小姐，一般都生得十分秀麗多情，很是可愛；因此台灣的桃園與湖南的桃園，雖然是少了一條如詩如畫的「桃花江」，然而都同屬我國出生美女的地方。

林嘯崧

大陸文壇萬花筒

矛盾的電影故事

——岳騫——

中共統治大陸十一年來，戲劇和電影算是交了白卷，過去運到海外來放映，頗爲賣座的「梁山伯與祝英台」和「楊門女將」，完全是中國舊有的藝術，和中共無干，到是中共所創造出的人物電影，可說是沒有一部能勉強及格的。

中共電影之所以失敗，到不是沒有人才，留在大陸的電影從業員，不論編導演都比海外要高一個碼子，可是，這些優秀人才都被中共「政治掛帥」口號扼死了，無論什麼電影都要先顧到立場，電影情節也必然要有一位黨委書記作爲領導，於是整個氣氛就被破壞了，必然要失敗，最近上演的「黃浦江故事」，就是一個典型例子。

「黃浦江故事」主題是在敍述社會的變遷，工人們生在「舊社會」的「悲慘」，和「新社會」的「幸福」，其中主角兩父子，父親常信根，兒子常桂山都是一間造船廠的工人，這個船廠被日本人接收了，父親一氣不去工作，誓不作日本人的工具，兒子却更積極，仍然去作工，暗地裏聯合同志去破壞日本人的設備，情節到了此處，自然要加插共黨地下工作人員來領導，晚間常桂山偷偷從家中溜來，找到另一位同志馬富林，一道去炸日本人的運輸艦，却被父親知道了，奇怪的是常信根既未攔阻，也未出頭告密，只是看到兒子去了。到了常桂山和馬富林成功之後，跑回來跳上一輛三輪車，到了家中一看拉三輪車的原來就是他的父親常信根，電影到此也就完了。

這部電影達人民日報都不滿意，認爲「特定的歷史背景還不夠廣闊」，實際上編劇的人可能已煞費苦心，因爲人所共知，抗日是國民黨領導由國民政府發號施令的，上海炸日本人工廠，軍艦的事情並非沒有，可是，絕沒有一件事是共產黨領導的，連共產黨自己的黨史，回憶錄都未曾好意思編造過，因爲實在沾不上邊，現在編劇「同志」硬把上海地下工作鬥爭拉到共黨頭上，已經斷他膽大臉皮厚了。假若要開濶歷史背景，無論如何當時租界裏到處招展的靑天白日滿地紅國旗是應該出現的，那又如何得了。

中共拍這部片子，主要目的是反日，可是，一接觸到誰領導抗日的問題，中共就顯得尷尬了。

編者·作者·讀者

鮑先生：千字小說因不合本報篇幅，未能刊出，至以爲歉。本報第三版頭條，約在一千六百字左右，過長或過短均難於刊出。順請各位文友注意。

姚詠蓼，雲無心先生：久未見惠稿，甚念。

澳門王來先生：過蒙獎飾，愧不敢當。本報園地公開，歡迎惠稿，尙請時賜教言，以匡不逮。

社會小說

香港地

七、可憐一炬

梅大亮見譚福祿要和他合買馬票，當然沒有拒絕之理，也就答應了，還笑道：「據說如果不懂得馬經和波經，便不配做香港人。慚愧得很，我在香港住了許多個年頭，沒有到過馬塲和球塲，連馬票也沒買到一張，如今買一次馬票也好，細想來，這正是創造財富的捷徑呢！」

譚福祿付了錢，把馬票拿到手裏，才離開那家店子，笑道：「不瞞你說，不論是大綵彩小搖彩，我每次都不肯放過機會，明知中彩的成數很微，但我却是馬票的擁護者。我有我的一篇大道理，你肯不肯聽了？」

梅大亮驚訝他對馬票的熱心，便問他憑什麼道理去擁護馬票。譚福祿道：「據說這是資本主義的自由社會。我們既然信任鈔票，當然也該信任馬票。鈔票這種東西，是基於我們共同的需要才產生出來的。我們信任鈔票，讓鈔票對我們作間接的統治，這比較受強暴的權力直接統治為好。當然，鈔票可憑巧取豪奪得來，但也可讓各種職業人士憑其服務繼而得來，另外，憑機會得來也有可能呢。天生人的智勇辯力並不相等，上帝雖無意在造人的時候有所偏私，但我們慣有一種勢利眼光，認為凡是天生智慧與才力較高的人，應該是人類社會的驕子，更應該是各式競爭或鬥爭的優勝者，有權享受到一切好東西。我認為這種先天的勢利眼並不很好，妙在妙在能給各種低能者以偶然的機會，使他們也可大量佔有它，藉後天的機會去打破先天的勢利眼。比如一個盲眼或跛足的，窮無立錐的蠢人，只要他還可湊得出兩塊錢買馬票，他便可有成為百萬富翁的希望。這機會是均等的，與恐怖的暴力無涉，也與詭詐的權數無涉，不論智愚強弱，在彩票面前都受到某種運氣的安排，這就是鈔票的間接統治最值得贊揚之處了。我們天天說反共，但也天天說金錢萬惡，口頭是這樣講，文章是這樣寫，想來豈不矛盾？假如不肯擁護馬票，便等如不贊成鈔票的間接統治，那又何必反對共產黨？」

梅大亮從沒聽譚福祿說過這麼長篇的話，聽了不禁大大發呆。（一〇八）

木客著

理髮

汶津

理髮和等待天生有不解之緣。從推開彈簧門開始，你就得拿出生平最大的忍耐來。坐在旁邊「見習」的階段很可能長達十餘分鐘，接着上了第一綫，你更須振起罕有的勇氣，忍受那屠宰式的手術。

人既然蒙受了造物的偏袒，更須維持那一點異於禽獸的地方，毛長了當然得剪去，修齊。想得雅致一些，用髮匠倒像是園丁。可是我懷疑，他們的修養，他們的性情是否及得上園丁百分之一。此間夷門國校的一位園丁，四十年如一日，把那一片校園看顧得無微不至，實在是一位可敬的老人。有一張西德片中，學校的園丁是由校長兼任的。理髮師父中有沒有現任大學教授或曾出席敬老會的？至少在坐理髮椅十幾年來，還沒有發現過。對了，大概也是西德罷，有一位理髮匠的正業是市長，這在中國大概不是半世紀內所能追趕的。

話說某日午睡起來，攬鏡自照，遂頭散髮，遂當機立斷，邁向對街的「美容院」。好容易看到有一張椅子騰出，一位頭無三根毛的老先生抗了一腦袋的髮油揚長而去，我便登上那寶座。只見那位大師眉心一皺，舉剪作態。此手對於「剪裁」極盡偷工減料之能事，對於我的鬢髮則顯示敬而遠之的表情。時而剃剪如泰山壓頂，時而又如枕上聽閣樓上老鼠啃傢俱。我雙眼一閉，聽天由命。

終於，我聽見一聲浸歎，好像在說：「我總算完成了本世紀的一樁大工程！」而此時汗流浹背的，不是他；我的汗水在頸背之間作祟，癢癢的。鏡子在苦笑，笑得莫名其妙。

「洗頭，」他[illegible]一揮白巾，我遂[illegible]羣的羔羊，任他[illegible]天涯海角。隨後，他簡直像面臨一個百世寃仇，拚命的抓、扭、摔……我的每一根可憐的頭髮，都有如颱風中的小樹枝，幸而我運出丹田之氣，咬緊牙關，才算熬過了這番疾雷暴雨。抹去水漬，我體驗到重見天日的興奮。

對於我不擦油的發明，他似乎頗為失望；如果一位園丁被花草拒絕了灌溉的雅意，心裏不知作何感想？我的那位剪刀藝術家，白白的失了一個表演的機會，同時對我的估價也不免再貶一級。

另一個節目展開了，我曾受到烈風野火中逃奔的滋味，那熱氣蒸炎得我幾乎從胃裏噴出火來，想象中頭頂必然是「楚人一炬」了。我偷偷地向鏡中窺，却只見得意之色充溢於那人的眉宇之間。而我的左右迴避，終敵不過他的聲東擊西。招架無術，只有束手成擒。

我忽然想起囚犯們謀殺劊子手的故事，理髮師們夜半走在黑巷子裏不害怕麼？理髮業公會在策動加價之餘，恐怕還該請一些保鏢維護同業的安全吧。

此時，磨刀霍霍的聲音響起來了。接着鼻澤及領頰，已近似大戰的餘波了。

先兵後禮，他放下屠刀，立地成佛，雙手恭恭敬敬的奉上一塊又濕、又香、又熱情的毛巾來。我把它貼上臉龐，表示在休戰書上簽字。

再看一次鏡子，原來倒應了「無破壞即無建設」那條標語。回顧那位戰爭販子，面露着政治家的微笑。瞥視旁坐，我的歷史正在重演——世界不可能沒有戰爭啊。

我戴上休息將近一小時的眼鏡，然後鑑賞。那位穿着莊嚴的白袍的藝人，眼中不禁閃出希望的光芒。他接受了園丁份內的果實。

有人在理髮椅上讀書，有人夢見他的心上人；我，我多麼慚愧！但願有一天，我也能像歐陽修那樣，大言不慚的說，我的文思來自枕上、車上、理髮椅上。

台灣歷史漫談

余又蓀

三、荷蘭人佔領台灣

明史卷三二五有和蘭傳，即荷蘭也。傳云：『和蘭又名紅毛番，地近佛郎機（按明人對葡萄牙或西班牙人，最初皆以佛郎機稱之）。永樂宣德時（一四〇三年——一四三五）鄭和七下西洋，歷諸番數十國，無所謂和蘭者。其人深目長鼻，髮鬚皆赤……萬曆中和蘭人未敢窺中國也。……萬曆二十九年（一六〇一）駕大艦攜巨礮直薄呂宋；轉薄香山澳』。據此，荷蘭人於明神宗萬曆二十九年初到中國之澳門。

按荷蘭本西班牙屬地，獨立後（一五六八）在歐州與西班牙爭霸，失敗，乃轉而向東洋葡西勢力市場。萬曆二十四年（一五九六）到爪哇寺地，二十九年到澳門，三十年組織東印度公司，對東方大規模經營。但因葡萄牙人先到澳門，葡人從中阻撓，荷人未得在廣東互市。三十二年一度佔據澎湖，欲向漳州通市，未幾退去。明熹宗天啓二年（一六二二）又佔領澎湖及台灣，天啓四年福建巡撫南居益以兵收復澎湖，而台灣則仍為荷人所據。（明史鷄籠傳謂萬曆末紅毛番泊舟於此，不確。荷人到台灣未有如此早也）。

荷蘭於天啓四年（一六二四）正式佔領我台灣後，厲犯閩海，明廷以流寇方熾，而滿軍復連年內侵，對於邊疆之台灣，自無暇過問。荷人於台南築熱蘭遮城而居。其後西班牙人一度佔據北部之基隆淡水，與荷人分據台灣之南北。崇禎十四年（一六四一）荷人逐走西班牙人，從此台灣全為荷蘭所統治。順治十三年（一六五六）又築赤嵌城，設總督以統治之。增兵戍守。對台灣雖極其經濟搾取之能事，而未從事建設。大約佔領了三十八年，直至一六六二年才為鄭成功所收復。

四、鄭成功治台灣

自明天啓年間以來，漳泉一帶的人移至台灣從事墾殖者多至數千人。明末政衰民困，沿海居民淪為海盜，顏思齊、鄭芝龍、袁進、李忠、鍾斌，李魁奇等有名海盜，即以台灣為根據地，出沒於台灣海峽及沿海一帶。

明崇禎元年（一六二八），芝龍投降於明廷，積功官至都督，威振閩海，船舶出入，例納二千金。芝龍的軍力財力都很雄厚。崇禎帝死，福王立南京（一六四五），封芝龍為南安伯。唐王即位福州（一六四六），又升為平西侯。芝龍心懷異志，命其子森入侍唐王，窺察動靜，森忠於明，唐王賜姓名為朱成功，倚畀以恢復興明室。封為忠孝伯，掛招討大將軍印。順治三年（一六四六），唐王被執，芝龍降清。成功時年二十三歲，痛哭諫父，芝龍不從。成功遂聯合親友九十餘人，收兵數千，到鼓浪嶼，謀圖恢復。其勢漸大，終於在反清復明的民族革命史上佔了光榮的一頁。（三）

海心島

·漁翁·

九龍城南三里許，曰「土瓜灣」，原為一荒坪，給人種瓜者，後闢為市塲，工廠商店，星羅棋布，成為今日之繁華區域。

此地瀕海，有一小島，浮在海心。故名。在島之岩石上，建築一小廟，亦以海心名之。善男信女參拜者，須乘小艇，在這小小島嶼，本不為遊人們所重視，因周圍有嵯峨突怒的怪石，參差垂陰的花木，點綴其間，頗引起人群之好奇心，都想到那島上去領畧一番，一竿垂鈎，雖不得魚，也大快心神。尤其坐在崖石上，同時看過景色後，再回頭一看，那香港的紅香爐峯，九龍的插望閣，以及紅磡的街市，都在眼底，頗有遠山近水之雅趣。

筆者曾遊過兩次，每次流連大半天，覽勝之餘，口占一絕云：「此間景色最宜人，怪石幽岩近水濱，縱有颱風吹不動，生來傲骨自峻峋。」

這島的妙處，在幾塊石頭上，柳宗元所謂「突怒偃蹇，負土而出，爭為奇狀者，」可為此地寫照。可是偃蹇雖偃蹇，還有峻峭的傲骨，可以避狂風，破巨浪，千百年下，仍屹然立着不動的姿態，也落得個「中流砥柱，萬古不磨」！

徵稿小啟

有內容有意義之隨筆、散文、掌故、小說、雜感等類文字，本刊均所歡迎。請用有格稿紙繕寫，如需退還，請附信封及郵票。一千六百字或五百字左右的隨筆比較容易刊出，過長則以篇幅所限，請特別留意。

梨園漫談

花面（上）

——瘦西湖——

淨之組織，共約分為三類，然而臉譜勾繪與設色之多，實不下有數百餘種，要明白其梗概，僅不過係忠與奸之分，正與邪之別也！

正淨，又名大花面，其責任着重老練穩到，其餘如唱的方面：以及口白、身段、功架、扮相、台步、眼神、動作，皆須特別注重，否則，正淨即有好的功架和扮相，如無上佳好嗓，則休想能列入正淨之林。

正淨除稱大花面外，又被人稱為銅錘，前者係起因於塗面之故，後者係得名「二進宮」徐延昭手抱銅錘之由來，正淨除花面，銅錘之稱外，尚有以黑頭呼之者，黑頭因包龍圖面塗黑色，又如銅錘徐延昭之注集唱功然，故而凡專重唱功之花面，人遂又以黑頭呼之矣。

銅錘與黑頭，其專長在於唱功之繁重，態度之沉毅，嗓音尤須嘹喨宏碩，如此，當得黃鐘大呂之稱者方能合乎要求，亦不至被人所歧視和冷落，以正淨所扮之人，如非王侯即為將相，其氣魄當應磅礴耳。

副淨，又名架子花臉，着重工架、身段、扮相、動作、說白，副淨所扮之人，不似正淨僅扮忠良之單純，如奸相、權臣、悍將、梟師、土豪、惡霸、巨盜、兇寇等均有其份，故首須務將各人之個性、身份，必需加以揣摩詳熟，分別瞭解清楚，而後始能恰到好處，至於其做工之繁重、工架之大方，唸白之爽辣，神態之威猛，幻臉之精緻，尤非只重唱功之正淨，及專尚武打之花臉所可能比擬，在淨部之類內，當以此腳色為最難演也。

武淨，又名武二花，重摔打、武功、說白、工架、扮相等，因此，武淨務以摔打慓悍為主，武功尤須矯健，神態必須活潑，果如此方為人所欣賞，否則，將不足觀也，武淨所演之正戲，本甚寥寥無幾，自「拿高登」、「鐵籠山」、「四平山」、「九江口」、「霸王別姬」、「通天犀」等劇由武生行兼演後，武淨行除「青面虎」、「鎖五龍」之「竇爾墩」等外，將無用武之地了。

紅淨，即名紅生，重唱、唸、功架、扮相，紅淨似專為關雲長、趙玄郎、李克用、關勝等諸人而設，實則演時仍以關公戲者居多，唱紅淨須文武兼長，崑徽並擅，如此方為上佳，此外須有正淨之肅穆威嚴，副淨之神妙做派，武淨之穩練武功，然後方能勝任，故演此角者最不易討好也。

中華民國五十三年四月四日　自由報　星期六　第四版

辛丑談往

——無負生——

燕塵小識

又云：「拳匪之事當剛趙查驗時，是一禍福轉捩關鍵，如此時能將眞情實況剴切陳奏，使太后得有明白證據，認定主旨，一紙嚴詔，立時可以消弭。過此以後，烏合蟻附，羣勢已成，雖禁遏亦已不及。後來釀成如此大禍，剛趙二人實不能不負全責。太后謂具死有餘辜，確係情眞罪當。剛之爲人愚陋而剛愎，或眞信拳匪之可恃，亦未可定。趙則起家科第，歷歷京外，開藩陳臬，並皆卓有政聲。而且學問淹通，持躬廉正，此兒戲鬼混之義和團，能否成事，明白易曉，決不至於不能鑒別。第以刦於剛勢不敢立異，遂至與之駢殉。身陷大戮而死負惡名，未免太可惜矣。」

又云：「趙賜自盡時，派岑春煊前往監視。趙體質素強，扼吭仰藥，百計竟不得死。而岑在客室，不耐久候，再四遣促，詞氣極凌厲。家人不得已，乃以綿紙漏糊七竅，灌以燒酒而悶斃之。屢絕屢蘇，反覆數次而後畢命，慘矣。然岑亦忍矣哉。」此於岑雲階亦有微詞，因與本事無涉，不必多說。

又上年十二月廿五日上諭，於毓賢責備極嚴。「已革巡撫毓賢前在山東巡撫任內妄信拳匪邪術，至京爲之揄揚，以至諸王大臣受其煽惑，及在山西巡撫任內，復戕害教士教民多命，尤屬昏謬兒殘，罪魁禍首。前已遣發新疆，計行抵甘肅，著傳旨即行正法，並派按察使何福堃監視行刑」。云云。其後即在蘭州遵旨斬首，時在庚子除夕云（待考）。此人死不足惜，而有人挽以一聯云：「其生也榮，其死也哀，雨露雷霆皆帝德；臣門如市，臣心如水，皇天后土鑒孤忠。」此則必傳之作矣。

（三）湔雪諸賢：前詔既頒，立付施行。莊王載勛於辛丑正月初三日（西曆一九〇一年二月廿一），英年趙舒翹於初六均自盡；毓賢於正月初四（前文作庚子除夕，誤），啓秀徐承煜於初八均正法。一片肅殺之氣，籠罩新春，罪人既已伏辜，轉而昭雪忠良；上年十二月廿五日光緒降諭云：「本年五月間拳匪倡亂，勢日鴟張，朝廷以剿撫兩難，疊次召見臣工，以期折衷一是。乃兵部尚書徐用儀戶部尚書立山吏部左侍郎許景澄內閣學士聯元太常寺卿袁昶經朕一再垂詢，詞意均涉兩可。而首禍諸臣遂乘機誣陷：交章參劾，以致身罹重辟。惟念徐用儀等宣力有年，平日辦理交涉事件，亦能和衷，尚著勞勩，應即加恩徐用儀立山許景澄聯元袁昶着開復原官，該部知道。欽此。」（五）

强權政治

徐學慧

二十年前美國有一位教授史班克孟者，著了一本書，題爲「世界政治中的美國戰略」。此人可以算得是強權政治的代言人，他以研究地略政治馳名，大胆地說了一些令人胆顫心驚的話，但事實上，二十年來的美國外交政策，却是全部根據他所提出的原則來推行的。

他主張在擊敗德日之後，立即恢復德日的軍力，來對付中蘇。他也反對歐州統一，不管是任何一個大國統領或者是組織歐州聯邦。理由是：「歐州聯邦可能成爲一個團結的軍力，把我們在大西洋的權威全部改變，並削弱我們在西歐的地位。」因此，他毫不報顏地說出：「美國的和平目的，如係建設統一的歐州，我們便巳挑錯了敵人。出動全力幫助希特勒，乃是建設統一的大西洋區最簡便的方法。」

強權政治的眞正面目，在史班克孟教授這本書裏，經巳表露無遺。霍布金斯大學校長浦門介紹這本書，認爲「在今後二十年內，美國政府的負責人至少須年讀一遍。」將這二十年來的美國外交政策來分析，我們固可以這麼說，他這套理論是產生了很大作用的。

二十年時光，世界形勢已有了新的變化。中共之乘機竊據中國大陸，當然是史班克孟在寫那本書的時候所不曾料到的事。科學武器之進步如是驚人，亦爲史氏所不會夢及。到今天，扶助德日巳不能對付中共與蘇俄之勾結，於是乎新的強權論又應時登場。普林斯頓大學的教授莫根扎頓在幸福雜誌著文稱：「假如中共成爲第三集團之核心，則此將爲和平綫上最危險之事。……美蘇聯盟在目前似極無可能。惟可憶述者，乃美國於戰後不久，即與德日兩國聯盟。在任何局勢下如合作顯屬需要，則一拍即合。」後面這句話，眞是可圈可點，一副强權主義的面目，躍然紙上，神氣活現。史班克孟有傳人矣。

標點趣話

冰山

我國文學的寶貴，非但在於其構造神妙及龍飛蛇舞的藝術價值，標點符號亦有其不可思議的巧妙，一句文句標點符號不同，非但面目全非，甚或得到完全相反的意義。民初有一大作家因報館不付標點符號的稿費，因此他的作品概不標點，可是，如此一來，讀者根本弄不清他的意思，因爲上讀下念都有意義，從此報館對標點亦同樣照字付費了。

且讓不佞道幾段掌故來。

話說有死賴的客人，天已晚了，雖然主人連連暗示着客人離去，可是客人就是不識相，死賴着，此時適下起濛濛雨來了，因此主人寫了一張條子給客人：「下雨天留客天留我不留」當時沒加標點，當然主人的意思是：「下雨，天留客，天留我不留！」可是因爲沒有加標點，客人一看，提筆替他加上標點，又送回給主人，主人一看眞是啼笑皆非，只見是：「下雨天，留客天，留我不？留！」

從前有僕人與主人訂了一合同，合同上是用八行紙寫的行書，也是未加標點，「無魚肉也好蔬菜不可少一分工錢不得」，僱主一看天下那有這麼便宜的事，原來僱主認爲是：「無魚、肉也好，蔬菜不可少，一分工錢不得」，以後僕人得到的待遇當然是吃蔬菜不拿工錢了。可是僕人不服氣，雙雙鬧得縣老爺處，主人說：「小人是照合同上實行，可惡那奴才却要吃魚吃肉還要拿工錢，顧青天老爺明鏡高懸」，僕人說：「小人與他訂的合同，是可吃魚肉，不吃蔬菜，可是現在天天吃蔬菜，又不給工錢，請大老爺明斷。」縣老爺可就糊塗了，叫兩造各各把合同唸來，主人唸的當然是上面所標的，可是僕人唸出來的却是：「無魚，肉也好，蔬菜不可，少一分工錢不得。」這一下老爺可慘了，兩造意思完全相反，可又都有道理。

一位居亭主人好潔，可是他的粉牆上常有人小便於其上，居亭主人深惡之，因此在粉牆上貼了一張條子，上書：「行人等不得在此小便」有個淘氣鬼替他加了標點：「行人，等不得了，在此小便」，此後行人一看，都說這個居亭主人眞好心，叫我們小便急了，等不得了，可以有小便的地方，眞乃阿彌陀佛，救苦救難，從此小便日多。

新春快到了，家家戶戶貼上鮮紅的春聯，可是在杭州，却盛行無字聯，那就是，貼上空白的聯紙，沒有聯語，說是取其全年無事。

祝枝山這年來到杭州，却要叫杭州人有事，祝與儂人携了筆墨，把無字聯都添上了字，到了一個惡訟師的家裏，就在無字聯上寫着：

今歲逢春好不晦氣

終年倒運少有餘財

又在其偏房上寫着：

此地安能居住

其人好不悲傷

次日那訟師看了，當然不肯干休，於是召集了杭州的秀才，塾師在明倫堂開會，要痛打赤練蛇祝枝山。

到了約定日期，祝枝山施施然來到了明倫堂，衆人就七嘴八舌的罵他了，可是祝枝山一點也不慌，說：「我眞感嘆，杭州元無人，祝某寫了一付大吉大利的聯語，恭祝諸位，也得罪了人嗎？」那訟師因想明明巳寫下那兇人的聯語了，再也不怕你赤煉蛇了，因此當下以三百兩賭輸贏，出錢修明倫堂，請衆人評理，祝枝山慢慢站起來唸道：

今歲逢春好，不晦氣。

終年倒運少，有餘財。

×　×　×

此地安，能居住，

其人好，不悲傷。

衆人不由脫口叫好。祝枝山又勝了。

簡許叔娛先生

顧翊羣

許君行年八十，親書宋范文正公岳陽樓記，並附跋語，遠道寄贈，雅意殷拳，深可感也，詩以謝之。

先天下之憂而憂，後天下之樂而樂。仁人濟世心如此，岳陽樓記豈徒作。宋室昔苦元昊兵，范公身兼文武略。安撫鄜延墾營田，坐鎮西陲綰鎖鑰。立朝正色識大體，外和內剛甘澹泊。不以物喜不己悲，千載誰如公忠恪。許翁誠篤君子儒，期耄著述贍而博。與余久爲忘年交，遠道贈來元和脚。再拜開緘懸座右，文則珠璣書玉削。硬黃楷法追鍾王，體近瘦金力不弱。吁嗟乎古道沉淪大義微，世風丕變人情薄。芒鞋竹杖商山老，鬢髮蒼蒼猶矍鑠。彩筆嘉言寓深旨，君是當今之扁鵲。

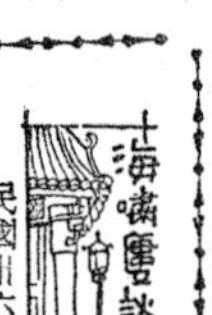

談孟良崮戰役

諸葛文侯

民國卅六年夏間，國軍精銳部隊第七十八軍在魯境沂蒙山區從事勦共，於孟良崮之役，全軍覆沒，軍長張靈甫殉難，世論惜之。此軍裝備最新穎，戰鬥力極强大，竟敗於劣勢武裝的共軍之手，當時兵家多歸咎於指揮官未能洞明敵情，冒險輕進，迨陷入崎嶇山谷間，而機械化武器乃無從發揮其應有的威力了。斯言固不無理由，然軍心不固，戰鬥意志不高昂，以及交通運輸不相配合，實爲致敗之主要因素。

七十八軍原係由俞濟時將軍所領之七十八師擴充建制的，紀律素號嚴明，訓練亦稱完善，俞氏辭去軍職後，施中誠（保定軍校出身）繼任軍長，全軍駐在南京地區，軍容甚盛，人民頗表愛戴。似此部隊，若說在戰地因缺乏民衆合作而失敗，那是不正確的講評。該軍奉命出發赴魯勦匪之前，軍長呈請辭職，按照軍中習慣，應以副軍長余程萬升任爲合宜，蓋多數中下級幹部皆係余氏舊部，感情融洽，易收指臂相助之效用也。終以張靈甫統率之，即匆匆馳赴戰場，主將與各級幹部間，尚未建立私人的情感關係，而原爲余氏部屬的各級官佐，皆不免怏怏失望。張靈甫驍勇善戰，但一足曾於作戰中受創，不良於行，這又給一般官兵心理上潛伏着不良印象。綜此數因，官兵的戰鬥意志自然趨於薾瑟，加以交通不便，運輸補給困難，一旦遭遇頑敵，處於危地，乃缺乏上下一心，死裏求生的苦撑精神了。

孟良崮一役，影響以後的戰事得失甚大。民國卅七年冬，黃伯韜兵團苦戰徐州外圍碾莊時，中樞軍部嚴令邱清泉軍急行馳援，然邱軍每日僅能前進八至十華里，原因就是鑒於七十八軍的覆轍，唯恐中途遇伏，而機械化裝備特笨重，運用難期迅便，他在行軍之際，必須顧及周圍五里以內的安全情況，嚴密搜索前進，以致形成牛步式的馳援效率，而黃兵團乃以彈盡援絕，壯烈犧牲了！

軍隊官兵的情感因素，極關重要，所謂「子弟兵」，雖敗而不散，情感所使然也。此與封建思想無涉，英國軍隊亦有以區域爲編制對象者，如所謂「蘇格蘭師」是也。官兵都是同一地區人，或者相從甚久，感情即易融洽，作戰自能協力拚命。軍備機械化，尤須具備其他的條件，如公路鐵路暢通，運輸補給方便，才可以發揮應有的能力，否則適所以自困自擾耳。前年我在西德，見着希特勒時代所修築的「奧托邦」（機械路之意）公路，寬敞堅固，縱橫全國，兩旁輸油管蜿蜒銜接，補給綫絡繹如網。即知吾國的交通運輸條件，萬萬不能適應機械化軍備的需要，而張靈甫，邱清泉，黃維等美式裝備部隊之所以失敗，非偶然也。

李香君

謝康

特別是香君因爲她能夠鼓勵了侯方域，保全其名節，正是「婢娼能勵鬚眉志，不愧遺民傳裏人！」到頭來「侯公子歸除花月緣，張道士歸結興亡案。」原來當明末國破家亡時節，忠貞人士，義不帝秦，方式不一：或則遁跡空門，作無言的抵抗，如石濤、八大、渾融、弘智（即方以智）諸和尚，如朱衣道人（即傅青主），殘道人（即髡殘）如葆眞庵主卞玉京，李香君，張瑤星諸黃冠，又如生着袈裟死以僧服殮葬的侯方域，吳梅村，柳如是也可屬於這一類。或則山林隱逸，遁播一生，如蘇崑生，柳敬亭等做漁樵話興亡，憑弔殘山賸水。或則苦心著作，守先待後，寄民族復興之望於將來，如顧、黃，顏（元），李（塨）諸大師，屈大均，陳恭尹，毛奇齡，魏禧暨易堂諸子。或則參加保衞社稷的神聖抗爭，準備不成功便成仁，如史可法鄭成功，瞿式耜，張同敞，夏允彝，夏完淳諸人其尤著者。或則遷適異國作流亡知識份子或政治難民如朱舜水之流，名垂史冊。總之，明遺民中忠義之士守正不屈大節凜然同今天逃避港澳人士，傷心人別有懷抱，忠貞不二者甚多，茲因尚論李香君，姑附列於此，以證明香君之靈芬亮節，固不在賢士大夫之下。（六）

歷史人物

內警僑台報字第〇三一號內銷證

自由報

THE FREE NEWS

第一一一期

中華民國僑務委員會頒發
台教新字第三二三號登記證
中華郵政台字第一二八二號執照
登記為第一類新聞紙類
（本刊每星期三、六出版）
每份港幣壹角
台灣零售價新台幣弍元
社長：雷嘯岑
督印人：黃行憲
社址：香港銅鑼灣高士威道二十號四樓
20 CAUSEWAY RD 3RD FL
HONG KONG
TEL. 771726　電報掛號．7191
承印者：田風印刷廠
地址：香港灣仔高士打道二二一號
台灣分社
台北市西寧南路壹叁叁號二樓
電話：三〇三四六
台郵撥儲金帳戶九二五二

中共與蘇俄的經濟談判

金達凱

在大陸飢荒日趨嚴重，經濟危機逐漸擴大期間，中共與蘇俄在北平舉行關於經濟和貿易的會談。據周恩來和陳毅招待蘇俄對外經濟聯絡委員會第一副主席阿希波和蘇俄對外貿易部副部長庫米金的談話中透露：此項談判，目前僅「得到初步成功」，下一階段將移到莫斯科進行。因而表明了它們二十多天來的會談，並無具體結果。其中的內情如何，中共所要求蘇俄幫助的是什麼，以及目前未能達成協議的原因何在？現略作分析。

十一年來，蘇俄在經濟上對中共的援助，主要是工業建設方面，幫助中共新建和改建若干現代企業，從一九五〇年至一九五六年，其改建援助項目共二百一十一項，後合併為一百六十六項。這些項目，包括改建鞍山軋鋼廠、長春第一汽車製造廠、洛陽礦山機械廠、雙鴨山造煤廠、淮南謝家集洗煤廠等。一九五九年雙方又簽訂了一項自一九五九年至一九六七年間，由蘇俄協助中共建設冶金、化學、煤炭、石油、機器製造、電機製造、無綫電技術等、新建無縫鋼管廠及七十八個大型工業和電站的協定。可以說今日中共在工業上稍有眉目，與蘇俄的援助是分不開的。

但是蘇俄對附庸國的援助，不是無條件的。中共須以農產品——穀米、大豆、食品等作為換取工業設備的代價。貿易方面也是如此，中共從蘇俄進口的商品，為有色金屬、黑色金屬、機車、機床、各種動力機械、儀器和卡車等，而中共對蘇俄商品的輸出，除大米和大豆之外，還包括豬肉、蛋品、生絲、羊毛、綢緞、茶葉等等。換言之，是以消費品交換生產品，以生活資料換取生產資料。因之降低人民生活水準，擴大「飢餓輸出」，以致造成當前的嚴重飢荒。這是中共在經濟上倒行逆施、竭澤而漁所產生的惡果。

據中共自供，其在第一個「五年計劃」中，用於基本建設的投資總數約折黃金七億兩以上，其中用於所謂「社會主義建設」的卽約折合黃金四億兩以上。第二個「五年計劃」，對於社會主義基本建設投資，比第一個五年計劃增加一倍，因而其投資於社會主義基本建設資金將折合黃金八億兩以上。這種大量支出，一大部份自是付予蘇俄有關工業設備的貨款和技術援助的代價。使中共脆弱的經濟基礎，受到重大的拖累。

但是幾年來的事實表明，在蘇俄支援下的中共經濟建設，並沒有收到預期的效果。許多建設項目，不能成套，無論是電站、鋼廠或煤礦，在全部生產過程中，不是缺這，就是缺那，不能發揮生產作用。據中共供稱，其一般工業企業部門，現時製造的生產設備，多有頭無尾，有手無足，有主機，而無輔機；有單機，而無部件；有了主要的部件，而無輔助的部件或零件。使一般建設項目和產品未能「配套成龍」，影響生產的進行。

因此，自一九六〇年下半年起，中共即縮小其工業建設範圍，注意農業生產。

南斯拉夫記者者去年報導北平車站有大批蘇俄技術人員撤退消息，認為係中俄共之分裂，其實是中共減少經建項目的反映。中共本年舉行「八屆九中全會」時，更正式決定「縮小重工業基本建設的規模，調整發展的速度，採取鞏固，充實和提高的方針。……」薄一波在「紅旗」上發表專文，也指出「今後兩三年內工業基本建設的主要任務，是要從各個工業部門、生產過程各個環節的設備能力的現狀出發，進行填平補齊，配套成龍。……」這些說明了中共的工業現狀，由「大躍進」的高潮下降為「大躍退」的低潮。同時也說明了這次中共與蘇俄的經濟談判，中共所要求蘇俄的，將不是工業建設項目，而是一反過去慣例，要求蘇俄給予一般經濟的援助，特別是穀物糧食方面的援助。

若干年來，在一般經濟方面，蘇俄對中共的援助為數較少。就公開的材料來說，計有三次：第一次是一九五〇年毛澤東訪問莫斯科時，蘇俄貸予中共十二億盧布，折合三億美元。第二次是一九五四年赫魯曉夫訪問北平，與中共簽訂貸款五億二千萬盧布，按當時中共牌匯率，折美金一億三千萬元。第三次是一九五九年二月，周恩來出席俄共二十一次大會，獲五十億盧布貸款，折港幣七十五億元，約合美金十二億二千五百萬元。上三項合計十六億五千五百萬美元。但這幾筆款項，並非現款，大部份是各種援助物資的折價。一九五九年的五十億盧布，雙方即聲明係蘇俄供應設備，設計和其它技術援助的總值。自然還有一些未公開的經濟援助，據中共財長李先念一九五七年六月在偽人代會上的報告，從一九四九年至一九五七年，蘇俄貸款總額為五十二億九千四百萬「人民幣」，折合美金二十二億四千八百萬元。但這也不完全是現款，包括了一般軍用物資在內。因此，可以瞭解，這次中共與蘇俄的經濟談判，以及談判之無結果，蘇俄要中共派遣代表團前往莫斯科作第二度的商談，顯然是中共要求現金的援助，及糧食方面的援助，以解決內部的經濟困難，而蘇俄無法滿足中共之故。

目前中共經濟之主要困難，一是是糧食的困難，由於兩年來的特大飢荒，糧食作物減收一半以上，人民口糧配額已減到無可再減，民間飢餓的怒火正廣泛延蔓，需要蘇俄在穀物方面的供應。二是外滙的困難，因為向澳洲和加拿大等國購買的糧食，需要巨額的外滙。據本港報章消息，去年年底以前，接近大陸之本港銀行及銀號，都奉命將外滙頭寸掃數交與某銀行，各經營大陸土產商號亦被迫提前繳交貨款。其拮据的情況可見。而這也是需要蘇俄幫助解決的。

但是近年來，蘇俄農業亦連續歉收，糧食產量亦感不足，自難供應中共。大陸自發生糧荒以來，自由國家紛紛表示願作慈善救濟，而蘇俄則迄無濟助的象徵。即可證明蘇俄對中共糧荒是漠不關心和無力幫助的。因此北平會談之無結果，固可想知，而下一階段在莫斯科的商談，也將沒有具體的結果。

主客異勢

小論天下

△紐約時報證實蘇俄大批軍火運入寮國；並著論指出，共黨勢將囊括全寮。

他們到今天才認識共黨要吞併全寮的決心，也怪不得我們寫「小論」的也敢「小覷天下士」了。

△傳緬境反共游擊隊進入泰邊，泰國將飭令繳械。美國表示願協助其返台。另傳：五萬中共軍入緬，並已在滇緬邊境建機場。

假如自由世界能振作，反共游擊隊定可由雲南邊境找得立足點，以「滾雪球」方式造成全滇以至全中國的大變動。而現在我們看到的事實是：入緬共軍游擊隊飭得散走寮泰，然後利用緬甸，借助美國人的手，通過泰國去把他們繳械。這一刀切下去，更把緬寮泰中美以至英法的矛盾擴大。敢問：是誰讓中共在民飢兵敝之際，反能如此「得意」？

△大陸飢民搶糧事件，近仍大量發生，大部份由民兵領導，並由開倉刦糧而至焚倉燒糧。

由「怠耕」而至「燒糧」，「一拍兩散」的怨心恨心已由慢調變成急調了。「時日曷喪，予及爾偕亡」，此語猶未窮狀其哀。

△美駐蘇大使持甘迺迪函返任，擬面遞赫魯曉夫而未果。赫魯曉夫出巡多日，演成「捉迷藏」之戲。

此比之面罵艾森豪，亦稍差一綫而已。

△美總統甘迺迪揭櫫的「和平服務隊」計劃，已獲初步良好反應。美青年志願投效，頗見踴躍。

有理想才有希望。這是西方「傳教士」的第二代，目標由宗教轉到政治，這一批「苦行僧」該拿着「聯合國憲章」作為「自由的聖經」，可惜人們會因為吃慣了強權政治的苦杯而蔑視它。他們必須吃力地在「落後國家」搜捕紅色的跳虱，但當美國政府仍然安於「一半自由」與「一半奴役」的「和平共存」，怕他們也只能成為吃力而不大討好的「捉虱者」而已。

△西德宣佈馬克增值，美國表示歡迎。

截至目前為止，西德是總算西歐答應拿錢出來協助美國開發「落後國家」的第一個國家。「有為者亦若是」我們還有什麼話好說？

△傳英國將在本屆聯大贊成中共入聯合國，工黨領袖高呼「中共入聯國時機已至」。美國民主黨議員建議：如中共獲准入聯國，美國應該宣佈退出。

替聯合國算命的人總該越來越悲觀吧！

方南

自由談

大話怕計數

馮正先生

新任教育部長黃季陸先生就職之日，說他做過公務員，大學校長，教授，新聞記者，又常常和青年人接觸，洞悉各界人士的處境和需要，自信對於教育部長的職務能夠做好云云。黃先生自述的一生經歷，都是實在的，而且只有省略，決無誇張之處，例如做過省黨部主任委員這一項資歷，他就存而不論了。我十分希望黃部長憑着「門門通」的本領，做到前無古人的成績，為自由中國教育前途大放光明，不亦善乎！

可是，廣東有句俗語：「大話怕計數」。我躭心黃先生這番漂亮而動聽的話，將來是否可以逐一兌現，而不怕別人提着算盤來計數呢？我現在舉出兩項教育問題來談談：台灣普遍流行的所謂「惡性補習」風氣，你能拿出妥當有效的方法，予以滌盪？這是一般家長和學生皆感覺頭痛的事，又是社會上聚訟紛紜的問題，如果能夠消弭它，真是功德無量也。次為「太保學生」問題，由於「太保」們盡係當代要人的子弟之故，乃使這種台灣特有的惡劣學風，始終沒法剷除。你能嚴令各校長，通知各治安機關，不管是誰家的「太保」子弟，一律嚴辦，若有禍事，即由教育部承當而決不食言嗎？祇要能夠做好這兩樁事，我認為已經是了不起的政績，應予大書特書了。黃先生既有諾言在先，我們且準備電腦計算機，等着核計罷！

陳立夫是否再出國

彬彬

◉台北航訊◉

去國已逾十年，最近從異域回到台灣來省視父疾的陳立夫氏，連日以來，成了政治新聞中的熱門人物，台北各報紙無論是官營或民營的，爭着刊載關於陳氏回國的消息，尤其對於陳氏是否留在台灣為國家効力，不復遠返美國這一點，揣測紛紜，特別注視。雖然陳氏已有書面聲明，說是一俟父病痊可後，即行重返新大陸，但人們還是不相信他此行的作用真是那末簡單。記者綜合若干權威消息，參證政治行情，認定陳氏留在國內的可能性很少！

在最近二三年間，蔣總統迭次希望陳氏回國一行，確係事實，程天放，方治等人赴美公幹時，亦曾奉命向陳氏勸過駕，陳氏初以在紐約郊外舉辦的養雞事業不易結束（因為虧了債）無法分身，婉詞避謝。旋養雞事業交由中國銀行接管後，陳氏又接受了美國普林斯頓大學的邀約，担任研究亞洲問題——特別是遠東問題的工作，合同既已簽定（一年簽訂一次），未便中途爽約，而且這項工作對於反共救國前途大有裨益，也不應該恝然置之。這是陳氏不能應召歸國的主要原因。兩年前，台北方面有與陳氏關係比較深切的朋友，曾寫信勸他回來看看，他復函表示，以自己已過去辦理國民黨務垂廿年，弄到現在連黨籍亦沒有了——國民黨實行改造後，凡未正式申請歸隊者，一律不再發給黨證，等於開除了黨籍——一旦回到台灣，究將何以自處呢？同時他覺得政府偏在台灣一隅苟安之際，也沒有需用他回來服務效力的必要，或許更有妨礙亦未可知。所以他去年答復台北某要人促其歸國的信，即有「卿我如要重相見，將在打回大陸之日」的感慨語。這是陳氏不想急遽歸國的次要因素。若不是老父病危，他暫時決不會回來的。

再就國內的政治情況而言：陳氏的立法委員地位當年如果不是被行政院長孫科強邀入閣而喪失（是吳鐵城的主張），他回來担任立法院長職務，倒是有相當作用的，因為立法委員之中，對他具有私人深厚友誼者不少，憑着這種潛能而運用之，則行政院與立法院之間偶爾發生的政治歧見，皆可以潛移默化，消弭於無形。如今他已沒法再置身於立法院，英雄無用武之地，作用即發揮不出來了。此外他所能做的事，似乎頗成問題，主持黨務嗎？老一輩的高級幹部，都已退為評議員，不復預聞黨務了，陳氏自不便再作馮婦，自尋煩惱。担任總統的幕僚長嗎？總統府秘書長張岳軍先生資深望重，適才適任，遠非陳氏所能企及，他心裏當然有自知之明，使不得。幹行政院長嗎？名位固然相當，資格亦復相稱。可是，他去國已在十年以上，一切政情完全隔膜，非有長時間的觀察瞭解，殊難有所作為，當此內外局勢緊張困難之秋，決不容許有「太平宰相」，實行垂拱而治的作風，何況他以十年去國之身，剷去一些政治上的恩怨是非，幸告滌盪消除，因而他這次回到台北時，乃有那末偉大的歡迎場面出現。陳氏是聰明人，自然理解其中的因果關係，何必輕於問政，他日又招致「以身之察察，受物之汶汶」的後果呢？然則即以「黨國元老」身份，住在台北從事幕後的報國工作？這亦很困難。一則陳氏雖然年逾六十，卻未演進到「元老」的氣候，現在政治舞台上扮演正角色的一些人，年紀都比他大。二則他在美國的工作，實際上對於國家的裨益亦比在國內作「元老」重大得多。假使他從此就過着元老生活，於公於私，都是有損無益的。

綜觀上述情形，即知陳氏留在台灣不再出國的可能性決不大。不過，他此行對於反共復國前途，必有若干寶貴意見貢獻給當局諸公，同時侍奉了年近百歲的老父，得遂孺慕之私，忠孝兼顧，亦就不虛此行了。（三月四日於台北）

巴西與政治難民

（本報訊）近被香港政府裁定遞解出境的體育界聞人某氏，當初要求赴巴西，妻室兒女亦同行，準備在彼邦久住落業。繼見報載巴西政府表示將與中國大陸上的毛共政權結交的消息，乃臨時改變計劃，而以台灣為逋逃藪了。現時流寓在巴西的中國知名人物，計有劉建緒（前福建省主席）李默庵（前湖南省主席）傅汝霖，毛慶祥，潘昌猷（前四川省銀行暨重慶銀行董事長）徐學禹等等。這些人都在當地投下了不少的資財，從事各項生產事業，遽聞巴西時突變為親共國家，不免大起恐慌，想到美國去，又取不到中華民國的護照，大有躑躅，無處安身的窮途末路現象。另有名畫家張大千亦在巴西，但他的行動比上述人物自由，因為他在當地投資不多，政治色彩亦不濃厚，可以去法國，也可以到美國，更可以回到台灣來。據在巴西住過的朋友說，該國的共黨份子在社會各方面潛伏滲透者殊多，且為公開的秘密事實，巴西的政治立場如果要變，一夜之間即可以面目全非呢！（明）

易長後的台鐵趣聞

雷武勝

（台灣通訊）台灣鐵路局易長，前任局長莫衡申請退休獲准，遺缺由陳舜畊接任，陳氏與蔣總統誼屬鄉親，為人處事，鐵腕無私，曾因整頓台船公司有力，獲挽幾局，故此次調長台鐵，改革路政，不無因也。

陳氏接篆伊始，即異動高級職員十餘人，撤裁高雄台中兩辦事處，手令免除坐領乾薪人員，此批人員包括有顧問專員抵工人缺之省市議員等。同時宣佈約法三章，一不准遲到早退，二不准在辦公時間內看報及小說，三不准打毛線，凡在五分鐘內未到上班者，即在辦公桌上留置名片一張，三十分鐘不到者，即令工友將桌子搬走，如果遲到半小時以上，即會發現辦工桌不翼而飛。路局工員由以往自由放蕩，今忽呈現緊張氣氛，人心惶惶，頗有三日京兆之感。因此各方頗為關切，自立晚報以台灣鐵路考驗陳舜畊為題，發表社論，聯合報及中央日報副刊及短評，談陳局長的黑信，至陳易長之改革路政之精神與其本人節約之作風，則各報均有贊譽，成為邇來最特色之新聞。據聯合報上月刊出的息稱消，陳局長秘密出巡，視察台北彰化間各站，明察暗訪，只坐普通車及貨車，不坐快車，路局員工莫不驚訝，一一防備突襲。

鐵路局於上月十三日召開勤員月會，陳氏出席致詞說：「希望大家不要怕，我不是貓，大家不是耗子。就說我是貓，大家是耗子的話，我也吃不掉二萬多個耗子」。此話譬喻甚妙。台灣今日的情形，如陳局長勤勞的貓是太少，坐吃消費的耗子實在太多，但貓豈有不吃耗子之理？

聞陳氏有三事捉襟見肘之處：一為公佈匿名之黑信，因未具名之黑信，不合法律要求，且顯示前任腐敗，因此特解釋公佈黑信之目的，在廣開言路，集思廣益。並謂前任成績甚佳，值得讚揚之事甚多，以後盼大家勿寫匿名信，從此亦不公佈矣。二為停購茶葉報紙，不吃茶改吃開水倘可，但不購報看，難免有人批評，而作罷論。三為其本人上下班時擬搭乘公共汽車，不坐小包車，經人勸駕，已改變初衷矣，但本人坐一輛車，覺得太浪費，乃通知經辦處遴選上下班同道員工三四人共坐，現正在物色人選中，果此，同坐者福不淺矣。

香港與大陸

在香港與油麻地的渡輪上，本報記者從一位女搭客口裏，聽她說最近回廣州看到的實事。她攜同一個四歲大的孩子乘船，指着這個孩子說：「我和他回廣州探親，在廣州乘三輪車。他見車夫瘦得太可憐，竟在車上連嚷下車，不忍也不敢乘這飢餓太甚的人所拖的車子。回到親人家裏，他見大家都沒東西吃，便不停嚷着回香港。有時到了戚家，不只沒東西吃，連水也沒得喝，為的是大家連柴也不容易買，等閒不顧燒水。這孩子實在悶得發慌，最不好是他口裏常常嚷着這一句話：「一毫子啫，番美國去」，這話從來沒人教他說過，卻不知怎的，他竟會在廣州常說出口，每當發愁時便說過不停。親人怕他賈禍，趕快勸她把孩子帶回香港。她在廣州僅僅住了三天，實在沒法再住下去，便只好離去。本報記者正好樸實地將這段話紀錄下來，讓讀者自已用腦去推想廣州今天的慘況。（方）

△據前往廣州探親返港之人士稱，今年春節，全無額外配給，僅每戶加配煎堆一個，名為煎堆，實則沒有半點油味。目前廣州生油每斤價格「人民幣」二十八元，折合港幣六十餘元，蕃薯每斤價格「人民幣」一元五角。每人每月配生油五錢，豬肉一兩。又據該人士稱：近來廣州搶掠之風甚熾，共匪公安局亦無可如何，因此凡搶掠者皆為餓得發慌之人，「公安局」僅略加訊問，隨即釋放。（田）

△港九有兩間代寄白米的土產公司聲言已取得中共點頭，直接運米入廣州。他們又聲言廣州收件地點很確實，廣州收件處在三元里華僑旅運社；上海在南京西路一〇四號，江門在常安路八號，石岐在孫文西路二弍二，開平在新昌海傍路五十一號，台山在鎮西路五十一號，梅縣在凌風東路十三號。其餘北平，天津各地亦有指定地點取收。

為了救親，香港人什麼氣力都出盡了。他們付出四五倍白米之值寄出白米，日夜焦望在鄉家人來信告說已經收到實物，雖然負担奇重，仍覺值得。但是亦有許多低薪收入者，諸方羅掘，竭力張羅寄出，寄得一次，勢窮力竭，難以為繼，空對着中共「照顧」飢民善意着急。

中共是一個愛面子又貪婪好貨的政權。他讓糧食內運，為狀不似搶入糧食救飢，只要有錢。此舉能維持多久，值得疑問，傳說中共訂定四十天為寬限糧食內運期，現在已過了將近三十日。如果到期他又收起主意，就不是香港人願意聽到的消息了。（星）

編者・作者・讀者

明光先生：此種漫畫題材並不適宜於香港報紙刊登，尊稿不擬採用，謹致歉意。

無負生先生：燕壟識小之續稿請速寄來。該稿每期約可發排九百二十字，請按照此一字數自行分段，否則，攔腰分割，對讀者極感不便，想先生亦有同感罷！

田業勤先生：尊稿用信紙書寫，且刪改過多，無法採用，只有割愛了。

※大陸文壇萬花筒※

傅抱石談「變」

——鶱　岳——

傅抱石是江西人，在國畫界是後起之秀，他並沒有師承，大部份靠苦學成名，在大陸淪陷前，已經在大學任教，成為藝術界知名人士，著作如「石濤上人年譜」，也頗為學術界推許。

大陸淪陷後，傅抱石仍然教書，只是比較流動，沒有固定學校，每學期調來調去。前年被調到「江蘇國畫院」任教。去年九月中共「美術協會江蘇分會」忽然發生奇想，組織一個「江蘇國畫工作團」，到外省市去參觀，訪問。組成份子以「江蘇國畫院」的教師為主，共計十三人，有老有少，有的是原來已經成名的，有的則是中共造出來的「人民美術家」，不過還都是學國畫的，倘沒有印象派。他們由上海到鄭州，去西安，延安到四川成都，重慶，回來經過武漢，長沙到廣州，折回江蘇。前後經過六個省，十幾個城市，中共可以宣傳的東西都看了，在傅抱石看來，實在變的太快，他在重慶住了八年，到重慶竟然不識路，因為各地都在變，於是他們也只好變了，大家不准再畫古道，夕陽，昏鴉，一定要畫新事物，畫什麼呢？「領導」方面給傅抱石出個題目：畫「黃河清」，黃河清是中共自詡的大建設之一，自從中共開始治黃以來，到處截流分洪，黃河因為水少，流量緩，實在「清」了，就因為清的關係，去年變成了「黃河乾」，山東境內十二條黃河支流，有九條斷流（見人民日報），據說人們赤脚可以渡過黃河，整個河身只剩了一尺深的水，不清何待。

中共黨徒一腦子封建意識，迷戀着「黃河清」是「祥瑞」，所以逼着傅抱石畫幅畫作為紀念，這一來可就苦了傅抱石，儘管我們不懂畫，也不妨替傅抱石想一想：畫波濤洶湧的黃河容易，畫細細陰澀的黃河，實在難，何況主題還要點出一個「清」字，實在是個難題，可是，不畫又不成，總算難為他畫出來了，二月二十六日「人民日報」畫刊刊出「黃河清」，這幅畫仍然是兩邊有山，中間夾一條大河，不過山頭上多了一些電線桿，表示黃河發電就是了，至於河水大概畫成綠色，也就算「清」了。

社會小說

香港地

七、可憐一炬

木客著

梅大亮只呆了一陣，便豁然若有所悟，向譚福祿手上要了那張馬票，笑道：「多謝你替我買第一張馬票，這該定我保存才是。這不是說，我希望非中頭彩不可。這只是我希望得到的一種紀念品，隨時拿來看看，也可在這裏面想出一點點人生哲理來。你剛才所說的話不一定全對，但我得承認你說的很妙。在我們日常生活經常接觸的許多事物裏，大都隱藏有我們完全忽略了的微妙道理，這也許是接觸得太親密才會如此吧！例如鈔票便是。的確，看報紙上面的新聞標題和各式各樣的文章，或者是看戲和聽播音，那一天不見到和聽到『金錢萬惡』這句話，這不是大家有心替共產黨做宣傳呀！共產黨能夠起家是有原因的，決不是無端的，自古及今，由中到外，咒詛金錢的話給人說過了幾億萬遍，這已足夠共產黨引作宣傳的最好基礎了。我敢佩服你有這種勇氣，胆敢理直氣壯地叫喊擁護馬票，歡迎鈔票做我們的統治者。這種勇氣，比那些公然讚揚資本主義，喊什麼「人民資本主義時代」的人也差不多呢！好在你並不是資本家，也未受僱給誰去做資本主義的宣傳者」。

梅大亮說了這一大堆話，回答譚福祿剛正說的一大堆話，好像要辦到旗鼓相當，才覺滿意，結果惹得譚福祿哈哈大笑起來，說道：「算了吧！這回買馬票看來非中不可，因為從沒見有人像你這般熱心說話呢！」說到這裏，忽然「呀」的一聲，換過一個話題道：「梅老兄，我看你近來未免是精神太過緊張了！這一場火警過後，你還未好好休息過，我勸你換過環境玩玩也好。只待今天下午過了，我便知道我投本那家神座能否成功，如果真的成功了，便請你到郊外那座清幽的廟宇去，小住一個時期，作為你個人養靜的別墅。你說，這個主意好不好？這對你目前的心境是很有益處的呀！」

譚福祿不愧是梅大亮的好友，對他關懷備至，見他每事必發牢騷，把許多事情太透了，才會提出這個主意來。

（一〇九）

小黑

勞克

小黑是個吝嗇鬼，我沒有看到過請別人抽一支煙，看一場電影，但他吃人家的，却那麼地厚着臉皮。

連上王德勝病了，送到醫務所診斷，醫官搖了半天頭，開了幾付藥，就叫王德勝回來。

病沒有轉好過來，却慢慢地加重。去問醫官，醫官說醫務所沒有治這病人的藥。

治這病的藥，藥房的好；價錢很高。

小黑沒有存一個錢，把一個月餉也借了，買藥還是買不到好多。於是，全連發起藥捐，五塊十塊的湊集起來，也只有八百多塊錢。

但八百塊錢，救治不了小黑的病。

怎麼辦呢？連上的人都在屋裏轉磨子。

小黑急急忙忙從外面奔進來，喘着氣，額頭流着汗。我們都瞧不起小黑，因為吝嗇得這次藥捐薄上都沒有他的名字。

小黑往床上一倒。我們都散開。

到下午，我們工作回來，看到王德勝的床邊上堆了打針的藥，吃的藥，還有牛奶、餅干、蘋菓。我們眼睛都睜大起來，彼此相望着。這時，醫官正在給王德勝打針，而且臉上有了笑容。打好針出來，我拉着醫官的手臂。

「怎麼樣？」

「有百分之七十希望。」

「還需要什麼？」

「藥有了。補品也有了。目前不需要。」

我回到宿舍內，宿舍內沒有幾個人，人都在房子外面。

大家在議論王德勝的藥與牛奶，餅干是那個買來的。

「我真有點兒奇怪，還有這種人埋名埋姓。」

「那你猜是誰？」

「當然是我們中的一位。」

「那麼是誰呢？」大家都眨眨眼睛。

「是不是李子？」

「李子比我們還窮，那些藥就要一千多塊錢。」

「管他是誰買的，只要小黑的病好就是。」

這話很生效力，大家絡續地散了開來。

晚上，醫官又來了一次，還把聽筒在胸部聽了又聽。又打了一針，然後把被子蓋好。

好心的醫生，在夜裏還來了。我們輪流看護，就沒有小黑的份。小黑到病床邊上來一下，也是吝嗇。我看到小黑的眼睛，稍微望了一下就別了過去。

我心裏大為不滿。

湊好這時小黑的手伸出來，要我給他一支煙。

「你還需要別人。」我諷刺地說。

「當然需要。」

「別人也需要你。」

他的手收了回來。他臉上的表情很難看。

他淡然一笑，走到他自己的床位上。他的身子倒在床上，眼睛望住天花板。

小黑感到苦惱，我就快樂。而且其他的人知道小黑沒有烟，大家又故意把烟吐了出來，還把烟在他面前幌幌。

小黑在床上翻了半個身子，面孔對住牆壁。

我們再沒有諷刺，戲弄下去；做事不要過於走極端。

王德勝的病，一天天好了起來，我們都高興，過了一個月，王德勝就下了床，扶着拐杖在外面走。

我們把藥捐薄遞給王德勝，王德勝感激地落下眼淚。

「你們對我這樣好。」

我湊上一句：「小黑沒有藥捐。但他有錢。」

王德勝抬頭望住我的臉。

「那些藥就是小黑買的。」

我們的耳朵都豎了起來。

「有這種事情？」

「小黑叫我不告訴你們，但我還是說出來。小黑要是知道我說了出來，會恨我的。」

「他不願我們知道？」

王德勝點點頭。

「他不讓跟別人恭維，為了我，為了他，大家不要說出來。」

我們面面相覷。

我們沉默着，沉默了足有十分鐘。

這時，小黑低着頭往這邊走來。我們慢慢散開，我們的敬仰而慚愧的眼光落在他身上。

我們在背後再也不批評他，吝嗇鬼這個雅號也慢慢隱沒下去。但小黑還是歡喜伸手向人要香煙。

奇怪的是，我們却也不拒絕了！

大海

台北一女中

・吳旂・

海，深不可測的海，時而溫柔如同小羊，時而狂暴如同猛獸，然而它却被我深深地愛着。

當它是平靜、柔和時的時候，我把它比作慈母的胸膛，撫育我成長的溫床。他輕撫碧濤的舞衫，輕歌曼舞，儘情賞弄，給與加終生件他的——岩石，傾訴那久積心頭的熱情。諦聽微波的低訴，心胸不禁頓然開豁，神志清新，那多變化的色彩，移動着，更使人迷惑。夕陽西斜，我跨立在海邊，晚霞殘照，映着碧濤中點點白帆，飛鳥低掠過海面，偶爾濺出點點浪花，我彷彿聽到浪花在低呼！「再見吧！沙灘的女郎」。

但是，海也有發怒的時候。浪濤的呼嘯，野獸般的怒吼，它會毫不留情的吞噬了人們，船隻……啊！大海，深不可測的大海啊！不論它是狂暴或者溫柔，我都是深深地愛着。

是誰在唱着海燕之歌，是沙灘的女郎吧！可是，這沙灘上，就只有我一個人呀！啊！大海啊！我要歌唱，我要飛翔，我要作一隻堅強的海燕。

讓暴風雨來得更厲害些吧！

台灣歷史漫談

余又蓀

及桂王立於肇慶（一六四七），封成功為延平王，相約會師討清。成功誓師北伐，永曆十三年（一六五九）一度攻入南京，不幸桂王已失敗，未能出兵會師。成功受挫，退守廈門。成功納何斌之建議，謀以台灣為根據地。何斌謂台灣沃野千里，為天府之國。成功亦讚為海外之扶餘。遂率兵二萬五千人，於明永曆十五年（清順治十八年，一六六一）克澎湖，進抵台南之鹿耳門，潮水驟漲，大小戰艦縱橫畢入。時荷蘭兵船他調，守兵力弱，荷人大驚。成功登陸，克赤嵌城，圍熱蘭遮城。成功致書守將科愛德（Coyet）曰：「台灣者，中國之土地也，久為貴國所據。今余既來索，則地當歸我，珍瑤不急之物，悉聽而歸」。圍城七月，荷人援絕而降，引殘兵千人，退回巴達維亞。成功收復台灣島，改名為東都，設承天府於赤嵌，改熱蘭遮城為安平鎮，曰王城。五軍分地屯田，移眷入台，為足食足兵之計。法令嚴明，規模粗具，清廷無可奈何，只在對岸堅壁清野以困之。

不幸成功定台甫數月，於永曆十六年（清康熙元年，一六六二）五月死。子鄭經嗣位，陳永華撫政，頒屯田之制，分諸鎮開墾，土田初闢，一歲三熟，衣食豐足。改東都為東寧，置二州三司，實行鄉治，建設官署，興學立廟，煮鹽製糖，閩粵之人，每歲移來者凡數萬人，台灣大治。但鄭經入台後，金門廈門為清軍所佔去。

當清廷有三藩之亂時，鄭經率兵縱橫閩南。及三藩敗亡，乃退守台灣。永曆三十五年）清康熙二十年，一六八一）鄭經死。次子克塽繼為延平王，年十二，仲父聽輔政，政衰。康熙二十二年（一六八三）清閩督姚啟聖遣水師提督施琅攻入台灣，克塽降。自鄭成功定台至此，僅二十三年。清廷改置台灣府及澎湖廳，屬福建省治。從此台灣又為清廷統治。

五、日本出兵侵台

同治九年（一八七〇）日本明治維新政府遣柳原前光入華，要求訂約通商，得李鴻章之力，於十二年兩國互換商約於天津。日使副島種臣入北京呈遞國書時，向清廷提出同治十年台灣生番殺琉球之流民事。

琉球本我國土地，明末與日本通，日本視為藩屬，琉球被迫成為中日兩屬狀態，明治維新後日本竟改為沖繩縣，已如上述。

同治十年琉球人六十六人遭颶風漂至台灣，為台灣牡丹社生番所掠，死五十四人，餘十二人由台灣地方官保護返境。

（四）

◉×××梨園漫談×××◉

花面（下）

——瘦西湖——

花面戲老一輩的以郝壽臣，金少山為最佳，郝在淨界方面以能唱善做見長，而金則被各界推稱為花面之王，不但且扮相一身段，有黃鍾大呂寬厚嘹亮之本錢，據定公所記；當年金老闆和梅蘭芳在杭州登台，「霸王別姬」連演三天，全國各地聞訊之戲迷紛紛趕往欣賞者，使海陸兩地交通全為之塞，其盛況之空前，實為劇界於民國後之第一大事也。

金人生得極為魁偉，其扮相工架尤帥，如嗓音之高，丹田之足，台風之佳，在淨伶中稱第一亦不為過，金家中除好[illegible]養猴子嬉戲外，唯一嗜好是抽大烟，故其癮之深，[illegible]，甘拜下風，故當時金雖日得包銀甚鉅，然豐厚之資仍不夠[illegible]揮得難[illegible]典當光，[illegible]之時，幾無錢埋葬地下，不亦慘乎！

近代[illegible]方面，以[illegible]海、裘盛[illegible]王福勝、[illegible]卿、高德松、[illegible]張樹森等較佳，[illegible]風社助馬連良演出多年，其拿手戲甚多，[illegible]如「蘆花蕩」之張飛，「華容道」之曹操，「甘露寺」之孫權，皆[illegible]

裘盛戎武功根基甚佳，[illegible]尤好，於[illegible]戲院演出很久，[illegible]當時已成絕活，故裘每貼此劇時，不但圈外人紛往爭睹為快，而圈內同行前去觀摩者，亦大不乏人也。

王福勝現為「大宛」花面台柱，與李桐春搭檔，[illegible]，演來尤為人所讚賞，[illegible]足，在自由中國實不作第二人想矣。

朱殿卿與高德松，在淨界頗具地位，人皆以老伶工[illegible]心得，唱來極為工整，且多正腔，[illegible]混集其中，[illegible]撒敗之。高在大鵬時[illegible]直為顧正秋助演，顧下嫁後，劇團遂正式解散，高與胡少安乃投入「海光」劇團效勞迄今，據聞該團現正趕排新劇中，不久又將來台北演出，筆者自當拭目以待。

燕塵識小

辛丑談往

——無負生——

縱有復官之詔，難求續命之湯，著此一筆，一則應列強使者之求，一則平天下人心之氣，而其中曲折，亦有可言。吳漁川庚子西狩叢談卷四云：

「予狃於此事（指大阿哥出宮事，詳後），胆力稍強，以爲幸有進言機會，凡一理所應言者，均當言之。但有一次，則險碰大釘。一日入見奏對事畢，太后與皇上同坐倚窗前。予見太后意尚閒暇，因乘間奏言：徐用儀、許景澄、袁昶三臣皆忠實爲國。當時身罹法典，當然必有應得之罪，顧論其心迹，似在可原，予據臣所聞外間輿論，頗皆爲之痛惜，可否亮予昭雪？方言至此處，竊窺尚未盡，突見太后臉色一沉，目光直注，兩腮迸突，額開筋脈悉僨起，露齒作噤齘狀，厲聲曰：吳永，連你也這樣說耶？予從未見太后發怒，猝見此態，惶悚萬狀，當即叩頭謝曰：臣冒昧不知輕重。太后神色略定，忽將怒容斂，仍從容霽顏曰：想你是不知道此種情節，皇帝在此，你但問皇帝，當日叫大起，王公大臣都在廷上，尚未說着話，他們人叨叨切切，不知說些什麼？哄着皇帝：至賺得皇上，率着許景澄衣袖，叫許景澄你救我。彼此居然結着一國，放聲縱哭，你想還有一毫體統麼？你且問皇帝是否實在？皇上默無一語，予祇得叩頭，謂：臣實不明白當日情形。太后復霽語曰：這難怪你，我們宮廷裏的事，外間那裏知道？你當日尚是外官，自然益發不明白了。予見太后意解，始逡巡起立。蓋過此勢天雷電，忽而雲消雨霽，依然無迹，可謂絕大幸事，然予已汗流浹背矣。不意太后盛怒時威稜乃至如此。昔人謂曾李兩公當時權蓋世，一見太后，皆不免震慴失次，所傳固當不虛也。」

此爲吳漁川親身目睹之言，較之世俗流傳之語，自極確可信，而慈禧性情凶狠，亦可見其一斑。在昔帝王專制，集生殺予奪之大權於一身，可謂神聖不可侵犯（此語係光緒末年自日本傳來並非國粹），而慈禧獨斷獨行，積數十年之閱歷，深知如何運用權威，控制朝士。偶然一露鋒芒，雖深得寵信如吳漁川者，亦不免汗流浹背矣。由此數語觀之，可見慈禧對於徐許諸人猶有餘怒。其所以終有此詔者，大率出於駐京各使之力求，慶李爲之轉述，不得不姑予照准，以利讓和，非其本意也。是以終慈禧之世，無人敢再提此數人。直待此姆大行，始於宣統元年三月由載灃降旨，追予故戶部尚書立山諡忠貞；兵部尚書徐用儀諡忠愍；吏部侍郎許景澄諡文肅；內閣學士聯元諡文直；太常寺卿袁昶諡忠節。此則無異載灃大摑慈禧一掌矣，可爲一笑。此是八年以後之事，姑先於此附及之。（六）

海嶠隨筆

國際法

徐學慧

國際法究竟是個什麼東西，這問題，有時也不免令人困惑。當然，困惑的關鍵並不在條文，而在國際法的精神。

武力往往是超越國際法而存在的。二十世紀是一個專講武力的時代，偶爾有某些弱國搬出國際法來，總不免有些酸溜溜的，連自己也覺不好意思。

中國的反共游擊隊由緬甸進入泰國邊境，泰國的官員們立刻把國際法搬出來，彷彿國際法就是靈丹。泰國的官員說：除非游擊隊和平地放下武器，否則，將根據國際法予以驅逐。在戰爭邊緣，國際法能產生多大效果呢！

寮緬已在水深火熱中，如非有中國反共游擊隊，則泰國或早已爲共黨所蹂躪，今日的中南半島，已在戰雲籠罩下，站在泰國的立場，理宜奮起出兵保衛其鄰邦寮國，以免唇亡齒寒才是，乃竟不此之圖，而獨對這些反共游擊隊高談國際法，可謂怪事。

蘇聯的飛機，整天在瓦瓶平原空投接濟寮共，泰國既爲東南亞公約國之一，何以不向蘇聯提出國際法呢？此無他，蘇聯，強國也，強國是無所謂國際法的，向強國提出國際法，也不過是自討沒趣罷了！

如果從這一觀點來看，所謂國際法，究竟是什麼東西，大概也就可以思過半矣。二十世紀這個時代，從沒有一個強國遵守國際法的，原因乃在國際法與武力根本不相容，武力的作用愈大，國際法的作用就愈微。

國於天地，必有以立，作爲一個二十世紀的國家，而要想自立於天地之間，雖然有各種不同的方式，但其主要原則，只有一個，那就是：武力第一，國際法第二。

強國不談國際法而國日強，弱國高談國際法而國日弱，明瞭箇中三昧，可以治國矣。

自題續話

筱臣

筆者去歲曾在本刊九十三期，以「自題趣話」爲題，寫了一些自題韻事，茲以翻閱舊書，又發現若干則有關自題的趣話，或則題句自嘲，或則自題像讚，均有獨特突出之處，閱之殊爲解頤，用特續談，以免散佚。

明代才子唐伯虎，自號亦如居士，他的風流韻事，早已膾炙人口，且已搬上了舞台與銀幕，這是爲人所熟知的。他曾有自題像讚云：

「我問你是誰，你原來是我。我本不認你，你卻要認我。噫！我少不得你，你卻少得我。你我百年後，有你沒有我。」

這是伯虎自題像讚，你道妙嗎？你你我我之間，一層轉深一層，很見工夫，但轉到聯想一百年之後，「有你沒有我」一點，唐伯虎表面上雖然曠達，仍掩不住內心的憂鬱。耍置死生於度外，本來就是不容易的。

聊齋志的作者蒲留仙亦有自題像讚，頗瀟脫有味，讚云：

「爾貌則寢，爾軀則修，行年七十有四，此兩萬五千餘日，所成何事，而忽已白頭，奕世對爾孫子，亦孔之羞。康熙癸巳自題。」

清代中興名臣曾國藩雖以理學自鳴，而性好詼諧，此亦天性秉賦，有時不能自已，其家訓中亦常常道及。公曾於公牘官銜上題一詩云：

「官兒儘大有何榮？細字太多看不清；刪去幾行重刻過，留教他日作銘旌！」

今天若干顯貴，印製名片，官銜惟恐不多，閱之能毋愧怍。此詩固屬自題自嘲，不獨見風趣，抑可見其風度。

與曾左同時的郭嵩燾（號筠仙），卓識淵懷，度越流輩，雖以翰林起家，外任封疆，內官卿貳，持節出使，絕域宣勤；但爲人所嫉，其用未竟，其志未伸，晚年自題小像：

「傲慢懶慵不失眞，儘留老態待傳神，流傳萬代千年後，空識人間有此人。」

「世人欲殺定爲才，迂拙頻遭反噬來；學問半通官半顯，一生懷抱幾曾開？」

這種抑鬱情懷，有志未竟之意態，躍然紙上。

以上的自題畫像或題句，已經是令人爲之欣賞不置，但筆者私衷最激賞的，還是金多心的自題像讚。金多心是有淸一代的大畫家，揚州八怪之一，他是杭州人，素有「五絕」之稱，蓋不僅以詩、書、畫三絕有名於詩，而他的「印」絕與「題」絕更有名於世，所以稱之爲五絕。

八怪之一的羅兩峯還是他的入室弟子，羅曾畫有一幅「多心先生午睡圖」，圖中並有多心自題云：

詩「弟子羅聘（按即兩峯），近工寫眞，用宋人白描筆法，畫老夫午睡小影於蕉林間，因製四言爲之讚云，先生瞌睡，睡着何妨。長安卿相，不來此鄉。綠天如幕，舉體清涼。世事同夢，惟有蒙莊。庚辰長夏之上休日，七十四翁杭郡金農睡醒時記。」

這種自題，眞是妙絕妙絕，五絕之稱，其來有自。

人境廬詩草的作者黃公度（遵憲）才情洋溢，詩作往往取材新穎，且極富有國家民族思想，至今猶爲人稱道不衰。但黃氏有阿芙蓉癖，家居恒一榻橫陳，吞雲吐霧，自適其樂。

據說他曾自書一聯，懸之於煙榻之上云：

「蠶作繭自縛；龍噓氣成雲。」

上聯有自嘲之意，下聯則是自我解嘲。

歸安朱彊邨，原名祖謀，清末官侍讀學士。宣統改元，設弼德院，授顧問大臣，不就。辛亥之後，益侘傺無聊，僑居上海，賣畫自活，一生耿介成性，潔身遠名，爲一般「遺老」所望塵莫及，所爲詞精雅峭麗，爲一代宗匠。民國廿年逝世，春秋七十有五，其絕筆「鷓鴣天」詞云：

「忠孝何曾盡一方，年來姜被減奇溫，眼中犀角非耶是，身後牛衣怨亦恩。泡露事，水雲身，枉拋心力作詞人，可哀惟有人間世，不結他生未了因。」

悲涼之極，亦可見其晚年之坎坷，與內心的感憤。

一個上了年紀的人，滿頭白髮，誰也不免覽鏡驚心，自傷遲暮。但也有一位突出的老人，性情很曠達，做了一首五絕詠自己的白髮說：

「人見白頭悲，我見白頭喜，阿母生我時，所望不及此。」

趙芷沅在自己的畫像背後題了四句詩說：

「此人姓趙，芷沅爲號；恐後無憑，立此存照！」

這又是別開生面，用白話來題的像讚，但簡潔有趣，仍屬可圈可點。

海嶠雲談薈

現代詩話

諸葛文侯

無論古今中外的詩，都是一種頗費匠心的文藝作品，要想寫出一首夠水準，像樣子的詩，除卻文學修養以外，必須賦有天才，尤其是我國的舊詩更不容易作，古人有「吟成一個字，撚斷數根髭」的經驗語，可見其難也。

現代人倡言解放詩律，平仄音韻皆不考究，隨便胡謅，如是乎詩人滿天下，比唐宋時代的作品還要多，這是就舊詩而言。至於所謂新詩，那更有「琳瑯滿目」之象，反正是不需要規律，不講求音韻，亦無所謂意境，跟蓮花落與山歌一樣，誰也可以寫的。然而，不管舊詩或新詩，凡是有文學修養，有天才稟賦的，寫出來一定敎人讀了即感覺眞是詩，欣賞不巳。唯有那些不成其爲詩的所謂詩，令人見着不是笑掉門牙，就是氣破肚皮，試舉數例爲證。

我國對日抗戰時期，翁文灝主持「經濟委員會」，曾在西北邊陲的玉門開採石油，消耗財力人力不貲，迨油鑛出現時，翁氏得報大喜，竟以「玉門油鑛開採成功」爲題，大做其七言詩，且送登各報，第一句即爲「天助中華地出油」。當時我閱及這所謂詩句，好笑又好氣，恨不得打他三十板手心，以爲胆大妄爲，蹧躝詩學者戒，因而其餘的句子就不願意記誦了。越民國卅七年春，國民政府以實施憲政而改組，青年黨領袖曾慕韓（琦）先生被選任爲國府委員，他於首次參加國府會議之後，寫了一首述懷詩刊在報上，第一句是「初入廟堂淚交流」。我對他這詩句，雖不似對翁文灝那種歪詩之認爲可笑，但覺其意境太低，而且亦是押的尤韻，乃隨時將這兩句尤韻詩聯記在一塊，不覺要發出「該死十一尤」之嘆了。（按前清中葉，有九江名士高心夔赴禮部都堂之試，文章極爲主考官所激賞，擬置列前茅，旋見其詩句限元韻而逸出到寒韻，因此落第了。王闓運聞之，即大呼「該死十三元」不置云。）再看毛澤東所作「瘟神詩」，竟有「華佗無奈小蟲何」之句；他寫給某一老友的詞，亦有「我失驕楊君失柳」，「吳剛捧出桂花酒」這類不通的詞句。然郭沫若，臧克家那般文奴們，還要引經據典地大寫其「毛詩箋註」，這不是中國詩詞的一大厄運浩劫嗎？

談到新詩，我在「五四」運動時期，看過某新詩人所作「一個麻雀鳥子在樹上吸新鮮空氣」的名句以後，對於此道，殊感莫測高深，不敢隨便批判。但對於上海名記者嚴獨鶴所寫的續新詩句，卻認爲千古絕唱。他某次走訪一位新詩人，不遇，見其書桌上放置着一首詠石榴花的新詩未完稿，內有「越開越紅的石榴花，紅得不能再紅了」兩句傑作，乃仿其體而續寫曰：「越做越白的白話詩，白得不能再白了。」嚴氏這兩句話，大可作爲現代新詩的鏡詮，可圈可點也。

文可以瞎寫，詩卻不能亂作，這是區區的愚見。

歷史人物

李香君

謝康

最後想略談香君的詩文：據梁乙眞清代婦女文學史所載，稱她爲風塵三女俠之一，有題女史盧允眞寒江曉泛圖詩一首云：

瑟瑟西風淨遠天，江山如畫鏡中懸；
不知何處煙波叟，日出呼兒泛釣船。

此詩描寫景物，有瀟灑出塵的氣概。又世傳香君在南都後宮寄侯公子朝宗書一通云：

「落花無主，妾所深悲，飛絮依人，妾所深恥，自君遠赴汴梁，屈指流光，梅開二度矣。……妾之處境，亦如李後主所云終日以眼淚洗面而已……由甲申迄乙酉此數月烽煙蔽日，鼙鼓震空，南都君臣：……虎狼雜進，貓鼠同眠，翻三朝之舊案，黨禍重興，投一網於諸賢，蔓抄殆遍。妾以「却奩」夙恨，逼充樂部，供奉掖廷。奏新聲於玉樹，春風歌燕子之箋；叶雅調於紅牙，夜月譜春燈之曲，此妾嘗之而傷心，公子聞之而疾首者也。……遠望淮揚，魂飛左右。未裁素紙，若有千言；及拂紅箋，竟無一字。回轉柔腸，寸寸如折。附寄素扇香囊，並玉玦金釧各一，嗟嗟！桃花褪艷，血恨忍化胭脂，豆蔻香消，手澤尚含蘭麝。妾之志固如玉玦，未卜公子之能似金釧否也？宏光二年二月香君手識。」（七）

更正：上期海嶠談薈「論孟良崮戰役」一文中，提及「七十八軍」，查乃七十四軍之誤，謹此更正。

內警僑台報字第〇三一號內銷證

自由報

THE FREE NEWS

第一一二期

中華民國僑務委員會頒發
台教新字第三二三號登記證
中華郵政台字第一二八二號執照
登記為第一類新聞紙類
（半週刊每星期三、六出版）
每份港幣壹角
台灣零售價新台幣弍元
社長：雷嘯岑
督印人：黃行奮
社址：香港銅鑼灣高士威道二十號四樓
20. CAUSEWAY RD 3RD FL
HONG KONG
TEL. 771726　電報掛號．7191
承印者：四風印刷廠
地址：香港灣仔高士打道二二一號
台灣分社
台北市西寧南路壹壹[illegible]號二樓
電話：三〇三四六
台郵撥儲金戶九二五二

危險邊緣的美國與自由世界

張六師

一、

在去歲十一月莫斯科國際共黨會議後所表露給世人的印象，已清楚地顯示出，蘇俄對征服世界的信心，更加堅强。他們已非昔日用「一國社會主義自保」，不敢開罪西方時代可比；亦非二次大戰中既恐懼軸心國家進攻，又害怕英美集團壓力，以致不得不和希特勒同盟，和松岡洋右擁抱，又在羅斯福壓力下，承諾取銷第三國際，以求取西方援助。

如是最後挽救蘇俄於垂亡邊緣，補充蘇俄戰爭實力，提高蘇俄國際地位，坐視蘇俄併吞歐亞十二個國家，和七億以上人口的仍是美英兩國。而今天遭受空前威脅，提心吊胆，隨時在赫魯歇夫恐嚇下，接受搖詐，惟恐得罪失歡蘇俄的還是美英。甚至二次大戰中曾被戰敗的西德、日本、法國、意大利，乃至剛才由殖民地地位獲得獨立的若干所謂中立國家如印度、緬甸、印尼、埃及……之類的國家，對美、英都毫不客氣，聲勢凌人。尤以自剛果、古巴、寮國變亂發生後，美英兩國的國際地位，更遭受空前的挑戰，蘇俄的氣焰，則更不可一世！

表現得最露骨的，不僅是赫魯歇夫屢次對美英的口頭侮辱，尤其是去年十一月莫斯科國際共黨大會後的正式文告。他們大胆公開地指出以「和平共存」手段，「展開人民鬥爭」，「議會鬥爭」……：「通過和平道路，使議會從資產階級利益服務的工具，變爲勞動人民服務的工具」，以「民族統一戰綫」，「展開對英、法、荷、比……各國的反殖民地主義鬥爭」，「取銷軍事基地鬥爭」，「進行城市和鄉村，企業和機關中力量的不斷加强擴大」。並肯定當前的時代「是馬列主義勝利時代」。

這些充滿凶兆的言論，再加以在公海上空的迭次擊落美國空軍，對美國不斷的惡毒漫罵。嗾使中共對美的尖銳攻擊，以及將美國軍人的無理判刑和拘囚，迫害。在美國內部從事大量的間諜活動與組織危害美國安全的共產黨。在世界各地用顛覆，叛變奪取國家政權；逐漸對美國形成地畧形勢的包圍與孤立，以窒息美國的生存：這些情形，如在過去，早已逼出世界性的大戰了，但在今天則西方所表現的結果，竟出人意外的相反。

二、

美國號稱「代表進步勢力」的肯尼地總統已在國內勝利地入主白宮，時屆兩月。可是在「提高美國聲望」，「建立新境界」，「防制戰爭，贏得和平」……的宣傳下，最近自華盛頓傳出的連串重大決策，其中令人難以理解的有如下述：

（一）對東南亞公約保證下的寮國自由和安全，美國已傾向英法的妥協退讓路綫，使東南亞公約陷於癱瘓和瓦解。

（二）對中央公約的伊朗危機，美已不予重視，並有削減伊朗軍事援助的準備，形將敞開了蘇俄突破中東，進入阿拉伯國家和亞非兩洲的門戶。

（三）對協防西歐北大西洋公約國家的武裝力量，有逐漸撤減的擬議，對供應核子武器的重大措施，遲遲不決，使北約國家精神與團結，日趨動搖。

（四）爲恐懼蘇俄使用核子武器作戰，美國務院已有自動保留核子武器部隊，作爲本土發生戰爭時之用，而另以增編舊式傳統武器部隊，作爲應付其他各地遭受侵畧時的防衛力量。使所有美國同盟國家信心動搖，人人自危。

（五）爲討好親共「中立」國家——如緬甸、印尼……而公開放棄美國自由，人權，和解放奴役的傳統精神，限制被共黨侵畧危害中的同盟國家，使用美援武器，施以二次大戰以來所未有的不平等新束縛，使盟國寒心，敵焰高張。

（六）在屢次碰壁之後，美政府仍然對屠殺美國成千逾萬子弟的敵人，而主動地向之求取和談，甚至擬以犧牲自己多年友好互助的盟國利益和主權爲談判條件；以承認非法的傀儡政權爲香餌，來作爲換取美國俘虜的代價。既撕毀數十年保證中華民國領土主權完整的諾言，又蹈干涉盟國獨立生存和內政的大錯。

（七）明知蘇俄共黨正遭遇內部經濟困難，物質與國庫均無法維持强大軍事備戰。也明知鐵幕內人民無不傾向自由，怨恨共黨，而白宮方面居然牽强歪曲以「重建東歐附庸國內部人民友誼」爲理由而打算把所削減反共盟國的援助，移來對東歐共黨作變象的備戰補給。竟忘記大戰期中美國對蘇俄經援軍援的後果，還是政治智慧與經驗不足？還是幕後另有作用？

（八）在蘇俄用間諜盜取美國原子秘密，試爆成功而擁有威脅美國生存權力的教訓下，美國又明知蘇俄是不遵守條約與協定的國家，而今日竟傳出白宮方面將傾向英國立場，如果蘇俄同意禁止核子試驗，美國可能同意雖非完全可靠的視察監督辦法。這不僅是甘願把美國本身的安危與核子科學秘密，也交付給凶殘無信的共黨敵人，而且把世界的安危也全交付蘇俄掌握。

三、

我們記得去歲九月，英工黨領袖蓋斯基爾曾公開說過，「工黨左翼要求放棄氫彈與核武器，只因他們是共黨同路人，並想看見英國給俄國蹂躪」（當時工黨政策委員會以三十八票對十五票通過採取共黨所倡導的政策）。英國許多階層被莫斯科指揮下的共黨滲透控制，影響英國聯邦的政策，而替克里姆林宮正在作解除自由世界武裝的先鋒，這已是世界週知的事實。證以年來赫魯曉夫狠有信心地屢次公開說過，「美國終被埋葬」，「美國人的子孫終必會過社會主義的生活」。這已表明他們不需要戰爭，即可從思想意識方面征服美國。目前美國所表現的連串行爲，正是一種自動解除防衛武裝的工作，是不是美國的這些決策者的思想防綫，也如英國的左翼人物，早已被敵人攻破，才產生前述各種可怕的冒險幻想呢？

自由世界今天面對蘇俄征服，奴役的險境。尤其是在歐、美、亞、非……各洲內部已被莫斯科的勢力，正在由滲透、腐蝕、分化，而走向自相猜忌、矛盾，乃至互相衝突的不利情況。由於民主國家內部組織渙散，對共黨的認識，陷於思想眞空狀態，所以才形成今天一邊倒的劣勢，其情景正如中國大陸十六年前一樣。雖有少數眞知卓見的人士，從事苦心的呼籲，但除非身受共黨苦難的人，很少會相信共黨的不近人情的殘酷眞理爲「守舊」。

我們最引爲担心的是，在英美的許多知識份子中，許多迷戀代表社會主義傾向，謳歌羅斯福新政的人，他們既非眞正反極權共黨的社會主義者，更不能提出對共黨統制經濟獨裁制度的眞知灼見。他們雖知道蘇俄種種殘酷暴行，但並不在道德良心上加以反對。更不對共黨的奴役制度，鐵幕政策，暴力顛覆，思想洗腦從事自衛與還擊。有時他們也呼籲人權，主張尊重別國獨立自主，但對六億以上人民淪陷於他們妥協政策之下而無動於衷，對匈牙利的被蹂躪屠殺，東歐北韓，北越的苦難則坐視不理。可是他們却熱心於安撫，鼓勵莫斯科與北平的獨裁者。恐懼，奉承……的種種形態，促使自由世界喪失信心，瓦解團結，甚至把許多盟友推向由「中立」而親共。

我們今天作此不得已的指陳，旨在提醒西方大國的警覺，以俾早從事補救。以中華民國反共三十餘年的經驗，和所受百千次的血淚教訓，在道德良心上，自救救人上，我們又何嘗願意坐視數十年的盟友，和整個自由世界同歸於盡？

小論天下

△美國甘迺廸政府與中共重開「華沙談判」，據傳並無結果，中共迄未讓步。

「捨正路而弗由」，這是甘迺廸今天應該採取的策畧嗎？大陸幾億人快要餓斃，他們談的却是釋放幾個美俘和交換幾個記者。

△聯合國大會恢復會議，剛果問題成爲會議中心。西方國家忙於抵禦蘇俄的「拆台」活動。

妙在還有人忙於設法把中共引入聯合國，增加「拆台」的力量。

△中共向國際拋售白銀購糧。香港居民攜糧回鄉救飢，被征稅達百份之二百强。港報以「中共發飢荒財」爲標題。

抗戰時「發國難財」只是某些私人及其小圈子的事，「發飢荒財」却是整個政權的事。如說這些「發國難財」的人曾經在大陸把國府拖垮，那麼，誰信「發飢荒財」的中共政權還能不倒下去？

△南越局勢有惡化傾向，英美在遠東的海陸高級將領公開表示憂慮。

「得寮望越」，應有之義。誰要把寮越一明一暗的變動勉强公開來看，都是不對的。

△蘇俄「紅星報」著論指責：英揆麥美倫担任拉攏東西和平的主角，只是賣弄外交手法。

大家都是吃了放光虫，「肚裏明白」，只是「紅星報」在這時說出這等話來，未免太過損害麥美倫的面子。

△英聯邦總理會議在倫敦揭幕，討論主題爲東西方關係，及南非種族隔離問題。

由聯合國大會看到英聯邦總理會議，便知英國「當家的」此時眞不易做！

△寮政府軍又告失利，現政府總理將與前「中立政府」的流亡總理會晤。

這樣「拆」下去，恐怕現政府終將不穩。

△剛果軍與駐境的聯合國軍衝突，已佔兩個軍港，雙方正在談和中。剛果總理召開國內各黨派開和平會議。

妙！「和事老」變成了什麼東西？

△荷幣隨西德馬克增值。盛傳英鎊增值，英財部已予否認。

共產國家會看得很開心，說這是資本主義國家在商業利益衝突趨於白熱化。

方南

自由談

門神救國說

十二年前，我在上海的「創進」雜誌上寫過一篇文章，題目叫作「門神救國論」，認爲國事敗壞已到極點，過去那些在政治上專搞小圈子主義的黨政軍各色人等，都應該退避賢路，休息休息，而教一般門神式的執政黨員出來担任各項政務，庶幾可望有撥亂反正之日。

何謂門神式的黨員呢？我們這是象徵主義的說法。我們大門上貼着的門神，當那兩扇大門敞開之時，它的位置就是在屋內，好像是一家人；等到大門一關閉，它立刻置身於門外，變爲路人，對於屋內的情形，連瞧瞧的資格亦沒有了。我們朝野之間，許多安份守己，忠黨愛國，而又沒有參加小圈子派系組織的黨員，其情形不是跟門神一模一樣嗎？

時至今日，我所倡說的「門神救國論」，已證明絕對正確，毫無疑義。你只查看近十年來，在大陸和海外實行歸降、投靠毛共政權的那些文武人物，十九都是過去在政治小派系組織中佔着幹部地位的所謂忠貞份子，而始終碌碌自守，義不帝秦的，却多屬平日居於門神地位的普通黨員這項事實，即恍然大悟了。

我不相信現時自由中國人才缺乏，即就執政黨而論，也有不少的才智之士，可惜都成了門神式的人物，置身於門外，無路請纓而已。關門主義不打破，人才永遠沒法集中，而反共救國的非常事業，即永遠寄托在極少數的小派系份子身上，成敗得失之數，寧待龜著？此門神救國論之所以不得不提倡也！

馮玉先生

自誇增產・一片胡言

中共大力發展原始農具

・焦毅夫・

本年二月二十日香港大公、文滙兩報，刊載中共洛陽第一拖拉機廠生產情況。消息說：「規模最大的具有現代設備的洛陽拖拉機廠，它所製造的五四和七五馬力的『東方紅』牌拖拉機，越來越多的供應農村需要，這個廠正式投入生產不到一年時間，生產能力卻已超過原來預計三年後才能達到的水平，現在每產一台拖拉機，只用十分鐘時間。」如照上述推算，中共僅洛陽第一拖拉機廠一廠，年產拖拉機就應該有五萬二千五百五十台。

筆者依據上述消息及保有中共一九六〇年度「機耕」情形，大力發展原始農具等資料，斷定中共誇洛陽拖拉機廠，每十分鐘生產一台拖拉機全屬一片胡言。

第一，洛陽拖拉機廠，年產既達五萬二千餘台，自投入生產時起，到一九六一年二月，至少可生產七、八萬台。據中共報紙說，江西、上海、重慶都有拖拉機生產，且產量極高，「上海拖拉機廠今年以來，已經有四百五十六台出廠」（同上報）。準此以觀，中共十年來所保有的拖拉機，至少應有十五萬至二十萬台，可是同報卻說：「中國新興的拖拉機工業，在大躍進的三年中，中國農業部門新增加的拖拉機達五萬五千多標準台，」（按：每一輛約一點五標準台）中共「副總理」李富春在關於五年計劃報告中說；在第二個五年計劃完成後，中共將年產五四匹馬力拖拉機一萬五千台（一九五五年七月八日「南方日報」）一九六〇年李富春在人代會上報告：「計劃草案規定一九六〇年由國內生產的，為農業直接提供的產品，有拖拉機二萬二千台（一九六〇年三月三十一日「人民日報」）洛陽第一拖拉機廠廠長楊立功也說：該廠「生產達到水平後，每年可以生產『東方紅』『柴油履帶式五四匹馬力機一萬五千台」（一九五九年十一月二日「人民日報」）。這種官方報告與官方通訊社報導發生的矛盾，當然不是錯誤，而是中共當局授意御用記者，創造生產數字，作誇大宣傳，以混淆國際人士和海外僑胞視聽。

第二，洛陽拖拉機廠於一九五九年基本建設完成時，中共中央，中共政府，河南省等機構，均派有重要人員參加落成典禮，足見對該廠之重視。可是事隔年餘，它已從「主角」降為「配角」，共報說：「洛陽第一拖拉機製造廠，今年國家分配這個廠的拖拉機主要配件有六十七種，八十九萬多件。為了按時，按質完成這項任務，廠黨委在歲末年初，就向全體職工提出了質量第一，設備第一，機械設備第一的口號，今年一開始，就分兩套人馬，一方面生產配件，另一方面突破拖拉機主要毛胚澆鑄薄弱環節。」「在製造配件的過程中，出現了原材料品種，規格不全的困難，他們就從各車間抽出人力和專用設備，組織鋼、鐵、軋鐵工人加以改造，保證了拖拉機生產任務的順利進行。」又說；「他們已根據用戶的意見，製造了改進產品結構，進一步提高『東方紅』拖拉機性能和質量的具體措施，例如，他們為了延長拖拉機的壽命，提高拖拉機的生產率。」（一九六一年二月五日「人民日報」）消息顯示，不但洛陽第一拖拉機廠十分鐘生產一部拖拉機全屬謊言，而且說明，鋼、鐵和技術人員都相當缺乏。該廠最近組織「千人檢查工作團」，分赴青海、河北，山東，河南幫助檢查以『東方紅』為主的拖拉機和灌溉發電機。」（同上）「東方紅」牌拖拉機是洛陽第一拖拉機廠出品，在不到一年的時間內，其損壞程度竟然嚴重到需要廠方派專業人員前去修理。質量之差，可以想見。

第三，中共既宣稱拖拉機產量激增，各縣、市拖拉機站及國營農場應擁有大量產品。然而，各縣、市的拖拉機少到令人難以相信，例如：「廣東合浦國營東方紅農場，可以利用耕地的面積大約六萬多畝，農場的機耕程度很低，僅有兩台拖拉機和兩部汽車。」（一九六一年一月廿四日「人民日報」）國營農場尚且如此，其他概可想見。

第四，中共正在大力發展原始農具，提倡舊農具技術革新。近兩年來，中共革新的農具很多，最感滿意的；一，牽引農具；二，手扶拖拉機；三，人拖拖拉機等凡數十種。

據上所述，中共生產拖拉機力量非常薄弱；即使生產若干，亦因損壞率大而無配件補充，再加燃料缺乏，有等於無。因此中共大力提倡小型農具之製造。因此中共報紙說：「必須認識小農具和舊農具在當前農業生產的重要作用，絕不能因小而有絲毫的忽視」。「目前，我們農業機械化水平還是相當低的，在當前，舊式農具仍然是現階段農民羣衆向地球作鬥爭中廣泛使用的武器，千萬不要小看它」。（一九六一年一月九日「北京日報」）

任職太久與退避賢路

嘯谷

（台北訊）二月廿四日，立法院舉行院會時會對張道藩院長及黃國書副院長的辭職案，作了一番討論，先後發言者計有朱如松委員等十八人，僅有封中平委員主張慰留，其餘均贊同接受其辭職。其中鄧翔宇曾發言指出張院長辭職的原因，是「公共關係未弄好」；對黃副院長的辭職，則指出其辭職函內容有些不妥，鄧委員說：黃副院長函中謂「茲以任職太久，擬即退避賢路」，試問：「任職太久」，又將競選下院長，這是怎樣講法？（谷）

（編者按：此事雖已成過去，然亦趣聞也。）

甘迺迪的政治思想

——讀甘著「當仁不讓」有感

「當仁不讓」（PROFILES IN COURAGE又譯「勇敢新貌」）一書是美國總統甘迺迪當參議員的時候寫的一本傳記文學。曾獲得普立茲獎。要尋找甘迺迪政治思想的基本觀點，理想與抱負，這本書頗有一讀價值。

歷史學家哥倫比亞大學教授倪文夙在本書的「序言」中說：「這部書有一大特點，所舉的人物和事實都眞實，明白，鼓舞人向上。」一個政治人物「若無崇高人品，決不能表現出至大至剛。」本書作者甘迺廸在他這本著作中一開頭也說：「本書主題是人性中可愛的一面——勇氣。」在本書的結論中，作者又說：「這些故事可以啓迪人，可以提供希望，也可以發生鼓舞的作用。」

「當仁不讓」同時是一本表揚「政治風骨」的書，作者在這本書中强調，一個政治家在重要關頭應該不計個人得失利害，忠於信念，忠於原則，和對國家的責任，作者所寫的是美國歷史上的政治人物，這些人的時代所面臨的複雜情況，以及他們對國家對民主制度所作的貢獻，對於今天我們中國的民主人士所面臨的問題來說，都是極有意義的。

甘氏說：「書中提到八位參議員，都會為情勢所困，卻能有肩得起的風度。」作者以八位美國參議員一生大勇的典範，討論民主政治中的政風。甘氏顯然極不喜歡那些祇顧使用小手腕討好選民，而忽視「大義所在」的，和那些隨波逐流或屈於權勢不敢講話的參議員們。他說：「我的確體會到：由於國家大事的錯綜複雜，由於爭取公衆注意，許多政治上勇毅的操守美德都被淹沒了。」

甘氏認為，一個參議員不僅應該代表選民的利益，更應該代表國家的利益。一個參議員應該具有比他所代表的選民有更強的判斷力。「我們有時看情形對本選區的民意該領導就指導，該糾正就糾正，該不顧就不顧」，一個參議員除了為他所代表的選民說話外，更應該有獨立的見解。

一個參議員不僅應該代表他的州他的黨說話，更重要的是代表他的國家利益說話，事實上某些小集團的觀點，有時在某種情形下，是與國家的利益牴觸的。所以，一個具有「大勇」的參議員，必要時必須有道人所不敢道的精神，甘迺迪在本書中引用了韋伯斯特的話：「我為現實所廹，只有講老實話，而不說受聽的話。」

甘氏對於美國歷史上一批不顧是非正直，只顧黨同伐異的政客，顯然也是大不以為然的。他引用小亞當斯的話說：「國人好習政黨成風，以致不在二者擇一盲從，則被目為大逆不道。」

甘氏又引用畢維里基的話說：「一個政黨只能在發展中生存，不能容忍反對的思想適足致其死亡。」（一）

司馬璐

香港與大陸

（本報專訊）中共暴政造成了大陸空前的飢饉，目前大陸各地同胞的慘狀，簡直難於形容。下面的一封信，是記者自有關方面接獲去年九月後由大陸同胞寄往香港親友的家書，字裏行間，充滿了血淚，我們看了這些原始資料，（為了存眞，信中別字，不予改動）可以知道，今日大陸究竟是怎樣的一個悲慘世界了。

××家姊：

……我今年五月份又下放勞動了一個月，八月份又下放到樂昌縣支援接受接插水稻，在支援接收接插天，雖然時間只有十五天，但却被雨淋了十四天，只有一天是天晴的，，我們是立秋前三天到達生產大隊，因此一到就苦戰了三個晝夜，二個白天沒有睡過五分鐘，連五分鐘時間伸一下腰也沒有，吃飯也在田頭，沒有油吃，餐餐吃通心菜，用開水來賁熟，和豬吃的差不多，但卻吃得津津有味。不過，苦戰那三天眞難過，第一天還可以，到第二天飯也吃不下，第三天我在田間插秧，本來那時候是剛剛天亮不久，但我卻以為是下午了，拿着秧插落田時，又像是睡着又像是插秧，那時確實難以支持下去，堅持到中午吃飯時，我連飯也不吃，將規定吃飯那二十分鐘睡一會，也覺得非常清神，雖然是這樣，但還是堅持到底，有些人比我差得，多從田裏走上田邊馬上就暈倒，樂昌是一個貧苦山區地方，勞動不少，地方多，那裏的氣候很不好，我們這次去，很多人都患水腫病，世界上誰都知道最苦的農民，整天風吹雨打日晒，但為了生活行乖就口，不得不離開自己親人，離開城市到農村去當新社會農民。一般居民本來規定每月供應糖兩両，但上月份我們踏遍廣州市都也沒得賣，三家姊你像知道我患有肝病，給我們寄糖，這些糖可促我們病早日痊癒，多謝你送來的救命先丹，三家姊本來是不應該相信命運的，相信命運就是迷信，可是處在目前處境也不能不相信命運，是否命運註定我們這一生要受苦，捱苦沒有個完，眞叫人灰心，每年都要下放當農民，這是沒有走雞的，個別文化水平低的工作能力較差些的人更是當農民當一輩子。妹九，十三晚。

※大陸文壇萬花筒※

馮友蘭處境堪憐

——岳騫——

中共統治大陸十一年來，大陸學人遭遇最慘的，大概要算馮友蘭了。毛澤東對待異己的手段，不外兩種，即殺與折磨，就共黨黨內而言，瞿秋白，劉子丹屬於前者，被毛澤東用借刀計所殺；陳紹禹，李立三則屬於後者，永遠遭受折磨，文人方面，王實味屬於前者，因寫野百合花揭露高級共酋「歌轉玉堂春，舞迴金蓮步」而遭活埋。至於胡風，蕭軍及馮友蘭則屬於後者。

不過，大家雖然同是被折磨，其間還有分別，蕭軍，胡風被判勞動改造是體力折磨，馮友蘭一流老先生已無可搾精力，尚有利用價值，於是就專作精神折磨。

本來在大陸淪陷之前，因馮友蘭所發表哲學著作均和馬列觀點對立，早被中共列為反動學者，北平淪陷時，馮友蘭若肯走，自然還來得及，惜乎他當時一念之差，羈身故都，受盡了荼毒。十一年來，馮友蘭正式被開會，批判，鬥爭的次數，相信他自己也記不清楚，至於在中共報刊上責罵他的文字，若是全部集在一起，眞眞汗牛充棟了。

共黨統治下之難以生存，尚不在於嚴刑峻法，而在於無限期的折磨，一日不死，一日不能受到人的待遇。十一年來，馮友蘭對馬列主義不惜盡棄其所學而學之，對於自己的著作，自認一文不值，寫文章也拚命引證馬列史毛的話，自己以為進步的不得了，可是，共黨總不放過他，一觸及哲學問題必然罵他，等於他寫文章必提毛「主席」一樣。有時共黨並不出面攻擊，卻逼此老撰文罵自己，而且不論什麼文章都能罵到自己頭上，眞是條條大路通羅馬。

最近，二月二十五日「人民日報」發表了他的大文「論莊子」，開頭先把荀子和莊子分成兩方面，尊荀子是先秦最重要的唯物主義哲學家」，指莊子「是唯心陣營中的主將」，用這種理論去批判先秦諸子，已經十分可笑。馮先生本是通人，可以想見他是寫給共幹看的，非這樣寫他們不懂，對下等人固不能說上等法也。

馮先生寫到最後照例又扯到自己頭上，說道：「至於我在解放前所虛構的新理學那一套，所吸收的完全是莊子哲學中的腐朽的，反動的部份，只可以起表面教材的作用。」看到這幾句話，覺得此老太可悲了。

社會小說

香港地

七、可憐一炬

梅大亮頓憶前事，覺得這個主意很好，即道：「這也妙，難得你替我設想得週到。我可祝你馬上成功，榮陞報喜！」

他們就這樣結束了這次會談，譚福祿自回家裏去，梅大亮却拿着這張馬票，回到木屋，對他渾家說出買馬票的經過，倒吃梅太太教訓了幾句，然後彼此付之一笑。

過兩天，譚福祿報來佳訊，果然投承廟宇得手，一切都依原定計劃進行，請梅大亮到那裏去享享住別墅的悠閒生活。

那座廟宇，名叫什麼雷公廟，落在青山附近，據說很得水上居民崇奉，每年例有一個熱鬧的誕期，平時進香的人不多，但間中也有水上人到來祈神求藥。梅大亮討得渾家同意，許他暫時到那裏去小住。他爲了大大熱鬧一番，便和譚福祿商量停當，由他發柬請幾個寫文章的朋友，在入伙那天光臨，齊齊歡叙一下。譚福祿極表贊成，還打算在那天烹狗吃「香肉」，來一次狗肉大會。

梅大亮却不贊成這個辦法，說道：「黃鷄白酒青菜，那不就很好了嗎？吃狗肉是犯法的，我們在別的地方烹狗還可，在神廟裏面烹狗是不成的，萬一事有湊巧，給人將拖官裏去，在第一天便鬧出新聞，怕不被記者先生大書特書，看作笑話嗎？你縱然肯担這個干係，我也不想連累了你。」

譚福祿笑道：「烹狗要在廟裏，才更平添風趣呢。花和尚與濟顛和尚如不吃狗，怎能享盛名到了今天？我曾經見過有人借孔廟來做陽台，還當作風流佳話來看待呢！只是，你既怕連累了我，便不吃狗也罷！黃鷄青菜也妙，那裏海上魚蝦最平，不愁沒好東西可吃！」

兩人把一切準備完好，臨到進廟那天，恰值天氣晴和，可幸日子選擇得很好，到了雷公廟，看它背山面海，左右都有茂林拱輔，風景端的不俗。廟雖是很小，那位當神却顯得有神氣似的，令人看來自然生畏，廟後有個小園，傍園有宿舍和廚房，清幽脫俗，比似別墅也未嘗不可。（一一〇）

木客著

祝枝山軼事

冰山

祝枝山，綽號稱爲洞裏赤練蛇，由這個外號你就可知他有多毒了。唐、祝、文、周當時人稱四大才子，而四人感情亦極好，其中唐伯虎點秋香早已膾炙人口，可是很少人談及赤練蛇祝枝山的軼事。

赤練蛇，生的臉如鍋底，滿臉鬍子，配上一對近視眼，那付德性夠瞧了，工心計，詭謀百出，從不肯吃小虧，錙銖必較，人皆懼之，以其毒也。不要瞧祝阿鬍子人生的醜，却有一位千嬌百媚的賢妻雲裏觀音，可是這位夫人也是老祝詐騙而來，不然那個姑娘不愛嬌，誰要他這把鬍子？

一日祝枝山偶在粉牆上題詩，適姑蘇富紳趙星海之千金過其下，見而抄錄之，枝山一旁見得美人，喜不自勝，從此留心打聽，方知爲趙星海之掌上明珠，央人說媒，趙星海心想，自己女兒乃有名美人雲裏觀音，詩詞歌賦件件精通，正想找一位才貌雙全的乘龍快婿，這位祝阿鬍子，橘皮臉加上近視眼，恰似鍾進士的哥哥，野周倉的兄弟，如何肯將一尊觀音送出去。

祝枝山得到回絕的消息，心想：「老趙啊老趙，你撳我無財又無貌，我偏非娶你家小姐不可。」果然老祝暗地大弄神通。

趙星海忽動學琴雅興，可是一時找不着好的古琴，乃令琴師購材自製。一日琴師購得一木材，正是一段百年古桐樹，却是製琴上品。不料琴未製就，外面已是人聲浮動，蘇州鄉紳皆責趙星海不該私伐鄉賢原墓木，製造淫靡之器，那棵古桐樹，是從北宋時一位鄉賢王參政的古墓上砍下的，平時此墓已無人憑吊，奇怪的是鄉紳竟會一致指責趙星海，要動公稟到撫按兩院去控告，趙星海這一驚非同小可，急的六神無主，有家人說何不問計於祝枝山。他的女兒雲裏觀音也自願犧牲自己，解決父親的困難。不得已，遂了老祝的心願。當下叫了聲：「岳父大人，包在小婿身上，把這風浪平息。」

第三天正好各鄉紳在明倫堂開會，祝枝山也去參加，在會中以其口才，力言趙星海絕無伐木造樂器之事，乃是見了春祭文廟大成殿，上至聖牌位金漆剝落，立下暫位，願選料恭造至聖神位，以至聖乃萬世師表，以聖墓上之喬木而造，此舉何等光明，衆紳無話，一塲風波，逐告平息。

趙星海賠出了一位女兒，造琴改爲造神位，而祝枝山却得了一位嬌妻。趙星海猶自慶幸免受織留之苦，殊不知所謂琴師找木，家人等等都是祝枝山一手造成的事。騙得一位嬌妻，還有豐盛的妝奩。

却說有一天杜翰林頌發派其管家致書給祝枝山，那管家的因不知祝枝山的住址，一路上逢人便問祝阿鬍子住在那兒，此話適給祝童聽得，報與其主人，老祝平生最恨人稱鬍子，接書後，不動聲色對杜管家的說：「你家主人向我借一件古玩，名貴異常，却是不得放在地上，否則一受潮就裂了，切記！切記！就此拾回去」，隨即提出一青布包的長條兒，交給杜管家的，那管家的一路上覺得沈重異常，可是又不敢放下休息，拚命似的走回家去，打開一看，可正是一條青石板。書中不過些詩詞問候話，何曾有借古玩呢？那杜管家的直累得睡在床上三天不起。

水上行船可不比陸上，一切得火燭小心，祝阿鬍子放了一個臭屁，却向家人說：「奇怪！何處來布焦臭味」，同船衆人慌得四處亂闖亂嗅，嗅個不住。這樣赤練蛇却哈哈大笑道：「今天祝某的香屁絲毫沒有糟塌，都到諸位的肚中去了。」衆人因這條蛇其毒無比，惟有自認晦氣。

一日祝枝山乘江船下杭州去找那在華府當書僮，窮追秋香的唐伯虎，江船小而擠，祝枝山上岸回船後，却見自己的位置被一個高大的和尚佔去了，阿鬍子向是不吃小虧的人，[illegible]

被綁吟詩

南道

香港的富商黃應球被綁年餘，後來他的父親黃錫彬又以被綁聞，在光天化日之下，一再被綁，實屬奇聞，黃錫彬在匪窟十七天，茲幸脫險，總算萬幸。因之，使筆者偶憶及過去上海商務印書館的主編人張元濟（菊生），曾一度被綁，那是民國十六年的往事，他被匪架去後，在匪窟中過了十天，態度非常安詳，先後做了幾首詩，原作六首，茲錄其五：

「丁丑九月十七日，盜入余家，被劫而去，入居盜窟，成詩數首，聊以紀念。」

（一）數椽矮屋稱幽居，布被繩床體自舒；還我儒酸真面目，安然一覺夢蘧蘧。

（二）幾易久嚴天澤變，而今舊習待更張；料應到此無階級，誰識猶分上下床。（原誌：余高據一榻，守者皆席地而臥。）

（三）靜聽鄰家笑語聲，池塘鴨子更喧鳴；閒中領略皆天趣，隔斷塵囂萬慮消。

（四）眼加翳障耳充棉，視聽全收別有天；悔被聰明多誤我，面牆從此好參禪。（原註：守者強予帶黑眼鏡，並以棉塞耳。）

（五）天高只許隙中窺，一綫晴曦射入遲；偷得駒光分寸好，有書堪讀不多時。

由於張元濟本非富有，所以能夠迅速的脫險歸來。他雖然是被綁，但他的胸懷確倘坦蕩，所以儘有閒情吟詩，寄託悠閒，且饒有詩人的叶厲，實屬難能可貴。

台灣歷史漫談

余又蓀

副島種臣等之抗議台灣人殺琉球人事，意在窺探清廷虛實，爭取琉球爲領土。柳原在京要求清廷對台灣加以懲處，又遣副使柳原前光至總理衙門向毛昶熙，董恂質問台灣事件。永熙等答稱：『雖聞番民殺害琉球人之事，但未有殺害貴國人之事。二島俱爲我領土，同國之領土內之土人殺害人命事件，其裁決乃屬我國之權限。我方自有救卹琉球人之方法，勿庸貴國置喙』。柳原力說琉球爲日本之版圖，堅持主張爲日本人之被殺害。並詰問：『貴國雖云救恤琉球人，何故不懲罰台灣』？昶熙等答稱：『此殺人事件發生於生番間，故暫置之而不深咎。日本之蝦夷，美國之印地安土人等，不服王化者乃萬國公有之事』。柳原答稱：『生番殺人之事，貴國不查究，我方當查辦之。特以友國之好，豫行通告耳』。當時李鴻章以爲：『番人嬌捷強悍，山徑深險異常，英美商船曾被侵害，屢發兵船往剿失利，皆無如何，後乃講和而止。日本力更不逮，斷無能爲』。不知日本存心侵略，遂以中國不治番民爲口實而出兵台灣。

同治十三年（一八七四）三月，日本以西鄉從道爲都督，不顧國際之反對與日本政府之控制，直赴台灣，於社寮港登陸，以龜山（現屏東之車城）爲大本營。但日軍遭土人猛烈之襲擊，死傷甚多；日軍在台以暑雨疾病，死亡相繼；清廷派福建巡撫率兵二萬五千，將到台拒戰；而國際輿論一致反對日本侵略，英美更爲激烈。日本不得已，乃表面倔強，而急欲議和。同年九月日使大久保利通暗託英使威妥瑪居間調停，中國給與日軍死傷撫卹費銀十萬兩，日兵在台築路及造屋費用四十萬兩。大久保簽約後即歸國，西鄉從道之兵亦於同年十一月離台返國。此役最初未堅持琉球爲中國領土而拒絕日本懲兇之要求。議和時和約中又書明『日本國此次所辦原爲保民義舉起見，中國不指以爲不是』，以及『台灣生番曾對日本所屬臣民妄加殺害』等字句，無異承認琉球人爲日本人。台灣雖得保存，而琉球遂爲日本所久佔矣。（五）

梨園漫談

丑戲（上）

瘦西湖

丑之組織類別，亦甚簡單明瞭，其勾繪方法以鼻樑爲主，且亦有面譜遵循，不得任意亂塗之，丑角雖無淨部之銅錘黑頭多種之名稱，然亦有小花面之稱呼也。

丑分文丑、武丑、方巾丑、丑旦等四種，文丑，重作唸、京白，動作，如「法門寺」之賈貴，演這類腳色以蕭長華、馬富祿、曹四慶爲最佳。蕭長華是梅蘭芳的重要助手，當年梅蘭芳在上海要演出時，特地由專機派人去北平把他接來，當時蕭已七十出頭，已是子孫滿堂的福老，在家已渡晚年，享享清福，因感梅之恩厚，竟費包機來迎，不得不擱一切，立即捆紮細軟隨來人南下，至上海一與梅合演出之時，果不同凡響，梅郎之有今日，蕭長華功勞實不可沒也。馬富祿亦爲扶風社之名丑，當時扶風社之名單，據記憶所及，是馬連良、張君秋、袁世海、李多奎、馬富祿、葉盛蘭、芙蓉草等人，這班腳色在北平界都可算得是第一流的，[illegible]

武丑，又名開口跳，重作派，武技，[illegible]這類腳色以葉盛章爲最佳，[illegible]能以武丑掛頭牌者，這尚屬創舉之事，當時葉之演出，確曾轟動京滬杭一帶，其號召之力，實不下李少春，[illegible]

方巾丑，重唸、作、白，如「群英會」之蔣幹，這類戲除馬富祿爲最能手外，台灣的周金福，名票李圃東爲最好腳色。當然，如以[illegible]能排出這樣好戲，想必定能滿台，惜扶風社全盤人馬淪陷大陸，不然還會[illegible]，那就精彩極了。

丑旦，又名彩旦，重唸作、詼諧、京白，如[illegible]，正如其原有之戲路，[illegible]不難成爲今日寶島之唯一彩旦角色，[illegible]從此將要沉沒無聞矣。不亦大可惜乎！

花中之王牡丹

白荷

我國古時，即將牡丹花譽為國色天香，象徵吉祥富貴；長物誌上云：「牡丹稱花之王，芍藥稱花相，俱花中貴裔。」在周敦頤之「愛蓮說」文內亦云：「牡丹，花之富貴者也。」牡丹花之雍容華貴，瑰麗多姿，富貴着實令人喜愛，故亦名富貴花，寓有花開富貴之寓義；昔時宮中御花園內，多植牡丹，增加華貴氣氛，此外巨室富豪，及園藝家，對於春日藝牡丹，亦均發生興趣，精心培植，據說牡丹品種，竟有數十種之多。牡丹中有姚黃魏紫之分，而其產地則以河南洛陽為最佳，乃由於土壤及天氣，各種環境適宜，故自古即有洛陽花似錦，洛陽牡丹甲天下的美名。

相傳唐代以前，尚無牡丹之名，統稱芍藥，天寶年間，唐明皇與楊貴妃在沉香亭上賞花，均愛其美艷大方，花姿綽約，乃召李白作清平調詠之，清平調共三首，其最膾炙人口者，為第一首，其詞曰：「雲想衣裳花想容，春風拂檻露華濃，若非羣玉山頭見，會向瑤台月下逢。」此後牡丹之名始盛傳一時。據通州志略云：「古無牡丹，統稱芍藥，自唐以來，始分為三。」按芍藥乃屬多年生草本植物，高約一二尺，葉為複葉，小葉往往為極深之三裂，於暮春開花，不似牡丹花大而美麗，色有紅、白、紫數種，根亦分白，赤二色，可供藥用，據中醫云芍藥根，有和五臟，辟毒氣諸功效。牡丹則屬落葉灌木，乃我國華北及山東特產，莖高二尺餘，葉為複葉，分裂甚深，花有單瓣複瓣之分，色有紅、白、綠及紫色多種，而其中黃紫二色，最為名貴，據歐陽修牡丹譜上云：「姚黃者，千葉黃花，生於洛陽姚氏家。」又云：「牡丹出丹州，延州，東出青州，南出越州，而出洛陽者，天下第一。」故園藝家常品評牡丹，則有洛陽花似錦，洛陽牡丹甲天下之說。

在我國古時詩人墨客，有關牡丹描述詩文，亦多瑰麗堂皇，充份顯出其國色天香姿態，以及雍容華貴與富貴吉祥象徵；如描寫唐明皇與楊妃沉香亭畔，欣賞牡丹情景時的種種，則有：「沉香亭畔，妝鏡台前，驚織齊裳，蜂塗漢額，香開玉台，粉泥金盤，陪酒陪歌，花王花厚，猩脣鶴頂，榴蓖梅腮，曉露精神，春烟情態，四香閣上，百寶欄邊」。又如：「始標名於謝客，後最盛於洛陽，樂天歌而未豔，歐陽記而難詳，考其名則錦袍驚棠，連蕊紅妝，檀心倒留，玉見天香，鞋紅歐碧，護彩雲芳。」眞是將牡丹花的品格風姿寫得儀態萬千，美妙到了極點。

猶憶昔時北平萬壽山頤和園及北海公園等處，春晒花香，牡丹盛放，千紅萬紫，美不勝收，莫不遊人雜沓，仕女如雲，競賞牡丹，亦盛事也，如今大陸赤禍橫流，想早已面目全非矣！（燕塵識小續稿未到暫停）

裁軍

徐學慧

只要有人提到「裁軍」，我就會情不自禁地要退避三步，因為我認定凡說此語的人，如非白痴，即是神經錯亂。

我不是說「裁軍」有何不好，而是深信今日世界的裁軍談判，不可能達成任何結果。明知其全無結果而又大叫大嚷，要不是神經錯亂，那來這麼大的勇氣呢？

蘇聯高叫裁軍，美國也高叫裁軍，而美蘇之不會裁軍，則又為盡人皆知的事實。（由於核子武器之發展而減少軍隊，那是戰略的改變，與裁軍無關。）倒是法國總統戴高樂先生，還是個眞情至性中人，他居然在赫魯曉夫於去年三月訪問巴黎期間，一聲號令就在北非沙漠中試其核子武器，而且後來還有一位部長階級的高級官員在某次談話中表示，關於禁試核武器一事，法國是不受其約束的，因為法國的核子武器尚待試驗。

並世的政治人物，能有這麼光明磊落的還很少哩！其實，說到裁軍或禁試，大家都知道不可能，但有些莫明其妙的所謂外交家，却是歡喜在會場上發出裁軍的論調，滑稽突梯，莫此為甚。

何以他們一定要說一些這樣的廢話來浪費時間呢？對不起，如果有任何人認為裁軍談判只是浪費時間，那就錯了。必須知道，那些代表們長日無聊，總得想些問題來消磨時間，而消磨時間的一個最好的話題，當然莫過於談裁軍，因為這是永不會有結果的。

裁軍的調子喝得愈高，則私下擴軍的機會亦愈大。這就難怪蘇聯出席聯合國代表團於七日向報界發表聲明，說是裁軍問題一定要在這次聯合國大會中討論呢！

這類無聊的滑稽戲，我們已經看得討厭了。奇怪的是，這些演員們竟自肉麻當有趣的，一點也不覺得觀眾們已在反胃哩！

命名趣談

漁翁

名者，稱號也。禮云：「幼名冠字」，人以名為符號，故若干人，有若干名，有字，有別甫，一人有三數名不等，亦僅一名而以字行者。古人命名均有所由來，茲舉其犖犖大者而言之。

孔子世居今山東曲阜縣，生得身長九尺六寸，頭頂中間低而四旁高，如山丘然，故名「丘」，字以「仲尼」，亦有稱之為「長人」者。

陶淵明生於東晉末期，適值社會動盪，政治黑暗，思想紊亂，為逃名避世計，乃取易經「陽氣潛藏」之義，而名之曰「潛」。

李白，生於四川昌明之青蓮鄉，誕時，其母夢「太白星」入懷，故定名「白」，而別字「太白」，又以地名而號「青蓮居士」，為盛唐大詩人。

相傳漢高祖之母，與蛟龍交合而懷孕，出生後，因排行居四，許名「劉季」，即俗稱「劉老四」，後顯貴，以劉季，劉老四之名不雅，援「乃命諸王」義，而改為「劉邦」。

呂洞賓，原姓李名瓊，字伯玉，丁黃巢亂，棄子攜妻，避終南山，時惟兩口，故改姓「呂」，又因卜築岩洞，名曰「洞賓」，其後妻亡而身孤，純屬陽性，復別號「純陽子」元遺山唐詩鼓吹中，有呂洞賓詩一首：「別號純陽子，亦稱回道人。」即俗傳八仙之一。

岳飛，宋相州湯陰人，在誕生前夕，有一大鳥若鵠，飛鳴屋上，其父即取名曰「飛」，並援引莊子「搏扶搖而上者九萬里」之意，而字以「鵬舉」。

陸游，字務觀，南宋人，為范成大參議官，以文字交，不拘禮，人譏其放，因自號「放翁」，平生放浪於形骸之外，彌留時，示兒詩云：「死去原知萬事空，但悲不見九州同，王師北定中原日，家祭毋忘告乃翁。」足見其豪放，名與實符，後之人，皆稱「放翁」而不名。

據傳文天祥之祖父，夢見一孩子乘紫雲從天降下，忽又上去，醒時，喜報添一孫，即命名「天祥」，又曰「雲孫」。二十歲，應集英殿對策時，宋理宗見有「天祥」名字，喜曰：「此天降吉祥，乃南宋之瑞氣也。」即拔為第一名，並以「宋瑞」兩字賜號之。

曾國藩，湖南湘鄉人，初名「子城」，其師以其名不甚佳，更為「國藩」以屏障一方相期許，幼時，頗不自檢，弱冠後，始立志學聖賢，遂改字「滌生」，嘗曰：「滌，乃滌去一切污穢，生，即袁了凡所謂「以往種種，譬如昨日死，以後種種，譬如今日生」，前後若兩人，以平「太平天國」而成為中興清室之名臣。

龍啟瑞，廣西臨桂人，論文學平凡，因名字吉祥，得太后青睞，拔為第一甲第一名。反之，有王國鈞者，才學俱優，應名列前茅，奈太后點王國鈞名時，認為與「亡國君」三字諧音，竟黜為三甲進士。是則古人之窮通得失，往往於姓名下覘之。

尤有一故事，足資談趣者，即蔡狀元建洛陽橋，因江流激湍，無法建墩，欲求助於神，徵「下得海」者，與龍王接洽，適衙內有「夏德海」其人，命之去，德海始怨父母命名不慎，致有此禍，旋醉臥灘頭，得「醋」字還，蔡即以八月二十一日興工，橋乃完成，以功得塑像於蔡忠惠公祠，同享俎豆，亦因名而傳也。

古人命名，離不了「吉祥」字眼，即不騰達，亦為人所歡呼。今之為子女名者，亦往往以「福祿壽喜」，與「元亨利貞」等字為之，蓋有所希冀耳。

台遊詩摘錄

易君左

回國

十年滄海客，再拜國門前。兒女皆驚老，江山不許偏。火流飛七月，風起會羣賢。偶作閒情賦，難忘大誥篇。

同應冰及家人遊鵝鑾鼻

來看島上鵝鑾鼻，絕似江南燕子磯。遠水連天雲陷沒，凱歌匝地夢依稀。自由燈塔明千里，華夏邊城固四圍，深怕海風寒意甚，登臨微護一重衣。

海嶠麈談薈

戴季陶先生憶語

諸葛文侯

愚在童年即震聞「戴天仇」這位革命志士的大名，欣慕不置。迨民國十三年十二月，他隨着國父孫先生經日本神戶，北上幽燕時，愚受留日國民黨同志推舉為代表，由東京馳赴神戶歡迎（同行者尚有現住台灣之湯志先，路錫祉兩君）。首於當地日本工商界人士舉行的歡迎孫公大會中，見着戴先生以流暢的日語，在台上替孫公所演講的「大亞西亞主義」作舌人，更增敬仰之忱。

這時東京的國民黨內部，國共兩派人士鬥爭甚烈，我們同行的幾個代表都是反共的，認為戴先生既屬同盟會老同志，又是本黨的理論家，應該向他請教今後的黨務工作方針，俾有遵循，我個人還有藉此一親謦欬，以慰平日仰慕之私的下意識存焉。一夕，我們幾個東京來的代表，聯袂到「東方大旅館」叩訪戴先生，他正跟一位北洋政府派駐神戶的副領事談話中，教我們坐在房門旁邊等候着，我們傾聽他與那位來賓所談的，盡是些聊閒天的話，心裏已經有點不耐煩了。繼而客去，我走近戴先生座位前，申述來意，剛要提到黨務工作方針的話，他却以不屑聽取的表情，大聲說道：「你們是不是差錢用，可以拿些去。」當時我年少氣盛，不禁怒火上升，乃答道「我們並不是來要錢的造化子！」提着帽子就往外走。從此以後，我過去滿懷仰慕這位革命偉人的心情，就全部消喪了。

民國十五年我回到國內，看見戴先生所寫的「國民革命與C・P」小冊子，知道他的思想還是積極反共，又對他恢復了尊敬之心。後來在南京目擊他那考試院門前，站着兩個身穿春秋時代武士服裝的衞兵，我心裏為之冷了一大截；繼以他常於考試院後院唸佛經敲木魚，而且每逢前院的客廳內有座客在坐時，木魚聲音亦就特別緊急之故，（這是我親身經歷的情況）我對這位煊赫一時的革命黨前輩先生，即不復寄以任何希望了。

民國卅七年秋間，陳布雷氏自盡之日，戴先生聞訊痛哭，馳往陳宅省視死友，一路涕泣不已，可見他是賦有至性至情的人。次年南京中央政府撤赴廣州時，戴先生到上海小住，曾於滬市府秘書長沈宗謙宴會席間，有人叩問戴先生是否到外國去走走？他答以「我不出國，死亦要死在國內的。」當時沒人想到他這話具有特殊意義，他到了廣州不久，先一日赴黃花崗恭祭七十二烈士，次晨出席黨政軍聯合紀念週，大聲疾呼地希望國民黨人恢復民國十五年北伐革命精神，再造河山，其言甚爲激昂，得未曾有。然是夕，他吞大服量安眠藥片溘然不起了！尸諫歟？厭世歟？吾不得而知也。他的遺骸歸葬巴蜀時，有故人挽以聯曰：「支離逢此日，可憐報國有文章，漏盡燈殘，傷心莫話興亡事」；「壯烈記當年，豈是回天無智術，風淒雨慘，望眼何堪儔侶情」。

歷史人物

李香君

謝康

這封信纏綿悱惻，視馬湘蘭與王伯穀，沈嫩兒等寄施子野書，固可謂伯仲之間，然批評朝政，忠義奮發，則為當時一般女流所罕見。這和「桃花扇」第二十四齣「罵筵」時香君的唱詞：

「東林伯仲，俺青樓皆知敬重，乾兒義子從新用，絕不了魏家種！……奴家已拚一死，吐不盡鵑血滿胸，吐不盡鵑血滿胸！」

一種義憤精神鋤奸勇氣原是一致的。你看她在信裏罵：「虎狼雜進，貓鼠同眠」，而在曲裏面罵「乾兒義子魏家種！」阮大鋮係魏忠賢乾兒）簡直把當時的宰相部長一流人物，罵得狗血淋頭，你看，這小妮子利害不利害?!

在天下滔滔，是非混淆，國破家亡的今天，像李香君這種人物和桃花扇的故事，是特別值得熱愛祖國而有正義感的中華兒女們共同紀念和敬仰的。孔尚任：「不信香君有後身」是極端痛心語。我却希望香君的英魂化為萬億身，以熱淚和正義的精神，潤澤我們民族的嫩苗，開放出更燦爛光輝的血花吧！

（本節完）

內警僑台報字第○三一號內銷證

自由報

THE FREE NEWS

第一一三期

社址：香港銅鑼灣高士威道二十號四樓
20 CAUSEWAY RD 3RD FL HONG KONG
TEL. 771726　電報掛號・7191
承印者：四風印刷廠
地址：香港灣仔高士打道二二一號
台灣分社
台北市西寧南路壹壹李號二樓
電話：三○三四六
台郵撥儲金戶九二五二

從剛果動亂說到東南亞前途

雷嘯岑

（一）

北非洲舊爲比屬剛果的動亂因素，開始是基於民族主義思潮，反對殘存的比利時勢力，內容很單純，試看那以反帝國主義相號召的內閣總理魯蒙巴，當初親赴美國乞援情形，卽可概見。繼而俄共集團乘機滲透，大力煽惑，搶先給予魯蒙巴以軍火和金錢的應援，又在國際間爲魯蒙巴政權撐腰助勢。然美國當局卻躊躇徘徊，跋前疐後，一定要拉着西方某些以殖民主義著稱於世的盟邦共同行動，間接使剛果人民滋生「拒虎進狼」的疑懼心理，而魯蒙巴乃誤認俄帝眞是無條件援助弱小民族的「救世主」，悍然向俄帝一面倒。這在冷戰上，美國已經棋輸一着了！

等到剛果內亂激化，魯蒙巴成爲俄共集團的釀亂工具之後，美國及其西方盟邦，纔決定由聯合國出面處理，原則是對的，但其方法不當治絲益棼，徒亂人意。魯氏的總理職務，既經剛果總統卡薩布夫予以罷免，表示着反共的政治思想，無論他這項處置是否合理，然與自由世界反共產極權侵略運動的利害是符合的，亦係一國元首應有的職權。主持聯合國事務的美國及其盟邦，如果不願意剛果淪於俄帝控制之下，就應該協力支持卡薩布夫政府，讓它將魯蒙巴這個共黨工具剷除才是。然而聯合國（實際就是英美）又模稜兩可，除卻要求俄帝勿再以軍火輸送剛果，敦比利時在剛果的駐軍撤退以外，臨時組合派赴剛果維持和平秩序的所謂聯合國軍，又多半都是些親共國家的部隊，且由一個實行「兩面人」政策的印度代表担任「總管」之責。如是乎，在剛果內部的親共與反共鬥爭之間，更平添了一種名爲調處爭端，實係播弄、製造是非的外來集團，而亂象乃愈趨嚴重。魯蒙巴的性命，卽在這種環境中送掉的，也就是深受聯合國的「和平政策」之賜，冤哉枉也！

英美不知反省改進其處理剛果事變的錯誤方法，卻因魯蒙巴之死，而歸咎於剛果正規軍，不應將魯氏囚禁，竟由聯合國決議以武力從事，要把剛果軍全部繳械，還須追究殺害魯氏的主使者，美國且聲稱派遣陸戰隊馳往剛果參加所謂聯合國軍（隨又後自動宣告停止）。似此不明是非，不分敵我，漠視剛果國家主權，抹煞其民族自尊心，肆意干涉內政，橫行霸道，藉以對國際共產主義者實施姑息妥協政策的強權主義作風，是可忍，孰不可忍？剛果軍民起而公開對聯合國軍作戰，要把他們驅逐出境，卡薩布夫總統正式向聯合國秘書長韓馬紹提出警告，說是聯合國實行解除剛果軍隊武裝的決議，必然招致嚴重後果。同時剛果各黨各派的領袖人物——連同魯蒙巴的親信在內——一致相約舉行圓桌會議，協商國事，構成「共同前綫」，表現「兄弟鬩牆，外禦其侮」的氣概。這是勇敢而明智的行動，値得世人稱讚敬佩的，誰說剛果人是「落後民族」呢？我看他們除了不會製造冰箱，汽車，收音機，電視機以及飛機大砲之外，在政治思想上，比英、美的政客們高明得多。偉大的剛果人，眞是有種呀！

（二）

英美對於剛果動亂的對策固然極不高明，但尚能利用聯合國名義以遏制俄共勢力之侵襲擴張，又讓比利時以保護白人生命安全的理由，派兵懲創那甘爲俄帝工具的魯蒙巴集團，美國且表示要派兵馳赴剛果戡亂，亦不怕引起世界大戰了！反觀他們對於東南亞的寮國動亂，坐視俄共集團不斷地以軍火接濟寮共，另由中共派兵潛入緬甸圍攻當地的中國反共游擊隊，卻不肯利用這些反共力量應援寮政府的戡亂工作，更不許自由中國政府對這些本國人民爲爭取生存而結合的反共武力，予以支持，還要迫使其撤到台灣去。關於寮國的前途，他們說是要組織聯合政府，成爲「中立」國家，讓共黨勢力合法存在，而以所謂「國際監督委員會」名義，從事掩耳盜鈴」式的監察任務。這一」措施，皆與對剛果的章法，適不相伴。若說剛果的治亂安危，關係北非局勢甚大，然則寮國的安危就與東南亞局勢無關嗎？此無他，剛果地區擁有大量鈾、鋁、錫、金等類礦產，是爲英美所珍視垂涎的經濟大利所在，決不能落入俄帝之手，非維護不可的。寮國以及越、泰、緬這些地區，既沒有像剛果那樣豐富而且需要外來技術和資本開採的礦藏，又對西方國家的安全繁榮生活，影響並不嚴重——必要時英國可以退出遠東，美國只要保持日本，台灣，冲繩島這條外圍的國防綫就得了，連南韓亦視爲不在美國防綫之內，美國杜魯門政府會於一九五○年正式宣佈過這項策畧，繼在韓戰中更以行動證明在案——他們自不屑爲蕞爾之邦的寮國安危，而隨便開罪於俄共集團的，試看那所謂「東南亞公約」組織，對寮國動亂始終裝聾作啞的醜態，即思過半矣。

因此之故，今後東南亞自由人類的生存與生計，若寄望於那種公然玩弄欺侮亞洲人的「東南亞公約」的組織力量，固屬決無倖理，即期待美國眞能負責領導，不讓俄帝南下而牧馬，亦係自作多情的痴思幻想。要挽救東南亞各個國家民族的劫運，還是求其在我，有所作爲，至少亦不能聽任強權主義者——無論是資本帝國主義或共產帝國主義——隨意驅使擺佈，把命運給別人掌握住，俯仰由人，變成一羣被牧人驅策宰制的羔羊。現在東南亞列國之中，緬甸和印尼甘作共產帝國主義的殉葬人，飲鴆自怡，不知死所；印度託庇於資本帝國主義的餘蔭，燕處危幕，自鳴得意；其餘如泰國，巴基斯坦，菲律賓，都是東南亞公約體系的成員，而南越，馬來亞，寮國，高棉，亦係不願追隨共產帝國主義的自由之邦。除了印度，緬甸以外，東南亞地區這些自由國家如果一致團結起來，再跟自由中國，日本，南韓構成連鎖之勢，守望相助，共策安全，便是亞洲自由人類一種堅強的安定力，任何強權主義者皆不敢輕侮的。要想改變現時「人爲刀俎，我爲魚肉」的形勢，首先即須改組「東南亞公約」，請那些對亞洲毫無休戚關係的西方舊有殖民主義國家一律走開，莫再混迹於其間，專門幫倒忙，誤大事，而由眞正的東南亞自由國家居於主[illegible]地位，美國只以自由世界盟主的資格，從中指導協助就行了。自寮國動亂發生以來，所謂「東南亞公約」組織袖手旁觀，悶聲不響，然爲詐欺朦混東南亞人民的視聽起見，乃隨時集合[illegible]係破爛的兵艦和幾架過時的飛機，附以幾百名老弱殘兵，在東南亞地區作兒戲式的軍事演習，這比巫師替病家畫符嚇鬼驅邪的玩藝還不如，能對俄共集團產生些末嚇阻作用嗎？光看這種無聊的動作，現有東南亞公約的價値，就不及抄寫公約那張紙價，實係無用之長物。泰國與非律賓應該當仁不讓，負起改組東南亞公約的重責，擬訂一套新計劃，徵詢美國意見，美國能夠贊同，固所願也，否則我行我素，不必勉強。亞洲人雖然產業貧乏，生活水準不優裕，但我們目前的急務是自由生存，而非繁榮的生活享受。美國錢多並不稀罕（只有少數貪官汚吏纔以乞取美國經援爲第一義）。美國雖有原核子武器，但只是用作大言恐嚇的宣傳材料，非到美國本土受到俄帝的炮火攻擊，決不會使用的，我們亞洲人亦就不必藉它來作「泰山石敢當」的翁仲，致貽後患。

現在泰，緬，寮邊境的中國人民反共游擊隊，不特是不應該撤退到台灣，而台灣的自由中國政府且應該予以人力和武器的大量支援。這是我們自己的份內事，別人沒有妄加干涉的理由，我們的武力若不用在反共行動上，那就不必談反共救國的話了。英國哲學大師羅素們甘願投降俄帝，我們卻不是那樣的懦極；美國要與俄帝和平共存，我們卻不願跟它和平共死！美國對我們的援助如其只在保衛台灣一隅之地，專爲美國利益服務，那我們就沒有專幹這種「半吊子」活路的必要。關於反共游擊隊的未來命運和動向，希望泰國當局愼思明辯，不要[illegible]從姑息主義者的邪說鼓動，爲淵驅魚，自貽伊戚，自由中國與泰國的生存利害，絕對是一致的。剛果人且能爲着獨立自由生活而以武力反抗強權主義者，難道我們亞洲人還不如剛果人的能力和智慧乎？

或許有人躭心這樣做法很可能使英美退出東南亞，而俄帝勢力卽將在這方面爲所欲爲了。我敢武斷地說：請放心，沒有那回事！強權主義者喪失了亞洲，它的生命亦就危在旦夕了。我們對強權主義者若不能表現一些，成事不足，敗事有餘的作爲，它就永遠以我們爲濟私作懸的玩具，只要我們不信邪，敢於爲自已的生存而搏鬥，目前這種強權無公理的國際局勢就必然改觀，「需者事之賊也」，怕甚末呢？

小論天下

△寮共軍續有進展，政府軍又失勢。寮政府與前「中立政府」總理談和。寮共聲言反對該項協議。

回想中國大陸當年，就是在這樣談談打打之中丟掉。共黨慣以半眞半假的「和平談判」爲餌，卻在實際軍事行動要求絕對的勝利，到你「和平夢醒」時，你大勢已去，你原來的鬥志也如煙消雲散。由寮局擴觀整個世局，亦屬如此。

△中共缺乏外匯購糧，傳已向澳洲商請信用貸款，增購小麥。

比似一個家庭經濟，也該歎一句「餘到糧時褲亦穿」了。

△華盛頓消息：美國戰略家相信，今秋聯合國大會，仍將擱置討論中國席位問題，料英國對此，亦將再作考慮。

美國如有不惜退出聯合國的決心，難道英國好意思把現成的聯合國大厦由紐約搬運到倫敦去？

△美總統甘廼廸細函赫魯曉夫，已由駐蘇大使轉達，內容秘而不宣。匈牙利流亡份子不滿聯大將共黨在匈藏暴行一案擱置。據傳，此爲美蘇秘密協議之結果。

自從甘廼廸執政以來，對「秘密外交」一傳再傳。是不是比較容易找到「搭線人」？

△英報透出消息：英換美倫正在尋求英聯邦各國支持，贊成邀周恩來出席在日內瓦的裁軍會議。另據東京消息：日政府準備與中共舉行談判。

毫無疑問的，這一派人物的活動，將必循着實現「兩個中國」的方向而逐漸加緊。

方南

勘正：上期「小論天下」末節「英鎊貶値」句，「貶」字被誤植「增」字，特勘正。

自由談

美國的外交作風

美國駐俄大使湯普遜，從華盛頓帶着本國總統向俄酋赫魯[illegible]親近和好心情的機密[illegible]要求面交，而赫酋故示驕倨[illegible]，在西伯利亞到處蹓躂不回莫斯科，對美國總統的友好表情，存心藐玩。如是乎，華盛頓的官員們大爲慌張，生怕赫酋不肯給他們的總統先生以面子，把事情弄僵，馴致惡化，說不定俄國的越洲飛彈就要放射到美國來，那還了得嗎？

繼而聞聽得赫酋邀約湯普遜前往西伯利亞某處見面的消息，華府那般官員們不但是驚情興奮，引爲「欣慰」，而且自寬自解，認爲赫魯歇夫遲遲不予美大使以晤見機會，並非對美國總統意存侮辱。頗有受寵若驚的形氣，夠瞧的哪！

記得前年艾森豪總統親到巴黎，準備與赫酋舉行高層會議時，被赫酋藉着U2飛機事件，公然侮辱謾罵，拒絕跟艾氏晤談。然美國朝野人士甘之如飴，尤其是甘廼廸先生，事後還主張美國政府應該向俄帝道歉謝罪。所以，這次赫酋對美大使擺擺架子，玩弄一下，當然毫無所謂了。

反觀自由世界一般被視爲美國盟友的各個弱小國家，遇事唯美國馬首是瞻，尊敬不違。但華府的官員們諸多不滿意，隨時指摘這個友邦不中用，那個友邦不進步，甚至於一個美國大兵在友邦犯下了殺人罪，亦不讓該國政府依法究處，表示着紳聖不可侵犯的大好佬氣派，睥睨一切。

這證明美國當局的外交政策，只是怕強欺弱，毫無正義公道之可言。誰能製造原子彈，爆炸核子武器，誰就是美國所敬憚悅服的友好國家，此法國戴高樂先生所以要拼命試爆原子彈也。

對俄帝含垢忍辱，畏之如虎；對友邦頤指氣使，視之如羊；如此這般的外交作風，若說可以跟俄共集團和平共存，避免大戰，鬼才相信呢！

馮正先生

展望山地農牧局的前途

·林嘯崧·

◎×××◎
×台灣×
×通訊×
◎×××◎

山地農牧局依據省政府農林廳所擬訂的「台灣省山地農牧資源開發大綱」，業經府會通過，正式宣告設立，以開發山地資源及辦理水地保持工作。「台灣省農林廳山地農牧資源開發局籌備委員會」的籌備工作，總算告了一個段落，這個機構對今後本省山地農牧資源的開發，即將積極展開其實際工作，以促進本省農村經濟之繁榮！

本省山坡地面積遼濶，約有二、五一六、四〇〇公頃，其中在海拔千公尺以下的山坡地約為一、三八三、九〇〇公頃，除大部份供作林地經營外，尚有宜農或宜牧地約五十萬公頃，此一廣大的山地農牧資源面積，據「農林邊際土地調查」結果，認為是項土地如能予以合理的開發利用，實具有重大的價值。

年來本省人口膨脹，大家都感到人口的壓力是由於土地有限所形成，土地的限制影響了農業生產，無法與人口增殖率作比例的增產，這是一個嚴重的事實，現在，本省既然還有五十萬公頃以上的山地面積，可以供作宜農和宜牧的耕田利用，這卻是一件令人興奮的事情，瞻望山地農牧局的前途，實有着光明的遠景。

據最近的新聞報導，山地農牧局五十年度的工作計劃，內容分為水土保持，山地農業，山地畜牧及開發準備工作等四類共包括三十個項目，計需經費新台幣三千七百三十七萬五千八百四十七元，其經費來源包括省府業務費用五百二十萬元，省府事業基金一千四百六十萬元及美援補助一千七百五十萬元，這筆經費數字是相當可觀的，要如何運用有效，使投出去的龐大金額，將來仍能從收益中賺取回來，依照利益法則似應作比較性的規劃，選擇何者是利益最大的，然後投放適當的經營資金，而不只是把每年的預算化完就算了事的，化下去的錢即使目前不能收回來，也要有相當的成績表現，證明這個山地開發事業，卻有其光明的遠景，這一點是相當重要的。

對於山地農牧局五十年度的工作計劃，其所列出的各種項目，尚稱允諧，未致徒涉空泛，實在說來，我們不希望有假藉名義，耗費公幣的情形，茲就其工作計劃大要，分述如後：讓讀者就其所列預算金額，去估定應作多少山地開發工作？

一、關於水土保持方面：設置土地利用示範區及整理濫墾地各四處，面積共為二百公頃，耕地及牧地水土保持推行平地階段共為一千三百七十五公頃，土地改良種植綠肥一千五百公頃，其他則屬於蝕溝控制，防砂工作、技術訓練，農民水土保持講習及充實器材設備等項。

二、關於農業方面：配合水土保持工作設置作物栽培改善示範圍十五處及繁殖各種種苗五十六萬株，其他則為調查、推廣、訓練等工作，都是屬於配合性的業務。

三、關於畜牧生產方面：設置示範牧場四處共六百六十公頃，輸入優良種畜肉牛四百頭耕牛一百五十頭及毛羊一百頭，其他則為家畜雜交改良及推廣與技術訓練等項。至於開發農牧資源的準備工作，則僅是調查與統計的過程。這裏所列舉的許多計劃工作中，一部份是在山地農牧局尚未成立時便已經開始很久了，這三千七百三十七萬餘元的預算，將來究應如何化用以及如何編造報銷，相信最聰明的人也要傷些腦筋了！

五十萬公頃，如能全部開發，應能容納約二十萬人口的生產者以從事山地農牧生產，國軍退除役官兵，皆應儘可能予以安插，以參加是項山地農牧就業，如是則經營山地農牧生產因素的土地，資金與人力的組合，俱已不成問題了，而山地農牧局的正式設立，即是將各種生產因素作有計劃的配合運用和管理，現在山地農牧局業已正式成立，該局總幹事張芳燮先生，過去曾任過桃園的民選縣長，正是一個有相當抱負的幹練人選，社會對他的期望正殷，深願他能施展其餽力與才能，以任勞任怨的負責精神，不折不扣的確實推進計劃工作的進程，寄語張總幹事一切好自為之。

香港與大陸

【本報訊】香港的新興事業——代寄糧包，生意極好。此種代寄糧包的土產商店，終日門庭若市。若干商店且印有價目表，貼於店中當眼處。兩磅裝豬油每盒四元六角，惟如請該店代寄，則價目各有不同。寄廣州九元九角，寄上海十一元，並不包括稅欵在內。此等土產店於收到顧客貨欵後，雖亦有收條一張，但不能作為一定寄到之保證。同時，所代寄之貨物是否與顧客所吩咐交寄者相符，亦大成問題。尤其是在品質的高低方面，顧客更不能自作主張，唯有聽憑這些土產店是否遵守商業道德而已。本報記者友人某君，由某商店代寄花生兩磅給其家人，不料遭大陸退回，寄件人拆開一看，原來花生僅有一磅，另一磅則為蠶豆。某君為之啼笑皆非云。即此一端，可知此種代寄糧包之新興事業何以能一枝獨秀了。（田）

甘迺迪的政治思想

——讀甘著「當仁不讓」有感

甘迺迪又引用諾里斯的話說：「我更發覺我所指斥反對黨所犯的罪行，我的政黨無不俱備。」「難道我們一定要把黨置于國家之上，以表示自己對黨的忠貞。」

甘氏又引用班頓的話說：「我不知道斯人何以有推翻我的陰謀，我只知道我是腐敗的政客們的必然敵人。」

本書敘述到，一八六七年美國議會醞釀彈劾詹遜總統的時候，魯斯參議員的一票有決定的作用。他並不喜歡詹遜，他投票時卻說詹遜是無罪的。同時他懂得，假如決定詹遜有罪，後果極為嚴重。魯斯這種公私分明，顧全大局的態度，使當時魯斯的黨以及美國輿論，對魯斯極不諒解，也可以說從此就結束了他的個人政治生命。但是，後來美國國會的檔案中說：「由于魯斯的票，國家得免于比戰爭更厲害的災禍，但卻拿他做了政治的殉道者。」

甘氏又引用諾里斯的話說：「一個人試圖做一件事而遭受失敗，原是極常見的。他雖然覺得沮喪，可是若干年後，也許他會發覺正因為自己的努力別人才繼起努力，因而成功了。」

作為一個政治家，他的靈魂，與一般投機取巧的政客不同之處，這應該是重要的分水嶺了。

甘氏的政治哲學在基本上是「中庸之道」，政治這回事，他在該書中曾引用摩萊的說法：「總是退而求其次的範圍內的行動，經常是兩害相權取其輕。」他又引用克萊的說法：「一切立法，均根據互讓的原則。」甘迺迪自己則說：「激烈份子和極端派永遠埋怨政府不能實現他們揭櫫的目標和理想，不能毅然決然排斥和他們不合的其他派別，殊不知立法的議員職責所在，就是採納諸家衆流，折中遷就，調和各派的意見，使一州之內，一黨之間有所協調，從國家的最高立場來容許各派表現廣泛的利害，互相抵消；只有立法議員最明白，極少情形之下，某一派能佔盡情，佔盡理，佔盡正義和公道，完全站在對的一方面。」

甘迺迪這種「中庸之道」的政治哲學，雖然可以被解釋成為富有「妥協」的傾向。甘迺迪自己也不否認，「妥協是必要的，但是「問題是：怎樣妥協？和誰妥協？因為容易是流為『一齊走』而妥協，難在為維護立法原則，消釋對立意見，只作必要的讓步，而不輕易為小失大的妥協。」（甘迺迪語）

「妥協」和「中庸之道」是常會兩面不討好的。甘氏在本書中引用韋伯斯特的話說：「在極度緊張的時候，要想擴大，煽動事端，比起平抑爭端來是要容易得多了。而且，如果有誰要是主張中庸之道，就一定有被認為是對其所屬的政黨失職的危機。」（二）

司馬璐

台灣之相聲

章楠人

北方相聲亦雜要行之一種，發源地當在北平。寶島相聲人材不可謂不多，部份參加軍中康樂隊鼓勵士氣，但論眞正內行則絕無僅有，全為票友下海者，民國卅九年時，依稀記得有侯瑞亭王祥林二君為台灣開啓相聲之風，這兩位當時亦在某單位服務，下海後便在西門町大衆劇場（目前之紅樓）與張宜宜等之南方滑稽同時參加演出，侯王表演，繼評書之後，張徐趙則列壓軸，當時情況眞可稱『座上客常滿，杯中茶不乾』之現象，未幾趙如明亦參加，侯王陣營，聲勢頓壯，論藝術三人各有千秋，若與內行比較亦無遜色之處，且玩意兒甚多，一個月內不致翻頭，侯以老活兒為主，趙則專以平劇作談笑對象，王之捧法不瘟不火恰到好處，已臻爐火純青境界，未幾時丁一與張三亦相繼產生，丁君係北平燕大畢業，品學皆優，且無江湖一般習氣，故亦頗受歡迎，如是者達年餘，陳安逸與吳兆南亦脫穎而出，吳乃自由中國平劇界之名小丑也，由於以上幾位在台灣博得觀衆重視後，不久即有周胖子，魏龍豪、張寶山、王靜波等幾位也陸續產生，惜乎曇花一現，台灣因雜要場地缺乏，未幾亦逐漸凋零，各人自謀出路而作鳥獸散，目前為止，尚在活動者僅有陳逸安與魏龍豪這一擋相聲而已，其他大部份已另改行業，王祥林服務原單位，王靜波亦成公務員，趙如明亦棄行從政，周胖子則開設茶館為業，吳兆南為華語學校教官，吳本天津中國大學經濟系高材生，學識甚佳，任職教官自然輕鬆熟勝任愉快。諸人中惟有丁一先生仍然乘龍有術長袖善舞，現服務於中國廣播公司，即猜謎晚會節目之主持人丁乘燧先生也，其他則不知所終矣，諒亦各有輝煌成就。總之在台灣方面一般劇藝界人士最感困擾者，由於雜藝場及小型劇場缺少，故無法作常期性之活動，因此只得棄行改業，如當局能多多設闢遊藝場，以便使這批劇藝人員有所適從，相信寶島藝運定可前途無量，社會亦能更趨繁榮，藝人之生活當可改觀，若非如此，一般民間藝術勢必逐漸凋零，終致造成絕跡現象也。

※※※※ 大陸文壇萬花筒 ※※※※

陳毅大做舊詩

——岳騫——

中共頭目中，眞正會作詩的人很少，比較夠水準的只有謝覺哉一個，此外算有一批作歪詩的，如毛澤東、林伯渠、董必武等，這批人本來學過作詩，作詩的規矩也懂一點，只由於讀書太少，俗氣未除，所以作出詩就是不能成句，太奔的就和鼓兒詞相似，如毛澤東的「綠水青山枉自多，華陀無奈小虫何。」林伯渠的「偶因小病臥農場，聯袂來訪不敢當」都是準鼓兒詞。至於專門作鼓兒詞的要算是那位「外交部長」陳毅了。

陳毅一生對書本從來也未下過工夫，可是專喜附庸風雅，做幾句歪詩，顯示自己有文化（文化是中共的切口，意思是有知識，和我們口中的文化，意思完全不同）。早幾天在緬甸周恩來捧他的場，朗誦他的詩「我往江之頭，君住江之尾」，結果被本報同文盧家雲先生捉住，原來是偷的，大概陳毅見到了自由報，二月二十八日人民日報又發表陳毅的「訪緬詩章」，把那首詩刪去，物歸原主了。不過陳毅的詩興卻越來越大，最近三月七日）在人民日報又寫了四首「詩」題目是「讀盧蒙巴遺書」。盧蒙巴之死，當然是值得惋惜的，無論盧蒙巴是共黨人員殺的（這點可能性很大，因不屬本文範圍，故不論），還是極右派森比殺的，都是一種罪惡，但盧蒙巴遺書絕對是假的，一定是塔斯社記者捏造的。陳毅卻就這個問題寫了幾首妙不可言的歪詩，比較中國過去一些鼓兒詞如「雷公子投親」、「蓮花落」，還差得多，現在摘出介紹一下：

第一首：「當代英雄盧蒙巴，從容就義世爭誇」，這樣也叫做詩，若比起「風和日麗艷陽天，太夫人移步出堂前」還差一皮，不過這兩句還有個好處，就是老嫗能解。第四首就非加詳註不可了。全首是：「剛果血案付調查，諸公眞會度年華，殺人殺世先殺已，足證西風落日斜。」

第一句大概是指聯合國通過調查盧蒙巴被殺案。第二句就不知道什麽意思了，可能是指聯合國有意在拖，把「拖」字寫成「度年華」，除去押韻之外，實在看不出什麽關鍵，至於第三句必然是駡美國，第四句又引用上毛澤東的東風壓倒西風。像這種詩若非筆者對陳著素有「心得」，眞眞解不出，其深奧處猶在燒餅歌之上，但是可以担保這次決不是偷的了。

社會小說

香港地

七、可憐一炬

譚福祿由解簽先生舉升廟祝，總也算經過一番奮鬥，這一天正是「人逢喜事精神爽」，把這座小小晉公廟打掃得內外整潔，還準備好了好酒好肉，先自恭恭敬敬的祭過了神，然後和梅大亮佈設筵席，等候客人光臨。

梅大亮所邀約的客人，主要是丁乾和白芷兩個，還有楊先生也在邀請之列，只因楊先生在電話裏回覆他，為了忙着替霍新開從新起草一個文化企業大計劃，沒法分身，便只得作罷。另外托白芷代邀的，有馬永富和姚永嘉之類，都是能動筆桿的人。那知白芷和丁乾一起到來之時，只邀得一個客人，而這個客人卻不在原來邀請之列。梅大亮乍和這人見面，不覺一愣，白芷替這人介紹，說是詩人李發藻，因為同屬作家，今天才不請自來。

梅大亮認得這位作家，曾經和蒙莎莎一起出現在馬行時的盛宴裏面，雙雙在舞台上合演過私吻一幕，便驟然想起蒙莎莎和張家兒子同車受傷的一回事，卻聽得白芷笑道：「這位李先生近來鬧失戀，苦悶得很，常來看我，我才邀他一起來這裏散散心，現因吃過愛情的苦杯，在失戀當中寫的詩倒有一點點味兒。」

白芷就是這樣一個率真的人，只因胸無城府，才會口沒遮攔。丁乾在傍聽了，只是微笑。李發藻卻苦笑道：「你何必替我這樣介紹？」

梅大亮早已知道這是什麼一回事，只好佯為不知，白芷不管李發藻難過，笑着答道：「這樣介紹有甚麼不好？困窮和失戀都是詩的酵母呀！」

梅大亮帶他們巡視廟前廟後，連廚裏預備好的酒肉都指給他們看了，乘便問及丁乾近來的寫作生涯，和白芷新近寫新詩的興趣。

丁乾仍是寫他的偵探小說，乏善可陳，白芷一提到他的新詩，便笑道：「剛才我在路上時，也就寫了一首，你如要看，須有一個交換條件。我得罰你也仿作我們的白話詩，送給我發表，假如不然，你便沐想欣賞和拜讀我這一首佳作」。

梅大亮聽了發笑，覺得很有趣。他所愛的舊詩和白芷所愛的新詩，兩個極端，向來一見面便要互相爭辯。這回白芷給他的難題，也得算妙想天開了。（一一一）

木客著

絕食

汶津

我的體重雖不驚人，食量卻不甘後人的。絕食兩字，在吃飽之後談起，倒也覺得頗有詩意，如果要我「身體力行」，就跟勉強我塗脂抹粉一樣的使我寒心，（諸葛亮似乎這兩件事都辦得到，不愧是偉人。）除非有人拿了支實彈手槍頂在我背脊上。

宗教精神之可貴，從絕食的記錄上可以想見。母親是一位虔誠的基督徒，她自行規定每星期作禁食禱告一次，雖然只絕半天的糧，在我看來就近乎神蹟了。我只知道每星期五的早餐可以多吃一點麵包，實在不敬得很。

如果甘地先生到了陰間，那些饕餮鬼一定會趨避不及的。不過「逃避現實不如迎接現實的考驗」，這是教育心理學家諄諄告誡我們的，所以萬一我有幸運到這位絕食之聖，我一定誠心的向他請教絕食的秘訣，將來藉此成一家之說，也可以不朽一番。

說正經的，甘地這位老人家實在了不起，可惜虎翁竟得犬婿，尼赫魯先生為什麼不多讀一讀他老丈的傳記呢？試想以當時印度的困境——「農民的一切生產，僅足納稅」；工人工作十餘小時而工資不及英人七分之一；外加種種精神上的壓力和印回爭執，——甘地竟以絕食來對付。他最後一次粒米不進是在七十四高齡的那一年。正如他的中國友人曾聖提所述的：「甘地先生的絕食是印度問題糾纏到走頭無路的時候，同時亦是印度問題豁然開朗的時候。」他的絕食，正等於耶穌的釘十字架。

取法乎上，僅得其中。有些虔誠的戀人，因受外界的阻撓，不能白頭偕老，上吊，服毒卻嫌過份激進，於是雙雙宣告絕食。這一絕食是否能把雙方長家的古板頭腦打通，就要看那一對的造化了。不幸的話，最後不是「斷腸飄香」，便是吃飯投降。

等而下之，便是拿絕食當吃飯的傢伙了，這倒有點像「矛盾的統一」。「你絕食個什麼勁？」「為了糊口。」大可選為幽默佳作，轟動一時。卡夫卡有一篇小說「絕食的藝術家」，開宗明義說：「在最近這幾十年間，人們對職業性絕食的表演興趣漸漸消失了。在從前，主持這類偉大的表演的人，收入是相當可觀的。」這幾句話已足夠讓你印象深刻了。但觀眾的興趣不是無止境的，到了後來，再也不覺得稀奇了。有一天——

「你仍然繼續在絕食麼？」……「……原諒我吧，諸位先生。」藝術家悄聲說。除了監督一人外，沒有人懂得他說些什麼……「我常常希望你們讚賞我的絕食，」藝術家說。「我們是讚賞你呵，」監督溫柔地說。「但你們不應讚賞我的」。

他竟像一位落魄的畫家，文人那麼寂寞、無奈，而且矛盾。說到末了，你也許會覺得洩氣：「因為我不能找到我所喜歡的食物，如果我能找到，請相信我，我一點也不胡鬧，一定會像你們那樣塞得飽飽滿滿的。」這無形間就表示出他的高人一等。不過我們還是可以原諒他的，像一位大姑娘憐惜襤褸的才子那樣地原諒他。

上面那位頗有古典風的絕食藝術家，和甘地先生比，可以說是無所為而為，不幸的是他竟成為一宗展覽品，似乎比我們的街頭藝術家還要命否。等他們把這位藝術家埋了之後，竟放了一隻小豹在他的籠子裏，牠比較活躍，也更賣座。難怪目前有不少暢銷書，而我們要真正的好書卻得向灰塵盈寸的書架上去找呢！

王禮錫之死

道南

向有江西才子之稱，曾任神州國光社主編的王禮錫，他是江西安福人，，他是抗戰時期死去的，歲月匆匆，迄今已廿週年，人琴之感，興懷倍切！

他之死因，由於參加作家戰地訪問團的組織，而來到前方工作，積勞成疾，一痛不起。當民國三十年，抗戰方酣的時候，王禮錫那時從英倫返國不久，而在海外作宣傳，苦於不悉前方的真實情況，所以樂得趁此深入華北，實地考察，日後對於國際宣傳，將更可獲得寶貴的材料。他那時既是國民外交協會的會員，又是反侵畧會的會員，更是中華全國文藝界抗敵協會的會員，以在野之身，為政府做抗敵宣傳由來已久，苦於沒有這樣的機會。

出發那天，是六月十八日，正是高爾基逝世的紀念日。正落着毛毛細雨，唯一的女送客，便是那短小精悍他的太太陸晶清女士，她在兩路口車站上，貼近車窗，和王禮錫絮語話別，有人還開他們的玩笑，說他們夫婦越老越黏，想不到自此以後，竟成永別了。

王氏已經逝世二十年，他的墓地，卜葬龍門山，和對岸香山寺隔河對峙，那邊也是長恨歌作者白樂天的墓地，詩人惜詩人，蕭條異代不同時，他們當可安眠罷！

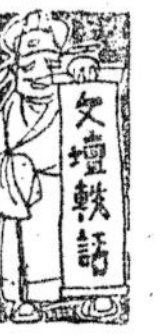

台灣歷史漫談

余又蓀

六，甲午戰前的台灣

清廷滅鄭氏，併台灣後，以台灣為福建省之一府。康熙二十三年（一六八四）置台灣府，領台灣（台南），鳳山，諸羅（嘉義）三府。雍正元年（一七二三）增置彰化縣及淡水廳（新竹）。五年設澎湖廳，從事全島開發。直至光緒十一年（一八八五），中法和議成，清廷以台灣為東南門戶，始建為行省，升淡水廳為臺北府，作為省會。以福建省巡撫劉銘傳，改任台灣省首任巡撫。銘傳大興新政，築鐵路通航運、闢山林、建學堂、辦屯墾、開鑛產、簡軍實、振工商，計五年之間，新政備舉。歲入三百數十萬。光緒十七年（一八九一）銘傳因有人不滿新政，而清廷亦多掣附，遂稱病辭職，由邵友濂繼任。銘傳對台灣六年建設之功，不可沒滅。友濂以息民為由，盡反銘傳所為，新政建設大部停頓，防營亦裁撤一半。光緒二十年（一八九四）中日戰起，海疆戒嚴，清廷命福建水師提督楊歧修，廣東南澳鎮總兵劉永福，率師渡臺防守。永福以黑旗兵在越南屢敗法軍，頗負時譽。十月，友濂見朝鮮方面軍事不利，恐兵禍將及台灣，密請內調。旋清廷調友濂撫湘，而以布政使唐景崧署巡撫。景崧受命於危難之際，負抗日及反對割讓之重任。

七，台灣之割讓與自立

光緒廿一年（一八九五）景崧命副將黃義德至廣東募兵，稱為廣勇，景崧自率廣勇守台北，劉永福率兵守台南，而令紳士林朝棟率台灣士勇守中路彰化。是年二月日本海軍中將伊東祐亨率海陸軍佔領澎湖，台灣益孤立，海道中梗，景崧自外洋所購之軍械，盡為日軍所奪。三月，馬關條約議成，台灣割讓日本，日本以樺山資紀為台灣總督，清廷派李經方赴台灣辦理交割事宜並着唐景崧開缺來京陛見，所有文武各員陸續內渡。

台灣人民初聞割台之議，大為憤慨，誓死力爭。名進士邱逢甲見事難挽回，乃倡議自主，忠義之士，皆贊成之。景崧電詢永福去就，永福答以：「與台俱亡」。景崧乃從台民之請，留台共理台事。景崧令在台官弁，以是年五月四日為斷，欲去者聽，留者錄用，薪銀倍給，逾時求去以軍法論。景崧請將割臺事請各國公斷，請歸英國保護，再建議將全臺為各國租界，後又請法水師提督代為保護，均無效。五月二日（陽曆一八九五年五月二十五日），紳士邱逢甲等乃上「臺灣民主國」總統印於景崧，建元「永清」，國旗用藍底黃虎，通告全世界。

日本遂決心用兵，五月五日日艦二十九艘自臺灣北部各港登陸，十五日臺北陷落，景崧乘德國商船至廈門。六月，臺南各界又舉劉永福為大總統，永福辭不受，但繼續與臺民抗日。臺南農兵徐驤，尚任俠亦組織民軍。日軍南下，與永福軍大戰於彰化。及至八月台南亦陷落，大勢已去，永福直戰至九月初二日（十月十九日）夜，始登英艦逃往廈門。「台灣民主國」亦亡。

自光緒二十一年（一八九五）日軍佔據我台灣澎湖，至民國三十四年（一九四五）日軍戰敗投降，台灣光復，恰滿五十年。

（全文完）

梨園漫談

丑戲（下）

——瘦西湖——

丑角在戲劇中，除壞透的傢伙如「審頭刺湯」中的湯勤等人外，也有未必盡是壞人，如樵夫，更夫，解差等是也，至於武丑中之楊香武、朱光祖、時遷、蔣平之類人物，又均係足智多謀，義俠豪邁之士，平時只知濟貧助人為樂，從無做過有傷天害理之事，相反的，如俊扮小白臉西門慶，則是一個專以勾引良家婦女的不法之徒，其行為卑劣，較之丑扮楊香武等人格相去甚遠，故丑扮腳色未必盡壞人，好者亦居多數也。

總之扮飾丑角者，類多動作滑稽幽默，口齒伶俐，京白爽脆，能操各地方言者更佳，如此方可稱為丑角全才，否則，其京白雖然爽脆，動作亦較滑稽，然口齒含糊，胸無點墨，不能觸景生情，隨機應變，胡亂抓哏者，其再好亦不過是一小丑戲匠而已，談不上真正戲劇藝術耳。

此外如彩旦一角，雖名曰旦，然旦行人員多不扮演，除「法門寺」之劉媒婆，「巴駱和」之九奶奶，分為俊扮，醜扮之兩種，而俊扮時偶由旦角串演外，餘十九皆由丑角兼飾，故而人皆稱之謂丑旦，實則伶界戲劇中並無丑旦這一行之設立，演時均由丑腳應工者居多。

再者，譬如某劇因某角過多時，亦往往由丑角飾一不重要之配角，如「取成都」之王累，論王之為人本係死諫不屈殉城而亡之大大忠臣，按戲班規律，此角實不應飾丑角腳色，無如在此劇中的人物，已有大批生角出場，且每一角色均較王累吃重，故所以不得不於劉璋、劉備、馬超、孔明、劉玉等五名生角之外，而特為派一丑角飾演王累應場，此亦劇中常有之事，故實不足為怪。

丑角雖位於生、旦、淨、丑，四行之末，然其責任則較他行為重十倍，而生、旦、淨三者只能各擅其本身所習之劇，但丑行則必須要博學多能，並須兼曉同台各角之劇詞，故而其責任殊為吃重，後台原有一條規律，非丑角先行開臉，他角誰也不敢動筆，此例非他，實乃尊崇丑角在伶界之地位也。

曩年戲班之規則，各角在後台皆有固定之坐處，如生、旦、坐大衣箱，武生坐二衣箱，淨坐彩匣桌旁，眾武行則散坐各靶子匣上，其餘各有定所，互相不得侵佔，以免紊亂不堪，被人所笑，惟丑角則可隨意到處亂坐，不受限制耳。

辛丑談往

——無負生——

燕塵識小

（四）和約告成：此本年第一大事也。請言其略。上年鴻章奉命自廣東北上，既至天津，閏八月中乃入京。時奕劻先已還京，遂與各國公使開議。各國堅請先懲罪魁，並請兩宮先行回京。奕劻等據以電奏。太后雖未允回京，而罪魁已允嚴懲。至十一月初，乃開出大綱十二條：「一、戕害德使一事由中國派親王專使至德代表皇帝慚悔之意並于被害處樹立銘誌之碑。二、嚴懲肇禍諸人，其戕害陵虐各國人民之各城鎮五年內不得舉行文武各考試。三、戕害日本書記生事中國必須用優榮之典以謝日本政府。四、污瀆發掘各國人民墳墓之處建立碣碑（當付各費銀兩京師一帶每處一萬兩外省每處五千兩）。五、軍火及專為製造軍火之材料不准運入中國（自本年七月初四禁止進口二年）。六、中國允賠補各國人及為外國執事之中國人身家財產所受公私各虧（共海關銀四百五十兆兩）。七、各國常駐兵隊護衛使館（中國人民概不准在界內居住）。八、京師至海邊須留出往來暢行通路，大沽礮臺等一律削平。九、由各國駐兵留守通道（黃村郎坊楊村天津軍糧塘沽盧台唐山灤州昌黎秦王島山海關等處）。十、張貼永禁軍民人等仇視諸國之諭旨（定兩年之久在各府廳州縣張貼）。十一、修改通商行船各約。十二、改變總理各國事務衙門並各國駐使覲見皇帝禮節」。末言以上各欵若非中國國家允從足適各國之意難許有撤退京畿一帶駐紮兵隊之望。

慶李據以電奏，十一月初六日奉旨「奕劻李鴻章電悉覽所奏十二條大綱應即照允欽此」。大綱既定，再說細節，當慈禧穩坐西安懲惡褒忠之日，正慶李固守京城唇焦筆禿之時，經七八個月之磋商，始將內容詳細商妥，並奉上諭准予即行畫押後，遂於光緒二十七年七月二十五日即西曆一千九百零一年九月初七日由大清欽命全權大臣和碩慶親王、李鴻章，德使穆默、奧使齊幹，比使姚士登，日使（西班牙）葛絡幹、美使柔克義、法使鮑渥、英使薩道義、義使薩爾瓦葛、日本使小村壽太郎、和使克羅伯、俄使格爾思在北京簽字畫押，舉世屬目之所謂「辛丑和約」，於以告成。（七）

亞洲影展

徐學慧

亞洲影展前幾天在馬尼剌舉行，香港人所注意的是誰得最佳影星獎？一年一度，集電影工作者於一堂，不能說不是一件好事。

我們所想要知道的卻是，亞洲影片，究竟要什麼時候纔能打進世界市場？

任何一個現任明星或製片家，恐怕都沒法答復這個問題。但菲律賓那位傑出的外長施蘭諾先生在亞展開幕禮中卻把這問題答復了。他說：

「在我們亞州的傳統裏，我們的歷史背景，風土人情價值，在外界人的眼裏看，便是一充滿美麗生動的畫圖。」又說：

「亞洲的影片，不應自卑過甚，去模倣虛偽的（西方）水準。」

施蘭諾先生的話，可謂一語中的。亞洲影片之不能打進世界市場，重要關鍵乃在他們的過份模倣西方，而又模倣得不像。

我們常常奇怪，那些所謂大牌明星，何以不能藏拙？桃麗絲黛在擒兇記中唱了一支情韻甚佳的主題曲，一移到中國來，我們的可敬的白光小姐，大唱其「世事多變幻」，就不免令人反胃了。柏德佩芝(PATTI PAGE)唱的「交換舞伴」一曲，移到中國來，我們的可敬的姚莉小姐，大唱其「舞伴淚影」，雖然也有韻味，但到底不如原曲了。我不知道這兩支歌曲是否為某一國語片的插曲，如果有，我敢保證，這種電影是注定不能打進國際市場的。姚莉和白光的歌聲再好，但單純就這兩支歌曲來說，她們所唱的總不會比得過桃麗絲黛和柏德佩芝吧！

亞洲的明星，只要一天有此種自卑感，就一天不能打進國際市場。這也是可以斷言的。

奇趣壽聯

介人

一般的壽聯，多屬吉祥祝詞，善頌善禱，很難得恰如其份，頌揚得體的。因此，壽聯中的佳構，也就寥寥可數。姑述晚近含有諷刺的壽聯，而為時人所樂道的，試述於次：

「秋雨盦筆記」載：錫山鄒小山先生，有門生某弟兄皆詞林。二子並登科甲，而其母則以側室正位者也。七十誕辰，求先生撰壽言。先生令諸門生擬之，俱不稱意。蓋不難於頌揚得體，而難於得尊者之口氣也，先生自撰儷句云：

「有子有孫，都成名進士；

多福多壽，是謂太夫人。」

於是執筆者咸嘆服。

清光緒甲午，中日戰後，喪師辱國，貽笑世界。時合肥龔照瑗任旅順道，奉命與總兵衛汝貴堅守，日艦來臨，龔衛先後聞風遁走。事後，清廷追究，龔衛入獄，龔賄賂通神，在獄三年，竟得釋歸，衛則不幸見戮於市，同罪異罰，人有煩言。有一天龔六十壽辰，大開筵席，龔為合肥望族，里人多往致賀。有張六先生，其人與龔少時不睦，聞龔生辰，特撰聯走賀，龔見張來，迎入。張曰：「六哥今日樂矣，可否容弟一言？」龔曰：「願聞其詳。」張曰：「一弟近閱新書，知天下興亡，匹夫有責，不知六哥當年將旅順送與何人？」龔聞之大怒，狂呼逐客，張亦郎揚長而去。展聯一視，龔立碎之，但此聯立即傳出，聞者大笑。聯云：「稱六大人，上六十旬，欣逢六月六日良辰，六數總相乘，曾記得張六先生，踏進大門，口喚六哥，還旅順；坐三年監，陪三次斬，榮膺三代三品封典，三生願已定，獨不憐達生（衛汝貴之字）故友，隻身東市，寃沉三字赴黃泉。」

民國十四年春（乙丑）孫傳芳、韓國鈞、吳佩孚同於三月內做壽，好事者作三聯分別嘲諷。

壽孫傳芳聯云：

「認餘杭為本家，灰子灰孫，東魯武夫充地主；

是悟空之轉世，三月三日，西洲賀客鬧天宮。」

下聯直比於孫行者大鬧天宮，是誠惡作劇的諷刺。

壽韓國鈞聯云：

「福如東海，壽比南山，福壽本全歸，到了歸期偏不去；

文充省長，武兼督辦，文武稱雙絕，居然絕處又逢生。」

此聯直罵韓鈞老而不死，可說是刻毒之至。只是韓氏居官尙稱清廉，後以布衣終老，這聯所指，雖然作者痛快一時，恐仍有傷忠厚之旨。

壽吳佩孚聯云：

「昔日洛陽，今日岳陽，孚威威不行，帶三百名衛兵，同是囹圄拘法繩；

勝者奉系，敗者直系，秀才才已盡，放四十架煙火，幾疑烽燧遍榆關。」

這時吳佩孚已經失勢，快到日薄西山的時候，該聯所記，亦屬當時事實，大江東去，古今來不知淘盡了多少英雄。

民國二十年十二月十九日，為胡適之四十誕辰，丁文江仿鄭板橋體，親書白話對聯一副祝壽：

「憑咱這點切實工夫，不怕二三人是少數；

看你一團孩子脾氣，誰說四十歲為中年。」

如今適之先生已是七十歲的老人了，一轉瞬就是三十年，歲月催人生白髮，文江先生早已物化，又安能不令人興逝者如斯之嘆？

以上壽聯，均係被人作為嘲笑的對象；但亦有自作壽聯，自我解嘲，別開生面，頗饒逸趣的。如鄭板橋六十自壽聯云：

「常如作客，何問安寧，但使囊有餘錢，甕有餘釀，釜有餘糧，取數葉賞心舊紙，放浪吟哦，興要闊，皮要頑，五官靈動勝千官，過到六旬猶少；

定欲成仙，空生煩惱，只令耳無俗聲，眼無俗物，胸無俗事，將幾枝隨意新花，縱橫穿插，睡得遲，起得早，一日清閒似兩日，算來百歲已多。」

這聯對仗工整，且多悟道之語，誠自壽聯之至佳者。

談衛立煌

諸葛文侯

我國對日抗戰時曾任滇緬路遠征軍總司令，戰後榮膺東北軍政長官職位的皖人衛立煌，從海外投奔毛共秧歌王朝之下，折磨致死已兩年多了。其人其事，諸多可哂可憐者，畧述一二，以彰椎魯武夫之梗概焉。

衛氏原係識字無多的「老粗」出身，因緣時會，蜚黃騰達，躋於上將地位，名聞中外。尤其是當年他以勦共建立殊勳之故，政府特予設置一個「立煌縣」以紀其功，實為當代軍人的異數，此外沒有第二個了。他一生由微賤而逐漸顯貴的過程中，唯一贊助推轂他的知己朋友，就是前國民革命軍總司令部副官長何競武氏。迨大陸淪於共黨，衛避居香港時，何氏特由台灣前來訪晤久別的故人，衛竟避之若浼，鬧出許多笑話，曾經當時在海隅作寓公的熊式輝從中斡旋，何氏當着衆友面前，大罵衛不是人，自此宣告絕交了。

衛氏歷年在軍中所積存的私有黃金美鈔，皆以噸計。某年夏六月炎天，他在香港寓所的一間儲藏室內，連日與其第四任夫人韓權華緊閉門窗，身穿背心一襲，手持電熨斗，將兩大口皮箱裏堆滿了的若干疊美鈔，取出來一張張的從事電燙。原因是那些不知其數的美鈔，藏久了受到潮濕，再沾染熱氣之後，票面油漬相黏，揭不開了，唯有使用熨斗燙一次，纔可以輕輕地揭開晾乾。這些美鈔盡是未用過的新幣，每千元一疊，乃係對日抗戰時期美國發給我遠征軍的協餉，衛氏納入私囊不少。後來這兩大箱美鈔，據說已作為投靠毛共的贖罪品，允符悖入悖出之義。

衛以勦共最力，立功最大的國軍將領，對共黨的血債比任何人皆深重。他有的是金錢，子孫亦不愁生活費用了，既已流亡海外，又復自投羅網，憒然走回共區，可見其愚蠢無知為何如者！他投共的因素有二：外受其同鄉人張治中之誘惑，內受其具有老共資格的太太韓權華之聳慂耳。韓氏畢業北京大學，早已加入共黨，係梅貽琦先生的姨妹，於對日抗戰時在昆明跟衛結合的，她為着黨的利益，犧牲一個愚而多財的老奴，原屬義所應爾。

衛氏走到北平後不過一年，曾寄信給留住在香港的兒女們，叙述生活狀況，除卻贊美「人民政府」的偉大德政外，說是帝國主義的物品最不好，譬如他帶回去的「鴨洛」襯杉，每換洗一次，領子就寬鬆幾分，必須修改縮小纔可用。這是暗示兒女們以自己到大陸後身體逐漸瘦了，也就是他內心上感到無限痛苦的表示。他的體重素為一百五十磅以上，臨死時，只有一百零五磅了。換言之，即回到共區不到兩年，體重巳減少了三分之一。其生活情緒殆可想見。死之日，他奉命在通州監督「十三陵」水庫建築工程，勞動疲乏之餘，由共幹教醫生給他打了一次補針，即長眠不起了。共黨對待滿身血債的仇人，如此輕鬆地置之死地，算是特別寬大的。

謝靈運

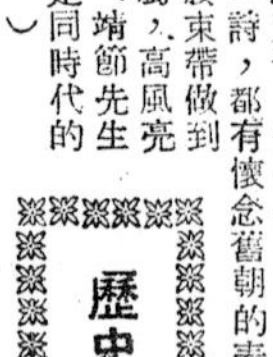

謝康

「韓亡子房奮，秦帝魯連恥。本自江海人，忠義感君子！」

謝靈運臨川被收（起兵時作）

一、當時環境和謝客之為人

當晉末宋初的時候，中國有兩三位著名的大詩人；一個是陶淵明（西元三七二——四二七），一個是顏延之（西元三八四——四五六）另一個就是謝靈運（以下簡稱謝客或謝康樂，西元三八五——四三三）。這三個人當中，謝客年紀最輕，享壽最短，（僅僅四十九歲），死得最慘。但他因為在廣州棄市（斬首）的緣故，倒和這五羊城——南越王的舊都，革命的策源地，結下了一段因緣。也可說他被「徙置廣州」是歷史上一代大詩人竄逐嶺南的開始。

當劉裕篡晉的時候（西元四二〇）淵明四十九歲，延之三十七歲，靈運三十六歲，詩名都相當不錯。靈運一方面與陶齊名，稱「陶謝」，另方面與顏齊名，稱「顏謝」，又三人自己及其先代都在晉朝做過官，若論儒家傳統的名節觀念，他們都不應該投降新朝，做劉宋的官。淵明的確做到了這一點，所以他在四十九歲以後所過的日子，完全是勝朝遺老兼隱士的生活，「述酒」詩和「擬古」詩，都有懷念舊朝的表示，他寧願做栗里的徵士，而不想折腰束帶做到劉寄奴（裕）父子的下屬，高風亮節，博得世人共尊他為「靖節先生」而無愧色！這點似乎是同時代的顏謝二公所不及的。（一）

內警僑台報字第〇三一號內銷證

自由報

THE FREE NEWS

第一一四期

中華民國僑務委員會頒發
台教新字第三二三號登記證
中華郵政台字第一二八二號執照
登記爲第一類新聞紙類
（半週刊每星期三、六出版）
每份港幣壹角
台灣零售價新台幣弍元
社長：雷嘯岑
督印人：黃行憲
社址：香港銅鑼灣高士威道二十號四樓
20. CAUSEWAY RD. 3RD. FL
HONG KONG
TEL. 771726　電報掛號．7191
承印者：田風印刷廠
地址：香港灣仔高士打道一二二號
台灣分社
台北市西寧南路壹叁柒號二樓
電話：三〇三四六
台郵撥儲金戶九二五二

甘廼廸政府「新面貌」的弱態

劉蘘三

美國青年總統甘廼廸就職迄今，才只三個多月，這時給他的才能及智慧以過早而輕率的評斷，但截至目前爲止，我們總可以說，甘廼廸政府的「新面貌」呈現了弱態，並不是強態。

這是不足爲怪的，「將飛者歛翼」，他當然不是不想飛，但不能不有個準備。唯神人才可創神蹟，他決不是神人。細讀他那篇得到世人讚美的就職演詞，可體會到他的哲人氣味比英雄氣味爲多。由他在競選獲致勝利，以至就任後組織政府的行事習慣，可看出他有「小心研究，多方摸索，靈活運用，大胆決定」的優點。看出來，他這時是在「內固根基」用功夫，至於怎樣從軍事和外交對付共產黨，則在「小心研究」與「多方摸索」之中，還說不到怎樣運用，和作出重大的決定來。

就美國內部來說，失業人數曾經超過五百萬，黃金外流與美元貶值的危機並未解除。他用了許多方法來對付這方面的危機，包括呼籲美國駐外軍人節省用度，鼓勵外國政府保留在美賬款等等，至於西德宣佈馬克增值，也不妨看作他從傍獲致的協助。他號召美國青年參加「和平服務隊」，還提醒美國青年要加強體育運動。顯然，他對美國內部耽憂的事項不只一端，「內自不固」，對外一切行動當然必須審慎。

他在研究毛澤東和卡斯特羅的游擊戰術，據說曾有一部毛澤東的著作放在他的案頭；他下令美國軍人加强游擊隊訓練，並要增加核子武力以外的普通武力，用以應付未來可能在各地發生的小型戰爭。他大概已研究出從前艾森豪政府徒恃核子武力對敵人「嚇阻」的失策，開始作一個轉變的嘗試。

多方摸索

在外交方面，他是在多方摸索中。他禁止在職官事大員隨便發表有關政策性的談話，並要求外交上各種接觸，和談判的秘密要好好保持，不容輕洩。這是他爲了保持「摸索」的效率所作的決定。他寫了一封信給赫魯曉夫交由駐蘇大使在回抵任所時轉交，沒有人知道他在信裏面說些什麼，可知的只是：他希望利用自己的地位和身份，直接了當地向赫魯曉夫提出若干問題，作爲考驗和摸索的一種試探。在他看來，不論赫魯曉夫作出什麼反應，他總可憑這種反應作出新的決定來。同樣的摸索見之於他同意美國與中共重開「華沙談判」一事。

顯而易見的，赫魯曉夫和毛澤東都不會給他以良好反應。赫魯曉夫遲遲不接受他那封信，直至美國駐蘇大使撲了幾次空，才在西伯利亞延見；而中共在「華沙談判」所表現的態度，也使美國再碰一次釘子。

中氣不足

無可諱言，這已使美國新政府給人以「弱態」的感覺。此時中共內部經濟危機正在加重，東南亞各國感受中共的威脅也正日趨緊急，甘廼廸新政府却與中共重開「華沙談判」，當然不免損毀了美國在自由世界的身份，聲望，以及其盟國對美國的信心。甘廼廸在這回摸索失敗以後，曾經申言美國不致放棄原來立場，以「投降」來換取妥協。假如有人批評，以美國今天的國力和聲威，竟由老年總統艾森豪以至青年總統甘廼廸，都經常不免以「拒絕投降」爲口頭禪，自居於「城下」而不自覺其猶在「如日中天」的境界，相信善辯如甘廼廸也會自覺其失言的。言爲心聲，青年的甘廼廸仍似有「中氣不足」之徵，這怕是給予人以「弱態」感覺的一個重要原因。

由艾森豪交給他的煩惱地區，如拉丁美洲的古巴，非洲的剛果，東南亞的寮國，他一直沒有認眞放手幹過一宗使人刮目的事件，可說一仍舊貫，乏善足陳。

共黨對拉丁美洲滲透之深，範圍之廣，最近被揭出更多可驚的事實，而古巴卡斯特羅這個毒瘤要開刀也難。甘廼廸正在提出一個發展美洲經濟的十年計劃，由美國貸款五億元與有關各國以供開發之用。這方法並不新鮮，但這只是他口頭開出的第一張支票。

對非洲，他羅致一個非洲問題專家在國務院，委以要職，揭櫫「非洲人的非洲」，但應付剛果問題的方針，則以支持聯合國在剛果的各種行動爲主。

對東南亞寮國危機的處理，他依從了英國方面的意見，期望寮國能夠成爲一個眞正中立的緩衝地帶，出現一個中立的聯合政府。他在這方面比較艾森豪表現得更爲軟弱了一些，更因此而招致一次挫敗，被共黨在和平談判的烟幕下取得軍事上的重大勝利。

觸角哈里曼

目前，他的巡迴大使哈里曼仍在僕僕風塵，替他做摸索的觸角，供給他以研究的材料。他要用新人担任主理亞洲事務的副國務卿，以及駐日大使，但直到最近這幾天才決定了人選。他仍在審勢與佈局之中，當然還談不到怎樣開展。

在西歐，堅決反共的西德可以相信他仍願堅保柏林現狀，但在亞洲，堅決反共的自由中國却不免對他抱有不太輕也不太重的戒心。他對「兩個中國運動」到底作何決斷，已因重開「華沙談判」而引起了普遍的不安。他所作「不害怕談判」的標榜，以及愛好「多方摸索」的手法，似只能引起疑惑而未能贏得信任。

綜上所述，甘廼廸未能表現其在競選總統時所曾發揮的才能上的優點，那可說是受了時間上的限制。但值得特別注意的一點是：他對於中共是共產世界的最大弱點，同時也是對自由世界的最大威脅，似未能與以充份注意。中共由於全面糧荒暴露出來的經濟危機，本來就是自由世界反攻爲守和反敗爲勝的最佳把柄，甘廼廸如有足夠的智慧，能夠把握這最重要的一點，把他的才能向這方面發揮開去，當是整個世局發生重大轉捩的開始。可惜，「華沙談判」把這個合理的願望打消了，而美國對緬甸邊境反共游擊隊撤退返台的主張，更令亞洲反共者感到洩氣。我們認爲：要衡量甘廼廸的智慧，從這一點着眼是相當重要的。

應該顯出大勇氣來

回憶艾森豪八年前登台執政之時，整個東歐反飢餓與反共抗暴大運動的興起，本是自由世界掃除赤禍的最好時機，他却讓這大好機會輕輕從手上溜走了，縱敵則患生，才會有最近兩年種種不如意的變化，使他黯然下台而去。甘廼廸如不能認識中共目前在大陸所遭遇的危機，比蘇俄當年在東歐所遭遇的尤爲嚴重，更不能本救飢救溺之懷，勵弔民伐罪之志，二次縱敵，坐以待困，那便怕「後之視今，亦如今之視昔」，他也將不免蹈艾森豪的覆轍，由貽誤美國以至貽誤整個自由世界。

是的，謙恭並非象徵軟弱，甘廼廸所說：「讓我們永不基於恐懼而不舉行談判，但讓我們對舉行談判永不感恐懼」，總有其自信與自負之處，但我們也得提醒他：他現時主要作戰的對象就是「陰謀」和「陰謀者」談判而求其表現眞誠，那是很危險的一種想像。因此，我們希望他，在需要謙恭時不妨謙恭，但在需要勇敢時必須顯出大勇來。

小論天下

△南非退出大英聯邦，起因於「種族隔離」政策受到聯邦各國抨擊。

大英聯邦十三個國家去了一個不要緊，因爲十三是不祥之數。

△寮國軍事局勢逆轉，政府軍遭受嚴重挫折，永珍再受威脅。曾發動和談的前「中立政府」總理開始周遊列國。英軍官方一致承認寮局嚴重。據傳：俄援助寮共軍火，比美國援助反共軍多逾二十倍。

和談煙幕收到預期效果，「周遊列國」亦其時矣。我們總不明白：西方國家怎會如此容易受騙？

△中共向人民提出警告：飢荒將延續三年至六年。

曾經有人這樣說過：反攻大陸如無實現可能，大陸人民再被消滅兩億，毛澤東便把飢荒的危機和許多困難都解決了。這話可怕得很，但仔細算一下，再有三年到六年的飢荒，兩億人也差不多要完了。

△英國情報人士提出警告：共黨可能在東南亞發動新攻勢。

其實，可慮還有東北。注意南韓方面的局勢吧！由南韓到南越都被共黨暗中破壞得相當嚴重了。

△印尼將比利時在北蘇門答臘的全部財產沒收。蘇俄正與印尼洽商，設立飛彈基地。

蘇俄如不表現出與中共不睦的姿態，當然得不到印尼的信任。它如能慫恿印尼燒起一個「反西方」的新火頭，整個太平洋局勢便會有很劇烈的變化了。可惜此中奧妙，西方國家並未參透，而蘇俄操縱印尼却越來越見順利。

△傳毛澤東將與赫魯曉夫在外蒙會晤。

難道毛澤東好意思向他伸手要米？

△剛果新聯邦成立，含有華人血統的加沙伏布總統完成團結運動。

蘇俄對新聯邦政府施以抨擊。非洲人的非洲，剛果人的剛果。吹縐一池春水，底事干卿？

△緬泰寮邊游擊隊，開始遣運返台，泰國允予便利。

「哭迎」之外，尚有何言？

△羅斯福夫人又說台灣不代表中國。美國當局宣稱：此爲其私人意見，並不代表美國政府的意見。

此所以「長舌」爲可畏也！

方南

自由談

無稽之談

美國那位曾經號稱爲「第一夫人」的老寡婦，故羅斯福總統的老婆，最近官拜美國出席聯合國大會的代表，居然對中國問題大發議論，指述現在台灣的中華民國政府只能代表台灣人。隔了一天，她的政府却聲明美國依然承認播遷在台灣的中華民國政府爲合法的中國政府。若按「美國嚴禁一般文武官員不得亂作違背國策的言論」文字這項慣例，這位老寡婦的聯合國大會代表職務，應該立即被「炒魷魚」的。

然而，甘廼廸總統沒有這末做，她本人更厚着臉皮不知投劾去職，以謝國人，只表示她那番胡說八道的話，僅是個人意見；又謂她只講事實，並未採取立場，却不自忖其身價究有甚末立場可採？縱有立場又能發生甚末屁作用呢？

記得第二次大戰中期，她代表羅斯福總統東來新幾內亞慰勞在當地作戰的美軍後，回到華盛頓對新聞記者大談其政治問題，諷刺共和黨人不夠一致外禦其侮的濟神，即被國會裏的許多參議員痛加教訓，要她回到家中去管理自己的兒女們，不得妄作『無「稽」之談』（川諺對女人說的借用成語），她就銷聲匿迹，終其丈夫生之日，未曾發表過政性的談話了。

她和咱們貴國的宋慶齡，何香凝是同類型人物，丈夫一死，她們的政治學識和智慧就忽然增高了，對於國家大事，隨時「牙擦擦」，莠言亂政，亦不聞當政者予以訓飭約束，聽其胡鬧。中國大陸之淪陷，宋何兩個寡婦皆與有責——宋是國際共黨份子，當年國民黨實行清共時，她反對最力，破壞清共工作亦最甚。何氏爲要掩護其共黨份子的兒子潛伏釀亂，隨時挾着廖仲愷的關係，對國民黨的反共措施，吵鬧阻撓不休。

國家將亡，必有妖孽，像這類的名女人如果在政治上發生作用，她那國家的國運一定衰歇無疑。因此，我看美國民主黨政府的前途，也怕是「西望長安」——不見佳呢！

馬五先生

油礦工人居然代耕農田 中共的石油工業？

◎大陸剖視◎

石油工業是中共計劃發展國民經濟主要項目之一。中共竊據大陸之初，即與蘇聯合組「中、蘇石油股份公司」，將我天然石油開發權出賣一半與蘇聯；好藉蘇聯的技術、設備以謀發展。一九五〇年三月在北平簽署出賣字，翌年，蘇地質人員即赴我西北勘察、試鑽、研究，並在北平開班訓練採鑽技術人員。十年來，中共夥同蘇聯對我石油資源作一連串偷竊活動。時至今日，中共石油工業的發展，可說尚在創始階段，筆者有充分資料支持這一論點。

玉門是中國最大的石油產地。此一譽為石油城的重點礦區，是在甘肅酒泉附近戈壁沙漠上，在中共佔據大陸前，即具有很好規模，沙漠上建有現代的都市，唯一切需要都須由外地輸入，玉門礦自設管理處，主持業務。一九五〇年中共將管理處擴大改為石油管理局，專事執行和領導生產任務。中共在第二個五年計劃之始，會發動各地支援玉門鋼材、汽車、柴油機、抽油機，並將數以萬計，經過鍛鍊復原軍人，以及具有較高政治論和技術知識的大、專學生和知識青年，途到玉門。從事擴大採、勘工作，玉門遂成了中共第一個天然石油基地。

據中共自己說：玉門油礦第八號油井，每天要噴出四千噸原油，十號油井每天要噴出一萬九千噸原油（每小時八百噸）（六〇年十月六日人民日報）。根據這個數字，僅該二油井年產原油就達八百三十九萬五千餘噸。然而，玉門油礦產油既如此之多，中共為何在第二個五年計劃中全陸只準備生產原油五至六百萬噸，而且在「大躍進」的第二年度（一九五九年）只生產了原油三百七十萬噸。（中共出版的「偉大十年」第九五頁事實上，這三百七十萬噸的數字，也還是要大大地打一個折扣的。）這是因為什麼？顯然是中共誇大狂作祟，事實上玉門就沒有日噴一萬九千噸的油井。

中國石油的蘊藏量本極豐富，非中共開採能力所能及。第一無新式開採機械，「土法上馬」難以深鑽明油；第二缺乏輸油設備；第三質量也有問題，（「人民日報」曾叫出「首先要健全質量檢查制度」）。此外還有技術問題。北平「大公報」曾稱：「新疆石油管理局獨山子礦區在卡因廸克盲目開鑽了五口深達三千公尺的油井，但除其中一口深達三千公尺以上，尚可試油外，其餘四口都因無油而封閉。」（一九五九年九月二十八日北平「大公報」）

由於上述原因，將中共致力發展的「石油城」，也大大改變了面貌，油礦變成工廠，技術工人變成了農民，中共玉門「市委第一書記」劉長亮撰文說：「玉門油礦建起了四七個工廠，生產了鋼，水泥，重晶石，電動絞車，酸，碱以及橡膠等。」「我們堅決土洋並舉，以土為主、土法上馬，逐步提高的方針，將玉門油礦建成了一個綜合性的石油企業」。同報又稱：「玉門石油礦工人，為玉門鎮公社代耕了土地一千〇七十五畝」，「工人帶着工具和材料分別深入酒泉、西安縣和玉門郊區為公社修復改革工具五千多套」。同時「還抽調了一萬三千多技術人員支援了兄弟油礦。」（以上見一九六〇年十一月六日「人民日報」）

讀完劉長亮長文的要點，不禁使人迷糊起來；中共為什麼要使殷切寄望的石油城——玉門油礦停止石油生產，去做非內的事？做這些非分內的事，是否合乎地理環境？成本是否合算。

玉門油礦附近都是戈壁沙漠，自然不生產礦石；也無橡膠園，當然沒有橡膠，至於水泥、電動絞車一樣需要自外地輸入原料，才能加工生產成品，然後再行輸入消費市場，這樣一進一出，不說生產工資，就是運輸費用，足使成本增加幾倍。而且產品質量，也因非專業技術人員難達預定水平。

然則，中共為何捨此而就彼？不顧成本、不顧質量，使石油城不產石油而產鋼、水坭和橡膠？一句話說穿，形勢比人強，因為石油城已經無油可採，不得不將大部技術人員遣赴其他地區，從事勘探工作，騰下的部份人員幫助「人民公社」搞農業生產，極少數的守廠人員，從事廢鋼的冶煉和橡膠的回爐。

不但中共的石油城不產汽油，即中共稱為石油前綫，「日產一千六百噸」的柴達木油礦的煉油廠，到現在仍是廢墟一片。最近因玉門油礦技術人員，無事可作，奉派到柴達木支援，這羣人到達廠地臨時帳蓬，就圍着廠長雷正江說，「我們到廠裡去吧？」雷正江說，「廠在哪裏，還沒有安裝起來呢？」技術人員檢查運來的器材，「發現運來的油塔和爐子上沒有高壓和防風設備，也缺少了配件和管綫」工人問雷正江「這裏有廢料沒有」？雷廠長表情為難的說：「廢料，這裏從來就沒有煉油廠，哪來的廢料」。（一九六〇年十一月六日「人民日報」）這說明中共宣傳了多年，日產一千六百噸汽油的柴達木煉油廠，只是紙上計劃而已。

上述資料，使我們了解中共所謂石油城和石油前綫生產的輪廓。至於克拉瑪依油區和撫順人造煉油廠生產情形，當亦不脫上述範疇，而且克拉瑪依直達獨山子長達一七四公里之輸油設備，頗有問題。中共報紙說，「這座日產二百噸原油的礦，是採「土洋並舉」的 [illegible] 礦」，附近的礦底抽油管與輸油管，是用大竹筒代替鋼管。」（同上）

東北是中共主要人造石油基地，一九五三年即將日治時代遺下之舊廠修復生產，排名東北一至七廠，及撫順煉油廠。一九五八年大躍進期間，才採「土洋結合和土法提煉焦油，頁岩煉油廠等一三七個，年產三千噸汽油（五九年一月十三日遼寧日報）。撫順是中共最大、設備最好的頁岩煉油廠，工人多達七千餘名；在一九五八年總產量只有四十三萬多噸」。（一九五九年九月二十八日北平「大公報」）南方的廣東茂名，中共地質人員曾發現，可以提煉汽油的頁岩，中共一九五八年秋季開始興建設備，期於一九六二年完成後，「爭取 [illegible]

△「大陸文壇萬花筒」續稿未到，暫停一期。

四斤米害三條命 廣州成人間地獄

【澳門專訊】大陸飢饉，已釀成人食人之黑暗世界，慘無天日，昨據自廣州來客稱：本月七日廣州白鶴洞發生一宗飢民為搶米而釀成殺人命案，兩名涉嫌搶米之男子亦遭共兵就地槍殺，結果四斤米殺害三條人命。

據稱：本月七日中午時分，一個白鶴洞鄉民由廣州「自由市場」購得白米四斤，用一衣袋裝載，背負步返白鶴洞，途中為兩名飢民搶劫，在糾纏中該負米鄉民被人用鋤頭迎頭鋤下，半個腦袋被鋤開，腦漿迸裂，當場斃命於血泊中，而飢民即劫取白米遁去，事後附近鄉民向當地民兵報告，至傍晚時分，兩名涉嫌搶米殺人之飢民被拘捕，即受極刑，就地正法。

又據該來客透露：廣州及附近各鄉飢民搶劫糧食事件，普遍成風，尤以港內僑胞攜帶或投郵寄之糧包，每於到達接受人之手上後，該接受者無一能倖免被明搶暗竊，其實在此種飢餓世界，只求一飯療飢，遑論任何手段；而共幹民兵之類，對於誰家接到糧包，更為「了解」，其中不少搶劫案件，出自此輩共幹民兵所為，目前廣州市已成為人間地獄矣。（寓）

甘迺迪的政治思想
——讀甘著「當仁不讓」有感

甘氏又說：「妥協不一定是懦弱。」「未來的時日中，我們有的是需要遷就折衷的地方，但是只應在細節上遷就，而不能在原則上妥協。」他又引用蕭伯納的話說：「不要妥協得像蕭伯納筆下形容的那種程度：『因妥協而沾污令名，投機促其加速腐敗，權術使它糜爛，暗中勾勾扯扯使它走失原形，透裏透外澈底腐敗了。』」

甘迺迪在本書中一再提到政治上的制衡運用，例如他說：「小亞當斯一生捲在政治漩渦當中，竟然不懂美國政治中複雜的制衡如何作用；他也不知道，原來他認為傑佛遜的『工心計』，實在不過是政治學和政治中的一種靈活運用而已，適足以表現傑佛遜的才氣。」

但是甘迺迪卻極欽佩小亞當斯的政治風骨，他說：小亞當斯「獨有一種令人高山仰止和引人入勝的人格，挺立不屈，堅忍不拔，嚴於自責，往往嚴於政敵對他的指責。」

甘迺迪又說：「如果亞當斯生于今日，我們都會欽佩他的勇氣和決心，我們都會欽佩他的無黨無派，無地域觀點的作法。」

甘迺迪在本書的書後寫到塔虎脫，塔虎脫在美國共和黨中歷來有贏得提名為總統候選人的機會，「然而塔虎脫卻是一個堅決信守基本原則的人。如果這些原則受到妨害；就是白宮的誘惑，或這樣做很可能使他得不到候選人提名，都不能阻止他仗義執言。」

從本書中，我們了解甘迺迪的政治觀點，得出幾點重要的結論：

一、一個政治家，為了對國家的責任，需要信守和大勇，同時需要適當的修養和嚴于律己的精神。

二、不要做隨聲附和的應聲虫，不要做投機取巧的政客，不論在什麼時候，必須憑自己的思想與良知去獨立判斷問題。

三、一個民主的政黨，必須儘量容納與協調不同的意見，才能發展。在這種發展中，又同時必須懂得政治上的制衡作用，才能加以領導。

四、在鬥爭中，妥協有時是必要的，但妥協不是投降，不能在原則上讓步。在原則上讓步，就是變節。

五、一切政治行為沒有絕對的利害的，往往是經過權衡其全盤的利害，從兩害相權取其輕中，然後作出決定。

讀過這書以後，令人有一種感覺，這位年青的美國總統，在寫這書的時候，已經是一位很成熟的政治家了。

讀過這書以後，更令人有一種感覺，一位偉大的政治家，為了國家與人民的利益，必須勇於對現實挑戰，對一切腐敗的墮落的不合理的現實挑戰，這種挑戰使民主制度不斷得到進步，拋棄腐敗的，發揚新生的；拋棄墮落的，發揚進取的；拋棄不合理的，發揚合理的。必須在民主制度鞏固的基礎之上，我們才能有效地、有力地、澈底地打敗共產極權主義。（三・全文完）

司馬璐

香港與大陸

近有香港友人家中的粵籍女工人回到廣州附近「市橋」鄉間住了一星期，重返海隅來，對記者敘述她此次所見到的內地人民生活情況，雖然她接觸的方面並不廣泛，亦足以證實大陸同胞的一般慘狀了。

她先在廣州停留了一天，以海外僑民歸國的身份可到公共食堂買飯吃，但不得超過兩碗。早點只能購吃一枚雜糧製造的餅，若要多吃一枚，即須繳付定量二兩的「米證」，而米證又不能隨便取得，實係禁止多吃一餅的節食主義。碼頭和車站上的力伕，為香港來客搬運行李的，他們並不需要你給以力錢，只要求客人送他一個麵包或一小包香煙，就歡忻極了。

廣州市內的雞蛋一枚，值價為人民幣六角二分，折合港幣一元五角了！市面上出賣的包子，饀是以甘蔗渣作饀，共幹又教民眾用甘蔗渣釀酒後，再作為燃料代用品。買布更難，要想購用一條小毛巾，亦需有買布證，否則出高價也不行。人民上公共廁所亦須排隊，買食物排隊是當然的。

她回到市橋住了七天，每天得到配給滲雜着各種糧食的米一市斤，又像汽車上流出來的烏黑色油二錢五分（四天之內共得配給二兩），其味難聞。鄉民無論男女老幼，每夜必赴指定場所開會，到會的人必須發言，大家除了指述過去的生活怎樣不好，現在的「社會主義」如何優美以外，特別聲明自己每天都吃得很飽，日子過得頂舒服，要感謝「毛主席」的恩德，稱贊「人民政府」的偉大。千篇一律，不許走樣，不說話即要受批評檢討的。她認為市橋人民的生活情形，要比廣州好一點，因為鄉下人家還可以飼養雞鴨之類，私自宰食。至於豬肉，每斤定價為人民幣十二元（合港幣廿六元），在所謂「自由市場」裏亦有豬肉出賣，但有錢購買三幾兩的人就很少，論斤更不必談了。事實上即教人民不要吃肉，豬油更絕跡，以致黃腫病普遍流行。無論是住在廣州或市橋的人，若要購買一雙膠鞋或皮鞋，先決條件必須你經常有外匯收入，否則絕對禁止的。

她對記者說：一般人民私下對共黨政府的觀感有何表示？她說：一百個人之中，有九十九個都是「嬲佢地咯！」（此係粵語，即咒駡他們之意）

社會小說

香港地

七、可憐一炬

梅大亮答應了這個要求，甘受處罰，白芷便拿出他的詩稿來，由得大家在一面喝酒時一面讀。他的詩不過寥寥幾句，屬於急就章之類，是這樣寫的：

詩人的詩經已新到無可再新
畫人的畫也已畫到無可再畫
火箭在載着最精細的電腦進入太空
詩人畫人在把人的腦子變成了迷濛
誰也不能把詩稿畫稿還原一張白紙
好在荒唐夠了還可創造出什麼主義

丁寧把這首詩當筵朗誦起來，大家笑得幾乎噴酒，尤其是梅大亮笑不可仰，指着白芷說道：「你這回是在雷神廟吟反詩，豈有此理！」

白芷卻還指着他，笑道：「你的罰詩怎樣了，馬上交卷，不得遲延。」

他們談笑風生，語言無禁，這一頓酒吃得特別痛快，直至大家都已有了醉意才罷。這是梅大亮自到香港以來享受得最舒服的一天。當譚福祿把個個帶醉的客人送回城裏去時，雷神廟裏便只剩了梅大亮一個孤伶伶地秉燭寫他的新詩。

梅大亮實在沒有膽量寫出什麼新詩，只因此時已有了八九成醉，簡直在發夢似的排勤筆桿兒，滿紙塗鴉，幾乎字不成字，到底還寫成了這樣的一些東西：

人類需要什麼就必能產生什麼、
可惜昨天的珠串每就是今天的枷鎖
為什麼上帝每一句話都托人代說、
那決不因他自甘懶惰
多少人在槍尖下偷不到一點自由
多少人驚眩那用五色鈔票織成的天羅
只要還有不出賣靈魂的方便
那網孔兒也許容我躲躲
怕真沒有刺激就沒有了繁榮
聽唯心與唯物的福音同時廣播
更看百萬富翁成了惹笑的丑角
更為大師們的美麗謊言而淚墮

此詩才寫了十二行，他本來還想續寫下去，卻因胃裏的酒肉作反，一聲哇吐，便只好擲筆而能。他這首詩後來有沒有在報上發表，作者不得而知，還和他到底有沒有中馬票，都是作者無須交代的小事。這正是：

酒後狂言，何傷大雅！

寫到這裏，本書剛好結束。作者以筆為生，不便擲筆，就此暫時擱筆也好。

木客著

純與稚

汶津

一個恬靜的假日，午前的陽光淡淡的灑在室內。我正怡然自得的在欣賞明人的小品，春日的柔和孕育了我平如止水的心境。突然一陣尖銳的叫聲刺入了我的耳膜，隨着那一剎那的震動，我有些憤怒——我的悠閒已化為泡影。同時，我辨出了那聲音的主人。是一位「芳鄰」。當然還有另一位。接着便是兩種音色迥異的聲浪互相地激盪，一牆之隔又算得什麼？我撇開李龍眠的羅漢，視線恰好接觸到桌上的兩枝蒼蠅，牠們停得很接近，但仍保持着距離。假如不是我手上書頁的翻動聲驚擾了牠們，相信牠們還會繼續地安頓下去的。我忽然想起了啃骨頭的狗，於是改變初衷，起身走向門外。

爭端已息，我由第三者之口得知：導火線是兩家孩子間的兒戲。他說：「想不到大人比孩子淘氣！」這時候，兩個孩子早已握手言和、抹着眼淚準備下一個遊戲節目了。大人們呢？

唉，大人有時真該保留點孩子的純真；但卻也犯不上去效顰孩子的幼稚。選舉前夕的那些候選人，不像伸手向客人要糖的稚子麼？被警伯追捕中的逃犯，不也熱似教鞭下的逃學生？

有一張英國影片「小罪犯」，寫一對天真的兄弟的故事，他們「收養」鄰人的失狗，惹得大人暴怒，但那位嚴峻慳吝的老祖父終於為童心所感，而為他們買了一條久已渴慕的小狗。這是孩子的勝利。最近轟動此間的西班牙片「夜鶯之歌」，只是換了另一種方式罷了。顰蹙在西施的面部才形成一種異樣的美，稚氣也只有在孩子身上才逗人喜愛。老萊子娛親如果也被人稱現其美，那是孝道的高潔使然。父子爭食，祖孫吵嘴，則未免令人啼笑皆非。

可是腸腑裏曲折太多的人，說破了也只覺可憐，「雙城記」中的那位奸細說：「我是看着風向轉舵的。」然而當舵柄操在別人手裏的時候，他卻不覺膽寒了。傑拉

金記一位紅軍軍樂隊的總監：「他的嗅覺特別靈緻，當時的政治風向只要一有動靜，他就開得出來。」這些角色如果被編入國劇裏，很可能都是塗白了鼻子的爺們，足夠教孩子看着拍手叫好的。

本屆美國總統大選，我們局外人也緊張了一陣子。定局既成之後，對目下的當選人原來頗有微詞的，也勇於改過，而從此君的歷史中找優點了，甚至他的譯名也由肯尼第而甘適迪——漂亮多了。這除了作幼稚的又一註腳外，更有何說？如果若干年後，甘氏被證實為一位英明的領袖，即使有更多的讚譽，也不致使他變為苦適她吧？否則，再甜也是騙孩子的。新聞和歷史，大概最多只能算是族兄弟，絕對談不上孿生子：除了時間問題，恐怕還可以說：翁師是不純的歷史。

教孩子學大人的派頭，跟大人表演，實是世界的大不幸。我們的國家原已不夠年青，還要讓小學童們把大人的台辭背得爛熟，那真像玩了一次三級跳，使他們早日成為現在的主人翁了。少年固然顯得老成了，成年人卻難逃幼稚之責。兒童畫每被成人斥為胡鬧，其實那些小畫家們個個胸有成竹，在他們的慧眼中，穿着西裝革履的那些長輩才不懂得欣賞世界呢！歐美名家如畢加索、克利之流，不都紛紛向孩子學習麼？這算不算「不恥下問」？我不知道當事人心裏的想法。不過他們實際要學的，不是孩子的稚，而是童心的純。

藝術之所以始終沒有走到窮途末路，該是因為那些為藝術而流汗，而賣命的傻子，都保持着一份童心吧。他們的言行舉止，在一位處世頗有心得的專家眼中，實在愚稚已極；但後世的知音卻歆慕他們的純美、純善和純真。「我們是失稍通世的人，蒼白的月光灑得滿身。可是，我們似乎永遠是震動乾坤的人。」不是麼？如果讓這些一如赤子的詩人藝術家來維持世界。甚至於乾脆讓孩子們統治地球，魔鬼可能會覺得傷心吧。不幸的是，如今的孩子也在開始拋棄童真，如今的文人藝人也在企圖出賣純良了。難怪有人說：幼稚是二十世紀最嚴重的傳染病。

雨

劉杰

過了陰曆年，台灣就進入雨季。大雨，如傾盆；小雨，如霧，滴噠不停。雨季有三個月，天天下雨，把人都下老了，頭皮都綳了起來。台灣台北雨多，一年要下個四個月的雨。北部下雨，南部烈日當空，多天還有冰吃，還有西瓜吃，還在冷水裏洗身。只一天的火車路程，就有兩個不同的天地。

雨天帶來涼意，愛好出門的，也不願意出門。但我卻對雨有了緣份。獨自在雨裏散步，雨點落在髮上，就和珍珠似的，一顆顆地。如果在燈光下，還會發出光來。

我在雨裏想了很多東西。我雖沒有孔子那麼高的「在雨中放歌」的心情，但也沒有「巴山夜雨」的悲哀。我只是我，我在雨裏發現到我的存在。

暴雨一來，傾盆而下，我的小木屋承受不住。我的小木屋成了「外面大下，裏面小下」，「外面不下，裏面滴噠」。但我在天晴時並沒有修理。深夜在床上寂寂寞寞，睡也睡不着，聽聽雨聲，也別有情趣。在前幾年，我還想家，在雨聲裏哭泣。現在甚麼也不想，想的只是我自個的事兒。

我喜歡在雨中散步，還喜歡在雨後散步。歌德說：「最幸福是和愛人散步」。我現在沒有愛人，甚至於連個女朋友都沒有，孤家寡人一個。但我還是快樂；也許是雨，也許是雨後的虹，雨後的色彩賦與給我的。

（編者按：本期發表了兩篇描寫雨的文章，而且題目都是「雨」，亦趣事也。）

雨

姚詠葶

一般人都不喜歡雨，至於厭惡。上天如果連綿不斷地下了三五天，他們就發出咒罵，說什麼「三年大旱平平過，三天雨水罪難當」的過火話。人們給晴空的太陽，把心溫得暖暖地，讓快樂的日子一溜煙打發過去了，而忘其所以然。陽光豔麗，鳥語花香的的辰光，誰個不嚮往呢？大雨如注，旅行、家居、上學、上辦公、處處使人不方便，所以有人認為雨是可恨的。

手上擎着一把雨傘，在雨中行走；在我是感覺到很舒服的一件事。我在雨中走着時，也希望路上的行人，都像我一樣，也擎着一把傘，行在路中雨裡，與我擦肩而過，或對面迎來。大雨傾盆，把我的身體淋得稀濕，我的頭髮上的雨點，滴滴搭搭滴在我的衣服上，足下是一泓水，眼前是一片模糊，我還是願意在雨中行走的，非走完一段長長的路，決不停止。我祝福落在頭上的雨，盼它儘情的下，痛快的下。如果走得疲倦了，無力氣再走時，走回我安息的家，把自已向椅子上一擲。但我仍希望雨不停在我耳朵邊潺潺不休，讓我聽不到四周糟雜的聲音。我的身體雖已無力支持我在雨中行走，我的耳朵還是要享受雨聲的。我一定不停地喊着，下吧，下吧，儘情地下吧，痛快地下吧。

說我愛雨，毋寧說我愛雨困擾我吧，我對雨有這種偏好，並不自今日開始。記得很小的時候，在一次大風痴裏，風呼呼地間着斜斫的雨，在空中亂轉，像翻滾的野獸，我看着這樣的大颱雨，樂得不得了，趕忙從房裏拿來一把紙傘，還邀約三弟小妹，一起偷偷地到外婆家裏。外婆家並不遠，我家大門口有條橋，過橋一轉灣是條大路，沿路一直去再轉個灣便是。大路一面靠房屋，一而是河，那時雨大風勁，我告訴弟妹們，要緊緊地把住傘，頂着風。神情雖然有點緊張，但我們還是很快樂的在雨中大笑，覺得躲在傘下很有趣味。我在心中幻想：一到外婆家，首先跑到外婆的床裏，打開床頭的大錫鍋，拿裏面的糖果喫。外婆僅我媽一個女兒，她過繼來的姪兒，新結婚，在家裏冷清的，所以外婆家也就是我們的天上了。我便告訴弟妹，外婆的大床下有一只大油箱，喫的東西才多着啦！妹妹說要喫朧月與朧巧。我們想到圓圓的朧月，外面儘是芝蔴，裏面有甜甜的餡兒。朧巧一條條像舌頭，兩面也滿嵌着芝蔴，烘成蕉黃色，又香又脆。我正哄着妹妹，誰知轉了灣，到了張閣老祠堂門口，外婆家已望得見了，我們正在高興頭上，一陣大風斫來，只聽得轟的一聲，傘蓋飛得無影無踪了。我們三雙小手上，只剩下一根傘柄。妹妹嚇得大哭，我也給號呆了。到底男兒有膽量，三弟拖着我的衣角，向祠堂裏面跑，我脅下挾着小妹，趕忙走上祠堂的石級，坐在門口的柵欄傍邊的石磴上。三弟玩弄着沒蓋的傘柄，哈哈大笑。柵欄外的大雨，大條得像銀絲，疾射在地面上。簷頭上的雨水，落下來變成了一個個小泡泡，我與弟弟妹妹還用手去接，看誰接得着。（上）

坤伶

——瘦西湖——

梨園漫談

坤伶在民初軍閥盤踞時期，其地位極為卑賤，原因是彼輩平時不以藝術為主，而專以色香迷人，且只知籠絡軍閥，巴結老粗，軍閥凡有所召，彼輩無不立即趕往相陪者，這種作風，無異是出堂差之艷妓，所以，當時朝野一班有識之士，凡有聞坤伶之名者，無不大為搖頭嘆息者也！

惟後來梨園界坤且人才輩出，藝術亦儼然足以抗衡男角，其聲譽之隆，實且駕乎各名老生之上，從此不但一洗往昔社會鄙視坤角之舊觀念，而且更激勵了不少見學坤伶為畏途者，因此而苦學，竟致成名。今試論其成功之主因。

往昔坤且之本身，對唱戲藝術只以點到應景為能事，絕未聞演出時有深刻動人之功夫，故當初凡觀坤且戲者，只可作為一項消遣，而談不上興趣，何況該時伶界，男女之分別極嚴，而稍有名望之男角，亦多不肯授坤伶以真實之本領，如論藝術，坤且當不及男角為精深，因此，坤角們一無作為，只好在耍骨子之玩笑戲中賣弄風情，而有斤量之正派大戲，大多則不堪勝任，再加彼輩嗓音原本尖銳刺耳，譬細猶如蚊嗡，這更不能予人以聽官上之美感，加之生活浪漫，自然不能見重於世人，故當初內外行有句話，「看坤戲只能欣賞其色，而藝實不敢領教」也。

執此數端，以觀坤角之不獲儕於男角之列者，其理甚明矣！故北方當年雖有劉喜奎、琴雪芳、碧雲霞、金少梅、張文艷之輩震鑠一時，論其色則有以致之，評其藝則差之太遠，坤且不為世所重，故演出之地亦僅限於北平城南之遊藝園，而上海則為共舞台一家，餘者即有，亦不過幾個鶯兒錢塲之所在也。

後坤界自雪艷琴出，嗓音朗潤，竟無號哭之鬼音，且其甜嗓圓亮，竟一如梅尚程荀之盛期，這一軼出通常坤伶之範圍，已是驚人，而身材又復較一般坤伶為苗條，其有此兩端特長之由來，當可媲美男角，實無疑問，再加雪伶扮相秀美，表現細緻，唱唸圓正，作派大路，這已足當為全材之選，從而令藝名遠播，大江南北竟無有不知者，同時有新艷秋，華慧麟，胡碧蘭，以及目前在台之章遏雲，金素琴等人，均能自張一軍，紛至各地演出，其藝之精，從此令人刮目相看，而大受各界所歡迎矣！

辛丑談往

——無負生

燕塵識小

八月初十慶李具摺入奏。文曰：「奏爲照錄畫押條款全文繕單恭摺仰祈聖鑒事。竊臣等前將總結條款摘要電奏，奉旨公約業已定議即行畫押。欽此。茲已於七月二十五日會同畫押。查臣等上年奉旨議和，始而各使竟將開議照會駁回，幾莫測其用意之所在。嗣於十一月初一日始據送到和議總綱十二款，不容改易一字。臣等雖經迭送說帖，於各款應商之處，詳細開說，而各使置若罔聞，且時以派兵西行，多方恫喝。臣等相機因應，舌敝脣焦。牽以時局艱難，鮮能補救，負疚良深。所有一切辦理情形均隨時電陳摺奏。及至商定總結條款，各使猶必須懲處各省教案人員，奉旨，始肯畫押。今雖將京城內外撤兵日期填注約內，而各國在天津所設都統衙門仍不肯遽撤。各使有俟奉天牛莊交還時一體交還之說，容少遲再行設法另案磋商，以期早日收回，免多窒礙。臣等伏查近數十年內，每有一次攛釁，必多一次吃虧。上年事變之來，尤爲倉猝，創深痛鉅，薄海驚心。今和議已成，大局少定，仍望我朝廷堅持定見，外修和好，內圖富強，或可漸有轉機。譬諸多病之人，善自醫調，猶恐或傷元氣，若再好勇鬥狠，必有性命之憂矣。僂僂之愚，伏乞聖明垂察。除將畫押約本咨送外務部收存，俟回鑾後再行進呈御覽外，所有照錄條款全文緣由，理合恭摺馳陳，伏乞皇太后皇上聖鑒。謹奏。」

議和大事至此告一總結，此摺自是本年重要文獻之一。全文着墨無多，平淡無奇。但稱交涉之難，不作矜誇之語。後幅就數十年來內憂外患，提醒一筆，示不忘在莒之意，不失隨事納忠，獻替啓沃之旨，重臣進言，義應爾也。

李鴻章張之洞同負天下重望而政見未盡融洽。年前李氏北上與聯軍議和，張亦奉商辦和議之旨。十一月間張氏電奏，條款內宜刪邀奉內廷諭旨圍攻使館語。鴻章不以爲然云：「香濤作官數十年仍是書生之見耳」，張聞之忿然曰：「少荃議和兩三次乃以前輩自居乎？」一時傳爲絕對，亦議和史中一段趣聞也。

辛丑和約，世所譏爲不平等條約之冠，其喪權辱國之處，將於後節分析言之。（八）

作家

徐學慧

要想成爲一個作家，必先具有思想與觀察的能力。否則，筆下所寫出來的東西，乃必然沒有中心思想。任何沒有中心思想的作品，列載在報章或印成單行本，那只是欺騙讀者，浪費紙張。

文學作品，絕不是寫些黑字在白紙上面就可以了事的。我們需要從作品中，窺見作者的人格與思想，領悟到作者對於人生問題的看法。這當然不是容易的事，但也正因爲是這樣，纔可以顯出作家之可貴。

香港作家的作品，大抵是在女人的大腿三角褲中打滾的愛情小說。不論他們描寫得怎樣有聲有色，總也超不過勞倫斯所著「查泰萊夫人之情人」一書吧！勞倫斯這本書被譽爲世界名著，而香港有如許多的愛情小說，卻只有拿來包鹹脆花生的份兒，這究竟是什麼道理呢？要分析起來很簡單：勞倫斯描寫男女性交的問題，特別着重時代背景，它是包含着一種很深刻的社會意義在內的。而香港作家筆下的愛情小說，性交即是性交，除性交以外別無他物，這就顯得貧乏了。

「作家」這個頭銜，本來相當名貴。而在香港，作家，教授與明星，卻已成爲三種最廉價的動物。諸君如有機會在某幾家著名的餐室一飲下午茶，你將可以發現到：凡衣着較好而面貌較爲自淨的女人，莫不自認爲名伶明星，而那些清瘦的衣着不太光鮮的男人，幾乎不是教授，就是作家。作家如是之多，香港讀者上當的機會也比例增加。我個人就曾經買過幾本所謂名作家的作品，勉強看到一半，就擱在一旁，再也看不下去的。

一篇作品而沒有思想，儘只是一些幼稚的無聊的描寫與對白，能有什麼用呢？

公文趣話

漁翁

公文，謂官員及官署之往復文書也。亦稱「公文書」，三國志：「公文下郡縣，縣絹悉以還民」。漢書：「文書盈於几閣」。而掌管文書案件者，曰「文牘」，又名「文案」，陸機詩：「終朝理文案」，即今稱之爲「秘書」。

考秘書之名，由來已久，漢桓帝置秘書監，掌禁中圖書秘記，魏武帝置秘書令，典尙書奏事，梁改爲省，隋以秘書與尙書，門下，內史，殿中，爲五省，唐因之，宋以秘書爲寄祿官，無職守，元曰秘書監，明清不設此官，民國各院部會及各省市官署，均有秘書長秘書之設，職掌文書者。

古無紙，文字書於小木簡，謂之「札」，一名「牒」，係上行下者，漢書：「上令尙書給筆札」。而現代之公文程式，分上行，平行，下行，三種，上行用呈與報告，平行用咨與公函，下行用訓令，指令，批示等，近更簡化，以一二三……數字條述之，俾批閱者，一目了然。

在核辦文書間，有不少笑話，爰將日所見，耳所聞者，舉數事以助雜談。

清咸豐末年，鮑超督師於太湖潛山，被太平軍陳玉成部圍攻，危在旦夕，命幕僚草求援書，幕僚起草，詳述被圍情況，洋洋千言，鮑不滿，以時急事危，遑論文字，乃自取筆而苦不識字，只寫一「鮑」字於紙上，周圍加無數圈，命火速送去，曾國藩閱後，知鮑超被圍，即發兵赴援得解，鮑雖不學，而能急則智生，宜乎官至提督軍門，而爲曾國藩所賞識也。

張宗昌不學無術，初時，與李某相友善，張主魯政時，李去拜訪，求一枝棲，張問何長，願幹何事？李答：「法政卒業，願幹軍法，」張囑回旅邸稍候，即下條：「抓李××到軍法處」，軍法處長見主管官親下手令抓人，定必要犯，即派兵拘其到案而因之，因不明案情，只得押以待訊。一日，張忽詢軍法處長：「日前我派老友李某到軍法處，已安插否？」處長大驚，知張不諳文字，抓係派之筆誤，從容答曰：「已派爲軍法矣」！匆匆返處，提李出獄，告以誤會，深表歉意，並以軍法借重之，李啼笑皆非，而張始終限於不知也。

民十年，湖南編軍隊兩師，魯滌平長第二師，轄三四兩旅，第四旅旅長爲鄒序彬，能文章，有儒將之稱，所部副官劉某，以其妻將臨盆，報告請假兩週，其時適値援鄂，整裝待發，乃親批云：「婦人臨盆，婦人自有把握，彼男子不能爲力，我四旅官兵，行將臨盆，我四旅官兵，自有把握，彼女子亦不能爲力也，所請不准」。此批示經傳觀全旅，一時成爲笑談！

傳某縣令，接到某巨室之訃告，帖內稱：「不孝罪孽深重，不自殞滅，禍延顯考」，又云：「親視含殮，擇期發引」，後面排列子孫姓名，拭淚稽顙字樣，縣令閱後，在帖上寫「批交秘書核辦」六字，秘書即按訃告內容而擬批曰：「爾等罪孽深重，不自殞滅，禍延乃父，已直認不諱，自應報請檢驗，何得遽行含殮，後面羅列多人，拭淚稽顙，以圖解脫，殊屬非法，所請發引登山一節，特斥不准，此批」。傳爲趣事，可作齊東野語觀。

抗戰時，某縣所轄一保辦公處，上懸「仰止堂」三字，縣長出巡該處，問「仰止堂」，是否取義於「高山仰止」，保長答曰：「否」，並申述意義於下：「凡省府有文到縣，由縣轉區，由區轉鄉，由鄉轉保，皆照抄原令，加一「等因奉此」，結束上文，即合行令仰遵辦，縣區鄉，皆可令仰，惟令到保辦公處，便無地可仰矣，一切責任，歸諸保長一身，公文上之「仰」字，止於保辦公處，故以此而名吾堂」。縣長聞言，啞然一笑！

謝扶雅近詩

顧一樵先生以近著海外集見贈答酬三絕

千林萬木一樵翁。運斧丁丁造化工。故國銅駝禾黍恨，浪吟海外抒孤忠。

風物江南數惠山。鐘靈毓秀仰公般（先生原籍無錫，習工程）重洋哀賦今開府，望斷雲深何日還。

詩中有畫畫中詩。鸞鳳和鳴我羨之。（夫人爲繪封面）三字評衡懸極準。（先生常謂詩貴乎重、大、拙）藝壇百代一先知。

盧漢投共始末（上）

諸葛文侯

民國卅八年（公元一九四八年）十月初，共匪向湘滇粵大舉進攻之際，西南川滇黔桂各省尚在國府統治下，忽傳雲南省主席盧漢陰謀背叛，行政院長閻錫山與華中軍政長官白崇禧在廣州密議對策，決定派遣白部魯道源（滇人）兵團由桂境入滇鎮懾之，魯氏亦已發出揮軍西行，矢志保護桑梓的通電。繼而中樞由粵遷渝，蔣總裁應代總統李宗仁懇請，自台灣飛赴重慶巡視，而李竟於先期離渝前往昆明，與盧漢有所周旋，旋且潛至香港，聲言出國了。蔣公不得不坐鎮重慶，指導西南軍政事宜，乃採納西南軍政長官張羣建議，先派余濟時將軍赴昆明，向盧漢曉以大義，堅其私慾，並剖析利害得失之所在，同時密令黔境駐軍何紹周部馳赴滇中，協同原駐滇之廿六軍余程萬部監視盧氏動靜，佈署可謂周密。

盧漢此時手中持有的武力，僅爲保安團三團之衆，自忖不足以抗衡中央軍，而該省士共力量又微弱不堪一擊，處境殊危殆；乃親自飛渝晉謁蔣公，表示忠貞不貳，比承優遇有加，許以嗣後由他主持雲南軍民兩政，中樞不加干預，但責成他實行下列各事項：（一）宣言反共，並與龍雲斷絕關係；（二）改組滇省府，解散省參議會；（三）封閉昆明各種親共的報章雜誌，並整理各個公私立大中學校；（四）驅逐或拘禁親共的所謂民主人士；（五）滇境內旗駐中央軍兩個師，且以一師戍守昆明；（六）雲南實行征兵征糧；（七）切實清勦土共朱家璧。盧氏誓言恪遵辦理，只要求仍以林西園蟬聯省府財政廳長而已。盧回至昆明，亦曾拘捕各方親共份子三百餘人，據其呈報，中有情節嚴重者七十人，請示如何發落？蔣公即授權他斟酌處置，以示誠信。盧將全部囚犯陸續釋放，並不懲究一人，其餘各項任務均未執行，居心叵測，昭然可覩。

是年十一月初，共軍進援重慶，威脅成都，而盧漢密謀異動的消息又已甚囂塵上。時中央政府方擬遷赴昆明，蔣公急派張羣於七日飛往昆明晤盧商洽一切，並偵査實情，盧與張談四小時，了無異狀，只聲述地方財政艱窘，糧食匱乏，張告以當由政府負責解決，可無憂。八日張偕駐滇國軍將領余程萬，李彌，龍澤滙等回蓉報命，九日張仍偕余，李，龍三將飛回昆明，期與盧漢作最後之決策。蓋此時重慶已告陷落，成都形勢極其危急，中央政府究以撤移何處爲宜，必須加以確定。是時也，代總統棄職潛逃，蔣公尙在引退之中，然事實上又不能置中樞政事於不問，情形相當尷尬。這就是李宗仁最大的失職丟人之處，將來必然受到歷史家嚴厲譴責的。

謝靈運

康珊

可是，當時的儒家思想已經衰微，老莊玄學及佛道思想，尙支配着大江南北許多學人和文士的腦海。雖則鍾嶸曾說：「老莊告退，山水方滋。」的話，其實老莊未曾完全告退，而佛學已經繼興，六朝文學和玄學，佛學的關係是很難分開或洗刷乾淨的。而且從魏晉以來直到六朝之末，政治上經過長時期的混亂，一般士大夫鑒於生命之無常，名位的難保，無論他隱遁山林，或置身仕宦，首先以不談政治，明哲保身爲務。至於效忠一姓一朝的觀念，當時人是不很重視，所以顏謝二人對劉宋王朝的態度，不同於陶公，原亦無足深怪。

特別是對於謝靈運這麼一個貴介公子，而且是愛自由，無拘掛，喜遊山玩水的天才詩人，我們更不能以庸俗的觀念來評判他。據沈約所作「謝靈運傳」稱：他襲祖父謝玄的餘蔭「封康樂公，食邑二千戶。性奢豪，車服鮮麗，衣裳器物多改舊制，世共宗之」。又稱他「性褊激，多愆禮度。自謂才能宜參權要，既不見知，常懷憤憤……構扇異同，非毀執政，司徒徐羨之等患之」，單是這幾點，可見已得罪了很多人，隨時都可能有人嫁禍於他呢。（三）

歷史人物

內警僑台報字第〇三一號內銷證

自由報

THE FREE NEWS

第一一五期

中華民國僑務委員會頒發
台教新字第三二三號登記證
中華郵政台字第一二八二號執照
登記爲第一類新聞紙類
（半週刊每星期三、六出版）
每份港幣壹角
台灣零售價新台幣貳元
社　長：雷嘯岑
督印人：黃行憲
社址：香港銅鑼灣高士威道二十號四樓
20 CAUSEWAY RD 3RD FL
HONG KONG
TEL. 771726　電報掛號．7191
承印者：田風印刷廠
地址：香港灣仔高士打道二二一號
台灣分社
台北市西寧南路壹叁柒號二樓
電話：三〇三四六
台郵撥儲金戶九二五二

寮國危機的根源與美國外交

宋文明

一九五六年八月廿五日，寮國前總理佛瑪公開發表聲明，肯重表示寮國絕不參加任何軍事集團，亦絕不允許任何外國在寮境建立軍事基地。一九六一年二月十九日，寮王瓦善納在永珍發表演講，重申寮國不參加軍事同盟和不允在寮境建外人基地之說，並要求緬甸、馬來亞、與柬甫寨三國共同監督與保護寮國的獨立，統一和中立。這兩次演講前後相差五年半以上的時間，寮國內部爭執曾歷經多次變化，但他們兩人演講內容却是完全相同。尤其前一演講發表於佛瑪首次訪問北平之時，而後一演講則顯然又是受了美國的鼓勵與暗示，更使這種對比顯出了戲劇性的意義。

當五年半前佛瑪往訪北平與越共，首次公開强調寮國要實行中立主義時，佛瑪的主要動機一面在向北平及越共表明寮國的善意，一面亦在利用北平及越共對寮共「自由寮」的影響力，希望以「不入虎穴焉得虎子」的精神，壓廹寮共作合理讓步，使寮國政府能接受聯合政府建議。於是一九五七年十月下旬，雙方談判正式獲致協議，十一月十八日，寮國遂成立聯合政府，寮共將其原所控制的桑怒與豐沙立兩省交還政府，並將其軍隊列入政府軍編制，而取得政府中兩閣員職位。接着，佛瑪總理便訪問美、法、印度等國，爭取各國對寮中立的諒解，使其聯合政府能繼續維持下去，藉以保障寮國內部的和平。

但寮國這一聯合政府成立後不久，佛瑪便開始遭遇到來自國內外的雙重壓力。他的國外訪問之行並未獲得理想的成功，而在國內，一九五八年五月四日大選中親共派所獲重大收穫，使寮國各界，甚至佛瑪勢力內部，對寮共的發展產生了極大的恐懼。從此開始，佛瑪在寮國的聲望便逐漸降低，最後便廹使佛瑪辭職，而由親西方的沙尼康繼組反共政府。

沙尼康政府成立之後，寮國便開始採取一連串的反共行動，一面逐漸排除寮共在政府中的勢力及影響，一面又逐漸放棄過去佛瑪政府的中立主義外交政策，積極與西方國家接近。其中主要者，有（一）一九五九年一月十四日，寮國會授權沙尼康總理在一年期內全權行事。（二）二月十一日，沙總理宣佈廢止一九五四年日內瓦協定及三國監督委員會。（三）五月十八日，寮政府軍突採行動，强廹前「自由寮」一營部隊繳械投降，而該營旋於次日全部逃往山地。由於寮政府政策發生如此變化，所以一九五九年七月三十日，寮境再度發生戰事，寮共軍一部開始向桑怒省發動攻擊。自此以後，在整個一九五九年期內，寮國內部一直擾攘不安，在聯合國及國際外交方面，各有關各國並不斷發表對寮局聲明，極盡相互攻訐之能事。這一情勢直至該年底聯合國秘書長韓瑪紹派遣個人代表常駐永珍，和寮國內閣作一局部改組，廹使右翼「國家利益保衛會」份子離職而告一段落。

寮國政府這次局部改組，却帶來了右派勢力對寮國政府的不斷壓力。先是，一九五九年十二月二十六日，寮國陸軍坦克車隊在永珍示威，抗議這次政府改組及政策的轉向；接着在十二月卅一日，寮國總理沙尼康便正式提出總辭，陸軍宣佈組織軍政府接管政權。一九六零年一月三日，這一軍政府更進而宣佈解散議會，定期舉行新選，企圖能徹底實現其政變目標。但寮國這一軍政府的成立，顯未獲得自由世界各大國的充分支持，尤其英法兩國，更對此表示極端反對。於是一月八日，這一軍政府又自動宣佈取銷，另敦促元老人物庫阿布赫組織一折衷性政府，同時允納右翼國家利益保衛會及溫和派民盟份子入閣，以爭取國內外的支持。這一庫阿布赫政府雖名爲折衷性質，但實際仍爲右派國家利益保衛會及陸軍所操縱，左派份子的私下不滿與反對，並未因這一新政府的成立而緩和。再加上一九六零年五月二十四日「自由寮」領袖蘇發努旺及其他十五人的自永珍獄中逃出，再度從事軍事性反抗，使寮國政府內部不穩更趨惡化，直至八月九日康立上尉的伞兵部隊在永珍發動了一項新的政變而達到最高潮。

康立上尉所發動的這一新的政變，至少涵有兩點特殊的意義。第一、這一政變的目的不僅在反對永珍政府中的右派勢力，而且亦在反對寮國陸軍中的高級份子。第二、這一政變的陸軍正如寮國政治勢力的劃分，開始分裂成互不相容的兩派。康立在最初階段，全力支持佛瑪組織一中立主義政府，但時間一久，即逐漸顯出康立其人確有其自己的一套想法和作法。這套想法和作法，充分表現於他的堅決反對佛瑪組織一眞正的聯合政府，反對前國防部長佛米將軍担任這一政府中的任何職務。我們不知道佛米將軍與康立上尉之間有何什麼不可和解的個人恩怨，但他們兩人間的這種對立，乃至由此所形成的寮國陸軍中的左右兩派的對立，使佛瑪的政治和解的努力曾受到了一種嚴重的障礙。

從以上這些事實中，我們清楚可以看出：（一）在國內實行聯合政府，在國際之間實行中立主義外交政策，係佛瑪的一貫想法。（二）佛瑪在寮國政壇上的升降，和寮國內部的戰爭或和平，兩者間具有一種密切關係。即佛瑪上台主持政府時，寮國內部縱使左右兩翼爭執仍烈，而畢竟還維持着一種小康局面；但一旦佛瑪下台，寮國內部戰爭即隨之而來。（三）佛瑪數年來雖一再組織政府，但始終未能獲得一眞正實現其政策的機會者，主要的困難並不是由於國內的反對，而是由於沒有獲得西方大國特別是美國的積極支持。假若一九五七年的春天，美對佛瑪政府不表示消極；假若一九六零年的秋天，美對佛瑪不予以反對；我想[illegible]的歷史又將要重新寫起。而美國的所以不願積極支持佛瑪，亦並不是根本厭惡佛瑪這個人，而是厭惡佛瑪所追求的那種所謂中立主義外交政策。

美國在過去厭惡佛瑪採行中立主義外交，是一個不必諱言的事實；但時至今日，美國甘迺迪總統和魯斯克國務長官，却一再公開聲明，希寮國能實行中立政策。甚至爲了表示美對寮國中立化的誠意，不僅非正式的申明美對寮國的一切援助可交由任何中立國所組成的監督委員會去負責支配，而且甘迺迪竟向赫魯曉夫發出呼籲，要求各國共同保證寮國的嚴格中立。美國這種態度和五年半前比較，簡直是一百八十度的轉變。假若五年多前的政策正確，那麼這次轉變就是一種錯誤；假若這次轉變正確，那麼五年多前的那種作法一定是錯誤的。不論這次美國態度轉變是正確或錯誤，而從目下寮國實情講，寮國終於採行中立，已爲一種不可避免的結論。除此之外，我們實在看不出寮國還會有其他更好的前途。

可是，寮國在今天實行中立，和五年前實行中立，兩者間在本質上就有一種極大的不同。五年多前，寮國是在一種親西方與中立之間選擇其一，該時寮國縱使實行中立，這種中立本質上是親西方的，內部親西方勢力足以控制左傾勢力，寮國不致因這種中立而赤化。可是在今天，寮國要在二種親共與中立之間作一選擇，中立比親共稍好，但這種中立在本質上也是一種親共的中立，如此中立的寮國其內部勢力分化最後將演變至何種程度，便不能不有嚴重的顧慮。縱使這種中立能照美國的設想：取得國際的共同保證，這一嚴重的考慮亦仍然存在。

所以由此我覺得，不論處理國際政治或國內政治，都應該要極度的冷靜，理智，有遠見，有深刻的認識，能忍可忍，應因必固，決不可以一味情感用事與張牙舞爪的態度去對付。情感用事與張牙舞爪的作法，能逞快於一時，但却貽後患於無窮。相反的，一種冷靜與理智考慮的結果，有時也會受到某種小損失，但在長遠觀點上，這種微小損失正是一種更大成功的保證。今日寮國局勢的惡化，便證明就是在美國憑情感用事與張牙舞爪者太多，而眞正具有遠見而能冷靜考慮問題者還是太少。

小論天下

△中共在緬甸所購白米，一部份轉運古巴。

如果不是中國人民該死，當然是毛澤東該死。

△美國國務卿魯斯克與蘇聯外交長葛羅米柯首次會談，以寮局爲談論中心，蘇俄無讓步意。寮共續有軍事進展，美揚言將助寮政府固守城市。印度向蘇俄提出警告：寮共如進逼湄公河，美國泰國將參戰。

「求饒」與「掛免戰牌」，在共黨看來是可笑的。在寮國來一次「圍太原」或「奠邊府」之戰，共黨顯已有了充份信心。

△美國在聯合國投票，表現出背離西方，傾從非洲國家的新姿態，引起北大西洋組織破裂的憂慮。

不管美國怎樣向非洲人討好，共黨要在非洲放火也沒有多大困難的。非洲成爲「新的巴爾幹」是無可懷疑的了。

△葡屬安哥拉發生恐佈事件，黑人屠殺白人。傳西屬撤哈拉被武裝摩洛哥人滲入，西班牙派兵赴援，並向摩洛哥提指責。

由比利時，荷蘭，葡萄牙以至西班牙，一連串都有麻煩。這是西方整個陣營的苦惱，但上述幾個小國却被選爲開刀的對象。此中消息，亦可細味。

△美國在沙地阿拉伯的基地被請求撤銷。葡國亦有示威運動，要求美國撤出亞速爾基地。

美國爲基地所苦惱，其他西方國家爲殖民地所苦惱，「兄難同弟難」了。

△陳毅將訪印尼，預定有一個龐大的「文化團」隨行。

中共和蘇俄近對馬來亞大施抨擊，對印尼却特別討好。對印度則由蘇俄表示親善，由中共使用壓力。這似令人看得眼花撩亂，其實幾副面孔都只爲了一個工作中心，而馬來亞、印度與印尼這三個國家，却被劃分等級，巧施離間了。

△南韓大邱爆發反政府示威運動，中共揚言美國必須退出南韓。

「裏應外合」，形跡顯明。

方南

自由談

可佩的幹勁

美總統甘迺迪最近下令撤消了舊政府所設置的十七個委員會，將其職務分別交給行政部門，以專責成。這種實事求是，劃一權責的作風，充分表現他有一股壯年人的幹勁，殊堪稱贊。

行政機關濫設委員會的結果，增多冗員，虛耗公帑尚在其次，最壞是割裂權責，貽誤公務，因而產生爭權卸責的官僚主義，慢慢的即使行政機能歸於癱瘓，終致禍國殃民，無可補救。

國家設官分職，各有專司，如無必要，切忌濫設甚末委員會的好。既有若干部門的委員會，就得尋些事情來搞，表示並非贅疣機構。但它在法制上屬於私生子性質，動則牽絲到各個法定機關的職權，遇事即非約集各有關機構舉行會議不可。如是乎會議乃開之不歇，結論却不易得到，而責任更不悉誰屬？大家唯有隨時開會說廢話，造紀錄，提報告，實際都是些官樣文章，毫無用處。

美國總統下令撤消的委員會中，有所謂「物價長成委員會」者，這與咱們政府過去大陸上特設的「物價管理委員會」，現時在臺灣建置的各種管制、整理委員會相同。這類委員會越多，而被管制整理的業務就越糟，事證歷歷，不勝枚舉，即以物價一項而論，從對日抗戰時期到現在，天天喊管制，試問又有甚末效用可稽？徒見其弊害叢生而已。我決不相信一樁事務在法定的行政機關幹不好，另設一個委員會就有意想不到的效能了。若因人員不夠用，或者需要專門人才辦理，何妨讓法定的主管機關增加人員和經費，也比添設一個委員會強得多吧！

希望咱們的執政當局見賢思齊，亦把若干只是開會說廢話的某某委員會下令裁撤，責成法定主管的行政機關各司其事，如其辦不好，即唯該管長官是問，輕則撤差，重則查辦，敢有以添設委員會爲言者，視爲腐敗官僚，永不錄用。這樣一來，行政效率若不增進改觀者，未之有也。

馬五先生

對撤退滇緬游擊隊的抗議

許一君

自從美國國務院公開要我們撤退滇緬游擊隊以來，官方一直是沉默的反應，除了由杭立武大使就近向泰國交涉撤退步驟外，接着是軍方派遣賴銘湯中將正式前往辦理撤退事宜。坦白的說，我對於政府這種沉默態度，專搞「撤退外交」，缺乏「獨立自主」的作法，實在感到吃驚！

一九四五年，政府當局不顧輿論的反對，接受美國建議，與史達林簽訂爲期卅年的所謂「中蘇友好條約」。結果不出四年，中國大陸全部變色。

一九五三、一九五四年之間，一方面政府接受美國要求，把活躍在滇緬未定界的大部游擊隊撤回，並且把李彌將軍召還。另一方面，政府又在美國的要求下撤離大陳島的守軍。

這些撤退，表面的理由是爲了我國保存實力，俟機反攻；但，實際上，只是作了美國「實驗主義外交」天秤上的法碼。直到今天爲止，美國的當國人物中，對於我國從一九四五年以來所担當的「偉大犧牲」的悲劇角色，並不感到有如何的痛惜和醒悟！相反的、美國國務院的官員和行政首長，還在那裏期待並暗地進行安排中國再作更多的犧牲！所謂「華沙談判」以及中共必須公開聲明「對台灣地區不使用武力」，方能考慮進聯合國，可以算得一有力的註解。

我眞不瞭解，政府當局對於這一段史實，何以會如此善忘！

美國眞的會厚愛中華民國？我的看法是一個否定。當韓戰發生，杜魯門政府曾經迅速的派遣第七艦隊來到台灣海峽「協防臺灣」，可是在協防的同時，卻禁止大陸沿海受到外來的攻擊。

由美國一手安排的舊金山對日和約，到了簽字的前夕，竟不讓中華民國參加。誰都知道，我國是被日本蹂躪最深，受害最大的戰勝國之一。

韓戰期間，曾經有十六個反共國家派遣部隊，參加聯合國軍討伐侵略者。然而，美國政府卻不同意我國派遣一師的象徵兵力。

韓戰後，聯合國並未取消「中共爲侵略者」的決議，美國在韓國所犧牲的十三萬子弟的血跡未乾，乃憑着毛共頭目周恩來在一九五五年五月所發表的「願意與美國談判」的一紙聲明，美國政府就「請求中華民國諒解」了！所謂「美、毛談判」，就是導源於這一個聲明。

「美、毛談判」正式開始於一九五五年八月一日的日內瓦，當時美國的重點除了向中共交涉釋放被拘的四十一個美國人以外，其次便是美國要求中共聲明「對台灣地區不使用武力」。我們應該認識：所謂「對台灣地區不使用武力」的意義非常明顯——中華民國的重要是建築在「台灣地區」上。換句話說：假如沒有「台灣地區」的存在，「中華民國」在美國的心目中，早已成了歷史上的陳跡。

從一九五五年的八月一日談到同年的九月十日，美國和中共已經獲得雙方平民遣返問題的協議，由中共釋出三十五名美國人（其餘六名仍然予以扣留）。但對「台灣地區不使用武力」一節，中共認爲「這是美國干涉台灣內政」，無法接受。

「美、毛談判」在日內瓦共有七十三次，第七十四次的談判地方雖已改在波京華沙，而美方重點仍然放在要求中共公開表示「對台灣地區不使用武力上」。關於這個問題，中共在一九五七年一月十八日的公開聲明中還表示：「此乃我方所絕不能接受的。」針對中共這一個聲明，同月二十二日，美國也公開說：「美國會明白表明雙方的不使用武力，並不放棄其各自的目標與政策」。「其次，美在台灣地區有其權利與責任」。

政府當局必須記住一個事實：當美國向中共發表上述聲明的期間，中美共同防禦條約早已簽訂了三年以上。雖然「中、美共同防禦條約」上是由美利堅合衆國與中華民國共同簽訂。可是，美國始終把中華民國看成一個「台灣地區」，並且公開告訴中華民國的敵人——中共，表明「對台灣地區不使用武力」，「並不放棄其各自的目標與政策。」只是「不得使用武力以達到其目標與政策」而已。

不僅此也，美國代表在一九五七年四月十九日還向中共提出過下列雙方共同聲明草案：「詹森和王炳南兩位大使，決心以和平談判，解決兩國間的爭執，而不在台灣海或他處威脅或使用武力。這兩位大使應當繼續會談，以期獲致實際可行的方法，來實現這個共同願望。」

雖然，這個草案由於中共索價過高，未有成爲美、毛雙方所接受的事實。但，我們可以從這件爲美方所認可的草案裡看出美國對中共的基本態度，已由排拒和反對的地位，改變爲導致相互承認的立場上。我眞不敢想像：假如中共當時接受了美國所提出的這個準備爲雙方共同聲明的草案，中華民國的地位將何以自處？

這裏必須指出的一點，雖然，此項交易由於中共開價過高，未有成交，可是，在中共一九五七年五月十一日針對美國草案所提出的對案裏，是接受「決心以和平談判，解決兩國在台灣地區的爭執」的。即是說：中共在某些慾望滿足之後要他公開聲明「對台灣地區不使用武力」，亦未嘗不可。

由於中共索價太高，所以才使華沙談判一度終轍。但美國政府並未因此放棄進一步努力。所謂「獨立台灣政策」，包括國軍撤出沿海島嶼，及要求中華民國宣佈不向大陸使用武力等兩項政策，都是列入在當時美國政府努力的範圍之內。一九五八年十月二十三日的「蔣杜聯合宣言」與，中華民國政府宣佈不憑藉武力光復大陸，可謂美國政策上述努力的最高潮。

一九五九年五月二十日中共向美國建議互相交換記者，結果美國方面卻只有一人進入中國大陸，其他一律被拒。同年六月，中共又拒絕前紐約州長哈里曼訪問大陸。雖然，美國前國務卿赫特在一九六〇年二月十八日已經憬悟到中共對美國的態度比蘇俄對美國的態度更強硬，可是並未影響到甘迺廸所領導的新政府放棄對中共的妥協幻想和努力。

本月七日的一〇三次華沙談判，美國又增加了一次失敗的經驗，甘迺廸總統並公開承認「改進美國與中共雙方的希望已經黯淡」，而美國國務院發言人所表示的公開態度，他們並未死掉這條心。並且魯斯克國務長官已經「將臺灣移交中共」的問題，列爲現在與今年九月之間美國須與其他政府繼續磋商的事件。我相信魯斯克不會貿然進行「將台灣移交中共」的罪惡勾當，枉費心機，而我也不能就此肯定不會最後犧牲中華民國。事實上，從一九四五年到現在，政府當局對於美國的要求，確會做到「依人外交」之能事。可惜美國政府並未從行動上幫助我國光復一寸河山。因此，我不禁懷疑政府從「戡亂剿匪」退到「反攻大陸」，退到不以武力「光復大陸」之後，還要退到那裏？是不是政府宣佈了不憑藉武力光復大陸之後，也不允許大陸游擊隊以武力光復大陸？果眞如此，則所謂與大陸抗暴的同胞裏應外合，完成復國任務的宣告，豈不等於欺人之談！

香港與大陸

△香港各土產店對於「代寄糧包之價目，各有不同。有等土產公司之價目表，用紅紙大字，有如「公報」。惟價目欄則不時改動，每改動一次，即用白紙貼上，紅白相間，令人眼花撩亂。

△香港郵局不代寄白米，乃促成各轉運公司之代寄白米者門庭若市。惟據某一土產公司之店員私下對記者稱：什麼東西都可以寄，獨白米不必寄。因大陸方面對於此等寄運過去之白米，仍須在每月配糧項下扣除云。

△日來所謂「聯運公司」，在各報大登廣告。內幕如何，不得而知。惟某公司居然在廣告內說明，凡寄入廣東各鄉糧包，一律在廣州交貨。此則不免令人大惑不解耳。

△近據上海友人來信，特別提到，如由郵局寄運糧包，請用毛巾包裹。因內地毛巾極感缺乏，有錢也買不到云。

（田）

再談台灣滑稽界

章楠人

（台灣通訊）

追隨政府來台之上海滑稽，到目前爲止，僅有筱快樂，張宜宜、徐笑亭、朱培聲、時笑芳、趙胖子等六人而已。除這六位滑稽係眞正爲從事劇藝之職業藝人外，其他連票友都寥若晨星。因此可見幹滑稽這行亦頗不簡單，依稀記得在民國三十九年之際，第一班滑稽係由張宜宜、徐笑亭、趙胖子三人爲起端，演出地點在西門町八角樓大衆劇場，（現已改名爲紅樓）開場爲歇唱與平劇，最後係滑稽壓軸，斯時台北因地方劇藝稀少，張徐趙等上海滑稽確實紅極一時。

四十年間，筱快樂才由港來台，於是與張徐趙等合作，共同組織正義反共劇團，並假座廈門街水源路樂園書場（現即萬和醬油廠廠址）分演方言滑稽話劇，一面招考演員，一面向當局申請旅港滑稽同人來台，演出以來，幾至坐無虛席，會瘋靡了不少男女觀衆，後因場地發生問題，乃遷移至中華路蓮園（即目前之國光劇院），繼續演出「小阿飛」等喜劇，並有滬劇名角衛鳴岐客串，（該時滬劇界僅衛一人在台）營業奇佳，賣座情形如火如荼。

四十一年間，長沙街大華劇院正式落成，於是轉移陣地，爲「大華」作開幕性之分演，第一泡乃用漫畫家梁又銘先生所繪之「土包子」，經張宜宜改編後作初步性嘗試，斯時朱培聲、時笑芳、尹文等三人亦已由港來台，陣容既强，演出時當更齊整，「土」劇一經問世，居然聲勢不凡，賣座越來越盛，以致使「土劇」繼續再編寫六本之多，該劇曾獲總統觀賞，頗表嘉許。

這階段間滑稽已趨於巔峯狀態，惜好景不常，內部人事發生磨擦，無形中分裂兩派，久而久之，歧見更深，終於分道揚鑣各分門戶，徐笑亭則拉攏朱培聲、趙胖子、鄒曼玲等數人從事電台廣播，筱快樂，張宜宜、時笑芳等，則仍率團作環島公演，如是凡達二年，張亦脫離正義劇團，另組忠藝反共劇團繼筱快樂之後亦作巡迴全省公演，筱則因遭虧損而解散劇團，未幾忠藝劇團亦遭瓦解，六名滑稽藝員頓成四分五裂。

到目前爲止，各人皆各謀出路，徐笑亭爲電台業務員，趙胖子則賴接洽晚會取佣金爲生，時笑芳因吸毒罪而身入囹圄，朱培聲則在中華電台担任節目，張宜宜亦然，筱快樂仍率領正義反共劇團作環島分演，該團現在嘉義，不日即赴雲林再轉花蓮，總之劇運雖說難臻理想，如能和衷共濟，至少尚可維持，否則恐滑稽一行亦與滬劇遭遇同一命運矣。

大陸文壇萬花筒

武則天舊案重提

——騫岳——

一九五九年秋季，中共上海越劇團演了一齣越劇「則天皇帝」，同年十月十六日中共「戲劇家協會」和「北京市文聯」聯合舉辦了一次座談會，在會上郭沫若首先發言，大大讚美武則天，接着吳晗、翦伯贊、呂振羽紛紛起來發言，一致大捧武則天，他們的理論大概分爲幾點，一是武則天雖然殺了許多人，但都是殺的地主、豪門。二是武則天私生活雖然放蕩些，可是唐代女人本來不需守節，何況唐室本有少數民族血統，生活隨便些也是很自然的。三是武則天知人善任，打破門戶觀念，提拔有能力人才。以上三個優點，假若換爲恭維毛澤東，也十分吻合，可知郭沫若、吳晗這一批「御前供奉」爲什麼拼命替武則天翻案了。

郭、吳等人這篇謬論，先後遭到許多人的攻擊，本來還在郭、吳等人翻案之前，兩位專門研究隋唐史的學者岑仲勉同呂思勉兩位先生都曾經痛斥過武則天，岑仲勉著的「隋唐史」，是一九五七年由高等教育出版社出版，呂思勉先生遺著隋唐五代史是一九五九年由中華書局出版，他們兩人觀點大致相同，認爲武則天的好色、殺人兩大罪狀已無法開脫，即使退一步不談這個，專說她的才具及治績也實在無善可陳。除去岑、呂兩先生之外，還有一位王運熙寫了一篇「陳子昂和他的作品」，其中說到武則天也罵得很厲害，站在這方面的人也相當多。

此外還有兩個折衷派的人是侯外廬和吳澤，這兩個人都是左傾學者，其「進步」程度決不在郭沫若之上，可是這次也不以爲然，雖然他們也認爲武則天很能幹，但是總覺她是功小罪大，瑕不能掩瑜的。

不過，儘管反對人多，好在郭沫若耳朵聾，臉皮厚，依然吾行吾素。一九六〇年五月份人民文學上，郭沫若發表了一篇「武則天」劇本，就有些學校，劇團去排演，把武則天寫成了一個十全十美的女皇帝，演出之後，學者雖然反對，共酋卻相當欣賞，認爲頗符合「黨」的文藝政策，於是到了最近又改爲平劇，三月份已在上海開演，由童芷苓飾武則天，李桐森飾裴炎，李多芬飾鄭十三娘，趙曉嵐飾上官婉兒。據說演得不錯，不久，想必會搬到北平去作「御前」獻演了，好在中國老百姓雖然即將集體餓死，毛澤東聽戲的心情還是有的。

書信趣談

白荷

古來有多少風流才子，紅粉佳人，在遠別分離時，每多寄情於魚雁往還，互通款曲，細訴相思之苦；字裏行間，充滿纏綿悱惻的香艷詞句，會使讀者感動得流下眼淚來；可是也有不通文墨而天性穎慧的女子，却會運用圖畫寄信。給情人或丈夫的，眞可謂「心有靈犀一點通」了。

據說從前金陵秦淮河畔有一名妓，姿色可人，天資聰敏，惜未讀過書，不會寫信；某次遇一潦倒才子，兩人一見鍾情，相約俟考中後，完成婚嫁；翌年才子中舉，相識者紛紛走告某妓，並催其即刻進京完成好事；但某妓意欲考驗某才子是否變心，乃託便人帶去一封書信，才子拆閱，但見信紙上畫着一個個圈兒，有單圈，雙圈，整圈，破圈，最後是一個緊接着一個的密圈；才子沉思片刻以後，忽然會意，乃用筆在信紙上提了一首詞：「單圈兒是我，雙圈兒是你，整圈兒是團圓，破圈兒是分離，還有那說不盡的相思，只好一路圈兒圈到底！」眞是極妙好詞；才子題能此詞以後，乃着人回覆秦淮佳人，擇定黃道吉日，舉行合巹大典，完成此一段書信姻緣。

另有鄉下某夫婦二人，均目不識丁，某年，其夫往遠地經商，托人帶回家書一件，外附紋銀八十一兩，受托的朋友拆開信一看，信中並無隻字，更未提到銀錢的事，僅信紙畫了一根草和一隻狗，心想我扣下廿一兩，交出六十兩，婦人家怎會知道呢？便將信和紋銀六十兩一併交給婦人收下，某婦人將信拆開一看，便問帶信的朋友，他丈夫的信上明明寫着帶來八十一兩紋銀，爲何少了廿一兩呢？帶信人心知不妙，未敢怠慢，立刻又將廿一兩補上了；原來他丈夫畫的是一棵韮菜，不是草，另外一隻狗，是表示「九九八十一」的意思，「韮」和「狗」都是「九」的諧音，因此婦人家雖不識字，但一看見畫圖，便知道是八十一兩銀子，不會是六十兩了。

醉

汶津

據說李白醉後詩興最郁。我想大概是一股「仙」氣使然吧。我這題「醉」，屬廣義，因爲我是個滴酒不沾唇的俗人。

青年期而冠以「黃金時代」的美名，在男孩子，看女孩子恐怕是主要理由之一。這一醉，其妙處在不言中。但有一戒：過猶不及。同時，也不可忘了「醉亦有道」。垂涎三尺適足以表示你是個不懂生活情趣的人。

讀書之醉，太迂酸。做白日夢才像煞酒後光景呢。有一陣我對此頗爲上癮，一日之間，夢境萬千。只是不足爲外人道，惜哉！但鑒於醉漢易惹車禍，我也常常刺股自戒。

「自我陶醉」一詞，意味無窮。中國文學之傳神，於此可見一斑。我想凡是讀過懺悔錄之類的，一定不致否認人生中有此一德。譬如說，自已的文章壞到不可救藥的，尚且不肯送進字紙簍去，何況有那麼一點長處？自我賞玩眞不愧爲治失眠的一帖特效藥。

在小說中，在銀幕上，往往看到不少失意落魄的人借酒澆愁。這種醉，實在是等而下之的。嚴格說來，眞正的醉，只有生性樂觀，善於享受世界的人才配。悲劇色彩的酗酒，不說也罷！嘗見一學生有兩門功課得了紅字而甚表欣慰，因爲他上次有三個敗筆，這回自覺進步；安知下次不更精彩呢？我不禁佩服這種不輕言失敗的精神。

培根在論及青年與老年時說：「世事經歷愈多的人，愈容易沉醉。」他老人家說這話的時候，當然業已經歷很多的世事。但普天之下，沉溺於幻夢的，未必是鬚眉皆白的居多。有人說老年人酷似孩子，那似乎祇是說老來的糊塗有些像兒時的懵董。試想：一個飽經風霜的人，還會像那擁有幾枚蛋的窮孩子那樣作起飛黃騰達的夢來麼？

不少豪傑之士也會動不動就會醉的。日人兒島獻吉郎寫的「中國文學概論」中，有一章赫然題曰：「詩人與酒」。他的開場白可眞是大文章：「先王聖人，皆無不以酒之弊害自警。但猶用之於祭祀，用之於冠婚，用之於燕享……」。不用說，作者是反對禁酒的了。最妙的是魏武帝曹操說的：「藍闕千鍾百觚，堯舜之飲也。惟酒無量，仲尼之飲也。姬旦酒肴不徹，故能制禮作樂。漢高婆娑巨醉，故能斬蛇鞠旅。」讀到這兒，忽然想起武松打虎也是在醉了八分之後。可是這些事未免太落言詮了，唯心論者恐怕根本不屑一顧。「但使主人能醉客，不知何處是他鄉。」確乎有點意思，可是這還是「即興」的醉。像辛棄疾那樣「不恨古人吾不見，恨古人不見吾狂耳」，才是深識「醉」的三昧呢。

至於老牌乞丐夢見自已成了國王，三尺童子幻想自已化爲巨無霸，都足以證明人人有一醉的資格。畫梅可以止渴，思酒也可以求醉罷。莊子夢見他化身爲蝴蝶，醒來却懷疑究竟是否蝴蝶夢見牠化爲莊周呢。這種醉，可眞是醇乎其醇了。人生虛虛實實，用醉眼去看，反有一種朦朧之美，但若醉到不辨晝夜，不分皂白，那也未免可怕。神仙們也有嗜酒的，若醉了之後，仍能不失神性就難得了。話又說回來了，要是身爲神仙而醉得不成形相，豈不自貶身價？所以說醉中最見眞性情；藏着一條狐狸尾巴的，最好不要輕易的附庸風雅。

嘗聽內行人說，台灣的酒很少合格的——「不夠味」或者「不是味」；有些人知道外島的存在還是靠了金門高粱。想起來我們這一代「醉」的質雖然有江河日下之勢，醉的量却增加得太多。我自已總算已經停止往年的白日夢了，可是以此自𧦅的人却比比皆是。眞希望有更多的牧師出來苦口婆心一番。但不知那些冠冕堂皇的牧師先生本身是否完全清醒。嗚呼，醉道之不傳也久矣！

土地誕

道南

陰歷二月初二日，曰「花朝」，即俗傳之百花生日。宋高宗翰墨志；謂洛陽風俗，以二月二日爲「花朝節」。古詩云：「百花生日是花朝」，値此羣卉競放，衆鳥爭鳴，風和日麗，爲士女郊遊娛樂之良辰，唐代詩人張演詠社日，有「家家扶得醉人歸」句，足見春社遊宴之樂。由來已非一日。

與百花同日生辰者，又有二月初二之「土地誕」，公羊傳：魯僖公三十一年，諸侯祭土，土，即社也，社者，土地之主也，土地之名，本此。

土地，又稱社公，祀於家內者，謂土地之神，旁書一聯：「土中生白玉，地內發黃金」，祠於村外者，稱社公之神，旁亦有聯云：「人人敬我二老，個個賜他三多，」我國在昔自天子以至庶民，皆得封土立社，以祈福報功也。

古稱生而眉髮皆白者爲社公，暌車志：「劉知常，宋襄陽人，始生，皓首赭面，俗謂之社公兒。」其解有二；一謂社日所生，故眉髮白，遂名社公，一謂眉髮白如社公然，故名社公，又稱之「天老」。凡數里之間，有「福德祠」多處，一家之內，亦有土地神位之設，朝夕薦以馨香。可是土地神祇，僅主一家之事，尙清閒自在，惟社公位卑職微，而責任綦重，對地方事，又無權力處理，等於現代之保甲，據後漢書方術傳載：社公之馬，爲一狐狸所盜取，費長房見而斥之曰：「速還社公馬」，一方之神爲區區精怪所侮，足見法力之微，好在聰明正直之爲「神」，猶可福德於人間也。

雨（下）

姚詠萼

天上一錠鏤，落到地上給人捉，誰人捉得起，千銀賸。

我們一邊唱一邊玩，那時正交七月，我們身上雖然一片濕，並不寒冷，也就不在意了，連自已是從家裡偷出來的也忘記了。離外婆家裏雖很近了，沒傘子仍不能去，雨和風不停地下着，吹着，天色漸漸黑下去了，路上看不到一個人影。小妹不知在甚麼時候彎在石磴上睡着了，我和弟弟餅糖兒談個不休。「呀！你們原來躲在這裏！」是我家長工阿庚的聲音，他帶着小弟弟的奶媽，找我們了。阿庚看見睡在石磴上的小妹，立刻把她抱在懷裏，用圍裙擦着她頭上的濕髮。奶媽喃喃不休地數落着。平時在家，奶媽常在我們媽媽的面上，短短長長地挑剔我們的不是，我常常與三弟聯盟與她大吵。其實奶媽到我家時僅是個十七歲的小姑娘，媽因爲她是頭生，而且奶水足，把她留下來了，從此她一直待在我家。簡直成爲我家的一員，是所有佣人中最忠心的一個。我看她來找我，心裏就不舒服，不要跟隨她，寧可要阿庚牽着我。奶媽抱了三弟，我們冒着風雨，回家了。奶媽說「媽不見你們，急得很，派人到處找尋，又到後門小亭子河埠踏級那邊看，以爲你們掉到河裏去了呢，我就知道是你帶着他們到外婆家裏去了的。」她在雨中嘮叨不休。

到了九歲，父親要我轉到我二姊辦的女子高等小學讀書，父親說我國文不成問題，却忽略了我的算術，使我後來吃了大虧。女子高等小學，離我家很遠，半路上要經過一條又高又峻的石板橋，那條橋正對着本府衙署的舊址，一直管叫府前橋，橋上沒有石磴，僅在石板上刻劃着齒紋，走在橋上的人，就靠着那些齒紋以免滑跌。橋的高度差不多與馬路上的樓房平齊了，遠遠望去，眞嚇死人。端午時的大龍船，船上搭着台閣，而那條高蘸的橋，能讓它們在橋下自由來往，一點沒有阻碍。因爲路遠，我的午餐雖在校裏吃，但一天早晚來回，也得過橋兩次，晴天倒沒什麼，橋面很闊，可以通行無阻，但一到雨天，走在那橋上，戰戰兢兢的心情，不介於走陰司的奈何橋了。雨天走到半橋，摔了一交，書包與雨傘滾在一邊，是常有的事。我們在雨天裏，常與鄰家的阿菊，用三個銅元，僱小船上學，我們在船艙中，聽雨打船蓬的聲音，的篤的篤，引以爲樂。若碰到大雨，或是一陣急雨，打在船蓬上，再從蓬頂各左右沖瀉下來，潺潺的聲音，形成美妙的節奏，雨絲從蓬縫中間吹進來，灑在我們的臉上，感到一絲絲清涼，也是很舒服的事。

大陸上我的家鄉，雖然大部份石板路，却清潔異常，從無泥濘。江南無風沙之苦，雨過天青，路面給雨水一沖，倍見鮮明。台灣四季有大風雨，沙塵漫天，像現在所住的中和鄉，屋前屋後，從沙窗竄進室內，雨天就沒有這種現象了。所以我還是歡迎雨的。我靠在窗口望着外面的雨，沖洗了烏烟瘴氣的煤灰，也似乎沖洗了十年來積在心中的渣滓呢。

※梨園漫談※

再談丑戲

——瘦西湖——

記得當年文丑以劉趕三、劉趕生、黃三雄、羅百歲、宋萬泰等爲最有名聲，其中尤以趕三與程長庚同爲生丑兩行之祭酒，當年在北平演「探親家」一劇，劉曾騎眞驢上臺演出，一時轟動，被各界傳爲奇事，再者，彼又曾先譚鑫培而爲精忠廟廟首，精忠廟後來被改爲梨園公會，廟首即爲梨園公會會長，而梨園界能以丑角任廟首者，除彼一人外，殊不多見，其才識資望過人一等，概可想見也！

演丑角脚色之難，在於能即景生情，隨時能編出新名詞，或諷刺時政，或寓莊於諧以規勸世人，昔之君主，偶有過失，往往優孟之一言，而立使明主有所覺悟，有如列國時楚王之加封賢相孫叔敖之事，趕三雖以近世伶工之名震南北，但其爲人正義，頗有古代優孟義俠之風耳。

中東甲午之役，李鴻章喪師劇地，趕三甚爲憤懣，一日登臺演劇，話白中自編成一套新詞，譏李失地辱國之可恥，不料當時適李子亦在場看戲，聞言大忿，當即投以茶杯，並令人拘押趕三置之於獄。

時劉已七十有餘，未幾即憂忿而卒，後能繼乎劉者，即羅壽山（百歲）亦即當時名青衣羅巧福之子，名老丑羅福山之兄也，其藝術之精深，戲路之佳，實爲趕三後之第一人，其與汪桂芬、王楞仙合演「三國誌」一節，汪飾魯肅，王飾周瑜，羅飾蔣幹，尙有黃三雄之曹操，金秀山之黃蓋，賈洪林之孔明，珠聯璧合，旗鼓相當，其演蔣幹盜書一場，尤爲名重一時，羅後有張文斌者，作戲以冷雋見長，不瘟不火，演來恰到好處，惜享年不久，洵文丑行中之一大損失。

關於武丑一行，當推張黑，麻德子諸人最爲出色，彼等武工之精，當時實無人能出其右，其最拿手之戲有「時遷偷雞」，「盜銀壺」，「盜雁翎甲」，「盜雙鈎」，「三盜九龍杯」等，能演此類戲者，必須具有像雞毛落地般的輕功，解斗有穿雲似的迅速，故當時彼等能博得觀衆之讚賞，實亦全憑其眞實藝能之老到也。

戲劇中另有方巾丑者，頗不易演，其難處並不在於藝術之精到與否，而能在舉止行動上是否相似。據傳，當年有票界寒雲公子者，其人對方巾丑頗有心得，演湯勤，張文遠之類人物，刻劃得淋漓盡致，那種卑鄙齷齪之相，令人拍案叫絕不已。

燕塵小識

辛丑談往

——無負生

（五）和約內涵：辛丑和約鑿鑿十二款，以上年十一月初一日各使所提之大綱爲藍本。撮要言之：（一）德使克林德被害，中國派醇親王載灃爲頭等專使往德國表示歉意（於五月廿七日由北京起程）並於遇害處立碑（碑在東四牌樓以南，吾及見之。民八第一次歐戰德國大敗後，將碑剷除移往中央公園，建公理戰勝牌坊）。（二）嚴懲首禍；昭雪諸賢，具如前述（董福祥革職應得罪名，俟定讞懲辦），又殺害及虐待外人之城市府縣均停止文武各等考試五年。（三）日本使館書記生杉山彬被戕，派戶部侍郎那桐往日本致悼。（四）各國墳塋被犯污瀆及挖掘之處，立碑雪恥。（五）二年之內禁止軍火及製造軍火器料運入中國，如諸國認爲應續禁時，更須展限二年。（六）中國允付各國償欵海關銀四百五十兆兩（四五〇、〇〇〇、〇〇〇兩）。更加以詳細之規定如下：

甲、此四百五十兆兩係以海關銀一兩依左率兌換各國之金貨計算：海關銀一兩即德國馬克三、〇五五，奧國克勒尼三、五九五，美國圓〇、七四二，法國佛郎三、七五，英國先令三，日本圓一、四〇七，荷蘭佛林一、七九六，俄國盧布一、四一二〇，此四百五十兆兩，按年加四厘行息，以三十九年還清。

乙、還欵事宜在上海執行，各國各派銀行董事一名爲委員，專任收受中國本息償金，與分給諸國之任務。

丙、中國政府將償金總額債票一紙交付駐京公使，總票之外分作零票，每票由中國官員畫押。各國銀行委員，關於債票發行一切事務遵本國訓令而行。

丁、担保債票財源之進欵，按月交付銀行董事。

戊、所定担保債票之財源如左：

（一）新關稅之收入內，除給付担保舊借外債之本利外所剩之欵，又進口貨稅現今增至實行值百抽五所得之欵。

（二）各通商口岸舊稅關改歸新稅關管理之收入。

（三）鹽稅收入之總額（但除担保舊債之一部）。

但現行稅率改正爲值百抽五，依下二條件，各國承認之。

（一）從前之從價稅改爲從量稅，其改定之方法，依最近三年間各貨品，卸貨後之平均價格，爲議値基礎。

（五）白河黃浦江兩水路改良，中國分担經費。（八）

通儒

徐學慧

通儒並不容易，因爲，並不是讀得書多即一定成爲通儒。有些人，一輩子捧住書本，卻一輩子不通，可見求其通亦絕非易事。

今天這個時代，能成爲儒，也就很不錯了。從儒到通儒，那還有一段很遠的距離呢！通也者，通天人之微，達古今之變，這間有氣節在，有骨格在，有風度在，絕不是坐在房間裏，列幾本書作於宋前，東抄抄，西摘摘，而乃自命爲通儒的。

凡自命爲通儒者，必非通儒，對於中國人來說，此語尤爲的當。儒家最重修養功夫，換句話說，學問之道，其顯而易見者，乃在減少火氣。火氣不同於骨氣，骨氣乃見於立身處世，出處進退之間，是即儒家所謂可以行則行，可以止則止。火氣即儒家所謂匹夫之勇，在字面上鬥過高下，在言語上分過勝負，此非儒家所取，更不必說通儒。

作通儒有兩個基本條件，一爲天分，二爲書卷。天分高而書卷不多，充其量只能作到才子；書卷多而無天分以領悟，則其極致乃是腐儒。至天分與書卷俱缺者，那只是假儒之名，行盜之實，不能成爲儒，更不要說通儒。

讀書爲變化氣質，這一點，在中國學人中，極關重要。四書上有「雖曰未學，吾必謂之學矣」的話，反轉來，我們亦可以說雖曰學矣，吾必謂之未學。這個時代，這個社會，連腐儒都不太多，這通儒自然更不待說。這眞是一個無可奈何的時代。而我們就生活在這一悲劇之中。

牛年韻事

筱臣

今年是辛丑年，歲序更新，又是一番景象。按爾雅太歲在辛曰重光，在丑曰赤奮若，論衡物勢，謂十二屬以丑爲牛，所以又是牛年。

古人以十二生肖入詩，每句各用一典，當始於六朝沈炯，朱熹曾和之。沈詩曰：「鼠迹生塵案，牛羊暮下來。虎嘯生空谷，兎月向窗開。龍濕遠靑翠，蛇柳近徘徊。馬蘭方遠摘，羊負始春栽。猴栗蓋芳果，雞跖引清杯。狗其懷物外，猪蠡竇悠哉。」

朱熹的和詩，詩題：「讀十二辰詩卷，摋其餘作此，聊奉一笑」。詩云：「夜聞空簞齧饑鼠，曉駕羸牛耕廢圃，時才虎圈聽豪夸，舊業兎園嗟莽鹵，君看蟄龍臥三冬，頭角不與蛇爭雄，毀車殺馬能馳逐，烹羊酤酒聊從容，手種猴桃垂架綠，養得鵾雞鳴角角，客來犬吠催煑茶，不用東家買猪肉。」

古今文人對牛的興趣都似乎不淺。曹植有「獻牛表」；郭璞有「旄牛贊」；柳宗元、吳淑都寫有「牛賦」，對於牛爲人類服務的功績，頌揚不遺餘力。詠牛的詩篇，歷代詩人集中俯拾皆是。如唐元結「將牛何處去」詩云：「將牛何處去？耕彼故城東；何相件？有田父，相歡惟牧童」。劉七「代牛言」詩云：「渴飲穎川水，餓喘吳門月。黃金如可種，我力終不歇」。這些詩篇，均爲人們所傳誦。

由於牛成爲詩人歌詠的對象，而歷代喜歡騎牛的詩人，更是層見迭出，留下了詩人與牛的佳話。唐朝的王績，性簡放，不喜拜揖，常乘牛出入，經酒肆，輒飲，流連不返。還有一位史德義，居虎邱山，騎牛帶瓢，出入廛野，受人敬重。宋代的何承裕，有淸才，好爲歌詩，喜飲酒，狂逸之名，咸陽二縣人皆知之。他飲醉了，乘牛直入府衙，府尹王彥超，因他有才名，不敢干涉他。

宋代還有一位雷簡夫，是個隱士，出入乘牛，自號「山長」。陸放翁詩云：「陽狂自是英豪事，村市歸來醉跨牛。」元好問詩云：「跨牛楊璞空顚酒，秣驥王良已問途」。于右詩云：「虛名不落人間世，一徑松風穩跨牛。」這些都是稱頌有道之士，捨馬而騎牛，樂天知足，對於牛似乎有所偏好。元好問所詠的楊璞，是宋朝新鄭人，善詩歌，甚有令譽，經常乘牛往來村店，自號「東野道民」。爲了作詩曾隱居嵩山無人處數年，成詩百餘首，眞宗曾遣使以茶帛賜之。這位騎牛詩人，也附帶將牛的身價提高了。

以上均係騎牛不求聞達，安貧樂道之士，自甘澹薄，正所謂「馬背不如牛背穩」，另外有一種出世的人生觀；但亦有乘牛車而獲叩卿相的，如甯戚飯牛的故事，即其最顯著的。淮南子記載，甯戚是個有經世之才的學者，欲謁齊桓公，窮困不能行，後來借了一部牛車，來到齊國城門外，飢寒交廹，連牛也不能行了。恰巧齊桓公出城門，迎接貴賓，當時甯戚正在車旁喂牛，歌聲及歌詞都很悲壯。齊桓公聽了，使人問他，經過說明，最後齊桓公「命後車載之」。這是坐牛車得到知遇的故事，譚用之詩云：「相逢半是雲霄客，應笑歌牛一布衣。」但甯戚飯牛，却由布衣一變而爲卿相了。

亦有借牛用來諷刺苛政的，清代福建長樂詩人謝章鋌的「賭棋山莊詩集」中，有「稅牛嘆」一首云：

「老農牽牛過，奪牛人聲喧。一牛三百錢，稅牛吏在門。老翁抱牛泣，借牛耕南原，無牛空手歸，何以見同村？稅吏顧之笑，緘口勿多言。愛牛莫愛錢，錢去牛尙存。……脫衣付稅吏，俯首但聲吞，歸家愈驚顧，不敢畜雞豚。」

這種奪牛廹稅的苛政，不圖今天重見於中國大陸，不僅是牛不得據爲私有，全爲「公社」所有，而且也無人敢畜雞豚了。我們從詩中不難看出農家對牛是懷着多麼深厚的感情，只是在前去兩年大災荒之下，人且不得飽，更何有雞豚呢？

更有借詠牛以自況者，友人亮齋先生，最近發表了他一篇舊作「老牛行」[illegible]

海嘯樓叢談

盧漢投共始末（下）

諸葛文侯

張羣於十一月九日再到昆明，下榻盧漢私宅，隨員周君亮與董某別住省府招待所，但盧並未與張晤面。傍晚，周自招待所往盧宅，途遇省府幹部人員，請以盧主任（是時盧漢兼任雲南綏靖主任）奉張長官命令，今晚在綏署召開軍政聯席會議云云。周入告張長官，張詫謂「我並無此吩咐」。旋駐昆明空軍司令某，倉皇前來報告：機場已被封鎖，必有變，曾遍尋余（程萬）李（彌）兩軍長告急，請他們迅速馳歸軍中，均不獲，奈何？張乃致書盧漢約晤談，不報。未幾，有身穿靑色制服，腰繫短銃者三人突入張氏住室，目炯炯四向觀望而去。十時許，有龍營長率槍兵數名洶洶然至，謂係奉盧主任命令來保護張長官者，以長官素對雲南不惡，而且現已去職，乃盧主任客人也。乞放心，但請勿出外耳。張、周二人遂被軟禁於客室內，各據「梭發」爲臥榻，以啖盂作溺器，深宵不能成寐，張再寫長函投送盧，激以情誼，動以利害，盼勿與中共政府絕，仍不報。張曾喃喃自言：「盧永衡如其疑我此來係策動國軍諸將領反抗他，那我必無生理矣。」

十日，政府派飛機赴昆明散發傳單，警告盧漢迅釋張氏歸，並將所扣運輸機數架放行，否則將對昆明實施轟炸。十一日清晨，滇省府委員楊適生、楊文清來見張氏，謂盧主任擬明日派飛機送張赴香港，張請逕飛台灣，不許。周君亮乃謂：我現爲階下囚，行動不自由，但行李在招待所，兩公可件我往取否？楊文清即偕周赴省府招待所，望見余程萬，李彌，保密局駐昆明負責人沉醉，憲兵副司令某四人被拘禁一室內，相視憮然，不能交語。是日午間，張羣一行即赴機場遞解出境，盧漢派人送來一函，謂雲南不堪再經兵燹，已與共軍一致行動，希諒察等語。蓋盧巳於十日發出投共通電，醜詆國府，却無一語攻訐蔣總統者。事變發作後，共黨駐昆明代表要求盧氏扣留張羣勿釋，亦未接受。又蔣公於張羣第一次偕諸將領由昆明回城都時，曾密電盧漢，擬親至昆明商今後軍國大計，盧急致電張氏，謂蔣公不必來滇，因而張氏奉命再赴昆明，膺受兩日縲絏之災。共黨認爲盧之「革命」行動不澈底，存有溫情主義，故毛酋對盧所謂「起義」的電，措詞殊淡漠，僅飭其受酋劉伯承指揮而已。

盧漢陰謀叛變，決不偶然，中經幾度反復，豈無迹象可尋？然政府派駐滇中之特工人員以及憲兵暨各駐軍將領等竟懵然罔覺，不加戒備，相被囚或被殺，而余程萬於釋軍中後，且不顧部衆之反對，公然與盧通謀作亂，接受新編第十軍軍長僞職。此神州陸沉之禍所以終不能免也。噫！

謝靈運

謝康

[illegible]

我們分析靈運之爲人，既不屬[illegible]延之的刻苦努力派；却是恃才傲物[illegible]來的名士型。這種名士派，頗爲[illegible]作品中如「春夜宴李園序」，如「[illegible]山謠寄盧侍御」諸作中，對靈運都[illegible]其浪漫氣氛，亦有幾分酷似靈運處[illegible]，和金聖歎的「蒼天爲我報丁憂，[illegible]詞，李謫仙的免死罪後長流夜郎，[illegible]事有類似的遭遇，都値得古今才人，同聲一哭！唐魏萬「李翰林集序」云：「迹類謝康樂，世號李東山。」這些話已先得我心了。（三）

歷史人物

[illegible]

內警僑台報字第〇三一號內銷證

自由報

THE FREE NEWS

第一一六期

中華民國僑務委員會頒發
台教新字第三二三號登記證
中華郵政台字第一二八二號執照
登記爲第一類新聞紙類
（半週刊每星期三、六出版）
每份港幣壹角
台灣零售價新台幣貳元
社長：雷嘯岑
督印人：黃行靈
社址：香港銅鑼灣高士威道二十號四樓
20 CAUSEWAY RD 3RD FL
HONG KONG
TEL. 771726　電報掛號．7491
承印者：四風印刷廠
地址：香港灣仔高士打道二二一號
台灣分社
台北市西寧南路壹壹柒號二樓
電話：三〇三四六
台郵撥儲金戶九二五二

論共產國家的帝國行爲

王厚生

依照馬列教條，資本主義愈發展，社會財富愈集中，競賽和剝削愈盛行，階級矛盾和鬥爭愈尖銳，這樣，造成三種不同方式的鬥爭：一、資本主義國家之間的鬥爭；或者說，帝國主義之間的鬥爭，亦即是不可避免的世界戰爭；二、在資本主義社會內部，是大多數無產階級和極少數資本家之間的鬥爭，這使無產階級有發動革命的可能性；三、帝國主義和殖民地之間的鬥爭，這就是殖民地民族獨立運動的根據。

就理論言之，以上的說法似乎頭頭是道，但與事實對照，却不甚相符。一九二〇年代以來，美國已崛起而爲世界上最發達的資本主義國家，但從羅斯福推行新政以後，美國雖保持私有企業和私有財產制度，但美國社會的階級結構已發生根本變化，非馬列主義所能解釋。第二次世界大戰末期，英國改由勞工黨執政，在國內施行民主方式的社會主義，在國外和平放棄殖民地，一切都在和平中演變，未聞有流血的鬥爭。

大家知道，當今最富有的資本主義國家之一是西德，而西德近年來所推行的是主張「自然秩序」（Ordo）的新自由主義（Neoliberalism）。這個新自由主義反對中央政府的經濟計劃、「干涉主義」、「充分就業」、「福利國家」等，居然也將戰後西德從瓦礫堆中復興起來，使西德成爲世界上府庫最厚實的資本主義國家，在三月五日那天，西德經濟部長艾哈特且正式宣佈，馬克從六月起增價「約百分之四點七五」，幫了美國一個小忙。在社會主義思想流行的今天，有西德這樣一個嶄新自由主義以致富强的國家，豈非怪事？尤可貴者，在於西德幫助美國，爲資本主義國家之間互相幫助的實例，這豈是馬列教條所能解釋的？

我沒有爲西方資本主義國家辯護的意思，相反的，我仍然認爲資本主義國家之間是有矛盾存在的。但是，必須指明：矛盾是無處不在的，何處沒有矛盾呢？毛澤東承認有「人民內部的矛盾」，他雖說「人民內部的矛盾」是「非對抗性」的，可是，他很快就從現實方面領受痛苦教訓，恍悟於「人民內部矛盾」的對抗性。南共領導者們也承認「社會主義社會」有內在矛盾，他們比較毛澤東坦白得多，毫不諱言那些內在矛盾的對抗性。

資本主義國家之間有矛盾，換言之，還是毋庸諱言的。但是，我們在進行思想工作時，絕對不應該從資本主義國家之間的矛盾，馬上就聯想到馬列主義的止確性，因爲二者之間沒有必定的聯帶關係，二者是截然不同的問題。根據我上面所論，資本主義國家之間的矛盾自有其解決的途徑和方式，換句話說，自有其發展的歷程。如果我們回顧一下資本主義國家中勞資關係的演變和現狀，即可大致了解資本主義國家之間矛盾發展的歷程，以及此歷程與馬列主義毫不相干。

現在，我要進一步指出的，不是資本主義這一邊的問題，因爲資本主義社會是一種自由和公開的社會，它的一切景象是畢露的，人人可以見得到的，它的來龍去脈和現實情況，可以從各個角度，作各種不同的描繪。因此，關係資本主義的問題，只待大家作沒有成見的客觀分析了。我們要指出的是馬列主義那一邊的問題，即是根據馬列主義來看共產國家的情形。共產國家是根據馬列主義建立起來的，照理論來講，共產國家是應該合乎馬列主義的「理想」的，事實上，卻是馬列主義既不能符合資本主義的實際，也不符合共產國家的實際。這確是一個值得討論的問題了。

列寧生前，曾稱譽布哈林爲「最偉大和最令人尊重的理論家」，而布哈林在被史太林清算之前，會斷言共產國家之間的敵對是絕對的不可能的，他論斷說：「造成戰爭的是資本主義爲原料和市場所作的競爭。資本主義社會由自私的競爭的國家單位所構成，所以，必定是一個戰爭的世界。共產主義社會將由不自私的和協調的單位所構成，所以，必定是一個和平的世界。資本主義沒有戰爭不能生存，恰如有共產主義便沒有戰爭。」

在第二次世界大戰之前，無所謂「共產主義社會」，因爲世界上只有俄國才是根據馬列主義創建的。第二次大戰結束，首先在東歐有一些共產國家成立，所以，「共產主義社會」的構成是一九四五年以後的事，計算時間，到目前爲止，也還不過十五年光景，可是，共產國家之間的矛盾和敵對，却在一九四八年六月就暴露出來了，這不但出乎布哈林的意料，也很難從馬列主義尋找解釋。

一九四八年六月底，南斯拉夫共產黨爲當時的共產國際情報局所逐，追究原因，在於俄國千方百計，阻撓南斯拉夫共產黨爲南國本身所釐訂的工業化計劃，欲使南斯拉夫在「在共產主義社會」裏面永爲原料和農產品的供應國，自然，一面也是俄國工業品的推銷市場，此外，紅軍駐於南國，俄國的顧問，由南國政府支付高薪，蘇聯教師之說教，莫斯科的各種命令，等等，一切皆以俄國爲主，其目的無非加强俄國，延續俄國的優勢地位。所有東歐的共產國家在這項總目的之下，其生產計劃應以俄國爲第一位，本國反居次要，生產什麼，消費什麼，皆有莫斯科加以綜合規定。在這種情形之下，南國的共黨領袖恍然於俄國的帝國主義行爲，乃不顧史太林的種種威脅，毅然自行其是，與俄國分道揚鑣，依據一九五八年四月南共新綱領所載，一九四八年的南俄衝突，並不表示南共有意自陷孤立，「這衝突是在說明南共在抵抗不適當的霸權主義的政策和實施，此種政策和實施一旦確立，對社會主義的發展有巨大的損害。」因爲依照共產國際情報局的決議，將使社會主義國家之間的不平等合法化。」

史太林死後，俄國施於其他共產國家的帝國主義行爲並沒有絲毫改變，赫魯曉夫干涉波共的戈穆卡上台，以及故意壓低波蘭的煤斤價格，即是衆所皆知的事例，至於，俄國對於此外的共產國家的壓搾，未爲外界所知者更多。對於中共，俄國當然也毫不客氣，史太林壓廹毛澤東，事例甚多，這裏無法列舉，赫魯曉夫今天與毛澤東之間的傾軋，至少有一半原因得歸諸於俄國的帝國行爲，可是，毛澤東是個荒唐的人，他太迷信馬列教條，同時，他自己也時常表現帝國主義的行爲，例如，南斯拉夫反對俄國的霸權主義，他雖自受這種霸權主義之苦，却猛力抨擊南國的獨立路綫，一面大獻殷懃，表示與俄國的團結和友誼「牢不可分」。又如，一九五六年十月，匈牙利人民發動反共反俄的十月革命，據印共方面透露消息，毛澤東和赫魯曉夫對於那次革命事件曾發生意見分歧，赫魯曉夫本想撤走俄軍，讓匈牙利人民自決內政問題，但毛澤東堅決反對，他竭力慫恿赫魯曉夫將已撤的俄軍回頭，進行血腥鎭壓，赫魯曉夫在內外壓力下，遂下令武裝干涉，匈牙利的十月革命終告失敗。就這一事件看，毛澤東是該次共黨帝國行爲的主使者。

這些日子來，我們看到所謂「共產主義社會」有一連串的事件發生，這些因矛盾而生的糾紛和爭執充分證明馬列教條的不可信賴。赫魯曉夫覺得再用戰爭方法已不能擴張「共產主義社會」，乃改取「和平共處」的途徑，而毛澤東堅持戰爭不可避免的理論，致在去年十一月的莫斯科共黨高層會議中，被赫魯曉夫斥爲「自大狂的戰爭販子」，凡此現象，又足以證明布哈林生前所謂共產世界絕無敵對的說法爲無稽之談。基於此，我們對於資本主義世界和共產主義世界的前途，應另有一種估計和看法。

小編天下

寮共軍廹近湄公河，美總統在白宮召開緊急會議，軍事大員均有出席，已決定採取强硬立場，不任令寮國赤化，正等候蘇俄作最後答覆。

强硬是無可奈何的，壞在當初示弱。

△東南亞組織公約八國軍事戰畧會議，討論寮國危機。美國務卿魯斯克即動程赴曼谷，參加該公約理事會議。

事已至此，縱是用紙剪成的老虎也該表演一下威風吧！

△據傳：美總統甘廼廸對於中共入聯合國問題，已訂有「蠶批交易」方案。

倘使此說不虛，果眞「當仁不讓」矣。

△英首相麥美倫避免在下議院答覆有關中共入聯合國的詢問，據稱：此乃一項嚴重、困難而複雜的問題，英聯邦各國對此，並無共同立場。

張伯倫的傘子，何如邱吉爾的帽子。

△莫斯科消息：赫魯曉夫對美國大使表示，他對兩K會議不感興趣。他在廣播中重申要使整個世界赤化的決心和信心。

共產黨就有這種本事：當你眞要發作時，他會向你拍胸頭；當要說O．K時，他却不肯O．K。

△南韓漢城爆發大規模示威運動，示威者擲石高呼：「給我們職業與麵包」，並要求張勉總理辭職。據息：南韓遭遇「春荒」，二百萬人缺糧，學童三十萬在飢餓中。農人追思李承晚，對現政府不滿。

來了來了！十年前中共在大陸導演的反飢餓運動，今天由韓共在南韓翻版了。假使張勉由打倒李承晚而變成第二個李承晚，試問美國前任駐韓大使而新任主理遠東事務的副國務卿麥康衞先生，仍能舉杯歡祝否？

△南斯拉夫召回駐阿爾巴尼亞代辦，並驅逐保加利亞官員出境。

赫魯曉夫當發「悍妾可長」之歎。

△由泰國「空運」返台的緬邊反共戰士，已運出第一批，預料月底結束，定名爲「國雷作業」。

我們要在那一天才可來一個「一雷天下響」的偉大作業？

△東京消息：日首相池田準備本年六月赴美時，以中共問題爲談話主題，對美總統進行遊說，邀中共參加裁軍會議。

他想把賭注押在麥美倫身上，還該再看看風頭爲宜。

方南

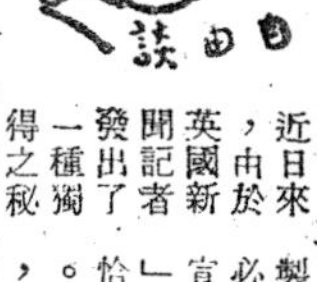

讀報須知

馮正先生

近日來，由於英國新聞記者發出了一種獨得之秘的「權威」消息，說美國政府正在進行所謂「兩國中國」的整套政治交易。如是乎，咱們中國人自然不免有所驚詫了。我個人雖然不敢保證美國當道絕對無此打算，但敢肯定地說，這是英國對美國施展嚇詐哄騙的國際政治伎倆，希望美國跟着它的姑息政策團團轉的一貫作風。尤其是此時此事，英國的政客們更要乘機對那位初出茅廬的甘廼迪先生玩弄一次「嚇阻」手段，以觀究竟。

大家如果不健忘，即知最近十餘年間，國際上對中共問題所產生的一連串「權威」觀察，都是英國獨家製造出來的。首先說毛澤東必然要作「亞洲狄托」，但宣傳了十年，而「亞洲狄托」還是難產，並且事實上恰恰相反，再不好意思瞎吹了。只好改變一種「權威」觀察，說毛共將製造原子彈，又說毛共擁有比美國更多的潛艇。（凡對中共不利的事情，英國總是緘默無言，如大陸飢餓情況，即其一例）最近英首相麥美倫決定赴美訪問，乃將允許毛共參加聯合國這一老調特別提出來大力重彈，說是今年再也無法擱置了，藉以對甘廼迪實行心理戰，測驗他的政治智慧和毅力如何？

英國在新大陸經常佈置有龐大的「游說網」，這是舉世週知的事實。因爲美國是輿論政治，遇事必須先造成輿論力量才行，如孀居的羅斯福老婆最近忽然發表對中共參加聯合國的「無稽之談」，十九是受着英國游說者的蠱惑而然的。此外，如哲學大師羅素倡導中立主義，帶領羣衆抗議美國在蘇格蘭設置潛艇基地，如唐寧街預先通知美國，今年英國代表在聯大會議要投票贊成中共加入了。這一切，都是對甘廼迪打「政治梭蟹」的「累斯」手段，目的只在拖住美國必以全力保護歐洲，其他即非妥協不可！

報紙上任何驚人的消息，務須先看它是某方通訊社發出來的？然後根據它那政府的一般外交政策加以分析推究，自然胸有成竹，庶不致隨着別人奏出的俚曲而跳舞了。

中共恢復集市貿易眞象

焦毅夫

◎×××◎ ×大陸× ×剖視× ◎×××◎

最近的中共報紙，有關農村集市的報導很多，這與「公社」成立之始，絕對禁止私相買賣，似乎有所改變。這種改變，如其說爲了人民的利益，不如說是爲了中共本身的利益，理由來得更爲充分。

集市貿易開始恢復，是在一九五九年第四季度，當時，中共中央及「國務院」於九月二十三日發佈「有關組織農村集市貿易指示」中說：「集市貿易是爲促進人民公社多種經營的發展，活躍農村經濟」。這個指示的反面，無異承認中共在實行人民公社之後，倒行逆施的政策，已遭人民消極抵抗，使農村經濟窒息不通，誰也不願多勞動，爲公社發展多種經營。

集市（北方稱趕集，南方稱墟）買賣，在中國已有幾千年歷史，是人民售其所不需，取其所需的自由買賣。不受任何限制。然而，中共恢復的集市貿易，並非自由活動，完全在中共百般限制下進行，筆者搜集中共關於開放集市貿易源始資料，加以分析研究，從下列限制中，可窺其事實眞象和利益誰屬了。

一、凡貿易市場均需由中共下放的商業、糧食、銀行、稅務、工業、農業等部門幹部組織市場管理委員會，在縣委領導下進行。（一九五九年九月二十三日「中共中央及國務院『有關組織農村集市貿易指示』」）

二、買賣限於第三類物資，如鮮菜、乾菜、魚、雞鴨、兎子、小猪及家庭手工業產品、雨笠、掃帚之類，其第一、二兩類，如糧食、肥猪、牛、馬、羊等國家統一收購物資，絕對禁止賣買（一九五九年十一月十一日「湖北日報」）。

三、在農村集市上，只准出賣自已生產的商品，只准買回自已需要的商品，要等價交換，不准販賣（註同上）

四、農民賣出的產品收入，除了購買生活用品，小型生產工具和其他必須用品之外，現款需要就近存在鎭上銀行儲蓄所裏。（一九六〇年十一月十六日「人民日報」）中共不准保存現款源因，在於防止人民私下交易，脫離黨的控制。

上述四大限制，證明中共恢復的現階段農村集市貿易，是在共黨嚴格控制下進行。買賣雙方都是店員式在被動中工作。獲得只是極少數的利益，所需要的東西，仍是無法購得。可是中共所獲利益卻千百倍於農民，中共報紙承認：

第一，便於收購民間物資。因爲「廣大社員分散，生產的瓜菜和副業產品，國營商業部門也不可能挨家換戶去收購。「（一九六〇年十一月二十五日「人民日報」）於是採用集市貿易的方法，要人民將副產利用休假時間，送到集市，便於國營商業機構收購。因此，特別規定各集市中共所設的交易所，就是「國家商業部門代購某些產品的機構，必須儘先賣給國家商業部門。」（一九六〇年十一月十六日「人民日報」）例如：「河南汝城縣付店公社、地處深山區、社員居住分散、盛產木材、竹、葦、木炭、皮毛和種類繁多的山果、藥材等。爲了讓商業部門及時把土特產和副業產品收購起來。」「公社黨委會於去年夏季農忙時，在十七個人口較集中的村莊，興辦了「露水集」（早集）。「三秋」農忙之後，又在三個較大的集鎭，開設了五天一集的固定集日，接着又有計劃、有領導的方圓數十里山貨集散地的付店街，組織了半個月一次的物資交流大會」（一九六一年一月七日「人民日報」）「陝西長安縣採取物資交流大會的形式，市場交易額也一天比一天增大，頭一天是一萬零六百多元，第四天是兩萬八千多元，社員之間的交易額，也由原來一千元，提高到一千五百五十四元五角六分」。（一九六一年一月七日「人民日報」）

第二，剝削人民僅賸的勞力。人民在市場貿易誘惑下，犧牲僅有的一點休息時間，製造手工業產品，希望換取若干所需物資，江西萍鄉市白竺公社塘溪大陽社員，利用晚上休息時間，生產竹談子、熱水瓶竹殼、燒陶瓷、打蓆子等等，這些商品，中共收購後，運赴海外用以換取外滙。「福建省建歐縣南雅人民公社梅村大隊女社員范蓮金爲了趕上這次墟期，前兩天犧牲睡眠時間，做了一百九十多個竹刷。「杉溪大隊老農林根嬋」這天也趕了十五里路，把他利用工餘時間在山上採集的三十九斤野生植物，挑到墟上參加交易。」（一九六一年一月十四日「人民日報」）

第三、便於宣傳政策。人民對中共顧首不顧尾，殘酷到使人無法生存的政策，以及宣傳所謂「共產主義社會」的美景，已厭於聽聞，因此各地都有反抗事件發生。中共藉此自由貿易機會，進行政策宣傳，人民情緒稍感輕鬆。中共國務院規定，在進行市場貿易時，必須實行「物資交流、宣傳政策、文化娛樂三結合」活動。（一九六〇年十二月十二日「人民日報」）所謂文化娛樂就是演街頭劇，宣傳揑造的一些「英雄」事跡，例如：「湖南鄰縣高亭司集市時，農業中學學生，每次均上演街頭劇，宣傳英雄事跡。」（一九六一年二月三日「新湖南報」）

這就是中共最近恢復集市貿易的眞象，究竟是中共有利還是人民有利，可以一目了然了。

香港與大陸

下面的一封信，是本報記者友人在最近所接到的家書，中有若干白字，我們不能修改，以存其眞。

「××兄：接你來信，並收到你寄的食品，想香港眞是繁榮安樂。我們生活平安，但係時時有飢餓之痛。布證問提（題）每人一尺五寸，請寄些舊衫褲及凍（冬）天的衣服。至於糧食，有錢也難買購到，不用提。膠鞋請寄一雙來，火砂（即火石，因火柴缺之。）寄些少來，生切（即烟絲）寄半斤，毛巾寄兩條。姑母淸幾年患眼病，終日流淚，時時歎氣，姓（性）命交關。我時熱了，我着了幾個月的短褲，脚軟，醫生說不像有病，要多的榮（營）養。生油你上次寄來的，還可以食幾個月，飯焦和鹹魚，下次寄的來。不多談。

六一年三月十日」

台北側記

柯仁

△新任議員，已忘了當日垂面哭臉低聲拜托惠賜一票的情形了，一上任就顯出議員威風，爲了本身福利，要求每人裝電話一架，出席費也要增加。他們沒有要納稅人，替他們每人配給一棟洋房，一部汽車與電冰箱，姨太太，好像還很客氣呢！

民主政治本來是無可非議的，可是這批少數的議員們對當選議員，看作是一件商業賣買，化了競選本錢，一定要撈回來再賺幾個，否則好像要對不起他的列祖列宗似的。

競選時的那些可做「聖人」的政見，撒出來怕要等三年之後了。

開會時候議員們是姍姍而來，從來沒有到齊過，部份是利用議員這塊民主牌子，推銷戲票，走門路賺佣金，還有的包庇漏稅等等。總之：「民主自由」這塊金字招牌，被他們利用來作營私舞弊的擋箭牌了。

不過，十步之內必有芳草，好的議員也眞不少，可惜的是一小部份的壞份子，連累了他們，現在老百姓一提起「議員」，大都是默默無言相對一笑，盡在不言中了。

△新春以來，臺北發生了不少件的搶刼案與殺人事件，其中最引人注目的是：溜公圳的分屍案，因爲被殺的女人懷了四個月身孕，被殺之後再被分屍。因爲兇手大殘忍，又因案子可能牽涉到一位高級官員身上，所以街頭巷尾，議論紛紛，謠言也是滿天飛。

這件案子發生後，最忙的刑警與各報社會記者，連素來少登社會新聞的某報，也不惜空出大篇篇幅，記者們所化的計程車費，每家報館都已快上萬了。

前警務處已將全案，移送警備總部，相信總有一天會破案的。

值得稱道的是，因這案子涉嫌的人，刑警始終未動刑來訊問，這證明只要法令規定嚴密，下面是不敢胡亂作爲的，一位警官對此說得妙；「假如用刑的話，這案子早破了」？不過：假如這位警官也是嫌疑犯之一，請刑警來刑他一下，恐怕他也只好照寫自白書了。

老百姓心痛的是，爲了這件案子，已經化了納稅人上十萬新台幣了，案子到現在還沒有破，繼續偵查下去，不知又要化多少？

防患於未然，是目前社會工作者，必須認眞的事了，十歲的孩子，也會拿刀殺人，打開社會新聞版一看，這種事，幾乎是無日無之。社會風氣再不糾正，恐怕各報社會版，擴版二大張也不夠。

寮國考驗甘廼廸

美京航訊

當這篇簡短的通訊稿到達香港的時候，一項秘密的美國白宮新聞可能會公開了。

美國有史以來最年青的總統甘迺迪，在白宮內召開一項秘密會議，參加會議的人物，都是高階層官員，包括國防部以及國務院的。這一秘密會議中所討論的是有關寮國局勢的問題，會議歷時四個鐘頭始告結束，據記者自各方面綜合調查所得資料顯示，美國在必要時可能介入寮戰。據悉，甘迺迪總統已批准一連串的準備行動，從而設法阻止寮國淪入共黨集團中。

有關此一計劃的詳細內容，此刻並未有任何公布，也許，永遠不須要公布。但根據這幾天華盛頓的政治氣候來觀察，美國的決策人物，似乎已看淸了這個東南亞小王國——寮國對於保留在自由世界中的重要性。因此，他們不能不面對現實，他們必須從事準備行動，以備萬一。

寮國之向左向右，牽涉到東南亞甚至整個亞洲地區的局勢發展。這是甘迺迪政府上台以後經過將近兩個月觀察下來所得到的結論。這就可以足夠說明，甘迺迪爲什麼要召開這這一個高度秘密的高階層會議。

從這一秘密會議的本身來看，足以顯示出，或者最低限度也可說是充分地暗示出，甘迺迪準備以非常強硬的態度和行動，來應付寮國現時所遭遇到的共黨威脅。

當然，這也是甘迺迪新政府面臨的一空前嚴重的考驗，這一考驗，對今後的世界局勢均衡狀態，將產生不可估計的長遠影響。

（三月十二日）

※※※ 六陸文壇萬花筒 ※※※

談「宋詩一百首」

——岳騫——

不久之前，中華書局上海編輯所（按中華、商務發行所均被中共遷往北平）出版了一本「宋詩一百首」，薄薄一本小冊子，大概是爲了便利初學，註解得十分淸楚。看過之後，覺得其中大有文章，應提出介紹一下。

這本書何人註釋，書中未載，但可以看出非出一人之手，是集體創作，再經領導人員點定的，可是其中卻充滿了反共的詞句，茲隨便舉出幾節，請讀者看看，決非附會。

該書第六十頁劉子翬「汴京紀事」六首中第一首：「帝城王氣雜妖氛，胡虜何知屢易君，猶有太平遺老在，時時洒淚向南雲。」註者關於遺老的註釋是：「國土淪陷後遺留下來的老人」。「南雲」是：「南方的雲天，指的是南宋，這兩句說：還有太平時期的遺老活在世上，時時刻刻望着南方掉眼淚。」

七十三頁陸游「關山月」：「和戎詔下十五年，將軍不戰空臨邊，朱門沉沉按歌舞，廐馬肥死弓斷弦，戍樓刁斗催落月，三十從軍今白髮，笛裏誰知壯士心，沙頭空照征人骨，中原干戈古亦聞，豈有逆胡傳子孫，遺民忍死望恢復，幾處今宵垂淚痕。」這首詩的說明是：「南宋小朝廷向金人屈辱求和以後，豪門貴族過着奢侈腐朽的生活，前敵的將領按兵不動，讓馬養得肥死了，弓弦也爛斷了，他們不管愛國的戰士們怎樣渴望殺敵，淪陷區的老百姓怎樣盼望反攻。」這段話說得相當明顯，尤其反攻兩個字，在中共報刊上是很少見到的。

註解方面關於最後兩句更爲露骨，如：「遺民」——淪陷在金國的宋朝老百姓。「忍死」——挨命。「恢復」——「收復失地」。「有多少地方的人，今天晚上都在流着眼淚吧！」

像這一類例子舉不勝舉，明顯看得出是借他人酒杯，澆自已塊壘，更大胆的是「前言」裏，談到宋朝的時代竟說：「慘酷繁重的剝削和專制主義的壓迫，加深了社會的危機，使人民遭受了前所未有的苦難。」這些話和宋朝實在不相干，明顯是罵的共黨王朝，相信執筆寫這些文字人的心情正是「遺民淚盡胡塵裏，南望王師又一年」哪！

男人

勞克

「女主內，男主外」，男人多半都是豪放的，遠視的。心裏想些什麼，口裏就說出什麼。

男人粗獷的多。一般人擺着紳士派頭，西服革履，雪茄煙吊在嘴上，走路一搖一擺，眼珠子朝天上翻。我們稱之爲「世故」，社會給他磨練成這個樣兒。本能還是粗獷的多。

女人多半喜歡粗獷男人。這是一種特殊的美。漢明威在日出裏面說，一個女人愛的不是金錢，不是學識，愛的是男人的粗獷。男人越粗獷，女孩子對其吸引力就越大。外國女人歡喜鬥牛勇士；鬥牛勇士是粗獷的。

在家裏，男人大多懶的多，勤快的少。懶到要把飯端到面前來，要把洗臉水打好，還巴不得把手巾也遞到手上。男人一到了中年，連身子也不願意動一下，坐在那裏，一坐就是幾個小時。如果有一杯好的茶，一把好的躺椅，再加上兩隻腳放在檯子上。香烟一吊，兩眼微閉；悠哉遊哉，要是肚子不餓，一輩子也不願意動一下。

男人還有一大特點，就是髒。洗臉只洗前面，頸子後面髒的可以肥上「半畝田」。要是沒有結婚的男人，床底下的臭襪子，破鞋子，比比皆是。衣服換下來，就塞到枕頭底下。被子也不摺，蚊帳也不落下。一個男人的天下，就是髒的天下。

男人都是像蒼蠅這類型的，見到女人就追。不管這女人厭惡他也好，恨他也好。路上走過去一個女人，他就停住腳步，回過頭來；興趣一來，還要追過去，死皮賴臉和女人扯幾句。

所以男人追女人，就是以「厚臉皮」，「緊盯梢」的原則。可是男人都不大負責任。追上了女人，玩夠了，說丟就丟。雖有「雌老虎」，「玫瑰刺」的女人，碰到粗獷的男人，「雌」也「雌」不起來，「刺」也「刺」不出血。

男人到底是男人，女人到底是女人。上帝當初創造人的時候，也就有了深長的注定。

奇遇

冰山

吃罷了老張的喜酒，再幫他照料一下，小李已是疲倦不堪了，拖着沉重的身軀，一步步的走回那單人宿舍去，把外衣往椅上一拋，跟着把身軀也丟在床上。

過份的疲倦使得小李反而睡不着，腦海中波濤翻湧，有時卻又風平浪靜，但顯得空空洞洞。他想，三人小組的王老五只餘下我一人了，房間裡再也沒有高談闊論的人物，一年又快過去了，俗語說：「有錢沒錢，討個老婆好過年」，老劉早於二月多前，脫離了他們的小組，而今天老張也有老婆過年了，只有我小李孤凄凄的好不可憐。

小李是公司裏的一個小職員，高高的個兒，配着一付結實的身軀，夠得上英俊魁偉，可是太過害羞了些，至今知心的女朋友一個也沒有，因爲他沒有追求的勇氣。

經常小李愛坐在咖啡館排遣他的黃昏，編織他的美夢。他想，一個人獨坐着，突然耳邊響起了銀鈴般的聲音，一位美艷動人的女郎向他借火，此後他們交談着，然後……不行，那是小說家筆下的人物，是不可能的。今夕是除夕夜，家家團圓，戶戶歡樂，小李今夜破例踱到舞廳來，雖然他不想跳舞，但他卻願自己的腦筋讓那蓬拆之聲，暫時麻醉一下，不再想家，不再胡思亂想。向侍者要了一杯咖啡，在咖啡裏放了五塊方糖，用銀匙調勻了，呷一口，相當甜，可是嘴甜，心不甜，一絲苦笑溜過嘴角。

放眼打量一下這間舞廳，非常富有南洋風味，洋琴台上的黑人鋼琴家，十隻黑指，像蛇舌一般在琴鍵上飛快地、瘋狂地舐着，瘋狂的旋律在人工椰子樹的大葉裏穿來游去。四周裏都是雙雙對對，喜氣洋溢。突然他怔住了，一對明亮的眼光正射過來，他不由奇怪起來，「她這樣瞧住我幹嗎？」他自語着，只能看見她頭髮很黑，膚色白晳，大眼睛，身材修長，再一看她也是獨自一人坐着。當他再次打量她時，她向他微微一笑走了過來。「啊！你是王先生吧！好久不見了，你一個人嗎？」櫻桃嘴迸出了粒粒珠聲，悅耳極了。

「啊！……」他沒來得及否認，她又接着說了「我可以坐在這裏嗎？」沒等到他開口，已自管把椅子拉開坐下了，小李眞是啼笑皆非，他可沒應付女人的手段，這一來他可眞不好意思否認了，惟有裝糊塗，看她掏出一隻香烟，連忙手足慌亂的送過火去。

「王先生近來好嗎？一個人不寂寞？」

「慣了也就不覺得了，小姐貴姓？」

「唉呀！王先生眞是貴人多忘，我叫莎非，來跳隻舞好嗎？」

小李此時才仔細看清楚了她，只見一身緊身旗袍裹住了豐滿的身體，白晳的手臂直可擠了油來，火紅的嘴唇，蛇般的纖腰，蠖似柳條，嬌艷欲滴，使人多看一眼就覺得心猿意馬，心湖動盪。

她笑了，笑得很甜，百花失色，甜蜜中帶着一種莫測的詭秘，然後挑逗地伸出手來摟住了他的腰部，把紫丁香味的紅唇，湊住在他耳邊，輕輕地說：「等下，如果你肯送我回家，我會感激你的」蠖綿綿的無限嬌慵。

他惶惑了，熱辣辣的，縱然他無意接受邀請，但她的體態吸引着使他有一個猥褻的塑型。

「妳有很動人的體態」小李調侃地。

「不過是一座石膏像而已」。

「不要把自己估計得太低。」

「多謝你，不看輕了我，你提高了我的身份」。

汽車駛來到郊外一座別墅，小李被帶進了這洲別墅的客廳，她進臥室已很久了，正當他不耐煩時，臥室中飄出了嬌喘的呼聲：「王先生，進來幫我一下好嗎？」小李望着那半掩的門，幾經鼓舞才走了進去。

他差點窒息，只見莎非斜靠在床前，她那健美的身軀，又白又嫩，眞令人目亂神迷，「幫我把紐扣解開吧！」同樣是軟綿綿地，小李像着魔似的走了前去，魔鬼在他身上了，誰又能抵抗得住呢？

是人間，還是天上？是現實，還是夢境？他什麼也不顧及了！

一個月以後的某一天，爲了好奇，小李跟一位同事，來到了一間小屋，屋子裏黑沉沉的，早已有人在坐了，前面是一張小銀幕，開映了。小銀幕上出現了一位思春少婦，慢慢地，羅襦輕解，小李覺得那少婦很面熟，然後銀幕上又換了一副景緻，進來了一個英俊的男子，那背影也覺得似曾相識的，啊！小李差點昏倒了。

門神頌

・二亦頭陀・

讀自由報一一二期馬五先生「門神救國說」，不禁有感焉。門神之設，始自何時？設之何用？均不可詳考；據一般傳說，有謂爲「神荼、鬱儡」兩神者，有謂爲唐代之「秦叔寶、胡敬德」兩將軍者。門神多設於廟宇祠堂大門，其任務要不外驅惡防邪，安定內部，維護「法界」之尊嚴而已。門神之工作艱苦而繁重，有時卻勞而無功，被屏於大門之外，廟內羣鬼閉門作祟，而門神則不動不搖，堅守崗位，忠貞護廟；雖飽經風雨寒暑之侵襲，晏如也；大有「我行我素不屈撓」之概，懿歟休哉！爰作「門神頌」，辭曰：

卓哉門神！兀立而不傾；手持斧鉞，壯以斬棘而披荊。周而不比，寧能阿俗以苟容？崇善疾惡，易招魑魅之讒攻。但願正氣常存，何計得失窮通？神乎神乎！宜享馨香之頌。

燈謎（上）

楊楨榆

「委巷叢談」：「杭人元夕，多以謎爲猜燈，任人商略。永樂初，錢塘楊景言以善謎名。」觀此，則燈謎之戲，已盛於明，相傳至今，由簡至繁，燈謎作法，多至二十四格：

拆字格——是把字體細細分劃，或減其上下及偏旁而成。如左算十八，右算十八，總算六八四十八，射一「校」字。「夜不閉戶」，射「俞」字；意爲無人偷，偷字去人是爲「俞」。

合璧格——把字體分開有單獨意義，合而又有密切的關係。例一個貌美如花，一個英俊才華；兩者併立，佳！射的乃「好」字。

捲簾格——這是常用的謎格，謎底要顚倒過來，始扣謎面。如「花旗貨」，射「美物廉價」，倒讀則成「價廉物美」。又「再醮」射四書「室人入又」，反過來「又入人室」扣謎面。

離合格——是將謎底分離再合起來的意思，這種謎格比較艱深，很難射中的。如「小人國」射「符」字，分開爲「個個寸人」，結合起來便是小人國了。

皓首格——別稱雪帽格，乃將謎底第一字誤爲白字。例如「開門第一事」射「財」字，意義開門七件事，柴米油鹽醬醋茶，皆要錢財費得來；把第一「柴」誤爲「財」的白字而成。

粉底格——這與皓首格仿同，把最末一字誤爲白字。例如「只食雞鴨豬牛羊」，射四書一句「心不在焉。」意義食雞鴨豬牛羊，獨「心不在馬」，馬字誤爲「焉」字，是成「心不在焉」。

會意格——從字形或整句去會意，這種謎格用得最普遍，俯拾即是。例如「競選三部曲」射「呼、拉、圈。」「呼拉圈」射京戲名一「連環套」，「帽子」射外國人名一「戴高樂」。再如「有口難言」，射一字，謎底乃爲「啞」也。

求鳳格——謎底須用謎面成聯或相對，上對者謂「求鳳」，下合者爲「求凰」。例如「開張」打一地名，上對爲「新店」，意義新店開張也。再如「牛山」射地名一，謎底扣「對馬島」，「牛山對馬島」，恰當不過！

亥豕格——俗稱別字格，首字別字謂「烏紗」，第二字別者稱「青領」，中間一字別者爲「黑胸」，末一字別者爲「皂靴」。例如以「皂靴」格的「公公向孫兒磕頭」，謎底扣「豈有此理」！「理」乃「禮」的別字。

諧聲格——謎底取其原意之諧聲而已。例：「瞎子抽大煙」，射時髦語「摩登」，「摩登」者諧音「摸燈」也。

徐妃格——又叫曹娥格，按「徐妃」爲梁元帝妃，喜半遮面，顯其嬌嗔；故是謎格謎底字偏旁雖同形，再減除左右偏旁，即見原意。如「天子不在」打一魚名，謎底扣「鱘鰉」，把上面這二字去魚旁，便成「尋皇」了。又如「終牛不娶」射一地名，謎底「郜郢」，去其二字「邑」旁，成了甘單」，甘願打單也。

聯珠格——有如一串珍珠，一字代表一意，結合起來更見完整。如「婊子騙錢」射兩字，謎底爲「妓、計。」又「食汚者戒」，射三字，謎底「幣、弊、斃！」

梨園漫談

清末西安太后垂簾聽政時，因其手下所造就以及獎勵而出之戲劇人才實繁有徒。據徐慕雲手稿所著梨園秘史云：清初關吳駙馬府上之一部，（吳即吳三桂之後裔），名曰日南府，當時文宗曾招募天下愛好戲劇之男女青年，來京從師習藝，其名謂之外學，同時東西兩宮內之中官，亦聘有名教師多人爲彼等說戲，南府諸生特名之外學者，蓋即別於東西兩宮內監之意也。

清廷供奉之伶人

——瘦西湖——

南府學生，皆有一定之服制，一如今日之校服，唯所穿係圓袍一襲，上加外套，戴大帽，腳套雙臉靴子，但帽上無頂，袖口亦不似馬蹄式，倘如外學之人有習藝既成者，亦照例按內廷供奉，每月並可淨得俸銀二兩，每年配給白米廿五石，（此爲八人之口糧配給），當時宮內諸伶，所領之白銀和大米，均無一定，有領雙份者，亦有一人領好幾份者，惟此皆按其技藝之優劣而定，南府直隸於內務府，但其經常預算並不單列，每值宮女發放胭脂花粉錢時，方於同日散發伶人之月薪，此事因封建時代，所有一切經費支出，均須應有定例，似此專爲娛樂而設之南府，當然不能列入正當開支之內作爲報銷，故只好借東墊西，於宮女脂粉錢項內，支出一部份開支，以充作南府諸伶人之開銷。

再者：伶人發米之日，皆在陰曆歲尾，每人憑宮內所發米票，逕向北京西直門內某米舖具領，惟米舖所給之米，從不給足，如其中伶人應領雙俸者，例須領米五十石，然米舖所發僅四十九石七斗九升，另二斗一升巳爲米店扣去，伶人明知其少，然均不敢向該米主理論，據謂此輩專食小利的米主，多係宮中內監親屬，好在爲數甚微，大家也不願去斤斤計較，亦唯聽之而已，五十石白米，爲一家十五人之口糧投給，倘伶人家中人口稀少，當然吃食不盡，亦可做個人情分贈窮苦親鄰好友，如欲折領銀兩者，亦無不可也。

當時宮中凡有伶人入宮當差，只要於第一次戲畢，劇情毫無差錯，並經總理府之中官認爲合格者，即帶領其人往見太后叩頭謝恩，太后（慈禧）點頭稱善，即可一次領得賞錢三百吊，此種賞錢亦有名義，名曰四季靴帽袍套錢，清廷如此優遇伶人，亦不可謂之不厚，但也必須要老佛爺（西太后宮內稱呼）高興之時，如不滿意，亦休想能得到耳。（一）

燕塵小識

辛丑談往

——無負生——

（七）中國政府依附圖劃淸各國使館境界，使館界內全由公使管理，不准華人居住，並許使館駐兵保護。（八）大沽礮台及由北京至大沽沿岸之礮台，皆須拆毀。（九）爲維持北京至大沽之自由交通，酌定黃村、廊坊、楊村、天津、軍糧城、塘沽、蘆台、唐山、灤州、昌黎、秦皇島、山海關諸要地，許各國駐兵。（十）明諭禁止排外團體，犯者處死刑，各省文武大員及地方官，遇有排外事變應即鎭壓懲辦。否則該管官員即行革職永不敘用。（各項有關諭旨應在各府州縣張帖兩年）。（十一）修改通商航海條約。（十二）改總理衙門爲外務部並變通各國使臣覲見禮節。（註一）

此其大略也。論其條件之苛刻毒辣，眞置中國於萬劫不復之地，古今中外城下之盟，未有如此之甚者。其尤喪權辱國者厥有四端：一曰北京大沽間之礮台一律剷平，即無異成爲不設防城市，敵兵可以長驅直入，無所顧忌。二曰各要地長期駐兵，則是隨時隨事洋兵可以佔領京津，堂堂國都盡在敵人掌握之中，尚復成何國體。三曰公使館區域之劃定，不啻劃地與人，亦即所謂紫禁城之外又多一洋禁城，就北京局面而言，此是絕大變化，其詳將於下節申言之。四曰賠款數額如此之巨大，則民窮財盡，自不待言。而財政大權盡入總稅務司之手，以致後來之北政府，仰賴關餘，以維殘局。所謂總稅務司安格聯其人者，直操北政府之命脈，當時之理財能手幾無一不仰其鼻息，甚至滙豐銀行買辦之威風亦儼乎財政總長之上，此則[illegible]年，有目共睹之怪現象也。

（註一）辛丑六月初九日上諭：從來設官分職惟在因時制宜。現當重定和約之時，首以邦交爲重。一切講信修睦，尤賴得人，而理。從前設立總理各國事務衙門辦理交涉，雖歷有年所，惟所派王大臣等多係兼差，未能殫心職守。自應特設員缺，以專責成。總理各國事務衙門着改爲外務部，班列六部之前。簡派和碩慶親王奕劻總理外務部事務，體仁閣大學士王文韶着授爲會辦外務部大臣，工部尚書瞿鴻禨着調補外務部尚書授爲會辦大臣，太僕寺卿徐壽朋候補三四品京堂聯芳着補授外務部左右侍郎。所有該部應設司員缺額，選補章程，各堂司各官應如何優給俸糈之處，着政務處大臣會同吏部妥議具奏。欽此。

此六十年前舊事也。算到今年六月，外交部已設立整六十年。從事諸賢其有舉行花甲大典之意乎？樂觀其盛也。（十）

大漢天聲

徐學慧

我寫這個題目，原是有感而發的。

中華民族的文化，早在一千年以前，即已爲亞洲各國所仰慕。不料到這些年來，竟然有人認爲中國文化全是老古董，已不能適應時代，而皇皇然要全部拉丁化，以自絕其文化，這眞是妄自菲薄了。

本文並不想談中國文化那樣的大道理，而只是說一些歷史上的故事，以見我中國文化悠遠，使得讀者們能由此而發懷古之幽思，與愛國之大念。

五胡亂華，而胡人終爲漢族所同化，這是中國歷史上有名的史實，不待贅述了。南北朝而後，繼以隋唐，唐代武功之盛，眞個昇八方入貢，四海來朝。中國文學的國際關係，在那一個時代，實在是備極熱鬧的。

在唐代，亞洲鄰國與中國之關係最密切者，莫過於高麗與日本。（高麗即今之韓國）

高麗一向通行中國文，直至今日仍未改變。高麗文人會做中國詩的很多，那時候，有一高麗人名崔致遠者，即曾出使中國，且曾出仕於唐，他所作的賦、表、雜文以及古近體詩，共二十卷，顏曰桂苑筆耕集，其中亦有不少可資觀賞之詩，今錄數首，以見一斑。

「山畔嫋雲風惱散，峯頭殘雪日欺消。獨吟光景情何限，猶賴沙鷗伴寂寥。」（春曉閒望）

「海山遙望曉烟濃，百幅帆張萬里風。悲莫悲兮兒女事，不須悵惆別離中。」（酬進士楊贍道別）

像這樣的詩，雖然論氣勢神韻不及唐代名家遠甚，但以一個外國人而能寫出這樣的句子來，無論如何也是難得的了。（一）

閒話烏龜

筱臣

普通一般社會罵人，烏龜與王八蛋總是相連的，有時簡稱龜蛋，意思是指他的老婆偷漢，他的頭上已帶上綠頭巾。忘八，是烏龜唯一的雅篆，普通的解說，是八德裏忘記了一個恥字，無恥，卻是罵人最嚴厲的名詞，這裏面已含有若干極不名譽和極不道德的壞事情，爲任何人所不能忍受。

烏龜爲什麼會變成老婆偷漢的象徵呢？原來一般世俗深信龜與龜不能實行性行爲，因爲牠那一副披上硬殼，笨重得好像大石頭的身體，只有頭頸和手脚可以活動。倘若一雌一雄互相擁抱起來，不免要發出火石相敲的聲音，大家見了這個情形，自然而然會想到烏龜無法交合了。

烏龜只能在名義上成爲夫婦，所以雌龜倘要滿足自己的性慾時，只好去和雄蛇交尾，結果就造成烏龜那一副頭和尾是蛇，身體卻是龜的怪相。

但是雄龜眼見自己的婆娘要偷漢，當然會中心憤憤，可是牠雖然痛恨，拼命去追，到底無法能夠捉住「奸夫」，因此只好忍痛，等候一個可以報仇雪恥的機會到來。

所謂機會便是看準雌龜和蛇舉行性交時，爬到牠的身旁，在周圍用小便畫成一個圓圈，即一面環繞牠們周圍爬去，一面連續的撒下尿來，自然畫成圓圈了。

據說雄龜此時所撒的小便，因爲一念之憤的精華所做成的，所以對於蛇非常有毒。如果蛇大意觸到龜溺上，便會突然被溺悶死，或者會身體霸爛，碎屍萬斷的。蛇當然也懂得愛惜自己的性命；因此團團打轉，想逃出這個圈子，卻又不敢冒險，那時的形勢眞是危殆萬分。

此時蛇殆得向雌龜求救，不論是任何一種動物，總是雌的比較雄的聰明些。牠眼見得自己的情郎大難臨頭，在轉眼之間便想出一條妙計來。牠知道蛇身絕對不能接觸死亡線，因此自己爬到死亡線上伏下來，讓蛇跨過自己的背脊，乘機逃出去。雄龜見了蛇已出險，只能自嗟自嘆，怨恨自己無能吧了。

畜生本來是同類相婚，可是烏龜卻背棄丈夫，和異類的蛇通奸，當然令人覺得牠連畜生也不如了。事實上烏龜也是同類相婚，龜與蛇通姦不過是歷來的一種俗謂。

至於忘八的來源，說法不一，清趙翼的「陔餘叢考」說：「五代人王建，年少無賴，以屠牛及負販私鹽爲生。」因此鄉人叫他做「賊王八」。但明代的「類書纂要」卻說：「行走花街柳巷之人，已忘忠悌信禮義廉恥八字，故曰忘八。」又在「殘唐五代野史」上，曾載有趙匡胤的軍師苗光義，率部路過見皇帝石敬塘的陵寢時候，曾在墓前筆表上大書一聯。其文爲：「一二三四五六七；孝悌忠信禮義廉。」影射忘八無恥兩義，若以以上的記錄爲準，則早在五代紛亂的時候，這醜惡的名字，在中國已有千年以上的歷史了。

在古代龜是受人尊重的，所謂「龍鳳龜麟，是謂四靈」，而牠正是四靈之一，且牠又是象徵長壽的。南朝宋東海人鮑參軍（即鮑照）賦，云：「觀龜鶴之千祀，年能富而情少」。南朝郭景純（即郭璞）詩云：「借問浮蝣輩，寧知龜鶴年。」又「說苑」一書云：「龜千歲能與人言」。可知龜不但長壽，而且能作人言。記曾有人輓龜公聯云：「此老竟無千歲昇；今不盡四靈圖。」其取義大約本此。

再從好的一方面查考，中國有史以來的典籍文獻，先民的文化記載，最早是刻在龜甲上的，烏龜在史前已負有保存文化的任務。又古尚書「見乎筮龜，動乎四體」；同時，周易一書，其卜筮方法，也是借重烏龜來決定，可見古人對於個人的禍福，宅舍的吉凶，國家的安危，都要從牠的動靜中來推動，才能得到結論，這不是很高的崇拜表現嗎？

「龜鶴遐年」這是人公認的事實，與白鶴蒼松同歌不老，因此古人的名字，是不避龜字的，唐明皇的老樂工，不是叫做李龜年麼。

又民族詩人陸放翁，在他七十歲以後，便顏其所居曰龜堂，且刻一私章，自序爲「龜堂老人」。李龜年與陸放翁，一個是著名的音樂家，一個是有宋一代的名詩人，他們皆以龜號爲榮，不以爲辱，可見世人怕做烏龜，被人罵做烏龜，必然大興問罪之師，這實在是多餘的事。

龜除了以靈驗見稱之外，復有人當作玩物，有令人爲之叫絕者。據「輟耕錄」（余在杭[illegible]）者嘗見一弄百禽者，[illegible]置於几上，擊鼓以使之，則第一等大者，先[illegible]至第七等登其背，直[illegible]尾向上，宛然烏龜疊塔。」這更是有趣，[illegible]受到玩弄者的指揮，[illegible]是極富有靈感的動物。

總之，關於烏龜的佳話甚多，牠實在是祥瑞之物，限於篇幅，姑且從略。

張秋白喋血金陵記

諸葛文侯

春宵無俚，偶閱近人金梁所輯「近世人物誌」後，憶及吾友皖省蒙城張秋白先生在南京被狙殞命情形，不禁感慨系之，其死因亦足供熱心政治生活人士取鑑也。

秋白係國民黨老同志，與本省人柏烈武（文蔚）管昆南（鵬）凌蕉庵（鉞）等，同爲追隨國父孫公從事革命有年之忠貞幹部，平日私交亦甚篤。洎民國十六年春間，革命軍收復安徽後，柏烈武以「安徽宣撫使」地位，又於民初曾任皖省都督，頗有意於省政府主席一職，然爲鄂人蔣雨巖（作賓）捷足先得。時秋白與蔣沆瀣一作，視柏氏爲政敵，凌且反目成隙，友誼亦渙，柏甚銜之，每在中樞作不利於張之言行（柏任國府委員），張亦盡力反擊不屈讓。繼而中央明令改組皖省府，任命蔣作賓，管鵬，張秋白，何世楨，周雍能等爲委員，指定某人兼任民、財、建、教各廳長，唯主席職務按照新頒省政府組織法，應由全體省委票選一人担任，作賓志在必得，然結果管鵬當選。蔣貪夜馳赴南京，將省府政務暨印信交由秋白兼管，秋白乃與省黨部協謀策動安慶各界民衆舉行大會，決議反對管鵬爲省主席，游行請願，聲勢洶洶，且將省黨部委員凌（凌蕉庵之弟）亦毆打成傷，迫其離境。秋白即將省府印信拒不移交管主席，管氏亦不能到省府執行職務，羞憤填膺，黯然回京，請求中央維護法紀，終不得直，唯有辭職告退，而蔣作賓重來矣。從此秋白與柏、管勢成水火，互相詬訐，不遺餘力，而以對柏烈武爲尤甚。

越民國十六年十月，中央再改組安徽省府，以河北人陳調元爲主席，秋白仍任委員兼建設廳長。皖人以陳氏係舊北洋系軍人，諸多不滿之聲，而秋白極力袒陳，陳氏亦宣稱彼係暫時從政，將來必由秋白承其乏。如是柏烈武，管昆南一派人，對秋白更詆毀備至，謚之爲「省奸」，秋白則指柏管等爲腐化份子。數十年來曾共患難之革命老友，一時爲爭取個人政治權利，而重蹈張耳陳餘之覆轍，良堪痛惜也。

秋白以皖省老黨人資格，蔣陳二主席皆倚之爲左右手，對於省府用人行政諸事宜，具有莫大之發言權。陳主席曾以其所領三十七軍駐防安徽境內，餉糈支絀，擬在本省鹽觔加價，皖人聞訊譁然反抗，議案提出省府會議時，多數委員亦表示須鄭重，未予通過，然秋白附和陳主席意旨，大招鄉人訾議，此一事也。時有若干僑居上海而生計艱難之安徽籍三山五岳人物，凡與秋白相交有素者，皆求其眷念鄉誼，推轂出任[illegible]，俾資調劑，而秋白深知若輩之才能與品性，不願以公[illegible]自壞信譽，每婉卻之，卽亦得一掛名坐領乾薪之閒職亦告失望，此又一事也。積此數因，秋白在本省各方人士心目中，乃成爲皆曰可殺之冤家對頭矣！（上）

歷史人物

謝靈運

謝康

二、山水詩的開山祖和山水畫

自來稱謝客爲山水詩人之宗，好像稱陶潛爲隱逸和田園詩人之祖一般，似乎沒有什麼異議，杜甫夜聽許十一誦詩云：「陶謝不枝梧，風騷共推激。」又江上値水如海勢聊短述云：「安得思如陶謝手，令渠述作與同遊。」李羣玉贈方處士詩云：「寄於風騷地，忽見陶謝手」，可見唐人對陶謝詩原是一樣看待的。至於齊梁間人如鍾嶸，沈約，劉勰諸大文評家莫不推許謝客，勝過陶公，只有[illegible]。淵明在詩史上的地位，凌駕謝客，[illegible]然明末清初的王船山，以及包慎伯的[illegible]，則仍持淵明不及康樂的見解。可見陶謝優劣，[illegible]一個是隱逸，一個是山水，各有千秋。如其二人的詩有所差別，那不是詩藝優劣的問題，而是生活環境，身份地位，題材和性格的不同罷了。（四）

自由報
內警僑台報字第〇三一號內銷證
THE FREE NEWS
第一一七期
中華民國僑務委員會頒發
台教新字第三二三號登記證
中華郵政台字第一二八二號執照
登記爲第一類新聞紙類
（半週刊每星期三、六出版）
每份港幣壹角
台灣零售價新台幣弍元
社長：雷嘯岑
督印人：黃行富
社址：香港銅鑼灣高士威道二十號四樓
20 CAUSEWAY RD 3RD FL
HONG KONG
TEL. 771726　電報掛號．7191
承印者：田風印刷廠
地址：香港灣仔高士打道二二一號
台灣分社
台北市西寧南路壹壹零號二樓
電話：三〇三四六
台郵撥帳戶九二五二

論僑生教育輔導問題

張正藩

在未談到輔導問題之前，我願畧提僑生回國升學人數歷年遞增的情形。查民國四十年，政府爲便利僑生回國升學，訂頒「海外僑生保送回國升入大專校辦法」一種，在海外各地區採取保送方式，在港澳採取考選辦法，同時實施。開始的這一年，雖然回國的人數尚不算多，但已建立了一個良好制度，由於建立了一種制度，所以海外回國升學的僑生按年直線上升。如四〇年度爲六〇人，四十一年度則增爲二一八人，從此連年增加到四十八年度已到了一三一〇人。如果拿四十年度在學之六〇人與四十八年度在學人數比較，（除去一部份畢業離校，一部份休學退學，本年在校的，共在八千人以上）則前者與後者乃爲一與一三三之比，至於四十九年度回國人數，則打破十年來所有的記錄。計入大專的爲二一八一人，入中學的爲二二四人，被殖返國的印尼僑生八九八人，此外，在台高中畢業參加聯考的僑生，被錄取入大專的，亦有四〇九人之多。

看以上的統計數字，可知十年來量的發展，已有驚人進步，同時也足以證明政府爭取海外華僑青年回國升學政策的成功。然教育爲百年大計，不應以目前短暫利益而忽視了長遠的影響，因此有識之士，都認爲僑教目的，不應只求量的發展而忘記質的充實，即僑生的學業品德方面應加以特別注意。此次教育部召集的僑生教育輔導會議，就是適應此種要求而舉行的。

本月十八十九兩日，教育部邀請各大專校長訓導長及僑務機關有關人士，在風景幽美的日月潭，舉行僑生教育輔導會議，據該會兩日討論結果，僉認僑生教育在十年來雖頗有進步，但仍未達滿意境地，經周詳檢討後：提出四點尚待改進的意見：第一、僑生的數目是逐年增加，現有的經費與人員，不足以支應這增多的事務，認爲應立即增加僑生肄業的學校，人員與經費，以促進僑教發展。第二、應設法針對僑生學習的趨向，確定僑生回台求學與分配於各校的僑生名額。男生增班或增設名額應重視工學院，女生增班或增設名額，應重視文學院，核准僑生肄業的課系，除學業成績過差或基礎學科不良外，一律尊重其本人志願，以便供求適合。第三、一部份僑生，由於基礎學科欠佳，成績較差，目前各校多爲較差的僑生，在課後或晚間開班補習，參加補習的僑生祗補習爲加重負担，敷衍了事，今後僑生課業補習的道路，應改弦易轍，在入學時，由學校舉行基礎學科甄別試驗，不及標準者，先讀補習教程，將補習課目列入正式課程內，成績雖無學分，但必須及格方可升級。第四、多數學校對僑生的輔導所用的方法與技能，有別於一般學生的輔導，可是僑生是學生的一部份，僑生輔導決不能自成一個獨立特殊化的疆域，必得在整個學校精神或校風薰沐下，方可發揮高度效能。所以今後僑生的輔導，應視爲學生輔導的一部份，使僑生與非僑生，共同　學業上獲得成功。

以上四項意見，指出僑教經費應比例增加，僑生肄業課系的志願應加尊重，僑生基礎學科差應加强補習，僑生輔導應與一般學生一樣，不能自成一個特殊化的疆域。這些意見，多中肯綮，值得重視，筆者願乘此機會，聊述所知，藉供研討。

「僑生問題」涉及頗廣，我不願浪費自由報篇幅，多所論列，現僅就僑生的學業與品德方面如何輔導，略加說明。

關於僑生學業與品德的輔導問題，我早在「僑生問題種種」一文裏（載五四〇期自由人），提出了個人的一些體驗與建議，現在仍把舊問題拾出來，並無新的意義可言。但我始終認爲多數僑生係來自教育落後地區，就學力程度而言，多少有點趕不上國內學生的水準。尤其是因爲入學考試，對僑生有特殊優待，以致往往在同一學校，同一科系與班次中，國內學生與僑生的成績，顯出參差，而把程度太不一致的學生放在一起，教學便發生困難，不知該遷就那一方面才好。遷就了低程度的，那無異是把整個教育水準降低；遷就了高程度的，則低程度者將感受愈來愈跟不上之苦。這一點，教育當局似早已開始發覺，即四十七年六月間教育部召開的僑生輔導會議，就有所決議：「對招收及保送僑生的標準，宜再設法提高，以減少回國後學業上所發生的困難，至於學業程度較低者，仍應由各校院繼續辦理補習，惟應注意改進方法。」因此，我們要根據舊案，徹底去提高僑生素質，不合標準者，決不同意招收及保送。凡合乎招收及保送資格者，來台後還要嚴格執行甄別試驗，不及標準者，應令入先修班補習一年或二年以及更多時間，俟其及格後，始可正式升級。這樣一來，既可減少教學的困難，亦可保持整個教育水準，尤其是減少僑生基礎學科多不及格年年重讀之苦。抑有進者，在這一政策尚未貫徹以前，希望各校編班時，儘可能不要把僑生與國內學生放在一起，以利教學。

我們政府爲鼓勵僑生回國升學，過去曾規定許多優待僑生的辦法，各學校當局，爲符合政府鼓勵和優待的意旨，因而對僑生的生活方面也特別予以照顧，在管教方面也因此而比較放任，原因是希望使僑生們不感到過多的拘束，使他們在新的環境和生活中更容易適應，能安心的求學。但青年人的心理，每每會因爲在一般情形之中獲得比較特殊的待遇，便可能養成其驕縱的習氣。因此之故，在僑生當中便有一部份會以「特殊階級」自居，而在學校比較放任的管教之下，不時發生越軌犯紀的行爲。我們以爲在學校負責教導的師長們，必須認識清楚，政府所以採取優待僑生的政策，乃是使僑生在達成其回國升學的目的時予以更多的便利，而不是要使他們特殊化。不僅不應該使僑生特殊化，而且要使他們和全校的學生同一化。我們深知國內大專學校的學風，至爲良好，學生都有濃厚的求學興趣，甚少游蕩的惡習。讓僑生們儘可能與國內學生生活在一起，對僑生們實至爲有益之事，並且對回國的一切將有更深刻的體驗，不至再有所隔閡。在這裏尤須強調的，即僑生們初履國門，一時尚不致放縱，各校當局必須把握時機，對僑生集中管理，加強訓練，使其便不爲惡習所染，一心向學，否則將如脫韁之馬，一發而不可收拾了。總之，我們歡迎僑生，但入學不宜浮濫；我們優待僑生，但管教不宜姑息，這應該是我們共同一致的態度。

最後，我認爲年來回國僑生不斷增加，確是僑教政策成功的保證，但因僑生教育特殊，故仍以集中施教，較適宜於僑生學習；而添設適合僑居地之有關課程，尤與僑生將來返回僑居地之工作攸關。因此我在「如何解決僑生回台升學的困難」（載自由人二三三期）一文裏，曾促請政府創設「華僑大學」，或恢復「暨南大學」，以利僑生升學。近年來不少時賢亦作此項呼籲，如每年在台北舉行的中國僑政學會，都有類似提案提出，向政府建議，惟迄未實現。蓋目前國家建設，千頭萬緒，一時尚無法顧及到這一方面，這也是事實。

（五十年三月廿二日台北）

小論天下

△曼谷盛傳寮京永珍不設防，泰國人心受影響。美總統甘迺廸與英揆在佛羅連達會晤，聯同警告蘇俄，不容許寮國再惡化。印揆尼赫魯亦向赫魯曉夫勸告，支持英建議。東南亞公約各國軍事會議結束，準備必要時出兵援寮。傳赫魯曉夫亦邀共黨國家開會議。馬來亞傳出消息：蘇俄擬劃分兩個寮國。

當你眞正動了肝火之時，他還可以叫你非拖下去不可。這眞是共產黨的長處。曼谷的謠言不是無因而起的。我們在大陸淪陷前有過這種經驗，懂得「謠言攻勢」是什麼一回事，而「謠言攻勢」的可怕，主因在乎西方國家擺棋不定，早令泰人失了信心。

△東歐華沙公約各國共黨將開會議。美國一議員提出警告，防共黨又在柏林鬧事。

這是一個合理的推測，共黨這回不動則已，一動便會在許多地方鬧出火頭，而最終目的則在乎穩定目前在寮國所已獲得的勝利。

△滇緬邊反共游擊戰士陸續撤抵台灣，揭露許多英勇戰績。他們證明共軍並不濟事，仍用「人海戰術」，以大吃小。

我們從前把這些絕好消息「雪藏」得太久了。希望這些英勇戰士不久便可再顯身手，別把人也雪藏得太久。

△中共「外長」陳毅已離北平訪印尼，「藝術團」先期出發。

他們此行分明是演幻術游戲。妙在寮國風雲正緊，他們却好整以暇，到印尼演戲去。這顯已抓住寮國，看作囊中之物，故意跳過馬來亞和印度，在他們後門開闢「印尼戰線」。

△英工黨恐共議員反對軍事干預寮戰，防演成韓戰第二。

這類蒼蠅自當及時出現，作嗡嗡之鳴。從前這種例子太多了。

△「反共救國會議」又傳召開之訊。有關各種「行情」的傳說近正在香港流行。

看大陸饑荒，觀國際變化，憂時傷國之士當作何感？

△中共大罵美總統甘迺廸，說他比艾森豪更具「侵略性」。

儘管如此，我們相信「華沙談判」仍將有復開的機會，只要美國人再懇求一下。

方南

談「投歸祖國」

中國人民在滇緬邊境自由組合的反共游擊隊，根本就不應該教他們撤退到台灣來的。由於國際間的各種錯綜複雜關係，政府不得已而作出「痛苦的決定」，答應讓他們暫行來到台灣。這原是一種令人悲憤洩氣的事兒，我們只能以打脫門牙連血吞的知恥精神，忍氣自强，力圖匡復，才算有種哪！

然而，官方在海外的宣傳刊物，對於這項受外力十涉脅迫而發生的恥辱行爲，竟洋洋自得地說他們「投歸祖國，獲償大願」，好像是莫大的勝利，不亦怪哉！今日如果僅以投到偏安一隅的臨時首都——台灣爲「大願」，那還談甚末反攻復國的廢話呢？似此宣傳方法與詞令，而欲振奮人心，團結一切力量，光復故國河山，眞可謂痴人說夢也矣！

連年以來，東南亞各地區的華僑，常被當地政府排斥，凡屬不願意投共的，則要他們回到台灣，如非律賓政府，且將一些具有親共嫌疑——甚至是個共諜——的華僑，亦要求遣送到台灣去。此外更有在異域爲非作歹，因搞黑社會組織，或販賣毒品而受到當地政府驅逐、遞解出境處分的中國人，亦相率以台灣爲逋逃藪。台省現有人口已上一千萬，每年的出生率約爲卅萬，即等於一個高雄市。我們估計東南亞一帶的華僑，至少也有一千萬，假使長此下去，都以投歸台灣「祖國」爲「獲償大願」的話，我就心耽那座美麗的寶島，終有人滿爲患，大家難以營生之日，可不懼哉！

台灣只是中華民國政府的臨時首都，不能籠統稱爲「祖國」。臨時首都亦不是藏垢納污，收容社會垃圾和政治人渣之地。關於前者，政府的宣傳機構應該愼思明辨，有所闡述而糾正之。關於後者，凡是聲名狼藉，穢迹彰聞的中國人，即不宜因號稱反共人士而隨便允許他進入台灣。否則許多有爲有守，義不帝秦而流落在海外的同胞，却不容易投身本國政府的輦轂之下，這又將如何解釋呢？

馬五先生

中共煤炭工業困難重重

・焦毅夫・

去年十二月二十九日香港大公、文滙兩報，刊載中共公布一九六〇年度煤炭產量爲四億二千五百萬噸，超額完成年計劃。可是年事隔不久，中共報紙却又滿篇「競賽」「嘆氣」「掘進」以及「連續五個月沒有完成生產計劃」之類報導。從這一系列報導中，發現中共煤炭工業困難重重，生產機械和技術問題太多，非中共目前能力所能解決。茲將困難要點分述如下：

第一，缺乏現代開採機械。自工業革命以後，工業而能一日千里飛猛的源因，是機械代替了人力。我們固不否認中共煤炭的開採，部份使用機械，但絕大部份還是手工操作。據中共報紙載：江西省二百八十三個礦井最近完成技術改造。文中述及改造情形，是「一般改造的礦井，也用畜力絞車，手搖麻花鑽，土礦車和手搖風車等代替了笨重的體力勞動。」（一九六一年二月二十五日人民日報）所謂畜力絞車，是用牛或馬拉動絞盤，備源煤由礦井升到地面。麻花鑽是掘進主要工具，通常使用電力，若用人力操縱，效果當然降低，因此影響「掘進」，每遇「無煤柱」（即石頭）必須撤退，重新開井）。共報又說，「撫順勝利煤礦，是個老煤礦，舊巷多，地質變化複雜，特別是去年以來，原有老礦接近採完，全礦十三個採煤班，有十個靠採殘煤完成生產任務，而採殘煤給掘進、運輸、通風等方面帶來了許多不利條件。」撫順是中共的「煤都」，勝利是「煤都」的重點礦，十三個採煤班竟有十個靠採殘煤完成任務，也就是說，十個班無法生產，只能靠鏟運井底棄置的劣煤繳數。因此，這個礦從「一九六〇年五月到九月連續五個月，沒有完成生產計劃」。（一九六一年二月廿九日人民日報）

第二，運輸工具缺乏。運輸是礦場主要部份之一，運輸滯綏，足以影響開採進行。「山東淄博洪山煤礦工人反映車皮缺乏，機械事故多，掌子面積存的煤運不出來，大大影響了生產。中共黨委下井調查，認為造成車皮缺乏，機械事故多的主要原因，是管理秩序較為混亂，規章制度不健全，缺乏固定人負責」，機械維修做得差。」於是對礦場現有「兩千輛車皮進行調查，發現有八百輛是『帶病工作』的，三百輛「需要立即大修」。」（一九六一年二月二十三日人民日報）山東洪山煤礦是老礦區，中共設有礦務局專司其事，竟發生制度不全和無固定人負責的混亂狀態，使百分之五十五的車輛機件損壞而不知，足以說明：一、職工情緒渙散，幹勁不足，敷衍了事。二、生產的車輛，鋼度和製造技術不夠，易於損壞。第三，領導無能。影響職工幹勁。中共強調政治掛帥，黨員萬能，因此外行領導內行，已成大陸各行各業普遍現象，在平時以命令強迫行事，當不會有何問題，一旦遭遇困難，就要束手無策。例如：撫順勝利煤礦因為土質發生變化，加以設備故障多，共幹就「唉聲歎氣，愁眉苦臉」，甚至有人說，「我們的困難，就是諸葛亮也解決不了」。由於幹部無能，產生的畏難心理，對職工反映礦井改進意見，只好擱置之不理。因此工人抱怨說：「五區三道溝條條，不像道，每天都反映，就是不見效。」（以上見一九六一年二月二十五日人民日報）中共幹部有如此思想，對自己責任如此忽視，因而工人亦滿着怨對心理，難怪其有連續五個月不能完成生產任務了。

北平政權對上述情形，當然十分瞭解，於是針對所發生的嚴重問題，自一九六一年度開始，展開如下措施。

一、加強掘進和回採協調關係。中共煤炭工業部根據實際情況，特規定「要保證掘進和回採協調，必須掌握五個比例關係」辦法。「一是回採一米，掘進應進幾米（工程量比例）；二是一個採掌子面，須要幾個掘進迎頭（工作面比例）；三是一個回採工須要幾個掘進工（勞動力比例）；四是每出一噸煤須要掘進幾米洞子（採掘率）；五是按礦井產量計算要保持多少儲備量（產量與儲備量比例）（一九六一年三月三日人民日報）上項規定，是爲去年度各地煤礦工人，只顧回採不肯掘進而發生困難。回採是掘進一項清理工作，自較掘進爲易。有掘進而無回採，固使煤炭堆集而無法運輸；有回採而無掘進，必使採煤工作面形成窩工現象，兩者缺一不可。

二、加強新礦井的開拓和延深工作。據中共報紙說：「全國煤礦正在有計劃，有步驟的加強新礦井的開拓，據六十一個重點煤礦統計，目前已有七十多對礦井開拓延深工程開始施工，另一批礦井也正在加緊準備，不久施工」（一九六一年二月二十日大公報）。

三、加強勞動，展開「五追」「一趕」競賽。競賽是中共榨取勞力的法寶，祭起它即可使人民忘我勞動。「五追」「一趕」競賽，是煤炭工業獨有，也是新鮮的玩意。共報載，「吉林省蛟河煤礦，根據生產的規律，開展了「五追」「一趕」競賽。「五追」就是打眼追截煤；放炮追打眼；裝煤追[illegible]炮；支架追裝煤；回收追掌子面各工種。「一趕」就是上班趕下班，班班向前趕。」（一九六一年二月十日人民日報）所謂追，就是從事後一工序的工人，以行動追前一工序的工人，簡單說的，就是另一種競賽方式。

四、實施勞動卡片制度。京西礦務局以去年度職工出勤並不正常，於是想出勞動卡片制度，指示所屬各礦場一體推行。據稱：「勞動卡片記載每個工人每天勞動成果，是競賽評比可靠的根據。同時，通過卡片，還可以及時發現問題，採取措施，加以解決。」（一九六一年紅旗三、四兩期合訂本）。

五、建立責任制度。中共煤礦生產之所以遲的主要原因，除領導幹部無能之外，就是職工陽奉陰違，不負責任。重慶魚田堡礦井就爲上述原因，於本年一月份起，「建立了『五選』（開採選、運輸選、電溜子選、擇煤選、清理巷道）的責任制度。」這樣才使煤炭中含矸率由百分之四點三降到百分之二點二」（一九六一年二月二十二日人民日報）。

現於中共煤炭工業目前所發生嚴重的減產問題，都是出於人爲，中共爲解除這個問題的威脅，也是針對人而出於什麼？有此現象的暴虐政於情緒，中共的飢餓權一日不解除，饑餓問題一日不解決，情緒永遠無法恢復，產量永遠無法增加。所謂去年度生產四億餘噸，全是無稽之談，姑且聽之而已。

讀者來論

談台灣的兵役制度

武勝

台灣的兵役制度因做得不夠理想公平，於去年年底，政府修改兵役法令，我國憲法規定，人民有當兵納稅的義務，自兵役法修正後，對今後兵役制度是否做到公平合理，此為國人都很關心的大事，希望執政當局，今後保證一切民間適齡子弟，不分知識程度，一律服行兵役義務，尤須保證豪富人家的子弟，也不分知識程度，一律服行兵役義務，以示公平。

職是之故，我們願提出叁項具體的意見，（一）凡未服兵役之中學以上學生，一律不得應公費或自費留學考試，並一律不得循任何途徑出國留學。（二）現在國外留學之青年學生，應與國內學校學生同等待遇，凡適齡中籤應服兵役者，應即召其回國入伍服役。（三）在國外留學期滿之青年學生，政府應勉勵回國服務，多數借留學赴國外之留學生，離開國門，在國外逍遙自在，對國家民族觀念，大家當伊無介事，不僅滑稽，而且可悲。

職是之故，今後望執政當局對青年學生，倘朝聚考察觀光旅行之學生，一律禁止出國，以免有過去出國後，絕不回國之奇形怪象，今後對富貴子弟入營，應公佈姓名，以示我國政府辦理兵役制度之公平，對青年子弟響應政府號召，踴躍應征，絕不逃避，全國青年上下一致，共同為反共抗俄工作而努力，光復大陸河山，同慶勝利之年。

金門通訊

大担前綫一靈犬

本予

在家畜中，犬是最靈敏通人性的動物，且秉性善良，忠於主人，俗諺：「兒不嫌母醜，狗不嫌家貧。」所以，我們常常聽到一些忠犬衛家或義犬救主的感人故事。

在大担島上，卻有一條犬同人一樣的，忠勇為國！這不是標新立異，讀者讀了下面的故事，便相信「靈犬為國」，絕非虛事。

說起來這條狗既不是狼犬，也不是獵狗，牠是生是斯長於斯的土狗罷了。小的時候，倒也玲瓏可愛，及長，很機警聰慧，故爾被飼養的戰士認為「大有可造」便加以訓練，起初，只是教些打滾、臥倒、握手等等小動作，後來，他們意欲訓練成「警犬」，便教一些特種技能，可愛的是這條狗什麼都容易學會，並許久不忘。因此而來，「學以致用」，戰士們把這隻狗派上了用場，服些務，出出差。

後來這個部隊長知道了，對這狗很為賞識，便要戰士們割愛送狗到高單位飼養，好派專人訓練。戰士們雖然不捨，但為了狗能「深造」起見，也就滿口答應了。這隻狗到高單位後，除了接受更多的訓練外，便是凡部隊長巡視防務的時候，牠便同「衛士」一樣的緊跟着，這跑那跑，日子一久，島上的地形地物，工事駐地，靈犬都很熟習，這對牠日後的任務，很有幫助。

靈犬除了白天担任連絡、通報、送物等瑣事外，夜間的工作可繁重，隔不多久，牠要自動的沿島「巡邏」一次，憑其銳敏的眼耳，監視敵人的動態，情況稍為有異，牠就鳴聲報警，引起步哨的警惕，好採取行動。據說好幾次有匪水鬼來摸，都被其「先發制人」，為守軍擊跑了，犬之性靈，確有大用。「巡邏」之餘，靈犬附帶的「義務查哨」，這鑽那跑的，發現有步哨疏忽打磕睡的，牠即汪汪的「警告」，促哨兵注意，站哨的戰士趕忙打起精神，免得因小而誤了大事。日以繼夜，靈犬勤忙的出動，對防務來說，真有不少的幫助，所以他不但得到部隊長的愛護，亦討得所有官兵的喜歡。

人當然多少有些自私，部隊調防的時候，官兵們自然捨不得把這狗丟給別人，所以帶牠同走。但牠就是不肯上船，後來總算被抱上去了，而牠還是乘機脫逃，跳下海游上岸，跑向到防地。艦上的人都大為感動，明瞭這狗絕不是「忘恩負義」，而是牠留戀鄉土，同時不忘任務。既如此，部隊祇好把這狗移交下去，並囑咐好好的照顧。

日日月月，靈犬本性不改，親於主人，忠於職守，部隊有更換，防地有變遷，而牠還是固定的「巡邏」「守候」「查哨」，忠忠實實的担當下去。

靈犬在大担有如此優異的表現，再也沒人要帶牠走了，牠像「戰鬥製備」一樣的列入交代，為重要的一環。

大陸文壇萬花筒

想起了南泥灣

——岳騫——

去年三月份出版的「天山月刊」等於是個「南泥灣」專號，其中有七篇南泥灣的文字，計為王玉柱的「朱總司令和我們在一起」；張耀奎的「記陳宗堯團長」；馬增智的「老信子」；趙明周的「瓦窰堡生產」；趙祿的「南泥灣墾荒記」等。

以上七篇都是談的南泥灣的舊事，中共此時又想起南泥灣，到是滿有趣的。南泥灣在延安南門外有三十多里路的一塊荒灘，在中共未竄到陝北之前，當地地曠人稀，老百姓自己的田地都種不完，當然沒有人想到南泥灣開墾，所以這塊地就永遠讓他荒下去，那知到了朱毛先後竄抵陝北之後，吃飯的多，生產的少，最初到處「打土豪」補助一些，總不敷全部開支，當時中共一方面向政府接洽投誠，一面就想法自立更生，辦法是開荒地，種雅片，向「白區」輸出，換取糧食，經毛澤東騎馬查勘一遍，就選定了荒烟蔓草的南泥灣，由王震負責開墾，王震是湖南瀏陽人，也是毛澤東的豐沛子弟，共軍接受招安後，王震一股經政府編為一二〇師（師長賀龍）三九五旅，負責把守延安，墾荒也就由他這一部負責，王震當時還住在延安，真正在南泥灣指揮墾荒的就是三五九旅一個團長陳宗堯。

除去共軍之外，中共又驅使各地去延安的青年參加墾荒，這批青年大部都是從都市跑來的，一時被鬼迷，落了地獄，除去極少數的女子如藍蘋之流，被首長看上徵調為愛人，可以去「歌囀玉堂春，舞迴金蓮步」，大享其無產階級之福，其餘百分之九十幾的青年，不分男女，一律要參加南泥灣的墾荒，他們比駐南泥灣的共軍更苦，每天要從延安城內跑步去南泥灣，做了一天苦工，連兩餐飯都在田裏吃，晚間再跑步回來，中間因為營養不良及疲累，不知死了多少優秀青年，經過了一年的苦鬥，第二年整個南泥灣開遍了美麗的罌粟花，收割後裝在菸箱裏蓋上十八集團軍的關防，由三五九旅押運到白區去出售，才挽救了共區的經濟崩潰。

這一段光榮事蹟，自從中共政權成立後，久已不願再提，現在忽然大鼓吹起「南泥灣精神」，除去要求共幹勒緊肚帶，只做不吃之外，恐怕又要增產雅片，以換取外滙，償還澳洲小麥欠款了。

燈謎（下）

楊檳榆

蓮心格——有如剝巴蕉然，層層除去，減到最後方見謎底。例如「猴子啃甘蔗」，射一「空」字，因爲猴兒啃甘蔗，乃「節節」空也。

燕尾格——謎底末一字可分開，似燕尾然，而意義却相同。例如「集台」射國體名稱一，謎底爲「羣衆」，簡寫的「众」字下面「二人」分開，像似燕尾，合起來「人人人」又是衆多的羣衆貌。

雙鈎格——本謎格字數！二四六八十不等，必爲雙數，謎底半數字互易而讀，則原意不失。如「抗戰勝利」射「日本戰敗」，畫一S符號，相掉爲「戰敗日本」，意思還是一樣。

掉頭掉尾格——謎底首二字對掉曰「掉頭」，末二字互易爲「掉尾」。如「鶯救天子」，射詞牌名一，謎底「感皇恩」，意義尚感皇上恩德，故營救也；掉二字「皇感恩」亦可，皇上得救，對忠貞之士亦思圖報矣。又如「回頭一盼醉迷人」，射詞牌一「眼兒媚」，末二字互易爲「媚兒眼」，亦復嬌態不減。

蝦鬚格——扣出之謎面將首一字分開讀之，有似蝦鬚兩道也。如「自傳」射三字經「記其事」，把首一字拆讀便爲「已言其事」。

脫靴格——如人之除去靴一樣，謎底末一字免讀，不失其原意。如「王莽登基」，射四書二句「是篡也，非天與也！」末「也」字不要，更見有力！

加冠格——謎底的第一字，要與扣出之上文末一字關連，方有意義。例如「聖人」射，孟子一句：「君惟天爲大」。意思！聖人的偉大，可與天同高！原文二句爲「大哉堯之爲君，惟天爲大」，下一句加上一句末一字，便成「君惟天爲大」之謎底。

免冠格——射出之謎底，第一字不要，則合原意。如：「王者香」射電影名星一，謎底「葛蘭」，把「葛」字去掉，便單一「蘭」，爲王者香，恰扣謎面。

以上所舉的一些謎格，是普通運用的格律。再如解帶格——就是謎底中間解除一部份的意思。解鈴格——謎底本字應當圈讀，而故意讀本字的。繫鈴格——本當讀本字，但偏而圈讀。上樓下樓格——謎底末一字移置第一字曰「上樓」；第一字拉下末一字爲「下樓」，又如蓁首，碎錦，摘頂，蜓尾，紅豆等格式。晦澀深奧，文人雅士，已不復多製了。

愛情

沙漠

我第一次愛一個女孩的時候，很年青。那時，我不知道什麼是生命、生活及生存在這世間什麼是重要、什麼是不重要。我只知道愛情、渴求着愛情，以一顆純潔善良的心愛着那個第一個鑽進我生命的女孩。我懷着羞澀的感情追求她、追求她……。

「啊！你愛我！可是你有學問嗎？」她淡漠的問我，我被她這奇異的問語楞住了。

「我……我……我沒有」半晌，我才結結巴巴的說。

「你沒有學問，怎能愛我？你必須成爲藝術家、作家、……才能愛我。」她像女王般的以堅決的口吻對我說。

「我愛你，我全心全意的愛你。有甚麼比愛的本身更有價值？有甚麼比這摯誠的愛心更可貴？」我以謙卑的情感對她說。

「在你沒有光榮以前，我不接受你的愛。你的愛心對我又有甚麼用？」她仍舊以冷漠的語氣對我說。

於是她離開了我，我獨自懷着悲愴的心啜泣着……。

歲月流去，十年，我努力着、發奮着，我有了很多很多使女孩子愛慕的頭銜。可是，第一個爲我所愛的女孩已是幾個孩子的母親，她嫁了一個有錢的商人……。

第二個女孩子來了，她出現在我懂得生命、愛與生活的年齡，我愛着她，一如我愛着第一個女孩時那般的激動，我爲她寫詩、寫小說、作曲，爲她展露了所有的才華……。

於是，我大胆的向她流露我的愛情！

「啊！朋友！我感謝你的愛心，我也愛你寫的詩、小說和作的曲子，我愛你的才華……你有錢嗎？」她說出最後一句話時，嘴角掛着有刺的微笑……。

「錢？」我目瞪口呆，確實，我沒有錢，「我沒有，沒有錢，可是，我有一顆愛你的心。」我激動的說。

「朋友！沒有錢，我們怎能過着幸福的日子，我不能啃你的愛心生活下來，錢！錢！這是愛情的第一要義，朋友！你知道嗎？」她走了。一如我失去一個女孩子時一樣，只有我獨自悲愴的哭泣着……。

從此，我放棄了一切：我追求錢、錢、錢。若干年後，我終於有了很多很多錢。

第三個女孩子來了。我愛她，雖然我已老了，但，我的情感仍和年青時一樣激動，全心全意的愛着她，願犧牲一切成全他的幸福……。

「你有學問嗎？你有光榮的頭銜嗎？」她展露着甜美的微笑問我。

「有！有！你看！」我拿出年青時藝術的結晶給她看，她滿意了。

「你有錢嗎？」她睜大着美麗的眼睛問我。

「有！有！你看！」我打開了保險箱，裏面貯藏着我所有的金銀財寶。

「啊！」她驚叫着，顯然她更滿意了。

……。良久，良久，她以一種使我極爲惶然的眼神望着我，我的全身都被她望遍了，然後，她以黯然的語調問我：

「你有青春嗎？」

「我！我……」

從櫥鏡裏，我看到自己一張蒼老的面孔，灰白的頭髮……。啊！愛情！女人！我昏眩了……。

女人

勞克

有女人的地方，就有春天，就有活力。年老的變成了年青，年青的變成年少；壞的變成好的；醜的變成美的。

女人會變。一個小小的頭髮針，早上在這邊頭髮上，中午要移到那邊去，晚上又要變個花樣。變的最多的，就是臉部：塗粉、打口紅、抹胭脂。「上帝給她一個臉，她可以改造出另一個臉來」。

所以，女人在打扮要花了很多時間。出一趟外面需要一個小時。打扮就要花上半個小時。鏡子這裏一照，那裏一照。頭髮，口紅打扮好了，又要打扮衣服。一下拿紅衣在身上比比，一下拿花色的衣在身上，還有鞋子、太空鞋、平底鞋高跟鞋、空心鞋；然後又是長襪、短襪、尼龍襪、絲襪；總之，女人大半時間放在打扮上。「女爲悅已者容。」

女人離不了鏡子。因爲女人愛美；英國詩人卡繆曾說：女人是花。也有人把女人說是藝術，從頭髮、到手指、到腿部，沒一處不是經進修飾的。手指甲修的尖尖，還塗上薄薄的指甲油，在太陽底下發着很亮很亮的光。手指又是細長細長，伸出來看看就順眼。

據說台灣的女人多，女人多是個好現象，男人再不會叫「孤家寡人」。可是事實上，「孤家寡人」到處都是哩！

長頭髮，花裙子；胸部長的豐滿豐滿，屁股大大的！走起路來屁股還有點兒擺動。腰很細很細。這就是女人。莎士比亞說：「水性楊花啊，你的名字叫做女人。」但是也有人稱女人爲「靈火」。

第七十三烈士

——黃花節懷念陳心海先生——

丘峻

辛亥年三月二十九日，黃克強先生率領革命黨一百餘人，分四路進攻兩廣總督衙門，經一場激烈戰鬥後，終以後援不繼，衆寡懸殊，歸於失敗。黃氏受傷，僅以身免。是役陣亡及被捕殉難者，事後調查共八十六人，而當時爲義士潘達微先生所收集的尸首僅有七十二具，叢葬於廣州北郊之黃花岡，號稱爲七十二烈士墓。其餘未死黨人，星散各地，各奔前程，後雖報章雜誌陸續有所披露，然行踪不明或不知所終者尚不乏人，而陳心海先生便是其中之一人。

民國三十年春天，筆者入軍事委員會湘南煤礦局服務，始認識陳心海先生於該局所屬之楊梅山礦場。時陳先生任局中文書股長，人極老成，不苟言笑，甚具正義感，局中遇不平事，頗敢言論，無所忌憚，誠烈士氣概，不減當年！因與余善，常相晤談，上至國家大事，下至私人瑣務，每談必盡興方止，至感痛快。惟每談及切身問題，頗激憤慨，嘗謂，九死一生之軀，尚留而何待耶！蓋所指殆有可以意會而不以言傳者！局中同寅，多善視之，知其事者，常稱呼爲『七十三烈士』而不名，亦有簡稱之爲『七三烈士』者：蓋意存尊敬而非有所取笑之也。

三十一年夏，余奉命籌辦國立華僑中學，遂離湘南而還粵北。迨僑中籌備完成，開辦有日，乃接陳先生來信，計擬前來任教。惜以教師員額已滿，未能借重，逼得婉告，容俟設法，而心殊快快！及後湖南陷於日寇，礦場爲敵所據，員工紛紛逃難，先生不知何往。每一同思，輒令人懷念不已！直至三十四年秋，抗戰勝利，敵人投降，南歸羊石，卜居市西。一日，邂逅陳先生於珠江鐵橋之上，見其衣履隨便，垂首而行，狀甚不得志。詢其往所，則僅答，河南，而不及馬路，街道名稱，門牌號數。故人相逢，自然稱快，久別尤應爾爾。今觀其行動表現，似有不願告人之隱者然。彼何負於人？更何負於國家？何社會之報答於是人者若斯其不平？因不得其住址，未由往訪，故終於無法了解其情況，而於陳先生之行藏，亦終不能忘懷。

心海先生，廣東梅縣人氏，爲南洋歸國華僑。因彼曾受傷，致右手稍有毛病，而尚不至於妨碍工作。彼任事能力頗高，工作亦勤，常爲同事所稱道。惟活烈士天生傲骨，不肯下人，前途殊覺不能稱意。而國家之對於斯人，亦未嘗另加青眼，長使伏櫪，自不無遺憾之感！每念及死難同志，誠難怪其感慨系之！而益自感其未能死難爲可恥，爲不幸！

今者，紅流遍地，赤浪滔天，烈士其尚存人間乎？將何安其身？烈士，烈士，或死難，或倖存，亦有所謂幸與不幸歟？

編者與作者

本報選稿標準以內容充實而筆調生動爲主。因此，凡空洞而又近于口號式的文章，殊難刊載。尤應請各位文友注意者，報紙文章，旨在適應大衆閱讀，不宜太過專門，所以我們也不太欣賞書院式的文字，儘管此種文字或可能成爲考取「博士」銜頭的論文。

清廷供奉之伶人

——瘦西湖——

梨園漫談

初入南府之班底係爲高腔班，故所有著名伶人，亦多爲河北高陽縣人，又據傳說：因宮內中官皆爲河間人民，而高字又係一吉祥字，故遂得最初選入，至後因東后（慈安）喜愛武劇，西后（慈禧）又嗜愛崑曲及皮簧，故名伶有汪桂芬、譚鑫培、孫菊仙、王楞仙、瑞德寶、楊小樓、余秀山、黃潤甫、侯俊山（亦即後來著名之老十三旦）是也，遂漸次被詔入宮，雖崑、亂（亂彈乃當時皮簧劇之別名，因其時崑曲祇用雙笛，皮簧班胡琴三弦、月琴並用，其音噪雜，頗受崑班諸人譏笑，故而衆人均以亂彈視之，意實輕視耳）漸盛，已取得高腔之地位，皮簧劇雖大受人歡迎及注意外，但每逢開鑼前三齣戲，則仍由高腔班全體參加演出也。

南府之學生，計約八十名之多，而受朝庭供奉之名伶亦與相等，按照宮中規例，其中倘有一名病故者，則另由一人前往遞補，遇缺，其原來之名額，歷久始未增減，若然另一人一經核准補入，除終生在宮「報死」外，決不允許中途有一人請求除名，或有私出京城前往各碼頭演唱者，倘其中有人潛逃時，猶如通緝要犯，繪形圖影，張貼全國各地衙門，如潛逃之人竟被逮捕，亦必受到嚴懲，毫不寬貸，當時曾有二伶人，因觸犯慈禧太后之怒，後用鉅金買通內監「報死」除名，從此逃入上海租界匿居，改名換姓，不敢北返，此二人即爲知名伶人田際雲，及孫派鬚生鼻祖津人孫菊仙。

而田伶係爲當時最著名之梆子花旦是也。戊戌政變，康有爲說德宗以變法自強，時常銳意新政，即將舉事，康乃秘令田際雲於戲箱內暗藏剪髮刀及西裝等多套，以備德宗剪辮易裝之用，其時宮中所有秘密奏摺手詔，悉由田伶遞送，後不幸事被袁世凱出賣，慈禧聞悉大怒，立郎下詔搜捕，康有爲和梁啓超連夜喬裝平民逃往上海，而六君子亦於此時受難菜市，田伶遂亦牽累其中，只得隨康梁之後離京逃抵申江，幸其平日爲人義俠，同行無不對其崇敬萬分，大家見此事發，連名前往懇求內監請以「報死」除名，後此事雖被慈禧知悉，然慈禧亦念其平日之爲人頗有可取，遂能追允緝辦之議，不加見罪，聽其自然而去。孫菊仙供奉於內廷時，頗得后寵，其凡有所計，后無不言聽計從之，此次政變未成，孫稟告慈禧，謂田伶係受人脅迫所致，否則當不會棄老佛爺的恩厚而去圖謀不軌。后信以爲眞，遂免通緝田伶之罪耳。

（聯語偶譚）

官署聯

長安居

中國人最怕進衙門，良以衙門爲是非之地。雖則清官廉吏之衙門，眞如明鏡高懸，亦自可不怕也。

今日之衙門，照例有少個武裝衛士把守，視爲禁區，使人可望不可即，倒眞有幾分可怕。古代刺史縣吏之門，門口照例有一副對聯，排場並不如今日之盛，所以，可怕的程度，相信也不及今日。

說起來，古人究竟比今人來得渾厚。他們作父母官，總以無事爲貴，官署門聯，並非徒炫清高，殆亦所以見其志也。

乾隆中，宛平張鼎爲徐州府監司，徐州在彭城，河漕重地。張自撰道署楹聯云：「地當黃治之中，水欲治，漕欲通，千里河流，涓滴皆從心上過。官作軍民之主，寬以恩，嚴以法，一方士庶，笑啼都到眼前來。」

此乃所謂仁者之言。能有此等心腸，則其用人行政，亦自可由此知其梗概。

林少穆爲兩廣刺史，時海禁方嚴，少穆乃於城外興建一演武廳，精選督撫兩標勁卒數百人，親往督練。自題演武廳前楹聯云：「小隊出郊原，願七萃功成，淨洗銀河長不用。偏師成壁壘，看百蠻氣懾，煙消珠海有餘淸。」

林少穆爲乾隆嘉慶時人，距今亦僅百餘年，恐怕他連作夢也想不到今天的粵桂邊疆，會演變爲今天這樣的形勢吧！念古人經營邊疆的一片苦心，後來者理宜知所惕奮了。

鄂城臬署，督部鄧懈筠自題官署聯云：「官要虛心，總能發伏釐奸，須識我得情勿喜。民宜守分，若到違情犯法，可憐汝無路求生。」

官要虛心，民宜守分，假如雙方都能恪誠遵守，這世界也就太平無事了。可惜，時至今日，官非虛心之官，民亦非守分之民，於是乎，作奸犯科，貪贓枉法之事，層出不窮。讀此聯，簡直有無限感慨呢！（上）

小啓：無負生先生之「辛丑談往」續稿未到，暫停，謹向讀者致歉。

大漢天聲

徐學慧

「詩人玉屑」一書中，載有高麗詩人與唐代詩人賈島的故事，極饒趣味，特錄於此，以博讀者一粲。相傳高麗使者過海，在船上閒眺海上風景，有感於中，不覺詩興大發，便即吟詩二句道：「水鳥浮還沒，山雲斷復連」。自覺得意，正待再續下二句，時詩人賈島適與使者同舟，見其朗吟此二句，亦感技癢，且思有以壓倒，便假扮作船上的水手，續起下二句道「棹穿波底月，船壓水中天。」高麗使一聽，嘉歎久之，自是不復言詩。

這個故事，倒是中國文學史上的一段佳話。千多年以前，外人對於中國文化仰慕之深，實在是值得我們深長思之的呀！

談到日本在唐代與中國文化的關係，可就更密切了。誰都知道，日本這個民族是最善模仿的，那時候，由於仰慕中國的文化，便派了不少的學生到中國來留學，將我國的政教風俗文學藝術，一起搬回三島上去。其他的東西，不在本文範圍，我要講的是唐朝時代日本人的詩。

日人藤原清河於日本天平勝寶四年，出使中國，適當唐玄宗時代。「全唐詩逸」載有玄宗贈藤原清河的詩云：

「日下非殊俗，天中嘉會期。念余懷邊遠，矜爾畏途遙。漲海寬秋月，歸帆駛夕颸。因驚彼君子，王化遠昭昭。」

這首詩，中有「念余」「矜爾」數字，完全是上對下的口吻，此亦足徵唐代武功之盛。再由玄宗的贈詩看來，亦可證明藤原清河這個人是懂詩的，如果不懂，玄宗又怎會贈詩給他呢？（二）

小溺談趣

介人

溺字大概有三種解釋，第一種是沉溺於水，據辭源的解釋：「沒也，死於水曰溺。」禮記：「死而不弔者三，是厭溺」。第二種是沉湎不反亦曰溺，例如溺志、溺信（迷信），溺愛之類。第三種解釋是小便，史記：「溲溺其中」。

孟子上所說的「嫂溺援之以手」。這裏所指的「溺」，應該屬於第一類的，如果把它改爲第三種的「溺」，那麼，失之毫釐，差以千里，這種誤會未免就不堪究詰了。

關於小溺，似乎很少入詞句，或見諸詠事；至於詠美人溺，則似乎少之又少，未嘗多觀。偶閱明人筆記，得見詠婦人溺詞多首，亦尙可觀，但可惜所詠的並不是美人。明初才子陳全（永樂四年探花），文才敏捷，見村婦道旁便溺，因作寨鴻秋曲云：

「綠楊深鎖誰家院，見一女嬌娥，急走行方便，轉過粉牆東，就地金蓮，清泉一股流銀線。衝破綠苔痕，滿地眞珠旋。不想牆兒外，馬兒上，人瞧見。」

另外有一首嘲笑遺溺詞，調寄「水僊子」，亦頗雋永有趣。詞云：「佳人一溺不尋常，流出桃花點阮郎。身軀兒頃在陽臺上，藍橋水淹得茫茫。二三更泄漏春光，錦被裏翻江浪，繡幃中波液長，一對戲水的鴛鴦。」

與上詞同屬含有嘲笑遺溺者，還有一首詩。「堅瓠集」載：有新婦在被內遺其溺者，一人爲詩嘲之曰：

丹青不用點成龍，夢裏頻頻告出恭。智伯有頭無可用；沛公如廁不相從。非關雲雨巫山濕；若決江河大地通。枕畔忽驚旋喚醒，方知身在水晶宮！」

又有某文士戲謔新娘新婦，聯語中涉及小溺之事。有一謝姓姑娘與吳姓聯婚某文士戲作一聯云：

「謝姑娘撒溺，無言便射；吳先生吃糞，倒口即吞。」

以撒溺而對吃糞，對仗既極工整，用拆字而影射謝吳兩姓，極其調侃，尤見匠心。

除了詞與聯而外，筆者又想起有一位酸秀才，赴省應試，嘗寄家書，再三敦勸其妻子，要她在晚間撒溺時，切勿作「沙沙」之響，以免隔壁王二麻子聽了，頓起不良之心，這種設想週到，所謂防患於未然，眞是想入非非，同屬小溺的佳話。

至於婦女小溺部份，本來有專門名詞，此爲盡人皆知的名詞，毋庸明白指出。曾記某年香港九龍法庭審訊一樁醫生非禮女病人一案，九龍法庭的傳譯官，他把女人的「下部」譯做「生細佬哥部份」，這一種譯法，實在累贅，匪夷所思。按女人撒溺的部份，有許多可用的名詞，例如「私處」，「陰部」，「女陰」，「生殖」，「性器官」之類，但傳譯官都沒有採用這種譯法，但只說是「生細老哥部份」，眞是「妙不可以醬油」，令人爲之忍俊不置。

照稍爲科學的說法，「生細老哥部門」，通常是被稱爲「產門」的，爲什麼傳譯官不說是「產門」呢？據說，他之所以這樣譯法，是了被質訊的女證人，老是被問到「女人下部」，因而有點不好意思，所以才更改一下。大抵傳譯官認爲：倘若譯作「陰戶」，更加不好意思，譯作「性器官」，又像過於文謅謅吧？因此最「通俗」而又易於明瞭的便是「生細老哥部份」。當時有人開玩笑的說：何不譯爲「小便之處」呢？

但是也有人認爲，這種譯法也有流弊的，所謂「小便之處」，可能被人誤會爲「廁所」，那就不能認爲翻譯得好了。何況「小便之處」四個字，也可能被列爲不雅，而且也太累贅的了。況且「小便之處」不止女人有，男人也有，通常被稱爲「廁所」的，香港的「男廁」，雖不至如馬來亞之被譯爲「雄性動物」的笑話，但香港的男女廁所也有時限制不甚嚴。許多酒店裏，當了「男廁」客滿時，男的也可以越界而出恭的。另一方面，浴室也往往兩性公用，與一般的傳統大相違背，假如把「下部」譯作「小便部份」，那麼勢必至於連雌雄部弄不清了。

張秋白金陵喋血記（下）

諸葛文侯

民國十七年莫春，皖省府第三度改組，事前陳調元主席曾與秋白密議決定各委員廳長人選，由陳親赴南京活動，並列席國府委員會議。蓋是時國民黨中央政治會議未成立，關於政務官之進退黜陟，皆歸國府委員會議決定也。柏烈武以皖籍國府委員，於會議席上發言最爲有力，彼意原在排除陳調元與秋白二人，然陳氏擁有軍隊，中樞軍事當局對陳甚力羈縻，無從搖撼，秋白文人，可有可無，經柏氏猛烈反對，陳主席亦未表示與秋白共進退之意，調任爲張靜江氏所主持之中央建設委員會委員，實爲掛名閒曹而已。

秋白抑鬱回京，卜居城南「棲溪山莊」，莊內棟宇林立，住戶孔多，秋白賃得中座樓房，於二樓設辦公處，任用職員三人，另有一芳名「愛張」之中年婦人，與秋白同居樓上，生活頗爲安閒。

一日清晨，有安徽合肥人持本省某名人介紹函來謁秋白，並以贄物雞肘糖草數事進之。詢所求，謂欲回原籍縣府建設科謀一小吏位置，乞秋白函介省府建設廳長胡春霖關照，必有成也。秋白慨然允諾，囑於兩日後親來攜取薦劄，來客敬謹申謝而去。越兩日午間，來客偕同三名壯漢，乘汽車入棲溪山莊，先至樓下向秋白之隨從「齊順」述來意，言與同行諸君即日搭輪船赴安慶，乞轉報張廳長請將介紹函面交本人，俾向張公辭行請示等語。齊登樓傳達，張囑來賓至樓上客廳相見，客欣然應命，餘三人立苑內，見齊順下樓來，即露械刼其入室，不許聲張。蓋齊順素擅長鎗擊技術，亦常備有勃朗寧鎗一支，爲隨護秋白之用，壯漢固知之，乃先發制人，將齊威脅蜷屈於臥室之中，使其無能爲力。

秋白於樓上客廳延見來客時，適安徽電報局長粵人黃再興亦在座，當主人廻首與黃談話之際，來客從懷中取出手鎗，對準秋白之太陽穴砰然一擊，而秋白倒地死矣！黃再興驚悸罔知所措，室內職員聞槍聲馳出查看，來客擎兇器禁止行動，旋從容下樓，與同行三壯漢向棲溪山莊各住戶散發印好之傳單，指秋白爲禍皖罪魁，特爲皖民除害云。

愚與秋白雖同隸金陵，然而職業各別，住址相隔遙遠之故，殊少往還。是日午後二時，有前任皖省府委員世丈寧菅凡先生來，約往訪晤秋白。愚二人抵秋白寓所，驀見其隨從齊順戚顏蹲地焚燒香楮，愚詢張先生在寓否，答曰被刺矣！急趨樓上，見秋白俯伏地上，周圍血流如洒水，其同居婦人持扇爲秋白尸體揮逐蠅蚊，因治安機關尙未檢驗，不能收殮也，秋白對愚有臨危脫險之德（見本欄「運氣說」），目擊其死於非命之慘狀，不禁潸然淚下沾襟。此案迄未破獲，但聞係皖人王亞樵所爲，王於對日抗戰時亦被人刺殺於廣西柳州矣。

（歷史人物）

謝靈運

謝康

至於顏延年的山水詩，本來也和康樂齊名，但鍾嶸詩品，列顏爲中品，謝爲上品。又說：「謝客爲元嘉之雄，顏延年爲輔。」他以爲謝才高詞盛，富艷難蹤，含跨劉（琨）郭（璞），陵轢江左，麗典新聲，絡繹奔會，而認爲南朝詩人的魁傑，遂邁延之了。當代詩人鮑照也說得好：「謝詩如初發芙蓉，自然可愛；顏詩若鋪錦列繡，雕繢滿眼。」謝顏優劣，於此可見。近人陸侃如夫婦編「中國詩史」將康樂與鮑照並列，而將延年與謝惠連等列爲第二流詩人。又謝扶雅著「中國文史述評」也認爲顏不如謝。又葛賢寧在他的「中國詩史」裏頭，也大書特書：「靈運爲劉宋一代詩人中最傑出的一位」，（原書頁一四〇）此外，謝无量、劉大杰、易君左諸家的文學史，也有類似的見解，似乎可認爲定評。（五）

徵稿小啓

有內容有意義之隨筆、散文、掌故、小說、雜感等類文字，本刊均所歡迎。請用有格稿紙繕寫，如需退還，請附信封及郵票。一千六百字或五百字左右的隨筆比較容易刊出，過長則以篇幅所限，請特別留意。

內警僑台報字第〇三一號內銷證
自由報
THE FREE NEWS
第一一八期
中華民國僑務委員會登記證
中華郵政台字第一一二八二號執照登記爲第一類新聞紙類
（本週刊每星期三、六出版）
每份港幣壹角
台灣零售價新台幣弍元
社長：雷嘯岑
督印人：黃行甯
社址：香港銅鑼灣高士威道二十號四樓
20 CAUSEWAY RD 3RD FL HONG KONG
TEL. 771726　電報掛號．7191
承印者：四風印刷廠
地址：香港灣仔高士打道二二一號
台灣分社
台北市西寧南路金台大廈二樓
電話：三〇三四六
台郵撥帳金戶九二五二

政治反共的基本條件

雷嘯岑

或許我對於現實政治情況及其作用，瞭解不夠，認識不清吧？有若干關係重大的政治和經濟措施，就我個人的愚見所及，實在不勝惶惑，莫測高深。如果我們真想獲致「政治反攻」之效用的話，似有切實檢討改進之必要。

一

自現行憲法頒佈實施後，遵照國父遺敎，政府即已結束訓政工作，進入憲政之治了。然而，行憲已逾十年，政府藉以處理政事和制約人民權利義務的一切法令規章，完全是過去訓政時期的那一套，連當年軍事委員會在勦匪區域內頒訂的特殊法令，也照樣援用，至於對日抗戰時期所施行的法規，更是原封不動，通用無訛，如最近藉舊有「國家總動員法」以處理唐榮鐵工廠問題，即其明證。訓政與憲政之治的性質迥異，因而過去那套法令規章，有許多地方即與現行憲法相抵觸扞格，自不待言。按理，政府依照憲法產生後，第一椿大事，即應該將訓政時期所頒訂的一切法規，分別交由立法機關審議修正，或逕予明令廢止。這是立國的基本大道，萬不可忽視的，否則憲政其名，訓政是實，內部許多不必要的政治糾紛與矛盾現象，即隨時產生了。政府當局對於這項關係國計民生的大經大法，荏苒十餘年，不加注意，而立法與監察機關亦未聞有人表示疑問，或提出異議，怎不教人惶惑呢？

由於舊有那套不合時宜而又繁複滋章的法令，全盤存在適用之故，以之求治利民則不足，以之誤事整人則有餘，任何機關，對於任何事項，凡作出任何不負責任或濫用職權的行爲，皆有法令做盾牌，誰也不能說它不對呢！舊法已經多如牛毛，令人目眩頭暈了，而政府遷移台灣以來，又新頒若干法令，各個行政機構更自由訂立若干單行法規。如是乎，政府本身乃如一部龐大複雜的舊機器，運用極不靈活，機能趨於呆滯，結果只有產生超級的官僚主義而已。一個知識青年要出國求學，依法須經過十幾道有關機構——從區公所到國防部——的核許，難道說這樣就是憲政之治!?舊法新法揉雜交織，難解難分，十之七八皆與憲法精神及其明文規定的範疇不相適應，然大家又侈言民主憲政生活，其誰欺乎？釐訂法令，簡化和集中機構，以期行簡而往有功，這原是不受外在任何牽掣限制的內政措施，爲甚末長此因循瞻顧，坐視內部經常發生無謂的政治爭議，人民痛感法網嚴密而愁嘆咨嗟的情形，竟不加以改進呢？

二

記得對日抗戰時期，陳獨秀在重慶發表過一篇文章，他詰問政府的經濟政策，究竟是走的資本主義路綫呢？抑是社會主義路綫呢？？當時僅由執政黨的宣傳部長周佛海，就分配問題作談話式的簡單答復，而以實行民生主義爲依歸，陳氏認爲並未觸及問題的核心。時至今日，我個人仍抱有與陳氏相同的疑問。我們政府最近十餘年來的財經措施，說是實行自由經濟政策罷，而管制重重，人民的經濟行爲，到處碍手碍腳，試看近年來東南亞各國厲行排華，一般華僑的游資，有如潮湧似的集結到香港這一彈丸之地，造成畸形的繁榮景象，卻不因本國政府大力號召華僑投資，且頒佈優待條例，而將其游資傾注於人口與生產力皆超過香港若干倍的台灣去，即證明政府的經濟政策殊不健全。商人投資是以營利爲目的的，他們只盼望政府在其正當營業的過程中能予以方便和贊助，決不願意拿錢來換取煩惱痛苦，而又冒着莫大的風險，此係人情之常也。若說政府是實行統制經濟政策罷，而除了將國營的若干生產事業，陸續交給民營以外，對於民營的工商企業，又完全採取超資本主義的放任政策。例如台灣的紡織業，若就當地人口的供求律而言，有廿八萬錠則生產力亦就夠了，但現在已擁有五十萬錠，這當然要獎勵出口纔行，而輸出的產品即必須合於國際市場的標準，才有跟別人競爭之可能。然而，政府對於民營廠家的生產情形，卻一律放任不管，聽其粗製濫造，一經輸出，遍遭退貨的苦味，因業不振，某一工廠瀕於倒閉之際，政府又以國庫的公帑來拯救它，這是甚末政策呢？

過去我們丟掉大陸的主要因素，就是經濟失策，今後要想培育反攻國的實力，亦非有健全的經濟政策不爲功，即欲穩定台灣一隅的經濟，更須一致致力於自立更生，否則專恃外援問題，終有提襟見肘之日。五年前香港大學經濟系主任教授萬豐（S. S）先生到台灣考察經濟情形後，即曾對筆者指出我們所靠美援的經濟危機所在，我也在「自由人」半週刊上，再三提示此項諍言，盼望政府當局所警惕。可是，到今天我們還不明白政府的經濟政策是走的甚末路綫？目前這種四不像的政策，無論從那種角度看，憑那樣的經濟思想作理論根據，都是莫明其妙啊！

三

政黨政治的功用，黨部決定某種政策後，所有從政的黨員以及一切受黨指導的團體，即應該同心協力，一致遵循實踐的，方法各有不同，政策決不能違背，還是起碼的條件，非如此，即不成其爲政黨政治，更無從奠立紀律的尊嚴性，示大信於社會。

我政府當局於八九年前曾倡導「團結運動」，提出召開「反共救國會議」的主張，國人翕然贊同；去年三月初，執政黨舉行臨時中全會，又特別強調「團結一切反共力量，開拓新局面，創造新機運」之說，且公開宣言，信誓旦旦；因此，我在第三屆國大代表會議即與若干同仁提出「請政府迅速召開反共救國會議」，以期團結海內外反共力量的議案，詎料大會日接得執政黨「黨團」的通知，認爲此案應予保留，不能討論，旋在大會決議「保留」了。這種提案本無法律上的拘束力，只是一種宣傳作用而已。我爲着遵循黨的決策，乘機鼓吹政府自動倡導的團結運動，自信沒有甚末錯誤的。然執政黨的「黨團」卻禁談此事，對於黨的最高決策，表現着「前面買生薑，後面叫不辣」的作風，這算甚末政黨政治呢？

現在政府又發出分批召集海內外反共人士，舉行座談會的諾言了，其性質就是原來倡導的「反共救國會議」。去年三月執政黨的「黨團」不許談論的事，今年三月政府又宣佈要實行，若說去年不當時機，未到，則當時執政黨的臨時中全會何以鄭重地宣言號召？若說爲政治不在多言，顧力行何如耳。然政府當局何以又談論八九年而不欺？政黨政治的運用情形，若是其波譎雲詭，變幻無常，怎能發揚效能，伸張信譽呢？政治行爲需要高度的藝術才可以見功用的，低能的作風適所以誤蒼生，救國云乎哉！

政治反攻的眞正意義，即是政治的比賽。我們現行的政治、經濟政策，以及收拾海內外人心的方法，如上述情形，若不及早改進更張，究竟有甚末比賽必卜優勝的把握呢？現在海外一般反共人士對於分批舉行座談會的號召，反應並不熱烈，原因就是大家對當局抱着一種將信將疑的心情。假使內部不能切實團結，而欲收政治反攻的實效，那是「豚蹄篝車」之望，是不會有奇蹟產生出來的！

積非成是

小論天下

△寮國戰事稍緩，蘇俄仍續空投軍火。蘇俄由「眞理報」著論示意，允暫停火，傳正與中共商量對寮次似一動。東南亞公約八國在曼谷開理事會議，法國未同意使用武力。美國務卿羅斯克於會議結束後飛訪印度尼赫魯，談東南亞和戰問題。

「急來緩受」，在共黨方面固優爲之，他們何妨看清楚東南亞公約理事會議的眞實「行情」，才來一個不軟不硬的答覆。

△參加東南亞公約理事會議的各國外長，衣裝多爲灰色，爲六與二之比，西方國家全是灰色，泰國外長獨着黑色。

妙！灰色的西方外交家，對亞洲事件不會有一顆熱烈的心。泰之在寮，則宜有墨絰從戎之感矣。

△美機被寮共被擊墜，美空軍少校一名落寮共手中。

凡是共產黨，都會知道應該怎樣利用「美俘」吧！

△葡萄牙里斯本發生大規模反美示威運動，暴徒二萬圍困美大使館，起因於美在聯合國投票贊成調査葡屬安哥拉種族紛擾事件。

「順得哥情失嫂意」乎？「扶得西來東又倒」耳。

△倫敦「每日電訊報」建議，劃分南北兩個寮國。

一隻小麻雀未嘗不可割作兩邊，這是對「蠶食」必獲成功的一個保證。

△美總統甘迺廸提出龐大國防新預算，顯將加強游擊部隊訓練，具有應付任何型式戰爭的決心。

對蘇俄用大棒，對中共宜用小棒。

△這本來是簡單不過的宣誓。赫魯曉夫主持東歐華沙公約共黨國家會議的開幕典禮，中共劉曉以觀察員資格列席。西方觀察家正在作多種推測。

最佳的推測仍不外是：中共與蘇俄發生分裂。

方南

自由談

人才與家敎

我們家鄉有一句流行的俗話，說是「做一代官，變三代牛」。這意思是認爲作官的人都不免罪孽深重，家敎疏忽，後人必不昌達，多見其爲頑劣的不肖子弟也。此說未必合乎邏輯，但事實上似又難以否定其妥當性。

遠者不必談，即以近代世界上若干勛業彪炳的偉大人物而論，如羅斯福，如邱吉爾，如甘地，乃至於號稱爲「老虎總理」的法國大政治家克萊孟梭諸公，他們的兒子即未見有克紹箕裘，跨灶充閭的。至於咱們中國的達官貴人們，以袁世凱爲首，數到所有文武顯要，也沒有一個成材的兒子見稱於世。卅年前曾爲世人所豔稱的四公子，而今皆成了白髮老翁，他們對國家又有甚末續業可觀呢？但這四位公子中的孫公子，卻比較略勝一籌，殆由於他的家敎不同之故。

這原因亦極易瞭解，凡屬顯貴之家的子弟，自幼養尊處優，罔知稼穡之艱難，讀書亦是吊兒郞當的敷衍了事，甚至成爲阿飛學生，連老師亦管不了他。及至席豐履厚，在政治上容易得法，而周圍乃充滿着對他們諛逢迎的生活氣味，日漸月染，使他忘乎其形，有如廣東話所說的「唔知老豆姓乜」了！從這種環境中長出來的人，他會有出類拔萃的學識才能，可以担當政治大任嗎？「天將降大任於斯人也，必先苦其心志，勞其筋骨，困乏其體軀，動心忍性，增益其所不能」，孟子這項理論是絕對正確的。

古往今來，一切創業名世的英雄豪傑，沒有不是窮苦困之生活中奮鬥成功者，紈袴子弟決不足以語此。我感覺當國近五十年來的要人子弟，並無一個傑出的人才，即懷疑這是國家的氣數在走下坡路，而聯想到我們家鄉那句俗語，實在值得一般政治要人隨時警惕，首先不讓自己的子弟在學校做阿飛哥，庶可免於三代變牛的報應。假使這點起碼的父兄之敎亦做不到，只希望利用自己的政治權力，將來爲子弟製造政治地位，那就是誤己誤人，結果非變牛不可。古人有言：「君子之澤，五世而斬」，自己的一些福澤，若到第二代就完了，不亦太可惜乎？

馮五先生

謠言滿天飛亟待澄清
分屍案撲朔迷離

艾思

（台灣通訊）台北瑠公圳分屍一案，已歷四週，線索不絕如縷；破案希望，則仍渺渺。就連最起碼的死者姓名，竟也無法查出，遑論案情之大白？

死者姓名的仍未查出，是辦案人員的無能嗎？不是！因爲專案小組已集合了自由中國第一流的刑案專家。社會人士的不予合作嗎？更不是！認屍與提供線索的已必數起。最主要的原因，當然就是戶政的腐敗了。

台灣四週環海，境域更非遼濶；鉅年尙有戶口普檢之舉，但失踪人口竟有二至三年不明其行踪者，寧非怪事。

歐美各國，特別注意指紋之運用，而台灣則着重照片之形式。台灣現居人口，必須申報戶口，方可領得國民身份證一紙，內貼照片，並記載職業及住址等項。毛病也就出在這張身份證上。僞造變造姑且不論，單就照片說，即令人有迷離之感！原來身份證照片，乃照像館之特快製就，再經時日之磨損，形體猶似，而貌全非了。故而，以女屍照片，查對全省居住人口，非但浪費時日，且難得正確結果，則在意中。

如果身份證上之照片與指紋合用，則無此弊。如台灣居住人口均有指紋資料，則女屍於生前確在申報戶口，不難一索而得。

現在案件已由刑總移至警總，由行政機關移至軍事機關，暫棄法律觀點不論，亦有小題大作之嫌。亦徒示人以刑總之無能，軍事機構無所不管之印象。

女屍案偵查過程，高潮疊起，强似偵探說部，然迄無結論，不勝遺憾。代之而起的，則是謠言滿天飛，或說：女屍爲某高級軍官之傭婦，由內地借來台灣，從未申報戶口。來台時，年紀尙幼，而今則亭亭玉立，風姿宜人。某軍官趁夫人住院之便，勾搭成姦。近以某軍官即將擢昇高位，而該女傭，竟以腹中肉爲要脅，强迫某軍官滿足其慾望，女主人則因妬之一念，又恐影響某軍官之聲譽，唆使某軍官之部下，殺後分屍滅跡。

還有人說，居處附近之鄰居，均知此內情，因格於某軍官之位顯而尊，後台挺硬，自然就無人强出頭了。

甚且還有人說，目擊分屍案之某人，因賞格高至十萬元，頗有出領報密之意，某軍官知情之後，即付現款十八萬元，並促其遷居，今則以失踪聞。

謠言止於智者，但是台北卻爲這種謠言所籠罩。警總職司破案之全責，似應對這種謠言，先予澄清，以釋羣疑。

嫌犯已有陳世有及劉子玉二人在押。陳劉乃柳姓軍官之廚司與司機。陳劉二人均因紙店及石灰店人員之指認而涉嫌。但可疑現場之石灰、狗毛、稻草等物經法醫之鑑定結果無關。本案到此，則又入迷途。

涉嫌人犯雖憑關係人之指認，但並非絕對的可靠，或爲偶合，或爲指認錯誤，筆者但願再不要造成八德血案後的又一冤獄。

八德血案涉嫌主犯穆萬森，刑總及監獄弄了四載有奇，雙腿因刑訊而傷殘，我們拋開法律責任，以人道論，也似乎有些過份。

警總因爲過去的教訓，接辦本案之初，就曾以科學方法爲求證之原則。但是科學方法，是由辦案的關係人，以科學的方法去研判案情。而不是將全台灣的現居人口，全部列爲嫌犯，再以科學反証其無罪。若此豈非有些本末倒置，使人莫名其妙乎？

科學在於以科學方法，調查分析求證案件，而非是將案情故作神秘，賴以邀功。美國憲法有涉嫌人犯有不爲證言之權利。我刑訴法亦有證人反因自己之證言，可使自己受刑之宣告者，得拒絕作證。由此可知，美憲與我國刑訴法，均對涉嫌人犯之人權，給予特別之保障。

今則反是，反須涉嫌人犯，各人提出其與犯罪無關之證據，方可確定其無罪。冤獄造成事小，人權受損事大。三元一日的冤獄賠償金，又能彌補涉嫌人犯精神與體力損失之幾何！

香港與大陸

自從大陸人民發生空前的飢饉情形以來，毛共初則故弄玄虛，拒絕海外的中國人寄糧食到大陸救濟親友；繼則惺惺作態，表示解禁，而課以倍蓰的關稅；現在更進一步，想入非非，實行其共產絕技了！

毛共最近規定：凡是海外華僑購寄糧食到大陸接濟親友者，皆交由共黨在海外設置的商號代爲接收運送，同時繳付鉅額稅款，然後給予收據；囑交貨人掛號郵寄收貨的親友，憑此收據向當地的公營商業機構取貨。可是，取得的物品卻非原始材料，而係共黨所製造的那些不能入口的東西，例如原寄的一挺花生油，既新鮮而香味馥郁，富有營養性能，但收到的貨色，即變成臭溝水一樣而不知是甚末材料造成的生油了。其他的各項食品，莫不皆然。反正收件人又不敢爲信給寄貨的親友說眞話，只好照收，事實上亦總比挨餓啃樹皮或吃觀音土好一點呀！

毛共在海外的所謂土產公司行號，即將收到僑胞們購寄的物品，就地變賣，又掠得若干外滙，連同勒收的關稅，等於雙料搜刮剝削，而以其只在內地配給，決不能輸出售賣的劣質物資，聊資應付，眞是好話說盡，壞事做絕了！

基於上述情形，凡屬住在大陸上交通閉塞之區的農村中人，即無法收得海外親友寄的糧食救濟品，因爲當地沒有共黨所設置的土產公司，可以兌換劣貨，如果寄去，等於送給共黨而已。共黨對於海外僑胞購寄到大陸的救濟物品，除「美帝」產品以外，洋貨一律歡迎，以其可以高價就地變賣刮龍也。如此殘酷暴虐的政權，寧非駭人聽聞嗎？

台省美展觀後感
攺頭換面，全無半點創造性

潘立夫

美展是一月中旬的事，但它好像投了一顆炸彈沒有爆發似的無聲無息。筆者曾想說幾句話，但碍於前輩知後輩，「專家」與「門外」，不敢貿然出口。但兩個月過去了，評論界依然默默無言；報紙上除了什麼幾件國畫，幾件油畫，幾件雕塑，洋洋大觀，規模宏大，琳瑯滿目等商業性的報導外，根本不見任何積性的批評。

誰都知道，藝術批評跟藝術本身有同樣的重要價值；如果作品沒有批評就等於沒有批閱過的試卷，無法找出缺點，也就無法找出應致力的方向；而我們的評論界竟是那麼沉寂（一向如此），因此筆者才敢冒大不諱，大胆地說幾句話。

先就國畫部門來說，筆者不敢充內行，引一句年長畫家的話：「大不如從前大陸上的作品。」筆者倒不知「當年」的作品怎麼樣，不過從國畫展覽部看來，眞有幾十件滑稽可笑的作品：所謂「畫虎不成反類犬」可當之無愧。根基不夠，體會不準，精神沒有把握，運筆不熟，只想大筆省事：畫得鷄不鷄，鳥不鳥，簡直令人「慘不忍視」。不過也不靠是「草包」，仍然有幾件上選之作，表現得頗爲獨特。

油畫方面，那簡直問題太多了，而且不單純。筆者且分兩方面來說：

、表現方面：通常人們都把油畫叫做西畫，這是不錯，但也不全對，因爲中國人作品不可叫西畫。油畫工具我們是從西方接過來的，因爲它在表現方面確有它的優點和方便之處，可是微妙之處，就是我們從洋人手裡接過這工具，同時也承受那一筆脫不開的寃枉賬——「表面精神」。這多少跟物質文明有點關係，跟外國的月亮比中國大的「自卑性」有點糾纏。當然有人會說：「藝術是不分國界的。」對的，它的理想是不分國界，（不過那是未來：文明還沒進化到該處。）可是目前的文化依然是領域文化，它的表現應該與文化有關。就以外國人的作品來說，我們憑外觀都可以發現，裏頭有明顯的文化稜廓，那不就是文化表現嗎？反觀我們的畫家，他們的畫到底有多少文化色彩；我相信大家的答案是一致的否認。那麼這裏我們幾乎就是接觸核心問題了：精神、觀念、心靈、都是文化作品，因爲生長在某一文化領域的人，他們的感官所觸的都是該文化領域的色彩、形狀、習俗、那麼在他的精神，概念甚至心靈裏所形成的，應該有其文化特色的流露，可是我們的藝術家卻很少有這分眞誠的敏覺與表現，卻在臨摩、參照、擠往的揉台下扭曲了心靈，鈎出西洋畫家的表面形式與氣質。（上）

台灣文壇怪象

張希明

△台灣報紙上過去曾經有「抄襲」出現，最近又被發現過一次，在一份大報上刊出了，讀者指出是「文抄公」，編者警告了之。自己寫不出文章，偏要掠人之美，去抄人家已刊出之文章，去賺一點稿費，比强盜還惡劣不過了，强盜搶人是以本領，勇氣才可以搶物品金錢，文抄公是一種弱者表現，自己沒有本領寫文章，抄人家的作品，是文壇上的敗類，更是無恥的「弱者」，文壇上不需要他，連讀者也不需要他，請他早點兒向文壇道歉，還是自己從文壇上開小差出去吧，別玷污了文壇之美。「文賊」此處不留你！

在本刊一〇五期第三版「偸渡」一稿，究竟是一稿兩投，還是抄來的，我們並不清楚了。在台灣「文壇」季刊第十期中有「偸渡」一稿，名字與作者名均同，不知究竟如何。如果爲了自己出名，多寫幾篇文章也可以，何必一稿兩投，與一女嫁二婿同樣之理，作了兩家好人，得到兩處稿費，所得之名反沒有原來之高。何苦？

△過去台灣文壇上有盜印之風，現在似已息了。但又多了一個盜「作家之名」，將自己拙劣的作品，用「××」之名，在報上大享其文名，其手法太低劣，如果自己的文筆不夠水準，可以多練習寫作，到爐火純靑時再推出去刊載未遲，何必「盜名」而掠人之美，好好的人要被人罵個不是哩！一個人盜用了人家的筆名也妙，偏偏無獨有偶，台灣有人盜用，連香港也有，怪哉！二十世記七十年代的文壇。

編者按：「偸渡」一稿，登載於本報一〇五至一〇八三期中。我們不知道是否李約翰先生一稿兩投，抑或是另有其人抄來換取稿費？承張希明先生加以指出，編者不勝感謝。台灣「文壇」季刊第十期編者沒有看到，究竟何時出版，也不清楚。擬此請求張先生惠寄第十期「文壇」一冊，以便查對。如果第十期「文壇」的出版日期，在本報一〇五期日期之前，我們當不會發給稿費的。本編者亦願趁此請各位文友注意，一稿兩投之事，對報社，對作者均無好處。此類事件，我們希望不致再有發生。

大陸文壇萬花筒

大陸經過毛澤東統治十一年多之後，什麼都在減少，只有一樣東西多了，就是「詩人」。

當大躍進時，文藝界也奉令躍進，正牌的文人如巴金、茅盾們固躍不起來，就向鄉下去徵動，於是全國各角落都充滿了詩人，都有一萬多人作詩，其多產足使古今中外的詩人黯然失色。

不過，這些還都是新詩，還容易混得過去，反正新詩總容易寫，能讓人懂已是上乘作品，對於中共詩人那種「天上沒有玉皇，海內沒有龍王」的詩，比起印象派新詩總容易懂些。

至於高級共幹，因受了毛澤東的薰陶，大家都在作舊詩，格式也完全仿自「毛澤東體」。詩人也越來越多，不斷發現新人，最近因陳賡之死，到三月二十日人民日報上刊出張愛萍一首輓詩，才曉得張愛萍的文化也相當高，居然能作出舊詩，的是難得。

詩人何其多

——岳騫——

陳賡是共軍中的「大將」，在共軍高級頭目中算是屬於第二級的人物，可是在同輩中，他的境遇似乎比較坎坷，他這次之死，也許與憤積有關。

陳賡原任劉伯承部第四兵團司令員，盧漢獻了雲南之後，陳賡一度衣錦還鄉，成了雲南王，不久就被調去參加韓戰，担任「志願軍」副司令員，作了彭德懷的助手，先彭回來，所以也未當過司令員，回到北平之後就坐冷板凳，先當副總參謀長，後來又當國防部副部長，陳賡本來野心很大，這一來自然大爲不滿，尤其是眼見原來在他的政治部主任，由雲南省委第一書記直升爲中共政權公安部部長，那個抗戰期間在他手下任團長，後來同時任兵團長、省主席的楊勇，當了志願軍司令員，回來又任「北京衛戍司令」，比較起來，陳賡更自傷淪落，可是他的老上司劉伯承也失勢，他也愛莫能助，陳賡因爲心緒不好，一年來很少在公共場合露過臉，究竟是舊病還是被軟禁，都很難說，總之在這種情況下，陳賡死得並不奇怪。

閒話眼睛

白荷

眼睛，這心靈上的窗子，它會流露出人性善與惡的兩面，表發出喜與憂的心情；見到一雙有表情的眼睛，有時會帶給你一種愉快的心境，奔放的感情，和美麗的希望；有時也會勾起你一腔愁雲慘霧的傷感，廻腸百轉的憂傷！

眼睛的表情各有不同，經常習見的，約有下列幾種：有杏眼、媚眼、白眼、飛眼、向眸、凝眸等；（一）杏眼，是描寫美人兒發怒時的神態，在我國舊小說裏，常見有柳眉倒豎，杏眼圓睜，這些詞句，用來形容一般女性在怒火燃燒時，所表現的一種眉目表情，眞是維妙維肖。（二）媚眼，是描寫女性的脈脈含情，媚態動人的神情，表達出內心愉快，和精神興奮的境地，因此在那富於魅力的眼神裏，流露出青春的熱情與活力，使人見了爲之心神蕩漾，沉迷陶醉！（三）白眼，這是冷落和卑視對方的神情，黑眼珠向上翻，白眼珠朝下，一種蔑視態度，含有不屑和對方談話的傲慢表情，這種表情會使對方感到難堪的滋味。（四）飛眼，富有青春活力，熱情揚溢的表情，是突然將一隻眼睛閉上，用另一眼向對方來個秋波一轉，有如一瞥驚鴻，令人消魂；此種飛眼大多流行在外國電影明星，與歌星舞女之中，運用輕鬆俏皮的小動作，令人有活潑、輕鬆、親切，熱情的感覺。（五）回眸，這是古代騷人墨客描寫美女最常見的，在白居易的長恨歌中，描寫楊貴妃的姿色，有「天生麗質難自棄，一朝選在君王側，回頭一笑百媚生，六宮粉黛無顏色。」的詩句，最令人消魂的，惟有那一對水汪汪亮晶晶的眸子，在笑靨中發出的魅力和光輝，是如何令人着迷了。（六）凝眸，凝眸的意境，在於含情脈脈；又似乎愁腸百轉，感慨叢生；在凝眸的神情中，表現出內心的抑鬱與苦悶，如長恨歌中：「含情凝睇謝君王，一別音容兩渺茫，昭陽殿裏恩愛絕，蓬萊宮中日月長。」以及詞家李清照的鳳凰台上憶吹簫中「別情」一闋，其中「惟有樓前流水，應念我終日凝眸，凝眸處，從今又添一段新愁。」當讀畢以上這兩段詩詞以後，會意識到凝眸，在感情的表達上是怎樣的滋味。

嘻笑怒罵

汶津

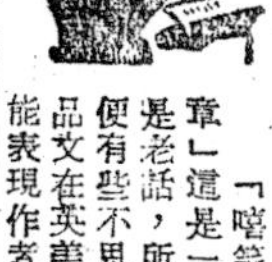

「嘻笑怒罵，皆成文章」這是一句老話。唯其是老話，所以順口說來，便有些不思辨的流弊。小品文在英美素來被認作最能表現作者個性的一種文字，這自然不是我們的理學家們所贊同的，可是中國明清的小品文，不也可愛得讓人想陪着作者促膝談心麼？那麼瀟灑的人物，都是最懂得自由抒發情緒的。他們嘻笑的時候，不怕別人譏作「孩子氣」；他們發牢騷罵人的時候，更不考慮是否會摔了飯碗、惱了大人物。要是你把他們簡直看作胡調的小丑或半瘋狂的潑婦，卻又難免是佛頭著糞了。

我相當喜歡謝六逸的小品，他老人家不但有學問，而且還有一股子文人的「味道」。據說他的一位「高足」曾經拿了他的講義稿印行出版，而且還要求他寫序評介，他慨然答應了，對別人說：「我自己決不會出版這本書的，他窮得很，讓他出了罷。」這樣的詼諧和氣度，眞正直追淳于髡一流的古人了。他的小品文寫得讓讀者處處覺着有精神，也正因爲換了別人會拍案怒罵的事兒，他能以微微、淡淡的嘻笑來對付。

不記得是誰說的：「小說的使命是把新鮮的事物教人熟悉，或把熟悉的事物教人感到新鮮。」遺憾的是這話說得窄了一點。一位眞有本事的散文家，不管筆底下寫的是吃飯也好、拉屎也好，總不會教費功夫讀那白紙墨字的人抱怨。也許他在說粗茶淡飯，你卻有如嚼過一頓山珍海味。出娘胎以來只知道板臉孔的僞善者能夠如此嗎？目下大家正在矚目第一套土生的博士制服究竟是何等款式，我卻回想起謝老說的兩句話了：「學生所得到的是我幾個有名無實的學分；教員所得到的，是汗淋淋換來的幾塊臭洋鈿。」洋鈿早已不通用，至於臭也不臭，更不敢妄加議論；何況還有不少人欣賞臭豆腐乾呢！

但嘻笑怒罵還要跟着責任感攀親，那才不叫三輪車夫小看了爬格子的。有些人家罵起人來，眞是義無反顧，而且往往忘了夫子自道之戒，弄得聽的人啼笑皆非，這就難居上品了。有一種文字最能表現中國溫柔敦厚的傳統，看似一波止水，那知不僅嘻笑怒罵，甚至生殺予奪，都暗暗蘊藏其間。如果學圍棋的封段，怕不要踰越國手與大棋士！

口誅筆伐是一大文化遺產。到了近代，連在國外很出風頭的林語堂，也還以「殺了一個人」沾沾自喜，可見說文人手無縛雞之力，完全是一面之辭。文人救國的實例，雖然還有待考據學家的努力；嘻笑怒罵在無形中成爲一宗武器，却已是千古不刊的眞理。但科學日新月異，「以子之矛，攻子之盾」的話兒却依然新鮮，如果以此爲長期的「無本生意」，難免會自己裁自己的跟斗吧。

明朝的張岱，是睥睨一世的小品能手，在他的「陶庵夢憶序」裏，却不打自招的說：「因嘆慧業文人，名心難化」；「其名根一點，堅如佛家舍利，劫火猛烈，猶燒之不失也。」這其實是一張公用供狀。許多文人自以爲耐得住寂寞，可是至少被我們熟知的名家中，甘心讓自己的作品永遠藏諸名山，直到化爲塵土爲止的，恐怕絕無僅有。否則豈不都成了無名「文」雄？於是「嘻笑怒罵」的神聖性也不得不打了個折扣。你看那人旁若無人的發牢騷，心裏根本就拿不定他是直腸快語，豪傑心腸呢，還是想借此博個不朽之名。

打鼓罵曹的禰衡，後人不禁欽佩他的氣概，一方面卻仍有翻案文章問世，說他的沽名釣譽；金聖歎的「殺頭至痛也，聖嘆於無意中得之」，也有人裝作不欣賞的，連老莊都成了玩世派的罪魁。爲「嘻笑怒罵」著想，這世界似乎不太友善吧。尤其「笑罵由他笑罵」哲學的廣爲流行，更使臉皮似乎尚不夠厚，心腸也嫌太軟的文人搖頭歎息。

雜文、小品的稿費自然追不上傳奇小說的。可是只要一抗筆桿的還留着最後一根脊骨，嘻笑怒罵還是會發揚光大下去的。所以，趁早別再長他人志氣，滅自己威風吧。

國語電影

·克勞·

最能表現藝術，最能爲羣衆容易接受的，只有電影。三歲孩童到七十歲的老翁，都能接受，都能領會。所以電影藝術最爲發達；一些從事小說的作者，也慢慢走上電影藝術之路。

綜觀中外電影，我們國語片實在不敢恭維，原因不是在於本身的條件不夠，比方：場景、攝影、錄音等等，實際上，是對藝術觀點不夠正大。

影片本身就是藝術，所以在剪接及人物出場都有一定的秩序。國語片最大的缺點：悲劇的則是一哭百哭。似乎沒有哭，就不能表現出悲哀出來。在藝術觀點上，這是最大的錯覺；哭是由各種條件湊成的，是由於各方面的壓力。哭，要有理由的哭。無病呻吟的藝術，對觀衆是沒有好的印象的。

喜劇則是歌唱，這在藝術的統一上大有問題。藝術是整體的，不是片斷的。如果是歌劇，從開始到結尾都是歌唱，也未嘗不可；既不是歌劇，就不應該用歌唱來破壞藝術意境。

如果說：「喜劇要由歌唱才能表現，悲劇要用哭來表現」，我這裏引用外國人一句話：「第一個人說女人是花，是天才；第二個人說女人是花，是蠢才；第三個人說女人是花，是奴才。」

假日（一）

孟瑤

編者按：名作家孟瑤女士，現任教臺灣師範大學，她的作品，早已蜚聲海內外，不待我們再介紹了。「假日」是一個一萬字左右的中篇小說，孟瑤女士于百忙中撰述，且承惠寄本報，曷勝感謝。

假日，對於一個做主婦的說，眞是一個忙碌而又興奮的日子，丈夫從辦公桌前回到自己的裙邊；一羣被新奇世界所逗引的孩子們也比較安靜地懂得隨在媽媽的腳跟下轉了！這種幸福的時光不易多得，因爲丈夫和孩子已不是一個女人的私產，做個現代主婦，首先應該懂得這些。

這不是一個常有的相聚日子，使我特別費心安排，譬如親自下廚房給大夥兒做幾樣愛吃的菜咯，或者是一起去看場電影或舞台劇咯，更也許到郊外去逗留一天咯，而以郊遊這一項節目最受孩子的歡迎，可惜我的步履不健，常常捉個理由就把它否決掉，今天亦復如此，誰叫最近連日陰雨呢？我把每一個都拘在家裏，答應燒幾樣好吃的菜，然後歡聚閒聊。孩子們原也不太反對這種作法，只爲這種小小的日式房子容納不了一羣孩子們的歡樂，常常愛趕他們到外面去，所以，允許他們在家的範圍內自由活動，他們也會高興得跳起來的。

親自去菜市買完菜回來，四個孩子像一羣小狗似的圍了上來，老大拿去我手裏的菜籃子，老二接過我手裏的傘，最得寵的老三抱住了我的頸項親吻，老四在遠遠地轉了一個圈，立刻到內室把我的便鞋拿出來，等到我因爲我太累而嘆了一口氣坐下來的時候，立刻蹲下來給我換鞋，洋溢着一片幸福的情緒，我忍不住問：「爸爸呢？」

「還在睡懶覺啦！」孩子們異口同聲地回答。

我略作休息，撥開孩子們就到了臥室。他正睜着眼睛仰臥在床上，我伏下身去，輕輕地說：「懶虫，還不起來！」

「孩子們都特別愛你，我吃醋了。」

「女人再在這一方面不佔一點便宜，那就更倒楣了，」我順手從小几上取出兩支煙，也替他點燃，深深地吸了一口，我才接下去：「整個天下都是你們男人的，家應該屬於女人。」

「要是沒有家，男人要天下幹什麼？」他吸了一口煙，也閉了一會眼睛，然後似非常得意地說出了那精闢的結論：「男人征服天下，女人征服男人，所以還是太太萬歲，太太萬歲！」他像喊口號似的，伸出了雙手。

「媽媽萬歲！」四個孩子也圍在門口高喊起來。

「出去，不許在這裏鬧。」他呵斥道。

「爸爸在吃我們的醋，其實媽媽還是最愛我們！」老三調皮地說，接着一陣呼嘯，孩子們走了。

清廷供奉之伶人

——瘦西湖——

梨園漫談

孫菊仙曾與譚鑫培不睦，起因是譚鑫培在宮廷尙未得慈禧之寵時，某日因戲誤場，總管李蓮英極爲震怒，即令人把譚喚至；命其當衆跪於庭中，以資儆罰，時孫菊仙與李蓮英私交甚厚，見譚受責，頗感不安，大有猩猩相惜之意，遂上前向李說情免罰，李見孫來懇釋，乃免譚罪，按理譚應感恩圖報，向其道謝才是，詎料老譚反而惱羞成怒，誤認菊仙妬己，故意慫恿大總管李蓮英予彼以難堪，俗諺同行本是冤家之說，果不虛假，自此事發生後，譚孫芥蒂更深，這時適拳匪義和團事起，四出大捕教民，及刀殺外籍人氏無數，孫伶家本住北京城內交民巷，而其最幼之孫兒亦正在教會學校攻習英文，被譚家知悉，遂赴奉教處秘告，故孫全家不幸亦遭焚掠，至後孫伶聞此事係譚家所爲，爲了避免兩家更結仇起見，乃舉室南遷，後亦如田際雲之「報死」除名矣。

再者：按宮例每月必須演戲兩天，日子是初一及十五，如遇佛誕之日，或令節以及每年正月十六等日，亦必加演一場，十六爲廷臣宴會，名爲加差，亦如今日之公務員加班相同，每年二月二十六日爲德宗誕辰之日，十月十日爲慈禧誕辰之日，例如逢該日，必由宮內供奉之伶人演戲九天，而在朝羣臣亦得賜賞在宮聽戲，故這爲宮中最熱鬧之幾天。

其次：內務府有一規定，凡在朝供奉之伶人，必須住於昇平署內，惟具有名望者例外，可於該場戲罷後即可返家休息，其中有老邁無能，或家計貧寒者，則多蒙留宿其中，三餐溫飽，以及支用月錢，大可不必發愁，而受供奉之諸伶，平日因地位尊榮，生活豐盛，然而每值傳差，在雞鳴五更前須起床，提一小燈籠由前門外進入皇城，繞道由南府後門而入，其時伶人十九皆寓住前門外，如名伶汪桂芬，陳德霖，時小福，佘紫雲等皆住八大胡同內，譚鑫培住前門大外廊營，王瑤卿，楊小樓等則住前門外大小馬神廟是也。

夏日慈禧避暑於西直門外頤和園，雖距京城有數十里之遙，但如有演戲之日，亦必須於黎明前趕至，倘若有人誤差或缺席，雖極有體面之伶人，亦得受罰跪之懲，故伶人皆視走頤和園爲苦事耳。（三）

官署聯

·長安居·

〔聯語偶譚〕

清代杭州北新關，課稅較全國任何一地爲嚴切，致商人裹足不前。至阮芸臺撫浙，兼管關務，乃自製一聯，懸於關署大門，聯云：

「上古關無徵，後世不得已而権關，慎勿失其初意；
本朝稅有額，小民如其分以納稅，何可使有怨言。」

竊謂此聯應遍懸於各海關以及稅務局門口，使其時刻有此警惕也。

古人的衙署廳齋楹帖，並非故示風雅，其作用乃類乎今日之座右銘，亦即古人之官箴。汪龍莊自題衙署聯云：「官名父母須慈愛，家有兒孫望久長。」袁簡齋自題衙署聯云：「獄貴得情寧結早，判防多誤每刑輕。」凡此均可作官箴讀。

鄂南山以名進士作湖北黃梅令，自作大堂楹帖云：

「備科不免追呼，願百姓早完國課。省事無如忍耐，勸衆人莫到公堂。」

下比二句，香港人應廻環展誦。就每日的社會新聞來看，鷄零狗碎之事，動輒訴之公堂，到結果，不論勝負雙方，都是勞民傷財，兩無好處。究其實，皆由不能忍耐之過。省事無如忍耐，便自然不到公堂，此聯不僅是官箴，亦且是作人之道。

成蘭生守杭州，題廳事聯云：

「湖山在目，玉局曾來，又七百年於茲矣。冰雪爲心，金科勿擾，斯二千石之職與！」

余小霞以詩人沉滯粵西，會題桂林府儀門聯云：

「此是公門，裹足莫干三尺法。我無私謁，盟心只凜一條冰。」

大抵官署之聯，總不外是兩層意思：一方面是表示自身的廉潔與公正；另一方面卻要警告或勸誡其屬下人民不得作奸犯科。上述諸聯，儘管作法不同，而其立論，則均不出這兩層意思之外。孔子曰：「聽訟吾猶人也，必也無訟乎！」也正是這個意思。官署之聯，只有常州府有一聯，較爲別緻，茲特錄出，以殿文末。常州府署，前有竹樓一所，某太守題聯云：

「未知明年在何處，不可一日無此君。」

雖爲集句聯，但辭意雙關，恰到好處，未知明年在何處，正道出了患得患失之情，的是官場中語。（下）

小啓：無負朱先生之「辛丑談往」續稿未到，暫停，謹向讀者致歉。

大漢天聲

徐學慧

在唐代，尚有一著名的日本人，名叫宗海和尚，此人對於唐代詩詞的流傳，實在具有莫大的功績。最初他是到中國來留學的，那時候，對於留學的年限，並無任何規定，所以這位宗海和尚在中國逗留的時間也特別久，不時與那些名士相唱和，亦頗爲士林所推重。回國以後，著有「文鏡秘府」，其中所錄多唐人佳句。他這一來，倒把有些唐人的詩在中國久逸而爲「全唐詩」所不收的都保存下來了。「文鏡秘府」至今日仍甚流傳，研究中國文學的人，大概都得過過目的，也許在香港要想買到這樣一本有價值的書，怕也就不太容易了！

宋代武功雖不及唐，且始終受異族侵畧，可是，當年的契丹（遼）女眞（金）蒙古（元），亦終於同化於漢族。文學作者，如遼的耶律氏，蕭氏，金的覺顏氏，元的馬祖常，迺賢，丁鶴年，薩都剌等，均有名。迺賢的「金台集」，薩都剌的「鴈門集」，至今日仍甚流傳。迺賢的「次段青市助教懷江南韻」一詩云：

「花底雨聲待月圓，羅衫半浥綠痕鮮。一年湖上春如夢，二月江南水似天。修禊每懷王逸少，聽歌却憶李龜年。卜鄰擬住吳山下，楊柳橋邊聚畫船。」

薩都剌的詩，已很有功夫，而他的詞，流麗清婉，才所擅長。其有名的滿江紅（金陵懷古）一詞，想已爲讀者所熟知，好詞不厭百回讀，今再爲一錄。詞曰：

「六代豪華，春去也，更無消息。空悵望，山川形勝，已非疇昔。王謝堂前雙燕子，烏衣巷口曾相識。聽夜深寂寞打孤城，春潮急。思往事，愁如織。懷故國，空陳迹。但荒煙衰草，亂鴉斜日。玉樹歌殘秋露冷，胭脂井壞寒蛩泣。到而今，只有蔣山青，秦淮碧。」（三）

神童簡介

漁翁

茫茫宇宙，蚩蚩萬物，萬物之中，惟人最靈，而人與人間，又有聖賢才智平庸愚劣之分。方其出生之初，能得先天賦予之特殊智慧，再加以後天之培育，便成爲出人頭地之偉大人物。茲舉歷代號稱「神童」之犖犖大者，簡單介紹於下面：

項橐，七歲而爲孔子師，見國策，史記，新序，論衡諸書，蓋謂此童子之言，能令孔子取爲法戒也。孔子所問，項一一答之，而項轉質於孔子曰：「天上零零有幾星？地下碌碌有幾屋？」孔子曰：「不必談天說地，且論眼前之事。」項曰：「眼前之事，眉毛中有幾枝？」孔子笑而不答，顧謂諸弟子曰：「後生可畏，焉知來者之不如今也。」

甘羅，戰國時策士秦甘茂之子，年十二，爲秦上卿，事秦相呂不韋，年雖小而深諳兵法，；教秦人以騎兵戰術，後奉使於趙，說趙王割五城以事秦，卒統一中國，成爲歷史上傑出之戰略家與外交家。

孔融，東漢人，孔子二十世孫，字文舉，幼聰穎異凡兒，獻帝時，爲北海相，立學校，表儒術，薦拜大中大夫，嘗謂「座上客常滿，樽中酒不空，吾無憂矣。」後爲曹操所忌被誅，惜哉！

曹植，三國魏文帝之弟，字子建，十歲時，已能誦讀詩、論、辭賦數十萬言，善屬文，援筆立成，爲文帝所忌而欲害之，迫七步中成詩云：「煑豆持作羹，漉豉以爲汁，箕在釜下燃，豆在釜中泣；本是同根生，相煎何太急？」至今猶膾炙於人口。謝靈運嘗言：「天下文章只一石，子建獨得八斗」，其推重有如是者。

謝惠連，南北朝宋陽夏人，幼穎慧，十歲能屬文，族兄靈運嘗於永嘉西堂思詩，竟日不就，忽夢見惠連，即得「池塘生春草」，大以爲工。惠連又爲雪賦，靈運見其文曰：「張華重生，不能易也」。

王勃，龍門人，字子安，隋王通之諸孫，爲初唐四傑之一。六歲善文詞，父爲交趾令，勃往省視，道過南昌，會都督閻公宴客於「滕王閣」，勃即席作序，閻公歎爲天才。每爲文，先磨墨，引被而臥，及寤援筆書之，時人謂之「腹稿」。

李泌，唐京兆人，字長源，七歲能文，玄宗召試禁中，張說稱爲「奇童」，及長博學，天寶間，以翰林供奉東宮，德宗時，拜同中書平章事，以功封鄴縣侯。

李賀，字長吉，唐鄭王後，七歲能詩，每出騎馬，從小奚奴，背古錦囊，得句即投囊中，憲宗時爲協律郎，晝見緋衣人持一板書云：「上帝成『白玉樓』，召君作記」，乃卒，後世以文人不壽而弔之曰「玉樓待記」，本此。

白居易，字樂天，唐太原人，爲秦代名將白起之後，在襁褓中，能識「之無」兩字，成語中「畧識之無」，源出於此。元和進士，官至刑部尚書，晚年放意詩酒，號「醉吟先生」，居香山，稱「香山居士」，所爲詩深厚縝密，而平易近人，老嫗都解，士人爭傳之。

司馬光，宋陝州夏縣涑水鄉人，字君實，幼與羣兒戲，見一兒失足墮水缸中，羣兒散，而光持石破缸以救之，咸以爲奇。寶元進士，高太后臨朝，入爲相，盡改王安石新法，所著「資治通鑑」，詳於治亂興亡之迹，爲我國編年史之最善者，世稱「涑水先生」。

黃庭堅，宋江西分寧人，字魯直，號山谷道人。八歲能詩，元遺山廊徵君九疇傳，謂黃三歲識字，七歲能寫草書，作大字，舉進士後，知鄂州，詩學杜甫，爲宋代大家，又以行草書名世。

蘇福，廣東惠來縣人，年十三，文名已馳遐邇，明太祖時，應京試，當殿作初一夜月詩：「混沌初開又一刻，嫦娥分有半分無，却從無處分明有，渾似先天太極圖。」時年僅十四也。太祖以其年稚，未予官職，遣吏護送還鄉，按年賜糧，爲福所不滿，據贈護送官詩云：「我生十四猶坎壈，對酒觀天不能飲，諸公盡上黃金台，空山零落眠雲枕。」抑鬱不平之氣，躍然紙上，因此，憂憤成疾，未弱冠即修文地下，時人惜之！

台遊詩摘錄

易君左

浴四重溪溫泉

同台到處覓詩題，夢想花開雜鳥啼。國士無雙三尺劍，溫泉第一四重溪。客留曷屆稍嫌促，名與華清似鼎齊。午枕半窗風習習，亂蟬叢木草萋萋。

高雄西子灣海浴

西子灣頭踏軟沙，涼棚茶座聚全家。一峰船過三桅桿，百里風翻萬浪花。出沒如鷗姿態美，往來似鯽笑聲譁。最憐骨肉團圓處，不在山巔即水涯。

海嶠藝談會

冒鶴亭絕筆詩

諸葛文侯

江南詩人冒鶴亭（廣生）先生，當毛共竊據大陸時，自忖八十老翁，素未涉足政治場中，夷然自安，不作避地計，旋以憂患熬煎，凄然下世矣！愚生也晚，於民國卅六年冬月，因老友姚味莘（琮）兄之介，始識先生於南京傅厚崗姚宅，暢談現代吾國詩人之成就得失情況。先生盛贊八閩十大夫饒有詩才，然獨惜梁衆異（鴻志）失之峭刻，殊悖溫柔敦厚之義。是日程頌雲（潛）亦在座，與先生談詩啟問題孔多，愚未敢贊一詞也。越年大陸變色，愚遂離南來，繼在海隅薛若先生哲嗣季美兄，知先生猶健在，迨民國四十四年，復得閱及先生八十四歲生日述懷詩，暨次年和妹婿周季貞自輓詩各一首，諸多幽怨之音，未幾即聞先生捐館噩耗，此二詩乃絕筆之作，特錄存以告世之知先生者。

和詩附有序言：「丙申六月，妹夫周季貞以自輓詩索和，古無是也。時余臥病華東醫院，口占寄之」。詩云：新死原知是夙心，蹉跎一瞬到而今。伏生尚褻秦餘籍，屈子毋忘楚澤吟，欲出橫門成病馬，化爲杜宇亦寃禽；輓君自輓渾難辨，付與哀蟬嚥夕陰。此詩充溢其憎惡共產暴政而與原作者同病相憐之情操，足見先生臥病之所由來也。

乙未年生日述懷詩曰：我生四值三月閏，八十三年電光迅，今朝白日正中天，畧論生平付家乘。最初已卯猶居燮，永懷年前父歸櫬，母携兩小白鵝潭，首觸前胡壁淚迸！零丁隨祖祖復逝，留滯天南有誰問？百錢日食最艱苦，不爲貌孤身早殉。次維戊戌上公車，景廟憗前方發奮，賈生年少策治安，一賓諮忠裨九仞；至今名忝黨人碑，百日維新眞一瞬；歸來奉母聊戲嬰，腹痛故人多飲刃！其三丙子在嶺南，游山再勸羅浮興，城郭長嗟丁令非，琵琶還熟么孃聽；開宴雲紅荔子肥，連岡雪白梅花靚；三年彈指客爲留，一老凄然天不憖。今年乙未同夢邱，便有餘年知亦僅，已成跛鼈尚能履，莫慰鰥魚常含恨；琴書零落付一炬，松菊荒原委三徑，人謀鬼謀誰得知，我得我失亦前定。舊交數子老益堅，載酒到門頻問訊，凌晨作字腕每脫，入夜觀書眼恒病；叢殘積稿高過頰，再付棗梨貲奈罄，未來丙午十一年，安必桑田尚留命？

讀此詩，乃知鶴亭先生曾參預康梁維新運動，幸免於難。然晚年乃躬逢神州陸沉之奇禍，竟至琴書付之一炬，田園宅第皆爲共黨藉沒侵佔，即欲刊殘存著作亦乏資可斥，以視暴秦焚書坑儒之史事尤爲酷烈，因而慨歎於人謀鬼謀之不可知，以宣洩其內心抑鬱愁苦之象。此爲今日置身大陸淪陷區之一般讀書人共同遭遇，固不僅先生有然也。

歷史人物

謝靈運

謝康

伴隨山水詩而興起的，有山水畫，近人宋蔚卿有「晉末宋初的山水詩與山水畫」一篇（大陸雜誌四卷四期），以爲謝靈運欣賞自然山川的形貌，色彩與光輝，然後以絢爛的辭采描繪出來，給人的印象是瑰麗如畫的色澤和情景。因此，也就促成了風景畫的發達。其實，繪畫中只有花卉人物而沒有山水，正如同文學中缺少風景描繪是一樣的道理。東晉自顧愷之擅長山水，謝安嘗爲有蒼生以來無此種畫（安石本人亦喜繪畫，且喜山水）；又宋書宗炳傳說他畫山水是「以形媚道，而仁者樂之」，這與山水詩的發展是同一理由的。宗炳著畫山水序一文，很提高山水畫的價值，因爲畫與詩，同是爲山水傳神寫照的（參看王瑤：中古文學風貌）。靈運和惠連，謝稚，謝莊，謝約，陸探微，都是詩人而兼畫家，不須等候到後來唐代的王摩詰，然後造成詩中有畫，畫中有詩的妙境了。一般都承認，山水畫是中國畫的特色，我們同樣可以說：「山水詩是中國詩的特色」論這個貢獻，首先應該數到謝靈運的功勞！而謝朓，李白，王維和柳宗元，都是他底後輩呢。（六）

內警僑台報字第〇三一號內銷證

自由報

THE FREE NEWS

第一一九期

中華民國僑務委員會頒發
台教新字第三二三號登記證
中華郵政台字第一二八二號執照
登記爲第一類新聞紙類
（半週刊每星期三、六出版）
每份港幣壹角
台灣零售價新台幣弍元
社長：雷嘯岑
督印人：黃行寰
社址：香港銅鑼灣高士威道二十號四樓
20. CAUSEWAY RD 3RD FL
HONG KONG
TEL. 771726　電報掛號．7191
承印者：田風印刷廠
地址：香港灣仔高士打道一二二號
台灣分社
台北市西寧南路金壹巷本號四樓
電話：三〇三四六
台郵撥儲金戶九二五二

危險的偏安局面

王厚生

目前，中華民國面臨兩種相反的形勢，一種爲大陸上的嚴重飢荒，對光復大陸來說，這形勢是有利的，另一方面，是一種國際間的綏靖主張，這形勢對我們的復國目的是有害的。

就時間因素而論，這兩種形勢皆廹切萬分。雖說，大陸上的飢荒一時不易解決，可能拖延三年五載，才得復原，但如我們坐讓中共安然渡過今年的青黃不接，給它一個舒氣的機會，形勢便不同了。以前，我曾多次撰文，指出中華民國在退守台灣後，由於國力式微，已缺少轉移國際局勢的能力，不僅如此，我們且有被出賣的極大危險，果然，現在除「台灣國際化」的陰謀外，還有聯合國席位的問題。誠然，「台灣國際化」是愚昧無知的，事實上也行不通，但這一陰謀之危害中華民國，一望而知。聯合國席位問題是非常可慮的，因爲這問題發展下去，對我們只有變壞，不會變好，在今年九月的聯大中，我們如能保持席位，已算大幸，但如不摧毀中共政權，這個問題終必得出不利於我的結果，而且，時間幾乎就在可見的將來。中共最近表示，除非美國退出台灣，中共絕不與美國改善關係，除非中華民國被排出於聯合國組織，中共絕不參加。中共這種強硬態度，有其內政的原因，但其不願急於參加聯合國組織的心情，也是顯然的。中共既不止一次地受到某些西方國家的鼓勵，已知他日裁軍會議召開時，必邀它參加，則於此時參加聯合國組織，受其約束，便是不智。其次，中共可就聯合國代表權問題在國際外交上孤立美國，陷美國於困難之境，進而廹使美國，撤回對中華民國的支持，以達到排斥中華民國於聯合國組織以外的目的，然後，中共以「中國六億人民代表」的資格，昂首濶步地走進聯合國大門。中共的意圖不外如此，但蘇聯爲約束中共的行動計，也想中共參加聯合國，中共則以美國「侵佔我國領土台灣」爲理由，擋開蘇聯的勸告，將責任推在美國身上。

以現有的種種迹象看，今年聯大勢必討論中共入會問題，但提付表決時，能否通過，還不易逆睹。美國廹於國際形勢，不得不同意討論，但至表決時，將向各國呼籲投反對票，因爲一旦聯大票決通過，而中共依舊拒不入會，這無異是替中共增高威望，對聯合國組織本身是莫大的自瀆，對投票贊成之各國是自貶。美國爲防止這一局面出現，故將盡全力阻止通過，惟非洲新興國家是否深識大體或對此抱持同情，仍可懷疑。

表面上，聯合國席位問題不若「台灣國際化」具有危害性，實際上，兩者是五十步與百步之別。假使中華民國在聯合國組織中的席位動搖了，則中華民國在國際之間將感寸步難移，相反的，將給中共在國際間的活動製造機會，屆時，中共縱有內在困難，卻有對外交爲之補救。

所以，無論就有利於我的大陸形勢言，或有害於我的國際形勢言，時間都緊廹得很，不容再事因循。假使國民政府不能夠把握時機，對有利於我的大陸形勢擴大利用，則不但不能主動地影響國際形勢，且如上面所說，將使國際形勢的演變一天一天轉對中共有利，反而擴大有害於我的形勢，這樣，匪特拖延反攻復國的機會，且將陷中華民國於國際關係的驚濤駭浪之中，自保偏安局面倘感吃力，遑論復國。

據我瞭解，國民政府目今所努力者，要在增強軍力和繁榮經濟，這項努力在基本上絕對正確，可惜，這項努力配合不上時間之廹切，因爲繁榮經濟需要時間，需要爭取資金，發展工業、擴大外銷等等，何況增強軍力足以消蝕經濟的繁榮，更可拉長經濟趨向繁榮的時間。今後，倘因國際關係發生變化，美援削減，則台灣的經濟能否負担得起日增的龐大軍事支銷，確是很大的問題。再者，在不良的國際關係中，海內外人民的心理必呈動搖，可使投資者卻步，影響台灣的生產和經濟發展，亦殊顯然。如此，台灣一地決沒有長治久安之可能。

回顧大陸，我們已知飢荒已屬於全國性質，人民已有普遍的反共情緒。中共中央的困難主要在於：與俄國關係不甚協調，此次嚴重糧荒，未得蘇聯的「兄弟無私般援助」；財庫枯竭，廹得在歐洲拋售白銀，向澳洲賒賬購麥；第二個五年計劃整個失敗，財經混亂，人民公社名存實亡，被廹開放農村自由集市；毛澤東的大躍進被廹向後作大踏退，黨內有不滿情緒，加上毛澤東與赫魯曉夫不睦，更可助長黨內的反毛勢力；三月十一日中共統戰部召開萬人大會，反映大陸民心之動盪較之鳴放時期猶有過之；中共一月間所開八屆九中全會決議，在各地分設六個中央局，迄無成立消息，反映黨內有人事糾紛，以及反毛的氣氛。至於今年大陸的農業展望，預兆不佳，因華北曾鬧春旱，種料、農具和肥料不足，飢民無勞動能力，人民公社改組（如將農具與生產計劃交由生產隊決定）和黑市買賣，等等，必使整個大陸的生產和經濟陷入混亂狀態，這時中共的中央計劃和集權固然不利，但對大陸人民的活命問題，可能稍有補益，間接仍對中共的統治有利，只要能繼續維持政權，共產黨不惜飢民推翻，暫時放手，蘇聯從前的新經濟政策，即是一例。

大陸發生嚴重糧荒，和今年農業展望不佳，都不能說明中共的內在危機還要遷延若干時期。我們現在知道，中共對大陸內部的糧荒，不但焦慮（這可見之於八屆九中全會的公報），且正在着手解救，除向澳洲，加拿大購買大批小麥和麵粉外，還向緬甸預訂三十五萬噸大米，與蘇聯的貿易談判即將在莫斯科繼續進行。中共向外界購糧，雖數量不大，杯水車薪，未能解決大陸民食於千分之一，這與中共缺乏外滙有很大關係，而並不表示中共對糧荒不着急，向澳洲賒賬，充分證明中共的窮困與苦籌對策。在內部，中共容許有限度開放自由市場，以及改組人民公社等措施，皆是自救之舉，因此，我們不宜過分誇大中共的民食危機，誤信它在三年五載之後，仍然如此，或者還要惡劣一些。這種過分的樂觀，很易消蝕我們行動的決心，就誤復國大事。我們須要忠告政府，大陸反共革命的火燄仍待外力點燃，而不宜存希望於飢民暴動，或寄希望於中共的內部鬥爭，而必須在有利於我的大陸形勢消失前，有害於我的國際形勢臨頭前，積極、主動和機巧地行動起來，務使中共渴想獲得安定以渡難關之時，造成內外壓力，使它至不能如願以償。論行動的方式，在目前形勢下，不外空降和騷擾，兼可刺激人民，敢於動作。

中華民國與美國簽有聯防協定，理論上，我們負有條約義務，不能違背協定，但中華民國今後的處境日益敗壞，恐美國也無能爲力，今後，我們是死裏求生，美國既有愛莫能助之苦，我們也只有自謀生路了。誠如陳副總統所說，任何外力不能阻止我們反攻復國的決心。

反攻大陸，千頭萬緒，但我們絕不應被困難嚇退，不打回大陸，偏安的局面終要傾覆，中華民國之事，轉瞬可成歷史陳蹟，今天，我們唯有冒險犯難，才可以鼓舞大陸同胞行動起來，同時，打開國際救濟大陸同胞之門。能如此，國事始有可爲，國際間的一切陰謀詭計，也可一掃而空。

四月三日

小論天下

△寮共軍又獲進展，切分寮國爲兩截。蘇俄已答覆英國，允開寮局談判，但未提停火。中共由陳毅在印尼揚言，如東南亞公約各國參戰，中共將出兵。

口頭答應和你談判，手頭卻忙於抓取更多的東西。雖是故技重施，卻也百試百驗。這時中共和蘇俄做輭做硬，好看煞人！而「兩個寮國」也正呼之欲出了。

△中共和印尼簽「友好」條約，同時簽訂「文化合作」協定。陳毅高談協助印尼建設。

印尼已隨緬甸而受騙，東南亞局更不堪問了。這樣容易「騙拆」得手，也難怪陳毅替中共打腫嘴臉充胖子，只是大陸飢民除了要餓死，還更氣死。

△美總統甘廼廸電賀國務卿羅斯克出席東南亞公約會議成功。羅斯克訪印與尼赫魯會談完畢，即飛返華府報告，曾強調寮國應首先停火。

尼赫魯身份近來似被抬高，其實已是「食之無味，棄之可惜」的雞肋了。而甘廼廸這封賀電也是「官樣」得可笑。

△東歐華沙公約共黨國家會議完畢，發表公報，未提寮國危機，重彈「和平共存」濫調。北越及外蒙此次派代表列席，引起西方國家注意。

赫魯曉夫把這個會議的謎底留給西方國家猜，卻把東南亞公約會議的謎底看得清清楚楚了。

△曾任美副總統的華萊士先生又發議論，預料美蘇將合作對付中國，並倡議美蘇合作救助廿億人口。

此公眞的只配談農事而已。他爲什麼不倡議美蘇合作奴役整個世界人類？難道他竟不知蘇俄以奴役爲立國之本？

△南韓各地又掀起反政府示威運動。開始有人喊出「美國人滾回去」的口號。

這只是「製造慘案」的第一個步驟，等待鬧出血案來，煽動「兵變」才是共黨的主要目標。

△大陸傳來消息：許多地方目前連「穀種」也無，春耕成爲絕望。

怪不得中共「預期」飢荒將要連續幾年了。廣東俗諺有「死得人多」，這一句話，不幸竟成語讖，眞是可痛！

方南

自由談

閒話美國外交政策

今年二月初，我在台北友人家宴會時，適遇美國大使館的一位高級職員，他問我對於甘廼廸總統的觀感如何？我說：「內政問題未便置喙，談到美國今後的外交政策，假使甘氏將來亦受到如艾森豪總統當年在巴黎被赫魯歇夫公然侮辱的那種惡氣，由於血氣方剛之故，可能忍受不了而赫然震怒，要與俄酋見個高下。但在尚未受到這種奇辱以前，他的外交作風或許比艾森豪時代要表現妥協性。因爲他是一個初出茅廬的總統先生，持他劃策建議的專家顧問，又盡是些信守倫理相對主義的『哈佛』書生呀！」這段語意，經主人郭外川先生以流暢的英語譯述後，那位美國朋友對我微笑着聳聳肩頭，兩手一擺開，表示無可奉告的心情。

美國民主黨人士——特別是好談政治的知識份子，都抱有兩點政治意識（說不上思想）：一是自命爲世界上最前進開明的政治家，美慕社會主義這一名詞，卻又一知半解，莫名其妙，更不明瞭俄式共產主義與社會主義的本質有何區別？二是相信美國的武力優越，富甲全球，至少亦可以保持本國的安全繁榮，樂得與俄共集團從事冷戰，滿不在乎。甚於前者，他們乃以美國共產黨作標本，認爲全世界的共黨都是一樣的，並不可怕，別國的共黨釀亂時，美國政府即主張成立聯合政府，讓共黨參加而採取中立政策，說這樣就是維持世界和平！基於後者，他們對於美國國防安全綫以外各地區的共禍，皆認爲不妨遷就妥協，任由共黨得勢，如果能跟美國貿易通商，更是求之不得的親密友邦，還要予以軍經援助呢！至於現時圍繞着甘廼廸左右的謀臣策士，全係哈佛大學出身的左傾幼稚病人物，迷戀倫理相對主義，爲目的不擇手段，只是以美國的安全繁榮爲唯一目的，他非所顧也。

所謂世界盟主的領導作風如此，何異厝薪救火之所爲，若說可以制勝俄帝，寧非天方夜談？因此，我認爲寮國固然完了，整個東南亞前途亦將在美國新種銀樣蠟鎗頭的「強硬聲明」之下，危乎殆哉！

馮五先生

更正：

上期（第一一八期）本報第一版頭條「政治反共的基本條件」一文，「共」字乃「攻」字之誤，謹此更正。

自由世界的前哨
戰地金門巡禮

柯仁

金門通訊

三月廿五日的淸早，當我們的飛機將近到金門的時候，共匪的高射炮即在轟擊了，一位同伴笑着說：「共匪在對我們放禮炮，預先歡迎我們早點去解放他們」。

金門島包括大小金門，大担和二担，虎仔嶼，東椗和北椗，還有幾個小島，總面積一七八方公里，大金門是最大島嶼，佔全島面積百分之九〇、五，距廈門十八哩，距高雄一八〇哩，距澎湖九十哩，距大陸汕頭一一五哩。

金門正位於廈門港的外面，距共匪佔據區最近的爲鼠嶼，相距僅二、五〇〇碼。

因爲金門的控制海峽，廈門港便變成爲死港，共匪就不能利用由北至南的海道。金門防衛了台灣，臺灣防了太平洋。

金門似一把利劍刺入共匪的心臟。

有人說：「不到戰地不知人力的偉大，不到前方不知戰士的英勇」。這的確毫無一點誇張。

下了飛機，一看停機坪是在山凹裏，這該化了多少戰士的血汗？乘上吉普車駛在平坦的高級柏油路面上，兩旁松樹迎風飄漾，路是那麼直，那麼幽靜！路旁有農民在田中耕種，偶而；金門小馬駝着二個籮筐，似詩人般的漫步在道旁，此情此景，幾令人疑在夢中。

未到金門以前，想像中，一定是斷牆殘壁，遍地炮火硝烟，間或還有被砲火擊斃來不及掩埋的屍體。但想不到一切是那麼寧靜。

除了值班備戰或另有任務的戰士外，休假中心裏的戰士們是悠哉遊哉。爲了調劑戰地英勇將士們的精神，金門設了很多「休假中心」。這中心裏有一備完美的電影院，理髮室，音樂廳，彈子房，圖書館，茶室，及其他各種娛樂設施，據說：那些漂亮的建築物，都是阿兵哥們自己動手的，於此也可見國軍中是人才輩出。

金門防衛部及各級指揮所，現在均進入了地下，雖然是在地下，但一切設施是那麼完善，有位記者很風趣的說：「假如世界各國要比一下，戰地的豪華，那麼我們的金門是穩拿第一」。金防部指揮所裏面，道路寬大光綫充足，四週的山石上，都塗上了金門特產的「白土」，簡報室跟會議室中的沙發椅，地上的樹膠版，都擦得一塵不染。第一綫的陣地工事，別說共匪拿炮轟，就是用飛機轟上三天三夜，也動不了戰士身上一根毛。

共匪不是天天在叫要解放金門嗎？前綫戰士就是希望他來攻，因爲他不來，我們無法一顯身手，那些威力强大的武器，也沒有一露威風的機會。

軍民一家，軍民合作，在金門的確不是一句口號，而是的的確確成了事實。在金門的各大小馬路兩旁設了不少招呼站，老百姓只要一伸手，軍車就停下來。有位老太太嫌駕駛戰士停慢了一些，害她往前走了幾步，上車就駡，「駕駛不愛民」，雖然駕駛同志一再道歉，老太太火氣還是很大。到了目的地扶她下車，她還敎訓了他一頓。同車的人感到老太太有點過份，可是這位同志只是笑笑，幽默的說：「譬如給自己奶奶駡了一頓」，說得同車的人都笑了。

「馬山」是金門本島接敵前哨，設有廣播站，進行對匪心戰，從望遠鏡裏看到大陸上是一遍死寂，大家心裏都沉重得默默無言，相信人同此心，大家都有一個共同的願望就是：「把快回去吧！」

負責接待我們的那位風趣的劉少將，見大家情緒有點悲傷，趕快回轉話頭，告訴我們心戰勝利的小插曲！

有天，共匪的喊話站，又在叫美帝長，美帝短的，又說我們是美帝的××，美帝的××等等下流話。我們的心戰同志，就回敬他說：不錯，這裏有美國顧問，但他們對我們僅是建議而不是干涉，也不是高高在上的太上皇，他們不對，我們照樣駡，你們敢不敢駡俄國大鼻子，現在我駡美國人給你聽（接着就駡了幾句），你駡駡俄國人看看。跟着共匪喊話站是鴉雀無聲。事後據我們情報人員報告，共匪當時就請示可不可以駡，結果是：「不准駡俄國人」，於是：這心戰勝利的笑話傳遍了全世界。

於此可見，俄國人在大陸作威作福的情形了。

還有值得一提的，是在金門國軍已建成了一個可灌漑三千畝農地的蓄水池，處處爲實現國父民生主義而努力。

至於：金門示範小學，也使人感到政府雖在砲火下，但對下一代的敎育工作，也十分重視。目前金門小學生有六千三百二十八人，同時還有一所擁有六百人的中學，一大羣年青的男女老師，犧牲青春，在戰地從事敎育工作，這種精神，是值得一天到晚追求享受的青年男女們學習的。

金門，無論是在軍事上、政治上、建設上，一切都令人興起：中華民國一定會重回大陸的信心。

在台北大過紙醉金迷生活的人，最好到金門前綫走走，他們一定會自感慚愧的。

最後要提上一筆的是：到金門去訪問的人的目的，是向我們在前方守成的將士們致敬，所以訪問的人似乎不必大魚大肉的招待，一定要一盤自助餐，反而能使人感到親切，其次是第一綫碉堡陣地工事內，部份光綫不夠，影響戰士們目力，買些小型發電機，似乎不會太困難吧！

末了，必須提上一筆的是：金門永遠屹立在台灣海峽，因爲有英勇的中華民國國軍戍守着。

香港與大陸

△澳門消息：復活節之後，繼以淸明。一連串的公衆假期，給予香港居民道經本澳返大陸掃墓的機會。

在過去，掃墓携帶冥鏹，名符其實的回鄉掃墓，但今年，冥鏹之類已很少携帶了。這些掃墓客，大包小包的，可以說，百分之百，都是藉回鄉掃墓爲名，而實際是救濟苦難親友。

日來港澳輪以及由本澳前往大陸各地的舟車，極爲忙碌擁擠。在大陸方面，中共已定明日（即四日）開始准許港澳居民出關掃墓，不過，出關是要憑掃墓證的，出關範圍也只限在五區一帶。如事前未有申領掃墓證的，却須憑身份證前去，辦法一如回鄉者，要在拱北關邊防站申領回鄉證明書。但拜山範圍，却不限於中山一帶了。

△當大陸經濟正面臨空前枯竭之時，中共竟妙想天開的發動一項「淸倉運動」。

據中共「人民日報」透露：在淸倉底運動進行的同時，由於各單位幹部有個人主義的措施，使是一措施無法順利進行。

其實，大陸上的任何倉庫，早被中共榨得羅掘俱窮，如果還有所謂屯積居奇的情況，那就只有中共的官僚階級的官僚資本在作祟。但中共發起此一運動，共用意只是想把大陸人民澈底淸倉，以便共官僚資本之累積而已。

大陸上的勞苦人民，已瀕於死亡邊緣，而此種殘民以逞的中共政權，反而瘋狂地向人民榨取。此乃顯示出中共政權已到日暮途窮之境，危機更深，無法自拔了。（田）

台省美展觀後感
改頭換面，全無半點創造性

潘立夫

對於我們的藝術家，筆者沒有絲毫輕視的意向，可是，在人物畫裏有外國人的長皺紋線條，工業革命後工人失業的表情，愛麗絲般的幻想。靜物有畢加索的黑邊白點，金字塔的圖案。風景有愛爾蘭高原的棕色森林（台灣沒有，大陸不知道）有美國農塲的棉花白色，有美國畫家筆下的方形平面房子……簡直叫人看了，心裏感到矛盾與難過。這爲什麼？這就是所謂的「依賴的創作」；依賴與創作原是分道揚鑣的兩大特質，但許多畫家，却有這分怪癖：他們的腦中先有外國畫家的傑作的印象，然後再觀察現實，將現實的零碎所得，一一的納入傑作的統一形式，然後再改頭換面的表現出來，這便是「依賴性的創作」。實在是愉於製造統一形式的第二流畫家。就在這記憶和實在的混合一起作畫中，也會不自覺地把藍色的眼睛畫出來；像這種情形豈不令人難過？我不知道學油畫的人，何不把名畫集蓋起來（從內心），把美國雜誌放在一邊（忘記），好好地觀察我們自己的面目，搶去那依賴性，好好地描畫或創造；也許廟宇裏頭有點東西，也許紳像前嫋嫋上升的青烟裏有點東西，也許鄉下駝着背走路的老頭子有點東西，也許古代藝術品中有點東西……我們不能依賴，我們要自己去找。

繪畫是文明的核心，它可以啓導民心、可以敎育人格，是一國中極關重要的工作；它的無形力量往往可以達到，政治力量所不能及的民心。所以畫家是文化工作者的代表，也可以說是創造階級，而不是一「普羅」，何必心急而依賴呢？我誠心的希望中國畫家，好好的探求。因爲我們還有許多被忽略了的可貴之處。

在取材方面亦沒有什麼特異之處，很少，不，幾乎沒有履步於內心的表現，亦沒有造形類的創造，還是脫離不了照相機可以達到的範圍。像這樣沒有進化性的作品，不知何以能令其掛在藝術展覽所，並且得獎，可謂使人莫名其妙。就整個看來，缺乏想像力和寓意性。雖然比之去年有進步，不過沒有達到期待的境界。

油畫如此，彫塑方面也還幼稚，看不見有魄力作品，除了第一獎佛像有獨特之處外，幾乎都是平凡，（免審查作例外）。由這佛像我們應得到一點啓示：那也是一條研究自己文化的途徑。這個獎令人十分心服。

另外對主辦單位也有點建議：這一次的巡廻展出十分好，但筆者更進一步的要求，更重視這個活動，並且嚴格化，多拿一點錢作有意義的活動總是好的，以台南出展處來說，實在太寒酸，太狹小，作品擠在一起，對作者來說不敬重，對觀衆來說有點眼花撩亂，効果大減。並且一面牆壁掛不起幾張有分量的作品。（下）

大陸文壇萬花筒

詩人何其多

——岳騫

陳賡死過之後，中共照例要組織一個治喪會，發表一些使人噴飯的訃文，如「人民日報」刊載某人某人向陳賡將軍遺體告別，猛然一看，好似去告別的人要離開這個世界似的，更妙的是既然去和遺體告別，就等於承認死而有靈了，豈不又和唯物論起了衝突，這些且不去說它，現在就談談輓詩。

三月二十一日「人民日報」刊出三首輓詩，其中最值得一說的是張愛萍的一首，張愛萍這個人原是新四軍系統，當彭雪楓死後就繼彭任第四師師長，現在任共軍副總參謀長，在現任幾名副總參謀長中，是比較能幹的一個，一九五九年中共出兵西藏，屠殺藏人，據東方赫先生觀察，就是張愛萍負責指揮，張愛萍是四川人，了解藏情，此點大致可靠。張愛萍是新四軍出身，經常受陳毅的薰陶，也變成詩人，不過，他的大作正式見之報章，還以這次輓陳賡開始。

張愛萍的詩是七言八句，不過究竟是一首七律還是兩首七絕，惜乎筆者譾陋，分辨不出，現在錄出來請讀者一同研究。題目是「痛悼陳賡同志」：「突聞哀耗如雷震，頓失歡笑寂無聲，三十九年如一日，畢生精力獻人民。百鍊千錘意志堅，大是大非方向明，痛悼戰友承遺志，且看東風逐暮雲。」

先說格律，這八句「詩」押了四個韻，說是七律固然不合，就算兩首七絕也沒有這樣作法。但是，根據「人民日報」的排列，可以看出這實是「律詩」，好在這類詩體已經見多了，也就見怪不怪了。

韻既不合，更不必去論平仄了，就說意思吧！也使人莫測高深。頭兩句就不知道他講的什麼？「突聞哀耗如雷震」，想見張愛萍知道陳賡死訊是在電報或廣播中聽到的，事實上陳賡死在上海，張愛萍身在北平，除非陳賡死時上了電視，張愛萍當時是看不到的，可是第二句竟然是「頓失歡笑寂無聲」，假若沒有第一句，我們一定覺得張愛萍在跟前親侍湯藥哩！其餘最值得注意的要算五六兩句，「百鍊千錘意志堅，大是大非方向明」，表面看來好似普通口號，骨子裏可能是痛悼陳賡死於失意，就因「意志不堅，方向不明」才活活氣死。（下）

編者、讀者、作者

請各位文友注意：凡投寄稿件，務請用有格稿紙繕寫清楚，如刪改過多，亦請另行謄正。用便條紙、十行紙或信紙所寫之稿，難於計算字數，本報恕不採用。

又投寄稿件，均請自留底稿，本報不負退還之責。並請不必來函詢問該稿是否刊出，因本報人手有限，勢難一一具函作復也。

澳門含英先生：詩稿已拜讀，惟本報例不登載新詩。乞諒。

錢

勞克

錢是好東西。有了錢，不可能變爲可能。有錢就有洋房，就有汽車，就有享受。「有錢能使鬼推磨」，做不通的事也做通了。

倘若你犯法，只須把鈔票掏出來，重刑減到輕刑，輕刑變成無刑。「錢能通神」，有錢什麼事兒都好辦。一個六十歲的老翁，只要有錢，可以討個十八歲的少女。

有錢就有愛情。「愛情與麵包」；愛情重要，麵包也重要。有了愛情，沒有麵包，一樣地造成家庭悲劇；有了麵包，而沒有愛情，婚姻雖不美滿，但可以延續下去。

好多人爲錢而死。俗語說：「人爲財死，鳥爲食亡」。見到錢，不懂事的小孩子的眼睛雪亮起來。一個少女對你印象壞到了極點，你一把把的鈔票掏出來，惡面孔換成笑臉。錢是好東西。

「無錢逼死英雄漢」，少了一毫錢，車子不讓你坐、，電影不讓你看，甚至於連一封信也不給你寄。少了一毫錢，就叫你「窮途末路」。所以好多人屈服在錢上面，爲錢做奴隸，爲錢所支配。有錢的人用錢造成罪惡。吃、喝、玩、樂。愛怎麼就怎麼，誰也管不着。原因是「老子有錢」。

佛家强調錢爲身外之物，生不帶來，死不帶去。因爲錢是壞東西。牢獄裏關的犯人，十個就有九個爲了錢。有的爲了錢殺死別人，有的爲了錢貪了公欵，有的爲了錢骨肉反目。

所以在文人的眼光裏，「錢」是庸俗之物。「文窮而工」，文人不大重視錢，有錢就多用，無錢就喝西北風，就在床上睡覺。所以文人的稿，多半是在「窮」的時候逼出來的。

有錢的學生，很少能夠用功讀書的，也很少有最好的成績。有成就，有功績的，都是苦學生，都是沒有錢的窮學生。「吃得苦中苦，方爲人上人」。我們不想做人上人，就做個人中人吧！

沒有錢，可以不担心，不操心；睡個安逸的覺，也不做惡夢；有了錢，提心吊胆，怕賊偷，怕土匪搶。所以我一年窮到頭，誰也不會光顧到我的小木屋，出門不關窗，不鎖門；晚上開門睡覺，百無禁忌。無錢之樂，誠不足爲外人道也。

意見

汶津

「燈蛾是一個可敬的殉道者，爲了追求光明！」

「我却認爲牠只是作着愚蠢的犧牲，我覺得牠值得憐憫。」

「你們只是想以自己的偏見，來武斷雞與雞蛋的問題。」

「但他們的話表露了人類各個的思想。難道你們以爲燈蛾自身會想到這些？世界上眞不必庸人才會自擾啊！」第四者的笑是神秘的，哲學家所特有的。

沉寂了，秋蟲在爲仆倒的燈蛾奏着喪樂，是哀憐，抑是歌頌？

又來了一對，繼續奔向光明的焦點。

這是我看到燈蛾撲火後的小札。每一個人都執着他的意見，甚至秋蟲也想有所表示。

父母原是孩子心目中的英雄，而第一次減弱這一份崇拜心的原因，往往是嫌他們「多管閒事」。父母爲兒女出主意是一番苦心，可是十幾歲的小伙子却不象旁若無人的燈蛾那樣任人指指點點。自己身上「分封」出來的骨肉尚且如此，別的還說什麼呢？

瞎子摸象的故事，對於視力二・〇的人是過於荒謬的。但「地球是方的」却被奉爲眞理有幾千年之久。記得我在十歲左右的時候，滿心覺得世界不過爾爾，我已懂得了一切。如今再多吃了十來年的鹽，反倒「謙虛」起來了。同樣一個人，既沒有變性，也沒有轉換國籍，前後的想法竟差了個一百八十度。燈蛾有知，也會作會心的微笑吧。

在我就讀小學的時候，我覺得週遭的一切是平凡的，可是那小小的園地也足夠我們活動了。六年之後，當我中學畢業的那年春天，又去拜望母校時，我癡望着校園中的樹蔭，以及樹旁的小鞦韆架，頓時有一種陌生而又熟悉的感覺湧起。從回憶中，我又抽出了我的童年。而那些小弟妹們天眞無邪的笑聲，和一個個輕快嬌捷的身影，不禁使我眼睛前蒙上了一層霧霧，──多麼不平凡的情景啊！隨後我轉身回去，在校門口，我又投出了最後一瞥：多麼窄小的天地！我竟想起格列佛遊記裏的小人國。有時我不禁懷疑：一時的感觸眞能當作自己的意見嗎？

窗外落着雨，我試着把自己化身爲許多不同的人物，懷着不同的心情：那是愛人的淚吧，我正墜在情網裏；那該是上蒼在發洩痛苦，我恰好受了極大的打擊；不，是美妙的大自然的一闋演奏吧，我又成了一位善於欣賞世界的雅人。這雖只是我的幻想，却也正是世間的許多角落裡眞正產生過的念頭呢。范仲淹能在不得意的處境中，迥異於騷人墨客的憂讒畏譏，眞是夠了不起的。

想要使世界永沒有戰爭，恐怕眞要請出老子來。可是，「棄智絕聖」是做得到的麼？大的不說，一些男士們爲一個女孩子聚訟紛紜的時候，那就有得聽的了。醫學院學生說：「可惜貧血，影響姿色。」衛生專家搖搖頭說：「營養不足。」藝術家說：「唉，曲線，曲線不夠精彩！」象徵學家端詳了一陣，喟然而歎：「尅夫之相，尅夫之相！」一位文人却想起蘇東坡稱頌陶淵明詩的詞兒了：「質而實綺，癯而實腴。」於是獨排衆議。學歷史的則指出漢代的名女人趙飛燕來。但是結論在那裏呢？

有些意見是專供施捨用的，至於施主自己，當然不吃殘羹剩飯。喊口號的，掛顧問頭銜的，大概都是爲意見而意見的龍。「那些寫慣洋洋灑灑的大文豪哲學家們，儘管他們像天上的神明一樣，蔑視着人生的災難痛苦，一旦他們的牙齒痛起來，也是會忍受不住的。」莎翁是否患齲齒，抱歉我不是考據家，但這段話不像是事出無因。如此這般，豈不是把許多神聖不可侵犯的「高見」打入冷宮了？

最近此間若干刊物上又展開了後來居上的紅學論戰，還有紅學先鋒胡適先生爲各方押陣，熱鬧透頂了。如果曹雪芹地下有知，也許會派薛蟠之流出來說幾句粗話呢──誰教你們管燈蛾的閒事？

松竹梅三友

・南道・

今年的五月，是印度詩聖泰戈爾誕生一百週年紀念，詩聖於民國十三年，曾到中國各地講學，與梁任公、張君勱、蔣百里、梁漱溟、徐志摩等過從尤密，並在北平清華大學的清華園住過一個時期。

當他來華的時候，轟動了當時國內的文壇，不少的人以瞻仰到他之風采爲榮。吳詠「天壇史話」說：林小姐（按即指福建林長民的愛友林徽音小姐，後來與梁任公的兒子梁思成結婚）人艷如花，和老詩人扶臂而行，加上長袍白面，郊寒島瘦的徐志摩，有如蒼松竹梅的一幅三友圖。徐氏在翻譯泰戈爾的英語演說，用了中國語彙中最美的修詞以峽石官話出之，便是一首首的小詩，飛瀑流泉，淙淙可聽。

這是說的在北平天壇草坪上那一次的歡迎會寫得一點也不錯，以松竹梅來形容泰戈爾與徐志摩和林徽音，也極爲恰當。當時林小姐攙扶泰氏登台，白髮紅顏，相映成趣。泰氏喜歡露天演說，滿頭白髮，如銀絲隨風飄蕩，下面還垂着很長的白鬍子，臉面顯得紅潤燦爛，乍看上去，眞像一個歲寒的古松。泰氏聲音洪亮，辭句極美的翻譯更句句是詩，可說是珠聯璧合，相得益彰。

泰戈爾來華，是中國新文壇上一件大事，「小說月報」出版兩巨冊等號，他的詩和劇譯了不少。泰戈爾與徐志摩交情尤厚，泰氏在華期間，無論在那裏，全由志摩負責照料。在北平時適逢泰氏六四生辰，文化界開祝壽會，並演泰氏短劇「契忒拉」助興，徐志摩與林徽音小姐都是劇中主要的演員。

假日（二）

・中篇小說・

孟瑤

我們相視一笑，都沒有作聲。半晌，我把香煙放在盤中，拿起了聽筒。

「又是給吳老師打電話？」他說：「她不是到南部看女兒去，還沒有回來嗎？」

「我打聽一下什麼時候，我要去車站接她！」

「你和她那麼親熱，我眞有點吃醋。」

「聽你這醋罈子，孩子的醋要吃，老師的醋也要吃，幸虧人家是個女人，我要交個男朋友呢？你怎麼辦？」

「準備流血五步，叫他們小心一點。」

我沒有理他，開始接通了電話。裏面是男人的聲音，於是我問：「是老張嗎？老師什麼時候回來？」

「已經回來了，」老師回答：「睡着覺還沒有起來。」

「怎麼回得這麼早呢？」

我心裏一急，忍不住問出來，當然我沒有希望對方給我什麼答案，所以接着說：「好，我明天有空來看她。」

吳老師到她的女兒那裏去了，自從女兒結婚後，她們之間甚少往還，因爲女兒沒有聽從她而嫁了一個她最不喜歡的男人，一個墮落的男人，不是我從中緩衝，這一對個性强傲的母女幾乎脫離關係。終於，母親投了降，決定看女兒去了，但是，她却回得這樣早，我担心着她們一定是不歡而散。我和吳老師的關係是師生，但是我們之間感情的深厚，那是在一般的朋友中都沒有辦法尊覓的。連丈夫帶孩子都調侃我在和吳老師鬧「同性戀愛」，假若這其間沒有什麼曖昧的意味存在，我一點也不想反駁這句話，因爲我深深地覺得，在朦朧中，吳老師是第一個啓發我戀愛情操的人。記得是我考入初中一的那一年。衷心地充滿了無比的喜悅，對於整個世界，我有着那樣多的美麗幻想。想想那時的童心該是多麼仁慈！就在我用一對熱情的眼睛看這個世界的時候，一個人物闖到了我的眼前來，那就是吳老師，她剛從大學裏的音樂系畢業出來，到我們學校裏任教，她是那樣的美麗，而且衣着非常入時，和每一個音樂家一樣，她充滿了那樣多聰秀和靈慧的氣質，她那陣淡淡幽香，不時被我們觸嗅到。不要以爲一些初中的孩子們都無知，她們對整個世界每一種觸鬚都是敏感的，很快的，她變成了我們美麗幻想的最具體的象徵。大家對她的愛慕如此眞切，好像大家都在開始自己的第一次戀愛。這感情很難分析，但是，沒有誰會把她僞飾成一個那樣「女人」的美麗女人，「人間喜劇」的男主角，而我們又是這所女中最年青的「小妹妹」，更沒有誰有那份昂藏的丈夫氣，用它去打動那位年青的女音樂家的芳心。眞是這樣如夢似幻，大家都「愛」着她。吳老師的家裏極富有，她不必舌耕以維生。她教書是爲了興趣與理想，她希望這個世界充滿了音樂氣氛，所以她要從學生們身上着手，她認爲這是廣爲傳播的最好方法。

◎梨園漫談◎

二簧西皮之差別

──瘦西湖──

我國平劇的板別雖然很多，但總括概略分之，亦僅西皮和二簧兩種名稱，就以二者來言，初學平劇似覺二簧易於入門好唱，惟若深刻論之，則二簧之難學，實數倍於西皮也！

梨園界有句話：「男怕西皮，女怕二簧」，然一班老於唱之行家，每論及二簧之難，實不僅聲尖氣促之女伶們均視爲畏途，即丹田充足，嗓音雄實之男子，亦覺二簧較西皮之腔難唱多耳。

筆者對平劇素感興趣，茲將二簧、西皮二者難易之點，計蒐集心得數端，以提供我海內外愛好平劇之同好，作爲今後進一步研究之參考，特比較分析如後：

（一）學西皮時能要腔，且胡琴之過門亦較長，故得從中取巧換氣，使嗓門能隨時調和之，不覺有吃力之感，若學二簧，則必須以聲圓氣促，及落腔斬淨爲尚，倘如本錢不足之人，固不能隨意應付自如，即一班平時專用邊嗓之男子，或嗓音特別過高之女性，亦覺不宜於此也。

（二）若以胡琴過門之高下而論，計共分上、弋、宮、六、凡、等五字，凡吊唱二簧，可較西皮原嗓低一字唱，這樣方覺對工，譬如：唱西皮時能正宮，而唱二簧時，可照宮字下之六字上定絃，倘能如此唱，包您毫不費力，相反的如唱二簧仍以西皮正工之調歌唱，其人不力促聲嘶，氣乾嗓枯者未之有也。

（三）西皮固有中板之稱，（較三眼板略快，較一板又慢），然此唱腔尙覺簡易不難，至二簧快三眼，不但其腔調繁難，且板之尺寸中亦不易合度，因此，若輩破啞之嗓音，尙樂於西皮而恐懼二簧者，吾人當不難概可想見也。

再者，昔年知名伶人，凡有延請私房琴師之時，首必先試其反二簧之襯托如何，然後方敢令其上台操琴，如今，譚余之派盛行，且多爲西皮劇，而二簧劇之演出，實已不易多見矣！

記得操反二簧之人，馬大舌的琴師李慕良爲最拿手，故馬連良之得名，李居功亦多，目下台灣能操反二簧，且極佳之人應推王克强，吳金鐘，高岐山，王爲顧正秋之琴師，無論是生、旦、凈、丑，都可算得是一把抓，故今天他的操琴地位，在自由中國應列第一，此爲吳高二人所不及者也。

燕塵小識

（六）皇都變態：在「燕塵小識」之大前提下，辛丑和約第七欵最宜詳言。今先錄第七欵全文如下，以爲根據：

「大淸國國家允定，各使館境界以爲專與住用之處，並獨由使館管理；中國民人概不准在界內居住，亦可自行防守。使館界綫於附件之圖上標明如後，東面之綫係崇文門大街，圖上十、十一、十二等字；北面圖上係五、六、七、八、九、十、等字之綫，西面圖上係一、二、三、四、五等字之綫，南面圖上係十二、一、等字之綫，此綫循城墻南址隨城垛而畫。按照西歷一千九百零一年正月十六日即中歷上年十一月二十六日文內，後附之條欵，中國國家應允諸國分應自立，常留兵隊，分保使館。」

本報不便附印地圖，只好請讀者諸君曾在故都住過幾時而於東長安街東交民巷一帶比較熟習的，不妨閉目凝思，也可得其大概了。此欵寥寥二百多字，表面上似乎無大關係，殊不知對於故都形態起了强烈的變更。欲明瞭故都演變之迹，還須從明朝說起。明成祖定鼎燕京，大加建制。正陽門內東西兩條大街，分設名級官衙，以昭拱衛。東大街設宗人府，吏部，戶部，禮部，四大衙門，西街則爲三法司所在地。東街名爲戶部街，淸末始改度支部街，民初又稱財政部街，西街稱刑部街，淸末改法部街，民初始改司法部街。吏戶禮三部之後，又有一條大街，設兵工兩部，舊名兵部街。此外則翰林院詹事府太僕寺鴻臚寺等二級衙門，均分佈於東交民巷一帶（台北歷史博物館藏有明朝皇城全圖，均係如此繪明，數年前曾張掛展覽）。及至滿淸入主，全盤接收，一切照舊，無甚變化，僅在皇城東南角玉河橋進東，即東交民巷北面，東安牌樓附近，建造一座「堂子」。堂子者按滿淸舊俗舉行祭祀之重地也。庚子以前，各國公使早已入駐北京，但尙未畫定專界，大多在東交民巷一帶建屋而居，保存華洋雜處的局面。庚子亂作，拳匪圍攻東交民巷，兩月相持，竟未攻入，直到聯軍進京，使館中人才算死裏逃生。這一種生死攸關的恐怖，事定之後，自然要索取保障。所以議和欵目中，要求畫定使館專界，並得常留兵隊分保使館，遂爲必不可少之條。慶李亦明知其然，只能在小節上力爭一二，原則上無可勸補也。茲就當時交涉經過情形，摘其重要各點，錄存於後，以明眞象云。（十一）

辛丑談往

——無負生——

大漢天聲

徐學慧

宋元而後，明代繼之，其時與亞洲各國的關係，由於時代的進展，較之唐宋時代來，又要密切得多了。

這時候，南京的「明子監」裏，不僅有日本與高麗的學生，連琉球暹羅等地，都派了大批學生前來觀光上國。正因爲有這些留學生作橋樑，於是大漢文化的傳播，也就藉此而更遠。洪武初年（明太祖年號）日本詩僧絕海會至中國，著有「蕉堅稿」一卷，其中有些詩句，意境之高，詞句之美，直可入盛唐諸家集中。如「多景樓」詩中有句云：「京口雲開春樹綠，海門潮落夕陽紅。」這樣的句子，雖杜甫亦不過如是矣。

相傳絕海至中國，太祖曾召見於武英樓，問及彼邦的熊野古祠的遺跡。絕海即應制賦詩云：「熊野峰前徐福祠，滿山藥草雨餘肥。只今海上波濤穩，萬里好風須早歸。」太祖曾有和詩，絕海將其墨跡珍藏，帶返日本。

明亡，滿人以異族入主中原，（讀者中如有滿人，請勿誤會，此爲歷史敍述，故云異族。）入關而後，一切均與漢人同化，其同化的程度，且較任何時代爲最深，著有飲水詩詞的納蘭性德，想亦爲讀者所知，這位先生就是滿人呀！

有淸三百年間，前百五十年間的武功之盛，僅次於元，乾隆年代，文治武功，已臻極盛。由於武功遠被，亞洲鄰國與中國文化所發生的關係，也就更密切更廣泛了。

高麗詩人金尙憲，有一首登州詩，中有二句云：「淡雲微雨小姑祠，菊秀蘭衰八月時。」爲中國詩人所傳誦。他如申光漢，鄭和常，蘇世讓等均能詩。

琉球人在明代即已派來中國留學，後且入我國子監。毛奇齡（淸初人）的西河詩話，王士禎的池北偶談中，都載有琉球人的詩。及琉球人到中國求學的故事。到今天，琉球這個地方，又已是數易其主了。（四）

延平王韻事

筱臣

明延平王鄭成功，於國破家亡之後，據金廈一隅之地，奮起抗淸，誓圖光復，曾與張煌言合兵，水師入南京，嗣復渡海逐荷人，克台灣，功績彪炳，威震中外，拓疆闢土，遺澤後民，今日臺灣之仍爲我中華民族復興根據地，飲水思源，實拜鄭氏之賜。

今年適爲鄭成功克復台灣三百週年紀念，臺南各界且定五月間舉行紀念大會，有各種儀式及展覽，屆時當有一番盛況，茲篇擬畧舉其詩及詞聯，以資景仰。

偶閱「蘭室淸話」載：余嘗歷經廈門鼓浪嶼、漳州、泉州福州，尋求王之眞蹟遺跡而不可得，頃承友人見告，台灣所傳延平王詩只有一首，題爲登峴山，當時北征將帥次京江（按即今日之鎮江）所作。詩云：

「黃葉古祠裏，秋風寒殿開。沈沈松柏老，漠漠鳥飛廻。碑碣空埋地；庭階盡雜苔。此地到人少，臨世轉堪哀。」

「蘭室淸話」認爲此詩蒼涼感喟，殊有唐音。又云：延平王手書一詩，現存日本之平戶某君，題目似爲遊覽之作。詩云：

「破屋荒畦趁水灣，行人漸少鳥聲閒；偶迷沙路曾來處，始跨蒼崖常望山。樵戶秋深知露冷；僧扉晝掩任雲閑。霜林獨愛新紅好，更入風泉亂竪間。」

是詩腹聯特佳，平戶與長琦隔一衣帶水，有千里濱（時爲明天啓四年七月十四日），爲延平王降誕之地。淸嘉慶士子多十二月，藩王松浦乾齋命建慶誕芳蹤碑，多賀彰書冊，而自作銘，旁有樹碑高可丈餘，幹老葉茂盛，相傳爲延平王幼時所植，至今寶之。

又永曆十三年，鄭成功克服鎮江的時候，亦曾有詩一首，此則爲「蘭室淸話」所未載者。據說其時鎮江官吏，各將滿帽擲於河中，截辮髮來降成功。成功服葛布箭衣，有暗龍二條，邊帽，紅靴，神采奕奕，曾賦詩云：

「縞素臨江誓滅胡，雄師十萬氣吞吳，試看天塹投鞭渡，不信中原不姓朱。」

此詩氣勢如虹，氣壯山河，不愧英雄吐屬。成功七歲始隨母歸國，年十五，即補博士弟子員，且曾向虞山錢謙益執贄求學，謙益字之曰大木，是知延平王之能詩，亦且學有根底。

延平王歿後，由於那時台灣省會在台南，所以地方人士立廟祀之，以祭有功。台灣巡撫閩侯沈葆楨會以「郡王享血食二百年，於台灣水旱欵災，屢顯神異，造福閭閻，不無功勞，請准修葺祠堂，並賜封誥，奉旨照准。」

延平王祠內，楹殿兩重，延平王塑像居前殿，白面無鬚，兩廡爲神將神位，夫人神位居殿後。祠內無廟祝，而廊廡淸潔，百數十年之匾額與木聯，猶光燦如新，具見民衆敬愛保護之至意，前殿有聯云：

「獨奉聖朝朔；來開盤古荒。」

後殿有聯記其夫人之殉難云：

「夫死婦必死；君亡明始亡。」

沈葆楨聯云：

「開萬古得未曾有之奇，洪荒留此山川，作遺民世界；極一生無可如何之遇，缺憾還諸天地，是創格完人。」

劉銘傳聯云：

「賜國姓，家破君亡，永矢孤忠，創基業在山窮水盡；復父書，詞嚴義正，千秋大業，享俎豆於舜日堯天。」

以上各聯，均極工整，大氣磅礴，對延平王之稱許，恰如其份，名祠與名聯，當爲勝地生色不少。至於謁廟之詩，尤多佳作，均足以使人激昂起舞，限於篇幅，不及備載，茲謹錄泉州蔡德輝（字醒甫）謁延平王祠云：

（一）

當年海上拓雄圖，沙汕紛紛列艫[illegible]；鯨魚入夢生何異；龍種偕來類不孤。人似武鄉籌北伐；地同洛邑建東都。也知矢志延明祚，絕島偏安亦丈夫。

（二）

森嚴刁斗操熊羆，賞罰分明未足奇，只望一身存勝代，敢將兩島抗全師。圖開赤嶺形堪據；業復朱家勢莫支。智力難爭天命在，多君風調儼鬚眉。

（三）

才猷剛決節尤堅，和議連番總不然；百計謀惟復國；一時流寓況名賢。便教藩服能成事；其奈微軀不永年。史冊流芳總有分，說將遺恨播詩篇。

這詩極蒼涼悱惻之致，可作信史讀。後之視今，亦猶今之視昔，撫今追昔，吾人誦讀之餘，實不勝其黍離麥秀之思。尤其是沈葆楨一聯云：「洪荒留此山川，作遺民世界」，吾人豈眞文將作「遺民」嗎？這不能不使人感慨繫之了！

中國完人張自忠

諸葛文侯

當年蘆溝橋事變發作前夕，曾被輿論界指爲「漢奸」人物之前西北軍將領張自忠（藎忱），於對日抗戰中期，以集團軍總司令職位，戰死鄂北沙場，全國哀悼尸祝，最高統帥親書「中國完人」四字以輓之，彰其忠藎壯烈之節業，其人其事，大可稱述也。

中日大戰勃發之先，張以國軍第廿九軍卅八師師長，率部駐防天津一帶，旋奉「冀察政務委員會」委員長宋哲元命令，兼任天津市長。維時日本軍閥在華北橫肆侵略，咄咄逼人，而宋哲元之總參議蕭振瀛，與日本特務頭目土肥原及其爪牙勾結作祟，積極進行「華北特殊化」陰謀，張氏甚不謂然，曾向宋長官直切諍諫，有所主張，宋即稱病避赴老家樂陵縣暫住，而命張氏代理冀察政務委員長職務，以明心迹。然世人莫悉其中隱情，誤認張代宋職，必係宋氏不願親日，受逼而消極出走者，張氏平日鮮問政事，忽毅然担當冀察政務之衝，若非與日方有默契，寧肯出此耶？如是，南中輿論譁然戟指張爲「漢奸」人物，而張氏亦無從辯解也。

蘆溝橋戰端啓，日軍進迫北平，張氏化裝騎自行車出城馳往通州，轉赴天津防地，而其部隊已由副師長李文田指揮與日軍作戰，且受慘重犧牲矣。張乃浮海至青島，折往濟南晤韓復榘，就商今後抗戰報國計劃。旋由北平市長秦德純陪同至南京，晉謁蔣委員長請示，張謂：「外間指說我是漢奸，委員長如其相信，即請將我下獄治罪，否則命我到前綫去抗敵。」蔣公慰勉有加，囑其毋以悠悠之口爲念。

張氏由南京循津浦路至徐州車站時，有新聞記者向其叩詢意見，張云：「別人說我是漢奸，究竟誰是漢奸，誰是愛國份子，不用爭辯，將來看事實表現吧！」別無他語。洎是張氏重領師干，奮身抗戰，在各次戰役中，從未向新聞記者發表任何言論，埋頭苦幹，實行其「看事實表現」的諾言，不忮不求，盡其在我。武漢大會戰以後，張氏率部衆轉進至鄂北地區，受第五戰區司令長官李宗仁節制指揮，當日寇大舉來攻，戰局危急之際，前綫若干文武要員，皆藉直昇飛機脫出險境，然張氏矢志以身殉國，拒不退却，裹創督戰，死而後已，必期一洗漢奸惡名，以求其心之所安也。張氏遺骸運抵重慶時，最高統帥旌以「中國完人」，親臨朝天門江干迎祭，又由政府明令將張氏殉職所在地之縣名，易號「自忠縣」焉。

諸葛文侯曰：凡擅技擊者決不輕言武藝，賦有忠君愛國之節操者，必不向人故作忠臣烈士狀，大勇若怯，大智若愚，且常流露其謇謇諤諤，有所不爲之言行，如張自忠將軍是也。若夫對人標榜忠貞造作，遇長官即嫗覘媚行，阿諛逢迎，侈言「不成功即成仁」之說以譁衆取寵者，臨難乃苟免之不及，且從而反噬其長上，如張治中之流是也。獨惜古今來之統治人物，昧於斯義，近佞幸，遠忠良，以致治少而亂多耳。吾述中國完人張自忠，爲之擲筆三歎矣。

歷史人物

謝靈運

謝康

偶然在一本亞洲研究的雜誌上看到「佛教風景詩人謝靈運」這樣一個題目，作者馬特氏，分析謝客帶有佛教意味的山水詩若干首，使我對於康樂伯，更增加傾仰之忱。原來他好佛經，作辯宗論和當時佛教大師竺道生很相契合，曾爲伊述說「頓悟成佛」的妙義，以爲中土人比印度人天分較高，印人應重漸修，而華人可以頓悟。據說後來禪宗的確立，即係由靈運奠其始基。因爲他和釋道生共主張「頓悟」之可能性，遂啓中國禪學的曙光了。（參看謝扶雅：中國文史述評頁一七二）這是中國佛教史上一個很重要的關鍵，我們這位山水詩的宗師，又很可能是以佛理入詩的開山祖。例如「山居賦」一篇，參寅佛家妙理，充份表現他心境的澄澈。「臨終詩」中的「唯願乘來生，怨親同心朕。」表現他相信輪迴及我佛慈悲，怨親平等之理。又如「石壁立招提精舍」詩云：

「……敬擬靈鷲山，尙想祇洹軌；……禪室栖空觀，講宇析妙理。」

也是以佛理入詩的例證。（七）

內警僑台報字第〇三一號內銷證

自由報

THE FREE NEWS

第一二〇期

中華民國僑務委員會頒發
台僑新字第三二三號登記證
中華郵政台字第一二八二號執照
登記為第一類新聞紙類
（半週刊每星期三、六出版）
每份港幣壹角
台灣零售價新台幣弍元
社長：雷嘯岑
督印人：黃行奮
社址：香港銅鑼灣高士威道二十號四樓
20 CAUSEWAY RD 3RD FL
HONG KONG
TEL. 771726、電報掛號．7191
承印者：田風印刷廠
地址：香港灣仔高士打道二二一號
台灣分社
台北市西寧南路壹壹[illegible]號二樓
電話：三〇三四六
台郵撥儲金戶九二五二

團結運動危言

雷嘯岑

最近我專函台灣東海大學教授老友徐復觀先生，請他給本報撰寫政論文章，他復書告以決心不再寫時事論文了，理由是「我們有偉大的領袖，又有六十萬大軍，即令俄敵環以攻我，亦將隤然入睡，不復憂懼。」他這種「危行言遜」的心情，吾無間言，因為他過的是教書生活，大可以置理亂於不聞。然區區是幹着新聞記者的活路，明知人微言輕，對於國計民生問題縱有論列，亦係廢話一堆，無裨實際，卻不能不以「邦有道，危言危行」的興奮態度，自我陶醉，聊盡職責，人們視為苦心孤詣也可，視為無病呻吟亦無不可！

團結運動的實質

據說，政府為着團結海內外反共力量，準備採用像過去對日抗戰前夕的「廬山談話會」方式，邀約各界愛國人士，訂期在台北舉行會議，徵詢國事意見。這政策是對的，然由今之道而不變今之法，結果將等於零，何以故呢？

今日每個愛護中華民國的國人，對於反共抗俄的國策，沒有不贊同的，也沒有存心要想爭奪現階段反共救國之役的領導權，只是對執行國策的方法，見仁見智，有所差別而已。這種政治歧見，在任何時期與任何情況之下，皆所不免，如何統一這種內部的矛盾，以期有利於國，這在國事阽危之秋，尤為政府當局的唯一急務。要消弭或縮小這種內部矛盾現象，達成精誠團結，共赴國難的願望，此時此事，卻跟當年「廬山談話會」的情形不一樣，因而方法亦不能照抄老文章了。目前政府當局所感覺困難的大事情是那些？海內外人士所廹切期待於政府實行改革的重要問題又是甚末？當局者應該綜合考慮，而以無固，無我，無必的謙抑胸懷，提綱挈領，先向各方面——尤其是在海外華僑社會具有領導或影響能力的人士，交換意見，徵詢一切，彼此取得一些諒解之後，再邀約大家到台北共同商討實施方案與步驟，庶幾於事或有裨益。如其僅以發號施令的作風，教大家到政府所在地去湊湊熱鬧，談談無關宏旨的空話，許多為政府所希望他如約而來的人，均將觀望不前，避之若浼呢！

前面說過，目前海內外的在野人士，沒有人要想爭奪政治上的領導權，這是任何人皆能理解的事實。因此之故，年來一談到舉行國是會議之類的話，即聞臺灣方面發出「必須鞏固領導中心」的說法，真可謂庸人自擾，不徒無益，且多害處，這好象召開一次國是會議就懷疑有人要乘機奪取政權，寧非笑話？所謂「領導中心」的對象，無論是指執政黨也罷，或是蔣總統個人也罷，皆係多餘的廢話，徒滋人們反感而已。執政黨總裁蔣先生受國民代表的選委託，担任行政元首的領導職位，還有甚末不鞏固的道理嗎？要有，就是政府的措施不符國民大衆的願望，但亦不是隨便可以把政權轉移的，夸夸其談，所為何來乎？即如蔣總統三屆連任這回事，假使在去年二月以前，政府邀約各黨派中堅人物開誠佈公預事協商，蔣先生縱然表示決不連任，但大家亦將認為「非我公莫屬」，詢謀僉同，設法推戴，若干無謂的政治爭議，也就不復發生了。在民主憲政生活中，而隨時強調「領導中心」之說，這是妄自菲薄的宣傳詞令，在思想上已經落於下乘，何苦乃爾耶？

我認為今日海內外反共力量不團結的真正原因，乃是方法問題，而與基本政策無關。首先，政府當局對社會大衆的態度，應該表現着「管理衆人之事」的公僕心情，不要過事即以統治主的面目向人。所謂「威信」與「偉大」的價值標準，全係憑別人根據事實來估計核定的，為政不在多言，顧力行何如耳，坐而言者能夠起而行，威信即自然奠立；執政者對人民越是表示負疚良多，歉然不足的作風，人們即覺得偉大崇高，尊敬之不遑。一個沒有法律性拘束力的國是會議，宣傳了八九年尚未實現，威信何存呢？萬一實現而不能獲致預期的效果，信譽更將蕩然。所以，我希望政府對此事要特別審慎，先注意方法問題，俾能達成團結運動的實質發展，實所企幸。

團結方法不限於會議

政府如果實行軍事反攻大陸，號角一聲響，內部現存的若干政治歧見與爭議，皆將烟消雲散，一掃而空，不成問題的。目前既不能採取軍事行動，而國際形勢且對我諸多不利，我們正處於艱危的逆境中，非從政治上創進有利的局勢不可，然內部若不切實團結，則一切皆無從談起。團結的方法亦不限於開會，老實說，會議只是形式末務而已。在會議以外，政府如能以行動來表示團結的真誠意念，雖不舉行會議，而疲憊的人心亦必然振奮愉悅，為政府作後盾的，姑述一二事，以供參考焉。

國家在內亂外患頻乘的國難期間，提倡忠黨愛國思想，固屬義所應爾，未可厚非，但須有一定的共同標準，決不含糊，示天下以大信。政府過去每以在大陸淪陷前到台灣來的人士為忠貞份子，而視一般在毛共佔領大陸後纔出來的為可疑人物，齮齕拒人於千里之外，這是不公平的。其次就是有些在海外對政府公開唱反調，搞新勢力運動的人，政府又可以優容爭取，而平日硜硜自守，始終擁護中華民國及其反共抗俄國策，只因對庶政得失偶有批評指摘的，卻視為大逆不道，加以嚴厲制裁，這是令人惶惑的。要注重忠黨愛國思想，則一視同仁，毫無例外；要實行化敵為友的恢宏作風，則事同一律，兼容併包；這樣皆不失其為謀國之道。唯有因人而異的措施，最足以損害政府信譽，引起社會大衆的不良印象，這是今日內部不團結的主要因素，政府如能改絃更張，用事實來表示其新局面新契機的創進行為，人民的向心力即油然興起了。

所謂「政治犯」，政府於必要時可以斟酌寬免其罪責的。古代的君主政治，每逢國事艱危之秋，亦有特赦囚犯之舉，以期收拾人心，化乖氣為祥和。現時受着法律制裁的某些政治犯，當此政府號召團結運動，實行政治革新的時候，如能分別減免其刑期，海內外人士的觀感必然不變；而其現存的政治歧見，自然會逐漸消失的。

眞正的團結精神：須從心理建設入手，纔可以發生實際效用，而不流於形式主義。我希望政府於召集政治座談會之外，對於心理建設方面，更能切實注意，以奠定團結運動的強固基礎，國家前途，實利賴之。

只有這一塊牛排，怎辦？

小論天下

△美總統甘迺廸與英揆麥美倫在華府作多日會談，討論寮局及中共進聯合國問題。甘迺廸已定期飛巴黎，晤戴高樂總統，藉以消除法國對英美的歧見。

看他們飛來飛去，談來談去，亞洲弱小國家怕的是要翻來覆去。

△寮國戰事未已，蘇俄飛機會助共軍空投，寮政府軍亦出動傘兵空降。英國頻傳停火「喜訊」。印度不認為和解趨勢可樂觀。美參議員周以德慨嘗：乾脆打一次寮戰是一個好辦法。

周以德眞是可人！美國如只跟在英國的屁股後面跑，英國也跟在印度的屁股後面跑，除了實現「兩個寮國」，還有什麼較好的結果？

△中共對南越發動宣傳攻擊，越共游擊隊在西貢附近大恣活躍。

我們早就說過南越局面才真正可危，共黨快要發動「越戰」的跡象越來越明顯了。

△第廿六屆世界乒乓球錦標賽在北平舉行，中共盛事宣傳，看成「外交」一項重大勝利。北平共官忙於迎賓。

如不這樣做，他們怎能常常大開筵席，大吃特吃？一為宣傳，二為口腹，是喜劇乎？乃悲劇耳。

△毛澤東離北平出巡，曾在武漢出現。

每次「整風」都要「御駕親征」，料他亦當學隋煬廣作「頭顱誰砍」之感。

△共黨在印度新德里舉行「世界和平理事會會議」，中共派劉寧一出席，大放厥詞。有幾個中共代表被印度驅逐出境。

你掛的是「中立」幌子，他掛的是「和平」幌子。這種「惡客」就勝在無賴得使你莫奈何！

△中共釋放一個患嚴重癌病的美俘。

要認識共黨的「做工」，最好在這等事件用心體會。

△印尼和中共「外長」聯合發表公報，主張開第二次「亞非會議」。

尼赫魯聞此，能不心酸。

方南

自由談

西洋的政治臭蟲

馬五先生

十年以前，曾自稱為農民出身，上書毛澤東，飛媚眼、攀交情而自討沒趣的美國民主黨聞人華萊士，久已銷聲匿跡，與世相忘了。近來忽然拾人牙慧，大發議論，預言在十年之內，美俄兩國必然攜手合作，以對抗人口衆多的毛共政權，說來像煞有介事。這與英國的「權威」觀察家發明「亞洲狄托主義」和「中俄共爭取鐵幕世界領導權」的妙論，都是跟馬路旁邊高掛着「哲學預言家」市招那類測字先生的言談一樣，只是逗人發噱，或麻醉一些潦倒失意人士的腦神經於片刻而已。

英美的一般政客策士們，對於世界問題，基於舊有資本帝國主義的殘存意識，滿懷優越感，還要以世界的大好佬自居；同時怵於新興共產帝國主義的兇惡氣燄，又潛滋着強烈的自卑感，唯恐共黨廹不及待地要「埋葬」他們。因此，他們對自由世界依然耀武揚威，妄自尊大，對共產集團卻靦顏獻媚乞憐，妄自菲薄。他們的一言一行，完全表現着二重人格，又從而為之詞，聊以解嘲。如是乎，一切自說自話的預言高見，乃不斷的層出不窮，藉以掩飾其由優越與自卑感交織而成的矛盾心情，實在可憐之至！

華萊士做過故羅斯福總統的副手，也到中國來考察過毛共的釀亂情形，他當年在重慶會以懷疑的口脗，向我政府當局詰問道：「美國亦有共產黨，我們並不怕它，你們何以害怕中共呢？」即此可見其知識的淺薄愚陋為何如者！他現在不甘寂寞，竟作出思想混亂的不經之談，大概是受着羅斯福的未亡人那種死好出風頭的影響，企圖在政治上有所活動吧？這類人，跟我國的郭沫若、張治中之流，允稱難兄難弟。西洋社會的政治臭蟲亦不少，經過這次的世界變亂，原形業已畢露，誰如再說外國月亮比中國好的，我便要使勁地唾他一口濃沫哪！

◉××××◉ 大陸剖視 ◉××××◉

自誇增加　實際減產
中共去年鋼產情況

一九六零年底，中共總結該年工業生產情況，據稱：「鋼的產量，預計將達一千八百四十五萬噸，比今年國家計劃的一千八百四十萬噸，略有增加。」（一九六〇年十二月三十日香港「大公報」）根據中共公佈，去年鋼產除完成年計劃外，還超產五萬噸。

此項超產數字委實太巧，以中共鋼鐵情況來說，超額完成的不過四百分之一，再以中共現有「一千四百多個大小不同的鋼鐵企業」，和三千個左右「小工羣鋼鐵生產點」（一九六〇年「紅旗」十六期）平均，每廠超產不過十一斤。在這龐大企業和統計數字中，這一極小超產數字，最易忽略，而中共統計如儀，不能不令人懷疑。

中共本年底就公佈是年鋼產數字，是突出現象，通常是在第二年度公佈，年底幾天正是工人連日苦戰，各廠「報捷」的時間。在中共「寸鋼不讓，斤兩必爭」強集數字，用以欺騙國際人士大前提下，應侯各廠最後申報。而中共竟於十二月卅日提前發布，所滙集的數字，當是廿七、八日各廠生產數量。中共爲何不侯最後一次數字到手，才統計公佈？目的是搶時間，掩飾鋼產失敗，予人以先入爲主印象，其數字的眞實性，大有疑問。

作者保有中共去年第四季度鋼的生產情況資料，加以分析研究，中共去年鋼鐵產量不但不能超過，只怕距離年計劃甚爲遙遠，資料顯示：

一、中共已往慣例，在每年第四季度，特別在十二月份，必有提前完成天數和百分比的「捷報」，例如，一九五九年十二月卅日「人民日報」說：「馬鞍山鋼鐵公司，鋼的產量計劃，提前六十天完成」，「大連鋼廠職工提前廿四天完成計劃」，「鞍鋼職工提前十六天，完成鋼鐵生產計劃」。並且叫響「爭取一月月紅」、「滿堂紅」和「一切準備好，定叫新年開門紅」等，情形十分熱烈。吾人雖不能以所謂「提前完成」、「月月紅」等叫喊都是實情，但尚算有憑可藉。可是去年不但未見此種情況，並要各鋼廠職工，大戰十二月，爭取最後勝利。如，「鞍山鋼鐵公司，職工誓師比武大會，響亮提出「堅決鼓足幹勁，大戰十二月，斤兩不缺，寸鋼不讓，完成今年的鋼鐵生產計劃，奪取鋼鐵生產最後勝利」，「天津鋼鐵戰線，連日來攻關鍵、挖潛力、秣馬厲兵，進行今年最後一戰」（一九六〇年十二月二日「人民日報」）。去年中共鋼鐵戰線職工，未喊「定叫新年開門紅」、固足證明無「紅」可迎，所謂「大戰十二月，爭取鋼產最後勝利」，更足說明，已往幾月鋼產都是失敗，圖在最後一個月挽回。

二、中共雖然高喊「大戰十二月」，奪取鋼產最後勝利」；但產鋼過程中發生的薄弱環節，一直沒有克服。如：「武漢鋼鐵公司在爐前源料供應方面，塊礦、錳鐵、鎂砂、白雲石等，還不能滿足平爐需要。爐後生產工具方面，如：盛鋼桶、渣灌、錠模不能適應平爐的要求。運輸工種，也必須大力加強」（一九六〇年十二月十三日「人民日報」）。原料方面，中共爲適應平爐需要，發動各鋼廠職工，展開挖掘、找運動。「成都鋼鐵廠職工挖掘源料潛力，十月份僅用於生產的回收廢鐵，相當於外調進廠的數量百分之六十。「旅大市收集廢鋼鐵運動，開始走向經常化」（一九六〇年十一月二十三日「人民日報」）回收廢鐵是有一定限度，長期滿足需要，事實絕不可能。

三、中國煉鋼設備，問題也是很多，如：「本溪鋼鐵公司，經常要等源料，等造塊、等天車、等修爐、等運輸的「五等」被動局面，於是職工在叢委指使下展開「協作公約賽」、「造塊工人千方百計的延長鋼錠模使用壽命」（同上），這些現象，在「大躍進」期間未獲解決，一直留到去年十二月下旬，其影響鋼鐵生產計劃，可以想見。

四、去年夏季，東北發生特大水災，鞍鋼公司，直接受了極大影響。中共承認，「從八月初，由於暴雨洪水突然襲擊，鞍鋼被廹停產部份高爐和平爐，至十七日止已經開動起來」（一九六〇年八月廿七日「人民日報」）。但據「紅旗」雜誌稱：「受洪水爲害的錦州鐵路局，到十一月底才能發動一百五十個檢查組，分赴各條線路，發現和整治線路，橋樑所解決的大小問題二萬五千多個」（一九六〇年廿二期「紅旗」）。錦州鐵路，雖對鞍鋼運輸影響不大，足以說明東北鐵路線經洪水破壞，到十一月底還沒有復原、鞍鋼是中共的「鋼都」，受洪水帶來災害，威脅的時間，長達三、四月之久，對中共鋼產的影響，何等重大。

五、支援農業，也足導致鋼鐵減產。間接的如交通運輸部門，礦石採掘工人，在支援農業時，都有大批到公社幫助生產。直接影響的，如「成都鋼鐵公司一次就抽出一千五百餘到農業生產第一線」。「武漢鋼鐵公司，一九五九年抽調一千七百多工人，支援農業生產，今年又抽出一千四百多人」（一九六〇年十二月十二日「人民日報」）中共在減人又增產的口號下，於是要工人「一頂兩」的忘我生產。中共這種搾取勞力的殘酷措施，不但難收預期效果，反而引起職工普遍反感，因而產生總工現象。中共爲抓緊這一生產上主要環節，自十二月份起「實行任務一交到底，分到每個爐和每備班、組，付層層明確任務，層層訂出確保完成任務的措施。」（一九六〇年十二月「人民日報」）中共除採取此種措施外，還採取普遍推行「羣衆議論」會，以安撫工人反抗情緒。種種措施，都足以反映各鋼鐵廠職工對自已崗位的工作情形。

另外還有一點節約原材料，對鋼的質量與數量不無影響。中共提出「一噸煤當兩噸煤用，一噸焦當兩噸焦使」的口號，因此各鋼鐵廠展開推廣節煤運動，鞍山鋼鐵廠在「少用焦，多煉鐵」的競賽中，平均每一噸生鐵，使用一千三百九十斤焦炭，減到六百卅公斤，比國家規定的少用七百六十公斤。」濟陽鋼鐵廠，在節約燃料口號下：「每煉一鋼，少用二百八十公斤焦炭」（同前引）。生鐵是從礦石中提煉，鋼是鐵的昇華，如火力不到，不能從礦石中盡取鐵份，也不能從鐵中盡提出礦石。鐵不經過高度熱力，也不能使生鐵化爲純鋼。

同時附帶一提的是中共另一節約措施，那是「少用鐵、多煉鋼」，鞍山職工就根據這一措施「用更少的鐵，鍊更多的鋼」鍊鋼工人進行了技術革新，使每鍊一噸鋼，比過去節約了一百〇五公斤鐵水」（一九六〇年十二月廿三日「人民日報」）

上述資料，已顯示中共鋼鐵生產情況，去年中共是否能產一千八百餘萬噸鋼，已可概然。（焦毅夫）

「三令五申」成具文
「拳打腳踢」話刑警

（台北通訊）這次鬧得各報社會版滿版的「分屍案」，雖然到今天還是「山重水複」，不過：既已由警備總部來管，相信憑該部保安處以往偵破大小案件的成績來衡量，這件案子近期內一定會「水落石出」的。

這次分屍案，值得各方讚譽的是，所有涉嫌的人，刑警始終未動過刑。總算維持了「三令五申」的法令尊嚴，可惜日前市警局查分屍案的刑警，不知是「技術」癢了？還是久未一顯「身手」，又把兩個民政幹事，打得「倒地不起」，事情是刑警忽然在黑暗中穿出來查身分證，民政幹事請他把「刑警」證件先拿出來看一看！即此一言，觸怒了「刑警老爺」，手銬一出帶回局內就是「拳打腳踢」。末了還要區公所具保才釋走，最後是表示「誤會」？勸他們就此「作罷」，要不？言外之意是「打破你的飯碗也輕而易舉」！

被打的兩位幹事，實在不服這口氣，取了傷單向法院提出控告。

刑警威風是素來上下皆知，爲何改不掉，也是一個疑問？事實上不守法的刑警究竟還是少數，正如「立法委員」「國大代表」「各級民意代表」一樣，好的多，壞的少！但是「好事不出門，惡事傳千里」，就因爲少數壞的連累了好的，到今天與刑警一樣，大家一提到「民意代表」，就眉頭一皺，默然一笑，盡在不言中了。

現在被打的兩位幹事，既已告到法院，相信一定會憑公辦理的，希望那些好刑警們，能建議他們的上級，對這些破壞名譽的同事，加以嚴重的懲罰，以獲得社會人士今後對刑警的觀感。

台灣的官舍風波

友萍

（台灣通訊）不久以前，台北「聯合報」的何凡先生，曾以「舜耕旋風」對新任台灣省鐵路局局長陳舜耕到任後的若干新作風，在其「玻璃墊上」特加稱讚。其中的一項，爲陳局長蒞事之後，即將非路局員工借住路局的宿舍，一律下令收回，包括前任副局長現任交通部次長費驊的在內。

這陣「舜耕旋風」在鐵路局方面來說，確實是「一川碎石大如斗，隨風滿地石亂走」，使到那些佔住路局宿舍的局外人員一時意料不及，忙亂得團團轉。但可惜這陣風雖「乘天地之正」，却不能「以遊于無窮」，在鐵局以外的政府單位，這陣風依然吹不到。

台北「自立晚報」的「新聞眼」所看到的「官舍問題虎頭蛇尾」，是談到有關台灣物產保險公司董事長蔣渭川因官舍問題涉及六十萬元公款案，曾一度在省議會鬧得如火如荼，煞有介事，但現在却突然煙散雲散，似有不了了之之勢。

據謂蔣渭川之官舍問題，起因於前任董事長周友端之調任台灣銀行總經理後，未遷出原住官舍之故。至於周友端何以不遷，又因爲台銀總經理宿舍已爲他人借住，無從遷移。當省議會質詢蔣渭川案時，曾有省議員謂：如周友端遷出現址，問題即可解決，此事經黃朝琴議長轉告周友端，周答以現任台銀總經理亦無官舍可住，而中央所借台銀官舍甚多，如省議會能對此加以解決，彼即可遷讓。黃考慮後謂：「除此以外有無他法？……」周答以「有」，位于植物園前之省議會招待所，乃台銀房產，省議會借用已久，迄未交還，台銀尚須付出修繕保管等費，今省議會既在霧峯，該地亦有招待所，則台北之招待所似無必要。如能將此屋交還，本人即可遷居該屋，讓出現住官舍。黃朝琴以此語告知省議會，議員無詞可對，六十萬元之官舍問題，遂加擱置。

由蔣渭川案看「舜耕旋風」之能刮得起來，確實不是一件易事。正如「玻璃墊上」所說：台灣軍公教人員的住公家宿舍是一最麻煩的問題，是過去在大陸上很少有的。原來待遇低即不得不備宿舍（有若干美援機構待過高，根本無宿舍。而鐵路局錢少，有時要仗較大房子來拉住好手，有宿舍即發生分配、修理等難題）有些機構無房而有權，就動下級濶機構的腦筋，下級也覺得這是拍馬的好機會，樂得把房讓出來邀寵。於是形成「大魚吃小魚，小魚吃蝦子」的形式，因此本機構的反而沒有房子住了。陳舜耕在這樣一個積習難返的風氣，能有氣魄加以整理，這就是他值得稱讚的地方。

然而此一「旋風」在鐵路局以外，却吹不縐一池春水。堂堂省議會，袞袞議員諸公，也佔住台銀官舍作爲自己的招待所，無怪乎周友端這一番話，經黃朝琴議長一轉述之後，皆鴉雀無聲，悄然將一件火藥味相當濃厚的質詢案子擱置起來了。

年來朝野間均強調「循名責實」，而此一官舍佔住問題，却一直令其「名實相外」，此寧非一大諷刺。

※※ 大陸文壇萬花筒 ※※

大書店變舊書攤

——岳騫

最近一年的中國大陸，大體實現了毛澤東一窮二白的政治理想，糧食缺，衣服缺，日用品樣樣都缺，還有紙張缺乏得驚人。

紙張缺乏的情形可從幾方面看出，首先是把大部份不重要的雜誌停刊，如「民革」的機關刊物「團結」，「民盟」的機關刊物「爭鳴」，山東大學的學報「文史哲」，民族事務委員會辦的「民族研究」，其次是把報紙刊物合併，如廣州市委員會的機關報「廣州日報」，就併入了「南方日報」。最後則是報紙：刊物減張，如人民日報星期一只出對開一張，將來可能全部減爲對開一張。

就書籍來說，在海外很少看到中共有新書出口，即使有一種新書，最多只出口幾十本。近來不但海外買不到新書，整個大陸新書也絕市了，「北京新華書店」無生意可做，最近發出通知，收購舊書出售，變成了琉璃廠的舊書舖。三月十八日「人民日報」列出一位讀者岩石的投書，贊揚新華書店這項正確措施，因爲自從實行買賣舊書的辦法之後，他可以買到多年來想買而買不到的書，如高爾基等著的「論寫作」，「魯迅舊詩箋注」一類的書。岩石最後提出呼籲，要大家把舊書售給新華書店。

中共所謂「讀者投書」，大家都知道是怎麼一回事，果然三月十八日又一位署名樂農的人，寫了一篇「片紙可貴」，叙述他們過去在流竄時期的紙張缺乏情形，信紙都是兩方面合用，回信寫到來信的後面再寄回去，甚至寫了國軍的廢紙煙盒裝訂起來作爲筆記本，有時把老百姓拜神的黃裱紙都用了寫標語。樂農提到這些窮事，用意當然是在安撫下級幹部，不要因缺乏紙張而感到不滿。

三月廿一日「人民日報」又發表了兩位讀者投書，一在內蒙古，一在廣西，眞是天南地北，一齊響應，廣西這位讀者投書除去大大頌揚新華書店措施正確外，還特別提到「可以節約紙張，既利自己，又利國家。」這些倒是實話。不過今後新書店業務也要隨之改變了，將來可能會組織大小幹部挑担去下鄉逐戶搜購呢？

大學生

雲無心

想起那一羣大學生，我心便涼了半截。

學校膳費每月一百八十元，自然吃不好。遂致有幾位同學不買飯票，跑來盛了白飯，加些鹹蛋之類吃的；而包吃白飯每月九十元，也就省下來。有一位這樣吃白飯的同學衣衫穿得很光鮮，梳大包頭，並不見得窮極無聊到出不了九十元的程度，這種賊行為真令人費解。

還有好些作賊狂者。以往在宿舍樓下便有僻成家立業的大個子，家庭環境很富裕，卻老要偷同房同學的東西。後來同房同學老失東西，便懷疑起他來。有一次抓着證據，很禮貌的叫他搬場，此後也就見不到他了。此外，在最近破獲的一宗有規模的單車竊盜集團中，竟有兩個同學。

一位女同學因重考風波上了幾天報紙，着實出了幾天風頭。記者到她家訪問時，她的母親洋洋得意，說她女兒如何如何在校中與人四角鬧戀愛，兩個男孩子怎樣在圖書館裏為她打架。按我們學校裏男與女的比是十比一，我看不出攪四角戀愛有甚麼了不起，更看不出有甚麼光榮。而那位女同學也竟氣飛揚，在圖書館裏大談自己的新聞。

在學校裏掉了甚麼東西，什九是沒有回頭的。洗澡完了忘記帶回肥皂，轉身去找便不見了。而在餐廳、佈告版等「交通衢道」，老看見貼着些以若干張電影票換取失物的紙條。

說生活理想嗎，一般說來都是庸庸碌碌，得過且過，來讀書不知為甚麼，活着也不知為甚麼，反正吃飯拉屎考試，胡胡塗塗混過去了。有的書獃子一天到晚往圖書館跑，只知道用功是好，只想多考幾分；（生來的奴才！）而將來的打算只不過是混錢而已。

偶爾碰着幾個頗有理想的同學，但國家社會的種種徒令人傷心。世面見多了，釘子碰夠了，被人視為不切實際的傻瓜待夠了，滿腔熱又就漸漸冷下，不是跟隨世流，便是極端消極，只餘下謾罵譏諷一途。

這便是台灣所能有的年青的一代，這便是將來反攻復國大業所賴的「棟樑」嗎？

救救年青人吧！

生活的藝術

汶津

莊子秋水篇說：「以趣觀之，因其所然而然之，則萬物莫不然。」人的意趣各有千秋，如果只憑個人的主觀印象，無論什麼事物都可能被認為是愜意的。俗語說：「情人眼裏出西施。」恰好是最傳神的註腳。

莊子是一個逍遙、洒脫的人物，楚王派人請他做官，他對使者說：「吾將曳尾於塗中。」他是用神龜為例：寧可在野地上自己謀生，搖尾自在，也不願被關進廟堂裏。每個喜歡自由的人，都不樂意受絲毫的束縛，而願意有自己的愛好、自己的興趣。雖然自己的偏愛不能作為客觀的標準，但人生的目的本不是求某種標準，而是整體的感受；渾然的體驗。如果你真懂得生活的藝術，正不妨「因其所然而然之」，大可不必有所執着。李白醉後讓楊國忠研墨，高力士脫靴，而熱中做官的人是沒有資格受「詩仙」的雅號的。明代小品名家袁中郎能「觀世間萬緣如蚊蚋聚散，未嘗有一事橫於胸中。」這才是真能享受生命的豪傑之士。

一點詩人的氣質是必要的。泰戈爾這樣吟詠：「快樂從全世界飛奔來構造我的身體。」「萬物的呼吸奏着我的思潮似笛的吹奏。」「我們的生命是短暫的，也是永恆的。那只須剎那的頓悟。「萬物皆備於我！」孟子的心聲顯示了他不僅是一位雄辯家，更懂得生命的奧秘。

莊子跟惠子辯論魚的心理狀態：「子非魚，安知魚之樂？」「子非我，安知我不知魚之樂？」使後人覺得逸趣橫生。如果魚之樂即是我之樂，我又何必是魚本身，才能了解魚的樂趣？星、雲、花、月：……這些美好的存在物，我們不也都能分享嗎？

陶淵明自一叢菊中窺見宇宙之「悠然」；王維在竹林裏邀會明月；明人衛泳謂美人之「一顰一笑，皆可以閒暢玄想」；難怪莊子會在夢中化為栩栩然的蝴蝶了。我們又何必去探究是莊周夢見蝶呢，還是蝴蝶夢見莊周？

看啊！「一個愉快的歡笑展過天空」，你該怎樣去迎接她呢？試聽培根說得多貼切：「人的天性如香草植物，可能長為香草，也可能成為莠草。」這在一轉念的變化，不比魚的快樂問題更耐人尋味嗎？如果你能像一個游泳健兒那樣舒展開自己，那麼一花一木，都將成為你擁抱，你享用的對象。你到了你辭別世界的當兒，你也可以坦然的說：「主啊，現在可照你的話釋放僕人安然離開世間吧！」不，你從來不是「僕人」啊。莎翁在「仲夏之夢」中這樣寫：「詩人的眼睛在神奇的狂放的一轉中，便能從天上看到地下，從地下看到天上。」平凡的人難道便獨獨為造物冷落嗎？附庸風雅的貴人富戶，家藏名畫無計，卻多卷，唱片無計，卻遠不如一個襤褸的人，他懂得在晚霞中讀畫，在天籟中欣賞音樂。那些無病呻吟的作者，甚至在夢中為自己的靈魂鄙棄！我們為許多暢銷書悲哀，但卻願讚美路邊一位孤兒的憨笑。

不妨把你自己假想作命運之神，端坐在矗立雲霄的高山上，你俯覽着生命的遼闊，心頭也該湧起無可比擬的驕傲吧！你也許對愚蠢的爭戰皺了幾分鐘的眉，可是你仍躍躍欲試，也想下凡去一遊。上帝造人之初，恐怕也不會預想到今天人類的盛況吧。「井鼃不可以語於海者，拘於虛也；夏虫不以語於冰者，篤於時也。」北海若是代莊子發言；又說：「天下之水，莫大於海。」把河伯弄得只有洗耳恭聽的份兒。可是北海若得意得太過份了一點，我們以現代人的地理知識來駁他，不妨說：「觀於大洋，乃知爾醜。」但「吾在於天地之間，猶小石小木之在大山也。」這樣的認識則是某些妄自尊大的現代人望塵莫及的。

我寫這篇「雜文，然似在推薦「莊子」和泰翁的詩。讀者諸君也有同感嗎？（編者按：本人深有同感）

胡適與泰戈爾

・南　道・

胡適與泰戈爾這兩位學人，由於泰戈爾曾於民國十三年來華講學，聲氣相求，他們便成了很好的朋友。後來泰戈爾回國，胡適之還送給了他一首詩，這詩現尚存印度國際大學，已由該校珍藏，作為該校歷史上重要文獻。茲當泰戈爾誕生一百週年紀念，溫故知新，謹錄之於下：

他從大風雨裏過來，
向最高峯上去了。
山上只有和平只有美，
沒有風和雨了。

×　×　×

他回頭望着山腳下，
想起了風雨中的同伴，
在那密雲遮着的村子裏，
忍受那風雨中的沉暗。

×　×　×

他捨不得他們，
但他又怕山下的風和雨。
「也許還下雹呢？」
他在山上自言自語。

×　×　×

他終於下山來了，
向那密雲遮處走。
「管他下雨下雹！
他們受得，我也能受」！

假日（三）

・中篇小說・

孟瑤

她教我們認五線譜，她讓我們向祖父母蒐集家鄉的民謠，她還不時地寫些或找些短簡有趣的歌教我們唱，她特別注意隨口就能哼哼的歌，她常常說：假若一個人能愛好音樂的話，不管在什麼樣的環境中都會是快樂的。她把音符及許多音樂上專門性的記號製成一張張的卡片，上課時就帶來，讓他們認出念出，然又把簡短的五線曲譜製成的卷軸展開，用指揮棒慢慢地教我們看着曲譜自己練習着唱，假若我們錯了或者是不用心，她會氣得臉紅紅地罵地來：「你們知道不知道，我們中國從孔子的時候就開始以禮樂治天下，而我們現在卻變成了一個最沒有音樂氣氛的國家，我們都是最不肖的子孫，你們知道不知道？做為一個人，怎麼能夠不懂音樂？尤其是你們女孩子？」

大家都不忍心使她生氣，於是努力學習，下課後，假若她氣鼓鼓地走了，大家一定彼此埋怨一番；假若興高采烈，大家又會像一窩蜂似的一直嗡嗡嗡地送她到休息室。

這就是我們和吳老師之間的感情真象，而我與她之間又特別深厚些，因為我是被她選中的一組有音樂天才中最得寵的一人，她常常向我開玩笑說：「你這樣一條好嗓子，假若生在一個重視音樂的國家，便夠資格富甲王侯。」所以她對我是加一分心力來栽培的。當然，這是殊榮，它使我受寵若驚，便也同時對她充滿了「愛情」。不知道是不是因為她特別愛我們的緣故，中學的六年中，她一直教我們這一班，我們這班學生，對音樂都有一份高高的品味，也正是得她之賜。

六年中，我們也看清楚了她那一段人生。

她美麗、富有、又充滿了那樣優美的音樂氣質：當然她是不寂寞的，男孩子們成羣成夥地向她包圍，使她總感到周旋為難；但是我知[illegible]正懂得生活的人[illegible]的青春虛度一分[illegible]享受着它們。但[illegible]煩惱像五線譜中[illegible]一樣，由它們，[illegible]的旋律。她常常[illegible]候，尤其是在我[illegible]一年，這一片以[illegible]成的樂章，它的[illegible]那裊裊不盡的憂[illegible]我知道一些：她[illegible]的年青人，愛情[illegible]，還不良青年蒙[illegible]線，她眼裏沒法[illegible]存在。就在我們[illegible]在家人的強烈反[illegible]婚後的生活頗不[illegible]知道他壞，但是[illegible]告訴我：「我離[illegible]

談國劇服裝

——瘦西湖——

梨園漫談

中國戲劇之服裝，不特奇異美觀之極，且亦莊嚴大方之至，其種類名稱之多，亦為任何國家劇種所罕見，據老一輩的劇評家所云：國劇中之服飾十有九係仿做明代之衣冠所製而成，其縱有明代以前之故事，如唐朝之「宮門帶」，宋朝之「鳳影計」等，照理應為其本朝服裝才對，然今人所穿之衣冠，實非唐宋兩朝之服裝，而是明代所盛行者。但此尚不足為奇，有的是清末所具有者，如「黃馬掛」、「八大拿」、「連環套」等劇中，除康熙皇帝，及清將金大力、歐陽德，少數士兵尚穿清裝外，其餘如官居極品之彭公，以及聖眷甚隆之[illegible]等，莫不穿前朝明代所遺之官服也。

據考：清代戲劇所着之明服，內中含有革命意義，以及大有恢復明室志趣之存在。因為，崇禎皇帝逼上煤山自縊後，加之史可法、周遇吉等，又同時遭難，其君臣殉國之慘痛壯烈，凡我中華兒女，無不[illegible]有痛心疾首，號啕大哭的，於是為了要替崇禎君臣復仇起見，遂紛紛潛伏於大江南北，大家暗結而能隨時隨地以策勵未死之人心，共同發憤圖強，呼籲同胞團結，以為明復仇之職責。

[illegible]士，以備相機起義，而在反清復明之舉上，以及宣傳之方法，約分為秘密與公開之兩種策略，前者即名為洪幫，又名為天地會，三元會，哥老會等組織是也，後者以藉戲劇作深入之演出。

明亡未久，滿清政府雖強制人民改着滿服及剃頭蓄辮等之舉動，然而舞台上之一切服飾，則猶如故，明朝雖亡，服制雖改，而明代之衣冠，則仍可以加以名家所飾之忠君愛國，「任俠尚義」，專打不平等劇本演至各地之演時，這確實給予千千萬萬的觀眾很大的鼓勵，因此，在清兵入關登基不久，我民間即有反清復明之暗潮，已如排山倒海般在醞釀而成，惜當時民間革命領導乏人，未能即結一舉之功，不然清室盤踞關內的歷史也不會如此之久了。

直至咸豐初年，洪秀全、李秀成、洪秀瀛、石達開等人領導太平天國，建都金陵（即今之南京），下詔頒令人民蓄髮，不論官民百姓人等，一律以明代衣冠為標準，此即為清末民間之種族革命，亦即還我初服之本旨也。

燕塵識小

辛丑談往

——無負生——

上年十一月和議大綱確定後，即開始磋商綱目。本年正月十一日由領銜日斯巴尼亞（即西班牙）公使照會清國全權，將使館界由何處起至何處止繪圖加註，並申明界內之公所衙署必須移出，界內華民遷出界外設法補償等語。清廷全權接此照會後，仍希望將清廷所最重視之祭祀祠宇「堂子」及各衙門公所保留。當於正月十二日發致各國使館畫界說帖一件。文曰：

「本年正月十一日接准領銜葛大臣照會；以使館境界由諸國全權大臣會定開列四至，界內公所衙署必須移出。至界內所居華民，應徙他處者，其地為各使館留用，如何設法補償之處，擬定後再行奉達。並黏附圖紙等因。查界內應行遷徙華民，其遷費地價隨後必須定章設法補償，方昭公允。惟上年十二月十七日所交說帖曾經聲明：使館界係由何處起何處止，應將內有公所衙署劃出，並須彼此勘定界址等因在案。茲詳閱此次送來圖紙，堂子為皇上祭祀重地，既已列入界中，宗人府吏部戶部禮部兵部工部理藩院翰林院詹事府太僕寺鴻臚寺欽天監各衙門，鑾駕庫四譯館，庶常館各公所亦俱在所畫界綫之內。以上各處均屬辦公要地，自北京建都以來，正陽門內附近皇城左右分設各署環列拱衛，不獨辦公近便，實為觀瞻所繫，令遷別無位置之地。堂子及各衙門公所與使館相隔尚遠，在使館無此數處並無損於使館，若京城無此數處不得為京城，此於國體民望關係匪輕。若本王大臣輕易允許，將來皇太后上回鑾，竊恐責備綦嚴，不能當此重咎。應懇仍照前次說帖所云允為劃出，庶足昭各貴全權大臣體念我國家，以敦邦交，實為本王大臣所切望也。」

由此件照會推想各使原提之地圖，所包地面，東起崇文門大街，西面直到前門內的戶部街，南至大城牆，北至東長安街北面皇城根，而所謂「堂子」以及吏戶禮兵工五部乃至宗人府翰林院等等公所衙門均須一掃而平之。所索如此之奢，清國全權既無實力抗衡，只有出以懇求情商之一法。經過三四個月之磋磨，算是清廷不再索還「堂子」，而各國允將正陽門內戶部街所設之宗人府吏戶禮部四座衙門交還中國，而東交民巷內華人遷出之房價地價尚須由中國政府全數負担，才算定案。（十三）

望海樓隨筆

大漢天聲

徐學慧

安南一帶，在元代，已可見到安南人作的中國詩。「雨村詩話」（李調元作）中即載有安南使臣阮輝僅的故事。他的「岳陽樓」詩，中有句云：「霧借山光吞去鳥，客從鏡上數歸漁。」亦自精警可喜。王文治有詩稱其事云：「瀟雲微雨朝鮮使，去鳥歸漁交趾才。我是中朝舊供奉，江湖白髮首重回。」此處所說的「朝鮮使」，即指金尚憲的登州詩，「交趾才」即是指這位安南使者的「岳陽樓」詩。

道光咸豐而後，海禁大開，此一偉大的東方文明古國，乃日趨沒落。西洋人挾其科學技術以東來，國人於驚奇炫惑之餘，乃竟連此歷史悠久之中國文化亦全部拋棄。西洋文明固自有其可取之處，但如果說西方文化優於中國文化，則個人實不敢苟同。中華民族，素以同化異族為其特質，到今天，此種同化異族之精神，竟在媚外心理的暗影下，完全消失了。

國於天地，必有以立。我中華民族之所以能屹立於世界，其所持以立國的精神，乃全賴此綿延數千載之悠久文化。若果連這一點精神都沒有了，則我們究竟憑什麼東西來與人家較一日之短長呢？

我為此語，絕非復古論者，亦非國粹論者，更不是說有了中國文化，就可以敵西洋人的原子彈。我只是深深覺得，一個民族的根本文化，是不容這麼輕易地妄自揚棄的。國家之強盛，民族之進步，與其傳統文化有關，這中間的相互關連，只須稍加思索，即能明白。可惜的是，那些媚外成性的人，一切均以洋化為高尚。窮其極，乃至穿洋衣，說洋話，吃洋飯，寫洋字，用洋物，而對本國文化竟是一無所知。嗚呼，是洋人本未亡中國，而中國人乃先亡之矣。（本文完）

清明諸詩

介人

節屆清明，從許多角度看來，「清明」這一個節日，是饒有意義的。因此，古今來騷人墨客，在這一天，也頗多感懷發而為詩。有兩首是極其流行關於清明的舊詩，而為人所傳誦的。

其一

「清明時節雨紛紛，路上行人欲斷魂；借問酒家何處有？牧童遙指杏花村。」

其二

「南北山頭多墓田，清明祭掃各紛然。紙灰化作白蝴蝶；血淚染成紅杜鵑。日落狐狸眠塚上；夜歸兒女笑燈前。人生有酒須當醉，一滴何曾到九泉？」

這兩首詩，均被後人改易，用來作諷刺詩，而與清明則毫無關係。近代國學大師章太炎亦喜改詩，頗多諧趣，容另文報導。至於清明詩第一首則被人改成為：

「清明時節雨絲絲，路上行人哭布司；借問寃家何處是，牧人遙指汪志伊。」

這首唐杜牧的清明詩是被福州人竄改的。用以諷刺當時閩督汪志伊，傾陷布政司王誠格的慘案。清初入關，襲取明朝官制，省設總督、巡撫、布政、按察各職文官，總督的職權為總督軍務，有轄一省至二省的，巡撫則為巡撫地方，其職權為考察官吏，勸求民隱。按察則專審判覆核民刑訴訟，而布政，則兼管民財兩政，以及知府以下之州縣佐雜之任免，錢糧稅捐的徵收。但總督於年終有奏劾司道以下官吏之權，所以兩司亦多望風承旨，以顧考成。

汪為山東人，王為陝西人，皆以科舉出身，過去不相識。王任閩藩於先（藩台為布政司之別稱），汪督閩在後，王廉潔公正，汪則貪狠權詐，一為君子，一為小人，本來就是水火不相容。汪以閩省貧瘠，總督養廉銀僅得一萬兩，欲從賣官鬻爵入手，開闢財源。惟府縣以下官吏任免權，操諸藩司，知王廉值，不易通融，乃使人暗示，遭王拒絕，汪乃以去王為快。又值汪在原籍營造大廈，預支養廉銀，又為王拒絕，乃更加深了仇恨。

時值閩飢，赤地千里，而例由藩司呈請散賑，以惠災黎。王依例辦理，發倉穀，派專員董其事，活民無算。有某知縣，與汪有親誼關係，虛報災情，為王所覺，上以白簡，汪既袒護所親，欲藉事中傷王，遂與某令謀，由令糾集地方無賴，詐稱飢民，以藩司勒賑不發，鼓動民變，牽涉數縣之草寇，地方官飛章告急，汪更張大其事，派兵勦辦，藉機坐良為匪，大括其財，並賂使無賴供藩司逼成民變，汪遂據以奏劾，時雍正初御宇，秉性嚴厲，汪竟奪職，王忿不已，仰藥自戕，而以汪之貪劣傾陷等情入奏。雍正乃又派員至閩密查，適閩人悲王之屈死，乃竄改杜牧詩以誌悲悼。欽使親入民間，廉得其情，撤查其事，得知王賢汪貪之實跡，遂錄以覆命，汪亦獲咎，長戍軍台，而厚恤王之遺孤。

第二首詩，是江西人改的，用來諷刺餘干縣的械鬥。因為餘干地處鄱陽湖邊，地方出產豐饒，惟人民生性好勇鬥狠，甲姓與乙姓，每因細故，動輒械鬥，甚至連合數姓以壯聲威，在此械鬥期間，雖姻親亦多捲入戰鬥行列，變成寃家。

初則以戈矛相見，繼則集資購鎗彈，機關槍、手槍之類，雖重價在所不惜，卒之死傷枕藉，地方官亦無如之何。直至抗戰時間，該縣械鬥仍未稍息。於是地方人士改了第二首宋高菊卿所作的詩，以資諷刺。詩云：

「山北山南多老拳，磨拳擦掌各紛然。衣裳撕作白蝴蝶；鼻血染成紅杜鵑。日出尸骸眠塚上；夜歸兒女哭燈前。人生有架須當打，不打何能到九泉。」

上兩詩，均改得極為自然，而且諷刺入木三分，也極其幽默，殊為感人。

最後在這清明節日，還要補述的，則有一首感時的清明詩，不是詠諧，而是痛語。在清明節日祭掃先墓，已成為中國傳統的道義，後代應有的責任，際茲佳節，無論任何地方，都是扶老攜幼，帶同香燭酒餚，親臨憑弔；可是，現在呢，由於中共的「大躍進」，為了增產，於是各地的墳墓，均為之剷平，有的把骨殖遷移，死人的魂鬼也不能安於地下。今後祭掃無從，欲哭無地，際此佳節，只有望風懷想了。

海嶠舊談薈

王陵基被俘記（上）

諸葛文侯

前四川省政府主席王陵基於民國三十九年春被毛共俘虜後，迄今仍在縲絏之中，將不免瘐斃之下場。茲述其罹難始末情形，以誌不忘，且為後世史家留存徵信資料焉。

當卅八年三月間，中央政府由南京撤移廣州，中原形勢惡化逆轉之際，王氏與川中若干文武要員，曾計劃開闢川康滇交通路綫沿途儲集糧秣，以備必要時使成守陝西之國軍六十萬人進駐川康，而以雲南為尾閭。為期進行便利計，擬以在西康境內具有號召力之土司楊仁安暨川省軍人楊勤安，閔叔如（民社黨人）等，分任軍長職務，從事經營，先將川康構成一片，守望相助，進而與滇境國軍密切聯繫，緩急可恃，二楊與閔氏曾飛赴漢中，晉謁國軍大將胡宗南洽商大計。詎荏苒經年，計劃尚未實現，而重慶成都相繼淪陷矣！

王氏於成都棄守時，親率川省保安兩隊八團之衆，附以中央軍校成都分校學生千餘人，銜枚疾走，向西康進發，目的地為西昌。軍行至邛峽時，所部隊伍乃不遵號令，按照指定路綫前進，而自由馳往大邑劉文輝及其兄弟子侄諸宅第，大事刼掠，取得川資，據為己有，軍心已告渙散，迨部隊進至「飛仙關」地方，遭遇共軍游擊隊數百人截擊，竟不能勝，繼而劉文輝侄兒劉元琮亦糾衆來攻，王氏所部遂譁然崩潰，不復成軍。王詗知大勢已去，急折回新津縣，曾以軍用無線電話機，向台灣方面請求派飛機接其脫險。然是時勢瞬息丕變，派機殆不可能，即囑王與胡宗南聯絡，可搭乘胡氏專用機出川，然胡氏業已飛赴西昌，無法直接聯繫。王氏進退維谷，唯有化裝變形，師張儉望門投止之法，暫作隱姓埋名之流亡客而已。

王氏平日經常戴墨鏡，御短裝，為避免被人識破，乃去其鬚髭，剃其髮鬢，易穿布質長袍，足登布鞋，迥異舊有面目，如非至親密友，殊難辨認也，如是者輾轉流離於各縣市間匝月，而以行商姿態出現，普通人固不知其為鼎鼎大名之王主席，親友知之者，每予以掩護藏匿之便，幸得安然無恙。一日，王氏潛至宜賓縣城，叩訪曾任四川民生公司總經理之老友黃某，閽者覩其鄉愚面貌，恐為主人招致煩惱，拒不傳達，王再三懇託，謂有要事求助於「黃老太爺」，彼此接洽間，黃某適外出，見王氏即懽然執其手，肅入宅內，情態極其親切而隆重。稍憩後，黃氏又吩咐傭役將女兒房間騰出，作為來賓下榻之處。閽者與傭人等以主人待客之禮異乎尋常，不勝驚詫，背後議論紛紛，競事揣測此土頭土腦之來賓究係何許人也？

歷史人物

謝靈運

謝康

其他如「淨土詠」：「法藏長王宮，懷道出國城。願言四十八，弘誓拯羣生。淨土一何妙，來者皆菁英。頹言安可寄，乘化必晨征。」這八句詩，幾乎每句都帶有佛家的故事，詩題名「淨土」乃佛菩薩所居的世界，見維摩經：首句見翻譯名義集；二句指釋迦為太子時出城門事；三四句見無量壽佛經及維摩經疏；第五句與詩題同；第八句語亦出維摩經。通首讀過後，令人如覺禪悅，如入禪定。此外，康樂集中還有「過瞿溪山飯僧」，「石壁精舍還湖中作，」兩首，也頗富於禪意。據沈約所記：會稽太守孟顗事佛精懇，卻為謝靈運所輕覩。謝對顗說：「得道應須慧業，丈人生天當在靈運前，成佛必在靈運後……」從這些話裏面，也可知道他對佛教的因緣和素養。

總之，康樂是多方面的天才：有很大的政治抱負，而事功之表現不足，並因對新朝之傲慢轉而懷念舊朝，卻招來殺身之禍。他的山水詩為一代開山，南朝詩人第一，佛學亦自成宗派。其詩往往合詩、易、老、莊、騷、辯、仙、佛以成，凡所寄懷，多寓本事及名理。黃節氏云：「康樂詩不易識，淺涉者徒賞其富豔：其詩之散亡，亦坐不為人識之故！」嗟夫，才人薄命，鬼瞰高明，可慨也已！

內警僑台報字第〇三一號內銷證

自由報

THE FREE NEWS

第一二一期

中華民國僑務委員會發給
台教新字第三二三號登記證
中華郵政台字第一二八二號執照
登記爲第一類新聞紙類
（半週刊每星期三、六出版）
每份港幣壹角
台灣零售價新台幣貳元
社長：雷嘯岑
督印人：黃行審
社址：香港銅鑼灣高士威道二十號四樓
20 CAUSEWAY RD 3RD FL HONG KONG
TEL. 771726　電報掛號 7191
承印者：四風印刷廠
地址：香港灣仔高士打道二二一號
台灣分社
台北市西寧南路金臺本號二樓
電話：三〇三〇六
台郵撥儲金戶九二五二

本報合訂本發售啓事

本報合訂第一輯，（自四十九年二月十七日創刊期起至六月廿九日第三十九期止），第二輯（自四十九年七月二日第四十期起至十二月卅一日第九十二期止），自即日起，開始發行。定價每輯港幣六元，台幣五十元。敬請讀者留意。

不良少年問題的嚴重性

張義舉

一、

新任教育部長黃季陸氏最近邀請若干學者、專家，開會研討「不良少年問題」，揆其目的，無非在如何取締已有的不良少年，防止將來產生不良少年；宗旨正大，本末兼顧，這種實事求是的精神，怎不令人佩服？

提起「不良少年問題」，不禁令人憂心如焚，感慨萬端！國家的前途靠少年，少年的成器靠教育；台灣是民族復興根據地，要反共復國成功，完全寄望於所有的少年。可是近幾年來，教育當局和治安機關，竟然不斷地爲不良少年所困擾，搞得暈頭目眩，啼笑皆非，豈非咄咄怪事！

有人說，當局對不良少年，不但久已注意，而且久已實施種種辦法，予以防止、感化、管訓、懲罰了。即如有關不良少年的「座談會」，「研究會」，「討論會」，其目的多在防止不良少年的產生；「少年輔育院」在感化不良少年，使之重新做人；警察機關的「少年組」實施管訓，在使不良少年改過自新；犯法較重的少年，送交法院判刑，科以應得之罪；這些都是事實，任何人都不能否認。但從另一方面來看，會開得越多，不良少年卻蔓延越廣，管訓越嚴，不良少年的行爲卻越兇；這也是不可否認的事實。君不見前幾年祗是北部一帶有所謂「太保」「太妹」，曾幾何時，中南部也常有不良少年滋事的新聞嗎？前幾年不良少年結「幫」打鬥，擾亂公共場所，近且幹出偷竊、強搶、殺人的勾當了。儘管有人大唱「學風優良，社會安寧」的高調，事實上不良少年問題依然存在，其嚴重性並未降低；掩耳盜鈴，粉飾太平，只可自欺，焉能欺人？

二、

所謂「不良少年」，是指品行不端，思想不正，行爲不軌的少年而言，這些少年，沒有一定的範圍，除在地域上城市多於鄉村，繁華場所多於僻靜地方以外，社會上每一階層，每一角落，都可能有不良少年出現。說他貧嗎？往往有富豪子女，生活奢侈，行爲浪漫。說他賤嗎？往往有達官貴人子女，態度驕傲，胆大妄爲。說他蠢嗎？往往有聰明俊秀多才多藝的孩子。說他未受教育嗎？往往有中學乃至大專的學生，再就我們的經驗來說，學校裏所謂太保」「太妹」，大部份屬於：（一）家境不甚貧窮（二）父母多任職於軍公教的（三）資質並不低劣，甚則是很聰明的（四）有勇有謀，有交際天才，有領導能力的（五）豪俠好義，揮金如土的。照教育心理來講，這些少年既不是「白痴」，又不是「低能」，爲什麼會變成品行不端，思想不正，行爲不軌的不良少年呢？孔子說：「性相近也，習相遠也」。又說：「唯上智與下愚不移」，我國儒家認爲人類當中，除了極少數的「上智」與「下愚」以外，絕大多數都是「中材」，上智是生而知之的聖賢之流，下愚是不堪造就的棄材，很少受環境的影響。至於那絕大多數的中材，便可好可壞；因爲中材的「性」是相近的，或好或壞完全憑後天的環境來決定。習好便日趨於善，習壞便日趨於惡，愈趨愈遠，便是「習相遠」了。

不良少年，大半都是普通的孩子，隨着環境而轉變，漸漸流入不良之途，他們的本質沒有什麼不良，天下也很少有生而爲不良之人的。可是他們既然流入了不良之途，如不嚴密防制，將來就會有犯罪的行爲；那些竊盜，殺人的少年，如當初不讓其走上不良之途，怎會闖下滔天大禍，造成嚴重的社會問題呢？

三、

造成不良少年的原因，是多方面的，現在且就三方面來說明：（一）中國原爲農業社會，一般家庭生了子女，大都由其父母負擔教養之責，近來因爲社會變遷，做父母的多爲工作所牽累，對子女無暇照顧，教養難免疏忽。也有些做父母的生活不規律，嗜好煙酒賭博，兒童耳濡目染，受到惡劣的影響；我們時常看見父母抱着孩子打牌，久而久之，孩子對麻將便十分愛好，這便是一種「誨賭」。子女和人家的孩子吵鬧，做父母的不但袒護，而且從旁幫助，鼓勵孩子打人，這便是「誨鬥」。做父母的藉公務之便，私佔公欵，盜取公物，子女見慣了，視爲當然，這便是「誨盜」。至於嗜好煙酒，孩子們跟着學習，更是「無關重要」，不以爲奇了。一個中材兒童，得不到良好的教養，基礎已經不穩固了，再加上種種壞的影響，誘導其循往壞的習慣，其前途如何，就可想而知了。等到子女長大，已經形成不良之徒，做父母的還要護短，抱着「家醜不外揚」的態度，姑息放縱，於昇乎難以挽救了。（二）兒童達到學齡，跨進學校，教師便替他們的父母担任教育的責任；可是今日台灣的學校，論量則龐乎其大也，論質則不堪聞問；尤其是培植人材的基地——小學，因爲校舍不夠，低年級實施二部制，三部制，乃至輪流制，兒童在校機會太少，連傳授知識都談不上，還談什麼改進生活，陶冶品格呢？高年級縱能全日上課，因爲惡性補習，日夜將天眞活潑的孩子關在屋裏死記測驗題，使他們的頭腦「殭化」，更談不上變化氣質了。中等學校多半全日上課，也沒有惡性補習，似乎可以收到教育的功效了；可是受了種種影響，每多設備簡陋，教法不良；而學生受交通限制，每在校至多不過八小時，管制也無普遍深入，很難達到教育的任務。至於那些「學店」式的學校，只知收費，不問學生的操行和學業若何，他們在製造不良少年，也許嫌其太過，但稱之爲「不良少年的溫床」，確不算苛刻。（三）社會愈進步，生活愈複雜，少年的意志薄弱，容易受物質的誘惑，使精神麻醉，漸漸墮入下流而不自知。社會工作[illegible]方面的，主管機關往往應付不暇，[illegible]照以上的情形看來，可以說一部份的家庭是不良少年的製造所，一部份的學校是不良少年的養成所；一部份的社會是不良少年的實習園地；不良少年的源源產生，自然是勢所必至了。

四、

造成不良少年的原因，既然是多方面的，防制根絕的責任，也就應該由大家共同負起，似乎不應單獨屬望那一方面。近年有關方面對於此一問題，確也費了不少氣力，想出種種方法去解決；可是功效如何？有目共睹，有耳共聞，不待我們多說了。因是如此，我們不願對任何人吹毛求疵，過分指責；但當局過去的政策，確有研究的必要，似亦難安緘默。第一、對付不良少年的種種辦法，多半是消極的抑制，補救於已然，而不是積極的誘導，防患於未然。第二、各機關系統各別，互不連屬，各自爲政，難以走上同一的道路。第三、研究討論只限於書面的紀錄，並未實事求是，貫徹到底（如加強學校訓導，增加修身科之類皆說而不做）。第四、在權責方面，彼此可以爭取，也可以推諉；決定與執行的權責劃分不清，有時不免形成糾結狀態。綜合以上情形，就可知道不良少年問題爲什麼越來越嚴重，大家越來越感困惱之所以然。

區區之見，始終認爲解決此一問題，應由教育方面負主要的責任，其他各機關只能居於協助的地位。政府消耗了大量的財力、物力、人力創辦學校，其目的無非在培植良好的國民，造就有用的人材。現在台灣教育號稱普及，但在這「重量不重質，重表面不重實際，重資格不重品學」的原則之下，要求培植國民造就人材，可謂南轅北轍，適得其反。學校教育不能急謀改進，徒然依賴警察機關消極地取締不良少年，這能算是根本之圖嗎？

小論天下

△南越選舉總統，吳廷琰獲勝，選民投票超過百分七十，共黨恐怖活動失敗。

吳廷琰好自爲之！目前雖是「非公莫屬」，但「順我者民主，逆我者反民主」的呼籲，仍屬罔罔，「開執認眞之口」仍在自己眞正檢點和努力！

△美總統甘迺迪與英揆麥美倫會談完畢，發表一篇聯合公報，指陳寮越局勢嚴重，對中共方面不提隻字。看他們總仍是「頭痛醫頭，脚痛醫脚」的專家。

△陳毅說過一句話：「美第七艦隊撤出台峽，中共才進聯合國。」英報立即向美國建議，要仔細研究陳毅此話的涵義，看是不是一個新趨波的表現。據說，美國當局也正在研究中。

陳毅放一個屁也惹來如許多的「聞香者」，眞是怪事！

△緬甸總理宇努遊滇，謀與周恩來陳毅晤談，傳將商議「勘界」問題，中共入緬軍隊數千廹泰邊，泰國亦戒備。

宇努那會有遊山玩水的閒情逸致？緬泰邊從此多事矣！

△寮共對「和談」提强硬意見，拒與現時政府共同談判。

這樣胡扯胡鬧的日子多着呢！

△古巴反卡斯特羅運動漸見開展，傳卡斯特羅巳感恐慌。

不讓他徐徐佈置，便要自己不停地活動。美國既欲以游擊戰反擾共黨，應該就近以古巴爲試驗場？

方南

自由談

莫名其妙

南韓政局自從李承晚被學生們的示威運動，迫去職以來，始終動盪不安，最近張勉總理又有重蹈李承晚覆轍之虞了。一個處在反共鬥爭最前綫的自由國家，內部隨時發生動亂，而以青年學生爲主幹，說是要求民主自由生活。這就整個自由世界的安危設想，究竟是福抑是禍？實在值得研討。

李承晚那套政治作風固然要不得，他被迫去位，可謂咎由自取。但一般青年學生狃於反李之役的勝利成果，動則藉示威游行來干預政治，成爲野心政客們的工具，此風亦斷不可長，最大的禍害，即容易替共黨設滲透釀亂之路，且不自覺，可懼孰甚哉！

我堅信民主自由生活是人類生存發展的正軌，但創進的方法須適應時間與空間的現實條件，循序實施，殊途同歸，決不能以揠苗助長的手段，作刻板式的要求。例如日本社會，在戰前沒有共產黨徒潛踪立足之餘地，戰後美國人替日本制定美式民主生活的法令，承認共產黨享有合法地位，結果日共勢力大張，到今天竟成了日本人民自由生存的一大威脅，利未見而害已先嘗，是誰之過歟？

任何一個初從殖民地生活脫出來的新興國家，都不可能搖身一變即構成如英美式的民主社會體制，這有許多擺在眼前的事實足資印證的。美國朋友却不理會這些，誰要接受美援，就得實行美式民主生活，否則便是腐敗低能的獨裁政權。近年來，日本、南韓、土耳其諸友邦的動亂因素，乃至於菲律賓之發生反美言行，南越內部的擾攘不寧，皆與美國的政治指導有關。寮國將來如在美國指導之下，成立聯合政府，讓共黨合法參政活動，我敢斷言其危亡可立而待也。

赫魯歇夫認爲不需要戰爭即可以「埋葬」資本主義社會，確有其辯證的至理存焉，只是美國政治人物莫名其妙而已。

馮子先生

大陸來人透露的故事
大陸反饑餓運動

焦毅夫

護糧保命 書記被殺

據去年來自河南鄭州的商人談：清豐縣因共幹強迫人民賣糧給中共，曾發生「護糧保命」運動，至少有三個大隊黨委支書被殺，有數萬飢民，於糧倉門口和公路上，阻止食糧外運。此項消息，業經中共報紙證實，據「人民日報」說：「河南海豐縣馬村公社踩鼓莊大隊，由於社員發揮了高度積極性，戰勝了嚴重的旱、澇災害，因而收成比較好，公社要他賣廿萬斤糧。」據說，是秋農作物收打過秤後，「淨餘糧食卌二萬五千斤」。大隊支委書記李同懷同全體幹部和社員代表討論，應該向國家賣多少糧，當時有人說：『大家為了戰勝旱、澇災害，用了最大的努力、三十萬斤糧實在來之不易啊！公社要求賣二十萬斤，咱們賣上二十五萬斤，就已超額完成任務，下餘的我們多吃一點，多儲蓄一點，應該留點後路啊！』「不，我們對上級對羣衆都不應該考慮『前路』『後路』的問題。」李同懷說：「應該有一是一、有二是二，現在國家需要糧食，我們有糧就應該支援國家」，結果，人民在李同懷壓力下「同意賣了三十一萬斤，大隊還留下了一萬五千斤糧」（一九六一年一月二十六日「人民日報」）

毛像被焚燒 謂可除旱澇

頃據自安徽北部逃港之難民談，當中共欺騙人民尚在有效期間，人民有懸毛澤東像，表示前進。現下已大大相反，毛澤東成了瘟神。他親見在一九六〇年中秋節和一九五九年除夕，特別是在去年六、七月旱、澇災害嚴重期間，人民將毛像置於地上，用釘釘、棒打、刀砍及投火中焚燒，說是「除瘟神」。一位湖南老鄉也說：「我親眼看見有個十三、四歲的兒童，將他吃的稻草莖磨碎製成糊糊，用筷子挑着塗在毛像咀上，說：『毛主席，你沒吃過這東西，叫你也嚐嚐它的味道。』接着狠狠向扎像瞪一眼。」

共幹應聲倒 巨棒擊其頭

據赴廣西探親回港的僑胞說：「廣西省桂平縣西山生產大隊，黨委書記陶得新於去年十二月間，因阻止飢民取食田中鮮蔗，被社員擊斃」。據說事件發生經過：西山大隊第二生產隊社員黃娃、何從順等在蔗田附近工作，因飢餓難熬，偷偷拔食甘蔗，正在大嚼之際，為黨委書記陶得新看見，奪去正在啃吃的甘蔗，還問黃娃等何以要如此，知不知道這是國家的財產，說時聲色俱厲，黃等答以饑餓，陶訓不滿意他們回答；說他們破壞「公約」，聲言要開大會向他們鬥爭。黃等對共幹作威作福，本已深惡痛絕，聞陶言且懼且怒，隨尾躡其後，以巨棒猛擊其頭，陶應聲而倒。

事後，大隊長黃東升被社委書記拘押，西山大隊人民聞訊，全體譁然，結隊闖入公社，強釋黃東升，並將倉庫打開，盡搶存糧。

黃東升見事態擴大，為怕共軍血洗西山，乃將公社及大隊十餘共幹擄為人質，聲將共軍開入，即將共幹擊斃後登山遊擊。中共為怕影響其他公社，僅將西山包圍，嚴禁人民出入。以後情形如何發展，不得而知。

湘民性強悍 苗胞燒糧車

據一位不願透露姓名回湖南探親的難民說；去年年底，湖南土衆族，苗族自治州州屬瀘溪縣，麻溪公社洪橋生產隊，曾發生搶糧燒車事件。「新湖南報」報導事件經過說：麻溪公社各生產隊，曾要求公社發糧過年，且請准許宰食家畜，社幹將此情況反映縣委會處理，及到除夕的前夕，一直沒有消息，因而引起人民不滿。

事有湊巧，這時適有三輛運糧汽車在三角坪拋錨，為麻溪公社洪橋生產隊獲悉，有十餘飢民前去偷竊，不意為守車人發覺，於是變偷為搶，並將糧車燒毀。

自治州人民委員會據報，一面命駐各縣共軍至所屬公社鎮壓，一面命瀘溪縣駐軍即至麻溪舖，搜捕為首之農民。

據說被捕者二十餘人，有生產隊長陳樹華、民兵陳光五等人，經自治州人民法院，以一反動罪名殺害，其餘一無消息。

「人民日報」對此亦有透露，但謂「湘西民性強悍，但常在『壞份子』慫恿下違害國家和人民利益，自治州人民委員會，對此非常重視，除派軍分駐各地外，並發動全州（十個縣）一萬三千多名幹部下鄉，廣泛與貧、下、中農交知心朋友，規定每一幹部必須交兩、三人結交之法，則採結拜兄妹等方式，瀘溪縣有兩千餘名幹部分住農民家中。」（一九六〇年九月十八日「人民日報」）

香港與大陸

△前幾天傳說中共海關調整各項進口副品稅額，但本港代運糧食進口的代理店舖無減價標示。頃據記者向其中一間調查，生油豬油每公斤貨價包關稅運費仍為九元九角。但市面有些商店標示八元六角。他這間商店的人說，都是連皮的價錢。除了皮淨重的收價，仍為九元九角。至於糖，豆，麵及臘肉類，俱照原價不變。

這間商店一再表示：中共海關稅無減價可能，正因為目前稅率是中共高層財政當局訂定的，非環境有所改變，不易變更稅率。

商店主持人更樂觀的表示：代運糧食入內地的商業，至低限度尚有一年半時間可做。

在澳門方面所傳拱北關減稅之說，甚囂塵上，糖，豆與粉類數十種大部減稅，其中以砂糖及片糖降稅最多，因此代寄商店也調整價目，砂糖每公斤原收四元六角，現減為三元五角，片糖則由四元七角減為三元六角。

但是也有一部份反而增價，如粉絲及上等臘腸增價最多。

△代寄大陸糧包，由於若干商人之不顧道德，以致部分品質甚為粗劣，不堪入咽。下面是一位讀者寫給本報編輯部的信，茲特刊出。

「編輯先生，內子有遠親居於廣州，上月寄來乙函，說及在陳之慘，一字一淚。為着稍盡道義，殆得悉索敝賦，將二百餘元，盡購糧食；計白米二十斤，每斤港紙二元八毫；生油五斤，每斤九元半；猪油五斤，每斤九元半；麵粉十斤，每斤三元。此糧食係委託某公司代購代運者。唯料旬日後接到廣州親戚回郵，談及所收得之糧食，所謂上白米，變成地脚米，且沙泥各半，赤黑色。所謂生油，猪油，則臭不能下咽，點燈亦不明。至於麵粉，則變成七彩，無法煮食，結果只有將十斤麵粉棄諸溝中，以大陸如此糧荒，饑民仍忍痛傾入溝中，相信該物品之劣，可想而知。」

寶島飛絮

△台北市政府頒布了五十年度，興建國民住宅貸款辦法，公佈以來領表格的人倒不少，截止登記日期前，真正登記的不過是幾個。這倒並不是房荒已經解決，大家都有房子住，而是「國民實在住不起國民住宅」，因為按照辦法的規定是要你自己備有建地，再有建屋的一半錢，市政府方再貸款一半。這樣一來，你想住「國民住宅」就必須最少要有五萬新台幣了。

台北沒有能力有自己房子的人，大都是軍公教人員與一般普通的小百姓了，而這些人目前最感急迫需要的是一棟不管大小好壞，屬於自己不要再出房錢的房子，可是：這些人別說沒有一個拿得出五萬元來，就連五千元也沒有辦法。真拿得出五萬元的，根本不會沒有房子住。

「國民住宅」沒有「國民」的份，這不知是拿窮人「開心」的計劃？還是想在國際上加一條「進步」的宣傳方針？

共匪這幾年對自由中國的陰謀是引導你擬訂「錯誤政策」，一件事表面上看起來，是有益於「國計民生」，而實際上一執行起來「天怒人怨」。

貸款建住宅，鮮人登記
我國外交官，應列第二

△駐美大使葉公超回國述職時，在外交部月會中談到外交掌故，妙語如珠。尤其談到我國外交人才，荷蘭人推崇為世界第二，美國人推崇為世界第五。

身為中國人的我們，聞此言，當也身有榮譽之感，不過可惜的是，葉氏只講好的一面，沒有把壞的提出來檢討一下。

外交官學識要好自是必然，不過假如品德不佳，那麼茲事就體大了，他可以利用外交官身分，做出種種不法的事情來。最近幾年，我國外交官在國外丟人的事，已經不少了，而外交當局似乎是抱着家醜不外揚的作風，不是調回國內，就另調他國，而調回國內的，隔幾年又外派了，好像把這批人，當作心肝寶貝？例如：有幾位在國外被華僑檢控的寶貨，目前正在國內等待外派，要想從這批人身上去提高素質，即使不是「痴人說夢」，總有一天我們也會名列第一百名的。

建議外交當局，今後應多多培植從學校出來的純正青年，對那些在國外丟了臉回來的，曾經走私有案的，趕快清除出去，以使葉公超先生的第二或者第五，將來能變成第一。

出版人發行人協會主辦
圖書雜誌展覽
今假德明舉行

香港出版人發行人協會定於本月（四月）十日至十五日在九龍德明中學二樓圖書館舉行第一次圖書展覽（係在各學校巡迴展覽）展出圖書雜誌計有一千六百餘種均係該會四十六家會員所出版或總發行者，展覽時同時發售書籍並訂有優待辦法，該會自一九五六年成立以後即致力發揚自由文化事業旋又加入國際出版人協會組織取得國際上的聯繫與合作。此次辦理巡迴展覽乃香港出版人發行人協會宣揚自由文化工作之一。

有吏夜捉人

（台北訊）本報駐台通信記者段宏俊，於上月（三月）卅一日午夜十一時，在高雄市住宅中，被當地警察局安全室人員持奉台北警備司令部拘票，予以逮捕，指他犯有「叛亂罪」的嫌疑，因恐「有逃亡之虞」，故不採用傳訊手續，逕行逮捕之，情形頗為嚴重。查段君是一位湘籍青年學生，他在台灣居住已及十年，最近替本報義務担任推銷工作，尚未寫過通信稿，忽以「叛亂」罪嫌被捕，殊堪驚詫。希望治安機關迅予偵查處理，將事實公告社會，以明眞象，本報在未明瞭案情以前，暫採靜觀態度焉。

大陸文壇萬花筒

郭沫若近況

——鶩岳——

很久在報紙上沒有看到郭沫若的消息，原來跑到廣東說窮來了。三月十日本港大公報刊出郭沫若在海南的一幅照片，郭擘子在稻田邊上，會被中共指為地方主義份子的廣東省副省長馮白駒陪着他，馮白駒詳細解說莊稼的情形，郭擘子手裏捏着一個助聽器，一臉得意神氣，儼然欽差大臣的派頭。看到那付神態，實在使人作嘔，不過，看到他的尊容，覺得郭擘子變得很厲害，過去面孔雖然不好看，總也相當飽滿，現在瘦削得像猴子一樣，既老且醜，不是他在「沫若自傳」中所讚的「綺年玉貌」了。郭沫若何以會瘦到如此，實在費解，按說大陸無論如何缺糧，也不至於餓到他，可能就是由於心情不佳了。

郭擘子自從前年註解毛瘟詩挨罵之後，久已不敢舞文弄墨了。最近遊海南島，作了欽差大臣，沿途接受大小共幹的「會報」，一時得意忘形，又作起詩來。

郭沫若作詩當然不同毛澤東、林伯渠、陳毅等他們這班人，他確實會作，雖然格調不高，但也可以算個行家，不論新舊詩都在一般水準之上，過去因為自甘下流，才寫出「史大林爺爺」、「蘇聯大伯伯」那一類穢語，當這次作了欽差大臣，離開北平太遠，雖然有人監視，却無人管束，放懷作幾首詩，比較一般共幹的詩到是含蓄得多。

四月一日人民日報刊出郭沫若的十首詩，其中雖然也有頌聖文字，明顯可以看出是烟幕彈，大部份都是眞正咏詩，有幾句到也可頌，最有意義的是「訪海瑞墓」一首七言，本來中共一是把海瑞列為封建官僚階級的，近兩年來因大小共幹交相阿諛、欺騙，想找一個說實話的都難，有些人就想到海瑞的守正不阿，遇事敢言，曾經提出表揚，這次郭沫若到了海南，竟然去訪海瑞墓，還賦詩悼念，其中有這麼兩句：「我知公道在人心，不違民者民所悅」。郭沫若何以會想到不違民者民所悅，可能是借題發揮規勸他那一黨的黨員向人民靠攏，實際當然是廢話，共產黨本是就和人民是對立的，共產黨有利的事，人民自然有害，不必談什麼人民的問題，不過郭沫若敢挺胸說出「我知公道在人心」，可見他的態度也硬起來了，大概是看透共產黨的把戲快收場，預為將來留退步了。

「談風」

·劉　杰·

風一來，草動樹擺，塵土飛揚，是有一點不大好受。微風倒無所謂，甚至於還添增點「情趣」。戀人在野外踏青，微風一吹，心湖也吹開了。所謂「煖風吹得遊人醉」。喝酒的人會醉，喝風的人也會醉。

最怕的就是狂風，暴風一到，樹倒瓦飛。躲在屋子裏的人不敢出來。走在路上的人，趕快把身子裹得緊緊，跑步到屋子裏。故鄉——安徽，一到七月天，太陽猛烈猛烈的，突然雷聲轟動，風雨一道而來。我是怕風的。有一次，我正在途中，風來了，急步回家，穿過樹林，一棵樹的樹枝劈了下來，正擊中我的腦袋。陰天，腦袋不大對頭，總有點兒痛，就由樹擊而起。

到台灣來，風季一到，天天都有風。在風裏過日子。風季裏的風，沒有微風。最小的風，也會把小沙子刮的飛起。最大的風，就是颱風。來勢洶洶，光臨什麼地方，什麼地方不是倒塌，就是樹倒。八七水災的形成，是颱風後的雨水過多。風到雨也就到，兩個人是異胞兄妹。

我在一次颱風中，心驚膽戰，一夜沒有閉過眼睛。屋外呼嚕嘩啦，如千軍，如萬馬。屋內則房子左右搖幌，門窗不停地的響。電燈也停了電，蠟燭也燃不着。時時有生命之憂。大的颱風，海上的船不能行走，空中的飛機不能飛，就是火車汽車，在必要時也會停止。火車有被巨風刮走的巨大新聞。

到台灣來的人，對風是談虎色變。爲了要克服颱風，要戰勝自然，每年到了九月份，就舉行全台的颱風演習。在颱風未來前，作各種準備，釘門窗，疏水道。房子加木頭撐起。警察也到處奔波。在颱風來時，最苦的也是警察。颱風再怎麼猛烈，還在風裏面穿來穿去，假若有座房子倒下來，又馬上動員搶救。

另外就是陰風。台灣陰風很少，也許由於政治走上民選的道路。對民選祇用到一次小手腕，卻用不到第二次。選民眼睛是雪亮的。「不怕不識貨，只怕貨比貨」，在台實行民選十多年，誰好誰壞，選民肚子裏都有數目，不需要「王奶賣瓜，自賣自誇」。不能說「陰風」一點兒沒有，只是在「最死角」的地方還可以發現得到，不過只要隨時提高警覺，天晚早關門，也就沒有什麼了。

美洲來鴻

顧翊羣

吾國旅美學人顧翊羣先生，近年來對於東西文化問題之探討闡述，致力甚勤。最近他有信給我，從文化思想的觀點，暢論世界大勢和中國前途的發展情況，見解精闢，深中肯綮。特予披露於左，以供社會大衆之參考焉。——雷嘯岑附識——

文化之發揚，與經濟安定，如鳥之兩翼，車之雙輪，同屬重要。近年台灣社會大衆，乃至軍中同志，對於宗敎哲學文藝詩歌，嗜者日增，誠屬良好現象。德國歷史家邁因納奇氏於八十四歲時，著德國之悲劇一書，闡釋納粹德國失敗之原因，由於理性的與非理性的力量之失去均衡。邁氏認德國之復興，在於哥德精神之重振，而建議在德國各地組織哥德區 Goethe Communities，從事各種文藝音樂活動，例如詩歌之朗誦，圖書之刊行與展覽，（希特拉政府時代曾焚燬多種）對青年讀品作物之指導等等，其用意在使德國靈魂復活。邁氏批評俾斯麥之鐵血政策，謂俾氏對德國統一之貢獻雖大，然公然提倡強權政策，使廿世紀普遍的崇奉「大衆馬基亞維利主義 Mass Machiavellism」，遺患無窮。西德今日在亞登諾艾哈特等有宗敎信仰者領導之下，政治經濟敎育均上軌道，國力日益強大，美蘇兩國對之均有戒心。然德國青年受美國低級趣味之電影跳舞與刊物影響，生活趨向頹放，狹義的國家主義又有抬頭傾向，（與日本相同），此則前途之隱患也。

弟愚以爲中國過去各地有文廟明倫堂，用意與邁氏主張相同，惜明清兩代以來儒學變爲敎條，士人讀經作八股文之目的在獵取功名，外力侵入後遂一蹶不振。大陸淪陷後，少數純正學者在港台將中國儒學重振，同時其他純正宗敎信徒亦在台港各地集合處修，與不良環境奮門，實爲中國復興希望之所在。美敎授諾斯洛甫 Northrop（曾著「東西思想之遇合」一書）在其近著「哲理人類學與國際政治」書中，謂美國對外援助，如不先研究受援國家之文化根源，暨其民族意識之中心，而因勢利導從旁協助，俾該國傳統得以保存，兼光大者，則不易收得效果。諸氏謂美國生活方式並非理想的，傳至落後國家可能發生不良影響。蓋文化與貨幣相同，亦有葛氏定律 Graham's Law。葛氏謂惡貨幣驅逐良貨幣，諸氏謂現代低級趣味的大衆文化，亦可能將落後國之善良傳統毀棄。伊認爲西風不應壓倒東風，各種有歷史的文化可共同存在。

孔孟之敎現在不依賴政府支撐，正可發揮力量。鄙意儒者不妨看佛書讀聖經，佛敎長老可約集詩人聚會並分韻做詩，敎堂中亦可舉行音樂會或學術講演。弟更企望港台各大學在理工法商農諸系中，加入中國文化，歷史、詩歌等課程，俾學子畢業問世後，不致受「技術的功利精神」之過度影響，而變爲名利權力之奴隸。

昔元代將人民分爲十等，士人被置於工商專業者之下，僅高於乞丐一等（九儒十丐），但蒙古被驅除後，中國文化依然復興。故共產政權失敗後，中國必有一融合古今之新文化興起。今日世界上「理性人 Homo Sapiens」大多變爲「技術人 Homo Faber」而平民大衆均識字讀書成爲特籍氏 Dallir 所指謂之「半智識分子 semi-intellectual」，（特氏爲反共權威作家。）對人類前途，利弊參半。利的方面爲每人可望過一「人的生活」，弊的方面則爲強梁的半智識分子如毛澤東、卡斯特羅之類，奪取政權，宰制平民。此趨勢自蘇聯與我國開始現在則向全世界蔓延。西方之科學技術遇此等強梁者，則爲虎張翼，火上加油。鄙見宗敎道德如不能重振，則共產勢力仍有膨脹之可能。

本週出版之「週六評論」，以「大戰果難避免乎？」爲題，登載論文兩篇。主張不能避免者爲專欄名家索可斯基 Sokolsky。其人於蘇聯革命初期，任美報駐莫斯科通訊記者，厥後來華在滬粵等地爲各報撰文，並娶華婦，伊在美屬反共火物，爲左派所側目者。伊文謂美國目前業在戰爭狀況中，只因其方法特殊，故不爲普通人所察耳。自一九三九年以來，蘇聯巧取豪奪得地已多，第二次大戰之眞正勝利者只有蘇聯一國。今日則其他國家，特別是西德法國與美國，均具還手之力量，故戰爭勢難避免，因如不戰則只有投降一途，此非西方所能忍受也。主張能避免大戰者爲適六評論主編人客生斯 Cousins。其人與羅斯福夫人李普曼等人爲知交，多年來力主裁減軍備建立世界政府。其文謂蘇聯有由邪惡轉爲善良而與其他國共存之可能，事實上赫魯雪夫正循此途進行，因其對中共有戒心。伊謂雙方政府對各爭點既不肯讓步，故民間應努力求對方諒解。縱使蘇聯人民無自由，美國民衆仍應力主和平，雖在若干點示弱，亦所不計。伊又重申對聯合國之企望，認爲戰爭仍可避免。客氏議論之爲空中樓閣，自欺欺人。

執事與港台諸學者早已洞察，不待弟之贅言矣。

弟顧翊羣拜啓

三月卅一日

徵稿小啓

隨筆、有內容、有意義之小說、散文、雜感、掌故等類文字，均所歡迎。稿紙請用有格，並請附繕信封，如需退還，請附郵票。一千六百字左右的隨筆，比較容易刊出，過長則以篇幅所限，請特別留意。

短篇小說

假　日（四）

孟瑤

那年正好抗戰，我到重慶，升大學，在那裏我們又遇到了。她是爲了躲開父母的反對眼光，才有心走得遠遠的。記得這一段時間她幾乎切斷了一切對外活動，剛離開大學之門，那一份偉大而且狂熱的抱負既已失去，她便把整個的趣味縮小到愛情的享受上。她爲那份出自單方面的愛情發狂的，我知道。那時，我是她狹隘的天地中唯一被我記得的化外之民，也是她爲了不使自己瘋狂，所找到的唯一發洩對象。抗戰時，我們一家雖然都到了後方，但是各自爲了升學與就業的關係，分散在衡陽、昆明、蘭州各地，留在重慶的只有我一人，所以她更有理由要求我假日到她那裏去，這要求當然是我所樂予接受的，一方面因爲我對她的感情始終不衰，一方面我可以從她那裏得到一點家庭的快樂，以沖淡我這遊子的鄉愁。在這段交往中，我看出了一個多情人的痛苦。我知道她從家裏帶出來的錢很多，甚至於她那對她失望的富有父母，早已把她應得的一份給了她，所以她物質生活是夠水準的。那時，重慶的有錢人，爲了避免轟炸，都喜歡住在鄉下，她也在南山買了一幢房子，帶着她的丈夫和剛出世不久的唯一女兒住在一起。但是，每當假日去她那裏的時候，我很少能看見她的丈夫，她似乎很怕我觸及這個疑問，於是我也就小心地避開它，只陪她聊點閒天，弄弄孩子，或是其他消磨時日的方法。

返校時，我常對她充滿了太多的憐憫，想想我們剛認識她時的那份豪情，她的消沉使我難受。記得好像就是我畢業的那年，重慶鬧了一次大隧道的慘劇，許多怨魂中，就有她的丈夫在內。她爲他傷心了很久，也病了很久；從那之後，她可以說一直沒有康復，她變得更消沉了，萎縮得像一隻冬眠的寒蛩。我畢業後，爲了安慰她，也到南山找到一個中學教書的位置，這是她的意思，還讓我索性住到她的家裏去，陪她，我都答應了。這一段日子，我除了教書外，還忙着戀愛、結婚，與她相聚的時間不算多，回到家，不是看見她近乎沉迷的照顧她的小女兒，就是默然地吸着烟，偶然找些話談，她也有心避開那位死去的丈夫。我想，她並不以爲我一點都不知道她丈夫的劣跡，只是她依然把這一切神聖化了，不許人觸碰。跟着一塊兒來重慶伺候她的是她們家用了幾十年的老用人。我也知道那人是天下最壞的一種男人，不曉得是從上帝那裏得到一種什麼秘密武器，征服了一個女人做了他的不叛之臣，然後從她身上敲骨吸髓，以供他的享樂。他的妻子以爲選擇一個往來不便的鄉下居住就可以使他留在身邊不去，卻不想因此把他隔得更遠。從塵寰飛返愛巢，他迷失在歡樂的雲層裏。他假若不是在外面尋花問柳，流連忘返的緣故，他也不會那樣巧就死在大隧道中。爲了她給我心愛的老師太多不幸，我對他一無好感，雖然，他說得上是個漂亮的男人，風趣的男人，懂得怎樣討女人喜歡的男人。（四）

梨園漫談

祖師爺之來歷

——瘦西湖

中國自有戲劇以來，應推唐玄宗（明皇）一朝代爲最盛，因當時玄宗本人不但對戲劇提倡頗力，而其妃（楊玉環）對崑腔、徽調等亦尤所擅長，玄宗爲了討好貴妃起見，遂於宮中供奉知名伶人張野狐，李龜年，雷海青等多人，除令彼等終日編排歌舞新劇外，並於後宮撥一院房創立梨園學會，一面挑選部份聰明玲琍之宮娥太監充任戲伶，一面又派專人赴各地招募資質較佳之童男女百餘人，除留三五作爲貴妃隨身宮女外，餘悉數送往梨園學會習藝，如此不出數年，果然轟動朝庭，其優涓伶人之豐，即清末西太后亦不及也。

後來因爲安祿山造反，貴妃被逼自縊身亡，玄宗又逃難未回，梨園學會只得自行解散各自逃亡，有的改行從良爲商，有的流落江湖組班賣唱，大家爲了感戴玄宗一手造就之恩，因此，凡崑、高、徽、漢、皮黃等劇的伶人，遂均供祀玄宗爲梨園祖師矣。

後唐莊宗李存勗，乃李克用（珠簾寨）之子，十三太保李存孝之兄，對戲劇亦甚愛好，並擅音律，更能自行彈唱，惜在位僅及四年，忽有藝伶郭從謙者，煽動皇軍領導謀反，莊宗因不及逃出皇城，遂於亂軍中被叛兵流矢所射而亡，後世伶人悲之，亦設莊宗像供祀，藉代郭伶表示懺悔之意耳。

再者，有關翼宿星君其人，則神話更多，不妨寫出來作爲愛好平劇的朋友們飯後酒餘之談資。

據傳：當年玄宗偕貴妃同宴，令梨園子弟奏樂助興，適有名士李青蓮進清平調三章，玄宗命諸樂工譜曲，奈無法成爲佳調，玄宗不樂，正在納悶之際，遠聞仙樂如天而降，即漫步循聲追之，及至御花園假山旁，忽見梨園另一批子弟及樂工們盤膝而坐，正在唱奏並和，玄宗奇之，詢此樂爲何人所敎，伶等不敢相瞞，遂告係受一幼童所指導而成，玄宗乃下旨召見，衆人遙指洞中屢呼不應，遂令架乾柴焚之，洞中忽逃出一灰白老狼，如電射而去，衆人追之不及，祇好覆命，玄宗再令奏之，果然與適才所傳之聲並無二致，玄宗大喜，立賞衆人，至此，伶人方知此灰白老狼，即係該童之化身也，遂設紅幔祀之，外人不得偷看。（按狼與郎同音）此即老郎神之由來耳。

辛丑談往

——無負生——

三月十三日淸國全權再致外交團領袖葛公使照會一件，將使館地區四至，明白規劃，以作定局。文曰：

照得本年三月初四日經本王大臣與奧義法三國全權大臣會議使館界務，除壹字業經奉旨相讓無庸議換，已函致義國薩大臣外，其四至界限並議定各節目應備文照會彼此立案。

茲將各條列於左：

一、東界至距崇文門十丈爲止，其城門旁西首登城馬道不在界內。

二、西界至兵部街爲止。街西宗人府吏部戶部禮部四衙門均還中國，並可在衙門後建築牆垣，但不宜過高。衙門旁民房本多毀壞，其現在尙存者一律拆爲空地，無論中國人外國人不得建造房屋。各使館服役之中國人原有之房屋產業在界內者，另撥給地段令其蓋房居住。

三、南界至大城根，其蠡使館界之地上，許各使館派人巡查，但不得建造房屋。

四、北界至東長安街北八十邁富爲止。使館界牆在東長安街南約十五丈，自界牆外東長安街北界綫以內之房產拆爲空地，惟皇城不得拆動。其空地內以後彼此均不得造屋，東長安街一帶仍聽車馬任便行走，作爲公共道路，由中國設立查街巡捕，建造巡捕房，爲該巡捕等辦公之地。以上四至界限並議定各節，係照是日面談敘述。爲此照會貴大臣請煩轉致諸國全權大臣查照備案。並希見覆。」

使館劃界問題至此全部解決，此後卽進入實行階段，不但界內華人全體遷出，卽淸廷最表尊重之堂子，明朝早已建立之古衙，一律剷平，化爲烏有。從此以後數十年間，所謂使館界（Legation Quarter）者，成爲北京城內另一禁區，爲中國法權所不能及之地，此則不平等條約階之厲也。

所謂堂子者在義大利使館區內旣已拆除，淸廷遂於皇城內東南角（南池子南頭往東）另築一個新「堂子」。後十年辛亥我到北都猶及見之。黃瓦圓頂，掩映於夕陽暮靄中，饒有畫境，惜不克進內一觀耳。

（十四）

愛情

徐學慧

對於愛情的看法，男人與女人是不同的。男人把戀愛當作生活中的一部分，而女人卻把它看作是生活中的主題。

女人沒有愛情，彷彿一天都受不了，可是女人的愛情卻是那麼不穩定。這世界上，癡情的男人，是比女人多的。

我想我得抄一段巴爾扎克的文字，這位十九世紀的大作家的一封信。這封信是寫給他的愛人海斯卡伯爵夫人的。他們互通了十幾年的信，有一天，他接到伯爵夫人的來信，她說：「你是在欺騙我！」爲了解釋他的工作與戀愛，巴爾札克寫了一封長信，下所引述的只是一部分，但極饒趣味。

「……今年我已經寫了十二本書和十幕戲劇。這就是說，在上帝所創造的一年三百個晚上我是通宵不睡的。現在一八四一年，在一切場合，跟十年前並沒有兩樣。多少婦人愛上了她們幻想中的一位巴爾札克先生，（我不否認這個）可是他們對於這位矮胖的戰士，却絲毫沒有成功。所以她們可以張看這副臉譜，向你訴說閒話。婦人們全都願意（從公爵夫人到婢女都是一樣）只有人家去照顧她們，而她們對於一位從事至高無上的事業的人，從來沒有能夠容忍他有十天的時間，來專心從事他自己的工作十天和她們見面，她們就扳起難看的臉色來看你了。所以一切婦人都喜愛愚蠢的男子。也只有愚蠢的男子，才會將他全部時間專門放在她們身上，並且滿口向她們保證，只跟她們好，只愛她們。至於一個有才能的男人，雖然他將他的心，將他的熱情奉獻給她們，但是，他決不會犧牲他自己的時間的。這樣，縱使是最高貴的婦人，也敢相信自己並不爲他所愛。我負上二十萬法郎的債，必須靠一支筆來把它償淸，我通夜不能入睡。如果在一月份裏不寫信，二月份就連麵包都吃不成了，——我在十年之中，沒有遇到過十天長久的愛情，並單單是沒有別的女友，這不等於說他就是忠實的，這也不等於說就是一分愛情的保證。……」

姓氏趣聯

介人

中國的傳統習俗，對於家庭觀念極其濃厚，如今海外華僑宗親會的組織，極爲普遍而且極其團結，甚至有聯合數姓來組織的。過去在國內的民族，在每年歲首的時候，亦多貼出切合姓氏或誇示家世之聯語，使過者徘徊，見者讚嘆，此中有人，心焉嚮往。此等聯語，類多筆花璀璨，墨采濃郁，凡是敢貼出的，都屬刻意經營，精心結撰，文辭並茂，卓然可觀。

茲略舉出數則，藉以窺知一斑。如李氏宗親的聯爲：

「庭容旋馬；門愧登龍。」

典故很平常，組織卻平穩。廣東太平沙孔家的聯爲：

「宗風承闕里；家學守楹書。」

他家有三十三萬卷的藏書，所以在下聯點出，氣象雍容。在台灣的苗栗有鐵漢樓，凡劉姓皆以鐵漢自榜，有聯云：

「鐵骨同梅花一格；漢家有寶島長春。」

其次則有西川堂賴姓，其聯爲：

「西向關山，遠紹漢家亮節；川流晝夜，春回栗里華堂。」

又河南堂邱姓，世業農，其聯云：

「河嶽回春，資長生隴陌；南天拱斗，照積善人家。」

以上各聯，均爲嵌字鶴頂格，亦頗具匠心。最流行的姓氏趣聯而爲大家所熟知的，則有劉項兩姓互相誇耀的故事。據說有某村莊，全村都是姓劉的，新建祠宇，爲了表揚祖宗的光榮，特地要作一副氣勢雄壯的對聯，掛在祠堂門口，經過族中許多文士苦心焦思，再三推敲，結果集體擬出一聯云：

「一朝天子；兩代名臣。」

一朝天子是指漢天子劉邦，兩代重臣一個是明朝替朱元璋開國的劉基（伯溫）；另一個是淸朝令乾隆帝垂拱平章了幾十年的劉鏞，可說極其夸大。

這副對聯給對面村一族姓項的看到了，認爲姓劉的搬祖宗搬得口氣太大了，自己也想搬一聯出來，增加光寵。可是，歷史上姓項的，較有名的只有一個項羽，但項羽只做了西楚霸王，未做皇帝。更在歷朝的宰相中，很難找出一個姓項的，和姓劉的「兩代名臣」相頡頏。

大抵劉邦和項羽兩人在當年爭過天下，以後世世子孫也在互相爭強鬥霸。爲了這點事，姓項的族人始終無法忍下去。在他們的醞釀之下，也無法可以得到一副可以淩駕於前者語氣的對聯。後來乃由族中出具重賞，徵求屬對。徵聯首要是口氣勝過，含義勝過，而且要的是兩股四言小對。

終於天從人願，族中某文士無意中想出一副絕無僅有的絕對，才將姓項的祖宗光彩扭轉過來，並大有壓倒姓劉的口氣。那對聯是：

「烹天子父；爲聖人師。」

解釋是項羽烹天子劉邦的父親劉太公。天子之父可烹，則其威嚴已大於天子，還虧他想出「爲聖人師」的項橐來，孔夫子也向他執禮請教，這不是較「兩代重臣」更爲榮譽嗎？

再則還有胡姓與岑姓兩族，胡族人多，岑則爲小族，常被欺淩。其後岑姓子弟獵得功名，因而回鄉祭祖，以爲宗族交遊光寵，並貼出一聯云：

「山高月小；古往今來。」

胡姓見之嗒然氣沮，此聯拆開「胡」「岑」兩字，出以成語，而且含有極其諷刺之意味。

更有潘氏子姓繁衍，財雄一鄉，斥資大營宗廟，將落成，擬爲祠聯，而羣從弟兄，皆目不識丁。聞某君工聯，以重金前往央請代擬，某君素好諧謔，欣然爲撰二語云：

「紫石街前綿世澤；翠屏山下衍宗風。」

潘姓得了此聯，立卽請石匠刻聯祠右，有遊學的某文人過其地，看了大笑，祠人問其所以？因告以上聯說潘金蓮，下聯說潘巧雲，皆潘氏之穢德不可以告人者。潘姓聞悉之下，大動公憤，立槌碎其聯，大勵率衆赴某君處大興問罪之師，且致鬥毆，訟涉經年乃罷。

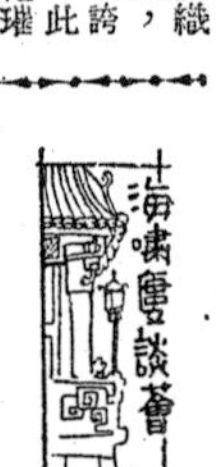

王陵基被俘記（下）

諸葛文侯

是時宜賓縣已被共軍佔領，共黨對「黃老太爺」家宅動態尤特別注意，隨時派有諜探偵查一切，聞黃宅傭役談論怪客事，卽據以報告當地公安機構，共幹擬派軍警包圍黃宅，實行搜查，但主管職務之共酋適赴鄉間未歸，不敢孟浪從事。迨午夜共酋歸來，聆悉其情，認定黃宅怪客必係國府治下之重要人員，決計搜捕，卽於當晚四時許執行，然結果毫無所獲，「黃老太爺」亦否認曾有怪客臨門。蓋王氏早以宜賓不能久留，商由黃氏代購駛往重慶之江輪票，於是日深夜三更珍重道別，悄登輪船上，黎明卽啓椗順流而行矣。

共黨根據黃宅事，乃將「黃老太爺」提去訊究，黃氏仍不承認有怪客來訪，繼用刑訊，黃不堪痛楚，只好招供來客係王陵基，並謂王已乘「長風」輪前往重慶矣。共幹自搜查黃宅以迄拘捕訊問「黃老太爺」，歷時在廿四小時以上，共酋急以電話通知沿江各縣截留「長風」輪，嚴密搜捕王氏，迨輪船駛至江安縣，卽被扣泊。初江安縣共幹得到宜賓縣通知後，尋得過去曾任王氏參謀長之舊軍人，担任認人工作，金謂王某當熟識，但不便當衆指認，屆時如發現王氏，本人僅能揮手示意耳。共幹率兵在江干截住「長風」輪，命乘客全部登岸，排除鵠立，然後挾持金某逐一審視，至王氏前，金某略張右臂，共軍卽擁王氏去，王初不承認，共幹笑謂事已至此，尙能狡脫耶？卽解赴瀘縣僞行署，由李姓共酋訊問，王答以成王敗寇，自古已然，今既事敗被俘，死則死耳，焉用喋喋爲哉？對共酋所詢各事，拒不作答，態度殊倔強，共酋無如之何，以王氏非普通「戰俘」，不能隨意處置，羈押數日後，遂至重慶交由劉酋伯承發落，時爲卅九年三月間事也。

王氏被解到渝後，與曾擴情，宋希濂，徐遠舉（軍統局職員）等，同繫歌樂山之共獄中，彼對共幹審訊時之態度，仍如在瀘縣所表示者，旋共幹命其撰寫坦白書，亦不從，自忖決無生理，不願枉受凌辱也。王嘗見徐遠舉埋頭勤寫自傳不休，曾喟然語之曰：「寫啥子，你這條命還想活嗎？」民國十四年三月卅一日，川省共黨份子曾在重慶羣衆大會中釀亂，當場被軍警鎗殺數名，漆樹芬等死焉。時王氏奉劉湘命衛戍重慶，共黨指其爲「三、三一慘案」禍首，乃於卅九年是月是日，有共幹提議將王氏交由紀念大會公審處決之。共酋曁稱王陵基係重要戰犯，須俟他日由「人民」公審定罪云。然共至今不殺王氏，亦不開釋，此無他，使其在精神與體力之雙料磨待中多受痛苦，實行變相之凌遲處死耳。

＊＊＊＊＊＊＊＊＊＊

曾國藩論

謝康

山縣寒儒守一經，出山姓氏各芳馨。要令天下銷兵氣，爭說湘中聚德星；舊雨三年精化碧，孤燈五夜眼常青。書生自有平成量，地脈何曾獨效靈!?

——曾國藩：次韻何廉昉感懷述事詩。

（一）

曾國藩和孫中山，是中國近代史（鴉片戰爭以後）上兩位最偉大的人物。國藩結束了太平天國的內戰，使滿淸王朝多延長了五十餘年的壽命，發揚儒家文化的精神，並開始了劃時代的「洋務運動」。中山先生卻推翻了數千年來一脈相傳的君主專制政體，完成了太平天國漢族起義（排滿）未竟的事功。並且在建立民國以後，繼續致力國民革命，創立三民主義的思想體系，五權憲法的政治宏規，在中國思想史上，直接繼承孔子的禮運大同思想，融中西文化於一爐。在許多方面，中山先生都勝過曾文正，只有在舊學根底和詩詞文章的技術上，文正纔勝過中山。原來這兩位偉人出生的年代，相差五十多年，（曾公生一八一一，孫公生一八六六）這半世紀的差隔，大時代是進步了，然而中國的洋務及變法運動並未怎樣成功，社會思想依然守舊落伍；尤其是慈禧太后的愚頑專擅，同治、光緒均沖齡踐祚，內憂外患，紛至沓來，國家社會，百孔千瘡，都非曾公所能逆料。可是，孫公卻能針對這些事實，對症下藥，擬訂出建國的主義和方略，並以行動來求貫澈他底主張，終於造成他的偉大。（一）

歷史人物

內警僑台報字第〇三一號內銷證

自由報

THE FREE NEWS

第一二二期

中華民國僑務委員會頒發
台報新字第三二三號登記證
中華郵政台字第一二八二號執照
登記為第一類新聞紙類
（本週刊每星期三、六出版）
每份港幣壹角
台灣零售價新台幣弍元
社長：雷嘯岑
督印人：黃行富
社址：香港銅鑼灣高士威道二十號四樓
20 CAUSEWAY RD 3RD FL HONG KONG
TEL. 771726　電報掛號．7191
承印者：田風印刷廠
地址：香港灣仔高士打道二二一號
台灣分社
台北市西寧南路壹壹零號二樓
電話：三〇三四六
台郵掛號金戶九二五二

論國際共黨開闢的「內部戰場」

·張六師·

自由世界各國領導階層，如果不能打開鐵幕，再不及早警覺，則終被內部戰場的本國人所傾覆，乃意料中事，並非蘇俄眞能製造奇蹟。

一腦子充滿戰爭，陰謀與俄羅斯民族侵略思想的國際共黨始祖——列寧，他利用着馬克斯的落伍反動理論，抱着大彼得的征服歐亞幻想，搞出一套從地下滲透到各國內部的一種世界性顛覆組織——即冒充無產階級社會主義的工人政黨組織。由這個組織中，根據各國內部不同的社會傳統、風俗、習慣及宗教文化而又製訂出一套適應環境而發展的戰略戰術，在各國內部從事發展軍事、政治、經濟、社會……的羣衆性鬥爭力量，藉此即取得整個國家的政權；再逐漸消滅過去的同路人與各「階級同盟」和「階級敵人」，完成莫斯科的世界征服野心。

由於俄羅斯人的文化落後，科學工業落後，人口數量不大……克里姆林宮的頭子們頗有自知之明，他們絕對不敢用明目張膽的硬性手法——如過去的德國納粹，或西方老牌帝國主義的砲艦政策來達到這種目標。他是以本身的存在和強大的基礎，再用特務性、黑社會性、宗教性教條的組織，配以各國內部的各種矛盾和弱點，選擇機會，無孔不入，然後造成奪取政權的軍事暴力。這種軍事暴力，雖然披上有各國與各種階級不同的外衣，然內容實質是如假包換而統一於莫斯科的一個整體組織。即使偶有十分之一，徼倖能脫離蘇俄魔掌而獨立自主——如狄托；然即因此而使俄帝特別加強鐵幕世界的控制，不能再產生第二個狄托。也即是說，正因為今天西方國家的若干自命聰明的「專家」與政客，他們愈在鐵幕外尋章摘句，以為已製造出一套分化俄毛的「理論分歧」，可以從此使「中蘇破裂」。而不知實際他們是做的提醒莫斯科加重對北平的控制，更深入的幫助中共對俄羅斯的控制，愈發嚴密的促使中國人實行對大陸中國人實行剝削，擾括與控制。上述西方政客與「專家」這種助紂為虐的愚蠢手法，等於做了蘇俄的幫凶，更增加了中國人民的苦難；使毛共為了保持本身的生存與權力更加對俄馴伏、獻媚、賣死力地反對西方，愈無情地壓廹中國人。

最無知到可憐程度的人物，莫如美國前副總統華萊士與英前工黨領袖艾德禮之流。他們甚至以為中共「強大」到將威脅蘇俄的生存，將來蘇俄終必要聯合西方以反抗中共；艾氏屢次並以美國反對中共入聯合國為遺憾，而發可笑可憐的愚論。他們居然以為今天中共統治奴役下的六億以上中國人，是甘心為共產黨效死的人民。這等於武斷說，一且英共、美共在莫斯科指揮下取得英美政權後英美人民也會甘心替莫斯科作征服奴役人類的工具一樣，其對中國問題的無知竟到此程度。無怪他們坐視東德，波蘭人民的反俄而毫無同情與援助，對匈牙利人民反抗俄軍的浴血鬥爭而置之不理；自然對過去中國大陸被共黨屠殺到三四千萬人而無動於衷，對今後共黨更要餓死中國一億到二億三億也還要稱贊中共是「強大」，也一定更要捧它入聯合國了。

我們要鄭重指出的一點，就是造成國際共產黨之所以能夠在各國開闢「內部戰場」的主要因素，即由於從政治團體到社會與論中，自由世界各國，都普遍存在有此類無知低能的政客與「專家」。過去，他們把中國由外蒙到整個大陸與東歐，越南，韓國推入鐵幕的紅獄裏，今後還要把西歐，中南美，非洲和整個東南亞，也在不戰而失陷於蘇俄赤色魔掌中，最後——也許還不到最後，連他們自己都終於逃不了共黨的清算鬥爭和屠殺的命運。可是自由世界中的人民何辜？卻不免要受他們無知低能之累，也要遭遇今日中國大陸人民同樣的苦難。

過去蘇俄共黨對中國的侵略先從知識份子中下手，他們把部份失卻民族自信心與國家觀念的知識份子，由收買而加以組織，從此更擴大到一般不滿現狀的知識份子羣，（不滿現狀的知識份子是任何國家任何時期都充滿於各個社會中的，不獨中國為然）。然後加以理論訓練，思想改造和爭取羣衆中領導權的鬥爭技術敎育。他們擴大這種組織發展到普羅階級與工農羣衆，更滲透到政治、經濟、軍事、文化（科學、敎育、藝術、新聞、電影、廣播、戲劇、作家）和青年兒童與統治階級的家庭，以及工廠、礦場、宗敎、商業、貿易機構乃至少數民族中。凡有矛盾，糾紛利害衝突的各種羣衆社團，他們及時滲透，無孔不入。他們並不重視橫的方面的自已聯繫，但卻重視縱的方面——直接莫斯科的領導系統。他們不僅在各國家內部開闢直接間接有利於蘇俄的「內部戰場」，而且在這些國家內的各種組織裏、社團內、機關中，發展細胞組織。甚至對反共堅決人物如果利誘威脅都拉不攏，他們有本事在你家庭內部，和朋友親戚與反共陣營之間製造矛盾。只要你稍存自私心或愛面子而感情用事，就會上當而促成共黨分化政策的成功。

在思想觀念上，他們本來只是應忠於蘇俄並無自己國家的，但在愛國羣衆中，他們一樣偽裝「愛國」。他們本是「不行仁政」以恐怖、殘暴起家的，但在以仁愛信義為宗旨的中國社會中，他們也滿口「仁義道德」，魚目混珠。他們本來是反對濫情主義，要人們消滅人性情感，專為共黨組織犧牲而消除倫理觀念，六親不認，把人當作「物」品來利用的，但在自由社會中，他們也能大施其唯心手段，使用巧言令色，裝成極濫情的樣子，對你加以「照顧」，使你對他畏威懷德，甘為犧牲而不自覺。

列寧曾明白指出：「我們必須用一切虛偽手段，掩蔽真象，不使對方發覺」。「這和中共常用的術語「不擇手段，達到目的」。正是異曲同工。在今天國際鬥爭場合中，我們自然要站在中國傳統的人性觀點上來和共黨鬥爭，例如共黨以奸詐，我們以誠拙。共黨以投機，我們以蠻幹。共黨以虛聲恫嚇，我們以實力對付。共黨用偽民主騎在人民頭上殘忍地剝削奴役，我們用眞民主，眞使人民當家作主，上下利害一致地平等團結。共黨用鐵幕掩飾眞象，對內自欺和奴役，對外欺人和敲詐，我們偏要向他提出挑戰——眞要和平競賽，就該開放鐵幕。共黨高唱「大破人性論」，我們要提倡人性論。共黨攻擊指摘「自由、平等、博愛是十八世紀落伍封建觀念」，我們偏要堅持自由、平等、博愛是人類發展與生存的崇高目標，正是中國傳統仁義道德的具體發展與實踐。共黨不要國家，（更指國家為工具，將來終必消滅國家），我們偏要愛護國家，尤其在蘇俄帝國主義強廹各附庸不愛國家只愛「社會主義祖國」，「無產階級祖國」一天；和強調「蘇俄人民保持愛國主義，「爭取愛國主義戰爭勝利」一天，我們更毫不退讓地必須先消滅蘇俄一切在中國大陸的征服勢力，要他們滾回烏拉山以西的老巢！

自從赫魯在俄對史達林鞭屍後，他同時也修正了史氏的世界征服戰略思想，在蘇俄戰略家魯特米斯托夫元帥和坦倫斯基少將 M. Romistrov Maj. Gen. Talensky 等人建議之下，採用一且實力充分，有把握一舉消滅軍事實力之際，即用核子奇襲戰略，以使取最後勝利。並強調使用最核武器最上策為在敵國境內開闢戰場，使俄軍可放手發揮新式科學武器威力，而使西方因人道觀念，又顧慮對自己本國人民的損害而不能發揮西方核子科學武器威力。

而在中共方面則極力強調共黨陣營人力衆多與戰場領土廣大的優點，不畏懼核子戰爭的損害，使西方即使軍事勝利，也得不到政治善後的勝利。（因為西方終歸是白種人）。

共黨在世界征服陰謀中之所以要在各國開闢「內部戰場」，便基於利用各國本國人的工具，以達到蘇俄統治的目的。他們強調各國內部的工人與無產階級巳和他們團結一起，實際就是他們的工具，已被他們組織起來，而並不是眞正工人與眞正無產階級也投共。自由世界各國領導階層如果不再警覺，他們之被這個「內部戰場」的本國人所傾覆，最後再被蘇俄埋葬，乃是順理成章之事，而並非蘇俄眞能製造奇蹟！

小論天下

△蘇俄宣佈：放第一個「太空人」升空，已安全同降。據傳：前此曾有升空死亡的「太空人」，未見公佈。美原定本月底放射「太空人」，已被蘇俄佔先。

太空球門經常開放給踢球的人，第一個入球者當然贏得最先的歡呼。但我們要記得：這只是赫魯曉夫打向甘廼廸面上的第二拳。他在寮國打出的第一拳，已殆得甘廼廸用強硬的偽裝來掩護事實上的退卻。顯然，他決不信「拳怕少壯」之說。

△蘇俄對寮共再次增援，美又聲言將對寮國政府增加援助。泰官方料寮國親西方政府將告解體，對局勢愈表悲觀。英對蘇俄延不答覆停火建議，亦感憂慮。

讓英國與蘇俄直接交一次手，也是一件妙事。看美國對寮局也「下注」得妙。他似乎「跟進」得很有分寸，弊在手上的活牌總不免變成死牌。

△美駐聯合國大會首席代表史蒂文生建議，邀北韓代表參加聯大討論韓國統一問題。此事會使大多數代表不知所措，南韓表示強烈反對。

史蒂文生之流的「傑作」還多着呢！

△西德總理阿登諾訪美，與美總統甘廼廸初次會談。

這回可不知誰是「波士」了！

△被控殺害六百萬猶太人的納粹兇犯伊思曼，已在以色列開審。

中國人幾時才得開審殺人越一億的毛澤東？

△美總統甘廼廸稱：除非美國現即採取行動，否則古巴卡斯特羅所具之危險性可能更大。但據傳：美決策人員對古巴問題意見紛歧，仍有人反對積極援助反卡斯特羅的古巴人。

美國有的是「縱敵」與「養患」的「專家們」。

△法總統戴高樂批評「聯合國不聯合」，聲言「法國不願在這種無組織的企業投下金錢與人力」。

西方大亨批評聯合國，當以此語最為可圈可點。

方南

自由談

不必要的宣傳

據台北泛亞社本月十日電訊報導「陽明山談話會」籌備情形，說是「對於被邀請者的身份，台北決定一項原則，即必須是反共愛國人士，其人縱使堅決反共，倘不愛國，將不邀其參加。愛國之解釋，此間英文『中國郵報』昨已有說明」云云。這是替政府幫倒忙的宣傳手法，亦符合一句諺語：「脫了褲子放氣」，多餘的事！

一種沒有法令程序與規範的政治談話會，對於應邀參加人士，政府儘可自由銓衡決定，用不着說理由，加解釋的。事實上，海內外各界的反共愛國人士不下千萬名，你能夠全體邀到台北陽明山開談話會嗎？少數被邀請的人，固未必感覺這是一種莫大的榮譽，而可以留給子孫將來在寫計文時，作為稱述「先德」的資料；多數未被邀參加的，也不致如買馬票者然，因未「入圍」而引為蝕本缺望也。外國記者不明瞭中國政情，撫拾里巷浮言，隨便發電訊，旨在搶新聞帽子，原無所謂，本國人辦的報紙，亦居然對於反共愛國人士的身份問題，作不必要的詮釋，何苦乃爾耶？

凡屬堅決反共的中國人，沒有不愛護中華民國的，否則就是個「白華」了！站在政府的立場，決不宜對一般反共的同胞，流露其疑信愛憎之意態，示人以不廣。誠然，今日在海外倡言反共，而實際是幹着共諜勾當，或者反共而不愛護中華民國的異端份子，亦未嘗沒有，但政府心裏有數，不跟他們談論國事好了，何必在表面上現出訑訑拒人的狹隘心情呢？這樣一宣傳，將來凡是未被邀請到台北參加談話會的反共人士，皆覺得自己已被當政者視為不愛國的國民，無形中乃培育着一股廣泛的離心力，恰與團結運動背道而馳，此非為政府幫倒忙而何哉？

氣宇恢宏而思慮縝密，態度圓通而內心堅定，這樣才是幹大事業的政治家應有之條件。我希望政府當局對上述中外記者無謂的宣傳詞令，能予以糾正澄清，俾正視聽。不然的話，我看陽明山談話會還是不舉行的好！

馬五先生

冷眼旁觀分屍案

寒士

台北通訊

轟動一時的北市溜公圳分屍案，雖經治安人員一月餘之努力，懸賞十萬元，却迄未能將女屍身份、姓名查出，現雖獲有涉嫌疑犯，旁證鑿鑿，而始終陷於不能破案之低潮中，本報在一一八期亦有報導，本文則僅就分屍案以外的諸問題，根據街談巷議，予以報導。

一、社會風氣問題　今日台灣社會風氣之敗壞，實已至非常嚴重之地步，打開報紙來看，幾乎無一日無兇殺，鬥毆等新聞。至於分屍案除了張昌年案，曲尺分屍案，以及此次北市分屍案外，似尚不為多，然如此滅絕人性，慘絕人寰之殘酷行為，每年發生一起，實在已夠令人震驚不安了。台灣社會風氣何以會如此惡劣，當然有其複雜的原因，諸如政治、法律、警政、教育等等措施，均為激盪影響之因素，而最主要者還在於為政者作風，能否引領風氣，導致詳和耳，此非三言兩語可以闡釋者，然就今日社會風氣敗壞之現象而言，殊非中興復國之好氣象，是則為有識之士一致之隱憂焉！

二、新聞採訪報導問題　自從溜公圳分屍案發生後，本市各大報紙記者，均不辭勞苦，日以繼夜，守候、追踪，探訪最新消息，予以詳盡報導，以饗萬千惶惶不安，渴望早日破案之讀者，確屬多年來少有之現象。由於這一少有的新聞競爭現象的發生，引起了兩種看法：一是屬於官方的，他們抱着新聞不過是公報複印的習慣觀念，認為這種自由競爭報導，似太過於激烈，有一反過去相安相守的常態，甚至說會影響辦案工作，此風殊不可長。（根據四月二日大華晚報消息：黃杰總司令將邀各報負責人商新聞休戰，足證此一馬路新聞已被官方證明為事實矣！）一是屬於新聞界的，他們一向是為「新聞自由」而努力的，但平時格於種種戰時特殊規定之下，除了社會新聞外，確實有英雄無用武之地的慨嘆，這次逢到這一轟動社會的案件，自然不惜以全副力量，去作正常的採訪、指導，他們認為新聞的競爭乃是一正常現象，有競爭才有進步，才能爭取更多眼睛雪亮的讀者。根據上述兩種看法，一般人都是贊同新聞界的看法的。在現代社會中，新聞採訪、報導自由，從而由輿論影響為政者的行動，乃是正常現象；而統一新聞，為政者出而商討新聞休戰，才是反常的現象。至於說此次的採訪、報導有影響辦案的地方，我們只發見一樁，那就是刑警們這次自動宣佈放棄了用刑訊的方法，而這正是新聞界力量影響政府走上法治的最佳功績！

三、警政、戶政窳敗問題　台灣的警政及戶政制度，一向是承襲日本時代留下的一套方法，雖說那些都是軍國主義作風的遺物，不無瑕疵之處，但在一個落後地區的統治者心目中，總還認為不失為鞏固管制的優良方法，因之，過去一直以戶政、警政來誇張管制如何嚴密而有成效。可是，粉飾太平是一回事，暗中腐敗又是一回事，這次分屍案却成了試金石，將那些自我陶醉的宣傳不攻自破了。失踪的婦女數以百計。有發生在二三年以上者，雙重戶籍的人有了，兩個姓名的人有了，流動而戶不歸籍的人更是不可計數，（這種種都是新聞界根據事實逐一報導出來的，在政府方面說，如果沒有新聞報紙，這些事是可能不要讓人知道更好，而一般人的看法，新聞將缺點報導出來，政府便能從此改進，則國家的前途，實賴此以生了。）試問這種戶政、警政工作，能眞正肩負起治安的任務嗎？若以這種工作效能，去和匪諜的奸詐、巨猾去鬥法，我們能自恃而高枕無憂嗎？這才是一個最大的危機呢！

四、辦案機關轉變問題　國家依據憲法規定，設立有司，各司其職，這是天經地義的事情，分屍案的發生，理當歸警察機關辦理，實無旁貸，而當本案偵辦行到某一階段時，却突然移交警總辦理，實在令人感到懷疑，而此舉對於警政機關之信譽，尤發生莫大之影響，使人民對其失去信心。不論從任何法律觀點而論，警察機關主辦此案，警總予以協助，甚至指導則可，最後其中犯案者如有軍人，則交由警總軍法審判追無不可，而完全交由警總承辦其案，則顯非一般法律常情範圍之舉。在移轉辦案之初，即有很多人預測到是「新聞」問題，因為警總是一個軍事治安機關，它負責了懲辦匪諜及防止顛覆政府等的任務，任何報館或記者對它不可以隨便來，果然這一着是猜對了，現在是各報每天登載警總公報，最近，還得要商談新聞休戰問題。回過頭來我們再看看警總接辦本案後的進展如何呢？除了發表公報，懸賞獎金提高為×萬元，似乎只做到了為柳宅主人闢謠，宣佈該案與柳宅主人無關，可是却並無「科學的絕對根據」！最近，則逮捕了李子玉夫婦，訊問了三天，釋放了，放的時候又發給五百元新台幣，這種作法，簡直不知道是根據何種國法在辦案？冤獄賠償乎？依法沒這麼大的代價；購買人民三天自由乎？則使人沾沾自喜自由人權已可以論斤購買了！

分屍案的發生，和偵破工作固屬重要，而這些因分屍案而揭出的種種問題，似乎比分屍案本身更嚴重萬分！病態及早發見，倒是一件好事；而諱疾忌醫，才是莫大的悲哀。我們衷心希望政府能抱定「勿謂善小而不為，勿謂惡小而為之」的精神，及時痛加針砭，予以檢討、改進，以求眞正的安定進步！

香港與大陸

一個香港人回穗三天，多用眼睛而不用耳朵，親知眼見廣州許多事，帶回來香港，便成為下述一碟拼盤雜碎新聞。

他說：廣州人每月配得雜油二市兩。油作生抽色，落鑊會黏鑊的。油也會黏鑊，的確奇聞。

因為得糖不易，汽水却有得賣，從香港人帶回去的麵粉沒糖何以蒸糕。所以有一些人家用汽水蒸糕，可算一宗奇聞。

每個廣州人間十天配到一市兩多的貓魚，四寸長的鮮魚簡直不見，不過貓魚也好，已兩月不見於茲。上個月無鹽配給；至於牛肉則長期以來不見了。

每人一個月配鹹魚半斤，說是一個月有這個數字配，其實或有或無。鹹魚已不配兩個月了，有得配，也是有頭無尾的，尾部不知走到那裏去。且鹹魚不夠鹹，像是昨天才醃起的。

廣州人煑飯不洗米，僅俟滾了水冲下米去，然後燒熟，蓋恐洗米會洗去米塵，營養打折扣，又少去份量，不如不洗，所配到的米是粗赤米。

火柴小得很，廣州人很希有個打火機，否則由香港運入火石，視為生命之光，他們把火石嵌入禿頭牙刷柄的穿線小孔內，擦向硬物（有時找一塊鐵塊），碰起火花，火花引着了紙煤，因而成火。家家都幾乎過着燧人氏生活，有時為了借火，要輾轉行幾戶人家。

掃把有配售，拿舊竹柄換新掃，也有屐配，配來之屐，有時一隻大一隻細，有些人配到是神主牌改製的。這位香港人曾參觀過神主牌木屐，是物上保留作紀念用的。

配屐不難，難在如何保存屐皮不毀壞，使之延長壽命。所以穿屐的人，步步金蓮，不敢大力走路，防踢崩屐皮，沒有得換。

市上有雪條賣，隨處可以買到乃最方便之物，其名曰「朱咕叻雪條」，黑色的，原來用片糖做。

黃蔴聯合推廣收購問題

林嘯

台灣通訊

所謂黃蔴聯合推廣收購制度，就是政府對黃蔴產製銷各方面的一項管理政策，黃蔴的管理問題，最近又引起了不小的紛爭，政府對於撤銷聯合推廣收購制度的問題，似乎還在猶豫未決之中，筆者特乘此時會，並就台灣省物資局所提出的一項有關的簡短報告，對於黃蔴管理問題的是否合理，以及撤銷管理後的利弊得失，僅畧出芻議，以就教於關心黃蔴問題的有識之士：

黃蔴不是日常的民生必需品，其產製銷的管理問題，似乎用不着政府過份的重視，然而事實上，黃蔴不僅是供作糖米軍糈的包裝用袋，對於糖米外銷及軍需備戰，尤屬於必需的物質，而且現行的制度對於今後農業特產作物的產製銷各種管理制度的建立，更屬關係重大。

以黃蔴的主要用途而言，僅在製成蔴袋以供包裝米糖出口方面，據統計砂糖出口所需的蔴袋，每年約為一千萬隻，米袋約需二百萬隻，而每年製袋的黃蔴原料，約需一千五百萬公斤，其次為軍需物品的裝運與戰地（金門外島等地）工事構築的需要，黃蔴確是一種關聯着農業工業國際貿易以及軍事特需的物品，較之單純爭取外銷為目的農產品，其性質更為複雜而重要。對於如此性質重要的農業特產，政府自不能不加以管理，因此政府自三十七年起乃決定實施推廣種植統一收購政策，實施以來頗著成效，根據物資局的最近報告，僅舉其重要者畧述如后：

一、現行制度可以協調黃蔴產製銷三方面的利益衝突，政府與蔴農之間均可免損失，且配合用戶季節性需要，統籌調節供應，使蔴袋維持優良品質與平穩價格。因為黃蔴價格的穩定直接影響糖米兩大出口物資的成本，更影響軍需品的裝運，在黃蔴生產收購製袋以至供應外銷與軍需的過程中，其有關產製銷任何一方面如有不協調現象，便會發生價格的不正常波動以及供需脫節的後果。

二、在現行制度之下，蔴袋工廠可獲品質良好及價格劃一之原料，而且可以充分供應無缺，不致有原料匱乏而工廠被迫停工之虞。因為合理的分配製袋供銷，同時並保持其合理的應得利潤，如遇黃蔴歉收之年，則統籌進口原料，工廠不虞停工，至於生產過剩時則有計劃的輔導外銷成品不虞滯銷，可收供需調節之效，一旦撤消合理管理，勢將造成蔴價紊亂，品質低落，政府與民間，均將兩蒙不利。

三、黃蔴生產受氣候因子影響極大，黃蔴統一收購則豐收時既無減價拒收致損及蔴農利益，而於歉收時亦不致提高成本而增加用戶負担。（上）

讀者、作者、編者

請各位文友注意：投寄稿件，務請用有格稿紙繕寫清楚，如或有寫十行紙或任何其他紙張之習慣，則請雇人重抄，否則，編者惟有割愛而已。又來稿過多，篇幅有限，或一時不能刊出，亦不必來函詢問。又各位投寄文稿，請書明本報編輯部，切勿投寄私人，以免費時失事。

大陸文壇萬花筒

關於歷史劇的爭論（一）

——岳騫——

從去年十月起，大陸上關於歷史劇問題，曾引起一番爭論，先後在上海戲劇、戲劇報、劇本、文滙報、光明日報、北京晚報等報刊，發表了三十多篇論文，十分熱鬧。

這裏面大體可以分為三派，一派是正統派，一派是折中派，一派是改良派。

正統派以吳晗為首，附和的有沈起煒、趙景深、牛子等人。最先發表論文的是沈起煒，他在一九六〇第十期「上海戲劇」發表了「談談歷史劇古為今用的兩個問題」。認為「有兩條似乎相反其實相成的原則」，第一條，基本歷史事實，重要人物及其性格，都應力求眞實，變動不宜太大。第二條，為了揭露歷史本質不妨更動細節，甚至虛構人物事件，但不能強添地位過於突出的人和事。」沈起煒還指出「那些半眞半假或假多眞少的，如三國戲、楊家將之類，本是歷史傳說，不是嚴格的歷史，不應與我們今天寫歷史戲混為一談。我們今天造些歷史傳統也未嘗不可，但要讓他自然形成，不能在一大段歷史眞實的身上，加一段突出的虛構，搞得既非歷史，又非歷史傳說，那就不太合式了」。

沈起煒雖然強調歷史劇要符合事實，但是還承認可以加以些枝節進去。吳晗在一九六〇年十二月二十五日上海「文滙報」發表一篇「談歷史劇」！主張歷史劇不能加進去一點假的情節，歷史就是歷史，像「楊門女將」、「十二寡婦征西」及包公戲都只是故事劇，而不能稱為歷史劇，因他在歷史上沒有一點根據的。

沈、吳文章發表之後，那個專門賣野人頭，吹牛拍馬的趙景深，覺得這次可是找到一個機會向吳晗靠攏。於是他也慌慌張張寫了一篇「談歷史劇的古為今用」，發表於一九六一年一月九日文滙報。趙景深過去也翻譯過一些戲劇理論文章，寫過一些「讀曲小記」之類的小冊子，儼然以戲劇學者自命，但是苦於肚裏太沒有料，論到歷史知識作吳晗的學生恐怕還不夠，想發揮一些高見也寫不出，只好隨着吳晗和沈起煒的文章吹捧一遍了事。牛子寫了一篇「從嚴嵩戲談起」，載於一九六一年一月九日文滙報，大意是和吳、沈相同，認為像嚴嵩戲只是故事劇而非歷史劇。

人物掌故

梁任公與林獻堂

仲侯

明知此是傷心地，亦到維舟首重回，
十七年中多少事，春帆樓下晚濤哀。

迢遞西南任好風，故人相望意何窮，
不勞青鳥傳消息，早有靈犀一點通。

道是五十年前辛亥二月廿四日梁任公乘日本笠戶丸遊台取道馬關在基隆登陸所賦的兩首絕句，近閱林獻堂先生年譜，獲悉二氏締交始末，實由其族姪林幼春對任公道德文章，備極傾倒，居恆稱道其人，以未獲識荊爲恨，引起林氏注意，光緒卅三年秋獻堂先生第一次游日本，偕甘得中由東京歸台，先到橫濱大同學院晤林儒探詢任公行踪，但林亦不甚悉，謂須問神戶同文學院之湯覺頓，或可獲得正確消息，林轉神戶，不意途次奈良，甘君偶然發見旅客登記簿內有三個中國人投宿，一名潘博，一名陳管笙，另一名則已忘記，三人中陳管笙爲新民叢報發行人，潘博亦該報撰稿人，林以爲探問潘陳二氏，必可得任公去處，乃與獻堂先生到三樓訪潘，及至三樓，甘詢下女，未得要領，而室中人見有人動問，乃出而應接，甘乃用其不甚高明之藍青官話，告知來意，謂欲探詢貴同行之潘氏，是否得知任公先生現在何處，其人乃曰：「我就是梁啓超」同時招呼甘林二人入室坐談，初見面時，甘之言語尚可應付一二，但終無法暢談，乃改用筆談，任公先寫曰；「本是同根，今成異國，滄桑之感，諒有同情……」今夕之遇，誠非偶然，」云云，文字委婉動人而又充滿情感，甘林二氏大受感動，幾至淚下。

是夕暢談甚歡，獻堂先生並爲台胞爭取自由問題，有所請益，任公答言：「中國在今後卅年，斷無能力幫助台人爭取自由，故台灣同胞切勿輕舉妄動，而供無謂之犧牲，最好做效愛爾蘭人，對付英本國之手段，厚結日本中央政界之顯要，以牽制台灣總督府之政治，使其不敢過分壓迫台人」。後來民國卅四年日本投降，台灣光復，竟符卅年之語，即後來台灣志士如林獻堂、蔣渭水等，迭次發動革命，亦無所成，與任公之語允合，可見其目光遠大，觀察深刻。（上）

智化與「不」

汶津

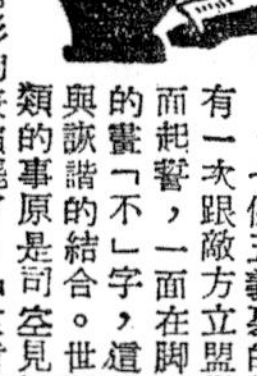

七俠五義裏的智化，有一次跟敵方立盟誓，一而起誓，一面在脚底頻頻的畫「不」字，這是智慧與詼諧的結合。世間像這類的事原是司空見慣；不過少有如此精彩的表演罷了。「食言而肥」這句成語，總算盡了一部分口誅筆伐的責任。

號稱英國十六世紀的大政治家、法律家、哲學家、散文家的培根爵士，在他的「談高位」一篇大作中，痛陳受賄之害，並且開了一串藥方：「除了克制自己僕人拒受這種不義之財外，還要令行賄的人知趣，勿以此卑劣手段來誘惑人。單單表現正直不收賄賂還是不夠，同時應使人知道你根本就是個大公無私憎恨賄賂的人。」這一番大道理，自然是每一個不太乾淨的大人物應洗耳恭聽的。可疑的是，當培根自己受賄賂的時候，是否全忘了上面那一套？蒙田是自認健忘的，培根爵爺到底是患了什麼毛病呢？

舉一則同樣的例子，不知是不是會抬高了另外一個人的身價。本地有一位大漫畫家，在數年前紅極一時，後來終於爲文化界所鄙棄，原因似乎是對來台觀光的女賓太殷勤了點兒。他老兄還不甘心無辭以退，大聲呼籲道：「文化清潔運動便是我老×一手倡導起來的！」這是垃圾的呼聲。另一位提倡好鐵要當兵的漫畫家則謙虛地以朽鐵自居，使兵役法與藝術發生了一點小小的衝突。智化先生的徒子徒孫可眞不少。

蒙田在談說謊的時候，提到「一個品性很好的成衣匠」，他說：「我從未聽他說過半句眞話，即使於他有利益的時候。」跟這種人做鄰居一定是很有意思的；同時還可以使你寬慰不少：原來這是一種嗜好或秉性罷了，不值得大驚小怪的。

手裏夾着烟蒂向學生喝問爲何抽烟的訓導人員，十九都是火候最夠的「實行家」。記過、開除都近乎是他們的嗜好，禁烟節的大會上也照例能說上一小時的大道理。有些名學生畢業以後不敢留在母校服務，也許是因爲他的記憶力很好，唯恐將來他嚴禁學生作弊的時候被「後生」們翻出舊賬來吧。老一輩的常告誡小輩「做人難」；六七歲的孩子不許弟妹「偷」糖吃，而自己却堂而皇之的抓糖吃，他們只學得做人容易呢！

我無法想像夜總會、賭場的老闆如何進行他們家敎。向尷尬年齡的子女解釋這一類事，蘇秦、張儀的口才都讓人担心。最好的辦法該是敎女兒跳最新式的舞，敎兒子學最深的賭技，不要辜負了「克紹箕裘」的古訓啊。

金字塔不是一日造成的，指鹿爲馬的罪過顯然是出於秦二世的間接鼓勵；那頭鹿如果生而有知，恐怕也會感到被迫改籍的痛苦吧。因果關係可不能隨便混淆了。

有些人的喉嚨有毛病，起因是經常學習平劇中的吊嗓；還有些瘋子是弄假成眞的。拜倫的性子就不太平常，某次爲了一件事情忽然大發脾氣，並且大叫道：「我要發瘋了！」他的一位好友大衛士却不慌不忙的諷刺說：「哼，這不像是發瘋，倒很像是發傻呢！」不是大衛士不夠交情，他不過曉得拜倫想藉此嚇唬人罷了。有些欠債的聽到債主敲門，就裝作醉酒，並且對來人大聲喝道：「難道我會賴你這麼一筆小債？」其實這類朋友都沒有得到「黑妖狐」的眞傳。

通鑑上有一段記王莽的「匿情求名」，眞可以歎爲觀止：「嘗私買侍婢，昆弟或頗聞知。莽曰：後將軍朱子元無子，莽聞此兒種宜子，爲買之。即日以婢奉朱博。」想做皇帝可眞不簡單，連自己挑的侍婢都得「自動自發」的送人。可是三個人裏面，究竟誰得益處最大呢？這筆賬我敢說歷史家也算不清。生理學家也許會捉嘴而笑；也難怪，如果這位新莽皇帝眞有點科學精神，不但不會胡謅說「此兒種宜子」，就是亡國也不致於亡得那麼乾脆。（王莽是耶穌的長輩，按年代來算，這句話只是說給數學家聽的，絲毫沒有褻瀆的意思。）然而在我們這些晚輩裏面，也不乏在雀戰通宵之後，舉筆高呼改良社會風氣的。

何紹基的書法

漁翁

有清一代，書法之遒勁者，莫若何紹基與劉墉，而何之運筆，傳有仙氣。

紹基字子貞，號蝯叟，湖南道縣人，道光進士，官編修，工書，爲世所寶。初學顏平原，旁及柳宗元、歐陽洵、蘇東坡、米南宮，且涉獵魏碑，對漢隸秦篆，尤潛心研究，融會貫通，集各書法家之大成。

傳北人慕何之名，欲以重金求書「山海關」三字，當爲何所拒絕，因不以此而鬻金也。其姪亦臨何帖，以有利可圖，即在室內初習一「山」字，乃叔見之，以運筆欠靈，書之以作模型。越數日，繼習「海」字，叔以其所書不甚佳，又臨以示範。於是其姪將何之眞蹟，藏於篋中，如至寶然。旋書一「關」字，面請指正，其叔提筆方寫「門」字時，忽悟曩有人求書「山海關」者，疑乃姪有企圖，乃停筆而誡之曰：「我生平不以書鬻金，爾毋以此而玷我家聲也。」後姪自將門內之「絲」字填入送去，果得重酬，而紹基不之知也。迨鐫於「山海關」之牌樓上，遠遠望之爲「山海門」，近處見之，則爲「山海關」，因此，時人以仙筆稱之。

短篇小說

假日（五）

孟瑤

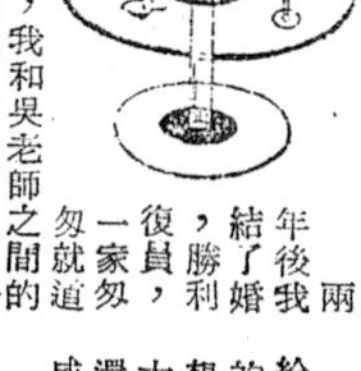

兩年後我結了婚，勝利復員，一家匆匆就道奔往上海，我和吳老師之間的關係驟然斷絕，雖然我也曾按原址給她寄過幾封信，却都沒有得到回音，這樣，她便逐漸在我記憶中隱沒。

來台灣後，有一天我們「全家福」去看電影，開映前，戲院的鐵柵把我們擯斥在門外，適使我們在街頭閒蕩；一個瘦弱的女人從我眼前閃過，使我覺得面善，我立刻想起來是誰，不免脫口而出，喊了一聲：「吳老師！」

果然是吳老師，她抬起頭，當然也很快地認出來是我，因此，有點激動，她用那發顫的聲音，拖長了來回答：「是你！」

接着她把身旁的女兒介紹給我，雖然只是一個十三四歲的孩子，却長得比媽媽高了，想起了往事，我忍不住對這半大的孩子開玩笑：「小妹，你還記得嗎？在重慶的時候，我成天都愛抱你！」

她笑了，接着抿了一抿嘴，表示不太希望我當衆提起她小時候的事，我了解她，每一個十三四歲的孩子特別喜歡「充大人」。

這之後，我們之間的關係又連續了起來，忙裏偷閒，我常常去看她，我知道她從丈夫死後一直沒結婚，對女兒充滿了病態的感情，和往年對丈夫時一樣。我雖然比她小十歲，但是對人生的看法却比她老練得多，人無論如何要有一片眞正屬於自己的天地，在這裏，你才懂得安身立命，不至迷失。因爲自己不迷失，才有可能得到丈夫也得到孩子。吳老師却不，她常把自己整個投向別人的天地中去，她不僅犧牲了自己，也常使別人受到驚擾；做丈夫的也許正因爲這一點却步；女兒更厲害，因爲兩代人的世界距離更遠，她所感到的驚慌也越大。無疑的，我極不喜歡我這位師妹，她被媽媽寵壞了，她是一個自私貪婪而又圖個人享樂的人，她很厭惡那個對她有狂熱的愛的媽媽，她們之間唯一能相處的原因只是爲了她還能從媽媽身上吸取供她享樂的金錢。做媽媽的也發現自己本身在孩子面前失去了吸引，因此也只好可悲地用金常錢做爲對她女兒的誘餌。我分析這孩子揮霍性格就是因此養成的。吳老師在我面前隱瞞她孩子的劣跡，一如從前隱瞞她丈夫的。這情形一直維持到她母女因爲對婚姻的意見相左而衝突時爲止。這一段時間，我很爲吳老師煩惱，我覺得這是一齣要到她生命結束才會落幕的悲劇。孩子像一朵初升的太陽，生命的活力隨着時間而加强；日薄西山的媽媽，那沒入黑暗的時間越來越近了，假若不肖的子孫忍心運用這一個自然律做武器，那是穩操勝算的。我從她女兒揶揄的笑意中隨時發現着這一種陰謀，她似乎隨時無聲地向母親宣佈：「看吧！總有那一天，什麼都歸我。」所以這一段時間我常常去看吳老師，目的是想給她壯壯聲勢，同時向那被物慾淹沒了的師妹也無言地誥戒：「不要肆無忌憚，你媽媽身邊還有我。」（五）

梨園漫談

清廷供奉之伶人（續）

——瘦西湖——

宮內小內監倚勢凌辱伶人之事，在清代尤屬令人氣憤可恨，當戲尚未開演之前，諸伶人有散坐於石階之上休息者，或散步庭中遊玩者，倘適有內監經過，衆必立即趨前打躬作揖，向其請安，以示熱絡，而拉關係者亦大不乏人，某日諸伶散玩之時，有一武生在旁磕睡未醒，適有一內監經過，衆皆與之爲禮，獨見武生不來，竟還在一旁假寐，內監大怒，上前飽以老拳，並命挺胸凸肚受其打鼓兩記而去，所謂打鼓者，即是被打者須將兩腮鼓起，左右各摑一掌之謂也。

宮中之小內監，彼等皆有師父師祖爲靠山，亦似上海幫會中之老頭子者然，因宮中須受宮刑之故，其量仄護短（凡婦人袒護己子，有過而責他人者，北人稱之護短）一如婦人，故雖極起碼之小內監，亦不能與之結怨，倘若有人冒犯彼等，則非自下層而上傳至大總管李蓮英處不止。

有部份小內監人頗勢利，而若逢極有體面而又最爲帝后殊賞之伶人，彼等亦遠遠相笑逢迎，還要上前問好，其狀甚爲恭順，又慈禧秉政之初，深恐衆臣欺其懦弱，某日適合上方演下河東，飾演歐陽方者爲名淨李溜子（因其性好不辭而別，獨自溜下台來，故得此綽號），但其唱作俱佳，演來奸相畢露，后未待李伶戲畢，即命左右上台杖責四十，其意蓋謂前朝之爲臣不忠者，余尚能在衆面前責之，倘本朝有類此人，豈能令其全活，後有人指謂，此究婦人之見，而李溜子之代歐陽方受責，亦未免寃哉枉矣。

帝后觀劇，每有賞賜，但亦因某一角色之嗓音尖潤，唱作欠佳者，總累及全體伶人亦不得賞，然老十三旦侯俊山與總管李蓮英極稱莫逆，每逢有此等事時，侯即代表全體往謁蓮英，懇其在慈禧太后面前說項，西后因寵李之故，李每進言，后之賞單無不立下，故諸伶對於蓮英，莫不懷德而畏威者，有時倘某劇演出特佳，深合后意者，俟賞單下，時所有該劇中之人，皆出列台前依次排隊，齊向慈禧叩頭謝恩，若遇單賞某一二人者，其人即由後台趨至后前領賞，慈禧晚年，對於譚鑫培，楊小樓二人，賞賜特厚，每逢譚楊合演「連營寨」畢，輒必傳諭二人同至御前領賞，並可不必卸裝洗臉，文者只將紗帽，髯口摘下，武將卸去盔頭靠旗，任取一文生巾，武生巾，或羅帽等戴上即可耳。（一一）

燕塵識小

辛丑談往

——無負生

（柒）撤兵回鑾：或問，清廷付如此之高價，構成和局，究何所求？則將應之曰：「求撤兵」。蓋西后所求者在此，慶李所爭者在此，而列强使臣所藉以要挾者亦在此。回溯去年八月聯軍攻陷北京，西后逃亡入陝，眞如漏網之魚。向日仇恨洋人之心理，一變而爲恐懼洋人。洋兵一日不撤退，此姥一日不敢回京。此意不待明言，慶李自能揣測。是以議和之大任，條件之寬嚴固所當爭，而撤兵之日期尤在必得。故和約十二欵反不全是主題，眞精神乃藏在末幅申明之資語。其言曰：

「大清國國」既如此按以上所述西歷一千九百年十二月二十二日即中歷光緒二十六年十一月初一日文內各欵允適諸國之意妥辦，則中國願將一千九百年夏間變亂所生之局勢完結，諸國亦照允隨行。是以諸國全權大臣現奉各本國政府之命代爲聲明，除第七欵所述之防守使館兵隊外，即於西歷一千九百零一年九月十七日即中歷光緒二十七年八月初五日全由京城撤退。並除第九欵所述各處外，亦於西歷一千九百零一年九月二十二日即中歷光緒二十七年八月初十日由直隸省撤退。」

此是畫龍點睛之一筆，亦即全國四億人民分三十九年才能還清之四百五十兆兩白銀，所換來之苦果。慶李二人八月初十奏摺中（見前）亦輕描淡寫，點清一筆：「今雖將京城內外撤兵日期塡注約內，而各國在天津所設暫理地方之都統衙門仍復不肯遽撤」。以如此關係全局，盡力以爭之大題目，而僅出以片語，附帶表明，要使西后看到此處，自然心領神會，相喻無言。老式官文書有其一套「不可言傳」的微妙之處，其在斯乎！其在斯乎！（舊時顯官大僚，幕府中必須羅致一二文章能手，或司章奏，或主筆札。是以昔年舞文弄墨之士，不但廣有啜飯之地，且以文字因緣，每每致身通顯。左季高以一聯游受知陶文毅，儒生佳話，海內爭傳。其後賀縣於晦若以名翰林入李合肥幕中，撰擬書札，今自于氏家藏遺稿觀之，想見其賓主之間商量文字，聲應氣求。固不徒「辭意典雅，足傳於後」也。迨入民初，流風未沫，黎宋卿之器重饒漢祥，尤彰彰在人耳目矣。）（十五）

題目與文章

從一粒沙中看世界，或者從一朵花中看出永恒，這都不是簡單的事。由小悟大，必須具有特殊智慧。「濯足長流，抽足再入，已非前水。」此爲哲人的話。也惟有哲人方能具有由濯足悟宇宙流轉的智慧。流水不舍晝夜，乃是盡人皆能看到的現象，但孔夫子卻能從不舍晝夜的流水，悟到「逝者如斯夫」，這就與智慧有關了。

寫小品散文，幾乎都是應從一粒沙中去看世界的。看不看得出來，當然是另一件事，但必須存心去看。

小題目寫大文章，最能討好於讀者，但對於作者來說，這是一宗苦事。所謂大文章，並不是說要引經據典，有如書院式的論文，而是娓娓道來，看似平常語，卻含義甚深，足以感人，足以移人，而使人于不知不覺中，與作者的呼吸起了共鳴。

這當然不是簡單的事。但任何隨筆作者，必須具此宏願，雖不能至，亦須有嚮往之心。否則，所謂隨筆，就不免變成隨隨便便的筆調，流於胡扯了。

徐學慧

筆者以「大漢天聲」爲題，在本欄連載了四五期。老前輩李幼椿（璜）先生語本報社長曰：「彼徐學慧君者果何如人耶？大漢天聲那樣的題目實在是太大了，這可以寫一本巨著啦！」社長以轉告，余乃應之曰：「李先生爲政治家，爲學人，而非職業作家，當不知道職業寫作者的苦衷。對於一個職業作者來說，大題目寫小文章，是最不吃力的事呢！」

隨筆之類，本來應該用小題目寫大文章。但有時候、爲了趕時間，或者是沒有靈感，也就只有用大題目寫一點小文章了，在香港，幾乎每一個職業作家，都不免有此苦衷的。

修禊趣談

介人

今年四月十七日，亦即農歷的三月初三，是上巳修禊的日子。其實，在古代修禊，並不限於三月三日。如漢書載：「漢代修禊不限於三月，高后八月祓於灞上。」又西京雜志載：「戚夫人正月上辰出池邊盥濯。食蓬餌以祓妖邪。三月上巳張樂於流水。」還有以七月十四爲修禊的日子。如劉禎魯都賦：「素秋二七，天漢指隅，人胥祓除，國子承禧。」以上的記載，並不限於三月，大概自曹魏以後，率以三月爲常。

蘭亭序帖

談到修禊，大家自然會想到晉時王羲之的蘭亭序帖。他在癸丑這一年，在修禊的這一天，約了四十二位好朋友，在浙江紹興西南二十七里的山嶺下，野餐、喝酒，談笑風生，善於寫蘭葉紛披式的草書王羲之，一時高興，舖開了一卷蠶繭紙，捋起鼠鬚筆，沙沙寫下了一篇紀念這一次野餐的「蘭亭序」，成爲一千六百多年來的字帖。那年公元三五三年，他才三十三歲。

由於「蘭亭序」帖的不朽，便連帶想起他的趣事。傳說有一天右軍看見一位賣芭蕉扇的老太婆，訴說沒有生意之苦，右軍把老太婆的扇子都拿過來，在每扇子上寫上字，叫他再到市上去賣，有人看見右軍的字一搶光，老太婆以後天天挑了扇子去求他寫字，右軍常常一見老太婆走來，就避藏在一塊石後，所以叫做「躲婆石」，至今猶在。

東坡修禊

蘇東坡謫居南海儋耳，上巳修禊，無可與侶，曾與一老秀才共飲，有詩紀其事，詩云：「老鴉銜肉紙飛灰，萬里家山安在哉？蒼耳林中太白過，鹿門山下德公回。管寧投老終歸去，王式當年本不來。記取城南上巳日，木棉花落刺桐開。」

詩前復有序云：「海南人不作寒食，而以上巳上塚，余攜一瓢酒，尋諸生，皆出矣，獨老符秀才在，因與飲至醉，符蓋儋人之安貧守靜者也。」

東坡另有上巳日與二三子攜酒出遊長句，當是未放逐時所作，據其中亦有「平生所向無一遂，茲遊何事天不阻」之句，是足知東坡的一生遭遇，不如意事實多。

蠻語入詩

世說新語載：郝隆爲桓公南蠻參事。三日修禊酒會作詩，不能者罰酒三斗。隆不能詩，遂受罰。飲畢忽攬筆大書一句曰，「陬隅濯清池」！蠻皆不解，桓即問陬隅是何物？隆曰：「蠻語名魚曰陬隅」。桓公曰：「奈何以蠻語入詩？」隆大笑曰：「吾不遠千里投公幕下，幸得蠻府參事職，適逢盛會，那得不作蠻語耶？」聞者大噱。

臥遊修禊

明人費萬祿鼂采館清課，記上巳之遊曰：「三月三日，一時好事諸人，在館邀爲蘭亭曲水之會，盡攜所藏書畫，放舟遍采湖中，相與賞鑒。南北兩園，花萼繁開，桃李夾岸，麥浪翻雲，意氣陶陶自得。酒既酣，箕踞而歌離騷，旁若無人，日斜停舟鏡波，遠望小眉及蛾湖翠岫間，茂林修竹，崇山峻嶺，秀發透迤；瞪目曰：此不當天地尺壁圖，黃大癡得意筆耶？驚駭歎絕，抵暮乃唱歸。」情景如繪可作臥遊看。

修禊雅謔

最富有奇趣的是清人浮白齋主筆記，載有雅謔一則：「俗傳三月三日爲浴佛日，六月六日爲浴狗日，有客謁楊南峯，值三月三日，楊以浴辭，客不解，謂其傲也，思以報之。楊乃於六月六日往拜，客亦辭以浴，楊戲題其壁曰：

「君昔訪我我洗浴，我今訪君君洗浴；君訪我時三月三，我訪君時六月六。」

其實三月三不止佛要洗浴，凡人老老少少男男女女也要洗浴的，這是與修禊的由來，有着連帶關係的。據說：「後漢有人名郭虞的，三月上巳生了兩個女孩，兩天內都夭折了。當時的人都以爲不祥，每天逢到了這一天，便不敢留在家裏，都聚集在東流的渭水上，私自祈禱親加潔濯，稱之爲禊，引了流水，成爲曲水。」

這便是三月三日上巳修禊的由來。到了曹魏以後，晉倂三國，只用三月初三，上自公卿，下至百姓，都修禊在濟水河畔。

海嘯樓談薈

張治中二三事

諸葛文侯

民國卅八年初春，張治中率領劉斐等八人，奉代總統李宗仁之命，赴北平與毛共集團談判和平時，一夕在「北京飯店」跟共酋周恩來，葉劍英等聚議共軍應否立即渡越長江問題，周謂無論和談成功與否，共軍皆要過江的。他特別向着劉斐說道：「你是南京方面的參謀長，一定知道國軍佈署詳情的，我們不怕你明瞭我方的軍事計劃，長江南岸各重要據點的國軍人數和番號，我們一概很清楚」。他即將江陰、蕪湖，南京各處的國軍防守實力逐一指出，如數家珍。又詢問張治中能否指揮京滬防衛總司令湯恩伯？劉、張兩人當時皆默然無語。迨乘車回寓之際（張等下榻六國飯店），張問劉以剛纔周恩來所述國軍防務內容確否？劉謂無訛。實則這就是劉氏早已諜報給共方的，當然確實。旋張自言：對湯恩伯原可以指揮的，但有蔣總統在，湯必不會聽我的話；又謂國軍經過八年抗戰之後，非加整訓，難以振作了。

是年三月間，江蘇軍人李明揚亦曾受李代總統秘密委託，潛往蘇北晤共酋陳毅，勸他不要孟浪渡江，以致延長戰禍，塗炭生靈。陳謂江陰方面並不須戰鬥即可和平佔取，僅用黃金大條幾十根就行了。唯蕪湖方面難免有一場惡戰而已。

李氏回至上海時，適與我偶然相會，老友無猜，乃將上述情形說出，且表示不擬向李代總統復命了。後來事實證明周陳兩酋對張治中，李明揚等所說的軍事情報，並非毫無故實之談。

張治中固屬趨炎附勢的小丑式人物，但他認定國軍非整訓不能作戰的說法，卻是一貫的思想，有一項事實足資印證：當對日抗戰結束，美國特使馬歇爾到達重慶後，張對於政治部所屬的「掃蕩報」名稱，主張更改。那時候我也在掃蕩報寫社論，老友黃少谷担任該報社長，即商擬本報新名稱十幾個備採擇，張治中選定「和平日報」這一名詞。少谷曾笑謂：「如果改名『和平日報』之後，國共兩軍又大打特打起來，豈非一大諷刺嗎？」張曾正式而言曰：「你們不明瞭軍情，我是懂得的，國軍決不能繼續作戰了，至少亦要整訓三年纔行，此刻非和平不可。」是即「和平日報」取「掃蕩報」名稱而代之的所以然，當時共黨的新華日報曾以「掃蕩和平乎？和平掃蕩乎？」的新語句相諷刺。後來張治中由新疆回到南京，曾在國民黨中常會議席上强調和談之說，與中委谷正綱氏大起衝突，他所持的理由亦是這末一套。事後他在沈學人巷私宅跟朋友談及這場爭論，卻說是奉命行事和平運動的。古今來的奸佞僉壬，都慣用「挾天子以令諸侯」的技倆，藉以間執他人之口，俾得遂其奸謀，固不僅張治中爲然也。

歷史人物

曾國藩論

謝康

不過，曾孫二公，對中國近百年來的國運都直接攸關，尤其是孫公被尊稱爲我們的國父，他底遺教，也成爲中華民國憲法的基礎，眞好像「巍巍乎惟天爲大，惟堯則之！」這是大衆週知的，用不着詞費。這裏，我只想談談對曾公的印象和批評，並和讀者們討論一下。

（二）

曾國藩是儒家文化和舊禮教所陶冶出來的典型人物。也是農業社會科舉時代由平民變成士大夫階層的優秀分子。據說早幾年中共曾讚揚洪楊的農民革命和「清算曾國藩」；認他爲「大漢奸」是根據共產主義和通過「毛澤東思想」的。然而將毛澤東的人格，思想和行爲來比較曾國藩，實可說是一個十足相反的類型。粗淺地說：一個是標準的正人君子，一個是最壞的土匪流氓，俗語說：「盜憎主人」，要由跖來評判孔聖人，必然是牛頭不對馬嘴的。有人說湖南人好走極端，出了一個曾國藩，又出了一個毛澤東，眞是善與惡，黑暗光明的强烈對比。而他們，一個湘鄉，一個湘潭，同是湘江流域，而且家鄉也相去不很遠呢！要說山水鍾靈，爲什麼有這樣相反的現象？（二）

徵稿小啓

有內容有意義之隨筆、散文、掌故、小說、雜感等類文字，本刊均所歡迎。請用有格稿紙繕寫，如需退還，請附信封及郵票。一千六百字左右的隨筆，比較容易刊出，過長則以篇幅所限，請特別留意。

內警僑台報字第〇三一號內銷證

自由報

THE FREE NEWS

第一二三期

中華民國僑務委員會登記
台教新字第三二三號登記證
中華郵政台字第一二八二號執照
登記為第一類新聞紙類
（本刊每星期三、六出版）
每份港幣壹角
台灣零售價新台幣貳元
社　長：雷嘯岑
督印人：黃行寔
社址：香港銅鑼灣高士威道二十號四樓
20. CAUSEWAY RD 3RD FL
HONG KONG
TEL. 771726　電報掛號．7191
承印者：田風印刷廠
地址：香港灣仔高士打道二二一號
台灣分社
台北市西寧南路壹壹柒號二樓
電話：三〇三四六
台郵撥儲金戶九二五二

本報合訂本發售啓事

本報合訂本第一輯（自四十九年二月十七日創刊期起至六月廿九日第三十九期止），第二輯（自四十九年七月二日第四十期起至十二月卅一日第九十二期止），自即日起，開始發行。定價每輯港幣六元，台幣五十元。敬請讀者留意。

外交之道

李璜

日前自由報社長雷嘯岑先生來寓談天，偶然提到今秋聯合國大會我國席位問題，個人畧抒所見，大體是一般常識之談，且連帶及於我國外交今日應取態度及途徑。雷公認為是客觀之論，囑為自由報寫出之。

一

要討論今秋聯合國大會我國席位問題，有兩個前提便須首先認定。一個是美國仍是要維護中華民國的政權地位的；一個是聯合國仍有其存在價值，而且為我國需要其價值，以助我在國際立腳的。如果不先將此兩個前提認定，而一味認為美國新政府決定拋棄我們的地位了，大動其肝火，大鬧其別扭，則這個問題離開了客觀冷靜態度，便很難談。再如果認為聯合國會員日多而龐雜不堪，亂鬨鬨的，而且又隨時為蘇俄及其共產集團所搗亂，亂到如今，是非不分，正義不明，毫無價值，我國即使退出，也沒關係。像這樣的想法，也就不必談了。

我們要知道，美國故總統羅斯福之發起聯合國，其初心本是理想主義的，但為世界和平起見，硬要把蘇俄納入聯合國，然後才有否決權的設置，才為衆多小國所不滿；美國後來又為了遷就衆多小國，而有小型聯大的補設（詳請見最近祖國周刊四三〇號描寫聯合國憲章的精神及其實際一文），實際影響於精神甚大，因之聯合國這棵葡萄本早已變成酸的，我們應已曾到，何待今日才知才說。不過，這個聯合國總還不失其為一個國際市場，我們如要打起招牌做生意，則市場上總不能認為太亂而便不去；不去，則我們這個字號的招牌便會被人忘掉了啊！我們更須知道，英美，尤其是美國，何以要花錢費力，並且嘔了不少的氣，而總是要去維護聯合國這個外貌是鬧市，內容是「冷攤」的存在？因為美國是民主國家，而且其傳統是門羅主義，美國政府深知道，美國人要維護和平與民主，非伸出手來，去干涉國際是非不可；而為應付其傳統及國民心理計，隨時向亞非等地伸手，又非假藉聯合國的名義不可，此齊桓晉文的故技，挾天下以令諸侯是也。美國既要挾天子以令諸侯，當然久矣乎討厭蘇俄之屢用否決權以障礙之，安理會之不能容許再來一個慣用否決權的俄共式會員，更使美國毫無辦法，此乃最明白不過的情態，美國政治界豈有不心裏有數的道理！然則美國新政府何以要對中國席位隨英國之後，遽爾提出問題來討論呢？第一是美國不能不應付英國所鼓動起的世界輿論，第二美國人的實驗主義的精神傳統必然要使美政府去從事試探，（此點我在本報會論到過）。現在試探結果，美國新政府已大致對問題歸納了結論，而且本此結論，甘廼廸已似乎是以應付麥米倫了；今日所剩下來的問題，是今秋聯合國開大會，對中華民國席位的問題，怎樣去投票的問題了！

二

投票的問題，當然最好仍是擱置一年，然而美國又恐這個舊案要節外生枝，不能照常通過，現在正準備第二案的提出；不過這第二案如何的提出法，我相信美國至今議猶未定。在這裏，我覺得潘公展先生在紐約的就近揣摩，其所提出的看法，庶幾近之（潘先生對此案的長文全篇，我未讀到，我只在理髮店看一張上海小報所轉載中的一節而已）。據潘文中一節所說，對於中華民國席位問題去投票的心理狀態，略可分三種：一是取的現實主義，如英國與印度；二是取的理論主義，照理論應該另換方式討論，而不應若不討論，不過對中共便都去投贊成票，那是未必然的，如巴西與其他國的；三是美國要提另案時，或者便直率的提出「兩個中國」來大事討論一番。照潘先生的高論，似乎認為假使像美國這樣的另案提出，中華民國也未見得便要失敗的樣子。

我對於潘先生的這一看法，在此不擬加以討論，因為作者在美國，消息比較靈通，而且我覺得他這個看法似乎合於事實的邏輯。不過國際間的事情，千變萬化，理論與實際往往不能相應而如所預斷。而且今日聯合國大會的會員國數近百，其中有盲然不知所可的國度及其出席人物，我們可以屆指算得出來的有若干未定票；又有莫明其妙而標榜中立主義的國度及其代表人物，我們又可以算得出來的有若干未定票；此外才說到以理智去評判利害關係，而在開會中憑其利害以始終站定立場的。我想，假使如潘公展先生所說，美國已感到仍舊擱置一年不行，而要提另案來大加討論的話，則美政府及其代表必於開會之前，對於這可左可右的會員國定要先事細密研究一番，而且要用一番說服工夫的。——美國這一青年民族的性格，做事固難免於好奇而衝動，但青年人在國際競賽場中，絕對不會甘於去做失敗主義者的打算，而且這個青年人近年碰中共的釘子，碰得太多了，他更不肯甘於認輸的。

三

反過來說，美國這個青年民族不肯認輸，不甘作失敗主義者；就要看我們中華民國這個老年民族是否肯於認輸，甘作失敗主義者了！因此我覺得如果中華民國也不肯甘於失敗的話，則時間雖已迫促，總算還有五個月零幾天，中華民國的外交當局仍舊有最後奮鬥的機會，不過照我們執政黨歷來的外交老作法，就不足以應付這一局勢與場合，這就是我本文命題所特別要提出的外交之道。

說到我國今日外交所應取的態度，一句話說明白，即不宜取反共的領導者姿態，去從事於國際活動。我知道台灣是反共的前線，在台北當局的心境，乃無異處於熱戰的地位，精神特別緊張；然而，在許多其他國家，環境與心境都不一定便有我們同樣的緊張，有些至多在冷戰當中，有些甚至於冷戰都未感到，只顧到眼前本國自身的利害。我們儘管去罵他們不免近視眼，然而世間上只圖眼前現實利益的近視眼，乃是十人而九的；遠見之人並不多。因此國際交往，要研究互利之道，若是只用遠東反共堡壘，反共我是先進這一些說法，在很多國度裡去誘導，都會完全碰壁的。我們近年的外交說法，有點像孟夫子周遊列國，總是王何必曰利，亦有「反共」而已矣！這樣去活動，會行之東南亞都未見生效，而乃改為經濟事業合作與農業技術合作，始相水乳，又何況去行之於距中俄共區較遠之北非與南美呢！——外交的辦法是必須多面多方的，此其一。

其次，我們對於主張中立主義，而一味的趨吉避凶，或甚至想兩面吃糖的國家，不可以去仇視他們，而仍須有人去從事側面的外交活動。因為這種想中立於兩大集團的取巧之圖，乃是弱國的外交技術的運用，這些弱國既無根本獨立自存之力，無非為一時私利以求順風轉舵罷了。既然是順風轉舵，當然是變動不居的；今天他們於我們的主張與生存不利，說不定明天又會有利的呢！因此，中華民國的民間報紙，可以去批評中立主義，而政府黨報特別是政府大員不宜去悻悻然的給予中立國家，其執政者以怨恨之辭。

我們必須看清楚，今天連美國新政府都在順應中立主義（如甘廼廸對寮國近事），他的順應並不是根本贊成中立主義，而是要在冷戰中，第一步把左傾的趨向拉了過來，然後第二步再來與共黨的力量相競賽。即以聯合國會議投票趨向而論，所謂中立的國家代表，其每次動向都不是像共產集團代表那樣一律死硬，而隨時都有變動的，今天投票似乎中立國的代表是一致的，但明天投票就會未必一致；這種情形，為對聯合國動態稍為留心的朋友，都看得明白的，去一問蔣廷黻先生，他便會更有許多事例，告訴出來，茲篇短文，恕不詳敘。

復次，外交要以全國民衆為後盾，這又是現代政治的常識；而不料近年當局者不但不順此常識行事，反怕愛國反共的僑胞僑報過問國事；誰要發言過問，而執政黨的黨報每報以惡聲！偶覺國際事態對我逆轉，或遇國際聞人亂發議論，每次總是只由外交發言人或黨部發言人，甚至由政府首長親自出馬，發言駁復或說明，這種只憑「姜太公在此，諸神迴避」的唱獨脚戲的辦法，未免太單調了，太欠缺外交藝術了。最不應有的現象是，愈是代表官方的報導，愈學作喜鵲式的辦法，對外交事只報喜，不報憂，大有催眠羣衆的用意。其實外國報紙與民間報紙還是將眞當報導了出來，因之，海外僑胞對關於聯合國近事種種，其態度至為憤慨激昂，在美在港都在呼籲政府趕快反攻，以堵塞「兩個中國」宣傳家之口。這樣子的民氣，在我看來，最好利用，以為我外交的後盾！

本來，在民主國家，外交作法往往要恃國民力量的總合表演，有時且由在野黨或超然派大唱反調，藉之以演雙簧，而執政黨乃便於巧妙運用，轉變自如的。即使台北久已厭惡民間自由發言，認為莠言亂政，那嗎，捨民主而言革命，而言組織民家，亦應如當年北伐往例，組織上二三十萬人在台北大事游行示威一番，以與海外僑胞之聲相呼應，用為外交的後盾。

總之，今日的外交，內而只賴一人，外而只靠幾位外交官，中間加上兩三位發言人；而且內政擧措又常在替外交的趨向作反宣傳；民間對外交國事多開了口，還會惹動當局的肝火發作，這爲得不勢孤國危，其難也哉！

五〇、四、一四

自由談

作何感想？

兩年前，中國大陸上毛共集團喊出了一句口號，說是「一年等於二十年」，意在誇耀他們生產建設進度神速的奇跡，認定十五年之內便可以趕上英國，而聯合國設立的遠東社會經濟調查委員會之類的機構，也就根據毛共宣傳刊物所紀載的統計數字，發佈遠東農業生產情形的報告書，說毛共區域的糧食生產豐裕程度為亞洲第一。如是乎一些在海外專事造謠說謊的毛共文丑，在報紙上寫文章嘶着喉嚨狂叫「一年等於二十年」的口號，且於「十•一」偽政權僭立紀念日，把這句口號用輝煌鮮艷的裝潢，懸掛在若干共黨的商店和社團大門上，洋洋自得，驕其路上行人。

可是，事隔一年之後，大陸上竟發生餓莩載道，哀鴻遍野的飢饉慘狀，害得旅居在海外的中國人士，相率不斷地郵寄糧食包到大陸去救濟親屬戚友了；反觀當年絕叫「一年等於二十年」口號的毛共宣傳嘍囉們，對此事裝作無知，一字不提，却在報上連篇累牘地夸述共幹在東京比賽乒乓球獲勝，以及俄共「太空人」出現等類消息，喪心厚顏，嘆觀止矣！

「共產黨人是特殊材料造成的」（史達林語），他們昧着良心瞎說八道，固不足怪。最可怪的是那些滿懷優越感而在國際上專門「托大腳」的西洋人士，以耳代目，對中國的實情莫名其妙，憑着主觀的幻想而侈談中國問題，把毛共報紙上的漫天謊言當作真憑實據，妄提主張，自以為是；如上述聯合國遠東社經委員會的農業調查報告，即其例證也。

英國人由於對中國大陸上的貿易相思病，經常倡導着讓毛共政權進入聯合國的主張，不外是陶醉於毛共所謂「一年等於二十年」的生產建設成績，認為大有貿易厚利可圖。如今毛共區域到處餓死人，不知英美那些「托大腳」的政客商人們作何感想呢？

馬五先生

小啟

本期稿擠，「小論天下」暫停一期，謹向作者讀者致歉。

一片澈查整頓的呼聲

台大醫院流年不利

嘯谷

台北通訊

近年來，台大醫院時常受到各方面的攻擊，而這些來自各方面的攻擊，並非無的放矢。譬如，三月下旬，台大一位法學教授王伯琦，即因該院醫療延誤而致喪生；數月以前，徵信新聞報的一位工務主任，亦先因該院醫師診斷病情有誤，後因急救就擱而送掉了性命；去年間，張玉麟律師的四公子張全權因服毒自殺，已急救過來了，一切已恢復正常，並且過了將近二十四小時，應該沒有問題了，不料由於該院醫師的疏忽，又魂歸離恨天；最說不過去的是，數年以前，一位船長歐椿堃的六子歐清，原是一個沒有病而活潑可愛的孩子，但卻給該院主治醫師洪某在割扁桃線時切斷了喉管動脈，以致大量流血而致命！難怪社會上有很多人都說，台大醫院有些醫師簡直是把人命當兒戲，或把病人當試驗品了！

台北民族晚報在最近連續刊載的「台大醫院、幕後春秋」一文中，特別報導歐清的案，與洪某涉訟的經過，官司打了五年，到民國四十九年春天，被台灣高等法院第一次更審判刑，仍判六月，未予緩刑。高院檢察官，對高院刑庭更審後仍依原來徒刑判決，仍表不服，又提出上訴。這時，洪某自知理屈，循法律途徑必輸無疑，只好進行和解。到去年十月間，洪某挽請台大醫院院長高天成出面調解，高天成親自到歐椿堃服務的招商局，向該局副總經理王濟賢請求歐椿堃和解了事，王濟賢接受高天成的請求，出面爲之斡旋，歐椿堃這才答應和解。歐椿堃會提出了三個條件，由高天成代表洪某全部接受。當時，台大醫院只有一個要求，就是要求歐椿堃不能將此事發佈新聞，因爲，那對台大醫院的面子關係太大。

但是，由於最近台大教授王伯琦被台大醫院疏忽致死事件，連台大的學生都提出了沉痛的抗議，歐椿堃的親友也覺得台大醫院依然沒有改進，草菅人命如故，氣憤不過，才將前述和解經過告訴了民族晚報記者，讓這件事公開出來。

台北聯合報在四月五日的「黑白集」中曾對台大醫院幽了一默地說：「本省各地，雖然公私醫院林立，但多以牟利爲目的，殆可謂「醫院大門八字開，有病無錢莫進來」。當然，其中也不無例外，如像台大醫院，有時也可以免費施醫。」「台大醫院免費施醫的對象有兩種：一種是有勢力的大官，一種是無錢的貧民，大官生病，惠然肯來，自覺蓬蓽生輝，於是，當應悉心診治，由最好的醫生，使出渾身解數，加以診治；而且派最好的看護，用最好的藥。至於給錢與否，倒無所謂。自來『醫、卜、星、相』，眼睛都是雪亮的，懂得『江湖』上的規矩，知道在什麼地方，對什麼人，能夠要錢，而且多要錢；在什麼地方，對什麼人，不能要錢，或者少要錢」。「另一種免費施醫的對象，便是貧民。台大醫院設有社會服務部，辦理此事，事實上，該院並非免費，而是轉賬；凡貧苦病人看病，由台北市政府補助台大醫院醫藥費。惟這項補助費，市府積欠甚久，台大醫院乃自本月起，停辦貧苦病人的免費施醫。每日到該院求治的貧苦病人，數以百計，至此莫不深感失望與痛苦。『死得病不得』，倘台大醫院免費開放太平門，仍不失爲一項德政。」

台北中央日報亦於四月七日以「關於台大醫院」爲題，在短評中對該院加以評論，該短評有下述三要點：

（一）該院設備優良，冠於全省。歷來在醫療方面，也有良好的成績表現。近年政府的投資，與美援的協助，爲數都有可觀，如果辦理確有困難，我們很希望能夠把它公開出來，讓大家得到了解，或者也有利於幫他來解決。

（二）但如該院醫師或看護，乃至院內人員果有不重視職務的地方，則校院當局應徹底查明，實無含混包容的必要。

（三）當年對於台大醫院，最早表示不滿意的人，即是台大故校長傅斯年先生。所謂前事不忘，後事之師，對於該院已是最好的啓示；而目前對台大醫院表示不滿的，卻又有台大的學生，這個事實，想來也是值得台大醫院當局來自行加以檢討的了。

台北聯合報更於四月十二日以「澈查台大醫院」爲顯著社論對台大醫院加以評論，該社論所評論者有以下數點：

（一）台大的學生對它提出沉痛的抗議，許多報紙對它過去以迄今日的種種腐敗情況，作着無所保留的揭露與毫不客氣的攻擊。這對於台大醫院負責人以及全體工作人員來說，也是一種重大的刺激。還樣的刺激之下，我們原料想他們總該有一點反應。誰又想到，在這樣的猛烈攻擊之下，他們竟是一點兒反應也沒有，好像自始至終抱着笑駡由他，我行我素的宗旨。這就實在使人感覺到萬分意外。

（二）醫院的業務關係人們生命，我們決不能以人多事繁爲理由，對那些不幸事件曲予諒解。請看人多事繁的郵政局也是一個而且所作業務不過是爲人遞信之類，但如有一封信遺失或誤送，只要經人檢告，它都會不憚煩勞的查究原因，並給檢告者以滿意的答覆。而台大醫院經常發生那些不幸事件，卻竟似從未聽到該院認認眞眞的查究責任，向受害人及社會作一個交代，這又是什麼原故？

（三）試以最受人攻擊的急診室爲例，既名爲急診，爲什麼還要拘泥於手續的觀點？爲什麼沒有醫師經常留守，而要護士臨時去拉人？而且，所謂手續者，無非是院方怕收不到錢而已。私家醫生都可以做到先救人而後再收錢，何況公立醫院？即使收不到錢也無須醫師個人摸腰包賠累，何以台大醫院竟這樣的唯錢是視？整頓急診室決不是一件難事，而這麼許多年來，竟是一切依然如故，這只是顯示負責當局之全無整頓的誠意而已。

（四）如果台大醫院經多方面指責，以後還是不能自己改進，我們就不得不要求民意機關，台灣大學與政府三方面聯合成立調查團，對該院的制度、人事與行政作澈底的調查，代爲提出一整套的改進方案，另一方面也爲它解決眞正困難的問題。如果還是沒有實效，就只有考慮把負責人撤換。我們決不相信，如果現在的負責人員管理不好，就任何人也管理不好！

總之，目前台灣一般人都認爲台大醫院已到了必須立即徹查和整頓的時候了！爲了民命，正如聯合報社論所述，民意機關、台灣大學與政府機關（教育部和內政部）似宜立即採取强力而有效的措施！（四月十二日自台北）

黃蔴聯合推廣收購問題

林嘯崧

台灣通訊

4.辦理黃蔴統一收購業務，必須具備適當的資金、設備、及經辦人員，物資局既設有專責單位，而且設備完善，人員熟練，辦理以來尚稱服務熱忱，並能達成預期任務。

5.中間費用逐年減低，四十四年度中間費用佔成本百分之二十五．一，至四十九年度減至百分之二十．二二，各單位業務管理費用省農會佔成本百分之三．四，物資局在四十四年爲百分之二，但自四十七年以後爲百分之〇．五，由此可見黃蔴統一收購實施成效之一般。

6.收購價格之提高，精洗蔴一等品收價四十四年每公斤爲四．二元至四十九年即提高至七．一八元，而且逐年均在相對的提高農收益，即各項費用儘可能減低，但在不影響黃蔴成本原則下，而使蔴價作適當的調整。其他如產量增加，品質提高，改良品種，指導精洗技術以及簡化收購手續，對蔴農隨付蔴款，對工廠就地撥蔴製袋，對用戶配合需要適時供應，乃至充實製蔴設備，調節資金盈虛等等，在政府輔導管理之下，可以說都收到了相當良好的效果，這是值得稱道的事實。

筆者對於生產事業一向以爲政府的管制，總不是根本解決問題的方式，「管制」不是目的，而是一項達到某種目的的手段，管制措施如有弊池，即可招致相反的效果，茲值政府正考慮撤銷黃蔴管理之時，筆者認爲政府爲了應付黃蔴的經濟活動急切需要，予以適時適宜的管理與限制，原亦無可厚非，何況黃蔴亦屬農業產品，其本身彈性有限，調節市場供需，反應不夠敏活，在這種情形之下，政府給以適當的管理，亦屬合理，換言之，管制只要不是以搾取的手段，而是以達到社會利益的目的，深信這種管制即是相當正確的了。目前在黃蔴統一收購方面，自亦有值得改進的事項，例如在各項費用中的「農會業務費」「管理費」及「原蔴處理費」等費之計算標準，應力求減低，對「運費」「保險費」「倉租」等費率及損耗率均應力求減低，同時年來黃蔴對抗作物，其產品價格均呈上漲趨勢，生產黃蔴漸呈不利，且已受到了可能減產的威脅，今後對黃蔴應繼續加强生產指導，改良品種，增加單位面積產量，以及改進精洗技術與補助精洗設備以減低生產成本。這些都是非常重要的。也是黃蔴管理政策的得失關鍵之所在，寄語主管此項事業的物資局諸公，對於上述各項多作改善，並希望政府考慮撤銷黃蔴管理的主張，暫時仍予保留，勿因此致使政府與民間遭受不可預測的損失。（下）

香港與大陸

據香港郵局統計，旅港的中國人最近寄往大陸救濟親友的糧食包，一個月之內就有兩百五十萬件，每件包裹品的代價平均只以港幣十元計算，一個月即爲兩千五百萬元，一年便在三億元以上。此外尚有一般粵籍同胞——尤其是婦女們，藉回鄉之便，隨帶食品如猪肉猪油暨糖菓麵包，或自製的糯米飯、餃子饅頭等等，一人一次所耗代價，至少亦有港幣二三百元之譜，到深圳再以港幣繳稅（最重的稅率是猪油），約爲百元左右。這類數字是沒法統計的，但知其爲數亦甚鉅也。大陸人民的財產已被「共」淨盡了，毛共現在乃利用空前的饑饉機會，間接來搜刮剝削海外華僑的財產，天災人禍亦爲實行共產主義的法門，這眞是毛共匪幫的絕技。

大陸人民普遍的生理病態，即係由於缺乏油類食料而周身浮腫。旅港名人左某的一位親家住在上海，年近七旬了，最近寄信給在香港的兒子，說他全身發腫，每天還要被廹作推車的勞役，苦不堪言，希望兒子買些猪油或花生油寄去，以維殘命。即此可知毛共匪幫對於寄往大陸的油類抽稅特重，用意是在減少人口——讓一般老百姓以缺乏食油而患黃腫病自然死亡！

最近有由重慶來到海隅的人，據說四川雙流縣（距成都四十里）自民國四十七年以來，民間即未吃過大米飯了。川西的成都平原，素來號稱爲「糧倉」，因有都江堰的水利工程，頻年不怕發生旱潦，糧產豐收，家給人足。如今居住在「糧倉」裏的人民，亦已三年不知米味，其他地方的慘狀，殆可想見了。

據從上海出來的人說，當地亦偶有所謂「自由市場」出現，用品與食品羅列着，但售價昂貴可驚，一般民衆皆缺乏購買力，能揀買這類品物的，只是共幹們及其爪牙而已。

旅居海隅，從事傭工生活的粵籍婦女們，近來藉清明節機會回鄉省視者甚衆，她們隨帶食品衣物殊不非，說是除了救濟直系親屬之外，還要一併助一些親族，每人回鄉一趟，所費即超過半年的工資收入，她們卻滿不在乎。這是中國民族性的偉大精神，即證明共產黨永遠沒法征服中國人民也。

台灣遠東畫報第三期已出版

（本報訊）遠東畫報第三期已出版，因台港間寄稿校對一再耽悞，致未如期發行。該刊本期內容彩色版有：中華國寶、荷蘭風光、藝壇盛事、藝術攝影、多彩多姿的天然攝影、全美華埠小姐競選、台灣鹽業剪影、春到人間花爭艷，封面是一九六一年水仙花后。單色版有美總統甘迺廸就職盛況，永安演習，英女皇出巡、韓國現代藝術展、香港國際時裝交流站，曼谷佛都、銀色世界、台灣最佳舞蹈展覽、年畫、裙釵獵影等。並有小說、散文、及台灣應否節育論戰、世界局勢面面觀等卅餘頁，內容豐富，圖文並茂，印刷極佳。

小啟

「大陸文壇萬花筒」續稿未到，暫停一期。

人物掌故

梁任公與林獻堂

仲侯

當日林會面請任公來台一遊，比承首肯，任公並囑於蒞台之前，最好能取得日本中央政要致台灣總督之介紹書，以免受督府人員刁難，此亦可以見任公之深謀遠慮，後來任公遊台，若非携伊籐博文之介函，幾被基隆水上警察攔阻而不得入境。林氏將別，特請任公將當日筆談底稿携回，以便轉示其族姪林幼春一閱，任公亦點首稱善。這是梁林二氏訂交的經過。

至任公於辛亥二月入台，主要當係由於獻堂先生之邀請，當日只携湯覺頓與其女梁令嫺，於二月廿八日抵基隆，後入霧峯林氏萊園旅店，任公旅台前後雖僅十餘日，而其影響所及，實深且鉅。此時日人佔據台灣已十有六年，台灣與祖國完全隔絕，所謂教育，僅存舊式之書房，而日人所施的教育方法，全在養成便利其統治之工具，除普遍教授日語外，毫無內容可言，故整個台灣的知識水準，除少數例外，可謂完全停滯在割台以前之狀態，當時知識份子對於近代思想與知識，以及國際情勢，茫然無所知悉，因任公之來台，影響所及，如發蒙振聾。那時台人對祖國之孺慕，自割台後日益熱切，但在日人淫威下，絕少宣洩機會，因任公聲望崇高，號召力甚強，當時一般知識份子都藉其抵台，莫不興故國明月之思，引起國破家亡之恨，藉此將鬱積已久之民族感情，獲得一宣洩機會。

當日櫟社創始人林癡仙上舍，大會台灣詩人於霧峯，歡迎任公，流連唱和，當時任公有櫟社諸賢見招詩云：「大道風吹海氣腥，道傍薺麥長青青，水雲意外空明處，一角人間野史亭。」「中散養生惟止酒，東坡畏事游吟詩，將心寫入江潭淚，消得天荒地老時。」「天涯所至饑斤斧，可有名山養棄材，政恐風低雲斷處，十圍遠籟作聲哀。」（二）

旁門

汶津

「請走側門」，某些機關或公館的大門上常可見到赫然四個大字。晏子在兩千多年前就抗議過楚人的無禮，想不到現代人卻還要受這種類似的指示。想起來也許有不少人寧可看到「閒人免進」或「外賓止步」的字眼的，那樣豈不乾脆得多？

忠實的看家狗對從旁門進來的客人總不免另眼相看。如果你希望能受到牠諂媚性的搖頭擺尾，仍以走正門為宜；否則即使你貨真價實，另加鍍金在先，恐怕也要遭受一些冷落吧。

說到旁門，實在跟象徵主義有關。旁門者，邪道也。「捨正路而弗由」，孟夫子大搖其頭。走內線的朋友並不希望主人開大門歡迎。東漢楊震的那位不速客也只敢敲敲邊門。學生睡了懶覺，趕到學校發現正門已閉，便只好準備聽訓了。無正當理由晚歸的先生，恐怕連側門都進不得，除非他低聲下氣，隔戶求赦，而且還得瞧他那一位的慈心如何呢。

現在某些簡便的住宅，照例只有一個門，不管你是大總統也好，乞丐也好，愛進不進，反正只此一戶，無可選擇。倒不失平等精神。可是這是用的寫實主義的眼光。換一面看看，就令人只有驚訝的份兒了；現代化的「旁門」，真是多彩多姿，非以終生精力鑽研，絕不能盡得其中奧竅。

即使大門洞開，前來光顧的小偷也會巡邏不前的，如果他眞有「利無反顧」的本領，「小」那個形容詞豈不失去了意義？

「旁門」與「左道」夙昔有緣，時常是並肩出現的。有時更是攻擊敵人的主要武器。新生活運動初期規定行人靠左邊道兒走，後來終於改了靠右，不知是不是也帶着點避忌的意思。章回小說裏的「妖道」，大概也不會有人容他走正門吧。天下有許多事如果眞能一一正名就好了，可惜不少走歪路的人都是「旁」若無人的，這可就難爲了。

一門學問或一派拳術的支系是否也能叫做旁門？韓非顯學篇所提的儒墨二家，都是開了許「門」的，雖[illegible]門戶之見，那麼多，荀子非十二子裏[illegible]子思、孟子都拉進去，大概也是以儒家正統派自居的吧。「條條大路通羅馬」本是事實，奈何每條道路都自命爲眞理的主幹！

近代科學進步，分工愈來愈精細，專家也日漸增多，於是難免有些「只此一家」的心理。「學院派」可能被某些半途出家的黑馬譏嘲備至，而他們卻必然在堂皇莊嚴的刊物上引經據典的痛斥旁門們的荒誕乖謬。其實這種事古今中外都是一樣的：是勢不兩立哪。

太保學生日漸猖獗，校門口總有精明的訓導人員睜視，讓人想見「來將通名」的古俗。奈何散學後的黑巷子裏，多的是他們施展旁門邪道的機會，甚至戲院的太平門外，也有少年英雄毆鬥的鏡頭，與銀幕上的西部動作兩相輝映。小刀子、小鐵器是他們隨身之寶，而當你搜查他們身子的時候，卻往往不得其「門」而入，原來他們的服裝是別具一格的，或作油條狀，或近喇叭形，非有專門研究者，只好望而卻步。許多禁止青年學生出入的場所，往來的人物卻永遠不會不是年輕的，因爲這社會旁門太多，光封鎖正門是毫無效用的。

門戶開放之前，歐洲諸國每恨不能扣門而入，於是只有窺隙而鑽，澳門之轉手於葡人，正是外交上走旁門而奏效的先例。黃巢如果功名順利，是否會妄殺百萬生靈，實在還不敢定論。許多殉情案件的家長爲了財勢而閉上子女幸福大門，結果邪火一起，反而賠了家譽又折喪葬費。其實厲王監謗的故事早在兩千年前就透露給我門人性的動向，可歎天下仍有許多冬烘頭腦的守門人！

山川風物

潼關

南道

潼關爲晉陝豫咽喉，東控新舊函峪關之固，西倚嶽華山之險。該關三面環山，懸崖峭壁，峻峯千尺，羊腸山徑，形勢險要，向爲兵家所必爭之地。

潼關名勝頗多。東關外有巨棗樹，樹幹碩大，係漢時所植。相傳當年曹操赤壁戰敗，會割鬚棄袍於潼關，馬超逐曹操於該棗樹下，揮方天戟刺之，中棗樹，曹乃得脫。後人爲紀念馬超遺蹟，於棗樹下立一碑，題爲「馬超追曹處」。

民國三十四年春，日寇傾巢發動「中原大會戰」，潼關告危，戍守新舊函峪關及熊耳山區國軍，係以某軍集團軍司令李家鈺所部，是時李家鈺陣亡　其時粵將范漢傑以一軍之衆，固守潼關待援。

一夕，范將軍親率衛兵一連，出潼關視察工事及兵力部署，抵「馬超追曹處」，敵方大砲射來，均落棗樹圍，關山城牆被毀一角，全連衛士傷亡過半，范則匿交通壕中躲避，壕復被毀，沙泥掩沒范全身，遂暈倒不省人事，是時情況緊急，軍心動搖，旋范爲部屬搶救回指揮部，人心稍定。詎敵竟陷入「地雷陣」，一片雷聲若天崩地裂，敵乃受挫後退。

事後范將軍對部屬言：渠暈倒似乎發現一位古裝戎服的將軍，手持方天戟掩護伊之身體，並言陣地可守，敵不久即降。范後白晝巡視工事，目覩棗樹彈痕纍纍，惟青絛如故，大爲奇異，認爲係馬超顯靈所致。從此潼關，又添了一件神話。

徵稿小啟

有內容有意義之隨筆、散文、掌故、小說、雜感等類文字，本刊均所歡迎。請用有格稿紙繕寫，如需退還，請附信封及郵票。一千六百字左右的隨筆，比較容易刊出，過長則以篇幅所限，請特別留意。

短篇小說

假日（六）

孟瑤

吳老師的衰老使我對她有過多的牽縈，一如從前因爲她的美麗使我對她有太多的幻想一樣。這使我隨時設法抽空去看她，有時甚至於把一些重要的事情也丟開。所以一家人常常會被溜溜地調侃我在和吳老師「同性戀愛」。百忙的假日，在丈夫與孩子的環繞中，我還是不忘記給她一個電話，她竟然提早回來了，這是很出我意料之外的，與一家人的節目都安排好，臨時是無法脫的身，於是我雖然多麼惦記她，卻也只好明天再去。

「不是說要去南部住一陣子嗎？」躺在床上的他也忽然插言了：「這位老太太的牌氣也眞是……」

「別叫她老太太好不好？」我幾乎在懇求。「人間最可怕的悲劇就是老，自古美人如名將，不許人間到白頭的。吳老師活得太長了！」

「所以生物有綿延種族的要求，自身的生命衰老了，希望下一代子孫再替我們繼續活下去，」他又吸了一口煙說。

「可悲的是人類太聰明了，兩代之間常常有可怕的對立，這反而是任何生物所沒有的悲劇。」

「不幸的婚姻才有不肖的子孫，你看我們的孩子對我們多親熱！」他環住我的頸項，用力使我貼近他的頰邊：「你說，該不該謝我這樣一位好丈夫！」

「報告處長，外面有客人拜訪！」驚吵我們的是最調皮的老三，他們在門外筆直的站着像一個傳令兵的樣子，臉上卻不斷地扮着鬼臉。

「讓我起來！」他鬆開手。

「又是公事找到家裡來了嗎？」我揚揚眉：「我眞是無端嫁得金龜婿。」

「媽媽，阿嬌的菜也收拾得差不多了，」大女兒也在門口引誘我：「我們一起下廚房？」

我從床邊起身，到了廚房。

老大是個溫和的孩子，她對於一切賢妻良母的事情都發生濃厚的興趣，現在廚房裏正是我們三個人。廚房裏的時間是容易過去的，接近十二點的時候，孩子們川流不息地往這裡跑，飢餓使他們更留戀廚房。老三先跳進來了，嘰咕着：「星期天也談公事，爸爸一定留他們吃飯，我們在飯桌上又不好意思鬧了。」

「不許這樣小器，」我申斥他：「孩子們應該從小養成好客的習慣。」

「在外國，先沒有徵求對方同意的拜訪，算是妨害自由！」老三正是閱讀與趣最濃厚的時候，不知從哪裏得來這一知半解的知識。

「胡大哥來了！」老二也在遠處喊，走近，向老大做了一個鬼臉。

梨園漫談

清廷供奉之伶人（續）

——瘦西湖——

慈禧晚年，最喜觀「連營寨、劉備哭靈、白帝托孤」一劇，而每逢該劇上演之前，且令後宮及頤和園之戲台上，皆懸白綾幔帳，而所有桌圍椅帔，亦全用白色外套，迷信者咸認爲此乃不祥之兆，未幾帝后果先後而亡，兩宮上下之挂孝，不料假靈堂均變爲眞靈堂矣。

庚子後兩宮回鑾，所有以前供奉之諸伶，無不紛紛前往接駕，慈禧見諸伶來迎，竟號啕痛哭失聲，並對諸人謂：不料今日猶得與爾輩覩面，殊出意料之外也，迨遍視諸人，獨不見鑫培在，時小培在側，垂詢之下，始悉其父患重病在床，已不能動彈，這時，慈禧對鑫培特加寵愛，兼又久未聆其歌喉，自聞此訊後日夜均在掛念，每隔一、二日即問左右內監金福銷差否，金福即鑫培在宮內應差之名，詎料譚病久而未癒，迄月餘猶未能進宮，彼時汪桂芬已出家剃髮爲僧，沈菊仙又因逃往上海避難，致內廷除鑫培外，竟無一伶人能中慈禧之意也。

一日慈禧在宮無聊，忽然心血來潮，頗想看戲，但見譚鑫培仍不來銷差，極爲震怒，回頭問大總管李蓮英曰，金福縱不能進宮應差，亦前來當面晉請安，而朕已回宮多時，尚不見其前來，是否有藐視咱家之意，傳下話去，似此毫無心肝之人，宜速拘押來見朕，吾到要問問他生幾個腦袋，蓮英得命後遂往南府私告管理內監曰，老佛爺因一時之怒，（老佛爺之來源，是供奉諸伶及內監所稱呼，先是東后曰東佛爺，西后曰西佛爺，迨西后秉政乃改此稱）諭令逮捕金福，惟渠最有佛緣，萬一覲見後，老佛爺怒氣盡釋，吾等反落不是，故今特來命你前往婉勸鑫培同來爲是，絕勿難爲他，此管理內監聞後即遵命赴譚家細說，譚氏聞得慈禧之怒，亦感惶恐萬狀，大驚不已，遂立命其子小培背負趕至宮內叩見太后，鑫培除叩頭痛哭外，歷久未發一言，慈禧初覩鑫培，尚厲聲怒斥曰，國家經此巨變，朕料決難復見爾輩，今幸鑾輿重返，朕尚念念不忘爾等，而汝早知吾回，竟月餘未來一候聖安，實屬太無心肝矣，譚氏聞言，惟有一旁戰慄啼泣，始終未敢舉首，少頃，慈禧令鑫培抬頭仰視，見其滿面病容，不由動其婦人惻隱之心，頗有憐憫之意，鑫培見太后待已略爲溫和，始敢具言不能覲見之故耳。（二）

燕塵小識

和局既定，撤兵有期，西后然後放心，安排歸計。先是，五月廿一日曾發上諭一道，擇於八月十九日由河南直隸一帶回京，八月一日又降旨改以八月二十四日回鑾。於是輿論大譁，均謂兩宮實無回鑾之意，中外報紙批評無虛日，各國使臣亦頗為所勸，一再向當局詢問。其實西后前此惟恐洋人尋仇，頗有戒心，不免躊躇觀望。及和局大定，固已預備啟行，無復游移之意。蓋一日不返京師，統治大權即一日不能穩定，此時西后之大欲，已超過「苟全性命」，而思「重整皇綱」矣。

八月二十五日辰刻，西后率光緒自西安行宮啓驛，闔城文武官員，以及長安父老均於南門外跪送。冠裳蹌濟，熱鬧異常，沿途千官車馬，萬乘旌旗，氣象頗為嚴肅，較之去年來時之狼狽情形，眞如隔世矣。由此一路東來，十一月二十八日辰刻由保定乘火車入都。午刻乘輿入永定門正陽門，未刻進宮。溯自上年七月廿一倉黃西狩，至此言還，凡一年又四閱月。所謂拳匪之亂亦至此作一總結。自西后言之，可謂辭條之葉，竟返林柯，落溷之花，重登茵席。志得意滿，如願以償矣。

辛丑談往

——無負生——

於是覺園居士劉氏治襄論之曰：「庚子一役，衅由我起，衡之公律，固為背理（中略），乃（我）既不能戰，並不能守。京津三百里間一任其（聯軍）從容馳騁，長驅突進，如入無人之境。逐夷我堡壘，據我城郭，躪我京邑，遷我重器，屠戮我官吏，凌虐我人民。宮殿化為礫墟，衙署廢為馬廐。如是不已，更率賠款，賠款不已，更須請罪，請罪不已，更停考試，停考不已，更懲罪魁。種種壓迫，務欲踐吾國於朝鮮印度之列。在滿帝為宗社將墟之痛，在國民有國命垂絕之虞。此實我全國之奇恥大辱，患切於剝膚，而禍深於萬劫者也。我朝野上下，痛定思痛，宜如何並心一志，力圖振厲，臥薪嘗膽，以求脫此奴隸牛馬之銜勒。乃和局甫定，兩宮播越經年，僅得復還故處，絕不聞有盤庚顧衆之矢言，漢武輪臺之悔艾，地方官沿途供應，競求華侈，雍容玉步，宛然如鸞輅行春，鐃歌返闕之景象，於昔日之瘡痍發炎；皆已消弭淨盡，不留餘跡，一若未有事者。以苟延為再造，以半主為中興；歡笑漏舟之中，恬嬉危幕之上。是可異也。（下略）」

讀此數行，可見辛丑回鑾一役，鋪張揚厲，窮極奢華，（事後官方統計，所費一千數百萬銀兩）極粉飾太平之能事。若夫其詳，有吳漁川庚子西狩叢談，長谷川雄太郎回鑾日記在，茲不暇為之縷述矣。

（全文未完）

詩中誤用字

徐學慧

詩中用字，每隨習俗，襲假相沿，本字反而不彰，而誤用字乃得以大行其道。此中曲折，如非留意典籍，自然不易發覺何者為誤用字何者為本字。不過，有一點應為我們所注意的，那就是，讀別人的詩，最好不要胡亂批評與指摘。批評如不得其當，反被人笑為淺陋，此為立身處世之道，亦為藏拙之法。

詩詞中相沿誤用之字甚多，如欲一一列舉，恐非本篇幅所能盡。姑列其著者，以為談助。

「辜負」二字，想為讀者所深知，不知辜負之辜，在唐以前均為「孤」字。李陵答蘇武書，有「孤負陵心」之句，是或為孤負二字之所本。至於唐代，杜甫詩有「孤負滄州願」，韓愈詩有「孤負平生志」，率皆為孤而非辜，不知是什麼時候，孤負變為辜負，今則沿用已久，孤負之孤反而少見有人用了。

「閨閣」二字，盡人皆知。而不知宋以前皆用閨閤而非閨閣。太史公云：「身為閨閤之臣」，文翁詩：「使傳教令出入閨閤」。古者相臣避尊居閣，謂之黃閣老。朱淑真斷腸詞，前有魏仲恭序言，亦稱：「實閨閤所罕見者」。凡此皆言閨閤。不知何時，將閨閤易為閨閣，沿用迄今，閨閤二字反不為人所用，亦趣事也。

（上）

烏龜神話

筱臣

筆者曾在三月二十五日本報以「閒話烏龜」為題，談了一些有關烏龜的趣事，而且談到龜能言，這就已經有若干神話的玄秘性了，茲且選行選集有關於龜的神話，以饗讀者，連帶把香港的石龜神話，亦附帶述及。

烏龜傳說中的神話，較為人所熟知的則為：我們居住的土地，大部份是由龜駝着的。據說，我們的土地本只有薄薄的一片，土下是深惡的大海洋，烏龜使用自己的背來承受土地使不沉。所以，人能在土地生存，完全依靠烏龜的力量，如果牠一旦放棄了這份工作，我們的大陸就會隨沉。

在黃河兩岸，每當洪水之季，如果有一隻烏龜出現，那是會受到當地人民普遍膜拜。民國二十年，曾經有一位著名的治河大吏，擺設香案，禮拜一隻大烏龜。

此外，在開封一帶有一種傳說：如果一個地方的居民能得到烏龜的同情，即使河堤被河水浸穿了洞，烏龜會以自己的身體來填塞缺口的。容業「河工舊聞」記有一項民間傳說：某次河缺（明末之事），洪水滔滔，直奔洛台（鄭州附近的地方）洛台舊有龜神祠，祠在村外，水至村，如萬馬奔騰，但至龜神祠，便騰翻不前，越夕，改道而去，洛台當水之衝，卒告無恙，當地居民咸知龜神顯靈，龜神祠至今，香火不絕云云。（所謂至今當係指著筆記人的時間。）

在江南，關於烏龜的傳說也很多，據說：太湖裏的烏龜是神靈的，其中有千年靈龜甚多，且皆有仙氣，能致風雨，太湖區的居民，在湖上捉到烏龜，例必放生。相傳清乾隆時，無錫縣令獲龜欲烹食，責熟之後，開鍋視之，但白水一鍋，絕無龜影，縣令以為廚子舞弊，怒責之，是夜，夢遊水國，為龜君所召，斥其殘狠，並申言有以報之，令覺，大恐，次日即在湖畔發工築「靈廟」，據說此廟至今尚在，且有碑記。

在香港，也有類似的傳統，發生在九龍半島和新界部份。據說這座小島，有一個石龜，是同這座小島的存亡有關。本來，認為一切島嶼或是近水的地方都有陸沉的可能，正是在世界各地都流行的一種古老迷信，廣東在沿海一帶自然也不能例外。香港島可能有一天會被陸沉的神話，是和石龜有關的。這種石龜共有兩隻，一隻在香港水底，一隻在香港山上。不過，山上的一隻，有些人說是石蟾蜍而不是石龜。

不知何年何月，有人曾經潛水下至香港島的海底，發現香港島竟在海中沒有生根，乃是浮在海上的一座大山，又有人說它雖然有根，不過僅由一根很細的石柱連在海底；形狀像是一枚傘形的大菌一樣。這個人自然大駭，這時就有仙人出現，向他指點，叫他還要注意香港山腳下水中的小石龜，牠正在水中沿了山腳爬行。當然爬行得很慢。但是，仙人告訴這個人，當這隻小石龜在水環繞香港島爬行一圈之後，香港島那時便會固都一聲陸沉下去的。

這神話，香港蛋家人士的口中流傳最廣。照常識說，水上人家對於香港島水中的情況應該知道最清楚，他們最有資格來肯定或否定這個故事。可是如果有人向他們請教，香港海底這個石龜，既然終年不停的在爬着，牠即使爬得很慢，早遲也會有一天爬滿一圈的，到那時，香港島不是要發生危險嗎？

他們會很嚴肅的回答你說，當然如此。可是接着又補充道：不過，你們有所不知，石龜在水底爬行，香港的海底全係砂石，石龜一面爬着，牠的腳跡一面就給海水沖去，因此牠永遠無法知道自己是否已經環島爬滿了一圈！——你看，這解釋多麼妙，所以他們毫不用着急，這也許正是香港人對於它的前途很樂觀的原因。

類似這一類傳說，在中國民間口頭傳說或筆記小品，記載很多，不能一一筆錄。在外國，似乎也有受到重視的。在公元一七七七年，占士曲加船長送了一隻巨龜給托加他伯鑿島的土王，直到現在，那隻巨龜還是該王族家庭中的寵物。

現在位的沙露王后的繼承人，儲君達之王子，去年到火奴魯魯拜訪馬斯林主教，詢問假若這隻巨龜死時，如何救牠，馬斯林主教說：這隻巨龜仍活得很好，時常在那個一七七七年前替牠建成的庭院中散步。但王子說：這隻巨龜不可能長生不死的，還是預早為牠安排較好。巨龜名叫馬尼拉王，是接受曲加船長禮物的那個土王改的。這名字便一直沿用到現在，已經一百七十多年了。

基於以上的記述，可見烏龜在中外均受到人們的重視，由於重視而乃發生神話，也是不可避免的。

海嘯雲談薈

上海「一·二八」戰役內幕（上）

舊時日本軍閥於一九三一年（民國廿年）公然發動「九·一八」事變，侵佔我東北數省領土後，即不斷的在我華北綏遠、內蒙暨平津各地區，嗾使日本浪人與特務間諜份子，製造事端，藉口尋釁，目的在實施蠶食政策，手段以不引起國際干涉為主。然一九三二年一月廿八日竟在上海激起一場規模相當大的中日戰爭，結果又喪師議和而退，用意安在，殊難索解。

迨二次世界大戰結束，日本軍閥潰敗投降之餘，有一個當年曾任日本駐滬武官，名叫田中隆吉其人者，在報上揭露他奉命製造「一·二八」之役的內幕經過情形，才知道這是日本軍閥為要積極創建「滿洲國」，故意在上海鬧亂子，藉以轉移國際列強視線的一種苦肉計也。

據田中隆吉自述：「九一八」事變發作時，他在上海幹着副武官工作，是年十月下旬，忽接「關東軍」的花谷正少校發來急電，敦他即往瀋陽面商要務。花谷與田中隆吉，影佐禎昭，和知鷹二，林義秀等，都是日本士官學校第廿六期畢業生，大家奉派在中國各地方担負特工任務的。他到了瀋陽，即赴關東軍司令部面晤花谷正，由花谷陪同進謁板垣征四郎少將，板垣說：「日本政府當局很顧忌國際聯盟（此時我國正向國際聯盟控訴日本以武力侵佔東北的暴行，國聯擬派調查團前來實地視察），對於關東軍的計劃多所阻撓。現在關東軍擬即派佔哈爾濱，預定來年春季實現滿洲獨立計劃，已派土肥原上校赴天津把溥儀接出來，作為「滿洲國」的行政首長。這樣作法，國際聯盟更要鼓噪，而日本政府亦必然不便贊同關東軍的行動。此時唯一辦法，即在上海裝造事端，以轉移西方列強的注意力，實為刻不容緩之圖」。板垣又吩咐田中，為府使溥儀與妻妾一同離開天津計，敦田中密派其膩友川島芳子到天津去活動。另給田中兩萬元日金作製造上海事件的費用，區區之數當然不夠，但關東軍部卻未再給錢了，後來還是田中隆吉向上海的日本紗廠借了十萬日元，纔得完成使命。

田中於離開瀋陽南下之前，曾向關東軍部的「中國課」切取連絡，希望領得一些機密費，以利事功。可是，課長重藤千秋上校，班長根本博中校，副班長影佐禎昭少校等，祇是以興奮的詞氣鼓勵他努力進行所負任務，對於活動費的話，避不提及。他回到上海後，關東軍方面又於次年（民國廿一年）正月派遣專田盛壽上尉來滬督促他進行一切，但仍然不管經費問題。這似係全世界搞特務工作的一般現象，說到錢，古怪就多了！

諸葛文侯

歷史人物

曾國藩論

謝康

我為什麼說曾文正是中國舊社會和儒家文化的標準人物呢？我們讀他底「聖哲畫像記」，知道他所一心景仰的從文王周公孔子至姚姬傳王念孫「三十二人」，俎豆馨香」，立身行事文學義理奉為圭臬的，除莊子外，沒有一個不是儒家的聖人或賢哲。可見他見賢思齊，是眞「學行繼程朱之後，文章在韓歐之間」，而他底功業，也可以比三十二人中的葛（諸葛亮）陸（贄），范（仲淹），馬（司馬光）而無愧色！看他在這篇文章的結論裏說：

「古之君子，蓋無日不憂，無日不樂：道之不明，己之不免為鄉人，一息之或懈，憂也。居易以俟命，下學而上達，仰不愧而俯不怍，樂也。自文王周孔以下，至於王氏（念孫），莫不憂以終身，樂以終身；無所於祈，何所為報？己則自晦，何有於名？……苟汲汲於名，則去三十二子也遠矣！」

我們試想着這些話所代表的抱負，何等偉大，胸襟何等寬濶，只有以儒家為主體的中國文化的最高理想人物才可以辦到。因此，我們大概可以說，曾國藩所懸的這些標的，他每天在躬行實踐，大體上是能夠做到了。他對於中國的五倫，孔子的名教，可說是沒有什麼虧欠的。因為他是個忠臣、孝子、好父親、好兄長、好丈夫（對夫人歐陽氏情愛很篤）同時也是很講信義的朋友，在當時的道德標準看來，也可說是人倫的楷範，仰不愧而俯不怍的百行俱脩的君子。（三）

內警僑台報字第〇三一號內銷證

自由報

THE FREE NEWS

第一二四期

中華民國僑務委員會頒發
台教新字第三二三號登記證
中華郵政台字第一二八二號執照
登記為第一類新聞紙類
（半週刊每星期三、六出版）
每份港幣壹角
台灣零售價新台幣弍元
社長：雷嘯岑
督印人：黃行齋
社址：香港銅鑼灣高士威道二十號四樓
20. CAUSEWAY RD 3RD FL
HONG KONG
TEL. 771726　電報掛號 7191
承印者：田風印刷廠
地址：香港灣仔高士打道二二一號
台灣分社
台北市西寧南路壹叁零號二樓
電話：三〇三四六
台郵掛號金戶九二五二

世界變局與「中國問題」

宋文明

自甘迺迪總統就職後，美國政府即利用一切可能的機會，與自由世界各國政府進行接觸與會商，以加强共同團結。至今為止，甘迺廸總統已和澳洲總理孟齊斯，紐西蘭總理荷立伍克，加拿大總理狄芬班克，迦納總統恩克魯瑪，英國首相麥米倫等舉行過會商。美巡廻大使哈立曼，亦曾訪問過英、法、西德、意大利、伊朗、印度，與巴基斯坦等國。美國務卿魯斯克於參加曼谷會議返美途中過印，亦曾與尼赫魯舉行過秘密會談。此外，如副總統詹森與非洲事務助卿威廉姆的訪問非洲，及拉丁美洲事務委會主席庇爾與甘迺迪總統特別助理斯萊辛格的訪問拉丁美洲，亦都和各國政府進行過商談。在未來數月之內，就已經決定的會談而講，有印尼總統蘇加諾，與日本首相池田勇人的訪問華府，甘迺廸總統的訪問法國，以及日本外相小坂善太郎的訪問西歐各國等。過去那些會談不論有意無意或直接間接，都未放開一個共同的問題，在未來這些會談中更將不會放開這一共同問題，便是中國問題。

在今天談中國問題，最主要為人所關注者，便是應否先許中共進入聯合國的問題，亦即關於聯合國內的中國代表權問題。由中共的應否入會及中國代表權爭執，便引起現正代表中國席位的中華民國政府的地位問題；由中華民國政府的地位問題，更進一步便又引起這一中華民國政府現時所在地的台灣地位問題。所以今天的中國問題，在表面上雖只是為了應付中共入會而引起的中國的聯合國代表權爭執，而實際上，這一代表權爭執直接間接牽涉到中國問題的各方面，只要這一問題一經有了變化，其他各個相關的中國問題，亦必緊跟着同時出現。這一複雜而微妙的情勢，使中國問題的演變，自然而然地產生了下面兩種結果：其中第一種結果，便是所有企圖支持中共入會以解決中國代表權爭執的各個國家，不僅想解決中共的會籍問題，而且還想一下子解決所有相關的中國問題。其中第二種結果，便是反對中共入會抗禦上項壓力的各個方面，不僅要考慮如何應付中共的入會威脅，而且亦要考慮應付其他的變化。於是，在國際間便傳出了所謂有關中國問題的「整套」計劃。

從支持中共進入聯合國的這些國家來說，它們現在所考慮的，並不是中共何時進入聯合國及其進入後的後果問題，而是這一改變發生之後，如何處理現今代表中國出席聯合國的中華民國政府及台灣一千萬人民的將來問題。對於這一問題，它們的態度又分成好幾種：（一）有好些國家支持中共入會的同時，亦支持中共對台灣的要求，所以它們主張中共入會之時即要把現時國民政府代表驅逐，並將台灣交予中共。（二）有些國家一面支持中共入會並獲安理會席位，一面亦支持現時中華民國政府仍保有聯合國代表權，繼續停留於這一國際組織之內。（三）有些國家支持中共進入聯合國，亦支持驅逐現時中國代表，但反對以台灣這塊地方及其一千萬人民交予中共統治；其中更有些雖支持中共對台灣擁有宗主權，而主張台灣在國際保證下實行自治。保持第一種立場者，多半是已承認中共並在外交上支持中共的國家，我們可稱之謂親共派。持有第二種立場者，為現時仍承認中華民國政府或外交上仍支持它的國家，我們可稱之謂「兩個中國」派。持有第三種立場者，大半為中立國家，它們一面認為中共進入聯合國為不可避免，一面又以國際道義及人道主義觀點來看臺灣問題，我們可稱謂託管派。這三派國家不論它們對於臺灣問題具有何種不同意見，但以它們都支持中共入會，所以它們也都主張同時解決一切中國問題。

其次，再從反對中共入會，抗禦上項壓力的這些國家來說，它們所以亦主張同時解決中國問題者，主要是基於一種現實的考慮。即一，它們認為要求中共入會的壓力已愈來愈大，幾已到了無法繼續阻止的地步。第二，既然中共的入會可能已成不可避免，那麼中共一旦進入聯合國，不論上述三派意見中何者獲得上風，它們緊接着將對臺灣問題及其與台灣問題直接有關的美國產生一種强大的壓力。第三，與其等到將來在國際壓力威脅之下，再來倉促籌劃應付這一壓力的方法，不如現在即採主動行動，積極與有關盟邦商討，以期尋找出一項有關中國及台灣問題的最實際、最妥善、最能迎合各方要求的折衷方案。這種折衷方案的實際內容將來究竟如何，現在絕不會有一個人會作武斷預料，但由於這種安排是事先經過與有關各國的共同商討，所以不論這一方案性質為何，這一方案總是為大多數聯合國會員國所支持，由此構成一種對中共的反壓力。假若中共要進入聯合國，中共就得接受這一方案；中共假若不願接受這一方案，那麼反對中共入會的問題的國家，便有極好的藉口，極大的可能，以聯合國內大多數會員國作後盾，輕易制止中共的進入聯合國。所以就反對中共入會的這些國家的立場來說，這種有關中國及台灣問題的整套方案，一面在爭取外交主動，希望從最壞的局勢中尋出一種最好的出路，一面亦是一種外交的策略，希望把現在這些議論紛紜的國家，都能巧妙團結在自己的周圍。

有關這一整套方案的商談，可能要牽涉到很多國家，但眞正主要的國家實際只有美、英、印度、與日本等四個國家。美國之於今日台灣，所負責任最大，關係亦最密切，台灣局勢的任何變化，不只與美國息息相關，甚至使美國成了直接的當事人。印度近年來與中共邦交惡化，已多少影響了它舉足輕重的調停地位，但以它的繼續為亞非集團頭號發言人，及甘迺廸政府對尼赫魯的特殊重視，印度仍不失為一個週旋於國際紛爭中的重要角色。印度與中共邦交的疏遠，相對增加了英在北平外交灘頭堡的國際作用，加之英國對美蘇兩國的雙邊影響，使英國在任何與共黨的交涉中自然成為一具有很大份量的國家。日本今為美在遠東的最強大盟邦，且台灣處於日本前往東南亞的中途要道，攸關實際利害，所以它對於台灣前途絕不會漠然不顧。因此今後有關中國及台灣問題的整套方案的如何演變，主要就要看美國甘迺迪總統與英首相麥米倫，與日首相池田勇人，以及美與印度之間的談判結果如何了。

在這種談判中，作為與中國台灣問題最有關係的一員，美國可以提出任何可能想到的方案，但不能單獨決定任何方案。能決定這種方案的，最先將是美英印日等四國，然後便是聯合國大多數的會員國。假若不能最後取得聯合國大多數會員國的共同支持，有關中國及台灣問題的任何方案，都是毫無意義和結果的。

由於中國及台灣問題的整套方案，須要經過一連串的會商才能決定，所以從現在至下屆聯大開幕時的約半年時間，為這一問題的決定性階段。在此期內，我們一面將不斷看到各國之間的公開或半公開的高層會談，一面亦將逐漸察覺它們之間為此而進行的各種各樣的秘密往來。不過時間越到後來，這種接觸亦愈頻繁，公開化的程度亦愈增加，直至獲得一適當定局而後已。

執筆至此，使我不禁想起一首前賢的詩：

詩家情景在新春，
綠柳纔黃半未勻；
若待上林花似錦，
出門俱是看花人。

對於中國及台灣問題而言，現在已到了人人看花的時節；但詩人何在？有沒有人在五六年前，七八年前，已早嗅到這種新春的氣息？

小鍋天下

△古巴革命軍向卡斯特羅政權大舉進攻，分由幾處海岸登陸，卡斯特羅部下紛起響應。蘇俄及中共聲援卡斯特羅。美總統甘迺迪警告赫魯曉夫，勿藉口古巴革命，在世界其他地區煽亂。

這似是春天「驚蟄」的雷聲，但在我們看來，也還是「柳外輕雷池上雨」那種境界而已。但甘迺廸這一拳還打得好。

△美總統甘迺廸已表明其仍在聯合國繼續支持中華民國的態度。民主黨議員正邀共和黨議員一致支持新總統的對華政策。甘迺廸在其談話中以「福摩薩」稱中華民國，被新聞界引為評論資料。

他雖年青，最低限度也該有耐性讀通中國近百年在台灣的歷史。他更該從孔子書中學念一句「名不正則言不順」。

△英政府訓令駐蘇大使，促蘇俄接納西方對寮建議，並澄淸其覆英照會中所提各點。寮前「中立政府」總理遊抵莫斯科，決中止訪美。

「乞求賜答」也太不容易了啊！哀的美敦書已成過氣的名詞了。

△印尼總統蘇加諾作長途旅行，已行經泰國，此行共歷十八個國家，包括美國與蘇俄。

提防他販賣「中立主義」，間接替蘇俄効勞，搖動泰國之類的反共決心。

△緬甸總理宇努遊滇多日，與陳毅周恩來迭作密談。傳宇因受國內政潮刺激，托詞休假出國。英報評緬甸內部多亂，局勢可慮。

由緬甸到寮國的現態，最好用「魚爛」兩字去形容。而緬甸政府也正是英國所曾盛稱的「中立政府」啊！

△由大陸逃至香港澳門的難民，數字突破紀錄，只十六日一天已超過百人。據稱：廣東存糧已在三月底全部吃光，什糧只可維持兩月。

替香港赤色報紙做宣傳工作的左翼文人們，該是拿乒乓球當飯吃的。

方南

自由談

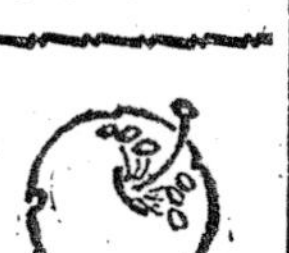

好奇的領導方法

合衆社副社長賀伯萊由香港發出電訊，說東南亞地區的人心對美國政府處理寮國問題的作風，普遍感覺不安——就憂美國採取妥協姑息政策。

其實，東南亞地區的人士，自從前年印尼革命運動失敗後，即對美國的遠東政策深感失望了！印尼革命運動初起時，美國曾予以鼓勵贊許，因而鄰近印尼的自由國家亦從旁盡力應援，革命軍聲勢為之大振，蘇卡諾政權搖搖欲墜了。詎料美國當局忽然變卦，不但對革命避之若浼，且以武器和金錢援助蘇卡諾，讓他藉此以消滅革命勢力，理由是印尼的陸軍可能反共!?這樣一來，乃害得一些曾經應援過印尼革命軍的東南亞自由國家，被蘇卡諾向國際間指斥控訴，而使俄共集團資為「反帝」的大好宣傳材料，這筆帳依然是記在「美帝」身上。如令印尼的陸軍首腦芮蘇賢不特親共如故，最近且擬赴莫斯科訪問，要跟俄帝作更進一步的勾結了。

漠視現存的反共力量，不願加以協助支援，卻寄望於渺不可期的投機取巧人物一朝得勢，能跟美國親善合作。這便是好奇的美國人一貫的作風，十年以前在中國大唱其「第三勢力」之說，此物此志也。以幻想代替現實，憑主觀心理以變造客觀形勢；喜新而厭舊，是已而非人；把全世界的共產黨都看成跟美共一樣的產物，認為可以和平共處。美國領導自由世界的心情與行為，就是如此這般，信不信由你！

可是，如果共禍直接損害到美國本身時，白宮當局和國會議員們卻別有一番滋味在心頭，不惜以牙還牙了，請看古巴的情形，即可恍然大悟。

賀伯萊的報導是眞實的，只是「見道太遲」而已。我早已說過，寮國在美國指導之下，一定完蛋，大家等着瞧罷！

馮己先生

塗泥驅蚊，掘地取暖
大陸的婦女生活

焦毅夫

（大陸剖視）

長年更累月
露宿又風襲

二十三歲的任愛玲，是山東海陽縣農村裏姑娘，中共將她訓練成拖拉機手後，派到邊疆工作。這位姑娘，據說：「長年累月風餐露宿在田間，加上新疆准噶爾盆地，氣候常在零下三十多度。對一個生長在黃海之濱的女青年來說，更是嚴重的考驗。」「去年棉花一出土，就遇到低溫氣候，棉苗生長很慢，需要中耕。黨委號召拖拉機手不分晝夜中耕，搶救棉苗。第一天晚上，任愛玲就把拖拉機開進了棉田，開始日以繼夜的工作。」「每當她遇到了困難，或身體感到疲勞難支時，她就想起了黨的教育和關懷，於是鼓起了意志，戰勝了困難。」（一九六一年三月十日「人民日報」）

消息顯示，共幹的殘忍，只知剝削勞力，毫不關心人民健康。驅使生理、體力異於男人的女子，竟在零下幾十度從事勞作，連夜晚也不准休息，還說什麼對婦女生活特別照顧，「解放」她們，重視她們健康。

身上塗泥
新法避蚊

徐世華是由「北京、天津、河北和哈爾濱城市青年組成的青年墾荒隊隊員，到蘿北區去開墾，她和男隊員一樣被派到河對岸去運木材，因爲沒有船，也沒有橋，必須涉水而過，她的個子很小，下水後水深到胸口，她有些猶豫不敢前進，徐世華想了想說：『我們來此開荒，是戰勝困難的，走！』說着，沿着男隊員走過的道路，勝利的渡過去了。」「夏天的蚊虫很厲害，這些蚊虫成羣結隊的聚在頭頂上，胳膊上，驅不散，趕不走，凡是露肉的地方牠都咬，咬過的地方又疼又癢，徐世華這個年青的姑娘急了，抓起稀泥巴巴，塗了一胳膊一腿，咀裏還說，『咬吧！看有辦法治你沒有。』」（一九六一年三月八日「人民日報」）蘿墾區在我國東北部，東北氣候，一年就有半年是寒凍季節，中共驅使這些體質羸弱的女子，在冰天雪地裏工作，甚至在寒流裏涉水去運木材，難道這就是中共所謂照顧婦女健康？殘忍的地方還不僅此；據說：「浙江省桐廬縣口公社新店生產隊有些婦女小隊長，因爲在生產勞動上要帶頭，在經期、孕期和哺乳期內仍照常幹活。」（一九六一年一月二十五日「人民日報」）

無衣可禦寒
埋沙以取暖

一九五〇年中共在「華東沿海地區，挑選年青的姑娘，組織女子地質測量隊，爲石油工業服務。」這批年青女子，在北平接受短期訓練後，即被派赴玉門石油前綫，在共幹鞭策下，吃盡了苦頭，不分晴天陰雨，不管嚴寒和酷熱，整日整夜在一望無垠的沙漠上奔跑，找尋油源。據中共報紙說：「全國聞名的女子地質測量隊，何彬彬領導的一個選綫組，有一次到沙漠裏去，因想多做一點工作，沒有及時收工返回帳蓬，天黑了刮起大風，氣候突然變冷，她們穿的衣服又少，只好在地上挖坑，把半個身子藏在沙漠裏取暖，過了一會，沙窩涼了，再挖新的，這樣一直堅持到天亮。」（一九六〇年十一月六日「人民日報」）爲什麼她們沒有及時收工返回帳蓬？同報說：「因爲她們責任感很重，黨交她們一天的任務沒有做完。」爲什麼共幹要交給她們那麼多任務？爲什麼要規定任務沒有完成，就不准回帳蓬？這些問題，只有問那些狠心的共幹才知道。

婆婆髮已白
勞役在荒山

中共對老年婦女的勞力，也不放棄搾取機會。人民日報記者，報導李家營子生産隊鞠媽媽的事跡說：「她年近六十，鬢邊已染上了白髮，她人雖老，心氣卻高，幹勁也大。綠化這座草山嶺是她倡導，又由她『挂帥帶兵』，戰鬥在荒山野溝裡。」「人民日報」記者問她，「爲什麼能克服那麼多的困難，創造這麼大的成績？」時，她有些憤慨，硬生生的說：「我們做的還不夠，做這一點點，是我們應當做的。說個名詞，黨交給的任務，責任感問題，當然要把它做好。」（一九六一年三月八日「人民日報」）鞠媽媽一語道破了「幹勁也大」的原因，是共産黨交給了她這項辛苦的任務；要她「戰鬥在荒山野溝裏」，不由這位兩鬢霜白的老人不做。

可憐風雪夜
童女廹撒沙

在東北行駛運木材的平車，都是大連機車車輛廠出品，鋼度既不夠，製造技術太差，以致影響衝力，經常發生倒退、滑軌、覆車慘劇。於是中共想出補救辦法，在鋼軌上撒沙。此種撒沙人員，大部利用女童工。如在「夜色籠罩着小興安嶺的山林，鵝毛似的大雪飄落下來，南岔林業局十二林場『穆桂英』撒沙小組十二名十五、六歲的小姑娘，人人挑着六十多斤重的担子，沿着十幾里長的山坡平車綫撒沙子，以便運送木材的平車安全通過。

風雪之夜，給撒沙子帶來很大困難，撒上被雪蓋住，還得掃去重撒。吳鳳芝分担任這段綫路是坡度最大的，爲了使平車安全通過，她不嫌麻煩，撒了掃，掃了又撒，不顧寒風刺骨，堅持勞動。」（一九六一年二月四日「人民日報」）

上述情形，並非各別而是普遍現象，中共所謂「解放」婦女也者，如此而已。

香港與大陸

據廣州來人談：禾桿蔗渣做的餅乾乃名貴之物，有得買，爭着去買，出售者也不諱言物料來源是什麼了。

柴的配售，以戶爲單位，人口多少不計，每家每月十斤，十斤連一個人用也不夠，不得不求諸「黑市」，黑市柴價每担十八元或十九元（港幣約三十元）。但也極難買。買得一担柴僱人担也成問題，賣力的人要兩人抬一絡（五十斤），一担柴兩絡，就要僱上四個人。何以不由一個人挑？那因爲廣州目前很難找到可以肩架百斤的大力士了。

到處發生打荷包案，篤友們專篤人們現欵和糧單，特別是華僑配給證，偷到後蛇有蛇路，走去買東西。

廣州人天天爲排輪買東西而忙，時時空羣而出去輪購，此則做成竊賊爆冷格的大好機會。入屋第一樣要拿的，自然是食物，其次才是衣物。

自從有了「自由市場」後，竊案跟着多了，以前不許有自由市場，贓物無處銷流，情形沒有今天這樣壞。「自由市場」不是成行成市的市場，有東西出賣的人都像壯士賣刀，插上草標似的，面前放了一小撮東西，用青蛙姿勢伏着，觀衆隨即團團將他圍上。開出的價錢，很少減價，最後鬥敗屈服的仍然是顧客，蓋人民幣「易得」，實物難求也。

顧客找東西買，要這個人叢擠擠，那個人叢擠擠，很少機會能一眼看見所欲買之物。

搶東西吃的事件已少了。那因爲人人已警惕了，防範週密，拿東西時，捉得實實的。東西較多時，還用三五人前後左右護從。

不健全的台鐵現代化

老路工

（台灣通訊）

台灣鐵路局自交通專家陳舜畊氏接長以來，爲時僅二月，這一隻任務繁重的鐵牛，在陳局長嚴正、公平、勇敢三大信念，單槍匹馬鐵面無私的領導之下，局面完全改觀。列車已見準點，責任行車事變絕跡，客貨運量大增，收入已日趨好轉；更以實行人事、財政、購料三大公開，引起忠實員工的共鳴，相信在不久的將來，台鐵定可甦生。

我國鐵路雖有八十年的歷史，但仍踏襲着官廳式的經營。在此新興交通工具陸續問世，鐵路所擁有的勢力圈，日漸侵蝕縮小之際，應如何支持推動現代化，自仍有值得商榷者，謹就此一問題，畧抒管見。

先就世界鐵路先進國現代化的情形作一考察。誠如衆所週知者，各鐵路先進國家，亦正以汽車、飛機競爭機關的勢力大形擴展，運量已呈停滯減少，感到焦灼不安，挽救之對策，是爲經營方面的徹底合理化，設備方面的現代化，同時實施制度化，此即很多鐵路先進國家，均在改良其經營形態，力謀經營上的自主化，減輕公共義務的負担，爭取大量地企業經營的自由，講求在平等的條件之下，堪與其他交通機關從事公正競爭的法的措施。

再自國營鐵路之例觀之：英國鐵路置諸合作事業組織的英國運輸委員會的經營下，其預算由委員會自行決定，運價由運輸裁判所核定最高額，與議會無關。法國以鐵路置諸政府半數投資的法國國有鐵路公司之經營下，預算由經營委員會來決定，運價在主管部長所核准的最高與最低的範圍內，准許自由調劑運用。此外各國多對汽車與鐵路貨運服務業務，亦從事大量地投資，力求協調提携，鐵路已非僅被固定於軌條運輸之上，而爲一新的交通企業統一聯合體。

我國鐵路開辦迄今，始終爲官廳式的經營，四十六年十二月廿日立法院三讀通過的中華民國鐵路法，亦未脫官營鐵路法之域。委託省營的台鐵，在所謂財政統收統支，超然主計制度之下，絕不許自主的經營，距所謂現代化的邊緣甚遠。再如預算係所謂的控制預算，對現代化設施所必要的資金籌募，附有極苛的條件，進欵悉繳財政廳，動用亦有限制，難爲適時有效的利用。至於運價的決定，亦須層轉行政院核准，受政府低物價政策的障碍，甚難隨時適應調整，此種作法，完全是鐵路獨佔時代之遺物，無法適應劇烈的經濟變動。此外規定鐵路新建的鐵路敷設法，亦未見誕生，有幾條支線今已成爲壓廹鐵路經營，增加虧蝕的重大因素，鐵路先進路有致力鐵路新建者，但亦有努力於既設不經濟路線的廢除者。

由此可知台灣鐵路的現代化，仍呈不健全的發展，今後如不於法律、制度面，求其現代化，不論設備之如何現代化，亦難從事健全的經營。一得之見，聊供參考而已。

讀者・作者・編者

梁嘯谷先生：惠書謹悉，已轉致經理部矣。

雲谷先生：辱節獎飾，愧不敢當。所提意見，本報亦早在考慮中矣。

伍伯人先生：惠稿用自字書寫，且刪改過多，致字體模糊莫辨，恕難採用，謹致歉意。

大陸文壇萬花筒

關於歷史劇的爭論（二）

——岳騫

至於改良派首先起而應戰的是寧富根，他寫了一篇「塑造人民羣衆的形像突出人民羣衆的作用」載於一九六一年第二期上海戲劇上。寧富根不知何方神聖，照此君的名字來判斷大概是上海，寧波一帶人，看他這個題目已經標準俄化，可能是在莫斯科鍍過金的又紅又高的幹部，他這篇文章直接向沈起煒開炮，間接當然也指向吳晗。他首先不同意把史書、歷史記載與歷史眞實的概念混合起來，他認爲「中國歷史社會，直到新中國建立之前，一直是歷代統治者以自己的標準、道德觀念來記載歷史眞實的，這樣的歷史記載，就其實質來說，被歪曲了的記載。將不可靠的歷史資料當作歷史眞實看，並以它爲基礎，再進行藝術加工，這樣反映出來的藝術眞實，當然也只能是被歪曲了的。」此人是眞大胆，他竟然一口氣把歷史全都否認了，否認歷史不奇，硬說只有「新中國」成立以後如何如何，就更無恥了，歷史上的帝王將相當然有自己一套統治的方法，至於道德標準是從古以來完全是一致的，大概殘民者被人民推翻，賣國者則受人唾駡。這種道德標準是順乎自然的，歷代帝王尙未用過「洗腦」、「勞改」一類辦法硬教別人相信自己的道理。

寧富根之外還有楊寬，此君是中共御用史學家，有點工夫，對於古史的研究，相當深刻。他寫了一篇「漫談歷史劇如何反映歷史眞實問題」，載於一九六〇年第十二期「上海戲劇」，他這篇文字發表於寧富根之前，據楊寬的看法，認爲歷史與歷史劇是不同的，一個是科學的研究，一個是藝術的創作，所以歷史劇不一定要完全符合歷史，只要大的關節不錯就算了。

其次還有孫杰寫了一篇「歷史劇的古爲今用及其他」刊於一九六一年第一期「上海戲劇」，他特別舉出田漢的「關漢卿」一劇爲例，指出關漢卿這個人雖是眞的，但是關漢卿的事蹟傳留下來卻非常的少，由於田漢的豐富想像力，大事渲染創造出這樣一個「革命現實主義與革命浪漫主義結合的出色作品」。孫杰突然舉出田作擋箭牌，不知是有心還是無意。其實這正是問題的核心，留在後面再說。

×××人物掌故×××

梁任公與林獻堂

仲侯

任公游台灣作詩甚多，如所居萊園五鳳樓及各亭榭均會題句，最膾炙人口的，要算三月三日台灣遺老百餘人歡讌任公於台北城薈芳樓，即席所賦四律，蒼涼悲壯，讀之令人迴腸盪氣，玆錄於下：

側身天地遠無歸，王粲生涯似落暉，花鳥向人成脈脈，海雲今古自飛飛，尊前相見難啼笑，華表歸來有是非，萬死一詢諸父老，豈緣漢節始沾衣。

曾附公車昔上書，罪言猶及徙薪初，珠崖一擲誰當惜，精衞千年願總虛，曹社鬼謀成永歎，楚人天授欲何如，最憐有限哀時淚，更灑昆明刼火餘。

間氣神奇表大瀛，伏波殘海舊知名，南來蛇鳥延平壘，北去雲山壯肅城，萬里好風回舶趠，百年麗日照春耕，誰言鶯老花飛後，贏得胥濤日夜聲。

刼灰經眼塵塵改，華髮侵顛日日新，破碎山河誰料得，艱難兄弟自相親，餘生飲淚嘗杯酒，對面長歌哭古人，留取他年搜野史，高樓風雨記殘春。

據甘得中追思林獻堂文內，提到當日任公船抵基隆時，係他偕林獻堂，連雅堂三人去碼頭迎接，因船大不能靠岸，另乘小艇進艙會任公，適有總督府外事課警察在盤問，並問任公寓何旅社，任公說甘，甘乃答稱已爲訂定日之丸館，警始離去。當三月三日大會遺老於薈芳樓，日本偵騎四伏，座上並貼有任公前面所賦律詩四首，席間由林獻堂致歡迎詞，任公致謝兼作一小時演講，因隔牆有耳，詞意委婉，非細味之不能知其底細。並說居萊園十餘日，曾一度赴台中講學，文酒流連與林幼春先生尤多唱酬。（三）

臭

汝津

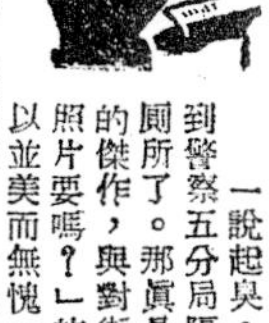

一說起臭，就不免想到警察五分局隔壁的公共厠所了。那眞是舉世無匹的傑作，與對街廊簷下「照片要嗎？」的喃喃聲可以並美而無愧。該「所」地當交通要衝，得天獨厚，台北居民光顧過它的，當不在淺淺之數。銖積寸累之下，其爲氣也……

臭可以久而不聞，而且某些臭味似乎尚有爽神之效，這到底是題外話，因爲臭總是臭，那怕儀秦復生，也未必能使此君搖身一變吧。

至於我在此標出這個生相不雅的字限來，可絕對沒有「自大一點」的意思；也並不想大作其翻案文章，爲它歌功頌德一番。也許我倒願意戴上一副準科學的眼鏡來談談它。

衛生院的恩仇記當自此君發始，水肥車的同志還要感激它，供給職業。公共汽車中少婦花容失色，原來左有清脆之氣體聲，右有「坦白」之赤脚仙。臭之爲用也大矣，寫現代文明史，尤不可小覷此君。

話說科學文明愈來愈進步，除臭機則始終未見發明；社會的繁榮恰好鼓勵新型的臭日行增產。那些人工的香又太文質彬彬，那裡能夠與它們對抗？

農業社會原對排洩物相當尊重。「民以食爲天」，如果追根究底下去，可能使你們揑一把冷汗。可是都市公厠中的看守員，在他人內急之際，一手伸出衛生紙、一手要錢的作風，更教人寒心。「誰希罕你的臭錢！」用在這種場合最恰切，這也許是開會話速成班的教育家們所不曾夢見的。像武訓之流的義丐，幸而沒有幹過這一行，否則任他再多下跪幾次，怕也辦不成學堂。「君子遠庖厨」還不夠，「遠公厠」才是第一要着呢。尤其在參加高級宴會之前，千請注意。

路上遇見出殯，很像早起聽見烏鴉叫，只好浪費若干唾液以示「衛生」；可是在餐桌上狼吞虎嚥其臭鹹蛋，臭豆腐乾的，亦大有人在。然則臭固然不能與芝蘭並列而無愧色，也斷不能說它們盡是胸懷殺氣的了。

今人有點傳染性的阿Q毛病，所以時時仿效食葡萄的狐狸君，三句不離一臭，還到底是「已欲立而立人」呢，還是別有其解，就不是滿嘴象牙的人們所敢妄猜的了。

析而言之，臭有四類：一曰氣體類，這是可能「塞乎蒼冥」的一種。俗語說的「狗屁」，那倒是有點辱及忠實的狗同志呢。二曰液體類，小便是也。三曰固液合一類，大便是也。凡腸腑過濾作用特盛者，其產物亦可歸入下一類。四曰固體類。首席代表是象形字中的「大」——甲級哺乳動物是也。爲患之烈，不用說，壓軸的那一類爲最。某些人使你一見而想跑百米，即屬此類。

有些臭使男女的友誼大受困擾，有些則成爲某人的註冊商標。幸與不幸，未可一概而論。有些家庭中厨房與厠所僅半牆之隔，但安之若素；甚至有寢室而兼排泄室的，人的適應性之強，由此可見一斑。

最煞風景的莫過於郊外踏青時忽聞異味，使人一睦雅興頓化作一團烏煙瘴氣。原意來此觀光，不想竟成了「聞氣事業」的主顧。還有身居考場而天外飛來異「香」，半題數學就此難換。學校厠所如不改善，總有那麼一天會有人大作「臭氣與學業之關係」的論文的。後代的野史家又不愁資料欠缺了。

對於臭氣有相當「美感經驗」者，必然能做到恕道。其實「好好色」雖是天性，我他有時還是能欣賞醜婦人的，如好萊塢的明星凱薩林赫本之流。所以對於臭的態度，也應諒解重於苛責。

這是個多臭的世紀，誰曰不然？可是沒有臭，怎顯得出香？我們若眞厭惡臭，何不來個果決的治本？要是在氾濫的茅厠中灑上幾斤最高級的巴黎香水，又豈能收「一隔三反」之效？「超然臭外」並不容易，因爲「文明臭」往往是所向無敵的！

談老

南道

去年留星的謝冰瑩，曾經寫了一篇信給蘇雪林，內中有一段關於「談老」的趣事。她說：「雪林，我了解你，你和我一樣，從來不服老，儘管早已過了「知天命」之年，還像過二三十歲的青年人一樣。我們喜歡工作，不願休息——其實也不能休息，也許這是上天的意旨，我們生在這苦難的時代，應該多做事，多受罪的；否則，我們都到了退休之年，實在不應該再爲生活操勞；可是，雪林，不操勞，又如何立足於社會呢？」

最後的結語是：「時間不早，我要準備做晚飯了。雪林，你想像中的我，是否已經白髮蕭蕭？告訴你，偶然出現一兩根白頭髮，叫孩子爲我拔掉，我又年輕了！」

上面這一封信，謝冰瑩雖不免有自傷遲暮之感，但他的工作精神仍然是值得矜式的。德國哲學家康德五十七歲才完成他的哲學系統，七十三歲還繼續寫作。意大利詩人但丁，七十歲寫他的「神曲」。意大利畫家、彫刻家兼建築家米開蘭基羅六十七歲，才畢成他的傑作「最後的審判」，又在七十歲以後，才轉其注意力從事於建築藝術的研究。俄國文學家托爾斯泰五十六歲寫成他的「藝術論」，七十一歲寫成他的小說「復活」。又如我國南宋大詩人陸游，八十歲以後，還堅持每日寫一首詩，其中不少是傳誦至今的名作。

大凡古今中外，有文藝修養的哲人，大多數是長壽的，謝冰瑩女士正是前程似錦呢。

短篇小說

假日（八）

孟瑤

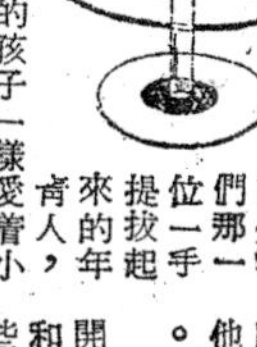

小胡是我們那一位一手提拔起來的年青人，他像對自已的孩子一樣愛着小胡，小胡也勤快異常，逐漸變成了處長的左右手，我想，他無法推卸失察的責任，有一天小胡竟拆了一個大爛污，弄得幾乎不可收拾，他終於把他開除，此後，小胡便不上我們這裏來，但是我們也不難知道一點他的消息，聽說他因爲與一個酒女同居，是造成他拆爛污的大原因，離開了處裏後，又聽說忙着做生意，其實是打着做生意的幌子到處撞騙，我很憐憫這個年青人，我知道一些人的墮落，但却這是我親眼看見唯一以最快的速度來墮落的人，他好像確知地球在哪一天一定會毀滅，所以要在這大悲劇發生以前先毀掉自已。今天他忽然又來了，不知爲了什麼。

老大放下手裏的一切就離開了厨房，以前小胡天天來，和老大的感情相當好，現在這些都成了往事，老大躲開他不知是因爲不齒他或是舊情難忘？

「今天怎麼有空來玩的？」我抬起頭，不知爲什麼，我對小胡總充滿了太多的寬恕。

「最近我一直很忙，其實，我老早就想來看師母的。」他一面用打火機爲自已燃起一支煙一面接下去：「但是實在太忙；現在我生意不做了，這個人吃人的社會我實在玩不過他們，我想還是找個事情做做。」

我暗自想道，這也許是他來這裏的目的，我眞想爲他向老上司說項，再幫他一個忙，但是那一位以處長的身份就沒有以丈夫的身份相對那麼好說話了，他的公事幾乎是拒絕我問津的。

「我現在是在顧問團裏找到一個職業，每個月有三千多塊錢的收入！」小胡插入我的思慮中又說。

忙亂中我又忍不住望了他一眼，這個世界到底是屬於年青人的，他摔了一交立刻便又爬起來了，甚至於不要任何人扶他一把。於是我便接着說：「眞的，還是有一個正當職業好。我們到底是念書人，做生意總歸是外行。」

他猛烈的吸着煙，又用手摩沙着頭髮，我了解這是他在緊張時的習慣，我忽然敏感到這年青人又在我面前耍什麼槍花，這孩子一向挺「鬼」的，我有了戒備。

「爲了這件事我要到南部去跑一趟。」他又接着說：「白忙了這麼久，我手邊連一個錢都沒有。」

我心裏一震，差一點把菜鍋撞翻。

「師母，」他總是這樣稱我的：「我想借幾個錢，將來領到薪水即刻歸還。」

我不相信這其中有多少眞實的成份，但是我不忍拒絕他，當他向我開口的時候，他費了如許掙扎。於是我擦擦手，從長褲口袋裏掏出來買菜時帶出去還人，因爲未遇又原封帶回的一百元，交給他說：「你先拿去用吧。」

徵稿小啓

有內容有意義之隨筆、散文、掌故、小說、雜感等類文字，本刊均所歡迎。請用有格稿紙繕寫，如需退還，請附信封及郵票。一千六百字左右的隨筆，比較容易刊出，過長則以篇幅所限，請特別留意。

※梨園漫談※

清廷供奉之伶人（續）

——瘦西湖——

譚本善於詞令，遂伏地泣奏曰，竊深慮不得重覩天顏，以致憂而成疾云云，慈禧最喜人奉承，愛戴高帽子，聞言乃慰勉有加，並稱朕不許爾死，誰也不敢動你一根汗毛，從今以後，盡力在宮當差，不得故意偷懶，容朕再享樂幾年，言罷遂命內監將御醫新配成之貴重丸藥，賞譚數十餘粒，譚感德連連叩頭謝恩，將要臨行之際，慈禧又復笑語曰，朕乃金口玉言，不要爾死，爾准死不了也，譚病本已漸有起色，受此驚嚇後忽然冒出一身冷汗，秉之因禍得福，人極興奮，又意外獲得靈藥，僅一來復即告痊可，不數日即至宮中銷假矣。

譚自銷假後，慈禧猶不願其太累，只命其唱不甚吃重之劇，而能聊以應差即可，然鑫培感太后待已寵遇之隆，又知太后久欲聆其『探母』一劇，遂自告奮勇，願以全本『四郎探母』孝敬，慈禧聞悉大喜，並立即下詔通知各在朝文武大臣，及三宮六院、三子、貝勒等前來宮中陪侍看戲，此劇演出，鑫培十分賣力，冒上之處，四座鼓掌不絕，「四郎探母」演出人員爲鑫培之四郎，王瑤卿飾鐵鏡公主、陳德霖扮飾蕭太后，韓素雲飾楊宗保，謝寶雲飾余太君，賈洪林飾楊六郎，羅百歲等飾國舅，操琴者爲頂頂知名之胡琴聖手孫老元，搭配整齊，各見精彩，是日譚之出場引子，即與往日大不相同，迨西皮慢板唱至「要相逢除非是夢裏團圓」句畢，聽者無不驚異，不特其韻味不同往昔，即嗓音亦較前大爲高亮悽惻，在座諸人咸以其大病後，元氣未復，決難唱至完場，豈料鑫培反較歷次所唱之「四郎探母」爲佳，且能從頭至尾一氣呵成，竟然毫不費力，然未數年，兩宮相繼喪亡，清室遂傾，當時北京街坊有說書者謂，譚有如此高亮之嗓，實乃亡清之預音耳，又有人謂：其嗓如此之高，即天上有人住，亦會聽得清楚了，後遂有人稱其叫天而不名，從此叫天之名，流傳四海，大江南北竟無有不知者也。

後來，不論是坐科的行家，或是票友下海出身，皆以能唱譚腔爲榮，因此，譚派譚迷之人無不到處遍是，可惜譚鑫培死後，能傳其衣缽者竟無一人，其子小培更無作爲，但唯一尙可告慰者，僅其孫兒富英耳，富英對父甚孝，每到一地演唱，終偕其行，凡貼『天雷報』時，總有小培之一份也。（完）

辛丑談往

——無負生

燕塵識小

（捌）不容遺一老：西后北歸，行抵河南離開封不遠，發生一件大事：大學士一等伯直隸總督李鴻章九月二十七日病逝北京。

庚子西狩叢談九月二十六日載曰：巳刻即自滎縣啓鑾，未刻抵汜水縣駐蹕。是日得李傅相自京電奏：「病勢危篤，請速派大臣接替，以資鎮懾。」兩宮得奏後甚為廑念。太后曾召予（吳永自稱）語及，至為之流涕，謂：「大局未定，倘有不測，如此重荷，更有何人分担。」云云。

二十七日續記曰：辰刻自汜水縣啓鑾，未刻行抵開封府屬之滎陽縣駐蹕。旋得京師來電，合肥相國已於今日午刻逝世。得此噩耗，兀如片石墜入心坎中，覺眼前百卉，立時皆呈慘色。聞兩宮並震悼失次，隨扈人員乃至宮監衛士，無不相顧錯愕，如梁傾棟折，驟失倚恃者。至此等關鍵，乃始知大臣元老為國安危之分量。想此時中外朝野，必同抱有此種感想，即平時極力詆毀之人，至此亦不能不為之振腕，公道所在，殆不可以人力為也。公之隆勛偉績，自表表在人耳目。晚年因中日一役，未免為輿論所集矢。然自此番起，全國人士皆知扶危定傾，拯此大難，畢竟非公莫屬，漸覺譽多而毀少。黃花晚節，重見芬香，此亦公之返照也。

內閣即日奉上諭：「朕欽奉皇太后懿旨大學士一等伯直隸總督李鴻章器識淵深，才猷宏遠，由翰林倡率淮軍戡平髮捻諸匪厥功甚偉，朝廷特沛殊恩，晉封伯爵，翊贊綸扉。復命總督直隸兼充北洋大臣，匡濟艱難，輯和中外，老成謀國，具有深衷。去年京師之變，特派該大學士為全權大臣，與各國使臣妥立和約，悉合機宜。方冀大局全定，榮膺懋賞，遽聞溘逝，震悼良深。李鴻章着先行加恩照大學士例賜卹，賞給陀羅經被，派恭親王溥偉帶領侍衛十員前往奠餟，予諡文忠，追贈太傅，晉封一等侯爵，入祀賢良祠，以示篤念藎臣至意。」

同日又奉諭：「王文韶着署理全權大臣。」又諭：「直隸總督兼北洋大臣着袁世凱署理，未到任以前着周馥暫行護理。」又諭：「山東巡撫着張人駿調補」。（十七）

詩中誤用字

徐學慧

倉皇二字，讀者們應該也是深知其義吧！殊不知在唐代以前，都是用蒼黃而非倉皇呢！讀過「北山移文」的人，當知該文有「蒼黃反覆」四字；杜甫詩「形勢反蒼黃」；韓昌黎文：「値吾南遂，蒼皇分散」；柳柳州（宗元）文：「數州之犬，蒼黃吠噬」；此皆用蒼黃二字。五代末，李後主去國詞：「四十年來家國，八千里地山河，會識幾干戈。一旦歸為臣虜，沈腰潘鬢消磨。最是倉皇辭廟日，教坊猶奏別離歌，揮淚對宮娥。」此處「倉皇」二字，據希通錄載如此，而據「容齋隨筆」載，則為「蒼皇」。不論其為「倉皇」或「蒼皇」，總之已不是「蒼黃」了。

大抵唐宋之間，這兩個字已開始在變。有用倉皇，有用蒼皇，甚至有人用愴皇或愴惶；而其已不用蒼黃，則昭然可見。到今天，如果有人寫成「蒼黃」，恐怕有許多人會認為這是寫的白字或者別字。實則在唐宋之間，倉皇則是白字也。

還有一些字，在聲韻上有誤用的，積習相沿，也就見怪不怪。如委靡之靡，百揆之揆，均應讀上聲，並無平聲，而今則誤讀平聲。又如長短之長為平聲，冗長之長應讀去聲，今則一律平聲。輩行之行應讀去聲，今則一律平聲。凡此皆為以誤傳誤者。

張謂詩云：「家無阿堵物，門有寧馨兒。」東坡詩云：「空使姦雄笑寧馨」。此寧字應為去聲，今皆誤讀平聲。誤用字到了這步田地，簡直是喧賓奪主了。

潤例談趣

筱臣

這裏的書畫篆刻家，雖然也出有筆單，但很少有客人見了筆單而去按價付錢，買一張畫刻一個印的。這裏和以前的上海不同，上海的書畫篆刻家多如過江之鯽，誰都可以出個「潤例」，有了「潤例」，聲價便高了。

潤例前面有一段小啓，或另繫以詩詞，作為說明，雖屬例行文章，但其中實不乏風趣或典雅之作。最早的應該數明季的李君實。（名日華）他是明崇禎初年的一個大名士，浙江嘉興人，著有「紫桃軒雜綴」，「味水軒日記」等書，多是談藝術的。

李君實寫字的潤例，定有「磨墨費」，以犒賞他的書僮的，在他這篇啓事中，寫得頗有趣，其文如下：

「余林居多暇，士友索書者紛集，因戲定條規，以示掌記。曰：大滌洞左昇翰墨散仙竹懶，示諭掌書僮等知悉。邇自漁郎啓關，烏徑通幽，雖彌明非世俗之書，而楊許成眞靈之輿，何妨灑墨，聊戲摶沙。既開乞墨之名，且撒躲婆之石。凡持扇索書者，必驗重金佳骨，即時登簿，明注某月日，編次甲乙，陸續送寫，不得前後撓越。每柄為號者，取磨墨錢五文，不為號三文。其為號，必係士紳及高僧羽客，方許登號。不得以市井凡流，雜薌混乞。：紙色不佳，或澆薄滲墨者，不許混送。昔山陰儳口，自籠羽人之鵝；晉陽奢望，竟厲曦友之婢，我悉貸除，以潤汝筆。汝輩既居揉葉求葛之儔，應修玄楮泓穎之職，恪供乃事，勿橫索也。崇禎已巳閏月示。」

這是明莊烈帝崇禎二年（公元一六二九年），李君實的潤例引言為後來一般書畫潤例有「引言」「跋語」的開其先河。

降及清季，其潤例小啓，最膾炙人口的，當推清代揚州八怪之一的鄭板橋。其自訂「潤例小引云：

「凡送禮物食物，總不如白銀為妙。公之所送，未必弟之好也。送現銀，則中心喜樂，書畫皆佳。禮物既屬糾纏，賒欠尤為賴賬。年老神倦，不能陪諸君子作無益語言也。」小引後又附有七絕一首：

「畫竹多於買竹錢，紙高六尺價三千；任渠話舊論交接，只當秋風過耳邊。」

板橋的風趣和坦率，在這短短一文一詩中，流露無遺了。

書畫家王一亭的潤例，是吳昌碩代訂的，小引云：

「作書畫二而一，骨董由來不取媚。躬比陽冰入篆室；筆代魯公爭坐位。明歲六十杖於鄉，大好精神慮憔悴。求者踵接迸不得，加潤商量苦猿臂、」

乙丑秋七月，為一亭先生書於禪覺軒。這一年，吳昌碩已八十二歲了。

湖南人郭守廬賣文賣字的潤格之前，也有小引云：

「大不能為盜為寇，小不能為竊為偷。士生今世本來命裏該休！發甚窮愁，出甚風頭，筆不能挑是挑非，口不能稱王道霸。閒空文章，自問也難攤什麼架，招人笑罵。妻不會賣軸俏鬻，子不為得勢拿權。一枝穎筆，與我生命相連。沒甚新鮮，為的金錢。當不上耆老名流，交不上時賢政客。沒字招牌，那裏有認得，管什麼黑白，出張潤格。」

這竟然是一篇憤時嫉俗的文字，讀之令人為之一快。同時，以詞代賣字潤例的小引的，有侯雲松，他填「金縷曲」二闋，茲錄其一云：

其一

「對客頻揮手，願諸君收回絹素，都容分割。書畫詞章三絕技，此語最難消受，況八十龍鍾老朽？終日塗鴉不了，憤直從辰巳交申酉。問所得，幾曾有？尤多親友之親友，貼紙條某翁某老，不知誰某！積壓縱橫失撒，尋覓幾番搔首。愧爽約，又將誰咎？要不食言原有術，或先將潤筆從寬厚，問破鈔，可能否？」

世人見到有人會寫字會畫的，便千方百計託人去求取，殊不知很多書畫家是靠此為生的。如果白費了時間，毫無潤筆，不是行將坐以待斃嗎？侯雲松此詞，實道出此中甘苦，詞亦風趣可喜。

公園春遊

鄧中龍

樓臺歌舞已成塵，
偶有相思續舊因。
楊柳忽從池畔綠，
滿園花發不知春。

上海「一·二八」戰役內幕（下）

在上海策動釀亂工作人物，除了田中隆吉與關東軍部派來的專田上尉以外，尚有關東軍「中國課」課長重藤千秋的弟弟重藤少校（憲兵隊），實際上他是主要的負責人。釀亂尋釁的方法，就是犧牲一個或兩個日本浪人，而以金錢收買中國的無賴漢，對那被預定犧牲的日本人行兇殺害，給日本政府以對我問罪的口實，同時激起日本一般民衆的憤怒，要求政府向我嚴重交涉，提出無理的條件，讓事態擴大，沒法解決，而日本軍部就有理由採取武力壓廹的行動了。

民國廿一年一月十八日午後六時左右，有幾個在上海江灣路一帶托鉢化緣的日本蓮宗妙法寺的僧侶，忽然受到被田中隆吉等事前收買教唆的中國人開鎗射擊，當場兩名僧侶負重傷，一名送到醫院即不治而死，中國警察聞訊趕來，兇犯業已逃逸無蹤了。這時，早已佈置着的所謂「日本青年同志會」會員三十餘人，即各持刀棍，洶洶然聲稱搜尋逃匿的殺人犯，首先襲擊「三友實業社」，實行放火（該社出產輕工業日用必需品，為日貨勁敵，日人恨之刺骨。），歸途中又與我警察衝突，且有傷亡，轟轟烈烈的上海事件，就是這樣發端的。

越二十日，日本在上海的居留民召開大會，就僧侶被襲擊事件，配以當時上海報紙紀載日皇在東京櫻田門遇刺消息的「不敬新聞」問題，盤情激昂地討論決議，向日本政府請願出兵，以期絕滅中國的排日運動；同時，田中隆吉亦以各種理由對日本駐華使館和派遣軍方面，申述此際應該出兵的旨趣。田中又曾以手鎗脅廹三井物產公司上海分公司總經理福島氏，要他打電報給日本財閥團琢磨（此時担任財政大臣職務），請其主張出兵「膺懲」中國。如此張皇喧囂了一星期，日本駐在上海的海軍陸戰隊，乃跟我第十九路軍發生了戰爭行為。日本軍部先派遣下元混成旅與第九師團來援，苦戰敗績，最後再以兩個師團從瀏河登陸，切斷我京滬交通；到二月底，戰事幾告停止，三月三日雙方簽訂和約，而「滿洲國」亦於三月一日正式宣告成立矣。關東軍預定的陰謀——轉移西方列強視綫，及早成立滿洲國——既如願以償，日本軍閥於爭回敗戰的面子後，也就願意罷兵收場了。據田中隆吉說，事後日本海軍方面微聞此次戰役內幕情形，頗為憤怒，曾有幾個青年海軍將校，持着手鎗和軍刀到他的住所來質問，而海軍部亦向中樞提出過抗議，陸相荒木貞夫默默無言，但該部軍務課長永田鐵山卻被上海派遣軍副參謀長岡村寧次痛罵了一頓云。

諸葛文侯

曾國藩論

謝康

（三）

但是，曾氏基於舊道德舊禮教的信念，他不能不忠君，不能不擁護儒家文化；要忠君和擁護舊文化，就不得不反對洪楊，維護滿洲政權，他豈獨不像洪秀全孫中山有深厚的民族排滿意識，而且剛好相反，為着實踐「忠君」的倫理，使得「華夏之防」的民族大義，在他心中也模糊起來；於是幫助胡人消滅漢人的革命勢力，他乃認為是扶持名教綱常應有的義舉了。何況當時和他敵對的洪楊，正是假借外教，輕侮儒術，到處破除宗廟、焚書籍、毀棄禮教及祖宗法度，和中國傳統文化不相容的一批名教罪人」，「人倫叛徒」。在他底「討粵匪檄」中，有幾句可圈可點的話。他說：

「……舉中國數千年禮義人倫詩書典則，一旦掃地蕩盡，此豈獨我大清之變，乃開闢以來名教之奇變，我孔子孟子之所痛哭於九泉，凡讀書識字者，又烏可袖手安坐，不思一為之所也?!……本部堂奉天子命，誓殄此凶逆。救此被擄之船隻，拔出被脅之民人，不特紓君父宵旰之勤勞，而且慰孔孟人倫之隱痛。不特為百萬生靈報枉殺之仇，而且為上下神祇雪被辱之憾！是用傳檄遠近，咸使聞知。……」

（四）

歷史人物

內警僑台報字第〇三一號內銷證

自由報

THE FREE NEWS

第一二五期

中華民國僑務委員會頒發
台教新字第三二三號登記證
中華郵政台字第一二八二號執照
登記爲第一類新聞紙類
（半週刊每星期三、六出版）
每份港幣壹角
台灣零售價新台幣弍元
社長：雷嘯岑
督印人：黃行審
社址：香港銅鑼灣高士威道二十號四樓
20. CAUSEWAY RD. 3RD. FL.
HONG KONG
TEL. 771726　電報掛號 . 7191
承印者：田風印刷廠
地址：香港灣仔高士打道二二一號
台灣分社
台北市西寧南路壹壹零號二樓
電話：三〇三四六
台郵撥儲金戶九二五二

本報合訂本發售啓事

本報合訂本第一輯（自四十九年二月十七日創刊期起至六月廿九日第三十九期止），第二輯（自四十九年七月二日第四十期起至十二月卅一日第九十二期止），自即日起，開始發行。定價每輯港幣六元，台幣五十元。敬請讀者留意。

古巴革命戰役的檢討

金達凱

古巴革命部隊於本月十七日發動的反卡斯特羅的登陸之戰，現已告結束。由於此次作戰，關係古巴的前途，關係美國的聲望，關係中南美洲的局勢與東西的冷戰問題，因此自由世界與共產陣營都重視這一戰爭的發展。當戰爭發動之初，俄酋赫魯歇夫即向美國發出恫嚇，要求美國停止行動，表示此一行動如不停止，則共產集團將出面援助卡斯特羅，並可能引起其它地區的戰爭。而中共頭目之態度，尤爲囂張狂妄。這些說明，古巴的內戰，不僅是古巴的問題，也不僅是拉丁美洲的問題，或單獨和美國的問題；而是東西集團的具有共同性的事件。現在革命軍的攻勢已受頓挫，未能推翻卡斯特羅政權，對上舉各項自發生若干不利的影響。

從一方面言，這次古巴革命軍的目的，是預備登陸之後，在古巴建立一個堅强的軍事據點，切斷古巴首都哈瓦那與其第二大城市聖地牙哥的聯系，使卡斯特羅在政治形勢上陷於孤立。假如這一行動成功，就可成立革命政府，要求其餘拉丁美洲各國承認哈瓦那政權與革命政權之間的對峙態勢，並可進一步向各個反卡斯特羅的國家，請求公開的支持。於是古巴的問題，就轉變爲內部問題。這一方案，本年四月九日紐約時報國際週報發表駐巴西特派記者的通訊中，就已有了輪廓的說明。然而這個行動沒有成功，反卡部隊未能實現其建立鞏固灘頭陣地、從而成立革命政權的原定計劃。這就其登陸行動的目的來說，自是一種失敗。

但從另一方面看，這次革命部隊出動的不過千人（東德通訊社消息，登陸軍約一千二百人），以如此微弱力量，能夠突破卡斯特羅擁有三十五萬軍隊固守的海岸防綫，能在東北部的馬坦薩斯省、東方省及西部的比那爾省三個地區完成登陸，並在登陸之後，支持了七十二小時，予卡軍以重大殺傷（卡斯特羅發表的公報中承認卡軍「犧牲了許多有價值的生命。」），最後將部份實力轉移到艾斯康勃萊山區去，從事遊擊活動，使莫斯科至哈瓦那都承認「威脅並未解除」。因而革命軍的行動也不能認爲完全失敗。

特別在政治方面來看，其意義更爲重大。它們的行動昭告了世人：古巴人民爲了自由，爲了生存，爲了推翻親共的獨裁政權，敢於以劣勢的武裝同優勢的敵人作戰。它們的行動，也警告了共黨：今天世界人民的革命對象，是共黨及其同路人。古巴的流亡份子，已由「被革命者」轉變爲「革命者」。同時也告訴了古巴國內人民，他們在國內對卡斯特羅的奮鬥不是孤立的，是有流亡國外的同胞做後盾的。從而仍可鼓勵和堅定他們的鬥志。因此，從基本意義上說，反卡部隊的進攻，還是成功的。

當然，它們這次的登陸，未能鞏固灘頭陣地，未能擴大戰果，也有若干問題值得檢討。

第一，是準備的不夠充份和登陸部隊人數的不足。主持戰爭計劃的古巴流亡人士所組織的「古巴解放聯合陣綫」，是去年十二月初開始成立的，短短數月內，對於戰鬥部隊的編組，人員的招募訓練，以及裝備的配備和登陸作戰的準備等，顯然未夠成熟。同時出動的人數太少，僅有一千餘人，而卡斯特羅所掌握的正規部隊和地方民兵則有數十萬人，力量是百與一之比。因此革命軍在佔領灘頭以後，和在卡軍未大量集結以前，其主攻方面應繼續投入部隊，乘機消滅守軍一部份實力，然後迅速楔入穿插，避免「逐島進攻」，而採取「跳島進攻」方式，切斷重要交通綫，打亂卡斯特羅的防禦體系。這樣，局勢必然改觀。但這須要後續部隊的增援，僅有千餘人是不成的。

第二，是情況估計的不足。反卡運動領導者，過於看重山區遊擊隊的接應，民兵的起義與人民的普遍支持，以爲革命部隊一踏上陸地，即可收裏應外合之效。當然這些有利因素是存在的，但要得到人民的普遍響應，則需要通過一次決定性的戰役，佔領中心城市和控制廣播電台，人民始敢脫離卡斯特羅的羈絆，對革命軍作有效的支援。而在局勢未明朗化以前，也就是說革命部隊未取得優勢前，人民總還是持觀望態度的，即使內心對革命深刻同情，表面上也還是不敢暴露態度。何況數月來，卡斯特羅對於國內反抗份子及有嫌疑人物大肆拘捕，內部治安早有防備呢？而過早期待內部響應，將響應的情勢估計過高，一當情況未能實現時，則必嚴重影響進攻部隊的心理，不能堅持作戰。

第三，是美國的決心不足。此次反卡軍的行動，雖得到美國的支持，如登陸部隊的運載，武器的供應等，均來自美國。但這種援助是極有限度的，不如蘇俄和中共對卡斯特羅援助的積極和全面。如掩護登陸部的飛機，是二次大戰時所用的陳舊機種B二十六式，而卡軍所用的則是新式的米格式噴氣機，因而前者自不能達成空中掩護的任務。它如坦克和大炮等，蘇俄給卡斯特羅的援助更多，以致革命軍一開始就處於劣勢。假如美國下定決心，許勝不許敗，採用更積極的方式，以支持反卡軍，則情況又當不同。

以上是此次古巴革命軍登陸戰役受挫的一些因素。我們應當肯定，軍事行動是粉碎和打擊共黨政權的最有效方式，在當前情況下，惟有發動軍事進攻，才是解決問題的辦法。美國切不可因偶受挫折，即改變軍事進攻方式，又恢復所謂「彈性外交」與尋求「政治解決」的舊辦法。須知一切革命，沒有不受挫折的，一次就可成功的。任何軍事行動，也都不是旗開得勝，一帆風順的。惟有受到失敗的考驗，吸取挫折的教訓，才可奠定勝利的基礎。

就現在情況看，反卡軍還是具備有不少有利條件，可以捲土重來的。

其一，由於卡斯特羅暴力統治的加緊，古巴的逃亡份子，仍不斷增加，據外電估計，現集中在美國佛羅里達州邁阿密的古巴難民，有十五萬人至二十萬人，加上流亡其它地區的人數，是一支巨大力量，可供繼續運用。反卡軍續在加勒比海天鵝島登陸，就是一證明。

其二，古巴山區的反卡遊擊力量，現已加强，卡斯特羅的內在威脅，仍在增長。因而反卡軍仍有再度自由進軍的機會。美國務卿魯斯克說：此次的流血，是古巴解放戰爭的開始。相信此話是有若干眞實意義的。

四月二十二日

小論天下

△古巴革命軍受挫，美輿論譁然。甘迺迪總統會與前總統艾森豪乃副總統尼赫遜會晤，並約晤杜魯門。

卡斯特羅不是「豆腐」，古巴革命軍不懂得把「武火」與「文火」配合得恰好，敗亦宜然。他們此時需更多的同情與鼓勵，卻不是無情的嘲笑譏罵。在美國而論，只要肯動一下，總比永遠束手爲好。我們認爲：這總是一件好事而不是壞事，但看到西歐各國對此事的淡漠，以及拉丁美洲各國的遲疑，不能不替美國耽憂了。讓他們歷屆總統來一次抱頭痛哭也好！他們都要對不斷低落的「美國聲望」負責。

△寮國停火在盛傳中。前「中立政府」總理由莫斯科賦歸，準備登台。傳現政府總理巴允辭職，以便成立「聯合政府」，實現「中立」。

「三分有其二」，這該是共黨打得勝鼓的時候了，彼以「二」而聯「一」，以「中立」而滅寮，泰國不搖動者幾希？

△法國與阿爾及尼亞談判未諧，阿境法軍突起叛亂，巴黎震驚。戴高樂正運用特權，緊急處置。

這正似「馭奔駒以朽索」，戴高樂亦良苦矣。他雖老而未朽，但長此下去，恐欲不爲斷爛之朽索而不可得。

△美贊同外蒙古進入聯合國，傳我擬運用否決權，予以阻止。

「知幾，其神矣乎」！這時我們應該讀易。

△大陸粵湘桂三省洪水成災，魯豫兩省苦旱。

人禍不除，天災續至，如之何？如之何？

方南

自由談

看古巴事變

蘇俄代表在聯大政治委員會攻擊美國支持古巴革命運動，指其爲「侵畧」，而忘卻俄製的飛機、坦克和空軍人員，在古巴內戰中大顯身手這回事。還有毛共在北平爲俄帝作應聲蟲，嘶着喉管乾吼絕叫，說甚末中國六億五千萬人民都是卡斯特洛的支持者。這原是俄共集團一貫的醜惡嘴臉，不足爲奇。

最可哂殆莫過於美國代表史蒂文生在聯大政委會中的答辯，他不知指斥俄帝以軍械和人員在古巴直接參戰這項事實，卻斤斤於美國並未派兵進攻古巴「這個細小而幾乎不能防守的海島」這類無謂的議論，舍本逐末，不亦傎乎！艾森豪政府對古巴卡斯特洛的親共反美運動，會藉美國的古董玩器「門羅主義」作盾牌，已經是笑話了，甘迺迪政府應付古巴事變的作風又如此笨拙。自由世界有這樣的盟主，焉得而不吃虧倒霉呢？

古巴革命軍的初次挫敗，在我看來，這是一項吉兆——可讓美國朋友感到一些切膚之痛，而使其迷戀於本身安全繁榮的惰性自私觀念有所警惕也。古巴現政權必然垮台，乃遲早間事，但美國的外交作風如不改變，則雖去一卡斯特洛，可能還有若干的卡斯特洛式人物在美洲出現，試看最近曾有九個拉丁美洲國家人民聲援卡斯特洛的情形，即可想見了。

以創造新境界與站在最前綫作號召的甘迺廸先生，進入白宮才三個月，即遇到寮國和古巴這兩大政治外交的重要課題，很可以測驗他本人及其左右那羣哈佛系人物的智慧如何？他們都是抱着倫理相對主義的政治思想，爲目的不擇手段。這目的如果是以自由世界的大我利害爲基準，和平的新境界或許可能創進，否則大戰的爆發速度即相對增加，得失安危之機繫於俄頃，而以寮國與古巴問題爲試金石，可慮也已。

馮正先生

大陸醫藥面面觀

焦毅夫

中共竊據大陸，對醫藥衛生的處理，可分三個階段。初期，曾經一度歧視中醫；中藥，認為是「落後的醫療方法」，「反科學的，不衛生的」，於是在各大城市大興土木工程，廣集製藥技師，準備自製西藥。時間不到兩年，將市場進口存品，如盤尼西林等，診治韓戰傷病官兵，而興建和擴建的藥廠，卻因缺乏原料和技師，無法生產，於焉「中、西脫節」，無藥以應疾病。不得不將被貶斥的中藥材轉而西用。提煉成粉末和水藥，並喊出「中、西醫藥並重並存」的口號，勒令西醫學習中醫。到最近兩年，一方面廣泛推行和完全依賴中藥，在最嚴重的病症醫療方法中，也以中醫，中藥為主要手段。

中醫，中藥本為先民累積經驗，已有數千年歷史。中共雖曾盲目排斥，如今再度依賴，在對事物一無定性的北平政權，本無足怪，所怪的，是恢復信賴中醫，中藥之外，還發明用「毛澤東思想」治病，「毛澤東思想」能治疾病？真是千古奇聞。

中共對使用醫藥的轉變，當是受到現實的壓力，不得不低頭屈服。因為大陸人民由於過度勞動，加以營養不良，患病者日重，醫務人員和藥材用量增多，於是由「土洋並舉」進而以「土為主」。幾年來，中共中央與地方醫藥衛生機構，曾舉辦一連串之「西醫學習中醫訓練」按照中共「西醫與中醫相結合」的政策，各地的西醫師和看護人員都分期分批脫離工作崗位，在中共黨委領導下，學習中醫醫病方法，和中藥的使用，各地大學之醫科和醫學院中，都將中醫，中藥訂為必修課程，例如：武漢醫學院有一三八個醫學教授和學生，都參加「短期脫離訓練」，學習中醫的「內經」「傷寒論」等四部古典醫學書籍，規定廣泛「運用拔火罐、針刺、耳針等方法」（一九六一年一月二十八日香港「大公報」）。

中共在十年後的今天，重新拾起中國寶貴的醫學經典，重視它並予廣泛利用。可是經過中共長時間歧視，早蒙無以衡量的損失，例如目前大陸中藥材的缺乏，就是明證。

造成中國藥材奇缺，據作者觀察有三個原因：

一、中共忽視中藥生產與採集。大陸「解放」之始，因中共歧視中藥，使培植中藥材的農民，因感出路不廣，乃改從事他業。「大躍進」以後，中共漸趨重視中藥，而幹部又把過多的人力集中於採礦煉鋼，農村勞動力已感難以應付農事，再無力上山採藥。同時，採集中藥是門專門職業，普通人殊難勝任。

二、中共為補救饑荒，連續兩年發起「小秋收」（即採集野生植物）運動，這是一個竭澤而漁的方法，中共驅使人民上山，將可利用的植物野花，可食的食鹽（如生地，淮山子等都可食）數量自然大大減少，乃至消滅其來源。

三、農民不肯將採集的中藥材出賣或繳歸中共商業機構。如：「山西晉城農民將採來的柴胡當柴燒。」據山西省晉城的中共黨委員會記下鄉調查之所以如此的原因，農民說「公社不給我們工分，白白的辛苦」（一九六〇年一月十五日「山西日報」）。

以上三種原因，促成中藥材之缺乏達到嚴重程度，使中共不能不大大喊「大力發展中藥材生產」。

在大陸人民失去健康：普遍地鬧着各種疾病，中西藥材全都非常缺乏時，中共卻妙想天開，提出「毛澤東思想可以治病」的報導。在一本刊物中介紹中共高級幹部——中共中央「農村工作部副部長」王觀瀾，患着嚴重胃病，靠毛澤東的思想和精神感召，從鬼門關轉了回來。刊物說這個王觀瀾患嚴重腸胃病，經歷了十三年，中間發過七次，都有生命危險，幾乎連呼吸都要停止了。最後，他終於恢復了健康。據王觀瀾對記者說出他之所以克服疾病的原因，說：「是黨和毛主席親切的教導和無微不至的關懷，鼓舞了我一次又一次的戰勝了疾病的威脅。」

王觀瀾帶着感激的口吻說毛澤東在他病況危急時，寫給他一封信。他說：「這是毛主席在那次看我之後，針對我的急燥情緒寫的。每當我讀着它的時候，渾身就充滿了力量，它使我克服了對疾病急燥的情緒，增強了征服疾病的信心。」「毛主席的話，對於我這個頻危的人來說，就像快要枯死的稻秧，突然得到雨露的灌溉一樣，大大地增加了我的鬥爭力。」（一九六一年「中國青年」第四期）

王觀瀾所說，誰也不信就是事實，即或他真患了十三年，胃病，而今不治而癒，乃是調養之功，絕非毛澤東思想奏效，他之所以如此說的原因，大有一切功勞歸於「黨」異曲同功之妙。

可是，問題的反面說明，在中共統治下的大陸，藥材供應如何的緊張！不但現代科學的西藥連中國土長的中藥材也極度缺乏，到了醫生診病必須現用現採階段。據說被中共驅迫「在公社巡迴醫藥工作中的衛生人員，經常深夜爬山，涉水，到病人家中治病，有時還就自上山採集藥材，用中西結合的醫藥方法給病人治病。」（一九六一年三月二十一日「文滙報」四川通訊）據此事實，醫生需要親自上山採集藥材，說明供銷已經中斷。

綜觀上述，我們對大陸的醫藥情況已有槪括的了解。病人之多，藥材缺乏，已使中共感到極端困擾，於是不得不要毛澤東出馬，以他的思想來「掛帥」。用以應克服的方法，要人民與疾病搏鬥。

「毛澤東思想」也可以治病，這真是千古奇聞。有人說，「毛澤東思想」治寒症或可有效，因寒症需要發汗，而患寒症的人，只要一提起「毛澤東」三個字，就可以全身緊張也。

△據近日大陸來人談：大陸人民刻已普遍患病，而患重病者不僅無藥可醫，更有不願用醫藥者。主要原因，乃在大陸人民報本上就不願意活下去，只求速死。這就怪不得大陸藥農也不肯種植山藥了。這真是原子時代的慘事。

在香港，單是「當歸」一藥，就要一百幾十元一斤，而且還是缺貨。過去十幾年前，四川出產的「當歸」，幾乎是和香港的柴價差不多的。

看來，在醫藥一項，中共是非向現實低頭不可了。「土」也好，「洋」也好，「土洋」並舉也好，只要有藥就成。

香港與大陸

△據返鄉探親之某友人自廣州歸來對記者稱：他在廣州，某次買了兩粒糖，在街上邊吃邊把包糖的紙丟在地上，忽見有一年約十一二歲的小孩，俯身將包糖紙拾起，連忙往口裏一塞，隨即吃了下去。他實在不忍，把手中另一粒糖送給那小孩。廣州人民之飢餓情形，即此可見一斑。

△大陸人民來信，近特別聲明，不要寄錢。因為在內地，有錢也買不到東西。有某君者，老母在大陸，年近七旬，擬預置「長生」（即棺材），某君回信，擬立即寄錢回去，但近接其弟來信，謂不需寄錢，只要多寄食物，隨便什麼都可以。因為有食物，隨時可以換錢。

△最近一個月來，自內地逃出者甚衆。彼等多在中英邊界偸渡。香港政府本諸人道主義，對此等偸渡過來的難民，多網開一面，不予追究。（田）

台北通訊

老百姓看「陽明山談話會」

反共救國會議，是政府八年前宣佈要召開的，但是，八年寶貴的光陰輕輕地溜走了，而所宣示準備召開的反共救國會議卻脫胎換骨，將以「陽明山談話會」的新姿態出世。

關於反共救國會議的召開，自宜佈迄以于今的輿論反映，固屬仁智之見不同，可是，無論台灣或海外皆難免責難之辭，究其根本原因，實肇於政府言而未果也。「民無信不立」，信，總該是謀國者不可輕棄的吧！

從反共救國會議蛻變為「陽明山談話會」，這其間的經過是頗不簡單的：政府當局固是滿腔苦衷難言，民間還仍以為「千呼萬喚」始出來的呢？竟是沒抱琵琶的姐兒哩，難道彈奏「大珠小珠落玉盤」的琵琶給別人抱去？

不管如何吧！「陽明山談話會」總算是打了開場鑼，至於「二通」何時打，「三通」打罷，什麼樣人物登場，唱啥戲碼，在台北雖有「馬路新聞」，但卻不能遽以發佈，要曉得關于此點被政府列為最度機密，而且，也會像台北的氣候一樣善變，因為，參預樞機的要員們，在他們的心目中何嘗有一個共同的標準？甲認為某某非邀不可，乙卻認為某某態度不夠明朗，恐其謀國不誠，萬一嘴沒遮攔，豈不要傷和氣？因此，目前就是連奉命擬名單的要員，也不曉得到底是邀誰？請誰呢！況且，最後定奪之權還不在他們！

但是，根據新聞幕後的風傳，「陽明山談話會」的架勢輪廓卻已粗具。此談話會之初步藍圖乃倣效國民大會，行政院將設一陽明山談話會秘書處，從事籌備事項。秘書處下設總務、文書，接待、交通、新聞各組，其工作人員將由行政院各有關單位調用。至于開會期間，可能是五月中旬，惟很可能分為二個或三個階段舉行，第一階段，先邀國內各黨派人士，以在野者為主，或邀一部份後起之秀參加，亦甚有可能。

另有傳聞，陳立夫提前赴美，係奉當道之命，傳達政府主意，代邀請某些旅美人士返國與會，蓋陳氏初則婉卻參與「談話會」之籌劃執行重責也。

「陽明山談話會」到目前為止，總算是不抱琵琶半露面了。到底能唱個什麼曲子，誰也不敢講喲！

那麼，台北以及整個台灣的民間反映呢？似乎頗不熱烈，如以淡漠稱之，尤為公平。老百姓對「陽明山談話會」新聞的反應，較之瑠公圳分屍案，甚至最近揭發的公路局，台北市公車處的集體貪污舞弊案，其驚懼，驚喜之情真是莫可比擬；老百姓神經由于豐衣足食的關係，都麻木了，需要刺激，對仰之彌高，觸之不到，而表演又極其淡雅的事物——「陽明山談話會」，似是覺得不夠刺激，不合胃口，想想看，一幅潑墨山水，縱是出自王維的手筆，祇宜懸掛玉堂之上，裝飾和穆雍容氣象，但是，芸芸衆生，嗷嗷者氓，是無此雅興欣賞的呢！

•斷橋•

大陸文壇萬花筒

關於歷史劇的爭論

——岳騫

（三）

第三種就要說到折中派了。這一派的領袖人物，不是一些職業文人或主管文化的共幹，竟是中共國務院副秘書長齊燕銘，此君素不以文見長，這次竟然出馬參加辯論確實有些意外。

齊燕銘寫的「歷史劇和歷史真實性」較一九六〇年十二期「劇本」，他提出兩個重要意見，（一）歷史劇的作家必須注意歷史的真實性，尊重歷史的時代，事件和人物的真實，應當寫得像。不應當把今天人物的思想和語言放到古人身上去，不能在舞台上表現那個歷史時代所不可能有的思想和事情。（二）作為歷史劇，作為文藝作品來講，為了更能集中地表達歷史事件歷史人物的精神面貌，允許對歷史的題材加以取捨，允許在歷史真實的基礎上進行適當的想像，創造和虛構，但是這一些，都不能超出當時歷史條件所可能有的或允許有的情況。」齊燕銘這篇文章表面上是「各打五十板」，實際上還是偏於正統派。

接着徐進寫了一篇「歷史劇寫作中的幾點體會」，載一九六一年第二期「上海戲劇」，他認為「歷史材料不等於歷史真實，更不等於藝術真實。因而歷史劇的創作可以不拘泥於某些歷史細節的差異，但又必須依據歷史的主要事件，揭示歷史的本質，予以藝術創造，為了更好地古為今用使主題更鮮明有力，在不違反歷史真實的原則下，更改一些歷史細節，我看是應該被允許的。」

徐進雖然是站在中間的立場說話，卻偏袒改良派。折中派裏面又分左右，到是滿有趣的。此外還有一些人不從歷史劇的真實與虛構方面來討論，他們只注重「古為今用」的問題，不問真假，只問合不合共黨的宣傳尺度，他們認為「歷史真實性和現實教育作用的高度統一。歷史的真實性和現實教育作用是有機的聯系着的，不能把兩者割裂開來。」有的乾脆說歷史劇創作成敗的首要關鍵，「在於作者要具有馬克思，列寧主義的立場、觀點、方法，正確地取捨歷史教材。」

這批人大概都是些文化幹部，黨性強，學問淺，「雖然不專」，他們的意見就談不上什麼價值了。

梁任公與林獻堂

人物掌故

仲侯

林獻堂先生有海上唱和集及東游吟草二詩集傳世，據其自序，當任公寓五桂樓，一夕集諸詩人歡宴，分韻賦詩，林成五律一首不自愜，請任公潤色並進而求學詩之道，承教以多讀多作多商量，後來旅居東瀛多暇，縱閱古今名著與舊雨唱和，其詩始進。

林幼春晚號老秋，爲日據台灣時最有成就的詩人之一，未弱冠即博覽羣書，著有「南强詩集」二卷，乙未割台時，他纔十六歲，對於唐景崧之主台，會有詩咏之云，「南州稱制萬夫奔，獨爲神州守外闔，父老不煩丹穴索，孤臣敬受纛麾尊，但恩「柱天能倚，其奈羣飛海已翻，他日倘餘諸疏在，曉曉衆口與鳴冤。」他與林癡仙莊太岳等，倡組櫟社，爲台灣自有詩社以來，最爲成功的詩社，表面雖擊缽聯吟，實則爲中華民族精神之所繫，幼春畢生爲求台灣同胞之自由、平等而奮鬥，民國十三年會以從事「台灣議會設置運動」被捕入獄，他的著作常受日人限制，多不能公諸於世，記其在江山樓席上送蔣渭水，蔡培火，陳逢源三同志赴日請設台灣議會一律云：「一往情深是此行，中流擊楫意難平，風吹易水冲冠髮，客唱陽關動酒聲，意外鵾鵬多變化，眼中人獸漫縱橫，臨岐一掬男兒淚，願爲同胞倒海傾。」自可見其志切匡復之志矣。任公贈台灣遺民林某兼簡其從子詩中有「頗聞阿咸最秀拔，磊磊胸羅皆文史」句即指其人，旅台贈林幼春詩，亦有「南阮北阮多畸士，我識仲容殊絕倫，才氣猶堪絕大漠，生涯誰遣臥江濱」之句，均甚爲推重也。（四，完）

老端

白楊

在大陸上我就認識老端，那時候他的職業看起來不大好看，叫起來也不大好聽。別人都看不起他，罵他沒有出息，不務正業；什麼事不好做，偏偏要厚着臉皮向人家乞討。我之所以認識他，是因爲他常常來廟裏找地方住宿。碰到颳風下雨，就端着碗來找我。出家人本來心腸就軟，看見他那付可憐的樣子，沒有辦法拒絕他。我們老和尙對他也沒有什麼反感，只要他弄得乾乾淨淨的；不作討嫌的樣子，很少開口說他。而我不過動動手走幾步路而已，況且廚房裏看見我拿着老端的碗去也沒有話說。

這次我休假到南部去，沒有想到會碰到他，他已不再是那叫化子的樣子。西裝畢挺的，皮鞋擦得雪亮，像個有錢的紳士似的。我注視他許久，都沒有敢向他招呼。恐怕認錯人會被人家笑話。等他也向我看，並且把眼睛眯了起來的時候，我才驚奇的走向他。

「你不是老端麼？」

「小和尙。」他也很高興的。

「眞想不到，」我說：「會在這地方碰到你。」

他熱烈的跟我握手，一點也看不出他過去絲毫的痕跡了。

「的確想不到。」他說。

「我想你一定混得不壞。」我打量着他說。

他笑了笑，帶着頗得意的神情。

「怎麼你和尙也不幹了？」他也打量我說。

「台灣沒有人要我，」我打趣的說：「看樣子你很得意。」

「我！」他用手整整西裝領子。聳聳肩說：「那隻要飯碗總算扔掉了。」

「做生意了？」

「我不能務正業。」

「怕我向你乞討？」

「我怕你這和尙會笑我。」

我莫明其妙的望着他笑笑。

老端可說已經完全變了，儀容態度，以及談吐，一點也找不回他往昔的形象。過去他那付德性，穿得破破爛爛的，走起路來要死不活的樣子，別人都說他是一付十足的叫化子相。穿在脚上的破膠鞋是從垃圾裏撿回來的。常常看見他背着一個用帆布縫的飯包。飯包旁邊還掛着一個日本軍用的水壺。而手上總是端着個舊洋磁碗。所以和尙們都叫他老端。可是他水壺裏裝的並不是飲水，而是上好的燒酒。

我們邊走邊聊。他告訴我他也是卅八年從大陸上混水摸魚來到台灣的。但他始終不提他現在做什麼。當然他不願說，我也不好問他。

「到我家裏去吃頓便飯，」他熱誠的說：「咱們好好的聊聊。」

「你結婚啦？」我問他。

「有個破女人湊和湊和。」

「你眞有板眼，」我嘲弄的說：「當初我要知道你有這麼大辦法，就跟你一同要飯了。」

他瞅了我一眼，好像我這句話給他灌了米湯似的。

到了他家，房子相當的不壞，屋裡的佈置也頗富裕。

在容廳裏坐了沒有多久，佣人就送茶來。

這時有個漂亮打扮入時的女人走了進來。老端站起來給我介紹，說是他太太。一個寒酸的叫化子，我想：能弄上這麼一個漂亮老婆，眞不簡單。

「玲玲啊：」老端叫着他的太太「晚上我們有什麼菜？」

女的好像要外出的樣子，衣服又換過了。

「菜不夠，」他太太說：「叫阿珠去買幾樣，我要出去一趟。」

這樣一個女人，實在引起我很大的反感。

我們兩個幾杯老酒下肚後，他終於告訴我他生活的景況。原來這女人在外面當交際花，老端半是恩人，半是丈夫，靠她生活。

「你爲什麼不找個別的事做做？」我說。

「我這個人沒有辦法，」他搖搖頭說：「本性就是這個樣子。」

秩序

劉杰

我的桌上最亂。報紙、雜誌、稿紙、筆、墨水。進來的人都對我搖頭，我的愛人說我是懶鬼。說亂七八糟，一點秩序都沒有。

我說我有秩序，我知道我那本書放在什麼地方，我的稿紙在什麼地方。她只是冷笑。她不懂得。

眞正的秩序不在外表。外表也許是整整齊齊，看起來順眼，覺得是很有秩序。實際上倒是有問題的秩序。

秩序是在人心裏。心裏的秩序才是眞正的秩序。我桌上也亂七八糟，什麼東西都有。但我知道那樣東西的地位。如果那個給我整理出一個頭緒來，反而我要什麼東西却找不出來什麼東西來。

所以我很重視內在的秩序，心裏的秩序。我書桌的東西，不許別人動，寧可叫別人罵我懶鬼，罵我這人「爛汚」。「知我者爲我心憂，不知我者爲我何愁」。

我讀過巴爾扎克的人間喜劇，在無神者的彌撒裏，載蘭醫生在一個書房裏，書桌上是書，桌子底下也是書。床上是書，頭枕着還是書，所以他說：「我的燈油比我的麵包多」。

不歡喜把書分類，別以爲他眞的不分類。他是在心裏面分了類。我有三箱子的書，你現在問我那本是在那箱子裏，我不僅知道，而並我還知道在箱子中間還在箱底下。我沒有分類卡。但我記得。這因爲我有內在的秩序。

假日（九）

短篇小說

孟瑤

最後的一個菜起鍋了，我讓阿嬌端出去，他也跟在我的後面，一起出來，來訪的客人來了，「家長」的臉板得鐵青，老大也陰沉得低頭不語，其餘幾個也放出那拒人於千里外的面孔，這使我說到嘴邊想挽留小胡一塊兒吃飯的話又嚥了回去，他也知道氣氛不對，只對我說了一句：「改天來！」就低着頭走了。

「你怎麼還可以給他錢，」他生氣了：「到這種時候還撒謊胡說，這種人早已無可救藥，何必幫助他？」

「我讓媽媽給我買一個吉他，就是捨不得這筆錢，」老三也滿臉的不願意：「好，一下子把我的吉他砍去了三分之一。」

「不要說廢話，吃飯好不好？」老大更沒好氣地喊起來。

想不到小胡的影響就這麼大，一手由我親手忙碌出來的菜，竟吃得一點也不像平常那麼有興緻。

飯後本來是歡聚閒聊，我怕話題會離不開小胡，使老大不開心，於是使提議看電影，幸被同意，於是一家人又從家裡投向了街頭。遊樂的時光是好消磨的，興盡，才趕着回來吃晚飯。這天的天氣一直不好，下着濛濛細雨，飯後孩子們忙着收拾都鑽了被窩，準備應付明天一清早就開始的忙碌。我們夫婦都坐在客廳裏吸煙、喝茶、閒聊。一會兒，門鈴響了，阿嬌去開門，沒有想到進門的是胡老師，在黯弱燈光的掩映下，她更瘦弱，她更蒼白，我常愛拿第一眼看見的她和眼前的相比，因此悲憫的心情隨着她的變化而加深。我不假思索地迎過去，心裏却驚疑着她爲什麼會黑夜駕臨？這眞是一件破天荒的事，她是一個消沉得幾乎不肯出門的人，往日，受不過女兒的糾纏，還出來買什物看看電影，女兒嫁後，更是懶得一動，至於來我這裏，更是從沒有的事，向來都是我三天兩頭往她家裏跑。這時她忽然來，我立刻想到是不是她不放心臨去南部存放在我這裏的首飾盒。她到南部去看女兒，一半是受到我的慫恿。我不願意她們母女的關係一直這樣僵持下去，所以趁女兒在信裏約她南下的機會，我勸她應該出去活動活動。她接受了我的意見，雖然她嘴裏依然忍不住一再罵着：「小丫頭嫁了丈夫就忘了娘，我也是該去罵她一頓，她忘了小時候我是怎麼樣疼她的！」

我勸慰了她半天，直到她的感情的確平靜了一些才準備告辭，但是就在這時，她忽然喊住了我，把我拖到屋裏，打開鎖着的抽屜把一個小首飾盒遞給我，神色有些緊張地說：「你爲我收着吧！放在家裏不放心，人心隔肚皮，老張雖然是我用了幾十年的人，我也不敢相信他。你知道，除了銀行裏那一點存欵，這就是我唯一的積蓄了。我媽給我的陪嫁本該一輩子也化不完，但是經過了一次打仗和金元券，我也折騰得快光了。可憐小丫頭，我都沒有什麼給她。這是我的一筆養老金，你給我收着。我怕萬一小丫頭接我，我們在路上錯過。她一個人留在家裏把我這點東西翻了去。她要曉得我只有這一點東西，更容易不認我這個媽了；我呢？我要是沒有這點東西還眞活不下去。

今日的大鵬（一）

——瘦西湖——

梨園漫談

自由中國的空軍大鵬平劇隊，於民國三十九年五月一日在台灣台北市成立，團址設新生南路一三七巷十二號，開創之初，其名稱爲大鵬平劇團，團長爲胡蓉弟上校，胡在空軍當局素有精明能幹之稱，並爲當時空軍副總司令王叔銘將軍之得力助手，王將軍派其主持該團業務，可見其對國劇之前途是如何注重，大鵬之有今日，王將軍和胡上校之功實不可沒也。

後該團因鑒於各級部隊官兵之普遍愛好，且念國劇具有潛移默化之敎育力量，既可調劑官兵輕鬆之生活，尤足以鼓舞士氣之提高，遂由空總當局據訂一項『寓政治敎育於文化康樂之中』的政策，而決定擴大成立，並正式改稱空軍康樂大鵬平劇隊，由該部第四軍區所屬之霄漢劇團，及傘兵部隊之飛虎劇團爲主，並重金禮聘在台之忠貞平劇藝人等合組而成，空軍當局爲了促其早日成熟起見，遂又派了一位對平劇深有研究的名票馬桂芾先生從旁襄助，馬藝名醉客，演丑戲可稱絕活，除名伶周金福尙堪匹敵外，餘均非其敵手。

大鵬平劇隊自在二位的悉心籌劃之下，終於同年秋假台北市中山堂作首夕演出戲碼爲名票嘯雲舘主之『生死恨』，次夕爲該隊當家老生哈元章之『戰宛城』，哈飾張繡，而以伶人戴綺霞飾鄒氏，典章由孫元彬扮，第三夕爲坤票姜女士之『十三妹大鬧能仁寺』，中山堂爲台北最大之集會所在，座位有一千四百餘席，其爆滿之程度，爲歷年來所僅見者也。

大鵬自此一鳴驚人之後，一方面作整演訓練之計，另方面遂正式展開巡廻全島各軍事基地，而負實際演出勞軍之任務，爲了加强陣容，特聘嘯雲舘主，及戴綺霞等爲特約演員，並定每六個月環島巡廻一次，由於陣容堅强，演出精彩，實爲當時空軍官兵不可缺少之精神食糧。

胡團長創辦大鵬平劇隊之初，不辭艱鉅，排除萬難，在經費短絀之下，仍以無比堅毅的精神，以排演劇壇久已失傳，或台灣稀見之老戲脚本爲主，致有『四進士』，『一捧雪』，『大英節烈』，『三國演義』，其餘武戲如『青石山』，『神亭嶺』『落馬湖』，及『提三關』，『打嚴嵩』，『紅娘』，『水簾洞』，『古城會』等戲碼，不下數十餘齣之多，一時膾炙人口，大受各界人士所歡迎。

燕塵識小

辛丑談往

——無負生——

飾終之典既頒，封疆之寄亦定，初步善後，略作安排，於是繼續東來，十月初二啓蹕開封。吳漁川云：「行宮陳設極壯麗，入內瞻仰一番，儼然有內廷氣象矣」是日慶王奕劻自京師來此，即蒙召見，垂詢都中情狀甚悉，良久始退。初三再召見慶王，慶以李相遺疏遞上。

十月初三內閣復奉上諭：「朕欽奉慈禧端佑康頤昭豫莊誠壽恭欽獻崇熙皇太后懿旨，周馥奏，督臣因病出缺，代遞遺疏一摺，大學士直隸總督李鴻章以儒臣起家軍旅，早膺疆寄，晉贊綸扉，輔佐中興，削平大難。嗣在北洋卅餘年，辦理交涉，悉協機宜。上年京師之變，事機萬緊，該大學士忠誠堅忍，力任其難。宗社復安，朝野依賴。本年七月間因病疊經降旨慰問，該大學士仍力疾從公，未敢休息，忠靖之忱，老而彌篤。方冀調理就痊，長資倚任，乃驟患咯血，遽致不起，當茲時局艱難，失此柱石重臣，曷勝愴慟，覽遺章，前已加恩賜卹，予謚文忠，追贈太傅，晉封一等侯爵，入禮賢良祠。並再賞銀五千兩治喪，由戶部給發，原籍及立功省分，着建立專祠，並將平生戰功，政績宣付國史館立傳。靈柩回籍時，沿途地方官妥爲照料。任內一切處分悉予開復，應得卹典該衙門查例具奏。伊子李經述着賞給四品京堂承襲一等侯爵，李經邁着以四五品京堂用，李經方服闋後以道員遇缺簡放。伊孫李國杰着以郎中即補，李國燕，李國煦着以員外郎分部行走，李國熊、李國燾着賞給舉人，一體會試。以示篤念藎臣有加無已之至意。欽此。」兩詔皆稱懿旨者以老成凋謝特示優崇也。

十月廿八日再奉懿旨以回鑾在即，論功行賞，李鴻章着再賜祭一壇，伊子李經邁以三四品京堂候補。十一月十四日（丙子）特予故大學士李鴻章建祠京師，漢臣祀京師，蓋異數也。

清史稿論曰：「中興名臣與兵事相終始，其勳業往往爲武功所掩。鴻章既平大難，獨主國事數十年，內政外交常以一身當其衝，國家倚爲輕重。名滿全球，中外震仰，近世所未有也。生平以天下爲己任，忍辱負重，庶不愧社稷之臣。惟才氣自喜，好以利祿驅衆。志節之士，多不樂用，緩急莫恃，卒致敗誤。疑謗之起，抑豈無因哉。」引此以爲蓋棺論定，則亦庶幾其可乎？（十八）

清代詩壇

徐學慧

清初詩人錢謙益、吳偉業、龔鼎孳三人，並稱江左三大家。其實，這三人都是明代遺臣，明亡仕清，不能純粹算是清代的。

眞正算得上是清代詩人的，首推王士禎。士禎的詩，其溫柔敦厚之處，可上繼風騷；氣魄雄偉之處，亦可並駕唐代。與士禎齊名的，有袁枚，但袁枚之詩，不及士禎遠甚。

袁枚之所以出名，乃在他愛收女弟子，所著隨園詩話，亦無多創見。在乾隆時代，袁枚、趙翼、蔣士銓，並稱爲三大家。可惜，他們的詩亦僅以絕句見稱，其他的體裁也不見得有何獨到之處。

乾隆嘉慶年間，清代武功已臻極盛。在文學上，詩人雖有袁枚、趙翼、沈德潛、黃景仁、厲鶚、孫源湘等人，但畢竟限於時代的轉移，他們的詩，無論如何，也沒法超越唐宋。說句不大客氣的話，還不能入唐宋之藩籬。

這難道是聰明才力不如以前嗎？不是，是詩的時代已經過去了。

我曾在拙著「望海樓隨筆」及「中國詩歌欣賞」諸書中，極言詩的時代已成過去，彷彿有些朋友不甚贊同，其實，從清代詩壇的歷史來看，詩學不能復興，已是很顯然的了。

王士禎、袁枚諸人，何嘗不是聰明絕頂的人，又何嘗不以復興詩運爲己任？可是，到結果也不過是贏得一個通天神狐的綽號而已。（作北江詩話的洪亮吉批評袁枚說，袁簡齋如通天神狐，醉後露尾。）（上）

一半談趣

筱臣

「半」字在中國文人運用起來，實在是變幻多端，玄機莫測，而且是妙趣無窮。把「半」字加在一些詞類之上，常是與相反的詞句無甚分別。如：「半開」就等於說「半闔」，「半明」就等於說「半滅」，「半推」就等於說「半就」，雖然我們習慣上總是兩者並用，以顯示其辭意。

中國文人，似乎最善於領會「半」的妙用，凡事未及於底，必稱「半」，才開端，亦可曰「半」；「半」字漸漸有名無「實」，自然那不是數學上的二分之一所可包括的了，自然也是極不科學的。

譬如才二十多歲年紀的人，命運多蹇，自嘆窮困，率然謂「半生潦倒」。反之，凡人在未死以前，大論其功名成就，即使已經活到八九十歲，還要自謙爲「半生功業」，必死了以後才算了此一生。

不過，話說回來，儘管還有些不太「科學」，不合「邏輯」，而在某一些場合中，用「半」字來形容一二詞句，還應該讚它入木三分。如「半天霹靂」，「半晌無語」，「偷得浮生半日閒」，「徜徉於半山半水之中」等，此「半」都是不能用尺寸去衡量的。他如兒女私情，用「半情半意」，「半嗔半喜」，「半點輕狂」等來比擬，又莫不有此一「半」，而旖旎之情竟活躍於字裏行間。

李密菴有一首「半半歌」，就是充滿着「半」的情調的，而且每一句都有「半」字的形容，會被幽默大師林語堂予以讚賞，爰錄之如左，以饗讀者。

看破浮生過半，半之受用無邊；半中歲月儘幽閒，半裏乾坤開展。

半郭半鄉村舍，半山半水田園；半耕半讀半經廛，半仕半民姻眷。

半雅半粗器具，半華半實庭軒；衾裳半素半輕鮮，看饌半豐半儉。

童僕半能半拙，妻兒半樸半賢；心情半佛半神仙，姓字半藏半顯。

飲酒半酣正好，半開半吐偏妍；半帆開扇免翻顛，放馬半邊穩便。

一半還之天地，讓將一半人間；半思後代與滄田，半想閻羅怎見？

半少反饒滋味，半多反厭糾纏；百年苦樂半相參，會佔便宜只半。

這一首歌頗多悟道之語，是亦深能領略「半」中滋味的經驗之談，東方人的人生觀，亦不離於此中窺知一二。

近年留港文化人某君亦曾以「半生」爲題，做照李密菴的「半半歌」，而以新詩體裁出之。其文如下：

半夜醒來，浮生已半，半擁衾被半轉側，心情半樂半傷感。腰肢半軟半硬，頭上黑髮半白斑。半生已成過去，還有半生怎完？

× × ×

學問半中半西，環境半舊半新，時代半洋半土，親友半亡半凋零。世界半蘇半美，中國半海半陸，國共糾纏半世紀，半是聰明半糊塗。

× × ×

如今，我半厭此生，半念此生，厭此生——成王敗寇太勢利，念此生——父母子女未了情；厭此生——魑魅魍魎無趣味，念此生——流水高山待知音；厭此生——名、利、權、情、都是幻，我念此生——隨緣渡日濟世人。

× × ×

於是，我半信耶穌半參佛，半自救贖半自證，救贖半要「主」扶持，自證半要佛指引。眞眞假假半假是夢，假假眞眞半人生。假假眞眞半過去，眞眞假假半來臨。

× × ×

過去既已成過去，未來倘未即來臨，心中念他爲底甚，當下放下即人生。

這一首「半生」新詠，似乎對於現代人的生活又較爲切近，我想過這種生活的人們，絕不在少數。

總之，這個世界種種，多受着「半」的支配，我們每天有一天是白日，一半是黑夜，日裏向陽背陰，夜裏向陰背陽，日作夜息，成爲千古不變的定律。即人，亦是陰陽參半，唯陰陽才能合成一體，藉以繁衍不絕。因此，或男或女，便只能稱是整個的半。像「件」字明明指爲半個人，故夫妻在稱伴侶，誰都是誰的另一半，這不是很奇妙嗎？

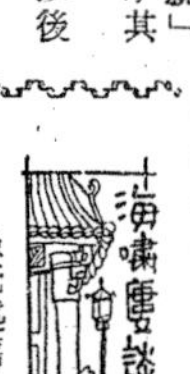

國際醜聞（上）

諸葛文侯

愚既述舊時日本軍閥製造上海「一·二八」戰役內幕，因而聯想到當年日本特務間諜們，在我國各地區故意尋釁釀亂的若干醜事，亦可供今後幹中日外交業務的政治人物一種啓示與警惕也。

大約在民國廿四年夏初，駐南京的日本領事館聲稱它的副領事藏本英明突然失踪了，認定是被中國排日份子秘密謀害無疑，要求我政府趕快查明藏本領事的下落，以明責任，否則將招致嚴重後果。在友邦首都之下，而領事官竟告失踪，這事非同小可，我政府聞訊惶惑疑懼，嚴飭治安機關不分晝夜的緹騎四出，盡力偵查了兩三天，亦毫無結果，而日本那位駐南京總領事須磨氏（名字似係叫作「彌吉」？此人現猶健在。）乃以盛氣凌人的態度，每天到我外交部詰責抗議，聲勢橫惡已極，我外交當局唯有逆來順受而已。

某日午後五時左右，南京鍾山山麓（即中山陵所在地的大山後面）的農家，有一中年男子前來乞取飲料水，但又不會說中國話，異之，即一面報告駐在中山陵附近的軍警，一面潛躡偵查乞水者的趨向所在。繼而治安人員到來，由農民引導上山，循着乞水者的去路搜索前進，旋於一個狐洞內發現一人倦伏着，細審之，就是藏本副領事，急忙護送他下山進城，坐着汽車駛赴日本領事館，驗明正身，交給須磨總領事查收。一場禍事乃告消解，而橫惡的須磨，此時乃如廣東話所說的：「冇晒表情了！」

原來藏本副領事是被脅迫到鍾山去自殺的，事後即藉禍於我國排日份子，以便日本政府藉口對我興戎，發動侵畧行爲，而使國際間認爲其曲在我。詎知藏本並無捨生爲軍閥走入枉死城的決心，但又不敢違抗命令，悄然走到鍾山的狐洞中潛伏三天後，飢渴難忍，乃下山來向民家乞取飲水，事實上就是不願意自殺。迨我方將藏本尋回來，送交日本領事館時，不特總領事須磨感覺失望難堪，即東京的「外務省」亦爲之「狼狽周章」（日本成語），嗒然若喪呢！

日本駐南京領事館只好宣稱藏本害着「精神失常」的病症，將他遣還國內療養，實際是押解回去問罪，迫其「切腹」自盡，以謝國人。兩年前我在東京旅行時，偶遇着前在馮玉祥軍中作顧問的老友松室孝良，便中談及藏本英明，詢以是否仍在人間？他笑謂早已去世了！藏本在南京時，我也會見過一面，其人恂謹有若雜貨店的掌櫃者，決非好事之徒，宜其罹此慘毒下場也。悲夫！

歷史人物

＊＊＊＊＊＊＊＊＊＊

曾國藩論

謝康

看來他心中認定是爲着保衛中國文化而進行聖戰，這使他更覺得師出有名，理直氣壯了。因爲在「文化聖戰」之前，種族觀念應該放低，（既重文化之分，必輕種族之異）否則不合於「夷狄而諸夏者則諸夏之，諸夏而夷狄者則夷狄之」這個文化第一的傳統觀念。

所以從中國固有文化的觀點看來，曾國藩之扶清室滅洪楊，原是無可厚非的。平日對人最好挑剔而少所許可的章太炎評論曾氏，除民族大義一節外，也佩服他「行事足以愜人心……知失民不可與共危難」；又說他能「體任自然，吏道爲清」，是一個「可以垂統」的人物。並且很可惜他不趁機自己做皇帝，於滅了洪楊之後，取清室的地位而代之呢！很顯明的，章氏對曾，還是褒多於貶。因爲國家之本在民，失民心不足以言建國，縱然揭櫫什麼好聽的理由，而一輩子倒行逆施，使人民老弱轉乎溝壑，壯者變爲奴隸或砲灰，如今日中共政權之所爲，對人民只有禍害，卻一點好處沒有，那能談到什麼建國的理想呢？太平天國雖然有一套理論和針對時弊而訂出的若干種新制度（如男女平等廢奴廢妾之類）；但是能否實行，卻是另一回事（譬如說洪楊明令廢妾，而自己就多蓄妃嬪王娘，荒淫無度，不能實行天主教一夫一妻制度）。何況軍行所過，里巷爲墟，刼掠殆盡。例如廣西，爲洪楊「起義」之鄉，受禍亦最烈，筆者少時據父老傳說：洪楊亂後，柳州一帶，城市鞠爲茂草，鄉村很少人煙，房屋破壞，田畝荒蕪，以後經過四五十年，元氣還未能完全恢復。諺語所謂「刼換紅羊」，就是用來指示「洪楊」之可怕如同洪水猛獸一般呢！（五）

內警僑台報字第〇三一號內銷證

自由報

THE FREE NEWS

第一二六期

中華民國僑務委員會頒發登記證僑台教新字第三二三號
中華郵政台字第一二八二號執照登記爲第一類新聞紙類
（半週刊每星期三、六出版）
每份港幣壹角
台灣零售價新台幣弍元
社長：雷嘯岑
督印人：黃行寰
社址：香港銅鑼灣高士威道二十號四樓
20 CAUSEWAY RD 3RD FL
HONG KONG
TEL. 771726　電報掛號：7191
承印者：田風印刷廠
地址：香港灣仔高士打道一二二號
台灣分社
台北市西寧南路壹零壹號二樓
電話：三〇三四六
台郵劃撥帳戶九二五二

本屆聯大會議與中共問題

雷嘯岑

關於中國毛共政權會不會進入聯合國這一問題，最近李幼椿宋文明兩先生在本報發表的文章，分析頗爲詳盡；李先生特別注意「外交之道」，對我政府今後的外交政策和作風多所檢討批判，而提出若干原則性的建議。他們語重心長，充分流露着憂國憂民的情操，良堪欽佩。我現在只就英美俄各國對毛共政權進入聯合國問題的腹案，略加推論，聊作補充說明焉。

一

首先我敢武斷地預言：在本屆聯大議中，毛共政權的入會問題決不會正式通過。何以見得呢？

上次英首相麥美倫跟美總統甘迺廸晤談時，對於允許毛共政權取得聯合國的中國席位這回事，甘氏曾經告訴英首相，甘說是要讓他有十二個月的時間來疏導培育國內輿論，纔能夠談得到與英國採取一致行動的話。這是甘迺廸的肺腑之言，決非外交詞令，因而麥美倫亦就表示諒解，不復絮絮叨叨，強人以所難了。再看美國代表史蒂文生並不徵求南韓政府的意見，即在聯大政委會中，突然提議邀請北韓政權派代表到聯合國參加對韓國問題的辯論，而美國國務院發言人近日又聲稱外蒙古如果被確認爲「獨立國家」，美國即不反對它進入聯合國云云。美國這兩項外交動態都不是偶然的，亦非孤立的，乃具有「項莊舞劍，意在沛公」的作用，實際就是爲毛共政權進入聯合國這椿公案做搭題文章，一以見好於俄共集團，二以拉攏一般中立親共的國家，三則藉此實行甘迺廸先生所謂疏導培育國內輿論的預定計劃。總之：這是甘迺廸政府要在聯大會議開幕以前，對世人表示它創進「新境界」的外交策略的一種動向而已。職是之故，我預料美國很可能在聯大會議前夕，或大會揭幕後，襲取杜魯門當年的故技，提出邀請毛共政權派代表到大會參加辯論的建議，企圖爭取冷戰的主動地位。這種思想，亦是現時圍繞着甘迺廸左右的一羣哈佛學院派智囊團所贊許的。

美國知道本屆聯會大議時，以英國爲首倡的若干承認了毛共政權的各國代表，必然提出「中國代表權」問題來喧嚣辯論，僅以「擱置一年再談」的對策，沒法應付了。在辯論之中，俄帝及其附庸國的嘍囉們，一定要求「驅逐」中華民國出會，而代之以毛共政權；英國一定提出折衷意見，主張「兩個中國」的席位並存；美國固不贊同俄帝的主張，亦不便公然與英國一鼻孔出氣，自須表示其獨特的見解。如是乎，這三種意見乃成爲解決中國問題的中心議題，辯論復辯論，爭執又爭執，兩三個月的會期，亦不能得到大多數一致的結論，殆屬意料中。最後即以必須「承認聯合國權力」，「履行國際義務」這類詞彙作弁言紀錄，聲明歡迎毛共政權參加聯合國，同時繼續承認中華民國的會員席位。至於毛共是否接受這種「好意」？中華民國是否引爲侮辱而表示反對？在英美看來，那是無關宏旨的事。

二

英國經過兩次世界大戰後，「大英帝國」遞嬗爲「聯合王國」，舊有若干殖民地或告獨立，或已自治，國力日益削弱，不復能執着國際政治與經濟市場之牛耳了。若再經過一次大戰，現有幾個碩果僅存的「聯邦」單位，亦可能各行其是，不相隸屬的。這就是英國最害怕戰爭的基本原因。但英國人亦深知俄式共產主義必須摧毀西方資本主義社會那套世界革命陰謀決不會放棄的，乃岌岌於「先固吾圉」，而以政略支配戰略。拉住美國，第一不要輕言戰爭，只是採取守勢防禦方針；第二實行重歐輕亞主義，不宜爲着東方問題而冒戰爭的危險；最後如果戰爭終不可避免，唯有放棄亞洲，先求保全西歐一隅。所以，英國對於東方的共禍，總是提倡姑息妥協政策，共黨在某地區發生了醜亂行爲，英國即主張將該地區分割爲兩半拉，把一半送給共黨霸佔，而美其名曰「維護世界和平」？英國人十九都是厭惡共產生活的，但由於畏戰心理已陷入歇斯忒里狀態之故，寧願向共黨乞憐告饒，以期「緩死須臾」，或希望在共黨統治下亦可能改行仁政，貸其一死。哲學大師羅素便是典型的代表人物，然我們絕對不能說羅素並不瞭解俄式共產主義的本質啊！因此，英國雖然極力主張允許毛共進入聯合國，卻不贊成把中華民國擯諸聯合國之外，依然要嘗試其一半兒自由、一半兒奴役的妥協政策。這與二次大戰前夕，英國對希特勒拼命妥協，不惜將奧大利亞全境以及捷克、波蘭的一部分領土，斷送給納粹主義者的作風，後先輝映，如出一轍，絲毫亦不值得奇怪的。

俄帝自始即以聯合國爲關子館，時而參加，時而退出，並不重視席位問題，如有需要利用這座關子館作爲宣傳鬧事的場所時，它又自動的顏回來，作爲聯合國的支柱之一了。往事歷歷，世所共喩。俄帝常常要求聯大會議排除中華民國席位，讓毛共政權取而代之的用意，卻與英國迥然有別。它唯一目的，就要在國際上抹煞中華民國政府的存在，使中國人喪失反共的領導中心，由散漫而消極，終至於癱瘓麻木，對反共前途感覺絕望，而毛共政權即自然穩定了。英國卻要利用中華民國政府之存在，以牽制毛共向外擴張，用意仍不外是要避免引起世界大戰。

美國當然是積極反共的，但其策略乃以戰略支配政略，一是皆以建立海外軍事基地爲本，其他均屬次要。只要美國本土的安全繁榮不受到危害，亦是忌諱戰爭行爲的，再受着英國老大哥的政略牽制影響，對於亞洲的共禍問題，總是抱着靜觀宗旨，而藉少許的軍經援助來維繫其自由世界盟主的聲望。就中國問題而言：中國人的反共目的，是要摧毀毛共政權，進而削弱俄帝向外擴張的魔力。美國呢，卻是以保持台灣這塊軍事基地，鞏固西太平洋這條外圍國防綫爲反共第一義。白宮當局過去要求毛共公開聲明不以武力進犯台灣海峽，並釋放那幾個拘囚在共區的美國人，便願意邀請毛共政權加入聯合國，再進而建立邦交；現在只要毛共跟美國秘密協約——華沙談判即爲此事——默認對台灣不採取軍事行動亦就行了。因此，美國與中華民國的反共思想相同，然其目的——至少亦可說是政策——乃各異，可謂同床異夢，也可謂「同途殊歸」。一句總話：美國除了被廹而從事大戰以外，一切都不妨暫行妥協，藉以爭取軍事上的絕對優勢。

毛共決不肯向美國保證對台灣海峽不用武，美國即不致襄到無條件允許毛共進入聯合國，因爲聯合國原係美國藉以干預世界問題的不二法門，英國亦就不便強迫美國無條件向俄共集團苟和。這便是我認定本屆聯大會議對中國代表權問題，只是吵鬧一場，不會達成一致決議的理由所在。

三

儘管本屆聯大會議對中國代表權問題僅止於喧嚣辯論，然我國出席代表必須竭智盡力，從事勇猛的鬥爭，表示「有所不爲」的志氣。若讓幾個強權主義者在大會中嘵嘵譁咋，東說西說，而我們毫無反擊的功夫，結果將有如粵語所說：「畀人唱衰咗」！

反擊之道，首先要毫無考慮的對外蒙古闌入聯合國這項提議，毅然決然，始終行使否決權。其次是痛斥那些企圖搞「兩個中國」把戲的各種謬論。美國當局對這些問題如向我政府有所勸告解釋，亦斷然表示礙難同意。只要我們在聯合國的常任理事席位未放棄，對任何不爲我們所贊同的決議案皆有權力予以否決的。強權主義者如果毫無是非公道之可言，則聯合國終歸非散夥不可。我們是聯合國創立人之一，不能坐視三數強權國家徇私作祟而將它搞垮，應該及時表現一些正義的言行，以明責任。甘迺迪公然稱呼我中華民國政府爲「台灣政府」，而我官方竟默然無聲，且從而爲之詞，自我解嘲，這種態度不改變，我們在國際上即有被別人「一筆勾消」之虞，那時候悔之晚矣！

小論天下

△法國第四次試爆原子武器。戴高樂總統掃蕩阿爾及尼亞兵變。法叛軍解體投降。

戴高樂眞有他的一手。他一車變馬，弊在左右兩邊的馬都要造反。右邊的馬已被制伏了，還有左邊還待收拾。看他能否利用此時威勢，把阿爾及尼亞的反抗份子說服下來？

△美總統甘迺迪聲言：願對古巴事件負起全責。前任副總統尼克遜表示，支持甘迺廸對古巴的強硬行動；並說：對寮共也要強硬。他認爲：當前對付共黨的最好辦法是：有火氣的言語少說些，有火氣的行動多做些。

尼克遜說得不錯，甘迺廸氣概也不差。只望「英雄出少年」，美國今後能幹出一點成績來。

△古巴監獄告滿，卡斯特羅拘捕十萬人入獄。

他要拘捕十萬人入獄才打贏這一場小仗，正好證明他未眞正獲得勝利。假如再來一次較大規模的戰鬥，革命軍能發動一次萬人的進攻，他能不能有更多的監倉去囚禁百萬以上的「反叛者」？

△毛澤東在杭州接見寮國前「中立政府」總理及寮共首領，指定由陳毅出席有關寮局談判的十四國會議。

西方國家仔細想想：寮國「中立」的「聯合政府」將成什麼樣子？

△寮國「停火」聲中，寮共仍不斷發動猛烈攻勢。美仍供運軍火與寮政府軍；並聲言：如不眞正「停火」，決不參加「和平會議」。

共黨要在戰場上爭取最有利的「停火」地位，然後在會議桌上展開最有利的「開火」形勢。

△大陸水旱災訊，連日不斷傳出，香港人聞「災」興歎。

由香港運糧給大陸的「一盃水」還濟得甚事？

方南

自由談

刮目相看

美總統甘迺廸最近對於古巴問題的言行，有兩點值得贊許：一是他接得俄酋赫魯歇夫冗長而胡扯的書信後，聲稱不屑作無謂的爭辯，置之不理；二是他把這次古巴革命運動失敗的責任，一肩担當，決不推諉矯飾。

共產黨人的特長，就是瞎說亂鬧，無可理喩。誰要希望用講道理的方法跟共黨解決問題，那便是愚蠢到無可救葯的白癡漢，不特自誤，而且誤人。當年富蘭克林・羅斯福總統在雅爾達跟史達林講道理，重信義，希望取得蘇俄的誠意合作，維持世界和平，乃不惜出賣中國的領土主權，以滿足史魔的慾望。結果是羅氏剛回到華盛頓，爲着德軍接洽投降一事，即被史達林胡扯瞎鬧的謠言攻勢，氣得一佛出世，二佛涅槃，而對史魔答以「居然把我的行動，和我可靠的部屬行動，向你作這樣可恥的誣報，使我不能不痛恨」的憤激語（詳見李海上將的回憶錄）。對付共產黨人唯一有效的辦法就是實力，其他全係廢話。這項訣竅，杜魯門頗懂得，甘迺廸亦不外行，只有艾森豪莫明其妙而已。

這次古巴流亡人士組織的革命軍，分明是從美國出發的，當然亦得到了美國的幫助，無論成功失敗，這項事實絕對沒法掩飾否認也。甘迺廸既不隱諱美國的贊助行爲，亦不因爲這是前任總統的預定計劃而諉卸失敗的責任，殆不愧爲有胆有識的政治人物，應該予以喝采的！

我對這位初出茅蘆的「甘大少爺」，本來沒有信心，從今以後，卻要刮目相看了。

馮五先生

昔日盲腸，今日商場
中華商場落成側記

雷武勝

（台北通訊）

台北市中華路的違章建築有「台北盲腸」之稱的中華商場，於四月廿二日下午三時十分，舉行落成典禮，由台灣省政府周主席至柔主持，使一千四百餘戶的住民能有安居樂業的處所，誠為自由中國的偉大創舉，茲將整建情形，報導如下。

（一）籌建經過：中華路鐵道兩旁違章建築，係卅八年由台北市政府委託警民協會搭建，作臨時安頓流亡來台難胞居住之用，嗣因事實需要，後由居住人陸續自行加高擴大，逐漸形成參差不齊破爛不堪，而礙市容交通，且對環境衛生及防火安全國際觀瞻等均影響甚大，政府為澈底改善，於四十八年省府周主席及警總黃總司令遵照中央指示，指定李立柏副總司令負責成立指導會報，督導協調有關機關積極進行整頓，並設立整建委員會，由台北市長黃啟瑞兼主任委員，綜理全盤整建工作，以「就地整建」為原則，並為兼顧政府財力負担，建築費用由居民預付廿年租金方式自行負担，為兼顧居民生活，予以「就地重建」為原則，為求一勞永逸及顧全市容觀瞻，決建鋼筋水泥三層樓房。

（二）整建計劃：將原有棚屋全部折除，東側建築三層樓商場八座，定名為「中華商場」，並將洛陽路，漢口街，長沙街打通，以增加交通流量，並將鐵道以東之馬路，拓成四線大道，鐵道旁闢為甲種車輛停車場，使市內交通秩序及西門區停車問題均能解決，從北門中正路口至小南門全長計一千一百七十一公尺，依道路區分八段，興建八座商場，冠名為「忠」「孝」「仁」「愛」「信」「義」「和」「平」以資識別，全部商場均為立體三層樓房，計一千六百四十四間，每層樓設平台、樓梯、男女厠所、公共圾垃、水電煤氣等設備，均一應俱全。

（三）商場分配與訂約：以與警民協會訂有租約居民為優先，原承租一間者分配商場內間位一間，自行建屋的居民列為最後分配，先分配下層及二樓，不夠分配時照比例抽籤分配三樓，剩餘三樓間位作分配折遷台北市其他地區違建居民，建築費除與警民協會訂有租約居戶，應憑分配地段（層）價格高低，按比例分攤完成訂約手續。

（四）工程實施概況：先設施預備工程，將路東舊有九百卅一間違章棚屋，及地面上電信桿與地底下自來水及高壓電纜等先行折遷作為興建商場基地，這工程由警務處電信局電力公司自來水廠等單位共同墊欵一百十六萬九千元提前折遷，中華商場係由陸根記營造廠得標承建，自四十九年八月十六日正式開工，每日施工人員七百人以上，日夜趕工，於五十年四月十日全部工程完成，僅一百四十九個工作天，較預定時間提早卅一個工作天完成。

（五）折遷違章糾紛處理：新建商場共計一千六百四十四間位，除分配中華路居民一千四百八十六間半，另商場管理委員會購充四間外，尚餘一百五十三間半，整建會應台北市府之委託將剩餘間位分配折遷懷寧街、信義路、貴陽街、桃園街、愛國西路、延平南路及南京西路，重慶北路口四角圓環等處嚴重妨礙交通市容之違章建築戶，以維居民生計，迭經整建會及警備總部勸導後各該地區違建戶均深明大義，接受勸導遷入商場並向整建會訂約繳欵手續，僅四角圓環地區九戶不願遷入商場向市府領取救濟金及土地自行折遷。

（六）商場間位分配糾紛處理：新建中華商場分配原則，係以與警民協會訂有租約之承租戶為準，但因部份承租戶已有租或轉租情事，自分配辦法公佈後有部分二房客與二房東發生承租權利糾紛，整建會為顧及全盤工作進行乃成立調解組協助居民調處糾紛，在鐵路以東舊有違章九百卅一間折除時有租賃糾紛者六十四戶，除內有四戶因頂讓及借貸關係情形較為複雜由雙方循法律途徑解決外，其餘六十戶均已協調解決。

（七）建築商人減低收益協助工程：中華商場房屋工程係由陸根記營造廠所得標，總價為新台幣四千零四十九萬九千零三十七之外加給水電衛生設備，電器設備，及接電費，設計監工費，煤氣裝管等全部建價總計四千七百三十三萬五千八百四十五元，承建該項建築之陸根記營造廠負責人陸根泉自願減收五十萬元建築費，負責設計與業建築師趙楓亦將應得百分之五設計費減為百分之二，均屬難能可貴，此外台電公司，警務處，自來水廠電信局等機關，對建築基地上需費一百十六萬九千元各項設施，均自行設法出欵遷移，以利施工，協助頗多。

（八）整建成效與展望：由於這一艱鉅工程的完成，使拖延十餘年之久的中華路違建問題，獲得了澈底解決，使破爛不堪環境最差地區，一變而為現代化既整齊，又美觀的最新建築區，不但提高了當地居民生活水準，解決今後謀生問題，並提高了中華路以及西門地區的商業價值，而促進整個西門繁榮，對國際觀瞻與未來觀光事業的發展，顯有莫大裨益。又商場管理亦為重要工作，現已由輔導管理委員會訂定管理辦法，唯其實施自當有待今後全體居民共同合作，以保持此一建築之整潔美觀。

香港與大陸

【澳門訊】由於大陸人民在中共長期奴役及長期飢餓政策下捱受不住，採取消極反抗辦法，以生命冒險，設法流亡到港澳來的人數，瘋狂地增加，而這些逃亡的大陸人民，大多數是無依無靠的窮光蛋，但他們都抱着逃到港澳行乞，也比較活在大陸好得百倍，原因是：在港澳行乞，起碼也食得兩餐飽飯，在大陸就不同了，縱使你被譽為「勞模」，也沒有半餐飽飯吃。故此，他們與其束手待斃，不如拚命逃亡，就這樣，澳門方面，增加了不少這類從暴政鐵蹄下逃出來的人們。

澳門政府為了治安上的安寧，對逃亡來澳的人們底生活，不能不顧慮，為此，澳門市行政局昨日下午去函澳門市政廳，領取青洲地區平日用作焚燒圾垃的曠場，並由澳門政府撥欵興建「中國難民村」，照計劃估計，這難民村起碼可容大陸逃亡來澳的難民達三萬餘。

澳門政府這項計劃是經很詳細研究的，倘若照近來情況，每日數十逃亡者來澳，將來澳門難免成為「乞丐城」，因此，不能不妥為計劃，盡量收容，至於伙食問題，亦已和天主教救濟及世界救濟機構接洽完善，並準備於短期內興建，生而為今日的中國人，能不悲哉。

教師會館，美奐美輪
醫院門前，有血有淚

（台灣通訊）

△最近日月潭落成了一座，台灣省第一座的「教師會館」，因為化了新台幣一百九十七萬元，所以外表是富麗堂皇，內部設備是盡善盡美。據教育廳宣佈：今後將來台北，台中、台南、大貝湖、新竹、礁溪、雲林、彰化等地，再興建相同的教師會館。

這眞是教師們的福音，以後公出可以享受一下，會館內這一切設施了。不過：問題是，教師們有什麼公可出差？就算辦教育行政人員，因公到教育廳去，那麼教育廳在霧峯，離日月潭還有數小時的公路路程，有何經濟能力往日月潭去觀光美麗的湖光山色？

三年來，窮教師們子女的助學貸款總額，才不過三百多萬，而建築了一棟會館就化了一百九十七萬元，何況還要再建築同樣的八棟，這該化多少錢？還有每月會館的維護費，工作人員的薪俸，也是一筆不可少的費用。

如果眞要替教師們謀福利，最好是讓他們，生活安定無內顧之憂。

如果眞要辦好教育，最好是先將教室荒解除，使我們的下一代，能接受完全的義務教育。

等這兩點辦好了，再建築教師會館，那才是眞正的福音了！

△醫生這職業，本來就是抱「救人第一」心情的，相信他們在讀書時，他們的老師絕不會告訴他，「賺錢第一」，診費如何收法？什麼病人用什麼態度？可是現在醫生們的醫德，眞是叫人寒心，尤其是一些大醫院，手續之多，沒病恐怕也要氣得你有病，何況沒病的人除非是十三點要跑去湊熱鬧。

當你排除辦好掛號手續，等了半天，輪到你看，也不過是三言兩語，打發掉算數，如果你是有點來頭的，則不僅可免去了掛號等等手續，相反的是，招顧得惟恐不週。

至於有病急症，則是「台幣第一」，醫生開了單子，叫你去買藥，沒有錢，那是你自己活該，他是非等你買了來，不會替你治的。

最近發生了一件笑話——痛苦而有血有淚的笑話。

儘管為了死掉的一個不三不四的女人，化了無數的金錢與人力。可是有一位有病尚未斷氣的女人，因為窮，躺在某大醫院的急症室裏兩天，也沒有人管。

眞所謂：醫院大門開，無錢莫進來，「病死活該，誰叫你窮」。

一天到晚只知用統計表報來表現，社會福利良好的那些先生小姐，讀此：有何感想？（柯仁，四月廿日）

·伯強作·

大陸文壇萬花筒

關於歷史劇的爭論（四）

——岳騫——

最後我們來探討為什麼發生的這場爭論。從各方面來看，這是共匪正統史學家向郭沫若，田漢等傍門左道的攻擊。人所共知，郭沫若最喜歡寫歷史戲，大陸淪陷前，郭沫若曾寫過「高漸離」、「孔雀胆」、「南冠草」、卓文君」、王昭君」、「棠棣之花」、「屈原」等歷史劇本，就這一類寫作來說，郭沫若到是多產作家，其實他的歷史劇最大毛病就是不忠於歷史，專門憑着自己的意思去發揮，淪陷後，郭沫若當了官，寫作時間也就少了，除去寫一些不鹹不淡，肉麻當有趣的新詩，整部的創作已經很少，雖然如此，他還寫了武則天和蔡文姬兩個劇本，這兩個所謂歷史劇，實際和歷史完全相背，只是歷史上的人名加上郭沫若的構想，就作為歷史劇了。郭沫若起了「帶頭作用」，下面嘍囉也就起而效尤，最重要的是他多年搭擋，現任戲劇改進局局長的田漢，此君以劇作家身份去寫歷史劇，曾寫了一本關漢卿，因為關漢卿事蹟流傳太少，田漢當時選中這個題材，一方面是應時作品，紀念關漢卿七百周年，另一方面也就因為歷史資料少，才便於發揮，想寫什麼寫什麼，橫豎都是假的，其成就固可與郭沫若媲美，而聰明也許過之。

除去歷史劇以外，田漢還創作了一種「今古同合」的新戲，始開端的是他寫的「十三陵狂想曲」，幻想幾十年後的「幸福生活」，於是今人，古人，神仙，鬼怪都出現了，熱鬧到是怪熱鬧，但是都不知道這種戲有什麼價值。流風所被，各地人民公社大演今古同合的好戲，例如織女下凡去人民公社任保育員，諸葛亮也到人民工社工作，鬧得烏煙瘴氣，鬼哭神嚎，後來雖然受到批評停止了，但已留上一個難忘的笑話。

這次發動攻擊的主將是吳晗，此君的歷史知識遠在郭沫若之上，更難得的是中共大員齊燕銘也出馬助陣，特別指出寫歷史劇「應當寫得像，不應把今天人物的思想和語言放到古人身上去，不能在舞台上表現那個歷史時代所不可能有的思想和事情。」這些話明白是對郭沫若、田漢而發，因為齊燕銘是周恩來系重要幹部，來頭太大，郭聾子自然不敢還口，只有裝聾過去了。

歷史研究

台灣與中國版圖

李仲侯

年來國際間，自英首倡兩個中國的謬論後，這股暗流乃愈演愈烈，不惜與潛伏日本搞台灣獨立運動的逃犯廖文毅，和一二不明民族大義的留美籍學生，互相唱和，編造出「台灣人是福爾摩沙民族」（People of Formosa）這個新詞彙，其目的在想捏造一個「台灣獨立國」或「台灣共和國」的根據。這種荒謬絕倫的說法，出諸國際政治掮客之口，猶可說也，而廖文毅之流，自己是中國人，竟把中國人不當人，硬說自己的祖先是戎狄異種，其喪心病狂，實較當前之共產黨尤為可恥可鄙。

夷考台灣歷史，連雅堂所著台灣通史，謂秦時徐福發童男女數千人入海求神仙，其中蓬萊方丈係指日本琉球，瀛洲係指台灣，其說或不免鑿空，其後隋書唐史所載，多屬征戰殺伐之事，又未免過於簡畧。惟台灣在元時已開始進入中國版圖，則確屬信而有徵。我國自唐以後，經五代而至宋，中原戰亂頻仍，各省人民浮海南來避難者日多，南宋時，元人滅金，金人甚至有浮海來台，擇其所居耕田鑿井以自給者。那時台灣地方沒有開闢，到處野草叢生，空山無人，故當時移入居民，大多選擇近海平原以從事漁耕。據「小琉球漫志」，那時曾在台灣本島發現許多宋錢，多屬太平（太宗太平興國）、元祐（哲宗）天禧（眞宗）等年號，質小而薄，可見閩台間在宋、元時已有了交通。

到了元代，元世祖經營海外，不遺餘力，至元十八年（西元一二八一年）曾遣軍遠征日本，途中遇颶風而歸，船隻漂流海上，其中當有些收泊澎湖及放舟台灣本島西岸的，後來又聽楊祥之請征伐瑠求（應為台灣）那是至元廿八年（西元一二九一年）的事，隨後因書生吳志斗的建議，從澎湖發船前往招諭，改以楊祥為宣撫使，並與吳志斗和阮鑒攜詔同往，第二年入一島嶼，言語不通，無法達成任務，此事詳載元史第二百一十卷。到了成宗大德元年（西元一二九七）改福建省為平海等處行中書省，以泉州和瑠求相近，招收易得其情，便遷治於泉州，是年九月福建平章政事高興，派省都鎮撫張浩，福州新軍萬戶張進去瑠求，擒了一百卅多人而還，次年復遣歸，使他們效順。（一）

家教

汶津

家教一詞，不止一個定義。孔子讓伯魚學詩、學禮，後世遂有「庭訓」一目，這該是家教的前身。「你這人眞沒家教。」是譏老子代担兒子的不是。這些都已不是「家教」的時髦意義了。如今的家教，最多見於報紙上的小廣告欄，最多聞於家境不甚豪富的大學生之口。那是一個省畧詞，——家庭教師或家庭教職。

「半工半讀」聽來比較有寒酸態，用教學相長來作家教的註脚，似乎妥貼得多。老實說，年青有為的家庭教師們，並不是誠心想在學校讀書的階段先獵取一點教學經驗，他們多少也有些雇工的心理——薪水多點，麻煩少點。

不過賺錢不同於兒戲。有志於聘請家教的家長，多半暗存一番妙想，最好是三個月的加工就能把寶貝兒子鍊成好鋼，由不及格的成績一躍而為高材生，藉此光耀門楣，博得個「教子有方」的名聲。而執教的小伙子却眼睜睜的盼着發薪日。勞資雙方的衝突，雖還不致輕易地表面化，骨子裏却是潛存着的。「這孩子就是不肯用功，明年就得考初中了……」這類話大致是由慈母代表那個書香門第說的。此時，那位屈尊就職的家教先生，便頗費躊躇了。因為那一番委婉的說辭，如果換一個樣式，可能就成為「現在把這份責任全交給你了！」那使父母破財的頑童很可能還在旁邊向你扮鬼臉呢。

最可畏的是家長親自押陣，必要時更畧作指導性的建議：「該讓他多學點英文生字」；「還是少出難題」；「基礎最要緊。」好像光做兒子的父母還不夠味，做他的太老師才算，不白花了幾百塊月薪。初出茅蘆的小老師往往芒刺在背，如果經濟情況不過於窘迫，可能過了兩三個星期就藉故辭職讓賢了。因為那比學校督學還精明，還有聲勢呢。

有一種家教不過是套用頭銜罷了。其實那位家庭教師只是變相的保姆（如果性別屬女）或保鏢（如果是男的）。大公館的子弟們難免會想在讀書時間內換換胃口，這時候誰陪他們上戲院？家庭教師正是適當人選。他終於發現：教功課時百教不通的孺子，在銀幕前竟是滔滔不絕的專家，他記得的好萊塢明星，比自己多好幾倍呢。至於女老師能在學生的課本前打毛線並和家庭主婦聊天，那眞是前世修來的了。

惡性補習到目下已和違章建築一樣，野火燒不盡，春風吹又生，不僅如此，更有人着意播種呢。三申五令，嚴禁惡性補習的主官，自己家裏便有多位惡性家教。家庭教師的身價之歷久不衰，和違建飯攤的生意興隆有異曲同工之妙。而且好菜好價錢，否則就是青菜豆腐湯。要想兒女考個好學校，不但要選高等學府的高材生，更要不吝高價投資。這原理已經是人所共知的了。如果你發現有些大學生連約會的時間都很慳吝，千萬不要見怪，這是時勢造英雄啊。

太太們見面，照例在談菜價，談衣料之餘，一定得品論品論家庭教師的優劣，交換一下行情。在另一個鏡頭下，兼職的大學生却在哲學史的課堂上研究雞兔同籠。柏拉圖的理想國可能等於X的立方。如果再要畫蛇添足，不妨插入小頑童難倒學校教師的一幕——「這是我家的老師說的。」不但可以報復上次挨的那幾下手心，更可以藉此向同學們炫耀一番。家庭教師已經使社會的許多角落有了不大不小的改變。

說到此地，已是強弩之末。還有一點委屈之處，是應該替大部份研讀文法的學子們伸冤一番的。原來家教的重心為英、數、理，除此而外——中國人還不懂國文嗎？歷史地理也值得請人指導麼？奉告諸君，如非改行客串，便請外賓止步。

烈婦詞

南道

「報國志難酬，碧血難收，篋中遺稿自千秋。腸斷招魂魂不到！雲暗江頭。繡錦舊妝樓，我已君休！萬千悔恨更何尤？拼得眼前無盡淚，共水長流。」

上面的詞，是福建女詞人沈鵲應女士所作，調寄「浪淘沙」。她是戊戌六君子之一林旭的夫人、沈葆楨的孫女、貴州巡撫沈瑜慶的長女，生於光緒元年，自幼敏慧，家學淵源，美詩詞，著有「唵樓詞」一卷，附在林旭的「晚翠軒詩集」之後。她是在光緒十八年十月與旭結婚的，時年僅十七歲。

結婚僅六年，林旭即遭逢戊戌政變，被戮於市，沈女士悲傷之餘，親擬赴京迎櫬，家人阻之，仰藥以殉不死，一直到光緒二十六年四月，卒以憂傷過度，抑鬱以死。

詩人李拔可與林家為親戚，林旭死後，在閩的葬殮事，就是他與沈翊清經手規畫的。

第二年，沈瑜慶在福州建生壙，把林旭夫婦葬在左側。題聯云：

「千秋晚翠孤忠草，一卷唵樓絕妙詞。」

又云：

「北望京華，蠡江涕淚；南歸丘首，詞女唱隨。」

短篇小說

假日（十）

孟瑤

聽了她這一串屬於老婦人的嘮叨口吻，我的眼淚都要流下來，我記起了她年青時的神情，為了一種理想和希望，她慷慨地揮霍她的所有，為了培養大家的音樂趣味，她經常舉辦音樂會，每一次，她都要貼很多銀錢進去而從無吝色，但是幾十年的時光流逝過去，生命的精華消耗盡了，不幸的遭遇又使她對一切失去了信心，如今捧着這一盒僅有的首飾，却把有生之年的一切希望都依附了上去，人，還有比老更「悲劇」的嗎？我忽然想起論語中：「君子有三戒，少之時，血氣未定，戒之在色；及其壯也，血氣方剛，戒之在鬥；及其老也，血氣既衰，戒之在得。」吳老師老了，對於未來的一段渺茫的日子失去了安全感，她不得不把希望寄託在那已縮小得很可憐的積蓄上。傷感中，我無言地把這首飾盒小心翼翼地捧回來，它沒有上鎖，好奇心使我偷偷地打開了它，裏面有兩枚鑽戒和一些重不及十兩的金飾，我再輕輕地闔上它，我想要是以這僅有的一點東西做為生命的支柱，那是脆弱的；它至少還要加進去向一條生命的主流同一方向奔進的兒女才會堅實。而吳老師恰巧沒有。可惜我們的收入剛夠維持生活，否則我願意把這象徵着未來希望的小盒予以充實。……這是我把那個小盒小心保存時的感想。但是吳老師匆匆趕來，充份證明她對我的不信任，這使我的心裏很難過；再想到她對我這個一直追隨了這多年的學生都無法信任，那將使她在心靈上失去最後一點安全，這樣想，我更為她難過，但，我不欲這點感情被她知道，於是，便只迎過去說：「老師怎麼這麼晚還跑出來？我打電話給老張，知道您已經回來，正預備明天來看您！」

她望望我，似在考察那個小盒改變了多少我對她的忠心，然後才說：

「反正沒有事，出來轉轉。」

「處長」和她打了一個招呼就悄悄溜開，他知道吳老師有些怪僻，所以盡量避開不惹她生氣。

「南部玩得還好？」我雖然在寒暄，却包含着多一半的關切。

「嗯！」她只輕哼一聲，沒有說什麼。

我立刻遞過香煙去，為她燃上；她吸了一口，才顯得平靜一些回答我：「我相信你勸我的話，兩代人兩個世界，我準備放棄她，在我自己的世界裏好好地活下去。」

我不想打聽她母女見面時的細節，但一定不愉快是可以斷言的。兩代的衝突，碎心的永遠處於上一代。也許因為施與的愛太多，使晚一輩的孩子感到吃不消，也許她還不放棄她的看法與做法，想拼命地鑽到孩子們的世界裡去，而引起了他們無情的反抗。總之，她失敗了，她失去了對未來所抱的希望。她不僅不會再得到什麼，甚至於連施與的權利都被剝奪！於是，她只好回到自己的世界裏來，而自己的世界又那麼空虛，她想起了那寄託她全部希望的小盒，她是以一種如何凄苦的心情趕來我這裏的。我激動着，立刻起身回到睡房，打開衣櫃，又把她的那點唯一的希望捧到她的面前，為了使她不看到這件事情的痕跡，我裝出像一個懶學生的樣子說：「您來了，就省得我跑一趟，您就順便帶回去吧！」

梨園漫談

今日的大鵬（二）

——瘦西湖——

至民國四十年初夏，該隊收年甫九齡的徐露為第一期學生，隨劉鳴寶習青衣，（劉為北平鳴春社之高材生，彼曾從律佩芳，劉鳳林，唐富堯等知名伶人學戲，來台後為大鵬當局所聘），由蘇盛軾教練武工，（蘇為北平富連成科班出身，習武生，素以技藝高超見稱），後徐以學生身份偶演『打漁殺家』，『賀后罵殿』等劇，不意竟一鳴驚人，從此遂為顧曲家所器重也。

約仲夏初秋之間，因嘯雲館主赴新世界戲院就經理職之故，該隊遂另聘名伶周慧如小姐參加，首泡戲為其拿手劇作『得意緣』，並由戴綺霞等助演『破洪州』，『木蘭從軍』，演出之日，聞訊來觀者座為之滿，不久該隊又排出武戲如『鐵籠山』，『英雄會』『三叉口』，紅生戲如『戰長沙』，『掛印封金』，『活捉潘璋』等。

四十一年，該隊負責人胡蓉第上校因功調升某單位主管，遺缺由羅紹蔭中校繼任，羅為發揚固有文化，維護忠孝仁愛倫理道德起見，遂盡量排演將要失傳之老戲，以期喚起我民族奮發之精神，這時周慧如小姐已往參加大宛平劇團工作，該隊乃另聘名坤票段承潤代之，并特聘坤票老生余叔良，花衫楊美春（藝名金牡丹）等助陣，於同年仲秋之際，演出名戲『勾踐復國』一齣，其魄力之大，係為歷年來自由中國所罕見。

四十二年夏季，大鵬假台北市中山堂作第二次公演，為期一週，其大軸戲為『九更天』，『馬上緣』，『戰宛城』，戰劇由馬踏青苗起，割髮代首止，由哈元章從頭至尾，一氣呵成，演出精彩，頗為難得，『寶蓮燈』，『劈山救母』，『紅娘』，『連環套』，『紅樓二尤』，『英節烈』等劇，演出過程中，甚為轟動，未幾段承潤因故退出，而由青衣趙玉菁，武旦季素貞等加入，自此大鵬如虎添翼，新戲益增，而斯時該隊第一期學生徐露，已嶄然大露頭角，與季素貞變演『泗洲城』，飾水母一角，大打出手之處，演出頗甚精彩，致能一泡而紅，決非偶然耳。

是年冬天，羅紹蔭已積功升至上校，同時並調升空軍康樂大隊副大隊長之職，並調吳冠羣中校繼任大鵬平劇隊長，而由馬桂蕭中校為該隊副隊長，時空軍總部所屬之康樂大隊大隊長為馬聯端上校，史影中校為副大隊長，彼等均對戲劇頗有研究者，而名老生胡寶亭，武淨景鳴璧，及老旦尹鳴達等均於是年加入，陣容乃益告堅強矣。

燕塵小識

復次則袁世凱之由魯撫升署直督事，宜有一言。世傳袁之移鎮京畿，實出李合肥遺摺之推薦。民初湘人蕭壽昌作「袁世凱志畧篇」，即持此說。然余昔年曾讀李氏遺疏，實無一語及袁。歲月悠久，自恐記憶不眞，偶晤吾友吳相湘兄，懇其代爲覆查，據云確無薦袁之言。可見悠悠之口，未必果與眞彖悉符，下筆之際，不可不辨也。（九月廿七降旨，十月初三遺摺始到，即論時日之先後，亦可證不由李氏之推薦矣。）

其後十年歲在辛亥，暮春之初，江南有一書生，北來就傳。道出津門，經人引導前往河北之李公祠一遊。李公祠者，十年前奉旨在津爲合肥李鴻章所建之專祠也。入門一望。但見春水漣漪，畫廊曲折，有亭翼然，窗明几淨。正北大殿封鎖，不克入觀。全局結構，未爲精雅，而美命美奐，固自壯觀。事隔三十五年，此人年逾五旬矣，投林倦鳥，再客津沽，偶憶前塵，重尋舊夢。則見頹垣斷井，面目全非。池既不存，亭亦烏有，僅北面正殿，蛛鎖塵封，依然殿局而已。短短三十四年而滄桑之變如此，可爲躊躕而悽愴矣。

辛丑談往

——無負生——

（玖）斥逐溥儁：兩宮行在開封（此語今日觀之殊屬腐化，然確是當年南北通行之術語，姑仍沿用，以存其眞），留駐匝月。暫息塵勞，發施號令。則有小事，可佐談資。十月壬子（廿日）內閣奉上諭：「朕欽奉慈禧皇太后懿旨：已革端郡王載漪之子溥儁，前經降旨立爲大阿哥，承繼穆宗毅皇帝爲嗣，宣諭中外。嗣自上年拳匪之變，行釁列邦，以致廟社震驚，輿播越。推究釁端，載漪實爲禍首，得罪列祖列宗，既經嚴譴，其子豈宜膺儲位之重。溥儁亦自知惕息惴恐，籲懇廢黜。自應更正前命，溥儁著撤去大阿哥名號，並即出宮，加恩賞給入八分公銜俸，毋庸當差。至承嗣穆宗毅皇帝一節，關繫甚重，應俟選擇元良，再降懿旨，以延統緒，用昭愼重。將此通諭知之。」

此爲官樣文章也。其實此懇由張之洞發之，而吳永成之。庚子西狩叢談卷四記曰：

予（吳永自稱）在湖北時歷調制府文襄公，意頗親切，詢及出狩及行在情狀，張每感嘆不止。一日忽談及大阿哥，公謂：「此次禍端，皆由彼起，釀成如此大變，而現在尚留處儲宮，何以平天下之人心。且禍根不除，尤恐宵小生心，釀成意外事故。彼一日在內，則中外耳目皆感不安。於將來和議，必增無數障碍，此時亟宜發遣出宮爲要着。若待外人指明要求，更失國體，不如及早自動爲之。君回至行在，最好先將此意陳奏，但言張之洞所說，看君有此膽量否？」亭曰：「既是關繫重要，誓必冒死言之」。曰：「如是甚善。」（十九）

清代詩壇

徐學慧

袁子才而後，中國詩壇幾已成爲繼起無人的現象。儘管有人說，同光年間的龔自珍，是一個異筆突起的人物，也不過是幾首七絕能見稱於時，而且，也還是脫了不唐宋詩家的圈子，不能說是異筆突起的。

當然，在清末詩壇中，龔自珍的詩，也是有他應得的地位的。所作己亥集詩三百五十首，中亦不乏佳句，從其七言絕句，可窺見自珍的才氣，惜略近於賣弄聰明，無復唐人的氣宇宏濶，亦不及宋人的說理明暢，雖則他有意以宋人風格入詩，但無論如何，已無宋人的境界了。

倒是廣東嘉應的黃公度（名遵憲，著有人境廬詩草）說他是異筆突起，倒還說得過去。他的「小學校學生相和歌」八首，引新入舊，可說已跳得出唐宋人的圈子了。然而，這樣的詩不多，而且，嚴格的說起來，也只是白居易所作新樂府五十首的遺風，還是說不上眞正的異筆突起的。

除龔自珍黃公度而外，同光詩壇尙有陳三立，鄭孝胥，樊增祥，易順鼎，王闓運諸人，究竟也只是近體詩的迴光返照，談不上有什麼光輝的了。

梁任公以其縱橫捭闔之才，所爲詩亦多新穎語，可惜，任公不是詩人，說得更深刻一點，他只是一個政治家。這樣的詩，也就很難說了。（下）

懼內談助

介人

一向提倡「尊敬太太」運動，傳爲一時佳話的胡適博士，最近在台大醫院病榻上，非常愉快的接受一位遠在巴黎友人送給他的十枚「怕太太」徽章。這十枚徽章，是法國巴黎用作打公用電話的錢幣，與香港通行的錢幣大體相同，上面刻有（PTT）三個大寫字母，法文意思是用電話專用的錢幣，而這個三個法字（PA-TAI TAI）的中文拼音，恰好是「怕太太」三字音。

向喜幽默的中央社駐巴黎特派員李強光，特以這種錢幣「枚，托我國出席日內瓦婦女會議代表葉楚生女士帶回轉贈給胡適博士，這位做過留美中國學人所組織之「懼內委員會」基本會員的博士，接受這十枚非常別緻的徽章時，會哈哈大笑不已。

胡氏在未病以前，會計劃以古今懼內故事爲題，在扶輪社作一次公開的講演。他平時喜歡搜集有關怕老婆的資料，李強光回國訪問時，胡博士會和他討論過這個專題講演的問題。想不到這次談話一個月之後，胡博士却意外收到十枚「怕太太」徽章的禮物，他自己已掛上了一個，另外的他準備送給九位標準懼內的朋友。

這一個新聞發表以後，敏感的報紙，自然如響斯應，如香港某晚報的附刊，即有某文士以「惹看朋輩囚鐵窗，喜向世界炫懼妻。」爲題，正言讜論，對於胡氏不無本春秋責備賢者的義，有所責難。並說：「他的那份刊物的主持人雷震，不是還在獄中嗎？胡適老遠回來，不但對於朋友減刑絲毫沒有幫助，且當他的朋友坐在監獄之中，他却大談其「怕太太」。你對之是不是更不免「忍看朋輩囚鐵窗，喜向國外炫懼妻」之譏呢？」

其實，這實在未免求全責備，以今天胡適博士的處境，實在有心無力，愛莫能助，我們更何忍苛求。且說他既然在搜集懼內的資料，關於歷史上的資料，胡氏是治史的人，所知必多，歷史的記述，近代的資料，姑且以供採擇，或亦爲胡氏所樂聞吧。

世上怕老婆的人很多，不論古今中外，到處皆然，所以特別關於這些資料也就多，不勝縷述。

某地有一班畏妻的人，組織了一個懦夫會，但嫌懦夫這兩個字不雅，便改爲樂樂會。所謂樂樂者，即「諾諾」之諧音，這班人雖然有膽組會，但仍不忘其唯唯諾諾的畏妻本色。樂樂會的會員，都是百分之百的怕老婆同志。自成立以來，參加者紛至沓來，會員日衆，會務日盛。該會每月開全體大會一次，大家交換各種應付悍妻的經驗，至於開會的地點，極爲秘密。

樂樂會長的太太，對於懦夫會的組織，微有所聞，但是她不動聲色，召集了一般太太們，組織了一個「御夫會」，她被選做會長，這個會的宗旨，是互相聯絡，交換關於各人丈夫行動的情報，並且互相負責，代爲監視彼此的丈夫。她們每次開會，都是討論駕馭丈夫的種種方法。

有一次，樂樂會開月會，會長宣佈開會詞，正在講得慷慨激昂，有聲有色的時候，僕役突來相告，說御夫會全體會員已經聞風而來，情勢十分緊張。會內立即好像被投下了一顆氫氣彈，秩序大亂。各會員都爭先恐後，搶着從窗口，後門，側門倉皇走避，紛紛作鳥獸散。可是，那位會長，自然站在主席台上，巍立不動，

御夫會大軍掩至，可惜已經人去樓空。御夫會會長一眼看見自己的丈夫，居然胆敢單獨留在那裏，一點不把她放在眼內，於是大肆咆哮，指着他大罵：「人人聽說太太來了，都給太太一點面子，趕快迴避。你大概拿了天做胆，所以敢公然站在這裏不動！」

她氣沖沖地走向前，伸手拉他的耳朵，不料手指觸到他的頭部，他整個身體，向後便倒，隆然一聲，跌在地板上，直挺挺的，一動也不動，原來已經被嚇死了。

到了這個時候，御夫會會長立即放聲大哭起來。她一面哭，一面自怨自艾地說：「就算你怕我，也不用怕到連人都嚇死呀！早知你這樣，我也不來搜查你了！」

過了一會，懦夫會會長忽然長嘆一聲，回醒過來。他的太太以爲他有意裝死來嚇她，立即氣到臉色發靑，衝過去要跟他拚命。

懦夫會會長，連忙雙手亂搖，顫聲哀懇地說：

「我絕對不是裝死，剛才我已經到了閻王老子那裏，但一眼看見我的前妻，所以我一嚇便醒過來了！」

這一個故事述完以後，我想這一位樂樂會的會長，大有獲得這種榮譽徽章的資格，胡適博士應該留下一枚，送給這一位會長吧。

國際醜聞〔下〕

諸葛文侯

日本駐南京副領事藏本英明失踪活劇表演失敗後，日軍閥慚憤交集，搆釁侵華的詭謀愈趨積極了。民國廿四年冬，又發生成都和北海事件，而以成都事件最爲嚴重。

日本依照不平等條約，在重慶早已設置了領事館，亦有「日清公司」及其他的日人在重慶經營航業和商業，成都原非通商口岸，並無日本僑民居留着。但日政府突於民國廿四年秋間，向我提出添設成都領事館的要求，託詞保護僑民，眞是無理取鬧，我方據理駁復，認爲未便同意。然日方悍然不顧，即派遣特務份子二人，會同重慶領事館的職員一名，巡赴成都進行設館工作，下榻於「大川飯店」。維時四川民衆聞訊驚憤莫名，訴請省府主席劉湘將倭寇驅逐出境，劉謂外交問題應由中樞全權處理，疆吏未宜干預；而在任的川康外交特派員吳澤湘對民衆請願逐倭，亦答以「我只能轉達中央核示」。如是乎羣情激越異常，某日，有些人乃不約而同的前往「大川飯店」，意欲直接詰問那兩個日本特務人員，勸他們不如歸去。初時人數並不多，慢慢地蝟集了幾百人在飯店門口，大嚷大罵，而市內民羣聞訊來看熱鬧者絡繹不絕，致將飯店周圍堵塞得水洩不通，警察亦無法排遣了。旋有人提議：「請那幾個龜兒子的東洋人下樓來談談」（日人住在飯店樓上的），羣聲附和，即有幾十名好漢拔步登樓，聲勢洶洶，那位陪伴日人担任翻譯工作的重慶領事館華籍職員，看情形不妙，潛匿不敢露面，剩下兩個日本人語言不通，跟那些登樓來的好漢們各說各的，被好漢們拉扯到飯店門前，一語未發，群衆奮起叢毆之，拳頭與磚頭齊飛，木棒共扁担一色，兩個倭人，登時給羣衆活活打死，血肉狼藉在地，嗚呼哀哉！

消息傳到南京，我政府當局大爲驚震，而日本駐南京總領事須磨彌吉到我外交部提出嚴重抗議時，竟用手杖將部長室的花瓶亦擊破了！外長張岳軍先生是四川人，對此不幸事件更引爲遺憾，對於須磨的無理言行，只好咬牙忍受，犯而不校。詎料一波未平，一波又起，在北海捕魚的日本漁船一艘，又說被中國人截刦，船上的日人失踪了，日本軍艦急駛北海尋釁，外交當局爲之焦頭爛額，肆應極苦。幸而成都平原沒有長江大河，日本兵艦沒法開去，否則不待蘆溝橋事變發作，而中日大戰早已揭幕了。

成都事件發生次日，川康外交特派員吳澤湘奉召飛至南京報告詳情，張外長對吳氏厲聲譴責川省政府未能維持治安，讓民衆從事不軌行動，平添政府的煩惱。吳以事不干己，認爲無端挨罵，走入政務次長徐謨辦公室大發牢騷，徐謂：「你不知道，昨天北海又出了事，部長肝火甚旺！」後來北海的魚船與漁夫皆無恙，成都命案由我政府道歉撫卹了事。

歷史人物

曾國藩論

謝康

洪楊之失民心，從民間傳說和當時的許多文獻上也可以得到證明。例如廣西古文家王拯、龍啓瑞等之協防桂林，啓瑞有「大岡步團練公局記」一篇，即亟言洪楊之害民，（與曾氏檄文所云：「視我兩湖三江被脅之人，不若犬豕牛馬」大意相同。於是地方人士紛紛起來辦理團練（今日所謂民兵，即昔時之鄉勇）以抵抗匪禍而謀自衛。這種「團練」制度，當時由於抵抗洪楊，已普遍實行於兩粵湖廣各縣鄉村，曾國藩之練湘軍，最初亦不過保衛家鄉之「湘勇」。這眞正是民意之表現，多少符合於民主精神的。

四

曾文正之其他偉大貢獻，在爲社會轉移風俗，爲國家培植人材，同時致力於洋化運動的提倡。

我們讀他底「日記」和「原才」諸篇，可知其愛民之切，謀國之忠，原才篇關係世運興衰，殊非淺鮮，作者以爲「人才盛衰，風俗厚薄，皆視其時在朝在野士大夫之心之所嚮爲轉移」，這原有相當道理。決不可認爲老生迂腐之談。中國社會向來以士爲四民之首，君子行爲影響平民猶如小草受風必然低頭一般。所以移風，易俗，士大夫階層的責任最重，從社會學上的模仿論看來，這也是應有的社會現象。曾氏認定人才隨士風轉移，他自己就能以身作則，以忠誠爲天下倡，並且勸善懲惡，獎拔後進，興善政，變士習，終於蔚成同治中興的良好政風，並培成不少人才。倘若天假之年，當軸又能和衷共濟，則化民成俗之功，或多不在太平盛世的宰輔伊尹周公之下吧。（六）

內警僑台報字第〇三一號內銷證

自由報

THE FREE NEWS

第一二七期

中華民國僑務委員會補發
台教新字第三二三號登記證
中華郵政台字第一二八二號執照登記為第一類新聞紙類
（半週刊每星期三、六出版）
每份港幣壹角
台灣零售價新台幣弍元
社長：雷嘯岑
督印人：黃行滙
社址：香港銅鑼灣高士威道二十號四樓
20 CAUSEWAY RD 3RD FL HONG KONG
TEL. 771726　電報掛號 7191
承印者：田風印刷廠
地址：香港灣仔高士打道二二一號
台灣分社
台北市西寧南路壹壹本號二樓
電話：三〇三四六
台郵劃撥金戶九二五二

本報特別啟事

名作家岳騫先生前在「自由人」半周刊所撰時事小說「瘟君夢」，早為一般讀者所贊賞。旋以「自由人」停刊，原篇未完部分，已交其他刊物發表。茲應讀者要求，為本報新撰「瘟君續夢」，從下期起，連續刊出，特此預告。

爭取人心與反攻大陸

王厚生

今日大陸上的總形勢是：工農業生產一團糟，嚴重的糧食恐慌，普遍的反共民氣。據新華社北平二十四日的電訊，入春以來，黃河流域中下游各省的旱情又有發展，受旱地區的人民公社正在利用各種水源，抗旱澆麥和春播。又據該社二十六日的電訊，華北和西北部分地區在二十三日和二十四日下雨，有些地區雖然獲雨，但乾旱威脅仍未完全解除，山東和河北省部分地區沒有下雨或下得很小，旱情仍然嚴重。此外華南方面上週有暴雨，湘、粵桂三省洪水爲患。照此情況看，大陸上今年的農業生產一定無法提高，而且一定歉收，這樣說來，大陸上的饑饉將日益嚴重，餓死的同胞將要更多。這一大陸慘局，指明反攻的時機已告成熟。

就國際形勢看，我們受到某種壓力，被廹處於不得實行反攻的境地。我們雖然站在自由世界的一邊，雖然立在亞洲反共的前綫，天天與共黨罪勢力從事搏鬥，但是，自由世界各國對於我們的處境不但沒有充分的同情和支持，反而時時發出傷害我們的言論。中華民國作爲聯合國的創始國，近且連代表席位也發生問題。形勢逼我們是如此之甚，我們已走投無路。關於這一層，民間輿論界要不斷努力，善盡言責，向國際坦白聲明。我們希望各國的輿論能夠設身處地，爲我們想一想，並望諒解和支持我們的立場，從而促使它們各自的政府，莫採姑息主義的政策。說得明白一點，即是莫逼人太甚。

造成中國局勢的因素，不單單是人民反對共黨極權統治和爭取自由，同時也是人民要求活命的生死問題。廣大民衆在饑餓綫上呻吟，亟待外力拯救，而中共不但拒絕外界救濟，反將搜自民間的糧食作加劇冷戰的用途。就自由主義和人道主義的雙層意義來講，中共統治是必須推翻的。西方的學者和政治家們也認爲極權統治是終於要崩潰的。更何況，在今日大陸人民的心理和情緒上，已有足以推翻中共統治的根據。這就是說，中共的統治是不長久的，是不穩固的，促使中國局勢變化的內外因素正多，自由國家絕對不該認定中共的統治爲「不變的事實」，因爲這種認定，犯短視的錯誤，亦違背西方國家的文化傳統——自由主義和人道主義。

無論是爲了保持聯合國的席位，或爲了反攻大陸，我們都必須爭取國際間的諒解和支援，換言之，我們要爭取國際人心。取得了國際人心之後，才能希望由國際人心影響自由國家的政府，改採有利於中華民國的政策。可是，毋庸諱言的，自政府退守台灣以後，十多年來，對於爭取國際間人心的工作，做得不夠。政府只是做了一些招待外賓的工作，卻很少有計劃地派人或團體到海外各地去做爭取朋友的事。邀請外國元首到台灣訪問已不止一次，而我國從未有答訪之舉，不說爭取到朋友，即禮貌上亦欠妥當。今天，中華民國在聯合國機構內的席位發生不穩，實在是不得國際人心的一種反映。

對於所知不多或漠然不知中華民國的國家和人民，我們如只使它們知道台灣島上還有一個堅決反共的政府，和堅強的反共武力，或請求它們在聯合國席位問題上幫助中華民國，這是不夠的。我們還應該將中共殘暴、人民饑餓、反攻必成、中國局面未定等等，告訴它們，說服它們，必使它們相信中共統治決非「不變的事實」，「兩個中國」的政策不切實際。由是而一心支持我們，支持我們的聯合國席位，和支持我們反攻大陸。

爭取國際人心以利反攻大陸，既如此重要，那末，爭取海內外同胞的向心，尤爲反攻準備，更屬重要。

抗戰勝利後，政府的措施諸多缺失，人謀亦復不臧，以致喪失人心，這已爲舉世公認之事實。退守台灣後，十餘年間，凡所措施，可加批評之處依然極多。爲國家利益，在野者本可協助政府，而政府卻無此打算；重大問題臨頭，時常一意孤行，從未預謀朝野一致；在野者相忍爲國時，亦未能相機創立政治範例，傳諸後世。今天，客觀形勢顯示和逼迫我們反攻大陸的時機在眼前，此刻，政府應反省主觀條件。國內外民心是否已經收復？是爲首要問題。

大陸內外的民心反共，固然不錯，但人民對執政黨的觀念如何，對政府的觀念如何，仍須注意。但是，這一顧慮並不能成爲拖延反攻大陸的藉口，問題在於：發動軍事反攻之前，政治反攻和思想（心理）反攻應澈底進行，否則，軍事反攻不一定有絕對把握。

最近，古巴反卡斯特羅的革命登陸戰失敗，應該引爲殷鑑，吸取其中教訓。古巴革命的暫時挫敗，可歸因於：革命軍力量薄弱、對人民內應的估計錯誤、對俄援武器的估計太低、對卡斯特羅的特務統治、美國在革命軍登陸時未曾全力協助。由於地理上的鄰近，美國爲本身的安全計，確有決心搞垮卡斯特羅政權。美國總統甘迺迪氏的最近言論和活動，明白表示出這一意圖。

假使我們實行反攻，武裝力量的強弱，視乎運用的方法。對大陸人民的內應寧可估計得低，因爲這與作戰心理有關。估計得低，先有戰鬥務求持久之心，萬一內應不起或延遲，不致氣餒。在人民的心理上，每每以爲外力必甚強大，反採期待態度，古巴內部人民之遲遲起義，或受這種心理影響，他們以爲反卡武力既有美國爲後盾，則擊倒卡斯特羅政權，旦夕可成，不料內部人民寄望於外力，而外力卻錯誤地寄望於內應，陰錯陽差，造成敗局。對於俄援武器之火力則寧可估計得高，但這並不包括過分強調中蘇共之間的表面分歧和實際一致，因爲這一看法如果確實，則中蘇共之間有同盟之約，無論反攻大陸和人民起義，只需中共向蘇聯求援，都要受到俄國的出面干涉和鎮壓，這不僅可使我們知難而退，且誘使美國和其他西方國家加倍阻止我們動作。即政府平時所謂獨力反攻、不需外國一兵一卒的言論也成爲連篇空話。對俄援武器估計得高，與低估人民內應的用意相同，在使心理有所準備，勇敢作戰。我常想，政府如能利用目前六陸的混亂情勢，積極、主動和機巧地行動起來，倍增中共的困難，進而促使大陸全面或部分地區的大騷動，將局勢誘導成爲中國人民的自決問題，屆時，中共雖向俄國求援，而俄國鑑於中共政權的土崩瓦解已成定局，無可挽救，直接干涉有所不便和有所困難，在這樣的形勢下，我們不是不可以達到光復大陸的目的。

但是，要導成以上的形勢，執政黨和政府在反攻前夕，對於爭取人心一事，應有良好做法，然後及時利用大陸上普遍和嚴重的飢荒，果敢行動，這樣，人民對政府的觀念將大爲改變，反過來說，倘執政黨和政府在事先對爭取人心沒有良好做法，復假借各種藉口，拒絕對大陸形勢作有利於復國的運用，乘機打倒中共，那末，人民就不免要怨懟政府是見死不救了，再失人心，也莫甚於此。

四月廿八日

小論天下

△寮戰停火難，寮共在永珍外圍加強活動，擬迂迴向南挺進。美認爲寮局極端嚴重；甘廼廸總統擬訪胡佛及麥帥商世局。

共黨何所恃而不恐？爲的是替美國安排好了「絆馬索」，不怕你號稱「士跑馬騰」也。

△莫斯科市上買不到牛油，食物缺乏似爲全面性。

牛油飛上天去了。

△剛果又有新動亂，陸軍控制東方省省會，將參加剛果「高峯會議」各領袖全部扣留。

「高峯會議」看來都不是好事。「宴無好宴，會無好會」兩語可念。

△法總統戴高樂下令對北非大整肅，解散外籍傘兵團，巴黎組織高級法庭審訊叛黨。

叛黨中儘有「負戰長歎的英雄」，現代法蘭西畢竟上演一幕悲劇，希望「斷頭台」別再派用場吧！

△古巴總統表示願美國恢復友好談判。蘇俄外交要員揚言美如繼續對古巴採行動，須冒大戰危險。

一使軟功，一使硬功，都是圖使美國就此因循下去。

△中共表示有米出賣與日本，日人莫明所以，甚感驚訝。

「死充」而已，何訝之有？只有不了解共產黨的人才會驚訝。

△美總統甘廼廸促請新聞界，自我約束，勿發表有利共黨新聞，指明戰爭不會依傳統方式出之以宣戰；並稱：假如當年有一家「資本主義者的紐約報紙」對馬克斯仁慈一點，歷史可能改變。他希望，當下次記者要求小小加薪時，出版人宜牢記此點。

據此可提兩個建議：一、「世界知識勞工協會」贈他以「名譽顧問」銜頭；二、美國報紙本於避免發表有利共黨新聞之旨，實行杯葛伊頓一類人物的謬論，拒予刊載。

方南

自由談

石油裏的臭蟲

自台北來的外國通訊社消息：近有立法委員一百七十餘人聯名提議，要查究「中國石油公司」的貪污舞弊情事。立委決非捕風捉影以言事的人，將近兩百人的集體見解，也不是隨便開頑笑的閒話戲語也。

有政府組織即有政治行爲，在任何國家和時代之中，皆難免貪官污吏滋生於其間，這與人間到處有臭蟲的必然現象相同，殊不足怪。要消弭或減少貪污行爲，基本辦法是在培養廉潔的政風，大家知恥自愛，有所不爲，而在上者尤其不可稍有使貪使詐的心理。治標之道，即須主管機關嚴密監督察考，毋所瞻徇敷衍，執法以繩之。關於前者，似乎陳義太高，非所語於當今之世；關於後者，我不知「中國石油公司」有無主管機關？如其有的話，瞧着一百七十幾位立委的提議，是否亦感覺難以爲情，而自慚失職尸位呢？

檢舉糾彈公務人員違法瀆職行爲，原屬監察委員的專責，如今卻由立法委員一馬當先，聯名提議檢討，本諸「責備賢者」之義，我們對於各位臺諫御史先生，即不能不表示一些遺憾的意念。

根據近卅年來的歷史教訓，凡屬國營或公營的企業機構——連同金融機構在內——職員待遇總比一般的公務人員爲優厚，同時貪污情形亦以這些地方發生最多。所以，這類機構的首腦職位，十之八九皆由出身某一二地區的角色輪流充任着，這亦是導致貪污習慣的一種因素吧？普通的貪污現象，可以歸獄於待遇菲薄，難以養廉，唯有金融企業機構如石油公司之類，決不適用這項定律。我希望立監兩院對此案要打破砂鍋問到底，然後將所有國營企業機構的現行制度和用人方針，加以整理規畫，一新耳目。

家裏發生臭蟲並不可怕，可怕的是有許多使臭蟲潛滋的因素不能消除，以致生生不息，危害人生的健康！

馬五先生

這也是廢件翻新技術
大陸盛行「修補破爛」

大陸剖視

最近中共機關報長篇累牘，大做其對廢件翻新技術，已有高度進展的文章，言下頗為自得。據說：皮鞋壞了不但可以打掌、換底、補洞，而且還可翻舊如新。「大皮鞋固然可以改小，小的光面皮鞋經過加包頭，鑲邊或者後跟接皮，還能放大；尖頭皮鞋可以改成方頭的，圓頭的，女式高跟皮鞋可以改成平跟的，一雙馬靴可以變成兩雙皮鞋；一隻中號的拉鏈公文皮包，能改成一雙男皮鞋和一雙女皮鞋，大號的還能改成兩雙女皮鞋一雙男皮鞋。」「上海淮海中路世界皮鞋商店的師傅，曾經設計出幾十種皮鞋整舊翻新的花色，顧客如需修改，任憑挑選花樣，營業員可以當場畫樣承製。」（一九六一年四月十四日「人民日報」）

皮鞋而要打掌、換底、補洞還說明本人經濟窘迫沒有新購力量。中共竟提倡由大改小、由小改大，而且破公文包還可改皮鞋。這種改還不限於自己提去的破舊皮鞋要商店改，還可「挑選花樣，營業員可以當場畫樣承製」。所謂挑選，是說顧客可以揀購各種花色的破爛皮鞋，要商店照你腳樣加大或倒小。此足證明，今日大陸已無新鞋可賣，或說人民無購新鞋資格。公營商店賣的都是爛，或用公文包改的一類廢品。

針棉織品 連續翻新

針棉織品的修補項目，也在陸續增多。衛生衫和汗衫褲破了可以補好，袖領可以換新，長袖可改短袖，短袖可改背心，背心還能改成三角褲。襪子不但可以補洞，托襪底，還可以拆掉重織，長統襪可改短統襪，大可以改給小孩子穿，重織的襪子像新的一樣。」（同上引）

服裝修補 花樣更多

「淮海中路舊大服裝店是著名的『服裝醫院』，職工們幾年來積累了豐富的修舊翻新的經驗。他們能把長衫、馬褂、大衣、西裝、旗袍等十五類舊衣，翻改成上千種的各式服裝。例如，一條舊西裝褲，就可以改成本人穿的拉鏈衫，或是六、七歲孩子穿的連帽子的派克大衣等二十幾種花樣。一件成人的長衫，不僅能改成一套中山裝，還可再擠一條小身材的西裝褲來。一件老式的馬褂，在『巧裁縫』的安排下，可以改成中山裝上衣或者西裝褲；還可以改出一套馬夾連裙子的女式西裝。一件旗袍，不但能夠改成男式中山裝，或者兩件短袖兩用衫；還可以改成一套八、九歲孩子穿的燈籠褲和連拉鏈衫。」據說：「這些服裝的翻改，一般都不容易看出拼補的痕迹。」（同前引）

中共發明的這種修改舊衣方法，實在令人折服。一件長衫改成一套中山裝後，還可擠出一條西裝褲來，難怪稱其為「巧裁縫了」。共報提出需要改的項目中，有長衫、馬褂、大衣、西裝、旗袍等類，這說明了棉織品嚴重的程度。

修補破爛 搪瓷工廠

「中共遼寧省委在全省輕工業會議上發出開展生產什麼，修理什麼運動。」「瀋陽搪瓷廠職工首先作了成績，他們修補廠的搪瓷製品，外觀差出不多和新品一樣。廠內建立了修補車間，在市內添設兩個修了補點，便利了羣衆，受到了各機關，企業等單位和市民的歡迎，不久，旅大、撫順、鞍山等地的搪瓷廠也很快的建立了修補車間。」「瀋陽搪瓷廠從去年十月底起，開展廢舊搪瓷品回修業務，到目前已經使一萬多個廢破面盆和許多舊搪瓷桶，舊茶盒能夠繼續使用。而且還設立了收購點，在一個月內就收回廢面盆三萬多個。從去年十一月份起，廠裏把回修業務正式納入了計劃、按日、按旬、按月向車間下達任務。」（一九六一年一月二十日「人民日報」）

過去，修補破爛只是在貧民社會裏，到今天，竟是舉國都要修補破爛，而且中共還大力提倡，並將納入國營工廠業務之中，足見他們對此業之重視。

修補網點 滿佈城鄉

中共認為修補破爛是門「多彩多姿」的新興行業；不僅項目豐富，而且服務網點，星羅棋布於全國城鄉內外。例如：「上海全市商業部門就有服務點五千五百六十五個。專職修配人員一萬二千二百多人，里弄修配站有二千五百多個，服務人員一萬四千五百多人。」「還有大小商店兼營修補，賣啥修啥的服務點，里弄居民自已還組織有居民修配服務組，既有固定地點經常服務，也有串街走巷流動服務。」（一九六一年四月十四日「人民日報」）「天津市新設立了七百四十七個舊物翻修服務站四十多個綜合性的『修理服務一條街』」（一九六〇年十一月二十四日「人民日報」）。

在大陸物資極度匱乏的今天，中共不得不對此「行業」加以重視；鼓勵人民廣泛經營。「人民日報」特為此撰寫社論，稱修補行業為青春常在的事業。社論說：「北京市已大舉推廣修補服務，東西人民市場，經營修理項目多達三三五種。修理這一行，是青春常在的事業，一萬萬年後，也要修理這一行。不能設想，社會產品極大的豐富了，衣服就不要拆洗縫改。」（一九六〇年十一月二十四日「人民日報」）

北平是中共的「首都」，上海、天津是中共重要城市，已往這些地區，人民的穿着，向極講究，即使陋巷貧民，亦不會窮到需要大皮鞋改小，小皮鞋放大，用旗袍去改中山裝，改成以後，多餘的布角下料，還要拼湊成七、八歲孩子的燈籠褲和一件拉鏈衫。這說明大陸人民衣着，不但補納破爛，而且穿的衣服狹小得有如影電上的牛仔衫褲。因此大陸目前最流行之時裝為拉褲鏈，共報說：「各地應該推廣上海淮海中路綜大服裝店職工技術改革的拉鏈褲；照身體大小裁剪，既省原料，穿着非常方便，免除扣鈕麻煩，邊行可以邊拉上」（一九六一年二月十日「解放日報」）

據上所述，我們對大陸日用品情形，有了輪廓了解。然而，中國素稱物產豐富的國家，為何有此現象？其原因：（一）輕工業原料百分之八十來自農業，去年全陸旱、洪成災，農業無收，影響大多數紡織業生產；（二）皮革來自農副產品以及農民業餘狩獵，由於嚴重飢荒，人民豢養牲畜既少，剩下之皮移作度命之糧，以致數量銳減；（三）掠奪物資，作換取戰略物資之用。有此人禍，天災，物資焉能不缺。（焦毅夫）

香港與大陸

【本報訊】澳門消息稱：最近由大陸逃亡至澳門的一名十一歲難童，前日進第一匙雪糕時對記者說：這是我有生以來最好吃的東西。

此難童名鍾仔，一如前次許多人士所報導，申訴大陸糧食不足及被強迫從事長時間之工作。說到十九日晚上逃亡情形，他說，當時渠在灣仔漫步，見四名小朋友隱身于大屋之後。彼等亦見渠，並懇勿聲張。一人向渠講耳，切勿作聲，否到吾人均會沒有命。

鍾仔聆悉彼等準備逃赴澳門後，要求參加，但遭拒絕。惟鍾仔隨行時，彼等未予阻止。於是一行潛至岸邊，登上舢舨。

詢以因何隨同逃亡，據稱：「余並無父母。余父已於數年前去世。及余母最近身故，余已是孑然一身。余等只有極少食物。共產黨徒是壞人，彼等經常強余工作，時間長而艱苦，遠非如余所能忍受者。」

記者係于海旁一咖啡室晤鍾仔，一記者請渠食雪糕，鍾仔持杯說：「呀，好凍，這是什麼？」記者着渠進食，渠反問：「怎能吃這麼凍的東西？」經解釋後，渠才初嘗雪糕之滋味。

鍾仔首次獲友人贈一具（飛機），詢以在大陸時玩甚麼玩具，他說：「我們玩石子。」

（澳門又訊）有兩名男子，前天進入大陸，被中共拱北當局扣留，迄未釋放。

據說：該兩名男子，係本澳米禹街一家代寄糧包店號的夥計，他們前天被差遣將一批糧包送往中山縣拱北關投寄，聞說因為違反了一些事項，致被中共扣留。他們任職的店號，目前正向方面查詢兩名被扣留緣故，並希望拱北當局早日放人云。

台中警局大捕流氓
集體貪污竟創紀錄

（台灣通訊）

△最近在台北發生了一件說大不大，說小不小的集團貪污案，說它不大是：貪污數字，還不到「一千萬新台幣」？說它不小是：從事貪污的人數包括軍、政、商一共有幾十位。

這件案子是由警備總部游查組，在幾個月前就破獲的，貪污的單位由陸軍汽車基地修配廠，牽涉到省公路局、台北市政府，台北市公共汽車管理處，及幾家汽車材料行。由一個人幾到十個人，再演變到處長、廠長、課長等等幾十位，人數之多打破歷來集體貪污紀錄，當此政府一切標榜第一，第一的時候，這個第一實在令人臉紅。

據有關方面透露，他們貪污的手法，本來是十分「科學化」的，也是十分「高明的」，因為從採購、驗收、監察、記賬、付款等等一連串的人，都是其中的「同道」，要不是因為黑吃黑，窩裏翻，事情還不會一下子就拆穿呢！

治亂世，用重典，就看這下政府是否能痛下決心，要不，奉公守法的軍公人員，實在太十三點了。

△台灣之流氓，好像是人身上的盲腸，其危害社會安寧，到了可怕程度，大小流氓動不動，就是武士刀，鐵車鏈。這次台中市警局，總算下了決心，一夜之間就捕了八十餘人。這本來是一件值得贊譽的事，怪的是，竟有民意代表，連夜代為奔走拜託保釋，這些代表如果本身不是流氓，也是流氓的「同路人」，警總保安處，似乎也應該將他們送去管訓一下才是。

△台灣省政府民政廳發表，台灣全省五十年二月底止，現有人口計一〇、八五三、六二七人。其中男性五、五六〇、六一三人。女性五、二九三、〇一四人。比元月份增加了二九、一五七人。

人口最多的是彰化，計有八八五、〇五六人，人口最多的省轄市為台北市計九〇五、七六〇人。

全省合計有三六一鄉鎮區（市）。六、五九七村里。八九、二〇七鄰及一、九五〇、二五二戶。（柯仁）

大陸紙荒嚴重

——岳騫——

大陸文壇萬花筒

最近共區紙荒嚴重，已經和食物相同，目前大陸人民不僅斷炊，想看一本書也難得很了。這裏有幾件事可以看出來。第一，大陸的雜誌絕大部份都停刊了，除去各省市委員會辦的理論指導刊物，每省（市）一種，中央級的只剩下七八種，剩下的全部失了跡，報紙上連廣告都不見了。據估計目前共區所有雜誌最多只剩下五十種左右，據一九五九年人民手冊所載，當時全部雜誌名單是四百八十一種，其遞減率比較人民食糧十二兩減為四兩似乎更「急進」些。

第二，最近上海文藝出版社動工影印左聯時代的刊物，按說中共早應著手作這份工作，因為左聯那批作家搖旗吶喊，對於中共的成功不無微勞，中共到今才天想起影印那批雜誌，可惜已經遲了，剛開始大概就要停工，因為缺紙，四月十八日人民日報一位署名晦菴的作者就提出呼籲說：「我希望在節約紙張的原則下，這個工作能夠繼續進行，不致中斷。」不過看情形中斷是必然的了，因為印刷品可以用草紙印，影印則非好紙不可，中共勉強能擠出一點好紙也用去印「中緬友好」和「乒乓大賽」的冊子去了，不會想到這些過時的玩意。

第三，也是四月十八日「人民日報」上一位讀立中「同志」寫了一篇「讓給下一個讀者」的雜文，大意是說最近幾期人民文學一出版就賣光了，他想買總是買不到，忽然有一天在舊書店買到一本剛出版不久的「人民文學」，大喜過望，打開一着，裡面夾着一張紙條，上面寫着：「我是人民文學的長期訂戶，這期內容太好了，百看不厭，但是為了使更多的讀者能夠看到這本雜誌，我願意將它讓給舊書店，願第二個讀者閱後也能讓給下一個讀者」。署名是「解放軍一戰士」。

我們見慣了共產黨的一套手法，像這類讀者留言不問而知是這篇雜文作者自己留的，正如中共每有一次運動，香港幾間共報及充共報都會出現許多「一店員」，「一主婦」，「一商店老板」，「一個工人」等等的踴躍擁護，實際上都是編輯「同時抉案代擬的。」這一件事實只是說明了共區紙荒太嚴重，中共把渾身招數都使出來了。

◉×××◉
歷史
研究
◉×××◉

台灣與中國版圖

李仲侯

澎湖在元代已收入中國版圖並正式設置巡檢司，隸屬泉州同安，是爲我國建置及於台灣之始，這是值得大書特書的，且至元中，澎湖已有居民二百戶，大德元年有一千六百多居民，每年與泉州貿易，曾有商船數十艘，故元史稱澎湖爲泉州外府。例如元至正年間海上旅行家汪大淵遠游南洋各國後，曾著「島夷誌略」一書，其中關於琉求（台灣）的紀載，有許多新的材料，特別是台灣的物產，如硫磺、黃臘、砂金、黍子、鹿豹麂皮，因爲他本人曾親歷其地，並登臨高峻的大崎山（可能爲台南的大崎越嶺，一說爲高雄打狗仔）觀海潮、望日出、汪大淵之游台灣，我們可以推知在他之前必已有內地人民游過台灣或遷住台灣的，所以才有充分的紀錄。又他記澎湖特詳，有云：「島分卅有六，巨細相間，坡隴相望，乃有七澳居其間，各得其名，自泉州順風二晝夜可至，有草無木，土瘠不宜禾稻，泉人結茅爲屋居之，氣候常暖，風俗樸野，人多眉壽，男女穿長布衫，繫以土布，煑海爲鹽，釀穀爲酒，採魚蝦螺蛤以佐食，熱牛糞以爨，魚膏爲油，地產胡麻綠豆，山羊之孳生，數萬爲羣，家以烙毛刻角爲記，晝夜不休，各遂其生育，工商興販，以樂其利，地隸泉州晉江縣，至元間立巡檢司，以週歲額辦鹽課，統錢鈔一十錠二十五兩，別無科差。」這麼說來，那是澎湖既有許多民戶，進而入居台灣是很自然的了。

至於台灣的開發，到明代才有大規模的行動，但仍如過去我國經營海外一樣，典型的是以私人活動爲主，其後逐漸的由政府加以開拓。明初曾以澎湖居民報服無常，易助寇盜活動，廢置巡檢司，但後因澎湖地位重要，來台灣墾殖的人日多，便於嘉靖四十二年（公元一五六三年）復設巡檢司，萬歷二十年（西元一五九二年）設兵戍險，二十五年（公元一五九七年）置游兵，後又設衝鋒游兵。（二）

人的三型

汶津

關於人的分類，大概可以編輯爲一部大辭典。我並無意與前人爭美，不過也想貢獻一份淺見罷了。

我認爲爲人分類，不必過於繁瑣，否則別人寧可讀一元小說而不致向你領敎的。我的三型是：有辦法的人；有辦法而不用的人；根本沒辦法的人。舉例說：跳大腿舞的女士，她們的辦法是節省裙子的布料；濊女們縱然身段極好，也不願濫用；至於皮包骨的難民便只好列爲第三型了。

在朝、在野、在家是更簡單明瞭的註腳。自稱家裏蹲大學畢業的，多半可用「大未必佳」來描繪。這和地位的高下也沒有必然關係。最近一位睥睨全市的甲級流氓，在犯案、被捕、逃脫、犯案、被捕……的循環遊戲之後，終於撒手歸去。喪禮中，市長、議長、名流都列爲貴賓，盛哉猗歟！但願旁觀的小民中，沒有過份羨慕這種大場面的。

「流浪者自傳」的英國作者戴維斯，也可以算作有辦法的人，蕭伯納爲他作了洋洋萬言的序，說：「戴維斯先生用他那不能摹擬的恬靜謙遜的態度告訴我們，說他做過叫化子，偸過東西，喝過酒。」「流浪者是善於吹毛求疵的，是多才多藝的，是大胆勇敢，泰然自若的；但他不受神靈利用；他沒有軌道；他不斷地有意找各種事情的麻煩，他不斷地受生命力的冷遇。」這可把有辦法的人某一方面的特性剖析得清清楚楚了。而「想到一個窮光蛋花費他的積蓄去印行一種沒有人要的東西，就是詩歌，眞使我不寒而慄。」原是蕭翁的心腹話，對那窮光蛋本人來說，恐怕仍是「泰然自若」的吧。

戴維斯這樣的人物豈不是太可愛了？有些境界更高的，他們不但「不受神靈利用」，進一步還要利用神靈，甚至某些宗敎職業家也難以免俗。他們自己「沒有軌道」，可是極願據他人的軌道爲己有。像戴維斯那樣以獄爲家，倒是法律所默許的：「歡迎，朋友，你們要住三十天，就住三十天，不多也不少；我担保你們在這裏過一月舒服的生活。」另一些人就顧不了那麼多了。我很贊同翻版古書，發揚國粹，只怕有些善推其類的朋友；一部香港作者的連載小說，單行本竟先在台灣問世，他們算是自動負起義務宣傳的責任呢。子貢、范蠡這些古人，也會自歎莫如吧。

有位大學敎授酷嗜罵人，三敎九流無所不罵，且罵且吹，上課時間總要抽出三分之一來過過癮。起初實在敎人肅然起敬，暗許其人爲有辦法而不用的模範，後來聽其言而觀其行，唉，原來他的唾沫陣中盡是朶朶的明日黃花。這種人物恕我無法歸類，恐怕只好用應用文中的「但書」來解決了。

兩袖清風的先賢我無緣瞻仰他們的風采，據說目前不少在大陸時曾任特任官或曾佩星章的長者，頗有改業爲農夫或作小本生意的，他們是否完全沒有辦法，我不得而知，但基于「與人爲善」的原則，畧加推許應該不算過份吧。魯仲連他們距離我們已經太遠，現在似乎只有有法律而不用的「仁者」；有辦法的人，即使自己不用，也願捨己爲人的替別人謀一番福利。如果有達官貴人的子弟而不想出國，甘心在苦難的祖國領委任級薪水的，那我就感激不盡了，否則舉例時實在困難重重呢！

末了，最不足爲道的一類，俗語說的「飯桶」是也，他們只會埋頭做他們本分的工作，不想也不會做自己的廣告；很少夢見飛黃騰達那一類的玩意，即使做順便昇天的雞犬，他們也還不夠資格。最近大陸鬧飢荒的消息傳來，他們是最不遲疑地解囊的，其實在此海外的樂土上，他們還是跟飢民們比較接近的，但他們總覺得能夠果腹便值得感激上蒼了。在歷史上，大屠殺的對象是他們這一類人，吃樹皮草根的也是。想想看：有這夥人存在，這世界的文明還會「躍進」嗎？萬幸時至今日，這一輩人已經日趨衰微，有的更搖身一變而成爲第一型中的新貴了。我想，將來總有一天變得人人有辦法，人人能利用神靈，我們不妨馨香禱之。

這一輩子我大概注定了要做沒辦法的人了，下一輩子呢？如果閻王願接納我的意見，還是做一個有辦法而不用的傻子吧。

天后史話

道南

農曆三月廿三日，是天后神誕，天后亦稱天妃，相傳「是日必有北風，渡者必禱之，粵中邊地海面，多有風雨。」（見廣輿記）。嶺南是一個有名的水國，崇祀她的人很多，在各地口岸最爲顯聖。而在香港則以大埔的天后宮爲最莊嚴最古老的建築。究竟她何以能夠引起民間對她的推崇，和歷代帝王的封號，據淸統一志云：「天后神姓林，爲宋莆田林願第六女，生有祥光異香，長能乘席渡海，乘雲遊島嶼間，昇化後，靑衣朱鳥飛翔海上。宋元明時，累著靈蹟，康熙時封爲天妃，又加封爲天后。」另據七修類稿說：「蓋水爲陰類，其象爲女，坤德配天則爲后，水陰次之則爲妃，天妃者，女神也。」其後加封后，也不外因爲「坤德配天」之故，今俗尊爲天后聖母，便可見其在民間崇祀之隆了。

這位天后聖母確是中國最道地的土菩薩之一，自宋迄今數百年奉祀不衰，雖在原子時代的今日，仍然是香火盛行。

短篇小說

假日（十一）

孟瑤

她瞟了那小盒一眼，這才是她唯一可以把握的安全。我一點都不怪她甚至於會懷疑到我也有可能把她的這點東西搶去。因爲這點東西對她是性命攸關的。她在看到這小盒後，臉上的表情立刻輕鬆了。好像就憑着小盒的浮力，她再也不會在這多浪的人海裏淹沒。她笑了，却罵我一句：「懶虫！」

我想，她會慢慢地把這次南下的情形告訴我，但不是目前，目前，她克制的力量正强，不會在外人面前洩露她女兒的忤逆所在她心上造成的創痕。有一天她會，當她脆弱得痛楚難忍的時候。

「以前常到你們家來的那個小胡到我那裏去了。」她怕我問及她的孩子，想用一個無關緊要的話題來填補。

「今天？」我奇怪地。

「就是方才，」她說：「他說他現在找到了一個三千元一月收入的事情，但竟連伙食錢也拿不出來，又不好向你們開口，便從我這裏先拿了二百元去。一等領了薪就還我。」

「您借給他了？」我問。

小胡謊言顯然不是用來對付我一個人，我雖沒有被騙，竟不忍不拿出錢來，老師大概也很難逃掉這損失的。

「這一點小忙我還不幫他嗎？年紀青青的。我覺得你們從前既然對他那樣好，現在也應該幫他。」老師說，又嘆了一口氣：「我看哪怕小胡，也比我們那位寶貝女婿强：…」她發覺了，又立刻制止自己：「不過小兩口眞親熱，算了，兩個世界的人，管他們做什麼？我還是早一點回來好，吃點喝點玩點，多逍遙自在？」

「誰說不是，老師，人是得想開一點的！」我順着她的話寬慰她。

她望望我眼睛却紅了，幽幽地站起來，捧起那滿盒的安全與希望，說：「我回去了！」

我想到她獨自回了家，在不信任任何人的情形下，不知把她的這點安全與希望向哪裏收藏？於是，我跟在後面，不斷地叮嚀：「老師小心點，慢着，我讓司機送您！」

「嗯！」她步履蹣跚地漫應着。

車去了。我依舊悵然痴立，我想到老的一輩活得孤獨、淒涼；年青的一輩活得彷徨、迷茫；這比夜色還淒涼的人生。

「站着幹什麼？多冷！」

我回身對他笑了。我又立刻糾正自己說：「人生的確有淒涼的時候，不過，多一半的人是幸福的！」

夜色這樣深，這假日，我就是在如此凌亂而多感的情形下度過的。

（全文完）

徵稿小啓

有內容有意義之隨筆、散文、掌故、小說、雜感等類文字，本刊均所歡迎。請用有格稿紙繕寫，如需退還，請附信封及郵票。一千六百字左右的隨筆，比較容易刊出，過長則以篇幅所限，請特別留意。

◉※※◉
梨園
漫談
◉※※◉

今日的大鵬（三）

——瘦西湖——

四十三年舊曆新春，空總當局爲了慶祝起見，於元旦演出開場戲『天官賜福』，由老生胡寶亭扮飾天官，姜鑫萍飾壽星，馬榮利飾牛郎，劉鳴寶飾織女，蔡松春飾財神，蘇盛軾飾張仙，而八龍套亦特由科班出身之李金和、吳鳴璧、黃盛村、曾榮來等充任，並由其等羣唱整套之醉花陰曲牌，同年李金和之『巧連環』，『祥梅寺』，孫元彬之『孫悟空大鬧地府』，『狀元印』，徐露之『春香鬧學』，『貴妃醉酒』，哈元章之『鄭成功』，『新四郎探母』，均爲當時初排首演之新戲，演出極爲成功，頗得三軍官兵及各界人民所愛好也。

至四十四年農曆端陽，大鵬推出『新白蛇傳』一劇應景，自白娘娘下山，收青，遊湖，借傘起，接演許白聯姻、現形、盜草、降香、水漫金山寺，以迄斷橋，合鉢，至祭塔爲止，假金華街三軍托兒所演七日，首日即貼此劇，演出亦非常成功，頗爲各界讚賞，演後大有欲罷不能之感，該隊爲了答謝各界戲迷愛護起見，遂於同年冬季再假原地演出七天，並邀請業餘票友程景祥加入，此七景之戲碼，爲趙玉菁之『破洪洲』，徐露之『花田八錯』，程景祥之『翠屏山』，哈元章之『戰宛城』，孫元彬之『狀元印』，孫元坡之『李七長亭』等劇。該隊在羅、馬二中校領導之下，爲了進一步發揚光大我國國粹起見，乃決定正式成立大鵬國劇訓練班，期能培育下一代之國劇人才，使之能成爲未來之骨幹，遂招收第二期學生，其名單爲張富椿、馬九鈴、楊丹麗、古愛蓮，陳良俠、嚴莉華、馬鈺方雨等七人，除由部份團員兼任學生之敎師外，另邀聘老伶工朱琴心負責指導，（朱之身世來歷容後記之），由朱担任青衣、花衫兩課，在朱及其他敎師悉心指導之下，時僅三月，該古愛蓮、嚴莉華、楊丹麗、鈕方雨等四女生竟能披衫隨其大師姐徐露登台，而在『貴妃醉酒』中分飾宮女矣。四十五年元旦日，大鵬爲了慶祝開國紀念，特邀請滬上名票趙培鑫，假三軍托兒所演出『失街亭，空城計，斬馬謖』，而由孫元坡飾馬謖，馬榮祥飾王平，張世春飾司馬懿，由趙自飾孔明，這爲大鵬隊成立以來，首次與外界票友合作之佳構，當然，其演出之精彩，實無話可說也。

復於二月五日（即臘月廿七日），該隊爲了救濟平劇界一班苦哈哈起見，共同演出一台義務戲，節目爲『鎭潭州』，大軸由該隊全體師生反串『虮蜡廟』，此舉極富人情味，後民間各藝術團體亦紛效之。

辛丑談往

——無負生——

辛丑五月間，與永澧返西安，又有記載如下：

燕塵小識

予憶及文襄所囑，念夙諾必實踐。顧以事情重大，不敢冒昧。此時榮相已至行在（中略），對予頗相契愛，乃先以此意叩之。榮時方吸菸，一家丁在旁裝送，聞予所述，但傾耳瞑目，作沉思狀，猛力作嘘吸，吐煙氣捲捲如雲霧，靜默不語，吸了又換，換了又或；凡歷三次，殆閱至十餘分鐘，始徐徐點首曰：「也可以說得，爾之地位分際倒，是恰好；像我們就不便啓口，但須格外慎重，勿鹵莽。」

予因是已決意陳奏，一日召見奏對畢，見太后神氣尚悅豫，予因乘機上奏曰：「臣此次自兩湖來，據聞外間輿論，似對於大阿哥不免有詞」。太后色稍莊曰：「外間何言，與他有何關係？」予因叩頭奏曰：「大阿哥隨侍皇太后左右，當然無關涉於政治，但衆意此次之事，總由大阿哥而起，現尚留居宮中，中外人民頗多疑揣，即交涉上亦恐多增障礙。如能遣出宮外居住，則東西各強國，皆稱誦聖明，和約必易就範。臣在湖北時，張之洞亦如此說，命臣奏明皇太后皇上，並言此中曲折，聖慮必已洞燭，不必多陳，第恐事多遺忘，但一奏明提及，皇太后定有區處」。太后稍凝思曰：「爾且謹密勿說，到汴梁即有辦法。」予遂叩頭起立，默計這一張無頭狀予已有幾分告准也。

以上爲五六月間在西安所記，十月留駐開封，二十日續有記載云：

是日奉上諭：「奉懿旨，溥儁着撤去大阿哥名號，立即出宮，加恩賞給入八分公衛俸；毋庸當差云云。此事予前在西安面奏，太后會有「爾且勿說，到開封即有辦法」之論。予以爲一時權應之語，事過即忘，至此果先自動撤廢，足見太后處事之注意。聞溥儁性甚頑劣，在宮時，一日德宗立廊下，彼突從背後舉拳擊之，德宗至仆地不能起以後哭訴太后，乃以家法責二十棍。如此行，從何能承宗社之重，如廢立早行，此次更不知鬧成何等世界也。平日對諸宮監亦無體統，衆皆狎玩而厭惡之。奉諭後即日出宮，移處八旗會館，太后給銀三千兩，由豫撫松壽派佐雜三員前往伺應。隨身照料者只有一老乳嫗，出宮時涕淚滂沱，由榮中堂扶之出門，一路慰藉，情狀頗爲淒切。宮監等均在旁拍手，以爲快事也。

以宗廟社稷之重，而此姥意中所欲托付之人，甚至去年元旦幾乎實行廢立者，竟是如此無知之蠢騃，一念之私（載漪之妻溥儁之母恰是西后之內姪女，此是溥儁入選之唯一原因，其詳見拙作己亥談往」，惜此稿前年自由人未及刊出耳。），毒流全國。此姥之罪通於天，百口莫辯矣。（二十）

藝術

徐學慧

香港沒有文壇。香港報章副刊上的文字，並沒有半點文藝氣息。

此時此地的文字，離不開偵探、武俠、愛情。沒有個性，沒有思想，沒有表現手法，當然更談不上有任何藝術性。

藝術的真正危機，乃在精神上陷於虛脫狀態。由此而引起的文風卑弱，因襲陳腐，固然與時代有關；但我們不能把這責任推諉。因爲我們生活在這時代，我們有責任扭轉這時代的風氣。

這個時代，簡直是一個無聲的時代；這個社會，也就是一個無聲的社會。長此下去，人類可能會變成白痴，我們的心靈，將會成爲黑暗的深谷。

這時代的黑暗，並不亞於但丁時代，何以產生不出一本像「神曲」那樣的作品？這時代的亂離，並不弱於杜甫時代，何以產生不出一篇像「北征」「諸將」那樣的詩篇？

思之重思之，我禁不住心湖盪漾。

論聰明才智，今古無殊。問題卻在，現代的人，將其聰明才智致力於大腿、乳房、三角褲，因此乃形成了三角褲文化。文化而至於三角褲，真是匪夷所思矣，可是，這卻是香港文壇的真面目。藝術云乎哉！

數字入詩

介人

偶然看到某報附刊有「數字諧詩」，使筆者連想到數字入詩，在唐詩即已盛行。唐貞觀時，寒山子詩中即有詩云：

「五言五百篇，七字七十九，三字二十一，都來六百首。一例書巖首，自誇云好手，若能會我詩，眞是如來母。」

按寒山詩，四庫書目有寒山子詩集二卷，胡適白話文學史，推崇備至，摘錄不少。他之詩，因爲書題巖石，經閭邱胤太守自天台中竹木石壁並村墅人家廳壁上，纂錄成卷，僅得三百零三首，又拾遺一首。詩中所謂六百首，則所佚甚多，再也無法搜求了。

自此以後，唐人以數字入詩的，實繁有徒，頗多恰到好處。晚唐杜牧之的「暮景三山雪，春寒百尺樓」。「篷窗三斂居，寬於一天下。」都是流傳千古的名句。而「千」「一」兩對，如「千里暮山重疊翠，一溪寒水淺深清。」尤爲小杜愛用的對句。

降及清季，文人的花樣翻新，吟詩的時候，特別規定要嵌入數目字，運用巧思。番禺屈翁山先生道援堂集，有閨怨三首，均限於一二三四五六七八九十百千萬半寸尺丈凡十八字，而且限定爲溪西雞齊啼各韻。試錄之於下：

其一

六七鴛鴦戲一溪，愁人二十四橋西。半天書斷三秋雁；萬里心懸五夜雞。鴛作百千絲已盡；鳥生八九子初齊。文人何處鵑鳴瑟，尺寸長垂雙玉啼。

其二

桃三柳四已成溪，六七花東八九西。一尺鬢高愁墮馬；五更衾冷怨鳴雞。游絲百尺牽難斷；舞柳千條半欲齊。十二雙邊無寸字，鴛鴦都作萬行啼。

其三

二六巫峯七十溪，千迴萬轉八林西。頻同半檣三花樹；不及雙飛一錦雞。四角盤中書易就；九枝燈下影難齊。春絲百丈牽方寸，愁掩羅巾五尺啼。

此等詩題，極其纖小，字體章合，最難得落落大方，與前人的數字入詩偶然湊合，其旨趣不知相差若干倍蓰。但只可偶一爲之，以見匠心，如果要在此中得性情之妙，當然是不容易談到的。

至於現代文人，以數字入詩的，我最欣賞大畫家張大千的一首，那是前年黃君璧六十壽辰的時候，張大千在巴西以詩爲壽，戲用數目字。詩云：

我與黃郎交卅年，即今六十健如前。森森二石矜旗鼓；突兀千秋壯簡編。落帽曾觀三折瀑；搵衣還上九江船。一回海外重相見，說着變峨意惘然。

這詩集數字的大成，而無重贅之感，極其自然，森石若入幽岩，淵凝又如止水，洵屬佳作，較之上述閨怨詩，似已略勝一籌。

至於稍涉諧趣的數字詩，則有某翁年已八十，食色未衰，要娶妾以娛晚景，妾固小家碧玉，年方二九，綽約多姿，成婚之夕，翁樂極賦詩云：

「我年八十卿十八，卿是紅顏我白髮：與卿顛倒本同庚，只隔中間一花甲。」

又某翁年六十五又娶妾，而新娘則年方三五，小字海棠，某詩人賀以詩云：

「十五新娘六五郎，蒼蒼白髮對紅妝：鴛鴦被裏成雙夜，一樹梨花壓海棠。」

袁子才所謂「老尚風流是壽徵」，如今在港合的閒人中，臨老而續絃結婚的大有人在，呼之欲出，似爲數字詩平添若干資料。

其次則有所謂公務人員，對一般的公文，均抱着「推」「拖」的故態，極力予以敷衍。有一首數字打油詩，爲之形容盡致。詩云：

「一日二三事，拋錨四五回；圖章六七顆，八九十人推。」

細按這一首詩，還是套來的，因爲在抗戰時期，那時公路崎嶇，汽車入口不易，零件缺乏，所有車輛，大都成了老爺車，大有行不得也之概。曾有人戲作類似的打油詩：

「一去二三里，拋錨四五回；下車六七次，八九十人推。」再其次則還有公務人員的窮困，薪俸微薄，曾作四言詩以自況云：

「一貫忠貞，兩餐難飽。三口之家，四壁蕭條。五內如焚，六親無靠，七事艱難，八面張羅。九死一生，十分淒慘。」

類似以上的數字諧詩，爲數甚多，限於篇幅，姑不備述。

周佛海憶語（上）

諸葛文侯

周佛海跟我是總角之交——在日本讀書時就認識的。可是，後來他回到國內在政治界蜚黃騰達，顯赫歷廿載，我始終未曾跟他共過事，僅是無話不談的道義朋友而已。他在政治上的功罪是非如何，姑不具論，但其朗爽而富有風趣的性格，與夫不沾染絲毫官僚習氣的書生本色，至死不易，在我的朋輩中，確屬不可多得，偶憶故人，不禁感慨系之矣！

佛海於民國十四年回國的。初應廣州中山大學校長戴季陶之聘，在該校担任教職，講授經濟課程；十六年革命軍北伐到長江流域後，他轉任中央軍校武漢分校的政治總教官。後來他在上海出版那本風行一時的「三民主義之理論的體系」，就是集合他在廣州中大與武漢軍校所編的講義，加以增補編纂而成的。

他原是中國共產黨原始發起人之一，因此而與戴季陶相識，即因此而到廣州中大執教的，嗣後他在政治上發迹竄紅，可說都是仗着戴先生的關係。但自民國十七年以後，他跟戴先生疏遠了，原因是戴氏曾經當衆給他難堪，這回事我在場目擊其情，怪不得佛海。民十七年初夏，福建省府改組，佛海有意於教育廳一席，某日，戴先生由南京坐專車赴滬，佛海與我都到下關車站送行。戴在專車的餐室中，跟若干送行的人坐着閒談，佛海即趨前申述願赴閩省府任敎長之意，乞予推轂，詎戴大聲敎訓他一頓，指斥他年輕即好作官，決非大器。一派「勸世文」的口脗，很像老子教訓兒子的氣概，使佛海在稠人廣衆中，大丟其醜，爲之赧顏無地自容，從此他就很少出入戴氏之門了。

佛海之脫離共產黨，是在武漢軍校時期，大部分原因固然由於他的思想轉變，但受他太太楊淑慧的影響亦不小，楊氏對於共黨那種男女之間亂來一氣的「一盃水主義」，憎惡忒甚，有一次當着我的面，她對佛海說道：「你要是再跟他們——指共黨——瞎混着，我就跟你離婚！」迨武漢政府與共黨破裂時，佛海乘輪潛赴上海，在輪船上寫好一篇「我逃出了赤都武漢」的文章，準備到滬發表，但他一到岸，即被警備司令楊虎派人拘捕了。是夜我與友人吳醒亞兄恰好在楊家打牌，深宵楊氏回來，說佛海已經逮捕，我們問他如何發落？楊氏說：「跟陳人鶴（羣）商量好了，這種著名的共產黨，他媽的，還用得着甚末審訊手續？將他用蔴袋裝上，加些石塊，教人於夜間丟到黃浦江中就得了。」我聞之大駭，然亦不便說情，只笑問楊氏：「可否緩兩天纔執行？」他微笑不答。幸而周太太機警，她連夜趕到南京，找着邵力子營救，由邵轉請蔣總司令急電楊虎陳羣，以周某乃重要的共黨份子，着即押解來京，以便親自訊問一切。這纔把佛海的生命挽救住了。

曾國藩論

謝康

曾文正自一八六四年平定洪楊，即與奕訢、文祥、左宗棠、李鴻章等致力於「洋務運動」，破題兒第一遭在古老的中國提倡新知識新實業特別是新軍事建設的工作。總算他具有時代的眼光和老成謀國的遠見。可是守舊的勢力太大了，加以清廷積弱，自鴉片戰爭，太平天國，暨英法聯軍之役以來，國勢一落千丈；當時在慈禧領導下的末世朝廷腐化倨傲愚昧集團，除曾左李奕訢等之外，大都是肉食者鄙，未能遠謀的，曾公縱掛名宰輔，其實下居相位，只作藩臣，僅僅一個兩江總督，沒有相權，如何能挽回整個帝國已衰的國運，使洋務運動底於成功？關於這一點，歷史家已有定評，此處不贅述了。

最後，我想簡單概括地說幾句：太平天國滅亡（一八六四）距今將近一百週年了，曾國藩逝世（一八七二）到現在，也快要九十週年。從年輕的一代看來，那已經是高祖時代的往事了，和他們似乎沒有什麼關係似的。其實歷史由積累而成，從高祖到己身，不過五代，那能沒有影響？譬如說：當時若沒有曾國藩領導湘軍，消滅太平天國，今天中國人所過的生活，也許還是另一個樣子。又假如曾氏在平定內亂之後自己硬做起皇帝來，那麼，中國的近代史又將是另一種寫法；五十年前可能沒有辛亥革命和中華民國的建立了。所以我們承認曾氏是中國近百年史上旋乾轉坤的人物，他的思想行動，還可能給我們若干影響。因此，我們對他不能不有一個正確的認識。

（七）

歷史人物

內警僑台報字第〇三一號內銷證

自由報

THE FREE NEWS

第一二八期

中華民國僑務委員會頒發
台執新字第三二三號登記證
中華郵政台字第一二八二號執照
登記為第一類新聞紙類
（半週刊每星期三、六出版）
每份港幣壹角
台灣零售價新台幣弍元
社長：雷嘯岑
督印人：黃行寬
社址：香港銅鑼灣高士威道二十號四樓
20. CAUSEWAY RD 3RD FL HONG KONG
TEL. 771726　電報掛號·7191
承印者：田風印刷廠
地址：香港灣仔高士打道二二一號
台灣分社
台北市西寧南路壹壹零號二樓
電話：三〇三四六
台郵撥儲金戶九二五二

從寮國與古巴看美俄鬥爭

·雷嘯岑·

寮國與古巴問題，現時困擾着美國政府當局不遑寧處，因而張皇失措，不知如何是好？反觀那在幕後醞亂作祟的俄共頭子赫魯歇夫，却好整以暇，且佔有主動地位，從容應付，咄咄逼人。若就美俄雙方對寮國與古巴的策畧而言，彼此都是用財力物力和技術人員，以援助跟自已合作的一方，而美國致力尤多——美國曾經担負過發放寮國政府軍隊餉項的責任，也曾經以轟炸機和軍艦，協助古巴革命軍的登陸戰役。然結果毫無成就。在白宮當局的意念中，除却派遣美國軍隊直接參戰以外，似乎束手無策了。此中原因所在，我們認為美國的政畧戰略和戰術，皆不足以匹敵俄帝，處處落於下乘。再不切實反省，急起更張，寮國固然一定完蛋，古巴亦必然成為美國的「附骨之疽」，西半球從此多事矣！

美俄的政畧戰畧問題

自從二次大戰結束以來，俄帝進行「世界革命」的指導原則，政略上是以培育亞非地區的第五縱隊——共產黨——力量，利用當地人民的民族思想，掀起反帝反封建的革命運動，而由共黨劫持操縱之，藉以展開對西方勢力和其本國舊有政府的鬥爭。戰略上採取蠶食主義，乘隙抵罅，乘弱攻昧，而以避免引起世界大戰為前提，在這一前提之下，為着蠶食擴張的利益，任何手段——包括局部戰行為——皆肆行無忌，造就既成事實再說。萬一遭遇到無法克服的阻力，即由俄帝以局外人的和事佬姿態，出而調解，適可而止，徐圖捲土重來。它這種策略是固定的，隨時隨地利用敵人的矛盾與弱點作辯證的運用，萬變不渝其宗。

美國在二次大戰後領導自由世界的策略，迄今莫衷一是，歧路徘徊。始也毅然單獨行動，睥睨一切，使中國大陸淪於共黨之手；繼則聲言不單獨行動，而讓越南的半壁河山被共黨囊括以去。同樣的集體防衛組織，在西方的北大西洋公約，擁着幾十師陸軍，幾千架飛機，還有無數的原子武器；在東方的所謂「中央公約」和「東南亞公約」，連紙老虎的作用亦缺乏，但見這些區域內的自由領土與人民，陸續被俄共勢力籠罩控制，漠不關心，甚至在會議公報上亦不敢表示「反共」字樣，這還算甚末集體防衛力量呢？再看美國對古巴的作法，亦是六神無主，沒有一貫的策畧。既要遵守一九五四年的「卡拉加斯決議案」，關於共禍威脅西半球的對策，應提請泛美國家商討決定，何以又單獨作主，應援古巴流亡人士反共的軍事行動呢？當初既然不顧一切地鼓勵援助了古巴革命軍的登陸戰役，半途經俄帝一聲恫嚇與卡斯特洛的指摘叫囂，忽又縮手縮脚，竭力洗刷；對古巴人民的革命運動，避之若浼，唯恐牽涉到美國身上。似此掩耳盜鈴的作風，若跟史達林當年在雅爾達會議中毫無隱諱地要將外蒙古納入鐵幕，在波茨坦會議中決不客氣地反對英美支持波蘭流亡政府，參預波蘭政權，以及赫魯歇夫悍然派大軍掃蕩匈牙利人民的反共運動等情事，互相對照一下，其智愚與勇怯為何如？其領導作用的得失利害又為何如耶？

美俄的戰術問題

俄帝對於亞非地區的醞亂蠶食方法，始終是利用當地的共黨和一般準共黨的左傾份子為主幹，負責前驅，從事鬥爭，它本身決不介入，而以物力財力和技術人員大量援助，在幕後指揮操縱着。凡屬當地可以利用的力量，不管牛溲馬渤，一例兼收，毫無所擇，但求成功，鍥而不舍。它心裏害怕引起全面大戰，故決不談直接派兵參加的話，同時覷破西方國家比它更怕觸發大戰的隱衷，口頭上乃常以核子大戰之說，虛聲恫嚇，而且屢次收效用，如過去對英法進軍蘇彝士運河之役，即其明證。美國却不然，對於各地區的反共勢力和人物，或憑其主觀的認識，有所愛憎取捨，如史達林利用中共參預韓戰，而美國拒却中華民國政府派軍赴韓參戰；或依其情性的廉價觀點，對反共運動，時而積極支援，時又掉頭不顧，而幻想敵對者或有反共之可能，如印尼的反共運動，就是被這種觀點扼殺了的！過去越南奠邊府戰役，明明是中共潛派軍隊參預於其間，而目前的寮國戰事為尤然，否則同屬寮人，何以巴特寮共軍與康利的傘兵營，每戰必克，而經由美方軍事顧問訓練指導，且有美式裝備的寮政府軍，却節節敗退呢？假使美國亦能利用東南亞地區的華僑反共力量，加以組織指導，不特寮國的共禍早已消滅，即越南亦不致陷於現在這種「腰斬」的狀態中，且時有被越共吞噬的危險了。然而，美國既不能向敵人看齊，善為利用華僑的反共力量，竟對於久在滇緬邊區自動結合的中國人民反共游擊隊，亦因寮國問題，硬教他們撤退到台灣去。等到寮政府支持不住，迭失城池，連美國軍事顧問亦有被俘的危急形勢發生，甘迺迪總統除了考慮直接派兵干預這項自尋煩惱的辦法以外，乃想乞助於毫無實際作用的東南亞公約和聯合國安理會了。

越南與寮國動亂之所由來，法國人要負很大的責任，英國亦難辭其咎。這兩個號稱為美國「強大的盟邦」，在東南亞地區跟美國對立搗蛋，非一日矣，這也就是「東南亞公約」永遠是一張廢紙的基本因素。美國希望東南亞公約化腐朽為神奇，贊同美方的主張，教英法共同採取軍事行動以制止共禍，可謂與虎謀皮。至於聯合國原是一座鬧子館，更無制止共禍的能力，固不待言。我看這是甘迺迪一種退縮策略的掩飾之詞吧？

我早已預言過：寮國在美國指導之下，一定完蛋。古巴呢，美國要想利用泛美國家的集體力量來打倒卡斯特洛政權，亦是毫無把握的事，因為目前已有幾個美洲國家表示同情古巴現政權；而尚未表明態度，暗中贊成古巴現政權的，恐怕在所難免。卡斯特洛專以反美為能事，殺戮美國的僑民，沒收美方的大量資產，美國且不敢興問罪之師，其他的西半球各國，事不干己，未必願意為擁護「門羅主義」而披髮纓冠，替美國打抱不平呢？寮國一旦淪亡，越南馬上危急，泰國亦深受威脅，勢將別謀出路，這個國家於一夜之間，可以發生不流血的政變，改取中立路線的。形勢發展到了這種地步，美國如不想退出亞洲，自由國家就只有迫而跟美國之一途了。現時美國對於任何地區的小亂問題，不管大小輕重，總是己以俄帝可能而參戰的估計為首要，自我恐嚇，特別銳敏，却不知過份怕事妥協的結果，適所以積成大戰的因「素」是也。所謂「厝……認為歷史的發展未必有利於共黨，但時間待事實考驗，時間的茬苒，絕對不利於自由人類的生存，却有最近十幾年來的若干教訓足資印證，可不禰哉！

"這是一條捷徑，毛同志！"

小論天下

△寮共軍宣佈停火，英美大感快慰，但共軍攻勢仍未停止。

火終竟是要停的，寮國終竟要給共黨吃掉的。難為英美忽然而緊張，忽然而歡慰。隨着人家棒子的指揮而隨時變更「表情」。

△卡斯特羅宣佈古巴為一社會主義國家，不再舉行選舉。

他悍然不復有所畏懼，是把美國甘迺迪總統的牌底也摸清了。甘迺迪壞在配錯了拍手伙記啊！卡斯特羅倒有一點值得稱贊，他不消學其他共黨頭目玩虛偽的「選舉」，端的漂亮乾脆。

△美國務卿魯斯克宣稱：美決無意用武力對付古巴現政權。美議員檢討古巴事件失敗原因，中央情報局備受指責。

這倒是一宗妙事：美國幫助古巴革命份子，只是用很小的一點點力量，希望他做成大生意。生意失敗了，美國自己不願單獨做，却想和拉丁美洲其他國家合夥去做。事實是：要他們不跟古巴走也不容易。以此而標榜「門羅主義」，實在還不夠格。阿門！

△加拿大與中共訂約，將分批售與價值數億元的小麥。

中共此時還是有辦法養活一大羣共幹和共軍的。如果這筆救飢的買賣更撮成一宗政治買賣，毛澤東還可以把算盤打得更響啊！

△毛澤東宣言：這是共黨革命最有利的時機。陳毅宣傳三洲反美的勝利。

他們當然以為：「紙老虎」決不會被激得臉紅耳熱的。

△太平洋美軍飄忽調動，東南亞公約最大軍事演習結束。

美國人似乎還不會察覺：亞洲人已懶得再注意什麼「演習」了。「故作神秘」是沒有用處的。

方南

自由談

談官僚份子

官僚份子的一般性質，就是遇事因循推諉，見利百計貪圖；對上奴顏婢膝，對下鷹瞵虎視；處世如脂如韋，趨炎附勢；向人裝模作樣，妄自矜夸；而其主要的人生觀，即以貪取財貨為上乘。

在政治場中，同樣是官僚份子，我認為舊式官僚比較新式官僚要好些。就貪污行為而論：舊官僚皆略具知識，熟悉律例，頗知權衡利害得失的因果；對於某種財物，却不敢放肆地貪圖，謹防後患。

新官僚份子則不然，由於識字無多——充其量或許多認識幾個洋字——文不能等因奉此，武不嫺立正稍息，既昧於國家法令的內容，也不顧忌輿論的指摘，嘴上經常掛着一張「革命牌」的狗皮膏藥，胆大妄為，無錢不要，無貨不貪，還說是為着革命的利益，人民應該有所犧牲。就服務態度而論：舊官僚多少能顧全國家設官分職的體制，表面上規行矩步，講究官常，當着長官或僚屬之前，稍知矜持，不願公然露出卑鄙下賤的言行。新官僚的情形就兩樣，他們認為自已的官職與國家不相干，乃是有權力任免官職的那個主子給他的一種恩惠，為着希寵固位，任何無恥的言語和動作，皆優為之，而且洋洋自得，窃窃自喜。例如因事換了主子的辱罵以後，逢人即面有德色而揚言曰：「眞倒霉，今天又被老頭子臭罵了一頓」，大有無上光榮的意態。

政治上的官僚份子何以愈趨愈下，一蟹不如一蟹呢？最大的原因是人事制度問題。舊官僚份子之厠身政壇，總得具備着起碼的資歷，而其進退黜陟，亦有一定的法度，不能僭越的。自從革命運動勃興以來，一切舊有制度法規，無論好壞皆在打倒之列，新的法制雖然琳瑯滿目，但在「革命」口號之下，亦復視同具文，不屑遵循。如是乎，阿貓阿狗，流痞癟三，只要有所謂「人事關係」的，皆可以紆青綰紫，竊據要津，甚至於個人的日常私生活齷齪到了極點，亦以「與公職無關」的理由，恬不為怪，信任非常。

「國家之敗，由官邪也」，舉目近代的官場中人，有幾個不是邪門兒的新官僚份子呢？今日我們所受到的國破家亡之痛，非偶然也。

馮五先生

三軍基地巡禮

張執中

本報專訊

以往常聽說國軍如何進步，訓練如何精良，可是耳聞不如目見，這次國防部爲僑報記者安排了一個機會，使脫離軍職多年的我，親眼看到國軍的強大，內心眞感到無限興奮。但因所見太多，要寫的太多，限於篇幅，只好作一簡略的報導。

「前瞻計劃」，是我陸軍邁向現代化的一個卓越計劃，這計劃早已在陸軍裡展開了，前瞻部隊的火力的強大，舊制的一個師還比不上個團，要是抗戰前期來說一師只能比得上現在的一個營，當我們參觀前瞻部隊的火力表演時，先是由陸軍偵察機臨空偵察敵陣，並與地面部隊保持密切連絡，對敵情的了解，繼之對假想敵展開攻擊，在戰車掩護下，一時對敵陣砲火瀰漫，很短時間，敵陣內一切工事設施全部被摧毀了。前瞻師的武器多改爲自動式，每一個班都配有車輛，故機動性相當高，通訊設備也十分完善，每一個前瞻師均配有偵察機，由於訓練良好，故每一戰士，均具有獨立作戰的能力。雖然前瞻師的人員較舊制爲少，但因火力、機動力、通訊力之增強，使部隊戰鬥力格外優越強大了。適應原子狀況下的作戰，各軍種之間的協同動作，也到了無懈可擊的程度，這是國軍有史以來協調合作的最高表現。

當前我陸軍部隊的裝備，比「八二三」砲戰之前又更爲新穎，除了飛彈部隊外，還有陸軍輕航空隊，承担戰場的通信、觀測、監視、運輸、偵察等等任務，此外射程自金門可超過廈門的大口徑巨砲，（前在金門訪問時也親眼看到過）在在給人帶來勝利的信心。

「陸軍裝甲兵」「成功隊」「傘兵」因有卓越的訓練與優良的作戰能力，使中外一致讚譽爲世界第一流的部隊。

裝甲兵部隊自建軍以來曾參加過不少戰役，就以金門「古寧頭」戰役來說，一個營就擊斃了共匪三千餘人，並俘獲六千餘人，步槍三千餘支，輕重機槍三百餘挺，衝鋒槍二百餘支，山砲七門，各式小砲二百餘門，火箭筒五十餘門，及其他通訊器材與彈藥無數。近年來由於裝備更新，及訓練的優良，其戰力較前更爲增強，預期在未來戰爭中，裝甲兵一定能担當起復國的任務。

「成功隊」是國軍萬能的部隊，這是從各部隊嚴格考選出來的一羣思想純貞，品德最優，體格健全的青年軍人，他們不但可以兩棲作戰，並且還可以三棲作戰，在訓練的要求，較之噴射機駕駛嚴格，這一羣青年戰士們的戰功，可以從他們每位都得到過勳章上可以看出來，其中有部分人員曾潛赴大陸的廈門市看過電影，由此可看出他們的能力和勇氣了。又在參觀成功隊的「八二三」砲戰演習時，才知道那些演習人員，都是當年實際參加過砲戰的。他們在硝煙彈雨的敵人火網下，操舟、潛水，運補武器彈藥、糧秣，搶救傷患同志，情況之逼眞，使參觀的人好似置身於實際戰場中。

說到傘兵，也是今人敬愛的一羣，年青、英俊，加上美觀的制服，強健的體魄，難怪駐地附近的小姐們，一個個的愛上他們，這是一支民國三十三年創建的部隊，當初名「陸戰突擊隊」，抗戰期間曾有輝煌的戰果，對日抗戰勝利，編列爲「第三快速縱隊」，來台後積極整訓，技能越來越好，四十七年起更負起培育廣大傘兵新生力的使命，並輪流訓練部隊官兵，使其都有跳傘的能力。

看見各級軍校這種蓬蓬勃勃的朝氣，優美的環境，設備的完善，像這樣培植軍中骨幹，造就人才之所，當然可造就軍中優秀的幹部，尤其輔助敎材的完美，以提高受敎者之興趣和記憶力，實在是我國軍事敎育史上一大進步。

談到軍中的康樂活動，這是一個非常有意義的事，試想國軍整天辛勤的訓練，如果公餘毫無娛樂，當然很多特殊問題就會發出了。

國防部爲了調劑官兵的身心，對文康工作列爲國軍施政計劃的重要項目，目前除了每一軍團，每一基地有「文康中心」，每師均有他自己的康樂隊，在「文康中心」裏，我們參觀了電影院、溜冰場、圖書館、音樂茶室等等，從吃的、住的、穿的，玩的，一切設備俱全，演的有平劇、話劇，各省地方劇、相聲、魔術、歌唱、說書、音樂等等，直是人材濟濟，相互輪流演出，更增無上興趣，這種軍中生活，足可保持良好的士氣，原先我們都顧慮，目前社會風氣這樣的壞，軍人是否會受到影響，經過這次的訪問，這一疑問就得以解答了。當然軍人也是人，小問題總是難免的，但各級部隊也均能善爲處理，還有軍中的台籍戰士們，其愛國觀念之強，服從性之好，尤堪稱讚。

目前的問題，是在反攻號角未響以前，如何將這種良好的士氣保持下去，因爲士氣之高已達飽和點，好比一支皮球已充滿了氣，再說提高士氣的話，那就近乎口號了。我認爲目前如何使政治、經濟上和社會方面能配合上軍事進步情形，才是當務之急。

以國軍目前的情形看來，反攻復國使命的達成，自無疑問，可是考量今後在大陸作戰的概況，敵人必大肆破壞交通，使補給困難，給養又無法取之於民，預計將是十分艱苦的。目前我們完全是現代化的軍事，將來如何能配合大陸的地形特殊性，及發揮人自爲戰的性能，後勤補給問題，確係不容忽視的重要課題了。

香港與大陸

有原籍江蘇無錫縣的一個女性難民，久在香港以傭工謀生，最近她回到家鄉小住了七八天，遄返香港後，談起她在家鄉所見的飢餓慘狀，令人不忍卒聽。

她的老家是在無錫、常州（即武進）之間的鄉下，當地人民每天每人定量配給的糧食是三兩粉皮（並非米做的），一餐只能吃一兩，熬成一碗稀粥而已，這當然不能充飢，乃摻雜一束俗名「荷花蘭」的野草，跟粉皮一道煮爛吞吃。這種野草在舊時原是餵猪的飼料，現在成了人民不可多得的食品。那不知道用甚末原料製成的粉皮，固然說不上營養性能，而「荷花蘭」亦只有敗胃傷腸的功用，但人民爲要續命，沒法選擇了。因此，當地家家戶戶的小孩們，經常唱出一種歌謠曰：「銅鑼響，腳底癢，大家進食堂，討取三碗「連」命湯；少年吃了「汚」水塘，青年吃了坐田坎，老年吃了見閻王！」

按「連」與「汚」這二字都是當地的方言，其意義江南人一定明白。「坐田坎」云云，是說農民每天只吃三碗續命湯，決沒有氣力從事耕作，唯有坐在田坎上含悲發愁，無可如何。記者問她：「你在家鄉僅僅住了一星期，怎會記得這些歌詞呢？」她說：「地方上的兒童個個唱着不歇，我也聽得爛熟了。共幹雖然亦聽到，因爲唱的人太多，不勝干涉追究，他們只好裝作不知道。」

她的村莊上全體居民不過一千一二百名，在最近一月之內，會經餓死了六十二人。有一個年方十五六歲的小姑娘，由於飢餓難忍，到公共食堂竊取了一束「荷花蘭」野草，拿回家裏煮而食之，旋被共幹發覺，判罰她「人民幣」五十元，小姑娘家裏一貧如洗，五角錢亦繳不出，她受逼不過，即懸樑自盡了！

這位女傭在大陸上的鄉間看了各種飢餓慘狀之後，怵目驚心，回到香港來，見着遺落在地上的飯粒，即趕忙拾取放進口中，連說可惜作孽不置。她又說：「鄉里的老百姓們跟我閒談時，常有人細聲詢問蔣委員長阿要轉來，啥格辰光可以來呢？」

江南一帶沃野千里，素號魚米之鄉，而工商業亦特別發展，過去尤稱家給人足。如今竟變成以野草維持殘生的人間地獄，你想想整個大陸上的同胞是過着甚末生活，尤其是負有弔民伐罪之責的政府當局，對此作何感想呢？

君臨百物的台灣電價

魯人

（台灣通訊）

台灣電力又要加價了！

這一次電力加價，是十年來的第六次。過去每一次加價，幾乎都和美國人有關，這一次當然也不能例外。因爲我們靠「美援」吃飯，美國大老闆於中國問題的發言權，大過於中國老百姓，好比說美國人認爲中國的電力應加價了，雖然中國老百姓堅決反對，但我們的有關當局，也祇有奉命唯謹，照加不誤。

第六次的電力加價，起於四千萬美元的貸款。我們政府爲了興建達見水庫，向美國開發基金會貸款四千萬美元，做爲第一期的工程費。本來預定於四月十七日在華盛頓簽訂貸款合約，可是美方臨時通知中國駐美大使館經濟參事王蓬，暫停簽約，理由是「把資金借給一個不能取得足夠利潤的企業，乃是一個冒險的行爲。」按照美方的「計算公式」，台灣的電力公司，必須能夠每年賺得投資額百分之六的利潤，開發基金會才願意給予貸款。可是，目前台灣電力公司僅能從投資額中賺取百分之四的利潤——去年一年賺了兩億台幣，不符美國貸本家的願望，所以這次本已談判成功的四千萬美元貸款，就臨時碰壁了。

經濟部志在獲得此筆貸款，以期使得達見水庫順利開工。因此就決定電力再加價，俾達到美國人所希望的百分之六利潤的要求。可是，根據以往的經驗，每一次電力加價，「管理人民荷包」的立法院，必然要強力反對，雖然「人民的喉舌」永久拘不過有權力的政府，每次加價最後必然照案通過，但，畢竟政府要費很多口舌，聆求暗壓，才使得立法委員就範。這些「過節」未免有點多餘，因此這一次電力加價，既然勢在必行，經濟部就乾脆決定不向立法院提出，免得立法委員們多嚕嗦。揚繼曾部長爲此一決定發表公開的解釋說：「電費率計算公式是過去立法院通過的，現在電費擬加價，也是根據該項公式計算出來的。電力加價與預算案不同，在目前還找不出法令說電力加價要經過立法院。」這意思就是說，政府要加重人民的負担，人民除了服從之外，不得說一個「不」字，何況這個加價是美國人的吩咐，那理由就更加充分了。

不過，立法委員的嘴是否能被部長先生的權威封得住，目前還不敢說，因爲若干委員對部長先生的話是感到有點憤慨的，將來如何吵法，只有等着瞧。日來此間報章，多有譏諷的文章，但那也祇好「笑罵由他笑罵，好官我自爲之。」而已。有些報紙揭出了不少質疑，但質者自質，疑還是疑，那也不過是自我陶醉而已。

官方動不動就說，台灣電力價格是世界最便宜的，所以現在要力爭上游，和美國看齊。可是，經濟部長知不知道台灣的工資也是世界上最便宜的，一般工商業是萎縮不振的，也能夠力爭上游和美國看齊嗎？假如不能，而祇使電價一枝獨秀，獨凌百物之上，恐怕不是健全的經濟狀態吧！

戰地的馬祖

·柯　仁·

（馬祖通訊）

馬祖羣島，緊緊的封鎖了共匪的閩江口、連江口，會同金門的控制住廈門港，恰似兩把大鉗，狠狠的夾在共匪的腹部。

馬祖羣島，由北而南爲「高登」、「大坵」、「北竿塘」、「南竿塘」、「西犬」、「東犬」。以南竿島面積最大，爲馬祖本島。

馬祖設有縣治，屬福建省，是一天然漁場，這裏的人民多是以打漁爲生，他們過去的生活，極爲貧困，居民以生地瓜爲主食。文盲佔百分之九十幾，自從政府以此地爲反共前哨後，目前生活是大不相同了，人民不但普遍以白米爲主食，而且還有很多康樂活動。現在無論成人、學童，都有免費接受敎育的機會，一切書籍文具均由政府供給。

島上原無蔬菜，也很少猪牛，但現在已能供給全島所需了。

馬祖戰地政務委員會，在短短的幾年努力下，使馬祖列島的進步，從半原始的狀態中，一變而爲現代的文明社會，享受到現代的文明，這可說是一個「奇跡」，但這奇跡是軍人所造成的。

馬祖是丘陵地，故道上下坡與急彎特別多，可是因爲駕駛戰士，技術良好，所以人坐車上是有驚無險。

島上的一切，現在全部進入地下，其工事的良好，眞令人嘆爲觀止，堅固的陣地工事，似銅牆鐵壁，地下交通四通八達，防衛火力之強，使共匪無論從海上、天空，都無法能佔到便宜。

戰士們都希望能有一次戰爭，好讓他們在反共戰爭中做爲先鋒部隊，很多戰士都抱有一個志願，就是：「親手將第一面青天白日滿地紅的國旗插上大陸」。

馬祖國軍的休假中心，內部設備完善，吃的、穿的、用的、住的、玩的、看的，應有盡有，這是特別爲前方將士設立的。

不到前方不知戰士們的辛勞，到了前方你一定能加強反共戰爭一定勝利的信心。

後方的貪官污吏，問問良心，對不對得起爲了我們的自由，戍守在前方的三軍將士？

◎×××歷史××研究×××◎

台灣與中國版圖

李仲侯

明嘉靖萬曆間，漢人入台的很多，他們都是開拓台灣的無名英雄，其中最著功績的，當推顏鄭二人，顏名思齊，福建海澄人，初居日本，廣結同志，和陳衷紀等往來海上，後遂入居台灣，他在台灣開拓區域以西部平原為主，後來顏死了，泉州南安人鄭芝龍繼之，在明天啓四年（公元一六二四）保有十寨，適閩省大饑，芝龍以船舶載饑民數萬，移台墾植，實為大規模移民入台之開始，並給每人銀三兩，三人給牛一頭，於是在台漢人漸成聚落，故台灣縣志云：「顏思齊所部屬多中土人，中土人之入台灣，自思齊始。」又據荷蘭人記錄：「當時其本國人在台之總數不過三千，而漢人全數約二萬五千家」，足證顏鄭移民的成績，而荷蘭時期的台灣開拓，又全是漢人血汗的成就。

談到台灣人的祖先，大多數是從華南遷入的，日據時代，經日人澈底辦過一次「台灣在籍漢民族鄉貫籍調查」，在一九二六年（昭和元年）底，全省三百七十五萬一千六百餘漢人中，來自福建省的佔八三％，來自廣東省的佔一六％，來自其他省份的只佔一％而已。大抵台灣人口絕大多數都來自閩粵二省，尤以福建的南部與廣東的東部為最多，今日台灣的文化，亦可視為閩粵二省文化的延長，而台灣人每人都有一姓，姓氏是不變的，人變姓認為是恥辱的事情，而且每家的廳堂神案上，都供奉着原由大陸遷台始祖的姓名，一切冠昏喪祭的風俗和語言習慣，完全與大陸的閩粵兩省相同。（三）

紅包

白楊

我曾經就吃過這樣的虧：那次為了個人一點正義感，一下子把五六年的飯碗掉了。老婆孩子差點上街討飯。所以這次我乖多了，也許吃過苦頭。這個社會就是這爛污樣子，你不那樣做就不行。我行我素已經吃不開了；扭轉乾坤的英雄也不用想做。這年頭人家做壞事，你不但不能去告發，而且還要跟着去同流合污。否則，你就不合羣，不識抬舉，不給別人留面子，會給自己惹不幸、找麻煩。

我來這個機關已經有一年多，當然對於一些事情已經曉得，他們搞什麼也沒有我的份。但我始終放在心裏，裝糊塗，這樣不會得罪人，飯碗也捲不了。這次沒有不透過我。所以在上午十點多鐘的時候，我正在趕辦幾件要緊的事情。主任從他的辦公室走出來，在我的肩上拍了兩下，要我到他的辦公室去，說有事情要我辦。

到了主任辦公室，他要我隨手把門關上。

「請坐。」他客氣的對我說。他從來沒有對我這麼客氣過。

我向他彎彎腰鞠了一個躬。在單人沙發上坐下來，他遞給我一支煙，又給點燃。我很不好意思。在平常像他這樣階級的人，連看却很少看我一眼。

之後他回到自己的座位上坐下來，打開抽屜拿出一疊鈔票，放在桌上。

「這個你拿去用。」他手指着鈔票，眼睛銳利的望着我的表情。

「我——」我沒有拒絕，也沒有站起來伸手去拿那錢。

「沒有關係。」主任嘻笑着。

「給發現了不大好吧！」我吞吞吐吐的。

「我都不怕，你怕什麼。」

「是的。」我低下頭。

「這決不會出什麼事情，」主任有把握的說。他把二郎腿一翹。點燃一支雪茄得意的吸起來。

「我希望不要惹出麻煩。」

「有我，」他拍着胸脯說：「你知道××公司的董事長是有後台的。」

「是的，主任。」

當然我是怕的。主任雖然現在拍着胸脯有把握的說。萬一露出馬腳來，出了事情，斧頭會先砍在我的腦袋上。因為這一筆賬由我負責經手登記的。

大前天××公司的經理來找主任的時候，我就看出來了。我以為這一次主任還想瞞過我，把我的一份獨吞。主任也知道不好單獨佔這紅包，所以不能疏忽我這圈內人物，如果出了事情，還可以把責任推在我一個人的身上。

但我能拒絕嗎？我是個有家累的人。過去已經有過教訓。現在找個養活一大家人的職業很不容易。假如我再把個人一點正義搬出來，像過去那樣，很可想像的我會得怎麼樣的結果。

我這人太老實了，如果主任這次還是一個子兒不給我，我也沒有話說，因為那樣雖然于心無愧，但最低限度，不幸不會來找我。

「你這人真是沒有出息，」主任瞧我猶豫不定一付可憐的樣子說：「難怪你家裏弄成那叫化子樣子。」

我的頭仍低着。這話說得很有道理。

這些年來，我埋頭苦幹的光拿乾薪，老婆孩子真像個叫化子樣。別人都說我是個笨蛋，不知道找點油水。很多人在這機關跟我同樣的階級，搞得都比我強。不但人家送來不拒；而且還背里伸手去拿。現在有油送到我自己面前來了，並不要去動腦筋，也許一點事也不會出，況且這又不是第一次，他們總是平安無事的。主任剛才也那樣說：「你不要登記那筆賬就行。」

「這年頭太老實不行的。」主任看我不說話，又以教訓的口吻說。

我迷惘地點點頭。

「把錢拿去。」主任說：「注意那筆賬。」

「是的。」我說。站起來把那錢放進口袋裏。每月所拿的薪水也沒有這麼多。我心裏有一種難以言說的感覺。

我離開主任室回到自己辦公座位，許多人都瞟了我一眼，好像彼此都心照不宜似的。這能怪我麼？我怎麼個做法，這社會就是這麼個社會，我吃過虧的，我抹着良心把正義感埋藏了起來。

霧峯萊園

南道

讀了本版李仲侯先生所寫「梁任公與林獻堂」一文，使筆者遙憶起梁任公留台時與萊園的韻事。

萊園，為台灣中部勝景之一，位於台中縣霧峯仰東南山麓，與北部之林本源庭園齊名，其規模雖不夠宏偉，但其自然環境，富於詩意，則遠勝之。

該園建於前清光緒十九年，台省富紳林文欽（字允卿）奉母至孝，為紀念其母氏五秩晉一誕辰，乃建築萊園為奉親之所，取意老萊子綵衣娛親的故事。

萊園佔地十餘公頃，樓閣亭台，溪澗小池，曲徑通幽，古趣盎然。園內設有「老盤軒」，「木棉橋」，「荔枝島」，「小習池」，「五桂樓」，「萬梅崦」，「望月峯」，「千步磴」，「夕佳亭」……等勝跡。

梁任公於辛亥三月間，應林獻堂之邀在該園留居一月餘之久，對該園景物，頗多吟詠，該園為之生色不少，遺墨至今珍藏於萊園中學。茲選錄於後：

辛亥三月薄遊台灣主霧峯之萊園

人物自是徐孺子，山林不數何將軍；稍喜茲遊得奇絕，萊園佔斷月三分。

春煙漠漠雨蕭蕭，劫後逢春愛寂寥；誰道蜀魂啼不了，淚痕紅上木棉橋。（詠木棉橋）

一灣流水接紅牆，自憩園陰納午涼；遺老若知天寶恨，新詞休唱荔枝香。（詠荔枝島）

瘋君續夢

第一回：捲土重來，瘋君尋舊夢　投袂而起，小醜鼓雄風

楔子

「瘋君夢」脫稿之後，許多朋友都勸我寫一篇「瘋君續夢」，理由是瘋君夢只醒了一半，其餘一半不但未醒，而且越做越甜，看情形等到瘋君醒時，這場戲也就完了。因此，他們以為瘋君的夢既未醒，你的書就不應該結束，必須要寫下去。

我對於朋友們好意衷心接受，但是却遲遲不敢動筆，這裏有幾點困難。

第一，「瘋君夢」動手寫的時間是中共在武漢舉行六中全會前夕，不久毛澤東不競選中共政權主席的消息就公佈了。一切事情的發展十分明朗，很容易抓住問題的核心。時間的安排是從毛澤東朝俄乞援失敗起，到了劉少奇袖笏登場止，這一年多點時間，要算是中共政權最混亂的時期，幾乎所有最大壞事都是在這一年發生的，如大躍進、人民公社。中共政權的基礎動搖，也始於此時，寫小說不愁沒有材料。

但是，目前就不同了，中共因為一窮二白三怕（怕海外自由人士以共區報紙作研究資料），所以大陸書報出口的很少，寥寥幾種都登些不關痛癢的消息，尤其近一年來，中共首領們究竟作些什麼，變成了「羚羊掛角、香象渡河」無迹可尋，想抓着重點來描寫就比較困難。

第二，當一九五八年間，大陸人民生活雖然困苦，但是雜糧、番薯仍吃個半飽，所以在大躍進時，看到那些畝產六萬斤稻，三十萬斤番薯的消息，仍能當作笑話寫下來以博讀者一粲，今天的大陸情形，除去石頭同泥土（觀音土除外）全被吃光了，像這類情況，縱咽淚寫下來，讀者也未必忍心看得下去，所以遲遲不能下筆。

第三，瘋君夢動筆時，那一個階段的故事大致已有眉目，所以擬好章回，按步就班，一口氣寫下去，前後比較易於呼應。今天恰好相反，「瘋君」的情形正是「盲人瞎馬欲何之」，他究竟打算走到那裏，上帝還給他多長時間，誰也不知道，這樣想列一個整套綱目，就困難了。

第四，純粹就文學觀點來說，續集很難討好的，續紅樓夢、續水滸、續西遊記都成了讀者嘲笑的對象。甚至近代小說家張恨水氏替自己的成名作品「啼笑姻緣」寫續集，也未得好評，可見續書之難。

有此四個原因，所以我躊躇了幾個月不肯動筆，最近因為讀者盛情難却，本報雷社長及老編又再三督促，雷先生是我生平敬重的前輩，老編不但是好友而且也是諍友，在三重壓力下只好勉為其難。不過，我要特別在此聲明的，瘋君夢已經寫得不好，續夢必然更差，諸公千萬不要期望過高啊！

（一）

岳騫

◎梨園漫談◎

今日的大鵬（四）

——瘦西湖——

於同年舊曆春節，學生班之女生亦參加演出，戲目為名劇「紅鸞禧」，由等二期之女生古愛蓮、楊丹麗、鈕方雨、嚴莉華等合演，每人一場，輪番上合，並由第一期高材生徐露反串莫稽，搭配嚴整，頗獲好評。

後不久趙玉菁初演新排而成之「抗金兵」，而第二期之男生如陳良俠，馬九玲等亦於是劇出現，二男孩雖為初次漏臉，但演出極為老練，其成熟之處，實不下走馬看花駕輕就熟之大人，故從今亦為人所注重，再者，該隊尚推出徐露之「木蘭從軍」，季素貞之「楊排風」，季為著名刀馬旦，係山東濟南人，出身梨園世家，為當今自由中國名伶戴綺霞之得意弟子，其拿手戲有「泗洲城」，「楊排風」，「青石山」等。

舊曆五月初四，座落在新生南路中正路口之空軍新生社介壽堂落成揭幕，分柬各界來賓觀禮，演出晚會吉祥戲兩天，第一天為該隊第二期全體女生演出之「大五花洞」，第二天為徐露等之「金山寺」，水漫金山開打之時，而由全體學生班出動比把，彼等入學尚未逾年，竟已能文能武，實應歸功該隊各教師平時之指導有方。

是年十月二十九日，上海聞人杜月笙夫人姚谷香女士，為該隊籌募基金，在介壽堂上演行將失傳之老旦戲「三進士」一劇，由趙玉菁、程景祥、馬榮祥、朱冠英、及名坤票胡方城夫人為配，胡夫人向以高嗓氣足，韻味醇厚著稱，在國內時有彩排，其深得人緣之處，在票界尚無人能出其右，此亦即大鵬與外界票友合作之第二次耳。

該隊於同年冬季，為了赴海外各地宣慰僑胞，遂先飛至菲律賓演出名劇多齣，深為當地僑胞所讚許，繼赴泰國，越南等地，該隊所至之處，我僑胞無不夾道歡迎，其情況之熱烈，實為罕見之事，（註：出國之日程，及所到之地，容後詳為報導）後至年終始返，此時，大鵬當局又添了不少生力軍，如當年名震西北之夏聲劇校高材生趙原，由海外歸來的小生朱冠英，台灣正義劇團的武生台柱小張遜亭等，而學生班也收了第三期學生，如男生康炳銓、夏元增、陳玉俠，女生曹音，陳萍之、徐龍英、拜慈藹、鄭克美、嚴蘭靜等多人，從此，大鵬人材濟濟，生、旦、淨、丑，唯我獨尊，國內雖有海光、陸光、大宛等劇團與之匹敵，但大鵬集精英於一爐，且新老劇目繁多，此為任何劇團所不及也。

燕塵小識

辛丑談往

——無負生——

（拾）回宮第一聲：十一月庚寅（二十八日）上奉太后至自西安（引清史稿德宗本紀），還朝之日，雖請望治，以爲必有渙汗大號，昭告宇內，以慰人心，而斷不料回宮次日之第一聲，竟是一件極不相干之小事。廿九日（辛卯）內閣奉上諭，「朕欽奉懿旨，上年京師之變，倉猝之中，珍妃扈從不及，即於宮內殉難，洵屬節烈可嘉，加恩着追贈貴妃位號，以示褒卹。」

六十年前的老太太，大概無一人不信因果報應。去年兵臨城下之時，西后竟將珍妃活活淹死，雖然快意一時，總不免疑神疑鬼。一年來還避西安，或尚不甚在意，一旦重返故居，不免見井生怖，若眞寃魂不散，黑夜見鬼，豈不將棄命而去。所以回宮翌日即怱怱下詔，將以人世之虛名，解殺身之孽債。同時亦對光緒，稍予體面，以安其心，誠可謂「存殁俱感」矣。此數語，全出於我之幻想，未必盡符眞象，姑作笑談而已。

提到光緒，亦有一言。戊戌變法，中外交推，一時有明君之譽。推想其人雖甚孱懦，而大體當不太差。不料吳漁川的筆下，則甚不然：「前清宮廷體制，外觀似森嚴重，乃內容並不十分祗肅，宮監對於皇上殊不甚爲意，雖稱之爲萬歲爺，實際不啻爲彼輩搖弄傀儡。德宗亦萎靡無儀表，暇中每與諸監坐地作玩耍。……見臣下，尤不能發言，每次宴見，必與太后同坐一匟。匟多靠南牆下，太后在左，皇上在右，即向中間跪起，先相對數分鐘，均不發一言，太后徐徐開口曰：「皇帝你可問話」，乃始問：「外間安靜否，年歲豐熟否？」凡歷數百次，祗此兩語，即一日數見亦如此。二語以外更不加一字，其聲極輕細，幾如蠅蚊，非久習殆不可聞。皇上問罷，太后乃滔滔不絕，大放厥詞，尤好括用四字兩字名詞，古文成語，脫口而出。然人情世故，頗明澈，數語後即洞悉來意，故諸大臣頗畏憚之。太后如此聰強，而德宗如此巽懦，宜其帖耳受制，不能有所施展也。或言德宗養晦爲之，則非小臣之所敢知矣。」

此吳漁川親身閱歷之談，自與嚮壁虛造者有別，可稱爲德宗外紀，以別於光緒實錄。撮錄於此，即以之殿我全篇。

（二十一、全文完）

民國五十二年四月　歲在辛丑　上巳之夕

無負生附誌

「更正」本報一二二期，本文（十五）倒數第六行，賀縣于晦若之「于」字，誤植爲「於」字；又一二三期，本文（十六）第十三行，「八月二十四日」誤爲八月二十「五」日。特此更正。

望海樓隨筆

鴉與鵲

徐學慧

烏鴉不一定是不祥之鳥，而鵲噪也不見得是喜訊，可是，一般人却厭烏而喜鵲，宋之問詩有「破顏看鵲喜」，五代馮延巳詞有「終日望君君不至，舉頭聞鵲喜」。到今天，鵲字上再加一個喜字，就成爲喜鵲了。

然亦有不盡然者。北齊書載，有奚永洛者，與其友張子信對坐聊天，忽有鵲鳴於庭樹間，子信曰：「鵲言不善，……今夜有喚，必不得往。」子信去後不久，果然高儼令人召永洛進宮，且言奉上令，永洛詐稱墮馬不能往，遂免於難。

這一故事，說明了鵲叫不定是報喜。同樣的，烏鴉叫也不一定是報惡。

白樂天答元郎中楊員外喜烏詩云：「南宮鴛鴦地，何忽烏來止。故人錦帳郎，聞烏笑相視。疑烏報消息，望我歸鄉里。我歸應待烏頭白，慚愧元郎誤歡喜。」

這兩個故事，推翻了我們對於烏與鵲的好惡。據宋洪邁的「容齋詩話」：世有傳陰陽局鴉經，謂東方朔所著，大畧言凡占烏之鳴，先數其聲，然後定其方位，假如甲日，一聲即是甲聲，第二聲是乙聲，以十干數，乃定其緩急，以定吉凶。照這樣說，烏鴉的叫聲，並不全是主吉，亦不是主凶，其吉凶之際，乃在其輕重緩急與鳴聲之多少，這倒又和我們一般的意見同了。

世俗之所以喜鵲而厭烏者，大抵是因爲牠們的叫聲不同而巳。鵲的叫聲，吱吱喳喳，此種聲音，令人輕鬆而興奮；鴉的叫聲，沉重而混濁，若有重憂者然。吉凶之別，乃由於牠們的叫聲對人類所引起的感覺而定，倒不一定是主吉主凶的。

老饕諧詩

介人

飲食男女，人之大欲存焉，我們對於老饕貪食之輩，又何忍責難。只是有閒的文士，向來對於老饕們，留下了不少的打油詩，大可作本欄的趣談，綜合之下也頗洋洋大觀，用「多采多姿」來形容，似乎也還相近。

據說有某位主人請客，大概爲了節約起見，請客的菜不甚高明，也許這一位廚師偷工減料，也說不定。於是就出現了下面的一首詩：

「主人盛饌羅奇珍，大碗清湯好灌纓。怒髮衝冠魚翅硬；中流砥柱海參生。端來饅頭貓嫌小；擺出龍蝦犬愛聞。還有兩黃肌瘦鴨，佳賓個個打惡心。」

還有主人請客太多，實在擠不下了，等於活受罪。於是也有了調侃的諧詩：

「華堂今日綺筵開，不料諸公個個來。端菜每從頭上過；提壺微向耳邊篩。堪憐短臂無長箸；何恨肥軀佔半臺。門外忽傳客又到，主人讓座一邊陪。」

其實這種場面可謂數見不鮮，見怪不怪，也就習以爲常了。

從前的翰林官，地望高華，但每處空乏，京官實在難做。某太史作詩云：

「先裁車馬後裁人，裁到師門二兩銀；惟有兩餐裁不得，一回典當一傷神。」

這種慘狀，不圖復見於今天的大陸，我想這些靠攏的遺老文士們，當亦有此徒喚奈何之歎吧！大陸上因爲糧荒，一般人民均改爲食粥，野菜野草，均成了貴品，致令人民患黃腫病的，不知多少。

過去私塾的窮教師也是怪可憐的，更兼之一般東家招待他們，也極其菲薄，致教師們營養不夠，越顯得饞涎三尺。相傳某東家請師飲宴，但是菜少，同桌的少年學生們又不客氣，狼吞虎嚥，搶得盤光碗淨，教師氣得兩眼發直，只好苦吟一首云：

「筷長碗小飯何如？粒粒僵心硬似珠。湯裏帶毛三片肉；盤中爛肚半條魚。千絲好比牙籤細；豆粉眞同鼻涕粗。一介書生才入箸，羣牛搶盡巳無餘。」

又有某教師因東家供給的肉片切得太薄，不能解饞，漫吟七絕一首云：

「薄薄切來淺淺舖，廚頭娘子好工夫；等閒不敢推窗望，恐被風吹入太湖。」

這一首詩被倔強的東家太太看見了，便把肉片更切得薄些，教師於是又做古風一首云：

「娘子之刀利且鋒，娘子之手輕且鬆。切來片片與紙同，氷盤托出玉芙蓉，舌根未到巳先融。忽然躍下起微風，隨風飄入五雲中。追之不能得其踪，早過巫山十二峯。」

東家太太很恨教師形容過甚，就連早上的粥也煮得很稀，以示警誡。教師吃得不飽，又感而作詩云：

「粳米幾是水一甌，病夫解渴餓夫愁。試將箸挿東西倒；輕用匙挑左右流。羣碗口邊泉語細；捲簾眼下浪紋浮。佳人何必窺菱鏡，眉目分明在裡頭。」

此粥眞是薄得可以了。

過去抗戰時期，物資供應失調，學生所食的米多係八五糙米，而且其中滲有沙粒，學生們用膳時，總是對着發愁，某大學學生某君，吟下了如下的一首詩：

「×大學生實可憐，每逢吃飯叫皇天；汚泥堆積盲腸底，氣貫穿牙齒間。一碗菜中油二滴；半升米裏沙三千。諸公若是能垂愛，勝唸心經十萬篇！」

這首詩眞好，好在全係實情實事。不用說半點不假，連一點文藝的誇張也沒有運用呢！

最後還要補述的，則有楊自華其人，飯食必虎嚥狼吞，也有風捲殘雲一掃而空的姿態。所以大家都稱爲「大饞王」。他的饞食姿式，面對盛饌佳餚，大有「吃一」、「望二」、「想三」之勢，所以任何宴席，與他共席的人，莫不叫苦。某君贈之以詩曰：

「好食無如楊自華，未曾入席手先爬。慣將兩箸來三塊；頻把雙肱壓兩家。咬破舌尖流赤血；淘空碗底露青花。回看桌上無餘物，笑倚欄干剔板牙！」

這實在是形容盡致，如此好詩，你能不爲之叫絕嗎？

海嘯舊談薈

周佛海憶語（中）

諸葛文侯

佛海常自負頗有幹濟之才，總想在政治上一顯身手。但追隨蔣先生很長的時間，除卻兩任江蘇省教育廳長（顧祝同與陳果夫担任省主席時）以外，僅在對日抗戰中期，代理過國民黨中央宣傳部長。這兩項職務，都非他的志趣所在，也不是他之所長，居恒抑鬱寡歡。他對於煙酒牌賭這類嗜好皆沒有，只喜歡玩女人，這亦是他不得志的一大因素。

對日抗戰時期，我倆都住在重慶，他貴爲執政黨的宣傳部長，我幹着報館主筆職務，雖常有往還，但晤面時所談的，除了關於對付共黨的理論鬥爭問題而外，便是大談其醇酒婦人，可謂「言不及義」也。那時候，我並不知道佛海與若干友好有所謂「低調俱樂部」的結合，更未夢想到他跟汪精衛且有對日寇談和的謀劃。

民國廿九年冬臘間，我由成都回到重慶後，某日下午五時，按照佛海告訴我不見普通訪客的休息時間，走到他寄宿的「中南銀行」樓上去聊天。詎料他一見面就以莊重的詞色說道：「今天不談風月，到我的臥室內談些正經事罷！」進入臥室坐下，他即問我：「日本首相近衛發表聲明，說日軍要打到重慶來，將來我們的中央政府豈不是要遷到西康去？西康我是不去的。老兄，俄國人可以逃到上海來賣氈子，他日你我想流亡亦沒有安身之所呀！我看這戰爭非設法停止不可了。」當時我大倡異議，認爲抗戰到底才是中國的生路。他見我話不投機，沉默無言。稍停片刻之後，他說：「我明天到昆明去視察中宣部業務，需要一個月以後纔回來。」我依然沒有其他的感想，約定明日到飛機場送別而巳。

次日我赴江邊珊瑚壩送他，因飛機起飛的時間尚早，他拉着我到水濱僻靜地方說道：「此行將要到河內去看看汪先生，或許不回來了。」我詫問：「爲何一去不復返？」他答以「我們另有救國計劃。」這時我乃恍然於他昨天那篇話，是來試探我對於抗戰的意念如何。如是，我笑謂：「你我的政治見解雖不同，友誼絕對如故，我亦盼望你成功啊！」他笑道：「飛機還需半小時才起飛，如果你此刻向政府當局告密，把我扣留下來，包管你有官做。」我說：「你認爲我是這種人嗎？」他急忙答道：「開玩笑的，我就認定你不是這種人，所以向你吐露肺腑之言呢！」

抗戰勝利結束後，佛海被囚在南京老虎橋監獄內，我去探望他，他以意外的心情對我說道：「許多老朋友都不會見過面，想不到你會來看我。」我倆又對今後如何應付共黨的問題，各抒所見，研討了許久，然後握別。臨我走到會客室門外時，他大聲說道：「你可以在報章上寫一篇『虎牢探奸記』，但要注意，是探漢奸之奸，不是監犯之監啊！」其風趣盎然猶昔，這是令我難以忘懷的。

歷史人物

曾國藩論

翊康

我的結論是——

（一）我們對太平軍不能完全否認他們的民族意識，但也不能因此便說曾胡左李這批「同治中興功臣」，都是「漢奸」。

（二）曾國藩代表中國文化正統，他延長了儒家思想的生命，同時也幫助維持了清廷的專制和保守勢力。

（三）曾氏對當時的洋務（西化）運動，有提倡之力，眼光總算不差，只可惜他對於西方的認識不夠，加以環境所限，以致不能和日本維新的成功相比。

（四）曾氏事功彪炳，允武允文，以儒生而兼綜軍事，永垂不朽。

（五）曾氏著作，至今知識分子讀者仍多。他底日記和家書，影響尤大。梁啓超稱他爲「有史以來不一二覩之大人物」，雖則有幾分誇大；但若認爲歷代少數大賢哲中之一人，他至少是可與范仲淹，王守仁之流比美的吧。「山縣寒儒守一經，出山姓氏各芳馨」（見篇首），雖則是送給何廉舫的，却也道出他自己心中的抱負了。——

（八、本篇完）

徵稿小啟

有內容有意義之隨筆、散文、掌故、小說、雜感等類文字，本刊均所歡迎。請用有格稿紙繕寫，如需退還，請附信封及郵票。一千六百字左右的隨筆，比較容易刊出，過長則以篇幅所限，請特別留意。

內警僑台報字第〇三一號內銷證

自由報

THE FREE NEWS

第一二九期

中華民國僑務委員會登記證 台報僑字第三二三號
中華郵政台字第一二八一號執照
登記為第一類新聞紙類
（每星期三、六出版）
每份港幣壹角
台灣零售每份新台幣壹元
社長：雷嘯岑
督印人：黃行富
社址：香港銅鑼灣高士威道二十號三樓
20, CAUSEWAY RD 3RD. FL HONG KONG
TEL. 771726　電報掛號．7191
承印者：田風印刷廠
地址：香港灣仔高士打道二二一號
台灣分社
台北市西寧南路壹壹零號二樓
電話：三〇三四六
台郵撥儲金戶九二五二

殘破的亞洲反共形圖

·劉龔三·

美國副總統詹森氏即將訪問亞洲各國，作一次「灰色的旅行」。這裏打算繪出一個破碎的亞洲反共形圖，供他參考。

說這是他的「灰色旅行」，實非形容過甚。目前的事實是：美國聲望正在空前低落，東南亞形勢越趨惡劣，自由陣線從寮國逐步敗退下來，這位美國副總統戴着沒有光彩的面孔，懷着沈重的心情而來，面對着一個沉悶而惡劣的局面，還憑什麼來鼓舞亞洲人反共的熱情？

亞洲局面本有可為，但在以往美國錯誤領導之下，情形一直越弄越差，新的美國執政當局應該首先看清病源，才可談到對症下葯。這是我寫本文的動機。

今天亞洲情況最壞的地方，當然是寮國，但未來的重大危險必定出在南越和泰國。沒有中共和越共的策應和參加，寮共決不會坐大到今天的程度。西方國家業已決定不在寮國打仗，那已是衆所週知的事，寮國早晚要完蛋，共黨的壓力必定立即落在泰國和南越頭上。西方國家將會下大決心，確守泰國和南越這一條新防線嗎？以寮國近事為例，恐怕連泰國也不敢對西方國家寄以太大的信心呢。共黨在寮國打贏了熱戰，便即等於在泰國打贏了冷戰，泰國當局「心防」一潰，東南亞整條反共防線便會有捲下去的危險。至於南越方面，吳廷琰難以獨力應付共黨及「中立主義者」從多方面發動的攻擊，亦屬顯而易見，毋待深考。

東南亞較為穩定的國家，只有馬來亞，它反共而要和英國走印度所規劃的外交路線，對聯合反共的任何行動都不大發生興趣。它這一點惰性，最有利於共黨目前所採的「蠶食」策略。馬共正在等待泰國和南越那一條防線發生裂痕，即作捲土重來之舉。馬共那種熾烈的復仇心理，正好拿來和馬來亞當局那種惰性對照。

印度的現況更加不值得恭維。不管尼赫魯口頭對中共說出怎樣強硬的話。但它錯在引蘇俄為友去對抗中共，更壞在內部潛伏有太多的不安定的因素。例如尼赫魯要用全力包庇一個通共嫌疑的梅農把持國防大權，雖已引起陸軍高級將領強烈反對，亦悍然置之不恤。這樣的國防未免是太兒戲了。尼赫魯在印度內部種下的長遠禍根，及以其偽裝的「中立主義」造成破壞亞洲反共聯合陣線的嚴重罪惡，正是亞洲最大的隱患。

繞過了印度，再看亞洲另大的一個「中立」的國家，像目前印尼所走的路線，比較印度還更糟得可怕。蘇俄和中共已在這兩個「中立國家」之間做好了「離間」工作，打算逐漸把印尼拉得更加向左靠，然後利用它對荷蘭的仇恨心理，燃燒起另一個反西方的火頭。

東南亞不用說了。向北面看看吧！日本並不算是亞洲反共陣營裡面可靠的成員。共黨在日本，利用左傾的社會黨造成了一項可怕的勢力，業已達到隨時都可呼風喚雨的境界。除了日本，由南韓和菲律賓配合起自由中國在台灣的力量，本可造成一個反共的鐵三角，但不幸得很，南韓形勢已不似從前那樣穩定了。共黨由日本分佈到南韓的「反美」種子，業已漸漸萌芽，誰也可容易看到了。

不錯，台灣和菲律賓仍是鐵一般的反共基地，但這兩個地方的反共政府和人民都在憂心忡忡，所怕的倒不是共黨來得太兇，而是怕西方國家再要說放棄什麼地方，和再要從什麼地方撤退。

這就是今天亞洲反共陣營的實況。它強不起來，因它有力無處用，只能呆擱着，任令時間消滅它的鬥志；它聯不起來，因這裏面有人唱「中立」的低調；它站得不穩，因敵人在用許多方法進行滲透，破壞，以及離間，而有些地方卻因軍事上的負荷和經濟上的發展不能平衡調節，而積悶的人心更會發洩到不適當的方向去，造成了極難應止的騷亂。

這是不是說得太悲觀呢？並不，我們如把眼光放在敵人的內部去，當會清清楚楚的看到敵人內部情況越更不堪。它確乎是危機重重，千瘡百孔。如果我們能用敵人對付我們的同樣方法，作同等鍥而不舍的努力，敵人怎能不垮？怎不悲觀。敵人的悲觀便是我們的樂觀？為什麼毛澤東能說目前是共黨進行「世界革命」最有利的時機，我們卻不懂得說這是打垮共黨最有利的時機？

詹森先生此次亞洲之行，對亞洲現局的看法大概不會和我們完全相同，但料也不會相差太遠，以上只就衆目所覩的事實，照直鋪陳，並無過份渲染，所希望於他的也只有如下的一點：切實認識亞洲國家為什麼強不起來，聯不起來，和站得不穩的基本原因，向美國政府提供意見，從根本上源頭上把以往病因完全掃除，從此以後，反被動為主動，化消極為積極。

亞洲反共陣營應該能夠強起來，所以不能強，是因我們常把自己的力量束縛住，甚至把它棄置。誠如合衆社記者報導過的事實，東南亞反共陣營可用以作戰的全部兵力，多過共方。但因為我們永遠不致用它，即使更多些也是沒用的。雖多亦無以為，雖強亦無以為，這豈不成了笑話？弊在我們常把自己造成了笑話裏面的主角，仍自懵然不覺罷。

其次，為什麼亞洲反共國家不能聯起來，因為其中有「中立主義」作祟，也有西方國家中的「姑息主義者」，但因為對於「中立主義者」和「姑息主義者」有所姑息，便常被敵人透過「姑息主義者」的手，使他不免遭受「間接姑息」的禍害，用他自己的手去束縛住反共國家可用的力量，使之應聯而不能聯，應強而不能強了。

為什麼亞洲反共國家會突現站得不穩的危機呢？喜歡「將人比己」的美國人最好能夠常時作「設身處地」的推想，將己比人，假設本身是韓國人，中國人，或者是泰國人，要長期站在反共的第一線，作無休止的戒備，忍受着軍事上經濟上外交上無限的負担和煩惱，還要經常看朋友顏色，挨朋友臭罵，那麼，美國人便會明白，這決不是好過的生活，更會明白這樣拖得太久，誰也不敢說必能屹立不搖和不倒的。

看趨勢，美國還是要對日本和印度多多實暖討好的。我們並不以為美國不該向印度和日本做工作，但這只是在亞洲反共陣營做彌縫的工作而已。彌縫的工作往往是吃力不討好的，敵人破壞的力量總比你要建設的力量表現得更強，你彌縫得一分，它可破壞成一寸，而由今之道不改，則不能強不能聯以致不能穩的三大弊害，必定依然存在，形勢雖會繼續惡劣下去的。

共黨在亞非和拉丁美洲三個大洲進行打擊美國，等如從前在中國大陸分建農村游擊區以困圍城市，其目的在使美國變為「孤立的城市」。他們正在盡力削弱美國的聲望，使美國不復成為「共信」的中心，因以造成自由世界整條心理防線的崩潰。這種策略，我們都看得十分清楚。我們無意幫助共黨完成這項工作，有時雖不免期之過深，責之過切，但在美國人自己，却更不可以種種事實幫助共黨來打擊自己的聲望，削弱自己的威信，經常自證為共黨口中的「紙老虎」！

作為一個反共的中國人，想起由雅爾達協定壯大了蘇俄侵略中國的野心，才有大陸淪亡之禍，想起了美國坐視中國大陸淪亡，任由「灰塵自清」，才有韓戰繼起，再想到由韓戰勉強結束以導致今日東南亞的漫天烽火，真不能不相信「種瓜得瓜，種豆得豆」的常理。今天，美國人在亞洲還有什麼可靠的朋友，和可用的力量呢？如果沒有自由中國在台灣的一股力量在支撐全局，整個亞洲怕不只是灰色的了。十年以來，美國還算種下這一點善因，今天幸可藉以自助助人，當不至空無所恃，今後應該怎樣好好的利用它才是？顧美國人好自為之，仔細想想毛澤東近來說的是什麼話，幹的是什麼事，更把眼光移向大陸鐵幕深處去看個究竟吧！

小論天下

△美國「太空人」升空成功，安全降落，全國歡動。共產集團反應冷淡，指其不足與蘇俄「太空人」相比。

別怪他們無禮。美國人一向看這是「競爭」，不知道共產黨實在作着「鬥爭」。

△莫斯科廣播：寮國已「真正停火」。中共立即宣佈，將派陳毅赴日內瓦參加談判。

「新奠邊府」和「新板門店」都呼之欲出。美國人應該「欣賞」中共劍及履及的豪態。

△美國放出空氣，準備隨時赴援南越。

第一道防線放棄得那麼隨便，第二道防線怎不建立得更加吃力？

△尼克遜開始批評甘迺迪政府，問他在百日內幹過些什麼事。

他應該知道：「使美國聲望低落」也是一項工作。

△英政府又揭露赤色大間諜案，全國輿論譁然。英美情報聯絡恐大受影響。

西方國家在「間諜戰」所表現的才能，似乎只在電影片上面才顯出最好的成績。

△中共毛澤東劉少奇各大頭目紛離北平，分赴各地視察與鎮壓。

他們因為常怕被人「整」，所以要不斷出動去「整」人。

△杜魯門在其七十七歲誕辰發表談話，認為美國青年人對美國歷史所知之少，使其吃驚。

我們不知道，由許多電視機經常映演的「牛仔片」，可不可以增加幼年青年人對歷史的認識。

△美副總統詹森定期訪問亞洲各國。

亞洲反共力量如沒有「解凍」可能，他實在不必多此一行。怕的是：他要在久被「雪藏」的反共力量上面，再添上幾塊厚冰。

△赫魯曉夫再對美恫嚇，警言古巴如再受襲，蘇俄將予援助。據傳：蘇俄對拉丁美洲發動外交攻勢，擬以阿根廷烏拉圭為擴展新基地，並誘巴西建立外交關係。

你不敢動，他當然更要大動。

方南

自由談

歷史的重演

古巴統治者卡斯特羅表示願與美國修好言和，而白宮發言人即奉命聲明：對共產政權決無和談之餘地，不屑考慮。是何意態雄且傑，善哉善哉！

然而，美國當局對於西半球以外的共產暴亂集團，卻一貫地主張跟它和好相處，不特強迫友邦實行，美國自已亦不惜白般予以安撫，期望跟共黨和平結交。過去會經強迫中華民國政府與中共談和，因而使中國大陸淪於共黨魔掌中；現在又欲寮國政府與寮共停戰媾和，成立聯合政府，眼看全寮將陷於赤禍橫流之境況，毫無疑問。美國以自由世界反共運動的領導者，而其思想如此混亂，政策如此紛歧，言行若是矛盾，其故安在耶？

嗚呼噫嘻，我知之矣！

西半球乃是美國安全繁榮的生命綫所在，決不能讓共黨潛踪於其間，以致構成切膚之痛，殘害美式生活。至於其他的地區，只要能夠跟美國貿易通商，允許美國人出入，雖係共產國家，亦可基於「承認現實」的理由，不妨親善論交的。談到共產主義奴役人民的暴政，美國認為這也有辦法解決——靜候當地人民起來推翻共黨政權就是了！

我對美國朋友這種領導方法，並不感覺詫異，「人不為己，天誅地滅」，有史以來，幾曾見有一個國家專為別國人民的生存利益，而披髮纓冠，冒險犯難以相救助的？功利主義與實驗思想盛行的今日，更不必說了。

不過，美國的「門羅主義」這面陳舊的大旗，已被卡斯特羅撕破了一角，而美國瞎眼吹鬚，無可奈何，來日效尤而起者，倘大有人在，幾經撕毀之後，只剩下一根旗桿，要想憑藉牠來捍衛「美國堡壘」的安全繁榮，其可得乎？

二次大戰之前，英國當局拚命安撫納粹主義的侵略行為，結果英倫首先嘗到納粹空軍狂炸的苦味，國幾不國。如今美國又沾襲英國老大哥那套故智以對付共產主義者，思之思之，不寒而慄。難道上帝給人類安排下的歷史事實，真要循環重演重現嗎？

馮五先生

備受威脅的中共輕工業

·焦毅夫·

（大陸剖視）

大陸日用必需品的缺乏，早爲人所共知的事實，上期本報刊載中共報紙有關皮鞋改小，加大等消息，不過給此消息予以證實而已。

誰都知道，輕工業原料百分之八十來自農業，農業歉收，對於輕工業當年和次年的發展，有着決定性影響。去年大陸遭遇空前的旱、澇虫災，農產品普遍歉收，甚至有些地方沒有收成，因而中共承認說：「輕工業原料不足而形成的市場供應暫時困難，是一個急需解決的重要問題」。於是各級共幹想出用野生植物代替的補救辦法，喊出「出門帶把刀，回家帶担料」，「上山帶個簍，下山不空手」（一九六一年「紅旗」第二期），發動群衆積極展開野生植物原料的採集。另一方面，發動人民回收社會遺棄的廢物，爛品，然後加以利用，中共認爲還是一部份可以利用的輕工業原料，潛力很大。要各地人民，「把廢紙、破布收集起來，供作造紙原料。其他如廢玻璃、廢牙膏瓶、廢皮等，莫不是輕工業的好原料」。（一九六一年「紅旗」第六期）。

由於上述原因，目前大陸輕工業原料，都爲農業副產品和回收的廢品所代替。根據作者保有資料，用眞正農產品爲原料加工生產的日用必需品，人民早已無權享受了。

中共又發明用米糠搾油，據說：「廣東全省糧食加工廠，由去年下半年起，至今年上半年，共生產糠油一千七百七十多萬斤」。中共還形容「米糠全身都是寶，價值無窮」。據說：「利用過的糠渣，還可餵猪，能使腰肥體壯」（一九六〇年九月四日「人民日報」）米糠本爲猪畜飼料，略有營養價值，當是內含油分，如給人吃，必須經過衛生處理。中共令各地糧食加工廠，用土法搾出之油，即行配給人民食用，對食者健康自有影響。據來自廣州人談：米糠油不但顏色灰暗，且味苦澀難以下咽；故人民拒不領受，或領後棄之不用。

由於棉花歉收，各地紡織工業，幾乎全部停車。因此，中共發動大陸人民，採集野生植物；並令各地紡織工廠，廣泛利用野生植物纖維紡紗織布。「人民日報」說：「截至一九六〇年六月底止，全國已收購各種野雜纖維九十多萬噸，生產代用紗十萬多件，織出代用布七千多萬米」（一九六〇年八月二十一日）。「廣東紡織行業，去年一年，各工廠利用野雜纖維混紡了七百五十多件紗，織出混紡布八十幾萬多米，廣州市紡織業部門還成立了原料材料辦公室，專門收集和發動群衆上山採集野生植物」（一九六一年二月二十七日「人民日報」）。

山東省萊陽加工廠「由於製造日用必須品的原料缺乏，於是利用野生原料、製肥皂、火碱。這家小工廠的職工，已經用香里草、茅草、豆秸、芝蔴秸、向日葵秸、高粱秸、麥秸作原料，生產了一百五十多種產品。」可是這些產品，不大受人民歡迎，原因是「不是顏色討人厭，就是味道難以下咽，價雖廉而物不美」。因此中共黨委支書，要職工「繼續大鬧技術革新，反復鑽研，解決一系列的問題。」（一九六〇年十二月十三日「人民日報」）這些代用原料，由糧食加工廠設立的綜合車間，加工成「油、酒、糖、醬、醋」等副品」（一九六〇年十月廿九日「人民日報」）。

中共輕工業系統將採集此種代用原料，定名爲「小秋收」，發動所屬單位及人民公社社員，展開「羣衆性的採集野生植物，並採集農副產品運動」，千方百計開闢「輕工業原料來源」。（一九六〇年十月廿九日「人民日報」）

誰知這樣以來，却發生另一問題，已往這些代用品原料都是人民的炊飯柴和牛羊飼料，經各工廠廣泛採用以後，「人民必須行幾十里砍柴炊飯。」「很多地區因爲耕牛缺乏飼料，多季不能保膘」（一九六〇年十二月十八日「人民日報」）。這類事件發生非常普遍，因此中共要求幹部和人民必須兩者兼顧，應留足燒柴和耕畜飼料」（同上）。

引）

中共爲解決人民衣着問題，除廣泛利用野生纖維混紡紗布之外，並推廣「修補運動」，（見上期本報）中共認爲「這是一項青春常在的事業」，「人民日報」舉出一個善於修補的典型人物。「我們有個指導員，一九五二年買了一件襯衫，長袖穿破了改成短袖，短袖穿破了改成背心，背心穿破了直穿到現在。」（一九六〇年十一月卅日「人民日報」）中共舉出這個典型人物的用意，是要人民向他學習「一件襯衫穿八年」的「模範」事跡。

在此新興的修補行業中，瀋陽毛皮廠還發明「可以把破舊毛皮統子經過拆洗、拼補，翻舊如新，並能染上各種顏色。」因而他們還得意的說：「要是在舊社會，這些東西早就沒有用了。」「由於人民思想不斷提高，因而也提高了修補質量」（一九六一年一月二十日「人民日報」）。

這樣修補工作，已由衣着擴展到日用品。據說：「瀋陽市日用品修理廠，進了一批鋁製品，院裏堆滿了破爛的日用鋁鍋，有漏了的，有裂了紋的鋁盆，鋁盒，都是同一個工廠生產的「東方紅」牌，這些鋁製品的。支書樊世馨問老工人：「爲什麼這些製品出廠不幾日就壞？」工人說：「是質量太差，不好，可能是底太薄，就是燒一鼓，一燒就鼓去，向外鼓，向裏鼓來鼓去，就裂紋了。」（一九六一年四月十三日「人民日報」）

這則消息，不僅暴露了大陸日用品有以破舊換新的同時，也說明了中共出產的鋁鍋質量太差，出產不幾月，就裂紋破爛。爲什麼有這種原因？是設備的結果，再是缺乏原材料和技術不夠，手工生產，難使鍋的底厚薄勻稱，以致一燒久就壞。

上述資料，對中共大力發展十年的輕工業，已達到若何程度，已有了深刻了解。如此情形再繼續下去，大陸人民將始終如原始人類，無寸紗成衣，令人不堪設想的問題。以一個以農立國物產豐富的「海棠葉」上發生，能不叫人奇怪。

香港與大陸

【本報訊】處在嚴重飢饉下的大陸難胞，最近不斷地逃亡來港。有五名汕尾漁農民，於兩天前偷駕一隻長約數碼的小船偷渡來港，經過一晝兩夜的艱險過程，於前晚黃昏抵達接近本港水域的担桿山海面，被風浪擊沉，五人隨船落海。在危急百亡之際幸獲附近海面漁船救起，於今晨立即送港醫院療治，幸飲水不多，施救後已無礙。

此五名獲救的男子，均屬壯年，姓名列下（一）林世德，廿七歲，（二）徐成金，廿二歲，（三）徐鎭南，廿一歲，（四）劉振雄，十九歲，（五）丘雄，廿九歲。他們現在已獲通知其在港親友。據說：他們此次偷渡來港，已是計劃多時，約於大前天的夜晚，他們乘着細雨濛濛，風高月黑之際，從汕尾港，冒險駕小船偷渡出海，沿途風浪頗大，憑着他們年青的活力，苦苦支撐着，駛至平海海面時，風浪更大，那時，他們的小船已有點入水跡像，糧水亦將盡，但堅強的求生意志，鼓勵着他們奮力的划，卒於前晚駛近担桿山海面，詎料風浪更大，殘破的小船終告不支而翻沉。幸而他們諳水性，落水後鼓着餘勇，奮力泅泳，並大聲呼救，時適有漁船經過，將他們救起後，到警署通知其親友，然後送入醫院。

柳哲生控告聯合報

魯人

（台灣通訊）台北市瑠公圳孕婦分屍案，治安機關的偵訊告一段落，正由司法機關偵辦中。一度盛傳與分屍案有關的空軍少將柳哲生夫婦，於洗脫罪名後，因不甘報紙對其夫婦的誹謗，特委託律師胡世棻，作成刑事自訴狀，向台北地方法院刑庭提出自訴，控告此間聯合報發行人王惕吾、社長范鶴言，及東海大學文學系教授徐復觀等三人涉有誹謗嫌疑。

上項控訴，列有六項物證——均係刊載涉嫌誹謗文字的聯合報；人證一——係空軍總部黃褚彪。控訴的理由是指彼等三人有意圖散佈於衆而指摘或傳述足以毀損原告名譽之事，認爲觸犯刑法第三百十條的誹謗罪，要求法庭判被告等以應得之罪。

控訴分爲三個部份：甲、對徐復觀部份。徐教授於三月十三日假聯合報「大家談」欄撰文，題爲「分屍案只有希望因果報應來解決」，意謂該案有關公務員及公署不應爲柳宅開脫，柳宅小人物（按指司機厨子等）已經逮捕，柳宅主人竟未一蒙辦案人員照顧，係因死者之關係人已全部控制，故重賞十萬元而無人報案。徐氏並指摘政府係以一個有組織的行動，立定周密計劃來掩護兇犯。

乙、對王惕吾部份。指出該被告自分屍案發生以後，逐日連續藉其發行之聯合報，發佈誹謗自訴人之文字，如全部編集足成巨帙，於是在自訴狀中列舉七項誹謗文字之記載，以證明被告涉嫌誹謗的事實。

丙、對范鶴言部份。指被告係聯合報社長，持論自應鄭重，乃於三月二十三日以電話警告空軍總部黃褚彪將軍，謂自訴人等罪嫌已經明確，要求空軍方面勿予自訴人以支持，其誹謗行爲，有黃將軍可以傳證。

自訴狀全文甚長，其中有一段說明其必須自訴的原因，值得引述如下：

「……聯合報連續發表文字，極盡於自訴人橫加誹謗，含沙射影，侮衊誣之能事，並借題打擊軍譽，侮辱有關公署，甚至惡意譏刺元首，毫無忌憚。由於該項連續之歪曲報道，整個社會因而陷入與事實完全相反之誤解，自訴人等無辜蒙難四十餘日，哲生因而廢弛軍務，暫琰（柳夫人）不堪精神打擊，曾數度昏厥，子女曾遭同學奚落，親友咸爲驚惶不怡，國軍袍澤莫不痛感失譽，友邦軍民對我將領之人格且欲存疑。足見被告等肇禍之烈，在我國新聞史上實屬空前未有。現分屍慘案眞兇業已獲緝，全部眞相已經治安機關詳爲公佈，被告等所爲誹言謗語，至此已全部揭穿，社會人士始悟係被與論所愚。因是軍中將士紛紛函電自訴人，對於打擊軍譽者一致表示憤慨，友邦軍民對我夫婦無辜受謗同有不平之鳴，咸認此風如不遏止，則將人人自危，軍人人格隨時有被打擊之虞，是以一致主張聲討。自訴人等爲保名譽，平軍憤，以及端正友邦人士之視聽，不得不予訴追，以期改正風氣，而挽既倒之狂瀾。……」

按此次分屍案發生後，此間各日晚報幾乎以歇斯底里的狀態，從事激烈的新聞競爭，採訪此項新聞之記者，成群結隊，不眠不休，追蹤治安人員，幾乎妨礙偵破工作之進行，而報紙每天大量篇幅之文字記載，捕風捉影，每多不實。對於若干涉嫌犯人，甚至根本與本案無關之其他案件關係人，扯在一起，作過份肯定之報導。因新聞記載不實受到名譽損害者，豈只柳哲生夫婦而已，例如第一可疑現場之二房東吳武英，以及若干被列爲「失踪」而又出現的婦女，她們一切陰私都被記者在報上揭開這些。涉嫌誹謗者豈僅一家報紙，如果嚴格追究，恐怕沒有問題的報紙不多。

國際新聞協會不承認台灣有新聞自由，其實從其一角度來看，此間所享受的新聞自由又太多。一位來台灣觀光的香港報人曾說過，如果台灣的報紙是在香港出版，可能每天要接十封以上律師樓的控告函。此次柳哲生控告報館誹謗，在香港也許不算「新聞」，在台灣却是大新聞，這對濫用新聞自由者是一警告，對台灣的新聞事業，也許是有益處的一次教訓。

五〇、五、三、寫於台北

台灣文壇點滴

·耿耿·

「我是惡毒的人？」

女人心地之窄狹，眞使人不能已於言。兩年以前，本人在「自由人」寫台灣文壇點滴，曾在第八一〇期記載女作家中有「隨稿登牀」的事；詎料時隔如許，目前竟有某「女作家」在此間「×品」雜誌上爲文，力言本人揭發「女作家」「隨稿登牀」一」，是對「女作家」一大侮辱，並且指陳本人爲「惡毒的人」，肆意謾罵，猖猖不休。

其實，這種大罵山門的作風，就充份暴露了某「女作家」的本來面目和德性。「止謗莫如自修」，「若要人不知，除非己莫爲」。假如本身德行污穢，聲名狼藉，自己不對言行嚴加檢點，反而責怪別人以善意爲出發點的報導，誰是「惡毒的人？」不難一目瞭然。

愛的號春

自從法國出了一個較頹廢主義更爲頹廢，較浪漫主義更浪漫的莎岡之後，台灣一些喜歡舞文弄墨的年青少女，就像感染了時疫一樣，紛紛西施效顰起來。一時甚麼「莎岡第二」、「中國莎岡」等，頓告大批出籠，肉麻當有趣，有「聲」有「色」，把文壇給搞得一片烏煙瘴氣。

最近，有一個素以「中國莎岡」自居的某大學女生，連日在某報上撰寫「愛的尋求」，連篇累牘，充滿着「憂鬱」、「空虛」、「悲傷」、「無目的存在」等名詞；然而此其餘事，最有趣者莫過於老是訴述着她和她的衆多長友之間的一些秘事，諸如吻啦、撫摸啦、性啦……其色情，其大胆，相信即使是眞正的法國莎岡看了，也要面紅耳赤，自嘆弗如了。

因此之故，部份文壇人士一看到「中國莎岡」這種「歇斯底里」的「愛的尋求」，往往會以極端感慨的語氣說道：「愛的號春」又來了。

※歷史研究※

台灣與中國版圖

李仲侯

據陳教授正群最近著「台灣地名之分析」一文所述：「台灣的漢族移民，以來自泉州者佔最多數，漳州府者次之，嘉應州（梅縣）又次之，此等移民，常喜將其故鄉之地名移植新居住地，今日台灣地名之中，以泉州爲名者共有九個，其中五個同稱爲泉州厝，泉州府人口又分安溪，同安與三邑等三系，因此台灣也有四個同安村，三個同安厝，一個同安溪與一個安溪厝。漳州府的人口多來自海澄、長泰、龍溪、詔安、和平與東山等縣，因此我們在台灣亦可發現許多的詔安、東山、和平、南端、長泰、海澄等爲名之地點。從汀州府、興化府、龍岩州與永春州來的移民，雖然較少，但在比較明細的地圖上，也可看見興化坑、興化厝、興化寮、興化店、永春村（二個）、龍岩村（二個），以及永定厝等較小的地名」。

我們從台灣的歷史而言，誰能否認台灣不是中華民國的版圖？從台灣人的氏族、風俗、語言習慣及地名而言，更誰能否認台灣人不是由大陸移民而來的漢族呢？

福摩沙民族這個字，原本是基督教舊教一位教皇的名字（Formosa rope of 891-896），或者是荷蘭人於明天啓四年（西元一六二四年）攻佔台灣時，偶然給予台灣省的稱呼意義爲「美麗」），但台灣人對荷蘭人取起的地名，絕不歡迎，如Zeelandid（平安）Provintia（台南）等，因不合中國人胃口，索性一律以紅毛城與紅毛樓稱之，澎湖馬公以北之紅木埕，荷蘭人亦會在其地築城，初亦稱紅毛城，後乃轉變而爲紅木埕，當日荷蘭人曾獎勵因於饑饉紛亂中的華南流民來台，前面說過一六六〇年左右，荷蘭人僅三千人，中國人已有二萬五千人，那時荷蘭人完全是利用華人的勞動力開發土地和發展農業。明乎此，則說台灣人是福摩沙民族云云，不特是數典忘祖，而且是自甘下流的炎黃敗類了！（四，本文完）

天下烏鴉

靜心

踏出了校門，我拿着這張文憑，到處謀職，然而，很不幸的，我一道沒找到職業，唉！讀大學有什麼用？花了四年的功夫，孤燈寒窗之下孜孜不倦，而如今，卻落個如此下場，我不禁感嘆起人世的淒涼！

窮極無聊，我時常到電影院消遣，藉以解脫心中這股悶氣。有一天，當我正排隊準備買票時，我發現了一個熟悉的影子—小清—，他沒注意到我，我招呼了他，喂！小清！久仰了！

「呀！好小子，好久不見了！」

「怎麼樣，好吧！近來如何？」

「不談也罷！說來令人心酸！」

「別耍了！」小清一向是最會裝傻的，我說：「畢業以後，一定飛黃騰達，萬事如意吧！」

「老朋友，何必這樣挖苦我呢？看我這付落魄相，不瞞你說，到現在我一直沒找到工作。」

「眞的！」剎那間，他的話挑起了我的悲傷，我說：「我也是的。」

靦顏相覷，沈默了一會，他說：

「在學校裏，我們總想畢業後幷憑這張文憑，總可找到一份好差事，想不到，我們實在太天眞了，如今：如此下場」！

「還不是！我們總以爲，儘管人浮於事，可是憑着我們的實力，赤手空拳，總不至於失業，餓肚子，然而，現實竟如此慘酷，我們眞的失業了。」

「還有什麼辦法？實力有什麼用，目前要的是背景，走門路！你沒有背景，只好到處碰壁，吃閉門羹。」

「這太不公平了，不靠實力來公平競爭。這眞叫人叫屈。」

「還記得嗎？王立生這小子，在學校裏考試作弊，偷看，鬼混四年，後來，也不曉得怎麼畢了業，現在，哼，憑着他老子的勢力，盛氣凌人，當起了什麼機關的主管，上次，我碰見他，連哼都不哼一聲！」

「當然，這難怪他不理你。」

「這種官僚，任用私人的作風，實在是咱們中國淪沒到這個地步的主要因素，這種風氣一日不除，咱們中國還有什麼希望！」接着憤憤地說：「老實說，咱們就是餓死，也不幹此下流事；靠背景，走門路，哼，下流，卑鄙。」

他說得極爲激動，談了約莫兩個鐘頭，心頭的悶氣發洩殆盡，感到輕鬆多了。

三個月來，我還是不懈的到處謀職，可是命運之神一直播弄着我，不但在私人公司裏找不到工作，即使在公家機關裡也沒找到一份臨時雇員的差使。到處掛着「客滿」招牌，是的，我沒背景，靠誰呢？

一個偶然的機緣，碰見了昔日的同學—國强—

「近來好嗎！」

我說：「畢業以後，幹些什麼？」

「啊！說來慚愧，最近才找到一個臨時雇員的職位，」他感嘆的說。

「你總比他强得多，國强，不瞞你，我正失業！」

「沒辦法，現在，失業的不只你一人，多着呢。」

「唔！對了，小清近來如何？有沒有他的消息？」我想起了我的難兄難弟，我希望現在他也正失業。

「小清！哼，這小子，二個月前仗着他姊夫之勢，現在紅運高照，當起了什麼機關的課長！」

「眞的！」我幾乎大吃一驚！

「難道我騙你不成！」然後繼續說：

「告訴你，目前社會不談實力，要的是背景，走門路！」

我陷入於沉思之中，我想起了三個月前，小清講的話。今日，唱高調，說大話的人實在太多了，然而，到後來乃不免於同流台汚，還該歸咎於他本人？或是環境？

大人物與小人物

黑子

子曰：大人物好做，小人物難當。君其然否？

大人物衣洋服，食山珍海味；小人物衣布服，吃青菜豆腐。

大人物坐包車、專車、飛機，往豪華旅館，睡席夢思雙人床；小人物擠公共汽車，普通火車，甚或步行，住丙丁級小旅館，睡木板硬床，甚至於睡上下舖。

大人物住洋房大廈別墅，擁三妻四妾；小人物住濕黯小屋，上不能侍奉父母，下不足養育妻子，甚或以光棍終其一生者。

大人物的子女是公子公主，讀教會或私人學校，留學異邦，揚威揚名；小人物的子女是阿狗阿貓，最高學歷是國小或初職。

大人物開會後到，小人物先到；大人物散會先行，小人物後行。

大人物做小事，提示小人物要改善環境衛生，整肅儀容，注重禮節；小人物做大事，絞盡腦汁，替大人物寫演講稿，撰計劃書，籌劃各種方案。

功德歸於大人物，大人物的胸前掛滿了勛章；過失諉於小人物，小人物肩大責負重任背苦難的十字架。

大人物花小錢，小大物花大錢。

子曰：故人人均望高處爬，欲做大人物，其非無由也。

瘟君續夢

第一回：捲土重來，瘟君尋舊夢　投袂而起，小醜鼓雄風

劉少奇、朱德、周恩來都被人代會「選出」之後，最高級的領導人都算確定了，第二級的爭奪又告開始，這裏要先從人代常委會說起。

「人代常委會」原來是十二個「副委員長」，宋慶齡名列第一，這次經過改選，宋慶齡被選爲「副主席」，副委員長必然就要開缺了。此外還有一個問題人物就是達賴喇嘛，達賴也是副委員長，可是已經在一個月以前逃到印度去，最初中共還死賴白賴，硬說達賴逃亡是受了反動份子的刼持，後來達賴在慕蘇里發表一個聲明，不但駁斥了被刼持的謠言，並且說明他的逃亡計劃已非一朝一夕，是經過長期思考而行，這一來中共謠言又破了產，好在他們臉皮厚，反咬一口，聲明不是達賴喇嘛親自發表的，而是左右反動份子僞造的，這眞叫做道高一尺，魔高一丈，達賴眞被他氣得一佛出世，二佛升天，可是又不能把毛澤東找到慕蘇里去對質，只好暫時停下來。

這次在政治局決定人代會副委員長的人選，劉少奇首先提出達賴喇嘛的問題，依着劉少奇的主張，明令革除達賴喇嘛的職務，以叛國罪通緝。劉少奇這樣作法，目的是在打擊周恩來，因爲競選主席時，周恩來到莫斯科搗下鬼，差點把煮熟的鴨子弄飛了，劉少奇恨透了周恩來，要盡方法打擊他。劉少奇曉得周恩來的資本不盡在中共黨內，一半靠着在國際上出賣風雲雷雨，這一方面必須有尼赫魯狼狽爲奸才成，現在想削減周恩來的力量，只有挑撥他同尼赫魯衝突，最好就是運用達賴了。

周恩來是個絕頂聰明的人，這個圈套他何嘗看不出來，不過，他生性陰柔，過去就不敢同劉少奇硬碰硬，現在劉少奇當了「主席」，變成了他的上級，假若同他衝突起來，劉少奇可以給他戴帽子說他不服從領導，想到這裏，周恩來更不敢開口，只是低下頭拿枝鉛筆在拍紙簿上畫圓圈，就在這個緊要關頭，活曹操却救了他。

活曹操說道：「就達賴喇嘛所爲，實在應該捉回交人民公審，但是，我們却有兩點顧慮，第一，是西藏人民對他的信仰未動搖前，保留這個偶像終究總還有利用價值。第二，達賴喇嘛本身就代表吉祥，宣統二年二月因爲三大寺變亂，清廷出兵鎮壓，達賴逃亡到印度，清朝也下令褫奪了他的封號和職權，可是到了第二年八月武昌起義清朝就完了，所以這個達賴還是不碰他好。」

活曹操的話雖然迷信，但是中共幹部一貫是表面唯物私下唯心，被活曹操引經據典一說，大家的火氣都息了，劉少奇恐怕自己變成宣統皇帝第二，也不敢堅持撤換達賴了。（二）

岳騫

※梨園漫談※

四十六年春，大鵬學生班已排成名劇多齣，如「十一郎」，「捉拿青面虎」，「査頭關」，「女起解」，「六月雪」，「打麵缸」，及趙原之「大劈棺」，徐露之「三擊掌」，「韓玉娘」，趙王菁之「洛神」，「蘇小妹」，哈元章，馬元亮之「鬧樓鬧府」，程景祥之「打櫻桃」等，此均爲新排之佳劇也。

是年仲夏，學生班已能獻演「盜仙草」，「虹霓關」，「百壽圖」，「宇宙鋒」，「打槓子」，「神州雷」等諸劇，演出成績良好，於同年五月一日，爲該隊第一期高材生徐露習藝屆滿五年，特爲舉行結業式，並由空軍總司令王叔銘將軍，親自蒞臨頒發該生結業證書，到有各界來賓觀禮者甚多，然徐雖結業很久，但自念所學不夠，遂蒙大鵬當局核准其隨隊服務，並照常習藝，大鵬爲培植該生起見，又爲其排了兩齣新戲，一爲「天女散花」，一爲「小放牛」，前者爲梅派劇本，後者屬荀派名作，而該隊另一演員趙王菁亦排有「廉錦楓」，「能仁寺」等新戲。

今日的大鵬（五）

——瘦西湖——

該年七月下旬，政府派大鵬赴韓國宣慰僑胞，並演出慰勞友軍，共貼九場，在當地除蒙友邦元首接見外，歸時並携來僑生張樹森一名，張現在該隊第三期學生班習藝，唱黑頭，其入有黃鐘大呂之本錢，實爲他人所不及，此生尙未出科，現已紅遍整個寶島，聞現正倒嗓期中，尙望大鵬當局好自愛護，期能使其早日恢復，來日當不難爲第二金少山耳。

同時，參加第三期學生班習藝者，計有男生王能興，陳家凱，蔣繩文，車錦程，女生姜竹華，林萍，王鳳娟，拜慈霞等八九人之多，於八月下旬之際，該隊部份團員以中國國劇團名義赴歐洲各國演出，（詳容後述）歷時半載有餘，始載譽達成任務賦歸。

當大班團員出國之期，該部康樂大隊負責人馬聯瑞上校，已榮調空總政治部第五組工作，其所遺職務，繼由傅光闓上校接充，而大鵬平劇隊所屬之學生班第二、三期生，亦正式負起環島各地之勞軍，及演出晚會之責任，諸生在大鵬盡力培植之下，其技藝已隨日突飛猛進，這時所排之新老戲目，如「彩陽平關」，「鐵公雞」，「花田錯」，「彩樓配」，「大登殿」，「花蝴蝶」，「花園贈金」等，而當初由韓攜來之僑生張樹森，亦已排了一齣「草橋關」，另小生張福椿之「孫悟空大鬧龍宮」，小花衫鈕方雨之「樊江關」，小武旦嚴莉華之「泗洲城」。

朱熹二三事

——劉公木——

宋理學家朱熹，知福建漳州府時，與北溪（九龍江九源之一）之濱，瓦窰社隱士陳北溪稱莫逆，下車伊始，朱知府即屈駕造訪，陳北溪以三菜一湯，用水代酒款之，宴罷，朱熹辭歸，陳北溪謙言道：「朋友之交，淡如……」，示意朋友之交應淡如「水」，故不以酒宴之。朱熹連忙答道：「醉翁之意不在……」意說不是爲「酒」來，而是慕名而來。

其後，朱熹與陳北溪過從甚密，朱知府每往陳家，陳輒以蔬、鹽爲菜，晦庵甘之如飴，不以爲忤。久之，朱知府之隨從怪而問之。朱文公答：「蔬是山珍，鹽是海味，山珍海味宴客，尚何怪？」其僕役至是無言。由此，可見古人交友之道，與儉樸之風也。

宋人仍重風水，而宋墓又無墓碑（怕收稅）。因此使朱文公在漳府任內判錯了「鐵環樹」一案。

據傳漳州轄下南靖縣大姓——王姓有一祖墓築在一小姓——廖姓村邊，該風水甚佳，王姓年年添丁發財，勢力日盛，廖姓人人自危，有廖姓子慕而偷祭王姓祖墓，該戶是年也甚發達，事事如意；於是廖姓多人倣之，亦頗得志；因之廖姓想謀佔王姓祖墓，乃用「鐵環」環住松樹苗種於該墓側，及樹大，鐵環嵌入樹幹中，廖姓反告王姓，用大姓勢力想佔其祖墳，鳴於官，南靖縣令無法直之，乃上控至漳州府。時漳州知府是朱熹。廖王兩姓均以該墓係其祖墓，宋代墓需納稅，人都想走稅，都無墓碑，無以爲憑，該墓建已多年，屍體已腐，即使開棺，亦無法辯認；而兩姓又均以開棺挖墓會破風水，堅不肯挖開。朱子問王姓有無證據，王氏代表說不出。繼問廖姓代表，廖姓家長即說：「廖姓小姓，早防王氏恃大姓強佔其祖墓，不得已在墓側種松樹多棵，每棵有「鐵環」環住，謂破驗之」。驗之，每樹都有一鐵環之腐鐵銹深入樹幹中。朱文公以廖姓小姓斷不敢侵佔大姓祖墓之理，且所舉證據確鑿，乃反將王姓（大姓）祖墓判歸廖姓。三年任滿他調，臨行，欲北返崇安，途經南靖縣，牧童諷之：「鐵環樹，鐵環樹，王姓祖墓，廖姓反佔有。」朱文公聽之，乃下轎行至王姓祖墓，用硃筆點之，風水乃破。

判案之難，由此可見，朱子之責任心，於臨走時仍不肯馬虎，不怕艱辛，爬山越嶺，到其判錯之墳地，謀亡羊補牢之策，其事雖愚，其責任感却可佩也。

政治藝術

徐學慧

玩政治是一種高度藝術，不必人人會玩，因爲這不僅需要天賦，而且還得加以修養。

不讀歷史者，不能玩政治；不讀聖賢書者，不要玩政治；不能了然於死生窮達之理者，不能玩政治。

懂得「玩」字的意義，也就庶幾近之了。

政治藝術，當然包括權術的運用在內。但運用權術也得藝術化。膠柱鼓瑟的高談權術，則此種權術勢必引致更大的誤會或怨懟。此則非政治家所當爲。

政治家所應注意的，是一個「時」字。換句話說，當進則進，當退則退，不應有絲毫勉強，更不能有半點因循。

這點道理，四書上說得很清楚。這也就足以說明，玩政治的人，必需讀聖賢書。

西方政治人物中，法國的戴高樂，算得是個高手。十二年的林泉退隱生活，居然抓住一個機會，東山再起，而法國的政客們，乃俯首貼耳，奉命唯謹焉。

這個人懂得玩政治，算得是個政治藝術家！

當然，談到玩政治藝術，不能忘却英國。

英國之政治人物，如邱吉爾翁，雄才大略，已是不待說了。即一生在邱翁下面的那位艾登爵士，在蘇彝士運河之役後，立刻銷聲匿跡，退位讓賢，此種行徑，也還算得上有點政治藝術呢！

可以行則行，可以止則止，可以出則出，可以隱則隱。如戴高樂者，可以出則出也；如艾登者，可以隱則隱也；出處行止不同，而其爲藝術則一，此其所以爲政治家。

選美談往

筱臣

一九六二年美國長堤的選美，各國又在積極籌備參加，時斷時續的香港，已經正式宣佈了日期，台北去年舉辦了一次，成績不甚美滿，本來聲明不再續辦，而今年終於又決定繼續舉辦了。

關於選美，我們與歐美的選美實質上就不相同，過去專制時代多屬於皇宮的選美，筆者在去年四月的本報，以「選美史話」爲題，有所報導。到了後來，帝制推翻，一般的選美，又多屬某一地方職業性的選舉，既不是現在的限於大家閨秀，一般是妓女、歌女、舞女借此爲吸收的方法。

只是在當時的選美場合，頗多風流佳話，評花譜韻，逸趣橫生，別有一番風味。尤以北平的花選，名人妙句膾炙一時，雖屬明日黃花，亦足以博讀者之一粲。

四十年前的燕京，爲文人薈萃之區，一時遺老如樊樊山、易實甫、饒漢祥、章太炎、王某本諸老，組寒山詩社以作公餘之消遣，一般失意文人，更涵跡菊部桑樓，吐胸中之積悃，佳章傑作，層出不窮，悉假北京日報附刊消閒錄發表。

該報主人沈某，固亦風流之士，民國十年秋天，乃作選花之舉，商請寒山社諸老共襄韻事；訂分「聲」、「色」、「藝」三榜，評定名次，獎以香車或飾物，凡入選的，並請臨場名士，即席揮毫，贈以聯句，消息一播，震動京津，一般紅姐兒，莫不欲得一名士贈聯，以爲香巢生色，所有南朝金粉，北地胭脂，莫不踴躍投票，還有的從天津趕來，參加熱鬧。

贈聯的方法亦殊有趣，先將在場文友，各以筆名分寫籤內，由獲獎之妓，親手去抽，抽出何人，即由該妓捧文具至前，恭候擬句，聯語須嵌妓名，並限十分鐘完卷，逾時則罰酒。並即席推定湖北才子前度劉郎爲代書人，劉不獨工詩善書，各體書法，均造詣極深，連書數聯，非目擊者，莫審其爲同一人手筆。

此次應選的一千六百餘人，合選票標準的亦三百餘人，其中以應聲榜的爲最多，色榜次之，藝榜又次之。開選之夕，車水馬龍，絡繹於途，萬人空巷，衣香鬢影，途爲之塞，燕瘦環肥，如入山陰道上，令人目不暇給。

選舉結果，以一男裝北妓，高唱「刀劈三關」及「轅門斬子」的當選，聲若洪鐘大呂，彷彿鴻聲復活，聲榜狀元，自非伊人莫屬。及欵欵下壇，笑臉迎人，貌亦娟好，問其芳名，則曰黃金福，各文友以其名俗不可耐，殊難撰出佳聯，正在竊竊私議。後有人提議，第一次不必抽籤，即請主人沈某先撰，大家附和，沈亦會意，不俟妓之捧硯前來，即伏案執筆擬就。聯爲：

「黃」「金」易得卿難得，

「福」慧能修我亦修。

將俗氣逼人之黃金福三字，如脫凡入仙，莫不擊節讚賞。榜眼爲唱尙派（小雲）青衣之香妃，曾以手摑徐樹錚而名噪花國；探花則爲唱武生而學[illegible]派（小樓）之筱鳳仙，筱鳳仙爲蔡松坡所賞識，人所共知，不必再贅。

其次爲色榜，因見仁見智，漢無標準，乃即席推定八人爲主試，以積分多的當選。結果，狀元爲月中仙，榜眼爲小紅，探花爲柳媚。月中仙走赴案前抽籤，竟爲全場最老之山陰老叟溫某，溫老性嗜酒，不暇思索，即執筆直書曰：

卿眞天上「月」，

我亦酒「中」「仙」。

次爲小紅，所抽出之籤，則爲易實甫，易老笑對溫叟說：「僕正在羨公，不期老朽亦饋艷福，聞小紅校書，乃書香名媛，宜以集句贈之。」乃書曰：

五嶽歸來衆山「小」；

萬綠叢中一點「紅」。

集句自然渾成，天衣無縫，莫不擊節稱善。

每榜既終，最後則爲藝榜，經一度之商討，以能詩文的爲首選，書畫次之，棋藝及其他又次之。判結果，能詩的鳳仙爲狀元，擅畫的新茶花爲榜眼，精圍棋的玉寶爲探花。

輪選即完，於爆竹聲中，由主人沈某依次頒獎，每榜二十人，共有六十人之多。接上讌，開十席，酬謝與會詩人，所有獲獎校書，悉留座殷勤勸酒，盡歡而散。三狀元各駕獎得之香車（黃包車），手捧贈聯，大有狀元歸去馬如飛之概，迄今思之，令人神往。

海嘯舊談

周佛海憶語〔下〕

諸葛文侯

佛海出身湘西貧寒的農家，千辛萬苦纔得到日本留學，幸而考入官立高等學校（帝國大學的預科也），獲致湖南省的公費支給，庶免飢寒。但他於赴滬參加中國共產黨的創建活動時，又結識了徐家滙「啓明女子學校」學生楊淑慧——即其夫人——即帶到日本同居，如是，一名公費要供應兩口子的生活所需，當然困苦。日本人對於猪蹄都不吃，用作牛馬飼料，代價極便宜，楊淑慧每天到屠場去購買四角錢的猪脚回來，就有一大堆，刮洗乾淨後，連同白米幾兩，青菜一束，熬成一小鍋的雜燴食品，再加點鹽，夫婦倆分食果腹，飯菜盡於是矣。所以，後來佛海顯達時，夫婦如因事勃谿，楊淑慧說一句「你記不記得在日本吃猪脚稀飯的日子？」佛海即俯首無言了。他當初參加共產黨的動機，我想亦是基於物質生活的關係吧？

佛海迫於學生生活的艱窘，曾向上海商務印書館出版的定期刊物投稿，藉稿費略資補助。有一天他對朋友們大罵該館主持人是奸商市儈，剝削知識份子，原因是計算稿費既要剔除標點符號不算，又對於引用別人的詞句限定不得超過十個字，否則不給稿費。後來聽說梅思平曾爲此事開過該印書館一次頑笑，他寫的一篇文稿中，摘錄了許多孫總理的詞句，但每句都不超過十個字，而且並不連在一起，互相間隔着，如總理說：「政治是管理衆人之事」，如「民生主義就是社會主義」……等等，使該館啼笑皆非，無從剋扣稿費，可謂惡作劇！

佛海志不在做學者，他的著作如「三民主義之理論的體系」一書，內容亦很平凡。現在流行於坊間的「困學記」「往矣集」，都是些回憶錄，與學術思想無關，只有他所寫的幾十本日記，多屬現代政治史料，彌足珍貴，據他太太楊淑慧說，佛海的全部日記，皆於抗戰結束時被某特務人員勒索劫收去了，屢次託人索還亦無效。四十年前在香港刊行的那本「周佛海日記」，是某特務人員當年由大陸來港時，隨帶身邊作旅途消遣之用，不過是全部日記中的幾十分之一而已。但這一小本日記稿，亦由陳某以三千元港幣代價，出售某社刊行的。

佛海的兒子「幼海」，畢業於日本慶應大學，亦是習經濟學的。對日抗戰結束後，他要參加共產黨，曾赴南京老虎橋監獄中請示乃父，佛海答以「下一代的事我管不了，可是，你的父親曾因此吃過大虧，你自已仔細考慮吧！」幼海畢竟投入了共黨，現在據說早被整肅了。不聽父言，自作之孼也。當佛海在獄中突發心臟病情形危急之際，楊淑慈曾以十八根黃金大條向主管法曹運動，請求保外就醫，終不獲許，以致斃獄中，楊氏後來對我談及此事，即咬牙切齒痛恨不已。佛海去世時，我不在南京，等他安葬之日，纔到墳前弔奠，並輓以聯語云：「一死便成空，蓋棺何必求定論？九原如可作，遺恨怕莫是讀書！」（完）

歷史人物

談彭玉麟

謝康

我本楚狂人，五嶽尋仙不辭遠；

地猶鄒氏邑，萬方多難此登臨。

——彭玉麟衡山聯語

一、

衡陽爲山水名區，地當南嶽衡山之陽，湘蒸二水之會，自粵漢、湘桂兩鐵路完成，汽車路復貫通衡陽四境，湘江小輪，直出洞庭岳州，使衡陽這個古代的名城，成爲湘省運輸交通樞紐，大有綰轂西南之勢。論其山脈形勢，在昔宋周去非撰嶺外代答一書，已稱道：「南方佳山，其本根多自衡山來，如巨木之有條支也。東南一幹，爲廣東之韶石……西南一幹，發爲道州之九嶷，綿延爲桂林諸山，羣峯拔地，森立四野……再突出爲西融州之老君洞，容州之句漏洞天……」云云，可知衡嶽實爲華南主峯，五嶺山脈的魁傑，其精神可代表南方民族誠樸渾厚的性格。以是鍾靈毓秀，歷代都產生名人才士，而以清初大師王船山和淸季的彭雪岑宮保爲最著。

抗日戰爭中期，我一度到過長沙，兩游南嶽，經過衡陽的次數更多。三十八年大陸撤退之前，也有機會到過衡陽市小住，我對它至今還保留着相當良好的印象。這印象一方面是山水的因緣，一方面也因爲它是我所景仰的兩位名人——船山先生和彭剛直底故鄉的緣故。

（一）

內警僑台報字第〇三一號內銷證

自由報
THE FREE NEWS

第一三〇期

中華民國僑務委員會發給
台教新字第三二三號登記證
中華郵政台字第一二八二號執照
登記為第一類新聞紙類
（半週刊每星期三、六出版）
每份港幣壹角
台灣零售價新台幣弍元
社長：雷嘯岑
督印人：黃行奮
社址：香港銅鑼灣高士威道二十號四樓
20 CAUSEWAY RD 3RD FL
HONG KONG
TEL. 771726　電報掛號．7191
承印者：田風印刷廠
地址：香港灣仔高士打道二二一號
台灣分社
台北市西寧南路壹壹柒號二樓
電話：三〇三四六
台郵掛號金戶九二五二

為詹遜先生進一解

・雷嘯岑・

「我此行在擬定我們現應如何行事，以保障自由人類的安全，及今後應如何完成亞洲人民自由的機會和責任」；「美國將對東南亞採行有信心、愼重、勇敢的政策，美國希望與我們的亞洲友邦在更諒解、互助、尊重中合作」；「這是有信心的訪問，而非抱存懷疑的訪問」。

這是美國副總統詹遜先生在其訪問東南亞各國的旅途中，第一次公開發表的外交詞令。我們亦相信詹遜先生所謂非抱存懷疑的訪問云云，確係由衷之言，但我們並不感覺興奮，相反地對於美國「今後應如何完成亞洲人民自由的機會和責任」問題，却懷有莫大的疑懼心情，而這不是憑一篇漂亮的外交詞令，或用一種暫時的安撫手段所能解釋的。因為亞洲人根據近十年來美國在遠東所作所為的種種事實，對於美國領導自由世界的策畧，瞭解最為深刻，所受的教訓亦最多，任何諾言壯語，皆採取保留態度了。詹遜先生雖不是白宮的最高決策者，然此行周游亞洲列國的任務殊為重要，我們願以坦白而誠摯的諍友地位，畧貢芻蕘之見，或許對於今後如何互助合作以保障自由人類的安全問題，不無裨益也。

亞洲人的迫切要求

自從俄帝勢力控制了中國大陸後，亞洲自由地區人民唯一的急務，就在維護自由生存，不受共禍威脅侵害，至於提高生活水準，改良生活環境等等，尚屬次要的。所以，一九四一年美國杜魯門總統警告中共不得再有向外擴張侵畧的聲明書發出之際，東南亞一帶人民，皆寄其自由生存的願望於美國身上，且抱有堅强的信心。可是，經過韓戰、越戰結果，美國當局充分表現虎頭蛇尾的退却作風，言行背馳，自隳信譽，東南亞人民大為失望，而中立親共政策乃應時而興，總告盛行了。美國為要挽回這種頹勢，急起倡組「東南亞公約」，實行集體聯防工作，固不失其為安定人心，保持美國威望之一法。然而，美國又以「不單獨行動」的理由，對於東南亞反共問題，處處求教於舊時曾在東南亞地區厲行殖民地主義的西方盟邦，而漠視着東南亞人民的意願，名為東南亞國家的集體防衛組織，實際是西方三數强國藉以箝制擺佈東南亞各國政府，支配當地人民生存權益的新式工具。這是最刺激東南亞人民的民族情感，而引為痛心疾首的事，也就是給共黨以煽惑釀亂的大好宣傳口實，同時美國亦深受其暗害，如寮國的動亂即是西方的美國盟邦從中作祟鼓動之力為多，而美參議院外委會主席福爾布萊所指寮國人不願作戰的內在原因，亦可以從此中得到正確的解答。這種精神潛力，影響極大，可惜美國當局昧然罔覺，自貽伊戚，實在不智之甚！詹遜先生過去很少到東方游歷，對亞洲情形相當陌生，我們不得不指出這種關係東南亞安危前途極其深鉅的主要因素，藉供參考焉。

甘迺廸總統曾經堅決聲明美國決不放棄寮國，現在眼看寮國就要完蛋了。甘總統最近又信誓旦旦地宣稱決不坐視越南淪於共黨之手，似此並無兌現事實的空頭支票一再開出，在國際市場上沒有多大的信用了。美國要想維繫在亞洲的威望於不墜，首先必須改變現行遠東政策，眞正創造「新境界」，而其唯一辦法，即為改造「東南亞公約」，使它成為名副其實的集體防衛體系，而以東南亞國家為中心，美國負起指導支持的責任，揚棄所謂「不單獨行動」的說法，使亞洲人民另眼看待，不復懷疑美國領導自由世界的最高原則是重歐輕亞主義，大家振起精神，提高信心，為爭取自由生存而一致奮鬥，在美國應援之下，東南亞地區至少亦不會再給共黨蠶食尺地寸土的。這樣作法更毋須美國直接派兵東來干預，只要美國不受西方盟邦自私自利政策的牽制，把東南亞國家及其鄰近地區的反共實力組織起來，加以美國的物力與技術援助，對抗東南亞共黨的侵畧行為，綽有餘裕了。美國及其西方盟邦，動則以避免「觸發全面大戰」之說作為對共黨妥協的藉口，這是自欺欺人之談，大戰的因素和時機如未臻完備，敵我雙方皆會隱忍自制，不肯嘗試，否則近幾年俄帝的原核子武器發展，佔有超越美國的優勢，何以它依然修言和平呢？假使大戰的條件變方皆已具備了，外交上芝蔴綠豆般大的問題，亦可資為從事大戰的理由。你能說第一次世界大戰是為着奧國皇儲被刺而彼此激於義憤所使然的？又能說第二次大戰眞是由於捷克，波蘭的領土被希特勒蠶食了一部分，而大家起來打抱不平的「義戰」嗎？我們希望美國政治人物今後少彈這種沒人愛聽的俚曲濫調，同時亦少放甚末「嚇阻政策」的空炮為佳，這種空炮只有自我嚇阻作用，敵人聞之是認為可哂的！

中國人的堅定立場

反抗共產暴政，爭取自由生存，是中國海內外六億以上人民一致的堅定意志，領導中國人民從事反共復國之役的司令塔，即為中華民國政府，此外沒有第二個代替者。過去美國杜魯門政府儘管指摘中華民國政府為「貪污低能」，宣言「一筆勾消中華民國」；同時，中國人亦多有責備政府當局在大陸上措施失當，因而招致神州陸沉之禍的言論；但中國人對於中華民國却始終愛護，決無異心，因為中華民國在法理與事實上，都是中國人所賴以安身立命的祖國，否則大家如不投共，便淪為無國籍的亡國奴了。中華民國政府如果不以反共復國為唯一任務，不但是對海內外喪失號召力，根本即沒有存在的意義和價值，這是常識所能理解的事。因此，近十年來，海外華僑們乃始終不受共黨威脅利誘而投靠秧歌王朝，對於美國支援播遷在台灣的祖國政府整軍經武，以期達成反共復國願望的友誼，深為銘感，永矢難忘。可是，自從兩年前，美國務長官杜爾斯奉命訪問台灣，教我政府當局聯銜發佈一種公報，聲明「不以武力反共的唯一手段」後，中國人在心理上已感到了很重大的打擊，覺得美國領導全球自由運動的作風，令人莫測高深，不勝惶惑。最近甘迺廸總統登台伊始，即有出席聯合國代表羅斯福夫人發出美國應該承認中共政權的言論，又有史蒂文生贊成外蒙古進入聯合國的指示，而若干國會議員且以「外蒙古為中俄間最重要的收聽站」為理由，主張確認外蒙古為「獨立國」。綜觀這些動態，我們乃相信國際間傳說美國以軍經援助中華民國政府的最大目的，只在守住台灣一隅，專為美國的國防利益服務，而以搞出「兩個中國」作為台灣地位國際化的煙幕等類消息，並非全屬謠言。這是極端違背中國人民意志的駭人聽聞之事，比二次大戰前夕，英國張伯倫政府出賣奧國，捷克的姑息妥協政策，尤為幼稚拙劣，可哂可惡！我們不屑作無謂的曉曉爭辯，只想告訴詹遜先生幾句話：台灣原是中華民國的領土，美國如其抹煞中國人民的意志，否定我們反共復國的生存權，中國便沒有專為美國看守軍事基地的義務。寧為玉碎，不求瓦全，縱使沒有國際友邦援助，我們反共復國的決心亦不會動搖的。國際間假如有人想出賣我們，那是心勞日拙的笨伯，中國人若是願意出賣給俄共集團作奴役牛馬的話，難道自己不能寫賣身契約，還要假手於別人不成!?這是我全國同胞堅定不移的立場，希望詹遜先生切實瞭解，此行訪問台灣，休提「兩個中國」以及允許外蒙古進入聯合國之類的問題，以免敗興而歸，徒然在中美兩國友誼上，留下一些裂痕，何苦呢！

訂正

本版刊上期「殘破的亞洲反共形圖」一文，中間漏去「美國雖非主張姑息」一句、致接刊下文各句為語意欠通，特此訂正。

小論天下

△寮國停火有名無實，監督工作無從開展。十四國會議仍決在日內瓦舉行，英美法及蘇俄外長紛紛出馬。中共亦派陳毅赴會。傳英擬擴大「中立」地區，包括緬甸及高棉在內。

西方國家是在甘受戲弄的情況下，將戰場的失敗「擴大」到會議場去。

△美副總統詹森抵南越訪問，戒備森嚴，商討加强反抗共黨游擊。

寮國已有亡羊之痛，南越之牢其可補乎？

△北大西洋公約組織在挪威開理事會議，重申團結決心。傳蘇俄將在柏林有新行動，美國已提出率直警告。

放火容易救火難，一片是警鐘死鳴之聲。

△美國擬對古巴採「隔離政策」。哈佛大學教職員數十人在紐約時報刊登廣告，指摘甘迺廸政府不與卡斯特羅談和。

共特如鼠，拉丁美洲多的是地下的鼠洞。美國怎可以杜絕帶菌的鼠子，不准它們從疫區的地洞潛走出來？至於哈佛大學那班「書呆子」，更難保身上沒沾有鼠虱啊！

△中共「新華社」記者姜桂林，在埃及投向自由，回到台北，說共產主義是一本經，大和尚毛澤東要怎念便得跟着念。

教一羣小和尚能夠起來打破大和尚的頭，那就天下太平了。我們從不承認在中共統治之下，仍有新聞記者這門行業。

△美國鮑維爾將軍在澳洲聲稱：共黨現已知「紙老虎」也有牙齒，最近東南亞公約八國舉行軍事演習，經表示該組織具有打擊力量。

中共也可以說，每一頭「紙老虎」都經裝上牙齒。

△香港一個曾演「阿Q正傳」獲得國際獎的左派電影演員，宣佈投向自由。

寫「阿Q正傳」的魯迅如活到今天，在此時此地也會向中共開炮。

△大陸旱災嚴重，黃河中下游哀鴻遍野，中共又發動一項全面性的「支援農業」運動。

「支援」是一個最不祥的名詞。

方南

自由談

坐地衝鋒

「美國決不放棄寮國」，「寮共如進攻不已，美國即出兵干預」，這是從上月（四月）中旬以來，我們聽膩了的美政府當局對外發表的壯言豪語，好不聳人聽聞也麼哥！

然而，寮共快要打到首都永珍之際，美國却教寮政府軍停戰言和，跟共黨談判組織聯合政府了。理由是：狹小而多山澤的寮國地區，不適宜於現代化裝備的美軍作戰。說來振振有詞，並非示弱啊！

最近一週間，我們又聽到美政府當局再三聲明，說是共黨如果進攻南越，美國「決計派兵干預，海陸空三軍亦已枕戈待命，馳援南越。豪情萬斛，殺氣騰騰，夫是之謂坐地衝鋒，像煞有介事。

依此類推，將來南越淪亡之後，美國當局亦可以照樣聲明，共黨若敢進攻泰國，新加坡，馬來亞，非律賓等地方，美國決不坐視了。等到整個亞洲被共黨武力控制時，美國還可以聲明，如果共黨再要進攻西歐或北美地區，美國絕對實行武力抵抗，「幾大就幾大」，毫無考慮之餘地了。這才是美國所謂「嚇阻政策」的眞諦所在，也就是甘迺廸先生所標榜的「新境界」思想體系之實踐化，懿歟盛哉，良堪欽佩，我們洗耳恭聽白宮繼續不斷的强硬聲明可也。

美前副總統尼克遜指斥甘迺廸先生入主白宮三個月之間，空話連篇，毫無建樹。殊不知民主黨政府對寮國問題的作風，早在一九四九年調解中國的國共鬥爭時，即已表演過了，甘迺廸先生一脈相承，毫不含糊，可謂繼踵前修，不愧為執行民主黨政綱最澈底的忠實同志。

杜魯門日前慨嘆美國青年人對於本國政府及其歷史太不熟悉，鄙人亦深有同感。例如羅斯福政府把中國的外蒙古擅自出賣給蘇俄，現在甘迺廸政府贊成外蒙古以「獨立國」資格加入聯合國，而美國乃有許多人表示反對，這不是對本國政府及其歷史，昧然無知嗎？阿門！

馮正先生

大陸天災由於人禍

・焦毅夫・

大陸剖視

去年，大陸遭遇空前的災害，百分之九十以上的人因飢饉遭受死亡威脅，只有百分之十的共幹（包括軍人及黨、團中、上級幹部）不受災荒限制，享受特殊生活。

當這恐怖正在纏繞國內外人心的今天，又傳大陸遭遇水旱災害，據中共四月二十八日「新華社」電訊說：「四月中旬以來，我國南方不斷出現暴雨，廣西、廣東的珠江、湖南的湘江、資江，江西的贛江以及福建的閩江都出現了今年的首次洪峯。二十六日，降雨地區天氣逐漸放晴，各河洪水也已下泄，現在各河下游發生了洪水的局部地區還在繼續防水和排澇。」消息顯示受暴雨襲擊地區，有廣西、廣東、湖南、江西、福建等五省。同電又說：「廣東在最近十天內連續遭受三次暴雨的襲擊，成千上萬的農民、工人和城市居民、在各級黨部帶領下，投入了抗洪鬥爭，一面護提搶險，確保堤圍、水庫的安全，一面加緊排除內澇漬水，搶救受浸的農作物。」「由於這次降雨的面積廣，暴雨強度大，下雨時間又集中，因此造成山洪暴發、湛江、江門、韶關、海南、佛山、汕頭等六個專區的二十個縣市，許多農田遭受了不同程度的洪澇災害，江河和水庫水位激漲，北江、西江、漠陽江和鑒江的水位，都超過了警戒線，北江上游的曲江和漠陽江上游的陽春都超過了解放以來的最高水位。」最近的「人民日報」已證實此項消息，並透露華中與西北地區苦旱，報紙說：「入春以來，黃河中、下游各地風大雨少，加以去冬雨雪稀少，山東、河南、河北、山西、陝西、內蒙古等地區，先後發生不同程度的春旱。」「四月以來，上述地區仍然少雨或無雨，氣溫回升較快，旱情又有新發展。」（一九六一年四月二十五日人民日報）所謂「新發展」即四月的旱象，較入春以來任何時期會嚴重。

去年大陸遭遇旱、澇災害創痕尤新，今年災害又復接踵而至，年年歉收，中共將之歸於自然。然而事實並非如此，據作者保有資料，加以研究觀察，所得結論，人為災害大於自然災害；所謂人為災害，就是中共違背自然規律，破壞水土、輕視農業，所造下的惡果。

資料顯示：

第一　夢想工業化，輕視農業。中共想在一夜間將統治下的大陸變成工業國家，因此，將所謂基本建設總投資的重點，完全置於工業。據李富春說：「第一個五年計劃總投資額為四百二十七億四千萬元（人民幣以下同），工業部們佔二百四十八億五千萬元（佔總額百分之五八點二），農業、水利和林業三項基本建設為三十二億六千萬元（佔總額百分之七點六）。相差八倍。（一九五五年四月八日李富春關於五年計劃報告）

第二個五年計劃基本建設總投資顯有增多，故未全部公佈。據一九五八年四月廿一日中共「副總理」李先念在二屆「人代大會」上透露，一九五九年基本建設投資為二百七十億，工業佔一百七十七億（佔總投資額百分之六十五點弱），農業佔十九億二千萬元（佔總投資額百分之七點五弱），這年農業建設總投資，比第一個五年計劃時已有提高（第一個五年計劃農業投資包括水利和農業），但與工業懸殊，仍是八與一之比。

以上事實，證明中共輕視農業，再說明白點，犧牲農業，追求工業。

第二　濫伐森林，亂開山麓。凡是對自然科學有常識的，都知森林有調劑雨量和防止水患作用。森林可使地面逕流為滲透逕流，同時，成森可使剩餘的地面逕流減低流速，而不致匯聚成急驟的洪水。

中共忽視自然條件，妄以為可以改變自然，聲稱「要天低頭，向大地要糧」，於是大做其違反自然條件的伐林開山工作。

森林大被破壞以後，土壤跟着發生變化，不僅滲透孔被封閉，而且由於覆物的剝蝕，一遇驟雨，洪水挾砂土並岩石滾滾而下，瞬使河牀游塞，成為沖擊平原，即使小雨，也足以釀成大水災。

第三　水利變成水害，一潰到底。中共將因水利建設的極大投資額，絕大部份用於供人參觀的水庫，如十三陵水庫、三門峽水庫等。其他各地水庫的興建，都是就地取材。以湖南沅水水庫來說，一九五六年春，中共集辰谿、漵浦等四縣之農民在辰谿建築水庫，因無鋼筋洋灰，用混泥土（石灰和泥土）將沅水腰斬。三月底完成，正當共幹得意洋洋之際，適山洪暴發，雨水挾岩石而下，庫水盈滿，木閘失靈，不能使水合理下瀉，瞬間上游便成澤國，農作物被淹殆盡。水庫土崩石潰，一瀉千里。下游水壩正感岌岌可危，上游潰水排山倒海而下，使庫堤如驟增壓力，於為勢如破竹，一衝到底。洪水所至，農作物蕩然無存。中共在各地興建的水庫，大致與湖南沅水水庫所興建者相同，故受災亦多類似。

第四　排澇和灌溉能力薄弱，不能適應需要。儘管科學如何倡明，風雨晴晦，是自然現象，中共聲稱「要天低頭」，只是喊喊而已。

已往，人民為防澇、旱災害，多備排、灌工具，如水車、抽水機之類，雖不能使災害完全消除，至少可以減輕。自中共竊據大陸，特別在實行公社化後，此種排、灌工具，被人民破壞，或不加管理任由棄置，以致需用時無法應急。目前正在遭遇春旱的山西沁水縣，就發生此類問題。共報說：「山西省沁水縣領導幹部深入第一線調查，發現有六十七部水車需要配修零件，同時需要新增水車二百一十八部。已往水車，均因保管不善，配件散失，不堪再用的有三百七十餘部。」因此在春旱中，不得不發動人民，「担水點澆棉花。」同時為爭取耕地面積，將灌渠縮小，使「七百四十條水渠需要加寬，有一百五十三條水渠需要重新修整。」（一九六六一年四月廿六日「人民日報」）

上述資料，證明去年大陸所謂「自然災害」全是中共銳意發展工業，輕視農業政策錯誤和共幹盲目指揮農業生產水利建設所造成，中共首領對此人為惡果，已感相當嚴重，於是採取挽救對策，例如向加拿大購買小麥，毛澤東，劉少奇，朱德等分赴華東、華南、西南地區鎮壓，均為救亡措施。要知凡事破壞易，建設難，有關農業建設，尤非一朝一夕之功。準此，今後幾年大陸的災害，也許比已往兩年更甚。

香港與大陸

這是郵寄糧包風潮下的悲劇。一名婦人因丈夫乏力購置糧包寄返鄉下救濟她的親人，她誤以為丈夫故意拒絕，又悲傷家人在鄉慘遭飢餓，激憤起來，潛在房內服木虱藥輕生。該婦人姓鄭，廿五歲，與丈夫同住於薄扶林道某號四樓，本來她已寄了多次糧包返鄉的，但始終無法應付飢饉中親人的所需，仍屢屢來信催寄多點，信中並痛陳鄉中苦狀，於是她又向丈夫索款寄物，但其夫因週轉不靈，不得已拒絕，兩口子曾因此事吵了兩天，前晚又吵至半夜，及至昨晨零時許，其丈夫發覺她在房內呻吟，知道她服毒，報警送院洗胃後無碍。（星）

△廣東三水縣大塘「公社」，據四月二十八日「人民日報」透露：該社「二十一個生產大隊中，十一個大隊有血吸蟲中間宿主——釘螺和血吸蟲病人」，並稱：一九五七年起，中共發動該社二萬六千多畝地釘螺分佈的地區，也曾「進行過一次至三次滅螺工作」，但目前仍有「六千多名病者」，其中四百多名病情嚴重的晚期病人，「分別送到省和專區的醫院進行手術治療」。（自聯社）

美中不是話郵政

丘也山

（讀者來論）

世界各地郵電，都是一種進步的事業。其進步的速度，又幾乎都居於各種事業的首位。

中國郵電，尤其郵政事業，自抗戰後期起，日在改進之中，直至抗戰勝利以後，其改進情形，更得國人所讚譽。迨政府遷台，以人才的集中，轄地的縮小，傾全部人力、財力、物力，以謀事業的改進與發展，尤易收到便民，利民的事功。譬如：郵政問訊的設置，限時專送的實行，錄音信件的創辦，郵包驗關的代理，工商產品的購運，各種郵包的裝釘，行動郵局的改善，儲滙業務的便捷，以及一切郵務手續，莫不盡其所能，為民服務，益為國人所樂道。

這些總都是事實，無可否認；但也不能『自滿』，『滿招損』，古有明訓。何況『百密難免一疏』，更不能不作『萬一』之想，以為更周密，更完善的打算。

英國為郵電的先進國家，業務辦理得很完善。可是兩年前，曾發現一宗大大出人意外的事體：一封平信，在英國境內，一寄寄了五十年。就是說，一封平信，由投寄至遞到，中間經時五十個年頭。又於一個月前，據泛亞社加爾各答電訊：一張明信片，於一九二四年十月間，自西藏寄出，直至去年十二月底，才送到英國約克區聖彼德學校，中間亦經過三十六個年頭。前後兩事均發生於郵電先進國家的英國，真可謂『無獨有偶』了。

我國郵政，辦理頗具成效，既如上述。迄兩年前開辦限時專送郵件，雖在鄉村間其效不著；但在城市地區，確稱便利。郵件既屬『限時專送』，理應無所遲延；可是事情又大大出人意料之外。限時專送郵件約莫開辦半年左右，在本省境內寄遞這類信件，竟有花費時間到一個月以上的。此一事件發生於跟離郵政中心不遠的瑞芳鎮，幾至釀成糾紛，因受信人疑心是轉信者所搗的鬼，後經投遞郵局根據所蓋各地郵戳日期，證明遲遞責任應歸郵局負之，事端才告平息。不久以前，台北也曾發生過類似的案情，亦以各方面的諒解，也算平安渡過。台北為郵政首善之區，瑞芳則相距咫尺之地，而限時郵件的遲遞，竟在一年之內，連續發生兩次，又可謂『無獨有偶』了。

我國辦理得比較好，比較進步的郵政事業，而都會發生過遲遞誤的錯失，這的確已釀成了不能忽視的問題。自然，我們的錯失，還沒有像英國那樣一遲誤便幾十年的程度；但限時一郵件在本省寄遞須經過一個月以上的時間，也就成為似難寬恕的事了。這樣無獨有偶的錯失雖然是難逢的機會，在英國若干年來才發生過兩次，在我國於一年之內也只發生過二次；但這些都是僅指已經公開出來的而言，至於沒有公開的，不知還有多少呢！這樣的事，不要讓它繼續發生了！

讀者・作者・編者

涂克超先生：請續惠稿。

張羽先生：台灣讀者定閱本報，請直接通知本報台灣分社辦理。

澳門劉義華先生：詩稿已拜讀，惟以本報不擬發表新詩，無法列出，至以為感。文藝批評之類的文字，可以刊登，惟請勿涉及私人的捧場或攻擊。

台灣通訊

由流氓談到武士道

——章楠人——

台灣被日本盤據了五十年，第二次世界大戰結束之後，台灣才正式從日本人手裡索取了回來，重新再劃入我國版圖，光復迄今，一幌已達十六個年頭，由於政府勵精圖治，因此一切都在突飛猛進，但由於台灣同胞受了五十年日化教育，在心理方面，不免還有些崇拜日本人的不正常偏向，這當然屬於一部份而已，尤其近年來，全省各地之流氓風氣，已達到普遍的活躍，真有些談「流」色變，猖獗程度有增無減，翻開報紙常可看到敲詐、仇殺、毆鬥，等情形，發生，甚至一言不合，武士道刀光劍影，血濺當街，長此以往，社會治安真不敢想像。這不能不承認我們治安當局對這方面已遭遇到空前失敗，假如再不澈底剷除這些社會之癌，非但影響到整個社會安寧，更影響到我們國家未來的危機。對於反攻復國大計，這是一個非常嚴重的暗礁。當然這批流氓造成的因素，由於教育不良，智識低劣，但是多少受了日本武士影片的影響，這點無可否認，舉個例子來說，每逢那些荒誕不經武士道影片放映之時，戲院立刻就擠得滿坑滿谷，拿生意眼光來看，那些戲院老板當然為營業着想，決不會顧到什麼商業道德，只須影片賣錢，管什麼後果和隱患，但是那些檢查電影片的先生們，平常受了國家俸祿，居然也沒有一些頭腦，竟會允許那些毫無教育意義與滿具毒素的日本武士道影片通過，這是簡直令人費解的事。他們一方面大唱高調，一方面開閉，先後矛盾，究竟在搞些什麼玩意，除了他們自已明白外，誰都弄不清楚，真是痛心疾首，所以我認為肅清流氓這是亟須要辦到的工作，治安當局加強取締，也是必須要積極做到之外，最要緊的，還要儘量把那批武士道影片嚴加阻止進口，澈底禁止，絕不通融，如果這樣雙管齊下，我相信以後情形，總不致比現在壞，至少會有些收獲的。

敬悼陳勤老

丘峻

「老」，為對人尤其對年高德劭者的尊稱之詞。但我平素不知為什麼總不喜歡用它。所以儘管別人對陳勤士先生都叫「勤老」，而我始終只稱「陳老先生」。不過到今天，我反而樂於用這個稱呼，就特別覺得富有尊敬與親切之感！

我和陳老先生能成為莫逆之交，眞是俗語所謂「不打不相識」的呵！這是頭尾二十八年前的事了。民國二十三年的秋天，我奉浙江省政府建設廳的命令，接管嘉（嘉興府）湖（湖州府）兩屬海河航路和船舶事宜。我的管理機關設於湖州，正是陳老先生老家所在的吳興縣城。在我奉命不久，剛要赴任之前，便有人告訴我：「陳老先生為人好管閒事，你要當心！」我當時聽過不免懷疑：「天下間當眞有好管閒事的人麼？又誰願意食飽飯好去管人家的閒事？」這時候，既無從證實，也無法否定人家的閒言，就只好帶着懷疑的心情到任所去。

我為着計劃的開展，辦事的順利，不得不借助於地方人士，尤其是地方紳士。因此，到任幾天，我便專誠去拜候陳老先生，一方面道達本人景仰之情，一方面希望他老先生盡力為助。彼此相談，甚為投機，最後，陳老先生殷切致意：「敝戚某君，係小兒立夫介紹於錢前任任用的，敢請特別加以關照！」某君為人如何，我在接任之前，早有所聞。既不能承陳老先生當面囑咐，仍不能不另眼看待，以期無負於老先生的殷望。我最初交代同寅，轉告某君，善為自處。繼託某君友好，更加致意。再請他的岳父，切實勸導。可謂一而再，再而三，都沒有效果。事情到了這一地步，我認為已仁至義盡，迫不得已，纔把他免職。翌日，陳老先生前來說情。我便不客氣道：「易地而處，請問老先生將怎麼辦呢？所囑一節，本機關絕不可能，容俟向別方設法，看看如何？還請原諒！」陳老先生雖當面表示同感；但他的內心總覺得不無遺憾的。（一）

先生與後生

汶津

很久以前讀過一篇諷刺劇，背景設在地府，新入境的朋友不知好歹，稱他鬼曰「先生」，幾乎吃了大虧；補行問俗，才知地分陰陽，「先死」才是該處的尊稱詞。「出師未捷身先死」？不，此先非彼先；正如「先人」與先生那樣風馬牛不相及。

約定俗成的先例是指不勝屈的。「非有先生」發了一大篇議論，卻和「無何有之鄉」是一個路數。X先生也應該成為現代小說的主角才對，君不見C域、T大之流行乎？本來，人的名姓只是用以誌別，阿貓阿狗都不成大問題。德先生、賽先生顧名思義，就是「上進」的人物，卻似乎處處受人誤解，與其如此，還不如保持其本色，至少讓你看到了還想着翻翻字典或用用腦筋。有些稀見的字眼嵌在台甫中，雖然不免教戶籍人員頭痛，卻也可以使人印象深刻。怕的是自覺不減九五之尊，別人卻懶得用先生來稱呼你，叫你一聲「喂」就是了；你若不肯自認為後生，不如就還他一「呸」吧。

給女士們寫信，稱呼上煞費苦心，索性有同窗之誼，一個「同學」可以貫徹始終，否則寫「小姐」又怕對方誤會你不懷好意，寫女士也許平添人未老先衰之愁。乾脆寫先生可好？我徵求女讀者們的同意——請別忘了男女平等；也別忘了「他」是絕對包括男、女二性的。

中國人常用先生喚人，八成跟民族的老大有關係。美國佬開口閉口叫人boy，而且也不怕得罪朋友。黃帝子孫可不敢亂嚷「孩子」，不但成人不甘降級，一些天才兒童也還以準成人自居呢。最好一出了國民學校的就叫他先生。某次我被一位老師介紹給師母，竟也添了個先生的詞尾，心裡反覺彆扭，由此足見「先生」一詞多少有些不擇其人而用了。

「你看，我老了許多了罷？你卻總是這樣後生。」對六、七十歲的老祖母恭維她年輕，雖有點讓旁觀者肉麻，多半還是能逗她老人家喜歡的。不過用「後生」作形容詞，仍以對女性為宜，若對男子說，等於當面叫人「小白臉」一樣，似乎和乳臭未乾的意味也差不多了。後生本來可畏，有時怕不免要抗議倚老賣老的長輩呢。

據說中國是折「中」之國，什麼事都求其不偏不倚，「中學為體，西學為用」到「中美合作」都有一視同仁的色彩。但在「先生」與「後生」之間，似乎很少有人想到一個中性詞。老一點的罵晚出娘胎的：「後生小子，懂個什麼！」嘴上無毛的小夥子卻又好為人起「老頑固」的綽號。對老師也可以喊「先生」的，但據我的經驗，在學生的口裡可以隱約的分辨出來：叫「先生」可能是敷衍性的，我個人對不太敬重的教授便不樂意喚「老師」；叫先生」卻不會吃虧。用妙聯罵康有為的那位留學生，大概也應叫一聲「康先生」的吧？那跟「老而不死是為」一點都不衝突。而老一輩的，只要傲氣未除，大概也不願隨便叫「後生」，他們對青出於藍這一套並不感興趣。「未有小人而仁者也！」「然則夫子既聖矣乎？」用現成句子來對嘲的例子中，這一副妙聯是首屈一指的。使人聯想到未有後生而不可畏者：不但學校教師「畏」之，自己家長也會擔一把冷汗。在大庭廣眾之間表現他們的豪俠風，在教科書後面欣賞某種照片，我們的「先生」們比得上嗎？而先生們的思想剽竊術，也幾乎是超凡入聖的。妻子叫丈夫「先生」，往往有不符合事實的，像詩人勃朗寧就比妻子小好幾歲；學生叫老師「先生」也可能如此，因為現行兵役法，對有些學生是另案辦理的，學店也樂得歡迎陳年貨的老學生。

其實，先生、後生一字之差，無須乎斤斤較量。長一點的，若竟有人叫你後生，何不趁此年輕一下？小一些的，聽人叫你先生，也不妨得意幾秒鐘。最怕是後生而被注定「大未必佳」；先生而「四十、五十無聞焉」，那就傷心了。

瘟君續夢

第一回：

捲土重來，瘟君尋舊夢
投袂而起，小醜鼓雄風

毛澤東看着活曹操說道：「達賴走過之後，人代會副委員長裏就沒有藏人了，既然林老說達賴礙不得，我們不如補選班禪為副委員長，同時也不解除達賴職務，這樣就各方都顧到了，各位同志以為怎麼樣？」

毛澤東說過，大家一齊鼓掌，就通過了。

毛澤東接着說道：「宋慶齡的遺缺，我看還何香凝好了，國民黨的這兩個老太婆，實在替我們共產黨出了力了。」毛澤東說過哈哈大笑，大家一齊笑起來，就算無異議通過。何香凝的問題決定之後，毛澤東看着朱德笑道：「可以了吧！你有這麼多的助手夠用了吧！」

朱德陪着笑臉問道：「副委員長的名額有無規定。」

毛澤東未開口，劉少奇搖搖頭說道：「沒有規定」。

朱德笑道：「既然沒有規定，我想再添一個人，可不可以？」

毛澤東眉頭一縐：「還添誰？」

朱德向劉伯承一指：「添上伯承同志，可以吧！」

朱德一指出獨眼龍，登時情況緊張起來。毛澤東一口氣抽掉半隻紙煙，只是向外噴烟圈，烟霧漫瀰，把他的臉也遮住了，劉少奇那一張吊死鬼的臉，更加鐵青，一言不發，周恩來坐在沙發裡兩手拉着頭，好似睡着了。

劉伯承看見不妙，起身說道：「既然要討論我的問題，我暫時就退席了。」說過戴上八角帽，昂然走出去。

獨眼龍一走出去，局面頓時緩和下來。劉少奇拿出一付笑臉向朱德說道：「老總，你隨便換個人好不好，只要不提劉瞎子，什麼人我都贊成，就算你的警衛員小張都可以。」

劉少奇說過又乾笑了幾聲。

朱德木然毫無表情，半響說道：「既然兩位領導同志都不同意劉伯承出任副委員長，也就算了。不過，我還有一個要求不知道成不成？」

毛澤東仰面靠在圈椅裏，兩隻腳正放在枱子上搖幌。聽到這句話登時把兩隻腳抽回來，端然坐好，留神朱德有什麼要求。

劉少奇急急問道：「老總，你有什麼意見，只管提出來，我沒有不贊成的。」

朱德笑道：「各位同志都知道，我的身體很差；又[illegible]幾口癮，始終也戒不掉，[illegible]能負重責，人代會常委會委員長職務相當繁忙，恐怕應付[illegible]了，我想在這裏提出辭職，選一位能幹的同志繼任，以[illegible]誤了事。」

朱德這句話一講出來，大家知道問題不簡單了，一齊看眼。朱德接着說道：「我的意思不如推彭真同志繼任，他既能幹，對人代會事務又熟悉，一定能和少奇同志密切配合。」

（三）

岳騫

廬山會議

道南

最近的陽明山會議，甚囂塵上，有的人把它寄望，等於廬山會議。因之，使筆者想起了廬山會議的一些往事。抗戰那一年具有歷史性的廬山會議，是有充分準備的，第一是由於當局有抗戰決心，第二是極端反對國民政府的中共，也會派有代表。今天的陽明山會議，似乎值得再加追憶一番。

所謂最高當局的決心，早在民國二十年之夏，蔣委員長駐節南昌，另設軍官訓練團於廬山，後來又設軍官訓練班於星子，一切訓練中心，都以日本作為假想敵。軍官訓練團的教育長，也就是今天副總統陳誠，各省將領，各師幹部輪流受訓。輸入抗日意識，生氣大振，那時的國歌，有警句云：

「起舞五老峯下，揮戈鄱陽湖邊，……別無男兒，切莫躑躅，矢志復興民族！」

那一次的全國會議，不僅有全國政要和學者教授，甚至中共也有代表，周恩來秦邦憲等亦會來到廬山，雖然他們沒有參加大會。只是後來周恩來對與會的代表說：「你們在裏面談，我們在外面談。」

今天的陽明山會議，是不是仍有這種博大的精神，儘管是反對黨的人物，仍然一樣邀請，其次就是反攻的準備，已經到了什麼程度。在陽明山會議的前夕，這些都是值得考慮的。

梨園漫談

小青衣古愛蓮之「三娘教子」，徐龍英，陳良俠之「小四郎探母」，自輪番演出後，乃大為各界所稱道，是年冬季，吳冠羣中校調升空軍總部康樂大隊副大隊長，史影中校亦另有他就，遂由馬維騏中校調升大隊長，並兼負該隊劇務之責，至於平劇隊長及副隊長之職務，亦分由李復，趙之深兩少校分別担任也。

今日的大鵬（六）

——瘦西湖——

四十七年春時，大鵬由歐載譽歸來，征裝甫卸，未遑稍息，即於二月中旬與[illegible]盛況之空前，概可想見耳。[illegible]幕逃出之反共藝人李湘芬，張語凡等合演「法門寺」[illegible]

[illegible]嫡傳弟子，其吐字腔無不酷似，而李湘芬雖亦為梅之得意弟子，但有很多戲路方面有所不同，[illegible]餘地，不知李姝以為然否？至於張語凡女士，閻係李多奎之門生，李[illegible]其所演「滑油山」，「吊金龜」等，均會風行一時，故其唱腔之是非，人皆一聽便知也。

是年四月初旬，大鵬當局假介壽堂內公演，計推出名劇「穆柯寨」，「紅娘」，「巾幗英雄」，「四杰村」，「十三妹」，「英雄義」，「狀元印」等，共演七天，深得各界自介壽堂公演後，我空軍總部應美國當局之邀，特派大鵬平劇隊赴冲繩島演一週，其演出之時，不但瘋狂了整個冲繩軍，官兵，而使友邦人士見後亦無不伸舌嘆為觀止者也。

從冲繩載譽返國後，大鵬應社會各界之要求，遂作盛大之公演，頗獲好許，而此特設隊之公演，小學生班亦能獨擋一面，於大鵬之後公演六天，演出之時，四面八方聞訊而來觀此娃娃戲者，眞是人山人海，眞盛況之空前，可謂打破歷年來戲劇界之紀錄了！之後徐露又演「兩天王廟」之「漢明妃」，趙玉青之「鳳凰三俠」，「坐樓殺惜」，趙原，程景祥合演之「雙拾會」，張樹森之「坐寨盜馬」，嚴莉華，馬九齡之「打焦贊」，鈕方雨之「拾玉鐲」，古愛蓮之「二進宮」等，演後均博佳譽，令人刮目相看矣。

談人生觀

——程綺如——

同樣的歲月，同樣的過日子，但人人有不同的遭遇，人人有自己對於人生的看法。因此，每個人的「人生觀」，便有了各種不同的差別。

人生如夢；是一種悲觀的看法，百年的歲月，不過是一個黑漫漫的暴風雨之夜。是一個到達死亡的旅程，一縷裊裊的輕烟，代表了生命的重量，一道移動的暗影，象徵着生命的標幟，肉體只是一朵蒼白無力的小花，在生命之夜，偷偷地掙扎，夜去了，小花也跟着步入永遠的萎亡，以往開花的轉瞬間，只換得眼前凋謝的淒涼和惆悵。

人生如戲台，也是一種悲觀的看法，人類在這塊戲台上，抖擻精神，賣出力量來扮演各式各樣的角式，主角也好，小丑也好，都不外是演戲，有時演員是自己，看客也是自己，有時自己去演給別人看了！又讓自己看別人的，一幕接一幕，一齣又一齣，你爭我奪，縱有介事，但是生命之幕閉了，散塲吧，又是逃不出悲劇的命運。

於是，人間地獄的悲觀看法也就來了。

然而，有些樂觀的人們，卻說，人生在世，每一階段，都有適當的責任等候他自己去擔當，所以能夠呼吸的人，並不是白白活的，有他重大而神聖的任務，只有完成了使命，問心無愧的時候，才可以鬆口氣說：「我不辜負人生。」這種使命，並不一定是由上帝安排下來的，而是由人類自覺的意識所創造，如此，生命可以發揮蘊蓄的精神力，可以造成可歌可泣的史話，而後在人類活動的田園內，開放鮮艷奪目，永繫心扉的文化之花。

也有些樂觀的人們說：「人生就是愛」，生命是愛的寄託所，愛是生命的靈魂，生命終久隨歲月的流轉而消逝，愛情雖然而永存，世間一旦沒有了愛，人生將變成無意義的無活力的止水，唯有愛方能創造人生，充實人生。

對於人生既然有悲觀的見解，也有樂觀的想法，那麼人生究竟是什麼東西呢？「安娜卡列尼娜」中的列文，在託翁的安排下，追究着人生的眞諦，於是他模糊了，失望了，放棄了，莫衷一是地頹喪了，直到他在遭逢着大雷雨後的清醒中，偶然靈感地覺得人生就不過僅僅是人生，他才恢復了正常的照舊生活，照舊工作，那麼我爲什麼要去追究它呢？我們爲什麼不可以讓自己在人生的旅程中去領略人生的眞正滋味？

莎士比亞說得好：「生命的道路，充滿了玫瑰和荊棘，不管玫瑰也好，荊棘也好，我們總得要生活、下去的」。

望海樓隨筆

名女人（一）

徐學慧

幾千年的中國歷史，女人而有名於當代及後世者滋多。三代以前，那些饒有神道色彩的女人，姑不具論，自五帝三王至於孔子，算是一個階段，孔子而後，因禮樂之興，社會風氣乃爲之大變。

從上古的神道設教，到孔子的不語「怪力亂神」，終而至於有「男女授受不親」這種禮節。這中間，是經歷過一段漫長的時代的。

孔子雖爲春秋時人，但春秋戰國時代的男女關係，並不如後代那麼嚴格。孔孟諸人，雖然著書立說，而竹帛的流行範圍極狹，其所以影響於當世的政治者或多，至於男女之間，因習久俗成，倒也沒有什麼澈底的改變。

從史籍去研究春秋戰國的社會，所謂禮教並未深入民心，男人固然可以娶上幾個妻子，女人也同樣可以找情人，至於夫死再嫁，簡直視同家常便飯，誰也不會責難的。

說幾個故事就可以知道了。

秦惠王之后，昭襄王之母，曰宣太后。惠王既卒，太后乃愛上了一男子名魏醜夫者。太后病，將死，乃出令曰：我死之後，必以魏子陪葬。（生人陪葬，古有此理，謂之殉。）魏醜夫聽到這個消息，深感不安，遂求計於大臣庸芮。庸見太后，具言其事，問曰：「太后認爲一個人死了還會有知覺的麼？」太后曰：無知也。庸芮曰：若太后以爲死者無知，則又何必以生前所愛的人，來陪葬於無知的死人呢？如果說是死者有知，則太后之愛魏醜夫，先王在地下早已是氣憤的了，太后將改過不暇，那還有時間來私通魏醜夫呢？太后曰：善。遂不以魏子爲殉。

和尚與色戒

筱臣

佛家有三戒，戒殺戒淫戒盜，幾成爲金科玉律，是絕對不准違犯的。但此中亦有輕重利害之分，認爲戒淫尚有商榷之餘地，可以略迹原情，予以寬假。

遁禪的荒寺雜記，即有如下的記載：

某一晚，白龍寺（遁禪伴父養病之所）當家和尚法雲自外作佛事回來，受了人家的供養，薄有醉意，和遁禪在佛院前乘涼，當家和尚和他談到自已。法雲道：「佛家殺盜淫三戒，我和尚只差一戒。我不曾取人家的財物，盜戒我沒有犯過。當了和尚以後，不曾親近女色，淫戒我也沒有犯過。只是我和尚吃葷的。」

那時，遁禪對他說：「我勸和尚還是開了淫戒，守住殺戒吧！」「白龍寺的和尚都是肉食的，法雲也不例外。那個廟中，三個和尚，三個寄居的俗客，即遁禪的一家，反都是素食的。」

法雲問他爲什麼？遁禪道：「我以爲偷竊他人財物，只能予人以一時的困惱，他有錢仍然是可以買得同來，不致有根本的損害。至於淫戒，和尚引誘良家婦女，誠然是違犯清規，但清規是你自己的事。一個女人，倘然偷到了和尚，我想你和尚在那個女人的外遇名單中，縱非是第十位，也是第八九位了。此中決不會發生貞操問題。但是，倘如你吃一雙雞，那個雞子，便是爲你斷送了生命；倘若三戒，只能守兩戒，我勸和尚還是開淫戒來守殺戒如何？」

這樣通達合符人情，適合人性的說法，這是很少見的。中國的古代聖賢，關於男女問題，並不像後世吃冷猪肉人的那樣嚴肅。所以說，一個二十歲的男孩子，該替他娶妻，一個十六歲的女孩子，該替她嫁人，過了這個時期，父母不替她（他）們配合的話，奔者不禁。所謂奔者不禁，就是說他（她）們可以自己找戀愛對象的。那淫奔一事看得那麼嚴重，這是和佛教東來以及宋明理學的裝模作樣，實在有着很大的關係。

爲了「食色性也」的問題，歷來的和尚，也就發生過不少的趣事，至今尚傳爲佳話，爲人所傳誦。較早的則有宋人莊季裕的「雞肋篇」中有云：廣南風俗，市井坐估，多僧人爲之，率皆致富，又例有家室。故其婦女多嫁於僧，欲落髮則行定，薙度乃成禮。市中亦製僧帽，止一圈而無屋，但欲簪花於其上也。嘗至富家嫁女，大會賓客，有一北人在座，久之迎婿始來，喧呼王郎至矣，視之乃一僧人也。客人大爲驚駭，因爲詩曰：「行盡人間四百州，只應此地最風流，夜來花燭開新燕，迎得王郎不裹頭。」

又蘇州某大寺僧某，積資既厚，忽動凡心，視髮還俗，並請人爲之做媒。花燭之夕，某僧居然請其師來主持婚禮，有某文士爲詩嘲之云：「和尚討老婆，脫褊衫，着綺羅，彌陀大笑金剛怒，撇了師徒，別了尼姑。繡房穩似禪房臥，喝興波，堂前花燭，映出老葫蘆。」

亦有畢生虔修，堅持色戒，至死尚戀戀不忘情的。則有江南大寺了二和尚，苦心潛修六十年，功德圓滿，將西行天竺，合邑士紳設齋餞別。了二踞上座，高談妙論，窮盡奧妙，士紳欽敬之至，勢乎五體投地。了二忽說：「我五歲出家，脫離還俗，幾乎踞世煙雲，無不過目。今將遠行，惟有一事懸心，迄未獲釋。」衆詢其詳，了二遂說：「婦人身體究竟有何異樣，至今懸擬，眞是莫明其妙。」士紳久仰其德行高超，諒非虛語。座有好事者爲釋僧疑，乃斥資召來土娼，專供大師飽覽，娼至，衆恭請了二獨自入室見識見識。去未久，搖頭出，衆詢其故，了二黯然答稱：「並無奇特，原來與尼姑一模一樣。」

更有不修戒律，經常宿娼的，則有北平西山某大寺主持，明誠和尚，四大未空，六根不淨，每入城即出入於花街柳巷，熱戀前門外朱茅胡同妓女釵花，卿卿我我，至爲親熱。有一天，釵花「他問道：「禪師近來做些什麼正經？」明誠[illegible]嘆道：「如此年華，只有瞎混，做一天和尚撞一天鐘。您呢？」釵花笑答：「我麼，唉，還不是做一天鐘，撞一天和尚！」

海嘯樓談薈

戴笠坐洋牢

諸葛文侯

民國廿九年中日戰爭方酣，日軍尙未實行南進，掀起太平洋戰役以前，英國與我國外交關係如常，我方派駐香港從事抗戰工作的人員不少，軍事委員會軍統局主管的「西南運輸處」，亦以香港爲業務中心，負責轉運物資，供應大後方之需。維時軍統局長戴笠常來往港渝之間，指導督促所屬機構的一切事宜。

一日，戴氏微服輕裝由香港乘飛機回渝，走到機場，突被港府扣留，押至警署拘禁之，不知究爲何事？適軍令部派在香港工作之高級參謀余兆麒，剛由非島歸來，聞訊即於當夜馳往警署探詢戴氏下落，見戴置身於普通囚犯室中，余氏謂：「我今夜陪局長在此休息罷！」戴言：「不必，可速向港府詢明扣我的原因，交涉一切。」因余氏通曉英語，又係粵人，人地頗熟悉也。

次晨，余氏晉謁香港警署署長，詢爲何拘押戴氏？據言係應日本政府的要求而然。日方指述當時上海市若干親近日本的中國有名人物遭暗殺，都是戴笠派人幹的，請港府將戴氏引渡日方云。余氏乃告以戴某是中國最統帥部的中將局長，地位並不下於英國的駐華武官，假使港府竟徇日本要求，引渡戴氏，中國政府即可將英國駐華外交官員，除大使以外，一律予以拘捕，兩國邦交不惜破裂也。警署長答以須有港督命令，方能釋放。是日午後，余氏叩見港督，而英國駐華大使亦已由重慶趕來，乃決定將戴氏移住高羅士達隔壁的「香港酒店」，但不得外出。數日後，戴氏恢復自由，遄返重慶去了。權力煊赫一時，常常扣押別人的戴局長，竟在海外受到縲絏之災，殊出意外。

越民國卅年十二月，太平洋戰事起，日軍進攻香港，陳策，余兆麒等皆曾協助英軍抗敵，陳氏突圍先赴粵北，且折其一腿，被譽爲民族英雄。余氏殿後，下落不明，盛傳其業已殉難，又有說他被俘的。未幾，余氏變裝潛離香港，繞道至韶關，即以軍用長途電話向戴笠報告脫險經過，請他派飛機來接他赴渝，戴慨然允諾，詎次日余氏忽被陳策下令拘捕，禁見親友，情勢殊爲嚴重，亦不悉身犯何罪。某夜午，有其素識之軍人黃某，特來告知余氏，謂彼現任當地警備司令，奉命於明晨執行余氏死刑，問余氏有何遺言否？並望余氏原諒他是奉命行事的。余氏從容對答，旋設法將此事通知軍統局在韶關的工作人員林某，由林急電戴笠報告，戴復電囑林轉告陳策，如果妄殺余氏，彼即下令捕治陳氏。如是，余氏乃獲釋，陳策且對他深致歉仄，謂係部下胡行妄爲，彼不知情。是亦政治場中之一段恩怨史事也。

更正：上期本欄文字中之「四五年前在香港刊行的那本周佛海日記」，誤排爲「四十年前」，又楊淑慧之慧字誤植爲「慈」字，應予更正。

談彭玉麟

胡康

船山先生（公元一六一九——一六九一）爲反清的明末遺老，爲人艱苦卓絕，而思想則博大精深，議論則宏通透澈，鞭辟入裏，超越時流。錢賓四先生編中國思想史，用他來代表清初思想界，是很有理由的。船山對歷史人物的批評，見他所著的「讀通鑑論」和「宋論」兩書，有很多見解，至今還值得我們所佩服。他的詩和詩文評，多雜見「薑齋詩文集」和「薑齋詩話」，許多地方，帶有很强烈的民族精神，堪與黃梨洲、顧亭林兩大師復興民族的苦心孤詣共垂不朽的。

二、

彭雪琴的年代，後於船山約二百年，一個是明末清初，一個是晚清衰落的時期，無論國際國內的時勢，已經有絕大的不同，即論民族思想學術風氣，也因爲這兩世紀的差別，而判然劃分兩個截然不同的時代。在衡陽生長的船山、雪琴，其地理背景雖則相同，然而大時代的差異，自然會產生或影響到這兩個偉人性格思想之不同。雖則在中國傳統思想中有若干項共通的特點爲儒家文化所遺留，因而養成士大夫階級某些共同的人生哲學和宇宙觀念；可是世運時代的轉移，對人才及風俗的影響，畢竟是很大的。

（二）

歷史人物

自由報

內警僑台報字第〇三一號內銷證

THE FREE NEWS

第一三一一期

中華民國僑務委員會頒發
台救新字第三二三號登記證
中華郵政台字第一二八二號執照
登記為第一類新聞紙類
（半週刊每星期三、六出版）
每份港幣壹角
台灣零售價新台幣弍元
社長：雷嘯岑
督印人：黃行豪
社址：香港銅鑼灣高士威道二十號四樓
20 CAUSEWAY RD 3RD FL HONG KONG
TEL. 771726　電報掛號：7191
承印者：田風印刷廠
地址：香港灣仔高士打道二二一號
台灣分社
台北市西寧南路壹壹柒號二樓
電話：三〇三四六
台郵撥儲金戶九二五二

從馬步芳瀆職辱國案說起

・李宗谷・

自由中國駐沙地阿拉伯大使馬步芳，因瀆職辱國行為，經監察院公開糾舉檢討，劣跡昭著，遐邇周知了。馬步芳如果只是一個海外寓公，他之亂倫丟醜，以及率領家奴騷擾本國使館職員住宅等情，吾人固不屑浪費筆墨，有所評論。這類的時代渣滓人物，古往今來，滔滔皆是，讓他化為人海沉澱可也。不幸馬氏竟是堂堂乎代表國家折衝樽俎的使節，他的醜惡行為即玷辱了國家的聲譽，凡屬具有愛國情操的中國人，是不能默然無語的！

一

記得馬步芳在大陸淪陷前夕，以西北軍政長官職責，不聽命令，擅離職守，曾經政府予以撤職查辦的處分在案。就國家紀綱說，這種人根本即不應該再加起用，若以國難期間，政府志在匡復，用人行政不得不從權達變，而使智勇辯力之士，各盡所能，為國馳驅，亦應該為事擇人，期收效用，纔是謀國之道。馬氏一介武夫，知識譾陋，即令他的私生活規行矩步，明禮義、知廉恥，也絕對難勝外交使節之任的。若以馬氏係回教徒，利用他在中東為國効勞，人地似乎相宜。專從這個角度設想，馬氏亦不夠材料，現時住在台灣和海外的文武知識份子中，有回教信仰而其資望才幹優於馬氏百倍者，所在多有，如白崇禧即係最顯著的代表人物。不悉政府基於甚末理由與條件，而必須教馬步芳濫竽外交界，以致闖出種種醜聞醜事，貽笑萬邦，斲喪國家信譽呢？迨馬氏瀆職辱國行為發生後，外交部派遣專員赴沙地阿拉伯調查屬實，政府猶不思振起綱維，明令撤懲，而出以「辭職照准」的官樣文章，不了了之。優容一個失職辱國的馬步芳，使世人認為政府的用人行政方針，還是過去那一套，毫無新氣象可視，此中利害得失之數，孰重孰輕，不是很顯然嗎？

翻開古今萬國的歷史看看，任何一個在憂患中的國家，要想創進中興績業，政府當局必有「其命維新」的嶄新作為，一切用人行政皆與舊時迥然不同，纔能夠振衰起敝，鼓舞羣倫，蔚成復興局面。即以近代我國滿清王朝中葉的史事而論：當太平天國的革命運動勃然發作之際，如果清廷依然實行舊有那套用人行政方針，一切國計民生問題，還是倚賴宗室貴胄與八旗綠營之力來處理，而不知破格拔擢曾國藩，胡林翼這些草野間的漢族人士，付以特權，專其信任，一切讒構中傷之詞，皆置諸不理的話，滿清王朝的祚運即不能延長數十年於不墜，早已宣告「天祿永終」了！

由於馬步芳之使於四方，大辱君命，使我們聯想到自由中國一般的外交人才和業務問題，殊有切實檢討之必要。無庸諱言，我們現時是處於弱國地位，俗言「弱國無外交」這句話並不正確，唯有弱國纔必須特別注意外交工作，藉以增強國力，卓然有所表現，在國際間給人以不能漠視的印象，否則唯有聽受別人擺佈支配，將不成其為獨立自由的國家，外交云乎哉！

很奇怪，中國的北洋軍閥政府時代，在外交上還有些傑出的外交人才，表現若干弱國外交的能力，如第一次世界大戰後的巴黎和會中，為着山東省問題——以青島問題為主——我國代表確實教西方列強另眼看待，連那素來視中國如無物，儼然以戰勝國自居的日本代表，亦相形見絀，沒法抗衡，終使日本侵佔青島以及控制全中國（廿一條件）的帝國主義計劃，受到國際間的壓力，不能實現，這是「弱國有外交」的例證。自從一九二七年大革命以來，舊時那幾位蜚聲壇坫的外交人員，亦會在革命政府治下，陸續供職，然未見有甚末建樹，漸漸地多告退隱了。這些老輩的外交戰士陸續凋零之後，外交界在最近卅年來，迄未產生一個傑出人才，我們所見所聞的，盡是些連外交儀式亦不懂的外交官，不斷的在國際上失格丟醜，曷勝慨嘆！這原因決非近卅年來真是沒有外交人才，而是用人的標準有問題。質言之，就是既不為事擇人，拔取適才適任之士，又未致力於培養人才，儲為國用，將外交工作與內政事宜等量齊觀，阿貓阿狗既可以在國內紓青拖紫，位居要津，外交官亦就用不着多所選擇，隨便派任，至於培養訓練，更不必談了。

世人皆知英國的外交工作尤稱世界第一，但英國對於外交人才的培植選拔，極其縝密而嚴格，任用一個外交官員，除却儀表、才識、語言和生活習慣都要具備一定的條件外，還須考究他在某一地區有某種特殊潛能，可以增加外交工作的便利，然後纔教他出使外邦，努力報國。如二次大戰之前，希特勒統治德國時，英國駐德大使韓德遜即有打獵的長技，因為希特勒的第一號親信人物戈林酷嗜行獵，英國乃遴選韓氏為駐德大使，俾與戈林接近，藉以增益外交潛力。又如艾登首相因出兵埃及事件受制於美國而黯然下台之後，邱吉爾即推選麥美倫繼任，因為麥氏在二次大戰時担任盟軍統帥部的聯絡官，跟艾森豪處得極好，而其母親據說亦是美國人。麥氏平地一聲雷而高據首相座位的唯一作用，就是為要改善對美國的外交關係，現時英國駐美大使固然是適才適任的人物，而英國以各種名義派在美國社會各階層從事游說工作的人員，尤其不可勝計，每年所消耗的外交經費，只就美國這一地方來說，也就令人可驚了。英國在戰後亦是個貧困的國家，但對於外交經費決不吝惜，未在國際上表示半點寒傖相。這都是英國外交稱雄世界的內在條件，請問我們在外交方面的用人行政方針，有無絲毫效法別人而存心見賢思齊的作風嗎？

三

目前自由中國正處於國際環境逆轉的態勢中，外交工作實為當務之急，不特馬步芳之流決不能玷污壇坫，即其他各地區的現任外交使領人員，亦須從嚴甄別，大事調整纔行。屏棄派系觀念與私人政治恩怨之見，網羅真實人才，畀以外交任務，或作正式使節，或幹國民外交工作，因材器使，用其所長，務期人盡其才，才盡其用，據我們觀察所及，現任各國的使領人員，十之七八皆係不稱職的闒茸之輩，非徹底更張不可的。同時，政府對於駐外使領館的經費務須改訂預算，大量增加，像現在的情形，各個使領館只有三五名職員，辦公室傾圮或罅漏了，傢俱陳舊損壞了，要想修理一下亦不可能，其他更無論矣。似此形同難民生活的外交官吏，即令蘇秦張儀復生，亦無從發揮絲毫作用的，要他們表現弱國外交的能耐，何異逐竊馬於遠程旅途之中，寧有倖理？他們不演出馬步芳的醜劇來，就算是難能可貴了啊！

談到大量增加外交經費的來源問題，當然涉及國家的整個財政事宜，因難孔多。但我們認為有許多不必要的開支，似可大事裁減，酌盈劑虛，挹此注彼，也就不難解決。如果認定外交工作是當前救國的急務，那末，其他次要的消耗自可暫行節省。例如政府每年在海外華僑社會從事情報、聯繫工作的費用，為數很有可觀，假使就地僱選人才，而主管單位亦不藉作發展私人派系的尾閭，特為邀功爭寵的工具，縱然將現有開支減去一大半，而在實際效用上，不特決無妨礙，並且成績或許更佳，這不是信口雌黃，有事實足資印證的。若將這筆可以節省的金錢移作駐外使領館的經費，相信所差無幾了。所謂精神勝過物質之說，決不能適用於外交人員，道理極其淺明，否則一般駐外使節只有過着難民生活，連腐敗官僚份子亦不願幹這種職務，還能希望他們創出外交績業嗎？

外交工作之加強，已為刻不容緩之事，就看政府對於用人用錢，以及領導監督的方式，是否有「澈底」的計劃與決心了。

自由談

醜態

馬五先生

久矣乎置理亂於不聞的英國退職首相艾登，日前忽又不甘寂寞，自說自話，修言「共黨在東南亞的第一號目標是南越，而不是寮國。」

這種論斷縱使具有妥當性，然出諸艾登之口，便成了「事後諸葛亮」的醜態話！一九五四年越共藉着中共大軍作水鳥式的應援，猛烈圍攻奠邊府之際，法國獨力難支，希望美國實行干預其事。當時華府當局決計參戰，曾派遣聯合參謀會議主席雷德福上將，持着擬訂的軍事計劃，馳赴倫敦徵求英揆邱吉爾的意見，據說邱翁曾表贊同，且將原稿文句更改了幾個字，交由雷德福帶回華府準備實施。艾登這時是外交部長，當然詳悉其情。

詎料等到美國政府在華盛頓約期召集英法代表會議，商討援越的軍事行動方法時，英大使突然於開會前幾小時奉命通知白宮，說英國不擬參預其役。美國原定計劃乃告吹，而奠邊府迅告陷落了！如是乎，艾登先生又以東南亞盟主的姿態，倡導日內瓦會議，把越南的大部份土地和人民劃歸越共控制，使共黨奄有力征經營東南亞地區的「合法」根據地，貽患至今為烈。如果沒有日內瓦的越戰協定，南越今日即不致經常受到越共胡志明的滲透顛覆行動之威脅困擾，岌岌可危了。孰為為之，孰令致之，這不是艾登先生主演的悲劇結果嗎？

將來俄共集團果真君臨了整個亞洲，我認為俄帝應該頒給美國的艾契遜暨英國的艾登二人以「史大林和平獎金」之外，並在中國大陸及越南地方分別建立「兩艾」的銅像，而我們亞洲人亦應該在各重要都市間替「兩艾」建造鐵像，讓人們唾沫溲溺，以示不忘焉。

艾登近年來常有呼籲西方國家必須團結的文章發表在刊物上，我瞧着就好笑。使西方國家陷於精神分裂症的主要因素，即係英國的政客們要想跟美國爭領導權也。騎着馬而尋馬，攬鏡窺形，不亦太醜乎？

小論天下

▲在日內瓦舉行之十四國會議，延未揭幕，蘇俄堅持寮共代表必須參加，美國拒絕。英外相荷謨將與中共陳毅晤談，寮戰開始被證實為完全停火。

共黨在日內瓦佈好了「會議陷阱」，讓陳毅在那裏明擺架子，暗垂釣餌，奸在幕後講買賣，地下做工作。西方國家要時時刻刻在陷阱的泥濘裏提防針刺。

▲美副總統詹森訪越菲及中國，向菲保證對共奮鬥到底，及向南越提供更多援助。

如果他還看不到亞洲人在怎樣憤懣和焦急，便讓美國人自己將來乾着急好了。

▲大陸南北水旱交侵，近又遭風災雹災，夏荒可慮。福建發現反共標語，有「毛賊不死，大難不止」之句。英報評論中共政權，指其已因糧荒而向現實低頭。

大陸人民「餓得愈慘，中共對外愈見囂張，姑息主義者愈認利為於對中共「安撫」。

▲前任沙地阿剌伯大使馬步芳，被姪女馬月蘭控告亂倫殆姦及瀆職，監察院業已受理。成為台北「分屍案」以後另一大新聞。

「妖新聞」迭興，新聞篇幅不幸，國家民族不幸。

▲馬來亞總理拉曼演說，揭破偽裝「中立國家」的假面具，指是共產黨的應聲虫。

他這篇演說也只是爭取一個「正牌中立主義者」的榮銜而已。他主張承認中共政權，何嘗不被偽裝的中立國家牽着鼻子走？

▲美前統總艾森豪表示：此時不宜批評甘廼廸政府，預料它將有一連串困難要應付。共和黨對政府的批評，現集中於內政問題。

共赴「困難」，此正其時！想起美國也會有今天的「困難」，更該為當年的「中國白皮書」，放聲一哭。

方南

自由報

共區鑛工情緒低落

大陸剖視

·焦毅夫·

本年三月廿九日作者曾在本報發表「中共煤炭工業困難重重」一文，是針對一九六〇年底中共公佈該年煤炭生產達到四億二千五百萬噸而發，用中共的資料分析去年大陸煤炭生產絕不可能達到此數。此項斷定，已經四月七日「人民日報」發表關於「撫順勝利礦區調查報告」予以證實。

撫順是中共全國十一個重點煤礦第一個產量最多礦，勝利是撫順礦的重點礦，而發生事故的五礦區又是勝利礦首井。據中共報紙說：「全區（指五礦區）日產量約佔全礦（勝利礦）總產量的五分之二」，一九五九年，「曾經連續三個月月產超額，獲得了中央煤炭部的火箭紅旗獎」。足見這礦區對中共撫順礦的煤產量有關鍵性的重要。

去年四月廿日，勝利礦五區「一二〇七掌子面裏，突然發生了一次瓦斯燃燒事故」。撫順礦中共黨委調查，報告中雖未提到發生事故時職工傷亡數字，但可想像到在距離「地表面二百六十二米深井」中，沒有現代設備遭到瓦斯燃燒，從事井底工作的「五百五十餘名職工」生命如何？

當事故發生以後，一片混亂的善後，僅由五礦區那些幸免於難的自己去處理，因此，「過多的職工埋怨礦裡不幫助他們解決問題」。卻要他們自己「主動的去想辦法，依靠本區力量」，甚至負責技術的幹部「技術副區長白成萍，在瓦斯事故發生後，怕負責任，怕受處分，總是呆在礦坑上面，憑圖表指揮」。

六月中旬礦黨務會議上，五區瓦斯燃燒後的問題，經過提出詳細討論，礦方才感到未加妥善處理的五區礦井問題相當嚴重，於是派黨委書記邸于義下井調查，才認清有「三道」問題存在，「確實決定五區和全礦生產的關鍵」。邸于義再深入掌子面，發現幾條「皮帶道五百多架棚子，已經全部壓垮，管子道也已堵塞得爬不進人」。於是要各區「發揮共產黨協作精神」，在「幫助五區就是幫助自己」的口號下，展開『多幫一』共產主義協作競賽」。（「三道」是指管子道，溜子道，皮帶道。作用：管子道是管調節空氣；溜子道是管運煤出掌子面（即採掘煤炭地方）；皮帶道是卿接溜子道，保證煤炭從井下直達井上，是爲三大咽喉要道。）

勝利五區礦井經過、區大力支援以後，上述問題算是解決，可是又發生了新的問題，「因爲五區領導幹部被萎靡不振的長期情緒束縛着，壓抑着，『三道』在暢通之後，又被堵塞」。礦方認爲這個關鍵「在於改變五區領導幹部本身的狀態」。八月初，礦黨委派韓桂林到五區任黨支部書記，副礦長籌全洪和礦黨委辦公室主任徐永喜下放到五區，分別担任區長和一個採礦班書記，他們到五區以後，以「五區現狀」和產生的根源爲題，組織幹部進行充分『鳴放辯論』，可是『鳴放』結果，使下放的幹部「面對着偌大的五區困難，『有老虎吃天，無法下口』之感。工人的長難苟安情緒，一直沒法除掉」。「連過去一貫走在前途的十幾名維修組長，也因看到自己無能爲力而常常請假歇工」。

韓桂林等在此困難重重下，用各種方法鼓勵職工，於是決定先抓「力量雄厚的青年班，這個班裏一百五十名工人中，有黨員、團員和骨幹」，並且着重教育老工人。同時，還把一九五九年中央煤炭工業部領給的「火箭紅旗」也從辦公室移到開坑前會議的地方。韓桂林在開會前指着紅旗問工人，「知不知道它的來歷？」工人說：「怎不知道，是一九五九年奪煤大戰得來的嘛，全國只有廿一面」。韓桂林說：「那咱們就得爭口氣，不能讓它褪色呀！」接着全體職工在總支書記領導下，「他們高舉起拳頭宣誓，一定要爲國家多出煤」。此外，還發動全區礦工開展「六好」工人競賽運動。（所謂六好，是生產好、安全好、出勤好、互助好、團結好、推廣先進經驗好）規定凡是被評爲「六好」的工人，將在評議會上戴上紅花，以示「光榮」。並且在職工家屬中進行細緻的思想動員，號召他們當好「後勤部」，組織礦工家屬當好「變紅夫妻」競賽。

勝利五區領導共幹對職工以及其家屬經過一番動員之後，又發動領導生產的幹部人人競作「五好」幹部的羣衆運動，要求做到「完成任務好、克服困難好、團結協作好、發動羣衆好、生產指揮好」等。促使「幹部鼓足勁幹，人人轉變作風」。

韓桂林等對五區人事經過一番大整頓以後，滿以爲五區礦井可以如計劃展開高額生產，可是一個新的問題又出現了，採礦工人沒有掌子面。五區礦井本是日治時代留下的老礦區，據說：「解放以來，周圍煤炭早巳採空，只剩下中間一塊保採煤柱」，在平時最好的情況下，「預備工作面最多的只有七個，到了十月下旬，就剩下了兩個，承担全區三分之二採煤任務的一班，竟連一個工作面也沒有了」。因此，出現了「採煤工人吃完上頓沒下頓」，形成採掘之間有了尖銳的矛盾，使曾一度「高達兩千噸日產量，降到四百噸」，於是「全區上下緊張起來，眼看就有停產的危險」。

到了十一月，中共礦黨支部連召幾次會議，支部書記韓桂林因感無法向上級交代，卻在會議上大罵領導，生產的幹部和工人：「我們過去常說掌握客觀規律，豈不知，加強掘進，做好掌子卿接，先準備，後生產，就是規律，只顧採煤、不顧掘進，這是亂幹、瞎幹，說是違背規律」。

上述是中共「撫順勝利礦區調查報告」主要內容。從這報告中，反映了幾個值得注意的問題。

一、位高如技術副區長白戎萍，事先對井下設備技術，不能妥善處理，事後又不下井督理善後，充分表現無能和官僚作風。

二、五區礦井設備，是日治留下的機械，以中共目前礦山設備說，應列第一等。可惜維修太差，致五百多架棚子全被壓垮，空氣調節管也不透風，致造成瓦斯燃燒事件。

三、中共不顧工人的安全，事故發生之後，上級不予以設法處理，任由工人自己設法，以致拖了五個月不能生產。

四、中共用「宣誓」來束縛幹部和工人心理，加強其責任感，而且還發動職工家屬做好「後勤部」，配合行動，足以反映幹部和職工情緒低落的程度。

這些情況，是在勝利五區發生瓦斯燃燒事故後，才暴露出來。其他礦區難保沒有這類事件，不過未被發現，或發覺後，未敢公開報導罷了。因此，作者更敢肯定說，中共去年四億餘噸煤產量，是爲對外宣傳出於虛構。

香港與大陸

在地理環境上，大陸和港澳一衣帶水，中共封鎖雖然嚴密，但在防不勝防下，仍有不少人逃出，據來自廣州內幕消息透露：由於糧荒和「自由市場」開放，從四方八面湧入該市的人民，作踏脚的石準備逃亡，但限於路徑不熟，一些「識撈」者，在這情況下，成立「偷渡組織」，該項消息謂一般性的偷渡，是嚮導式的帶至邊境潛伏，指引彼等方向，候機泅水或爬山越嶺過境，偷渡者到達目的與否，該等組織不負責，但收費「人民幣」三十或五十元不等。至於一些「包到」者，視偷渡者的身價，以港幣計算，索價三千或五千以上。

該項消息又稱：廣州「派出所」的戶籍調查員，對申請來港的居民也「敲竹槓」，這多在一些有僑滙收的僑眷身上，雖然「通行證」係由「公安局」發出，但「公安局」對申請出境之批准，是根據戶籍調查員的「意見」取決。因此戶籍調查員串同「街坊組長」，如申請人想獲出境，又必須由申請人找一位至親友好出面和「街坊組長」秘密協議，款項多少由申請者的親友（限於該市居民）交給「街坊組長」，如果「檢舉」，申請出境者的親友也必然以「行賄」定罪，所以這項舞弊，仍然「安全進行。」（自聯社）

聯勤與海軍

張執中

（台北通訊）

筆者在本報一二八期「三軍基地巡禮」一文中，曾說到担心進入大陸作戰時的後勤補給運輸等等的諸問題，可是這次參觀聯勤，對於這一疑問得到了答案。那就是說，我們早已有萬全的準備。茲將所見畧述於下：

福利事業：國軍福利事業是聯勤要政之一，這是一個新興事業，創建到現在，也不過只有三、四年，但他們成就的確很好。這制度相仿美國的PX組織，並增設了軍中服務社與軍中特約茶室及福利品的生產處，還加上供應戰地民用物資的運儲與管制。只要有國軍的地區，即有福利機構設置在營房基地內，直接爲三軍官兵服務，此外各重要地點，設置軍人服務站，接待三軍差勤官兵，供他們以二分之一的出差費就解決了食與住，一位士兵只要付新台幣六元八角，就可得到一宿三餐。其享受並不低於上等旅社。

軍中儲蓄：還有值得讚譽的是「軍中儲蓄」，這是供軍人生活安定成爲最大的主因，這儲蓄計分：「有獎儲蓄」與「定期儲蓄」。這兩項儲蓄已吸收資金總額五億七千多萬元，對穩定金融深具貢獻。

兵工：有驚人的進步，有某兵工廠由自精細的小螺絲釘到槍炮彈藥都能自造，而且是成本低、品質佳，比如：一顆槍彈在美國製造要九分美金，我們自造就只要五分美金，加上信用良好，所以該廠除了正常工作外，還接受大量的美援定貨。此外又輔助民間工業生產，不但是國軍的兵工廠，而且是民間工廠的工廠，其價格比國際市場便宜得多，目前的生產量較六年前增加了百分之三百，價格卻比六年前降低了百分之六十八。這倒不是鋼鐵跌價，而是研究與發展的成果，今後的前途將一定有更輝煌的成就哩。

「見敵必戰，戰必殲敵」，這是我英勇海軍官兵的一致共認的誓言，事實上的表現，這句話的確是貨值價實。爲了確保台灣海峽的安全，海軍所屬各艦艇，自四十二年以來，大小戰役共有幾百次，其中最突出的是一〇四號，一舉擊毀共匪魚雷快艇十二艘，其官兵素質優良，在此次隨艦出海參觀演習時可以看出，對射擊精確，技術熟練，官兵的戰志堅強，實在使我們敬佩，尤其參觀某艦時，（此艦尚在保密階段，恕不詳述），載運量之大出乎意料，待反攻號響，我們六十萬大軍，很短時間就能夠全部登上大陸，這正是使我們最爲愉快的一件事。

海軍陸戰隊：陸戰隊創建於民國二十六年，抗戰期中編入陸軍，抗戰勝利後，有感於需要，就積極籌劃，於民國卅六年九月十六日，在首都南京，正式成立「中國海陸軍戰隊」。卅七年山東會山八富戰役，卅八年五月的萬山戰役，四十二年的東山島突擊，均有輝煌的戰果，而四十五年的金門「八二三」炮戰，更發揮了兩棲作戰的特性，陸戰隊訓練的成績，也是十分卓越的，爲了適應以後反攻作戰，每一位成員，均須接受「山地訓練」，「跳傘訓練」及其他「特種訓練」，「兩棲登陸」等。這是一支了不起的軍隊，想將來在反攻號響時，他們必首先立功，那是可以預卜的。

文科教員的悲哀

·鳴鳴·

台灣通訊

自從楊振甯與李政道榮獲諾貝爾獎金後，國內就響起了一片科學至上，科學救國，培養科學人才的口號。而各學校的青年學子，也以學理科爲榮。在中等學校裡，男生若將來不學理科認爲沒有種，沒有出息。甚至有的父母強廹孩子，違背志趣。以爲若學文科則有辱門楣。因而弄得中學校裏的數理先生成了頭牌教師，成了忙人，到處有人請他們補習或兼課，也就成了窮教員中的收入豐富者，成了校長心中的寵臣。尤其是教得比較受學生歡迎的理科教員，他們在校中是特殊人物，除了排課須由他指定時間外，不上週會，不參加任何會議、而人事室，對他的工作考核，仍得給以甲等，不然，有的是請他的學校，稍不如意，他將會拂袖而去。於是校方爲了這些吃香教員也傷透了腦筋，除了接受他們的所有條件外，就只有準備好寬敞舒服的宿舍來聘請他們，或挽留他們。不然他們高就的機會太多了。他們經常手握幾張聘書，即使你是爲教育而教育的能幹校長，也不得不在現實的情形下向他們屈服。比如某校有位數學負責的數學教師，因夫君調差他去，校方煞費苦心的想留住她，於是以三處宿舍由其選擇：其中有屋大而環境鬧的，有新而遠的，有近而小的，雖然這三個宿舍都不爲那位數學老師所喜，但是在學校所有宿舍中，這是高等住宅了，是一些文科先生求之而不得的好住所呀。

至於文科先生，若爲了住居環境不佳而向校方提出調換宿舍時，情形就大不相同了，校長一派官腔的說：「×先生，當初我對你說過，住公家房子就得忍耐，要舒服只有住自已的房子！」大有願住者住，不願者去之概。就是主管手中握有若干幢空房子，他也不肯給你這份方便。他會找出某一家人幾口只住一間六席塌塌米，或×先生又如何的擠這類的例子來搪塞你的嘴巴。但對於人少而屋大的理科先生就不提了。但我想，科學即使能征服海洋、太空，但若要提高人類道德，挽救社會病症的，不知是靠自然科學之力，抑人文科學之功。而自然科學是否完全能脫離人文科學而存在？同時對於固有文化的維護，學術思想的傳播，試問又是誰之功，誰之力。

敬悼陳勤老

丘峻

陳老先生是英士，藹士兩先生的長兄，是果夫、立夫兩先生的尊人，是有名的地方紳士，不單是縣紳，而且是省紳，不僅是省紳，而且是國紳，所以上下各級機關首長，沒有對老先生不謙讓不違的。因此之故，有些人士對於本人，不免有所誤解，嘗謂：『老丘此人眞不自量，竟敢捋勤老的虎鬚，恐怕不到三個月，就非垮台不可！』甚至建設廳長曾養甫先生也特意關說：『湖州人事複雜，非小心應付不可！』我也只回答：『謝廳長放心，讓我自由幹去就是！』殊不知我一做便做了三年。而不到一年，陳老先生也就成爲一個最了解我的知友－－不，一位知已的老前輩！

嘉湖兩府所屬地方，均係港漢交錯的水鄉，航路縱橫如蛛網，船舶非常衆多。因之管理業務，殊覺紛繁，日常案牘累累，訴訟案件尤多，歷任所積，高可數尺。我接管之後，盡最大可能以改善業務，尤盡心盡力作排難解紛，持平處理，不偏不倚，各得其當，希望從此事息人寧，永久不再發生爭執，庶可各安其生，各樂其業。果不出半年，航民舊有爭端固逐漸平息，新生事端則絕無僅有，各處航業日趨正軌，社會觀感爲之一變。這無疑是全體員工奉公守法，不絕努力，而尤得力於社會人士熱心相助的結果，絕不是我個人單獨奮鬥所能獲得的成功。好像陳老先生是地方上的知名紳士，對於地方上的公私事情，只要你做得對，就沒有不願意幫忙，樂觀厥成的。可以說，我們的業務之能得有相當的成就，出於陳老先生之助力的爲特別多。

陳老先生自覺得了解我的爲人之後，就常稱讚我的作風爲廣東精神－－青年的朝氣，硬幹的精神。一日，陳老先生很高興地來訪。我開頭便道：『謝謝你！老先生，助我良多！』不料他老先生反而謙遜說：『不！我應該多謝你才是！』眞使我感到詫異。（二）

約

汶津

王安石有首寫「有約不來」的七絕，非常使人發生共鳴。人與人相處，不約而同只是例外，但既有此一約，便牽涉到兩方面以上了。「約」字和「釣」字恰巧有半邊雷同，難道定約也像下餌釣魚麼？

約而不來，不如不約，至於像那位抱橋柱而死的古人呢，我總覺得他太迂。

有些約是明知對方不準會來的。定約的時候，往往是一方獨裁，不顧彼方反應如何，到了期限，便去預定地點守株待兎，若見兎來，自然心喜，否則便只有自嘲或自慰一番，揚長而去。少男少女的事，往往是以這種方式開始的。其爲約也，至爲艱苦；受約者心中可能有意赴約，奈何唯恐有失體統，只待二[illegible]來約，便可以半推半就了。有一位朋友的朋友，與女友鬧了彆扭，折磨得百般不堪，於是直投女家，在門前大呼：某日某時在某地等妳！說罷轉身便走。你道結果如何？那妞兒含羞答答的去了。這倒頗有單刀赴會的氣概，如果女方父兄當時猛地截出，教訓一頓，豈不近乎自投羅網－－你又安知沒有其他金龜婿候選人在後頭呢？

說到大了，有國與國之約，古代歃血爲盟的儀式也是夠可觀的。但到了近代，似乎定約者都存心釣兩尾大魚，大有以利爲義的態勢，否則世人又何致於不衷心擁護聯合國呢？

聯合國秘書長最近大受蘇俄汚蔑，中國在社經理事會又被打了退堂鼓，倫敦的君子協定算得什麼？聯合國憲章都被某些代表視爲廢紙呢。政治家也像生意人，我們敢說市場上沒有一個要賴的奸商嗎？可憐有些堂皇正大的條約，竟成了野心家的護身符，當他們不再需要時，便厚顏的撕毀它。男女的訂婚戒指對雙方究竟有多少作用，同樣地也值得商榷。

范式的二年之約，張劭至死也信得過，劭母的懷疑卻也是人情之常。如果世人都能像張劭那麼享到千里外至友星夜奔喪的福份，死也當是一件樂事了。德人蘇德曼的「憂愁夫人」中，女主角默默地等了那男子十多年，有情人終成眷屬，其實他們之間並沒有什麼約可言，而那女孩子也已準備適人了，可是……大概是上帝爲他們繫的婚約吧。這可愛的故事使人讀來直覺得是一個太完美的理想－－一個夢。

我並不小看夢，孔子跟周公常在夢裡有約，將近尾聲的時候，周公大概預知「後會有期」了，所以也就懶得赴約了。如果上帝遣天使和我們先約好遨遊世界的期限，到期的時候只要自動往壽材裏一躺，正如學生們按時進教室一樣，豈不簡單方便？

現代的戀愛方式，除上述的一推二就外，眞是多彩多姿，而「約會」是重要的腳色之一。電影院、咖啡館、植物園……都是現代文明的產物，「月上柳梢頭，人約黃昏後」卻是古已有之了。在銀幕前使四唇赴約的紳士淑女們，都是現代化的醉翁吧。

但最最眞實，也最最神聖的一種約，我想該是自已和自已的約了。你在十年前許下的願，就是你目前最重要的一個約。相敬如賓的夫婦可能「約」不到一個麒兒；但「昨日之我」與「今日之我」當中，似乎不宜一刀兩段。如果自已的約尙且不欲一赴，別人還敢和你訂交麼？蜀鄙的兩位和尚，窮的那位反而去成了南海，憑什麼？冒了私出軍營的罪名去偷會情人的小伙子，不也精神可佩嗎？

能守約者，也必能了自已的心願。反過來說，滿口上進而賴牀至日上三竿的朋友，似乎不宜選作終生伴侶吧。假如我是個懂事的女孩子，一定會爲心上人充當一次圮上老人的。

求職小記

道南

人事人事，要找人才有事，而且要找有辦法的人。不找人永遠找不到事。奇怪的是，讀書的人書讀得愈多，愈有一種事均不屑於爲之的書生觀念。又人才不如奴才，奴才可以一生保住飯碗，而人才卻常常丟掉它，失去它。

男人不如女人。男人做的事情，於今女人也都能做了，不但能做，甚且有比男人做得更好的趨勢。君不見徵求人才欄內過半爲需要女性者，商人爲了廣收宣傳招徠與營業的效果，大都採用了女店員，公司行號機關爲了男人可怕而女人可愛復可信任也都樂於通用女職員、女會計、女打字員等等；於是女人都走出了廚房，因此男人大有英雄無用武之地的感慨。

然而，統治這個世界的仍舊是男人，眞是成了『男人征服世界，女人征服男人』的碧姬巴鐸的時代。想想自已也有喜歡進女子理髮店理髮的愛癖，於是一切釋然而解。是一個男子漢，就得要吃苦奮鬥，還是打起精神去征服你的世界吧！

看公衆閱報欄，人事小廣告被挖得千瘡百孔，恨自已遲到了一步，迷失很多機會，因爲這些被挖去的地方，也許正是自已可以去磨刀一試的地方。

良心要黑，下手宜快。像我輩遵循秩序講求道德禮貌凡事不與人爭，排隊寧可排在後面，並且喜歡讓座位給別人的人，永遠搭不上車；即使搭上了也沒有座位給你坐。出門如此，於今在這個失業者衆多而工作機會又太過於微少的進步社會裡，找個事情幹幹又何嘗不是如此？

徵稿小啓

有內容有意義之隨筆、散文、掌故、小說、雜感等類文字，本刊均所歡迎。請用有格稿紙繕寫，如需退還，請附信封及郵票。一千六百字左右的隨筆，比較容易刊出，過長則以篇幅所限，請特別留意。

瘟君續夢

第一回：

捲土重來，瘟君尋舊夢

投袂而起，小醜鼓雄風

彭眞苦笑道：「老總，我並不反對伯承同志，你何必拿我開心。」

劉少奇看出朱德的意思，不讓劉伯承作人代常委會副委員長他決不甘心，必然又是一場軒然大波，可是，自已實在沒有勇氣點頭答應，只是望着毛澤東，看他怎麼說。

毛澤東把紙烟頭扔進痰盂，又點上一支，慢條斯理說道：「朱德同志是人代常委會委員長，他願意找誰作助手，就找誰去，這一點政治局不必過問，橫豎只要不找來武大郎同潘金蓮就成了。」毛澤東說過哈哈大笑，大家都陪着笑起來，只有朱德一張烟灰臉，微微泛紅。

毛澤東笑過一陣，正色說過：「添上劉伯承，副委員長就變成了雙數，我想再添一個人可不可以。」

朱德問道：「主席預備添誰？」

毛澤東道：「添上林楓怎麼樣？」

一提到林楓，朱德不由得向毛澤東多看了幾眼，周恩來也發出會心的微笑，不過，其他政治局委員都沒有表情，他們根本不曉得此中另有內幕。原來中共在江西北竄時，沿途受了重重打擊，死傷慘重，到了貴州人數剩下不到三分之一，毛澤東雖然在遵義會議中，憑着鎗桿推翻了留俄學生的領導，取得了黨中央的控制權，但是那一個爛攤子也確實沒法收拾，毛澤東無奈何就派人去南京求見覃理鳴老先生，向政府請求投誠，覃理老因爲中共在江西作惡太重，不肯代爲轉達。毛澤東無奈何只好繼續向前竄，又過了一些日子就竄到大渡河邊，這個地方正是當年太平天國翼王石達開覆滅之地，中央軍飛機沿途散傳單，要朱毛作石達開第二，這項傳單對毛澤東雖然加重精神打擊，卻也給予了新的啓示。

原來清末民初之交，出了許多稀奇古怪的演義小說，其中有一種小說，記載翼王石達開的一生，據說翼王在大渡河被圍時，單身去成都見駱秉章投降的不是他本人，而是他的義女四姑娘的夫婿馬某，這位馬君與翼王像貌相同，四姑娘當時所以肯嫁他，就是爲了必要時可以用他去替翼王，果然到了最後關頭，馬君被四姑娘曉以大義，慨然要冒充翼王至成都出降，被駱秉章殺死。

這段故事當然是不經之談，編這段故事的人對全盤歷史根本沒有了解，實際上翼王投降之後，所部在大渡河被圍的七千人仍被清軍俘去殺掉三千，即使投降的翼王是假的，翼王在七千人中也必不能幸免。但是，毛澤東的爲人，正經書沒有好好讀過，就是演義小說讀的熟，這段故事他深印腦際，現在看到中央軍發的傳單，忽然引起了靈感。（四）

岳騫

今日的大鵬（七）

——瘦西湖——

梨園漫談

於大小班演出之後，而第三期之學生王鳳娟，亦以新學之『查頭關』一劇問世，其無論是唱、做、唸、表，皆能合乎大路，頗恰人意，雖然是初學新演，但水袖，台步等皆甚老到，此子前途實無可限量，望朱老伶工務勿藏私，悉心教授，其青出於藍之處，當不致會白費心血耳。

四十七年八月間，大鵬爲了加強陣容，充足實力計，遂聘曾紅遍大江南北之名伶章遏雲女士爲該隊顧問，並請章女士假中華路國光大戲院作示範演出『春香鬧學』一齣，內外行前往觀摩者，不但偌大戲院座爲之滿，而四壁貼牆而立之觀衆，其摩肩接踵之處，眞大有水洩不通之感也。

是月下旬，哈元章所新排之頭二本『大名府』出籠，其場面之雄偉，規模之宏大，是爲繼『安天會』後之最大本錢，此劇由玉麒麟盧俊義遇害起，至梁山泊衆英雄相救止，演出時間，足有三小時有餘，唱，做，表，皆能一氣呵成，是爲哈元章最難得之得意佳作。

九月該隊又在介壽堂公演兩星期，大班除演新排之『大名府』外，又有該隊之勇猛武生孫元彬，孫元坡昆仲之『賈家樓』，徐露之『嫦娥奔月』，嚴莉華之『蟠桃會』，古愛蓮，張樹森之『盜紅綃』，徐龍英，王鳳娟之『汾河灣』，哈元章之『岳母刺字』，趙玉菁之『梅玉配』，此爲大鵬當局公演以來新戲最多之一次，而內中『大名府』一劇，更應各界廣大之要求，一連破例演出二場，其生意之好，亦爲歷年來所罕見者也。

於介壽堂演出之後，大鵬隊應我非律賓僑胞之請，特率領全體學生赴非律賓馬尼拉市演出半月，甚致有新加坡，馬來亞，香港等地之僑胞聞訊趕往欣賞者，竟大不乏人，而我僑胞對學生班之優良技藝，亦大爲讚許，除各地華語報紙爲文力捧外，臨行之際，僑胞們並以「小大鵬」之雅號贈與學生班，從此小大鵬之名，遂相傳於海內外矣。

四十八年春節後，由國曆二月十六日起，該隊假國防部介壽堂公演十日，同時每天並推出大鵬從未露演之新劇一齣，以謝各界愛護該隊之親衆，如程景祥之『梅降雪』，古愛蓮之『烈女傳』，熊寶森之『九江口』，孫元彬之『通天犀』，『金錢豹』，趙玉菁之『牢獄鴛鴦』，哈元章之『取帥印』等均爲當時之冷門戲，而在觀衆方面，則係最受人所鼓掌者也。

劉璈治台史事（一）

李仲侯

劉璈字蘭洲，湖南臨湘縣人，清光緒七年（西元一八八一年）簡放按察使銜二品頂戴分巡台澎兵備道兼提督學政，自八月抵任至光緒十一年（西元一八八五年）五月革職。璈在台，計在職三年又九月，清制台灣隸福建省，設兵備道，統理軍民各政，加按察使銜，准專摺奏事，一切刑名由其審轉，兼學政，得專閣試上，劉璈蹈賞聽其，年十七，爲邑附生，時洪楊起義，岳臨當兵衝，土匪藉起，曾國藩奉旨辦團練，臨湘父老推璈主持團練，常率歷尚戈，出沒於華姑山與大鑿山之間，搜捕土匪，不遺餘力，岳臨兩縣，頓以安枕。適左宗棠奉命平回，路經武漢，璈往見，面上萬言書，大爲左所激賞，延與俱西，就參幕府，參贊戎機，入則飛書草檄，出則與塞上健兒，彎弓躍馬，馳逐角技，豪氣劉甚，深爲左所倚重，西事平後，以功授道員，亦得左氏助，分發台灣。時日本已滅琉球、高麗，自牡丹社一役後，日人覬覦台灣，其勢日亟，璈具幹才，孚民望，下車，即竭力整飭軍備，築炮台，建營壘、購槍炮、置水雷、分汎水陸，鞏固海防，尤講求籌餉、練兵、開山撫番，發展交通，及興辦一切新政，一面整頓義學書院，端正士習，振作文風，以教育台民，成績爛然，昭昭在人耳目。

世之論者，以後來劉銘傳撫台，整軍經武，抗法保境，以及清賦撫番，築鐵路，增電線，興西學，無不動猷懋著，定長治之基，其豐功偉績，除三百年前開台之民族英雄鄭成功以外，無與倫比，殊未知劉銘傳撫台一切根基，多由劉璈興立，譬諸種植，後人徒見其開花結實，蔭庇無窮，而未念及先乎此者之荷鋤流汗，辛勤耕耘。世俗皆好以表面上之成敗觀人，以爲璈治台結局如斯，一切皆不足置評。余旅台十年，所見報章雜誌，歌頌劉銘傳功績，何止千百篇，而從無片紙隻字提及劉璈其人者，昔賈誼具王佐之才，年夜前席，寵遇至極，倘無灌絳之勵蕪毒其能，何至流落江潭，自傷不遇，顯路以死！中法戰役，劉銘傳倉卒拜命，督帥台灣，光緒十年七月十六日馳抵基隆，廿日甫蒞台北，戶型法艦，即已由法海軍副提督李士卑斯率領，於計一跟踪而至，登時即分際進攻基隆，滬尾（淡水），倘劉璈當日於海防講求有素，佈置周密，定至措手不及，一敗塗地。且其時劉璈已是二品大員，劉銘傳以掌兵提督，因勦捻有功，封過男爵，以官階論，彼此相埒也。璈一旦開門相納，投之栖而處其下，無所疑忌，是衆常人之所難能也，所惜者，清末官場，大吏，排擠隨輒，後成風氣，假令二劉在當時能推誠合作，以劉銘傳之雄略，補以劉璈之才幹，後來建設台灣之成就，殊未可限量，劉銘傳亦決不至撫台七年交卸後，由邵友濂繼任，因繼承失人，一切新政，陷於停滯，信乎連橫著台灣通史有云：「法人之役，劉銘傳駐軍台北，而劉璈駐台南，皆負經國之才，使璈不以罪去，而補佐巡撫，以經理台灣，南北俱舉，可觀，而銘傳竟不能容之，非才之難，所以用之者實難，有以哉」。這段史筆，堪稱千古定評。余嘗考之方乘，詢諸故舊，發按劉璈治台政關飾，抗法，以及弊飭舉辦各項要政，根據事實，爲著於篇。

名女人（二）

徐學慧

前已述及秦國的太后偷漢子，今擬爲諸君另述一臣子私通國君夫人的故事。

齊孟嘗君門下有清客數千人，中有一客且與齊君之夫人相通，或以告孟嘗君，且謂之曰：「爲君舍人，而內與夫人相愛，亦甚不義矣，君其殺之。」孟嘗君曰：「見容貌而相愛者，人之情也。」過了一年，孟嘗君把那個和夫人私通的清客找來，對他說道：「你跟我也這麼久了，大官不可得，小官你又不要，我想把你介紹給衛君，衛君是我很好的朋友，願你去衛國吧：車馬旅費都已爲你準備好了。」客遂去衛，衛君極爲倚重。

這兩個故事，如果是在現代，那還了得。可是，在戰國時代，大家都視若平常，絲毫不以爲怪。俗所謂見怪不怪，其怪自敗，春秋戰國時代之所以很少有名女人，大概也是這個緣故吧！

當然，如果說這一時代，完全沒有名女人，最低限度，就會有人舉出西施。

西施之人與事，人盡皆知。餘杭一帶山水之秀麗，非身歷其境者不能體會其神韻，靈氣所鍾，乃有絕代佳人，自不足怪。然而，西施之所以成名，主要關鍵，乃在范蠡。無范蠡乃無西施，則西施縱美，亦不過如浣紗溪上的女子，終其身且湮沒不聞，更何有乎吳越春秋？更何至於令千載以下爲之歌頌鼓舞？

嚴格的說起來，像西施這樣的名女人，也不過是因緣際會，適逢其會而已。

胡適與懼內

尹星卿

自由報第一二六期有一篇標題爲「懼內談助」的文章，作者署名「介人」。他說：『胡適博士最近在台大醫院病榻上，收到一位遠在巴黎友人（按即中央社駐巴黎特派員李強光）送給他的十枚「怕太太」徽章時，哈哈大笑不已，他自己已掛上了一個，另外的準備送給九位標準懼內的朋友』。果爾，胡先生不管又晉一級，我看搞什麼勛章和獎狀，都很平凡，只此徽章，古所未聞，今所僅見，胡先生突兀地得之于意想不到，掛在胸口，豈只光榮，而且平添威武。鄉人罵「怕老婆」的爲李克用子孫，而呼之曰「聾痴公」。彼輩都外在充分呈現着尷尬樣子，約分三種。一種爲：當太太掀起怒吼時，站在面前，周身發抖，任由她罵之外，甚至損以耳光，滿不在乎。一種爲：家事一切，悉歸太太掌握，聽命唯謹，即得所謂：「牝雞司晨」。一種爲：明知「綠頭巾」非常難看，怵于雌威，吾戴吾頭，除非風高吹落，否則，絕不敢摘下。三者之中，有一于此，似宜夠資格掛「怕太太」徽章。但不知以胡先生之才之識，而其所定下懼內標準，是否相符？這且不必研究。

該「懼內談助」文中又指出：『胡氏爲「懼內委員會」基本會員，在未病以前，曾計劃以古今懼內故事爲題，在扶輪社作一次公開的講演，他平時喜歡搜集有關怕老婆的資料，李強光回國時，胡博士曾和他討論過這個專題講演的問題。』對，有諸中必形諸外，那十枚「怕太太」徽章，李君贈之有因，胡氏受之無愧。一時海外，應傳爲佳話啊。

如所周知，當年「五四運動」，胡先生爲其主角，趙家樓上，哄然鼓噪，打倒「孔家店」，開文化革命之端，何其壯耶？及後胡先生一官得手，星軺使美，出入於華府，縱橫捭闔，折衝尊俎，又何其勇耶？今乃似一變而爲懦夫，瑟縮乎帷薄之中，懦慴乎閨闥之內，伈伈俔俔，如芒刺在背然，果何爲哉？夫婦，敵體也，照例都卿卿我我，鹿車共挽，鴛被同眠，喁喁密語，「在天願爲比翼鳥，在地願爲連理枝」。親之暱之愛之之不暇，夫復可懼？儘管有人以其妻悍妬爲藉口，然安知不是爲丈夫的自己平時御之無方，處之無道，有以醞釀。在以往曾受過深刻舊禮教的中國女人，都能講究三從四德，賢良者多，相信胡太太尤甚。到底胡先生是否內心空虛，無端而作河東獅吼之變態？抑或將敬畏二字，環爲一解，以爲畏妻即所以敬妻，謬矣。

考諸歷史，眞正「怕太太」的，究竟不多。讓筆者簡介四位比較有價值的：陳季常飽參禪，其妻柳氏悍妬，客至，或聞詬罵聲。東坡戲之以詩曰：「誰似龍邱居士賢？談空說法夜不眠，忽聞河東獅子吼，拄杖落手心茫然」。此其一。這位「怕太太」的，千載而下，鼎鼎有名，至今一般「懼內」的，輒自詡有「季常癖」。又，據本事詩：『中宗朝，御史大夫裴談，妻悍妬，談畏之。時韋庶人頗襲武后之風，中宗漸畏之，內宴，伶人唱迴波詞云：「迴波爾時栲栳，怕婦也是大好，外邊只有裴談，內裏無如李老。」（按中宗即李哲）此其二。無可掩飾，中宗之吃虧，完全歸咎于「怕太太」，後悔莫及。又，據御史台記：『唐任瓌畏妻，杜正倫譏弄之，瓌曰：「婦當畏者三：「少妙之時，如生菩薩；及兒女滿前，如九子魔母；至五六十時，傅施妝粉，或青或黑，如鳩槃荼。』此其三。除李常和中宗，裴談等，都因其妻悍妬而畏之，衡諸常情，亦屬難怪。至於任瓌呢？因如此這般而怕老婆，毋乃大莫名其妙。按鳩槃荼，「形最醜劣，陰如冬瓜，行置肩上，坐便踞之，即厭魅鬼也。」以此而比之年老婦人爲可畏。如果胡先生心理上是這樣的，那末胡太太儘可提出抗議。其實許多婦女，年紀雖老，風韻猶存，並不討厭。

本來，「怕太太」無關宏旨，怕與不怕，吹皺一池春水，干卿底事。但是，胡先生身爲中央研究院院長，位高任重，應當一本正經，動而爲天下道，言而爲天下法，行而爲天下則。同時，尤須雙管齊下地積極從事于「文章經世」和「學術救國」，充分抒發，公諸世界，方不虛糜國帑。如之何斷斷焉專用于搞「怕太太」一套，君子弗取，吾于胡先生有微詞。

（編者按：人生趣味多端，胡先生之懼內，僅其一也。尹先生所論，過於嚴肅，並不必爲編者所贊同，惟以報章文字，重兼收並蓄，故特樂於發表云。）

古巴革命戰役軼聞

諸葛文侯

最近古巴流亡在美國的反卡斯特洛份子，組織革命軍登陸本國失敗之後，美國朝野人士大爲震動，皆歸咎於中央情報署長艾倫・杜爾斯，而甘廼廸總統連忙聲明一切責任由他扣負，同時分別叩訪艾森豪，尼克遜，以及共和黨元老胡佛，麥克阿瑟元帥等人，情形頗不尋常。據聞此役經過涉及美國的內政問題，並不簡單也。

從前卡斯特洛流亡在美國時，亦是仰仗美國的贊助，揭着反獨裁政治的大旗，率領一般同夥的古巴政治難民，進入本國從事游擊戰，因而取得政權的。美國人對於緊鄰的蕞爾古巴情形，洞悉深切，即以卡斯特洛當年奪取政權之道，還治其人之身，早在一年以前，已由中央情報署長艾倫・杜爾斯，協同五角大廈擬訂推翻卡氏獨裁統治的計劃，斥公帑四百萬美元，先將旅美的古巴難民加以組織訓練，而以九個月爲組訓時間。按照這項進度表，革命軍登陸戰應該於去年秋間便要發動的。但怵於總統選舉正在緊張進行之中，共和黨人恐怕因此引起選民的不良印象，決定將這項計劃交由下屆總統執行——他們認爲尼克遜一定當選無疑的。

詎料大選結果，尼克遜僅以少數選票之差，敗於甘廼廸，共和黨人很不服氣，乃懷疑德克塞斯州的選票計算有毛病（這一州原係共和黨的勢力範圍），要求覆核詳察，以明眞象。這事在去年十二月上旬鬧得很熱烈，因爲德克塞斯州人口特多，選民有五十萬左右，這一州的基本選票如果眞有計算錯誤情事，甘廼廸的勝利成果，即可能發生問題哩！民主黨方面爲預防萬一起見，乃與共和黨談判妥協，而以艾倫・杜爾斯聯任中央情報署長原職，狄倫留任內閣財政部長爲交換條件，同時雙方約定及早實行反卡斯特洛的原定計劃，仍由艾倫・杜爾斯主持其事，以資熟手。所以，當時曾由尼克遜公開發表談話，聲稱自己相信德州的選票並無錯誤，不須復察。

甘廼廸總統就職後，汲汲於履行諾言，促進古巴難民反卡斯特洛的軍事行動，而唯中央情報署的意見是從。中央情報署狃於過去卡斯特洛在美方贊助之下，很容易「打回老家」的故事，對這次古巴人民革命軍登陸戰役，十分樂觀，認爲在一個星期之內，必卜大功告成，曾經安排了一項節目，請甘廼廸總統赴鄰近巴西的海上參觀美海軍演習，實際就是去欣賞古巴革命軍的輝煌戰績，具有「耀武觀兵」的作用。詎以革命軍被卡斯特洛乞來的俄援米格式飛機掃射敗陣，而古巴內部人民又在秘密警察嚴厲控制之下，未能起來響應革命運動，登陸戰遂出乎意料之外而全綫崩潰，甘總統的海上之行亦馬上宣告取消了。

談彭玉麟

謝康

清初黃、顧、王三大師的民族思想，是漢族排滿的夷夏之防，是閉關時代中華民族內部各民間之爭奪，至於道咸同光之際，同治中興諸名臣曾、胡、左、李，和張之洞輩所面臨的問題，是整個中國在鴉片戰爭以後，西力東漸，門戶洞開，西方列强已屢次擊敗中國，加以太平軍的內戰，元氣大傷之後，中華民族的生機已到了生死存亡的關鍵，因此，如何力求富强，救亡圖存，乃是當時的最急切的「洋務運動」工作。於是由造船造礮，練海軍，築要塞，開工廠，以至於變法維新，幾乎整個十九世紀下半期，中國朝野士夫有識見的人，大都對於怎樣禦侮圖强這個問題，多少做了些工作，也多少傷透了腦筋。而彭雪岑就是這樣一個熱心國事而淡於名利的讀書種子。雖則他所考到的科舉功名，僅僅是一個卑不足道的附生，然而他幫助曾文正創建長江水師營制度，及在廣東建造虎門炮台，都是他對於江防和國防的偉大貢獻。我們再看「彭剛直詩集」中所載歌詠中法戰爭及「羊城軍中有感」諸作，以雄健之筆，寫悲憤之感，在言論極端不自由的專制時代，敢於反對和戎政策，暢所欲言，絕不是沒有血性的人所能辦到的，他這些詩都可與黃公度的詠時事之作，共垂不朽，固不僅以小孤山戰役詩「十萬貔貅齊鼓掌，彭郎奪得小姑回。」這等名句傳誦後世而已！（三）

歷史人物

內警僑台報字第〇三一號內銷證

自由報

THE FREE NEWS

第一三二期

中華民國僑務委員會頒發
台敎新字第三二三號登記證
中華郵政台字第一二八二號執照
登記爲第一類新聞紙類
（本週刊每星期三、六出版）
每份港幣壹角
台灣零售價新台幣弍元
社長：雷嘯岑
督印人：黃行宜
社址：香港銅鑼灣高士威道二十號四樓
20. CAUSEWAY RD 3RD FL
HONG KONG
TEL. 771726　電報掛號．7191
承印者：四風印刷廠
地址：香港灣仔高士打道二二一
台灣分社
台北市西寧南路壹壹本號二樓
電話：三〇三四六
台郵掛號金戶九二五二

什麼是生命的意義？

．王厚生．

我們常說：共產主義終歸於失敗，因爲它違背人性。在自由世界，這樣子的至理名言不受一般人的重大注意，但在共產社會，「違背人性」這句話的眞理，反而爲人民所深切認識，即使是共產黨員，也具有這樣的認識。彭德懷黃克誠張聞天周小舟等所以不畏危難，敢於反對人民公社，敢於指摘毛澤東，很容易從人性的根源上尋找答案，他們看到人民公社與農民的痛苦，良心上不安起來。可惜，他們所會結合的力量似乎還不夠强大，還不足以使那種「違背人性」的制度稍稍合理一點。赫魯曉夫和米高揚等清算已死的史太林的罪狀，分明不是單爲權位之爭。赫魯曉夫的鞭屍演說，確有不少的人性流露，在赫魯曉夫及其羽黨看來，史太林已往的許多行爲都是背離人情之常的，爲任何合理社會所不容許的。根據毛澤東連年來的荒謬做法，使人相信，不待他死，便有人要澈底的清算他，而且，清算他的多半將是他現在周圍的所謂「同志或戰友」。

共產制度是否合乎人性？有兩種人對這問題最易感應和解答，一種是共產黨人，另一種是知識分子，他們的解答是一致的，即認定共產制度違背人性。共產黨人爲環境所限制，難作表示，當機會降臨，他們反共的意志往往比別人更加堅强。在一九五六年十月的匈牙利反共革命中，共產黨員和知識分子扮演了領導的角色。最近，我們聽到消息，說波蘭的知識分子每到晚間必集合在咖啡館中，高談濶論共產主義的基本問題，而且，波蘭的馬克思主義理論家之一斯差夫（Adam Schaff）曾在文學雜誌「文化評論」（周刊）上發表富有挑動性的文章，討論生命的意義問題。在南斯拉夫，我們早已知道，那裏的共產黨員和知識分子對於共產主義（或「社會主義」）早有一種現實主義的看法，教條對於他們，早就失去束縛的力量。在我們的大陸上，張東蓀梁漱溟馬寅初等著名學者被鬥爭，還不是由於他們唱共產主義的反調所引起？鳴放時期一大批反共的高級知識分子和黨團員，被指爲「資產階級右派分子」，被廹再行洗腦和勞動改造。在文學圈子中，胡風丁玲馮雪峯相繼被視爲異端。巴人（王任叔）因爲寫了「論人情」和「眞的人的世界」等文章，被指爲「資產階級人性論」，犯修正主義的錯誤。南開大學的方紀（天津文化局局長）因爲寫「晚餐」和「來訪者」等小說，被認爲是「否認黨的領導，歪曲黨員形象」，同樣被劃爲修正主義者。類似的例子實在太多，無法在短文中詳細敘述。我要在本文中，扼要介紹斯差夫的「論生命的意義」（On the meaning of Life）。

斯差夫討論人的哲學的論文分成二部分，第一部分刊於三月二日的「文化評論」，他說：除非馬克思主義注意「個人的問題」，否則，它便不能與其他哲學競存。第二部分在三月九日刊出，他再提出警告，剷除非馬克思主義熟習和操縱人類個人的問題，否則，它在「爭取人心的鬥爭」中，將要失敗。茲將第二部分的要點譯述於下。斯差夫說：

今日的哲學家在遇見青年時，經常碰到關於生命意義的問題，這是什麼緣故呢？唯社會學和社會心理學才能解釋。我必須承認，質詢這個問題的次數繁多和固執，不僅使我思考這問題，且使我自己對這問題改變態度。

多年來，我專門批評新實證論（neo-positivism），然而，在非馬克思主義的哲學派別中，新實證論在思想方法和表白的精確上，與我最爲接近。但我仍不喜歡新實證論的純粹字面推考和形而上學。當我聽見討論「失望態度」和「生命意義」等等眩人的談話時，我實在痛苦得很。我提到這件事，是因爲至少就「生命的意義」來講，我是準備作自我批評的。對於本領域內的雜亂思想，我的見界未嘗有變，但事實已說服了我，答案總是需要的。最糟糕的哲學是象牙塔中的哲學。如果哲學要有社會意義，必須對貧困對社會要求提供答案。假使問題是雜亂的，應加澄清；假使問題附有形而上學的傳統，應加清理。但是，對於顯然困惑許多人們的問題拒作答案，顯明是錯誤的。

無疑的，關於生命的意義，需要有個答案。我記得在某次演講會後，有學生詢問關於倫理學關於生命意義的問題。有一個學生突然提出疑問：「先生，請勿忿怒，你能以你自己爲例說明生命的意義嗎？」我初以爲他想難我一下，但見這個學生和無數只眼睛凝視着我，我始恍然：這是嚴重的。我的說明之後，繼之以一陣肅靜，更證實問題的嚴重。從那個晚上起，我接受這個問題，至少，承認有想出和提出一個答案的需要。特別是作爲一個馬克思主義者和從馬克思主義的立場提出答案。

那些詢問關於生命意義的人的用意何在呢？這個問題可能有二個主要的解釋。無論何人，辯問關於生命的意義，首先疑問關於生命的價值，即是說，生命是否值得存在。死亡是熟思生命意義的主要刺激，一個人自己的勢必死亡和所愛者的死亡。我們顯然對積極的答案感到興趣，宣稱下面的信念：雖然死亡是不可避免的，雖然痛苦（特別是由所愛者的死亡所引起）是必然的，但生命是值得存在的，所以，我們說，生命有一意義。但是爲什麼？我們也不得不答覆這個問題。只是衆說紛紜，就一般的態度而論，生命是否值得存在，胥視具體的環境和展望而定，這裏，唯有個人（individual）才能總結一切已知和已覺的因素，作出生命是否值得存在的評價。

但是，無論何人尋問生命的意義，依次尋問生命的目的，他爲什麼活。這是與第一個問題相聯但仍有區別的問題。或許，這是關於生命意義的問題更重要更有趣的闡述。

困難中的人們用如何（how）活的問題尋問這個問題。我們的行爲特別是在困難或逆境下的行爲賴乎我們對生命目的的看法。英雄爲理想而犧牲生命，賣國者爲金錢而與敵人勾結，戰鬥者爲眞理而犧牲他自己的利益，投機分子爲好討好上峯而輕蔑他自己的信念等等。

所以，當有人詢問關於生命意義時，他要求明白生命的主要目的。這是與上面第一個情形不同的局面。這裏，我們首先還須區別宗敎的和一般的觀點，因爲它們不僅有異，且爲二個完全不同的思想領域。

如果有人同意信仰的立場，問題便十分簡單和「安適」。一般的關於生命意義的解答是古老的問題。如果我們不自限於抽象的一般的特性，而深入探討行爲目的的社會條件，便不致認爲太陽底下沒有新鮮事物。爲此，作爲一個馬克思主義者，我採用社會主義的人道主義當做行爲的主要原則。

社會主義人道主義的信徒相信只有假藉社會的快樂，才有快樂可言。社會主義人道主義的信徒了解，要實現他的要求必需鬥爭，他所服務的宗旨是受社會約定的，故需要社會關係有確定的改變。社會主義人道主義的信徒知道，人是社會條件的產物，但他也知道社會條件都是人的創造物。他的社會主義理想是與他的人道主義觀念緊密聯結的。社會主義是他的人道主義的一貫表示，但同時，社會主義也是他的人道主義理想的實現。爲了這些理想，社會主義人道主義的信徒準備作最大的犧牲，所以，他能作犧牲，也能要求別人作犧牲。

斯差夫自稱站穩馬克思主義的立場，但他的社會主義人道主義思想已不無偏差，這是值得我們注意的。

五月十八日

小論天下

△南韓爆發軍事「革命」，由軍人組織革命委員會，推翻張勉政府，聲言繼續反共親美。張勉在逃匿中。美駐韓大使及聯軍總部稱仍支持張勉。美軍前駐韓統帥佛烈特贊揚南韓軍人。美政府表示不介入韓國新事變。

在南韓愛國軍人言，這是無可奈何之事。在美國而言，這是無可奈何之局。目前形勢還值得安慰，美國如不善爲應付，將必送給共黨以煽動另一次兵變的好機會。

△在日內瓦商談寮局的「十四國會議」已揭幕，美國終於屈從英國勸請，不再堅提寮共代表參加。寮政府表示不滿，迄未赴會。中共派陳毅出席放炮，罵美「破壞和平」。美國務卿魯斯克亦在會議桌上還炮。

美國已在不經不覺間降與中共「同級」，蘇俄且得而「君臨」之矣。此正如粵諺所說，共黨早已裝定了「彈弓椅」，美國卻不能不苦着臉兒坐上去，哀哉！

美總統甘廼廸訪問加拿大，並準備在奧京維也納與赫魯曉夫會談。

此殆門[illegible]消，暫且由人擺佈之微乎？奇在赫魯曉夫無須垂餌，卻來自動上釣之魚。

美副總統詹森繼續訪問香港及泰國，對泰國提供協助反共到底的保證。

他雖在亞洲大派「定心丸」，可惜此時此景，亞洲人對於騎自美國的定心丸都有「食不下咽」之感耳。

△美駐聯合國大使史蒂文生演講，指中共爲侵畧巨怪，且將成爲核子大國，廹蘇俄與美國親近。

甘廼廸左右多的是此類人物，赫魯曉夫固樂得兒撫而玩弄之。

△由大陸逃抵台灣的反共義士揭露：毛澤東整肅彭德懷，因彭反對「人民公社」，及遲不發表其親撰之「炮轟金門文告」。毛聲言要剝去彭德懷六張皮，此爲：革命皮，功臣皮，國際英雄皮，猛將皮，政治家皮，

此事可信，蓋非毛澤東不能創此「六張皮」之絕妙好詞，而且誰亦不能有此仿造天才也。

【更正】上期「小論天下」末段，「共赴國難」句，「國」字誤植「囯」字，合更正。

方康

自由談

羞憤之言

馮五先生

舊軍閥馬步芳在海外瀆職辱國事件揭發後，台北報紙列出馬氏侄女馬月蘭所寫「我與馬步芳」的控訴書，敘述馬步芳各種穢迹醜行，如數家珍，而海隅的共報即據爲珍貴的宣傳材料，關欄轉載，繪影繪聲。我們瞧着這種現象，痛心極了，同時亦莫名憤慨！

痛心的是：當此國難嚴重，國勢阽危之秋，竟有這種狗彘不如的外交官，還在國際上替本國政府丟醜失格，難恐國家的聲譽不掃地以盡，而使每一個愛護中華民國的中國人，蒙恥含羞，難以排遣。日前我晤及一位外國朋友，他提到此事，我當時愧恥得無地自容，無詞可對，因爲他問我：「你們政府爲甚末要用這樣的一個腐敗軍人作外交官？」我實在想不出足以自我解嘲的說法來答復也。

憤慨的是：政府既已派員赴沙地阿拉伯調查馬步芳的各種公私罪惡屬實——如以大使職位而不參加駐在國的國慶大典，損害邦交等荒謬行爲——何以不明令撤職查辦，還採取「官官相衛」的官僚作風，而給他「辭職照准」的面子呢？他是甚末了不起的人物，或者他對國家建立過頂天立地事業的大勳偉績嗎？如此瞻徇優容，自隳紀綱，自喪威信，試問將何以激濁揚清，鼓勵愛國人士對政府發生另眼相看待的向心力，而認爲天下事大有可爲乎？

現在監察院正在檢討馬步芳瀆職辱國案，無論監院是否正式提出彈劾，我認爲政府應該電召馬步芳回國來聽候查究，他若抗命，即一面吊銷他的護照，一面向沙地阿拉伯政府交涉，將他引渡歸國，治以應得之罪。非如此，即不足以表示政府勵精圖治的新氣象，也就沒理由執問一般對現狀不滿人士的攻訐之口。這樁事關係政治信譽甚爲重大，再不振作，今後即不必侈談政治反共的話了！

大陸冶金工業困難重重

·焦毅夫·

〔大陸剖視〕

一九五八年，中共展開「全面大煉鋼」時，瘋狂叫囂「一天等於二十年」、「十五年趕上英國」。那種「還看今朝」的姿態，叫人見了以為中國大陸經毛澤東及其黨徒唯物辯證，真會把它從農業社會，變成工業強國。幾年來的事實證明，不且沒有如此，並將原本粗具經濟基礎的農村，搞得「一窮二白」，人民除瘦皮包着枯骨之外，別無所有。不但被中共輕視的農業如此，即其將基本建設和人力置於重點的，共產黨徒全神貫注的工業，今年也在大擧「收縮」。

這是由於中共輕視農業，造成大陸空前災害以後，形勢壓廹中共不得不修改其本身狂妄的所謂躍進計劃，放棄以「工業為主」，以鋼為綱」的口號。他們並不以「工業與農業並重」而一反「農業為國民經濟基礎，以糧為綱，」

這種措施，實具有救亡的意味，於是將若干重點基本建設工程，大大削減，俾將人力財力集中挽救農業。中共報紙說：「一九六一年重工業方面，應當適當的縮小基本建設規模，調査發展的速度，在已有的基礎上，採取鞏固、充實和提高的方針」。（一九六一年三月十七日「人民日報」）

這類「縮小基本建設」以便「鞏固和充實」的措施，在其他國家乃稱適當，和非常平凡的工業調理。可是共黨則不然，在急功近利的中共「大躍進」第三年，今年是已獲，據說已往兩年相當成果，乘勝追擊，竟然向後「躍進」——「收縮」，實屬不太尋常。

這種現象，不僅重工業如此，輕工業和機械工業也是一樣，中共稱此不是「收縮」，而是「維修和檢查」。名詞雖比前者漂亮，其實質則如一。

今年一月以來，「維修和檢查」運動，在鋼鐵部門、冶金部門和機械部門普遍展開，例如鋼鐵部門，據共報說：「全國鋼鐵企業正在對生產設備普遍進行大檢修，為今年鋼鐵生產創造更有利的條件。到三月初止，十八個重點鋼鐵的高爐、平爐、轉爐、電爐和軋鋼機，已經經過檢修的設備，一般都達到了百分之七十左右」。「鋼鐵企業廣大職工，從一月初就展開了一個轟轟烈烈的安全大檢查，設備大維修的羣衆運動」。（一九六一年三月中旬「冶金報」）

中共工業部還規定：什麼是檢修的標準？「徹底摸清了各種設備的隱患，並通過檢修和事故的分析，基本上消除隱患和缺陷，特別是關鍵設備的隱患與缺陷；建立和健全了一系列必要的安全生產，設備維修和維修計劃等制度；儲備了必要的備品和備品配件，足以保持日常的維修」（一九六一年三月二十九日「人民日報」）

比鋼鐵工業範圍更廣泛的冶金工業部門的設備維修運動，也是於今年年初開始。中共對冶金工業本十分重視，因其為鋼鐵工業的初步工作，供給鋼鐵工業提煉原料。中共冶金工業部門的檢查重點與鋼鐵工業有着不同之處，是將中心放於安全檢查上面，因為冶金工業基本建設和設備大多用「兩條腿走路」方法，「土洋並擧」，故其「缺陷和隱患」，尤多於鋼鐵工業。因此，中共報紙說：「經過羣衆性的調查研究，基本上摸清了冶金設備的缺陷和隱患，做到了胸中有數。許多重大隱患都及時得到了克服，暫時還沒克服的，也採取了防範措施，不使發生事故」（一九六一年三月中旬「冶金報」）。

此外，中共冶金工業系統中，存在不易克服的隱患，是幹部和工人的思想傾向，這種思想傾向，足以影響設備檢修和質量，產量的縮減。據共報說：「河南安陽鋼鐵公司水冶煉鐵廠，在今年的安全大檢查中，經過思想動向分析，發現幹部和職工，有兩個思想傾向，設備運行人員有依靠檢修人員，領導依靠專業檢修的思想，有些科室幹部則認為，運動與已無關，站在運動之外。」這種思想，與中共所標榜的工人當家漂亮名詞，大相逕庭。因此中共黨委憤慨的質詢：「誰是設備主人」？「生產工人該不該參加檢修設備」？「工人該不該直接管理設備」？「科室是否與安全檢查無關」？（一九六一年四月四日「人民日報」）

中共冶金工業，目前所遭遇的問題：一、設備上的隱患。一九五八年的土高爐雖已棄置不用，但「土洋並擧」的高爐仍是冶金部門有效冶鐵工具，此種高爐，時間愈久，隱患愈大，防患殊難而挽回它的壽命。二、職工思想的隱患。目前中共冶金工業的職工，都有「各人自掃門前雪」，得偷閒處且偷閒」的自由放任傾向，且這種傾向，非中共黨委憤慨的質詢可使改變的。

香港與大陸

△邊防局於前晚又在打鼓嶺附近的白花山截獲了八名偷渡入境的男女，這一批男女，來自寶安、潮洲、東莞各縣。警方截留他們後，正詳查他們逃亡入境的經過。

這批男女的姓名是：廖雲，卅三歲，寶安人，他與三歲女兒廖玉瓊一起逃出。吳錦來，卅六歲；林欽其，卅五歲；林錫璋，卅六歲，均潮洲人。陳東疇，十九歲，東莞人；江秀娣，女，四十九歲；陳英娣，卅三歲，女，寶安人。

八人抵達英界後，在獲得一次招待時，食量殊屬驚人，似是什麼東西也可放進肚裏而不飽。據說：鄉間下種的蕃薯苗也被偷吃，日間插下，晚間便沒有了，所以直接影響到農作物的生產。

△日前偷渡泅水過英界被槍擊受傷的男子廖松德，入院救治後，傷勢已有好轉，子彈頭已取出。據說：當日他泅水時，曾聽到槍聲三響，第一響與第二響他曉得並未命中；但他聽到鎗響之後，即加速泅過小河，趨至岸邊之際，第三槍，命中他的左肺上端，幸而他能及時爬上岸，其後獲救送入醫院，此次得以不死，實為從死亡邊緣走回人世。

他的兄長，已尋得他的下落；曾到醫院去探望他。據說，他的弟弟自幼在鄉中居住，此次冒死逃亡，獲抵本港，雖被鎗傷而得獲救，誠屬大幸！

△可靠方面透露：從水路集體逃亡來港的共方人員，在這一個月來，為數約有數十名。據說：彼等分別乘共方機動帆船昂然進入本港海域，並且曾往警署，要求政治庇護，警察當局對該項消息，未予正面予以證實。

來自可靠方面的消息表示，警察當局對此種集體逃亡要求政治庇護事件的處理，異常審慎，對於這些逃亡共方人員，有關方面並未採取公開接受政治庇護方式，但對彼等之入境，未見提控。

月來最大一批的共方人員逃亡到本港的是乘一艘共方的機動炮艇駛進本港青山海面那批人馬，全船裝有廿八人，抵達青山灣海面登陸之後，曾往青山警署投案，水警當局會派人前往調查。

中國記者機場受困

鼻子太低乎？皮膚太黃乎？

魯人

「新聞自由」在台灣，有時過多，有時過少。例如前些時候關於台北分屍案的新聞報道，可以任意涉及個人陰私，誹謗名譽，妨礙辦案人員的工作，而不知節制，這就是「新聞自由」享受得過多，有點非份。又例如這次美國副總統詹森來華訪問，中國記者的採訪行動受到限制，不能享受外國同學的同等便利，這就是「新聞自由」的過少。關於前一個例子，記者在五月十日本刊的那篇「柳哲生控告聯合報」的通訊中已有言及。這次再把第二個例子的事實報道如下。

五月十四日下午一時零五分，美國副總統詹森偕其夫人訪華，到達台北松山機場。採訪此一新聞的中外記者，約近百人，觀禮區的記者席，無論中外，都劃定了固定位置，因為距離管禮區位置較遠，採訪較不方便。中國記者如越電池一步，即受到各種身份的人員干涉、喝止、乃至不客氣地一把抓回；而大鼻子、藍眼睛的外國記者則滿場飛，異常活躍，那些維持秩序的人員，卻又熟視無覩，任令橫衝直撞，甚至還有侍候洋記者官員們，滿咀洋文地諂媚協助，事實上觀禮台上的外籍記者席位上，沒有一位外籍記者；黃面孔、矮鼻子的中國記者，卻規規矩矩地排列在那裏遙望。儀禮完成，中美兩國副總統乘車離開機場，當局為外國記者所備的採訪專車，停在機場正門口，緊隨着迎賓車駛向市區，採訪沿途數十萬人們熱烈歡迎的場面，而中國記者的專車大巴士兩輛，則停在遠遠的邊區，駛不出來。好不容易地擠到路邊準備追踪而去，那知斜刺裏跳出個程咬金，被憲兵強行攔阻，而把道路清出來，讓那些奉命前來歡迎的達官貴人部長次長的小轎車先行。新聞的爭取，就在那幾分鐘，稍縱即逝，記者們下車交涉，告訴憲兵同志，記者們是為了工作，而不是看熱鬧，務請放行，但是交涉無效。隨車的行政院新聞局官員也下車勸說，並且指給他看車上的通行證，憲兵仍然蠻橫拒絕，並且來了一位盛氣凌人的班長，堅持不許放行，並且有幾名憲兵，竟然嚷着要上車抓人。這時記者們眼看着新聞丟失，着了急，紛紛下車理論，雙方由言語衝突，而幾至動武。在場的國防部新聞局官員，不但不協助記者解除困難，反而搶去了記者們採訪證，甚至包括中央社記者在內，更聲言以後再不發給這些記者採訪，以顯示出新聞官的威風。

當憲兵準備抓人時，所有攝影記者的鏡頭一致對準，一時卡、卡、卡拍下了很多醜態，而不巧來了幾位留在機場的洋記者，也搶走了一些精彩鏡頭，可能會寄到外國去，以宣傳中國的新聞自由。糾纏了三十分鐘後，機場所有的車輛走光了，中國記者的行動，這才恢復自由，快馬加鞭，把車子以最快速度開向市區，但是，歡迎的羣衆已經星散，馬路上一片狼藉，美副總統已經到圓山飯店休息去了，洋記者的新聞電訊和照片都已拍出，寄出，而可憐的中國記者只好坐車在廟裏頓足捶胸，唉聲歎氣，煩悶着明天新聞怎麼交待？

年輕的新聞記者火氣未退，紛紛發表憤激之詞，有的主張罷採罷寫，有的主張在第二天這條新聞中公開質詢；但是，年紀大一點的記者則勸大家忍氣吞聲，因為像這樣的事在此地已司空見慣，吵也無益。有自卑感的新聞官們，見了洋記者卑躬屈節，侍候得唯恐不週到，所以洋記者具有充分的採訪自由。中國記者祇能怪自己的鼻子太低，皮膚太黃，遇事只好委曲些。例如艾森豪、伊朗王等來華時，中國記者也同樣地受過阻撓，結果是不了了之，有那位報老闆會替小記者撐腰？不但提不出「抗議」，而且回去還是乖乖地寫稿，不能鬧。可是，有些記者今天回到報館，還是準備揭開這一阻礙「新聞」，如果報館拒登，他們就辭職不幹，而同時國防部新聞局也正在施壓力，阻止發表。新聞自由能否勝利，明天看報就可知道，關鍵就在報老闆們有沒有種了！

（五〇年五月十四日夜於台北。）

新大陸的花邊新聞

（紐約通信）最近美國務院從香港邀請一位中國的文化人，到美國訪問，這位貴客名叫「衣×」，據說是主張反共又反台的所謂民主人士，他連年來在香港寫了不少的這類文字在報上發表，同時請人翻成英文寄給美國政府當局暨國會議員們欣賞，其中有一篇題目為「反共必先倒×」的大作，特別受到花旗人士的注意，覺得頗為新奇。因此，國務院就邀約他來美國走走。當他快要到達新大陸時，國務院且派出一位官員負責接待他，這位官員為要明瞭被接待的貴賓身世起見，曾經到芝加哥叩訪剛從香港來美國游歷的中國某將軍，以為「衣×」一定是個有名人物，某將軍必與相識，而深悉其出身和職業的。詎料某將軍瞪目不知所對，說他在香港時未曾聽到過有這末一位民主人士的名字，無可奉告。那位官員再向其他旅美的中國人探詢，依然不得要領，祇好懷着一股失望的心情，負責接待如儀。現在這位衣先生已經駕臨到美國，但很少跟旅美的華僑們接近，大家對於他的活動情形，亦就漠不關心。記者從花旗朋友的閒說中，才知道這回事，認為這是一條花邊新聞，值得向香港方面報導一下。

中國留美學生逐年增加，新的舊的（已脫離學校生活者不算），估計在兩千人以上。但近年來，這些留美學生界卻有一種特殊現象，即一般台灣省籍的學生自成一格，不跟其他省區的學友多所來往，那怕都是來自台灣的相識之人，到了美國亦就突然生疏起來，很少周旋了。據說台籍學生另行組織了一個俱樂部，作為課餘游憩之所，設備頗為完善，當然花錢不少，又刊行一種「福摩薩新聞」（Formosa News），但不對外發售，只是限於贈閱的非賣品。創辦這些事業的費用，學生們自屬無能為力，另有人在背後支持的。有人懷疑這是否所謂「兩個中國」的製造方法，那可不得而知，總之有此事實存在，卻是真的。究竟甚末人玩的這些花樣，用意安在，只好讓大家去猜想了。

（誠齋・五月十三日於紐約）

敬悼陳勤老

丘峻

老先生隨即笑着接話：『我告訴你：你到任之前，歷任任內，我平均每天要發出電話信件名片等二十餘次，向貴處說情，雖事出於人之求我，實亦覺不勝其煩！但自你到任以後，做事一秉大公，用不着人來嚕囌，我於是乎樂得一身清閒！這還不是我要多謝你嗎？至於以前有人誤傳，我對你有所誤會，實則不然。我對於你大公無私，正義持平，實幹、硬幹的作法，始終贊成。比方敝處的事，實在易地而處則皆然。要知道，立夫介紹他的時候，就已經對他說明：「這是最後一次的機會了，應該好自爲之！」結果這樣，不是咎由自取麼？還怨誰來？』彼此相視而笑。『我還得再老實告訴你：嗣後遇見我的來信，就請你認明，如簽某名，蓋某印的，就確實是我負責的函件，在可能範圍內，敢請賜予關照；否則，便請把它們一概丟到字紙簍裏去！』眞是快人快語！誰忍說老先生好管閒事？這麼一來，像從前歷仕所遭遇的同樣的困難與阻力，便告完全消除，一切事情的進行，就更爲順利，中經二、三非常棘手的問題，也得迎刃而解，於是成效漸著，交通疏暢，行旅稱便。

至是，陳老先生之待我益厚，而我之對老先生也益敬重，來往更趨頻繁，交情日見深切，我總不願過分對老前輩稱兄道弟；但老先生卻常以『丘兄』，『丘嫂』，或『丘大哥』，『丘大嫂』，來稱呼我們夫婦，實在令人不敢承當！陳老先生對我們愈加愛護，那末，我們對於老先生也愈加尊重。

追憶我們夫婦在杭垣結婚，回到湖州的時候，得老先生熱情勗勉，至今不敢或忘。祖烈小公子彌月之日，我們曾親赴宴酌，食其紅雞蛋，僉謂此子不凡。曾幾何時，小公子已長大成人，果然出人頭地，代表國家，屢顯身手，今且留美深造，前途未可限量。歲月催人，老先生已年高九一，亦於以知後學之馬牙徒增哩！

值茲國步維艱，萬方多難，老先生福壽雙全，含笑西歸，榮登極樂，想當無憾；但以老先生生平之關懷國事，痛念民生，諒亦難瞑目？萬望老先生在天之靈，陰加庇佑，早回大陸，解救同胞！（三，完）

香

汶津

有香而無臭，唯恐天下不亂；有臭而無香，又無法向叢竊上蒼交待。

對於嗅覺靈敏的人，世間的香氣自是不少，但人各有癖好，甲的美食可能是乙的毒藥。我最不樂意聞女人的脂粉香以及刺鼻的香水味。在我的鼻孔中，匠人們身上的泥土氣息倒還可愛些。青草地上的清新氣味也是我所偏愛的，可是我很少碰到與我完全同感的人。

有些花香我覺得過於劇烈，有些則似乎有催嘔的傾向，除了走避之外，更有何說？前些時候金門前線的一位軍中友人寄來幾擬桂花，要我欣賞欣賞，並問我可有「彈味」，我絲毫聞不出來；那味兒也不算十分宜人，但總覺得是一種珍貴的香。

人的五官有時也會受聯想作用支使的。

在大學裡我有兩則不算了不起的小祕密。我在公共汽車上前後對兩位女同學發生好感。其中之一，由於某次刮風沙的午後戴了太陽鏡，使我大爲失望；另一位則進步得濃裝艷抹起來，失盡淡雅之美，嗣後再狹路相逢的時候，我總盡最大的可能保持距離，以免受異香之襲。這也該算是人生的惆悵吧。

清朝的香妃據說是天生有體香，其結果則未免有些令人愴然。賈寶玉好聞黛玉的衣袖，據他口裏謅着說是有妙香。想來，那都可以叫國色天香囉。烹飪術講究色香味俱全，欣賞一個人也不應忽畧了嗅覺。童話裏的吃人妖怪一走進門，就怪叫有生人的香味。這究竟科學不科學呢？最好將來我們能發明一套嗅覺方面的擴大或顯微儀器，那就可以像欣賞音樂一樣地重溫上好的香氣了。

宗教方面的香，是藉點燃而發揮其氣息的，其中也有品質較低劣的，眞令人作三日嘔。古來有檀香，好像是極悅人的，詩詞中也屢次涉及。「瑞腦噴金獸」的氣氛自然不錯，可是我連樟腦的氣息都十分厭惡，我的嗅覺也未免太量窄了。

許多食物、藥品都以香打頭：由腸到瓜，都不甘落後。廣東朋友對此一味似乎特別有興趣，連山也香，港也香，小姐取香爲名更不用提了。但香山雖出了一位流芳百世的偉人，香港卻在天堂、地獄間懸疑着呢。

紅顏命薄是羅曼史中的重要因子，於是「香消玉殞」「斷腸飄香」這些雅稱就層出不窮了。現代的女子在消閒的嗜好方面力追鬚眉，香烟、香檳往往與她們的天香、人香相得益彰。

香也有時間性，春香、秋香都讓你聯想到荳蔻年華的俏丫頭，夏香、冬香卻不太流行。大概是迷信着「春秋多佳日」吧。此外又有夜來香，何時發香，這本是花朵們的權利，人們只有旁嗅的份。最不幸的是某些其實不堪的遊樂場所，竟也佔用這樣的名稱！

官官相護，同類相聚，這些道理也可以移用於香，美人對花，陪添柔情；蝴蝶的親炙百卉，何嘗不是同樣心理？「這小花鴿在廬堂裏，他尋覓那蝴蝶的路徑。」又何嘗是泰翁多情？你不見姣好的女子們喜歡廝混在一塊麼？

自從人造香料增產以來，香的流別也愈形雜亂了。香料輩島上的居民不知有什麼特殊感覺，但我想像香料工廠的工人們未必個個是心情愉快的。

有人眼睛視力幾近於零，但其他感官特別敏銳，據說他欣賞女孩子主要是憑嗅覺的，這也需要幾分額外秉賦。在竈下做大師傅的，如果動輒因菜香而流涎，恐怕也幹不長久。有些忠心耿耿的看家狗，受了饅頭香的誘惑而失職。女人是禍水的說法，也不致與香水完全無關。抽象地說，人格之美，言談之有味，舉止之溫雅，都有香意。「有暗香盈袖」固然難得，有滿腹書香的人，不更值得敬愛？

至美的事物是永不腐臭的。「水殿風來暗香滿」，臨風懷想，我似又嗅到東坡居士的氣息了。

談愛情

·克勞·

愛情是雙方的，男人愛女人，女人愛男人。男人愛上女人，而女人不愛男人，那成單愛。

「人之異於禽獸者幾希？」就由於幾希，才有理智與感情。可貴的也就是「情感」與「理智」，所以你的情感施捨出去，對方不聞不問，結果只是虛空，沒有補充。一旦女人宣佈，你是你，我是我，輕則自殺，重則同時死亡。社會問題也就產生出來。

所以哲學家對愛情的觀點，淡如水，薄如冰。柏拉圖主張客觀愛情，因之強調看看別人戀愛，是一種幸福的。叔本華對戀愛所下的定論，是男女雙方的需要，你需要我，我需要你。彼此都是肉體與性慾的，根本無愛情可言，因之「戀愛是結婚的開始，結婚是戀愛的墳墓」之說。這似乎太忽視愛情，鄙蔑愛情。

莎士比亞的筆下的羅米歐與朱麗葉，聖經上的亞當與夏娃。愛情是有的，在萬千人中間，眞正難找到一個眞正懂得愛情的。文學家懂得愛情，但文學家多半和茶女，酒女在一起。你懂得愛情，她不懂得愛情，結果弄成一個「水火不相容」，所以愛得堡的論調：「沒有愛情的生活，就是悲劇」。

愛情是幸福的，在愛情的國度裏：和平、安靜。但在今日的萬花筒的社會裏，尋找愛情有如尋找七個國王的寶座。

瘟君續夢

捲土重來，瘟君尋舊夢
投袂而起，小醜鼓雄風

第一回：

毛澤東想到既然中央軍要我作石達開第二，我就乾脆仿效石達開的辦法試一試，必要時也許可以藉此脫險的。

毛澤東打定主意，就開始物色與自己像貌相同的人，先從湖南人着手，找來找去找不到，後來就放開範圍，從所有幹部中下手，派出一個採訪小組，深入到基層去找，結果終於找到了林楓。

林楓是黑龍江省望奎縣的人，這時只有二十幾歲，在共軍中担任連指導員，地位很低，平時沒有機會見到毛澤東，這次被探訪小組發現了，就帶去給毛澤東鑒定，果然毛澤東一見如獲至寶，就拔爲機要秘書，終日和毛澤東在一起，吃飯都是和賀子珍三人同席，穿衣服從來都是一樣花式，唯一美中不足的就是毛澤東沒有一個乾女兒配給他。

共軍到了大渡河，因爲四川軍閥有意讓路，兵不血刃由安順場地方渡過，朱毛未被活捉，林楓也就未派上用場，不過從此林楓卻成了毛澤東的親信，以後又送他去蘇聯留學，從此飛黃騰達。

抗戰勝利後，中共派一批幹部滲入東北接受蘇聯武器，建立政權，林楓就在其中，最初担任東北行政委員會主席，以後改組爲東北人民政府，由高崗任主席，林楓任第一副主席，中共東北局高崗任書記，林楓任第一副書記，地位是高崗以下第一人，實際上卻是毛澤東安在東北的眼綫，最後要動手整肅高崗了，就由林楓出頭告密，果然把高崗鬥垮了。

東北大行政區撤銷後，林楓調回北平任中共國務院第二辦公室主任，主管文化教育，辦公室主任是中共特殊編制，其地位是介於「總理」與「部長」之間，八個辦公室主任就有兩個是「副總理」兼任的。

林楓當了三年的辦公室主任，到了一九五七年「鳴放」時，林楓爲了擁護毛澤東的政策，到處鼓動「鳴放」，自己有時也說一些冷言冷語，作爲「帶頭」，那知鳴放到後來成燎原之火，幾乎燒掉中共政權，毛澤東招架不住，帶着藍蘋一溜煙跑上青島，林楓這次倒眞成了毛澤東的替死鬼，被臨時解除第二辦公室主任，交由副主任張際春代行。所有職務都被停止，由黨中央保送去中共中央高級黨校「學習」，一連幾年都沒有消息。最近剛剛「學習」期滿，一時沒有適當地方安插，毛澤東乘機就把他塞進人代常委會當副委員長。

毛澤東物色林楓作替身的事，中共高級幹部也沒有幾個人知道，朱德和周恩來當然清楚，朱德明知塞進來林楓又是個禍水，但是也沒有辦法拒絕，不過，他靈機一動卻又想起一個人。（五）

岳騫

梨園漫談

自茲以後，大鵬平劇隊不演則已，演時必以新戲以餉觀衆爲宗旨，因此，不但小大鵬日以繼夜的在努力學戲，而大鵬班之團員，亦各推陳出新，勤於藝事，而各負責授戲之教師們，亦在大鵬當局獎勵之下，盡心各獻所能，指導各生編排新老脚本，是故於同年四月，再假國防部所屬之介壽堂公演十五場，演罷不久，復假空軍新生社公演八場，在此二十餘場中，除部份爲失傳老戲外，而所排之新戲亦達數十齣之多，但其中最負盛譽者，應推學生班康炳銓所演之『朝金頂』，『青風寨』，姜竹華之『盜寶庫』，陳玉華之『武文華』，張富椿，夏元曾之『三义口』，『湯懷自刎』，陳良俠之『投軍別窰』，嚴莉華之『鎖麟囊』，『陰陽河』，『紅梅閣』，『蓮花塘』，鈕方雨之『人面桃花』，『日月圖』、『董家山』，徐龍英『捉放曹』等不勝枚舉，此爲大鵬歷年來新戲公演之冠也。

今日的大鵬（八）

——瘦西湖——

此時，大鵬並聘得曾紅遍長江一帶之名伶白玉薇女士來隊執教，由第一期結業生徐露隨之見習，計學得『拾玉鐲』、『棋盤山』、八本『兒女英雄傳』，並從朱琴心處學得『洛神』等各劇，而孫元坡，馬榮祥合演之『將相和』等，歷經排練，費時數月始成，後此戲等公演之時，確實不同凡響，不但轟動整個劇壇，而票友界紛紛前往觀賞者，其人數實無法統計，故演出日期雖不多，而大鵬之名已家喻戶曉，人所樂道矣！

另『將相和』一劇，曾爲陳副總統讚賞，並許爲此時此地最佳之劇本，七月初大鵬全體人員（包括學生）齊赴前線勞軍，計在金門演出十日，大鵬除搬演得意名劇外，並以忠孝仁愛之劇詞，用麥克風傳播整個的大陸沿海，這不單收鼓舞士氣之功，且能掃滌共匪不愛爸爸之思想？及蕩除彼等甘爲毛澤東等作賣國之勾當，這種無上的收獲，實無法估計，故赴金門之行，實具有娛樂先行反攻之意義耳。

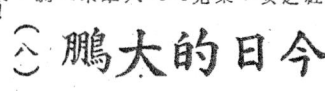

由金回來之後，應基隆地方之要求，在該地公演一星期，地點在中正堂，此爲大鵬首次在外埠之演出，三月五日至八日，三軍國劇隊籌募基金聯合公演之時，大鵬亦率先相應參加演出，此次演出之際，集國內所有之精英，如李湘芬、章遏雲、李居安、張樹森、高德松、胡少安、孫元彬、李環春等，此皆爲國內數一數二之藝人，這次演出，大鵬貢獻厥偉，論功行賞，應推第一也。

劉璈治台史事

·李仲侯·

台灣屏障七省，爲國防前衛，劉璈治台時，僅轄二府八縣，全台開發，僅及三分之一，統轄兵員二萬餘人，月需餉銀十二三萬兩，加以採辦軍器，購辦輪船，歲約需銀三百餘萬兩，蒞任之初，道庫存欵，不到百萬府庫則僅十餘萬兩，全台正供之外，關稅厘金鹽課阿片歲收約八十六七萬兩，劉璈經於列强環伺，台局阽隍，欲預籌一年之軍費，應付非常，深苦不足，當時福建循例歲協台餉六十萬兩，亦已積欠達二百餘萬，璈以防務緊急，措置爲難，稟請督撫，飭善後局預籌，按月指撥，或奏請江西湖北兩省以關稅鹽課，月撥十萬兩，協濟台餉，實爲保衛海疆之計，未從，後來法軍來伐，南北封口，劉銘傳以防務大臣，赴台督戰。兵餉奇缺，詔以基隆要地，不容法兵久據，台灣銀米，尚未缺乏，且多富戶豪民，尤應切實激勸，如紳民中，有能糾義逐法者，朝廷破格施恩，不惜爵賞，劉銘傳向有才略，着即隨機應變，迅速發辦，捐餉者從優給獎，總期兵民合一以行匯注。

劉氏接奉這道諭旨，即飛檄劉璈籌辦，璈以台灣軍餉，先以十個月計之，需銀三百萬兩，全台各縣，彰化最廣，殷戶較多，應派四十萬兩，淡水嘉義次之，各卅萬兩，鳳山台灣新竹宜蘭又次之，各廿萬兩，澎湖地瘠，恒春新建，均免派，南北兩郡商各十萬分十月勻繳，凡家貲萬兩者五厘計，捐五百兩，由地方官先供印單，俟奉部章，由官給予收據，從優獎敘，而借者以一分計，應一千兩，亦由官給予印單，定以一年還，逾期不歸，逐月加息五厘，俟欵到後，本息核還，其家貲不及一萬兩者，暫免捐借，是爲台灣籌辦內債之始。璈又以捐借之欵，擬行鈔票，即以派辦殷商，開辦銀號，印製三聯票，自行編號，先蓋圖章，送縣加印，左右票根，一存縣案，一存本號，以便核對，而鈔票行用，銀票分一元五元，錢票以五百文爲率，各縣繳解正供鹽課稅厘，均准繳納，民間亦一律通行，如某戶捐借者，至期乏銀繳納，許以田房印契抵押，悉照契面借予五成，月息六厘，多至一分二厘，三年取贖，凡銀號家貲十萬以上者，准發鈔票五萬，資愈多，票亦愈多，如家貲不及十萬，及由官指名出示者，不得開設，銀號票銀，如逢短促，准向道府縣三庫暫借接濟，始借歸清，方准續借，出入皆行息五厘，至民間通行銀票，出入均照各省行規，稟縣示遵，是爲台灣行用鈔票之始。其時淡水林維源首先倡捐十萬兩，各縣紳商，因其辦理得法，均皆踴躍聽命，慷慨報效，故防務之中，兵餉得以無缺。（二）

望海樓隨筆

名女人（三）

徐學慧

也許有人會說：英雄不問出身。西施既然有名，就當然算得是名女人了。對於這一點，我個人並不怎麼同意。因爲，如果根據這一點來看歷史上的名女人，則直如恒河沙數，不可勝書。對於那些有特立獨行而能享盛名的女人來說，委實有些不大公平。

在史籍上，我們找不出西施個人的可「名」之處。如謂容貌出衆或歌舞出色，則此亦不過女子的天賦與本能，並不足以名。

西施之名，乃在改寫了吳越春秋！

但吳王夫差的失敗，如果說一定是由於西施的迷惑，倒也未必。在那個時代，一切的條件，逼着他出師伐齊晉，圖中原，而越國的大軍，也就是乘姑蘇方面的軍隊全都渡過長江的時候，纔開始攻過去的。這與其說是西施的迷惑，還不如說是由於吳王本身的好大喜功。

是吳王夫差毀滅了自己，而不是西施毀滅了夫差。

當然，我們也不便過分的埋沒了西施。姑蘇臺的建築，伍子胥的賜死，莫非也與西施有關。但僅只是這些，仍然不能構成名女人的條件。

春秋戰國時代，名女人不多，這是事實。讀春秋，戰國策，檀弓，國語諸書，有關女人之描寫甚少。論其略著者，如敬姜、武姜、驪姬、孟母、桃花夫人、孟姜女、如姬、齊文姜、夏姬、鍾離春等，其事蹟亦略可述。所應一爲說明者，即春秋戰國時代，不僅是在文學與政治上，光輝四射，而在男女之間的關係方面，卻更有一種異乎尋常的趣味，此種趣味實在是可愛的。

今請爲諸君一述李環計賺春申君的故事。

（未完）

嶺南女畫家

介人

已故革命畫家梁鼎銘爲廣東南海人，其遺畫在今年的藝術節曾爲之展出，凡去參觀的人士，當不禁有人琴之感。好在繼起有人，其女公子丹美丹芊兩姊妹均精於藝事，兩人作品，斐然可觀，筆力圓潤挺勁，水墨淋漓，敷色雅麗，久已有口皆碑，交相傳譽。

鼎銘先生平生所作之虎、獅、鷹、馬、人物，家學淵源，兩姊妹固均有所師承，他若小禽、家畜、名花異卉，兩姝亦無所不能。所不同的，丹美於人物畫謹守她父親的法度，而丹芊女士的造形與運筆，已受其夫婿雲坡影響，望之纖麗輕盈，不復具厚重堅實之感而已。

梁鼎銘先生今雖作古，他之藝術已得人而傳：至於他所視爲傳家至寶之圖書與資料，亦得其人而寶，梁氏固當不朽，含笑於地下。但兩姊妹之前程似錦，當又未可予以限量，固歷述嶺南女畫家之流風遺韻，用以爲兩姝勉。

見之於畫史彙傳所載，最早的嶺南女畫家爲唐代盧眉娘，眉娘爲南海人。工刺繡繪事，以其眉如線長，故名，幼穎慧，能以尺絹繡法華經七卷，更善作飛仙，蓋以絲一絇爲三段，染成五色而繪繡之。唐永貞中，南海貢之，順宗嘉其工，謂之神姑，止於宮中，憲宗賜以金鳳環，後眉娘不願在禁中，遂度爲道士放歸，賜號曰逍遙。羅浮處士李象先曾作盧逍遙傳。

宋元明三代，嶺南女畫家俱少見籍載。有清一代，從廣東各縣志各家詩文集及嶺南畫徵（番禺汪兆鏞編纂）所載，撮記於下：

陳廣遜，字靜齋，順德人。精詩詞繪畫，歸同邑何勤良作衣文宰。所爲詩氣格清峭，不類婦人。同邑張錦芳（乾隆五十四年進士，官翰林院編修，精山水花草，與馮敏昌胡亦常稱嶺南三子。）稱其恩幽以閒，旨澹而遠。善蘭竹梅花，饒有韻致。而不恆示人，與文宰隱居羊額村外北郊，文宰授徒，廣遜亦應巨室聘致課其子女。每解館，夫婦唱和無暇晷。

李如蕙，自號桂泉女史。香山人，其父以任俠累戍西川，生桂泉於戍所，能詩善書畫，川中人士爭以重金聘之，拒弗許。及父賜還，歸三水梁一峯孝廉。順德盧蒸贈詩云：「名士風流巾幗擅，鄭虔三絕畫詩書。」

梁若珠，順德人，爲畫蝶專家。繪有百蝶圖，名流題詠。從父廣州，持金乞畫者無虛日。番禺令彭人傑慕其名，聘爲繼室。吳蘭修桐華閣詩集有題梁若珠百蝶圖冊，調寄減字木蘭花詞。

吳尙熹，一字小荷。爲吳榮光（荷屋）女。善設法花卉，仿宋人粉本皆用古法。荷屋多儲古畫，小荷日夕臨摹。後歸同邑葉夢龍。亦精詩善書，刻小印曰「從父隨夫宦遊十萬里」。

潘璘卿，番禺人。棣勞庶常女。盛雲笙郎中室。工畫山水，學文徵明，亦精花卉，仿陳白陽，卒年僅二十七。

潘麗嫻，字素蘭，又字勵閒。博覽羣書，工詩詞崇蘭館詩鈔，飲冰詞稿。作花卉仿惲南田，自題畫梅詞：「疏疏數點，似含著故園霜色。」爲時傳誦。

張秀端，字蘭士，維屛女。工詩詞，寫花卉秀逸，著香雪巢詞鈔。其兄祥鑑以素娟素畫爲繪墨梅帳篇，並題金縷曲一闋，爲世所稱。

居巢古泉爲廣東花卉大家，其女慶字玉徵，能詩詞。花卉仿惲草衣，歸吏部左侍郎賀縣于式枚。其自題緋桃便面云：「點染緋雲寫折枝，絳妃淺步立瑤池；水邊風日春如海，似品司空綺麗詩。」著有宜春閣吟草。

朱美瑤，字伯姬，爲朱九江先生之女。工山水，能詩，自題畫幀云：「曳杖過平橋，幽閒稱自了；更有絕臨人，扁舟獨垂釣。」

書法亦秀逸，許字張氏子，未婚而張歿，守貞數十年，撫嗣子延鑾成立，鄉人稱之。

陳曉芬，瑛女。（瑛子璲號古樵，工詩善畫，爲廣東山水大家）工山水花卉有家法，顧不輕爲人作置欵，每鈐撫銅閣小部。

陶餘，字秀荻，番禺人。工詩，善設色花卉，並間作山水，著有愛菊詩二卷。

海嘯樓叢談

政海奇聞〔一〕

諸葛文侯

過去我國執政黨員及其派生的三民主義青年團員，在大陸上公開對立鬥爭的情況，迄今思之，猶令人不寒而慄，認爲咄咄怪事。本是同根，共戴一主，而彼此嘴距矜張，互相敵視的言行，遠超過其對待所謂「異黨」的程度。這是招致神州陸沉之禍的最大因素。今日痛定思痛，略述一二事端，藉昭炯戒，固非以白頭宮女說天寶遺事的心情，備供茶餘酒後的閒話資料而已。

我本楚狂人，且說鄉邦事：湖南的黨團之爭，其激化現象可謂冠於全國，而以團的聲勢特張，長沙市面上曾出現有「大家起來打倒這個鬼國民黨」的青年團所貼標語（這是民國卅六年春間的事）。當時省黨部主任委員張炯將此標語揭下來，悻悻然帶到南京中央黨部控訴理論，亦不得要領，他遇到我，即對此事大發牢騷，說國家前途危險極了！頗有拔劍斫地悲歌之概。他知道我是個鬥神式的老黨員，始終未曾參預過黨團之爭的。

青年團的聲勢既如日方中，煊赫一時，如是乎，許多並非青年而利慾薰心的老朽國民黨員，皆靦顏鑽營加入青年團。湖南大學校長胡庶華，年逾五旬了，于思滿腮，爲着要作青年團員，不惜剃鬚變裝，故作青年狀以媚時邀寵，曾有幾個湖大的學生，在重慶當着我與衡陽李況生先生，勸胡校長不必如此妄自菲薄。胡答曰：「你們不知道我如果也作校長，一輩子亦是沒有出息的。我這樣做，爲的是要在政治上求發展，等我有了發展，你們也就不愁無出路了，實際還是爲你們着想呀！」後來我在重慶浮圖關上，瞧見胡氏短服草履背負斗笠，跟着一羣青年學生上體育課，跑步於炎夏烈日的操場之上，滿頭大汗，氣喘力竭，而我却以來賓身份，被邀參觀欣賞，心裏難過極了。

民國卅七年全國舉行各級民意代表普選，我亦加了國大代表競選運動，且經中央黨提名爲候選人。愚友袁守謙，黃少谷二位，希望我競選成功，特別招呼湖南省青年團的朋友予以支持。可是，問題來了。省團部的人以我經過中央黨部提名的，指我是C．C份子（中央組織部長爲陳立夫），省黨部調知袁黃兩位青年團要人爲我說項，又認爲我是異端份子，雙方人士皆戴着有色眼鏡來觀察，把我這個沒有派系色彩的所謂「同志」當作皮球踢來踢去，不特不予支持，反而暗事抑制打擊。我的縣事有五個競選人，依照規定，須由縣府將地方黨團部和民衆團體用無記名投票方法，聯合審核候選人資格，評定甲乙的詳情，事前報請省選舉事務所備查。我的名次原列第一，考語是「衆望所歸」，迨報到省級，經黨團雙方排擠擺佈以後，竟降至第五位了。這種搞法眞是泯滅是非，而將私人派系利益置於國家利益之上；我想明末政治上那種派系門爭，禍國殃民的情形，也不過如是罷！

談彭玉麟

謝康

三、

說到彭雪琴的功業，稍留心太平天國戰史的人，都能知其梗概。曾文正文集中「衡陽彭氏譜序」篇也有扼要的敘述云：

「君子愼度身世，信諸心，則蒙大難，決大計而不懼。未信諸心，則雖坦途而不肯輕試。……衡陽彭雪琴侍郎，以諸生從戎十有三載，肅清長江，克名城以百計，殆巨憝於金陵。當其提挈飢軍，出入鋒鏑，誓不與此賊同戴三光，天下稱爲烈士。及夫勳勞日著，朝廷授爲安徽巡撫，授爲漕運總督，皆屢疏固辭不拜；退然若深淵之內不自信，卒不輕於一試，又何愼也！……」

從這篇文章中，我們很可能看出彭雪琴一生出處的節概，頗有諸葛亮的「淡泊明志，寧靜致遠」的風度，這種風度和他愛畫的梅花傲骨，又稱自己的堂名爲「退省庵」的意義，我想是正相符合的吧。他以章句之儒，效祖逖渡江擊楫，從事戎行，乘時運之會，歷經險阻，創立勳名，功垂竹帛，當其寫到「彭郎奪得小姑回」時，意氣之盛，可謂壯哉。然而正當官運亨通之時，卻能急流勇退，不想一輩子在官場終老，這可說是他一生的修養工夫有大過人處。雖則後來終於也做了督辦廣東軍和兵部尙書，那大概因爲他鑒於外侮之日亟和國勢的陵夷，而想對國防建設有所貢獻的緣故吧。

（四）

歷史人物

內警僑台報字第〇三一號內銷證

自由報

THE FREE NEWS

第一三三期

中華民國僑務委員會領發
台教新字第三二三號登記證
中華郵政台字第一二八二號執照
登記為第一類新聞紙類
（半週刊每星期三、六出版）
每份港幣壹角
台灣零售價新台幣弍元
社　長：雷嘯岑
督印人：黃行靈
社址：香港銅鑼灣高士威道二十號四樓
20 CAUSEWAY RD 3RD FL
HONG KONG
TEL. 771726　電報掛號．7191
承印者：田風印刷廠
地址：香港灣仔高士打道二二一號
台灣分社
台北市西寧南路壹壹零號二樓
電話：三〇三四六
台郵機館金戶九二五二

對南韓政變的觀感

汪景明

南韓軍人以「苦迭打」手段奪取政權，而將國家政務置於軍事管制之下，其形式與作風，跟兩年前的土耳其軍人政變經過，如出一轍。所不同者，只是土耳其的軍政府成立後，即宣佈制憲，以期及早還政於民，而南韓的軍人內閣，對於現行憲法的存廢問題，未有明確表示罷了。

這次南韓的政變，實為勢所必至，理有固然，語其因素，可歸納為三大端。

偽民主政治之貽禍

李承晚先生以開國元勳，連任總統職位，而以創建民主憲政的現代化國家為主臬，頒訂憲法，渙汗大號，人民喁喁擁戴，期望甚殷。可是，李氏從第二屆總統競選之時起，即利用軍警力量，操縱選舉事宜，既因徇私修改憲法，不惜公然逮捕國會議員，脅其曲從己意，又於三次競選中，藉武力以箝制人民的自由意志，且禁止在野黨的競選活動。由於個人的權力中毒，而將開始孕育的一點民主憲政根基，殘毀殆盡，馴致激起全國知識份子的革命運動，使青年學生發生流血慘劇，終至舉國騷然，不可收拾，唯有黯然引退，以謝國人。假使李承晚先生遵循憲政常軌，重視國家利益，即欲及身完成統一大業，為國宣勞，死而後已，若不採取這種暴力主義以行事，亦未始不能如願以償的。如後來成為李氏唯一政敵的張勉，原係李氏的親信僚屬，只因目擊李氏所作所為，與民主政治背道而馳，乃憤然揭起反對黨的旗幟，為民主建國前途而鬥爭。

實施民主憲政的必要條件有二，即法治與容忍是也。李承晚先生每競選一次，即修憲一次，使全民所認可的大經大法，成為爭取個人權力的殉葬品，法治精神，蕩然無存了。異己的國會議員可以任意逮捕，在野黨領袖於競選時，要想舉行一次演說會亦不可能，而其個人安全更岌岌可危，這那有絲毫的容忍精神呢？在李氏當政期間，南韓的政治情形，民主其名，獨裁其實，因而官吏貪污橫暴，民生憔悴抑鬱，一般青年學生和學校教師們，蒿目時艱，無可為計，乃相率脫出法治軌轍，示威遊行，走入暴力革命運動的冒險犯難途徑，而李承晚的統治權力竟如朽索之馭六馬，不崇朝即告崩潰了。推源禍始，不能不歸咎於偽民主政治為厲之階。李氏個人的進退得失，殆屬次要問題，因此而使全國各界人士——尤其是青年學生——將示威遊行當作干政救國的不二法門，視革命運動為家常便飯，無形中又構成「暴民專制」的習氣，紀綱廢弛，人心浮動，以致國事膠擾，迄無寧日，這纔是建國過程中無可補償的奇重損失啊！

新政權之低能

久被李承晚抑制的反對派——民主黨，藉所謂「四月革命」的機會，起而執政，在人民望治甚殷的環境中，懲前毖後，宜若可以有為的。然而，民主黨本身即因權位之爭，內鬨迭起，政局動盪不息，內閣一再改組。張勉內閣除卻大舉懲治李承晚時代的文武官吏，形同報復以外，對於國計民生問題，並無實際的改革與建樹。有之，就是騖於表面觀瞻，罔顧現實利害的政治動向，讓一般主張跟北韓共黨政權和平共存，憑談判以求統一的言論思想，乘機蝟發，掮着社會主義的旗幟，組黨活動，搖惑人心，而青年學生示威遊行的舊劇，乃重演不休，適予共黨間諜以滲透顛覆的捷徑。等到形勢日非，大局急遽惡化之際，但知乞靈於戒嚴法令，無異揚湯止沸，適所以陷於治絲益棼的困境而已。

假使民主黨執掌政權後，內部不因新舊派系的爭權奪利糾紛，持續不已，給人民以一蟹不如一蟹的惡劣觀感，憑着新憲法的內閣制精神，大家矢誠矢勇，一德一心，應該可以做出一些迥異昔時的政績來，使內外耳目一新，與立良好信譽的。李承晚倒了，自由黨還在，過去在李氏治下，盤據要津的若干自由黨人，未必都是些不堪任事的廢材，張勉內閣乃訑訑拒之，不屑假以詞色。自由黨原係一個大黨，十餘年來繼續主政，他們在社會各階層的潛力，有如百足之蟲，作用固未盡消失，自然不甘淪落，有形無形之中，對民主黨政府從事離心運動，殆屬意料中事。容忍精神之所以可貴者在此，惜乎民主黨人不理解這種政治哲理，依然蹈着李承晚氏的用人行政覆轍而不自覺，這亦是張勉內閣憂患頻乘，以至於坍台傾覆的原因之一吧？

張勉內閣最大的困難在財政問題。南韓的經濟生活，從來仰仗美援，張內閣為華盛頓所信任，視李承晚時代更易博得美國的經濟支援。然而，張勉內閣跟美國簽訂的經濟協定，首先就是把韓幣對美元的價格抑低了一倍，而韓人在美軍方面服務者，其薪資却不適用這項幣制新協定的兌換率。在一般韓人看來，美韓經濟新協定的結果，是利未見而害已先嘗，難怪要發生反美口號，而對民主黨政權更感失望了！

外來力量之影響

所謂外來力量，毋庸諱言是指美國而言。當年李承晚政府之所以坍台，受到美方影響不少，原是世人周知的事實，這次張勉內閣之傾覆，亦間接與美國不無關係，譬如張氏執政後，讓一些左傾份子組黨活動，大發其對共黨妥協的言論主張，即係為表現美式民主生活之一念而然的。民主政治之創進，必然受到空間與時間的現實約束，毫無例外，在一個剛從殖民地生活中脫出來的新興國家，要想以急行軍的步法向着世界先進民主國家迎頭趕上，這是不可思議的事。何況南韓又是處於在共黨直接威脅的最前線，唯有從安定中求進步，使民主生活一點一滴的循序漸進，庶幾有濟。美國希望友邦一律朝着民主憲政的目標而努力建設，用意未可厚非，但不能用自己的尺度以衡量別人，否則有如揠苗助長，先就把苗弄枯萎了，那有茁壯的希望呢？這次南韓軍人政變時，不接受美方的意旨，把政權交還合法的張內閣，即係一種顯明例證，美國朋友應該憬悟其中道理，今後對於友邦的指導協助方針，知所改進為上。

南韓軍人基於強烈的愛國情操，眼望着祖國的政治人物把國事愈弄愈糟，使國運日益黯淡，危亡可虞，毅然奮起，採取非常手段，以圖挽救，這動機是純潔的，用心可謂良苦。我們只希望此種非常的變態及早終止，恢復憲政常軌，曷勝企幸！

自由談

閒話新聞自由

馮玉先生

台北因分屍案而引起空軍軍官控訴報館的事件，業經和解撤銷了。幾位被告都是我的好朋友，當訟案發生時，我想說話而囁嚅躑躅，欲語還休，如今事過境遷，不妨閒談一下。

咱們在香港從事新聞記者工作的人，平日瞧着台灣報紙上對於所謂黃色新聞的各種紀述，不覺悚然駭汗，同時亦羨慕台灣關於這類新聞報導與言論自由尺度之特別寬泛。假如是在香港，各家報館每天都有吃官司的可能，尤其是社會上的一切訟案，法庭尚未裁定以前，報紙不許評論，否則至少亦要科以港幣三五千元的罰金，最多有罰到兩萬元的。但政府決不會吊銷你的執照，查封報館，你有錢沒處用，樂得受罰的話，聽從尊便可也。然而，在台灣的報紙因登載社會新聞而吃官司的，過去未之前聞，這回算是創舉，可怪也已！

另一方面，我們瞧着台灣報紙在政治新聞和言論上那種動則得咎的情形，也不覺悚然駭汗。香港是殖民地，生活在外國殖民地的中國人，要談政治問題，似乎比較在本國更多顧忌，更容易惹禍遭殃吧？然而，我們在報紙上，不特可以肆意批評指摘當地政府的庶政得失，更可以攻擊倫敦的內閣首相及其閣僚們，只要是言之有物，持之有故，絕對不會被戴上各種罪犯的帽子，如「叛亂」「反動」「為匪張目」之類的頭銜。記得當年英國進兵蘇彝士運河之役，時我在報上指斥英軍作戰之失策與無能，有位英籍的文職官員向我提及此事，我表示歉然。他忙說：「我們決不怪你，並把你那段文字譯成英文，寄與倫敦主管部門參閱了。」

我希望台灣報紙紀載、評述社會新聞的方法，要加以合理化，而對於政治新聞評的報導與論尺度，應該特予放寬，藉符憲政生活的眞諦。今日台灣報紙傾全力於社會新聞競賽，盍與政治新聞之過份受到限制，忌諱孔多，具有因果關係。滿清雍正、乾隆兩朝大興文字獄的結果，士大夫乃相率逃避於考據之學的窠臼中，置理亂於不聞，以期苟全性命，道理正復相同，秉國鈞者，可不念之哉！

小論天下

△寮國政府仍未派代表參加日內瓦「十四國會議」，西方國家認為會議前途有望，強調蘇俄不贊成中共對東南亞擴展之說。中共派出人數最多的代表團與記者團參加，陳毅常以其肥胖的身軀，冷獰的面孔，及從未脫下的黑眼鏡，招惹全場注目。據寮政府透露：寮戰實未眞正停火。

如要提防饞鬼，最好勿讀有關寮局忽冷忽熱的新聞。

△南韓軍政府成立，大捕共黨偽裝份子及鬧事游民。前政府首腦張勉及其閣員多人被捕。在政變時守中立的高級軍人若干名亦被撤職扣留。全國軍人實行節食貯糧賑救飢民，政府機構及學校週日不休假。美國對新政府無異議。蘇俄及中共罵為法西斯。

毫無異義的，這是韓國民族主義者在使用最猛烈的藥劑，希望挽絕症於重危之境。他們澈底抗俄反共，也不喜歡「唯美是媚」的一派人物。他們任重道遠，雖關重重，好在這些軍人都有達到水準的現代知識，只要確能清除貪污及在經濟上創出新局，共產黨要罵倒他們是不容易的。

△印度當局責中共進行「孤立印度的宣傳」，在「中立集團」散佈污蔑印度的言論。

其實，此乃順理成章，無足深責。共黨向自由陣線「離間」成功，剖為「反共的」與「中立的」兩邊，然後再把「中立集團」剖為兩邊，將「為首的印度」切開，使它孤立，那又有什麼不對？

△古巴卡斯特羅提出新奇的勒索，要古巴革命份子用五百架拖拉機贖回俘虜。古巴革命委員會已進行籌款取贖。美國羅斯福夫人之流亦發動募捐。

卡斯特羅智不及此，幕後當有國際共黨「心戰專家」指導。這一着，是向古巴人民表示他才是「建設者」，革命份子是「破壞者」，外以瓦解革命份子的鬥志，內以鎮定搖動的民心，實具有「一石兩鳥」的妙用。古巴革命委員會倘屬情有可原，可笑美國却有許多人欲以「婦人之仁」而爭「霸」。

△美國總統甘迺迪籌備赴「維也納會議」甚忙。莫斯科宣傳：赫魯曉夫與甘迺迪這一會議將對「和平」有利。英與論認為：麥美倫不獲與會，英國大丟面子。美與論對會議表憂慮。

必要當面交談，乃可表示「決心」，這是美國一部份人的看法，一奇；只許獨家製造「高峯會議」，不容他人沾手，這是英國一部份的看法，二奇。

方南

中共怎樣毒化兒童

·焦毅夫·

中共政權在北平成立以來，即對兒童展開「不愛爸爸、不愛媽媽，我愛共產黨」之類毒化教育；培養喪失理性的「熱愛黨，熱愛社會主義和熱愛勞動、關心集體」的所謂「共產主義建設的接班人」。因此，每一小學都有「少先隊」（即少年先鋒隊）組織，並利用兒童好勝心理，以「紅領巾」作爲獎勵活動形式，年少無知的兒童，爲圖「少先隊員」和「紅領巾」的榮耀」，竟願做「小鬼隊」偷聽別人乃至父母的秘密，向控制他的共幹告發。

這類情事在「清算、鬥爭、三反、五反」期中，多得不勝枚舉，本文不擬涉及。所要敘述的，中共用什麼方法將兒童的善性變成連父母也不知愛的惡性，以前怎樣？現在是否還是如此？

中共對毒化兒童，有一套完整計劃，因其思想單純，理解力弱，不能接受理論教育，於是利用簡單的圖片，歌曲和講故事等方式，灌輸共產主義毒素。

據最近的共報說：「青海西寧地區各小學共青團（共產黨青年團）和少先隊組織，向先年兒童進行革命傳統教育，鼓舞少年兒童繼承革命優良傳統。」中共所標榜的教育是什麼？就是灌輸馬列主義思想，所謂繼承革命優良傳統，就是製造階級仇恨，不斷的進行恐怖流血鬥爭。使人與人之間沒有情感存在，也沒有理性，成爲共產黨的一架自動的生產機器。

報紙叙述毒化的情形：「西寧市實驗小學寒假開學後，舉辦了『幸福的新中國兒童』、『人民公社力量大』等圖片展覽，還邀請老共產黨員給學生講述紅軍長征故事。少先隊大隊和中隊分別舉行『祖國在大躍進』『祖國無比興旺、我們天天向上』的隊會。曉泉小學的兒童普遍學會了『延安時代』、『三八作風』等十多首歌曲。」（上引見一九六一年四月三十日「人民日報」）

這就是大陸小學校的主要課程。中共利用上述方式灌輸兒童共產主義思想，是因「連環圖畫由於圖文結合，通俗易懂，成本較低，便於廣泛流傳閱讀，因而是向工、農、兵羣衆，向少年兒童進行思想教育的極其有力的武器」，（一九六〇年十一月十六日「人民日報」）因此，中共就掌握這個有力武器，向無知的兒童進軍。據說：「自一九五二年全國出版種類爲一千三百七十八種，至一九五八年『大躍進』以後，全國出版種類增到二千九百九十九種。十年來全國出版總數約六億冊左右」。

天津少年兒童美術出版社發行的「毛主席的好孩子劉文學」、「奮勇擒敵記」、「今天還是紅領巾，明天是紅旗手」、「我們是明天的共青團員」等連環圖畫，這些內容是向少年兒童「進行共產主義道德品質和革命傳統教育的連環圖畫。例如劉文學光榮犧牲的英雄形象，是少年兒童學習的好榜樣」。（一九六〇年五月卅一日「人民日報」）其他兒童書店所發行的讀物內容，是取材於表現革命鬥爭和革命歷史、歌頌革命人物的題材」，如「我們今天是紅領巾，明天要當社會主義、共產主義紅旗手。我們永遠要跟着黨和毛主席」（一九六〇年三月二日「人民日報」）之類。其目的就是在幼小心靈上，殘酷的烙刻共產黨和毛澤東的魔影。中共認爲這一毒化兒童工作有着極端重要，於是對這負責其事的工作者，都特別重視，人民日報說：「必須加强他們——指連環圖工作者——馬列主義，毛主席著作的學習，樹立共產主義世界觀和文藝觀，堅決的徹底破除舊思想，舊情感的影響」。（一九六〇年十一月十六日「人民日報」）

去年六月一日共產黨的兒童節前夕，中共全國總工會」、「共青團中央」、「中國全國婦聯」、「中國人民保衛兒童全國委員會」四個機構，在中共中央命令下，聯名慶祝「六一」國際兒童節，並聯名獎勵一萬名兒童工作先進集體和先進兒童工作者。挑選先進集體和先進工作的條件，是以「向兒童進行社會主義、共產主義教育，特別着重兒童進行毛主席革命鬥爭事蹟的教育，結合當前國內外大事，通過生動具體的事例，啓發兒童更加熱愛黨、熱愛領袖、熱愛祖國、熱愛社會主義、熱愛人民公社。」

同時，使兒童了解社會主義國家的兒童的幸福生活，了解資本帝國主義國家的勞動的兒童和殖民地半殖民地國家的兒童，貧窮痛苦和失學的悲慘生活，並使他們懂得這是帝國主義和殖民主義對勞動人民殖民地半殖民地人民的壓迫，剝削和侵略的結果，從而培養他們對被壓迫人民的同情心和對殖民地民族人民的愛國鬥爭的正義感。（一九六〇年一月十九日「人民日報」）

由此可見中共對毒化兒童正在大力推行，對作者、教者、發行者和讀者都在不斷的加强教育和控制。

此外，還利用歌舞、短劇加強兒童對共產黨的意識和反美宣傳工具，並藉以娛樂農、兵和工人。例如：「西藏自治區拉薩市藏族兒童，在去年「六一」國際兒童節，我百名兒童組成的歌舞隊，目前正結合當地人民的生產，學習和支持日本人民正義鬥爭等活動，排練『爭取農業大豐收』、『努力學文化』、『打倒美帝國主義』等內容豐富的歌舞節目。準備在節目裏爲工人、農民和解放軍叔叔演出。」（一九六〇年六月二日「人民日報」）

上述僅是中共毒化兒童幾個實例，足以使我們對未來的下一代感到憂慮。

一般國家對兒童心理的培養，先使有豐富的想像力，俾將來製成一個有益於人類的科學家，或有助於富國強民的棟樑之才。今中共先豐富其戰鬥思想，使幼稚心靈有着侵略性的戰鬥意識存在。

中共種此惡果的用意，在使未來的兒童成爲共產和社會主義的奴才，供毛澤東及共黨徒的驅使，爲禍人類。這種兒童教育，不但太殘忍，抑且爲未來中國鑄下悲劇。

歌舞昇平選國姐

這幾天台灣各地談論的，已不是分屍案、貪污案，而是熱鬧的選舉國姐了。這位不錯！那位有希望；評頭論足，眼花撩亂。參觀國姐選舉的門票，雖然高至二百元台幣一張，但如果沒有門路，還不容易買到呢！

也許有人會認爲，大陸水旱災嚴重，反攻大陸救同胞要緊，戰時不應如此歡樂。但也有人認爲，打仗是一件事，歡樂是一件事，當共產極權讓人民吃小球藻、香蕉樹根的粉、稻草粉、甘蔗渣粉的時候。我們的老百姓不僅是白米飯吃得飽飽的，而且還有閒情眼緻，選舉國姐，正好是「極權與民主生活的對比」。

仁者見仁、智者見智，是是非非，立此存照。（柯仁）

評頭論足說佳人

談國宴

丘峻

什麼叫做國宴？簡而言之：國宴就是本國元首歡宴親臨訪問的外國元首之謂。詳細點說：國宴即是本國元首拿本國所產上等烟酒，最佳菜餚，至好餐具，來熱誠歡宴來訪的外國元首的一種隆重的禮節。

既然叫做國宴，首先，我們要瞭解國宴這個國字的第一層意義是：我們所用於宴會國賓的一切東西必須是國產。萬一本國無此原料，亦必須是本國加工的產品。其次，我們用於宴會國賓的飲食物品必須是用本國方法製造烹調出來的道地的中國的菜、酒、茶。再次，我們宴會國賓所用的器具必須是本國的東西，舉凡檯椅桌凳，杯盤碗碟，筷子湯匙之類，一律使用中國舊式的或新式的名貴極品。最後是所有廳堂佈置，一概遵從國俗，不雜外國風味。要這樣，纔能符合國宴的眞諦，也惟有能這樣，纔算是名符其實的國宴。

話到此地，我們且檢視過去國宴的菜單，但不能盡列，只把最近邀宴美總統艾森豪的一張菜單介紹於後：

一、台灣水菓藍。
二、清燉牛肉湯。
三、烤龍蝦。
四、火雞火腿。
五、蘆筍、生菜、珍珠米。
六、沙拉。
七、檸檬冰淇淋。
八、咖啡或茶。

前所引述的是過去國宴菜單最近的一張，也就是歷經修改而比較接近中國菜單的一個開始。不過像這樣中西合璧式的盛宴，雖極盡賓主之誼；然衡以前面的幾個觀點，仍嫌未盡符合國宴的根本意義。

國宴並不只是一種口腹的邀宴，也不只是一種賓主的應酬，而是國際間富有特種意義的一個表達。飲料與食物的烹調，飲料的用具和方法，是本國文化精神的一種象徵，是觀察文物的一種準繩。換句話說，是表示文化程度和文物的進步。根據這種理由我們可以說，開化愈早，文物愈盛，文化愈高，應用方法就愈複雜——也即是愈進步，愈高等。飲食的烹調方法和用具都是藝術，方法愈多愈複雜，藝術的價值亦愈高。我國的烹調方法最巧妙，做的菜最精美，飲食的方法也最講究，我們自己有高度藝術的成就，有高度文化的產品，不好好地拿來招待貴賓，竟自甘菲薄，參以洋化，寧不令人大惑不解！

假如我們今後要改轉過來，做到眞正的國宴，第一就是菜單的擬訂，第二是菜餚的烹調。關於前者，能以製成春夏秋冬應景四時菜單爲原則，可約請各方名廚師商量製定。關於後者，則到時依照菜單所列菜色，分別約請拿手廚師，各盡所能，會同烹調，庶可各菜均臻上乘，以饗國賓，冀其於純中國習尚的小宇宙之中，歡叙於中國筵席之間，在欣賞一切的同時，體驗到我國的文物，領會到我國的文明，理解着我國的文化。這是一個重要的關鍵，自當小心肆應，不能隨便對付的。

末了，借用美國合衆國際社採訪白宮新聞的『龍頭』記者史密司先生談話的一段記載來結束本文：

史密司說：他很多年來，一直很景仰我國的文化，他自已特別喜愛吃中國菜。他收集了許多中國菜的食譜，後來他的太太向我國駐美大使首官員的眷屬們學習烹中國菜後，他才自己不再下廚動『刀』。這次到台灣來，他滿以爲可以『飽』吃到美味的中國菜，那知住在中國之友社，到了餐廳一看，『菜單』竟是什麼烤牛排、炸雞之類的西餐。他說：要吃烤牛排，華盛頓到處都是，我何必到中國來吃！

香港與大陸

△寄去廣州區的糧食，白米這兩個月已反跌至平平常常的運銷數目。廣州人向此間親友伸手要求者是黑豆和黃糖，這兩宗東西可以救命治病，次爲麵粉、生油、猪油、黃豆、眉豆等。廣九鐵路沿線鄉村的人則要求大量麵粉煮糊補餐食之不足。據說農民下田種花生間，日纔種下，晚上摸黑到田頭挖起就吃，現在中共公社各生產隊組織夜巡隊，防止挖種而吃的情形。

生油猪油自此間運去廣州的收價爲每公斤八元三角，黑豆每公斤五元二角，花生肉六元，白米則爲二元八角。

澳門來訊：澳門郵電廳宣佈擴大接受兩磅庄糧包付寄大陸，並定收費每包一元六角後，由於所收郵費較之香港兩磅定價二元四角低廉八角，甚引起代運糧包商人注意。有些澳門商人擬與港九兩地代寄郵包之商號聯絡，打算代港方將接得的兩磅庄郵包，經由澳門付寄。如此一來，並可刺激澳門做糧什貨的生意。（星）

△大陸今年大鬧菜荒，據中共稱由於社員怕種，如河南省安陽市水治「公社」就有「思想顧慮」，中共說：該社社員對多種商品菜有「五怕」，即一怕勞動力不固定，人少種不過來；二怕遇到自然災害；技術趕不上，損失大；三怕肥料少，不能多收；四怕賣不了，霉爛損失；五怕投資大，收入少，將來要賠本。（自聯社）

由海外寄往大陸之信件，中共鑒於人民可能受海外某種影響，故目前對該等信件檢查甚密。綜合大陸各地消息：中共檢查信件之技術極劣，大多數是由封口處拆開，然後再塗漿貼封，因此留下之痕跡，極易辨認。

△自從本港有所謂寄「直運」大陸糧包後，一些代運店訛稱「包到」和縮短時間，因此，港九僑胞救濟大陸親屬心急，不惜付出巨價和完稅後寄出，據稱，「直運站」僅設廣州——汕頭——上海三個，但代運店言之鑿鑿，譬如寄臺山，可以轉運，且收件人只需一星期就在台城「華僑服務社」收到，但是，寄「直運」糧包者的親屬，多數來信反映，該等糧包需要往廣州市三元里「華僑食品廠」取，這是港九代理「直運」糧包店只顧生意招徠，不擇手段所致。

△廣州市河南造船廠，中共把一位「改造」的「工商界人士」放在該廠担任經理，據可靠消息：該廠經理不僅有職無權，且仍然受中共「勞動改造」，每天工人上班前，他必須把地打掃和把茶水燒好，等候工人上班，同時工人生活不好，每每遷怒於他，輪到出糧時，工人入不敷支，紛紛伸手向他借錢，無論一元兩元都要應付，可是這些錢借出，中共要他負責，因此他每月所應得之工薪，幾乎全部借給工人，而工人有借無還，事實上，工人生活不好，中共充耳不聞，把經理拿來擋災，工人有意見或什麼事故發生時，就要他來做「替死鬼」，顯然這是中共對工人玩弄的兩面手腕。

牛與人生

·黑子·

黃昏，原野上迷人的散步把我弄醉了。淡水河邊綠色的田疇和菜畦散發着清新的泥土的氣息，晚風徐徐地吹着，我從一條泥濘的巷子裏穿了出來，從一個擁塞的市鎮擠了出來，接連着做了好幾個深呼吸，感到一股無比的舒暢。淡水河靜靜地流着，大台北市在暮色蒼籠下蹲伏着，像一頭雄獅，盤臥在高昂而美麗的大屯山下。

我不知我自己從何處來，又走向何處去？我只是沉耽於一個漫長的遙遠的散步中，感到生命的奇特，生命是一個謎。

幾條牛正在近處悠閒地咀食着河邊的清草，擺動着牠們的尾巴，像是在作樂似地，享受着唯一的生趣。

牛，龐然大物，度其最簡單的生活，嚼食青草，恬飲溪水，如此而已。然而牠卻付出了最辛勤的勞力，為人羣服務，默默而不語。牛吃的是草，但擠出來的卻是營養豐富的奶汁；肉被人食；皮被人用；角被人玩；全身都是利用，無一被虛擲之處。牛馬生活似乎就是如此。湖南人被呼為騾子，因有騾子一樣的性格；我年幼時被家人斥為很有牛脾氣，執拗不馴，固持己見，因知牛亦有牛的個性。其實，牛是集聰明智慧於一身，好像一位哲人，在忍受人生，而又犧牲自己，貢獻了人生，但也高傲沉默，反抗着人生。

芸芸衆生，過着牛馬生活的，不知凡幾，他們默默地生，又默默地死。然而浪費人生，虛擲人生，貪圖人生富貴過着荒淫無恥的生活的人，尤其到處皆是；這些人對世界毫無貢獻，簡直就是人生的蠹蟲。如果說奴隸們過的是牛馬的生活，那麼這些人過的該是豬與蟲蛆的生活。

雖有些牛脾氣牛性的我，然而有沒有牛那樣十分之一的對人生的貢獻呢？對着在我散步近處的幾頭正在嚼野草的牛，我迷惘，我慚愧，我起敬。人生，難道真個是一個謎嗎？

黃昏濃了，濃得發紫，濃得變成了夜。淡水河的大橋上流着奔瀉的人潮，熙來攘往，不知世界末日之即將到來。

葬

汶津

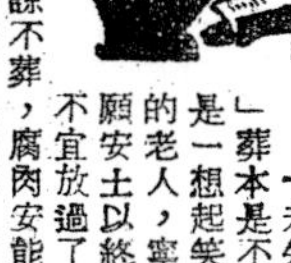

「未知生，焉知死。」葬本是不值一談的。可是一想起笑話中那位慳吝的老人，寧劏屍待賈而不願安土以終，便覺得此題不宜放過了。

「野死諒不葬，腐肉安能去子逃？」表面上是類喪而無可奈何的，實則是何等的氣概！建成「生死」的理想，幾人能夠？死後要求大事舖張的老太爺們，豈不受之有愧？想想那些半眞假的哭聲，那些半哀半諧的嗚咽聲和黑色的、灰色的點綴物……：如果我是待葬的主角，一定不受用這種種的。我曾獨自來，仍當獨自去。人生乃偶然遭際，雖免一死，又何苦如此！我寧願選擇一、二知己親人作我的送葬者，一坏黃土，幾度遺忘，讓我上另一世界去逍遙吧！而棺槨宜透空氣，棺蓋不宜釘死，否則生前不近囹圄之地，身後竟遭重斷之困，豈非太不值得！

別人有權不和我一樣想法。西藏人的風葬，只是便宜了烏鴉，但人們生前連讓蚊子、臭蟲吸一些血都忿忿然的，死後何必故示慷慨？至於海葬，魚蝦之福也。我覺得像吳稚老那樣的遺志，倒頗似伍子骨的請求懸首都門，不過稚老的死法不同，且也比較樂觀、積極，想在台灣海峽看中興罷咧。

火葬比較合乎新速實簡的原則，而且衛生院也很提倡，但中國社會一向對尊親的骨骸十分着重，有不少浪跡天涯的遊子，始終把老父老母的骨灰罈携在身邊，以便擇土安葬。除了孝經上沒有提及這一目外，似乎也沒有什麼反對的理由。

現代的殯儀館對文明頗有貢獻。館中有代哀人員，親友寥落的死人不怕太寂寞了。這比法院的公證結婚還顯得有人情味些。不過「親戚或餘悲，他人亦已歌。」是難免的，樂得想開一點，又何必死要面子？宿在荒草鄉並沒有什麼遺憾，生前少享杯酒之樂才覺可恨。像陶淵明這樣的氣度，才配算是至人。

活埋是一種暴政或獸性的實例，「葬身海底」卻是大自然的安排，不由人們作主。英國小說家班乃特有一本作品名為「生葬」，寫一個參加自己葬禮的人，原因是他太有名了，非如此無以避世。這就大有伯夷叔齊之風了。狐死正丘首，人死也不願陳屍祖背，可是「馬革裹屍」卻始終為英雄豪語。我們還是各趨所好吧。

雪萊早夭，「他名字寫在水上」，當然瀟灑，可是水上仍不免有風濤之險，那詩魂也無以安眠。我呢，如果幻想仍是被容許的，我的名字要寫在雲中。誰也沒有理由不同意我用「雲葬」的詞兒加入我的遺囑中。到那時，我欲乘風歸去，也不管天上宮闕的寒暖了。

葬身魚腹好像有損人類尊嚴，可是巨鯨吞舟不只是童話而已。除非你有孫行者的能耐，否則這樣的葬禮也是夠隆重的了。回頭想想，人的腹中不也曾經是許多小生物的墓地嗎？可見上窮碧落下黃泉，無一處而不可以擇為葬所的。

巴爾札克筆下的高老頭在下葬時只有一兩個同情他的人陪同着，並為他蓋棺論定說他是一個老好人，說話的聲音從不超過別人。這樣冷清的葬法，卻暗暗隱藏了厚恩與無情的強烈對比。那一坏黃土，可能還比他膝下的幾位黃毛丫頭有情義得多。然則人生又何必挑剔葬身的方式和處所呢？

風水先生已經不太風行了，對葬的講究也因身份地位而異。死去的人不說，活着的人卻不免為了喪葬費担心；古人賣身葬父，何等感人，而今則有不認屍的家屬，只盼政府代備薄棺，犯不着為死人賠上生人的伙食費也。在情上說不過去，論理倒也沒什麼大不是。

預擬死後的葬法，怕遠不及自寫輓聯灑脫。其實有些人物不需玻璃棺材和防腐劑，終歸是不朽的；葬在西敏寺的英國人，自然教後人敬仰，粉身碎骨只賸衣冠的烈士，又何嘗不為來者所豪呢？

我雖弱冠，卻也偶而想起百年後的光景。將來我倒願借用陸放翁的名句而竄改一字：「死去原知萬事空，但悲不見九洲同。」萬一數十年後世界已大有轉機，這十四字便也祗有作廢了。那時，把我葬在西伯利亞也好，葬在撒哈拉也成，早已是衷心無憾了。

坦白

·勞克·

司馬光最講誠實，這一句假話就掉轉頭了。誠實為人的美德。羅曼羅蘭在約翰，克利思朶夫裏面：「人的第一美德，就是真誠。」

但在今天的社會裏，你說老實話，做老實事，餓肚皮是你，升不了格是你。背後還被人指摘為「傻瓜」。老實人多半都是吃虧的。

由於現實的可怕，老實人也就少下來。大家都把話埋在肚子裏，你埋一點，我埋一點，弄成這個社會成了個「虛偽的社會」，這個世界成了「虛偽的世界」，也就造成了勾心鬥角。

要想見到誠實、聽到「坦白」，只有在生死至交的朋友面前。做錯了的事說出來，對的事也說出來。雖然耶穌強調「有罪的人，都到我這兒來」，有罪的人都到他那裏去，但有幾個人真正坦白出來。

在發明了測謊器的今天，一個人不真正「坦白」，也沒法測驗得出來的，所以法庭上多見用証據與偵查與探悉方式，得到真實的坦白。如果每個人都坦白，連法庭也無需存在。

貓與貓打架，打的在地上只是打滾，叫的怪不好聽，慘悽極了，不忍耳聞。但過了幾天，兩隻貓還在一起散步，一個盌裏吃飯。如果真正是坦白，任你傷害都損不到真正的友誼。友誼是建立在了解上，了解建立在真誠的坦白上。

瘟君續夢

第一回：捲土重來，瘟君尋舊夢；投袂而起，小醜鼓雄風

朱德當時陪笑說道：「林楓同志到人代常委會來，最好不過了。可是，我忽然想起劉自乾，也應該給他一個較重要職位。」

朱德提起劉文輝，大家當時都楞了一下，毛澤東一時摸不清朱德的目的何在，回頭就看林伯渠。

活曹操拈着五色鬍子笑道：「我明白朱老總的意思，他大概是由林楓同志想到當年兵圍大渡河的情形，若不是劉文輝從安順場對面讓出一條路，我們那次恐怕真作了石撑開第二都不一定。」

活曹操說過之後，大多數人還是莫名其妙，毛澤東卻感到有點忸怩，他以為朱德有意嘲笑他當年覓林楓作替身的事，一張判官臉頓時脹得通紅。

朱德看出情形不妙，連忙解釋說：「林老誤會了，我決不是這個意思，一個共產黨員要講到感恩圖報的話，豈不變了唯心主義者。我是所以提出劉自乾，主要因為他統治西康多年，對西藏也有深切了解，我們目前正對西藏鎮壓，對這批識途老馬，何不加以利用。」

朱德一席話說得合情合理，毛澤東的氣也平了，連忙問道：「怎麼安置劉文輝呢，也給他一名人代常委會副委員長嗎？那又變成韋數了，還要再添一個。」

毛澤東說過，劉少奇翹着眉頭說道：「這種人如何配當人代會副委員長，想照顧他交給周來同志給他一名部長就可以滿足了。」

劉少奇這一安排實際上是一石兩鳥，他知道劉文輝是四川大邑人，與朱德是同鄉，和劉伯承不但同鄉還同過事。人代常委會裏有了一個獨眼龍劉少奇已經放心不下，若再加進去詭計多端的劉文輝，將來必然更難對付，到不如推給周恩來，既可折開四川人，又可以替周恩來添個麻煩。

果然周恩來聽說把劉少輝交給他，頓時吃了一驚，苦笑道：「這種人只會販鴉片，刮地皮，把他交給我，怎麼安置。」

劉少奇笑道：「刮地皮也需要勞動，種鴉片總算是農業專家，你乾脆派他當農業部長老了，好在梁希死後這個缺也未補人。將來有關特貨的種植，經營就責成他負責，豈不也算是廢物利用。」

劉少奇說過許多人都笑起來，周恩來無話可答，也就算通過了。

接着討論到最高法院院長，這個職位原是董必武担任的，老狐狸升了副主席之後，也要補選一個人頂上。本來大家都屬意活曹操，覺得他是最合適人選。果然劉少奇提出來，至體政治局委員一齊鼓掌贊成。（六）

岳騫

今日的大鵬（九）

——瘦西湖——

◎漫談梨園◎

自「八七」水災不幸發生後，大鵬全體同仁目睹中南部一帶的災情重大，以及同情萬千無家可歸的災胞起見，遂聯名請求上峯，准予八月十七、十八兩日假台北市演出，第一天開鑼戲由小大鵬全體飾演「嘉興府」，次為章遏雲，哈元章合演之「寶蓮燈」，大小賣力，四座爆滿，其叫好之多，彩聲之久，係為歷年演出者所僅見。

次日前出仍由小大鵬演出「蓮花塘」，次為哈元章，章遏雲之汾河灣；壓軸由徐露演出拿手傑作「拾玉鐲」，而大軸之「法門寺」，則由大鵬全體伶人反串，並煩章遏雲女士反串花面九千歲劉瑾，當章女士唱至『好一個胆大的鄖鄔知縣，將一樁人命案審問的倒顛，限三天將人犯一羣帶齊，少一名將爾的人頭（啊）懸掛高竿』，句畢照樣獲得了滿堂彩聲，雖然是小知大唱，但仍不失為大家路數也。

四十九年一月廿八日，在新生南路空軍介壽堂搬演歲暮封箱戲，除「紅梅閣」、「辛安驛」外，並有小班合演之「戲迷家庭」，其滑稽突梯之處，大有令人笑痛肚皮之感，此雖屬玩笑不經之戲，但偶然串演為之，倒也無傷大雅，倘營業戲中亦列此齣，經常為之，則不免流俗了！望大鵬當局能稍注意焉。

總之，大鵬不但對振興國劇有功，且赴海外宣佈僑胞，及赴各友邦國家，連絡邦交之功尤偉，記得大鵬赴英倫表演之時，匪方「人民日報」曾經著論大事抨擊，而中共之「代辦」秦加林，也曾為此發表聲明，指英不列顛破壞「中英友誼」，並且誣蔑大鵬劇團赴英時，負有「政治陰謀」的？但是秦匪像狂犬般咆吠一頓之類，不但絲毫沒有影響到大鵬的聲譽，而且還因此遭受了英國明星報的責斥說：「把藝術和政治混為一談的共黨慣技，是多麼的無聊啊！」。

大鵬在英國與共匪駐在的人員打了一次勝仗後，其在歐洲所受到的熱烈歡迎，應要算是法國巴黎，記得四十六年十一月十二日在巴黎香榭林舍劇院演出時，法國政府還隆重地派遣了一隊「共和儀隊」，排列在該劇院之前，向大鵬全體演員致敬，該次到場觀劇者有政府顯要，如外部長畢諾，教育部長畢業瑞，巴黎市長李維幫，藝術名流如洘克圖，學術權威蘇瑪爾等，以及各國駐法之大使，武官，領事等實不下千餘人之多，洵盛事也。（完）

劉璈治台史事

李仲侯

此時台灣列強東顧，虎視狼吞，事勢之來，一息千里，自非極力整軍經武，借助民力，據險恃危，未足以圖存，璈以合民智於勤苦，近海之民，熟諳水性，履波濤如平地，如能將壯健丁勇挑選入伍，以備不虞，較諸水師，實為得力，不但可以省撫兵之費，且可以收海島無業之民，沙線既熟，守望亦專，是一舉而數善備也，洪楊之役，湖湘諸將，多練鄉勇，戡平大難，於是漸汰綠營，台灣自戴潮春之變，攻陷彰化，南北俱動，官兵不戰而潰，巡道孔昭慈死之，乃設團練，以淡水紳士林占梅為團練大臣，駐大甲阻其北竄，而各莊亦多起義軍，以相搏戰，建功尤偉，然而猾紳士豪，貪緣為利，怙其勢力，五相雄長，武斷鄉曲，莫敢誰何，巨奸積匪，藏之宇下，一言不合，輒起興戎，浸成游俠之風，而官莫敢問也，光緒七年，劉璈將原有之團練總局改為培元總局，除督練鄉勇漁團外，並董理一切善舉，其總辦由道府札委，官置紳董，凡清溝修道救郵施醫等，率歲費十數萬兩，由匯金項下開支，不取於民，法人之役，沿海戒嚴，劉璈手訂團練章程十七條公佈之，則由府縣城內設一總局，東西南北中各舉團總一人，歸總局經理，城外各鄉遠近不一，大約以周三四十里為分局，任以團總，副以團佐，閩粵人之聚居者，可設族團，族長主之，凡團內之壯丁皆註於籍，分為義勇、練勇、團勇，義勇常駐局中，逐日操練，月給糧金四元八角，練勇按旬一操，每次給銀二角，其費皆由舖戶捐之，練勇八名抵義勇一名，不歸捐者為團勇，每月赴操一次，由局預選明幹義勇為百長以帶練勇，又由練勇選什長以帶團勇，衣裝旗幟，捐戶備製，各分其色，以俾辨別，其有胆畧過人，願赴前敵者，准其自告，別編一冊，由縣會營，申明號令，隨軍出戰，不與前鋒，慮亂行也，信賞必罰，昭示鼓勵，從前犯法之人許其改過自新，查團練之設所以自衛也，在城守城，在鄉守鄉，足供行軍之不逮，惟在理者之得宜爾。

當時劉璈又頒漁團章程二十條，通飭紳民暨沿海漁民遵行，略謂漁團辦法與陸團不同，沿海漁戶，貧苦居多，既難如陸團捐勇出費，又難如陸團派紳設局，情形既異，頭緒尤繁，並議就漁團以選水勇，藉水勇以聯漁團，相輔而行，較為妥便，除照原詳水勇名數，由各路挑選泅水精壯漁民，先後招募成軍，以尚要防，並將漁團辦法，匯定章程，以清內亂，而禦外海。（三）

名女人（四）

徐學慧

昔者楚考烈王相春申君之吏李園，有一女弟名女環，一日，環謂其兄曰：「我聽說王老無子，你可介紹我去見春申君，祇要能見到春申君，就可以見到王了。」李園道：「春申君，貴人也，我怎麼敢向他進言呢？」李環道：「你可向春申君這麼說，就說你有遠道客人來到了家裏，想要告假回家招待，春申君一定會問是甚麼遠道客人，你就回答他說，因為我有一個妹妹，被魯國的宰相知道了，特地派一個使者前來相聘的。春申君一定又會問，你的妹妹有什麼才幹，你可以回答說「能鼓琴、能讀書、且通一經。」這麼一說，他一定會召見我的。」

李園一如其言，即向春申君告假，一切均如李環所料，春申君問曰：「有何才能？」對曰：「能鼓琴，讀書通一經。」春申君曰：可得見乎？明日使待於離亭。李園回去將經過情形告訴妹妹，環曰：明日你先到離亭招呼，我隨後就到。

翌日，春申君到，馳人呼女環，女環至，大縱酒，女環鼓琴，曲未終，春申君大悅，遂留宿焉。

像這樣一個故事，如果用現代作家的形容詞來說，簡直就是一篇雋美的散文，一首流麗的小詩，甚至於可以說是一幅清幽絕俗的山水畫。可是，這也只有春秋戰國時代，才能產生出這樣美的詩與散文。他們是把縱橫捭闔之術從外交政治進而應用到男女之間了！

戰國策所載陰姬與江姬爭為后的故事，其所用權術，與此正相類，不妨舉出，以償讀者。

陰姬與江姬爭為后，（均中山王寵妃）司馬憙謂陰姬曰：事如不成，身且敗，我當為汝圖之。乃奏書中山王願赴趙國探聽情報，王許之。自趙歸，乃謂王曰：趙王不好道德而好聲色，臣聞其欲求所謂陰姬者。中山王不悅，司馬憙曰：趙強國也，其請之必從。王曰：將奈何？司馬憙曰：王立陰姬為后，可絕趙王之意。王曰善，遂立陰姬為后。

漫談星相

漁翁

為人以年月日時而推算命運者，謂之星士，觀人之面目手足而判斷吉凶者，謂之相人，故統稱之為星相家，又名術數家。

戰國時，有唐舉者，善相術，蔡澤從唐舉相，曰：「富貴吾所自有，所不知者，壽也。」舉曰：「先生之壽，從今以往者，四十二歲。」蔡澤笑謝而去。陳子昂詩云：「願奉唐生訣，將知躍馬年。」

星命之學，咸推唐之李虛中，元和中，官至殿中侍御史，韓愈為作墓誌，稱其最深五行書，世傳其命書三卷，題鬼谷子撰，李虛中注，鬼谷子本縱橫家，不聞能知祿命，虛中雖善祿命，而其法用年月日，不用時，與此書言四柱者不合。至宋之徐子平，始以八字推算，用年月日時之天干地支也。

唐代司天監袁天綱，嘗與武則天之父往還甚密，時則天之父為太宗將軍，母封韓國夫人，袁視夫人之相，必生貴子，迨見其子元慶，元爽，又謂：「可官至三品」。則天在襁褓中，夫人抱出，紿稱男孩，袁撫相嘆曰：「此兒龍睛鳳頸，為極貴之徵，若女子，當登九五之尊。」則天父母聞言，恐惹大逆不道之禍，乃止之，並以實告，後則天篡唐，果如袁之所言。

清代張文襄公之洞，河北南皮縣人，以探花出身，歷官兩湖兩廣總督，公餘喜閱術數諸書，對相命尤具心得。一日，在廣州城召一術士入衙看相，術士見文襄而異之，謂公曰：「乞恕罪，始敢言。」文襄笑頷之。術士曰：「公外表，乃乞兒相，若非內格特異，何能官至一品？」得文襄之許可，為之摸骨，喜曰：「異骨方腸，百濁一清，宜主大貴！」公亦精此術，深佩其道中肯綮。其夫人請相家人，亦均驗，以重金酬之。

翌日，文襄問夫人酬術士幾何？答曰：「百金」。文襄曰：「我不殺伯仁，伯仁為我而死矣。」夫人問何故？曰：「斯人窮薄相，祿命過三兩，必有大災。」即命役訪之，而術士得此金，盡情揮霍，為盜所乘，竟罹殺身之禍，陳屍巷內，為衙役所尋，事乃大白。因此，咸以張文襄公精相術，較此術士殆尤過之。

又清朝中興名臣曾國藩，生於嘉慶辛未年十月十一日亥時，相傳曾祖父夜夢虬龍，自空而降，憩於中庭，驚醒後，忽報添一孫，喜謂曾之父竹亭曰：「此兒必將光大門閭。」並告以夢，囑善撫之。曾生患癬癩，嘗以手搔廣不止。饒州知府張澧翰，以善星相名，謂曾之相，為龍之癩者，以其端坐時，張爪刮鬚若癩龍也。證以其曾祖所夢，益信張之所相為不虛。

猶憶民二十五年端午節，筆者與友人于忠恕，毛樹德作客武昌，同往黃鶴樓觀龍舟，一登樓，見許多星相家，就中有一鬚髮斑白之七十老人，棹幃上大書「藏真道人」四字，問之不以姓名告，但云清舉人，歷綰銅符，民初退休，研星相學，每年在此地避暑三月，每看相不索酬，與其他賣卜謀生者有別。首先看于的頭部，謂眼露睛光，山根缺陷兩條，恐不善終。再看毛之面貌，以其面色突黑，兩目不現精光，似不久於人世，最後評筆者之相及推算八字，以地支貴人遍布，每逢凶化吉。談畢，毛有憂色，而于不介意，且一笑置之。

不半月，毛返故鄉──湖南，于走北平，筆者赴上海，各分道而去，迨同年十二月間，毛已病死於故里。筆者函告于，藏真道人之妙算，已實現一部，在相書上開宗明義第一頁，有「相隨心轉」四大字，爾後須秉着君之大名──「忠恕」之道行之，彼復不但不虛心接受，且笑我固守於迷信。及至日軍於民三十年秋間，侵入湘桂綫時，于避難入蜀，不幸在貴州獨山道上，因車翻而殞命，已驗藏真道人所云。

于毛兩君，均畢業於北平與湖南大學，在教育上，新聞上，有許多貢獻，往事回溯，不禁感慨萬千！

歷史人物

政海異聞（二）

諸葛文侯

民國廿二年春三月，國民黨中央執監委員集會於南京丁家橋總部，事畢例應攝影，大家聚集在大門內的空坪上，聽候執事者佈署一切，維時人多口雜，秩序殊不見佳。蔣委員長在樓上聞及喧囂之聲，滋不悅，臨時傳語諸同志不必候他來參加。如是，汪精衛受衆人推崇，入據中間座位，進行攝影事宜，技師剛開始工作，發出一聲「不要動」的口號，而鎗聲突起，汪氏中彈倒地了！登時秩序大亂，衆委員紛紛奪路竄避，有俯伏於大卡車車輪之間者，有半途俯臥於黨部二門內樓梯下者，亦有奔入廁所內屏息蹲地者。幸而張溥泉與張學良二人胆量較大，一聞鎗聲之後，溥老挺身奮力，趨抱刺客的腰部與雙手，學良從旁猛踢刺客的膝蓋，使其失去掙扎能力，俯首被擒焉。

次日黨部工友清理廁所時，忽見坑內遺有中央委員所佩帶的特別出入證一枚，急忙拾起洗滌，送交秘書處，不知究係那位委員所有？秘書長葉楚傖飭總務科按其號碼清查底冊，纔知道是某某委員於奔入廁所後，還害怕刺客來搜尋中委行刺，驚悸之餘，智慧猶存，乃急忙將胸前的特別出入證摘下，投入糞坑裡，藉免遭禍。他以為這枚徽章必與糞便混合，變成垃圾肥料，與草木同腐了。改日登報聲明作廢，另請補發，誰也不會調悉其中底細的。詎料竟被工友發現，經秘書處按冊查號，真象畢露了。這件事當時傳遍九城，成為茶餘酒後的笑談資料，聞者莫不捧腹，可算是革命黨人的一大諷刺也。

事變發作後，汪精衛血流遍體，抬入黨部急救，蔣先生下樓來省視，陳璧君大哭大鬧，說是「精衛如此下場，看你如何辦理？」她懷疑蔣先生臨時不參加照相，是預知有變故發生纔避開的。中樞一面救治汪氏的創傷，一面嚴訊刺客，窮究主謀之人，但詳情保密不洩漏，僅知該刺客係以某通訊社記者的身份，騙領來賓出入證，混進黨部大門，乘機動手的。後來治安機關根據刺客供述，又在江蘇金壇縣某某地，逮捕了兩個同謀者歸案究處。

經過兩個月之後，汪氏的傷患已告痊癒，只留着一粒子彈未取出，醫生認為無關重要──現時老當益壯的何應欽將軍，身上亦有一粒子彈潛存着──可是，對於審刺客這樁公案，不了了之，而汪氏本人亦絕口不提此事，漠然置之，即生性好談是非，動則哭哭啼啼，吵鬧不已的陳璧君，亦不再說「看你怎樣辦理」的話了。究竟行刺的原因何在，主謀者何人，是專以汪氏為對象呢，抑或別有所圖？至今還是個謎，不亦怪哉！

談彭玉麟

康翊

近讀會稽李慈銘（蒓客）的「白華絳柎閣詩集」，有題彭侍郎玉麟畫墨梅詩一首，也頗能表現雪岑的剛直淡泊氣概。原詩畧云：

「……街南謝公忽走使，示我此幅情悠然。為言侍郎潑寒墨，正在山寺倚枯禪。放臂矢矯作曲糵，頓覺鐵石生清妍。長江水師百萬衆，踏冰苦戰三十年；瘦骨時與怒蛟搏，勁節能扼天心旋。投閑寫此古明月，鑿影不負清冷淵。白雲豈尚耐高臥，坐令荊棘纏風煙。還君此圖三太息，楚辭愁絕朱琴絃！」

這首七言古詩，輕描淡寫那幅寒梅噴雪的天然標格，異樣清妍，襯托出雪岑侍郎的踏冰苦戰十經年，待功名成就之後，却恬退自省，住深山，伴枯禪，自寫疏影橫斜，暗香浮動的凝白芬姿，不假鉛華的動人春色，真可說是逸士高人的雅趣了。

四、

在西湖的許多聯語中，我最愛彭雪岑自撰退省庵二聯，其一云：

「退食有餘閒，當載酒人來，莫孤負萬頃波光，四圍山色。臨流無俗慮，看採蓮船去，只聽得一聲漁唱，幾杵疏鐘。」

其二云：

「別具胸襟，是明月前身，梅花知己。偶來爪印，為青山有約，湖水尋盟。」

因為這兩聯都代表代一種雅潔高曠的精神，真不愧「明月前身，梅花知己。」林和靖鶴子梅妻，不得專美於前代了。（五）

內警僑台報字第〇三一號內銷證

自由報

THE FREE NEWS

第一三四期

中華民國僑務委員會頒發
台報新字第三二三號登記證
中華郵政台字第一二八二號執照
登記爲第一類新聞紙類
（半週刊每星期三、六出版）
每份港幣壹角
台灣零售價新台幣貳元
社　長：雷嘯岑
督印人：黃行靈
社址：香港銅鑼灣高士威道二十號四樓
20. CAUSEWAY RD 3RD FL HONG KONG
TEL. 771726　電報掛號．7191
承印者：田風印刷廠
地址：香港灣仔高士打道二二一號
台灣分社
台北市西寧南路壹壹柒號二樓
電話：三〇三四六
台郵撥儲金戶九二五二

韓國政變及其根本問題

宋文明

自五月十六日韓國陸軍中的少壯派軍人突發動政變，推翻張勉總理的政權以後，韓國已面臨着自一九四八年恢復獨立以來的最重大的變局。至本文執筆時止，發動這一政變的執政團已相繼逮捕了張勉總理及其大多數閣員，逮捕了兩千多名的政治犯，頒發反共令，解散議會，解散一切政黨及非學術性社團，並提出五項行動口號，厲行廣泛節約，準備把全國國民的物質及精神生活完全置於嚴格的軍事管制之下。這所謂五項行動口號者，便是：（一）「讓我們反對共產主義與中立主義」；（二）「讓我們過刻苦的生活」；（三）「讓我們提高道德」；（四）「讓我們增加生產」；（五）「讓我們表現一種工作精神」。由這五項基本的行動口號，我們便可知道在這批少壯派軍人指導下，在最近的將來韓國還會發生一連串的其他重大的變化。

對於這一政變的背景、動機及其經過，各方已講得太多，勿需我在此再予重複。但對於其他各點，世界各地看法並不一致，所以我願在此表示一點我的意見。

第一、我覺得這次韓國軍人政變團所採某些作法已經稍嫌過份與有失公平。在最近數年來，亞非各地如泰國、巴基斯坦、緬甸、蘇丹、伊拉克、土耳其等國，都曾發生過政變；但除了伊拉克由於歷史背景特殊而引起慘重流血與紛亂之外，其他各國的軍人政變，沒有一個會帶來如韓國這次政變如此重大的變化。尤其在性質上，這次韓國政變頗與一九五八年十月的巴基斯坦政變相彷彿，但其結果遠非巴基斯坦那次政變所能比擬。例如這次韓國執政團不問有無事實必要，竟將張勉及其閣員一律逮捕下獄，我覺得就很難使人折服。假若逮捕張勉及其閣員是爲了他們不夠反共，那是不合事實。因我們知道張勉內閣曾竭力想使國會通過兩項法案，設法克制羣衆示威及左派活動；結果所以未能使這種法案獲得通過和更積極的壓抑左派份子及青年學生的非法叫囂，那是由於張勉政府忠於民主自由的原則而不願輕易使用武力之故，並非由於它的不能和不願如此。再假若逮捕張勉及其閣員是爲了他們有貪污嫌疑，那也是不合情理。因我雖然不知道張勉及其閣員是否眞正貪污，但有一點可以確定，即張勉政府在此方面縱使不比過去的李承晚政府更好，也不比李承晚政府更壞。那麼這批軍人何以過去不過問李承晚政府的貪污，而要對張勉政府的貪污特別仇視？這種前後比較，實已減弱了這次政變團打擊貪污一事的道德份量。

另外，這次韓國政變團一面表示不讓總統尹潽善辭職，以保持韓國的憲法傳統；一面又將全國各政黨各社團——包括韓國一切尊崇民主自由而又反共的政黨和社團——一律解散，便顯出了這一執政團在政治目標上的混亂與矛盾。對於這一矛盾的唯一解釋，便是這一執政團根本無意尊重尹潽善在憲法上的總統職位；其所以暫時如此，不過是在利用尹氏現有地位而避免引起國際上對新政府的承認問題麻煩而已。

第二、我覺得這批軍人太把韓國當前所遭遇的許多問題看得過份簡單了。這次政變主要是由於國內的不安，這種不安的一個最根本因素，乃是在於經濟的窮困。對於這一問題，過去李承晚政府在長時間內沒有想出辦法，張勉政府由於執政時間太短，也就沒有充分機會想到有效辦法，因此我就不相信這次政變的結果，就能對此一事創造奇蹟。現在這批年青軍人對這一艱困的經濟問題的直接反應，正如一般人在這種情形下首先所考慮到的，便是厲行廣泛的節約運動。但節約運動假若沒有其他更有效的作法與條件作支持，如此全面節約的結果，對於全國經濟的影響，可能不僅無益，並且反而有害。

韓國經濟的所以陷於衰敗不振，是有兩個基本原因。其中一個原因是：自從南北韓分裂後，過去原爲農業區的南韓，由於缺乏必需的工業資源，使南韓的經濟不論美國如何支持，總無法進行大量的擴充與發展。其中另一個原因，是由於人口的過份膨脹，使韓國經濟與人口的增長完全失去平衡。根據去年十二月九日的新聞導，韓國現有人口已達兩千四百九十九萬四千一百一十八人，即比五年之前約增加了三百五十萬人。由於人口增加過速，經濟增長不足，所以韓國失業人數最近已達兩百五十萬以上，結果不斷惡性循環，使經濟情況愈來愈壞。正由於這種經濟方面的特殊困難，所以韓國青年羣衆才有長年的示威遊行，北韓共黨政權也才會提出經濟援助計劃的宣傳，作爲對南韓的統戰資本。對於這種情形，試問軍人政變有何用？又單是提出節約辦法又有何用？

照這批年青軍人的直線想法，以及照他們所提出的那些口號內容加以觀察，他們要想解決或緩和今日韓國經濟問題，最後勢必定走上兩條道路。這兩條道路便是：一個是羅斯福的新政的道路，在全縣各地開辦大批公共工程，分配就業，使韓國經濟重新獲得正常活動；一個便是法西斯的道路，全面管制國民經濟，實行強迫義務勞動，束緊腰帶，共渡苦難日子。要採行新政的道路，顯然需要外來的大批財政援助，此在目前韓國絕不可能，那麼僅餘選擇便只有法西斯強制辦法一途了。但即使實行這種辦法，能否由此解決韓國經濟困難，仍不無疑問。

第三、我覺得在這批發動政變的韓國軍人羣中，根本缺乏一個具有眞正領導能力的核心人物。現出任韓國軍政府總理的張都瑛中將，看起來，既不具有巴基斯坦的阿育布，泰國的乃沙立，及土耳其的古塞爾那種在軍中的現成威望，也不具有埃及的納塞，伊拉克的卡塞姆那種領導才能及份量。納塞與納吉布經過數年鬥爭後，才取得領導大權；卡塞姆在控制全面局勢前，亦曾先克服過阿里夫，與沙瓦夫等人的激烈反抗。因此這次韓國政變，雖由張都瑛等少數人所發動，但其領導重心，顯然不在張都瑛其人，而在執政團全體。這種缺乏現成領袖人物的政變，一面對於政治問題只存有消極的不滿，而無積極的計劃與深刻想法；一面在實際統治過程中，由於互相爭奪權力與領導地位，最後勢必陷於分崩離析。其結果將使美國多少年來所培養成的韓國武裝部隊，由此遭受重大損失。

第四、我覺得不論美國表面態度如何，美國對於韓國這一軍人政權絕不會予以積極的衷心支持。鑒於數日來美國官方所作各種暗示，美國在萬不得已情況下，可能容忍和接受這一政變所造成的既成事實。可是要使美國對這一軍人政權予以衷心支持，那是絕對不可能的。美國所以不能對這一政權予以衷心支持，其眞正困難還不在於這一政變推翻了韓國的合法政權，也不是由於這一政變與美國的一般外交政策特別是最近的拉丁美洲政策相抵觸，而是由於這一政變將削弱美在韓的外交地位。現在韓國安全的大部責任雖實際由美國所擔任，但在名義上，美國這種作法是代表聯合國與十六盟國（韓戰參與國）的共同委託。既是如此，美在韓國的一切作法，以符合聯合國行爲標準與十六盟國的共同意見爲依歸；否則，若不取得聯合國與十六盟國道義與精神上的共同贊許，美在韓國將有陷於孤立的危險。加之韓國發生這次政變之後，國際共黨方面一定會乘機活動，提出某些可能引起世人注意的說辭，設法在韓國問題上加施壓力，果如是，美國又將如何應付？美國政府又將如何反對來自國會方面的要使韓國中立化的要求？

總之，對於發動這次政變的韓國年青軍人的想法，我們固然表示同情；但這項政變的結果與影響，對於韓國前途，實在是利少而害多。過去我深自覺得政治絕不是年青人所能搞的，尤其不是軍人的簡單頭腦所能瞭解的，現在韓國這一政變，使我更加強了這一信念。爲今之計，我希望這批年青軍人最好從現在起，一面仍暫時保持政變組織，從旁監督政府施政，一面立即將實際政權交還憲法政府。再不然，就學緬甸尼溫將軍的良好榜樣，在一定期限內實行選舉，和平移交政權，恢復憲政之治，絕不宜長期把持下去。

小論天下

△美副總統詹森自亞洲返美，倡亞洲太平洋高峯會議。據稱：亞洲人有抵抗暴政的決心，各國對美抱懷疑態度。美爲保衞亞洲將不惜犧牲。

這如不是一個「反共的」高峯會議，恐怕沒有多大意義。堅決反共者才是保衞亞洲的主力，說他們對美國懷疑，不如說他們受不了美國長期「釘」在第一線上的痛楚和苦悶。

△南韓軍政府厲行刻苦節約運動，封閉飲食館多家，大捕跳舞者。新政府與駐境美軍總部發生磨擦，未獲協議。總理張都瑛擬訪美謁甘迺迪總統，被美國務院婉拒。

南韓革命軍人的最大障碍，經濟困難是其一，對美外交是其二。經自我刻苦只能節流，開源卻不是「那麼一回事」。甘迺廸左右多的是「開明份子」，可能恨張都瑛尤甚於恨卡斯特羅，對他「擋駕」是當然的。其實，南韓如由一變再變以至三變，該認眞耽憂的還是美國人。

△由古巴逃回的美國記者透露：卡斯特羅最近捕人確數達五十萬。料美國用經濟制裁古巴將失敗，指出蘇俄正以任何可用之方法，支持卡斯特羅在古巴站穩。

把卡斯特羅在共黨陣營所得到的喝彩與支援，和張都瑛在反共陣營所得到的懷疑與歧視，作一個對照也好。張都瑛捕人一萬是「法西斯」，卡斯特羅捕人五十萬便是値得與以「安撫」的英雄了。

△日內瓦「十四國會議」暫告停頓。寮局無新發展。泰國東北有共黨煽亂，一俄國間諜被捕。

打打談談，談談打打。打打談談當中，赤火已漸漸向泰國燒去。

△美國黑白糾紛浪潮，由阿拉巴馬蔓延到密士失必州。

黑白衝突當中，定然有人希望會磨擦起紅色的火花。

△甘迺迪與赫魯曉夫的「維也納會議」，業已安排妥當，將作八小時密談。

維也納是「音樂城」，看這回誰跟着誰的曲調來跳舞。

方南

讀自由

亂世之飯桶？

「我輩是治世之能臣，亂世之飯桶」，這是現代學人丁文江氏在生時，對朋友們所說的感慨語，意在替讀書人鳴不平。因爲他目擊中國自民國建立以來的長期動亂情形，到處割據稱雄，發號施令的權威人物，盡是些「羣兒致貴矜身手，翻笑先生好讀書」的糾糾武夫，任何一個長衫朋友，即令才高八斗，學富五車，亦只能在這般軍閥專政的局面中，過着伴食的淸客生活而已。事實確係如此，但我認爲其咎不在武夫，而在讀書人之自暴自棄。

世界上一切稱帝稱王的英雄豪傑，他們的政權固然都是靠着槍桿兒的力量爭取而來的，但如果沒有拿筆桿兒的讀書人，事前替他設計畫策，事後竭力相助爲理，他的政治權威就永遠沒法創立，縱使僥倖得逞於一時，終歸亦非失敗不可。歷史紀錄，斑斑可考，如蜀漢的成都太守法正，即是典型的例子。法正以一個落拓入蜀的窮書生，爲權威者所不齒，他利用張肅與劉璋的關係，與其弟張松協謀，密通諸葛亮，把劉璋的闇弱政權搞垮，讓劉備取而代之。所以，後來法正擢任成都太守時，雖然政聲不佳，專事修嫌報怨，引起地方人士羣聲反對，而諸葛亮硬說是法正有大勳勞於國家，必須讓他暢行其志。這樣的讀書人，能說是亂世之飯桶嗎？

現代中國知識份子最大的病根，就是見着槍桿上的權威即盲目崇拜，獻媚曲從，見着同行的筆桿朋友，卻高視濶步，旁若無人，個個要以領袖自居，相尅相制，誰也不願佩服誰。隨時侈言民主，要搞組織，可是，只要有三個知識份子組合的團體，亦爲着爭領袖而宣告散夥，此其所以有「秀才造反，三年無成」之酷評也。如此這般的讀書人，就只能在治世的天王聖明之下，寫寫制誥，定定朝儀，討取一官半職，驕其室家戚族，自鳴得意。一到亂世，既無「彼可取而代也」的革命志氣，又怕過着「望門投止」的亡命生活，畏首畏尾，身其餘幾，結果祇好以飯桶自安了！

馬五先生

大陸耕牛極端缺乏

焦毅夫

大陸剖視

最近中共報紙報導大陸春耕情況，暴露中共在「大辦農業」中發生缺乏畜力耕作嚴重現象。報載：「河北交河縣變廟公社變廟大隊，這個大隊今年春播比務集中，畜力感到不足，全隊共需要八百一十個畜工，但所有牲畜在整個播種期間，僅能做二百零八個畜工」（一九六一年四月二十日「人民日報」）。「廣東五華縣缺乏畜力情況十分嚴重。經過調查可以使用耕作的畜力只有百分之六〇左右。」（一九六一年四月十二日「人民日報」）中國是農業社會，目前中共又以農業為主，且乏機耕能力，今竟發生如此嚴重缺乏耕畜現象，確實太不尋常。

今日大陸耕牛之所以缺乏原因，中共承認是膘瘦、多病、死亡率大和適齡小牛無人訓練等結果。例如：「遼寧省瀋陽市汐二保公社去年遭到水災、牲畜體力瘦弱，全社三十三個大隊，共建立了卅五處『牲畜療養院』，對瘦弱牲畜單獨飼養，公社黨委派了一名書記領導這一工作」。「江西新建縣原田公社組織獸醫人員，下鄉使七百餘頭瘦弱病牛恢復了健康」。（一九六一年三月一日「人民日報」）「湖南衡山縣南岳人民公社，有五百多頭耕牛都是三類膘（按：三類膘即十分瘦弱），其中有百多頭連爬起、臥下都十分吃力。這類耕牛佔全社畜力百分之五十以上，春耕期間使大部份田地無法犁耙。」「廣東五華縣全縣有四萬二千多頭耕牛，現在使役的只有二萬八千多隻，原因是有一部份耕牛膘情不好，有些可以使役的小牛，沒有及時訓練」（一九六一年四月十二日「人民日報」）。

上述例子說明大陸缺乏畜力耕作情況，並非個別地區現象，事實已普及全國各地；同時，發現的倒不是耕牛真正缺少，而是病弱不能耕作。為什麼耕牛體質瘦弱？據說是「飼養員隊伍不純潔，不精心飼養。草料既不切短，有的連水也不給牛喝，因此過冬的耕牛不能保膘，由一類的肥牛，變成三類的瘦牛」（一九六一年四月十八日「人民日報」）。中共認為這項人為的瘦牛問題，應予設法糾正，因而製訂下述補救辦法。

一、製訂的各項獎懲制度和飼養管理辦法中規定：「各生產隊應定飼養員、定牲畜、定草料、定鍘草人，定出圈、定使役人、定牲畜休息時間等七定。並展開加強愛牛教育，不使『恨心牛』，提倡政治（按：即中共幹部）進『飼養院』，訂立愛畜公約，廣樹標兵，開展羣衆性愛畜，保畜運動」（一九六一年四月十八日「人民日報」）。

耕牛是農民的財產，也是人民耕作工具，已往，農民愛護耕牛，有着愛護家人一般重要，一切草料，保養，清潔衛生無不精心處理，更無所謂「使恨心牛」事件，今日大陸竟然發生如此現象，需要『政治進飼養院』來監督管理，足見人民不滿「人民公社」的情緒，連耕牛健康也懶得聞問。

二、用人，驢、馬配搭，盡量少用耕牛。河北省交河縣變廟公社變廟大隊，因為畜力缺乏，使春耕遭過嚴重阻礙，人民為克服所面臨的困難，組織五人為一組，用人力代替畜力做活，並將從事副業生產的騾、馬分別和牛搭配耕作」、山東臨邑縣張河人民公社，春耕期間缺乏耕牛，用人拖犁，每五人一組，一天可耕地五畝左右。」（一九六一年四月二十日「人民日報」）

香港大公、文滙兩報曾稱，洛陽第一拖拉機廠，每十分鐘，即可生產一台拖拉機，則大陸應早已進入機耕或牛機耕程度。當缺乏畜力時，為何要用人來拉犁，足見所稱都是謊言，說明今日大陸仍以畜力耕作為主。

三、訓練駱駝代替。新疆塔什庫爾干公社，因為耕畜不能滿足翻地的需要，經過羣衆研究後，決定訓練五十二峰駱駝代替耕畜，這項工作已經取得初步效果」（一九六一年四月廿日「人民日報」）。

四、加緊訓練小牛。「四川省一些地區調查，這樣的適齡的幼牛佔耕牛總數的百分之十五至二十。對於教練幼牛和使用幼牛，應當確定專人負責，規定合理報酬，並且要教育羣衆認清當前利益和長遠利益的關係」（一九六一年四月十八日「人民日報」）。「湖南省湘鄉縣谷水人民公社黨委調查龍岡生產隊，全隊有幼牛一百四十多頭，有八十一頭已適齡，能夠使役，內中有三十四頭已過齡，去年應就該加以訓練利用，但無人過問，任由適齡的幼牛放蕩。經幹部指定專人訓練以後，由人牽引，已能從事耕作」。（同上引）

幼牛適齡而不加以訓練使役，只有在中共統治下的大陸才有此現象。這現象足以反映大陸人民對中共政權的態度，直率點說，是一種不合作和反抗的表示。

五、內蒙古牛支援中原。內蒙自治區從去年秋天到現在已外調四萬五千七百多頭耕牛，支援山西、河北、北京、山東、河南、遼寧、黑龍江、江蘇、安徽、寧夏等十一個省、市、自治區春耕生產」（一九六一年四月二十日「人民日報」）除內蒙古牧區支援中原地區耕牛之外，各地軍隊亦以軍馬支援，「瀋陽地區部隊最近援出四百多匹退役軍馬，給河北、遼寧等地公社作耕畜。」「某地部隊牧場挑選本場最好的五十四頭耕牛，供給附近缺乏耕畜的公社使用」（一九六一年三月十三日「人民日報」）

消息說內蒙古支援山西、河北等十一個省、市、自治區耕牛，反映這十一個地區缺乏耕牛的情況最為嚴重，非支援已無法春耕。其他如廣東，湖南等地尚有部份地區保有弱、病瘦牛，因而不需內蒙古支援，由各地自行搭配人力對付。

綜觀中共對解決春耕畜力五項措施，發現：（一）大陸耕牛之所以病、弱不能耕作原因，由於人民不愛護，不好好管理，因此中共用七固定辦法，以圖挽救；（二）中共自知用七固定辦法；仍難挽回人民對耕牛飼養的熱心，於是不得不用政治掛帥，要黨委書記下牛欄，監督人民飼養和管理；（三）在機械不甚發達的中國大陸，牛隻是農人的主要勞力，多一頭牛等於多幾畝地。故對牛犢之期待，惟恐長之不速，今大陸農民竟任令適齡牛犢放蕩，而不予訓練，說明農民對農業並不關心。（四）中共竟向農民呼籲「認清當前利益和長遠利益」。這裏似乎又說明人民不好好飼養和管理以及「使恨心牛」的真正用意，是只顧當前吃死牛肉的利益，不管長遠的吃谷子的利益。這呼籲含意多麼深刻，反映中共已知農民故意使耕牛弱、病、瘦死，好大快朵頤。

台灣通訊

陽明山會談臨盆待產

李華

在各方矚目，冷熱間歇的漫長歲月中，陽明山會談，總算由「難產」而將「臨盆待產」了！據悉：有關當局已決定在六月份舉行。

這一會談一波三折，僅就時間上的「籌碼」而論，已夠「不平凡」了，或許由於它「太不平凡」，到今天郎將「臨盆」的時候，反而視為「極平凡」了。當初確實引起了一些關心國事的人士「重視」與「期待」，現在呢？似乎已趨於「平淡」與「聽其自然」。究竟它會帶給國內外大團結有什麼了不起的方策，對反共抗俄國策有何貢獻，在現今的情況下，却無從臆斷，壓根兒我們也只能知其一鱗半爪。因為這一會談的真實內容若何，當局始終沒有具體的透露；儘管此地的報章雜誌每有論述，也只是抓着「原則」在推斷，甚至連一些知名之士，也從未發表一點具體意見。

有人陽明山會談比作廬山談話會，彼時彼景的確令人無限懷戀，然而時過境遷，當年的「豪氣」，究否適用於當前，拿一句術語來講：「打從那裏比起」，大有「不堪回首話當年」了！然而，政府這一措施，仍不失為針對當前局勢所作的明智之舉。開總比不開的好，坐下來談談，總比悶在心裏不講話，來得舒暢，但是，可別把一切問題都寄託在這一會談上來解決。

當初邀請參加會談的對象，曾訂下了不是條件的三項原則：（一）未參加政府公職的人，即可謂在野人士。（二）平常少有機會對國是表示意見者。（三）各行各業中確具代表性，且對各行該業真正瞭解而深具實際的經驗者。這樣一來，素來「長於發言」，而「鮮於發表」的民意代表，那就望會而興嘆了，雖然他們仍有以「各行各業中確具代表性」的資格參加，如香港方面的左舜生就可以以教香港反共學人，而有被邀請之可能，但由於代表性不同，發言就不免有所「分野」了。而今，經過民意代表的「抗議」與多方奔走，這一問題，在實質上已有變更，他們可能要以工商性質或團體名義參加了。

會談也由原來的「分組形式」改為「綜合性研討」。為使問題有更廣泛的交換。將先有類似「預備性」的綜合性會談，然後進行分組研討，在分組時求得問題初步的結論，再在最後一次綜合性會談中作成決議。

雖然會議的內容將涉及外交、政治、文化、教育、社會等問題，但主題却是以財經為主，因為財經問題是當前一切問題的根本，如捨此不由，必然更無結果。這一主題的形成，陳立夫的日本談話，蔣廷黻的提倡重視工商，更使當局有所肯定。

這一主題的決定，有些人不免感到失望，但是當局已難兼顧這一些人的意見了。

鑽營參加這一會談的人士，仍在熱衷奔走，雖然全部參加名單，還有待最高當局最後的核定，但是由地方調查經省轉報中央的三百人中，除海外人士外，初步已決定了百人，不過這一會談，既在憲法的前題下，與夫由行政院來主持，人數或多或少，則大有伸縮餘地。

儘管這一會談，在甫行傳出之初，被一些人認為這是純政治性的會談，甚至認為這是醞釀已久的反共救國會議的變形，而抱着殷切的「期望」，即令有關當局真正的意向逐漸透露後，視「政治問題是一切問題的根本」的人士而感到失望，但是能否被邀請參加，仍是給予極大的關注，因為，參加與否，關係今後個人的政治前途，在現實的政治下，誰被遺漏了，誰就會有一天被人們所淡忘，而被打入冷宮的慘狀，尤其是近來才露頭角的政治性人物，真是如熱鍋上螞蟻，不知所措了。

台北這一政治觸角的地方，有敏感的人士，也有漠不關心的仕女，形形色色，各顯神通，但是變化也是多端，有如台北這幾天的天氣，忽冷忽熱，政治上的行情，更是千變萬化的！

五〇．五．廿三。

香港與大陸

△廣東各耕地目前春，因糧荒影響，人民紛紛逃耕，這樣農村「公社」的勞力更加不足，所以中共最近對由鄉村赴穗的旅客，恢復檢查，並指示各地「公社」對有勞動力的青壯年人，不能亂發「證明」。

△澳門消息：在澳郵政廳寄兩磅庄糧食包裹返大陸大陸人士，極為擠擁，因居民利其價廉，且比出關投寄的完稅大額糧包更快落到收件人手上之故。是以本澳郵廳投寄糧包返鄉人士，每日均大擺長龍，使該廳增加郵務工作人員予以處理。

據悉：香港方面不少接收兩磅庄郵包的「代寄郵包」商店，連日亦紛托本澳有聯絡的店號，在澳寄出港民托寄返大陸的郵包，蓋在澳寄出，郵費平宜八角之外，如寄往中山、江門、順德各縣，較之在港寄出尤為迅速也。

△曾一度萎縮之郵寄兩磅庄糧食包，近來又復趨蓬勃，本港各郵局又常見投寄糧包的人大排長龍，尤以港島郵政總局收寄多量包的部門更為擠擁，幾乎已恢復本年一月間的全盛狀態。據熟悉情形人士指出：郵寄兩磅糧包之復趨擠擁，是由於代運糧包的時間延滯太久，代運商號宣傳與事實不符，僑胞為着爭取時間，使食物早達大陸親人手上，乃捨代運而復趨本港郵局，因此，一般代運商號之業務，雖不致一落千丈，但已遠不若初期之蓬勃，在此種情形之下，無疑使到大陸方面之外滙稅收，大見減少，故中共已有意在深圳興建一新郵局及海關檢查站，以便加速處理糧包內運，以爭取僑胞繳稅運糧。

△颱風「愛麗絲」十九日掠過本港，吹向粵閩浙各省，曾在各該省不少地區造成災害。據中共有關部門透露大略情形稱：十九日和廿日，廣東、福建、浙江三省部分地區先後遭到颱風侵襲。颱風經過地區，都下了暴雨，廣東一般降雨五十到一百毫米，博羅縣降雨最大，有一九五毫米，福建省雨量一般有一〇〇毫米左右，最多的有二〇〇多毫米，浙江溫州專區和寧波市，也出現大暴雨。由於颱風暴雨的襲擊，福建省有部分農田受淹，廣東沿海個別地區有些果樹的果實被風打落，三省有關地區接到颱風警報時，都出動群衆抗風抗洪，僅福建龍溪，南平兩個專區，十九日和二十日就有二十五萬人到江海堤岸，水庫壩頭，檢查和搶修險要工程。

台灣初無荔枝

磊庵

台灣從前沒有荔枝，所以台廈道高拱乾修的台灣府志，它土產類中之「菓之屬」，就只有：「檨，（紅毛從日本國移來之種，實如猪腰狀，五六月盛熟；有香檨，木檨，肉檨三種，即外國所載；南方有果其味甘，其色黃，其根在核是也。）波羅蜜，鳳梨，椰子，檳榔，老藤，桃，梅子，石榴，番石榴，柑子蜜，番柿，柚，葡萄，芭蕉，桄榔子，甘蔗，香員」等一十八種；而龍眼，柑橘，荔枝，都榜上無名，這大概算是台灣的原始生物吧。高拱乾是在康熙三十年創修的第一部台灣志書，當然可以相信。

筆者踏上寶島是三十七年冬天，明年過來，僅嘗到一顆荔枝，還是由朋友帶到鳳山來的。這幾年我住台南，一到初夏，便見那累累火齊，年多一年的堆滿街頭；而且總只賣七，八元新台幣一斤，並沒有隨着物價高漲，供求平衡，這顯然是果農努力出來的成果。你試讀孫元衡于康熙巳丑所撰之赤崁集，便知其荔枝在寶島上，不但不容嘗到，而且沒一顆不是從福建來，集上有三首絕句，全是記述他個人的啖荔，其第一首詩題是：「累日望荔枝船不到」，詩云：「一年笑口幾時開，一日登台望幾回，作底使風舟截海，鷁帆難更掉頭來。」自注：「海船欲疾，則加布帆于檣頂，謂之褒頭巾。」第二首詩題是：「喜荔枝船到」，詩云：「落帆打鼓夕陽天，朱實離離載滿船，不遣十年留白守，儘將三百買坡仙。」自注：「用香山十年結子，及東坡日食三百語。」第三首詩題是：「最後買到荔枝，友人言味少遜，率成一絕」，詩云：「淡紅新子白羅裳，正是佳人倒暈妝，天與色香南渡海，醉中風味不尋常。」自注：「土人謂味減爲醉。」而邵武朱仕玠筠園所撰之小琉球漫志，已有一首類似之作，其句云「擘紅無復果園開，空憶明珠入蚌胎，忽見妝成一笑海航新載荔枝來。」自注「台地不産荔枝，皆載自內地，憶在永春王氏園飽餐，相距十二年矣。」蓋筠園于乾隆間官台灣，任鳳山縣教諭，長湖沈歸愚尚書，謂其兄弟分擅詩文，筠園以詩名，其弟梅崖以文名，非謂不能兼擅，此各就其業之所精者而稱之云。

捕蠅紙及其他

汶津

一張紙片上加着甜膠汁，它的作用却相當於一位衛生警察。它不動聲色的靜躺着，等待着那些攜帶毒菌的黑色敗類來自投羅網。

然而，捕蠅紙究竟不同於警察，因爲它沒有所謂的機動性，好在它的對象只是一些無知的綠頭傖夫，因此不愁無所斬獲，倒眞有些無爲而治的意境。

一個警察在逮捕惡徒時，往往流盡血汗，費盡氣力，最後也許還不幸殉職身亡。捕蠅紙執行任務時可沒那些驚險的鏡頭；可是在舍己爲人這一點上來說，捕蠅紙實在毫不遜色，而且殆有過於見紅包而心動的警察。不是嗎？每一張捕蠅紙達成了最後的任務以後，它便被拋入火中與那些敗類同歸於盡了。

以靜制動的戰略，足以使此君受軍事家之尊稱而無愧。它鎮定而忘我，而且旁若無人，比諸那些患得患失的人們，足足高上一等。也許他的「實相」是不太雅，但龐士元的故事是一個先例，人不可貌相，捕蠅紙又何嘗不然？

爲蒼蠅着想，牠們眞該多多留意，避開這種平面的陷阱。其實世間也有不少類似的「機關」；即使你是乾淨人也好，先栽了你再說，那是不足爲範的。捕蠅紙有時也膠住其他的昆虫，似乎理直氣壯，但在我們的社會上，警察也不敢管大兵，這是人間的分工原理使然。從另一方面說，捕蠅紙倒是「膠」面無私的，不像某些穿制服的公職人員那樣，一臉嚴峻，兩手紅包。

人類的智慧的確解決了不少困難。可是D．D．T．久已失效，蚊蚋嗅其味而泰然，反教人難堪。捕蠅紙用久了，自然也有智商較高的蒼蠅接受了歷史的教訓，不再乖乖的來自首受縛」。現代警政機關所碰到的難題，捕蠅紙怕也不能避免吧。不過福利社，冰菓店的桌子上，由於蠅的密度過大，營養亦復太佳，仍不免有許多跌跌闖闖的醉漢落在黃色的羅網裏。正在消閒解渴的人們，目睹陳屍之狀，胃口也壞了一半。記得中學時代，每天中午吃過便當便上福利社玩橋戲，有次一副好牌正待make，乍睹蠅屍纍纍，不覺翻胃，於是，不用說，一着之差，全盤盡墨。這是我跟捕蠅紙的一次夙緣。

工業文明使手工業者大受打擊，捕蠅紙又何嘗不是搶盡蜘蛛的生意？世界上好像處處都有衝突，其實捕蠅紙並不須要死蠅來充飢，蜘蛛却怨恨被剝奪了食糧。

有些人面的蒼蠅可並不太服貼，捕蠅者的工作也沒有那麼順利，於是難免有尸位素餐的現象了。孩子把捕蠅紙上的膠汁誤認作糖漿，伸手便撈；有人還同它吐痰呢。不在其位，不謀政其，奈何天下聰明人太多，總想有一番自我表現，因此連捕蠅紙都有掣肘之患。

同一類型的正派角色有蚊帳，D．D．T．等。D．D．T．之落伍，已是人所共知，不必細說，我倒懷疑將來的人類是否也能無懼于氫彈。這一點上也許蚊蚋還比人先進一步。至於蚊帳，我欲無言。在台灣，蚊帳和塌塌米、被單一樣，是四季不可缺的。夏秋防蚊冬天幫着禦寒，等於女子的晴雨兩用傘。由蚊帳規模雖大，和捕蠅紙一比，大有北瓜之風，因爲它只能步步爲營，消極抵抗吸血的飛虫，而且時常因一點隙縫而辜負了主人的厚託。不過蚊帳的身價高些，而且也不似捕蠅紙那麼短壽。後者只容忍醜惡的屍體，前者却能分享腹內的綺夢，如果二人談心，說不定還足以增益它的智慧呢。只怕它怠於職守，隨風起舞，使那些體態輕盈的宵小之徒乘虛而入，便像讓孫悟空入了妖魔的腸胃，完完全全的無可奈何了。明晨陽光之下，也許有許多血腥的戰犯陳屍體內，比起捕蠅紙的積極剿伐來，實在有愧。

一過夏天，捕蠅紙便逐漸退休了，它們功成身隱，大有高士之風。比起某些伐善施勞的人間官來，可佩多了。這時蚊帳依然故我，只是也難邀人們的青睞了。

主人與僕人

黑子

與其犧牲人格做主人，不如保全人格做僕人。

說這話的，不記得是甚麼人了。但我們可以想像得出，說這話的人，一定是一個靈魂很美麗的人。

其實，靈魂的美與醜，正如良心的好與壞，是我們的肉眼所不能看到的。如果有人問：你有良心沒有？則必有人答曰：良心？良心賣多少錢一斤？聽來似乎答非所問，但此人正是不知良心爲何者，或不敢面對現實地答復你他是一個有良心的人。

然而如今這個世界，這個社會，多的就是此類答非所問的人。觀其外表冠冕堂皇，衣著入時，且多半又是主人階級，呼奴喚僕，紙醉金迷，荒淫無恥傲視濶步儼然爲一主人。而其尙不自知，本身實在也是一個僕役——金錢的僕役，他的主人——金錢——是一個無惡不做的魔鬼啊！但他却使盡了混身解數，在這個主人面前，卑躬屈膝，窮態畢露，甚麼醜話都說得出，甚麼醜事都做得來啊！

只要你的靈魂美麗，僕人也有一個王國；那麼，做一個這王國的子民，又有甚麼關係呢？只要不做金錢的僕從就是了。

瘟君續夢

第一回：捲土重來，瘟君尋舊夢　投袂而起，小醜鼓雄風

不料活曹操冷冷說道：「你們別拿我窮開心了，當我是郭沫若嗎？見官就作。不相干的事情我還眞不幹哩！」

活曹操一發脾氣，全場都感到詫異，劉少奇問道：「老林，最高法院院長地位和國務院總理是平行的，你怎麼說是不相干的事情？」

活曹操冷笑一聲，指着老狐狸說道：「你們問問這位前任最高法院院長，他幹了四年，判了幾件案事。人所共知，咱們逮捕、審判、處決的大權都操在公安同志之手，各級法院不過是擺擺樣子留給外人看的，這樣坐冷板凳的玩意，我去幹什麼？」

活曹操說過，老狐狸的臉脹得飛紅。劉少奇問道：「林老，既然你不肯作最高法院院長，還有誰合適呢？」

活曹操笑道：「假若你們一定要找個老傢伙充數，不如叫謝覺哉去算了，反正他在內務部也是坐冷板凳，這回總算升了一級。」

活曹操說過，大家想想也覺得有理，周恩來搶先鼓掌贊成。就在這時，羅榮桓却接着說道：「最高人民檢察院的檢察長我也不幹了，大家再想一個人吧！」

劉少奇緊皺眉頭道：「更換最高法院院長，干你最高檢查長什麼事，你何必辭職。」

羅榮桓憤憤說道：「最高檢查長比最高法院院長還清閑，四年來未作過一件事，林老尙且不肯去坐冷板凳，我比林老還小十幾歲，老守着這個位子，不覺得難爲情嗎？」

劉少奇緊蹙眉頭：「這可是越來越麻煩了，都不肯去坐冷板凳，只有把這個機構撤銷了？」

毛澤東正在噴烟圈，聽到劉少奇的話，不由得笑起來，說道：「有事情還怕沒人作嗎？我想起一個人正愁着沒地方安置，就派他去當最高檢查長好了。」

劉少奇連聲問：「是誰？」

毛澤東笑道：「張鼎丞怎樣，夠資格吧！」

劉少奇點點頭：「鼎丞同志當然夠資格，只是這個位子榮桓同志都不願再幹下去，他肯來嗎？」

毛澤東又燃着一根紙煙，冷笑說道：「天下事就是這樣，有人辭官歸故里，有人漏夜趕科場。譬如政府主席這個職位吧！我是堅決不肯作了，你們却十分有興趣。何況張鼎丞現在沒有一項工作，他那有不幹之理。」

毛澤東說過，全體政治局委員你望我，我望你，有的露着微笑，有的則咬住嘴唇不敢笑。毛澤東又向周恩來說道：「國務院內邊還有什麼人事問題沒有？」

周恩來陪笑說道：「現在就是內務部長的問題了，派誰幹呢？」（七）

岳騫

梨園漫談

台灣的平劇

——瘦西湖——

自我政府東遷台灣後，迄今已歷十餘年，在這不算短的過程中，平劇之興盛衰落，確有振筆一提的必要，記三十八年時期，唯一公開對外營業的劇團，亦僅顧正秋所領導的一家，演出之地爲延平區永樂大戲院，當家老生爲胡少安，武生李桐春，勇猛武打李鳳翔，花旦張正芬、梁正瑩、武生劉正忠、武丑景正飛、花臉高德松搭配齊整，盛極一時，其寶座之強，爲後來任何劇團所不及。

三十八年底至三十九年初之際，另有一個平劇團打出了旗號，假台北最熱鬧區之西門町美都麗戲院演出，其演員爲老生言少朋（言爲已故名伶言菊朋之子，亦即與影星白雲鬧過桃色糾紛的言慧珠之弟），小生儲金鵬，當家青衣爲李薔華、花旦李薇華、演出成績平平，而賣座亦奇差，演未多久，即告關門大吉，未幾，這幾人不知以如何設法混出了台灣，竟又投奔到大陸匪區去矣！

不久台北市中山北路金山大戲院也有一個劇團在演出，記得先是戴綺霞、趙君麟，就是目前女坤伶中之翹楚，平時以武工紮實，風騷潑辣見稱於時，演出月餘，成績尙稱不惡，繼之有劉玉貞、劉玉英、劉玉麟等姊弟，仍假原地上演，演出期中，前往捧場者大不乏人，而劉氏姊弟之藝術，亦爲當道各界所讚許也。

後陳美麟出，以上海戲劇學校畢業之高材生周正榮爲輔，金山戲院遂告天天滿座，生意之好，竟大出乎人之意料，未久美艷親王焦鴻英，名伶金素琴，章遏雲等紛由海外歸來，而台灣各地之票友，如鐵路局之專員李心佛，中央信託局之曹曾禮，及上海名票趙培鑫、李金棠、嘯雲館主王振祖、穎若館主（即名琴師周長華之未亡人），侯蓉生等紛出，各處連環公演，可謂是自由中國戲劇之最盛時期。

其次，當時軍中劇團較爲完整者，僅陸軍裝甲兵司令部所屬之三三平劇隊，該隊當家老生爲北平科班出身之孫玉和，黑頭花臉魏甦、青衣高岐山，前者即爲前與相聲名家陳逸安搭擋之魏龍豪，後者即爲現陸光平劇團改拉二胡，亦即女伶桑懷音之夫是也，後海陸空軍當局爲了鼓舞士氣起見，遂紛紛成立平劇隊，如「海光」、「陸光」、「大鵬」、「大宛」、「正義」，而其餘如同鄉會之票房、銀行公會、糖廠、公路局、鐵路局，以及台中的集興軒，奏樂天等票房更是到處林立矣。

劉璈治台史事

·李仲侯·

其辦法則於海口臨團委派團紳一人，會同水營管事，編造漁民清冊，每船每筏給以白布小方旗一面，上書某路某口幾甲幾排幾號之船，凡近海十里以內，或二百名三百名四百名聯為一團，派管帶幫帶各一員以統率之，每哨置正副哨長，又於水勇之中，每船派充什長一名，每筏伍長一名，每哨配船四隻筏八隻，無筏者利用小划，其船逐日租價七兩，筏一兩四錢，衣旗軍器由官給發，每旬逢五操練一次，無事之時，仍准出漁，有事則分哨守戰，以與陸團策應，如有勾通外寇，洩露軍情，潛為引港者，殺無赦，當時設團練，其制甚備，嚴守望，詰盜賊，其效亦甚彰，後來劉銘傳撫台，仿其制將培元總局仍改為團練總局，奏簡林維源為團練大臣，連歲協助防軍，勦撫後山各路生番，使其嚮化歸仁，開疆闢地，其效尤著。

古者民兵合一，存亡與共，其民皆團之兵也，故能有勇知方，自募兵起而兵民分矣，而其兵為朝廷之兵，藩鎮之兵，養其爪牙，以肆禽獮，而國之威稜乃不振，夫欲振威稜，當用民兵，遠師三代，近法歐洲，而後可以爭雄於天下，當時劉璈治台，深識共道，故對練團一事，致力亦最勤。

乙未之役，台灣自主，以進士丘逢甲為團練使，統率義軍並辦漁團，繼踵前規，訓練民衆，共同奮起，保衛鄉里，以「守土抗倭」為口號，奔走呼籲，號召鄉閭子弟，出錢出力，凡兄弟子姪成年者均編籍入伍，計全台共編一百六十餘營，特別編練者卅二營，分別以誠、信、壯、靖等十六字為營名，一時蒼頭特起，執戈制梃，效命軍前，悍然而不顧死者比比皆是也，然而蒼葛雖呼，魯陽莫返，則亦無可如何而已。第劉璈在台創始辦團之餘風遺烈，父老至今，猶有能言之者。

法蘭西為歐洲強國，當拿破侖第一時，志吞歐士，又以其餘力東向，謀幷越南，越本中國藩服，當洪楊起事，國中假擾，無暇南顧，越之君臣拱手唯命，且懼社稷之不血食，故法勢愈張，光緒九年冬，越王籲於中朝，出師保護，命兵部尚書彭玉麟、視師兩粵，法亦派艦調兵，自光緒十年（西元一八八四年）六月廿五日法軍強行接收諒山，已發生觀音橋事件。戰端重開，法艦直趨福建，先毀馬尾船師以斷應援台灣之路，繼則內薄基隆，分陷澎湖，無非為吞噬全台之計。（四）

名女人（五）

徐學慧

春秋戰國時代的女人，也和當代的男人一樣，她們都是擅縱橫捭闔之術的。以她們的才華，再加上那一個時代的社會背景，其能在政治上翻雲覆雨，倒也並不奇怪。明瞭此一時代的女人與列國政治所發生的關係，則我們對於今日婦女所要求的什麼女權，也就不免要為之驚異了。

就女人而論，我真要懷疑到：所謂「歷史是進化的」這一句話是否正確？嚴格的說起來，現代的女人，比較起二千五百年前的女人，似乎是要來得退步呢！

如果要我選擇一個出生的年代，我是情願出生在春秋戰國時代的。在這一個時代中，一切所謂言論自由，思想自由，行動自由，女子參政，男女平權，根本不成其為問題。布衣可以干卿相，士庶可以撼王侯，只要你具有一技之長，社會總是不會埋沒你的。

林語堂先生在其所著「生活之藝術」一書中，極力推崇春秋戰國時代的社會，這一點，我個人深具同感。可惜，那樣的時代，已經早成過去了。

從春秋時代到今日，論時間已逾二千五百年，可是，二千五百年來，人類究竟有了些什麼進步呢？

無可否認，汽車飛機電話電視，乃至於女人足上所着的尼龍絲襪，都為春秋時代所無。不過，僅只是物質方面的享受進步，並不能包括人類的全部生活，我們所需要的，還有一個更高的境界。這境界，不是汽車飛機，不是電視電話，也不是女人足上的尼龍絲襪，而是完整的美麗的和諧的精神生活。

到今天，要想找一個孟嘗君那樣的人，沒有了；要想找一個像李環那樣的女孩子，也沒有了。這樣的時代，這樣的社會，也是不可能產生那樣的人物的。

高山仰止，景行行止，雖不能至，其心嚮往之！

怕妻哲學

燕謀

愛財貨私妻子人之天性也，為丈夫者，莫不愛其妻子，積愛成怕，積怕成慣，於是怕老婆之慣性，遂成為天經地義之事了。

古今之顯赫人物，以及創業開國之帝王，殆無不怕老婆。如陳季常「忽聞河東獅子吼，拄杖落地心茫然。」此為怕老婆之巨璧，然季常之成為高人雅士，正從其怕老婆得來。劉備困處東吳，每遇危險，輒向孫夫人跪哭，事無巨細，皆能逢凶化吉，遇難成祥。隋文帝則怕獨孤皇后，偶有觸怒皇后，竟匿居山中不敢出，經楊素等大臣勸好，始敢回宮，故隋文能統一天下，創立基業。唐房玄齡身為宰相，而最怕老婆，偶訴於太宗，太宗召房妻至，欲加申斥，但反為房妻所難，太宗轉語玄齡曰：「尊夫人朕見尤怕，以後善事之可也。」以一代開國明君，亦懼臣妻，可見怕老婆為正理了。支持東晉偏安之王道謝安皆怕老婆，王道好為清談，每聞夫人至，便狼狽而逃，故能獲得天子九錫之寵；謝安夫人，擅改周公禮制，使謝安養成泰山崩於前而不驚，猛虎撲於側而色不變之習慣，用能不動聲色，擊敗符堅。此乃古人怕老婆之犖犖大者。

吾鄉李宗吾，凡入川之士莫不知其人，知李宗吾者，又莫不知其厚黑學；此外又著有「怕老婆哲學」之宏論，中有「怕經」十二章。宗吾歸納歷史事蹟得一結論，謂官級愈高，怕老婆程度愈深，階級與怕學殆成正比例，於是作「怕經」垂範後世，全文均套用四書語句，趣味雋永，立論詭譎。茲錄於左，以償讀者。

經曰：「夫怕，天之經也，地之義也，民之行也。五刑之屬三千，而罪莫大於不怕。」

「其為人也怕妻，而敢於為非者鮮矣，人人不敢為非，而謂國之不興者，未之有也。君子務本，本立而道生，怕妻也者，其復興中國之本歟！」

「惟夫能有怕妻之心，一怕妻而國本定矣。」

「怕妻之道，在止於至善，為人妻，止於嚴，為人夫止於怕，家有嚴君焉，妻子之謂也。妻發令於內，夫奔走於外，天地之大義也。」

「大哉妻之為道也！巍巍乎惟天為大，為妻則之；蕩蕩乎無能名焉！不識不知，順妻之則。」

「行之而不著焉，習矣而不察焉，終身怕妻而不知其怕者衆也。」

「為人夫考，朝出而不歸，則妻倚閭而望。是以妻在，不遠遊，遊必有方。」

「君子之事妻也，無，視於無形，聽於無聲。入閨門，鞠躬如也。不命之坐不敢坐，不命之退不敢退。妻憂亦憂，妻喜亦喜。」

「謀國不忠非怕也，朋友不信非怕也、戰陣無勇非怕也。一舉足不敢忘妻子，一出言不敢忘妻子，將為善，思怕妻子令名，必果；將為不善，思怕妻子羞辱，必不果。」

「妻子者，丈夫之所託而終身者也。身體髮膚，屬諸妻子，不敢毀傷，怕之始也；立身行道，揚名於後世，以顯妻子，怕之終也。」

偉人名人皆怕老婆，惟有我的老婆不怕我。怕妻成為天經地義，宗吾作怕經十二章，良有以也，豈徒然哉！

邵鏡人近詩

士選博士大兄以庚子自叙詩見示即次其韻亦自道實也

彈指驚年華，我生後辛丑。即今猶童心，不樂人稱叟。幼負了貲，父母相期厚。二十遊白門，結交天下友。出語驚長老，好辯喧衆口。抗心希古賢，向人寧低首。教鞭指三徐，欲探文章藪。誤自彈冠初，倏忽念年久。飄泊心益苦，何若守隴畝。一朝參議席，持論闢左右。屬此多難途，愧無回天手。濫竽贊宇間，旎旎風塵走。自非楊盈川，敢云恥王後。志屈神獨完，守拙抱敝帚。論文愜素心，古風追韓柳。

海嶠舊談薈

近卅年來，吾國駐外使節在國際間演出醜劇敗行者不一，但不若今日馬步芳之甚耳。試舉兩例以見一斑。

有駐比利時公使張某，本係留法學生習自然科學的，法語亦曉得，然其才識低能到不可思議，比利時通行法國語文，他使該國，必不致對當地情形扞格，無從曉起，尤其是職掌外交的重要人員——官吏——在國際周旋中，自可辨識詳明，不成問題的。可是咱們這位張公使到任了許久，還不會省識該國外交部長的真面目。一日，他赴比國外交部請見部長洽商普通公務，主人囑其掌管東方事務的司長先行接待，作初步談話，而公使竟誤認其為部長，絮絮傾談，最後乞作決定，司長啞然答以不能作主，公使惶惑對曰：「這事部長不能作主，還要請示國王裁決嗎？」司長知道他表錯了情，乃說「我領你去見部長！」一時傳為坫壇笑話。即此一端，可見這位公使的能力如何了。

政海異聞〔三〕

諸葛文侯

繼後，我外交部根據各項事實，認定他才不勝任，電召他回國述職，再教人暗示其自動告退，不必遄返任所了。詎料公使聞訊悄然潛至上海，趁日乘海輪放洋馳赴比利時，強事繼棧。旋外部調悉其情，即以急電拍致他所乘坐的外國輪船上阻止，船主將電報送給公使，他還說是南京拍來的，拒不接受，囑將原電退回。外部不得已，再電令港澳外交特派員，候該輪船到港時，將該公使強邀登陸，送其回國，一幕醜劇纔告結束。

對日抗戰初期，某將軍奉派為駐蘇俄大使，將軍素性風流，深染寡人之疾。使館內雇用一法籍女郎司打字職務，對於大使當然崇敬不違，每與大使言談間，基於西方人的社交習慣，表情格外和悅而親熱。詎大使誤以她對自己別有好感，適中下懷，亦特別露出近暱之態，她認為這是常情，殊不足異也。

一日，大使乘暇赴巴黎遊憩，指定女郎隨行，沿途女郎對大使殷勤招呼，自屬應有之義，大使更以為鴻鵠將至，心裏不覺飄飄然。抵達巴黎後，稅居一豪華的客館中，女郎嚮導有責，亦同室隨從服役焉。某夕，大使乃叩門趨入女郎室，強行非禮，女大恚而峻拒之，次日竟投訴於巴黎警察廳，且聲言要招待新聞記者，報告非禮情形，大使惶遽莫名，初託救於我國駐法使節顧某，乞人向女郎解釋勸慰，不行，許以慰藉金，不受。顧使計無所出，然此事決不能讓其公開揭露，免辱國格，殆不獲已，藉物質代價求助於巴黎黑社會首領，挽他出面跟女郎談判，利誘威脅，雙管齊下，女郎懾於黑社會魔刀，設想他日自己的生活安全問題，只好答應和解了。

談彭玉麟

謝康

又晚清國學大師俞蔭甫先生（樾）與雪琴為兒女親家，交情甚篤，彭公於光緒中葉歿後，俞氏作長聯輓之，茲據「清稗類鈔」轉錄如左：

「偉哉斯眞河岳英靈乎！以諸生請纓投筆，佐曾文正創建師船。青旙一片，直下長江，向賊巢奪轉小孤山去。東防歙婺，西障湓潯，日日爭命於鋒鏑叢中，百戰功高，仍是秀才本色。外授疆臣辭，內授廷臣又辭，強林泉猿鶴，作霄漢夔龍。尚書劍履，迴翔上接星辰；少保旌旗，飛舞遠臨海澨。虎門開絕壁，岩崖突兀，力扼重洋。千載過後大角炮台，尋求故蹟，見者猶肅然動容；謂規模宏壯，布置謹嚴；中國誠知有人在。

悲夫今已旂常組豆矣！憶疇昔傾蓋班荊，借阮太傅遺留講舍，明鏡三潭，勸營別墅，從珂里移將退省庵來。南訪雲棲，北遊花塢，歲歲追陪，到煙霞深處。兩翁契合，遂聯兒輩姻緣，吾家童孫幼，君家女孫亦幼，對穠華桃李，感暮景桑榆。甥嶠初還，畢足已憐蹩躠。吳閭七至，發言益覺含糊。鴛水遇歸橈，俄頃留連，便成永訣。歎月前於右台仙館，傳報噩音，聞之為潸焉出涕。念酒座尚溫，琴歌頓杳，老夫何以拜公祠！」

這付輓聯，用三百一十四個字寫成。上聯寫彭剛直的生平節概，對於長江戰功及功成身退的心情，頗加讚美。尤其對虎門炮台的國防建設，寫得有聲有色。下聯寫彭俞兩公晚年交情之篤。俗語云：「松梅結友思寒歲」彭剛直能得俞曲園這一個親家知己，死亦可以無憾了！

（本節完）

歷史人物

內警僑台報字第〇三一號內銷證

自由報
THE FREE NEWS

第一三五期

中華民國僑務委員會發行登記證台教新字第三三二號
中華郵政台字第一二八二號執照登記爲第一類新聞紙類
（每星期三、六出版）
每份港幣壹角
台灣零售價新台幣弍元
社長：雷嘯岑
督印人：黃行靈
社址：香港銅鑼灣高士威道二十號四樓
20 CAUSEWAY RD. 3RD. FL HONG KONG
TEL. 771726　電報掛號．7191
承印者：田風印刷廠
地址：香港灣仔高士打道二二一號
台灣分社
台北市西寧南路壹壹本號二樓
電話：三〇三四六
台郵撥儲金戶九二五二

論美俄鬥爭前途

雷嘯岑

距今二千年前（西曆紀元前二〇九——〇七），中國的秦帝國崩潰，項羽與劉邦二人擁兵爭雄，逐鹿中原，勢不兩立。當時項羽的實力最强大，壓倒一切，劉邦迭次爲項羽所敗，然最後竟轉弱爲强，逐漸掃蕩項氏武力，取得勝利，統一全國，高踞帝王之位。據史紀指出劉邦獲勝的要訣，即是他能夠辯證地運用「鬥智不鬥力」的策略。今日美俄兩大集團對立鬥爭的情勢，頗有類於項、劉爭雄的舊劇，而自由世界盟主的美國，很可能扮演項羽那一角色，殊可慮也。近來美總統甘迺迪要與俄酋赫魯歇夫在維也納舉行「鴻門宴」，連項莊、樊噲一流的隨身人物亦沒有，（張良式的智囊更缺乏）結果必無所獲，乃係意料中事。

美國對抗俄帝的三部曲

二次大戰後，美國領導自由世界反抗共產帝國主義侵畧擴張的策畧，可分爲三個階段：始也特有獨佔原子彈的絕對優勢，實行對俄帝圍堵計劃，在海外各個自由地區，遍設軍事基地，分別組織集體防衛公約，傾全力於守勢防衛工作；繼而原子彈的優勢雖告喪失，又首先發明了氫彈，乃倡言「嚇阻政策」與「戰爭邊緣主義」；最後由於俄帝問鼎不饜，悉索敝賦以發展原核子武器，大有迎頭趕上美國之勢，卽大呼「原子僵局」，而寄望於所謂高層會議的秘密外交方法，期與俄帝和平共存了。反共運動的主要力量是思想戰，是要以政畧居首位的總體鬥爭。然而美國在戰後十餘年來，只是聚精會神於武力問題，卻聲言決不先動，必須受到敵人的攻擊，纔起來還手報復。似此信奉唯武力主義而又不能制其機先的坐以待攻策畧，寧有是處！若專就軍備競賽而言，俄帝實具有「不戰而屈人之兵」的勝算，現時美國自信是其所長的軍備嚇阻主義，實際乃其所短，何以故呢？凡屬共黨控制地區的財力、物力和人力，都是共產政府所有的，他們要怎樣處置，隨心任意，不成問題，卽令爲着軍備競賽而餓死千萬乃至於上億數的人民，亦不在乎。他們無所謂失業問題，無所謂赤字預算問題，尤其無所謂人民權利問題，政府對人民只有權威，並無責任之可言。西方國家卻不然，政府對人民課稅，必須在某種限度以內，否則人民羣起反抗，國會亦不許通過。社會上的失業問題，政府要負責解決，民衆的勞力政府不能隨便控制徵發。像中國大陸上那種由於政府的人爲災害，而到處餓莩載道的情形，如果是在美國或英法各國內，那還了得，政府當局早已被人民推倒了！現在全世界人類總數，若將一般中立親共國家，如印度、緬甸、印尼，以及北非的加迦，南美的古巴……等等亦計算在內，被俄帝勢力控制，籠罩着的數字，已超過了一半，全球的面積及其資源亦然。我們靜言思之，美國現行這種備而不用的軍備競賽策畧，跟俄帝長期糾纏下去，能有倖理嗎？這亦可以說明俄帝對於裁軍問題，爲甚麼總是毫無解決誠意的緣結所在。它心裏極其樂意美國專講嚇阻政策，決不讓你鬆勁，長期增重人民的負担，嘴上卻侈言和平共存，主張停止軍備競賽，而以否決權作爲破壞裁軍談判的口實罷了。

美國一面備戰不違，同時又畏戰孔甚，基於這種觀念，如是乎，無論在世界任何一個角落裏發生了共禍，談到武力對抗問題，必然把俄帝可能介入參戰的估計列爲首要，結論當然是爲要避免觸發世界大戰，非和談不可，和談的結果，就是承認共黨的侵略事實合法化，這恰恰落入俄帝蠶食政策的陷阱中，無以自拔；往事歷歷，不勝枚舉。在這樣的鬥爭形勢之下，俄帝自然要格外强調和平共存之說，以便很順利地實施蠶食政策，它並不需要冒着原子大戰毁滅性的危險，即可以推進世界革命計劃，着着成功，何樂不爲呢？所以，今天美國說要避免大戰，是有條件的，俄帝說不需要戰爭，倒是無條件的，因爲美國近十餘年來，由「圍堵」到「嚇阻」，到「原子僵局」以至高層會談這些策略，對俄帝皆有利無害，它權衡利害得失之數，再沒有比這更好的客觀條件可資運用了，戰爭云乎哉？

需要悟性的領導方針

活潑、熱情、天眞、不服輸，這些都是美國人一般的優良性格，絕非俄羅斯那類落後而殘酷偷惰的民族所可同語，加之以美國一時富强，甲於全球的財力、物力和科學技術，領導自由世界與俄帝鬥爭，應該穩操勝券，決無疑問的。顧何以弄成今天這種進退兩難的局勢呢？這是文化精神的關係，跟原子核子武力不相干，更不是執政者個人的才幹優劣問題。我認爲美國一般人的個性，遇事不免感性銳敏而悟性遲鈍，這不能不歸咎於文化精神，而西方近代的功利主義，美國杜威的實驗哲學思想，殆佔主要因素。

我不相信美國人對於共產主義的本質及其作爲，完全不明瞭，關於研究共黨的書刊，可謂琳瑯滿目，我們只看看美國衆議院外委會於一九四八年發表的「世界共產主義戰術的報告書」，其中所述情形，詳明而深刻，即足以發人猛省的。然而美政府當局暨國會議員們，在實際領導反共運動時，所作所爲，卻不是那末回事了。譬如：美國知道了俄帝亦能夠製造原子武器後，大呼「原子僵局」，深感惶惑，無可排遣，一聞俄帝和平共存之說，即欣然附和，信以爲眞，卻忘記了共產主義者所謂「和平」，與自由人類的和平觀點迥不相侔，他們派遣大軍控制別國政府，屠殺其人民，亦說是爲的「和平」，你想跟共產談永久的，眞正的和平生活，適如跟魔鬼談慈祥，向劇盜說仁義，徒然自尋煩惱，自造惡果而已。美國自己把原核子武器的毁滅力量過份渲染傳說，意在使俄帝有所忌憚，克收「嚇阻政策」之效，而一聞俄酋布爾加寧爲着蘇彝士運河戰役，使用越洲飛彈的外交文字攻勢後，即大驚失色，深感禍至無日，變成自我嚇阻，不惜與其強大的盟邦翻臉了。殊不知俄帝害怕大戰的心理，更湛於美國，它祇是故示鎮靜，不像美國人士之喧囂不歇，讓敵人去猜想，而美國人士由於感性銳敏之故，竟對自由世界某些地區的土共動亂，亦認爲俄帝可能介入參戰，不敢加以實力制裁。我敢預言，將來中共如向尼泊爾進兵，美國亦一定以防避俄帝參戰的感性思惟，主張和平談判哩！前年俄帝搶先放射了一枚人造衛星進入太空，美國朝野上下那種過度慌張的情形，尤其令人驚詫。人造衛星的發展固然與原子武器的創進不無關係，但要利用火箭之力以從事太空戰的可能性，實在渺茫得很，何必那末皇皇然慌亂如不可終日呢！事理很顯然，俄帝因爲在地面（遠程原子轟炸機）和地下（海底的遠程原子潛艇）的武備處於劣勢，乃拼命致力太空的原子能競賽，藉以對美國實施反嚇阻作用，存心還是害怕大戰—！怕美國先發制人，美國手持利器而成爲無用之長物，毛病就在缺乏悟性。最近甘迺廸總統再三聲明要組訓游擊戰部隊，作爲對抗共黨局部侵畧之用。如果這是專爲對付古巴的卡斯特羅政權而然，固無所謂，若眞是爲着共黨素來擅長游擊戰，白宮那些謀臣策士們的感性銳敏，也要如法泡製來對付世界各地的共黨，我就希望甘迺廸總統要特別考慮。所謂游擊戰術的特點，一是戰士們具有化整爲零，人自爲戰的本能，二是輕裝疾發，不特就地取得食糧，還須取械彈於敵人之手，三是戰士們熟悉當地地形，且能與當地人民打成一片。這些條件，西方人士完全不具備，行動必需飛機和汽車，軍械糧秣必須一應齊備之外，連盤尼西林針藥亦得充分携帶的。憑着這種本能和習慣，要想跟共黨作游擊戰，不是笑話一大堆嗎？

美國如要制勝俄帝，須從大處着眼，將思想戰、政治戰與軍備競賽綜合運用，揚棄感性的作風，而努力於悟性的措施。否則將來很可能處於二千年前中國楚漢鬥爭時期的項羽那種境遇，被敵人鬥智不鬥力的策畧，搞得一敗塗地，不亦寃乎！

小論天下

△寮國仍有劇烈戰事，山區反共苗族被圍攻甚急。美國記者赴戰地觀戰，予以證實。日內瓦「十四國會議」仍在停頓中。此亦「東線無戰事」的一例。

△美總統甘迺迪演說，表示準備正告赫魯曉夫，美決心反抗所有企圖破壞自由份子。赫魯曉夫已動程赴維也納晤甘迺廸，擬沿途召見東歐共黨國家首腦。美副國務卿鮑爾斯稱：甘迺廸將在維也納親自鑑定赫魯曉夫之爲人。

准此，我們不妨贈以麻衣柳庄，藉供參考。

△南韓軍事委員會大舉掃蕩貪污，捕豪門奸商百餘人，包括李承晚張勉兩屆政府之軍政大員。

政客以文玩法於先，軍人以武蔑法於後，事雖可悲，但南韓軍人這樣認眞「打虎」，卻是罕見的一例。

△英國報紙推測香港前途，有恐其命運只有六年者。港報多予引述致評。

香港人和柏林人一樣，從來懶得爲自己算命，要算就得替毛澤東和中共算，以及替整個自由世界算。

△法國與阿爾及尼亞談判開始，法政府宣佈片面停戰，阿民族自決份子反應並不良好。

阿之與法，已如臂之與身，從中挑撥的共產黨，如纏臂之毒蛇。戴高樂雖有「毒蛇纏腕，猛士斷臂」的精神，弊在腕不易斷，蛇之慾亦不只在一腕。

△大陸十省苦旱，災情迅速惡化中。香港居民寄大陸糧包銳減，多苦不勝負担。澳洲方面預料：澳產小麥將長期成爲大陸的主要糧食。

「淚盡胡塵」還不要緊，怕飢民難再留命一年「以待王師」啊！

△傳中共軍隊大量由西藏撤退，藏境反共戰事仍在延續中。

中共在西藏患上「頭痛」症，與當年日軍在中國大陸患了泥足深陷，不無相似。

方南

自由談

青年與政治生活

吾友宋文明先生認爲青年人不能搞政治（見上期本報頭條論文），這話我相當同意，但有修正，即青年人可作政治上的中下級幹部，從閱歷中培養技能，獲得經驗，作爲他日繼起担當大任的張本，卻不宜一步登天，濫據高位。政治生涯具有高度的藝術性，決不是憑着血氣之勇，瞎闖胡來所能成功的。眼前就有一二被世人狂譽爲「青年政治家」的人物，已表示其折鼎覆餗的言行，他們將來的政績，殊難樂觀。南韓軍人政府首腦張都瑛，年方卅八歲，曾經畢業於日本大學，世人對他多所讚美。他以政變手段奪取政權之後，並不考慮各種政治因素，即貿然發出聲明，定期赴美國訪問，結果是大碰其壁，對方表示擋駕，只好黯然自動撤消訪美計劃，丟臉失格，貽笑萬邦。還有那位年方四十五歲，一步登天的美總統甘迺廸先生，當其就職伊始，睥睨一切，意態雄豪，聲言決不隨便跟俄帝舉行高峯會談，又說美國決不放棄寮國，不惜出兵干預，博得世界人士的喝采叫好。結果是自動要求俄酋晤談和平共存之道，坐視寮國淪入共黨手中，而靦顏參預跟共黨談和的日內瓦會議。這些都是所謂青年政治家的傑作，令人驚駭莫名，即證明青年人濫居政治高位，乃是利少而害多。

我國諺語有「少年得志，並非人生之福」的說詞，確有至理存焉。現代人流行着西方的功利主義思想，迷戀着物質文明生活享受。對於學問之道與修養工夫，認爲迂濶不切實際，襲取共黨的魔術皮毛，遇事專講革命鬥爭，而視年紀較大，經驗閱歷較多的人爲「昏庸老朽」，非打倒不可。青年人自命無所不通，無所不能，不特可以做一國的最高統治者，即世界大帝亦當之無愧。講資歷是腐敗的官僚思想，談學識修養是無用之長物，年紀大一點的人，如果給你一種可以預聞政事的閒名義，如顧問評議員之類，已經特別客氣優待了！

彈鋼琴，下圍棋，繪畫寫字，都有天才的神童，迥異常人，我卻決不相信世界上眞有天縱聖哲的政治神童，或秉賦自天，不須歷練的所謂青年政治家，所以我相當同意青年朋友宋文明先生的說法也。

馬五先生

共區的大學教育

·焦毅夫·

大陸剖視

學校工作以教育爲中心，這是不須辯論的事實問題。然而，今日大陸的無論小、中、大專學校却發生了這個不成問題的問題。中共雲南大學曾以「爲什麼學校工作必須以教學爲中心」爲題展開辯論，參加辯論的有中共黨委和該校的師生。

引起這一辯論的關鍵，因中共教育，是以「教育爲無產階級服務，教育與生產勞動相結合」的方針。因此，中共駐校幹部堅持「教育與生產勞動相結合」與否，「是衡量辨無產階級教育、還是辨資產階級教育主要標誌」。

本年四月七日「光明日報」發表雲南大學委員會第一書記高治國一篇論文，他在文中說：「在一九六〇年，我們學校和全國兄弟學校一樣，進行支援技術革新和技術革命運動，支援農業生產，進行教學改革」在支援農業生產期間，該校「學生全年勞動一〇九天，進行了四十小時的教學」。根據高治國的論文，所謂「全年勞動一〇九天」是指學生在校讀書天數中抽出的天數，因此他說：「抓緊學生集中勞動期間的空隙，適當的安排了一些教學任務」。

任何學校除去寒、暑假期，學生在校期間不過七個多月，一〇九天幾佔學生一年在校期間之半，在此期間中僅授課四十小時，相當於三天才上課一小時，這成什麼教育。

大專學生是求專門知識，教師是以傳授知識培育專門人才爲目的。因而雲南大學師生對此以生產勞動爲目的的教育政策提出反對。高治國在文中反映說：「有人藉口以教育爲中心，否定黨的領導，否定教育爲無產階級服務。」並且主張「教學是壓倒一切的中心」等等。

這一反對生產勞動在雲南大學展開後，該校師生一致認爲「學校工作爲什麼必須以教學爲中心呢？通過一年來的工作，我們有下面一些體會—，「學校總是學校，正如軍隊主要職責是練武打戰，保衛國防、工廠、農場主要職責是生產一樣，學校主要職責，是培養爲建設社會主義服務的人材」。接着該校師生發出含有反抗意味的呼籲，「不能忘記我們是個學校，不能隨便打亂正常的教學秩序」。

高治國對雲南大學師生提出的反對「生產勞動」問題，加以批評說：「徹底改變教育脫離生產，業務脫離政治，理論脫離現實傾向，今後必須克服」。於是他又暗示黨不能接受他們以教學爲中心的意見，他說：「要牢固的全面的樹立以教學爲中心的思想，並不是沒有思想障礙的」。

高治國這篇文章是反映黨的政策，即基本上還是它的老一套，而在基本情況變化下，如師生反對過份勞動，忽略教學，加以師資缺乏，人才奇缺等，中共不得不把對教師和學生壓榨過甚的行爲，放緩一步，藉着這篇文章說：「教育與生產勞動相結合，決不意味看學校工作，可以不以教學爲中心。」

由於過份的生產勞動打亂了教學程序，高治國反映說：「校外常常要求學校調派學生參加勞動，學校怎樣去對付呢？」他說：「該去的堅決去，不該去的不去，可以少去的少去，可以推遲的推遲，只要把話講清楚，有關單位也不會有什麼意見」。根據此說，學校學生成了有關生產單位勞動的後備軍了，隨便可以派生產勞動任務。校方接到通知後，不派還不行，否則，就要和要勞動力的機關發生磨擦。這樣忽視教育的政策，眞是聞所未聞。

關於忽視教學和培養師資方面，高的文章承認：「我們在抓教學工作方面，還是做得不夠的；我們提倡教師以紅代專，刻苦鑽研，系統的提高業務水平方面，都做得不夠；在青年教師開課以後，如何緊跟着幫助他們提高業務知識，不斷的改進教學，却還做得不夠……對於學生的基礎理論知識要加廣加深，是注意到的，但在這一方面採取的措施還不夠，做的工作也不夠結實」，這一連串的「不夠」，就可看出中共如何以教學爲兒戲了。

由於中共忽視百年樹人的大計，將傳授知識和培養人材的學校變成工廠和農場；將青年有爲的學生變成工人和農奴，因此，若干地方就已感到師資和科技人才的缺乏。

中共報紙說：「貴州工學院對於師資人員，却碰上了最大困難，是教師不夠，開不齊課，學院想出要教師『亮家當』，要教師們把自己能教的或經過努力能教的都亮出來」（一九六〇年十一月三十日「人民日報」）。

一個正規大學畢業的老教授，在求學過程中，對於普通課程都有相當基礎，也就是說都有一點「家當」，中共要他們「亮」他們不敢不「亮」，至於專不專那是另外的問題。中共不管這些，只要能對付就行。如「廣東暨南大學數學系教師賈鴻實除教本系課程外，還兼教理化，本學期比去年教學時間增加了百分之三十」（一九六一年二月二十四日「南方日報」）。「中山大學一批青年教師，對教不甚熟悉的課程，大膽嘗試，勤向老教師學習，苦心鑽研，逐漸提高水平」（一九六一年三月十二日「羊城晚報」）。

最近中共又提出新老教師「對口挂鈎」的辦法，幫助新教師提高業務能力。共報說：「學校組織新老教師對口挂鈎的辦法：一種是同科組的新教師，在自願的基礎上建立固定聯繫。挂鈎之後，老教師經常和新教師一起備課，提出課文的難點，幫助新教師把課備好；對一些重要的課，就讓新教師試講，老教師聽完後提出意見，一起修改教案。還有一種辦法是老教師選聽新教師的課，觀察新教師在掌握課堂情緒。然後再幫助他們解決。」（一九六一年五月十六日「人民日報」）所以高治國說：青年教師開課以後，必須緊跟着幫助他們提高業務水平，使他們不斷的改進教學。此說的反面，即是說，如不幫助他們，他們就會亂扯一通，當然談不上業務水平了。

爲什麼開課的新教師必須要人幫助才能講課？原因這些年青教師基礎太差，上講台無從講起，甚至連找參考書也不會。於是用邊學邊講現買現賣的辦法，以完成他的職務。一個大學教師，至少是大學畢業，爲什麼連教基本課也須人幫助？這就因爲在校生產勞動和政治課佔去他的大部分時間，故屆畢業時對基本課程仍是茫然。這類學生爲什麼會畢業和能當上大學教師？這就是中共所說：以「紅」代「專」的結果，只要「紅」、「專」不「專」一樣可以畢業，也一樣當可大學教授。

紐約通訊

旅美華僑對祖國的觀感

近半年來，由於國際局勢之變幻無常，對於中國問題，世人特別注意。記者是愛護自由祖國的，自從甘廼廸總統上台後，美國對台灣中華民國政府的外交政策，似有改絃易轍的可能，究竟爲禍爲福，就看我們海內外的反共力量能否切實團結，作政府的後盾。旅居美國的僑胞不少，他們的意向可以直接影響白宮當局的外交言行。因此，記者最近對旅美華僑社會各方面，曾作廣泛的接觸考查，特將所得實情，摘要報導如左。

一般華僑對於自由祖國的觀感，大別爲三類：一是漠不關心，毫無所謂的。這些人在美國日久，身家財產都在新大陸，有些且已取得美國國籍，除卻經營工商業，□求生活之資以外，對於祖國的事情，一概不想過問，無論國民黨執政也罷，共產黨竊國也罷，他們都無所謂愛憎。這派人多係旅居美國較久的純粹工商業者，所佔數目亦不甚多。二是對自由祖國素來熱心擁護，近年來因台灣的若干現象使他們深感不滿，漸漸地由失望而趨於冷淡悲觀的心情——尤其是雷震案發生後，對這些人影響忒大。例如紐約有一「華美日報」，主持人吳某原係國民黨人，報紙銷路並不佳，但在雷案發生時，該報發表了許多抨擊台灣當局措置失當的言論，銷數突然增加了三千多份，至今並未降落，該報竟藉雷案而大得其法。這派人數約佔十分之五，多屬小有產者，以及一般知識份子（包括政治難民）。三是對台灣的自由祖國政府表示反對不信任，隨時加以攻訐的。這派人爲數較少，但其中多有高級知識份子，他們的言論主張，對美國社會頗有影響力。還有台灣籍的留美學生，却自成一格，很少跟內陸人士來往，美國人對這般學生另眼看待的。至於美國執政黨——民主黨人士，對台灣當局的觀感亦不一致，有些表示不贊成，有些又認爲是忠誠的盟友，但不表贊許的人（包括政府官吏與議員們），因爲美國不能干涉別國內政，亦只是搖頭，却想不出其他的方法來應援改革，依然抱着靜觀態度而已。

前兩月，有位中國的反共將軍到美國游歷，曾在芝加哥訪問過前任台省主席吳國楨，他對吳氏說：「今天我或許可以反對蔣總統，你却不能反對，近廿年來，蔣總統對你信任拔擢，知遇之深，迥異尋常，無論從那方面說，你都沒有唱反調的理由」。吳謂：「我並不反對老先生，只因台灣扣留我的兒子，不放他出來，廹使我不能不說話。兒子出來以後，我即沉默無言了。當時我若不表示一點反抗，恐怕我的兒子至今還在台灣呢！」這可反證一些旅美的高級知識份子，跟台灣當局採取反對立場的，其中皆基於私人恩怨的成份爲多，得不到大多數僑胞的同情。關係最重要的，還是上述第二種情形，台灣當局必須警覺其後果，力圖振作，在政治上表現新氣象，藉以挽回失望而悲觀的海外人心，這是當前的急務，忽視不得。

（誠齋，五月廿日於紐約）

香港與大陸

△澳門消息：據接近拱北關人士消息，中共現已有計劃於近期內，將代寄完稅糧包事業，完全控制於他們草擬中的統制辦法內，並使到該項事業，進入半「托辣斯」的經營內。

據透露：中共擬定採取的統制方式，是由共方指定幾家有聯絡的商行，專責代所有的代寄完稅糧包商店，將糧包統一運出關外報稅投郵，各商店不能直接將糧包運出關外投寄付稅。換言之，全部代寄完稅糧包商店，均須直接由中共指定的報關商行控制之下。並給報關商行一定的利益。報關行亦有權取締任何之代寄糧包商店。

不過共方上項統制糧包措施，此間各代寄完稅商號尚未有所聞，但他們却相信中共會可能施行上述管制辦法的，原因是中共向來對於港澳與大陸有關之各行業，均有嚴格的統制。愈來愈盛的代寄糧包事業，將也不會例外。

又拱北關昨徇代寄糧包商店的請求，投寄完稅非糧食類物品，展限至今日爲最後，原因是通融各代寄商將接下來的物品最後寄出，但仍不能過於大量。

本澳郵政局方面，從昨日開始，也拒絕收受非糧食類的物品投寄。

△藉香港僑胞寄糧食入大陸接濟親友的時機，偷竊信件，了解內容，然後混充「共幹」登門行騙的男子李雄，前日爲被騙的事主扭解警署，在九龍法庭被控兩宗偷信罪，一宗訛詐行騙罪，總判入獄十四個月。

這又是一種別開生面的騙術，被告李雄，廿八歲，無職業無住址。去年五月十三日，他偷去碧街四十三號三樓李珠蓮的親人從廣州寄來一封信，拆閱後知是親戚叫李珠蓮買些藥材當歸之類寄上。他將信放回信箱後，便於去年五月十五日登門會見李珠蓮。見面時李珠蓮的丈夫也在。被告認做中共幹部，名「鄭國祥」。他說李珠蓮的親戚在廣州已入了醫院，無法申請來港。現趁他來港之便，託他將藥材帶上廣州。他向李珠蓮索取卅五元以爲買藥材之需。李珠蓮見他能說出親戚姓名，遂照付卅五元而絕不思疑。事後，李珠蓮寫信上廣州親戚處，告知各事。她親戚回信却說沒有相托「鄭國祥」或任何人來港索欵買藥材。李珠蓮才知上當，但沒有報案。

事隔整整一年，今年五月廿五日，李珠蓮的丈夫自灣仔乘小輪過海，過了被告，記得就是一年前的騙子。船靠岸後，就扭被告往油蔴地警署。

受審時警方又說，被告過去有過案底，去年四月纔出獄。入獄的原故，也是偷信。

被告認罪後，被判如上。

△大陸人民慘不堪言，種禾農人分不到穀，還要騙取華僑金錢回去。據本報讀者來函稱：中共對農民收割稻禾，實行一史無前例的，意想不到的，毫無人性的打禾新計劃，共分五階段，亦即共分五個禾桶，第一打中共稱爲「上調」，即係第一次從禾草打出來的穀，係歸政府所有，然後再將原有之禾草打向第一桶內，那些穀中共稱爲「出口」用，繼續第三打，稱爲「儲備」，即存糧，第四次打出的穀叫「飼料」，係用來喂猪牛之用，第五打稱「口糧」始係歸人民食用，試想一束禾經過四次鞭打，那還有餘穀呢，中共一向慣技就係諸多巧立名目來剝削人民。

談錢

·燕謀·

世間何物最穢？錢是也，何物人們最愛？錢是也。一錢經千萬人之手，執日不穢，錢爲人至死必爭，誰說人不愛錢？俗諺云：「有錢能買鬼推磨，」因之錢乃人生之萬靈丹，故雖至汚，人亦不嫌其穢，錢的魔力之大，天下莫能過之。錢能生人亦能殺人；因能生人，故人人愛之，愛之至酷，禍亦隨之。惜乎世人皆能見錢之能生人，而不能見錢之殺人，斯亦可歎也矣！譚嗣同困京師，曾有詩云：「曳尾泥塗又一年，傷心新綠遍山川，到頭世事無情甚，莫怪人生只認錢！」以嗣同之豪偉，猶不免有是感慨，等而下之者，又何能責其不愛錢乎!?抗戰時期，某報載有一聯云：「錢有兩戈，傷壞古人品格；窮只一穴，埋沒多少英雄！」是皆申言錢之爲害，足使人品傷壞，英雄埋沒，可謂絕矣。

以字釋錢，則兩戈相從爲戔，戔，小也，故金之小者爲錢；貝之小者爲賤。蓋古人以刀貝戈等爲錢，故錢不離凶器。淸嘉定汪价在其所作三儂贅人廣自序云：「余與漢陽李雲田偶過市，見有爭錢而相搏者，雲田曰：「古人名錢曰刀，以其銳利能殺人也。執兩戈以求金謂之錢，亦示凶害也。」執兩戈以求金謂之錢，執兩戈以求貝謂之賤，執十戈以求貝謂之賊。兩戈不敵一金，錢又神物也。得一金而來兩戈，豈不免哉！以解字說錢，可謂義理俱明。然世之貪汚枉法而斂錢，殺人害命而謀錢，而至家破身亡亦不知其害者比比皆是。由此可知人之愛錢之欲熏心甚矣，豈不惜哉！

憶抗戰勝利後，若干文武大員，莫不以斂錢爲能事，蓋有錢可以應變，可在有變時遠走高飛。共匪渡長江，金條之力渡之也。岳武穆云：「文官不愛錢，武官不怕死，則天下太平矣。」今日社會貪汚斂錢之風仍熾，此種現象，非國家之福，大陸赤淪之慘禍猶眼簾耳，可不省哉！

甜

汶津

可愛的事物是到處存在的。生命的酸苦辛辣，使你在面對甜蜜時更覺溫馨。我們無法想像空氣和水都帶有甜味的光景。但我們欣慰，當一杯咖啡或可可在案頭擺着的時候，我們總不會忘了糖。

超越過童年，一個男孩子便會發現世間沒有比女孩子的笑更甜的了。有時我們願靜靜的欣賞，有時我們却又湧起兒時對糖菓那樣的佔有慾，想專一地凝注一個心上人的甜蜜。於是酸苦的滋味也接踵而來了。在公共汽車上的驚鴻一瞥很可能使你食而不知肉味。

嬰兒的笑容也是極甜的，一個小生命可能中和了夫婦間的苦經。朋友的衷心讚美，也沁出最純淨的甜。口蜜腹劍是一種諷刺性的對照，糖衣藥丸也不耐咀嚼，倒是虛幻的夢境還能發人幽思。

聲音的甜，你該也有同感吧？尤其一些少女的嗓音。柔而有波的，入耳以後，全身熨貼。王小玉說書，老殘寫來出神入化，其實那妙境並非絕後的。一支「A Thousand Stars」的抒情曲的主唱者——一位十五、六歲的小姐，她的音色便圓潤純淨，使人飄飄欲上。我常想：那是最恰切的甜的定義。

讀友人或心上人的書信，心腔裏也會別有一股滋味的。只要一句俏皮話，或一字貼切語，便足抵一樹鮮菓。可惜像鍾子期那樣的知音並不可多得，高山流水之音，反被人譏爲雀噪，除了苦笑，還待如何？

兵荒馬亂的時代裏，甜意往往是短暫的，甚至只是海市蜃樓。雷馬克「戰地情鴛」的男主角自前綫歸來度假，父母俱散，却遇上一位女子，萌發一場愛情；閃電結婚之前，他請一位有地位的朋友幫忙：「從你的儲藏室裏，拿一條好香煙和兩磅糖給我。」「…你爲什麼要這麼多的糖？現在你不是已經夠甜了嗎？」「我打算賄賂一下（蓋世太保）。」這是啼笑皆非的故事——難道「甜」已經失去了她的純潔性？

不要去想那些肺女，吧娘的甜言蜜語，設計一個久泯滅的童話世界吧。脂粉並不甜，甜的是衷誠相投的吻；喜劇並不甜，甜的是同情與共鳴的淚，我們在熬着苦難的日子，那只是因爲甘蔗的甜頭還未曾被咀嚼到。

「甜心」是一個不太含蓄的親暱詞，在中國人的習慣中，這跟當街接吻一樣，總覺得有些肉麻。哈代說：「關於愛，我們可以說，越純潔，越含蓄。」眞正的甜意只索味之於心。那是一種音樂，而難以入畫。

春天是一個甜蜜的季節，春夢更是詩人們所稱頌的。和風賜給你皮膚的滋味，就如鮮桔汁給予你唇舌的一樣。春天的陽光甜得比冬陽更甚，在這兩季散步曝日的人有福了。同樣的，晨也是甜的，冬晨也許是例外。鳥聲、微曦所交織的空間，足使你忽略了晨餐的美味。少年時代正如春天的早晨，雖然孩子們自己並不覺得正沉浸在幸福中。

莎士比亞的作品曾被評爲甜（Sweat—shakespeare），我國的徐志摩也是甜的，這樣說來，甜似乎有些浪漫的風味。有些作家給人的印象，似乎是整日愁眉苦臉的，他們的生活中難道會沒有一點甜蜜的歡笑嗎？也許是那種悲天憫人之感掩覆了一切。

孩子們的甜，大部份乃是得之於天眞無知。大人爲逃難而愁苦不已，豐子愷的孩子却認爲那是人間的第一大樂事。舉起食指「羞」父母的小精靈，不使你消盡滿腔憂思嗎？我們又何不多和孩童們接近呢？

最近我發現一樁極美的對象，那是我的一位學生，稚氣的笑配以淳眞的天性，使你悟到生命的蜜甜。

男女平等

黑子

男女平等，提倡了幾十年，女子們也不大再爲她們的平等問題呼號了。因爲男女平等已不再成其爲問題，女權已經被提得高高在上了。

女子們不但走出了廚房，而且在社會上也深深地有了權勢和地位了。職業婦女自不必談，一般婦女也昔非今比。先生們出國，不論爲公爲私，太太可以名正言順地同行。議員競選，婦女有保障名額。社會組織，有婦女會，而並無男子會（青年會即是男女兼容）。紀念活動節日，有婦女節，母親節等。至於傳統風習，結婚離婚，女子尤有更多的自主權和優越感。

女子的衣飾隨着時代的突飛猛進而在日夕千變萬化。她們的玉體可以盡量地暴露，袒胸赤臂，旗袍叉開得高到了臀部，或至全身僅罩着三點式的泳裝滿街跑，都無所謂，且被譽之爲藝術、美與進步；而男子們雖在酷暑淋漓之下仍得著上禮服，硬領襯衫，打上領結，穿上長褲，袜子皮鞋，包紮得密不透風，否則被視爲不懂禮貌；而居家之常，亦不得赤膊短褲，不然來了女客，成何體統？

故女子的自由遠較男子爲多，自由一多，亦即無不平等之可言了。因此男女平等這一概念，似可成爲歷史名詞而無庸置疑。

瘟君續夢

捲土重來，瘟君尋舊夢
投袂而起，小醜鼓雄風

第一回：

劉少奇突然插嘴說道：「國務院問題不在人事，我想內部組織要從頭討論一下。」

這句話一說出，周恩來登時如五雷轟頂一樣，怔怔地看着劉少奇。

劉少奇不理會周恩來，繼續說道：「國務院裏邊的監察部和司法部實在是兩個多餘機構，一年到底沒有一點事情作，我的意思不如撤銷算了。」

周恩來縐縐眉頭問道：「這兩個部都有主管工作，撤銷了交給誰辦呢？」

劉少奇微笑道：「這個問題我都考慮過了，監察部的工作全部交給公安部就是了，本來監察部就起不了什麼作用，眞正監察工作一向是靠公安部的，乾脆合併到公安部也省了公文旅行，多費周折。至於司法部更是多餘，剛才林老已經說過最高法院是冷衙門，實際上司法部還不如最高法院，政法工作交到司法部去辦的恐怕百分之一都沒有，何不乾脆也撤銷了，業務分給公安部和最高法院就完了。」

劉少奇說的頭頭是道，朱德連連點頭，表示十分贊成，周恩來孤掌難鳴，也就不敢硬頂了。

劉少奇何以會想到取銷監察、司法兩個部，其眞正目的還是爲了打擊周恩來。原來這兩個部的部長都是女人，監察部長錢瑛是中共候補中委，在中共政權成立之前，就在湖北省作地下工作，後來劉少奇出任長江局書記時，錢瑛就在劉少奇領導下工作，當時錢瑛正當三十歲左右年紀，生性相當浪漫，過上劉少奇正是乾柴烈火，兩人很快就同居在一起，不過並未向中共中央備案，只能算是黑市愛人，到了劉少奇調走，這段霧水姻緣也就結束了。

中共政權成立之後，錢瑛仍留在中南局工作，地位日漸上升，精神却十分空虛，也曾經寫信給劉少奇，希望重圓舊夢。實際上劉少奇和她分手之後，愛人早換了半打，打開天津不久，當地負責幹部把南開大學校花王小姐送給他，劉少奇那裏還會收回錢瑛，可是也怕錢瑛到了北平一鬧，把過去的事張揚開。所以只在工作上幫她的忙，提高她的地位，却不把她調到北平去。

後來錢瑛看到此路不通，改走周恩來的路子，周恩來不知是有心還是無意，先發表錢瑛爲政務院監察委員會副主任。一九五四年中共政權改組，監察委員會撤銷改爲監察部，錢瑛當了部長，就去北平上任。（八）

岳騫

讀者·作者·編者

台北與立民先生：大函收到，囑事已轉本報經理部矣。大著一篇，全部用的四六句法，本報不擬刊登，乞原諒。

澳門無名氏先生：「香港與大陸」一欄，歡迎任何人投稿。閣下最近自大陸探親歸來，當有許多寶貴資料，請隨時投寄。請署眞實姓名，以便寄奉稿費單，至發表時筆名聽便。又報社對投稿人之眞實姓名及地址，例有保守秘密之義務，請不必過慮。

香港謝彬先生：長篇小說，暫無地位刊出，短篇可以接受，惟必須有內容也。

香港王德文先生：科學新知識之類的文字，可以刊出，投稿並無任何手續。

梨園漫談

台灣的越劇

——章楠人——

越劇俗稱紹興戲，發源地在浙江嵊縣，故亦稱嵊縣戲，後改稱的嵊班，自移名爲越劇之後，水準亦漸提高，不論唱詞佈景音樂燈光等，均採現代化，因此引起觀衆普遍愛好，尤以江浙兩省人仕更爲熱愛，幾至成癖，其瘋魔程度簡直令人難以置信，過去越劇素列於地方戲之一類，近年來非但地位日固，且漸漸已代平劇之聲勢，同時人材輩出屈指難數，大陸淪陷後，由於越劇擁有大量觀衆，共匪自當不願放棄其利用之大好機會，凡稍具規模之劇團中，無不有匪特滲透在內，施展其全面控制，尚有不少缺乏廉恥之女伶，居然爲虎作倀，不惜以身委匪，例如袁雪芬等，均作爲匪酋之禁臠，狐假虎威，監視同行，故而越劇女伶除施銀花得天獨厚，能安然抵達祖國享受自由空氣之外，其他均無一倖免。

按說寶島台灣對越劇一行當應絕跡，但事恰相反，適舟山某部隊中本有越劇團組織，其初專爲部隊演出，舟山撤退，這批越劇女伶亦即隨軍來台，休息未久，居然重振旗鼓招兵買馬公演起來，斯時在民國卅九年，地點爲台北市美都麗大戲院，登台開始，門戶爲穿，依稀記得那時團名爲「慈光越劇團」，該團台柱有吳燕麗、朱鳳卿、翟金翠、葛少卿等十餘位，未幾時由美都麗再遷紅樓劇場作經常演出，營業既佳，演員生活當亦漸趨安適，於是演員與演員之間彼此嫉妬猜忌，終於因意見分歧，以致劇團分裂爲二，各立門戶爭短長，並廢除慈光團名，一改爲「凱歌」一取名爲「自由」，演員亦劃分爲二批，奈寶島愛好越劇之老饕僅此一批，既然劇團分組，觀衆當亦分散，結果兩敗俱傷，目前只有明星一家尚在演出，其他則東分西散已潰不成軍矣。

現在台灣之越劇女伶亦復不少，除了以上所提幾位之外，尚有陳淑華、李琴飛、吳秀英、東方珠、喇叭、劉寶寶、宋天飛、魏水紅等二三十人，越劇在自由中國居然能繼續不斷，該批演員之功亦實不可沒也。

編者按：瘦西湖先生之漫談稿續稿未到，暫停。

劉璈治台史事

·李仲侯·

當中越事急，原任福建巡撫岑毓英已奉調治軍廣西，璈上書請助黑旗以撓法兵，且謂「今日之事，鮮不雖戰而誹和，抑知和戰皆係一理，事決於和，不能不先決於戰，蓋能戰而後能和，爲越南計爲中國計，是在和緩而戰急，然必外主乎和之名，內助其戰之實，愼戰於始，庶能緩和於終」，毓英深嘉之。其後遂撫劉永福而用之，中法既戰，沿海戒嚴，璈駐台南，協士民，籌戰守辦團練，討軍費，而台灣孤懸海外，延袤千里，守兵號稱二萬，實只一萬六千人，不敷分佈，璈只就現有之兵分爲五路，以曾文溪以南至恆春爲南路，統軍五千，由道領之，曾文溪以北至大甲爲中路，統軍三千，由鎮領之，又以大甲溪至蘇澳爲北路，統軍四千由提督曹志忠領之，後山自花蓮港至鳳山之界爲後路，統軍一千五百，由副將張兆蓮領之，而澎湖爲前路，統軍三千，由水師副將領之，計兵一萬六千五百名，平居各守其地，有事互相策應，顧兵力單薄，不敷防堵，故積極興辦團練，以陸團守內地，以海團守海口，各莊亦自行保甲，保衛桑梓，璈以台地遼闊，防務重大，稟請總督移駐，居中調度，不從，又請奏派知兵大員督辦，以一事權，於是命署福建陸路提督孫開華率所部擢勝一營，辦理台北防務，已而提督高元章率淮軍，提督楊金龍率湘軍，各先後至。

光緒十年春三月十八日，法艦一艘入基隆，三人上岸，登陸瞭望，似繪地圖，欲入炮台，台官止之，既歸，以書詰基隆通判，謂合兵無理，當謝罪，又以商人不肯售煤，爲官所禁，限至翌晨七點半鐘前運到艦中，否則炮擊，稅務司出而調停，以官煤千担交，得忌利士洋行售之，始去。至此法艦犯台，事已顯然，璈又上書督撫，畧曰：「台灣本有爲之地，爲之亦非無把握，端賴有治人，有治法，又有治權，則事可得爲，地方亦可制治，然其事可爲而不得爲，有非鎮道所能爲者，沈文肅公已言之矣，台灣防務不外山海，平時則山煩於海，有警則海重於山，然必先整山防，海防始有憑藉，否則內外交訌，防務更難措手，此山海所宜並籌也，議者以台灣自辦開山撫番，十餘年來，傷人逾萬，糜餉數百萬，迄無成效，以致奏請停辦，意在節流，是不推究於辦理之非人，又非其法，而徒謂開撫之無益，是未知合事之底細爾，夫事在人爲，果得人，不特山前之已關地方，可期整頓，即山後山中，似關非關未關各區，墾務礦務材木水利等項，皆利源所賴，若開辦得法，農工番漁皆足寓兵。（五）

名女人（六）

徐學慧

漢朝時代的女人，與春秋戰國時代相較，不論在本質上或者表現上，都有了截然不同的變化。

在春秋戰國時代，許多不成問題的事，一到漢代，就成其爲問題了。如果我們能將這兩個時代加以綜合研究與分析，當不難發現到這兩個時代的背景之不同，大致說起來，可有如下幾點：

第一、春秋戰國時代，一切都是澈底自由的。可是，一到漢朝，由於叔孫通之制禮儀，於是乎許多方面的自由都被限制了。在自由被限制的環境中，偶爾有一點突出的行動，便會被人們渲染談論，而使得他成爲一個特殊人物。卓文君私奔的故事，假定不是發生於漢朝而是在春秋時代的話，大概也是不可能成爲新聞人物的。

第二、漢代的外戚當權者甚多，呂后、竇后、霍后、鄧后等，均爲其著者。在外戚當權之下，有些皇帝甚至尙在襁褓中就即了帝位，因此，名女人之產生，也就是必然的了。

第三、夷狄入侵，外患隨之，至於末世乃以和戎爲上策，而和戎之最易見效者，則莫過於美人計，於是，乃有昭君和番，蔡琰去胡的故事，這在秦漢以前是不可能產生的，這也是產生漢代名女人的特色之一。

第四、司馬遷作史記，班固修漢書，再加上司馬相如、楊子雲、左思這班文人，極力提倡詞賦，風氣之所被，乃及於閨閣才人中，於是乎班固的妹妹班昭，乃脫穎而出焉，這也是一個特色。

酒與色

莜臣

酒與色，總是相連的，從古以來不知留下了若干韻事。一般的說，酒爲色媒，醉擁美人；藉酒以增加色情的氣氛，用來達成浪漫的情調的，更是指不勝數。

晉書阮籍傳：「……鄰家少婦有美色，當爐沽酒，籍嘗詣飲，醉便臥其側，籍既不自嫌，其夫察之，亦不疑也。」

阮籍醉中的心地，當然是很明白的，他一面裝醉，一面臥在有美色的少婦傍邊，微聞其香澤。有人看見，只當他爛醉如泥，不去理會他，他却正合心意，大概醉人行事，往往是假作態吧！不然，可臥的地方那麼多，何必偏偏要走到那少婦的傍邊呢？

後世還有以酒代色的隱語，相傳有某翁，夫婦均已垂老，有一子，新娶婦，與翁隔室而居。翁好杯中物，嘗儲酒數罈，置於媳房中，每於深夜聞子對婦說：「我們喝一杯吧？」或者說：「我們再來一杯吧！」頗疑子婦偷飲其酒，心滋不悅，告以老妻，欲加警誡。次日老妻問媳何爲深夜偷酒飲，媳堅決否認。老妻說：「翁固聞汝倆喝了一杯又一杯，非酒是什麼？」媳聞悉之下，頓時面頰緋紅，微笑不語，老妻乃恍然此乃兒媳閨中隱語，夜間語翁，互相大笑。翁說：「如此，我們也來喝一杯吧？」但老妻體殊強健，翁則衰頹，纔一端杯，不免咻咻氣喘，老妻憤然道：「怎麼？你剛喝就醉了嗎？」翁說：「你不知道酒多烈呢！」

又有某貧士，性傲，不顧求人，以致屢屢斷炊，一日又以金盡，竟日未舉火，夜語其妻說：「人家一日三餐，我倆一餐也無，今夕何不倫敦三次以代三餐？」妻亦笑而允之。但以飢餓之軀，一夕而三合，次日不免頭腦昏暈，因又告其妻說：「昨宵的事，不獨可以當飯，而且可以當酒，不過太煩了，使我醺然如醉呢？」

另外還有享有齊人之福的某君，每晚爲了妻妾相爭，總是頗費周章，於是他乃來一個約法三章，與妻妾相約，如果飲白酒，則今夜到妻的房中；如其飲黃酒，則由妾留宿，相約彼此不得爭執，均已同意。只是某君爲了妾更年輕貌美，每晚總是飲黃酒的時候多，妻因有約在先，不便強爭，再三容忍。又有一天，還是進黃酒，妻乃憤然作色質問說：「天天飲黃酒，難道白酒留以待客嗎？」

此可見酒與色的關連，而且酒還是色的代名詞，一談到酒，當然可以思過半了。更何況久別重逢喝一下酒，佳人密約喝一杯酒，花燭洞房把一盞酒，都是增加情趣而不可缺少的。只是喝得太多，反爲不美，例如當新婚之夕，一定要把新郎灌得爛醉如泥，這顯然是又太煞風景，未免惡作劇。下面有幾首詞，就是醉人辜負可憐宵的作品，亦殊風趣。

唐五代詞人尹鶚有一首「菩薩蠻」，描寫醉人的情態，極爲淋漓盡致。詞云：

「隴雲暗合秋天白，俯窗獨坐窺烟陌。樓際角重吹，黃昏方醉歸。荒唐難共語，明日還應去。上馬出門時，金鞭莫與伊。」

這裏由未歸說到醉歸，是第一回失望，由荒唐難共語想到明日又要走，是第二回失望。層層開折，結局尤有不盡之情，也正是見到醉漢令閨人啼笑皆非，徒喚奈何。

唐無名氏「醉公子」云：

「門外狗兒吠，知是簫郎至。剗襪下香階，寃家今夜醉。扶得入羅幃，不肯脫羅衣。醉則從他醉，還勝獨睡時。」

韓子蒼「懷古錄」說：「直是賦盡醉公子也。」像這樣「千金一刻」的良宵，就被幾杯老酒搞掉了。這些醉貓在酒醒以後，是會懊悔不盡的。

明末妓女王徵，又名修徵，另號草衣道人，她有「酹春風」的詞云：

「誰勸郎先醉，宿冷燈完背，抱琴倩婢侍香幃，睡睡睡。忘却溫柔，一心只戀醉鄉滋味。慚愧鞋兒謎，担擱鴛鴦被，問郎曾否脫羅衣，未未未！想是高僧，巫雲惜別，不容分袂。」

這是描寫情郎醉，以致誤了好事，她的敘述，又像一副嬌憨相，又像有無限幽思的恨詈，眞是此中有人，栩栩如生。

總之，與佳人有約，爛醉是不相宜的，它將造成無可補償的損失。清人黃萬清詩云：「樂極莫爲長夜飲，有人燈下卜青錢。」深於情而豪於飲的人，也應該隨時提高警覺才好哩。

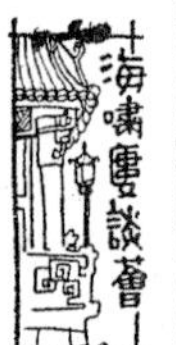

政海異聞〔四〕

諸葛文侯

某將軍以詭道弋取功名富貴，煊赫一時，亦以詭道干政臨民，遺禍蒼生，吁可慨也。

當某典兵戍屯華東地區時，共匪嘯聚南疆，日益滋蔓，政府派大軍迭次圍剿，皆無功，會檄調某率部參預剿匪之役。某於揮軍西行，赴首都向國府主席陛辭請示之日，痛陳地方政治未能與軍事相配合之弊，娓娓動聽。主席諭以匪區專圻大吏已投劾求去，諳示可使某承其乏，藉資鼓勵焉。某恐或有中變之虞，乃謂：爲期迅赴事功起見，即請元首頒給手令，俾便部署。從之。某持手令，星夜馳赴匪區示專圻大吏，囑辦移交，大吏去志彌堅，樂於卸職，欣然私相授受，而某亦遑不及待，即日通電視事，實則中樞尙未明令任免，行政院固無案可稽也。

某將軍綰領省政後，其用人行政方法，亦詭譎不可方物，倡導「用人必疑，疑人乃用」之說，驚世駭俗，聳傳遐邇。一日，召集若干在轅下聽鼓求職之各方推轂衆士，謂將當面考核各人之才情，藉以分別遴用。屆時，某將軍高踞於公廨大廳中，諸求職者屏息危坐其側，靜聆主席吩咐，某乃揚言於衆曰：「各位可以起來，在室內自由散步，隨意自道生平及其志願與抱負，無所顧忌，予將察言觀色，以覘諸君之才識，知所鑑衡焉。」衆人唯唯如命，然以事出突兀，不知從何說起，默默逡巡，爲狀殊窘。中有郭某者，原係軍人，曾隸某將軍麾下，心情比較不緊張，乃自言自語曰：「像我這種人才，如果投閒置散，國事尙可爲乎？」某將軍詰之曰：「你有甚末眞實本領，不妨說出來！」郭謂：「我自信文能提筆草檄，武能執戈禦寇，而精力强壯，克勝繁劇，當今之世，如某者殆不可多得也。」某將軍霽顏點首，未幾，派郭某爲行政督察專員，寄以方面之任。

某之行政原則，一是皆以集權爲本，雖微末瑣務，亦不放鬆，極盡察察爲明之能事。彼藉政治必須配合軍事之詞，自兼民政廳長數年後，倦而物色他人接替，但對於廳內大小職員，乃至於皂隸傭役，亦不許更易一人，益濟濟者胥係某以「用人必疑，疑人乃用」之哲理，選拔任使之幹練人才也。新任民政廳長某，不善仰體主席集權主義之求治精神，曾將其相從甚久，專事私人理髮工作之職工，列爲民廳工役，某日，主席忽蒞臨民廳集合全體員工點名，效法國家領袖作風，維妙維肖，當場發覺此一理髮者未到，怒甚，廳長據實陳述其所以然，主席正色語之曰：「既是在你家裏作事的，何必列名公署呢？」即援筆勾去其名字，某廳長爲之跼蹐難堪，足見某將軍明察秋毫，一絲不苟之集權主義，邁越古今，蔑以加矣！

陳宏謀論

謝康

佐先王六十載承平，斯民托命；

從晦翁五百年名世，吾道干城。

——趙炳麟題陳文恭公祠聯語

先祖華農先生最愛書桂林陳文恭（宏謀）手札，作爲左右箴銘之用。筆者正年輕的時候，常披閱這些信札，留下很深刻的印象。十餘年前，我在桂林服務，每乘湘桂鐵路火車，經過文恭公故里——橫山鄉時，油然生高山仰止之思，是鄉山川秀麗，佳木葱蘢，令人有地靈人傑山水鍾靈的感想。

桂林王城中有「三元及第」碑坊，即紀念文恭公曾孫陳蓮史方伯（繼昌）的石刻，積善之家必有餘慶，天之所以報施善人，往往在他們的子孫身上，表現一種德業事功，足使門閭光大，克昌厥後的令人羨慕的美談，而且還可爲末世的人心風俗，發生激勸的作風。

陳公一生行誼，可爲後世風範的地方很多，清史稿本傳及廣西通志敘述雖不詳細，也可以略知一些梗概。依我個人平日體認所及，大約從下列幾點，可以看出他立身行世移風易俗及公忠體國的節概：（一）

歷史人物

徵稿小啟

有內容有意義之隨筆、散文、掌故、小說、雜感等類文字，本刊均所歡迎。請用有格稿紙繕寫，如需退還，請附信封及郵票。一千六百字左右的隨筆，比較容易刊出，過長則以篇幅所限，請特別留意。

內警僑台報字第〇三一號內銷證

自由報

THE FREE NEWS

第一三六期

中華民國僑務委員會領發
台教新字第三二三號登記證
中華郵政台字第一二八二號執照
登記爲第一類新聞紙類
（半週刊每星期三、六出版）
每份港幣壹角
台灣本售價新台幣弍元
社長：雷嘯岑
督印人：黃行憲
社址：香港銅鑼灣高士威道二十號四樓
20 CAUSEWAY RD 3RD FL
HONG KONG
TEL. 771726　電報掛號．7191
承印者：四風印刷廠
地址：香港灣仔高士打道二二一號
台灣分社
台北市西寧南路壹壹本號二樓
電話：三〇三四六
台郵撥儲金戶九二五二

甘迺廸的和平戰略

王厚生

記得在去年的競選時期，甘迺迪氏曾經表示，東歐局勢仍在醞釀變化，特別是波蘭，轉向西方的可能性極大。不過，美國在那個變局中，應担當重要的任務。

自甘迺廸氏上台執政以來，在他的政策中，比較引人注目者，爲游擊戰術的重視，以及游擊戰專家的訓練。據「華爾街日報」五月二十四的報導，稱美國陸軍主持研究和發展的首長特魯杜中將，已在一項傳給高級軍官的備忘錄中公開建議，要在東歐和北越使用破壞和顛覆等手段，用以對抗共黨的滲透。根據這項備忘錄估計，成功的機會很多，而不致買大戰的危險，如果自由世界要在冷戰中取得上風，捨此，便無他途。

這是一種以牙還牙的建議，如能付諸實行，成功的機會的確很多。共產制度太不合理，共黨統治太過殘酷，在共產國家中，馬克思主義的美妙理想早成泡影，人民所關心者，只是日常生活，而共黨的好高騖遠政策，註定人民生活必無以改善，加上人民自由受到箝制，精神上同感痛苦。社會上瀰漫一片不滿情緒，這無疑是從事破壞和顛覆活動的最好場合。所以，革共產國家的命，向共產國家進軍，絕對不是口號或宣傳，而是可行的政策，因爲共產國家的社會條件已經具備人民革命的可能性和必然性。

又據上述的備忘錄所稱，美國的盟國軍隊和難民，將擔負「敵後的主要任務」，而毋需動用美國軍隊。這也是共黨在各國製造內部勳亂的慣用策略，而且適合美國不欲挑起大戰的民情。所以，我相信，美國陸軍方面在制訂上述備忘錄時，必在基本方針上受到甘迺廸氏的指導，同時，亦考慮到美國的本身處境，如忽視這一點，雖有決定，也窒礙難行。

近讀「和平的戰略」，（The Strategy of Peace），對於甘迺迪氏的思想，有了較多認識。「和平的戰略」一書是甘迺廸氏的國際問題言論集，由美國著名歷史學家那文斯 Allan Nevins）教授所編纂。那文斯教授在引言中說，本書當國家在沾沾自喜和惰性的境況中出版，有其非凡的價值。前任副總統尼克遜氏曾綜述今日美國在世界上的地位，他將美國描述成爲「軍事上經濟上最強大的國家，有世界上最良好的教育制度和最優秀的科學家。」那文斯氏不滿於這種沾沾自喜和懶惰想法，以爲美國的實際形勢是由一些無望的問題所圍困着。於是，他不同意沾沾自喜。相反的，他認爲：這是憂慮、苦思和敢行的時候。他因而說：「我們需要能完成二大目標的領袖。第一，他們將喚醒有責任感的公民，拋開自滿和猶豫的心情，並告訴公民，唯有合時和果決的行動才能創造較佳的未來；第二，他們將以建設性的語氣，或者至少以可能解決的語氣來討論我們的問題。」在那文斯氏心中，已故的威爾遜和羅斯福總統，尙在的杜魯門、史蒂文生，以及現任總統甘迺廸即是這樣的領袖人物。他說，外國人以爲美國的民主與共和兩黨很難區別，其實，兩黨的哲學有着顯明的不同。前任艾森豪總統曾說共和黨代表「動的保守主義」，則所有的民主黨領袖包括甘迺廸在內，必以爲民主黨代表「動的自由主義」。那文斯教授進而分析兩黨的不同之點有三：

第一，兩黨都對美國經濟的穩健擴展抱有信心，民主黨擴展經濟的主要方法是增加消費者的購買力（較高工資和就業）。共和黨的方法是獎勵投資，藉稅收政策和其他措施促進較多利潤和儲蓄。

第二、雖然兩黨皆贊成新政的社會和經濟主要改革加以保留和擴大，但民主黨爲此目的僅合理地注重預算平衡，信用收縮和其他謹慎的措施。共和黨則如前總統艾森豪在任滿之際所說，強調平衡預算、縮小信用和保守的財政管理。對於勞工和農民的要求，民主黨的反應迅速和有力，共和黨較爲審愼。

第三，在幫助教育、房屋、道路修築、擴大社會安全、減少最高工時、增加最低工資、水力及其保存等方面，民主黨較之共和黨更是一個較爲聯邦動作的政黨，叫聯邦政府在較大的領域內負起責任，共和黨卻是在州權的背後隱藏其保守主義。所以可以說，自羅斯福總統以來，民主黨懷抱傑弗遜的理想，但行動則彝漢彌爾登的理想。

關於美國兩黨政治哲學的三點差別，與本文雖無密接關係，但那文斯教授在編輯「和平的戰略」一時，顯視甘迺迪氏爲民主黨傳統的繼起人，既然如此，我們未始不可以從美國兩黨的政治哲學方面，進而瞭解甘迺廸氏的思想路線。再觀民主黨內人才鼎盛，美國自羅斯福總統以來，因負起世界責任，爲求貫澈一黨主張和政策，避免朝令夕改，歷屆總統都是兩任，甘迺廸方在少壯，而好自爲之，下屆連任之希望極高。我們既不能自外於國際，又値復國的關鍵年代，對於美國總統的大畧方針，不能不有所關聯。

收在「和平的戰略」一書中的言論，經過那文斯氏的精選，足可代表甘迺迪總統的基本想法。一九六〇年元旦，甘迺廸爲本書的出版撰「全球的挑戰」，作爲開場白。他說：自第二次世界大戰結束後，當時的美國政府已有一種和平的戰略，所謂「圍堵政策」即是，不過，「圍堵政策」基於美國的二大獨佔，第一大獨佔是美國輸出資本和技術援助給歐洲與經濟未開發國家的勢力，此即馬歇爾計劃和第四點計劃，那時，俄國在這方面無力與美國競爭。第二獨佔是美國的核子武器和投擲該等武器於遙遠目標的能力。但從一九四九年年初開始，俄國對於美國的二大獨佔已開始有所挑戰。

因此，我們未聞甘迺廸總統重申「圍堵政策」，也未聞他依附前總統艾森豪的解放政策，他所提倡的是另一種方式的和平戰略，美國陸軍方面最近所擬訂的建議，基本上是根據這種和平戰略而來的。

一九五七年八月二十一日，甘迺迪氏在參議院爲波蘭和東歐局勢會發表長篇演說，實際的討論只限於波蘭，因爲在他看來，「那是我們最大失敗和最大希望的地區也是最殆切要求覆核我們現行政策的地區」。他譴責艾克政府給予哥穆卡政府的經濟援助太少太遲，同時，承認幫助像哥穆卡這樣的共產政府不是沒危險（對這種援助政策是不明智而言），但美國作爲自由世界的領導者應負較大責任，敢於冒險，此外的途徑即易於迫使波蘭無望地依附莫斯科，且使蘇聯的其他衛星國不敢反抗俄國和盼望西方。波蘭雖仍爲蘇聯的衛星國，但波蘭人民卻非衛星人民。波蘭人民由於宗教信仰，愛國精神和對俄國人的歷史仇恨，是世界上配備最好的反共人民。眞的，一九五六年十月哥穆卡上台後，曾派代表團至美國接洽經援，要求總數達三億餘美元的幫助，以防止國內失業和民怨。美國只給了總數的三份之一。波蘭要求一百噸小麥等穀物，以減輕民怨的主要原因；強迫農民繳糧和城市糧荒，美國只供給一半。波蘭迫切要求十萬噸剩餘棉花，爲紡織之原料，該業僱傭六分之一的勞動力，爲波蘭的最重要工業之一。美國只給了一半。煤爲波蘭經濟的主柱，佔出口貿易的百分之四十，但設備陳舊，生產力且不及二十年前，波蘭於是要求價值三千萬美元的採煤機械，美國只同意了七分之一。波蘭又要求取得七千萬至一億美元的農業機械肥料和種籽，美國完全不給。因此，甘迺廸氏是日除提議補充一九五一年十月通過的白特爾法案（Battle Act），擴大政府的裁決權外，還主張採取以下步驟協助波蘭：增加人民與人民間的接觸，文科教各界互相訪問；擴大貿易；技術協助；對從蘇俄遣返的俘虜給予人道救濟；東歐如再有民衆暴動或蘇軍干涉，預謀有效對策，以歐洲背景解決波蘭問題。

後至一九五九年十月，甘迺廸氏在某次宴會中，又談到「俘虜國家」問題，呼籲艱苦工作，協助波蘭和東歐的和平演化。

小論天下

△美總統甘迺廸抵巴黎，與法國總統戴高樂會晤五次，作九小時長談，會對法人廣播稱：此次赴維也納會晤赫魯曉夫，係企圖使其勿因估計錯誤而從事新侵略。

其實，赫魯曉夫在其有效的「蠶食」進度中，一向對美國都有「正確」的估計。

△南非正式宣佈成爲共和國，與英聯邦解除聯繫。

它對內厲行「種族隔離」，也產生了對外的另一個隔離。

△多明尼加鐵腕獨裁者特魯希約元帥遇刺斃命，哥倫比亞左翼學生發動罷課，圍攻國立大學。

展望拉丁美洲前途，不能沒有「積小亂爲大亂」的恐懼。

△美副總統詹森表示意向，期擴大印度在亞洲的領導地位，引起巴基斯坦當局震驚與憤懣。

印度既已成爲「中立集團」中的孤立者，尤其是孤立於反共集團之外，還靠它去領導些什麼。

△英國又失去美國給英海軍的秘密文件。工黨議員向政府提出質問，指出事件嚴重，値得麥美倫首相提出辭職。

遠在工黨執政之時，大間諜案在英國也來得驚人。看趨勢，如此努力「開放秘密」，也是「促進世界和平」之道啊！

△馬來亞總理拉曼建議，星加坡，馬來亞，沙撈越，汶萊，北婆羅州，宜合組共和聯邦。

這本是一個「識時務者」的建議，但他如想起「兩個越南」和「兩個中國」都會有人喝彩，便該覺得這是「不適時宜」的建議了。

△據傳：毛澤東反對赫魯曉夫與甘迺廸會晤。北平「人民日報」正發動對甘迺廸政府的攻擊。

這已是西方國家例行的挑撥，毛澤東怎不可以循例裝模作樣一番？

△日內瓦「十四國會議」復開。寮政府正與共方進行「國內和談」，態度在逐漸軟化中。

在寮國內部有一個「心理戰場」，共方也在佔取上風。

方南

自由讀

美國威望的寒暑表

在二次大戰期間，美國總統羅斯福以「民主國家兵工廠」的主人資格，倡導過幾次國際高層會議，皆居於領導地位，即史達林對他亦不能不表示三分敬佩之忱。這時美國確實不愧爲身繫世界安危的盟主，威望崇隆，莫之與京。

羅斯福去世後，杜魯門繼主白宮，曾在波茨坦的國際會議中，嘗受到史達林那種桀驁不馴，目中無人的乖戾氣味，深有警覺，乃以原子優勢和援外計劃的潛能，維護着美國的盟主威望於不墜。對於史達林所倡出的高層會談之議，毅然答以「我沒有工夫出國，要談請到華盛頓來！」教史太林自討沒趣，無可奈何。

艾森豪一登台，忽表示着卑以自牧的衰派氣象，聲言願意走到半路上跟俄酋握手和談，結果是幾度被赫魯曉夫玩弄欺騙之不足，最後還在巴黎親受赫酋一頓臭罵，而悶聲不響地潛回華盛頓，自認晦氣。

降及現在這位以「站在最前綫」「創造新境界」相標榜的甘迺廸總統，他最初意氣軒昂，睥睨一切，說是決不隨便跟俄酋舉行所謂高層會議，頗有挽回盟主威望的樣兒。可是，遇到了區區的寮國問題，即不覺手忙腳亂，竟不惜自動要求赫酋晤談，而且比艾森豪「走到半路」的行程更要遠些。甘迺廸先生對俄帝移樽就教的和平共存作風，超越乎艾森豪之上了。

如果高層會談眞能解決問題，那倒是件好事。然甘迺廸總統又說他不能跟赫酋談判具體的世界重要問題，只是向赫酋表明美國決不示弱退卻，希望俄帝莫估計錯誤而已。美國是否告示弱退卻，需要事實行動來證明，空口說大話，會有效用嗎？赫酋根據許多事證，早已看清楚美國當局的心情，如見其肺肝然，他決不會被空言嚇倒的。

右述情形是美國威望的寒暑表，上昇乎？下降乎？一目了然，不用爭辯。「行有不慊於心，則反求諸己」，美國若要保持其世界盟主的威望，好自爲之罷，於人無尤也。

馬五先生

中共工業又一失敗
大陸化學肥料奇缺

大陸剖視

・焦毅夫・

今年春耕開始，中共遭到的困難很多；主要是缺乏耕牛和肥料。耕牛問題，上期本報已予大略分析，本文專述化學肥料生產問題，但兩者同是中共在發展業上失敗，因曾一度力謀發展。

中共未據大陸之先，農村原以家肥爲主；化肥生產與否，並不絕對重要，因農民早有打算，時時準備，處處積聚，到時自有使用。

中共佔據大陸，特別在實行「公社化」，規定分散積肥集中使用以後，農民私心產生的情性，使積肥量減少，誰也不顧多積，而多年發展的化肥又若無成果，因而演成肥料荒，大大影響春播。

農作物需要營分很多，重要有碳、氧、氫、氮、磷、鉀等十多種原素，其中氮、磷、鉀三種原素，農作物需要量最大，而且缺一不可，因此中共亟力發展化學工業氮、磷、鉀肥的生產，以適應農作物的需要。

中共對於肥料是採用「兩條腿走路」的方法。所謂「兩條腿走路」，是一面建廠生產化肥，一面要人民積肥，搭配使用。此法在無工業基礎的農業社會，不失爲農作物爭取營養的好方法，可是急切近利的中共，卻在兩方法中，偏重化肥生產，因此，各省、縣、市自治區，不惜工本，大建其化肥製造廠。省有大廠，縣有小廠，幾乎到處都掛着化肥廠的招牌。然而，有了一塊招牌，並不意味着就可生產化肥，生產化肥第一要機械，第二要原料，中共鼓勵人民敢想，敢說，敢幹，克服困難，於是沒有機器設備就用煮飯的鍋，用石裝的磨，用手工業生產。沒有原料，人派到山中掘挖古墳，利用人的骨灰。例如：「陝西省荔縣黨委召開縣委會議，討論化肥問題，縣委書記要每一公社，至少要生產卅萬斤土化肥。長青公社支書周理心想，三十萬斤土化肥，要三萬多斤骨頭，那裏找到這麼多呢！派出的人走遍附近村莊，搜遍了深溝陡坡，高山低窪，帶回來的骨頭一天比一天少。

「有一天，他們忽然發現一個不知是古代的井窖還是墓子，它在半山崖上。他們刨下有一丈多深，就有一股臭氣冲上來，越向下刨，氣味越濃，油燈放下就滅了，人也在那裏支持不住。經過半天的戰鬥，得到羣衆的熱烈支持，一天中午，得到三萬多斤骨頭，造了三十三萬斤土化肥，滿足了追肥的需要」（一九六〇年九月五日「人民日報」）。

根據上述，中共長青公社黨支書記周理要人民挖的地方，就是中共集體屠殺人民的墓地，挖下去時還有一股臭氣，表示所埋的時間並不太久，還未盡行腐爛，中共說不知道是古代的井窖還是墓子，分明是掩飾之詞，怕直接說出來影響全民心理。事實上大陸用人骨做肥田粉，早是公開的秘密，陝西荔縣長青公社不過又一次證實而已。

本文不擬多事涉及中共用人骨做肥料殘忍事例，還是談述生產化肥的效果。人、畜骨具有氮、磷、鉀原素，是農作物的主要營養。但，這些骨頭的來源是有限度，經過尋、挖以後，正如上文所說，就會「帶回來的骨頭一天比一天少」。非生產化學肥料，不能澈底解決問題。生產化學肥料原料，一部份來自礦石，例如磷、骨、硫磺、煤、明礬、銅、汞等礦；一部份是無機和有機化工原料，例如硫酸、硝酸、燒碱、純碱、苯、酒精等；此外，許多企業生產過程中產生的廢液、廢氣、廢渣、廢料，也是生產化學肥料的原料。這些原料，有的是化學礦採掘出來的；有的是其他工業部門採掘業生產出來的；有的是化工部門有關行業提供的產品。這些化學原料除後者廢液，廢氣等企業機構注意利用，可以利用之外，其餘都須專門技術和機械生產。

中共說「目前，在化學工業內部，總的情況是原料工業落後於加工工業，化學礦採掘業和基本原料工業落後於化學肥料工業」（一九六一年「紅旗」九、十期）本來工業的發展先要有原料才可以加工生產。生產化學原料更須一連串其他原料供應。就以生產硫酸爲例，生產一百噸硫酸銨，需要七十噸硫酸，生產一百噸磷酸鈣，需要四十五噸硫酸，如果硫酸生產不能供應正常，硫酸氨、過磷酸鈣等化學肥料的生產就會發生問題。

即或有了原料，加工問題，尤不易解決。化學原料生產所需設備，材料是多種多樣的。例如：建設一個年產五萬噸的合成氨廠，（加工爲硫酸氨，年產硫酸氨二十萬）噸，需要金屬材料大約三萬六千噸，其中用於設備製造的約需一萬七千噸，用於建築安裝的（如：水泥、木材）約需一萬九千噸。同時，合成氨的生產，是在高溫，高壓下進行的，對設備的要求尤其嚴格。至於鈣鎂磷肥的質量，必須有高度的粉碎能力。中共承認「有些鈣鎂磷肥廠，生產工藝前後不配套，高爐生產能力大，成品粉碎能力小，於是就產生部份成品未經很好粉碎的情況。而未經很好粉碎的鈣鎂磷，農作物是不易吸收的」（一九六一年「紅旗」九、十合刊）。

「紅旗」反映一個事實，是冶金工業和機械工業部門提供的設備不夠，因而提供鈣鎂磷的碎度不夠，鈣鎂磷碎度不夠，施於田中，不能爲水溶化，因而也不能發揮作用。有等於無。

生產化肥除需要的原料和生產機械設備之外，還需要很多的輔助設備。化學肥料的原料許多有強烈性的腐蝕性和毒性，必須有嚴密的包裝容器才能儲運，還要輕工業（陶瓷、玻璃工業）、森林工業、商業、運輸等各部門提供有利條件，才能安善安排生產。這些輔助化學肥料生產的設備；中共承認「對於同農業關係最直接的化學工業來說，化學工業是當前國民經濟中一個薄弱環節。」（同上引）又說：「產品及時運到農業生產戰綫，還必須依靠交通運輸部門提供運輸條件。輕工業、森林工業、商業等部門提供包裝和容器，這類化學所需要的材料，也不能滿足工廠的需要。」（同上引）

上述是中共化學肥料生產大略情形，原料和設備是無法使中共照原定計劃生產。甚至連不成問題的容器，包裝乃至運輸，都發生了極大阻礙，因此，用以走路的兩條腿（土洋並舉），已有一條不能行動，於是不能不藉另一條腿（土肥）跛行，以期勉强達到目的。

然而，另一條腿跛行既慢，負担又重，有面臨斷拆的危險。今年春耕開始，就感到肥料的奇缺，人民不但不熱心積肥，甚至有拒絕積肥情事。因爲篇幅關係，留待下期再談。

穆萬森案的困惑

李華

台灣通訊

曾因涉嫌八德鄉滅門血案而被判處死刑又獲無罪釋放家戶喻曉的穆萬森，眞的墮下了殺人大禍了。把一個與他同居多時的歌女依銘（眞名呂翠華，卅一歲，南京人），在基隆市海軍聯誼社內殺了十二刀，並刺傷了與依銘在基市同居的董作義。

血案是發生在本（五）月二十二日晚上九時左右，距離八德鄉血案發回高院更審的開庭時間前僅僅十二小時（二十三日上午九時開庭）。穆萬森明知第二天就要開庭，而竟罔顧即將決定他或生或死的庭訊，於開庭前夕，從台北趕至基隆犯死與他有肌膚之親的歌女，造成前案未結，新案又生的雙重血案，的確令人無限的困惑，到底他是爲了什麼？

據穆萬森在刑警大隊的供述，他殺死依銘的動機是因爲「情妒」及「酒醉」？這一供詞究否實在，現正由警方查證中，但的台北的街頭巷尾卻流傳不同的說法：

穆萬森何以不早不晚殺人，恰於八德血案開庭前發生？是「滅口」嗎？但是二十三日的八德案庭期並不會傳訊依銘作證，如果殺人「滅口」，何以不殺於暗巷？殺於海邊？殺於家中？而必要殺於衆目睽睽之下？

穆萬森在過去担任軍中樂園管理員時，曾與一山地林姓姑娘同居，在同居期間林女仍照接客，之後林女移情別戀，拋棄了他，穆萬森並未妒憤而採取任何强暴行動。此時此地，何以竟對依銘如此！

以穆平素的酒量而論，一瓶太白酒，根本不當作一同事，何況當日中午巳喝掉了一半，下午還找律師商討第二天開庭事，晚上才把剩下的半瓶酒喝光，因酒醉殺人嗎？事實上他並沒有醉！

在基隆與依銘同居的董作義，曾道出說依銘告訴他，穆萬森曾對她說：「八德案這次很難過關！」又說：「這個女人可能要我的命！」這些話，穆萬森究何所指！

穆萬森這次眞的殺人了！他殺的人是與八德鄉血案有關嗎？是採取另一個可能免於死刑的方法來解脫另一個死刑嗎？

儘管主審推事已表示：八德血案的審理，不會因爲被告穆萬森又有殺人新案而有影響。爲穆萬森義務辯護的律師也表示，對於穆萬森八德血案的辯護，將維持到底。然而，台北的人們仍以一種猶疑的眼光來看法院對舊案作何審結，對新案又如何量刑！

近年來，台灣兇殺、仇殺、情殺案件，層出不窮，離奇怪誕，越乎常軌，悖乎常情，有因雞皮蒜的小事，鬧得頭破血流；有因口舌之爭，睚眦之怨，而演成殺人流血慘劇。即就震驚中外的瑠公圳分屍案而論，殺人者竟是被害人的前夫，偶因家庭細故，而置其前妻於死地，復將屍體凌遲肢解，棄之溝渠，手段毒辣，莫此爲甚。日前發生之計程車殺人案，兇手要殺害的情婦，本是露水姻緣，既無婚約關係，也無信守的義務，竟因妒憤，必以殺之爲快，結果竟使其他毫無關連的人遭殃，這種盲目的兇殺，眞令人歎爲觀止！近日中央銀行副總裁兪飛鵬被刺，兇手是招商局的小職員，兪爲該局以前的董事長，他位懸殊，毫無私人恩怨，而兇手竟也暗下毒手，未免跡近瘋狂。穆案是在百十人圍觀之下，遽然動手，刺殺了十二刀，目睹傷者死去，方從容難去，其峻惡兇手實無法理喻！

這些不應該發生，而竟發生，悖乎常理，違犯人性的血案，確使安居在寶島的人們不寒而慄，它已給人們帶來了無限的困惑！時代問題嗎？社會問題嗎？，抑或是僻處台灣所積累的苦悶需要發洩嗎？這大概要專家才能解答了！（五〇、五、廿五）

香港與大陸

某工廠一個工目說：「以前力主我同祖國服務的國內親戚，因我和他們意見參商，已隔絕通訊好幾年，現在又接到他們的通訊了。但同一發信人前後講過的話不同。

「早十年前，他我還是青年。」他說，「有個時期說及祖國如何如何前進，在英明的毛主席領導下的社會主義建設，一日千里。他們之一說：一心一德把自己奉獻給工作，爭取做一個光榮的共產黨員。

「以後的來信，這輩後生家驕態畢露了。他們教訓我這個做叔輩舅輩的人，萬不可遲疑，就身在這個萬惡的資本主義社會，而到祖國服務。

「我難以解釋我對祖國的認識，祇有不通訊，其時尙有一封兩封信數說我積極不夠，貪戀小資產階級生活享受。天曉得，我那時在失業窮困中，但我沒回信給他們。

「事隔這麼多年。去年晚起，他們都有來信給我。在濟南一個姪子，叫我寄衣服去，在南海一女姪，叫我寄糧食，什麼都要。而在廣州清遠一大堆外甥，隔一月來函訴苦一次。其目的也是叫我寄東西。

「所有來信都充滿悲觀憤怒之情。他們雖不明言共產黨搞壞了國家，但說及民生疾苦，無衣無食，足以反映他們思想的轉背。

一個外甥娶了一個高級女共幹，從第三者透露給我知道，更苦絕悶絕。我奇怪中共的郵政檢查機關竟漏開大缺口讓這些消息跑出來。

「廣州一外甥不說自己需要食物補充。只說他母親（我的妹妹）面腫，要食多量烏豆眉豆和油。他說：廣州十日配購魚一次，每次只準買六分銀。

「祖國前途怎樣有希望的話，現在我再不會從來信中發現到了。也許，這輩後生家知道我這老頑固是聽不進耳的，祇有懶提。他們一心一意餓肚皮向海外要糧，要把祖國搞好罷。」這工人幽默地結束最後話頭。

關於內地親友寫信向海外僑胞要糧，由親及遠，紛至沓來。由疏隔許多年戚友，音書已絕的，因此間有救濟包送入內地，越傳越開，盼求救命者在知道香港通訊地址後都來函請加援手。有一對已成冤家的親家兩地睽違，因爲救苦救難關係，現在重復了兩親家情宜。其嚴重情況可見。

讀者・作者・編者

汶津先生：請續惠稿。

希文先生：尊稿已收到，全文過長，限於篇幅，恕難刊出。乞諒。

家越先生：尊稿過於潦草幾至不能辨認。嗣後務請惠予合作爲感。

談鬼

·王敬濬·

本來這不是談鬼的季節。我想：假如寫文章也有季節性的話，這題目應該留待陰曆的七月十五日再寫，因為那天是中國人所謂的鬼節。但，偏有這麼巧。話說昨晚整理書架上的那一個多月沒有整理過的舊書時，隨心所欲，順手翻閱，讀到了一段鬼故事，於是引起了我談鬼的雅興，那故事是：

『黎邱有奇鬼焉，善效人子弟之狀。邑丈人有之市而醉歸者，鬼效其子之狀，扶而道苦之。丈人醒，而誚其子。其子泣曰：『無是事也』。父曰：『嘻！是必奇鬼也。明日遇而殺之。』明且，之市而歸，其子迎之。丈人疑其鬼也，拔劍刺之』。（事見呂覽）多厲害的鬼啊！是假是眞，是眞是假，使父子之親，動了殺機。

在太空人即將「奔月」的前夕，來談鬼，未免有被人譏為落伍或冒為迷信之虞；然則，眞的沒有鬼嗎？倒也難說。

據說，中國上古結繩記事，大事做大結，小事做小結，到了軒轅氏時代，始有文字的創制。初期創制文字的人，除了連中學生都熟知的倉頡外，還有兩個人，一個名梵，一個名佉盧；這裏單提倉頡，因為倉頡所造的字，是經過當時執政者的審訂，而通用流傳下來的。倉頡造的字是象形字，例如「日」字畫一太陽的形象；「月」字畫一彎彎的月亮形象也。鬼字的形相，頭尖尖，肚大大，腳拐拐；鬼光天化日見不得人，所以頭常側；鬼隨時隨地要祟人，所以腹藏十大詭計；鬼不走正路，所以兩腳彎歪；鬼心狼毒，所以腳後跟還拖着一個三角銼，隨時起後腳傷人。你看，這鬼相，多可怕！

鬼，本來沒有什麼可怕，所謂見怪不怪，其怪自敗。是也。現在國際間的大赤面鬼小赤面鬼，就是要的黎邱的奇鬼那一套，想祟自由世界人打人。只可惜民主集團的政治家們，沒有法寶，使他們鬼打鬼！

君不見，最近羅剎鬼，頭尖尖而常側，光天化日見不得人，正在那裏大做「黑市買賣」，張伯倫的鬼魂也在國際間若隱若現，天啊，這就是今日的日內瓦精神！

苦學

冰山

腦中一片空白，望着窗外被微風拂起的千條柳絲，婆娑曼妙，搖曳生姿，桌上是一堆空白的格子，剛才報紙上一段不為人所注意的事，在我腦海中激起了共鳴，動盪不已。

報上是一位少女的投訴，她年前考上××大學，可是因為家庭窮困，無力支付那一筆學費，因此她只能望着那大學之門興嘆！為了完成學業也為了家庭的生活，她隻身北上作一個小店員，預備積一筆錢完成心願。可是不幸的事往往照顧着不幸的人，在此期間她的父親又離開了人間，眼看着大學之門向她關來，最後她警稱着她只是一個中上的之人，不是一個傑出的人材，因此她沒能得到獎學金。唉！那情形與我太相似了，對於過去的歲月，我有太多的感慨。我願溫暖的人間能向那女孩子伸出援助之手。

時間在腦中一幕一幕的倒退回去，回到了我那可哀的童年，

我常惋惜我底童年，而時乎不再來，是的，天實在不應將那痛苦降到一個天眞無知的幼童身上，我底憂鬱性就在那可愛的童年生了根。

也許天將降大任於斯人也，必先勞其筋骨，苦其心志……：但是並非每一個勞筋骨，苦心志的人都是將受大任的人，我不敢憤世，更不敢想我會是受大任之人，可是我卻飽嘗了人海的辛酸，更不幸的是從童年開始，那可愛童年只待成追憶。

我也許不幸，也許幸運的長在農村中，從我懂得記憶開始那是一家東塌西倒的茅屋，五歲就與大人們出外牧牛，五歲前也只能在泥中打滾，沒有照顧着我。那麼一條大水牛牽在一個剛懂得走路的小孩手上，樣子夠滑稽了。進了小學，一身破爛衣服，自卑使得我離羣了，也沒人同我玩，小孩子不懂得憐憫之心，他們只能從自身向外衡量事物，好幾次我躲在無人處哭了，我學會了忍耐，但開始了恨，恨在我心中不斷的滋長着，別人放學回家不是安心的讀書，就是歡天喜地的玩樂，而我還得幫着父母下田工作，照顧弟妹，及年老的祖母，要是有人請我看一次電影，我會感激得流淚，可是沒有。也許我不算太笨吧！雖然我上學是一曝十寒，可是成績一向列於前茅，孩子失去了童心是可哀的，也許他並沒失去，可是他已無勇氣去拾起那顆心了，他只有悵，只能憂鬱，因此他更沈默，更暮氣了，師長們並不歡喜一個暮氣沈沈的小孩子，因此我很少得到老師的愛護，我的小學就這樣默默寡歡的過去了。

幸運地，我考上了一所衆人羨慕的中學，也因此父親才勉強讓我進了中學，我不敢恨他老人家，懂得人事的我也深深了解父親的痛苦。

進了中學更慘，別人都是衣服整齊，配備齊全，而我依舊是一身東綻西補衣，一雙空前絕後鞋，襪子也沒有，唉！我不是一個傑出的人才，何況我又得工作又得讀書，那功課分數如何能好，更何況那是一所有名響的中學，分數嚴，學生素質高，我如何能得到獎學金呢？我眞恨那立獎學金的人，旣名為貧寒助學金，標準又訂得那麼高，是培養諸貝頒獎金的人材嗎？貧寒的學生非特出的天份，如何能得到，非是天資輸了別人，環境所致也，更何況羅馬又不是一人造成的，團體才是力量呀！

為了生活與學業，我千辛萬苦的謀了一份送報的職務，開始了披星戴月。假期我會在一冷飲店中當店員，當老闆為了我有次忘了給客人加作料，說是影響店譽，我被炒魷魚了，以後又在一家雜貨店，客人多給了錢，我為了店譽，追上去退還了他，老闆說不能再請我了；他的店要被我拖倒了，我只能嘆息的走了。

最可哀的是春假旅行時，同學們早就興高采烈的計劃了，我心有餘而力不足，只能暗裏傷心，知已朋友的邀約殷勤相請，而我能表白出我沒錢不能參加嗎？我只，違背良心地說沒興緻，因此我博得了孤僻的封號，欲哭無淚，沒人瞭解我，也沒人能分担我的痛苦，默默的忍受吧！我自卑了。

心血來潮吧！我開始爬格子，那是辛苦的，慚愧的很，那動機只是為了爬格子也許可以得到錢，我想沒有一個人能餓着肚皮去為文藝而文藝，至少得民生問題有了着落。

收起了桌上的格子，但我以後是還得爬下去的，人生是一場奮鬥，我不想倒下去。

花果山

道南

唐三藏赴印度取經雖屬事實，但西遊記這一書的人物和事實，則多屬虛構，此為世人所週知，所謂孫行者、豬八戒、沙和尚等並無其人。乃後人每每附會其說，竟有所謂齊天大聖發祥地的花果山和水簾洞的傳說，寧非咄咄怪事。

在陝甘道上，沿着西安蘭州的公路上，在陝西邠縣城東北三華里，有一座石頭嶙峋的黃土山，居然有所謂花果山，山腳下有一個唐碑用鐵絲網罩着，上書「齊天大聖遺跡」，中寫「花果山」三個大字，下面還寫着「文武官員到此駐轎下馬。」

山上至今滿植桃樹和棗樹，邠縣的蜜桃紅棗，像陝西有名的土產。山上有「齊天大聖祠」，據傳說該廟建自唐末，祠供孫行者神像，廟內有和尚十餘人。去該祠約百餘碼；一條大瀑布自山頂向下流，瀑布好像一張竹簾子，遮着深約數華里的石洞。據當地土人說：該洞在民國十二年之間，馮玉祥部下兩士兵，曾冒險到洞內參觀。他們出來對人說，洞裏有不少石棹石機，他們還在洞內搜索出古銅錢百餘枚，這就是西遊記上所謂的「水簾洞」。

陝西邠縣係周文王之父太王的故里，因此左傳有「太王居於邠」之說，一般的又傳「太王故里」即現在的「邠縣縣政府」，門前有四人合圍的大柳樹數株，這是太王手植的遺物，這數株古柳，竟有三千多年的歷史，這是令人不敢置信的。

瘟君續夢

第一回：捲土重來，瘟君尋舊夢
投袂而起，小醜鼓雄風

錢瑛到了北平之後，馬上受到政治保衛局的警告，絕口不提和劉少奇的一段羅曼史，但是劉少奇對這件事總不無耿耿，時刻想辦法打擊她。

至於司法部長史良，到是老牌的民主人士，遠在抗戰前和沈鈞儒組織救國會，煽動青年，被政府逮捕了七人，史良和沈鈞儒都在內，此外就是章乃器，王造時，李公樸，沙千里，鄒韜奮。他們坐獄後就自封為七君子，在社會上儔張為幻，翻雲覆雨，替共產黨做外圍工作，中共政權成立後，配給史良一個司法部長，一口氣幹了九年，到這時出了問題。

史良這個女人過去因為生活浪漫，樣子又不像女人，所以男朋友雖然多，想找個丈夫可眞不容易，後來就在她本人的律師事務所內，找到一個小書記姓陸的，強娶了作丈夫，名寶才算有了主，當然姓陸的也不敢管她，生活還是照常，男朋友比過去還多。

抗戰期間周恩來代表中共駐在重慶和政府接洽應辦事宜，史良也是他的外圍卒子之一，和周恩來的老婆鄧穎超十分莫逆，周恩來同她也是穿房入戶，不招形跡。在當時也就有些流言，說他們交情過深。

周恩來當了總理之後，「國務院」部會首腦由女人担任的共計四人，除去錢，史之外，尚有衞生部長李德全，華僑事務委員會主任何香凝。李、何二人年齡都老了，出席會議時候很少，開會時就讓錢，史兩個出風頭。平情而論，周恩來現在貴為「總理」，內有母老虎鄧穎超的監視，外有蕭小姐的溫存，加上自己也過了六十大關，要說現在還和這兩位女部長有什麼曖昧，也是有意誣蔑。可是周恩來這個人的脾氣就是有點女人腔，看見男人就勾頭、抿嘴、拋媚眼，遇到女人就擠在一堆鬼混，例如那一次中共大頭目去十三陵水庫勞動，毛澤東和彭眞劉土，朱德和鄧小平去挑担，祇有周恩來偏擠在女人堆裏傳土塊，在國務院開會也一如此，每次總是擠在史良和錢瑛中間坐，這些情形劉少奇當然知道，乘機會打擊錢、史，實際上還是掃周恩來的面子，意思是告訴國務院的部長們，越是和周恩來親近的人越倒霉。

朱德不知就裏，也跟着贊成，他因為聽到劉少奇說把監察部及司法部的部份權力全併入公安部，公安部長羅瑞卿雖然不是他的嫡系，總是四川人，羅瑞卿的權力大了，對他總有點好處。

周恩來眼見這場會議始終處在下風，一味退讓總不是辦法，聽着劉少奇整下去，最後「國務院」的人事都由他直接控制，自己雖然當上總理，也是一個空架子。想到這裏周恩來覺得非反擊不可。（九）

岳．騫

梨園漫談

筆者已介紹今日的大鵬，今擬再談談大鵬劇團赴各國宣慰我僑胞及敦睦邦交的情形，大鵬首次出國，是四十五年十一月中旬，地點是菲律賓，在當地演出計達十二場之多，除贏來廣大僑胞社會與友邦人士的讚譽外，並對促進國民外交與宣揚國粹方面之貢獻，尤為各界人士所欽佩。

鵬程萬里

——瘦西湖

大鵬劇團是空軍屬下的一個康樂團體，平素雖有良好的訓練，和嚴肅紀律與完整的組織，但出國訪問獻技于國際舞台之上時，倒底不是一件兒戲之事，其成敗得失，關係此，劇團事小，關係國家民族之榮譽則事大，因此，該團於出國之前，其領導人吳冠羣上校，和馬桂甫中校（藝名醉客）等，對人員的集訓，戲碼的研究，確實傷過很大的腦筋，在萬分沉重的心情之下，終于甄選出了一批技藝高超的演員，和色藝雙全的旦角，如徐露，趙玉菁，季素貞等。這批演員的拿手戲，筆者已於今日的大鵬上提及，恕不再述，以免重覆，而男演員方面，如哈元章，馬榮祥，孫元彬，孫元坡，蘇盛軾，李金和，朱冠英，馬元亮，張國安，熊寶森，王鳴兆，張遠亭，景正飛等，均為今日大鵬的一時上選人物也。

大鵬自在菲律賓獲得良好的成績之後，繼受各國華僑之請，遂有訪泰、越、韓、琉球，以及歐洲之行，大鵬在訪問亞洲各友邦國家時，其所排出的戲碼，一方面為了要適應僑胞的欣賞，同時為了顧及友邦人士對代表東方藝術結晶的中國國劇有深度的體會與瞭解，為使彰忠除暴，褒善貶惡，敦倫道德能在我國劇劇情裏明顯地跳躍出來，以及人忠守孝，節義廉明的中國歷史文化，因之該團所推出之戲均偏重於歷史故事，和長短靠武打，如「三國誌」、「戰宛城」、「白蛇傳」、「天女散花」、「金山寺」、「拾玉鐲」、「小放牛」、「惡虎村」、「花田錯」、「青石山」、「三叉口」、「白水灘」、「泗洲城」、「慶頂珠」、「馬上緣」、「鬧龍宮」等，以望能獲得預期的效果。

大鵬在亞洲各友邦的訪問，其演出的成績是否成功，在事實的答案，這是完全成功的，如菲律賓總統加西亞，泰國的泰皇及皇后，韓國前副總統李啓鵬，及當時駐韓的聯軍統帥泰勒將軍夫婦，以至各友邦之政要及衆多友邦人士，均曾為欣賞中國歷史文化結晶的國劇之演出，不但大為讚揚，而對大鵬演出過程中，亦可算得平添一份無上光彩耳。

劉璈治台史事

·李仲侯·

且夫籌餉，餉藉兵力，而源以開，兵藉操作，而用愈活，始費雖鉅，不十年間，定可次第收回，十年以後之利，利自無窮，所謂始難而終易也，此則因利而利，以台治台之大略，然必豫籌之平日，乃能應用於臨時，而非欲速見小，所能成功，尤非偏持遙制，所能濟事，如再故事奉行，回護前失，狃於近事，渾忘遠謀，勢必仍舊倉皇，兵餉兩歷，萬一台灣為彼所襲，地大物博，取多用宏，凡我所欲為而不得者，彼皆為所得為，則南北洋務將無安枕之日，是誤台即誤國也，由辦之不早辦也，台澎四面皆海，周圍三千餘里，無險可扼，隨處可登，備禦之法，較各邊省尤難，今籌防分五路，因地制宜，如專歸道統最要之南路，又楊署道元所統中路，張副將兆連所統後路，新舊營勇，皆經職道挑選，訓練整嚴，及另備活營，章提督高元所統淮軍，楊提督金龍所帶湘軍，皆屬器精兵銳，能戰能守，兼以水陸團練，認真操演，應虛互用，三路陸防固已可恃，如再得前路北路一律整齊，則不患台防之不振，而患海面之不周，兵船既少，又乏水雷炮艦，以備抵禦，如南郡城逼近海隅，淺露半脆，不足當衝，而安平旗後滬尾基隆各炮台亦如之，倘敵人以堅艦聚泊港外，專以巨炮擊我城台，一無抵制，是彼則不戰而勝，彼特所長，而我則戰守兩窮，莫掩所短，歷經陳請，亦鮮良方，故前詳不求角力於海中，只求制勝於陸上，則以陸防之權固操自我也，夫權在我則敵由我制，五路防軍，雖分猶合，運用皆可自如，特恐我權不一，是我先為我制，何能制敵，此又陸防之難者，蓋以遠隔重洋，事事扞格，職道鑒前慮後，曾以權緩急，決疑難，定刑賞三大端，斷非專閫節制不可，詳懇奏請簡派知兵大員渡台督辦，實為安危第一要着，而憲示以督辦非外省所得擅請，仍飭職道勉為其難，敢不祗遵，然難果得為，勉尚有濟，勉為不得為，為亦終難，義在致身，他復何恤，惟有盡其心力所能至，以仰答君恩憲德於萬一爾」。

未幾，詔以提督劉銘傳為台灣防務大臣，五月卅九日至基隆，駐台北，驟辦戰事，劉璈亦北上籌戎機，而法艦跟踪來攻矣，六月一日法將李士卑率軍艦維拉爾號分隊攻基隆、滬尾。十四日法水師提督孤拔，乘旗艦奧爾札號率戰艦五，載陸軍三千入基隆，以三艦窺滬尾，銘傳聞警，率提督曾志忠蘇得勝高元章鄧長安拒之。（六）

名女人（七）

徐學慧

我們若能再深一層分析秦漢與秦漢以前的男女關係，當不難發現到這兩個時代的基本不同之點。春秋戰國時代，男與女是站在幾乎完全平等的地位的，一到漢代，一切有關名女人的故事，則幾乎全是於男性中心社會的襯託所表現出來，這一點，乃為研究漢代女人所不可不具的認識。

在漢朝，想找一個像李圓的妹妹李嬛那樣的女人，可以說是沒有了；想找一個盜符的如姬那樣的女人，也是不容易的了。我們直可以說，漢代女人，除了大膽的卓文君和別有風味的漢光武的長姊而外，其他的故事，實在說不上是多采多姿的。

秦漢而後，至於六朝。由於胡亂橫行，朝代短促，再加上那些名士派的清談，乃使得女人問題，在清談的名士之下，黯然失色了。

衣冠南渡，在民族大遷徙的過程中，除了那些名士而外，誰也沒有心事來談論女人，因此，要想在六朝時代去找幾個出色的女人，也就不可多得。

石崇的綠珠，陳後主的張麗華，固然也是在歷史上有名的，可是，就我個人的眼光來看，與其說綠珠和張麗華是名女人，毋寧說是因為石崇和陳後主是名男人，亦如同虞姬之於項羽而已。

不論古今中外，這樣的例子是很多的。如果沒有拿破崙，我相信沒有人能知道有一個約瑟芬，如果沒有羅斯福，恐怕羅斯福夫人也不會有這樣吃香吧！再說得近一點，像今日香港這些名流太太們，也有些是諸位在報章上所習見的，說句老實不客氣的話，如果沒有一個名流先生，她們的名字怎會在報章上成為風頭人物呢？

漫談堪輿

漁翁

漢書藝文志有堪輿金匱十四卷，列於五行家，凡天地之道，山川之勝，紀載甚詳。張晏謂堪輿天地之總名，孟康謂堪輿神名，造圖宅書者，許慎謂堪天道，輿地道，顏師古，李善，俱從許慎說，今稱相地者為堪輿家，又俗尊之曰「地仙」。今所論風水之因果，雖不可必信，但亦有言之成理者，徵於過去，載在羣書之事實，往往不幸而言中，故中國人咸信仰之。

晉陶侃母卒，將覓地營葬，忽家中牛不知何往？尋之，途遇一老人，謂曰：「前時見一牛眠山汙中，若得其地而葬之，將必有位極人臣者出。」言訖不見，侃大驚，往尋牛得之，即以牛所眠之地葬母，堪輿家稱吉壤為牛眠地者，即指此。

侃母截髮延賓，賢德堪欽，殆所謂福人葬福地者歟。葬後，陶侃由刺史而侍中太尉，而長沙郡公，而都督八州軍事，拜大將軍，為晉室之名臣，侃子陶茂，亦為荊州太守，曾孫陶潛，志高行潔，不為五斗米折腰，其聲名不在乃祖下，論者皆謂得此牛眠地之發祥也。

唐末，有楊筠松者，字叔茂，竇州人，幼穎異，長通河洛易理，習術數諸書，盡得堪輿之秘訣，對有德行而貧乏無以為葬者，嘗資助之，並示以佳穴，葬後每驗，因此，名噪一時，僖宗即位，詔為國師，官金紫光祿大夫，掌靈台地理事，所著「撼龍經」，「疑龍經」，「青囊奧語」……諸書，皆選入「四庫全書」，至今猶為相地者之張本。

一日，行至涿州（今河北省涿縣），以龍脈鍾靈雞鳴山，因往相之，果得一帝王發祥之地，經再三踏勘，始知結穴於潭中，淵深莫測，正彷徨間，忽見一牧童在潭中嬉戲，囑潛水探之，童曰：潭下有兩石穴，穴外有石角一枝，合乎楊氏所推斷之龍穴。遂約牧童於某月某日在此地相會，當厚謝之，牧童應之曰：「諾」。楊氏歸將先人骨殖，用罈盛妥，準備屆日至潭下葬，除牧童外，無第三者知也。

可是牧童歸，報知乃父，其父知楊為當代大堪輿家，乃將先人骸骨，用布裹之，命子携入水中候之，迨楊負骨至，託將此罈投入石穴中，牧童領之，潛水後，先將父所交之包裹，放於石穴，再將楊之罈掛在石角上，一剎那，而石穴合閉之聲，如轟炸然，楊甚喜，酬牧童，不受，詢姓氏，答曰：「趙」，又問何以拒我酬？牧童以直告，並請罪，楊歎曰：「我家無緣，此乃趙姓之福，幸骨掛龍角，亦與有榮為，今後，楊姓事趙，數也。」據傳宋太祖趙匡胤，由此龍穴而獲得三百七十年之天下，宋家天子楊家將，編列劇本，傳為佳話。

宋范仲淹，字希文，吳縣人，文章以先憂後樂著稱，晚年辭官家居，預謀生壙，借堪輿師相地，得一穴，范以為佳，師曰：「不可！此絕地也」。范曰：「吾願葬於斯，毋留以誤人」，及范死，後人遵遺囑以葬之，葬後，大雨淋漓，雷聲隆隆，而山谷為之改觀，堪輿家往觀之，見形勢巳異，乃向其子孫賀之曰：「一夜雷雨，陵谷變遷，由絕地而成為吉壤，乃范公之大德，有以致之，非吾術所能為也。」公之子范純仁，由進士而官至尚書，大學士，論者以德獲福地，而地靈人傑焉。

宋理學家朱熹，知漳州，所轄南靖[illegible]有王廖兩姓，因爭墓[illegible]攻而累訟[illegible]以王姓之[illegible]艾，偷而祭[illegible]旺，於是用計[illegible]墓旁之松樹中[illegible]漳州，而廖[illegible]憑，於是判[illegible]解紐於路[illegible]人誤以實情[illegible]判書「四語」[illegible]曰「此地[illegible]地理，此地[illegible]無天理。[illegible]

袁項城[illegible]說，稱帝時[illegible]與家郭某[illegible]陪往故鄉[illegible]墓，以何[illegible]，郭見項[illegible]在此，九五[illegible]以此地告[illegible]帝王之運[illegible]年代相問[illegible]八二之數[illegible]宮之皇夢[illegible]天，以應[illegible]言，可謂[illegible]

海濤樓談薈

最近一期的「新中國評論」月刊上，載有中國青年黨元老張潤蒼（夢九）所寫「十年滄桑憶慕韓」的紀念文字，情文併茂，內容豐富，我閱讀之後，對於青年黨之創立及其發展史迹，得到更深一層的瞭解。張先生我未見過，但在「新中國評論」上，隨時看到他以「赤松子」筆名，譔述「民國春秋補遺」，欣賞之餘，殊為欽佩。他所敘述的，都是關係近代中國治亂興亡之迹的人與事，堪補正史的缺失。可是，有一項涉及張先生本人和其黨魁曾慕韓的趣事佳話，他自已不便談，我不揣譾陋，竊為補遺於此。

大約是民國十四年左右，張氏與曾慕韓，左舜生等青年黨幹部人物，都住在上海（李幼椿在北大教書），大家翩翩少年，志氣奮發，一面創進黨務，一面追求愛人，恢恢如也。這時張氏執教鞭於大夏大學，得識一蔡小姐，此姝姿容都麗，自視甚高，對異性朋友，少所許可，更不容易隨便談戀愛問題，朋輩諡之為奇女子。一日，張氏身穿新製上等質料的西裝與外套，狀類豪華公子，青年黨同志訝其迥異平時裝束，詰以故，張謂擬赴廬山尋訪蔡小姐，平生志願須得一天下奇女子以資內助，既有所遇，未可交臂失之，蔡小姐現隨母在匡廬憩息，故不辭跋涉之勞，特往訪晤一番，期作進一步的親近，以觀後效。儕輩皆壯其勇氣，且祝其成功。

「此事茫茫大可哀」

諸葛文侯

張氏到達廬山後，蔡小姐接待如儀，每日相偕游山玩水，其樂融融，然小姐絕無絲毫表示男女間談情說愛的意趣，真是艷如桃李，冷若冰霜，使張氏一片傾慕之忱，無從宣達，盤桓多日，氣氛嚴肅如故，張氏殊感失望，雖入寶山，亦只好空手而歸，大有如當年王壬秋別祁門軍中友人時，高咏「獨慚携短劍，真為看山來」之感慨心情也。

回到上海後，曾慕韓一見面即問：「夢九你近來到那兒去了？多日未曾晤面，令人惦念維勞」。實則曾氏已經諗悉張赴廬山求愛這回事，徉為不知而詭問之耳。張以旅行廬山對，曾謂：「我近作打油詩一首，寫給你看看」，詩云：「君求佳麗我求才，此事茫茫大可哀；安得黃金三百萬，美人名士一齊來！」意在諷示張氏，天下美人還是脫離不了黃金的誘惑力，只要你擁有大量財富，不特美人樂於垂青，即一般社會人士，亦將交譽你是才子或名士哩！洎後張氏憬悟黨魁此言，確係經驗之談，對於追求世間奇女子的熱情，亦就漸漸降低了。

張氏憶曾慕韓文內，談到黨魁斷絃後，「不加選擇，任人介紹，馬馬胡胡就結了婚」，認為這是下策。查當時為曾氏作伐的，原係四川人很有淵源的周孝懷，新婦就是周氏的妹妹，年方花信，傾心燕婉之樂。然曾氏因以全力從事政治活動之故，對於夫婦之道，多所疏曠，有忝丈夫職責，致家庭生活並不十分美滿。周夫人極畏雷聲，每聞雷鳴，輒投入良人懷抱中，習以為常。李幼椿先生曾問曾氏：「尊夫人投入懷抱之際，閣下亦有所動心否耶？」曾笑答「未能免俗」。這些都是青年黨人的佳話。

陳宏謀論

謝康

第一、是宋明儒者的修養工夫，大家都知道宋明理學家雖雜有禪宗意味，仍不失為儒家正統。這是研究中國倫理學史和中國文化思想史的人大概都能夠承認的。至少他們在誠意正心、修身、齊家、忠孝、仁恕、信義、和平、好善、惡惡、克己復禮、去私慾、存天理……的諸大德，往往能躬行實踐，做一個堂堂正正的士君子，也就是仰不愧而俯不怍，一息尚存此志不容稍懈的讀書人。我們試看明初方孝孺勉勵王仲[illegible]籍書云：「望勿以聖賢之言為空談，知之欲真，踐之[illegible]期者欲遠大……當以千古為師，俟後世之知己，無[illegible]而淺於求合。」證諸文天祥的衣帶草（成仁取義）[illegible]人語云：「一日之赫赫者多矣，千載而赫赫者幾人？[illegible]者，無千載也！」這種為天地立志，為斯民請命，時[illegible]履，處處為殁世後久遠可傳的德業及千載令名着想；[illegible]出宋明儒者的胸襟，何等純正，何等遠大的抱負！的[illegible]表中國文化的偉大精神。李二曲說得好：「吾儒原以[illegible]，一變為訓詁，再變為詞藝，而儒名存實亡矣！」宋[illegible]有程朱、陸王，及浙東事功派之分，此三派各有獨到[illegible]能隨便加以軒輊。若能合三派之所長，則立德立功立[illegible]天祥，王守仁，張居正，尹繼善，陳宏謀，曾國藩，[illegible]翁同和這些煊赫的名字，都可算是其中的特出人物。特別是陳文恭曾文正兩位，更是對宋學修養工夫做得最到家的。（二）

歷史人物

內警僑台報字第〇三一號內銷證

自由報

THE FREE NEWS

第一三七期

中華民國僑務委員會頒發
台僑新字第三二三號登記證
中華郵政一字第一二八二號執照
登記為第一類新聞紙類
（半週刊每星期三、六出版）
每份港幣壹角
台灣零售價新台幣弍元
社長：雷嘯岑
督印人：黃行賢
社址：香港銅鑼灣高士威道二十號四樓
20. CAUSEWAY RD 3RD FL HONG KONG
TEL. 771726　電報掛號．7191
承印者：田風印刷廠
地址：香港灣仔高士打道二二一號
台灣分社
台北市西寧南路壹叁肆號二樓
電話：三〇三四六
台郵撥儲金戶九二五二

從一本書上看美國國防問題

——「年事方輕豈應死亡之美國」讀後感——

顧翊羣

近年西方國家所寫文章及書籍，每喜用「危機」或「死亡」為主題，此足以反映當前時會人類憂慮不安的心理。美國漢學家黎梵孫氏本年初評介我國學人周策縱氏所著「五四運動」一書，以「孔子死亡之日」（The Day Confucius Died）為其文章之標題。吾人雖不承認儒家思想於民國八年五月四日以後即已一蹶不復振，然對美國學者之鄙夷過去，歌誦未來，重視科學與蔑視傳統精神，實有極深刻之印象。

美國文明之特徵為科學與技術，二者亦為現代共產國家所特別注重。科學與技術當然日益進步愈新愈佳。所可惜者，近年來冷戰加劇之結果，科學與工業之努力重心大多與軍事有關聯，而蘇俄在此方面之表現，竟青出於藍，超出美國之上，不得不令有心人撫膺長嘆，而對「年事方輕豈應死亡之美國」（America: Too Young To Die）一書作者塞佛爾斯基氏 Major A. P. de Seversky 抱衷心之同感者也。

塞氏卒業於帝俄海軍學校，在第一次大戰中，為俄國最知名之空軍英雄。伊於帝俄共黨政權成立時來美，數年後取得美國國籍。此人以一身兼有科學發明家與工業家之特長，為美國航空工業界有數之人物。自一九二一年起，即在陸軍部與密徹爾將軍General William E. Mitchell合作。後者因力主擴大空軍而開罪長官，一九二五年經軍事法庭判決停職，憤慨沉淪而死，迨二次大戰後，始遭美國政府昭雪而恢復其榮譽，為一傳奇式之人物。

塞氏以發揚光大密氏主張為己任，多年以來設計各種飛機，得多種發明之專利權，親身試飛多次，而受美國政府頒給勳章與獎狀，陳納德將軍為其摯友，陳氏飛虎隊所用飛機，頗多為塞氏所主持公司之出品也。

塞氏於太平洋戰事爆發後撰「勝利來自空軍」一書，行銷五十餘萬本。迨韓戰甫起後，伊繼續撰「空中權力為生存之關鍵」一書，謂此後戰爭為立體的，勝負由空軍決定，因之對美國海軍陸軍中頑固份子，頗加批評。美國政府於杜魯門任內設國防部，下分陸海空三部，已算對大空軍論者讓步，但各部互爭權力與預算撥款相持不下，仍為塞氏所不滿。本年新書之作，即針對此缺點而大聲疾呼，謂美國危機殆在燃眉，如不改正現狀，急其所急，則將有亡國危險云。

然陸海兩軍之主張，在過去並非全無理由，五〇年有安德羅氏Andrews著「慘禍擊自空權」（Disaster Through Air Power）一書，中言機械固屬重要，人力亦不可輕視，陸海空三軍各有任務，應相互配合。伊謂意大利杜赫Douhet元帥全面控制之理論，未經二次大戰證明有效。美英兩國於該次戰役曾發動空軍人員共一百三十萬人，參加戰鬥之各式飛機最多時達二萬八千架，就中轟炸機飛往德國，一百四十四萬架次以上，戰鬥機二百六十八萬架次以上，投射炸彈二百七十萬噸，美英飛行員損失各在八萬人左右，美國損失飛機一萬八千架，英國則為二萬二千架。轟炸之結果為德國平民死亡三十萬人，受傷七十八萬人，房屋三百六十萬所被毀，七百五十萬德國平民無家可歸，然德國仍支撐戰局，至美英俄陸軍會師於聶伯河畔，方始投降。安氏對主張大空軍者，均有微詞，而對馬歇爾將軍則頌揚備至，謂馬氏在美國軍部時限制空軍最力也。

塞氏新書中對馬氏則有嚴厲批評，謂二次大戰時，馬氏對蘇俄處處讓步，韓戰時麥克阿瑟元帥之功敗垂成，由於美國政府之不許空軍越境轟炸，使韓戰主要的成為舊式戰爭。直至今日，美國人注重陸軍之觀念仍未改變。伊謂杜魯門與艾克二氏均受馬氏影響，於伊等總統任內對火箭與飛彈不夠注重，而蘇俄則自德國投降後，即以全力發展空軍與火箭，雙方力量對比，由美國過去之優勢，變為今日之劣勢。書中對蘇俄爭取德國科學家與機械設備，以及向美國飛機及其他工廠攫取設計圖案等等，有極其生動之描寫。

塞氏不信局部戰爭之說，謂其遲早將變為全面戰爭。伊復謂小國縱有原子彈，亦不足憂慮，因放射原子彈之飛彈等需款過鉅，非小國所能負担。伊指出與蘇俄討論裁軍，為墮入其陷阱。塞氏又謂，當赫魯於前年九月訪美時，講演詞中，譽美國為工業先進國，而謙稱蘇俄為學生，行將追過老師，使全美人民於電視中獲聞茲語者洋洋得意。不知茲語乃二百五十年前彼德大帝將瑞典查理十二世之海陸軍消滅後，在慶功盛宴上所用之詞句。當時彼得高舉酒杯，聲稱「為老師（瑞典）滿飲一杯」。赫魯蓋以彼得大帝自許，而視美國為當時瑞典之流亞耳。

塞氏對美俄雙方空軍力量，包括各種飛機與飛彈等，予以估計。在大體上美國重轟炸機較蘇俄者為速，但中途需要加油，且在二千架重轟炸機中，只有六百架B五十二號機載有新式電子儀器甚多，性能甚佳，其餘一千四百架之B四十七號機則已全部喪失價值。蘇俄飛機數量無從估計，但其重轟炸機能航一萬一千里而無需加油。至飛彈方面，則蘇俄火箭部隊有五十萬人，飛彈基地甚衆，就中越洲飛彈基地最少有廿處，飛彈最少有二百枚，每一彈頭裝置等於一千五百萬噸威力之原子彈（Megaton Warhead）。美國則在去年年底有擎天神越洲飛彈Atlas ICBM卅四枚，每一彈頭裝置等於五百噸威力之原子彈；此外有三十二枚北辰星飛彈可在潛艇發放，基地中程距離飛彈等價值不高。在電子儀器方面，美國之工業久佔優勢，近年則蘇俄已迎頭趕上，此其大概也。

塞氏對美國在全球各地設立二百五十處以上之空軍基地，認為濫費國帑而對作戰無補益。伊在十年前蘇聯尚無飛彈時，即曾指出海外基地之無價值，而舉二次大戰時，日本將空軍力量遍佈太平洋各島，卒遭美軍各個擊破之事實為例證。在本書中，伊列舉美國在格林蘭，摩洛哥，法國等空軍基地被迫撤退或改變用途之經過。

伊對於海陸空軍應聯合之說，指出今日戰事起時，陸軍無何等作用，主要的需賴空軍。一年前巴黎高峯會議僵持時，國防部長蓋茲氏曾對三軍下總警戒令，其時美國航空母艦四分之三以上均停泊各地港灣中，甚易為飛彈所燬，就中如超級巨艦伏萊斯特號則停泊南斯拉夫國海港，而需十一小時始克成行。伊復引用氫彈之父泰勒博士之語，謂將來戰爭起時，海洋面船隻均將被擊沉，故除潛水艇外，不宜花錢製造任何船隻。伊又謂邱吉爾氏於一九四九年在麻省理工大學講演時，早已指出此後空軍為一國軍事力量之主體，而海陸軍應接受附庸之地位。

塞氏認為目前美國海陸軍已知非附麗於空軍，則無法存在，故堅持將戰術空軍部分把握不放。美國上一年度預算中，陸軍支出九十億元，海軍者為一百十億元，空軍者為一百八十億元，表面上似乎空軍用款最多，其實略加分析，即知戰術空軍與運輸機等支出均屬於陸軍方面，故三軍所用款大致相等，但彼此疊床架屋，力量對消，故成效不彰。伊所提出之解決方案，為將三軍合併為一，着同一制服，受同一升遷之規定，並聽命於一參謀總長所領導之參謀本部。國防部事實上應為空軍部，其下分設陸軍海軍等局。總參謀長應為無黨派者，向總統及國防部與國會負責，事權統一，效率提高；此外，加速反飛彈之飛彈，並以全力充實空防；如此乃可與蘇俄作持久之爭衡，憑美國優勢工業，以消耗蘇俄力量，而爭取最後勝利。塞氏在本書末頁指出，到一九六二年年底，蘇聯便將擁有將美國及其同盟國全部炸光之飛機與飛彈，故改組一事，必須即刻實行，不容再行延緩。

筆者既無軍事知識，且對友邦軍事組織之應否改組或維持現狀，并不發生興趣。但介紹本書之主旨，在使讀者對當前美俄對峙局面之演變，得有正確之知識，根據本書所敘述，則為馬歇爾將軍與杜魯門艾克兩總統過去之判斷方針與措施，似乎有重大失當。塞氏在艾克主政時，曾被邀任空軍部次長，但附有條件，即伊須努力執行上級之決定，而不容提出異議，故塞氏立即辭謝，不肯担任，其為人之熱心正直，乃無可懷疑者。

吾人觀於美國軍事當局之狃於舊習而不肯改革，益可見中國古時種種軍事上重大措施，非有超人之識見者不能實現。昔趙武靈王胡服騎射以卻匈奴；漢武帝自大宛求得汗血馬種交卜式等蓄畜，而一舉馳逐匈奴，西至歐洲；岳飛大破金兀朮之拐子馬隊；戚繼光注重管教養衛以捍衛北邊，并南驅倭寇；曾國藩等廢除綠營，訓練鄉勇與舟師，並利用西人火器，以對制洪楊軍；這些人學問見識，均較今日西方當政者為優。我中國承受儒家道統，以克己復禮居仁由義道德為信條，然遇外侮內患，國將不國時，則總有書生投袂而起，以復國為己任。今茲又值風雨如晦雞鳴不已之時會，中國現代之新儒家，盍興乎來！

小天地

△甘迺廸與赫魯曉夫在維也納會談結束，飛英訪麥美倫。甘赫會晤時初甚輕鬆，臨別均面色沉重，據傳雙方對各項重大問題極少讓步。雙方聯合公報申言支持寮國中立，並重申其確實停火的重要性。

歷史將不會紀錄誰在維也納裝出最動人的笑容，只能證明誰才是真正的「笑面虎」。

△日本又發生大規模示威運動，社會黨為反對國會通過「防暴動法案」而發動吵鬧與騷擾。

這一回正是：以暴動而反對「防暴動」兮，不知其非矣！

△南韓革命軍人將曾經娶妾的一千三百八十五名政府官員撤職，其中包括十分高級的及軍警官員。據宣佈理由稱：此輩由於「雙重生活」而負荷奇重的家累，勢必難免涉及貪污。

這確是一個「革命的奇觀」，更不能不說他們天真得可愛。

△傳南斯拉夫與阿聯籌開「中立國家高峯會議」，將有廿二個國家參加。

應該用美元和盧布替他們合砌成一個會議的「紀念章」。

△日內瓦「十四國會議」在停頓中，等候甘迺迪和赫魯曉夫在維也納會談的消息。

這個倒是要看甘迺廸怎樣向「真正中立」的寮國辦交代了。他是一個政治家抑或是一個政客，很快便可看個分曉。

方南

自由談

不祥之聲

報載：台灣的紡織業由於生產過剩，供求律失却均衡，大家以個別殺價的手法，向外競銷，結果一律失敗，險象環生。外貿會與經濟部大為着急，要求紡織業者和衷共濟，合組統一外銷機構，不再人自為政，以免發生如唐榮鐵工廠之類的嚴重後果。吁嗟乎！此不祥之聲也，胡為乎來哉？

我在本報早已說過，台灣的生產事業在超資本主義的放任政策中發展着，只顧核准設廠，對於產品是否合乎標準，供求是否相應，生產關係是何內容，一概存而不論，充分表現着無政府狀態。就紡織業而言，供應台省現在的人口需要，有二十萬錠子就行了，但實際已超過了四十萬錠（這是今年初我在台灣調查所得的數字），自非向外尋求出路不可。可是，產品不夠國際標準，成本却高過國際市場的一般價格，當然沒有資格和別人競爭，乃出以自由殺價的飲鴆止渴行為，終於嘗到自殺的苦果了。

據外貿會負責人尹仲容先生指出：經濟部曾經飭令紡織界組織統一外銷機構，而他們置若罔聞。為甚麼經濟部的命令約束不了紡織業者？是不是平時採取極端放任主義的結果呢？同時紡織業者或許狃於唐榮鐵工廠的成例，認為天坍下來自有長人頂住，一旦紗廠發生倒閉的危險，又將有立法院長以某廠主的老太太面貌酷似自已母親的理由，要求政府給予大量貸款，因而對經濟部長的吩咐，當伊嘸介事哩！

我知道台灣現行的許多法令，對於一般民營工商企業，每作驚人的無理管制，事証孔多，不遑枚舉，獨對於唐榮鐵工廠以及紡織業特別放任，寧非咄咄怪事!?若說這是為要吸取外來投資，增進生產力，那就太可哂了。

自由中國生存發展的主要命脈是在經濟問題，再不切實改進，實事求是，後患不僅堪虞，且有噬臍莫及之憂也。

馮五先生

台灣的藝術審查

潘立夫

（台北通訊）看過省美展和教員美展的人，必然感到乏味，邦象淡薄。尤其是多看了幾幅有魄力寓意深刻的現代畫的人，在對照之下更感到相形見醜。筆者願意在失望之餘，說些感概之語。

我們的藝壇評論界一向是沉寂的。而我們知道，藝術的評論與藝術的本身，正如良心與行爲；行爲本身是一種動力，而良心是動力動向的遏阻或鼓勵。兩方面都同樣重要的；且相依相存的。然而我們缺少評論家，（瞎吹、瞎捧例外），嚴正地指出藝壇的癥結，所以藝壇無法吐放奇葩，難能滲進生命的新血。以台灣各大報來說，也沒有看見一點評論的蛛絲馬跡，以如此環境，希望藝術發展實在不可能。

省展，筆者前已說了幾句話。教員美展只要把那些話套下來，再加上一句「水準低」，大概就意思完全了。因爲教員美展無非是省美展去了頭補條尾巴，本質上沒有什麼變化。然而台灣的藝術果然那麼糟嗎？堪使人搖頭歎息「何其低嗎」？這也不然！請看多少青年畫家在外國奮門，得了很高的榮譽，爲炎黃子孫揚眉吐氣。然而我們本土的花兒怎麼開不得呢？這些原因在那裏？癥結在何處？筆者以爲最大的原因是「審查」。

我們的審查一向是反「動」而主「靜」的，總給那些寫實的第一獎，而對於那努力於創造的，採用新的表現方法的，不但不給與創造的酬報，反而拒之於「入選」之門外，（偶而入選，也爲數極少，且只能忝陪末座）。以省展與教員美展的第一獎爲例，它是同一個作者，取材相同，表現重點也相同：畫着很像的磚塊，非常精細的鐵絲籠，籠中省展是關着白兎，教員美展換一隻黑鴿，頗有「換湯不換藥」意味。（筆者並未過甚其辭，那作品確確實除了「像」與磚塊的質感外並沒有別的），以這一點來說，我們的審查似乎有點保守與復古；因爲那是十九世紀 Gustans Courlset（意大利寫實主義大師）的作風，以色彩照相進步的今天來說，實在已談不上有何價值，以「藝術家是有活力的思想者，表現視覺的綜合體」的大原則來說，更是背道而馳。由這樣的作品而得到第一獎，我們就可以看出，審查的觀點是主「靜」而反「動」，想把文明的推移運動回復到過去的靜止狀態。然而這是不可能的，是永遠達不到的，只會引起藝壇的「謬戾」。

保守與復古，從大方面說，不可能使文明有任何增加或排讀，並且抑阻了人類精神的高貴性——「創作」。從小的方面看，它打擊許多適應時代的現代畫家，使他們藐視省展與教員美展，而不願參加，致使省展與教員美展光輝大減。

除了保守與復古外另一個問題：即是摹仿性的鼓勵。那是缺少創作力的通病，裏頭有宗師與弟子的模仿，有向外國「拜倒」的模仿。宗師和弟子的關係，大家的眼睛是雪亮的，一看就明白，所謂「條理井然」是也。不過這麼說難免有「噴人」之嫌；也許參加的只有那些，或許水準較高的也只有那些，當然上選。可是我們再問，還有許多畫家爲什麼不參加？這理由當然很多，但主要的在那裏，這個答案是不言而喻的。模仿外國畫家的作品，我們也可以找到不少例子。以教員美展中優選的裸婦作品來說，那是很顯然的，因爲那模仿得太逼眞了，使人當着該作品而想起 Amedoe Modiliam（意大利巴黎派的畫師，特徵是官能的刺激，和哀愁的表情）的畫集就不禁「啞然失笑」；非但狀像表情像，甚至於顏色用筆都像。以這樣的作品，審查竟然給與優選，實在令人百思不得一解。我們知道模仿的作品，不管模仿得如何逼眞，不但比不上偉大畫家的創作，就比之於小孩子的塗鴉，也都恐怕還有「一段距離」。因爲繪畫不但是工夫的表現，最重要的是表現「個性、靈魂、精神」；因爲世界沒有兩個畢卡索，也沒有兩個塞尚。

藝術的審查，不只像教師對學生的評分，給與學習最完全者最高分數。而是給與超越者，突創者，創造美的新型式者鼓勵與支持；因爲這些人才是眞正的藝術家，才是眞正的人類精神「寵兒」。得獎入選都是藝術家希望獲得的榮譽，而且能促成藝潮的激盪與方向的引導推動。（省展的第一獎，因他在磚塊上得到鼓勵，於是教員美展又推出同樣的王牌可資證明；雖然可笑。）許多現代畫家雖然口頭說不肖與之，不過那只是酸葡萄，他們的心底依然熱望得到那個榮譽，因爲那是一種極高度的精神安慰。所以筆者衷心地希望審查能夠大胆地改變動向，適合時代潮流，使現代畫能在自己的土地生長起來。

文明的進展是隨習不斷的擺脫，習慣不管是好的壞，總是很難改變的，正如台灣人過去對牛肉拒而不食，但是營養好，你覺得不好吃也得吃下，多吃了感到甜美。如果審查一次又一次的拒絕接納，就是違反自然，妨礙進步，罪莫大焉。

最後我謹向過去的藝術審查揮一揮手，祝他「晚安」。希望，以後的省展與教員美展能夠充滿有魄力，寓意深刻的偉大作品。

輿論界的「圍剿」論戰

李華

（台灣通訊）朱文伯先生在「民主潮」第十一卷第八期上以「對陽明山談話會的看法」爲題，其中談論到台灣的報紙，幾乎沒有一家不是「服從組織指示」，自由人士辦的雜誌，言論縱無偏激之處，亦會受到「輿論界的圍剿」。並進而主張陽明山談話會應該採不公開方式，會場以內不邀新聞記者列席，會議期間，不發表議事紀錄。

這一甘冒天下大不韙的論調，確實大胆而突出。在台灣誰都不敢得罪新聞記者，遇到與報章雜誌有點瓜葛，也都禮讓三分。造成這一原因，一般說來，有由於我國人：在「息」「恕」的道理下，多不願因區區之事而對簿公堂，所以常將「大事化小」，「小事化了」；其次是一般人都認爲有一「紙」在手，可以搶先登載與自己有利的消息，給讀者先入爲主，即或涉及到訟事，官司非打上一年半載不可，這其間自己的大名天天見報，除非你想做「新聞明星」，誰都不願遭樣「拋頭露面」，在精神上遭受到不勝其煩的困擾；同時報紙上照刊「來函照登」後，一般人也就覺得人家既然如此，我們又何必深究呢？把法律上的問題，也就擱在一邊了！

今天，朱文伯先生是「民主人士」，也有一「紙」在手，在台灣黨營官營報紙，既未便申辯，因爲這將又牽連到「抑制言論自由」與變成「圍剿」的態式了！幾家民營報紙重在「同路人」的立場，何必多此一舉，說不定遇有某種問題時，還可以相互輝映一下呢？因此大多保持緘默，獨獨「無黨無派獨立經營」的自立晚報，卻在衆皆緘默，我獨不然的連續兩天在社論裡以「輿論的條件自由與道德」（附題「兼論所謂圍剿」）與「摘下帶色的眼鏡」爲題（附題「再談所謂圍剿並敬告朱文伯先生」），加以申論：「今天的輿論，不僅有時會從執政方面感到抑壓，甚至有時也會從另一方面感受到困惑；其中最使人困惑的，便是自由輿論如對反對的言論，稍存不苟同的態度，或稍作純客觀的商榷，便會受到所謂圍剿一辭的汚衊。」「朱文伯先生竟指所有報紙幾乎都得服從組織指示，整個輿論界都是圍剿的兵團，這在客觀的事實以及主觀的良知，恐怕都是說不過去的。我們無法體會朱文伯先生這一段文字，究竟用心何在？但我們要求朱文伯先生摘下有色的眼鏡而戴上助聽器，能夠耳聰目明，俾對自由與輿論保持一份不爲黨見所囿的清晰的視聽。」

我們報導這一「論戰」，是基於兩點理由：一、民主政治之可貴，在於它能容納正反兩方的言論，而訴之於民意，朱文伯先生所論，十足代表反對言論；反對言論一樣地可以自由的在台灣發表。自立晚報是無黨無派獨立經營的報紙，它無意偏袒任何一方，也用不着向那一方討好，站在「中線」上，說出「分野」的評論。這兩方的言論，都值得我們重視。二、言論自由是民主政治的特色，在民主學步的台灣，我們有培植這一份自由的必要，因此，今天我們有講話的自由，也有討論的餘地，但是，我們也要有明辯是非的前題；眞理愈辯愈明，對的就是對的，錯的就是錯的，這是最公平的法則。

這裏，我們要特別申明，我們是無意轉入這一論戰的旋渦，我們只是客觀的將它報導出來，自由、獨立、公正的輿論是超黨派的，是生長在廣大民衆心目中的！讓我們的讀者來作公平的判斷吧！

五〇、五、卅日

讀者・作者・編者

各位文友：本報第三版爲綜合版，小說、隨筆、散文，均所歡迎。惟以篇幅所限，暫難刊載長篇小說，至於短篇小說，則以一千六百字左右爲最適宜。惟近來有若干文友投寄此類稿件，若非過長，則嫌稍短，致平添不少困難，且有因此而迫得割愛者。查本刊徵稿啓事中，迭次聲明字數限制，幸望諸君惠予合作，則感謝不盡也。

又有三數位作者，寫字具有特殊風格。此種風格，在藝術上或可稱之爲創造性，惟不宜於在原稿上表現。因字房工友對此缺之認識，致一稿發下，則罩起咒罵，且有拒不肯排者。即令强排下去，亦錯誤百出，令校者編者苦惱萬分。就報紙而言，作者與編者實相依爲命，此種啼笑皆非之滑稽劇，實不必亦不忍令其經常上演也。

香港與大陸

△曾經轟動一時之「包運白米回鄉」，在經過一段鼎盛時期後，月來已趨於冷淡，僑胞之委託寄米者，寥寥無幾，此種情形之出現，並非顯示大陸同胞已不需救濟，或僑胞對大陸親人之饑餓已不若前此關懷。相反者，僑胞對油、糖、豆、麵等食品，更瘋狂投寄，此可於本港各郵局投寄糧包者之擠擁，與及一家企業公司亦經營代運糧業務等見之。

查僑胞救濟大陸饑餓親人，一向都是投寄兩磅庄郵包，其品類大多是油、糖、花生、豆類、麵餅、罐頭食品及膠鞋舊衣物等，如屬回鄉探親者，除盡量携帶上項物品外，更有携帶麵包干、飯焦及猪油渣等。至本年一二月間，有不限數量代運完稅糧食回鄉之店號出現，僑胞救飢心切，利其不限數量，乃多託代運，但亦只限於一般油糖豆麵等副食品而已。其後有兩家經營代運糧食之參茸行，首先以「獨家包運白米回鄉」爲號召，大事宣傳，引起全港僑胞注意，紛紛委託代運白米回鄉救濟親人，因此該兩家參茸行門前擠擁，生意興隆，有應接不暇之勢，曾一度引起本港食米出口之有關問題，後有關當局表示，對此種寄往大陸救濟之零碎米糧出口，基於人道立場，不擬加以干涉，而此後不少代運糧食店號，亦兼代運白米。

但曾幾何時，代運白米回鄉之業務，已由盛極而衰，雖然僑胞爲救濟大陸親人而寄運糧食，一樣如火如荼，有增無已，只白米一項，月來託運者已寥寥無幾，比諸初時之鼎盛狀況，相去何啻霄壤。何以有此情形？據熟悉情形人士分析，有如下之因素：

大陸飢荒，已爲不可掩飾之事實，許多地方的同胞都在食不飽穿不暖之狀態下過活，但對於食米一項，尙有配售，雖其數量是不足維持個人最低限度所需，但尙未致完全斷絕。目前大陸一般同胞，在飢餓及缺乏營養之狀態下，體力日衰，而致百病叢生，如水腫、肝病等等，這都是由於營養不良而起，故大陸同胞最需要者爲油、糖、花生、豆類、麵餅、煉奶等，同時對於舊物，亦極感需要。一般寄來本港之求救信件，多是要求接濟上述物品，而甚少要求寄米，此乃本港寄運白米減少原因之一。

另外一個原因，則爲許多曾寄白米同鄉之僑胞，有等接到覆信謂被扣糧票，有等雖未說明原因，但囑以後切勿再寄白米，只可寄麵粉。

有一位居住於筲箕灣之僑胞，曾寄白米十斤往廣州河南同福東接濟其親人，最近接到覆信說：白米十斤已收到，但已被扣除十五斤糧票，請以後切勿再寄米，改寄麵粉云。如以上情形，以前經有盛傳，雖然未必個個大陸都是如此，但僑胞爲免累及親人被扣糧票起見，此乃本港寄運白米大量減少之主要原因云。

△在投寄糧包事業暫趨下坡聲中，此間盛傳中共方面將對此加以統籌辦理，以免利權外溢。近日來，有「華人企業有限公司」者，在港九各報（不分左右）大登廣告，茲擇要錄下：

（一）一切託運物品均保證依期到達，並派專人駐各地區負責辦理。

（二）選用貨品，質優量足，並採用最適當包裝，務使物品到達收件人絕對滿意。

（三）以眞正服務爲宗旨，訂出公平合理最廉價目。

（四）託運食品，不限數量，大批少量一律歡迎。

（五）憑本公司單據到領取地區隨到隨取，不用輪候，或代轉遞回鄉。

（六）英國加拿大澳洲美洲東南亞遠洋各地食物郵包，均可代寄，詳細辦法隨時歡迎洽詢。

談烟禁

磊庵

每年六月三日的「禁煙節」是紀念先賢林則徐在道光十九年任兩廣總督時，打擊英人運毒政策，焚燬英商鴉片煙土二萬二百餘箱，並喚醒國人禁煙、禁吸、禁售的偉蹟與精神。煙毒之爲害中國，在前淸中葉，即成燎原之勢，煙館林立，煙民載道，就是家世書香，名登仕版，亦每都鳩形鵠立，嗜毒如命；而富有家產的，甚至更聳恿子弟，墮入黑籍，謂可以株守田園，心無外騖，竟美鴉片之名爲「福壽膏」，意謂惟有福有壽者，始能享此吃福。筆者壯年，尙目擊上海四馬路之青蓮閣大樓，有一特闢之雅片煙館，爲出售「大土淸膏」之著名場所，其中舖滿紅木舖位，一榻橫陳，同時可容一二百人，而茶點，糖果食，水果等等之各種吃品，無美不備，蓋其時已號稱禁煙，惟租界中，尙能如此明目張胆，吐霧吞雲，爲一般癮君子之海上厲公，所視爲安樂窩也。

台灣重入中國版圖，是康熙二十二年，雖雅片煙毒，早在荷蘭時代，即已傳入；後雖于道光十年，經閩督孫爾準之題奏，詔禁各省種賣，而毫無効果，寔已積重難反，不可救藥。據邵武朱仕玠鎬園所撰之小琉球漫誌上說：「雅片出外洋咬嚁吧，呂宋諸國，爲厲海禁物，而私藏者多，不能制也。台地富室及無賴人多食之爲房中藥，可以精神陡健，竟夕不寐。凡食常集邀多人，更番作會，舖席于地，衆偃臥席上，中燃一燈以食，百餘口至數百口爲率。煙筒以竹爲管，粗約八九分，中實棕絲頭髮，兩頭用銀鑲，頭側開一孔如小指大，以黃泥做成葫蘆，空其中，以火熔之，嵌入頭間之小孔上，置雅片煙于葫蘆首，煙止少許，吸之一口立盡，格格有聲，飲食頓令倍進，日須甘肥，不爾腸胃不妥。初服數月，猶可中止，至服久，偶輟則憊困欲死，卒至破家喪身。凡食者面黑肩聳，兩眼流淚，腸脚不收，行于道路，人能識之。」仕玠于乾隆癸未任鳳山縣教諭，距今已一百九十八年。（一）

後門

青立

「這年頭，不論幹的是那一類行業，誰賺錢多，誰就本領大，沒有錢到處吃癟」。趙敬業想到這一點，感到自己目前的這份差使，幾個薪水，吃不飽餓不死的，幹得實在毫無意思，決定找路子活動，調個肥缺。有錢王八大三級，這年頭，嘿！錢第一。

他爲這件事，特地跑去找過去老同事陳日新，準備討教一番。

陳日新現在幹的差使，雖然和他一樣是個小課員，可是，服務的機關不同，情况也就不同，別的不說，月初發薪水時候，什麼福利金，加班費，出差費，這樣津貼，那樣補助，加起來抵得上他幹三四個月的收入，另外還有招標時的花樣。

第二天。

「老陳，今天我有一件事，特地來找你商量」。陳日新便開門見山。「有什麼事，儘管說，不用客套」。

「我再在那裡幹，實在混不下了，你想想硬靠拿死薪水怎麼能過日子？我們多年朋友，你不替我想辦法誰替我想辦法？」

「不瞞你說」，陳日新聽完了他的敘述之後，說道：「你在找事，是看你會不會活動，像××公司，××工廠的名堂都不少，如果你能找到一位背景硬的人，給你寫封八行書，那就有八成希望」。

「你當初調的這份差司，是誰替你幫的忙」？

「說起來，你也認識，就是以前咱們辦公室裏的小花瓶張素娟的丈夫魏處長，你不妨也去試試看：……」

當天下午。

在魏處長的公館裏，趙敬業寒喧了一番，然後提到目前家庭生活淸苦情形，最後請他設法另外謀一個差司，魏處長却有一套理論：

「這年頭，大家生活都苦，青年人吃點苦沒有關係，有人現在的職務比上不足，比下有餘，好好幹，將來前途無量，何况目前到處人浮於事。以後有機會，我一定替你留意好了」。

這分明是外交詞令，趙敬業沒精打彩的只好又去看陳日新。

他約略地叙述一番之後，只見陳日新大笑道：「你眞是個大傻瓜，空手去談個屁，趕緊買點禮物，趁魏處長上班時候，再去找小花瓶吧！」這是經驗之談呵！

趙敬業覺得這話說得有點道理。東借西借的借了五百元，買了幾件化粧品。

「啊喲！這是什麼嘛？何必這麼客氣」小花瓶看見趙敬業？似嬌似嗔地埋怨他。

「一點點小東西，略表敬意。」

因爲同小花瓶也是多年的同事，趙敬業把事情就直說了。

小花瓶心腸軟，一口答應。

果然，三天之後，小花瓶把魏處長寫好的八行書，用快信寄來了。

介紹的是一個生產單位，趙敬業非常滿意。馬上請了半天假，理了個髮，去拜訪那單位的周經理。

那位周經理看到他，的來頭不小，親自接待，可是，從八行書中看出他與魏處長的關係，僅是「舊屬」，就交秘書王先生處理。王先生告訴他：

「本單位即將公開招考職員，趙先生是魏處長推薦的，當然更加歡迎，不過還是需要經過考試手續，現在把大名登記下來，屆時另行通知。」

本來他以爲這回眞的有八成希望，如今還須經考試，這太出乎他的意料了。趕緊又去請教陳日新。

陳日新聽了他的經過情形說：「看來，考試不過是一種形式；只要魏處長或者張素娟能再掛個電話給周經理，我敢說是不會成問題的。」

「還好意思再去找小花瓶嗎？不能老是麻煩人家啊！」

「老弟，這年頭幹什麼都得化點本錢，明天你送點像樣的禮去，我這裏先替你投資兩千塊錢。」

「兩千塊錢！」趙敬業被嚇得叫起來。

「別大驚小怪，這錢化下去，決不會落空，只要賺得回來，就是再多也得化。打鐵就是乘熱，趕快去。」

兩千塊錢換了一張禮券，趙敬業馬上又上魏公館。

事情發展，得有點出乎他的意料，這回算是找到了肥缺，下定決心要撈他一票，至於以後出問題，吃官司，那是以後的事，管他呢！

奇姓怪名

燕謀

古人奇姓怪名甚多，讀史適之者，常有令人不解，釋之亦堪玩味，如漢書丙吉傳：有守臣名誰；與左傳叔孫成子名不敢相似。貨殖列傳：有姓名偉者，姓、姓也，偉名也。儒林傳有丁姓子孫，從榮廣受春秋，丁、姓也，姓名也。穀梁隱九年俠卒；俠者，所俠也。前漢有所忠，後漢有所輔。宋掌禹錫姓掌。家鉉翁姓家。漢文後元五年，以中大夫令免爲車騎將軍，姓令名者。漢書萬章傳：有箭張回，爲王尊所殺；世無姓箭者，故服虔以爲是箭人。國語太宰以祝史帥狸姓，韋註：以狸姓爲丹朱之後。趙簡子問於壯馳茲，是姓壯也。穆天子傳有盛姬痛，此亦奇中之怪姓也。鄭樵氏族畧有姓死者，尤奇。

且有更奇者，有名二而字一者：如鄭當時字莊。有成景焦、字超。尙有以三字爲字者：如孟子父名激公宜。晉屈無爲，字無不爲。亦奇。張天錫，字公純嘏。宋劉敞，字公原父。劉邠，字伯貢父。最奇者，尤有以四字者：左傳有耿之不比，齊有石之紛如，戰國有董之繁菁，詩經有程伯休父。名之最可笑者：北齊有顏惡頭。南唐有馮見鬼。金史忠義傳，有郭蝦蟆。元史有石抹狗狗、郭狗狗。遼皇族西郡王、名驢糞。金宣宗時，王傳名猪糞。炎帝臣有怪義。三國志，魏有羣招、射援、郭嘉傳有戲志。皆怪也。台灣受日人影響，不雅之名尤多，舉不勝舉，以近日鬧家務糾紛，鬧得台北基隆滿城風雨的基隆市長，林番王，此亦怪名之例也。

瘟君續夢

岳騫

第一回：捲土重來，瘟君尋舊夢　投袂而起，小醜鼓雄風

周恩來不從正面反對劉少奇的意見，却採用迂迴戰術，當劉少奇的提議通過之後，周恩來忽然問道：「謝老既然升任最高法院院長，內務部長換誰呢？」

劉少奇不料周恩來馬上會提出這個問題，匆忙間想不出一個合適的人，只有乾眨眼。

毛澤東問道：「你是意思以爲換誰合適。」

周恩來陪笑道：「我看給錢瑛同志算了，她還熟悉。」

周恩來一提出錢瑛，劉少奇雖然滿肚皮不高興，却說不出反對理由。因爲錢瑛是中共候補中委，立場上當然沒有問題。現任監察部部長，資格上也無不合之處。劉少奇同她的私人恩怨，在這個場合自不能說出，當時只好悶聲不響。

毛澤東歪頭看看周恩來，笑道：「你的國務院裏用這麼多的女部長作什麼？錢瑛大概又是穎超同志的乾女兒了。」

一句話說得大家都笑起來，周恩來張白臉微微泛紅。

原來周恩來的愛人鄧穎超，和周恩來到算是結髮夫妻，周恩來在南開中學讀書時，鄧穎超也在天津女中求學，兩人先後加入共產黨，被編入一個小組，自然就認識了。周恩來少年時代就十分女性化，生得唇紅齒白，油頭粉面，加上裝束不男不女，行動半女半男，乍見面誰都會以爲是正在出局的相公。而鄧穎超却是河南信陽人，具有一付中州健兒的慓悍之氣，生得粗眉大眼，聲若洪鐘，和周恩來正是相反的類型，兩人結爲夫妻，也算是天造地設，鬼斧神工。三十多年周恩來始終無法脫離她的控制，不少如意，拳打脚踢，周恩來在延安時因爲去和一位女政工同志「過禮拜六」，被鄧穎超找到地方，把右肘都打斷了，直到今天周恩來的右手不能垂直，行路永遠是屈着。

鄧穎超目前在中共黨內女幹部中坐第二把交椅，僅次於蔡暢，中共高級頭目除去毛澤東、劉少奇、朱德之外，幾乎無人不怕她，誰見了都要畢恭畢敬叫聲鄧大姐。在「事業」上鄧穎超可以躊躇滿志了。只是一個缺憾，一輩子未生過孩子，因此形成一種心理變態，喜歡乾女兒、乾兒子。許多中共幹部想走周恩來的門路，就先去拜鄧穎超作乾媽，這是一條終南捷徑。乾兒、乾女中最著名的就是喬冠華、龔澎一對夫妻。

喬冠華和龔澎拜鄧穎超作乾媽還是抗戰在重慶時，周恩來担任中共駐重慶辦事處處長，喬冠華任「新華日報」主筆，龔澎任中共辦事處秘書，近水樓台，兩人搭上鄧穎超的關係，以後一直跟隨周恩來左右，喬冠華被中共黨內稱爲周恩來系的四大金剛之首。（十）

梨園漫談

鵬程萬里

——瘦西湖——

大鵬所至之國家，無不受到各友邦國家熱烈的歡迎，其中尤令人感動者，是各埠的僑胞，他們爲了要目睹故國的衣冠，一聽故國的音律，遂扶老攜幼不遠千里而來，總而言之，大鵬到達西貢、曼谷、馬尼剌、漢城、那霸等地之時，不僅備受友邦人士的熱烈歡迎，而使整個華僑社會也因之大爲轟動，僑胞們對大鵬的盛情美意，不但是愛護備至，而對祖國愛的强烈表現，尤令大鵬演職員永難忘懷者也。

這個以宣慰僑胞爲主的大鵬劇團，所至之處究竟贏來了什麼效果，和獲得了什麼評價，各地輿論見仁見智雖偶有差異，但歸納之卻有一個共同的看法，例如菲律賓新聞日報指出：「旅菲僑胞于接受大鵬國劇團的溫暖訪問後，對這負有歷史作用的平劇的發展，將有所鼓勵使平劇得以發揚光大，保此國粹于異域，亦可導我下一代子孫和優美之文化，不致數典忘祖」。

泰國的中國日報，越南的遠東日報及韓國的僑報，都不約而同一致認爲大鵬之訪泰、訪越、訪韓是：「政府重視中泰、中越、中韓友誼及宣慰僑胞的有力說明」。而越南的新聲日報「對大鵬的評價是：「大鵬平劇團之可貴，貴在能人之所不能，此爲其演出時所用藝員陣容之强大，以及場面之偉大瑰麗，更爲可貴者，乃演戲時，極力保存國劇固有之規範」。而另則評論則稱：「大鵬是具有舊式科班型的小班結構和大班的素質，除去主演人員表現吃重外，而其他配角如跑龍套等，都能竭策羣力，絲毫不茍，主演人員非但演主角戲，同時亦做配角，此點爲中國戲班中最難能可貴者，而準時上演，台上節目有條不紊，這是大鵬有嚴密組織和嚴格訓練的表現，至服裝與行頭的講究和漂亮，給予海外觀衆尤其是外國友人一個特別的好感」。

以上係各國對大鵬的評介，總之，大鵬在各國家的演出，其所獲得的效果，可以說一句是相當的成功，這雖要歸功於該團吳冠羣上校等之領導有方，策劃有致，但全體人員亦能和衷共濟，不辱使命，不僅在生活方面有良好的紀律，而在演出時亦有良好的表現，大家都能團結一致，以爭取國家榮譽爲重，不辭辛勞，不計名利，到處奔波，日以繼夜獻身藝壇，爲宣揚國粹，振奮僑心，爲促進國民外交，爲打擊共匪在海外的統戰技倆，大鵬確已盡到最大的責任矣！（二）

劉璈治台史事

·李仲侯·

十五日凌晨，法艦開砲擊岸上，砲合應戰，法別以砲艇載兵千名上陸，猛撲我二重橋之壘，曹章兩軍力戰却之，陣斬中隊長一，兵百餘，獲聯隊旗二，法兵退艦，多溺死，遺械甚多，十七孤拔介稅務司請銘傳至艦會見，不許，事聞，下旨嘉獎，發內帑二千兩以犒戰士，軍氣大振，洋務委員李彤恩以滬尾港道寬濶，無險可恃，請塡塞口門，英領事以秋茶上市，有礙商務，不可，彤恩往復辯論，始許，而法艦乃不能入也，七月二日，孤拔率戰艦八艘窺福州，泊馬尾，總督何璟素畏事，防務大臣張佩綸亦年少，無軍略，時傳有議和意，船政大臣何如璋見法艦入口，止諸軍無戰，滑艦十餘艘泊附近，寂然不動，省中士庶已危之，紛紛走避，而佩綸視若無事者，初三日黎明，法艦忽升紅旗示戰，清艦無防備，且候張大臣之命，已而法艦開砲四擊，次第沉沒，毀船政廠，如璋跣足走鼓山，將軍穆圖善駐長門，開砲擊之，法艦始悠悠去，福州既挫，台灣尤危，廿日銘傳視師滬尾，孤拔亦乘兵艦來，測探港道，不得入，遂游弋沿海，以窺動靜，八月十三日復攻基隆，以兵五百由仙洞上岸，恪靖巡緝營禦慶中營拒之，章高元亦率所部二百餘人援戰，法軍敗走，迷失道，困至日中，又殺其百餘人，法艦隊仍猛攻砲台，銘傳屹立督戰，左右殪數人，衆請退，不聽，故士卒皆奮門，巳而諜報法艦五艘犯滬尾，滬尾距台北卅里，銘傳命收軍往救，各提督皆諫止，不聽，唯留曹志忠所部三百及棟軍統領林朝棟駐獅球嶺，或反議之，曰是懸知吾之深謀也，其後法艦三攻滬尾，皆創去，法軍既據基隆，謀取台北，以陸軍二千進，輒爲朝棟所阻，相持匝月，別以四艦取滬尾，九月十九日黎明將入口，砲合擊之，乃去，翌日復至，潛渡陸軍上岸，肉薄進攻，孫開華邀擊之，張李成率士勇三百截其後，往來馳驟，當者辟易，法軍大敗爭舟，多溺死，陣斬五十俘馘三十，於是不敢窺台北，李成小名阿火，爲梨園且，姿態斌媚，顧姁於義憤，奮不顧身，克敵致果，銘傳嘉之，授千總，其後以功至守備，初馬尾之敗，清廷震怒，褫佩綸，以文華殿大學士左宗棠，督師福建，又以銘傳爲巡撫，加兵部尚書銜，辭，及基隆既失，內外臣工，多上封事，廣東道御史趙爾巽請進攻越南，以分敵勢，沿海各省以台灣危急，協餉餽械，志切同仇，南洋最多，北洋次之，廣東亦助銀十萬兩，軍士得槍五百桿，前門槍三千桿，故稍無困乏。（七）

望海樓隨筆

名女人（八）

徐學慧

六朝而後，至於隋唐，說句良心話，要談名女人是要以唐代爲主的。六朝以前的社會，與唐代截然不同，第一、科舉取士的制度，從魏晉開其端，一直到唐代才發揚光大，而這種科舉制度下的舉子，却是與女人有莫大關係的。第二、唐代武功，凌駕秦漢，從開元以至天寶，承平日久，天下富强，人民才有餘力來談女人。第三、詩詞的興起，那些名士派的詩人們，專愛在女人身上，去發掘歌咏的資料。第四、五胡亂華以後，當年那些胡人，到此時已與中原漢族同化，那些胡人，本來沒有什麼閨閣禮教的觀念，此種觀念，當然或多或少要影響到漢人。第五、新興階級的興起，由於他們出身寒微，一向對於禮法的觀念就很薄弱，因此，女人在社會上的地位也就逐漸抬高。第六、由於在上者之點綴昇平，於有乎男女狂歡的機會也遠較任何時期爲多，在這樣的機會裏，女人較男人自然更易出名。第七、唐宗的才人武則天，居然篡奪了唐朝的天下，儘管是一個很短促的時期，可是，武則天對於唐代社會所產生的影響，却是很大的。第八、大詩人紛紛產生，我們不能不否認白居易李太白李義山這些詩人們，對於唐代的女人沒有影響。

有了上面這八個因素，乃形成了唐代名女人的冠絕前朝，這是我們所不能不予以研究的。武則天、楊貴妃之流，千古聞名，固不用說了，等而下之，如上官婉兒（上官儀的孫女，爲唐中宗時昭容。）太平公主（武則天女）安東公主（韋后女）以及其他公主，他們却是開官置府，和親王一般，公開的從事政治活動。老實說，這都是名女人產生的根源。

再說，唐朝時代的風俗，年輕人中了科舉，照例要大宴賓客，或者章台走馬，有名士必有美人，或也是勢所必然的。

妾侍的困擾

筱臣

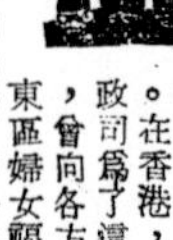

近來有關妾侍問題的新聞，似乎特別甚囂塵上。在香港，華民政務司律政司爲了這一個納妾問題，曾向各方面徵求意見，東區婦女福利會以及其他街坊會各報刊均提供有若干寶貴的意見，貢獻給當局參考。

還有一件就是沙地阿刺伯大使馬步芳的第七位姨太太馬月蘭控訴馬步芳的虐待，合港報紙專欄報道，連篇累牘，此一項騰笑友邦的新聞，更是駭人聽聞，馬步芳因此丟官事小，而也之影響到國家的官箴與友邦的視聽，則關係至爲重大。姑不論此中案中有案，經過情形極其微妙複雜，但馬步芳的帷薄不修，荒淫無恥，殆已成爲不可隱飾的事實，任何狡猾，亦無以自白於天下。外交部的用人失察，既不能事前慎重人選，迨至事件發生以後，又不能及早予以制止，殆令馬月蘭不得不逃返台灣，盡情宣洩傳播中外，我想當局也是不能辭其咎的。關於本案的評述，不擬嘵舌，本篇所欲談的，即歷來一些有關妾侍的困擾而稍涉風趣的譜聞，以博一笑。

刋江王小梅以畫著名，但其題畫之詩，亦頗風趣，嘗畫一妻妾破釜圖，題一絕云：「妻妾相爭兩不和，終朝破釜費錢多；早知屈膝全無用，悔不當初學補鍋。」

聊齋誌中恆娘一圖，記吃醋一事，可說寫盡妒婦的能事。又傳有遠客他鄉的文士，量珠納妾，書告其婦，婦報以詩云：「恭喜郎君另有家，奴今不必苦持家；開門六事親交代，柴米油鹽醬與茶。」她不說開門七事，因爲暗中已指醋將留着自己吃，此種妒意，氣味極酸，已隱伏在字裏行間；但措詞婉而蘊藉，尚不失詩人敦厚之旨。

至於歷史有名的納妾故事，則有唐兵部尚書任瓌，敕賜二宮女皆國色，妻柳氏妬，爛二女頭髮禿盡，唐太宗知道了此事，賜以金瓶酒，命飲之立死，不妬即不須飲。但柳氏畢竟飲了，並且說妾與瓌俱出身微賤，更相輔翼，遂致榮官，今多內嬖，誠不如一死，乃一飲而盡。後來沒有死，因爲是酒並不是毒藥。結果二女還是在別宅安置，這還是納妾不遂的困擾。

因此，終身不敢納妾的人，亦所在多有。例如王文穆公夫人悍妒，他貴爲一品，欲納妾侍，竟不可得，宅後作一名堂三畏，楊公戲對人說：「可改作四畏。」或問其說，他說「兼畏夫人」。

還有爲了納妾而駕牛車逃避的故事，晉王導妻曹夫人性妬，他乃密藏金屋，衆妾羅列。曹夫人知道了，乃率衆婢持刀尋討，王導在恐怖之下，飛轡出門，猶恐遲緩，以左手攀車欄，右手提麈尾，以柄打牛，狼狽而逃，一時傳爲笑話。

即貴爲天子，時於妾侍亦存在有若干困擾。例如唐莊宗愛姬生子，帝后極其妬忌。有一天元行欽侍上側，帝向他說：「爾新喪婦，其復娶乎？吾助爾聘。」當時后即指着愛姬說，你既可憐行欽，何不賜之？上不得已，亦好表面上答應，后即命行欽拜謝，旋即將愛姬以肩輿送出宮門。唐莊宗甚爲不樂，稱病不出者達數日之久。總之，從古以來，無論達官貴人，或者是販夫走卒，爲了妾侍問題，總是鬧時鬧，糾紛迭起，終歸是自尋苦惱，正如俗諺所說「若要家不和，討個小老婆」。爲了今後家庭的幸福，過着平常的生活，妾侍制度毅然廢除，這應該是天經地義的事。

至於爲了妾侍太多，或者是年老多妾，紅杏出牆的事，自屬勢所難免。

猶憶某邑巨賈，早年喪妻，迎娶一妾，妾年幼，適與其子相仿，而巨賈則終日因商務奔波在外，置妾獨居。孤衾獨抱，爲日既久，竟與其子發生曖昧，初則無人知悉，越數年，鄰里皆耳聞目覩，惟巨賈昏聵竟不知情。一日，巨賈積勞成疾，延醫診治，藥石罔效，終告不治，友好紛紛致唁。友人中有捉狹鬼某君，性嗜戲謔，乃書一聯贈之。聯曰：「母愛由嬌，雖七尺之軀依然在抱；子頂父業，而方寸之地不肯荒疏。」

海嘯樓談薈

略談馬步芳

諸葛文侯

馬步芳原是青海的土包子軍人，西陲甘肅、寧夏、青海一帶，素來是馬家的「王國」，地方文武大吏，如非馬家子弟即難立足——除非帶着大兵的外來征服者。但馬家子弟並不沆瀣一氣，隨時爲着爭權奪利，表演同室操戈的內鬨悲劇，如當年曾經轟動一時的馬仲英攻襲新疆，殆得盛世才乞援於蘇俄的那回事，即係導源於馬步芳。因爲馬仲英初在青海合州，以不見容於馬步芳，他纔挺而走險，向外發展的。

在民國十六年以前，馬步芳是其叔叔馬麟麾下的一名旅長，當時青海主席係西北軍馮玉祥部將孫連仲，馬家軍無力反抗，只好聽受節制，然其剝削壓廹人民的軍閥行爲如故也。迨十六年馮軍西出潼關，參加革命戰役後，孫連仲將青海主席職位交給馬麟，但由於地方實力掌握在馬步芳手中之故，叔老太爺的主席寶座亦就坐不穩，旋被侄兒推翻，取而代之了。

馬步芳的知識及其品性爲何如，只看最近他的侄女兼如夫人馬月蘭所寫那篇「我與馬步芳」的控訴書，就詳悉一切了。關於馬步芳平日抓錢的方法，據在青海呆過的朋友告訴我一樁事，可概其餘。馬氏所統率的士兵都是些土著農民，每年種麥和收麥時期，他教士兵們帶着槍枝回到家鄉耕作，限期歸隊。在這從事農作的兩三個月中，當然扣發軍餉。估計他在西北由團旅長洊升至總司令，最後超任爲軍政長官，官位日益上升，軍隊逐漸膨脹，如是者垂三十年，僅以尅扣軍餉這項收入來計算，卅年間的積累數字，也就驚人了！

民國建立以來，西北馬家軍只打過一次對國家有益的硬戰，那就是民國廿四年秋冬間在陝甘寧三角地帶堵截共軍徐向前西竄之役，但主力是寧夏的馬鴻逵所部，鴻逵與步芳素不相能，各行其是，不過，每逢抵禦外來勢力時，馬家軍却能一致團結，這也就是馬家長期割據一隅的所以然。

民國卅七年張治中離開新疆之後，局勢日趨阽危，共黨在西北方面釀亂尤亟，馬步芳乃因「蜀中無大將，廖化作先鋒」的衰世運會，一躍而爲西北軍政長官，儼然方面大員，位同舊時的數省巡閱使。迨共軍進攻寧夏，他藉口國軍大將胡宗南未予應援，携其妻妾珍物，挾其數以噸計的黃金美鈔，擅離職守，高飛遠走了。當時的行政院長兼國防部長閻錫山，赫然震怒，明令撤職查辦，雖在天下大亂之際，尚能表現着政府維護國家紀綱的爲治之道，值得稱許的。詎料明令撤職查辦之犯官，不數年，忽又蛻變爲原政府特派的外交大使了，這從那兒說起呢！

陳宏謀論

謝康

關於修養方面，文恭公手札可傳者頗多，下面試摘錄最精警的幾段，如云：

「吾人惟功名得失，可聽諸氣數；至於學問器識，全憑人事。處可以用功之時，而優游錯過，非特別人見輕，即自己亦後悔無及。古人云：『境遇要看不如我者，學問要看勝過我者。』二語誠爲萬金良劑；隨時隨地以此着想，則無自足自棄之病，亦省却多少希冀念頭。」（寄程掌如書）

「精神物力，只有此數；浮文上多一分，實事上即少一分，能以周旋上官之心力，致之於民，地方自實受其惠。」（寄常青岳書）

「竊以爲有民人則不可無勸懲，有土地則不可無墾植。一省之大，豈無利當興，無弊當革；酬知遇於九重，繼名宦於前代，數月期年，定當有大造於吾學者。」（寄楊秋水）

「眞讀書人定有眞經濟，四境之民之利弊，風俗美惡，無非行吾學之地也。」（寄楊潮觀）

「愚以爲文以載道，朱子指道爲日用事物當行之理，何等切實。讀書者於人情物理見得眞，說得出，引今據古，觸類旁通，人品事業，定別有不同者。」（寄歐陽瑤圃）（三）

歷史人物

徵稿小啓

有內容有意義之隨筆、散文、掌故、小說、雜感等類文字，本刊均所歡迎。請用有格稿紙繕寫，如需退還，請附信封及郵票。一千六百字左右的隨筆，比較容易刊出，過長則以篇幅所限，請特別留意。

內警僑台報字第〇三一號內銷證

自由報

THE FREE NEWS

第一三八期

中華民國僑務委員會頒發
台救新字第三二三號登記證
中華郵政台字第一二八二號執照
登記為第一類新聞紙類
（本週刊每星期三、六出版）
每份港幣壹角
台灣零售價新台幣弍元
社　長：雷嘯岑
督印人：黃行蜜
社址：香港銅鑼灣高士威道二十號四樓
20. CAUSEWAY RD 3RD FL
HONG KONG
TEL. 771726　電報掛號．7191
承印者：田風印刷廠
地址：香港灣仔高士打道二二一號
台灣分社
台北市西寧南路壹壹零號二樓
電話：三〇三四六
台郵撥儲金戶九二五二

甘·赫會談的檢討

金達凱

美總統甘迺廸與蘇俄總理赫魯歇夫在奧京維也納的會談，已告結束。這次兩巨頭會晤，除可暫時消除自去年巴黎高層會議流產後東西陣營間存在的緊張氣氛，及開闢雙方繼續會晤的途徑外，對當前實際問題並沒有取得具體協議。因此，甘迺廸的維也納之行，是成功、抑是失敗？在現刻還是難於回答的。

此次甘赫所談的，包括寮國、柏林、核子試爆裁及軍等有關東西糾紛的問題。雖然雙方宣佈同意寮國的中立與獨立，及一致認定實現停火的重要性。但五日復會的日內瓦十四國會議，其僵局並未打開，俄共集團仍堅持監察小組各擁有否決權，未得一方同意，即不能執行監督任務。對於西方主張加強國際監督權力，仍持反對態度。同時富馬政權的「國家軍事委員會主席」康理（前次叛變的寮傘兵第二營營長）五日在巴特寮電合廣播，悍然宣佈要消滅第一線的寮政府軍，拒絕國際委員會派員前往川壙的巴省東地區執行監督任務。隨即發動大規模攻擊。其破壞停火，至為顯然。共黨此種態度，反映赫魯歇夫之同意實現停火，是表面敷衍而已，並無助於寮局之和平解決。

關於柏林地位問題，此次赫魯雖未提出要挾，但美國國務卿魯斯克在北大西洋公約組織的傳達報告中，卻暗示年底將爆發柏林危機。說明了柏林問題之嚴重性仍然存在。至於核子禁爆問題，據說赫魯歇夫主張將此項談判合併到今年八月的裁軍談判裏去。因之，目前日內瓦核子會談也沒有達成最後協議的希望。

這些情況表明，此次甘赫的維也納會談，雙方只是試探了一下對方的底盤，互相表露自己的立場，並不能解決什麼問題，世界危機基本上還是無法緩和，不過是再拖一段時間罷了。

本來，國際巨頭會議，是很少能夠解決問題的。二次大戰以來，先後幾次高層會議，不僅沒有導致世界和平，而且發生相反的結果。如一九四五年二月，羅斯福、邱吉爾、斯大林舉行的雅爾達會議，因簽訂雅爾達密約，使中國失去外蒙領土及喪失東北權益，助長了蘇俄的侵畧野心，種下戰後的禍根。一九五五年七月，艾森豪、艾登、布爾加寧、赫魯歇夫等舉行日內瓦會議，討論統一德國問題，未獲協議，而「日內瓦精神」反而掩護了蘇俄的侵入中東。一九五九年九月，赫魯歇夫與艾森豪的大衛營會談，加深了柏林問題的矛盾。一九六零年十一月巴黎高層會議因赫魯歇夫破壞，宣告流產，使美俄關係更加惡化。這一切事實，說明不管何種形式或何種時機的高層會議，除了給蘇俄利用外，是無補於世局，無益於和平的。

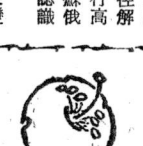

甘迺廸本人似乎也瞭解這一點。其在競選總統和就職後一段時期內，並不看好高層會議。去年十月，他與共和黨總統候選人尼克遜舉行電視辯論時，曾贊同尼氏所提的舉行高層會議的四個條件。這四個條件是：（一）必須有利於世界和平；（二）必須具有周詳的準備及有成功的把握；（三）必須由大使及外交人員先行舖路，協商好會議議題；（四）必須蘇俄提出保證，不破壞會議，不作為宣傳的舞台。甘氏在贊同上項條件外，並加了補充：應以實力地位為談判基礎。他就職總統後，標榜「靜態」外交，聲明一切國際事務均應遵循正常外交途徑解決，而不敢於舉行高層會議。這對於蘇俄似有某種程度的認識。

然而這次卻突變前此立場，主動約晤赫魯歇夫，沒有充份準備及經過外交人員的初步協議，即貿然舉行高層會談。尤其是時機選擇之不當。當古巴事件，寮國危機，南韓政變，以及國內種族糾紛等，尚未得到妥善處理，美國遭遇種種挫折，國際聲望下落之時，即與蘇俄舉行高層會談，顯然有欠考慮，並且與甘氏過去所強調的「以實力地位為談判基礎」的初衷不合。在此情況下，如不付出重大代價，要想赫魯歇夫放棄侵略政策，誠意解決冷戰，是不可能的。所以美共和黨議員曾躭心甘氏進行幕後交易，民主黨人士也認為甘氏此行不是成功的。

執筆至此，甘迺廸氏已發表全國性電視廣播，向國民報告維也納之行的經過。據說他與赫魯歇夫的會談，誰也沒有得到什麼或給予什麼，誰也沒有得到進步或讓步。「我們並沒有計劃或採取任何重大的決定，也沒有完成或企圖完成驚人的進展」。這也證實了我們前面所作的分析之接近事實。

在此情況下，雖然甘迺廸沒有說服對方，完成其出國會談的任務。但赫魯歇夫也沒有什麼收穫。柏林地位問題，美國既未讓步，寮國問題方面，除同意其中立外，亦未有其他的暗盤交易。這較之以往數次巨頭會議，蘇俄每次都能得到一些便宜的情形，有所不同。這也是寮叛軍在巴東前線發動大規模攻擊，以破壞停火的一項原因吧？

由此不難看出，東西方的冷戰，還要延續一相當時期。雙方在不正式破裂，不觸動大戰的前提下，將施展更多的手法。因而冷戰不只繼續存在，且有擴大的可能。

事實證明，今天美國要在冷戰中取得主動，從而消弭冷戰，絕不在與蘇俄的談判，而主要在於美國的決心，尤要以行動來表現自己的決心。二次大戰後美國聲威的墜落，外交方面困難之增多，乃在對問題之沒有堅定政策和決心，致給共黨以可乘之機。今後要扭轉劣勢，必須首先下定決心，以不變應付蘇俄的萬變，則赫魯歇夫雖狡詐，亦將無所施其技。甘迺迪氏前所標榜的「新境界」，及一再表示對美國蘇俄立場的堅定，會給世人以好感。但如果言行不符，應付選民是一套，執政後做的又是一套，重要關頭舉棋不定，並仍寄望於未來的巨頭會議，則今後美國遭遇的麻煩，恐還要增多，不僅是寮國，柏林等問題而已。

其次，美國克制蘇俄挑戰，除須有堅定政策外，還要加強自由世界——特別是西方國家自身的團結。這次甘迺廸的巴黎之行，改善了與戴高樂之間的關係，鞏固了美法間之合作，以及在柏林等問題上取得麥美倫的支持。這是一種現象，是抵制蘇俄的有利條件。應好好發揮它。

新公式

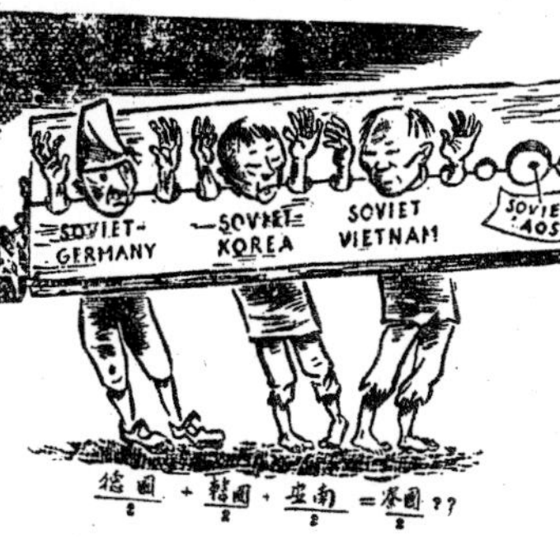

小論天下

△美總統甘迺廸由維也納經倫敦返國，廣播稱：渠與赫魯曉夫冷靜會談，既無互相威脅，亦無任何協議。

說了等如不說，不如勿說；會了等如不會，不如勿會。

△寮共攻陷巴東，以空前猛烈炮火向苗族反共戰士轟擊，苗族戰士被廹撤退。日內瓦「十四國會議」又生障礙，西方代表聞訊震怒。

料亦止於震怒而已，赫魯曉夫又在甘迺廸臉上撻了一掌，把他由維也納帶回華盛頓的一絲希望也切斷了。大概過了一個時期，寮國又說可以「真正停火」了！

△蘇俄官員曾向奧國政府提詢，可否以維也納代替紐約為聯合國總部。

借「維也納會議」拆聯合國的台，也即是拆美國的台，看蘇俄做作得那麼迅速而細緻，真是一絕！這大概可說是「維也納精神」吧！

△日本左翼示威狂潮未息，八萬示威者在國會前與警察衝突。「防暴法案」暫被擱置。傳日本青年軍人會擬發動政變不遂。政府堅決否認此事。

不怕左一個浪，右一個浪，只怕這「民主之舟」本身也是千瘡百孔。

△大陸九省苦旱，八省遭水災，粵閩潦災奇重，夏收絕望。中共向法國約購大麥六千萬公斤。日議員擬訪問大陸，原定日期被中共展延。

「萬戶蕭疏鬼唱歌」，這該是毛澤東「閉門謝客」的詩句。老百姓災上加災，苦上加苦，其何以堪？

△西德盛傳：蘇俄於本年內與東德簽和約，以柏林問題對西方國家施壓力。

赫魯曉夫還有許多花樣可要，甘迺廸準備應付好了。

△印尼總理蘇加諾遊抵蘇俄，赫魯曉夫與跳查查舞。

此人得意於「維也納會議」之處，正可從這小小一點消息看到。

方南

自由談

宣傳之道

近來香港與台灣的輿論界，發生了兩個爭辯問題：一是民間多呼籲政府及時實行軍事反攻，而官方的宣傳刊物，竟有說是「反攻乃國家之軍事機密，非普通人所能妄談的」；一是對於南韓的軍人政變行為，民間多認為有乖民主憲政的軌範，不足為訓——至少亦不宜稱頌恭維，而官方報紙卻以南韓軍政府表示堅決反共，讚美不遑。

我對於軍事反攻之舉，認定這并非隨便可以嘗試的軍國大計，必須待時乘勢而後發，理固然也。但官方報紙若反對人民談論此一原則性問題，便是豈有此理！中華民國政府如果不以反攻救國為職責，號召全民共赴國難，根本就失去了存在的價值，而當局者歷年來所宣示的一切反攻諾言，皆成為自欺欺人之談了。不特此也，現時以「叛亂」罪而身陷縲絏之中的「自由中國」雜誌主編人雷震，他的罪狀之一就是主張政府不要談反攻問題，試問這又何以自圓其說？

對於南韓軍人政變這回事，我們站在友邦立場，基於同舟共濟的共同利害觀點，最大限度祇能認為這是一項不得已的非常舉動，有如急救病體的藥劑，而非養生的家常便飯，情有可原，理無可諒。談民主憲政而贊許軍人以武力奪取政權，這還有甚末「民主」可言呢？如果認定祇要反共，則專政獨裁皆無所謂，那倒是說得通的，卻不必再提民主憲政這類詞意，否則變成了鴨屎臭的論調！記得十年前，海隅盛傳投共的國軍大將傅作義已逃出北平，到了綏遠，即將繞道南來的消息，當時旅居海隅的何雪竹（成濬）先生曾經警告我，縱使真有此事，報紙上對傅氏亦不宜加以恭維。他這種理念，跟今日我們不宜恭維軍人政變的邏輯是一致的。官方的宣傳刊物而稱讚軍人政變，何異敎猱升木，自毀藩籬乎？

宣傳之道，義蘊湛深，技術精微，我看一般官方的刊物，每每幹出幫倒忙的勾當，浪費公帑，冤哉枉也，故不能已言如此。

馬五先生

中國醫學院的悲劇

張健生

台灣通訊

被輿論界評為「問題學校」的中國醫藥學院，兩年前因立案問題與偽造文書妨害兵役問題而鬧得遐邇驚詫，頃又發生因索取工程費欠款纏訟經年，而以死來抗議的命案一起。於是輿論譁然，社會轟動了。

該學院校舍工程係由台東東協成營造廠老板沈石枝所承包，據治安機關調查：沈石枝於四十六年承包中醫學院辦公大樓及教室工程，在工程進行中，因該院設立問題，工程數度停頓，且因受八七水災影響，故竣工後，工程費仍欠一小部份未清，後經雙方涉訟，沈石枝向中醫學院請求八十三萬餘元，嗣經台中地院判決沈勝訴，中醫學院應清償三十二萬餘元，沈感覺未滿意，而院方又從事上訴，分文不給，乃於五月廿九日晚間大雨滂沱中，攜帶兩大包黃色炸藥，在該院辦公室二樓廁所附近引藥爆炸，沈當場被炸重傷，至當晚十一時許不治而死。

沈石枝在自殺前，留有遺書十三封，分致立法院、行政院、教育部、省議會、警備總部、警務處、台東縣議會、營造公會、台北市記者公會、社會各界及友人林春和、妻妾子女等。沈石枝在給社會各界的遺書中，揭發「中醫學院白手興學、詐騙工程費用」。遺書中指出：該院工程，原由華南協記與連榮營造廠承包，因該兩廠無法繼續興建，停工以久，後由莊正鋼教授遊說介紹沈石枝，並謂該學院募得僑資三十萬美金來台，學院擬招商墊款興建，於是東協成營造廠老板沈石枝於四十六年十二月十二日與中醫學院訂約，總工程十五棟計七百三十三萬元，第一期四棟二百四十五萬元，付款辦法第一期完成二樓地坪，付一百萬元，第二期六十萬，第三期五十萬，第四期完成十日驗收付清尾款。訂約時，沈某墊付華南、連榮營造廠前後做工料款現金卅萬元，遠期支票五十一萬元，覃勤借去支票二張共三萬九千元，約定到期必須負責銀行解款，但到期竟棄置之不理，任由銀退票。東協成營造廠於四十七年二月十日完成至二樓地坪，契約規定中醫學院應付第一期款一百萬元而未付，直拖延至同年八月十五日領到開工補助費二十五萬元，九月底領到第一期款一百萬元支票，共拖了七個多月。自從去年二月間完工後，中醫學院又未履行契約，除去年農曆年底付五萬元外，該院竟拒付清尾款。

據中醫學院自任董事長的立法委員覃勤，於六月一日在記者招待會中說，該學院於四十六年十二月間與沈石枝訂約，第一期工程費連同增建工程費共二百九十七萬餘元，已先付二百六十八萬餘元。其後因沈石枝未照工程契約書承建，應扣除工程款十六萬多元。至於沈石枝向法院訴請令該醫學院給付八十三萬餘元，經台中院於四月判決應付三十二萬多元，但，該學院不服地院判決，現正上訴中云。

沈石枝以炸藥自殺後，其長子沈金聰於五月卅一日向台中地院檢察處按鈴申告，控中醫學院董事長覃勤涉嫌殺人。沈金聰指出：其父沈石枝之死，直接原因固係爆炸重傷致死，但導致其父自殺之主因，係中醫學院拒絕償付工程費，以致負債累累，全部積蓄歷年辛苦均付流水，因而促成其父走上自殺之途，這是他訴請法律處覃氏以應得之罪，該案業經台中地檢處受理偵查中。

自從沈石枝憤而自殺的消息見報後，已引起教育部與最高法院檢察署的重視。教育部長黃季陸，已電飭正在南部視察的督學鍾健，前往台中詳細調查。最高檢察署檢察長趙琛已令飭台中地檢處首席檢察官洪掲清，速即澈查依法辦理具報。而輿論界亦紛紛著文評論，民營的聯合報，以「問題學校」為題，加以抨擊中醫學院。該文指出：某學院者，最初在立案的手續上便發生「問題」，接着在招生的方式上更鬧出「問題」。到目前，該校董事長因妨害兵役等罪嫌，被判徒刑的「問題」，尚未解決；而日昨（五月卅日），復又發生事態嚴重的新「問題」。一個學校的「問題」之多，多到如此地步，怎不能使人目其為「問題學校」。辦學而變成為開學店，已經是害人；開學店而妨害國家役政，更加是害人。

該報說，如果這是一件普通的洩憤自殺事件，當不足引為公評。但這幕自殺的慘劇，乃導源於詐欺的騙局，而這個詐欺的騙局，又導源某一「問題人物」擁有立法人的權勢與教育家的地位之所致。……興學，興學，多少罪惡假汝名義而行，寧令人感到無限的遺憾與憤慨！

代表國民黨的中央日報，於六月二、三兩日的短評與地方漫談，以「一個老實人之死」與「從沈石枝案說起」為文評論。該報認為沈石枝「以一死來表示其抗議，自然不是等閒之事」，所以「同情這位老實人的死亡」。如果沈石枝遺書中所指控的事實沒有錯誤的話，則顯然是中國醫藥學院負責人在利用法律的罅隙，延宕其應該履行的義務」，而「沈石枝就是被時間擠死了的」。該報在「從沈石枝案說起」一文中指責：「這一所獨立學院是為了研究發皇中國醫藥學術而設立的，自創辦以來，弄得醫名遠播，涉嫌妨害兵役的案件尚未了結，現在又出了人命，雖說前者定案有待，後者亦需要再過一些時候才能判明是非，然在一般人印象中，對於這所學院總不免相當懷疑其辦學之動機與能力」了。

此外，六月三日的中央日報，將中醫學院學生致報界揭發該校的黑幕的一封公開信發表了。該校學生對覃勤發表談話反誣沈石枝謀炸學校，頗為不平。學生們痛斥「這些人是不是還有一點人性存在」。這封信中指出中醫學院四大缺點：一、董事會不健全，覃某個人把持校務。二、學校人事不健全，自周邦道院長辭職後，校務完全被覃某的親信楊士豪所操縱。三、學校沒有設備，三年級學生學完了人體解剖學，但連一具屍體的影子也沒有看見過。學校當局利用家長會的名義要求每一學生樂捐三千元，由於學生對學校沒有信心，故繳此款的人很少。四、教授欠薪半年，最近發了三個月，影響教授的情緒，使學生的課業受到損失。

由此可見，中國醫藥學院負責人，其創校的初意，的確使社會各界人士懷疑其動機了。國人雖富有「恕道」精神，但一個人却不能一誤再誤，接二連三的不斷發生問題，這是可以原諒的嗎？我們希望教育行政當局依法整飭，法院秉公究處，以正海內外的視聽焉。（五十年六月三日于台北）

香港與大陸

（澳門專訊）第一個從共區逃奔來澳要求葡萄牙政府政治庇護的難民，業經宣告成功，現由警方安置在一安全地方居住，徐圖遣送辦法。

這位請求庇護者是女性，今年約廿四五歲，係美洲華僑黃某女公子，曾在美國受教育。三年前地激於義憤，含着滿胸「愛國」熱誠，由美返共區，哼着建設新國家調，以為從此做新興國家國民。誰知厠身共區之後，所見所聞，都與理想中者，背道而馳，乃大受刺激，神經稍為凌亂，遂被共方送入醫院。黃女即利用此機，大發神經，由同學代申請出國醫治，乃被送到澳門。黃抵澳後見五星旗力量宏大，仍恐遭毒手，使苦肉計，在馬路脫光衣服，載歌載舞，卒被送入國家醫院，黃××知此係安全地，遂申請政治庇護。

英勇的空軍

張執中

台灣通訊

國軍的進步是全面的，各軍種、各兵種目前都已有了卓越的成就。本報前曾報導過陸軍、海軍、聯勤各軍種，現特將我英勇空軍近年來的進步情形，作一概括的報導給各位讀者。

空軍目前所具有的裝備，除了担任普通任務的各項型式噴射機外，在運輸機方面，已由C119型的巨型運輸來代替舊有的C46及47型。此外：時速一千四百哩的星式F104噴射戰鬥機，亦早已編入戰鬥序列，金門上空以三十二比一的優越戰蹟，為我空軍寫下了一頁更光輝的戰史。

空軍目前已進入全天候作戰階段，不論氣候如何惡劣，一奉戰令均能起飛作戰，F86噴射戰鬥機，現在僅供教練之用。

我們曾參觀了空軍的待命作戰演習，照規定五分鐘完成，可是實際上，我們可敬可愛的空軍健兒，三分鐘就完成一切作戰準備，昇空迎戰。

同仁中有三位隨機表演，據有豐富飛行經驗的他們稱：「我飛行員技術之高超勝過外國朋友」，這倒不是一定要說：「中國的月亮又大又圓」而事實是如此。

空軍官校、機校、通校、士校等訓練學府，其教材設備之完善，師資之優良，在在給參觀的人帶來驚奇的感想。而空軍醫院的航空生理室，更是遠東第一，這是為我空軍飛行人員訓練高空生理研究而設的，除了一般飛機上之設備外，另裝設Model 91型人工低壓艙及爆炸減壓設備等。其艙航訓練有三萬五千呎及四萬三千呎兩型。故我噴射機飛行員，對在任何高空中的一切突發生理現象，均能從容加以處理。

此外，我們並參觀了空軍作戰司令部，聯合作戰中心「JOC」這是一個極端機密的軍事機關，空軍允許我們參觀，足見視記者們為家人，而我們也深知有關國防機密，即使有所知也不會洩露的，不過必須要加以報導的是，此一機構的工作是採廿四小時制，每一位均在為我們的安全而緊張的工作着，敵機的動態，瞭如指掌，而我們的領空是保衛得那樣嚴密，共匪要想偷襲，除如何按規定信號來投降外，只有死路一條。

報導完「國軍基地之巡禮」一文，我們參觀的記者們，大家都有一個共同的感想，就是「我們可敬可愛的國軍是對得起國家的，我們如何來支援三軍，也就是我們應如何對得起國軍，就全靠全國上下一心，軍民一體，公忠為國，共同負起反攻復國的使命。」

省議員與師範生

・潘立夫・

（台北通訊）五月二十七號的報紙上登載着一大篇省議員的「讜論高見」：提議廢除師範教育的公費制度，因為師範生不儘是窮家子，不必以公費待之，可將那筆公費移用設備方面。這些滿腦肥腸的議員可真是明察秋毫而不見輿薪，許多莫明其妙的浪費不見，却注意到這芝麻小數。衡之以平日那種俯首帖耳全無半點骨氣的樣子，我們真不免要為神聖的一票叫屈了。

「國民教育是民族的根。」我想再也找不到更貼切的比喻了。過去我國的教育人材往往是腐儒，不然便是「無用者」。一向都認為這是沒有出息的人的退後一步的巢穴，根本不認為重要的工作。而現在受了民族運動風潮的刺激，總算把師範教育建立起來了。但是我們仍然不重視他，考大學落第者，一年專業訓練便是師資，退伍軍人幾個月訓練也是「堂而皇」的師資，好像把國民學校當做廢物收容所，把國民教育當作「人盡可夫」。可是事實上並不那簡單，沒有真正受過長期師資訓練的，並且頗富才智的，而去教育國民，只有貽害國民幼苗，毫無裨益。在教育風氣壞敗，教育功勁不著的今天，不想廣攬人才，提高待遇（精神方面），反而處處打擊國民教育，其居心何在？誠令人百思不得其解。

「師範生不儘是窮家子，」說得好，如果儘是窮家子才讀師範學校，那麼師範學校豈不成了救濟院嗎？而國民學校豈不成了貧民窩嗎？試想總統說：「青年人要立志國民教育，」那麼這話是指「窮青年」嗎？過去師範生公費是由於師範生都是窮家子嗎？議員們，個中道理你們還沒想通的。有幸「不儘是窮家子」，不儘是被逼上「梁山」的，他們還有理想，他們還明白教育下一代成功比賺大錢更有意義，更有利於國家民族，所以他們肯幹。

一個真正的國民教師絕對不是俗人，不是見錢眼開的，而是一種真正長期獻身的犧牲人物。他們住的是窄隘宿舍（沒有自己的家），吃得是長年老米：物質上的享受毫無。眼看朋友們都住起高樓洋房，不斷地發財，不斷地置產，而他仍能忍受煎熬，默默地為下一代，直到「靜靜的來日」。這樣的犧牲，難道不值得同情他們嗎？

從表面上看來，教師好像是奴隸，為人們教育孩子，而得到一點「不死不活」的薪水。但是真正的教師却不那麼想，他們懂得「犧牲就是生活的本質」；耶穌的流血，麥種的腐蝕，花朵的枯萎，教師的血淚，就是未來生命的種子。教師就是憑這一點幹下去的。當然，這也不是那些滿腦肥腸的「聽話」的議員先生們可以想象的。

傷心的事越來越多，過去國民教師被當做箭靶攻擊了一個段落，國民教育已是現不正常狀態。現在又動到師範生的頭上，真可謂「翻了根」，但願這只是說說而已，如果這一條提案竟然通過了，那才真是一個莫大的悲劇呢！

閒話眉毛

白荷

我國古代美人，眉毛化粧以細長淸秀爲美，其形有如蛾眉，詩云：「螓首蛾眉」，蓋即指此；因蠶蛾觸鬚，細而長曲，故以之比擬美人之眉；白居易詩云：「黃金不惜買蛾眉」，蛾眉二字，乃成爲美人之代名詞矣。

古代美人對於眉毛之修飾，多用眉鉗，粗將濃不勻之處拔去，使其不再生長，而另以黛色飾眉，故畫眉之風大盛；黛色，用以畫眉之黑色也，亦謂深青色曰黛，漢代宮人掃青黛蛾眉，此說在「事文類聚」上言之甚詳。又溫庭筠詩云：「草色借林彩，相將入黛眉。」亦均以黛眉視作美女之品評標準。閨房婦女亦有用楊柳枝條，去其外皮，燒成焦炭以之畫眉者，亦頗美麗動人，是故畫眉風氣，自古已然。

眉毛在生理上來講，爲眼睛的保護物，其功用在於防止汗液及不潔物由額上侵入眼簾，眉之與眼，有如牡丹綠葉，相互扶持，美醜相關；故未見有濃眉美人，亦未見有暴眼美人，故雖有明眸皓齒，而無淸秀眉毛互相襯托，仍不能合乎審美標準，是以我國文字形容美女面貌有謂：「眼如秋水，眉似遠山峯；腰如楊柳，兩頰似芙蓉。」足以證明眉目美麗之重要。

成語有云：「眉淸目秀」，又有俗語謂：「某女眉眼好」！一般面貌之是否合乎美麗標準，首先都要用眉與眼來作審美的條件，所以古今美女之美容方法，儘管不同，而其對於眉毛的化粧與修飾，都相當重視的。

如今歐風東漸，化粧術亦日新月異，化粧用品精日求精，美容醫院，亦如雨後春筍，層出不窮，以精巧人工用以糾正或彌補先天面貌上之缺憾，諸如隆乳、隆臀等、隆鼻，變眼皮術，豐頰術等，使人間美女日有增加，然畫眉之風，仍屬今日閨中仕女惟一重大化粧術之一，其稍有不同者，目前已捨棄已往之陳舊方法，而代之以新發明之化粧術而已。

悲與喜

汶津

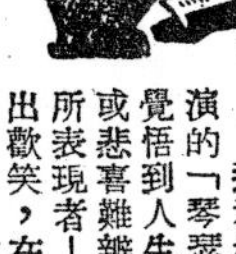

近看桃樂珊麥瑰等主演的「琴瑟怨」，又一次覺悟到人生恒是亦悲亦喜或悲喜難辨的，正如此片所表現者——在眼淚中映出歡笑，在晴雲後伏着陰鬱。因而一味喜鬧的戲劇不耐人尋味，一味悲慘而欠缺人情味的作品，也難獲眞正的好評。樂觀而至醉生夢死，悲愁而至自殺始已，亦未免有負造物厚意。

先哭後笑的嬰兒似乎是一種象徵。人間幾家歡樂幾家愁！但懂得苦中作樂，便不致終身串演晦星；處安樂中不忘悲哀的體驗，也能使人生的內容更形豐富。面對死亡而顯出莊嚴的微笑；面對歡樂而不忘人生的重担。不論他池塘生春草也好，蟋蟀鳴堂下也好，一個人能在變中求其定，又在定中不忽略多姿多彩的幻化，便無視乎悲、喜了。

中國字的「悲」、「喜」，也像「哭」、「笑」一樣，足可使人「望文生義」，正如同悲且和諧角的臉譜。一方面喜獲麟兒，一方面痛喪考妣，可以算是人生中最殘酷的安排。但如果能夠及時跳出情感的小圈子，則正如古時中所吟的：「悲莫悲兮生別離，樂莫樂兮新相識。」過分看重悲、喜的對立性；只有使生命中增加許多不必要的創傷。塞翁失馬的事誰也免不了，懊喪過後，還是早些笑逐顏開，重覓生命的陽光吧。

宋代有一位志行高潔的詞人朱敦儒，在他的一首「西江月」中這樣詠唱：「自歌自舞自開懷，且喜無拘無礙。」「不須計較更安排，領取而今現在。」便是表現出一種豁達坦蕩的人生觀。有些人因爲寂寞而悲傷，到了熱鬧的時候，却也未必眞能痛享其樂。像李白那樣邀明月與淸影共飲的意境，也許眞是那些一味悲觀的人們所應效法的。愛國詩人陸放翁不但有國家衰微之悽，而且婚姻也極不如意，在舊式社會中由於家長的偏激而不能與心愛的人終其一生；對於一個情感深摯的人該是多麼沉重的打擊？但他氣度過人，看得開，望得遠。「題詩風月俱新，」是將我與大自然混合爲一，更不憶有人世之悲歡。而「鬢雖殘，心未死。」則足以表現他那一股永不衰退的生命力。唯有如此，才算得是造化面前的豪傑。

一位服役中的朋友來信說，由於想避免傳播悲觀色彩，只有寫些輕淡的話兒。但他做得確很到家，如非正面點破，可能我始終不會發現。可見人的悲喜確是能夠自我控抑的。到金門去服役的朋友來信則說担心體重增長太多而過胖了，這和一般人想像中的「吃苦」豈不大相逕庭？想起若干閉戶傷感的人們，就愈覺行萬里路的價值了。

演義小說中往往把人的悲喜寫得神出鬼沒，實際上也未嘗悖謬。程咬金一笑殞命，其子鐵牛不禁悲從中來，以號哭追隨老父於地下。這一段故事大概十幾歲的小伙子都耳熟能詳的。幸而在悲喜之外，尚無足與對立的強烈情感，否則那位年輕的孫子可能也會被作者用來殉「奇」了。紅樓夢中的嚴父兼孝子賈政，正在痛斥不肖子寶玉時，一聽老太太趕來，便立即堆起笑容，向賈母道個不是。這自然也是很富戲劇性的，而且也能反映我國的社會倫常觀念。到了今天，這樣的鏡頭怕已不多見，除了以掌自摑以抗議老父教訓犬孫的神經人物，足可供人一笑外，只有那些對下層永遠怒目相向，對上司勢必脅肩諂笑的畫面，靜候後人的憑弔了。悲、喜竟淪爲世俗的工具，實在是「有情人」的大不幸。

孩子的喜歡與沮喪，教師的安慰與憂戚，老人的樂天與恐懼，都是比較眞摯的。女人有時比男子情感更眞切，但作僞起來，也煞是驚人。如果有人統計一下女人流淚的性質，也許會發現許多淚並不是心坎裏泌出來的。但女人比男人更會笑得毫無疑問的，據說這就是她們較長壽的主要理由之一。而悲劇的第一主角則往往是男子。這也是上帝的安排麼？

泰戈爾軼聞

·道南·

文壇軼聞

今年爲印度詩聖泰戈爾誕生百年紀念，他與中國的文人有廣泛的接觸，他曾於民國十三年首次來華，徐志摩就是經常陪伴着他的。

中國翻譯界的怪傑辜鴻銘，那時也在北平致書，與泰戈爾也曾會面，他曾和泰戈爾共同拍照留念，他穿着中國裝，戴瓜皮小帽，十足代表着東方文人的風味。

泰戈爾到了南京以後，其時適逢詩人陳散原在南京住家，由徐志摩的介紹，使這兩位東方詩人有見面的機會，也拍了照，散原先生還設宴招待，以盡地主之誼，其時散原先生，比泰戈爾大八歲。

泰戈爾在濟南演說時，是由王統照任翻譯的。後來王統照爲文紀述當時情況，文中有「聲如銀鐘」一句，事後曾有人提出質問，「銀鐘究是何種響聲」。爲了「銀鐘」二字，當時還引起了一塲小筆戰。這是泰戈爾訪華後的趣聞。

泰戈爾有譯作「太谷兒」的，有譯作「泰戈兒」的，也有譯作「泰谷」或「締谷」的。但當時梁啓超在北平爲他祝壽時，登台致祝詞，他就首先替他起了一個中國名字，叫做「竺震旦」，而且還敘說了一大篇命名的大道理，博得當時的全塲大鼓掌。

瘟君續夢

第一回：捲土重來，瘟君尋舊夢　投袂而起，小醜鼓雄風

所謂周系四大金剛就是喬冠華、章漢夫、王炳南、陳家康，中共政權成立之初，章漢夫任「外交部副部長」王炳南任「外交部辦公廳主任」，陳家康任「外交部亞洲司司長」，喬冠華名義上是「亞洲司副司長」，實際是周恩來的機要秘書，地位在三金剛之下，權力却在三金剛之上。

另外龔澎也担任「外交部情報司副司長」，龔澎的妹妹龔普生是章漢夫的愛人，也是鄧穎超的乾女兒，又担任「國際司」的「副司長」。總括起來說，四金剛中，喬冠華身兼乾兒子，乾女婿雙重身份，章漢夫是乾女婿，陳家康是乾兒子，整個中共「外交部」完全是他們這批人的天下，想作什麼就作什麼？誰也不敢過問。

一九五〇年中共出了一回洋相，向聯合國控訴美國侵略，聯大開會討論時，中共派了「蘇聯東歐司」的「司長」伍修權率領代表團去「控訴」，這個代表團中就有龔普生在內，伍修權到聯合國丟了大醜，但是中共代表團在紐約却有一件事出了風頭，就是他們的任意揮霍，使美國人嚇了一跳，最使美國人羨慕的是龔普生買了兩件價值美金一萬伍千元的貂皮大衣，整個代表團員更是見什麼買什麼，到了上飛機時，光是行李過磅費就付了美金一千六百元。

龔普生回到了北平之後，先把大衣送一件給乾媽，鄧穎超穿上試試，對着鏡子看看自己那付水牛腰，實在不能穿這件大衣。當時脫下退給龔普生道：「這一件給你姐姐吧！我這麼大年紀，穿這種衣服幹什麼？」

以後陳家康外放了駐「埃及大使」王炳南外放了駐「波蘭大使」，喬冠華夫婦因爲不肯遠離膝下，始終未曾外放，不過喬冠華升了「外交部部長助理」，龔澎也升了「情報司司長」。

說起龔澎担任情報司長，也是一個笑話，人所共知，中共靠情報起家，主管情報的部門比任何機構都多，社會部、公安部、政治保衞局、統戰部、國務院外事辦公室，每部門都掌管一種情報工作，只有外交部的「情報司」，實在沒有事情可作，龔澎當了司長之後，鄧穎超交給她的任務是專作周恩來的情報，周恩來每天幾時會客，幾時開會，幾時吃飯，幾時上厠所，有沒同女同志說話，和蕭小姐還有無來往，都要按日記下來呈給鄧穎超核閱。

另一方面周恩來要龔澎代作反間諜工作，鄧穎超每天有什麼活動，預先通知周恩來，可以乘鄧穎超開會或會客正忙時，溜到小公館裏和蕭小姐溫存一番，龔澎兩頭供給情報，做的十分周到，後來這件事情被中共高級頭目知道了，大家就向周恩來取笑，周恩來也覺得不好意思，就把情報司改爲「新聞司」，仍由龔澎任司長。

（十一）

岳騫

梨園漫談

鵬程萬里

——瘦西湖——

大鵬自訪亞洲各國家後，繼又以中華民國國劇演出團名義，從民國四十六年九月七日離開國門，到四十七年二月八日始載譽歸來，其在歐洲訪問演出的時間，前後竟達五個月之久，在此期內，大鵬訪問了歐洲七個國家的十三個大城市，來回旅程約達三萬餘公里，總計演出共約廿六場之多，各地臨場觀衆至少約有二十萬人以上，其廣播聽衆及電視觀衆亦不下一千萬人之多也！

現在把該團在歐洲當時活動的情形，依時間的先後，特作一概略報導：四十六年九月七日，大鵬國劇團乘坐民航包機直飛英國倫敦，由團長陳隆興率領，一行七十餘人，赴英作爲期一月的演出，這是我國劇團第一次訪問歐洲，也是民航公司的飛機飛往英倫的第一次，大鵬一行專機離開台北之後，經過香港、曼谷、可倫坡、貝魯特、羅馬等地，全程九千二百哩，飛行時間計達五十小時以上耳。

同年九月十一日，國劇團乘坐的DC4型包機在巴林島稽延二十六小時後，於上午二時十六分到達倫敦，該團下機時，高擎着中華民國國旗，而每一個團員胸前均掛有一個非常美觀的團徽，這個團徽長五寸，寬三寸，藍底，中繡青天白日滿地紅國旗，下用金色麥穗拱托，上沿繡的是「中華民國國劇演出團」中文字樣，下沿繡的是金色的英文團名，其樣式別緻，大有令人眼目一新之觀，該日在機場歡迎的，有中國新聞社社長陳堯聖，聯合國教科文組織中國常駐代表陳源，及英中國之友，以及當地華僑代表等多人到場歡迎，其情況之熱烈，爲我與英斷絕邦交到達倫敦的第一次，難怪華僑同胞無不激動得熱淚盈眶，唏噓不已！

九月十二日，英國廣播公司派技術人員來團攝錄電視傳眞，作爲當地新聞片節目，並於當天晚上對亞洲的華語時間中播出，與英國數百萬電視觀衆作首次的見面。

九月十六日，晚間國劇團在倫敦杜魯巷劇院作首次演出，演出之時，該院之爆滿程度爲歷年來僅見，而觀衆的掌聲，及讚美驚歎之聲歷久不息，致演後謝幕竟達十餘次之多，在這次的演出過程中，並且還奏出了中英兩國的國歌，在場僑胞都爲這親切的歌聲而感動；自從英國承認匪幫以來，這還是僑胞們首次在公共場合裏聽到的中華民國國歌呢！

（一）

劉璈治台史事

·李仲侯·

當是時，諸將多請裁復基隆，銘傳不聽，台北府書記陳華介，親兵哨官奚松林請募兵千五百名，自備軍械，包取基隆，每兵月餉十二圓，銘傳不許，以淮楚軍制，無此重餉，若果捷克後，當重賞之，記名道朱守謨聞其事，與約召募，數日而成，銘傳怒遣散之，十月十五日孤拔布告封港，北自蘇澳，南至鷄鼻嘴，凡三百卅九海里，禁出入，分駐兵船巡組，以蘇澳至基隆八艘，淡水至安平三艘，打鼓至恒春二艘，航行之船，須距岸五海里外，否即擊之，於是互市停息，物價踊貴，商船多被擊，文報多不通。

當時法人此舉，其計最毒，水陸交通斷絕，一切陷於癱瘓，人心尤感惶懼，劉璈駐南治軍，籍偷屬兵，以作士氣，及接法軍封港之文，憤其違犯萬國公法，晤商各領事請千涉，領事均畏欄，以事關重大，須待國命，二十九日璈以封章密請沿海督府代奏，十一月初六日始達內閣，略曰：「法人突然封口，查萬國公法，本有戰國封堵敵國海口之例，局外各國原不能禁，惟論法人今日情形，其不合公法，不應封口者五，不應封而准封，有礙各國今後通商者亦五，不能不先請吞明各誠，一爲理論，查公法例，戰交戰，師出有名者爲義戰，若違背公法，即謂不戰之戰，局外諸國例得辯問，法人始則無理侵戰屬國，繼則無理撲我防營，反索我賠欵，又先攻犯基隆，及福州船廠，追基隆滬尾敗後，又開船援及台南安平旗後二口，猶復冒昧修歎封禁，試問封口先濕藥戰，戰且不義，口何由封，台灣原止提出基、滬、安、旗四口，留與各友國通商，各國行棧林立，獨無法國商人，法果理直兵強，專欲奪佔台地，則台澎沿海四千餘里，無處不可登岸，所建城池，無處不可進攻，乃法兵到處畏縮，偏於各國通商不過二三十里之口岸，肆行騷擾，可知法人固不能得利台灣，特路害各國通商爾，其不合義戰封口之例一，又例戰軍旅虐待居民，據搶燒殺，姦汚婦女，毀壞房屋及一切殘忍之事，皆爲戰例所嚴禁，並戰陸路交戰，有散兵劫掠，必以爲強盜等籍，今法人佔基，弁兵擄姦燒殺，無惡不爲，其將該婦女孩實擄入兵船，有數百名之多，又在南北海面，假稽查之名，藏劫民船魚米雜物，據掠民人，此等暴行，實同強盜，尙何配爲敵國，而公然封口乎，其不合戰例封口之例二，又例載城池地方被戰者圍困，局外不得與之貿易，封港亦同一例，今法兵孽言攻合，又不能爲，覓日外戰，與我中兵爭尺寸土，儻欲踞我自棄之基隆偏隅，隔離城池遠甚，何謂圍困，抑知公法必待圍困而後准封口者，原以敵國軍械糧草缺乏，必仰濟於通商，戰國始乘勝封口以困之，使速求和，故局外各國甘受禁商之損而莫違，今台灣兵精糧足，器械裕如，已非法兵所敢近犯，即再征兵，全合義民百萬，素習兵槍，一切軍需，就地取用不竭，並無須求助外人，是困之無可困，速和轉速戰也，法人封口，果何爲者，其不合圍困封口之例三。（八）

名女人（九）

徐學慧

唐玄宗即位以後，雖然肅清了武則天的遺跡，可是，楊玉環的顯赫一時，却也使得天下人不重生男重生女。中唐以後，那些貴族仕女們被李林甫那班人提出的禮教漸漸地束縛了，於是乎新興的娼妓乃應運而生。這些娼妓們，佔據了晚唐百餘年的歷史，唐末那些大詩人們，如杜牧之溫飛卿李義山這些人，他們的詩與詞，多少是受了娼妓們的影響的。

我們直可以這樣說：唐代女人，不僅影響到當時的政治，同時也影響到當時的文學藝術，這就不是六朝以前的女人所能夠想象的了。

數唐代女人之最著者，當莫若武則天與楊貴妃。

則天一生軼事，爲人所知者甚多，欲加描述，則爲本文篇幅所不許。宮闈淫亂，覆雨翻雲，讀者閉目沉思，當亦能想象其大概。一代淫娃，居然能因時乘勢，而至於覆唐社稷，雖曰天命，要亦其雄才大畧有以致之也。具不世之才，有容人之量，牢籠天下，芻狗萬民，千載而下，述武后之事，猶覺其凜然有生氣。像這樣的女人，才夠得上是標準的名女人。

史載武三思一日入宮，將徐敬業討武則天檄文呈太后，太后閱罷，爲之悚然長歎，問曰：「此檄出自誰手。」三思答曰：「駱賓王」。太后曰：「有才如此，而使之流落不遇，則前此宰相之過也。」則天雖爲女流，顧深有惜才之心，正史所載，亦多論及，是亦不能單純以蕩婦淫娃視之也。

欲知則天之何以能爲天子，必須了解她的用心精密處，今請爲讀者諸君一述武則天禁屠宰的故事。

香水季節

筱臣

夏天是香水的季節，一般小姐們在夏天希望用香水來增加自己的魅力，同時香水本身也要在夏天才能充分發揮它的效用。薰風啓處，陣陣馨香，馥馥襲人，你能不爲之心曠神怡，悠然神往嗎？

香水對於一個女人的幫助，有時比她的臉蛋和身材還要顯得重要。但是香水不完全是好的，用香水實在是有講究的必要。

首先要了解的是香水的製造，前巳說過夏天是香水的季節，要到了夏天，香水才格外的發揮香味，這是什麼原因呢？因爲，任何香水裏都有酒精成份，酒精一通過了高的溫度，越更容易發揮，香味因之越濃，在各種化粧品中，以香水最富季節性。

就香水的類別來說，可以分爲單一香水和複合香水兩種：所謂單一香水，就是取一種花的香味製成的。例如：祇以玫瑰花製成香水，那麼，香水的香味，就是單純的，只有一種玫瑰的香味了。所謂複合香水，就是取幾種花來混合製成的，香味這就複雜了。

再就製造香水的香料來說，可以分爲人工香料（即用化學方法合成的香料）和天然香料兩種。而人工香料，更可分爲抽出香料和合成香料，天然香料又可分爲植物性香料和動物性香料，茲分述於次：

植物性香料是爲最受人歡迎的，也是最貴重的，因爲植物性香料，完全是用天然植物的香味最美的鮮花來製成的。香味分外芬芳可人，種類亦多，所以價值就大而珍貴了。採取天然植物性香料的方法，有好幾種，有的是用天然的花，有的是用天然的果實，更有的是用天然的香油。

動物也是可以採取香料的，這是從動物發情期最強烈的香味而取得的。由特殊的身上採得天然香料的，不是任何動物都可採取的，只有四五種動物才可以採取，所以非常貴重。貴重的香水，價錢當然很高，和植物性一樣，所以普通香水廠，很少用天然香料，大多用人工香料了。

從動物採取的香料，直接聞嗅的時候，那種香味是燻人的，所發出來的香味，實在令人討厭；但是，如果加以人工製造後，加入酒精使其稀薄，這時所發出的香味，是恍惚的，有不可思議的美妙。

動物性香料的來源，通常採之於左列幾種：

（一）龍涎香——龍涎香是海洋中最奇特的產品之一，是鯨魚身上的東西，而且只有抹香鯨才有。抹香鯨是頭部像大琵琶桶，有着鋸齒狀下顎，長達六十尺的怪物，抹香鯨不像其他種類的鯨魚，那麼喜歡吃大量的蝦，它愛好的食物是海洋底裏的鎗鰂和烏賊魚，要浸入六十尺的深水中才能找到。

人類很早就重視龍涎香，所以是稀罕的香料。過去人們都會當它是一種神奇的萬應靈藥，土耳其人曾用它來配製媚藥。十六、十七世紀，西歐把它當作醫療瘋狗症，癲癇症，心臟病和腦病的特效藥，或是用來作爲名酒的混合香料。龍涎香是一切貴重香料的上品，可以在極熱酒精中溶解。只要一小滴含有龍涎香的香水，便會發出最名貴的花香，香氣且能經久。

（二）靈貓香——靈貓產在熱帶地方，非洲和南洋的蘇門答臘，即產靈貓。採取的時候，先把靈貓關於籠內，再使其興奮，它的生殖腺（生殖器兩旁的腺），就會有分泌物，在其股尾上綁上兩個袋子，分泌物便流入袋中，便可取來製成香水的香料了。採取的時候，一週只能兩次。這種分泌物的香味，如果在剛取出時聞之，發出一種如糞臭的[illegible]，令人聞之欲嘔。但是，一加入酒精溶[illegible]冲淡時，就放出可人的芳香了。

（三）海狸香——海狸產生在蘇聯和加拿大，[illegible]

高貴的香水。

憶何雪竹上將軍

諸葛文侯

童時即聞「何成濬」（雪竹）之名，因他在辛亥武昌起義的戰役中，與鄂人李書城同屬革命軍統帥黃克強的幹部，咱們湖南人對何氏的名字尤多熟悉。我直到民國十七年在友人范熙績（紹臣）南京寓所，才得省識何將軍的，當時我年青識淺，瞧着他那種恂恂然毫無剛猛氣色的容貌，認爲不過是一位平凡的人物，曾戲語范兄，謂何雪公的形相不似軍人，很像裁縫師傅，相予大笑。後來跟他接觸較久，我自已亦更事漸多，方知前輩人確有其不可及之處，對他不能不由衷地表示敬仰了。何氏近在台灣溘然委化，惓懷老成，曷勝悼慟！

何氏一生的優點就在使人認爲可親，而不覺得可怕，他無論對任何人，處於任何環境中，絕無爾詐我虞，整人害人的言行，但亦因此而吃虧不少，優點有時候不免構成了缺點——有些壞人每利用他和易與的性格，給他招惹煩惱，甚至損傷他的信譽哩！

在民國十五六年以前，許多國民黨的文武知名之士，或混入北洋軍閥政府作官，朝秦暮楚；或參加其他的敵對黨派，爲德不卒；迨十六年以後的長期內戰中，亦有時而南走粵，時而北走胡，倒甲擁乙，覆雨翻雲者，更僕難數。何氏却硜硜自持，畢生守着革命黨人的立場和節操，不稍變動，造次必於是，顛沛必於是，眞是「立不易方」。然他對於政治小派系，避之若浼，決不倚爲弋取富貴功名的捷徑，始終表現其「正色立朝」的風格，這是我最敬佩他的地方。

何氏原係肄習軍旅之事的正牌軍人，但他對革命事業的最大貢獻，固不在衝鋒陷陣，斬將拔關，而在運籌帷幄，奠定勝算，其詳情非短文所能闡述也。他一生在政治上最得意的時候，即爲主持湖北省政兼軍委會武漢行營主任這一階段，但倒霉失意亦以此時爲最甚，十九年中原內戰激化後，共產黨乘機竄發於贛湘鄂皖地區，國軍精銳部隊皆北調征伐，防務空虛，到民國廿年秋冬間，距漢口市密邇的查家墩飛機場，亦遭受共匪攻襲，武漢人心惶惶，這時省主席巳由夏斗寅充任，與何氏不能合作，而中央政府適發生政潮，局勢動盪不安。軍事委員長蔣公當目時艱，決計專力清勦匪患，乃於民國廿一年莫春，設「豫鄂皖三省勦匪總部」於武漢，易武漢行營爲「湖北綏靖公署」，仍命何氏担任「主任」職位，維時鄂省匪患最烈，除武漢三鎮外，幾無一片乾凈之土，何氏備受各方攻擊，指其腐化低能，貽禍桑梓。三省勦匪總部成立後的第一次紀念週會，蔣總司令主席訓話，曾嚴詞譴責地方文武大吏有虧職守，謂湖北人太不自愛，其言殊激切凌厲。何氏與總部高級職員鄂人耿伯釗等站立前列，俯首聽訓，狀極尷尬，次日，耿氏遞來辭職簽呈，開宗明義即謂「伯釗不幸，生爲湖北人，無顏尸位勦匪職責，理合投劾，以謝鈞座」云云。（一）

歷史人物

陳宏謀論

謝康

本文篇幅不許我多所徵引，但是，僅僅這些斷簡零素，巳經可以看出他[illegible]所在。趙炳麟以他比朱晦翁（見篇首所引聯語）的，決不是過份的誇大語吧？其實他平生的誠意、正心、修身、齊家那一套本領，固然多半從宋儒特別是朱夫子那裏學習得來；然而，他的濟世利民，處處講求實用的治平工夫，却很接近南宋浙東的事功派。要說他的成就，[illegible]，而能採取各派之所長，也不爲過。我在另一篇文字裏面論曾國藩這類人才，爲儒家文化所能產生的理想人物，對於陳宏謀，我想也可適用同樣的評語。

第二是教育家的淑世態度——陳文恭的「五種遺規」（初版刊於乾隆七年，西元一七四二。）雖則出版了二百多年，但至今還擁有許多讀者，版本也有好幾種，當時各省都有翻刻，香港早幾年，也有木刻本和鉛印本，即以上海商務印書館一家而言，宣統辛亥年有鉛印線裝本，到民國十八年六月已銷了第三版，廿三年十一月又印出國難後第二版。平均幾乎每年翻印一次。也可說是相當暢銷的書籍了。五種遺規的遺序是：

（一）養正遺規，（二）教女遺規，（三）訓俗遺規，（四）從政遺規，（五）服官法戒錄。（四）

自由報
內警僑合報字第〇三一號內銷證
THE FREE NEWS
第一三九期
中華民國僑務委員會頒發
台僑新字第三二三號登記證
中華郵政台字第一二八二號執照
登記為第一類新聞紙類
（半週刊每星期三、六出版）
每份港幣壹角
台灣零售價新台幣貳元
社長：雷嘯岑
督印人：黃行富
社址：香港銅鑼灣高士威道二十號四樓
20 CAUSEWAY RD 3RD FL
HONG KONG
TEL. 771726　電報掛號．7191
承印者：田風印刷廠
地址：香港灣仔高士打道二二一號
台灣分社
台北市西寧南路壹壹零號二樓
電話：三〇三四六
台郵撥儲金戶九二五二

從核子戰事談反攻大陸

郭甄泰

反攻大陸為我國之國策，彈丸小島不能作長治久安之大計，凡此均為全國軍民一致之認識，無人予以置疑。故反攻無望論者，必致遭受責難，視偏安局守為滿足者，亦將遭受唾棄，何則？六億五千萬大陸同胞水深火熱，二千五百萬海外孤臣孽子國仇家恨，不忍不救，不能不報，凡有背此國策人心之言論與行為，均為中外所共憤，人人所不容也。顧反攻雖為全國軍民所盼望，但如何反攻？何時反攻？則為一般人民所焦慮，殊自民國四十七年「中美聯合聲明」我國不以武力為反共救國的唯一手段後，一般人民更為失望，蓋事實固須兼顧，但國策則必須執行，人心更不能違反也。惟由另一方面觀之，現在軍事科學日益進步，核子戰事，尤屬令人憂懼。美駐聯合國首席代表史蒂文生於五月十七日稱：「中共有成核子力量之勢：中共擁有核子武器之後，情形如何？全球人士對此擔心……」。近據日本及美國之報導，關於中共核子消息亦有數則：

（一）日本農業科學家矚島陽一稱：「中共之原子研究計劃，現已進步能製原子彈之階段，在北平之一間物理研究院，現在裝備二千五百萬伏特電力之「亞爾發加速器」以及在農業及其他方面，大量使用輻射同位素……余非目擊其事，惟余獲悉，如果當中共希望要製造核子武器時，彼等可製造之」。

（二）據美國高等科學學會年會今日透露之消息稱：「中共在核子物理學方面已獲致重大進步，並可能在短期間爆炸一枚原子彈或放射一枚火箭……迄今為止，已知中共共有四座核子反應器，而該等反應器並為生產原子彈燃料而興建者。惟秘密核子燃料生產反應器，可能已經存在。」（四九、一二、二六、合衆國際社電）

（三）日本某報紙稱：「日本政府已由高級軍事情報顧問人員告知謂：「預料中共將於一九六三年以前爆炸其第一枚原子彈……但該枚原子彈將係一項粗製品，在軍事上將無多大之重要意義，日本政府會獲悉該枚原子彈將不能作為一項有效武器而活動，直至約在一九六五年為止。」（五十、四、一二、合衆國際社電）

（四）據一家通常反映政府見解之日本報紙今天稱：「中共可能於明春以前擁有一枚原子彈」（五十、五、八、合衆國際社電）

根據上列各項消息，可知中共匪幫在最近之將來，可能擁有一枚原子彈，似已為接近事實之推測。

吾人係以反攻大陸為國策，對於此等消息，自不能隔岸觀火，視若無睹。因此對於反攻大陸之時機，反攻前之準備，及反攻時之戰略與戰術，均須重新檢討，以便應付將來之局勢與變化。

一、核子力量之影響

核子威力，極為驚人，美國在日本廣島、長崎投下之原子彈，其威力為二千噸「TNT」，據較早之報告為被炸者四十萬人，死亡者二十五萬人。據最近美國實地調查，則謂廣島方面被炸者十四萬四千人，其中七萬九千四百人死亡，長崎方面被炸者五萬一千七百七十人，死亡一萬五千二百二十人，惟此項數字係指平民而言，如合軍人死亡數字計算，則估計死亡約為二十五萬人，似不致相差太遠。現在氫彈發明，其威力係以百萬噸為單位，即一單位相當於一百萬噸「TNT」爆炸時的威力。約為投下廣島原子彈威力之五十倍。估計蘇俄的巨型洲際飛彈，可以配備七百萬噸級至八百萬噸級的氫彈頭，美國戰略空軍司令部的六百架長程轟炸機，每架飛機能攜帶兩枚氫彈，其威力共較長崎型原子彈大一千倍。「阿特拉斯」越洲飛彈，每一枚亦均可摧毀像莫斯科那樣大的城市。現在美蘇各擁有五十枚越洲飛彈，三年以後將各擁有三百枚之多，據美國國防部電腦計算機科學計算之結果，三年後核子戰發生，如蘇聯先動，美國一億九千萬人口中將死去一億八千萬人，蘇聯二億二千萬人口中將死去五千萬人，假如美國防禦得法，報復力量損毀稍小則美國人民將死去一億一千萬人，蘇聯人民將死去七千五百萬人。又如美國先動其轟炸目標，兩方又均以軍事目標為限，則美國將死去三百萬人，蘇聯將死去五百萬人。故將來核子戰事之結果，實屬不可想像。因此有人推測，假如第三次世界大戰發生，整個世界，包括全地球的人類，將面臨末日，似非毫無根據之論。假使中共擁有原子彈，遠東各國均將受其威脅，據本年五月八日東京合衆國際社報導一家通常反映政府見解之日本報紙社論稱：「……吾人之領袖前首相岸信介及現任首相池田勇人，均會不斷表示無意以核武器裝備日本自衛軍，亦無意容許美國核子武器配置於日本……惟倘中共取得原子彈，則日本政府欲繼續拋棄核子武器，將感日趨困難。」可見日本已有在中共可能之核子威脅情形下放棄消極政策之意。史蒂文生謂：「蘇俄有若美國，不論是否擁有核子武器，均屬強國，蘇俄願另有核子國家出現而使本身之優勢減少否？此為蘇俄不久即須作一決定之重大問題。蘇俄如有頭腦，余認為可能會就真正裁軍方案與吾人合作。余祈求事實可能真會如此。」軍事評論家鮑爾斯說：「中共如亦有核子武器，無疑的將在亞洲產生震撼的波浪，甚至華盛頓，亦感覺得到的」，足徵美俄對於中共將擁有原子彈一事亦甚憂慮。蓋中共匪幫如有原子彈，將來亦可能擁有氫彈及長程飛彈。中共匪幫如以大陸西藏為長程彈道發射基地，向美國發射飛彈，美國現在之雷達警報系統即無法測出。同時中共匪幫如有長程彈道飛彈，只需對美國與蘇俄發射出數幾枚飛彈，美俄均將以為係對方所發射，而向對方實行報復，足能挑起一次世界大戰。因此美俄可能互相摧毀，而中共則可比較的不受損害，故不能不特別為之關心也。吾人係以反攻大陸為國策，中共匪幫如有原子彈，則反攻大陸，勢將冒燬滅之危險而陷於不可能，影響之大，不言而喻。

二、反攻之時機與準備

現在大陸猶如活地獄，災患頻仍，餓殍遍地，糧荒嚴重為百年來所罕見。全國耕地畝數約九億畝，受旱魃災害，其中四億畝，完全失收，河北、河南、山東、山西四省被災耕地約佔百分之六十以上，沿海各省，廣東、福建、江蘇、山東及東三省各地先後曾受颱風襲擊十一次，洪水為患，並有蝗災，五億農民，水深火熱，引領待救。美國著名報紙專欄作家柯爾索報導稱：「現有一種日益增漲的跡象，顯示必定有數以百萬計的中國人，不久即將死亡，——而結束其可憐的生存。因他們現在生活在飢餓與困難中，這種情形，結果可能引起消極的怠工或者可能引起革命。」旅港人士於五月三十日上電總統亦謂：「今日大陸情勢發展，正對共黨給予嚴重威脅，而我軍事反攻，弔民伐罪，正其時也……」籲請早日反攻大陸。故現在及將來一年間實為我國反攻大陸的最好時機，捨此不圖，後將無期。尤宜從速加緊準備，以免因循貽誤，坐待宰割。

「現在中共之陸軍約有二百一十萬人，計分為一百六十至一百七十個師，此數包括十萬人之防空部隊在內」（五十、四、一二、合衆國際社電）海軍據美國太平洋反潛艦防衛司令達治海軍中將稱：「中共擁有世界上第三最大潛艇艦隊，比諸現役之英國潛艇艦隊還大，中共已由蘇俄方面獲得二十餘艘新型潛艇」，共為二十五艘。空軍擁有伊留辛廿八式中型噴射轟炸機四百架，大部份駐於華中。據我國情報消息最近稱：「中共擁有戰機三千架，其中一半為噴射機。」（五十、三、十二、合衆國際社電）。現在如談反攻，即須以武力反攻，其他反攻均係空談，因此，對於中共軍事實力如何，必需作一次確實之估計，在進攻時第一須摧毀其空軍，——特別是轟炸機。（下轉第二版）

小天地

△日內瓦「十四國會議」宣告重開，英蘇再獲妥協。寮共破壞停火已無人置問。

這是西方國家在「震怒」以後應有的「依戀」。

△寮國親西方總理稱：寮將於三個月內赤化。西方國家已閉着眼睛，成為共黨的同謀者。渠已答應參加共方邀集的聯合會議。泰國當局亦表示：盟國友人支持共方的意見遠過於支持泰國。

「離心離德」之兆已萌。美國已在心理戰場上用自己的手擊倒自己。

△美新聞界透露：赫魯歇夫在「維也納會議」一貫表示，東西方各項問題並無可談，如要解決，只能依蘇俄之意而行。甘迺廸並未將會議黯淡實情完全揭佈。

怪不得甘迺廸背痛復發，要用拐杖支持才可走路了。

△赫魯歇夫宣佈：蘇俄在六個月內不與東德訂約，東西德應在六個月內妥商解決方案。西德總理阿登諾已予拒絕，發言抨擊赫魯曉夫。

他祇要這麼說說，西方又要在六個月大傷腦筋，主動與被動之別在此。

△美國承認外蒙政權似在必行，自由中國反對聲浪繼續增高。

留心研究西方巨頭們的談話，可看到由甘迺廸到阿登諾，近來都在憧憬着中共與蘇俄的公開分裂。他們要走的路子，已和我們愈離愈遠了。

△赫魯曉夫發表演說，罵阿聯總統納薩敵視共產主義。

「要盧布不要共產主義」，這當然也是一種手法，但事實並不容易玩得好。赫魯曉夫在表面的責罵，和在暗裏進行的滲透，必定巧妙地配合着。

△英前首相艾登，近再呼籲西方團結，並建議成立「政治參謀總部」，對付共黨日益增強的威脅。

由艾登越來越焦急，看到杜魯門越來越沉默，可以意會到西方過去的政治巨人都有「不妙」之感。

方南

自由讀

關於選舉

馮五先生

談到選舉制度，人皆以無記名投票方式，為最合乎民主自由精神，理論很對。但在今日我國的政治社會中，只見其醜態百出而已。

醜態之一：既是選舉，即有名利關係，能夠撇開爭名奪利的觀點，一是皆以選賢與能為本者，雖不敢說是絕無，然可肯定其為僅有，而這僅有的鳳毛麟角人物，必不為大衆所贊許，且視為迂腐不合時宜。如是乎，其始也阿貓阿狗皆要以候選人自仕，裝腔作勢，張脈僨興，所謂才學聲望，皆無一顧的價值；其繼也擇肥而噬，出賣人格，拿着一張選票到處叫賣，待善價而沽之，或藉以攫得財物，或乘機獻媚權貴，一票而預售給若干買主，多方示惠邀功者比比然。名我所欲也，利亦我所欲也，二者不可得兼，唯利是圖矣。

醜態之二：由於無記名投票之故，競選人總是自己投自己的票，恬不為怪。因而有些選舉情形，候選人只有獲得一票的記錄，或者選票清一色集中於一個候選人身上，沒有次多數。這都是證明自己選投自己的無聊行為，真是所可猜也，言之醜也！若謂選舉法規並無不許自選的明文限制，即不妨自己選自己，然則若干明文規定的禁例，如不計舞弊賄選等等，何以又形同具文，沒人遵守呢？尋法律漏洞以徇私，此莊子「胠篋篇」的義理，法律亦被竊盜者負之以趨了！

往時對於古人垂示「人慾橫流」這句話意，不甚了了，看到今日所謂民主自由的選舉情況，為之恍然大悟，驀然警覺矣。衰世的人心，必然處處表現着人慾橫流的景象，而人慾橫流的結果必然天下大亂，互為因果，如響斯應。職是之故，我乃本諸被譏為腐敗低能的思考，篤信儒家注重「克己復禮」，「有所不為」的做人條件，確乎關係政治社會的隆汙前途，至為深鉅，誠想想：人而至於無所不為，寡廉鮮恥，政治何由清明，國家那有不衰敗之理呢？

說句招怨挨罵的話，現代中國的知識份子，大多數還不配談真正的民主自由生活，信不信由你！

公論報復刊的前前後後

——李　華——

台灣通訊

公論報六月一日復刊了！

這一張多災多難的報紙，確實嚐盡了「人間苦辛」！傾軋、禁售、停刊復停刊，改組又改組，正如數十年來國運的縮版！

公論報官司自去年變方法庭相見後，一直成爲報紙上注目的新聞，也是各方所關注的事件。一審判決李萬居先生敗訴，代表「公論報股份有限公司」的張祥傳先生隨即繳足了四十萬元的担保金，則可免於假執行；當初李先生採取觀望態度，甚或有意將公論報官司變爲「政治問題」，繼而瞭解這是「法」的問題後，四處張羅，最後竟申請法院准予以有價證券代替，而仍不能湊足二百萬元或與二百萬元同等價值的有價證券。地方法院民事執行處在一段時間中，曾一再命令李萬居交出報紙登記證及圖記賬册，但爲李氏所拒，乃演出一幕查封李氏辦公桌的鬧劇。迨拖到二審，高院民事執行處即宣告內政部發給的那張警台京報字第三三號登記證無效。原告方面根據了這份通知，向內政部申請補發，直到五月十五日下午六時，才拿到了警台報字第〇九一號一張新的登記證。

自從公論報訟案演出後，見諸新聞的主角，一方是張祥傳，另一方一直是李萬居。張祥傳是國民黨黨員，所以一些人總認爲這是國民黨在玩什麼把戲，可是，這張新登記證上的發行人却不是張祥傳，而是青年黨人士蔡水勝。

蔡水勝這位青年黨籍的台北近郊松山區的大亨，說來他本是公論報原始創辦人之一，當年曾和李萬居携手合作，爲這張多災多難的報紙斬荊披棘，出錢又出力，其間並曾担任總經理之職，後來終於與李萬居意見不合而拆夥。這場官司打了一年多，實際上都是由他負責任的，張祥傳只不過出個名義罷了。而策劃這場官司的，又是曾任公論報記者，與李萬居鬧翻，在報紙上大登啓事，論功行賞，現任公論報採訪主任的林克明氏；林氏閩南人，復刊後的公論報人事上的安排與版面的配當，都是出於他的傑作，有一位編輯先生對於他這一手，頗不以爲然，認爲：「尚不能登大雅之堂」？

復刊後的公論報，張祥傳爲董事長兼社長，蔡水勝任發行人兼總經理，總編輯爲黃星照，編輯部人員大多爲原班人馬，另延攬了少數新人。社址在南京西路三一三號張祥傳新建的大樓四樓上，印刷機是租用聯合報的。篇幅每日出版兩大張，版面一模一樣的做聯合報。據該報一位負責人稱：「在六個月內，社會新聞要趕上聯合報，經濟新聞要趕上徵信新聞。」可是這一週來，新聞圈內的朋友們都認爲該報的內容，版面、編排、標題等方面，如果要想趕上聯合、徵信的話，還得要加倍的努力，否則沒辦法跟人家爭高下呵！

在台灣出版一張報紙，如果銷路不能維持在一萬份以上，那只有啃老本，公論報在短期內要想突破一萬大關，恐非易事，這樣無底洞的貼下去，現有的資金殊難支應，唯有指望銷路來撑持這份「危局」了！

公論報的官司還在上訴之中，一時恐難了結，現在的股東多已不願意再行增資，而招募新股，則以公論報雖然在「法」的立場上可以勝訟，然這裏面多少仍意味着一些「政治問題」之故，似不易如願以償。

李萬居先生的態度呢？從他在公論報復刊發表的書面談話：「萬居悲憤之餘，誓以有生之年，不計任何犧牲，決心爲爭取民主憲政，法治和言論自由，繼續奮鬥到底，一息尚存，此志不容稍懈」看來，似乎不甘從此罷休。過去曾挽請青年黨陳啓天先生從中調解，但未能協議，迨黃星照出任總編輯後，黃氏爲陳氏之同黨友好，自己人既然插足其間，也就沒有先前的那樣起勁了！

現在倒是國民黨有意促成雙方的和好，這其中當然另有你知我知的因素存在。一俟時機成熟，公論報的現狀又將改觀，結局可能是李萬居任董事長，蔡水勝爲發行人，張祥傳任社長的「三足鼎力」，「平分秋色」的大團圓景象。

香港與大陸

△據廣州來信給此間的友人函內稱：由六月一日起，海外僑胞接濟大陸親友的糧食，已由中共規定不予收轉，這一消息刻尚未予證實。茲將該函摘要錄後：

「還有，我叫您買拖鞋，現在你不要寄來給我了，因爲現有規定由六月一日起是不能寄的了，所以您不要寄了。油方面也可能是不能寄，而您寄來是沒有用的，是大大浪費的。」

△早在三個月以前，即有此項消息，謂中共將拒絕收受此類糧包。惟香港僑胞基於接濟親友之義，仍然節衣縮食，按月照寄。近有一友人接得其湖北籍家人來書，稱已有兩個多月不曾收到任何糧包，而事實上，這兩個多月中，該友人確已寄過兩次糧包回去了，內幕如何，此刻尚難明瞭。

△雖然如此，而香港的代寄糧包商店仍然時有開設。商人志在牟利，至於寄不寄得到，他們一概不管。

△一方面說大陸不予收受，另一方面，香港僑胞一樣照寄。沒有任何一個機構可以解答這種問題，本諸人道主義，香港僑胞們亦惟有盡其在我而已。（田）

別開生面的創造

台北通訊

人類是創造的動物，現已創進到太空時代了。自有了人類固然創造了許多奇蹟，但也創造了不少惡蹟，增加了不少災害。說得漂亮點是名之曰創造，說得不中聽的話，則名之曰「別開生面」；再說得等而下之，則名之曰「出洋相」。茲舉近日二三近聞爲例，便可概見矣。

不久以前有一對新婚夫婦，舉行了一次別開生面的「空降結婚」式，五月廿八日，由台中北上三〇〇二次快車上，出現了一次別開生面的「結婚特別快」，一對新人，由家人陪同登車，在火車行駛途中舉行婚禮，尚請該次列車車長爲之證婚，此一別開生面的旅行結婚「特別快」，不僅爲鐵路帶來喜訊，同時也傳爲佳話。

有北投國校女教員李月娥，也不甘後人，她竟也創造了一種「撞頭教學法」，學童有不聽教訓者，輒命自行將頭在牆壁上撞一百次，而還要碰得發聲，否則不算。這次她便要想創造一種「撞頭教育哲學」，命令一位年僅八齡的學童林淑華，在牆上碰上一百次，不料這可憐的孩子竟因此而致嗚呼哀哉。此一別開生面的體罰方式，眞是聞所未聞，正如某報所說「可以申請專利」了。

世風不古，藝術不及肉吃香。廿七日，在台北市衡陽路新聞大樓上舉行了一次別開生面的創造畫展，名之曰「絲綴畫宅第一屆人體畫展」，在兩小時的時間內，居然將四仟張入場卷搶購一空。這一畫展是以一位做過多年模特兒的少女爲對像，以她的體態爲展出作品的「藍本」。這位模特兒身體健美，最宜上畫，故一般觀衆趣之若鶩，多想一窺堂奧。想不到入場劵供不應求，有未能一睹爲快者，紛紛請求延長閉幕。其實這麼多的觀衆，有爲人體藝術而來者有之，而大多數人們是去賣畫還是賞人，那只有天曉得了。

在人們都競相創造的社會，有一位年逾知命的老頭兒，也不甘示弱，他也來一次創造，其名曰「風流高利貸」，以二千五百元借給一位廿二歲的少女，雙方訂定合約，以倆人同居爲抵銷利息作條件，結果女方償清債務，準備另作高嫁，不料老頭兒食髓知味，竟不肯踐約，堅不讓賢，後來經過大甲鎮民衆服務站的大力講解，始行讓出。高利貸余常聞之也，以債務人同居抵利息，則吾未之聞也。

小老百姓多創造奇蹟，惹得我們那位欽差大臣，馬步芳大使心中「好不耐煩」，他來創造一個「十星上將」的頭銜（十位夫人），更創造了反常的大使伯伯逼姪女爲妾的醜惡作劇，再創一個全権大使要活埋參事的惡蹟。

人類貴創造，最願舉雙手贊成，但像這樣的創造，可就不敢恭維了。

燕　謀

從核子戰事談反攻大陸

（上接第一版）

第二須毀滅其海軍——特別是潛艇，第三須消滅其陸軍之主力，特別爲核子武器，凡此均須有相當之準備及實力，方能以完成戰果，達到目的。

現在我國陸軍兵力約爲六十萬人，在台灣海峽，與中共對峙的兵力「大致與中共相等，即約在十個軍左右，裝備業已現代化」。「海軍三萬二千人的訓練不停，而且在補給金馬的行動中，獲得再訓練」。空軍則「其水準比任何國家並無遜色，可美國的空援部隊，隨時迅速移駐台灣的大型而良好的飛機場。」照費爾特上將的軍事觀點：「台灣雖然有海陸空的威脅，但在反共力量方面言，實已達理想的磐石程度」。因此，在採取守勢方面言，台灣猶如金城湯池，實已無懈可擊。惟如以言反攻，我政府負責人固曾迭言「反攻準備」，甚至「反攻準備業已完成」，但在事實上，仍尚須完成下列各項準備：

一、增加轟炸力量。我國空軍攻擊力量不強，其原因即爲轟炸機數量太少。美國現有二千架戰鬪轟炸機，遍佈於海外各基地，另有四百架隸屬於第六艦隊（地中海）及第七艦隊（遠東）。此兩千四百架飛機，皆可發射原子武器至蘇俄與中共腹心，在平時我方因有第七艦隊之屏障，中共不敢冒然蠢動，但反攻時，則不能倚賴友邦空軍之協助。故我方之轟炸機羣，必須增加，否則無法摧毀敵人之空軍力量及重要基地，僅以步兵進攻，在中共空軍轟炸機威脅之下，無法作戰。

二、增配原子炮。據某項消息指出，「在大陳撤退以前，蘇聯可能已撥給中共原子炮十餘門」。現在台灣海峽基本武裝狀態業已核子化，採取守勢時，因我方有美國太平洋區域以內的核子海空兵力，原子炮，及對空勝利女神飛彈，防衛力量，堅若磐石。反攻時，美國如不予以支持，我方僅有普通武器，勢難佔領灘頭陣地，勝利進軍，故每師應增加個人携帶發射的原子炮一門以便以少勝多，破壞敵人人海戰術。緣此炮頂端載有原子彈頭，係美國最近發明，可裝在小型吉普車上，由一人獨駛，「在戰場如有二門這樣的原子炮，其威力可等於韓戰時期最大規模的炮戰」，我國陸軍每師如有一門，則攻擊力量，即可所向無敵矣。

三、充實普通武器。普通武器如坦克車、重炮、步槍、機關槍，與裝甲車，現在仍爲戰場上之主要武器，另如平射炮，對空飛彈，（霍克），亦極重要，均必須儘量充實設法增加，以期進攻時之火力及防禦力量均能增強。

四、解除中美聲明。關於反攻大陸，需要美國物質後勤及精神上之援助，但中美兩國，在四十七年曾有中美聲明，中國承諾「不以武力反攻大陸」。在反攻前亟應商請解除俾能熱烈同情並支持中國人民與國民政府之反攻。

五、準備大批糧食衣服醫藥。現在大陸六億五千萬同胞，約有四億人瀕於飢餓死亡之邊緣，民衆因長期饑餓和缺乏營養多，患浮腫等疾病，無法治療，死亡枕藉，反攻王師弔民伐罪，應準備大批糧食衣服，醫藥，並呼籲各國儘量捐助，於佔領各地時，隨時發放各地難民予以救濟。如此人民望風響應，揭竿而起，打擊共幹，中共匪幫勢力定必迅速崩潰無疑。

七、團結人心，集中力量。反攻大陸爲中華民國生死存亡之戰爭，勝則收復華夏，建設新中國，爲子孫謀幸福，爲世界貸和平，敗則全國軍民，萬劫不復，受共產奴役，死無葬身之地。必須全國人心一致團結，勇敢猛進，人自爲戰，肝腦塗地，死而無悔，始能成功。故團結人心，集中力量，實爲反攻前之要圖。措施應如下：

（一）舉行救國會議，訂定反攻復國綱領，以表現舉國團結一致之精神。

（二）宣言反攻勝利後，澈底實行憲法，以示天下爲公。

（三）健全立法院憲法上之地位，以示政府尊崇憲政之體制。

（四）杜絕以命令變更法制與法律之行爲，以崇法治。

（五）全國國民工作權，不分黨籍，一律機會均等。

（六）嚴懲貪官污吏，實行廉潔政治。

（七）遴用各方人才，唾棄小圈子主義。

（八）言論自由，非依法不予限制干涉。

（九）鞏固領導中心，組織舉國一致之內閣。

（十）舉行大赦，釋放可釋之罪犯。

上述準備如能一一實現，則人心振奮，國際觀感一新，王師一出，應天順民，得道多助，摧枯拉朽，指日可待矣。

現在世界到處均有熱戰或冷戰，但均係次要問題，最重要者，仍爲協助中國反攻大陸。中國反攻大陸成功則東南亞大小十餘國既可互慶昇平，剛果，古巴，寮國問題亦均可迎刃而解。否則頭痛醫頭，痛醫脚，不定時炸彈遲早會發生爆炸，人類浩劫終將不能避免。而就吾國言，偏安等於慢性自殺，守株無異服毒，時不我與，匹夫有責，願我全國人士亟起圖之。

談烟禁

磊庵

再說績溪胡傳鐵花，是胡適博士的尊翁，他於光緒十九年，以江蘇補用知府，奉調台東州知州，所著之台灣日記與稟啓一書中，關於烟禁的記載很多，他其時兼統防營，因之大部份是觀察部隊的事實，尤爲不可多得之資料，如是年六月三十日，致張月樓軍門的信：「日來查點人數，接見各哨官弁，始知軍中吸食雅片烟者十居其九，前營十有六、七，左營尤甚於中營，月得餉銀，盡耗於此，皆形容羸槁，窮窘而無聊。」又同日致顧臬道憲信：「日來接見各哨官弁，查閱勇丁，不料吸食雅片者竟十有其九，所見更甚於所聞；又聞前哨染此者亦有十之六、七，左營更甚至於中營，不勝駭異，日夜籌思，似此情形，不可遽以顯揭，亦不能復相隱徇，官兵調無可調，勇丁亦汰不勝汰，將奈之何。現飛函以此實情告張統領，請代籌補救之法，免致聲揚，遺人嗤議，未知其能關懷否。卑職生平最惡此物，爲我公所素知，今所部屬皆嗜此之人，如水火冰炭之不相入，固不待言，千數百人好之，而一人獨惡而欲去之，其勢甚難，其機甚險，亦不待言，留之則無用而徒糜餉項，汰之而不能資遣回籍，必留爲地方之患，爲厲之階，誠不知伊於胡底。」又七月卯十日復張協戎蕊卿信：「貴營弁勇吸雅片者亦十有七、八，不勝焦灼，後山自光緒十四年以後，藉君家統領大哥威名，鎮服凶番，無有戰事，各營得享安居之福，遂逸則思淫，各陷溺於烟毒之中，迷而不悟，壯士變爲癯怯，鉅餉化作灰塵，以至如此之甚，此軍營之極弊，天下十八行省之所絕無而僅有者也……弟已兩次稟請撫台，重借君家統領大哥暫行來此，汰去此輩，以免自累，而竟全功，實爲上策；日來急急簡汰癮深者，而責令淺者速戒，作此迂緩之計，實具萬不得已之苦衷，而來教以爲汰之不可，禁之不能，另募壯健，亦必仍染烟毒，則是後山營勇，非長令烟鬼充當不可也，此乃駭人聽聞。」（二）

談懂事

汶津

懂事這個複合詞，是表示一種修養，同時也暗含着先天稟賦在內。懂事並不是知識的從兄弟，倒是智慧的芳鄰。雖然較多的知識必有助於此，但一個大學生可能還不如一個目不識丁的鄉姑那樣通情達理。因爲懂事與狂妄往往是對立的。許多半瓶子醋的知識份子之所以可哀，也就是難逃後者的緣故。

最近好來塢新片「歡樂春假」（Where the Boys Are）中，四位女大學生共往沙灘渡假，在與男友交往的過程中，可以看出只有桃樂絲哈特所演的那一角最懂事，也最有情韻。懂事是一種美德，一種可愛的光輝，在熱戀期間的少男少女，尤其會體察到它的可貴。所以我覺得中國的年青人如果能好自運用自由的擇偶方式，他們所享的愉悅將遠過於西人動輒交換觸覺的作風。

操刀而割的兇手，攔街「接」吻的暴徒，都未免太不懂事了，「王有」「王道」是最近轟動台北的兩位大學罪犯，其中如王道，據說會與不少想來不甚懂事的女孩有過交情。喜看社會新聞的人，如果都能學些乖的話，那些席不暇煖，突不暇黔的記者們也不算白忙了。可惜社會教育終究只是一個名詞，惡習陋風，却如火燎原。眞担心中國人懂事的優秀傳統將在幾十年內泪沒了。

懂事也是欣賞的對象之一。吳魯芹在他的「鷄尾酒會」文中說到從盛會中逃離出來時，「我輕輕地將後門帶上，接着門又開了，一位裝飾自然是十分入時的小姐走了出來。她會意地笑了笑。我敢說我生平從未見到過那樣美，那樣懂事的笑。」這也頗有時勢造英雄的意味。實在說，眞能表現這一德的，正是尷尬或無可奈何的場合，如果在正常的情況下，人人舉止相同，便很難選擇寧馨兒了。

孤兒寡婦，除了少數的墮落者外，都是懂事最早或最深的人。七八歲的流浪兒也許已嘗盡人世滄桑，所以早熟的智慧往往降臨在他們身上，對於生活，他們了解得絕不比某些唯實是賴的老爺太太們少。與這種人爲友爲伴，都會獲益良多的。然則懂事又是一種生活的累積。

女子的懂事的確是一種深摯的美。紅樓夢裏的女子，除了小紅她們少數幾個，不論上下，在懂事這一點上，都是很夠水準的。就以平兒來說，爲鳳姐的丫頭，又充當璉的妾，週旋於一狼一虎之間，又要面對複雜的整個榮府，眞虧她小小年紀，忍辱含淚，不負命運所託。她是中國文學中的一個不朽的典型。完美得甚至讓人懷疑其眞實性。日本女性也以夫唱婦隨，溫柔忍讓著稱，當然也是懂事的居多。但日本女子似乎比較欠缺顯著的個性。而懂事的意境，沒有了個性的拱托，便不免大爲失色。我實在不贊同她們爲了博賢淑之名而放棄了獨立的自我。

孩子的懂事也一樣可愛。童稚氣地表現出有限度的懂事，使人爲之解頤。孔融讓梨，陸績懷橘的故事，不但善，而且更美。俗語所說的「乖」，一字便包羅了許多難以言喻的畫面。但童稚的可愛，須懂事的大人來欣賞。

有些粗暴的成人，對自己的子女一味厭煩暴怒，令旁觀者有如身受鞭撻。這世界的詩意也不知被這些莽夫否定了多少。

爲「懂事」下一個呆板的界說，未免是太不懂事的做法。可是籠統的想一想，那至少是一種合情合理的生活態度，與法無涉，但不違反法，與物無關，但不損害物。對他人來說，那是一種難得的會心或共鳴，是一種關切，一種終生莫忘的微笑，或者是一種隱忍的永恆的淚。

證據

——黑子——

科學愈昌明，社會愈進步，物質文化愈提高，生活水準愈上揚，而我們也愈感到人生之不可思議，道德觀念之淪喪，世紀末的悲哀，以及今不如昔的復古之感。

基於保障人權，維繫安定秩序，因而人類才制定了法律。俗語說：聰明反被聰明誤。人類的頭腦愈是聰明，有時愈受聰明之害。人類制訂了各種法律來約束自己，有時却也拘限了自己；鎖緊了好人，然而也放過了不少壞人；尤其放縱了那些有金鈔特權殊勢和高居顯位的人。

其實，好人用不着嚴峻的法律條文來約束他們，好人自是好人。而嚴刑厲法却也並沒有懲治了幾個壞人，壞人始終是壞人；於今且尤有日甚一日，猖獗不已，世風急下之勢。法律不但未能約束他們，制裁他們，尤足令人歎息的是，藉着法律的漏洞，更加增長了他們爲害作惡的狂飈。法律要的是證據，由於沒有證據，失去證據，或被滅絕了證據，好人也會奈何不得，無可挽回地遭受損害，而壞人却可坐享其利益而逍遙法外。這是法律上的漏洞，社會上其他的種種漏洞尤其多多，而且彌不可補，永遠存在。

我欲遠遊而無通行證，行不得也；我欲移居月球而無法取得護照，此路亦屬不通；一切均須惟證是據。似乎只有走進墳墓之一途，可以暢通而無阻，不必取得誰何之許可與證明也。

瘟君續夢

第一回：捲土重來，瘟君尋舊夢　投袂而起，小醜鼓雄風

鄧穎超的脾氣毛澤東也曉得，所以周恩來提起錢瑞，他就追問是不是鄧穎超的乾女兒，結果在大家一笑聲中算是通過了。

周恩來佔了上風，又繼續問道：「何香凝調人代常委會任副委員長去了，僑委會主任挽誰呢？」

這一次劉少奇學乖了，恐怕周恩來乘機又把史良頂上。連忙搶着說：「就換廖承志算了，本來僑委會工作就是他作的，何香凝不過掛個空名，現在母去子繼，十分順理成章，何必再找別人。」

劉少奇一番話說得十分冠冕堂皇，加上廖承志本來是周恩來的人，他也就不好再說什麼？不過，周恩來還是想替史良爭個位置，又陪笑向毛澤東說道：「史良的司法部長不作了，還是能予一個適當照顧才好，當年替我們出過死力的七君子，李公樸、鄒韜奮死去，王造時報廢，沈鈞儒朝不保夕，只剩下史良和沙千里兩人有個實缺，現在史良又落了空，我們今後還想利用海外一些商人、政客擴大統戰工作，對於從前出過力的人，應該好些。」

毛澤東歪頭看看劉少奇，問道：「部長級的幹部免了職，應該怎樣安置，以前有過例子沒有？」

劉少奇笑道：「給她一名人代會常委就是了，以前馬叙倫高等教育部長不作了，就是這樣安排的。」

朱德苦笑道：「這種半拉門子女人也向人代會送，人代會不簡直成了垃圾堆了嗎？」說的大家都笑了起來。

忽然毛澤東想起一件事，問道：「國務院副總理要不要增加兩個人？」

周恩來陪笑說道：「副總理的名額本來沒有固定，最初是十人，後來加上聶榮臻同薄一波兩位同志，就變成十二人。主席現在預備加誰，再添兩個也無所謂。」

毛澤東道：「譚震林同志目前沒有政治上的職務，叫他去担任一名副總理好了。」

毛澤東提起譚震林，周恩來雖然有點不快，也不敢拒絕，加之譚震林本人就在座，誰也不好意思反對。自然就通過了。

毛澤東所以提出譚震林也有一個內幕原因。譚震林是湖南人，在井崗山就是毛澤東的死黨，後來朱毛率大部共軍北竄之後，留在江西的殘餘一股，由項英負責率領，譚震林也被留在江西任政治保衛分局長，主管當地的特務工作，瑞金後面的萬人坑都是他一手作成，毛澤東對此頗爲欣賞。這次倒毛運動，譚震林雖然徘徊於毛劉之間，但是總還堅守住湖南的立場，最後發動調解毛劉意見的也是他，所以毛澤東要安置他一個行政工作。（十二）

岳騫

徵稿小啓

有內容有意義之隨筆、散文、掌故、小說、雜感等類文字，本刊均所歡迎。請用有格稿紙繕寫，如需退還，請附信封及郵票。一千六百字左右的隨筆，比較容易刊出，過長則以篇幅所限，請特別留意。

梨園漫談

鵬程萬里

——瘦西湖——

大鵬在英倫敦杜魯巷劇院作首次演出時，該晚所到的來賓，計有英政府高級官員，國會議員，外交官員，以及當地聞名的男女電影明星，及各大報的劇藝評論家，英國當時財政大臣彼德，桑尼克勞甫脫也在座，並且曾親到後台向演員們祝賀演出成功，此外，在場的尚有英國名劇人卓別林，及影帝勞倫斯，奧立佛•費雯麗等，這天的戲碼是「小放牛」、「斬顏良」、「大泗洲城」、「三岔口」、「拾玉鐲」、「巾幗英雄」等。

正當大鵬在英鑼鼓喧天之時，中共的駐英代辦處代辦秦匪加林忽於九月十日公開發表「聲明」，指責英國政府當局破壞『中英友誼』，並且誣蔑我國劇團還負有某方面的「陰謀使命」，自這則「聲明」發表後，不但絲毫沒有影響到大鵬國劇的聲譽，相反的秦匪加林還受到英國與論界的責斥，這一點，大鵬無形中爲國家爭回了不少面子呢！

大鵬自此演出之後，倫敦各報，包括每日郵報，標準夜報，新聞日記報，夜報及新聞記事報等，連日均以巨幅的地位來列載我國劇團的動態，並附有各男女演員的劇照，其轟動之熱烈，受到各界的讚揚，據稱：這係倫敦有世以來的紀錄！當然，英國女皇的加冕典禮例外耳。

九月廿九日，倫敦各界的華僑聯合設宴歡待大鵬全體人馬，這是國劇團來歐第一次集體參加的社交活動，僑胞們爲了要使大鵬職員有賓至如歸之感，特假倫敦中國人所開設的「長城飯店」內舉行，席間除賓主盡歡而外，而且還在飯店內所掛的「萬里長城圖」前，把岳飛所作的滿江紅詞，大家慷慨激昂地從頭至尾合唱了一遍，彼此互以「待從頭收拾舊山河」相勉。

國劇團自抵英上演以來，接到各地戲迷如雪片飛來的信件，猶如山積，概略計之，至少也有數萬封之多，其中除部份是向演員們索取照片外，大多是對各演員的演技及服裝道具等備加讚揚。而戲的方面受到各界注意的，是徐露主演的「天女散花」，及「巾幗英雄」等。

十月十日國慶節，由於我國劇團在倫敦演出，使華僑慶祝雙十節的情況大爲生色，而且也顯得特別熱鬧，國劇團爲了和僑胞們共同慶祝起見，當夜貼出該團看家戲招待各界，該夜除到有英國數百位朋友外，尚有與我保持外交關係的代表團首長，以及中英文化協會，自由中國之友協會等人員在內也。（四）

劉璈治台史事

·李仲侯

又例載戰國徒以出示禁絕往來，則非實力封堵，與只派數船在洋面梭巡而無定所者，亦不作封堵論，今台灣沿海商民船隻不能，四通八達，若實力封堵，非有累百兵船不能。法艦犯台，統計不過十餘艘，其游弋台南安旗二口者僅一二艘，時去時來，渺無定所，其不合實力封堵之例四。又例載封堵敵國口岸，其勢衰弱，而不實力辦理，即作為廢弛，又載師敗作為廢紙，今法酋一敗於基，再敗於滬，屢戰屢北，於台南並不敢登岸交兵，其衰弱已可概見，各國應即作為廢弛，法人何得覬然封禁，徒礙通商，其不合實力辦理之例五，此五者皆法人自外於公法，原不應有封口之舉，而於各國通商有五礙者，只得更申論之，如通商口岸教堂洋行貨物商民所在甚多，案由中國竭力保護，今法兵偏欲攻犯商埠，作為戰場彼此槍炮相加，更何能分別某國某行某人，勢必至互有毀傷，保護不及，其各國受害商民，自應向法國索償，不與中國相干，即中國受害之處，亦應取償於法，因法人違例擅禁，偏擾商岸，其礙一。通商交涉，所欠洋行各欵，向地方官提追，今商封禁，原欠商民皆藉口於生計已絕，莫能歸還，且有遷徙他處，官中無可提追者，勢不能不概從緩辦，其礙二。通商口岸，以洋藥為大宗，台灣每年進口洋藥售銀計在四五百萬兩，法人封口，洋藥不通，會紳耆公請，從權劃出官莊，准民自種罌粟，照例納稅助餉，無礙民地五穀，免貽洋銀漏卮，言本有理，事又為公，地方官應准如所請，將來廣種，洋藥勢必禁銷，其礙三。中國各省通商口岸甚多，若盡如台灣，法人僅以數船虛聲，便聽封口，則何口不可虛言示封，恐各口商民均有坐困之虞，大為通商之害，其礙四。各國派撥兵船保護商民，原係公法正辦，令法船突來封港，中國官照例嚴禁探水引港接濟，有犯，立斬，各國兵船自不得與法船往來同泊一處，以避嫌疑，而免誤傷，惟護船離岸太遠，保護難周，若泊岸太近，法兵犯及近岸，中兵必盡力，開炮抵擊，恐有鎗炮誤傷，均不得歸咎中兵，其礙五。法人於公法既有五違，於各國通商又有五礙，要皆與中國無損，中國原不值與辯，只以臣歷奉保護友國商民之恩旨，今法人逞兵台灣，專擾商岸，俾各國未能執公法，以全通商之區；合官亦只能照戰例，稍謝保護之責，非不設法保護而勢有礙難，不得不先以直告，法兵現據基隆，基口原許封禁，此外各口應否聽一概虛言示封以及應否專攻通商口岸，以全友邦之處，應請旨飭令總理衙門，咨明通商和好各國，以申公論而顧大局」。（九）

名女人（十）

徐學慧

史載武太后（即武則天）以明堂失火，水旱頻仍，乃詔令天下不得屠宰，雖魚蝦之屬，亦在所必禁。時翼國公秦叔寶之子懷玉，新生一子，湯餅之會，不免魚肉，太后倖臣傅遊藝與杜肅二人亦參加宴會，宴畢，傅等暗將盤中餘下之肉餡包子一枚藏諸袖內，返宮向太后密報，太后微笑不語，即召秦懷玉至，出肉餡包子，懷玉惶恐無地，叩頭曰：「臣干犯明禁，該當死罪。」太后笑而慰之曰：「朝廷禁止屠宰，原為小民無端聚飲，殘害生靈故耳。至於吉凶慶弔所需，原不在禁內。卿父為開國功臣，且又年老，況老母在堂，喜得曾孫，湯餅之會，擊鮮烹肥，以資慶祝，理所宜然，豈朕所禁耶！但卿今後請客，亦須擇人。」因指傅遊藝與杜肅曰：「如此等輩，可不必再請也。」懷玉謝恩退，傅杜等亦羞慚無地，太后揮之使出。此段紀載，描述武則天之手段，令人如聞其聲，如見其人。由小可以見大，則武則天固非一純粹之淫婦也。

凡能在政治上成功之人物，必有其所以過人之處，倘武則天而為一蕩婦妖姬，則當日朝廷諸臣，何以俯首貼耳，而竟無人敢率先發難者。雖曰天命歸唐，周祚終不能久，第以一弱女子，而令唐代江山，天翻地覆，是亦未可等閒視之也。

至於性慾之強弱，有關各人天賦，不能強求，亦無法強抑。史載武太后在苑中置酒賞荷，微有醉意，乃着內監牛晉卿往召懷義侍寢，時懷義已晉封鄂國公，私藏少女，日夕取樂，聞太后有旨，不覺怒道：「此處嬌花嫩蕊，尚感攀折不暇，況枯藤老樹乎？汝且還宮，我當自來。」蓋此時武則天已近老年矣。

以枯藤老樹之年，猶須男人侍寢，此則非天賦，不能至此。武后身旁面首，不計其數，亦猶帝王宮中之有佳麗三千，原不足怪。或乃獨談其宮闈淫亂之事，則不免可笑耳。

隱語述趣

介人

由於說話的藝術，或者是遊戲文章的興趣，人們每每喜歡隱藏所要說的事物，却另借着意思相近的「隱語」表達出來。「隱語」包括「謎語」、「瘦語」、「歇後語」……以至雜體詩詞中的「謎詞」和「離合詩」都是。

「文心雕龍」說「隱語」始自魏代；「齊東野語」以為漢代始有；其實我國從古已習用「隱語」，左傳，國語韓非子……等類古書都有記載着。「世說新語」載楊修為曹操解答曹娥碑背上題字，「黃絹幼婦外孫虀臼」是絕妙好詞的「隱語」，孫覿也有詩說：「瘦語尚傳黃絹婦，多情好在紫髯翁。」

到了漢魏六朝，固然更加盛行。孔融作過一首「離合詩」，把「魯國孔融文舉」六個字隱藏着。及宋時，歐陽修也有過這種類似的「隱語」。宋祁和他一同編輯新唐書，宋祁每每喜歡用怪僻的字，歐陽修看了很不順眼，可是因為自己的地位比不上他，不便對他批評。有一天，歐陽修却開了一個玩笑，在門上貼了一副聯語：「宵寢匪禎，札闥洪庥」。宋祁看了，莫名其妙，便問是什麼意思。歐陽修說是「夜夢不祥，開門大吉」。宋祁聽了臉都紅了。

有一則關於酒肆的隱語，雖比不上漢宋人所作的隱語那麼典雅，倒不失幽默有趣，有一家賣酒，照例攙水，客人入座，夥計送上酒來，店主就心夥計忘記攙水，遂在後櫃，以「隱語」向之說：「君子之交淡如何？」夥計答道：「北方壬癸巳調和。」因為北方壬癸屬水，與君子之交淡如水相對，表示水已經是攙和了。殊不料客人也是懂得「隱語」的同志，聽了以後即拂袖而起，冷笑一聲的說道：

「有錢不買金生麗！」夥計聽了，趕忙攔阻客人，陪笑臉解釋道：

「客人有所不知，前面青山綠更多！」

所謂「金生麗」，與及「青山綠」，因為後面均隱有一「水」字，客人聽了伙計的解釋，果然坐下不走了。

至於晚近，則有浙人徐花農來粵任學政，携文案師爺黃某襄助批閱文卷，卷子看多了，把手也批壞了，眼也看昏了，簡直就是疲勞過度的病了。因此他想藉詩來發洩。他的詩每句都出自四書的，不過句末一字，他却不寫出來，妙就妙在不寫出來，而使人都看得出，詩曰：

「拋却刑於寡，
來看未喪斯，
只因四海困，
博得七年之，
半折援之以，
全昏請問其。」

他剛寫出以上六句，徐學台忽然來了，黃某為之惶恐失措，徐學台見到點頭微笑道：「很好，還有兩句呢？」黃答道：「我寫來玩的，還有兩句寫不出來了。」徐學台便拈筆，為他續上說：

「且待子游子，
棄甲曳兵而。」

這實在是妙文，原來黃某所說的「隱語係拋開「妻」來替人看「文」，因為「窮」，傳得一身「病」，「手」寫折了半個，「目」也全看昏了。徐學台卻告訴他道：等到「夏」天，便帶他「走」了，你看這不是富有奇趣的嗎？

另外聯語中亦有嵌入「隱語」的。康有為提倡復辟，深為士林所不滿，有人集成語罵他一聯云：

「國之將亡必有；
老而不死是為。」

這聯語可稱謔而虐，比諸賈似道逸老堂集句聯有異曲同工之妙。聯為：

「逸居無教則近，
老而不死是為。」

此不僅以「隱語」出奇制勝，且以俗為雅，一頭一尾均嵌入他們的名字。最後還有一首「隱語」聯，則為聯聖方地山送給妓女「來福」的，「來福」兩字，本來俗不可耐，而方地山乃以「隱語」製來，妙趣橫生，令人神怡。聯為：

「人皆惠然肯；
我則自求多。」

憶何雪竹上將軍

諸葛文侯

勦匪總部秘書長楊永泰閱及耿伯釗辭呈後，笑謂「我料到有此一着」，蓋楊氏當日與何、耿等一同在紀念週會恭聆總司令斥責鄂省大吏之訓詞也。他教我持着耿氏簽呈往唔何雪公，請其懇囑伯釗不可負氣（何氏與耿同學日本士官學校）。何即以電話致耿氏曰：「你氣甚末？過去你在國府作參軍，未預湖北事，挨罵的乃是我，我都不氣，你又何苦來哉！」即將簽呈收下，說是「待我交還伯釗」。嗣後我乘公餘步之暇，叩謁何氏於其私宅時，岩彼常偕愚微服沿道左，潛踪行至漢口水電公司主人劉少家聊天，詢以何不乘車？他謂：「你知道嗎？如今有些好事之徒，專門密查公務人員的汽車號碼，窺伺私人行動，向總司令打小報告，指為腐化証據呢！」他這種顧全大體，憂讒畏譏的心情，當時使我極受感動。

對日抗戰時期，何氏受任中樞軍法執行總監，每以平恕矜全為宗旨，我知道他有幾樁案件的處理方法，殊堪讚美。一是某年重慶中央日報一篇社論出了岔子，最高當局赫然震怒，要查究執筆為文者，但社長陶百川自願身任其咎，不肯報告主筆是誰，說是任何錯誤；社長應負全責。最高當局乃下令將社長，主筆，總編輯等人，交由軍法執行總監部訊究之。陶社長等遵令束身司敗，齊赴總監部投到，並請予以拘繫待罪，何氏當時命諸人暫在外聽候處理，然諸人仍按日投案，何大窘，一夕晤及愚，即謂：「我拜託你一件事，請勸告中央日報同行諸君（因我此時亦幹着新聞記者的活路），不必再來總監部候審。他們每次來，我要迎接在自己的辦公室內坐下，還要用上等香烟或飯菜以相款待，這些耗費又不能列支公帑，我實在賠累不起啦！」我笑問這案件如何發落？他難然道：「軍法監怎能審判文字獄？我尤其惹不起新聞記者，只有採用長期偵查之法，如果上面不再提起這回事，那就不了而自了，何幸如之！」後來本案果如所料，存而不論了。二是軍委會重慶行營交通處主持川康公路修築事宜的職員們，發覺有利用職權販運鴉片烟情事，經將一干人犯交由軍法總監部訊究明白，分別判處死期或徒刑有差。該處處長贛人彭霞浦，因職責關係，亦在被告之列，但無共同犯罪事實，總監部原判僅科以「失於覺察」的行政處分而已。詎呈奉最高統帥最後核示為「一律槍決」四字，何氏劇憐彭處長無辜受戮，慨然不忍，[illegible]不便向上峯申述情由，乞予改判，他將本案延緩執行，待機補救。繼而江西省主席熊式輝來渝述職，何氏囑其於晉謁最高當局時，便中提及此事，或有轉圜之望。結果不特彭氏得免大辟，其他被處徒刑者亦皆照原判執行，多人賴以救活，可謂德政也矣。（二）

歷史人物

陳宏謀論

謝康

這些書都是採錄先哲名言，彙編而成的。雖不能說是陳宏謀個人的創作。然而蒐集淘選，每一部遺規所採用的古籍名言，少則十餘種，多則百數十種。披閱抄錄之勤，已足令人驚佩。至於每種嘉言鈔之前，必須加上「按語」；每個作者之下，必略叙其生平，俾讀其書者可以略知其人。尤其是按語，往往代表編者個人心得及對該書內容之評介，也可說是一種評選的工作。其性質略同於孔子的編六經，和蕭統文選，姚鼐古文類纂的意思。幸虧他費了許多心機，使後世居官從政，教導兒女及從事教育的人，得到許多參考資料，無論這些資料，是否合於時代性和你主觀上的要求，但它在儒家哲學（包含人生哲學政治哲學，教育哲學等在內）即義理方面，代表中國道德文化的精神價值，那大概是沒有疑問的。編者陳文恭公在清代歷史上原以政治家著名，然而他底這些「遺規」，却多半是教育家的淑善人世的態度。我希望編寫中國教育思想史的人，能夠為他留下相當的篇幅，給他一個應得的地位。因為他底政治事業雖已過去了，而這幾部「遺規」在教育思想上的影響，可能隨着它本身的銷路，而多少還能在人心風俗上發生一點作用。（五）

內警僑台報字第〇三一號內銷證

自由報

THE FREE NEWS

第一四〇期

中華民國僑務委員會頒發
台教新字第三二三號登記證
中華郵政台字第一二八二號執照
登記為第一類新聞紙類
（半週刊每星期三、六出版）
每份港幣壹角
台灣零售價新台幣貳元
社長：雷嘯岑
督印人：黃行驚
社址：香港銅鑼灣高士威道二十號四樓
20. CAUSEWAY RD 3RD FL HONG KONG
TEL. 771726　電報掛號．7191
承印者：田風印刷廠
地址：香港灣仔高士打道一二二號
台灣分社
台北市西寧南路[illegible]號二樓
電話：三〇三四六
台郵掛館金户九二五二

外蒙政權配加入聯合國嗎？

雷嘯岑

關於外蒙古傀儡政權應否加入聯合國的問題，由於聯大會議的年會期近，目前又舊話重提，甚囂塵上了。這問題原是美國方面首先提起的，據說是因為非洲新興國家毛里塔尼亞要求加入聯合國一案，蘇俄表示要同時允許外蒙政權亦加入，否則它就行使否決權，不讓毛里塔尼亞如願以償。然美英各國卻贊成毛里塔尼亞參加聯合國，只就心中華民國堅持原有主張，認為外蒙政權並非獨立國家，屆時照樣予以否決。如是乎，由美國出面，對中華民國政府進行說服工作，而我國的中央各級民意代表聞訊紛起抗議，督促政府不得讓步妥協，以申正義。

十足的傀儡政權

綜觀全世界在俄帝控制下的一切所謂「人民共和國」，其中徹頭徹尾由俄帝一手製造培育，奴化十足，絕無絲毫自立自主能力的，殆莫過於外蒙政權了！

遠在民國五六年（一九一六——一七）間，第一次世界大戰末期，中國內戰頻乘之際，外蒙古的王公與活佛們，會經表演過一幕「自治」的政變把戲，旋經中國政府派遣徐樹錚將軍率領「參戰軍」之一部，用汽車隊運輸而馳赴庫倫，未發一槍而外蒙的王公們即自動宣佈取消「自治」了。迨俄共於一九一七年發動十月革命，奪取政權後，為肅清除舊俄在西伯利亞一帶的反共軍隊，乘機派兵進駐外蒙，久不撤退；而置中國政府的抗議於罔聞。直到民國十二年（一九二三）俄共代表越飛（yoffe）在上海與孫中山先生協商合作時，孫公提出俄軍侵佔外蒙問題後，曾於聯合宣言中聲明：「蘇俄政府對於外蒙古，決無實施帝國主義政策，或使其與中華民國分離之意思與目的，因此，孫博士亦不要求蘇俄軍隊即時自外蒙撤退。蓋鑑於中國現實狀況與利益之必要，蘇俄軍隊撤出外蒙後，北京政府並無能力防止白俄反動陰謀與敵對蘇維埃政府之行為發生」。這是俄共在表面上很肯定的承認外蒙乃中華民國領土之一部分，只不過暫時駐些軍隊，以便掃蕩舊俄軍人潛伏在這一地帶的反共勢力而已，藉以朦混世人耳目。骨子裡卻包藏禍心，利用中國內部長期動亂的機會，致唆外蒙人士對祖國滋離心傾向，實行背叛，從而誘惑他們跟克里姆林宮私訂非法密約，摸摸地組織所謂「外蒙古人民共和國」，亦不向國際間宣佈，更不要求承認，只由蘇俄派遣「大使」駐在庫倫，實施「總督」職權，管制一切。一九二六年筆者曾在庫倫旅行，目擊當地政治上、社會上全盤俄化情況，怵目驚心，連商店招牌一字亦只能用俄文，而一般搞政治的人物，他們日常生活完全跟俄人一樣，教育亦是在內地受的，但他們公開跟我周旋時，卻必須說不敢操國語，再由舌人翻譯蒙古話（私談時又滿口北平話），原因是害怕被俄人知道，發生問題，招來煩惱。即此可知俄共對外蒙處心積慮，私製傀儡政權，厲行奴化政策的內容，為如何了。三十年代的外蒙古人民，過的是原始游牧生活，社會結構仍係部落會長制，產業根本貧乏（除了庫倫附近有少數樹木以外，全境尋不出一株植物，更無一粒礦物可資採用。），文化極端落後，其進化程度，遠不及五十年前的美國屬地阿拉斯加，不特說不上「建國」的話，即自治條件亦完全不能具備，到現在，實際情形亦未必就有突飛猛進的奇蹟發現吧？如果說外蒙古的「人民共和國」真有一點獨立自主性，那末，新近纔忝列為北美合眾國之一州的阿拉斯加，應該成為現代的文明古國呢。

這些歷史事實和天然條件，皆說明外蒙的所謂「人民共和國」，是俄帝乘中國之危，用非法侵佔手段，由俄共粗製濫造的一種見不得人的玩藝，外蒙「人民共和國」的一切動態，實際就是俄共在暗中撐持擺佈的一場傀儡戲。所以，俄帝內心上亦自慚形穢，從來不讓外蒙傀儡政權在國際間有所活動，就是俄帝每次召集鐵幕內各附庸政權開會時，外蒙政權亦未被視為正式的單位，假使中共不窃據大陸的話，俄帝按照它過去併吞唐努烏海的辦法，乾脆將外蒙納入俄羅斯版圖了。

美國的道義責任

國際間儘管是無正義公道之可言，強權主義者每為着自身的利益，不惜犧牲弱國的生存權益，藉以遂其私圖。但美國今日對於外蒙問題，卻特別沉重的道義責任。何以言之呢？外蒙古之悍然正式脫離中國政府治權，世人皆知道這是基於二次大戰時美英俄三國的雅爾達密約，美總統羅斯福為要減少美軍最後進攻日本的損害起見，越俎代庖，擅出賣中華民國的領土主權，把外蒙古送給蘇俄，以換取俄軍對日作戰而然的。當時我國政府為顧全中美併肩作戰的深厚邦交，忍辱負重，事後接受美方勸告，承認雅爾達密約的決定，跟俄帝簽訂中俄新條約（當時外交部長宋子文，即因不願簽署這項出賣領土主權的新約，而臨時辭職的！），闡致貽禍無窮。美國政治人物——尤其是民主黨人士——今日儘可說羅斯福這項犧牲友邦領土主權的決策，具有權衡利害，不得不然的苦衷，卻不應對外蒙政權闖入聯合國這回事，還要在國際上起帶頭作用；一之為甚，其可再乎？美國政治人物託詞於「外蒙是很好的收聽站」，這真是自說自話，欺天下人以無知的荒唐語，未免太不自愛自重了！我們聽到西方論客們創出的「亞洲的狄托」，「中俄共之間將要分裂」，「蘇俄將與美國合作」以對抗中共向外擴張」這類宣話，只覺得可發一嘯，並無其他的反感，唯有聞及「外蒙是很好的收聽站」之說，除嗤之以鼻而外，且不禁憤慨難已，因為這表示美國政客們的智慧，幼稚到了極點，連起碼的做人條件亦缺之，毫無道義感也。

美國現時奄有自由世界的領導地位，對於一個柏林市的駐防權利，且不惜冒戰爭危險，鍥而不舍，拒絕俄帝所提「自由市」的要求，而對於並未具備獨立國家資格，全世界沒有一個自由國家承認過的外蒙古傀儡政權，竟一馬當先，贊成它參加聯合國。這主張如果實現，當然的結論，美國即須帶頭承認它，是友邦，而其他的自由國家和中立國家，亦必繼踵美國之後，「照辦煮碗」，跟它平等建交，唯恐弗及，日本政府不是已經表示這種態度了嗎？似此情形，美國政客所謂「很好的收聽站」固然不會聽到甚末，而亞洲乃至於全球崇尚自由生活的弱小民族國家，對於美國領導「自由運動」的信譽，認為不值一顧，各人自奔前程，以與俄共集團妥協為急務了。這種心理防線一旦崩潰之後，俄帝的「和平共存」魔術，必卜大獲勝算，全世界不難傳檄而定，美國縱有千萬顆氫彈，亦係無用之長物，道理至為淺明。其始也簡，將畢也鉅，美國為着換取俄帝不反對毛里塔尼亞加入聯合國，而欲強迫同樣享有否決權的中華民國，唾面自乾，承認本國的叛亂政權為獨立國家，容許它沐猴而冠，借居獨立國家之列，此中利害得失之數，孰為輕重，誰也一目了然，不待研究。

自由中國的決策

我們過去為要顧全國際間的道義，而忍痛接受雅爾達密約出賣領土主權的決定，對友邦可謂委曲求全，過份克己了。這次對於外蒙傀儡政權加入聯合國問題，無論國際友邦對我施展任何壓力，說出任何花言巧語，皆認為決無考慮餘地，非予以否決不可。即令這是俄帝使用「一石二鳥」的詭計，以期激起自由世界內部的矛盾對立，因而削弱中華民國的反共力量，亦非所顧，寧為玉碎，勿為瓦全。政府當局應該一面直截了當的告訴美國，我們不能一誤再誤，專替別人的利益作殉葬品，同時宣示本國人民以政府對於這項問題的正確態度與決策，集中全國民衆的意志和力量，為保持正義與民族人格而共同奮鬥。否則來日大難，後果將不堪設想的！

小編天下

△寮共軍攻抵首都永珍附近，泰國邊境聞砲聲。日內瓦「十四國」會議，及寮國三方面（左、中、右、「中立」）領袖會議均在進行中。「聯合政府」呼之欲出。

如此「城下之盟」，還有什麼好「議」？

△北越代表團由范文同率領，飛抵北平，受中共隆重歡迎。印尼蘇加諾亦抵平，中共發動歡迎群衆達五十萬。

東南亞危機迅速增加的明顯徵象。

△美國防部證實，北越共軍萬餘已滲入南越作戰。又，越共軍入寮助戰已有確證。寮南越向美國提出要求，直接訓練越游擊部隊。共方亦宣傳自由中國已派軍改裝入南越助戰。

越戰勢將擴大，難道便該就此把寮國放棄。

△傳莫斯科已發出指令，將共黨攻擊矛頭由亞洲移向西歐。西方國家對柏林地位又起憂慮，紛建議將柏林東西改為自由市。

這只是聲「西」擊「東」的慣技，充分利用西方國家「重歐輕亞」的心理弱點而已。西柏林雖是赫魯曉夫喉中之鯁，但他只想吞下而不願將之吐出。

△西德及奧國消息：保加利亞謀在鐵幕內起革命，圖推翻現政府，改取與蘇俄疏遠新政策，因事機不密，已有四個軍人領袖在失敗中被捕。

「軍人革命」這種「傳染症」，如能傳染到鐵幕裏面去，也是一宗好事。

△法國與阿爾及尼亞談判破裂，阿各地又發生炸彈案多宗，赫魯曉夫揚言支援阿人對法繼續鬥爭。

共產黨享有「放火」的專利權，而赫魯曉夫也從未放過撒放火種的任何機會。

△日首相池田決定排除國內阻力，實行訪美，此行將順訪東南亞各國；據稱：渠不信亞洲或其大部份將會落入共黨之手。

此行當然是談買賣。表面要說半點反共的話，骨子裏是賣中立的膏藥。他們總發着「發中立財」的美夢，把認真反共的亞洲國家看作大傻瓜。

方南

自由談

台灣發行大鈔

馮王先生

最近台灣銀行發行了一百元的新鈔票，立法委員表示反對，社會上亦有人怵目驚心，都是害怕因此而刺激物價騰踊，貽患於一般勞苦民衆的日常生活，理有固然。我卻認為問題在彼不在此，請以香港情形為例證焉。

香港與九龍的全體居民為三百二十多萬人，本地沒有甚末潛在的地利可以發展生產力，只是一個工商業轉口站而已。目前港幣的發行額已在十億元以上，不僅有百元大鈔，且有五百元一張的票面在市面流通，然物價並未見有急劇的波動。我在香港居住了十二年之內，一般的物價亦至多不過漸漲了一二成，而米價特別穩定，可是香港並不出產米糧啊！

台省人口有一千萬，省內物產浩穰，米糧尤其綽有餘裕，海運交通亦便利。若以香港作比例的話，通貨發行額雖到二三百億台幣亦無所謂的，百元和五百元大鈔出籠，更屬義所應爾，毫不足奇。顧何以台灣的物價在不發行新鈔時，亦常常發生波動，新鈔一出，物價更隨着跳躍上升呢？有人或許認為香港政府沒有軍費支出，而台灣的中央政府歲出預算，軍費佔了百之八十，當然未可相提併論。這亦是皮相之談。香港雖無軍費支出，然亦沒有外來的經援可資挹注，而且每年還須解繳倫敦以可觀數字的「協欵」。同時政府對於本港的公共建設，如交通、衛生、水電、住宅等等，公帑耗費決不亞於台灣，但其成績卻優越多了。可見物價穩定與否，并不完全繫於財政收支能否平衡，人為的因素實佔主要成份，不說別的，香港任何大小商店行號，就沒有真假兩本帳簿的怪現象存在着。至於工商業管制調劑有方，法令簡化統一，稅則劃一而不苛擾，外來游資源源湧入，尤其公營事業決不帶頭加價。這些都非台灣所能及也。

政治人物如果不能免於腐敗低能的本質，法令滋彰，政出多門，則任何富庶的國家，民生問題亦會搞得一塌糊塗的，豈僅通貨發行事項而已哉！

嚴刑乎？養廉乎？
監委研究根絕貪污

張健生

（台北航訊）曾經轟動一時的台北市公共汽車管理處與市民住宅興建會集體貪污案，看樣子可能無疾而終了。雖然監察院在五月九日的院會中通過丁俊生委員的提案，分別交交通委員會與內政委員會調查，同時該兩案亦在台北、基隆地檢處偵查，然而在時過境遷之後，消息沓然。而台北市政府某高級主管，監委陶百川亦認爲係重要涉嫌者，可是却無下文了。於是，民間有一種說法，即「王子犯法，庶民同罪」，但「王」却可以逍遙法外。

監察院在騎虎難下的情勢下，復於本月六日舉行的院會中，又通過陶百川委員的提案，促行政院杜絕貪污。陶氏在提案中指出：「貪污誠屬國家之不幸，然政府苟能破獲盡力懲治，則固無損於日月之明，而政風反可望更臻於淨化。茲聞中樞當局因鑒於公車各案之發生，對貪污現象正謀根除之道，本院職司監察，見聞頗廣，似應供其所知，共策進行。擬請由內政委員會征集同人意見，妥爲整理，依照法定程序送請行政院注意改善。」陶氏認爲最近貪污風氣甚爲猖獗，若無嚴刑峻法，實不足以戒絕貪污。他列舉最近有一位某大員說：貪污如不杜絕，幾年之後，不僅無可籌之餉，抑且無可練之兵。陶氏則說：貪污如不杜絕，將來不僅無可收之稅，抑且無可行之政。因爲在貪官污吏保護之下，將來稅收可能逃得更厲害。目前遺產稅及所得稅的稅收已經很少，只佔總稅收中的百分之十幾，而美國同樣稅佔百分之八十左右，因此在稅收上是值得注意的。如貪風不戢止，則極可能成爲「政以賄成」。

在絕大多數監委主張以嚴刑峻法來懲治貪官污吏之際，獨黃寶實委員力排衆議，他引用兩則幽默而又諷刺的故事，來說明他的看法。他說：從前有一位外國人說中國人的手有一種分泌物，對鈔票具有特別的吸引力，此實爲外人對我政治的極大諷刺。至於嚴刑峻法不足以懲治貪污者，他列舉從前一位湖北省主席，發現屬下一員貪污者而將其槍斃後令人收埋，但收埋的人以一千元買棺材，虛報二千元。像這種情形，根本不是嚴刑峻法所可收效的。於是，他主張應從如何使公務員才能養廉不肯貪污着手研究問題的癥結。台籍監委陳江山以「衙門八字開，無錢莫進來」來說明目前各級政府機關的「紅包」案。

貪污之風由來久矣。監察院於四十五年十二月份院會，曾提案糾正行政院，杜絕浪費，但該案提出後，各級政府杜絕浪費嗎？不但如此，且由杜絕浪費進爲集體貪污，這就是最佳的例證。

目前貪污的癥結，不是嚴刑峻法與薪足以養廉所能防止的。而是在現行制度與政客心理下，必然的產物。例如執政黨的從政黨員，一旦被治安機關破獲像台北公車處之類的集體貪污案，不但沒有面對現實、毫無隱飾、依法偵辦的勇氣，在「黨同」的現實環境下，莫不是「大事化小，小事化了」。同時，對揭發貪污者，却誣爲「問題人物」，或者指新聞報導爲「惡意中傷」。如台北市教育局長在南部觀光風化區被市議員發覺，結果，這位局長大人却先下手，公開說該市議員們索取「紅包」十萬元，這就是一個沒有勇氣面對現實的例證。

在今日的政風下，長官廻護屬員，已成爲不足驚異的常態了。在「黨同伐異」的風氣下，貪污者有恃而不恐了。縱然貪污者被送進法院，其所受徒刑又不足道。例如，台北紡織廠務主任李公恪貪污五百多萬元，不過三年半的徒刑，平均坐牢一天，其所得代價約五千元，試問，貪者又何懼哉？

至於民選縣市長，在競選期間，必須投下大量的資金，在當選後，一定將投資收回，而收資金的方法，不外乎在採賺與工程方面動腦筋。於是官商勾結，各得其宜。如合北市土地增值稅被非法動用了四千二百五十萬元，所以影響國民住宅的與建了，事被省政府所悉，乃下令限期歸還，而台北市財政局長孫石生且將受嚴重的處分。

可是這一連串的事發生後，合北市財政局的另一件公文，又落入商人的手中，而被拖進派出所的笑話又見報了。這才引起黃市長的肝火，在業務會議中不得不表示痛下決心，要改革政治風氣了。然而市長先生的一位服務中央市場的親戚，好像和市長先生有意過不去，却發了數百萬元的「規費」財，這，可能不屬於政治風氣改革的範圍吧？

由於上述，此間人士只有拭目以俟監院的「社絕貪污」了。

中國小姐馬維君
昨訪問本報　贈錦旗留念

【本報訊】在港稍作勾留即轉美國長堤參加世界小姐競選之中國小姐馬維君，於前日（十二日）下午二時蒞臨本報訪問，由本報總編輯鄧中龍親自接待，賓主談笑甚歡。馬小姐並致贈本報錦旗一面以資紀念云。

街頭巷尾談大鈔

台灣通訊

李華

台灣銀行在不動聲色中，大刀闊斧的於九日發行了台幣百元大鈔。不久以前，正當工商會迭次請求發行大額鈔票，省議會也有同樣的建議之際，財政當局却堅決表示，決不發行大額鈔票，且有「在任一日，誓不發行」之慨。於今人事依舊，大鈔突然出籠，言猶在耳，將何以對？

據財政長嚴家淦表示：政府准台銀公告發行百元大鈔，係因這幾年來工商界與社會人士一致認爲有此需要。爲便利工商界資金的流轉，經過長時間的考慮，才作前項決定。本來三十八年六月十五日所公佈的新台幣發行辦法中，已列有一元、五元、十元、一百元四種鈔面，當時因一百元券無此需要，故一直未發出。

如果就台灣近幾個月來金融的穩定情形而論，在發行大鈔的時間上，這是一個最好的選擇。因爲美鈔黑市已消滅，而金價一直停滯在固定的價格上，甚而供過於求，確是「千載一時」的機會。然而溫和的通貨澎漲迄在延續之中，物價上漲亦正以爬山隊的精神向高處攀緣，凡此種種，前途殊不容樂觀？

這張於民國三十八年即已印製的百元新鈔，正面爲凹版紫色，上爲台灣銀行及國父遺像，下爲花心，內有「壹百元」三字，四角均有「壹百」字樣，號碼分列上下，臺銀董事長總經理官章分列中間，並有凸版花地紋兩套，反面爲凹版紫色，係由中央印製廠台北廠承印的。

兩天來對新大鈔發出歡呼的是工商界，他們表示：新台幣最高面額僅爲十元，携帶極不方便，數萬元的交易本不太大，但要把數萬元現鈔數過一遍，却要費很多時間，平添許多麻煩。雖然可以開支票，但是在此空頭支票滿天飛的現在，無論如何將沒有現鈔受歡迎，故目前確有發行百元大鈔的必要。其次當是銀行界了，他們是百分之百的高舉雙手贊成的，因爲點鈔票是一件麻煩事，而因此發生糾紛，更是頭痛的問題，同時，還可節省一筆龐大的發行數字吧！君不見在下班後還在加班數那些沾染着不清的細菌的破鈔票的銀行職員那副尊容嗎？但是出乎意外的，唯有立委諸公堅決的反對，在九日的院會中，即有部份立委要求院會作成決議，請行政院停止發行，他們所持的理由，是唯恐因此影響幣值信用，促成物價上漲，導致大陸時期物價與通貨惡性的循環。至於一般小市民，街頭巷尾三三兩兩，互相道論，即朋友見面時，第一句話，也是：「百元大鈔發行了！」來作談話的開場白，他們對這既成的事實，一方面表示是莫可如何，一方面却担心，物價會不會因此而上漲！甚而爲將來的生活開始發愁！

有一位市民就這麼說：今天下午送一件衣服到洗衣店裏去洗，原來是兩塊錢一件，忽然漲到二元五角了，我質問老板是何理由？得到的回答：「百元大鈔發行了！」這是一個現實的答案。

五月剛過，舊的年度將了，在這只有二十多天的日子裏，我們的財政當局却耍了幾手不平凡手法。六月一日改訂了美元滙率，由買入每元美金折合新台幣三六元零八分，賣出每元美金折合新台幣三六元三角八分，調整爲一律每元美金折合新幣四十元。六月七日提高了黃金收購牌價，每市兩九九成色爲新台幣一千四百元，較原來收購價格提高了一百三十七元。六月九日又發行百元大鈔。這一連串的手法，玩得妙，也很高明！

還有鐵路以虧本而需添增設備爲由，正在擬議調整票價與運費。台電亦以爲要爭利潤上的保證，取得美援貸款的必要，堅持要提高電費。甚至多年來無甚變動的水費，也有不甘後人而倡議漲價之說了。更妙的，五十年度台省總預算中，竟將公賣收入增列了五億餘元，而財政當局却說：「公賣收入預算增加，並不意味着烟酒加價」。既不加價，這五億餘元的收入從何而來呢？

這些擬議中的漲價公營事業，目前雖尚未成爲事實，然衡量當前情勢，漲價只是時間問題而已。但願，在此發行百元大鈔之時，不要也來湊個熱鬧，火上加油，刺激人心，煽起物價的全面漲風，則小民幸甚矣?!

五〇、六、十、

·向司法尊嚴挑戰·
法院門前拔刀殺人

（台北航訊）最近，台北司法大廈內連續發生兩件殺人，兇毆案，使司法尊嚴與威信受到嚴重的戕害。

此間所發生的社會新聞，相當的惡化，有心人與愛國之士咸憂心忡忡。六月二日，司法大廈台北地院民事第九法庭前面花園內，發生一件拔刀殺人案，兇手爲鄭奠國，被害人係台北第六信用合作社副理兼司庫因侵占案判刑在押的被告林再興，這件殺人案的起因，係基於因侵占案被判刑二年半的方金寬於四五年間到第六信用合作社當會計時，鄭奠國的友人託渠作保，因爲鄭某在該社隔壁開設眞光電器行，但鄭與方金寬素未謀面，不擬作保，但又礙於友情，不便拒絕，於是鄭某左右爲難，乃詢問林再興可否做保，當時林再興告以：方金寬不經管財務，可以保證。鄭信林的話，爲方金寬保證。殊料，方金寬竟與林再興等共同作弊，侵占公款二百多萬元，經法院判刑後致鄭奠國受累而負民事上連帶賠償新台幣三十六萬元，且名列民事被告，鄭因而懷恨林某，不訴諸法律而訴以刀殺。案發後，受害人林再興送合大醫院診治，而兇手鄭奠國當場逮捕，被檢察官扣押偵查。

因此，台北地院院長陳宗鼎與地檢處首席檢察官楊鳴鋒分別對記者發表談話，陳院長認爲鄭奠國這種罔顧法犯的盲動之舉，實緣於愚昧無知而有此不幸結果，殊足令人警惕。楊首席對鄭奠國此舉表示情雖可原，但法不可恕。而輿論界認爲鄭的動機係憤恨而殺林某，以洩其心頭之恨。因爲目前維持公道人心的司法，不足以保障好人了。

就在該案發生的第二天，即六月三日，司法大廈門前又發生一件三輪車夫圍毆計程汽車司機的事件，當事人在法院內兇毆殺人，簡直是目無法律，向司法挑戰。

該案係因一對新婚夫婦顧仰曾、練菊珍包用聯華計程汽車行小包車兩輛，到地方法院參加週末公證結婚典禮，當婚禮完畢，新婚夫婦在親友陪同下乘原車回新房的時候，該車由女司機陳彩梅駕駛，即有三輪車工友上前阻止，指責陳彩梅不該搶他們的生意，並且不容女司機解釋即賜予一耳光，而華聯另一司機高明圖上前阻止，即因而三輪車工友羣起而毆，勸阻的法警，亦挨了幾拳，當高圖逃入司法大廈內，三輪車夫尾追不放。案發後楊首席頗爲重視，乃下令徹查，並將三輪車伕盧永錮依法羈押偵訊。

司法大廈的左鄰是總統府，門前是省立女中，後面是警備總部，所以這幾件事情的影響是深遠的。的確，現在的司法尊嚴，不但受到嚴重的考驗，如果這樣下去，其後果是不堪設想的。（劍）

讀者·作者、編者

明庭先生：惠函及大作均拜讀。文極典雅，惟不合報章體裁。且以評詩論詞，屬專門之學，一般讀者實不容易接受。無已惟有割愛，諸兄原宥。

許伯原先生：本刊不擬發表新詩，亦無另闢新詩園地之意。尊論頗有見地，惟以限於目前環境，暫難實行耳。先生愛護本報，至深感激，尚望時賜教言，以資改進。

羽飛先生：一千六百字左右之雜文本刊至所歡迎。題材不拘，要在文筆生動也。

合訂本第一二期已發售，可逕向本報經理部洽購。

談烟禁

磊庵

他在九月十七日，又有稟臬道憲顧的一封信，更比以前的話，說得越發徹底，他說：「惟雅片之毒，入人之深，令人莫解其所以然，其始嗜好甚殷，其繼受累甚重，其終追悔甚深，欲戒之情甚亟，廹之以不得不戒之境之勢亦甚切，而究其眞能戒絕者，百人中不過一、二人；而此一、二人者，數月期年之後，重入迷途，終身不返，比比皆是，殊不可解。前在鄉里，忝司大宗祠事，與族中父老，力勸族人戒烟，無方不設，無藥不備，勸戒者百餘人，歷一年有餘，卒無絲毫之效，深知此毒所中之人，非法可禁，理可喻，情可感。無可如何，遂爲憤激之論，思誅殛放流之，此固平日之偏見，而戒之一字，實則嚴父慈母所萬難得之子者也。……卑營勇弁請限自戒，並自製藥者，原不爲少，而自七月初三日起限，至今自報絕者只有三人，亦是敷衍目前，希圖將就……將來領藥之人，即未必盡行戒絕，亦必深自蔽匿，互相諱飾。」他的記載本文固不能盡其什一，而烟毒在台灣之猖獗情形，與撲滅情形，已不難窺其大概了。所以南通徐宗幹，以道光二十七年觀察台灣，他的瀛州校士錄中，有新樂府六章，皆爲台灣寫實，一曰「保生帝」，二曰「鯤身立」，三曰「羅漢脚」四曰「伽藍頭」，五曰「草地人」，六曰「烏煙鬼」其「烏烟鬼」云：「少年狀貌眞魁偉，如何轉瞬須臾爾，變化魍魎難嚮邇，可憐晝亦如夜時，生亦如死期，寄言三五少年子，莫向紅塵作鬼嬉，烏鬼寃含白鬼笑，故鬼前趨新鬼嘯；風雨回首一灯昏，數點青憐猶照耀，區區蠻觸越南都，令行禁止風霜俱，白日如鏡照環宇，鬼乎何處藏其軀。」明明是人，何偏擬以鬼，是亦慨乎言之，痛乎言之也。

我寫到這裏，順便再把文忠的珂鄉畧談一談，他是福建侯官人，與其父賓日，俱登進士，所以他府第的「扛樑廳」前，除有「尚書第」三字豎額外，又有「父子翰林」的橫額，其個人所居之一部份房屋，名爲「七十二峯樓」，當年藏書萬卷，其所著之政書，及雲石山房詩鈔十八卷，在抗戰之前，均收藏於此，樓前有一聯語，云：「坐臥一樓中，因病得閑，如此散材天或恕；結交千載上，過時爲學，庶幾秉燭老猶明」這是文忠遺墨；他有這些書籍，來撐腸柱腹，自然眼光遠大，氣度不凡。（完）

龍舟

幹華

爸爸在城裏住厭了，希望回到鄉間一行；順道探望祖父母，同時散散心；也好讓實現我的願望——「看龍舟」。

很可惜，這喜訊在吃粽子的一星期前我才曉得；要不然，這幾天我不吵不鬧。而且，時間也太急促了，因爲明天便要立刻起程。

經過三日三夜的海上航行生活，到達了我的故鄉——「羅定」。

多日的風浪滋味，現在已置於腦後了。我曾偷叫大姊：「剛才我們坐的是龍舟嗎？」大姊沒有答；大哥卻哈哈大笑起來，幷得我臉紅耳熱，假若那時地下有個洞，我倒願意匿進去。

半天的山路行程，已到達祖父的家園。祖母見得我，立即咧開了僅剩兩隻牙齒的嘴巴；額上也刹那間鑽出了四、五條蚯蚓般的皺紋，粗糙的雙手，把我抱起來，親了又親，吻了又吻，笑不住口。這時，我覺得有一股熱流湧進我心裡，這是一種難以言說的溫情哩！

祖母眞好，不時抱我到果園裡玩，採果子我吃；吃不了的，就放在口袋裏，拿回給爸媽吃。有次，她招集了隔鄰的孩子給我認識：「這是牛哥、這是蓮姊、這是康哥、這是小三子、那是鳳姊」等等。

每當祖母忙時，我便偷偷的溜出來，找他們玩。玩膩了，便一起坐在草地上休息，我告訴他們：「城裏有十多層的大樓。」駭得他們都伸伸舌頭。

「那不像天一樣高嗎？」牛哥說。

「當然囉。」我接着又說道：「我在城裏坐了三天三夜的船，才到達這裏的；海，是無邊際的，船，都是鐵造的，而且是三層的哩。」

「別人說：『街上是有無牙老虎』的嗎？」康哥懷疑的問道。

「眞奇怪，老虎那樣兇，牙齒如何給人都弄掉了。」小三子接着道。

「哈，哈哈，哈……。」

「我也是想問這問題。」鳳姊說。

「那是汽車啊！就像這兒的牛車一樣，不過它不用牛拉，而是用機器而已。」

「機器，就像我們家裏的時辰鐘一樣嘛！」蓮姊說完，目光射向我，冀求得着我的證實。

我祇好點點頭，其實，我也不知甚麼是機器；它，又是怎樣的，更不知道了。

「你看見過火車嗎？」康哥問。

「當然見過，也坐過幾回哩！」我得意地說。

「城裏有龍舟嗎？」小三子問。

我心內一陣忙亂，耳朵也赤了。

「有，有。」我糊說道。

「城裏的龍舟，比這裏的大嗎？」鳳姊問。

「這兒的龍舟我沒看過，你們先說給我聽，讓我再說是否相同？」

船首，是一個龍頭；船上有二十多人划的，船尾有一個打鑼的人，船身還高舉着許多旗子哩。」牛哥自告奮勇的簡畧介紹道。

「說漏了一個指揮和掌舵的人。」小三子理直氣壯的補充說。

……

過兩天便是端午節，我的願望該實現了。然而，無可奈何，病魔纏身，發冷發熱，使我好不舒服，不能出外。

經過半月的療養，病是癒了。但我們的歸期也近了。於是，離別了故鄉——「羅定」，離別了樸質的小伴們。將分離的那一天，我對他們說：「明年，我會再來的。」

「眞的嗎？」——

在悠長的十一年歲月中，寄人籬下，游子的心，碎了。看龍舟的願望，也隨日月而淡了！要什麼時候，才能回到故鄉去呢？

瘟君續夢

第一回：

捲土重來，瘟君尋舊夢
投袂而起，小醜鼓雄風

岳騫

周恩來笑道：「現在副總理變成十三名了，有點不大好聽吧！」

劉少奇插咀道：「羅瑞卿同志今後責任加重了，所有司法，監察工作都併歸他了，應該給他一名副總理，才比較容易指揮各有關部門。」

毛澤東綳綳眉頭，說道：「我又想起一個人，陸定一多年來從未担任過行政工作，目前國務院副總理也沒有人是主管文敎的，祇他去好了。」

周恩來一聽到陸定一的名字，就感到頭痛。說起陸定一這個人和賀龍到是共黨頭目中的「雙璧」，賀龍講話經常語無倫次，陸定一講話也是不知所云。民國三十五年政府在重慶召開政治協商會議，陸定一是中共代表之一，臨到他發表演說時，大家都想聽聽中共宣傳部長的偉論，不料他上台竟然說：「政府報紙過去常指我們爲匪，其實誰願爲匪呢？我們還不是逼上梁山。」

他剛說到這裏，會場已經引起哄堂大笑，中共代表團都氣得坐立不安，周恩來那張白臉，變成了戲台上的關公一樣。

本來中共代表團事先擬好一個演講稿要他去宣讀，那知他剛說了兩句開場白，被全場一笑，心裏一急，再也找不到主，又不敢信口開河，恐怕說錯了話，失掉立場會受處分，只好一言不發溜下來。

散會後，回到中共辦事處，剛進門鄧穎超舉手就要打他，幸虧林伯渠和董必武舉手攔住，再三替他講好話，鄧穎超才放下手。結果還是讓周恩來罵了一頓。罰他永不准在公共場合講話。這個規定他到記得清楚，留在重慶期間，一句話也不再講，宣傳部長一夜變成了啞吧！但是逼上梁山這句名言卻在重慶傳開了。

陸定一雖然不善「創作」，却富於模仿性，毛澤東無論發動什麼運動，每次演說內容，他照樣背誦時，總能說十之八，而且還能抓住重心，所以毛澤東偏愛他，宣傳部長一直穩如泰山，現在又發展到行政方面來了。

副總理到此已夠十五人，毛澤東看看周恩來，問道：「你怎麼不提一個人，你手下的人不少啊！」

周恩來如夢初醒，未經考慮就說：「張聞天同志怎麼樣，給他一名副總理好吧！」

毛澤東未開口，劉少奇連連搖頭道：「不行，他現在担任外交部副部長，如何能一步升到副總理，你還是另提一個人吧！」

周恩來想了一下，無可奈何說道：「就讓習仲勳兼任吧！」（十三）

武俠小說

——勞克——

武俠小說之興起，是由於讀者的普遍，由胡適開始反對武俠小說，繼之由文壇的作家羣起執筆攻之，報紙上的方塊文章，也大事反對這一小說的再度發展。

在本質上言之，武俠小說不應有存在的道理。但事實重於雄辯，整個出版界，以武俠爲銷路最廣，讀者最多，所有的租書店，百分之九十都是武俠小說。

形而上的藝術文學，爲什麼不能佔在武俠小說之上，考其原因，該歸咎於這苦悶而悲哀的時代。人到中年萬事悲，爲自己悲，還得爲別人悲。在悲哀中需要尋求刺激。武俠小說就是刺激官能的一種。

凡是讀武俠小說的，並不是在武俠裏欣賞主角的技藝，也不是被其故事所感染，主要地是因打的熱鬧，有的人也覺得熱鬧。時間不好打發過去，只以武俠小說對付之。

寫武俠小說的，並不是以寫武俠而奠定其寫作地位。而是在生活的鞭子無情的鞭笞下，執起筆來，所以十個寫武俠小說的，就是十個人使用筆名。是爲了錢，而才寫武俠。在羣起攻之的武俠小說的今日中，唯一方法，是提高正常文藝小說的稿酬。正常文藝小說的稿酬提到一百元一千字，武俠小說者自然會倒轉筆頭的。

要想以水澆火的方法，甚至於政府在武俠小說上施以壓力，其外熄內燒，會更可怕的。與其治標，不如治本；倘治標，則武俠小說仍然風熾。你說你的，他寫他的。

（編者按：這仍然是治標而已。單純是提高文藝小說的稿酬，是不能壓抑武俠小說的，這是一個社會問題，敎育問題。）

梨園漫談

鵬程萬里

——瘦西湖——

十月十二日，我國劇團與倫敦杜魯巷劇院雙方所簽之合約到期，奈因劇院所排之檔期有關，無法繼續演出，該劇院經理杜庇尼由於該團演出時，效果非常良好，獲得各界一致的好評，乃自動代爲接洽，與都柏林最大之歡樂劇院簽訂了兩星期的演出合約。

大鵬全體團員於十月十三日，搭火車赴愛爾蘭首都都柏林，當日抵達，並於十月十四日正式在歡樂劇院開鑼，演出「青石山」，「二進宮」等二齣，除不斷的獲到千萬觀衆的彩聲外，計到之來賓，均爲當地知名之士，而美國、和意大利的駐在大使，以及其他國家的外交代表，和自稱爲我國父孫中山先生的老友布里特等亦均在座也。

大鵬國劇團自搬來歡樂劇院作第一砲的成功演出後，於隔天即十月十五日：即獲得當地銷路最廣的都柏林夜先鋒報的專文捧場，他說：「中國的藝人在歡樂戲院創造了光榮的紀錄……如果有人在尋求不平常娛樂中的話，那麼中華民國國劇團正可當之無愧」。繼着愛爾蘭獨立報也稱讚的說：「這種形式優美的民族藝術，有着悠久的傳統的戲劇精華，不僅奇妙而富於幻想，而且有着難於分析的魅力」，該報接着又說：「中華民國的國歌，莊嚴肅穆，聽了令人感動不已！」所以，我說大鵬這次出國是最成功的一次，她不但把中華民國的藝術精華「國粹」介紹到歐洲各國家去，而且還把我們的「國歌」傳播到歐洲每一個角落，使西半球的人們，知道我們這個多難的國家，仍屹立無恙，繼續在爲反共抗俄而奮鬥！故論功行賞，大鵬即得一枚勳章也不爲過，不知政府當局以爲然否！

話歸正題，大鵬從九月十六日起，至十月廿六日止，在這連續一個多月的演出，確實是夠辛苦的了！何況有時還要接受各界的訪問，和電視的演出，白天晚上簡直是忙得不亦樂乎，不要說是肉體做成的人，即是金剛不壞之身，想必也難抵得住，因此，該團團長陳毓興決定讓大家痛快的休息一下，遂宣佈放假兩星期後再往法國訪問，當要放假之前，愛爾蘭總主教約翰嘉德，特接見大鵬天主教團員姜佩環及鄒巧如二人，並盛讚該劇團爲全世界戲劇之冠，因致愛爾蘭電台也來錄製部份劇情，作爲當地的紀念，臨行之時，還特地致酬英金三十鎊。（五）

劉璈治台史事

·李仲侯·

清廷既聞法艦封港，命南洋大臣派兵船五艘，以總兵吳安康率之，會北洋艦隊赴期趕援，復以陝甘總督楊昌濬任閩浙，率所部至，相機調度，以謀克復。

光緒十一年春正月廿一日，法軍猛攻獅球嶺，[illegible]力拒不退，法軍復至，戰及日中，移守六堵，[illegible]，澎湖孤懸海上，四面受敵，[illegible]五營及炮勇練軍，統計不過三千餘人。二月十三日孤拔以戰艦五艘侵澎湖，十四日凌晨薄[illegible]營，營官陳得勝據濠戰，[illegible]殺傷過當，[illegible]法艦見勢急，發砲以助之，[illegible]不能支，猶力戰，[illegible]乃收軍，[illegible]諸軍曰：「法軍[illegible]，余先選死士，突入其壘，而諸君從余之，[illegible]敵可敗也。」衆曰：「諾。」[illegible]十五日黎明，[illegible]趣諸軍猛擊，[illegible]躍馬入陣，欲奪其旗，中彈顛走，從卒救之，[illegible]各弁多走，通判鄭膺杰乘小舟逃赤嵌，而澎湖遂失。

先是二月初二日，孤拔旗艦泊安平，介英領事請兵備道劉璈會見，璈許之，將往，官紳諫止，均謂「法人狡，往將不利」，璈曰：「彼以此要我，不往，謂我怯也，咄，乃公豈畏死哉」，乃將去，戒安平砲台守將曰：「有警，即開砲，勿以余在其中也」，就登艦，孤拔握手甚讙，置酒醪，語及軍事，璈曰：「今日之見，爲友誼也，請毋及其他」，孤拔曰：「以台南城池之小，兵力之弱，將何以戰」，璈曰：「誠然，然城，土也，兵，紙也，而民心，鐵也。」孤拔默然，賓主唱酹，盡醉而歸，法艦旋去，台南得以無害。

當時孤拔以澎湖險要，欲久踞爲東洋軍港，而越南華軍以疊勝，進廹宣光，法人有罷兵之意，法政府咨請議院撥戰費，不可，內閣旋改組，執政者雅不欲戰，孤拔憤無後援，且疫作，將士多殁，遂病死澎湖，以副提督李士卑斯接之。中法旣開和議，法公使頗事要求，[illegible]乃相約停戰，[illegible]邊界，而台灣法軍亦於三月初一日停戰，即開各處封口，前敵諸將憤不奉命，洶洶欲戰，督兵大臣彭玉麟尤力爭，且揭鴻章辱國罪，鴻章辯曰：「台灣郡縣也──越南藩服也，以余度之，寧失藩服，毋損郡縣」，電命至閩，[illegible]基隆之語，疏請勿許，而鴻章已換約矣，三月初一日，法軍解封，換捕虜，初五日以記名提督吳宏洛赴澎湖接官，十二日李士卑斯率艦去，事平。

以上關於籌餉，練團，抗法三者，爲劉璈治台致力最勤，功績最著，故特編爲上篇。（十）

望海樓隨筆

名女人（十一）

徐學慧

武則天之事已畧述於前，今請爲言楊貴妃。

貴妃以一弱女子亂唐朝天下，固不足奇，奇乃奇在貴妃死後，玄宗猶對之懷念不置。想路過馬嵬，六軍不發，蛾眉宛轉，三尺紅綾，此情此景，雖鐵石之人亦當動容；使當時之玄宗，能如二十餘年前之英王愛德華八世，（即今之蘊沙公爵）則此一流傳千古的故事，或又將從頭寫過矣，顧玄宗未能有此大魄力，終乃令此一絕代佳人，香消玉殞，豈眞大唐天子顧不能庇護一弱女子乎？

雖然，就當時情勢而論，玄宗或亦有其不得已之苦衷者，安祿山叛於前，御林軍譟於後，偶一徇情，則唐家天下或將就此中斷。存貴妃與存社稷，二者之利害得失，彼固已深思熟慮，而後方有賜妃自縊之一幕。時過境遷，吾人固不能以千載後之歷史眼光，苛責當時之人物也。

帝王之家，每多可歌可泣之事流傳於民間，此無他，環境促成耳。李商隱馬嵬詩曰：「海外徒聞更九州，他生未卜此生休。空聞虎旅傳宵柝，無復鷄人報曉籌。此日六軍同駐馬，當時七夕笑牽牛。如何四紀爲天子，不及盧家有莫愁。」此亦痛言大唐天子反不及民間夫婦，雖語涉諷刺，亦是眞情。

以生命與血淚鑄成之人生悲劇，其感人之深，固不論古今中外，莫不皆然。凡人心理，對於任何事物之觀點，每自存有其矛盾情緒，彼等固衷心希望有情人能成眷屬，然於苦戀不成之淒涼結局，亦備至欣賞。甚且較喜劇尤有過之。使無馬嵬之變，使一明皇而能下最大決心的犧牲一切，以與貴妃共處，則此後若干詩詞與戲劇，勢將重新寫過，數十年後，恐亦無人知有貴妃矣。此貴妃之幸耶？抑貴妃之不幸？時逾千年，一切已成陳迹，三尺紅綾，換得千秋青史，則貴妃雖死，亦何憾焉。

閒話五毒

介人

端陽節又來臨了，粽子早已上市，到端陽這一天，有些人家還要採菖蒲，艾葉插在門口，調製雄黃酒，掛香荷包，剪些紙蜈蚣，貼在門窗上，小孩的身上也都掛上了一些五彩絲綫作的小葫蘆。

包粽子爲了紀念愛國詩人屈原的沉江，這是爲大家所熟知的，其餘的那些活動又爲了什麼呢？

春天，是蝎子、蜈蚣、馬蜂、蚯蚓、毒蛇等所謂「五毒」開始生長活動的季節，古代的人們，是經常與着環境鬥爭，但是他們在不斷的生活鬥爭中積累了豐富的衛生和醫藥知識。爲了預防和治療百病；他們就在春耕已大致就緒，百草已經長出的五月初，抽出這麼一天，男女老幼一齊到野外採集藥草，一方面把採集的藥草裝在葫蘆或布袋裏準備一年之用，一方面又繼臘月的大掃除，二月的酒灰，清明的踏青運動，把藥草中具有驅蟲能力的艾葉，菖蒲，浮萍等懸掛起來，或者燒成烟來薰；有些人還調製雄黃酒，硃砂酒，艾酒，塗在五官等處或撒在屋角，牆根，用香草熬湯洗一次澡。

我們知道，雄黃、硃砂和酒都是能夠殺菌的東西。這一天，進行這樣一次的大規模的驅虫活動，不僅要爲全年的醫療預防工作來作準備，而且爲了更提高警覺，還要用紙剪出蜈蚣、蚰蜒等五毒的形象張貼起來，作爲象徵式的防毒。

一般的用意，那是說：在端午節前後，害蟲就漸漸出來傷人了，人們希望把牠們都消滅掉，就剪了這些毒物的形象，有的剪成用葫蘆把牠們裝起來或把牠們鎮壓住（在古代，葫蘆是被人看作是一件鎮壓邪物的東西），有的則剪成用剪刀把牠們剪住。我們也許可以了解，人們貼這些東西，也有些喚起大家警惕的意思，意思是說，遇見牠就把牠捉住或剪死吧！這不止是一張生動而形象化的標語嗎？

這一種習俗對於五毒的預防，不知起於何時，只是歷代相傳，到了端午節，人們自然地照例奉行，習以爲常，而亦無暇加以研究了。只是到了抗戰勝利以後，行憲的前夕，社會上普遍的盛傳所謂「新五毒」。這裏所謂「新五毒」，是把立法委員、國大代表、社會賢達、青年從軍、軍官總隊並列爲五毒，並且很刻薄的把最後一字截去，簡稱之爲立法委、國大代、社會賢、青年從、軍官總。這種用人來代替五毒，眞是匪夷所思，可說是這種駡人，未免有傷忠厚。

其實，在當年的國大代表、立法委員、社會賢達、青年從軍、軍官總隊，其中實不乏品德兼優，聰明才智之士，更有若干軍官，在抗戰期中，也會爲國家立下了汗馬功勞，爲什麼爲人所詬病呢？這實在因爲當年的選舉，政黨提名，流弊百出，不免擁塞了賢路，致爲人所不滿，而青年從軍，軍官總隊，亦因辦理未善，引起社會的譏評。五毒之中，良莠不齊，致令有一部人士，被當時中共統戰所迷惑，不惜爲共張目，但大多數尚多潔身自愛之士，不能混爲一談。

其時在軍隊之中，軍風紀比較差弛的部隊，亦有所謂五毒，如負傷官兵之同前綫者，名曰「榮譽歸隊」，彼等自恃有功，驕橫過甚，運輸招待機構，稍拂其意，即遭受其辱駡。又採買上士遠離部隊至民間採購菜蔬，以無長官約束，擅取民間物者亦屢見不鮮，爲人民所痛恨。其他如部隊中之「軍需主任」餉糧在手，中飽者亦多。有些帶兵官曾憤慨的說：「只要當上兩年軍需，隨便抓去把他鎗斃，也不會冤枉。」

以上三種人於是有人亦簡稱爲「榮譽歸」，「軍需主」，「採買上」。後來更有人認爲參謀處的諜報人員，多係三山五嶽的怪人，他們活動是在部隊離開的地方，名義上是敵後工作，他們簡稱是亂七八糟，也可稱爲一毒，因之名曰「敵後工」。又部隊中的「高級參謀」，領薪水，不顧事，在主官面前，於清客一流，閒言閒語，此亦一毒，因名之曰「高級參」。綜上列「榮譽歸」，「採買上」，「軍需主」，「敵後工」，「高級參」，是又爲軍隊中的新五毒。

海嶠塵談

憶何雪竹上將軍

諸葛文侯

何氏爲人雖和易易與，却非渾噩不講是非的爛好人，當他在軍法執行總監任內時，曾有鄂人鍾某，因私事與參謀總長程潛衝突，被程掌摑成傷，憤不能平，逕謁何氏投訴，乞依軍法究處程氏以應得之罪。何詢悉詳情，認爲曲在鍾某，乃語之曰：「我們軍人是要講階級服從的，程潛的軍階爲一級上將，我是一級上將，不能以下犯上，我管不了他，請你向最高統帥去控告罷！」鍾某被他諷刺教訓一頓，無詞以對而退，背後大駡何雪竹不替同鄉人幫忙，聞者多匿笑之。即此可以想見何氏平日立身行己的風格了。

對日抗戰勝利結束之際，政府製定「勝利勳章」，分別頒給八年從事抗戰工作的各級公務人員與各界社團領袖。然主其事者漫無標準，隨意濫發，若干文武大員的書記副官馬弁們，胸襟皆懸掛勳章，而眞正對抗戰有勞績的各方幹部人物，多告缺如。我當時曾向何書公談及此事，認爲國家名器如此冒濫，乃是一種衰敗的政治象徵，他憾然答曰：「你以爲抗戰勝利後，我們就有好日子過了嗎？老實告訴你，今後我們如不再嘗亡命生活的痛苦滋味，算是萬幸了！」我詫詢何所據而云然？他說：「現在華北一帶有僞軍廿萬人，東北有四十萬人，希望政府收編，將功贖罪，負責清勦地方匪患，而中樞拒不接納。將來這般人必爲共黨所利用，你想：共黨得到這兩大部分訓練有素的兵力後，不啻如虎添翼，大亂必起，國家還有寧日嗎？」後來他這項預言都實現了。

大陸淪陷後，何氏避地香港，卜居於「戒和道」，我不時趨訪閒談，他曾經爲我函介於菲律賓僑領戴愧生，聘我赴菲島從事教育工作，我囑留海隅未去。旋聞何氏定期舉家遷居台灣，急往道別，他說：「我爲着生活關係，不能不到台灣去，因我在交通銀行負有監察人的名義，每月可領取一些公費，聊濟家用，你們在海隅旣有職業，一動不如一靜。」我謂香港將來難保不發生危險吧？他說：「若就軍事觀點設想，香港可告無事。如果世界不發生大戰，中共需要利用香港這塊地方作經濟活動樞紐，它不會妄作軍事冒險行動，自尋苦惱。萬一大戰發生，如此蕞爾小島，生產貧乏，又無軍事價值，誰也沒有興趣來爭奪這種無關宏旨的孤島了。」他這番見解是否正確，且待事實證明焉。

去臘某夕，我在台北「國光戲院」聽戲時，於休息室遇見何氏，他站着跟我談話，數秒鐘，忽然傾倒「梭發」上，全身不能自持，我急忙扶起他，他笑謂「不要緊」，仍到舞台座位繼續觀劇至完場。我心裏很爲他的健康躭憂，然未料到其凋謝如斯之速也。拉雜書此，以誌不忘云爾。（完）

歷史人物

陳宏謀論

謝康

第二、是對民俗民德的特別關懷。陳氏在「訓俗遺規」的序言裏說：「古今之治化見於風俗，天下之風俗，徵於人心。人心厚則禮讓興而訟端息矣。……嘗欲於典籍中採其切於人心風俗，人所習而不察，動而易犯者，刊布民間，以庶幾於弭患未然之計。彙爲一帙，名曰「訓俗遺規」……大抵理惟取其切近，詞不嫌於眞率，務使人人易曉焉。」

他這種端正人心以敦厚風俗，提倡教化的主張，就是曾國藩原才篇「風俗厚薄自乎人心之所向」的立論根據。這也可說是他們兩位名宰相所共同認識的治道的本原。現代人心澆薄，世風日下，尤其在極端商業化的十里洋場，一般唯利是圖的市儈，根本上談不到文化道德那一套。至於五四運動以來，受了淺薄的西洋思想洗禮的若干知識份子，昧於西方人文主義精神，動輒以輕蔑的眼光，投向那些講德道說仁義的線裝書籍，認爲是時代落伍，不屑一顧，這些人幾乎和崇拜馬列主義的「前進分子」，同一鼻孔出氣。又何怪乎民族精神頹喪，風俗澆薄，民德墮落，馴至新道德未建立，而舊道德逐漸淪亡，影響及於政治社會各方面，至深且鉅。

（六）

自由報

THE FREE NEWS

內警備台報字第〇三一號內銷證

第一四一期

中華民國僑務委員會登記證[illegible]

每份港幣壹角

社長：雷嘯岑

督印人：黃行奮

社址：香港銅鑼灣高士威道二十號四樓

20 CAUSEWAY RD 3RD FL HONG KONG

TEL. 771726　電報掛號 7191

承印者：四風印刷廠

地址：香港灣仔高士打道二二一號

台灣分社

台北市西寧南路壹壹本號二樓

電話：三〇三四六

台郵撥儲金戶九二五二

東南亞協和體與大東聯邦

——分析馬來總理拉曼近年的一項外交政策——

宋文明

馬來亞正式獨立未久，但馬來總理拉曼卻在東南亞一直扭任着一個非常活躍的角色。除了過去兩年他一再訪問歐美各國，嘗試對所謂中國問題設法予以調處外，他還會不斷提出建議和主張，企圖把東南亞各國在他的領導下組織起來。

一九五九年一月初，拉曼於應邀訪問菲律賓期中，首次揭開了他對東南亞問題的一項新穎想法。在結束此行的公報中，與菲總統賈西亞共同表示將建立一個馬來亞與菲律賓之間的經濟及文化聯盟，並要求其他東南亞國家加入這一組織，以解決東南亞的各種問題。菲律賓總統賈西亞所以如此熱心支持拉曼這一建議，就因爲這一建議完全符合了菲律賓過去的一貫想法，所以接着未久，賈西亞便往馬來亞作答聘訪問，雙方就拉曼這一建議再作更進一步的討論。結果他們雖沒有立即決定成立正式組織，但他們對這種組織的籌備工作不僅沒有停頓，而且還伸向其他有關的國家方面。

於是一九六〇年一月十一日，馬來總理拉曼便向東南亞地區的菲律賓、越南、泰國、柬埔寨、寮國、緬甸、及印尼等七國發出函件，正式建議設立東南亞國家聯合會（Association of SouthEast Asia States）一組織，以加强各國間經濟與文化的共同合作。馬來提出這一建議後，除了菲律賓之外，其他各國的反應並不熱烈。甚至就是泰國，也沒有作什麼肯定表示。可是在菲律賓這方面，不僅出席一九六〇年三月曼谷遠東經委會的菲代表曾提出設立東南亞經濟集團的建議，而且菲總統賈西亞在同年七月四日及七月七日兩次演講中，一再重申斯意，要求東南亞各國共同成立經濟文化合作組織。但不論馬來亞與菲律賓如何齊聲呼籲，而東南亞其他國家不是認爲這一建議在破壞它們的中立，便是認爲這一建議會影響它們與美國間的直接關係，所以直至最近，拉曼所提這一東南亞國家聯合會一事，仍然還只是停留在馬來亞與菲律賓唱雙簧的階段。

本年五月六日，拉曼在對馬來亞國民陣線大會發表演講時，曾對亞非各地其他國家的中立主義予以猛烈的抨擊。拉曼認爲它們那些中立主義大半皆有親共嫌疑，大半皆失之於偏頗，而只有馬來亞的中立主義，才是一種眞正的不偏不倚的中立。對於這一說法，當時除了拉曼本人之外，幾乎沒有一個人知道它的用心何在。可是未過很久，拉曼所作的另一演講，便揭開了前面這一說法的內在隱衷。本年五月廿七日，他在新加坡對東南亞記者協會演講時曾說：「所謂東南亞國家聯合會爲東南亞公約一附屬組織之說，完全是荒謬無稽的。我所以提議成立這一組織，就因爲我感到我們自己可以作些事情，而不必一切皆依靠美英等國替我們設想。我最近接到報告，說阿拉伯聯合共和國與南斯拉夫在發起籌組第三集團時，就因認爲馬來是一個東南亞公約的潛在參與者，並從後門參加東南亞公約，而被拒絕邀請」。由拉曼這一演講，我們可以看出他提議組織東南亞國家聯合會這一作法，不僅沒有領導起東南亞地區的國家，反而被亞非地區的中立主義者視爲西方國家的「統戰」代表，拒絕列入它們的中立集團。正因如此，所以最近二十一個中立國家在開羅集會，商討籌開中立國首長會議時，根本就沒有馬來亞的名字；也正因如此，所以拉曼才發表演講，抨擊別人的中立主義，而宣傳他自己的中立主義。

拉曼本人現在雖還沒有作公開表示，就此放棄組織東南亞國家聯合會一事，但原定本年六月在曼谷爲此舉行的籌備會議的無理由的延期，已表示亞非國家對拉曼的抵制與批評，多少已發生了相當的影響。拉曼自已已看得很清楚，像擬議中的東南亞國家聯合會一事，絕不是馬來亞這種小國所能推動起來的。與其花費太多的時間與精神，去追求一個不易實現的過高目標，仍得不到其他國家的贊助與諒解，還不如退而求其次，設法致力於其他較易成功的東西。於是就在這種失望而又不甘心就此蟄伏的心情下，拉曼便於本年五月底又提出了一個新建議，要求新加坡、北婆羅、薩拉瓦克、婆羅乃，與馬來亞聯合，共同組一大聯邦。拉曼在提出這一建議時雖未聲明這將代替過去的東南亞國家聯合會一擬議，但整個跡象確顯示如此。在拉曼的想法，過去提議組織東南亞國家聯合會，他人竟批評他是爲西方國家效勞，那麼現在提議組織一包括未獨立地區的共同聯邦，就應該不致於引起他人的誤會了。由於拉曼提出這一新建議，所以今後縱使東南亞國家聯合會一事仍被繼續推動，這種作法也只是一種敷衍性質，而拉曼的主要精力勢將用在這一新的聯邦建議之上。

拉曼所提這一東南亞聯邦的建議，在他個人來說，還是一種新的創造；但從這一建議的本身來說、這一建議不僅不是一個新的建議，而且是一個相當舊的建議。我們記得在一九四九年中共完全控制大陸以後，當時英國政府對於嗣後的英國遠東政策，會作過一番詳盡的考慮。這種考慮一是集中於如何繼續保持英國在中國大陸的經濟權宜，二是集中於如何應付中共對遠東區英國其他殖民地的壓力，藉以維持英國的殘存地位。就在考慮這第二個問題的過程中，當時英駐遠東各地的外交官，在東南亞高級專員麥克唐納的主持下，於一九四九年十一月一日起，在新加坡舉行爲期四日的會議，研討下一步的政策計劃，以便向倫敦提出建議。這一會議對於嗣後的英國遠東政策，當然提出了很多計劃，其中如英國的承認中共，也是先在這一會議中作過討論的。除此之外，當時這一會議比較令人注意的，便是提議將英屬馬來等未獨立地區共同結合，以成立一個單一的主權單位。這一主權單位，在當時並不叫做什麼聯邦，而是稱爲「大東自治領」。顧名思義，便是把這些地區結合一起，而予以一個自治領的地位。如此，不僅將加强這一地區的行政管理效能，使這一地區容易走上開發與繁榮之路，而且亦可阻止共黨在這一地[illegible]的反殖民主義，反[illegible]國的宣傳。但是結[illegible]，由於當時馬來亞受共黨武力破壞威[illegible]，以及這一地區各單位在政治、經濟文化方面的參差不[illegible]，致英國政府沒有[illegible]納這一建議。

現在經過爲期[illegible]二年的重大變化，[illegible]來亞不僅已獲得完[illegible]的獨立，而且在反[illegible]共黨游擊隊的戰爭[illegible]巳獲全勝。其他新[illegible]坡與英屬北婆羅洲[illegible]並巳相繼獲得自治[illegible]地位。談到政治經[illegible]情況，英屬婆羅洲[illegible]區，遠趕不上馬來[illegible]與新加坡，但由於[illegible]年北婆羅洲三區的[illegible]極開發，以及國際[illegible]光的逐漸轉移於此[illegible]還三區的地位正日[illegible]重要。同時，近年[illegible]來，馬來亞與新加[illegible]兩地雖經常談到合[illegible]一事，但由於新加[illegible]華籍後裔的人數衆[illegible]

[illegible]

小論天下

△蘇俄對西方國家加强其有關柏林問題的恫嚇，揚言不惜動武。西德表示堅强不屈，西柏林居民有大集會，誓爲自由鬥爭到底。英法美態度迄未改變。

西德是眼中釘，西柏林是喉中骨，赫魯曉夫眞的能開刀麼？目前最可慮的仍是：西方國家終將顧此失彼，吃虧的仍是亞洲國家。

△寮國三方面領袖會議，右方推由寮王任未來「聯合政府」總理，遭共黨及「中立」方面反對。

如要推測寮國這回「和談」的結果，最好覆按一下中共席捲大陸前夕的史料。這正似中共大舉渡江以前的「國共和談」，怪不得泰國當局越來越着急了。

△英鎊突現危機，傳英國將決定加入西歐「六國市場」，英聯邦各國爲「特惠稅」問題起恐慌。

事有湊巧，這自然多少增加了赫魯曉夫對西方續加威脅的勇氣。

△自由中國外交部業已決定，將不惜使用否決權阻外蒙進入聯合國。

「雖千萬人，吾往矣」，這時不能沒有這種勇氣。

△日本首相池田勇人抵美訪問，在美鄭重聲明，日決不採中立政策。美總統甘迺廸將與談中共入聯合國問題。

總而言之，眞正的事實是「討價還價」。

△美駐聯合國大使史蒂文生訪問南美各國，共黨屢次發動左翼示威騷動。

史蒂文生此行的希望是打擊共黨在此地的「仇美」運動，但是，共黨正好利用古巴事件，擴大「反美」的宣傳活動。

△阿聯發動宣傳，反擊赫魯曉夫目前對阿聯防共的指責。

赫魯曉夫早該坦白說明：你要盧布便不能不要共產主義。

△南韓軍事革命政府總理張都瑛動程訪美。美通訊社指出：南韓因厲行節約，商業極爲蕭條。

南韓以除汚與救窮爲目前急務，後者卻不是一朝一夕之功。病態繁榮雖與貪汚政治息息相關，但徒恃節約運動決不能打開經濟出路。

方南

自由談

不敢樂觀

南韓軍政府成立以來，幹出了若干非常的社會改革事項，除却清算工商企業界的所謂貪污份子之外，爲撤去五百多個蓄有姬妾的官吏職位；驅逐在漢城的娼妓五萬人回到鄉村去；封閉了全國過半數的報章刊物；掃蕩各大都市的咖啡茶室；撤消了全國各市政府的副市長一千七百多名；逮捕了數以萬計的阿飛式不良青年，分別處刑或强廹勞動；嚴禁韓人吸外國香煙：這一切，都表示着求治心切的愛國情操，頗爲痛快。

可是，南韓今日內在的困難和外在的威脅，決不是單憑這種措施即可解除，而社會問題亦非顢頇操切行事所能奏效的。尤其是驅逐娼妓還鄉一事，更屬極不合理的蠻幹行爲，徒滋紛擾而已。民國十七年我國內政部長薛篤弼標榜禁娼主張，一日之內，派遣軍警將南京城廟的娼女們草薙禽獮，一律押解出境，不旬日而南京對岸的浦口鎮艷幟林立，笙歌喧闐，又大唱其隔江後庭花了。誰是生性願操淫業之人？不從促成娼妓發生的根本原因設想，作曲突徙薪之謀，僅以暴力驅使她們離開都市，這是見頭不見尾的鴕鳥行動，連裱糊政策亦說不上哩！在南韓的現實情況下，如其清算官僚資本或豪門資本，原是應有之義，不分青紅皂白地打擊民族資本家，便係自殺政策——除非向共黨政權看齊。

軍人搞政治已經很成問題了，青年軍人[illegible]政獨裁，更是極端危險的事。二次大戰前的日本少壯軍人飛揚跋扈，妄干政治，終致闖出了亡國之禍，可爲殷鑑。這種血氣之勇，天眞的愛國心理，幼稚而不成熟的政治思想和言行，恨不得一夜之間即將國家置於富强康樂的理想境域，其志可嘉，其情可憫，然其後果將不堪設想！

我們跟南韓是患難與共，休戚相關的道義朋友，一心希望大韓民國完成大一統的建國偉業，目擊少壯軍人事政的各項措施，卻不免憂心忡忡，難以樂觀也。

馬五先生

梁肅戎控告任卓宣

李華

（台灣通訊）

曾因擔任「八德案」與「雷震案」的辯護人，而一舉成名，家戶喻曉的立法委員梁肅戎，現在自己也作了訴訟的當事人了！他於十四日上午九時，向臺北地方法院遞呈了一份自訴狀，控告「政治評論」發行人任卓宣（筆名：葉青）及「物傷其類」的作者「白天」（原名：趙英斂）涉嫌「誹謗」。

「政治評論」半月刊在四十九年十一月十日出版的第五卷第五期，卷底頁「漫談」十則中第二則，標題為「物傷其類」的小評中，指當立法委員梁肅戎是「漢奸」，曾任偽滿法官，曾「殘害愛國志士」，會於勝利後被囚等等。該段文字全文為：「立法委員梁肅戎於滿洲國法政大學畢業後，就在偽滿做官，當了日偽漢奸組織的法官。據說：此人手段非常殘酷，當時東北抗日愛國志士經其手判死者不計其數。抗戰勝利後曾以「漢奸」這個罪名坐了幾年牢。但是此人仍沒有一點國家觀念，只要有錢，不惜以雄辯之術為害國家。像這次雷震已犯了叛國罪，他仍站在國家敵對的立場，提出六項不利於國家的「理由」，滔滔不絕的為叛國犯辯護，大有「兔死狐悲」之意。不過，也難怪漢奸與國賊本屬同類，國賊犯罪入獄，漢奸能沒有「物傷其類」之感？」

「政治評論」於去年十一月刊出上述那段文字，梁委員幾個月來並沒有看到，直到本（六）月八日下午，梁委員的兒子，自學校放學回家，氣冲冲的質問他的父親，為何做「漢奸」？他說同學們都恥笑他，梁肅戎始而驚駭莫名，繼則查問結果，方知上述情形，十分氣憤，認為是莫大侮辱，乃具狀控告。

案發第四日，有東北籍立監委，國大代表石堅等十四人，共同出面舉行記者招待會，說明梁委員從事抗日活動的經過，並指出梁肅戎是以偽滿官職為掩護，進行愛國活動。他們都是在東北淪陷期間，與梁肅戎共同從事地下革命工作者，生死與共，知之甚詳。「政治評論」此舉，顯係對梁肅戎委員「肆意攻訐」，「橫加誣衊」。

該文作者「白天」，於當日亦向記者表示：他寫這篇東西絕非故意捏造，更非憑空虛構，完全是根據事實寫出來的。這是他寫的東西，他願意自負其責任。必要時，他將拿證據，證明他所寫的那篇文章的真實性。同時，「政治評論」發行人任卓宣亦發表三點書面聲明，駁斥東北籍十四位立監委、國大代表在記者招待會上之談話，其要點在謂：該刊係一民間刊物，基於愛國熱誠，對國內外政治問題作公正之評論，避免涉及私人。容有未盡周延之處，但經有關人士提出不同意見，或列舉事實請求更正，本刊皆樂於發表，以示客觀。對「物傷其類」一文，據作者見告：本人與梁委員素昧平生，更無恩怨。撰寫此文，乃根據資料，評論有關公衆利益之事，絕未攻訐誣衊。並表示：梁肅戎在偽滿組織做過官是事實，至於他是否做革命工作，作者不是參加特務工作人員，不知誰係有特殊使命，誰不負有那種特殊使命；在一切尚未獲結論前，他不願再表示什麼意見了。

這件案子發展到此，結果如何目前尚不可逆料。梁肅戎真的做過「漢奸」嗎？「殘害愛國志士」嗎？梁委員與他過去在一起工作的同志，都異口同聲為他辯正，而作者「白天」卻肯定的表示，他握有證據在手，必要時將公佈於社會。公說公有理，婆說婆有理，看樣子，祇有對簿公堂了！不過，台灣的「誹謗」案，多半是雷聲大，雨點小，各說一詞後，雙方和解了事；這件案子是否也如是，那祗有「且聽下回分解」了！

近些日子來，台灣的報紙社會新聞版，常是長篇累牘的殺人新聞，在大局動盪人心苦悶的今天，這些新聞常能「引人入勝」的！所以，當「分屍」發生後，五花八門的報導，佔了報紙上大部份的篇幅，即連前日法院審訊情形，仍是全版登載，至於採訪方式是花費的財力，更是任何其他重要新聞望塵莫及了。梁肅戎控告任卓宣「誹謗」，說來算是社會新聞中的花邊新聞，在報紙上也佔十二欄篇幅，因為這兩位都是今日自由中國政壇上赫赫知名之士，這一場「衛名」官司，也許是後日政壇上的佳話吧？

五〇、六、十六

田炯錦下令拘審現役軍人

（台北通訊）

本月十日上午九點，台北地院刑庭第五庭開庭，告訴人是一名現役空軍士官宋運義，被告訴人是蒙藏委員會的主任秘書程德受，和該會的總務科長馮晉澤。因為他們二人於上月十日的下午拿著該會委員長田炯錦出面的公文，把宋運義逮捕起來加以審訊，他們並且還作成筆錄口供，命令宋運義非在口供上簽字不可。

這個案子的起因是這樣的：遠在四十一年的六日卅日，蒙藏委員會曾代該會所屬的一個單位——蒙古各盟旗聯合駐京辦事處向台灣省林管局申請配購原木及木製品七百三十五立方公尺，當時蒙藏委員會在申請證明書註明申請的用途是建築蒙疏教宿舍，辦公廳及會議室之用，在該證明書上還列明林管局木材使用辦法第五條條文「各單位申請配售之木材如發覺有套購轉賣圖利或其他不法情事，申請單位及證明機關，應從嚴議處」。

這批申請的木材配價共三十八萬零二百七十五元，如以四十一年的黃金市價相折，值台秤一千零八十兩，倘以市價出售，必定是相當可觀的一筆利潤。

可是，過了七八年，所謂辦公廳、宿舍，連個影子也未看見，而配購的木材七三五立方公尺，則不知到那兒去了。

這件事，到了四十九年的七月，台北的報紙，曾經報導一部份，但語焉不詳。同時，也有人向林務局，監察院檢舉過。林務局報請省府轉行政院調查，監察院也由王枕華委員提過彈劾案，但未獲通過，最後祇通過一個糾舉案。立法院也有許占魁兩度提出質詢，但所獲均是避重就輕的答覆。

當田炯錦重掌蒙藏委員會時，他就懷疑這是有人故意給他難看，於是對於在立院兩度質詢的許委員和主張在監院提出彈劾案的王委員，他均在蒙藏委員會內把過了三四年的不相干的東西找出來，告他們一狀，讓他們嘗嘗官司。

許占魁委員的官司是收受不正當利益，王枕華委員是偽造文書，藏匿人犯。還把前任委員長劉廉克拖上。

許委員去年因患腸胃病和胆結石住院開刀，化了很多錢，前委員長李永新從特支費下撥了一千元，許因臥床不能開刀，於是由他的太太代為簽字收到，結果就是此一收據被吃官司。事實上李永新一向以清廉見稱。

王委員前有一佣人宋連義服務空軍，因違紀被判八月徒刑，已服刑四月，中途因其妻兒生病，便求助王委員，祈其設法保外服勞役，王委員念在舊屬關係，便函前蒙藏委員長劉廉克，劉即批令派員接洽，軍法單位答應可以，於是就由蒙藏委員會代為辦理保外服勞役手續。出獄以後宋又請假，當時也由蒙藏委員會批准，此人以後刑期屆滿又回到空軍總部服務，刻已升到中士。此為四十六年間的事。

此次王委員被控，於是他又把宋連義找到，請他作證。田炯錦先是找人向宋招呼，要他不要為王委員作證，但被拒絕了，以後又派人向宋的上司關說，還是被拒絕了。最後田炯錦以蒙藏委員會委員長的名義，辦了一張公文（台（五〇）總密子二八號），於五十年五月十日下午，派他的主任秘書程德受和總務科長馮晉澤，前往台北市警察第十分局，請他們惠予協助。果然，他們就把宋運義像逮捕犯人一樣，用紅色的警車抓來，由馮晉澤作法官，程德受作記錄，法庭就設在第十分局裏，這樣就堂而皇之的開起案來了。據說問罷之後，他們還強迫宋運義簽字，他們威脅他說：「不簽字就被關起來，不准離去。」

宋連義事後回憶他們在審訊時，「在形式與語氣上，還比法官為森嚴，神氣有令人不敢仰視之概。」

這個案子曾被一名蒙藏籍台大政治系的學生蘇越出面加以檢舉，還於上月廿三日舉行記者招待會。除了青年戰士，China Post兩份報有一點報導外，其他的黨報和官報，都一字未提。

昨日上午開庭的結果，除了原告而外，程德受，馮晉澤均未到庭。（會親開寄）

從光隆輪說到航商

三項辦法・兩路攻勢

（台灣通訊）自從光隆油輪於四月五日在高雄港爆炸事件發生後，所引起的問題，雖時逾兩月餘，而立法院目前正進入質詢的高潮。由光隆油輪事件發展到所謂「停航補貼」浪費國庫稅款問題，以及中油分公司負責人「扶雄郡復」的風波；方與宋艾，僅立法委員的質詢文章，多達數十萬言，而有關人士所施行的三天一大宴兩天一小宴的「民」以食為「生」主義，也有三、四百桌之多。由此觀之，問題的嚴重深入淺出的報導，使讀者一目瞭然其來龍去脈。

中油公司租購莫比油輪經過：中油公司於四十六年與美國莫比海外油公司租購油輪T2型油輪二艘與T一型油輪一艘（即光隆輪），全部油輪價欵美金八五〇萬元，另加利息二百五十萬美元。以空船出租方式為之，租期十二年。按照經濟部在四十六年四月間的說明，並無此需要。但中油公事前未經行政院批准，也未經審計部主計處的合法手續。僅以「以此方式長期租船，實際上與我方自行持有油輪之所有權無異」，「如將來本公司對油輪噸位感到過剩時，亦經雙方獲致諒解，照實際成本轉供莫比公司應用，而不必由本公司負責」。同時「實際支付運費計算大致不超過美航會規定運率減百分之二十，而預測在合約期內——十二年——世界油輪市場之運率變動，亦不致低過於此標準」。「復有容納一部本國船員上船工作，故對國防及航業均有裨益」為理由，而與莫比海外油公司達成協議。據「藍皮書」楊管北委員稱：「T2型舊油輪售價，每艘三百三十萬美元，現僅值三十萬美元。當楊繼曾部長接事後，洞察情弊，即令中油公司將未經政府批准所購進之T2舊油輪退去，惟T一則未退去。照理T2大油輪既可退還，T一小油輪亦應可退。可見T2大油輪之船東如非自己人有關係者所有，決不能隨意廢約退去。且購價三百三十萬美元，退去時市價僅一百萬美元，其差額損失何人負責。T一小油輪之不能退去，原因為直接從市場購來，故無法退去。我們不購兩艘T2型油輪，即省去政府六百萬美元之損失。而其購T一小油輪價一百五十五萬美元，現僅值十餘萬美元，政府已蝕去一百萬美元。該輪現由招商局代為經營，每月蝕本二萬五千美元左右，三年來又蝕去一百餘萬美元」。楊氏這段話，道破中油公司為什麼非法購進三艘油輪的真相了。而T2型舊油輪已逾十二、三年，「在租期十二年中……兩艘總共四百五十萬美元之修理費，依據『空船租賃』合約，例由中油公司負擔。」而所謂「有利」云云，豈不是該公司「隱善揚惡，有意欺蒙政府」嗎？因此，立法委員們認為光隆油輪——即未退去的T一型逾年舊油輪——爆炸事件，其責任應由「編造美麗謊言」的中油公司負之。因為經濟部於四十七年四月，又決定光隆油輪以退還為上策，然中油公司神通廣大而長期租下來了。（未完，下期續）

寶島拾零

・嘯谷・

△台北縣議會議長蘇清波最近新購了一部一九五九年出品的別克黑色流線型小轎車，價欵高達新台幣二十五萬元。不過，這筆欵子是由台北縣政府和陽明山管理局共同負担的，前者出二十萬元，後者出五萬元。台北縣政府近來時常鬧窮，有時窮得連公々都沒有錢買郵票發出去，這種情形已發生過三四次之多，可是為了購小轎車讓蘇清波議長享受，却撥出一筆相等於愛國獎券第一特獎的金額來！這使一般縣民都莫名其妙！

△台北市實施地方自治以來，第一件最小的罷免案現已投票罷免完成，被罷免的是松山區的一位鄰長。據說，鄰長被選民罷免，還是台灣全省破天荒第一遭。

事情的經過是這樣：在二年多以前台北市松山區改選鄰長時，很多鄰無人競選，但興隆里第二十鄰的競選却十分激烈，結果由候選人王言道當選。王鄰長籍隸山東，現年四十一歲，他的任期是從民國四十七年十月廿日起到今年十月廿日止。

不料，最近有選民發動罷免王鄰長，罷免的理由說是王鄰長沒有實現競選時所作的諾言，也沒有替鄰民謀福利，使選民大失所望，所以才發動罷免。罷免申請書是由選民白美一等十六人簽署，經區公所調查後公告指定於本月四日投票。

該鄰共有三十九戶選民，是日參加投票者有二十一人，開票結果同意罷免者十九票，不同意者二票。於是此一最小的罷免案乃正式宣告成立，為台省民主政治平添一段佳話。

活靶

——記滇邊歸來的義胞曾君講述的故事

宣建人

湄公河的水清清的靜靜的流……

湄公河北岸激烈的戰鬥，像暴風雨一般過去了；猛獸虫豸，又活躍在原始森林裏……

我們都是神槍手，每一顆子彈消滅一個仇敵……我們，在七天的戰鬥裡，把向我們猛攻的共產黨打得落花流水；在山坡上，森林裏，溪澗中，橫一個，豎一個躺着敵人的屍首，流着血……

我記掛着我的女人，帶着勝利的微笑回到她的身邊；爬過一個山頭又一個山頭，一步一步接近家了，哼着家鄉小調；邊想從她那兒獲得溫馨與愛情。我的女人雖是阿卡族，（她是阿卡族的美人兒，我追求她費了好多心思。）但她嫵媚、溫柔、賢淑……好多日子我們沒有溫存了，我深深的思念她。

我想：她一定在祝福戰鬥中的丈夫平安。當我第一步跨進門，她一定又驚又喜，瞪大着一對明亮的睛眼，笑迷迷的向我奔來……細訴她別後的思念。

然而，我剛跨進門，她的哭聲將我的興奮衝散了。我反而楞住了，怎麼，她哭。

「阿珍——」

我的女人似乎沒有聽到我的呼喚，仍然在哭。

「阿珍，」我搖着她的肩膊頭，說。

她這才一驚，止住哭，紅腫的眼睛含住淚，朝我看一眼又哭了，像一個孩子受到別人的欺負看到親人哭得更厲害了。

「阿珍，哭什麼，你說？」我摸不着頭腦，非常着急的問她。

我想，誰欺負她，我和誰拼命。

「孩子，孩子……孩……」她哭着說着。

「孩子怎樣了？」我急的冒汗，猛力的搖着她，「說呀，孩子怎樣了？」（一）

花圈與花籃

·汶津·

走過一條窄街，眼前一亮：兩旁佔滿了白色的大花圈，整條短街都沒有一點空缺。轉入另一條街，花圈陣的尾梢仍在展延，確實有聲勢浩大之感。

我覺得一陣惆悵，為死者——大概是一位福壽雙全的老太太——着想，似乎也不宜這麼擁擠。那些花圈都是大而不覺得可愛的，甚至連香味都分辨不出。如果我死了，真不願受用這種排場，只要一些好友親人們，每人為我滴一滴真摯的淚，我便心滿意足了。因為送花圈的人，多的是讓金錢壓死了真情的市儈，不足榮我，只可辱我。

花圈這東西，本是象徵性的，但往往用於當事人無法※覺的情況下，至少在中國是如此。夏威夷式的花圈，自然別具一格，它們的氣氛也各各有異。套在頸子上的花圈，有時是點綴英雄的，有時則有諧謔的意味，這是我們不會身領者很難體會的。送活人花圈的，又多半是妙齡女郎，受圈者究竟對鮮花驕傲，還是對少女動情，太難辨別了。也許，有人會感到那只是一種美麗的束縛吧。

春天驚過，百花盛放，有些人愛看花朵迎風飄展，有些人卻寧可欣賞人們加工後的馨香。但花圈畢竟不易把握住特意的美，花籃呢，花籃就比較精緻，比較地顯及啟發一些愉悅的心情。

有些小花籃的確可愛，甚至使你轉移欣賞的目標，不再專心看畫或看劇，轉而注視這些附加的玩意了。這雖似是參加婚禮的來賓不注意新娘而死盯着女賓相擬看。有些號稱畫家的展覽家，畫幅之上缺乏藝術，會場裏面倒是佈置得挺不凡的。又兼交際的藝術到家，花籃成羣結隊，既有達官貴人的賀意，又見風流名士的贊助，畫展的身價頓增百倍。可惜花籃自是姿媚，觀衆不是瞎眼。結果平白給人花籃特展的印象，那些畫布上的「傑作」有知，也必會感到喧賓奪主的難堪。

新演員被人捧起來時，花籃也是不可或缺的一位角色。它決不辜負了上蒼提拔一位麗人的美意。當幕起的時候，那位少女演員的風采，終於掩抑了花籃們的錦繡。它們似成了迎侍階下的丫環。但當年華老去，她的演技與蒼老齊頭並進時，寥落的花籃便是一種悲哀的象徵了。我們怎能不同情一位風華絕代的紅伶逐漸成為無人問津的孤獨人物？花籃在世態炎涼之中，究竟是串演着怎樣的一個腳色啊。

錦上添花的實例真也太多了，有些貧苦的孩子，如果有人送他們從花圈上摘下的一朵小白花，定能賺得他們的一片稚笑和一瞼感激之美。人間的不平固然不是幾瓣清香所能彌補的，但開張大吉的花籃，如果送給了蕭條的孤兒院，不更能發揮它的價值麼？

一位不知名的老婦，每年寫信給公墓看守者，並附上買花的金資，請他每年為亡兒墓地添上一些鮮花。最後，那位老婦出現在看守者的面前，這次她親自帶來了花束，而看守者告訴她：每年的鮮花都改送到一家貧民醫院的病房去了。因為死者終究是無法享用花香的。那位慈母突然感悟了。從此以後，便有更多病人享受到愉悅的鮮花。最近有一位知名人物去世，他的遺囑婉卻了一切花圈的餽贈，請好意的朋友們把這筆費用捐助救災，那真是一個明智的家庭。可惜虛榮的力量始終控御着大部分的世人，所謂死後哀榮，其重要性真和生前的顯赫不相上下。也不想想：那些花圈所誇耀的，其實只是未死者的「不凡」，借死者自炫的家人，真值得上一絲花香麼？

不管是花圈是花籃，都已不是天真未鑿的了，離開了泥土的鮮麗，雖然色香皆有濃淡之分，其不能長久的命運是相同的。人們又何苦太迷戀這些身外之物呢？

拿辦法來

——黑子——

某次開會，大家都一致為生活的壓力感到苦不堪言，而有請求調整待遇之議。此議一提，衆皆附議，無不舉雙手贊同者。惟某主管却板起面孔說：『這問題已經議過多少次了，提不出具體辦法來，如何調整？難道老是給上面出問題，不給上面想出辦法來解決問題？待遇既然要調整，就得籌劃財源，沒有財源，就沒有辦法，沒有具體辦法，就是給上面出問題。嗣後對任何建議，除了加以詳細說明之外，還要擬就具體辦法。最好提供有建設性的案件，否則如何轉呈上級？』

此某一主管，官雖不至高，其薪津自與一般人員相差無幾，而家庭開支尤巨，但不見其訴苦，猶屬奇事。其實，說穿了亦算不上甚麼奇事，蓋主管者有座車可乘，呼東駛西，有免費汽油供給，有預算可資變相支取，用之不盡，取之不竭，而且有專差捧送到府，夫何苦之有？

問題既能一而再，再而三地被提出，正說明了這問題真正地成了問題，上面應主動設法解決之。而某主管對這個問題聞之再四，竟提不起興趣來，硬要下面的擬出具體辦法來，才予以陳轉建議，真是令人哭笑不得。

此某一主管迄今仍高踞其主管寶座，雖最高主管迭次更易，然未見其寶座有所動搖。聞主管官在一年之內，該管單位內不出問題，則主官得受獎勵。據聞此某一主管已奉頒定嘉獎數次矣。自是為官得法，領導有方。

徵稿小啟

有內容有意義之隨筆、散文、掌故、小說、雜感等類文字，本刊均所歡迎。請用有格稿紙繕寫，如需退還，請附信封及郵票。一千六百字左右的隨筆，比較容易刊出，過長則以篇幅所限，請特別留意。

瘟君續夢

岳騫

第一回：捲土重來，瘟君尋舊夢　投袂而起，小醜鼓雄風

周恩來提出習仲勳，大家無話可說，因為習仲勳現任「國務院」的「秘書長」，去「副總理」相差一級。當了副總理還兼任秘書長，所謂升級也只是說說好聽罷了。

決定了副總理之後，毛澤東問道：「還有什麼問題討論沒有？」

就在這時，有電話找周恩來，周恩來接過電話十分緊張，向大家說道：「國務院有點事，我要趕快回去一趟。」說過向陳毅擺手，陳毅竟起來同他一道走了。

毛澤東笑道：「什麼事這麼緊張，大概又被鄧顯超把小公館搗毀了。」

陳雲苦笑道：「但願不是這回事，不然我就慘了。」

毛澤東奇怪道：「干你什麼事，蕭小姐又不是你從中拉的皮條，難道鄧顯超敢打你不成。」

活曹操拈鬚笑道：「主席不知道，上次恩來同志在蕭小姐處休息，被穎超同志領乾女兒趕到地方把陳設打得稀爛，恩來同志被捉回去痛打了一頓不算，勒逼要寫悔過書，還要找保，因為陳雲同志和他離得近，恩來同志就拉他簽個名，主席試想，假若這次出了問題，鄧顯超真會連保人打了。」

毛澤東拍手笑道：「不做媒人不做保，一生一世不煩惱，你替共產黨員作保人，那有不倒霉之理。」

毛澤東說過，大家又笑一陣，也就散會。周恩來回到「國務院」，可就傷透腦筋了。

原來中共駐印度「大使」潘自力送來一份報告，因為西藏問題，印度全國已普遍展開反中共的運動，從四月到五月，印度重要報紙一致對中共大罵，其中有印度斯坦時報，印度時報，甘露市場報，自由新聞，快樂市場，政治家等報紙，這些報紙把所能用的惡毒字眼都用在中共頭上，報紙上還畫了許多漫畫，有的把毛澤東畫成人頭蛇身，正張着大口要吞噬西藏，還有的漫畫把周恩來畫成一條狗，面對着西藏這塊肥肉流涎，還有更高級的漫畫把周恩來畫成摩登伽女，正向達賴拋媚眼，想破壞活佛的戒行。

中共「大使」館對這種攻擊簡直是束手無策，因為印度人民又懶又蠢，對※們宣傳，文字效力遠不如漫畫，果然這些漫畫發表之後，一向抽馬鞭都打不起身的印度人居然動了，他們集體舉行示威，新德里的羣衆甚至包圍中共使館鼓噪，要求共軍退出西藏，加爾各答的人民更進一步用紙紮了一個毛澤東的巨像，項繫鎖鏈，腳帶鐐銬，被托着在馬路上遊行，最後經巫師唸了一遍咒，就在大會中焚燒了，據巫師說這樣一處置，毛「主席」就要墮入畜牲道，永世不得人身。

（十四）

梨園漫談

鵬程萬里

——瘦西湖——

十一月六日，大鵬國劇團先頭人員，從都柏林經倫敦到達巴黎，當日即在法國最有名的香榭林舍劇院，舉行盛大的記者招待會，法國最有名的幾家大報，除派有記者出席外，並增派了數位攝影記者到場紛搶鏡頭。

國劇團全體人員於十一月十日到達巴黎：當地華僑各界代表們早已列站歡迎，並由該團年青團員鄒巧如等五位下車接受獻花，其人潮之擠擁，幾乎使團員們無法行動，後來得駐站警察之力，始突出重圍也。

關於法國政府如何歡迎我國劇團的情形，筆者已於「今日的大鵬」一文中論及，恕不再述，不過國劇團在巴黎演出後，其所獲得之好評，較英國倫敦各報尤有過之，如巴黎之一家大報斐加羅報評論稱：『中國國劇團動作的優美嚴正，使西方觀衆大感驚喜。』又世界晚報在評介中，一開頭就說：『中國的平劇是一個長期文化傳統的忠實遺產，而且也是一個具有高度文明的民族娛樂』。十一月十八日，新文藝術新聞戲劇評論記者伯納特別推介說：『中國平劇是所有舞台藝術的綜合，是歌劇、芭蕾、喜劇、笑劇、諷刺劇等等的高度融洽』。繼着巴黎市副市長安塞薩薩假市議會廳接見我團員，並且每人還得到該市議會所贈送的禮品，此外，還有遠東問題專家拉特先生，特為國劇團在巴黎的演出，發表了一篇備致稱頌，非常精彩的演說，使國劇團全體人員得到無上的光榮！

大鵬國劇團於十一月二十日，受到巴黎市長李維科的接見，並受到李的稱讚說：『你們這次的成功，是不限於藝術方面的』。國劇團在巴黎演出的兩週期內，其票房紀錄始終站在所有的娛樂中的第一位，甚至當天的票，已早在三四天以前就被搶購一空了，其盛況之空前，為法國社會歷年來所罕見者也。

十一月廿八日，劇團起程前往西班牙的首都馬德里，全體人員抵達當地時，旅西京的一百多位華僑，和西班牙外交部代表，及新聞記者等均在馬德里火車站表示熱烈的歡迎，當晚卸裝休息後，於第二天假馬德里最華麗最著名的『莎述愛拉歌劇院』，開始連續十天的演出，這是馬德里看到我國劇的首次，西班牙外交部長凱斯泰拉也在座，據他看過後發表觀感說：「看了中國的國劇，簡直要覺得別的一些歌舞是屬於未開化的民族了。」

（六）

劉璈治台史事

·李仲侯·

劉璈巡台時，何璟爲閩浙總督，顢頇長縮，致失馬尾，師船盡燬，清廷予以革職查辦，當時巡撫岑毓英，英明練達，於璈深爲倚重，故尙得稍申其志，言聽計從，光緒七年毓英巡視台灣，以台孤懸海外，幅員遼濶，籌備防務，必須南北聲氣相通，方易措手，查彰化縣治居南北之中，應將台灣道府二缺，權其輕重難易，移一於此，俾可居中控制，劉璈曾於光緒七年十一月親赴彰化各地查勘是役：畧謂：「台灣自籌辦海防以來，南北添設府縣，各路建造砲台，營碉布置，畧已周備，惟道署原在台南郡縣，與北路相隔太遠，尙未足聯聲勢而便指揮，查彰化居全台之中，該邑地濶事繁，本非一縣令所能爲治，況歷來亂台草寇，皆由此出，若就此地移建重鎮，則居中控馭，自可裕如，職就大甲溪大肚山以內周歷查勘，該處周圍數百里，平疇沃壤，山環水抱，最爲富庶，而貓霧捒，上橋頭，下橋頭，烏日莊四處，尤爲鍾靈開陽之所，又有內山南北兩水交滙，轉出梧棲海口，其民船可通烏日莊，以上亦可大作都會，擬於該四處擇地建城，將原奏擬移埔里社之中路同知改爲台灣直隸州知州，與巡道，北路副將移其間，劃彰化大肚山，八卦山以東各保地面，分隸該直牧管轄，即以台灣府之彰化縣移鹿港，改歸州屬，其貓霧捒巡檢改爲州吏目，南投縣丞移駐埔裏社，改爲台灣直隸州州判，分鳳山縣學官一員，改爲直隸州州學正，改台灣府爲台南府，專轄台、鳳、嘉、恆四縣，餘仍舊，似此一轉移間，庶南北中三路，勢成鼎足，無處隔絕矣」。將入奏，會越事起，台海戒嚴，光緒十一年劉銘傳爲台灣巡撫，仍循其議，建省會於下橋仔頭莊，以控制南北，十三年始遷撫署於台北。

劉璈治台，除抗法禦侮全歸其策畫布置功在國家外，在任期中，勵精圖治，大刀闊斧，革除積弊，曾親編巡台退思錄三卷，所載均屬原始文件，其在史料上之價值，自然不是任何轉手的敘述所可比擬，更不是任何歪曲議論可以抹煞其政績的：就這些眞實之負料內容來說，有關於「開山撫番」的，有關於「匪亂械鬥」的，有關於「稅釐煤務」的，有關於「軍事海防」的，還有關於文敎和外交的，我們很可從這些資料上窺見台灣在建省以前之一切情況。（十一）

名女人（十二）

徐學慧

陳鴻作長恨傳，白居易爲長恨歌，皆言貴妃死後已成仙，此固盡人皆知爲附會之詞，然亦因此而益增其美。千載以來，談楊玉環與李三郎之故事者，殆莫不希望此一對情人終能在天上相見，或轉生於來世。此種同情心理，或即基於「願有情人皆成眷屬」之意也。

讀者諸君，應知英國公主馬嘉烈與唐生上校之故事矣。今願於此再一引述馬嘉烈公主之聲明：

「余欲表明余已決定不嫁唐生上校，余明知余欲放棄繼承權，余當可與平民結婚。但念及教會中婚姻不可分離之教義，及洞悉余對聯邦之責任；余已決定置此考慮重於其他。余完全獨自達成決定，且因唐生上校之有效支持與專誠而加強余之意志。」

此一寥寥百餘字之聲明，幾令全世界報章均作爲頭條刊載，其感人之深，何若是之甚也！此無他，有情人終不能成爲眷屬而已。

楊貴妃僅三十八歲，其一生，享盡榮華，歷無數次悲歡離合，而終能固聖上恩眷。殆年華將逝，終乃一死以謝君王。余謂此一絕代佳人，匪持在容貌之出衆，要其聰明智慧，有以大過人者。不然，以如此短促人生，何竟能迭起高潮，以吸引世人對於彼之注意？

余嘗愛在細雨濛濛之夜，讀白居易長恨歌。讀至「在天願作比翼鳥，在地願爲連理枝，天長地久有時盡，此恨綿綿無絕期。」每不禁潸然淚下，終乃掩卷而三歎。想金釵鈿盒，定情於牛女渡河之宵；弄玉吹簫，寄懷於月白風清之夜。青天淚滿，已無尋樂之區，碧海恨深，孰是返魂之地，又豈獨明皇之出涕而已哉！

競渡韻事

介人

端午節龍舟競渡之舉，乃是爲了紀念投水自沉的大詩人屈原。此俗起源於汨羅江畔的舟子，所以談龍舟競渡的，無論從龍舟的製造，競賽的技術，以及儀式風俗而談，皆不能不以湘中爲第一。

「武陵競渡畧」對此記載，極爲詳盡，茲不備述。只是在賽時必有歌，一倡和撓，每唱四聲，前後相和，尾聲拖曳尤長。其意相傳起於土人於汨羅江追屈原不見，沮喪互歌而回。其辭有「有也回，無也回，莫待江邊冷風吹」之句，由來已久。白居易詩，「江上何人唱竹枝，前聲斷後聲遲」，武陵競渡所唱，殆即竹枝的遺意。

廣東的東莞鬥龍船亦極著名，往時縣城西北之東湖，即爲龍船鬥龍，該湖一望數頃，端午鬥龍船之處，平時亦爲縣中人士泛舟遊樂之所。清初屈大均，均到過東湖泛舟，有詩有曲，屈大均東湖曲七首，其四即詠東湖龍船故事，曲云：

「處處龍舟金鼓來，兩槐桂楫聲如雷；東江水門西江水，奪盡花紅暮未回。」

又陳恭尹東湖曲十首之一詩云：

「向曉扁舟自解攜，風吹東去更還西；荔子直從窗口入，荷花恰與舵樓齊。」

東湖自清中葉以後，已樂隄改爲魚塘，清末改由魚塘而變爲稻田，現在這些稻田當然已爲所謂「人民公社」所有，又不禁令人有滄海桑田之感了。

東莞往昔另一鬥龍船場所，爲東江南派榴花塔東之峽口，每年農曆五月，附近鄉人作龍船會，觀者士女如雲，乘潮上下，畫舫遊逐，首尾相銜。鬥時金鼓雷鳴，驚濤駭浪，霹靂交馳，遊觀者甚盛。這些盛況，由於人民都陷於飢啼號寒之中，當已無此興緻了。

廣東番禺大洲有一龍船，歷史最久，據傳此艘龍船係宋時宣和龍船的遺製，三十年才出現一次，船長十餘丈，寬僅八尺，船頭船尾，均刻作龍形，栩栩如生。船上有亭閣，演雜戲，有小童八十餘名，扮演神仙菩薩等角色；又有些扮演將軍、文人、詩人、仕女之類，維妙維肖，畫態極妍。據說這艘龍船出發前，事先船中人要練習一個多月，出一次不知化多少錢，至快也要十年或二十年才出現一次，這艘龍船在清代末年，已經不見再出了。清番禺雖天尺有大洲龍船曲二首，其一云：

「六更卻不是機關，海上魚龍不是閑；莫上元人新雜劇，樓頭猶認趙家山。」

海南島人民端午鬥龍船之風也很盛，農曆五月初二至初四，次第迎龍，主事者先以繡帕密包一龍歌，歌詞不可見，只譜歌末一字，各人乃度韻唱歌，能中帕中歌字者得酬物多，故海南有「未鬥龍船，先鬥龍歌，欲求錢帛，中字須多」之諺。

就以上的簡述，已可見各地競渡之風盛極一時，而龍舟的構造，隨事增華，亦極其奢靡，且已藝術化，文人雅士，及時行樂，韻事頻傳。即此，亦可於此中窺知東方的文化的傳統及其藝術的趨勢，曲極遊觀之美。

在前清的宮廷，亦有例行競渡之舉，多在圓明園的福海舉行，清康熙帝，即有詠競渡的「御製重午詩」。詩云：

「令節當重午，南台日正中，[illegible]

[illegible]

觀龍舟二首

鄧中龍

說到沉江倍黯然，椒漿桂酒亦虛懸。
還期鼓楫成良會，夾岸呼聲動九天。

鼓緊龍飛盪畫橈，靈旗風捲逐低潮。
年年五日酬佳節，惆悵無人讀楚騷。

才女顧太清疑案

諸葛文侯

炎夏無俚，閱近人孟森（心史）所撰清代史附錄「清初三大疑案考實」，藉消永晝，其中所述「世祖（即順治帝）出家事實考」，關於董小宛入宮之說，指證其謬妄，鑿鑿可據。然孟氏附有一段涉及吾友冒季美尊人鶴亭（廣生）先生的故事，其言曰：「冒鶴亭見余小宛考，以爲代其先世雪誣，𧩙冒氏先德歷代著述之叢書爲謝。余詰以『君家小宛被誣，君知雪之，太清春、龔定庵被君所誣，又將如何？』余則兩雪之，君知改否？』則又固言聞之先輩，不欲回意。然則事非切己，仍以傳播流言爲快意，所謂結習者如是」云云，愚滋惑焉。」

旋尋覽「心史叢刊」中所載「余則兩雪之」的內容，題名「丁香花」。蓋冒鶴亭曾於清末校刊女詩人顧太清的詩集，作「太清遺事詩」寄咏有云：「太平湖畔太平街，南谷春深葬夜來，人是傾城姓傾國，丁香花發一低徊」。冒氏根據名詩人龔定庵於道光己亥年出都時所作雜詩，中有自註「憶宣武門內太平湖之丁香花」一首：「空山徙倚倦游身，夢見城西閬苑春，一騎傳牋朱邸晚，臨風遞與縞衣人。」他證以「少時聞外祖周季況先生星詒言太清遺事綦詳」；又見龔龔定庵當年蒼黃走出北京，家眷亦不及携與偕行；後來親自北上迎接家小南下時，才然滯留直隸省境「固安縣」以待之，不敢再入都門一步等情事。

乃認定龔氏係與滿清貴胄繪貝勒（名奕繪）的如夫人顧太清（又名太清春）有戀愛關係，因而被廹離開北京，且不敢重游舊地，免遭不測之禍。孟氏指述冒鶴亭這些說法與事實不符，是「居然附和新學少年的文人結習，而以晉人所謂『卿居心不淨，乃欲點汚太清』的語意毆斥之。

我遍讀孟氏對於清代若干史事的考證著述，皆表同意，唯獨他這篇「丁香花」的質疑糾謬之說，殊難折服，試申言如次：

成容若（又名納蘭成德，康熙權相明珠之子）與顧太清，是有清一代的滿洲人之中最著稱的詩詞名家，一男一女，蜚聲藝林，尤稱前無古人，後無來者。顧氏於道光初年嫁給繪貝勒爲側室，居於燕京西城太平湖之醇王府。繪貝勒亦酷嗜吟咏，不樂仕進，「專意享閒散之福」（孟心史考語），夫婦時相唱和，各有詩集刊行，爲長安文人學士們所稱許，平日跟一般騷人墨客頻頻往還，流連文酒之會。龔定庵是當時極負盛名的詩人，官居燕京，與貝勒夫婦相識，且多詩詞酬答，而以定庵的才華，尤其爲顧太清所欣讚傾慕，亦係情之常。孟心史指出「太清當時朝士眷屬多往還，亦杭人尤密」：定公亦杭人，於杭眷往來，事無足怪，一騎傳牋，公然投贈，無可懷疑」，女由兩性相惜以志趣相同，才情不[illegible]心理者，不過八歲，比比然也。太清不過比定庵[illegible]時期，過從既密，兩情[illegible]纏綿，殆爲勢所必至，理有固然的事情。（一）

陳宏謀論

謝康

長此下去，不特物質文化趕不上先進國家，甚至邪人心風俗所賴以維繫的基本精神——孝悌忠信，禮義廉恥等固有美德，胥以盡。這個缺德的民族，[illegible]能獨立爭存於世界？這個問題，固然是歷代聖賢孔、墨、孟、荀、周、程、張、朱、陸、王、和顏元、陳宏謀、曾國藩等所深憂，也是中華民國之父孫先生所再三諄諄致意。先生以爲「風俗習慣」乃民族構成的一個重要因素：而且認定恢復固有道德，就是恢復民族地位的良好方法之一（見民族主義第六章）。這種思想，由國父提倡至今，已成爲中華民國憲法的一部份（如第一五八條所規定之民族精神及國民道德），頒行全國，希望能夠「永矢咸遵」的一種正統思想，無所用其爭辯的了。因爲這的確是建國要素的一端，[illegible]東西，而不是主義的宣傳和哲人的理想。從近代社會學者孔德、涂爾幹、孫末楠、穆尼葉、宋雜金……諸大家，莫不公認民俗道德爲社會的必要條件，與社會制度或社會控制不可分。如果道德評價沒有標準，失却了它的制裁力，將使得邪正不分，善惡不明，必然構成社會上的大混亂，大崩潰。中國最近五十多年來的大動亂，正可作爲道德淪喪的一個良好證明。同時我們藉此也可以覺悟：人類的[illegible]，不能不以重整道德，爲先決條件的。這[illegible]一，這也就是陳宏謀氏所以刊行「訓俗遺規」爲「弭患未然」的旨意了。（七）

歷史人物

[illegible]

內警僑台報字第〇三一號內銷證

自由報

THE FREE NEWS

第一四二期

中華民國僑務委員會頒發
內數新字第三二三號登記證
中華郵政台字第一二八二號執照
登記為第一類新聞紙類
（半週刊每星期三、六出版）
每份港幣壹角
台灣零售價新台幣貳元
社長：雷嘯岑
督印人：黃行靈
社址：香港銅鑼灣高士威道二十號四樓
20 CAUSEWAY RD 3RD FL HONG KONG
TEL. 771726　電報掛號．7191
承印者：田風印刷廠
地址：香港灣仔高士打道二二一號
台灣分社
台北市西寧南路壹壹柒號二樓
電話：三〇三四六
台郵撥儲金戶九二五二

論台灣當前幾個財經問題

黃少游

目前台灣有幾個財經重要問題，而爲朝野各界人士所最關心，最熱烈討論者，即爲發行百元大鈔，公營事業漲價及平衡收支等項。茲依據貨幣及財經原則，略抒所見，以供各界人士之參考。

一、發行百元大鈔問題

現在台灣對於通貨是採用什麼政策，筆者不敢斷言，惟最近因發行百元大鈔問題，引起各方爭論。惟據台灣銀行總行公告（五〇、六、八、銀發字第八一二一號）稱：「二、茲因迭據各方要求擬以小額券兌換乙百元券以資便利，本行爲順從輿情及適應中外顧客需要起見，自六月九日起，得向本行台北總行酌以五元、十元券兌換該項百元券」。同時該行負責人一再聲稱：「並非自動發行百元大鈔，而是被動准以五元、十元券兌換百元券」。「發大鈔不會影響物價，只要我們控制得好，你知道美國還有一萬元面額的大鈔呀」。「如果說發行大鈔物價就會上漲，那末我自今以後廢止發行十元券，而統統改發爲一元券」，看看物價是否下跌」。由上可知此次政府發行大鈔之本意，乃在便利工商業者及來台觀光之外籍人士，而非有意增加發行，刺激物價。

不過大陸惡性通貨膨脹，慘痛教訓，記憶猶新，政府幣信，未立，（如台灣工礦公司許金德董事長說新台幣十元券，十年前値美金二元，今日貶爲二角五分），且當此公營鐵路及電力事業價行將領導一般物價加價之前夕，而百元大鈔出籠，實有「我雖不殺伯仁，伯仁由我而死」之感。同時，在端午節前夕，工商業貨物滯銷，資金缺乏，生產過剩，由來已久，或自有賴政府之維持救濟（如唐榮鐵工廠），則發行自不免無限增加，（因按邏輯推論，有限就不應有限，外就等於無限矣），而此外就無限等於無限增加，必將導致惡性通貨膨脹，其結果即等於政府藉此通貨手段掠奪大多數國民財富及勞動所得。至若工商業者及擁有產業者不但保有幣值且將大發其財，此種結果自非政府始料所及。

再百元大鈔發行之後，市場之五元、十元小額券當逐漸絕跡，而一元小額券，雖仍充斥於市場，但實質上已淪爲「輔幣」之地位，換言之，今後國內市場只有一元券與百元券兩種券流通，此若非加速物價之上漲使一切支付均在百元以上，否則其對於國內大多數平民日常生活交易支付找換及携帶之不便，尤恐甚於今日之極少數工商業大亨及偶然外來之觀光者一時無百元大鈔巨額支付之不便。蓋極少數工商業大亨與極偶然而稀少之來台觀光者之一切巨額支付，除五元、十元等券可作零星支付外，尚有鉅額之「支票」、「本票」同時可用爲一切鉅額交易及支付之手段，在衡諸事實與情理，在一般物價上漲及幣値尚未低落至一般交易與支付非發行百元大鈔極不方便之程度或情勢之時，除非別有潛在的用意（如有意導致通貨膨脹刺激生產及物價上漲或增加發行額，以彌補政府財政收支預算之不平衡），實無在此時（物價浪動）此地（生產過剩）火上加油，突發百元大鈔之理。

再通貨發行券額之大小，雖不必一定使物價漲落，但可象徵一般物價漲落之趨勢，如市場上普通日常一般交易支付只在以一元或數元數十元爲計算支付單位之時，則普遍的百元大鈔，在日常生活支付（如購買零星物品，以及乘車、飲食等方面）上實不及一元、五元、十元券之方便。反之，物價上漲，如在大陸一日萬變時，雖百元大鈔、千元大鈔、萬元大鈔，以及數十百萬元之大鈔（如金圓券、銀圓券、關金爲通貨時）也無濟於事。明乎此，可知發行百元大鈔，不但在國民心理上足以引起恐怖，即在物價上漲上亦有最大的刺激及加速之作用，此不管當局能否眞正控制發行，然對於國家財政金融，已投下一大暗影及無窮隱憂，可以斷言。據現在，台北市黑市美鈔已上漲一元，黃金每兩已上漲三十元，其他房地產亦隨之上漲若干成，此豈非受發行百元大鈔之賜？

二、公營事業漲價及平衡收支問題

公營事業之台灣電力加價問題，政府已應美方要求（或要挾）刻已經概允漲價，已不成問題；鐵路加價現以「觀光」事業之名，將順利通過；加價，亦已不成問題。惟現在成爲問題者：第一，公營事業加價之後，能夠不許其他民營或私營事業加價？從前我們中國有一句對官府措施之一句流行的老話：「只許官家放火，不許百姓點燈」，在從前君主專制時代可以說辦得通，但現在民主世紀，尤其是我們以三民主義立國，以民生主義爲國家經濟建設及制度之最高原則之中華民國，是不可以的。不但不可以，而且要以公營事業控制一般物價（即排斥私人資本的獨佔與壟斷）使一切私營事業不致危害民生，同時，以發展公營事業（即所謂發展國家資本）爲「人民的生活、社會的生存、國民的生計、羣衆的生命」作基礎，以一切經營合理化及企業化爲一切民營企業作模範、作榜樣，也是天經地義的。現在政府當局不積極力求公營事業本身之企業化、合理化、科學化與健全化，而只知利用政府獨佔事業之特殊地位，而一味靠漲價以維持其腐蝕的一羣，領導一般物價漲價，及加深人民之痛苦及社會的不安，此實違反國父「節制私人資本」，再強調「建設國家資本」遺教之本意，否則，在西方自由民主主義之英美國家之自由的公平的企業競爭情況之下，也決無我們今日這種積弊與現象。

須知國父所說建設「國家資本」，並非建設「官僚資本」，所謂「國家資本」也者，它在民生主義經濟建設中，具有「人民生活、社會生存、國民生計和羣衆生命」的重大任務，以及輔導私人資本在民生主義經濟整個建設過程中趨於健全發達的主導作用。但所謂「官僚資本」則不然，它不從經濟事業本身的財務業務和人事諸方面的改進上求生存、圖發展，而單單一貫的只靠利用政治權力（公營的事業）和經濟優勢（獨佔的事業）而毫不費力的去加價，去爲這一羣在政治上有特殊關係或勢力的這一羣人去獲得特殊的待遇和享受。今日我們的「國家資本」之所以不能發揮它在民生主義經濟建設上應有的功用，而使人搖頭者，醜惡言之，就是「官僚化」（一切政治派系勢力的酬庸所或海軍總理衙門）美妙言之，就是不能「企業化」（無專家，無盈虧的責任心）。君不見，現在若干國公營事業機關的主管及其大小職員，又何一而非過去或現在政治勢力上之權貴或關係人物耶？明乎此，可知今日國公營事業之靠加價以維持其生存（如鐵路）與發展（如電力）乃必然之勢，否則，只有希望最高當局下大決心，痛下針砭，使今日國公營事業澈底制度化，企業化，科學化，合理化及健全化。

公營事業既要漲價，私營事業也必然要隨之漲價，因電力加價，鐵路運費加價，均影響其貨物成本，一種貨物漲價，他種貨物亦漲價，在此交互循環影響相激相盪漲價之情況下，社會一般物價及生活程度自然大大提高，自然的結果，就是通貨的需要量增多，通貨也必然膨脹，同時「物貴幣賤」，通貨自然貶値，這樣一來，工資或薪資生活者必然叫苦連天，此種現象發展至極，工資勞動者之工資，及軍公教人員的薪餉，也非調整不可，同時，政府機關的一切行政上的開支預算也必然要大大的擴大，這樣一來，政府財政的收支不但不能平衡，且有江河日下，必至赤字及惡性通貨膨脹不止。

根據以上所言及貨幣金融和經濟的理論，可知台灣銀行負責人所說：「公營事業漲價，對於政府財政收支平衡是有貢獻的，因爲公營事業漲價是反通貨膨脹的做法」是不合乎科學的理論的，因爲他把公營事業漲價，看成一種孤立的現象或事體，而不知公營事業漲價，尤其是電力加價與鐵路加價比較烟酒公賣加價之影響其他生產物品之漲價之直接與廣大。同時，他又孤立的看，以爲公營事業漲價，政府可以增加大批的收入，也就是等於收回一大批通貨，所以他有「公營事業漲價是反通貨膨脹的做法」的說法，其實是錯了！因爲學理上的研究與將來客觀所演變的必然事實，恰恰與他的看法和想法相反，也就是說，公營事業漲價，必然導致一般物價的上漲，而一般物價的上漲，也必然影響政府的一切開支，而政府一切開支必然大大的增加預算，而預算愈增加，財政收支即愈不能平衡，財政收支愈不平衡，結果只有增加通貨的發行，甚至走上惡性通貨膨脹之路。興言及此，不寒而慄！所望政府當局第一不要經濟拖垮財政。（即盲目的以鉅額國帑救助民營工商業，如唐榮鐵工廠之類的事體）第二不要財政影響「人民的生活、社會的生存、國民的生計、和羣衆的生命」，（如漫無限制的限外發行即通貨惡性膨脹）則國家幸甚！全民幸甚！

五十年六月十三日

小編天下

△日首相池田訪華府，與美總統甘迺廸晤談甚歡。據傳，美日對中共問題仍有歧見，對其他問題則大致融洽。東京消息：日美將成立一個永久性的聯合經濟機構。此爲池田訪美最大成果之一。

「錢」的問題談妥了「歧見」還是不成問題的。池田當然懂得保留一些「歧見」作爲討價還價的把柄。

△寮共軍又向政府軍新陣地進攻。中共代表在日內瓦「十四國會議」指罵美國，反對其所提「國際監督」的新建議，並以再次發動寮戰爲恫嚇。寮三方面領袖會議在進行中，組織「聯合政府」難題未解決。

眞的難爲了寮國「親西方」的反共勢力。他們是在「敵我夾攻」中跳入敵人預佈的陷坑，然後準備引頸「就義」。

△美國第一間用海水變淡水的工廠揭幕，由總統甘迺廸親自按鈕。克魯曉夫贈甘迺廸伉儷以蘇俄「太空狗」所生的小狗。

假如蘇俄有了這種工廠，料必在所有「鼻海的國家」，推行「蘇俄淡水」的龐大的宣傳運動。

△傳北大西洋組織將作部份動員，應付蘇俄對柏林新威脅。另傳，赫魯曉夫因受中共及東德催促，始被迫對柏林問題採取強硬態度。

西方觀察家就有這種奇妙的想像力，經常把赫魯曉夫看作一個可愛而又可憐的傢伙。他每擺出一次猙獰面孔時，就忙於替他作義務辯護，說他被中共廹着要這樣做。這種「辯護」往往帶來一個結論：對他讓步吧！別教他走頭無路，於是，對敵人的仁慈就做成對自己的殘酷。

△美國與蘇俄又舉行裁軍談判，一連吵了三天，毫無成績。美國防部專家建議恢復核子試爆。

這種談判，只是一種測驗，看到底誰是一個眞正的傻瓜而已。

方南

自由談

鬼瞰其室

「高明之家，鬼瞰其室」，這兩句中國的成語，若用作西方國家對俄帝冷戰工作的評判之詞，實在恰當不過了！

自從美總統艾森豪大倡「原子僵局」之說以來，西方國家對於國際問題，始終隨着俄帝的表情而或喜或悲，或咷或笑，六神無主，俯仰由人，揚言「嚇阻」敵人，實際是自我嚇阻。神經過敏，遐想溢飛，驅致自動替俄帝裝造冷戰的宣傳攻勢而不自覺。如最近甘迺廸總統的維也納之行，即係最好的例證。

甘迺廸入主白宮之初，意氣軒昂，言談壯烈，俄酋對於這種「初生之犢」的對手，有所顧忌，出以靜觀態度。繼而，甘氏以當面說明美國堅定政策的理由，要求赫魯歇夫晤談。這在心理上，就是一種怕事示弱的表現，赫酋樂得有此一着，藉以增加他的冷戰作用。果然，甘赫一談之後，久已擱置着的柏林問題，打蛇隨棍上，俄帝又嘵嘵譁咋，甚囂塵上了。如是乎，西方國家的政治人物乃相率推測俄帝的次一行動將如何如何，說來像煞有介事，而且總是長他人的氣燄，滅自己的威風，英美兩個首先發生歧見，莫衷一是。

關於其他的國際問題，只要俄帝稍有表示——即使是俄共報紙上的三言兩語——而英美人士亦特別敏感警覺，先替俄帝設計，說赫魯歇夫下一步便要採取怎樣的行動，却不問有英美自己採取甚末反擊對策的主動言論，不亦怪哉！

怕鬼的人，表面常常裝出大胆的形色，譬言「不怕鬼」，實際却隨時疑心生暗鬼，聽着屋簷下雀鼠馳逐之聲，或者瞧着窗前一點樹木的陰影，亦以爲鬼魅在前，不禁張皇失措。西方國家由於害怕戰爭的歐斯特里亞精神病態，乃視俄帝如天罡地煞，唯恐它的火箭飛彈就會射到，倫敦華府來，相驚以伯有，而俄帝即利用英美這種精神病態，張牙舞爪，爲所欲爲了。這不是「高明之家，鬼瞰其室」嗎？

馮子先生

三項辦法·兩路攻勢
從光隆輪說到航商

（台灣通訊）

（續上期）因此，立法委員們怒吼了，不僅將「金開英盤踞中油，營私舞弊，如輸油管由其兄弟之公司供應，運商應納之稅，助其逃漏，以公司房產，供人出頂國利」之類的不法內幕被揭發。即十年前米青油輪舞弊的舊案與「人人公司通匯集團做的勾當」，亦被翻出來了。

立委潘士浩很不客氣的指出：「米青輪是中油租船弊案之一，是人人公司通匯集團做的勾當。」「事經立院同人質詢，審計部澈查，內幕拆穿了，我們政府損失三百萬美元，至今未了。在此案內，會暴露了魏重慶、夏勤鐸、屠大奉等參與其事。而人人公司集團之船，一直是通匯的，數年前韓戰時，其有關之油輪公司，又有船為匪運物資。像這種叛國通匯之人，人人得而誅之。而金開英乃任夏勤鐸為中油在美之代表至今，夏之一切，又與魏重慶、屠大奉為連檔。金近在美，仍與他們為伍，他們為什麼如此要好，這內邊的陰魂又是什麼。四十六年以來搞的是買船或租船案，與此脈絡相通，難道還不夠明白嗎。」

潘委員為了證明他的話是有證據的，所以「根據審計部決算審核報告及美國國會紀錄」，印了一份「夏（勤鐸）金（開英）等資匪之案引」書面資料，其中「敘述人人企業公司之為我國人所組織，主要人員都與資源委員會有關。」「美國在世界二次大戰後，擬出售剩餘油輪，中油駐美代表夏勤鐸向美海運會申購，而美國國會決議，油輪不得售與外國人。夏某等乃計劃組油輪公司，以美國公民出面任董事，此即聯合油輪公司所由起，由人人公司之魏某任秘書兼司庫，資金出自人人公司。」而「中油公司以貸款方式，給予資金一百五十萬美元」。由此「可見夏（中油駐美代表）與魏（人人公司）在此局之重要；亦可見中油公司與此局（聯合油輪公司）之關係了」。而聯合油輪公司董事總經理Harol D.C.Lenbest以法定代理人的身份，在向美國「具呈司法部巳為國會採證列入者」的證辭中，承認聯合油輪公司由人人企業公司控制，而人人公司蓋與匪共通往來也。該公司資金係由人人公司及中國資源委員會之中油公司所供給。準此，聯合油輪公司即中國基金會投資而完全控制的公司，其濟匪，中油駐美代表夏勤鐸豈不知乎？此輩合作，又恃中油公司之資金，金開英安得不知。

中油公司總經理金開英與益祥輪船公司董事長楊管北（現任立委與航聯會理事長）交惡之經過：當中油公司於四十六年與莫比海外油公司進行租購T1與T2三艘油輪時，適楊管北委員在國外，遂予揭發，於是兩條T2型舊油輪買不成了。而借款八百五十萬美元減為五百三十萬美元，有息改為無息，政府減少利息負担達二百五十萬美元，至於用途，由租購油輪改為備抵購油之欵了。楊委員雖然做了一件「公德無量」的事，但却與中油當局結下「血海深仇」了。

就在這時候，益祥輪船公司在殷台案引出莫比案之際，即四十六年五月間，益祥願以正在建造中之裕民號油輪參加莫比原油運輸，乃向政府申請。行政院於同年六月五日的院會中決定，「（上略）應對本國航商益祥輪船公司參加油運優予考慮。」中油當局見此良機不可失，乃「挾嫌報復」。監管經濟部於四十八年九月一日會議中決定，「……益祥所造之一萬九千三百噸油輪，已屬定案，應照合約分配噸位」。中油却不與益祥簽訂合約，而堅持「計程租賃」，故糾紛擴大矣。中油復於去年九月間以「國際油運不景氣期間濟助本國油輪航業辦法」，予本國油輪停航期間百分之二十的津貼。當立法院於去年審查中國石油公司的營業預算時，發現列有年額三十三萬美金的所謂「停航津貼」一鉅額支出，曾掀起軒然大波。因為立院審查中油五十年度預算時，決議：「在未審定前，先照四十九年度法定預算執行」。故停航津貼的支出是違法的。不運油而要付運費，怎麼不是大新聞呢？

其實，中油所設計的停航津貼的辦法，是得意的傑作，這樣，它「却以黃鶴樓上看翻船之姿態，從旁竊笑。」誠如潘委員所說：「這些，中油公司金開英之做法，豈非玩弄手段，製造糾紛。……這是在玩弄本國航商自相殘殺。……金開英欲報楊管北當年擋財路之仇，對其益祥公司油輪之參加運油，特別留難。」而我們對此次的風波由來，亦不難明白了。

立法院的態度：我們從立委書面質詢中，即可獲致結論。喬一凡委員說：「我們要了解，世界任何一個中興復國的國家，絕不會有貪污的存在而能中興得了的！」這是「集體貪污」與「聯合貪污」的揭發。這個案子，「已使國庫要損失一千四百多萬美金」。「甚至美國國會民主黨和共和黨議員……並且說這是國民黨控制下的公司（聯合油輪）。……我們應對這批油蟲，予以嚴厲處分的！」曹俊委員說：政府「扶植二、三大亨，這種政策誠為曠古所未有之奇聞」，「政府以如此鉅額金錢平白送人，是財力所及嗎。」侯庭督委員說：「現在外間有人說本國航商有『三項辦法，兩路攻勢』，以達到他們『吃』國家的目的，這三項辦法是拍『大官』，逼『主管』，騙『百姓』，兩路攻勢是『股票攻勢』和『酒肉攻勢』。……金開英請客到底有無其事，他到底請了那些人？本國油輪航商到底有什麼秘密法寶抓在手中，這樣吃住了政府？」「彭承善委員說：「金開英為石油王國的皇帝，可左右煉油運油一切政策及業務，目前運油現象之不合理，即金開英所左右的結果。傳說石油公司與外國公司訂約，有百分二點五的佣錢，如確有此事，應將該項佣金歸入預算」。黃煥如委員說：中油公司「一方面令國輪停航發給停航補貼，一方面另僱短期外輪運油，其所付運價反比國輪高百分二十，既違反保護國輪之政策，復增加國庫雙重負担」。但，也有少數人士被「兩路攻勢」攻得啞口無言。

不過，照目前情勢演變下去，好戲雖在後頭，極可能像米青油輪案與殷台案一樣，日子一久，連下文都沒有了。（劍聲五十年六月十二日航稿於台北）

被查禁的國語歌曲一覽
應知此後「相思恨」，長在「雙雙對對」中

（台灣通訊）

警備總部通令全國，自六月一日起查禁國語歌曲「三年」等二五七首。此等歌曲之查禁，事先會同有關單位慎審辦理的，如有違反此項禁令，將受有共法令規定議處。茲將被查禁的國語歌曲名稱分列如下：

三年，山歌，心曲，心病，今夜，狂舞，我願，表功，夜思，爭風，花嫁，拜年，昨夜，咪咪，恰恰，重逢，追求，起誓，情歌，流浪，期待（李雋青詞，江風曲），期待，喜歌，野餐，煩惱，燈下，一條心（李雋青詞），十三點，人海吟，三八歌，小奴奴，小東西，小橋月，小癩痢，子夜曲，大對唱（一），大對唱（二），月和星，今宵樂，天堂光，什麼話，四千金，四季歌，母女倆，功名好，打花鼓，石榴裙，牙擦擦，回了心，回來了，回春曲，老古董，好姑娘，好迷歌，江南夢，江湖女，百家春，光棍苦，你去了，却却却，我的愛，告訴我，求媒人，求蒼天，呀呀呀，青春樂，夜裏廂，夜鶯曲，秋之旅，春去了，春色早，恰恰恰，相思曲，相思苦，相思恨，相思怨，南風吹，香港好，要想嫁，紅睡蓮，真混眼，真寫意，真難過，還魂曲，莫管它，海邊月，情人道，曼波迷，淚的海，梳妝歌，寄相思，麥娘哪，問病情，唱高調，探情郎，甜蜜蜜，進城歌，喝醉了，跳一回，想出嫁，想發財，想媳婦，傷春曲，愛相思，搖擺樂，搖擺舞，漁光曲，撼撼擦，鬧洞房（一），鬧洞房（二），蓬切切，鋤頭歌，擋不了，勸酒歌，十里洋場，小小洞房，小小狗兒，大衆情人，五月想思，不再相見，夫妻逗趣，天津夜曲，天涯歌女（賀綠汀曲），月落烏啼，卡力濺蘇，老夫少妻，江南之夜，男人女人，男女之間，禿子溺坑，你不要走，你想什麼，你跟我來，我的天堂，我的達玲，我的哥哥，我愛却却，我愛恰恰，身世飄零，狂舞通宵，狂歡今宵，花園春色，林間情歡，東瀛風光，城市風光，恰恰恰恰，恰恰姑娘，恰恰派對，春風遊龍，風流將軍，香港恰恰，是真是假，莫負良宵，現代夫妻，退親相罵，國王與她，移花接木，張家姑娘，唱唱跳跳，萬花春色，想吻不想，愛的光榮，愛的恰恰，遊龍恰恰，遊艇求婚，搖擺熱舞，煉獄之歌，稱心如意，遠方情郎，瘋狂樂隊，漁舟唱晚，旖旎風光，嘉陵江上，歌舞今宵，樓外情歌，摩登青年，熱烈瘋狂，鋤頭山歌，寶熱的人，膩舞翩翩，雞牛貓狗，環遊世界，雞尾恰恰，雙雙對對，戀愛萬歲，一去不回來，一杯又一杯，一對醜八怪，二娃子梢信，人隔萬重山，女人與男人，女秘書請假，大姑娘進城，小妹妹洗澡，三個

王老五，包你有辦法，四季風兒吹，老夫妻相罵，丟你在一旁，有我沒有她，回家問老娘，我要跟着你，我要你的愛，我家在廣州，我想回娘家，我愛加力騷，我愛芭蕾舞，何時回家鄉，何處是兒家，快把門兒開，究竟把誰嫁，妹妹我愛你，奇怪的阿飛，花樣的年華，抱着我緊點，享樂在今宵，風雨交響曲，相思的滋味，怎樣報答你，哀樂何時休，寂寞的晚上，寂寞的生命，異鄉寒夜曲，惱人的夜雨，進酒杯莫停，跳一個猛步，想仃壞主意，亂得一團糟，搖擺就開懷，腸斷眼流紅，盡情在今宵，梨渦太神秘，蓬折蓬折跳，木屋裏的姑娘，未相見又別離，你存心欺負我，爸爸愛猛步，只要你愛恰恰，跳一個恰恰跳，總算你有福氣，一家八口一張床，不要你這壞東西，今朝有酒今朝醉，在西北草原上，我是一個恰恰迷，昨晚我為你失眠，春風帶來了煩惱，馬路小天使序曲，愛斯基摩的姑娘，媽媽把我許配他，蝴蝶翩翩燕子飛，談情說愛恰恰恰，鴛鴦橋下兩相親，勸郎更進一杯酒，歡迎我們的春天。

蘇海萍

香港與大陸

【本報專訊】港澳僑胞最近寄糧食入大陸接濟親友，在目前顯然已較前為緩慢，若干港澳區僑胞在半月前巳寄出的糧包，原係在五天內應收到者，可是多數接到大陸親友的來信，均說尚未有收到等語。而僑胞們於是曾到若干托運商號查詢，則商號當局明確的答覆，並繳出付運日期的證據是如期付運寄出者，這方面顯然並不是港澳托運商號的拖延，而係大陸方面的問題。這問題，據一些商號稱：由於大陸最近發生水災，各省交通頗受影響，因此，而造成港澳糧包運送發生阻礙，故港澳僑胞最近所投寄大陸糧包者，不能如期到達大陸親友的手中者，比比皆是。

來自廣州之人士稱：在彼回澳門返港之途中，沿途目覩各鄉村一片汪洋，低窪地區，房屋亦遭浸沒，災害慘重，沿途之河道被潦水浸至與督戒線齊，因此影響交通癈息，船隻行駛無不盡量減低速度，蓋恐防速度高時鼓浪衝破堤圍，則災害更重大。

大陸發生嚴重的水災，確已陷於嚴重的威脅階段，中共電台亦已宣佈承認，廣東之西江和北江洪流在數日前曾勸員卅多萬人來參加抗洪工作，單就清遠一區便已出勳三萬人來排除積水。過去中共會大事誇張大陸的水利建設是如何如何的成就，其實每年潦汛之時，幾乎都發生過嚴重的災。其所謂「成就」也不過如此。

由於大陸發生嚴重的水災，一般生產又告受影響，加上中共的飢餓輸出政策，港澳人士亦多不忍見大陸親友陷於飢餓，紛紛投寄糧包接濟，有此種種原因，中共遂又乘機再進一步的向大陸人民廹害，和向港澳僑胞勒索多寄糧包減輕中共對人民糧食的負擔和多刮一點外滙。同時，又可利用天災來掩飾搪塞大陸的農村生產崩潰的責任。這是一石射三鳥的陰謀。

最近，此間僑胞紛接大陸親友的來信謂：大陸糧荒巳愈來愈嚴重，再加上水災的威脅，中共巳乘機實行對人民減糧，籲請港澳親友加緊設法運寄糧食及副食品以濟急者，似又比較去年底前的情形為甚。但目前一般港澳僑胞的寄運情形則未見如昔日的擠擁。

據大陸來信中指出：目前廣州的共幹，每人每月的配額亦減至不超過十二公斤，其他人民的配糧額更可想見。但此種情形，能否維持不變？實為大陸人民担心的嚴重問題。據一般的推測，中共可能會再進一步的減糧。（眞）

活靶

——記滇邊歸來的義胞曾君講述的故事

宣建人

阿珍止住哭，用手揩揩眼淚：

「孩子……被共匪黨……搶去了……」她哽咽着說。

「什麼時候？」

「昨天。」

「往那個方向走的？」

我的女人用手指指南方。

我明曉得孩子凶多吉少，但我爲了安慰阿珍非把孩子尋回不可，否則，也要替孩子報仇。

我的孩子小猛，才三歲，非常聰明、乖巧，——我生命的延續。

我屁股未落板櫈，拔腳就跑。回到碉堡，熬過了一夜，抓住卡平搶，背上手榴彈、軍毯、糧食，……向共匪黨的巢穴飛奔，救我的孩子的生命。

別人以爲我瘋了，又不敢阻攔我。問我，我不答，像得了啞吧的病症。

我向南飛跑——

渡過清清的湄公河，我步步留心，假如跟敵人迎面撞，非拼個死活不可。

從何處尋覓敵人的巢穴？我感到茫然，困惑……

上山又下山，這個山頭到那個山頭，深山平靜，寂谷無聲。我孤獨尋找我的孩子……

敵人詭計太多，一步一步小心。

忽然，森林一聲狂吼，我吃一驚，掉頭一望，幾隻野豬向我奔來，我閃躲過。

日頭偏西，我想到今天沒有一粒飯米下肚。這一想可糟，飢餓極了。身子也軟綿綿的，不能走了，勢必到倮黑族的村子借住一夜。

稍微嚥下一些米飯，給倮黑族兩個「半開」。（雲南製造一種銀幣，每個五角。）

在木板上舖了毯子，一夜，我翻來覆去睡不着，一閉上眼睛，就看到我的孩子血淋淋的在嚎叫，伸着一雙手要我救他。無論如何，我要尋到我的孩子，不論死活！（二）

說教癖及其他

·汶津·

「標準本不死，大難不止。」這是我最近的一句口號。話說台省教廳根據部定標準請「專家」編定了一套教科本，美其名曰標準本。就我所知，其中國文科的標準本，正是國文程度低落的一位主要功臣。許多包公臉譜型的說教，足可頒給教師，困倒學子。什麼課偷看武俠小說的最多？不用回答也可以猜中了。因爲國文課本的標準中沒有趣味一格，甚至沒有一點眞正的年青氣息。說教是中年或老年的專利品，少年人的好奇心離它太遠了。因此良好的國文教育只好由小說書來越俎代庖了。

說教癖無疑是我們這時代的重大產物之一。而基於開闢市場的需要，便難免有成羣的池魚遭殃了。魚兒們是不會發出 S. O. S. 的信號的，濠上觀魚的人卻又無可奈何。

說教之癖，似乎又不同於烟酒，好說教的人，可能是野心家，也可能是懦夫。而且此事最有傳染性，一不留意，你自己也說出成章的老氣橫秋的話頭來了。與牧師反目的人物，自己是否能免於嘮叨「正經話」呢？尤其自覺胸有成竹的人材，恐怕更難逃此關。少年時代厭透成人的翻版式的說辭，長大了卻又蹈上一輩的覆轍的，世界上每一個角落都可以找到。

人情之常，本不宜反對，可是說教若一經賦予註冊商標，便不甚單純了。我們的八股商標已印行了太多太多，幾乎睜開眼，張開耳便能接觸到，街上，夢裏都不會缺席，只可惜物以稀爲貴，這些智者的心血，仁者的結晶，往往繫而不用，用而無效，結果是爾爲爾，我爲我，眼看着說教氾濫，大家也只管涉水而行罷了。

所以我們連對赫、毛之流的和平謬論，也漸漸覺得久而不聞其臭；對于改革社會風氣之類的呼聲，則逐次失去了迴響的興趣。到了眞正須要說教時，那精湛的講辭也難博掌聲了。這世界遂一天天地遲鈍下去，麻木下去。

人人都有經驗，那當說教進行之初，那主人的神色必然極盡其莊嚴肅穆，「敬鬼神而遠之」則是大部分聽客的心理狀態。標準教科書之所以不能與學生們友善，理由也不難從此推想。

附帶聯想起的，是一種古所罕見的「權威症」。古來的權威，不外天、地、君、親、師、大不了再加個「夫」。而今君已不存，天地幾有被科學吃痛之感，老子也未必能壓住他的公子了，老師的地位更一落千丈，綽號倒有着一大束。男女平等，後者更有反賓爲主之勢。因此古代的權威都已過時。但窮則變，變則通，現代的新權威更是聲勢赫赫，知識的權威，勢利的權威乃至詐騙的權威，層出不窮，其「勢力範圍」也不弱於古之君父，在無形中發號施令，睥睨天下。既然至此地步，說教癖自然也難免發作，於是二而一，一而二，成爲現社會的一種凸出的典型。

年青的一代已經在發出他們的吼聲了，他們並不想否定上一代，但太多的權威使他們喘不過氣來，太多的說教又沖淡了他們的生趣。從報紙、廣播到一切學習的課程，他們都得接受那種僵硬的疲勞轟炸。也許，還是一些輕鬆的音樂對他們更爲有益吧。

有人會挺身而出，勸告他們冷靜下來，學習忍耐。是的，處身在一切機械化的的時代中，眞理也極免被嵌入模型中了。我們都在走着格律化的迷宮，誰也沒法騰出這棋局，但祈求那些說教事家們能節省少許精力，讓眞正了解事情細節的人來貢獻一些智慧與經驗吧。中學教科書爲什麼不請資深的中學教師主編？學校課程多寡又何勞高級官員們操心？

如果仍不放心，不妨多奉告一句：現在的小伙子們對於反共、愛國的理論，早已能倒背如流，問題是如何啓發他們的良知，以及涵養他們面對未來的情操。

茶餘酒後

——黑子——

二三知己，一杯在手，天南地北，言所欲言，實人生一樂事也。

『茶樓酒肆，休談國事。』在某個時期，茶樓酒館內都有寫着這幾個字的紅紙條，貼在牆壁上。惟此語起於何時，源於何處，已難查考。然究其目的，似在免於機密洩漏，避生嫌疑事端，可收痲痺人心之效，則屬迨無疑問。

然而小民談國事，愈是茶餘酒後，愈有興緻，愈是有人談，可以談，願意談，即愈能表現那一時代自由民主的氣氛之濃厚與可貴。大家談國事，正說明了大家都關心國事，比大家無事祇談麻將經、女人經強甚，蓋此種茶餘酒後的談論，可有助於國政，尤可寄此一窺其國政之隆替，人心之向背。雖談者自談，視爲一種消遣，一種遊戲，一種抒情，若當局者俯而能聽，能容，能有所借鏡檢討衡量改進，則善莫大焉。亦民之幸，國之幸也，何可拒人於千里之外乎？

值茲非常時期，社會風習敗壞靡蕩之際，尤須培養此一種蓬勃勵進振振有爲的奮志圖存的氣氛，以對抗集權統治的奴役世界，挽救自由民主的頹廢沉落的趨勢—氣氛高昂充沛足以壓倒光芒的邪餒。而一國的藝術作品亦端賴此種氣氛之激發。

然而不少的人感慨地說：我們這個時代沒有聲音，沒有一點眞正的聲音！

徵稿小啓

有內容有意義之隨筆、散文、掌故、小說、雜感等類文字，本刊均所歡迎。請用有格稿紙繕寫，如需退還，請附信封及郵票。一千六百字左右的隨筆，比較容易刊出，過長則以篇幅所限，請特別留意。

瘟君續夢

第一回：捲土重來，瘟君尋舊夢　投袂而起，小醜鼓雄風

面對這如火如荼的反共運動，潘自力只有向印度外交部抗議，印度外交部表示無辦法制止，因爲印度是民主國家，人民咒罵尼赫魯，燒他的像也是常有的事。

潘自力無奈何想從輿論界發動反擊，但是經常接受中共津貼的，只有印共辦的閃電周報。潘自力就去找閃電周刊總編輯卡朗吉亞想辦法。卡朗吉亞對潘自力的要求感到義不容辭，當時滿口答應。送走潘自力之後，馬上召集會議，商量如何對付右派的攻擊，本來依照卡朗吉亞的意思要正面替中共辯護，指責所有攻擊的言論都是右派份子造謠，破壞「中印邦交」。那知道這個意見一提出來，遭到大多數人士的反對。原來印共也分兩派，一派擁護蘇聯，一派接近中共，前者以總書記高士爲首，後者由書記處書記丹地領導，卡朗吉亞屬於丹地一派，而絕大多數員工都是高士的人，這批人平時就看不起毛澤東，認爲他是共產主義的傍門左道，再加上中共的津貼，又以卡朗吉亞一派人分得多，經常就爭爭吵吵，鬧得不可開交，現在突然發生了這件事，高士一派的人就拒絕支持中共。

卡朗吉亞無奈何去找丹地，丹地嘆口氣說道：「這個問題確實很難處理，這次爲了西藏事件，全國各種系統的輿論一齊向中國發動攻擊，我們這個報紙，銷路不過幾千份，一木難支大廈，縱然出頭也沒有用處，只有替自己找麻煩，何況各方面包括我們本黨領導人員在內，都說我們的報是北京辦的，現在我們再替中國辯護，豈不更坐實了他們的謠言。」

卡朗吉亞想想也感到無可奈何，因爲印度報紙一共分成八個大系統，由於各系統的背景立場不同，對問題的看法也不一樣，任何一件事體發生，總是有的贊成，有的反對，各系統的代表報刊，如比拉爾系的印度斯坦時報；達爾米亞系的印度時報；甘露市場報系的甘露市場報；哥因卡系的印度快報；自由報系統的自由新聞報；快樂市場報系統的快樂市場報；英國資本系統的政治家報。全體對中共展開攻擊，尤其甘露市場報的老板高士是印共總書記高士的弟弟，此次卻站在攻擊中共的最前列。而印共系統的幾間報紙自由報，新世紀卻悶聲不響，不肯替中共講一句話，其中當然另有作用。

卡朗吉亞越想越覺得爲難，不過，養兵千日，用兵一朝，平時拿了中共的津貼，此時若一句話不說，實在不好意思，又怕中共下月把津貼停了，於是硬着頭皮以個人名義在閃電周報發表一篇報導，硬說印度輿論抨擊中共是美國同巴基斯坦挑撥的。（十五）

岳騫

鵬程萬里

——瘦西湖——

梨園漫談

馬德里各界對我國劇團的表演嘆爲觀止，當地各大報還刊出了許多幅漫畫，其中有幾幅最受人注意的，繪的是國劇中以鞭子來代表馬，桌子代表山，椅子忽變成了一根高大的樹，而一張大旗竟表示能發大水等象徵性特色，特別加以渲染，作深刻動人的描寫。

其次：我國劇團還演了一週義務戲，把全部的收入悉數捐獻了出來，作爲西班牙部瓦稜西亞城水災難民們的救濟金，時間爲十二月十日，在西班牙沿地中海的巴塞隆納的『音樂之宮』，此舉使西班牙朝野人士大受感動，並一致稱讚我國劇團具有『博愛仁慈的精神』。

故而在巴塞隆納的一週演出，國劇團又獲得了極多的好評，當地極大的「前鋒報」評論說：「中國劇在極單純的演技中，蘊藏着極多的神秘及奇蹟」。繼着巴塞隆納日報也說：『……那種天眞、奇異、光耀的中國戲劇，它的無上的，緻密的表情象徵了一切，而省畧了許許多多的物質材料……』，此外還有「國家五助報」，「新聞報」，「世界消息報」」等均有極高的評論和讚揚！

同年十二月廿三日，我國劇團抵達摩納哥，在蒙地卡羅劇院演出精彩節目，摩納哥王雷尼爾及其王妃葛麗絲凱萊都是當日座上的貴賓之一，並利用劇團休息時間，接見團員等，有所垂詢，並對我勾臉之花面及長靠等演員演出之節目尤感興趣。

十二月廿八日，劇團又輾轉抵達葡萄牙的首都里斯本，於十二月廿九日，即開始在葡京聖伽路劇院作第一場的演出，葡總統羅貝絲將軍和政府各部會主管，及駐當地之外交使節，由我國駐葡公使王化成夫婦陪同，蒞臨劇場欣賞我國劇技藝，其掌聲之多，爲大鵬出國以來最熱烈的一次，據說：四十五年時，共匪所組成的平劇團，曾有意往葡國訪問，但受到該國的堅決拒絕，使共匪當局大失面子，這次我國劇團前往演出，竟受到該國的重視和歡迎，這樣正好與共匪成爲一個強烈的對比也。

四十七年一月二日，我國劇團又赴葡萄牙的北部波爾土市演出數場，在當地連演數場均告爆滿，在座觀衆看到國劇團的武打戲，如槍來刀往，穿雲似的跟斗時，在座觀衆中甚致有起立狂歡者，其情緒之熱烈，使我國劇團人員大受感動，因之，演出也特別賣力。（七）

劉璈治台史事

·李仲侯·

先說開山撫番之事，台灣自康熙廿二年（西元一六八三）收入清代版圖，至光緒七年劉璈蒞台，已有二百年之久，墾撫事宜，如果認眞經營而且辦理得法，何至後山尙爲棄地，何至仍視生番爲化外之民，非中國政教所能及？過去所以全無實效可言，劉璈說得很清楚：他說：「前之侈談開撫者，耗費何止百萬，亦因漫無章法，徒事敷衍，卒至有名無實，利少害多，可爲殷鑒，甲戌。瑯嶠之役，倭人藉名征番，意在侵地，經沈文肅恪遵朝命，創開山撫番之舉，爲抽薪止沸之謀，弭患已萌，具有深意，適以繼起無人，辦理又不得法，名曰開山，不過鳥道一線，防不勝防，且有旋開旋塞者，至今地多曠土，兵民無所憑依，名曰撫番，不過招番領賞，濫賞何益，且有旋撫旋叛者，至今役人如故，番民格格不入，以致開撫隨事虛糜，有名無實」。劉璈不僅洞燭以往的錯誤，還有極正確之開山撫番理論，他說：「欲墾番地，必先開路，此一定之步驟，斷未有不先撫番而能開路，墾地，使番民日久相安，亦未有徒恃兵勇，民勇強梁，番地，刑驅勢廹而可撫番者，非番不受撫，而撫之不得其人則甚難，誠得其人，得其法，該番未有不受其撫者，番既受撫，路斯可得開，地可得墾，民與番皆得有利無害矣，然所謂受撫者，非徒如濫使通事混招各社番衆，突來領取紅藍布疋酒食而去，遂謂之已撫也」，他又不僅有理論，而且有具體的辦法，我們一讀他在同治十三年秋所作的「開山撫番條陳」，便知他對台灣的墾撫事宜，早具成竹在胸，只可惜當時沒有照他的辦法施行，以致迄無實效，他在分巡台灣任內，當然注意此事，他對屬員的指示，都非常高明，他說：「內山地方，鴻濛初闢，在山番衆，猶有結繩之風，教之者第一先通語言，次則日用淺近文字，然語言不通，文字亦無用處，向來教之者不從實事着想，衆深山之野人與之講道論德，在官方謂化民成俗，在番不過如誦佛氏伽那，有何益處？無怪番社頭人視學童就學爲苦境，應將各舊學一律裁改，以順番情。」他主張「另選精通工藝之人，教以工作暨淺近語言文字」。至於工藝的傳習他說得更具體。他說：「今教番童，只有羅匠教工……即伐木，解板等事，若無教習專其事，通事，社丁未必視爲正事：……惟就學話番童，每日學話一句之後，儘其閒空，教以手藝，番社無免至飽食暖衣，養成游情，拜跪，虛文，番社無用，即令學作解板，編藤，耕種等等粗工，有何不可」。（十二）

名女人（十二）

徐學慈

唐朝時代的名女人，有武則天與楊貴妃在，眞箇是「至矣盡矣，蔑以復加矣。」嘗鼎一臠，可知其味，我們也不便再說其他的女人了。

宋代以外患頻仍，名女人乃不多見，李師師其著者也。師師爲宋徽宗汴京東二廂承慶坊一局匠之女，其母方產女而卒，年四歲，父亦因犯罪繫獄死，無所歸，有娼籍老嫗李姥者收養之，比長，色藝絕倫，遂名冠坊曲。

徽宗好微服作狎邪遊，乃得與師師善。此後來往不絕，所賜金銀錢帛不下十萬。久之，宮中乃盛傳其事，爲稍避流言，竟自銀獄離宮，築潛道至鎮安坊（師師所居之地），恩眷之隆，於此可見。

帝常於宮中集宮眷等讌坐，有韋妃者，私問曰：「何物李家兒，而陛下悅之若此。」帝曰：「無他，但令汝等百人，改艷裝，服百衆，令此娃雜處其中，迥然自別。其一種幽姿逸韻，要在色容之外耳。」

無何，徽宗禪位，遊興頓衰。時金人方啓隙河北，師師乃集前後所賜金錢，呈牒開封尹，願入官助河北餉。復賂內侍張廸等，求其代謀於上皇，願棄家爲女道士，許之，賜北郭慈雲觀。

未幾，金人入汴，主將闥懶索師師，云金主知其名，必欲生得之，張邦昌探其在慈雲觀，欲以獻金營，師師罵曰：「吾以賤妓，蒙皇帝眷，寧一死無他志。若輩高爵厚祿，朝廷何負於汝，乃事事爲斬滅宗社計，今又北面事虜，冀得一容身之地，吾豈能爲若輩之魚肉耶？」乃脫金簪自刺其喉，不死，折而吞之，此一代名妓，遂以此香消玉殞焉。

李師師之名，應爲讀者所熟知，以娼妓下流，獨能臨危不亂，觀其晚節，殆有俠士風，亦誠所謂鐵中錚錚，庸中佼佼者矣。

宴客趣談

漁翁

客，主之對也，禮云：「天子無客禮，莫敢爲主焉」。又一座所尊者爲客，左傳：「宋公兼享晉楚之大夫，趙孟爲客。」宴者，以酒食相饗也，古詩：「今日良宴會，歡樂難具陳」。又梁昭明太子詩：「幸茲同宴醑，引滿愛樽空」。足見宴會之樂，流露於字裏行間。

客來倒屣相迎，客去握手以送，禮也。客來而主不顧，謂之怠慢，客退而主人安，謂之知體，此朱柏廬治家格言中所云「宴客切勿流連也。」

有某翁延賓，備極慇懃，羣客畢至，車馬水龍，極一時之盛，而翁一一垂問客之來程與所乘之車馬，某甲答：「余坐轎」，翁曰：「舒服之至」，某乙答：「余騎馬」，翁曰：「英偉之至」。某丙答：「余以路程頗遠，乘車而來」，翁曰：「捷便之至」。某丁答：「余駕一葉小舟而至」。翁曰：「幽雅之至」。某戊答：「余家離此頗近，以步代車」，翁曰：「安閒之至」。最後一老者稱：「余以年齡過高，不便乘車馬，亦不喜坐轎，即步行亦怕跌，不來又對不起老友，上山下山，胼手胝足而爬來也。」翁曰：「穩當之至」。諸客答畢，轉向主人致謝曰：「主人宴客，可謂『周到之至』」。

晉陶侃之母湛氏，有賢德。世說：「范逵嘗過陶侃，時倉卒無以待客，侃母截髮爲雙髲，賣易酒餚以供客。」後之人以侃母截髮延賓，傳爲千古佳話。

唐代詩人杜子美詠客至有曰：「盤餐市遠無兼味，樽酒家貧只舊醅」。以崔明府見過，因市遠無以爲饌，僅家中所餘之舊醅耳。宋代詩人杜小山亦云：「寒夜客來茶當酒，竹爐湯沸火初紅。」以客夜來，無酒，呼童煮茗代之，與客只話於寒窗月下，引以爲樂。

又宋理學家朱熹，字晦菴，新安人，知福建漳州時，與陳淳爲莫逆之交，蒞任後，即專誠拜訪，陳以三菜一湯相欵，但苦無酒，以水代之，舉杯相敬時，乃曰：「君子之交淡如」，而朱知杯中非酒也，不即不離答道：「醉翁之意不在」，一問一答，均在不言中，不期然而成聯，可謂天衣無縫矣。

晦菴有婿，家貧寒，嘗訪之，適婿外出，其女以葱湯麥飯待之，雖非客，而父較客尤過之，以簡陋心感不安，晦菴不以爲然，乃口占一絕以慰之曰：「葱湯麥飯兩相宜，葱補丹田麥療饑，莫謂此中風味薄，前村還有未炊時。」讀其詩，則知甘於粗糲，安於淡薄，並念及鄰村至午後而未有舉火，其推己及人之心，無微不至，宜乎從祀孔子廟中而享千秋祭祀也。

有某寒士，性好客，而家貧無以爲力。一日，有客至，即入室詢其妻，有無食物以供賓？妻曰：「僅鷄蛋二，蘿卜一斤耳。」寒士曰：「可矣，分爲四碗，以蘿卜砌成數條，將兩蛋黃配之，作一碗，以蘿卜成絲，把蛋白捻爲十數點，放在絲上，作一碗，又以蛋白拈成粉，撒在蘿卜絲上，作一碗，再用一湯，將兩蛋殼浮在湯中，作一碗，按次序送在席上。」

妻聞之，一斤蘿卜，兩個鷄蛋，如何以待客？頗有難色，但因夫催促，只得遵囑而行，不一時，請客入席，出第一碗，客見兩蛋黃浮於條條蘿卜絲上大駭，而寒士即高吟杜甫絕句曰：「兩個黃鸝鳴翠柳」。次出第二碗，爲數點蛋白在蘿卜絲中，乃曰：「一行白鷺上靑天」。再出第三碗，以蛋白粉沾於蘿卜絲上，又曰：「窗含西嶺千秋雪」。至第四碗，僅僅一湯浮蛋殼兩個，復曰：「門泊東吳萬里船」。客乃爲之愕然！

按此詩爲杜甫在蜀所作，見當時景色，陶然自得，雖士宦客，雖過於淡薄，而借此詩以酬之，則勝過山珍海錯多矣。

李太白客中行有曰：「蘭陵美酒鬱金香，玉椀盛來琥珀光，但使主人能醉客，不知何處是他鄉？」李客蘭陵時，有主人留連歡飲，以暢其旅懷，則不知異鄉之爲苦也。今之流亡海隅，十餘年而未有歸期，過年節，備有主人，釀千日酒，備四盤菜，豪飲於香爐峯下，一解流離之苦，而「酩然醉到太平時」乎？

淸嘯閣談薈

才女顧太清疑案

諸葛文侯

太淸是個突出的才女，她的思想言行，自與一般俗人有別，身爲「專意享閑散之福」的王孫公子的姨太太，在社交上亦不似所謂「福晉」之流的王妃們那種規行矩步，試看她好與朝士眷屬交游，「嘗爲許滇生尙書母夫人之義女，詩集中稱尙書爲滇生六兄」（孟心史考語），即可見其完全脫去天潢貴胄的生活方式，文采跌宕，舉止自適的人生觀了。她在廿二歲時（道光十年）所作的髓髓詩有云：「細草穠花各斷腸，美人去後有餘香。巫峯挾雨原非夢，洛浦臨波太近狂；日暮藤蘿空密密，天寒修竹自蒼蒼；迴環江水無窮碧，可許相隨一泛航？」像她這樣風致非凡，而又隨時出入於學士大夫之門的名女人，樂意跟她接近的文友，必不止是龔定庵，唯龔氏詩才卓越，聲華藉甚，且屬壯年時期，乃特別博得顧太淸的青睞。「花月痕」開宗明義即謂「情之所鍾，端在我輩」，定庵固有此項心情，顧氏當然亦有同感。這種天賦的人性流露，在任何時代的男女社交場合，都是很自然的情形，毫不足怪。

冒鶴亭認爲龔定庵與顧太淸二人並非尋常友誼的證據是：一爲少時常聽他的外祖周星詒所述顧太淸遺聞逸事很詳盡。周氏係淸代咸同年間科甲中人，距道光時代未遠，官居北京甚久，飫聞士大夫們據述繪貝勒與其如夫人的生活情況綦詳，事後對晚輩人閑話及之，自非捕風捉影，羌無故實的傳說，有如白頭宮女述天寶遺事，其可靠性縱非百分之百的程度，至少亦不致低於八成兒呢！二是繪貝勒於道光十八年戊戌七月去世後不及半年（戊戌十二月），顧太淸即被她的婆婆勒令遷出醇邸，移居尋常百姓家，顧氏曾作詩紀其事，中有「亡肉含冤誰代雪」之句；而龔定庵亦於次年（道光十九年己亥）春間，踉蹌隻身離京，是年冬再北上迎接家眷南下時，却不敢逕至京城，只是遣价入都趣行而已。他起初走到直隸邊境「任邱縣」坐待，所作雜詩自注：「遣一僕入都迎眷屬，自駐任邱待之」；旋進至「雄縣」及「固安縣」，即止步不復前行，又作雜詩云：「房山一角露崚嶒，十二連橋夜有冰，漸近城南天尺五，迴燈不敢夢觚稜」。自注：「兒子書來，乞稍北，乃又進次於雄縣，又請，乃進次於固安縣」。他這樣趦趄旅途，悵望都門的行動，爲甚麽呢？入京接眷，事極平常，爾躲躲藏藏，唯恐人知，這其間，必有不可告人的隱衷在，因而心理上感覺一種莫大的威脅了。最合理的解釋，就是害怕繪貝勒的子侄們，爲着顧太淸的關係，對他有所不利。這跟顧氏被其姑逐出王府而不知所爲何來的情形，不是相互吻合嗎？三是定庵舉家離京南下一年餘（道光廿一年），忽然暴卒於丹陽縣教官任內，疑爲仇家毒害所致，很可能是繪貝勒的子侄輩幹的。（二）

陳宏謀論

謝康

第四，政治上的銳意改革興利除弊，陳文恭年少時即矢志爲世上不可少之人，爲世人不能做之事。及其任官，經雍正乾隆兩朝，數十年間，行省十二，爲巡撫總督，所至必考究人心風俗之得失，及民間利弊興革，所有設施，必斟酌至當，人民歡其善政，地方賴以寧一，像這樣的方面大員，在滿清二百餘年的歷史當中，恐怕很難找出第二個吧。單說他在雲南時，平猓夷之亂，開化苗疆，設義學七百餘所，令苗民讀書考科舉，實行種族同化，增進邊民福利，對國家民族的貢獻，是不可以道里計的，而在乾隆皇帝當時，仍不免聽信權貴之言，以宏謀爲「市恩」、「沽名」，不夠老成持重；又以爲他是粵人屢陳粵事，恐啓鄉紳挾持朝議之風，影響中央威信，曾經加以降職或調差的處分。然而宏謀公忠體國，不怕「天威」，不畏強禦，只要於人民有利的事，他必然盡心力而爲之，及至最後，成效彰明昭著，朝廷和權貴終於爲事實所折服，承認宏謀的做事魄力，和論事的遠見（據清史稿本傳）（八）

歷史人物

內警僑台報字第〇三一號內銷證

自由報

THE FREE NEWS

第一四三期

中華民國僑務委員會頒發
台教新字第三二三號登記證
中華郵政台字第一二八二號執照
登記爲第一類新聞紙類
（本週刊每星期三、六出版）
每份港幣壹角
台灣零售價新台幣弍元
社長：雷嘯岑
督印人：黃行雲
社址：香港銅鑼灣高士威道二十號四樓
20. CAUSEWAY RD. 3RD. FL
HONG KONG
TEL. 771726　電報掛號．7191
承印者：田風印刷廠
地址：香港灣仔高士打道二二一號
台灣分社
台北市西寧南路壹壹李號二樓
電話：三〇三四六
台郵撥儲金戶九二五二

對柏林局勢的看法

王厚生

赫魯曉夫最近表示，要在本年年底簽訂對德和約。東德共產政權的烏布里希，亦要求召開一次四強外長會議，以便起草一項結束西方國家在柏林之權利的和平條約。於是，柏林問題再度爲世人所注目。國際局勢表面上忽趨緊張。西方國家對赫魯曉夫的言論，反應迅速，如警告俄國，西方各國決不放棄在柏林之權利，俄國應避免估計錯誤，俄國不宜逼迫太甚等。

實際上，柏林局勢並不嚴重，赫魯曉夫的恫嚇也用不着鄭重加以考慮。西方國家祇要有所準備，俄國的任何敵對態勢，都是可以應付裕如的。如果蘇聯決心欲以戰爭手段達成其某種目的，西方處於被動地位，無可奈何，唯有出諸一戰。如果蘇聯的恫嚇別有用心，意圖偷鷄，或者聲東擊西，西方各國也不必過分緊張。但爲激勵民氣，喚起自由世界人民對共產帝國主義提高警惕，通過輿論機關作適當的宣傳和分析，仍未可厚非。

共產集團的本身弱點實在難以革除，所以，共產國家在外表上似甚強大，實際上它們都是脆弱萬分的。戰爭是極權國家時常用以達成目的的手段，共產國家也不時以戰爭作爲手段，以達成某種目的。可是，共產國家本身的弱點使它們不敢作大規模的正面的公開的戰爭；它們所能從事的戰爭，是扒手式的小偷式的，乘人不防，乘虛而入，故在自由世界進行滲透和顛覆，是它們的拿手戲，是它們的看家本領，超越乎此，它們便無能爲力了。赫魯曉夫爲柏林問題，不止一次地借題發揮，作爲冷戰的本錢。在艾森豪總統任內，赫魯曉夫曾以六個月爲期，申言柏林問題非解決不可，艾森豪氏有備無患，不予理睬，逼得赫魯曉夫焦急起來，親到美國訪艾森豪氏，在大衛營談判時，親自將六個月的期限撤消，改爲無定期承認現狀。赫魯曉夫此次再提柏林問題，如到本年年底計算，時間仍爲六個月。如謂赫魯曉夫這次不至於另戲，他既說了話，必有花樣可看。這話誠有道理，惟仍不免看得過分嚴重。赫魯曉夫正在計劃某種花樣，似屬可信，但如謂赫魯曉夫這次必有決心搞垮柏林問題，我絕不相信。共產國家本身之弱點，使它們成爲外強中乾的紙老虎，赫魯曉夫前此自動取消六個月之期限，爲紙老虎之十足表現。毛澤東迄今已警告「美帝」艦機犯境達一百五、六十次，但從不敢於行動。即陰鷙如史太林，既下令北韓南侵和中共協助，對於杜魯門氏的決然參戰，不得不退避三舍，不敢正面與美國爲敵。

我今預言，六個月之後，德國和柏林問題多半將維持現狀，如有變動，決不依俄國的意旨路綫進行，而必有使西德政府和人民、以及西方三大國家樂於接受的原則盛行矣，何況美國官方已經研究赫魯曉夫的挑動性言論，發現「模糊」的地方。再者，赫魯曉夫倘使眞有不惜一戰之決心，或者完全忽視西方各國在柏林之權利，他何以不在六月初的維也納甘、赫會談中明白表示，而偏要在事後宣佈呢？

在甘、赫會談中，甘迺廸氏可能作出某種姿態或言論，足以激勵赫魯曉夫於事後下定決心，要在年底解決柏林問題。甘迺廸氏會作何種姿態或言論，我們不能懸揣，但就常情推斷，甘迺廸總統決不至在德國柏林問題上表示任何軟弱或讓步，而對付共黨的最佳方法，莫過於立場強硬。依此說來，赫魯曉夫的突然舉動，不可能由甘赫會談所引起。那末，赫魯曉夫重提柏林問題，其用意和目的安在，已成爲大家研究的題材。

西方外交家已經注意數事，我茲補充說明於下：

第一、赫魯曉夫的舉動旨在鼓勵談判，明白說來，旨在鼓勵美俄兩國進一步談判，甚至還可以說，旨在鼓勵甘迺廸總統訪問蘇聯，再作高層談判，萬一甘迺廸總統對訪蘇之舉不感興趣，則赫魯曉夫趁九月聯大開會，再訪美國也有可能。屆時柏林問題可作赫魯曉夫到華訪問的談話題目。

第二、赫魯曉夫受到國內外激烈分子的批評，認爲他對美國和西方的政策太過軟弱。中共對赫魯曉夫的外交，早已不滿。甘、赫在維也納會談後不久，中共人大代表團與日共議員團於六月廿二日聯合聲明，指「美帝國主義是中日兩國人民的共同敵人，……美帝國主義是世界反動的支柱，是國際憲兵，是全世界人民的敵人」。如赫魯曉夫以爲這種論調正確，他怎會在維也納會晤甘迺廸總統呢？中共公開唱反調，是顯而易見的。即以寮國三親王於同日在蘇黎世發表的會談公報而論，我看中共也是不甚願意的，換言之，蘇聯對於符馬和蘇發努馮似曾作勸告，勿再擴大戰亂，免招東南亞公約各國的直接干涉。甘迺廸總統突約赫魯曉夫在維也納晤談，在日內瓦十四國寮局會議爭執不下之際。甘、赫第一天在美大使館長談，即以寮局爲主題，次日改在俄大使館長談，始及柏林、裁軍、核試等問題。可見在甘迺廸總統心中，寮局居何等重要地位！寮國局勢之困難在於蘇聯軍火供應從未間斷、無實際停火，今後寮國中立的監督問題等。甘、赫會談散後，十四國會議重開，符馬和蘇發努馮經北平、莫斯科前往出席，抵莫斯科後，赫魯曉夫親予接談，其親密同黨米高揚從行。現照三親王所達成的協議看，所謂「和平中立」、「同意停火」，皆非中共所願意，中共今日所希望者，爲寮局的全面動亂，爲東西冷戰的加劇進行。雖然，與共黨談「和平中立」和「同意停火」，過於玩火，共黨待時機成熟，可以隨時破壞協議，但自由國家對於寮局演變，的確也毫無把握，況且局面拖延下去，百業日漸蕭條，人民生活更苦，對共黨有百利而無一害。自由世界的正確和明智政策，當然是直接參預其事，但來自歐洲的阻力，迫使美國猶豫不決。現實情勢如此，西方各國似不得不以文字保證之「和平中立」和「不參加任何軍事同盟或聯合組織」等作爲暫時的解決辦法，以觀後效。一面將寮國的中立，託東南亞公約組織從旁監視。寮國停火，大概由符馬組織聯合政府，對共黨來說，全盤赤化寮國的時日拉長（這是較悲觀的看法）。假使赫魯曉夫眞的在東方向甘迺廸總統讓了幾步，那末，赫魯曉夫挑起柏林危機，可視爲他自壯聲勢的行動，對於指責他的外交軟弱的人也是搪塞之舉。

第三、赫魯曉夫是比較理智的人，他的獨裁權力遠不及史太林生前所曾享有，因此，他低估西方國家保衛自由的決心的可能性較小，這也等於說，赫魯曉夫亦不至因德國或西柏林問題，貿然挑起三次大戰。赫魯曉夫倡導所謂「和平共存」政策，假使他的對德政策適可導致「和平共存」的反面結果，這無疑是赫魯曉夫自犯錯誤，自己使「和平共存」的外交證明爲此路不通，這樣，他怎能再居現在的高位？他又用什麼高深理論辯駁國內外政敵的批評？戰爭爆發與「和平共存」的破壞，等於他自己的政治事業宣告破產。赫魯曉夫縱使嗜酒，也不致如此糊塗。我們更不應忘掉，十月十七日行將召開的俄共第二十二屆全代會，這是俄共的大事，也是赫魯曉夫的終身大事。他要在這次全代會上，宣佈俄共的新政綱和新計劃。赫魯曉夫爲了在全代會期間表現他的國際聲威，可能即以西柏林爲題，但他決不在全代會前後促成世界戰爭，這是可以斷言的。我以爲，西方政治家倘喜歡赫魯曉夫及其政策，這是幫助他的時候，至少在俄共第二十二屆全代會之前，對於赫魯曉夫的橫蠻言論稍予縱容；不要使他太過難堪，以免影響他的地位和政策。過了十月，俄共的新計劃修正決定（草案將於七月底公佈），西方即可預見俄共的今後動向，屆時再定對策，也不算太遲。現階段，自由世界宜於動員輿論，在適當範圍內，使自由地區的廣大人民認清柏林局勢，這不僅可使人民的消息靈通，亦爲所以培育抗共心理的方法之一。

六月廿六日

小論天下

△傳美國將以「兩個中國」計劃提出聯合國大會，預料中共必加反對，因爲墜入美國妥佈的「陷阱」中，被拒於聯合國外。

假如果有此事，那也可笑是美國的「陰謀」，卻恐柏弄巧反拙，被人利用爲謀殺自由中國的陰謀。

△美國將以長程核子飛彈置於遠東冲繩基地，列中共工業區爲射擊目標。空軍部決於年內實現此一計劃。

安撫與嚇阻齊施，中共何妨多吞一顆「定心丸」？

△寮國三方面領袖達成組織聯合國政府協議。據傳，美國決放棄在寮建立反共堡壘的任何企圖，其理由爲，寮人根本厭惡戰爭。依政府的觀察：蘇俄與中共對寮國問題有歧見，將可造成寮國此時的中立。

寮國被放棄是事實，何必找尋解嘲的理由？寮共何以能戰？而反共的寮人又何以不能戰？與其再說一句「等待塵頭落定」，何如索性「讀顧不顧」！

△赫魯曉夫的女婿在美國電視出現，與甘迺廸總統的新聞秘書辯論新聞自由。

這也是一種妙事，多少美國人會因此認爲鐵幕裏面還有「新聞自由」這種東西？

△西柏林美軍再作演習，表示美國對柏林問題採堅決立場。美副總統詹森警告莫斯科，勿低估美國保衛柏林決心。西德總理阿丹諾稱，對蘇俄無可談判，赫魯曉夫最近所提建議，並非「新聞」。

只有不把它當作「新聞」，它才會失去恫嚇的效用。阿丹諾最懂得怎樣對付赫魯曉夫。

△韓戰十一週年紀念前夕，聯軍對北韓共黨提嚴重警告，南韓軍人革命政府亦作沉痛警惕。

看南韓當前局面，韓戰只似一場惡夢。可歎由杜魯門，麥克阿瑟，艾森豪，以至李承晚，都只能有「夢境依稀，不勝惆悵」之感！

方南

自由談

徒法不足以自行

報載：台灣有立法委員百餘人提議新訂「懲治貪污條例」，用意甚善，以期整飭政風，惜乎未中肯綮。

世人每認爲政治上貪污風氣之所以構成，一般官吏的待遇過非薄，不足以養廉，殆爲主要原因，這是不切實際之談。爽考過去在大陸上，如今在台灣，一切被發覺的貪污案件，其中主要人犯，那一個不是腰纏多金的富有者？至少至少，他亦決不缺乏普通人家開門七件事的費用了。事實上，生活最苦的只是大多數位卑祿薄的下級公務員，而這些人卻沒有受賄舞弊的權力，上司如係廉吏，他們縱想貪污，亦是不可能的。

遠者不必引證，即以政府遷到台灣後所發生的重大貪污案而論，如駐美採購軍用品的負責人毛某，如台省農林局長皮某，如高雄高分院檢察官高某，如台北市公路局長、處長、科長、乃至於市長，如油輪舞弊案之中油公司總理張某暨所謂「一人公司」董事魏某等等：他們誰也不愁衣食之資的，而油輪貪污案的張、魏等人，全家且在美國過着寓公生活，政府至今既不能令其回國聽候查究，亦不予吊銷其護照，經濟部長在立法院竟表示無可如何呢！

根據這一大堆的事實，所謂因待遇非薄而促成貪污行爲的說法，不攻自破了。然則此中癥結安在呢？馬五先生曰：小圈子主義不死，貪官污吏不止。政治上派系林立，天下爲私，不管阿貓阿狗，只要是置身於私人小派系之中，平日裝出變料忠貞份子的模樣，而走走邪路徑，搞通裙帶關係，則任何違法瀆職的行爲，皆可以從心所欲，肆無忌憚，出了岔，終歸有人照顧，不了了之的。君不見卅年來的財政金融與夫國營企業機構，總是由一二小派系的人物佔據着嗎？

因此，立委諸公要新訂法律以制裁貪污，用意固善，收效必微。不能剷除政治上的小圈子主義，養成天下爲公，選賢與能的政風，在上者使貪使詐，在下者昧廉鮮恥，雖有嚴刑峻法，亦是具文而已。「徒法不足以自行」，念之哉！

馬五先生

是氣候帶來的苦悶乎？
層出不窮的兇殺案

·張健生·

（台北通訊）今年六月間的天氣，比往年悶熱得早，這幾天的氣溫在三十六度至三十七度以上之間，熱天，它給人們帶來了苦悶和肝火特別旺。所以此間殺人和被人殺的社會新聞，也比往年同一時期為多，而社會新聞中卻包括了社會的、經濟的、教育的、人倫的等多方面的問題，如欲解決此一問題，必須從多方面作澈底的根本的研究，或者可能發生一點效果。如果單以「重典」來防止或嚇阻，那一定會使人失望。

最近半月間，（由六月一日至十五日）所發生的兇殺案件，計有：一、大甲橋畔槍殺上司蘇明平及同事姜吉明與刺傷同事陳高的兇手李長勝，在軍警包圍下服毒自殺，本案三死一傷。二、嘉義縣籍少女高菊華因婚姻問題而自殺。三、台北礦行幼稚園車夫郭建財被兇犯林藤照、鄔振中勒斃。四、苗栗私立新民中學學生傳文郁一拳打死同學黃信枝。五、鄭奠國在台北地院刀殺林再興。六、男子儒納言痴戀有夫之婦未遂而自殺「殉情」。七、酒女沈瓊霞愧對情郎在碧潭跳水自殺。八、台中居商廖詩廷唆使宰豬工人陳守、黃運枝持屠刀砍殺稅務員陳漢城等。九、高雄左營居民葉添丁因賭結仇以破酒瓶擊斃陳自在。十、私梟蔡竹華在高雄「[illegible]」拒捕與八位警方「[illegible]」格鬥。十一、北投國校十二歲的小學生竟與二十八歲的表叔游添福同居。十二、三輪車伕盧永鈿在司法大廈前毆司機高明圖。十三、苗栗後龍警分局巡佐林萬發索紅包五千元而被判刑兩年半。十四、台北和平西路派出所警員孫安柱因取締攤販而被毆傷。十五、台東縣府建設科技正劉鵬盜伐水源林被控瀆職提訴。十六、台東新港農田水利會都歷集水渠工程，發生圖標勒索利潤。十七、高雄市半屏山發生崩，傷亡失蹤五、六十人之多，原因是東南水泥工廠採石所致。十八、王金波因國民醫院割包皮而發炎潰爛，所以用刀砍死該院醫生陶如山。十九、高雄縣大樹鄉農民王立的妹妹王仙女，被其夫陳天綿和婆婆等四人，共同輪番毒打致死。二十、台南市高眼科醫院醫師高光清夫婦因其十四歲女兒被台南地院女工友邱王美的腳踏車擦傷右臂，而將邱女囚禁毆打，因而引起路人的公憤，被群眾將該醫院圍得水洩不通，幾乎釀成不幸事件。二十一、清水警分局長陳震等意圖侵占台中菸酒公賣分局調查員匡立之的獎金，致匡某氣憤而死，故被監院糾舉，並將刑事部份送最高檢察署偵辦。廿二、台東縣關山鎮光國校老師方洪德、張天增圍毆校長張家楨。廿三、台北德育商業職業學校負債一千餘萬元，教職員薪水發不出，以致停課。於是學生請願和市教育局調查的新聞，成了頭條。廿四、桃園鎮民張溪王不堪[illegible]長戴，持屠刀殺死姦夫陳超。廿五、[illegible]少婦劉秀琴，手刃三歲的兒子王惠官和出世四個月的女兒王月英。廿六、彰化縣衛生院課長游高石合夥製偽藥圖利，被控瀆職及觸犯公共危險。廿七、嘉義軍友社前總幹事王石麟侵占五萬多元、被控貪污瀆職。廿八、台中監獄竟發生血案，囚犯張正雄為報殺兄之恨，用舊剪刀刺死另一囚犯許樹根。廿九、三重鎮流氓許王郎殺死另一流氓林[illegible]

香港與大陸

「澳門專訊」大羣新會農民，於本月廿三日晚間，乘了一艘機動木船，間關逃抵本澳。

這批農民男女老幼共三十四人，是新會縣「睦洲人民公社」的「農業生產隊員」，他們在本月廿二日晚上八點鐘左右，偷得了一艘公社的機動「生產」船，逃亡來澳，他們經過一日一夜的緊張旅程，廿三日晚間八時到了本澳，由水警帶到港務廳登記並送到警廳備案後，獲得了自由。

他們用來逃亡的「生產船」是機動的，可載重三十多噸，船上還裝有一部用乾電池的日本「樂聲牌」半導體收音機，據說是用來在出海作業時收聽天氣報告的。

據這批逃亡難胞說：目前新會各地，大部地方都發生水災，不少農田都被淹沒，在糧食方面，成人每月祇配到二十五市斤的穀，大約可以磨成十八市斤到二十市斤糙米（註：每市斤僅十兩）換句話說，每人每天大約有六兩米。至於兒童，則僅得一半到三分二左右，食油方面，每人每月祇能配到半兩到一兩，並且是黑色的劣油，肉類則已不聞久矣。

師範學校改制管窺

張義舉

一、

（台灣通訊）台灣師範學校已經開始改制了，其辦法就是將原有三年制的普師科，以及山地師科一律改為五年制，年限延長以後，改稱「師範專科學校」。據教育當局宣示，改制的原因，為的是「提高國民教育水準，為延長義務教育的準備」。從四十九學年度起，台中師範學校已經開始實行了，本學年度台北師範學校將繼之而起；據說台灣所有的師範學校，雖因種種關係，不能同時改制，但將來必須逐漸實施，皆改為師範專科學校。

有關「師範專科學校」教育的實質問題，如教育方針、學科重點、教材教法、學生生活等等，以及畢業生任用辦法，都還未見到公佈，局外人無從明瞭，未便多所論列。但是此一行動，總算是教育上的大革新，值得任何人的注意！所以本人不揣譾陋，願略抒淺見，以供當局參考，並希望學者專家不吝賜教！

二、

假如有人問：「現在師範學校的年限是否需要延長」？我們應該不遲疑地答覆：「絕對需要！而且早該延長了」。師範學校本來在學制系統上列為中等教育，所以普師科年限和普通高級中學高級職業學校相同，投考資格也限於初級中學和初級職業校畢業生。就我們所知，師範生（以普師科為準）在學年限雖和高中相同，但在畢業以前，除去實習、試教、參觀、旅行等項活動，實際受課時間，不過二年有半；以十四歲至二十歲（照規定新生報考年齡不得超過二十歲）的初中畢業生，受了兩年多的師範教育，就充當師表，論學識，論修養，論經驗，似乎在在都成問題。目前國民教育，受了師資的影響，發現種種缺陷，水準日漸低落，這是大家共見共聞的事實，毋待多說了。師範學校既然以造就師資為任務，自不能和其他中等學校等量齊觀；為適應事實的需要，其年限當然早有延長的必要了！

三、

如今學校教育有兩大問題急待解決的，便是倫理道德教育和國語文教育。

我國近四十年來，民族道德日漸頹喪；在機關裡，團體裏，學校裏，乃至社會各階層，到處都有「尊卑無禮，長幼無序」的現象。今日社會裏姦、殺、偷、盜、賭、無所不為，連為國育才的學校裏，也不免太保橫行，殺氣騰騰；如此人倫汨沒，道德淪喪，能說不是國民教育的最大失敗嗎？

其次，再談國語文教育，一個國家的國民，要了解本人對於學校功課的看法，卻大謬不然，竟然認語文科為「冷門」，學生也多鄙視語文而不學，甚則以學中國語文為可恥，豈非怪事！學生既然鄙國語文而不學，就難免出言不雅，行文不通，俚語滿口，錯字連篇；如此現象，還談什麼研讀聖經賢傳，發揚民族文化呢？

四、

辦教育必須要循名責實，言行一致，絕不可徒重外表，伐善施勞，造成矜驕浮誇，買空賣空的風氣！曾記得教育部長黃季陸先生在就職時及某集會場中一再的說：「一要將中國從根救起」！什麼是國家的「根」？怎樣去「救」？師說沒有闡明，但古人說：「民為邦本，本固邦寧」。所謂國家的「根」，大概就是指一般國民而言吧？想救國民，一定先從改進國民教育着手，也毋庸懷疑了？假如以上的猜想是正確的，我們甚願意進一步略貢芻蕘之見：「國民教育是一切教育的基礎，師範教育是國民教育之母；要救中國，必先辦好國民教育，要辦好國民教育，必先辦好師範學校；尤其是倫理道德教育和國語文教育，必須在師範學校生根」！

清年。卅、台東成功警分局刑警楊永亭，利用職權強迫日春園[illegible]

鐵路改道我見

·武勝·

（台灣通訊）台北市鐵路改道問題，由來已久，年前有美籍公路局顧問來華整理北市交通，建議鐵路以向淡水河邊渡河南行接萬華為宜，事發表後，各方甚為重視，鐵路局亦贊同，乃擬具六項方案，報請省府轉行政院核定，經交通部最近研究結果，於五月廿五日答覆立法委員時表示，可能採用高架鐵路，經費較少為宜，目前仍研究高架技術問題，至何時實施，尚是未知數。

[illegible]

活靶

——記滇邊歸來的義胞曾君講述的故事

宣建人

熬到太陽光照在山峯上，我繼續渺茫的搜索前進。這比獵人尋找野獸的洞穴還難！曉得他們躲在那兒，這大的土地……。

——尋呀！

我不死心！

好像有靈魂拖住腿，在岔路口，我正躊躇向那邊走？冥冥中，我走右邊。

走呀，走呀……

我不灰心，把堅守碉堡的意志拿出來，迎面黑鴉鴉的共產黨猛攻，我照樣作戰，直到勝利。

突然，迎面有鳥雀飛過來，急躁的，驚惶的……

依我經驗的判斷，前面有一羣人。

我的脚步放慢了，向前搜索，儘可能不把自己暴露出來，在樹林草叢裏搜索前進。

——砰！

——砰！砰！

我聽到槍聲，匍匐着，以爲我被敵人發現了，忙把卡平槍端着，準備射擊。然而，子彈不是向我這邊射來的，我分辨槍聲的方向。

我朝槍聲的方向走——

我聽到人語了，很低，很清楚：

——好，看我的！

——砰！

——膿包！看你的，這麼近也射不中！

——你曉得，我當兵才三個月，就被調到緬甸這邊打游擊隊！

——你能留着這條狗命回老家，算是運氣！

——我就不打算活着回重慶。

——砰！砰！

——打不死游擊隊，他媽的，也打不死這些小龜兒子！（三）

夢囈集

木人

（一）人的故事

人揹着時代苦悶的重負上路。四野蒼蒼，灰色的天宇連接灰色的地平。人兩眼凝望遠方：他不知道地平過去是何處，他只知道既已揹了這重負，就必得往前走。

人看見在他前面走着一個白髮的老者，鬚髮有如舞動的浪。步履蹣跚不着地。人看不見老者的臉，只看見他的背影：一襲布袍，一雙芒鞋。

人加緊了腳步，看看趕上老者，又落下來。又一段路。人再加緊腳步，看看趕上老者，又落下來。……人跑起來，老者仍不遠不近地領先。……人淌汗了，他的步伐參差，腳底腫起水泡，破了，流出水和血。

四野蒼蒼，灰色的天宇連接灰色的地平：靜寂統治宇宙，沒有風，沒有一絲人跡。

太陽又起又落下，落下又升起。

人已憔悴疲倦不堪，時而因揹着的重負而摔倒。但老者的鬚髮披飛，仍踏着穩實的腳步。他似乎永不疲乏，他是個不老的老者。

人已耗了力，終於倒下。老者停下來，回頭看他，臉上滿是深刻的皺紋：「人，你不行啦？」

人咽氣前問：「你是誰呢？——你：我永遠追不上的。」老者大有深意地笑笑：「傻瓜！我是宇宙的長跑冠軍：我是時間！」

人死去，老者譏諷地抿嘴笑笑。

路傍一個年青人看看這悲慘的景象。他默默無言地走向死者，卸下重負，套在背上。他年青有力的臉上亮着勇毅的光芒。兩眼望着前方。

前方是灰色的地平，天宇灰暗地低壓。四野蒼蒼，只有一份亘古的沉默和寂寞。

「嘻嘻，呵！孩子，你沒看見他已死去了嗎？爲甚麼要固執，硬揹上時代苦悶的重負，作無益必敗的競賽呢？青春不再，該好好去麻醉一番啊！」老者向屍體呶嘴：「這也是你的收場！」

年青人不回答。他眼望前方，一派勇毅的神色。

於是，年青人又上路了。……

（二）猴戲

流落異鄉的山東佬憑一套猴戲糊口。在大陸上訓練的猴子早死了。現在只得將就用一隻就地買來的猴子。他深懂猴性，猴子也就服服貼貼地就範。

先敲響鑼，招來一批現代觀衆：有孩子，有大人，還雜着兩三個老者。

猴兒乖巧，隨着鑼聲翻筋斗、打轉：……牠身體學人一般豎在兩腿上，換着掩去牠猴相的各種花面具：一忽兒是曹操，一忽兒是孔明，一忽兒是關雲長……觀衆並沒有被騙，誰都知道那是隻猴手猴腳猴心肝的猴子；也正因牠的而且確是隻猴子，能模仿得兩分像人，其滑稽處眞叫人忍俊不住，觀衆便閧然大笑起來。

鑼敲一下，猴子打轉。鑼敲三下，猴子翻筋斗。鑼聲急響，猴子便作騎馬狀，滿場亂跑……一下，打轉。三下，翻筋斗。亂走……。

山東佬唱着戲文，看着猴子表演，心花怒放，他的訓練總算得成功。

鑼敲兩下，猴子停下。再敲敲兩下，猴子不動。再敲兩下，猴子索性蹲了下來。……

「操他奶奶，怎不要啦？死東西！」山東佬駡，手中鑼又敲兩下：「看官們都等着，怎能不要？」

手中鑼又敲兩下。

猴子蹲着，由牠主人駡去。牠看看周圍的人們，一忽兒用手在肚上搿蛋子，一忽兒嚼孩子們丟來的花生。——鑼兩下兩下的敲，牠便得一直蹲下去。

山東佬似乎駡夠了，歉意地向觀衆笑笑：「各位，沒辦法，猴子得要兩個錢才肯耍，請各位高抬貴手。……沒辦法啦；現今是民主時代，一切都以民主爲尙。……」

猴子看着周圍的觀衆，一忽兒一忽兒搿蛋子，一忽兒嚼花生：一隻民主時代可憐的猴子！

不要說不

——黑子——

不，不要，不要嘛，我不要嘛！

其實說穿了，就是要！

喫咖啡館內兩個人俯在枱子上隱言密語，甲說：這個意思意思！於是紅包從枱子下面遞了過去。乙說：不必不必！結果是雙手在枱子下面接了過來。

鐵路客貨運費不考慮調整。結果是悄悄地核定了加價。

當資調整加價，決不予考慮實施。結果是調整加價，勢在必行。

煙酒售價調整之說，尙無所聞，不要相信無稽之談。結果是調整率百分之幾恐怕早已決定，只等正式批文一到，新的零售及批購價格，即可公佈付諸施行。

百元大鈔終於出籠了，人心爲之轟然。首長們却幽而默之地予以引證譬喻，並武斷地說：決不影響通貨膨脹，物價決不致上揚。結果是金鈔黑市跟着馬上昇漲，而物價，早已經跑在這位「百元大鈔先生」出籠的先頭，打好了前站哩！

莎士比亞說得好：一個溫淑的姑娘嘴裏儘管說『不』！她却要人家解釋作『是』的。

果如莎士比亞所說，則我不得不承認在愛情和婚姻上是一敗塗地的了，因爲我們很嫩，很天眞無邪，很相信一個溫淑的姑娘所說的話啊！然則請問袞袞諸公：你們的經驗世故與閱歷都很高超豐富，那麼，莎士比亞所說的話，會是眞的嗎？會是眞的嗎？

瘟君續夢

第一回：捲土重來，瘟君尋舊夢　投袂而起，小醜鼓雄風

這個消息發表之後，登時引起軒然大波，巴基斯坦駐印度高級專員爲亞烏丁委託律師寫一封信給閃電週報，限期登報更正，道歉，否則就要提出控訴。

另一方面印度財政部長德賽跑去找到尼赫魯，愁眉苦臉的說：「我們的報紙攻擊中共，充其量只是我們兩方面的事，又扯到美國頭上幹什麼？早些日子我到華盛頓去談判美援，美國政府人員私下告訴我，政府當局十分熱心幫助印度，只是就怕參衆兩院通不過，因爲議員們對於印度一貫偏袒中共的立場，感到憤怒。現在援助方案剛剛提出，我們又同美國發生糾紛，硬是和自己找麻煩，卡朗吉亞是不是希望我們財政經濟整個崩潰，早一天讓印共起來執政呢？」

德賽越說越憤，尼赫魯毫無表情，含着小烟袋只是出神。就在這時內政部長潘特同宣傳廣播部長凱斯卡爾氣急敗壞的跑來了。

潘特進門就嚷道：「卡朗吉亞不是瘋了嗎？他指我們全國報紙批評中共都是拿了美國和巴基斯坦的津貼，豈不是把新聞界的人都變成猪仔，我們亡國時被人賣了當猪仔，現在獨立了還當猪仔嗎？」潘特說到氣憤處，用力一拍沙發傍邊的玻璃茶几拍得粉碎。

尼赫魯冷眼看看地，依然未開口。凱斯卡爾接着說道：「首相先生，這件事情你不能不理的，試想我們全國輿論可以隨便被外國收買，議員及軍隊當然也可以被人收買，我們立國十幾年，豈不是一點基礎都沒有，整個亞非兩洲新興國家都把你當成偶像，處處向你請敎，今後你還有什麼威信，誰還看得起你，你的中立國家領袖地位就必然動搖了。我們印度也將變成了三等國家。這個嚴重後果你考慮到沒有？」

尼赫魯一聽說亞非國家的領袖地位發生問題，登時把小烟袋取下來了。縐縐眉頭說道：「事情不會這樣嚴重吧！」

凱斯卡爾冷笑一聲：「我還張大其詞恐嚇你嗎？首相先生！事情確實是如此。」

尼赫魯尙未開口，突然梅農又氣喘吁吁跑進來，拍手叫道：「這次卡朗吉亞把我們害苦了，他發表了內幕消息，說是美巴收買我們報紙反對中國，剛才潘自力大使又到外交部提出嚴重抗議，要我們澈查這事情經過，否則他們要採取適當辦法處理。」

尼赫魯歪頭看看梅農，問道：「他說出什麼適當辦法沒有？」

梅農道：「他們打算召集萬隆會議，評論是非，因爲我們報刊所爲已變成干涉內政，和首相同周恩來總理聯合發佈的五項原則也是不合的。」（十六）

岳騫

徵稿小啓

有內容有意義之隨筆、散文、掌故、小說、雜感等類文字，本刊均所歡迎。請用有格稿紙繕寫，如需退還，請附信封及郵票。一千六百字左右的隨筆，比較易刊出，過長則以篇幅所限，請特別留意。

梨園漫談

大鵬團員簡介

——瘦西湖——

哈元章，係北平人氏，現年三十八歲，爲科班『富連成』之高材生，因人極聰明，十二歲時即與其師兄李世芳配戲，（李爲梅蘭芳之得意高足，亦稱四小名旦之一），勝利後曾至上海中國大戲院演唱，後返平時，中途飛機失事，致告不幸身亡）十五歲就紅極一時，其所唱之「一捧雪」、「十老安劉」、「定軍山」、「打棍出箱」、「鎮壇州」、「宮門帶」、「盜宗卷」等，均爲唱做並重之腳本，且能綜合譚馬二家之長處，唱腔醇厚受聽，作派瀟灑好看，在國內可以稱得上是首屈一指，目前爲大鵬之當家老生，並兼該團後台主任，及小大鵬學生班之教務主任。

馬榮祥，現年三十四歲，亦爲北平人，係北平『榮春社』科班之高材生，這位文武全才的青年老生，七歲起即隨知名老伶工蔡榮貴學戲，年未屆滿世即能獨擋一面，其唱腔之佳，國內尙鮮有匹敵，故其拿手戲如「盜宗卷」、「羣英會」，又不久前新排之「將相和」、「除三害」，前者曾爲陳副總統欣賞後讚爲此時此際最佳之好戲，後者爲當今內外行界所流行者是也。

蘇盛軾，現年四十八歲，亦係北平人氏，幼習武生，爲『富連成』的知名前輩，以往曾以拔高藝大，紅遍北方一帶，後很少登台演出，使菊壇人氏感到非常遺憾，後經各方敦勸，遂故登台爲授徒，故由京滬港澳來台之著名刀馬旦，均出自其門下，現爲大鵬劇團之文武總管，及小大鵬學生班之總教練耳。

李素貞，二十九歲，乃山東濟南人氏，係出身梨園世家，爲名伶戴綺霞之得意弟子，故凡刀馬、武工、踩蹻等，無不具備也，自被大鵬當局納入旗下後，爲了繼續深造起見，遂拜蘇盛軾爲師，從此，其藝術更加精進，目前是國內的著名刀馬旦，其拔藝之佳，蹻工之好，凡看過其演出者，無不稱讚萬分，其拿手劇爲『泗洲城』、『揚排風』、『盜仙草』等。

李金和，現年三十九歲，乃北平人氏，係北平戲曲學校的高材生，爲一文武全才的丑角，幼時曾從郭春山、陸喜才等知名伶人習藝，因其身材細巧，動作敏捷，故深得三老之歡心，遂盡得郭陸二人之秘工，出師後隨宋德珠劇團東征西討，其武工之優良，配戲之得當，爲宋德珠當時不可缺少之臂膀，故在上海曾紅極一時，其「打瓜園」及「時遷偸雞」等，均爲內外行人所稱道。（一）

劉璈治台史事

·李仲侯·

他甘脆的以對番宣論道德爲無益，而令其先學土話與官話，次及日用淺近文字，又以跪拜祭文爲無用，不如教以手勢使具謀生的技能，這是何等切實的見解。劉璈雖以開山撫番爲治台第一要着，同時他對此事也很用心思，擬有具體方案，然在當時那種因循沓洩的風氣下，地方當局渾無遠謀，竟將開撫之事，奏請停辦，在劉璈看來，這是十分可惜的，他說：「議者以台灣自辦開山撫番，十餘年來，傷人逾萬，糜餉數百萬，以致奏請停辦，意在節流，乃不推究于辦理非人，又非其法，徒謂開撫無益有害，遂竟上停辦之議，亦未免因噎廢食，未知台事底細耳」。後來劉銘傳首任台灣巡撫，所標榜的設防、練兵、清賦、撫番四大政策，亦以開山撫番爲要務。劉璈當時極力注意開山撫番，實因鑒於過去經營欠當，影響及於台灣的治安甚大，所以康熙廿二年平台以後的二百年間，台灣所發生之大小亂事，幾乎不勝枚舉，致亂之由，固然很多，而開撫工作之因循無成，也是最大原因，他說：「匪之得以漏網稽誅者，無非特山內番社爲淵藪，聚則爲賊，散則爲民，造次擾害閭閻，類皆猝然臨至，莫從抵禦，比營縣閱報往捕，兵少則明目張胆逞兇抗拒，兵多則竄伏山巖不知所踪」。從他這一段的敘述，便可證明「開撫」和匪亂」的關係之大了。

次說台北的煤務，自同治三年（西元一八六四年）太平天國滅亡至光緒二十年（西元一八九四年）中日甲午戰爭發生，這卅年間，我們通常稱之爲自强運動時代，自强運動也叫做洋務運動，所謂洋務，就是模仿西法，尤其著重於槍砲輪船的製造，「煤」是推動機器的原動力，所以用新式方法來開採煤礦也屬於洋務範圍，台灣官營的煤礦就是在這洋務的運動的潮流裡舉辦事業之一，台北煤局是光緒元年奏請開始的，但在劉璈就任台灣道之前，却已弄得賠累不堪而急待整頓了，劉璈於光緒八年二月着手整頓，退思錄中所收關於整頓煤務的公牘和議論，計有廿三件之多，從這些文件，我們可以看出其時台北煤務境況之壞，眞是達於極點，劉璈查核煤局上年十二月份的報冊，就發現該局「隨意虛耗，任意報銷」。在他呈報查核結果的文件中舉出下列許多確鑿的事：「官炭化總，總炭化粉，此情理中事也，（按當煤炭出井，大塊的佔十分之四，稱官炭，中塊的佔十分之三，稱總炭，細碎的亦佔十分之三，稱粉炭）今冊內官炭既耗，總炭不加，總炭既耗，粉炭不加，而粉炭且轉有失耗，究不知耗歸何處（十三）

望海樓隨筆

名女人（十四）

徐學慧

明清之際，才女迭出，靈氣所鍾，乃在妓女。

閩李香君的故事，今已盡人皆知，余澹心板橋雜記，王世禎崇禎遺錄，賈靜子侯公子傳，錢牧齋有學集，楊龍友洵美堂集，陳其年湖海樓集，均涉及香君事，而尤以孔尙任之桃花扇，最能傳神。

董小宛亦明末秦淮樂籍中奇女子，後歸如皋公子一代才人冒辟疆，年僅二十七歲而卒。其人其事，見辟疆所著「影梅庵憶語」中，茲不復贅。

除此而外，卞玉京，寇白門，葛嫩，李大娘諸八，亦均爲秦淮名妓，經當時名士爲之揄揚，而名乃大噪。

金陵爲歷代帝王建都之地，秦淮舊院又爲妓女集中之區，前門對武定橋，後門在鈔庫街，（今猶有此名）妓家鱗次，比屋而居，屋宇清幽，花木扶疏，迥非塵境。到門則銅環半啓，珠箔低垂；升階則犬兒吠客，鸚哥喚茶；登堂則假母肅迎，分賓抗禮；進軒則丫鬟畢妝，捧艷而出；坐久則水陸畢至，絲竹競陳；定情則目挑心招，綢繆宛轉；紈袴少年，繡衣才子，無不魂迷色陣，氣慧雖風矣。妓家僕婢稱之曰娘，外人呼之曰小娘，假如稱之曰娘兒，嫖客曰姐夫，客稱假母曰外婆。

妓家各分門戶，爭妍鬥媚，凌晨則蘭湯分浴，滿室芬芳；入夜乃弄箏吹笛，梨園搬演，聲震九霄。爲人所熟知之長板橋，中山東花園橫其前，秦淮朱雀桁繞其後，水烟凝碧，洵足娛目賞心。

燈船之盛，天下所無，兩岸河旁，雕欄畫檻，綺窗絲障，十里珠簾，客既稱醉；主曰未歸，指目曰：某名姬在某河房，以得魁首者爲勝。薄暮須臾，燈船畢集，火龍蜿蜒，光燭天地，揚搥擊鼓，喧嘩不絕，洵太平盛事也。

河南戲的俚俗

介人

最近豫劇女主角常香玉來到了廣州演出，中共的尾巴報紙，又在那裏大事渲染。究其實，常香玉已經是四十多歲的演員了，兒女成行，她所主演的「秦香蓮」，早已搬上了銀幕，凡是看過這一張豫劇影片的人，對於她的評價，當已成竹在胸，毋庸贅述。這裏只想談一談豫劇唱詞的俚俗，實在令人噴飯。

「豫劇」是晚近才有的名詞，亦即河南戲，但在河南稱之爲「大戲」或名「梆子戲」。因爲河南戲是與山西梆子一脈的，湖琴不是蛇皮的，而是銅木板的，唱時以木梆子爲奏襯音節的樂器，故以「梆子戲」享名。

河南戲向爲人譏笑的原因，就是它的唱詞太粗野直率，有如村婦罵街的煞風景。例如在「桃花庵」這一齣戲裏，那位收養了小尼姑私生子的什麼大人，當他把嬰兒抱在手臂上，下場的四句唱詞是：「我的兒不必淚滿腮，快隨爲父到官宅，官宅去見你的母，你母是個官太太。」

平戲的「打金枝」，河南戲也有這一齣。當公主挨了駙馬爺打了之後，就去哭訴唐王駕前，她哭着唱：「皇帝爹爹你休問起，細聽你兒女說個明白，可恨那小郭曖，他太不講理，竟敢把咱爺們太欺，打了爲奴還不算，還罵俺是狗入的。」

常被大家說起的那「陳州放糧」一劇，宋仁宗上場的引子是「孤王生就是個朝廷命；二十三歲我就坐了龍廷。」坐下後，話了一大堆廢話後，白：「傳旨下出，宣包黑上殿。」包拯一出場唸：「忽聽皇帝宣包黑，不知叫俺有啥事兒。臣，包老爺見駕，皇帝萬歲萬萬歲！」

皇帝一見包拯到來：「黑啦黑！俺派你陳州放糧你是去呀不去？」包拯回答說：「在家閒着也是閒着，只要你給俺盤纏錢，龜孫子才不去來。」皇帝說：「你要是前去，千萬不要苦害了孤的百姓。」包拯一聽，氣得把袖子一抖，鼓點子打了一個「康切康」，他說：「咳！俺要是傷害了你的百姓，你就把俺携到黃河裡去喂鱉魚。」

於是包公辭別聖駕，再上場扯四門大唱，其中有句云：「放糧路過蕎麥地，捉個鵪鶉是母的，王朝馬漢一齊叫，快與老爺燒吃了。」這些唱詞令人聽了，眞是爲之啼笑皆非，試想金殿之上，何等尊嚴，君臣問答之間何等嚴重，乃居然以「包老爺」，「龜孫」這種口吻互相應對，這是何等的滑稽！

有人說河南戲盡是苦戲，常香玉就是以演苦戲而著名，實際不然，喜劇也多得很，更是俗不可耐。例和描寫蕩婦的淫態，比平劇中所謂「粉戲」還要粉，例如在「桃花庵」的前半段，還有「背箱子」、「姚剛征南」，「洞賓戲牡丹」都是夠粉的。如姚剛征南中的旦唱「我一見小姚剛，無從答話，不由得小奴家骨酥皮麻，他頭帶着鎖子盔，身穿連環甲，跨下一匹白龍馬，一根銀槍手裏拿，曖喲喲咳娘的個心，他是誰，他就是俺想的那個小冤家。」

又和有一齣「奴怕婆」唱角唱詞：「俺說話你仔細聽，吃啥喝啥？燒餅子有鹵煮雞，趕的夜裏，不幹那事俺不依，要裝睡着，我可擰你。」

看了以上的唱詞，凡是聽過河南戲的觀衆，當再也不會感到興趣，而極其視聽之娛。這種俚俗的唱詞，實不足以登大雅之堂，而値得我們加以宣揚的。

縱令是晚近以來，對詞句有多少改進，但還是不能對它期望過高，因爲它畢竟是地方戲，一向所傳遺留下的粗獷、俚俗的作風，根深蒂固，習染既久，也不是短期內可以糾正過來的。

因此，常香玉所領導的豫劇，她所演出的成績，儘管是過份的强調，但是自然掩不住觀衆的耳目，筆者雖然沒有前去廣州欣賞一番，親聆演出，但她所演出的效果，從我的想像中是不難推測的。

更何況每一個地方戲，與着當地的民族性還是有着密切的關係，河南戲一貫的氣氛，慷慨激昂，慷慨則有之，溫馨當以細膩，悠揚頓挫，則恐未必，今後河南戲應該改進的地方，實有待劇作家的商權與研討，業者對於這一行，實屬門外漢，不敢有所曉舌，謹此告一結束。

海嘯樓談薈

才女顧太清疑案

諸葛文侯

孟心史判定冒鶴亭捏誣龔定庵顧太淸有曖昧關係的理由如次：

一爲定庵雖有「無著詞」一卷暨游仙詩十五首，中多綺語，隱約難明，使人疑及太平湖，而定庵於道光己亥雜詩中，復有憶太平湖之丁香花一首，這些皆與顧太淸不相干。因爲孟氏考出定庵作無著詞與游仙詩，是在道光初年，到十九年己亥出都，歷時將近廿年了，「安有此等魔障亙二十年不敗，而至己亥則一朝翻覆者？」又謂定庵已亥出都之際，繪貝勒已歿，「太淸亦已老而寡，定公年已四十八，俱非淸狂蕩檢之時」。由前之說，必須以龔、顧二人初相見即發生了苟且行爲作前提，才可成立，否則所謂「此等魔障亙二十年不敗」云云，便係想當然的說法，考諸云乎哉？由後之說，則須認定定公與顧太淸之間，在繪貝勒去世後才有超友誼的關係產生，方能言之成理。實則兩說皆屬主觀的逆臆之詞，絕對不合邏輯。定公與太淸的非常交情，只可從上述的若干詩詞，以及當時京都士大夫所見所聞的事實傳說中，得以窺其梗概。至於他兩究竟是甚末時候構成「魔障」的？誰也沒法斷定或否定其事。孟氏所謂廿年魔障，固然毫無根據；又謂定公出都之年，太淸亦已老而寡，尤其可哂。此時的太淸，「寡」則有之，「老」則未也，安知年在四十左右的男女，「俱非淸狂蕩檢之時」耶？

二爲孟氏認定顧太淸祇是跟定庵的內眷有往還，定公所憶的丁香花，乃係貝勒府中的異鄉花卉，「蓋必太淸曾以此花折贈定公之婦，故憶之也。」又謂「此時太淸實已移居，詩自憶花，乃與其人無預」，而憶丁香花詩「臨風遞與縞衣人」句，亦係本諸詩經「縞衣綦巾，聊樂我員」的詞意，是指「貧家之婦，與朱邸之嬪相對照而言」。這種迹近學究冬烘式的思想與解釋，未免太可笑了！憑那種證據可以證明「詩自憶花，乃與其人無預」呢？說「縞衣人」是指的貝勒府中之嬪女，更乖詩教「比」「興」「賦」的義理，果若是，則屈原所作「離騷」中的「美人」「芳草」，如非暗指楚懷王，難道說他眞是寄咏於懷王的妃子和汀洲的芳草不成麼？丁香花詩，是定庵倉皇出都之年所作的，也就是顧太淸被逐出太平湖貝勒邸的時候。人在失意背時之際，如其沒有特殊感慨，誰會憶及若干年前別人送給自己太太的一枝花卉，而尙有興趣來吟詩寄懷呢？若依常理推測，定庵的憶丁香花雜詩，無論是在他出都前夕或以後所作的，必係由於顧太淸已不見容於其姑，而定公自己亦被有瓜李之嫌，急須遠走以避之，感懷身世，痛惜佳人，因而詩思大發，藉花抒情，以誌不忘。孟氏肯定的說「蓋必太淸曾以此花折贈定公之婦，故憶之」。何所見而云然呢？總之，丁香花確確實實是暗指顧太淸，毫無疑問，此中有人，呼之欲出也。（三）

歷史人物

陳宏謀論

謝康

我們知道：清代專制的政體，在雍乾兩朝，已達於最高峯。可怕的文字獄，株連學者文人，不可勝數；使智識份子蟄伏於羅網機括之下，除造些八股文、試帖詩，或詞章考據的學問，或歌功頌德的駢體文，已不敢存言論自由之想。至於朝臣，在十全武功聖明天子統治之時，稍聰明滑頭老於世故的人，誰不以仰承「聖旨」，聯絡權貴，爲保存首領及祿位之計。究竟有幾個能夠像這位忠貞梗直傻頭傻腦的廣西鄉下人，不知有自己的利害和榮辱，一輩子以國計民生爲念，使他在各省的措施屢與「部議」相牴觸，責他不爲「朝廷」設想。甚至於皇帝也認他爲「沽名釣譽」，多向地方民族「市恩」，而不站穩中樞的立場，這些批判語，公然見於詔書和旨牘，對他當然是很不利的。然而他底哲學只是「一命之士，苟存心於利物，於人必有所濟」，但求有利於民衆，至於自己的「紗帽」和身家的安全，他是不違計較的了。這種大臣風度，莫說在清朝，就是歷代也不多見。（九）

內警備台報字第〇三一號內銷證

自由報

THE FREE NEWS

第一四四期

每份港幣壹角

社長：雷嘯岑
督印人：黃行寶

社址：香港灣仔高士打道二十號三樓
20 CAUSEWAY RD 3RD FL HONG KONG
TEL. 771726　電報掛號．7191
承印者：田風印刷廠
地址：香港灣仔高士打道二二一號

台灣分社
台北市西寧南路壹壹本號二樓
電話：三〇三四六
台郵撥儲金戶九二五二

美國國家戰畧的修正問題

美國已與世界四十多個國家締結軍事互助條約，它已負担起除了爲保衛自己生存之外的世界性任務。但它的傳統戰畧並未隨時代而修正，以致無法對國際共黨取得主動，陷於今日節節失敗的困境。

張六師

在一九五〇年，美國三軍聯合總部頒佈「國家戰畧」一名詞，以代替第二次大戰時與聯盟各國使用的「大戰畧」稱謂。關於這名詞的含義，當時魏德邁將軍曾解釋說：「國家戰畧爲運用國家所有資源以完成國家目標的藝術與科學」。一九五三年四月美國三軍首長聯合批准「聯合軍語辭典」中對「戰畧」、「國家戰畧」，與「軍事戰畧」三個名詞的明確定義。其中對國家戰畧的含義是這樣：

「凡國家在和平或戰爭時期，爲實現國家目標的工作中，發展和運用國家的政治、經濟、社會心理諸力量及其陸海空三軍的藝術與科學。以及這類事項發展與運用的基本策畧和綱要均屬之」。

這個國家戰畧的含義已包含全民族戰爭——即總體戰的意義。這是二次大戰以後，又經過韓國半島對共黨戰爭的教訓，所下的定義和範圍。

蘇俄在十月革命以後，也有同類的軍事術語，叫作「戰畧路綫」。最明顯的是「世界革命戰畧路綫」，「無產階級國際主義」，「戰畧路綫」：：：等。這是純攻勢與在別人境內作戰最露骨的侵畧性國家戰畧。雖拿二次大戰前，德日等國有關此種定義的名詞——如「戰爭指導」來相比，也有程度上和性質上的差別。

在今天世界已進入自由與奴役，生存與消滅　民主與極權和人權福利主義與共產專制主義對立鬥爭時代。戰爭已不分平時（冷）和戰時（熱），局部（地區性）或全面（世界性）。而是人類如果不被共產黨奴役消滅，便是必須擊敗消滅共產黨。尤其是今天國際共產黨的邪惡毒辣，還不完全在「共產主義」本身，而是在利用這個名詞與列寧、史太林戰畧和戰術相結合的人和組織。他們所造孽的罪惡與行爲，是遠遠的超越過「共產主義」的範圍，如果馬克斯、恩格斯還活着也要被他們「清算」、「鬥爭」的。

因此，以政治思想爲中心的總體戰爭，在蘇俄勢力範圍內的人民與軍隊，他們是先已建立了一套思想理論的防禦工事和攻勢武裝的。而自由世界的人民與軍隊則除了遭受共黨毒手的少數地區外，大多是一張白紙，甚至許多還已被傳染了紅色毒素。也就是說，自由世界——尤其是美英法日等國的國家戰畧在思想文化的領域中，至今還是眞空的。他們的人民，他們的政府乃至軍隊，不僅不明瞭蘇俄帝國主義——消滅國家，消滅民族，和消滅自由人性文化的惡毒眞相，和征服奴役世界的野心，甚至許多地區的小國與新起民族，還被虛僞宣傳所欺騙誘惑而認殺人的毒蛇猛獸爲可以和平共存的朋友，他們的反共戰志，根本就沒有。自由世界在這種反共思想文化眞空狀態中，加以社會組織的鬆懈，渙散，自私享樂主義的流行，國家戰畧基礎是脆弱的。

凡脆弱國家戰略基礎，脆弱的國家與聯盟，公職人員與軍隊便自然的厭惡戰爭，尤其是對蘇俄所謂「反對社會主義的戰爭」更無士氣。加上核子戰爭的恐怖宣傳，更首先瓦解了由智識份子到民間對共黨的抵抗意志。所以我們可以預料，假如三次大戰發生，美國和西方內部的危機與失敗因素，不在科學武器的是否勝過蘇俄，而是在科學武器的秘密泄漏和遭受破壞的可慮。也不在美國和西方物質和經濟力的是否優於蘇俄，而是在這些物質和經濟力的是否反而被共黨利用。更不在西方領土，人民的大過蘇俄，而是任何廣大的領上，與人民也會被西方內部的共奸與愚蠢、狹隘的政客所斷送，如斷送中國的外蒙與大陸古巴……一樣，使它反變爲共產黨天秤中的籌碼。

時至今日，雖然美國的許多軍事科學與發明，大多被蘇俄盜去，以致形成雙方僵持狀態。但由於西方國家與自由世界的總體實力——無論工業、經濟、人力、資源與技術人才，仍處於絕對優勢地位。——僅西歐的統一力量便超過蘇俄有餘。可是蘇俄對此是很淸楚的，因此，它雖然虛聲恫嚇，但却絕不敢眞的出諸一戰。（例如它對柏林的恫嚇威脅，目前已是第四次了。前三次都在西方眞正强硬下而龜縮，這次如果西方不是口硬心輭，而是眞「一寸不讓」，它還是要再自動輭化的）。

在核子僵局相持下，蘇俄今天不僅不敢自已出而作戰，而且連拿附庸國去犧牲，它都損失不起。唯一可以投資小、收獲大的戰畧，便是「局部戰爭」，「革命戰爭」——選擇有利的戰畧區域（如古巴），和得來便不會再失去的戰畧地區下手。如過去中國的唐努烏梁海與外蒙；現在的北韓，北越西北非、中非、與寮國。

美國在傳統性的國家戰畧原則下，至今仍是不先向敵人開火的。美國參加第一次和第二次的大戰，都是由於先被襲擊，然後才在國會通過對外作戰。在當時，美國和交戰國任何一方都無攻守同盟的條約義務，所以在戰爭已發生後，仍保持局外中立態度，可是今天的情形不同了。

二次大戰甫一告終，蘇俄國內的學校教育政策，便規定以「美國爲資本主義國家頭號敵人」。由兒童到人民與軍隊都是如此。以後各附庸國跟追蘇俄，也先後同樣宣佈「以美國爲唯一最大死敵」，其中以中共對內對外的反美運動搞得最澈底，也最激烈。幕後原因，是蘇俄對中共的壓力和剝削，與交付的戰畧負担最重，比任何附庸國。蘇俄的戰畧路綫，是把自己列於所謂「社會主義祖國的領導」與「最後堡壘」地位。並且明白規定各附庸國「應以自己的局部利益爲輕，而以「保衛社會主義祖國」利益爲最重要」。這不僅在過去共產國際的條文中如此規定，就在今日，各附庸國共黨的各種文字中，還在經常不斷的提示這類原則。所以蘇俄是有意把中共提出來和美國或英國並列鬥爭，而把自己升高一層，站在幕後更安全的地位，使自己永遠立於不敗之地，「只要蘇聯永遠強大，無產階級和社會主義的存在與勝利，便永遠獲得保障。

美國面對這種無情的強烈思想戰，思想界的混亂是到了出人意外的可驚程度。戰畧決策的動搖，矛盾，與紛歧………不僅不是自由民主制度的資本，反成爲自由民主制度的負債。甚至他們有時把寶貴的智慧用來製造自己陣營的矛盾與反美情緒，把納稅人的金錢，拿去支援公開的敵人，如波蘭共黨，與潛在的敵人卡斯特羅，南斯拉夫、印尼、埃及………。面對國際共黨的思想進攻與文化侵畧和心理擾亂，不先建立自衛和對俄反攻的思想文化戰力，最近反而先開放門戶，解除歷年來對共黨書籍、報紙、刋物的禁令。美國的教育不首先明白告訴兒童和青年以如何判別是非、善惡、及隱與與上帝………而反認爲這種工作進入學校是「政治」。反之，共產黨對學校、教會、與文化機構………的滲透，宣傳、挑撥，政府對之並無有效辦法，難怪赫魯契夫很有信心地告訴美國人，「你們下一代的子孫，都將是社會主義者」了。

在核子僵持下，近年來軍事專家已初步認識地上武力，仍是現代戰爭的重要環節。但還少有人覺悟到標語、口號、印刷品，和棍棒、磚石、小刀、手槍、炸彈和羣衆接合起來，在自由世界就是比A彈，H彈還有效的兵力體系。它在東京阻止了美元首的訪問日本，和國會通過的「防暴勤法案」。在南韓士耳其推翻了他們的政府。在印度，和塞浦魯斯，用此法獲得自由獨立。其他在中南美給予美國特使以不斷的侮辱。它再援合簡單的兵器，過去都助了毛澤東：現在幫助了卡斯特羅由游擊而取得政權。

但是我們也不會忘記，在鐵幕後面，四十多年來，由十多萬到百萬以上的數十個抗俄少數民族，被蘇俄遷徙放逐而消滅，和匈牙利革命在俄軍坦克下被犧牲的事實。因爲在軍事暴力與特務警務結合下的殘酷鎮壓，如果沒有强大外力支援呼應，是不可能戰勝共黨的。

今天作爲領導自由世界撲滅共黨的美國國家戰畧，乃至軍事戰畧，戰術，都該有修正的必要了。

小論天下

△柏林問題愈見緊張，美總統甘迺廸警告蘇俄，勿犯嚴重錯誤。赫魯曉夫亦提警告，西方若竟動員，蘇俄將有行動。東德亦頒佈天空新限制。傳英國方面擬倡談判調停。

我們應該想到「咬人的狗不吠，吠人的狗不咬。」但只要有人出面調停，赫魯曉夫便「得其所哉」了！

△伊拉克宣佈，將科威特合併。已遭反對。阿剌伯各國多支持科威特獨立，英政府亦保證予以支持。中東又發生新危機。

石油總是容易惹火的東西。

△美駐聯合國大使史蒂文生遍訪拉丁美洲各國，承認共黨滲透力量，比前又有增加。

美國的「書生」們應該了解吧！憑你們的「書生之見」，要阻遏共黨在「落後地區」的急劇蔓延，畢竟是迂緩不濟的啊！

△歐洲自由市場七國會議將在倫敦舉行，英國亦與其列。

「市場」是重要的。西方國家如在亞洲對共黨作迄無止境的退讓，那一直在縮小的「亞洲市場」將對他們有什麼影響？

△鐵幕內大多數共黨國家農業歉收，糧食均感缺乏。蘇俄捷克加緊整肅生產機構負責人，匈牙利農民又起抗共，因反對集體農場而被捕者逾七百人。

有人說，共產黨永遠視農人爲敵人，也永遠視農業爲一種無可奈何的「災禍」，此說甚妙。而毛澤東毒禍中國之慘，主因亦在乎此！

△全球均苦酷熱，日菲兩國均有大水災。

這大概是「冷戰」將變「冷戰」的天兆吧！

△倫敦盛傳：美正考慮是否讓中共入聯合國。美國務卿聲明：美未同意中共入聯合國的一項計劃，但亦未有阻止中共此項企圖的明確辦法。

稜稜兩可，必有所因。這不是助使外蒙進入聯合國的一種手法？

方南

勘正：

上期「小論天下」第一段，內「陽謀」二字誤植「陰謀」「而」字誤植「爲」字，合勘正。

小啟

「小論天下」執筆者方南先生因事忙，此稿由下期停止，特聘著名漫畫家南施先生担任每期「自由漫畫」或世界漫畫」繪圖及說明，敬希讀者注意。

自由談

西綫無戰事

馮五先生

這兩天，美俄兩方的執政者對柏林問題大發議論，舌戰激烈，好像眞要不惜因此事而兵戎相見的樣兒，實則他們都是色厲而內荏的「通家」，有如蘇州人尋相罵，絕對不會相打的！

記得一九四八年史達林下令封鎖西柏林交通時，悶聲不響，少說理由，而以美國爲首的西方國家；亦以鎭靜態度，實行空運政策，另在軍事上，作壞的打算，特別戒備，並不似現時之曉曉爭辯。如此這般地相持了一年，終於「西綫無戰事」，彼此和平共處如初矣。假使當年的美國總統亦如甘迺迪先生一樣，聽到俄會對柏林問題發出威脅性的言論，即慌慌張張要求私人晤談，說是預防俄會因低估西方實力與決心而激成戰禍，史達林將不致默然解除封鎖令呢！——今日赫魯歇夫對西方國家——尤其是美國的實際情形，瞭如指掌，估計極其準確，他早已玩弄艾森豪於前，如今再來捉弄甘迺廸，看看這位初出茅廬的總統先生，究有甚末高明的作風？「維也納精神」出現之後，赫酋心裡已經有數，認爲可欺以其方，如是乎一連串的柏林問題聲明頻頻發出了。但附以「願與美總統多舉行高層會談」的條件，目的就在使甘迺迪先生感覺飄飄然，請君入甕！

柏林問題未來的演變如何，癥結在西德當局的態度。西德總理愛特諾爾究竟經驗宏富，識力卓越，他對於赫魯歇夫的宣傳攻勢，當伊嘸介事，指爲重彈舊調，無足詫異。他這種表示，給赫酋心理上以很大的警覺作用，不敢掉以輕心，就憑這一點，柏林問題無論怎樣吵鬧，鬧得聲勢洶洶，結果還是雨過天青，有驚無險的。因此，我們應該懍悟一項眞理：自己的命運，總須自己掌握，操縱着，決不宜俯仰由人，六神無主，否則必無倖理。所謂台灣問題，跟柏林問題相伯仲，着西德總理愛特諾爾與在野黨領袖布朗（西柏林市長）最近對柏林問題的主張，沆瀣一氣，毫不含糊，我們能不深感慚惡而知所奮發乎？

國家之敗，由官邪也！

立法院制定懲貪條例

・吳越・

（台北通訊）。為了澄清吏治，整飭政風，一項專為懲治貪污而設的新法案，已由立法委員林樹藝、江一平、李文齋等一百一十二人正式向立法院院會提出。二十日下午程序委員會已將本案列該週五（二十三日）院會議程，但因排列在討論事項的最末一案（二十二案），必須俟其前的二十餘案討論之後始能討論，本案在本會期內提付討論的可能性甚少。

前幾天監察院已掀起了懲治貪污的運動，立法委員林樹藝等一百一十二人所提的「戡亂時期貪污治罪條例草案」，並使這一運動具體化，相信定能贏得國人普遍的支持。

立法委員在提案中說到，近十年來在台灣各方面都有長足進步，「惟就政治風紀而言，確有江河日下之勢」。關於貪污舞弊的案件，在提案中指出：「其大而引人注意者，如海關人員勾結奸商使用變造印花稅票以及串通走私集團貪污案，林產管理局主管暨高級職員與商人勾結之集體貪污案，台中中興新村遷建工程之官商勾結集團貪污案，台南高分院推事高嵩謀背職務收取賄賂案，台北地方法院某錄事侵佔公款百餘萬元及某書記官侵佔執行罰款四十萬元之貪污案，中信局及台北紗廠高級職員侵佔舞弊大貪污案，松山某汽車修配廠官商勾結集體貪污案，以及引發台灣省公路局台北市公共汽車管理處等各單位官商勾結之購料大舞弊案，形形色色，不勝枚舉」。其貪污所得，自新台幣數十百萬元至數千萬元不等。甚至各級不肖幹部利用職權機會，直接間接圖利，已成普遍公開秘密。立委們認為，這種風氣，如果「不予遏止，非但對我民主法治及政府威信為一大諷刺，抑且對人心士氣，亦將發生最大不良之影響」。

我國原曾於民國二十七年頒訂過一種「懲治貪污條例」，前後曾施行了十六年之久，至四十三年廢止。這次提出的「戡亂時期貪污治罪條例」共計十九條，其內容較過去的「懲治貪污條例」略有所不同，過去有輕罪重罰之弊，新條例則已注意到視情節輕重而分別量刑。依照舊法，最輕的貪污罪亦處七年以上有期徒刑，且凡處刑者都要沒收財產，失之過重；新法規定除死刑沒收財產外，無期徒刑以下之罪，均以併科罰金來替代沒收財產，較為合理。但新法更重視與貪污相牽連的那些因素，故規定對幫同貪污者隱匿財產的人處以刑罰，以防止貪污所得被偷天換日，轉移寄藏或隱匿出賣，而免除將來執行追繳或沒收的困難。又對庇護貪污者的主官處刑，在避免主管長官對屬員之貪污行為，藉詞「事出有因，查無實據」為託詞而推諉其應舉之責。對知情而不舉發的會計和審計人員，都將處以應得刑罰。今後加重了這些聯帶責任關係，或許可能收到「不能貪」的功效。也或許能提高軍公人員「不肯貪」的自律性。同時為鼓勵舉發，又規定凡是對軍公人員行賄以後能向法院自首的人，可免除其刑；在偵查或審判期間能自白的人，也可以減輕其刑。這些地方，可說是除了原則以後，更注重方法，儘可能使犯罪者無所遁形，期能收到更為普遍的效果。關於自首減刑的問題，二十一日徵信新聞報社論「打擊貪污的行動」認為應有限制，他們耽心行賄的人於行賄目的達到後再向法院自首，而獲免刑，似不公平合理。又軍公人員貪污在偵查或審判期間自首，等於東窗事發後方圖減輕刑罰，與一般事前自首，在性質與動機上都有不同，減刑的規定是否妥當，很可商討。

最高檢察署趙琛檢察長二十日應記者的訪問時說：在貪污風氣日盛的今天，制立一項特別法是有此需要的。趙琛檢察長說：法不在重，而在必行，法行雖輕，祇要澈底就有懲戒作用，法不行，重又何用？趙琛檢察長表示，他希望新的懲治條例完成立法實施以後，不要有例外，對情節重大者尤應重辦。司法行政部鄭彥棻部長二十日答覆記者說：他尚未看到此一草案全文，目前沒有甚麼意見。

「國家之敗，由官邪也，官之失德，寵賂章也」。根絕貪污的辦法，不是幾則條文就可奏效的。問題的核心還是在政治的革新。徵信新聞社論最後的幾句話，很能代表大家的看法：「我們除了希望成文的法律可以發揮嚇阻貪污的作用以外，尤以為：根治貪污，必須從政治改革方面着手，責任政治與法治政治的建立，是整飭政風的先決條件」。

香港與大陸

〔本報專訊〕大陸的人民幣，最近在港澳開全面暴跌；這證明中共的經濟已面臨最嚴重危機，已陷於無可再支持和挽救的地步。

據市場的公開行情，票面金額十元的人民幣僅可兌得港幣四元（比中共銀行外滙掛牌港幣二百三十四元等於人民幣一百元）價值貶低於此可見。

其票面金額在十元以下的人民幣價值更低，五元者等於港幣一元八角，三元者僅等於港幣一元，一元的則僅值港幣三角。

大陸人民飢荒，貨幣貶值，生產低跌的種種事實，已是中外人士有目共覩，用不着人們來替它渲染，也沒有人們會相信中共的虛偽掩飾。

人民幣貶值已不是最近始。但由於近半年來，中共的經濟崩潰情形，已全部翻開了肚皮暴露人們之前。再無法遮瞞下去。僅是那宗向加拿大購買價值三億六千二百萬美元的穀麥外滙的支付，已使中共經濟面臨捉襟見肘的窘態。

九家本港的靠攏銀行，若干家雖然會想盡種種辦法，企圖賺取僑匯，尾把份子的不惜心勞日絀，但只可惜，近半年來，這些銀行的慘況，眞是門堪羅雀，甚至以前一向積極較為左傾的僑胞和一些工人階級者，對滙錢返大陸接濟親友或寄運糧食等，顯然已大為減少。原因是他們也認為大陸這種長期性的飢荒情形，實再無力負担，而且亦無可再挽救。

（眞）

東西集團在歐洲的兵力比較

在維也納會議中，甘迺迪總統與赫魔都會表示過，對西柏林問題，必要時不惜使用武力。現在赫魔攤牌了，他說，他將於六個月內與東德簽訂和平條約。意思是說，他將于六個月內從匪東德傀儡政權封鎖通西柏林的所有路綫，要是西方用武力來衝破封鎖，蘇俄將不惜助東德一戰。屆時甘迺迪究被迫開火，抑自動退卻，似很難逆料。

本年五月廿二日出版的「美國新聞與世界報導」雜誌曾就蘇俄與西方在歐洲戰場上的實力，作了一個簡明的比較，茲轉述于次，用供推測未來世局演變參攷。

蘇俄在歐洲戰場上共有廿三個師，其中十個師是機械化的，另有十個師是裝甲部隊，而以三個砲兵師與之配合使用。武器全部標準化。補給由蘇俄政府一手辦理。後備兵力，蘇俄尚有五十個師，其中九個師是空運部隊。附庸國家可出七十二個師。戰鬥機五千架；由地面部隊指揮官指揮之。

西方國家即北大西洋公約組織在歐洲戰場上的兵力，似乎要弱得多。他們現共有廿一又三分之一個師：沒有一個是機械化的。就戰鬥力來說，美國駐歐五個師的戰力相當於其他盟國部隊戰力的總和。各國部隊由各國政府自行補給。槍械彈藥尚未做到標準化。西歐各國後備兵的裝備都很差，美國則尚有六個師可以調用，所惜遠隔大西洋，運送費時。戰鬥機二千五百架，指揮不統一。

從實力的對比不難看出：萬一西柏林有事，西方很可能退卻。甘迺迪總統的諾言，行將又一次不得實現。

赫魔一貫的主張是支持所謂「解放戰鬥」。這就是說，赫魔將充份運用各地共黨滲透顛覆活動，以達成其蠶食整個自由世界的目的。要是西方想在甲地起而干涉，赫魔則在乙地發出戰爭的訊號，以攻其所必勝，逼得西方不能不在甲地放手。這樣一來，即使想要用傳統武器打局部戰爭（甘迺迪總統正作此打算），事實上恐怕也打不起來。

就是用傳統武器打局部戰爭吧，此時美國似乎還沒有提出具體辦法來。據管窺所及，最好在亞非分別招募志願軍作為反共鬥爭的主力軍，因為黃臉打黃臉，黑臉打黑臉，比白臉打黃臉，白臉打黑腳要好些。同時亞非人民生活水準低，亞非志願軍的開支一定比美國本國軍隊的開支低得多。還有，要是當地的軍隊眞不能作戰，如像寮國佛米的部隊一樣，志願軍隨時可以代替他們作戰，這樣，應不斷因一個較弱的環節而動搖全盤的戰鬥形勢。

話得說回來，如要根絕赤禍，確保和平，我還是建議美國先下手，發動全面核子戰爭，根共產集團來一次總解決。

我們知道，美國今日之尚能置蘇俄於死地者，在於它的海外基地巳對蘇形成一個大包圍；另方面，美國原子彈及氫彈的儲存量仍超過蘇俄。要是美國能先發制人，將所有原子彈氫彈，用各種可能使用的運輸工具為飛彈，原子潛艇及戰略轟炸機，從四方八面一齊向蘇俄投下去，蘇俄絕不可能逃過毀滅的厄運。蘇俄雖然已有可資報復的洲際飛彈，但畢竟數量有限，準確性成問題。美國縱受損害，決不如蘇俄所受損害之大。我這種建議，猶如向垂死的病人建議他動手術一樣，危是危險，可是究有一線生機。希望美國朝野上下能認眞予以考慮。今美國將領們放棄這有利的作戰條件，而在飛彈競賽上跟着蘇俄屁股後面追；或是打算用傳統武器來應付「解放戰爭」，誠愚笨之至！

美國是我們同生死，共患難的朋友！看到他們處於劣勢的地位，我們內心的焦急與頹喪，誠非筆墨所能形容！人窮則呼天，這時候我只有默禱蒼穹，求神賜給他們以更多的智慧，更大的勇氣，好把這劣勢挽救過來！

唐昌晉

蒙藏委員會來函

頃閱六月廿一日，貴報台北通訊「田炯錦下令拘審現役軍人」一文，竟謂本會田委員長曾「下令」「拘審」「現役軍人」，不勝駭異。田委員長係一普通文官，何以有此職權？何以有此必要？通訊所稱各節，多係捏造。稍有常識者，當不致輕信。惟恐少數海外遠道讀者，對自由中國之民主法治無相當認識，容易遭受蒙蔽，以訛傳訛，影響政府信譽，特就其重要之點說明如次：

一、蒙古各盟旗聯合駐京辦事處幹事李景凡於九年前自備價款請購木材案，經有關機關調查，並無委購圖利證據，惟蒙古籍監察委員王枕華先生對李景凡等三人提案予以糾舉，並將刑事部份移送法院偵辦。

二、李景凡係蒙古名將前五八軍軍長李守信之子，根據李景凡被糾舉之傳單稱：『景凡被糾舉後，亦曾將王枕華委員的違法事實向台北地檢處提出檢舉。王委員已被數次傳訊，景凡的朋友蒙古察哈爾盟正藍旗總管伊德木扎布先生等亦將李前委員長永新等的違法事實提出檢舉，李永新等亦已被台北地檢處傳訊。』以上所列糾舉者，被糾舉者，檢舉者，被檢舉者，都是蒙古知名之士，非田委員長所得指使。

三、本會撈舉蒙古察盟正藍旗總管伊德木扎布先生的控告，謂本會向空軍總司令部保外服役之軍事犯宋連義從未來會服役，請求查辦。因軍事犯調服勞役以後，調用機關有監督考核之責，該宋連義經本會調服勞役以後，本會並未按規定支給工餉，亦無服務紀錄，或請假報告文卷，本會為明瞭過去辦理情形，乃派員予以調查。根據調查人員的報告，約同宋連義談話，係由警察人員通知。俟其自動自住宅到達派出所後，始由警察機關派分局長座車往接。談話期間，有警察人員在場並招待茶烟。談話筆錄有警察人員立會簽名。所謂『逮捕犯人一樣』『抓來』『審訊時……比法官森嚴』。有無可能，讀者不難判斷。尤可笑者，本會明知宋連義會為監委王枕華先生之傭工，王委員因將宋連義保外服役與本會劉前委員長涉嫌共同偽造文書而被控！足見王宋二人關係之深切，而謂本會田委員長會『找人向宋招呼，要他不要為王委員作證』，憑空捏造，似亦太不近人情，雖三歲童子，亦不會相信。見微知著，由這一點亦可知道整篇通訊的一般了。

請惠予披露為荷　此致

香港自由報

蒙藏委員會秘書室啓

六月廿三日

活靶

——記滇邊歸來的義胞曾君講述的故事

宣建人

我也不曉得那兒來的這大的火、我從森林邊緣上爬，好快！

我已看到大約距我五十公尺的空場上有七八上十個共產黨，每人抓一枝步槍，在瞄準，上子彈，嘲笑着，咒罵着：……。

再朝他們相對的方向看，啊，我暈了！半響。我注視着：那一排削尖的竹竿，插在孩子的肚門上，血染紅了竹竿，把他們當活靶打得好玩！

「我的孩子一定在那裏邊。」我想。

我忿怒極了，匍匐在地上，把懷裏的手榴彈取上來，看看敵人和我的距離，我估計到那麼遠？我又向前爬，爬。

——有人！

一個敵人發現我了，叫着。

——那裡？

此刻，我拉開手榴彈的保險，用死勁向敵人投擲去，像我過去在運動場上投擲鉛球一樣。

——轟！

一陣濃烟，一股火藥味。

血肉，衣屑，泥土，木片……齊飛。

地震動了，山震動了、樹林震動了。

我抬頭一看，敵人死的傷的躺那兒，呻吟聲……

我端着卡平槍跑過去，一個受傷敵人看到我，把槍口朝向我要扣扳機了。我眼尖，朝他射了兩槍，不動彈了。

我在那一排當活靶的死孩子中，辨認我的孩子小猛。他們渾身都是槍眼，甚至小腦袋也給打開花的，簡直無法辨認。我一個一個認過去，沒有。我再一個一個認過來。啊我，找到了我的小猛，倒數第三個，他死了。從他右胳膊的疤痕上認着的。我把他拉上來，抱在懷裏，冷冰冰的，瘦了，血流乾了。我的眼淚落在孩子的臉上，我吻着他的小臉。

我就這樣的抱着孩子，踽踽間向湄公河畔走——「小猛！」我光叫着他的名字。

我抱着我的孩子，要他交給我的女人。（完）

信

汶津

每一封信是一個謎。

是的，當我們拆開一封信時總有無限的懸望和猜測。除非是預先知悉的，無論發信人是誰，你都會感到新奇，正如太太們對於其他少婦的懷孕發生興趣一樣。「烽火連三月」的家書更不用提了。倘如你一旦竟對信箱失去了興致，那你必已是一個缺乏生趣的人了。

明信片是給懶人用的。有話便說，何必故作神秘？不過有人是寧死不用的。也許是他的字跡不大雅觀，也許是信的內容不容郵差公享，更可能的是：他從沒有在大庭廣衆間裸胸袒背或只穿一件汗背心的習慣，雖然我是道地的懶人，對這點倒也不能強人相同。不過賀年而用明信片，似乎不會有任何缺憾，我們不是習慣在大街上見了面互道恭喜嗎？儘管已經是年初十了。有一種信，可能是被作者認為空前傑作，而且只顧收信者一人賞玩的，那樣的話，明信片自然是毫無價值的囉。

收到匿名信是很有意思的，罵你一頓好像是你二十年前的老塾師，不更有趣麼？只怕一紙上寥寥數字，外加邊畫風的小刀一把——原來你被人勒索了，這封信竟成了不速之客的代言者。報警乎？從命乎？這時你也許會大發謬想，怪那位郵差沒把這封信弄丟了，惹你煩惱不休。人間的事實在多的是不合情理的，我們時常盼信，却又會因一封信損害了一週的心情。一位遠地的朋友會突然心血來潮，責問你某年某月做的那件事太不夠交情。可是你苦思力索，也回憶不起倒底是怎麼回事；我做了些什麼？我談了怎樣的話？腦海裏一片白茫茫。好了，大不了同信道歉吧。最簡單的發個字「××兄：我為那事鄭重道歉。」見鬼！誰知道是不是對方在做白日夢？

不過遠道飛來的信多半是可喜的。一別八九載的同學，居然來信，並且附上一張全家福的照片。那位嫂夫人你依稀在校園裏見過一兩次。那位老友則儼然是紳士名流了。一位曾在樓窗上對你作長期注目禮的男士，突然鼓勇來信，你該驕傲呢還是感到幸福？沒有信這件東西，人生怕不要冷漠得多！

與朋友吵了嘴，一封誠意而俏皮的信，可以使兩人之間的寒冰釋然。也許明天你們便重新約去垂釣了。還有因函件交馳而成為有情人的，最後終予玉成。所以郵差的可能兼職是：和事佬、月老，以及聖誕老人。即使年輕的綠衣人也得作長者狀才對啊。

不過也可能要負些不愉快的責任，報喪信和討債信不都也是從他的郵袋裏取出的嗎？他又不能挑些壞信報銷！泰戈爾筆下的孩子認為郵差大是壞蛋，只把好信藏起來自己讀，却讓媽媽愁眉苦臉，所以他長大了要寫最好最好的信給媽媽讀着快樂。如果他永遠記着這話，母親們眞有福了。

祖孫通信也是趣味盎然。一方的說教必少於父母，另一方的撒嬌和承奉也做得更為徹底。實在說，我們這世界有許多妙處都是從間隔距離中獲得的。面對面的人用不着書信；但却很難交換他們的幻想和夢了。

有時搜檢抽屜，看到太多的信件，總希望能清除一部份，但也總感到非常困難。我們對一份平淡感情竟會寄予長久的珍惜，從保存信件的耐性上可以證實，一個人身後蕭條，却留下幾籍的書信，這人也算不枉活一輩子了。

我常想，當我暮年的時候，如果能有一位乖女兒，為我整理一生的日記，稿件和信件，那將使我死而無憾。有些給知已的信函，可能說出比日記中更深刻更切身的話來，因為日記本究竟是沒有靈魂的，而讀信的友人則能和你發生共鳴。

瘟君續夢

第一回：捲土重來，瘟君尋舊夢　投袂而起，小醜鼓雄風

梅農還想向下說，凱斯卡爾問道：「梅農先生，依你的辦法應該怎樣辦呢？」

梅農滋着牙笑道：「好辦得很，把最初發動攻擊的報紙主筆抓起來兩個，然後正式找到潘自力大使道個歉也就完了。」

梅農說到此處，覺得領口突然一緊，原來被潘特從後面把他的衣領抓住了。潘特為人身高六尺五寸，體重二百八十磅，是個道地紅頭阿三的體格，梅農全身上下只有一張皮，連衣服加在一起，也沒有一百磅，潘特一隻手就把他提起來了。梅農被抓得氣也喘不出，只是翻白眼。

尼赫魯只顧思索凱斯卡爾的話，對於潘特的行動視若無睹，幸虧德賽過來拉開潘特，才把梅農從死神手上救下來。梅農自以身為國防部長又兼管外交部的事務，是尼赫魯的替身；如何能受這個侮辱。但是，看看潘特兩手撐腰，威風凜凜，打架絕對討不了便宜，就把在聯合國大會上播弄是非的手法拿出來，指着潘特說道：「你當着首相的面動手打人，簡直是對首相的侮辱，我一定要向法庭起訴。」

潘特冷笑一聲：「你最好到國際法庭去告我。」

梅農怔了一下，翻着癩狗眼問道：「我同你打官司為什麼要鬧到國際法庭去。」

潘特冷笑道：「當然要去國際法庭，印庭法院只能審訊印度人的官司，你已經是中華人民共和國的人了，印度法庭如何能干涉到你。」

潘特這句話比剛才動武還兇得多，可是，梅農竟不敢再說，他恐怕再鬧下去，潘特眞拿去證據來，事情就不好辦了，當時只好強忍下，準備將來再報復。

梅農同潘特的爭執結束了，尼赫魯也考慮清楚了，向凱斯卡爾問道：「這件事恐怕要和中共攤下牌了，不過，我們應該採取什麼途徑，你研究過沒有？」

凱斯卡爾笑道：「這個問題我已經考慮再三，大體說來，不外三個途徑，上策是首相直接致電周恩來，勸他把共軍撤出西藏，因為周恩來同你發動『潘查希拉』的，他也曾向你保證過西藏特殊化的地位。中策是首相和達賴發表一項聯合聲明，譴責中共對西藏的侵略。」

凱斯卡爾一面說，尼赫魯一面閉着眼搖頭，這時突然睜開眼問道：「你這兩策都行不通，還有什麼下策？」

凱斯卡爾陪笑說道：「下策是首相選擇一個適當時期地點發表一篇演說，表示對中共血洗西藏的抗議。」

正說到此處，印度外交部的中國司長，希利花拉慌慌張張跑進來，手裏拿着一封電報，向尼赫魯說道：「北京大使館來的電報，中國要對付我們了。」（十七）

岳騫

鞋子

勞克

鄉下人很少穿鞋子，尤其在天氣熱的時候。傑克倫敦曾在一個短篇小說裏提倡不穿鞋，赤着脚比裹着脚走路要自由得多，方便得多。

穿鞋是文明人的新花樣。在文化不發達的地方，我國的苗傜非洲的黑人，以及還有少數的紅番，都是很少穿上鞋子的。在深山峻嶺，一雙裸體脚，行動比穿上鞋子還要來得安全。

都市人大都着上鞋子。如果不穿上鞋子，彷彿是件不雅觀，而且有辱體面，有降身份的事。由於穿鞋子，商人就動腦筋，於是鞋店如春筍般茁長，鞋的質料與花樣也就越來越多。

冬天有冬天的鞋子，夏天有夏天的涼鞋、空心鞋，並且還有各種不同的形式。也有女人鞋。女人鞋形式最多，普通而又普遍的為平底鞋、高根鞋、半高根鞋，以及太空鞋。近來又有一種新式，名之為「火箭鞋」。鞋頭尖尖的，雖不完全像火箭，却有火箭那樣的形式。

考鞋的歷史，原係家庭的副業，而今鞋子，由家庭手工業發展到普遍的專門手工業，而且在鞋上面也不做興繡花等之類的小玩意兒。皮鞋很時髦，抗戰時期，黃皮鞋到處都是。穿上黃皮鞋，就有種高尚與尊貴，但現在黃皮鞋降到低潮，代之而起的是黑皮鞋，一個胼手胝脚的工人，下了工以後，一樣地穿上發光的黑皮鞋，一樣的進去舞廳、咖啡館。時代文明了，人們也跟着走上去。

梨園漫談

大鵬團員簡介

——瘦西湖——

孫元坡，三十二歲，係北平人，畢業於「富連成」科班，與其胞兄孫元彬同科，其胞兄係由老伶工尙和玉之傳授，故習得一身好武藝，其人筆者已於今日的大鵬一文中論及，故特從畧，尙請海涵！元坡因體型生得魁偉英俊，且兼具黃鐘大呂之嗓音，故乃一標準之架子花臉，其唱腔做表之佳，深為大鵬當局倚重；聞其藝係乃叔孫盛文所授，如今寶島盛行之「將相和」及「除三害」之錄音，均其和馬榮祥之傑作也。

趙榮來，北平人氏，現年三十五歲，出身榮春社科班，初學老生，後改武淨，為大鵬劇團唯一大肉彈，其體重聞在二百五十磅以上，別瞧他體重比巨人張英武還多，在台上演戲時，其摔打跌撲之功夫却駕乎他人之上，而且還十分輕快瑚落，使見者無不大感驚奇，聞此君工畫臉譜，所作十分精緻，實為今日梨園界不可多得之人才耳。

馬元亮，亦為北平人，現年三十二歲，人極聰穎，對生、旦、淨、丑、各行均熟，如指掌，故人皆稱之為「戲包袱」，他本行為一文丑，對蕭長華、馬富祿輩之動作學來毫無二致，現在大鵬平劇團改唱老旦，故有今日台灣李多奎之稱，聞其係北平「富連成」元字科的畢業生，這就難怪其有此良好的成就了！

朱冠英，浙江吳興人，現年二十六歲，畢業於夏聲戲劇學校，（其令尊即為老伶工朱琴心先生，朱現為大鵬當局之青衣花衫教師，其詳歷容後述之），冠英年青瀟灑，身體英挺之極，故被內行譽為今日台灣最佳的花俊小生差耳。

張遠亭，其原名即小張遠亭，亦係北平人，今年二十九歲，其師即當年在國內紅極一時的正義劇團的領導人，因名張遠亭之故，他遂改名為小張遠亭，後其師隱唱，他為不忘乃師培育之恩起見，乃正名為張遠亭，故外界有不悉者，頗多置疑，如今筆者順此報導一下，遠亭於七歲時即走紅舞台，平時向以勇猛武生著稱，其拿手劇為「挑滑車」、「伐子都」是也。

王永春，係北平人，今年三十四歲，畢業於科班榮春社，習武丑，其輕功連環跟斗甚佳，故大鵬演關戲時，馬僮一角均由其扮飾，尤其幾個矮步行走，和「三岔口」中扮飾劉利華的黑夜摸索行動，曾瘋靡整個歐洲呢！（二）

劉璈治台史事

·李仲侯·

八斗（地名）以總炭一萬九千八百五十餘石起解，基隆只收一萬六千五百五十餘石，十餘里間，少去三千三百餘石，已屬不解，而八斗以粉炭九千零一十石起解，基隆僅收粉炭三千四百卅石，竟少去五千五百八十石，基隆收發之時又各有失耗，大較又去一成之譜，既減成色，復失斤重，一轉移間，一月之內，耗至八千餘石之多，揆之於理，殊欠圓通，又工匠人等聽燒官煤，月至數千百石，洋人三名，月燒官煤九千斤，路旁三灯，月燒官煤四萬斤，其間不顯濫支之處，不可勝數，此煤斤濫耗之情形也」。「至其銀錢數目，挖煤工價，浮於所收之煤至三千四百餘石，車運之價，亦難覆按，既有雜作之工，而雜作，仍開報銷，既有包估之工，而匠工，仍開月餉，掛名冒號，既重合疊開，不可勝數，如傳話家人，每日工價洋銀一元，小建二十九日，開支至卅二元……通事之外，更有通事，醫生之外，復設醫生……勇走信，又給脚錢，馬數匹，夫至十一名，此外無有名色可安之人，又復不少，種種糜費，悉難枚舉」。像這樣濫耗煤斤和浮支銀錢，實在駭人聽聞，管理方面既如此腐敗，台北煤務焉得不「有煤無贏」，而就成了台灣一大漏卮，雖經劉璈擬訂規條，嚴覈查核，甚至屢次懲辦舞弊人員，終究是積重難返，似乎很少進步，到光緒九年四月，便打算換人去接辦礦務，此後也就不見有關煤務的文件了。按同光間所辦的洋務，在上海有江南製造局，在福建有馬江船政局，在天津有機器製造局，這都是中國防海的初步建設，煤礦之開採，也是應海防的需要而必辦的事業，當光緒七年開平礦務局成立時，李鴻章會說：「此後中國兵商輪船及機器各局用煤，不致遠購於外洋，一旦有事，庶不致為外人所把握，亦可免利源外洩，富強之基，此為嚆矢」。劉璈也會追述台灣開採煤礦的緣故，他說：「夫台北開煤，以中國海隔無大礦，駛船造器，動向外人購煤，外人屯貨居奇，獨持利柄，且又覬覦基隆之煤，欲以中國所產還取中國之利……故議以為中國之煤，中國自行開採，供中國輪船之用」。從李劉二人之說法，可見煤礦與海防關係之密切了。

再次說到海防，中國鴉片戰爭和英法聯軍之役相繼失敗之後，漸漸知道海防的重要，同治十三年（西元一八七四年）日軍侵犯台灣，清廷一面令船政大臣沈葆楨督師入台，一面由總理衙門和日本交涉，形勢十分緊張，事了後中國鑒於日本野心之可畏，不但加緊籌辦海防，同時還重視台灣防務，經過七八年經營，台灣防務究竟何如，茲就退思錄中所見，作一概括的敘述。（十四）

名女人（十五）

徐學慧

自明末至今日，前後數四百年，清代建都北方，而金陵氣勢頓衰。李香君，董小宛而後，秦淮佳麗殆無可聞者，時也，亦勢也。騷人墨客，即俗所謂名士之流，其產生之地，率皆在政治中心，而名女人乃即在風流名士之煊染中脫穎而出，此中因果，其理甚明。金陵王氣既衰，所謂名士也者，已不可復見，則名女人之不復產生，亦自勢所必然。遜清至民國之間，北方名妓迭出，賽金花小鳳仙諸人，莫不膾炙人口，然倘非樊樊山易實甫諸名士為之吟詠，則其能出名之程度，或亦不致如此之甚也。等而下之，至於民國十餘年，國民政府定都南京後，洪深田漢等人狂捧夫子廟一女伶王熙春，由一四五流角色至於名噪秦淮，是則女人與名士之關係，至此又得一證。（本文係就事論事，想不致引起任何誤會。今日田漢之行業如何，不在本文討論範圍，而在二十餘年前，田漢為一名士，以及王熙春確為田漢等人所捧紅，則是事實。）

十四五年前，余客南京，曾暢遊秦淮河畔，河水混濁，已不見昔時畫舫燈船之盛。貢院街前，夫子廟燬於砲火，是一片瓦礫，過文德橋，迎面為大石壩小石壩鈔庫街，雖仍為妓女集中之區，顧黯淡凄涼，不復有公子王孫或文人雅士，前來獵艷探花，所謂文酒之會，已成絕唱矣。

四百年來，各方面均有長足進步，惟獨嫖妓之風，則今之視昔，實相遜遠甚。古人嫖妓，恍如青年男女談情說愛，主要乃在精神陶醉，而不在肉慾發洩，以視今日香港流行之所謂「傾偈」與「出長鐘」，其間高下淺深，相去誠不可以道里計也。

絕妙判詞

筱臣

今天法院判詞，皆須依據例條文，有主文，有事實，有判詞，判定原被告曲直，不得摻雜其他意見，至為嚴謹。在往昔的縣官判詞，可以任意為之，只要合乎法理，即出之以詼諧，亦無不可，因此頗多妙趣橫生，可為發噱。

據「老學叢談」述一案稱：可齋李公開府日，士人吳南金假館於人，戀妓周惜，及歸，行囊枵然，周亦厭之。吳悔之，飲於其家，令僕碎其器具，吳摔周受傷，訟於官。吳狀甚文，公喜之，簽廳議罪其僕，吳罰贖。公作花判，其詞曰：

「娼館寓情，斯遊未免，訟庭交惡，有識所羞。吳某以新豐逆旅之餘，為樊川高吏之報，傍人騎馬，月束幾何？命侶驂鸞，風流如許！但慕子雲之載酒，不思元亮之無錢。兩年魚水之歡，迷於當局，一旦鷸蚌之隙，做此出場；既乏孔方兄之交，豈宜吵吒利之屬。何事風狂雨驟，頓令玉挫花摧？甑已破矣奈何？鐵欲圓而莫得。鮑其知我者，豈止於斯；秦直少恩哉，不思甚矣。均群僉議，不萬事情。止以主人之失，羅僕何辜？豈以營妓之詞，實士於罪。一筆勾斷，兩家罷休。吳某亟宜桑梓之歸，休作桃源之夢，周惜責狀附後，勿相往來，但復延納門，定行重罰。」

總之，表子無情，妓女無義，此亦當然之事，吳生未免過於認真，致乃涉訟公堂，好在李公曲予諒解，從寬發落，亦屬幸運之至。

其次則有「三朝野史」載：馬光祖，元時人，為京口判官，不畏貴戚豪強，庭無留訟。時，福王府訴民不送房租，訟於光祖。馬氏體卹民艱，不以福為然，判曰：

「晴則雞卵鴨卵，雨則盆滿缽滿；福王若用房錢，且待光祖任滿。」

在今天的香港說來，房租婆收取房錢之嚴厲，令人為之色變，安得有如馬光祖這樣的賢判官，為我們若干房客吐一口氣呢。

更有妙者，有一士人踰牆，偷室女，事發到官，勘令當廳試子，光祖出「踰牆摟處子」詩，士人秉筆云：

「花柳平生債，風流一段愁。踰牆乘興下，處子有心摟。謝砌應潛越，安香計暗偷。有情還愛欲，無語強嬌羞。不負秦樓約，安知漳獄囚，玉顏麗如此，何用讀書求？」

光祖愛其才，憐其遇，因作判詞云：

「多情愛，好還了半生花柳債，好個檀郎室女，為妻也不妨，傑才高作，聊贈三百索，燭影搖紅，記取媒人是馬公。」

犯奸之士，居然幸免罪戾，反因此而得佳偶，在現在固屬司空見慣，但在當時的封建社會之下，禮教森嚴的氣氛之中，這種判決，實為異數。這個判例，後來鄭板橋也有這種作風，據說鄭板橋以名進士出宰范縣時，有和尚與尼姑通奸，鄉人雙雙捉來交與鄭板橋縣長。他看到兩人年紀還輕，馬上引起了他的同情，並令兩人為夫婦，遂出一堂判云：

「一半葫蘆一半瓢，合來一處可成桃；從今入定風規寂，此後敲門月影搖；鳥性悅時空即色，蓮花落處歸偏嬌。是誰勾卻風流案，記取當堂鄭板橋！」

如此妙詩，如此風趣，更較之以上兩判文，更為典麗雋永，而此大膽作風，有更屬創聞，鄭板橋的風流餘韻，至今猶令人為之嚮往不已。

但亦有和尚犯姦而遭受到嚴懲的。清末婺源江峯青宰嘉善時，亦好為詼諧判詞，其妙語嘗為士林所傳誦。有李氏婦素無行，開設烟館，私識一僧，旋又琵琶別抱，僧懷醋意，向婦大興問罪之師，婦乃扭僧控之縣署，江訊明眞相，援筆立判曰：

[illegible]

才女顧太清疑案

諸葛文侯

孟心史根據湯海秋贈朱丹木詩結句有：「苦憶龔儀部；縋前賦白頭」二語，而其自注「往時丹木入都，值定庵舍人忤其長官賦歸去來，今舍人已下世矣」云云，乃斷定龔氏之離開北京，係因「忤長官而去」，殆與顧太清無涉。可是，他究竟因何事開罪於長官，以致非去職離都不可？孟氏却沒有考證，只說「又以尊人闇齋先生年逾七旬，從父文恭公適任禮部堂，上官例當引避，乃乞歸養耳。」這原是毫無憑証的揣測之詞，不足以澄清定公突然掛冠遠去的疑問 而定庵南下後亦並未「歸養」也。按常理推測，所謂「忤長官而去」，或許就是由於顧太清的關係，才有此突兀的行動。蓋在當時社會的倫理觀念，既有如孟氏所指述：「想有以太清文采佚宕，與內言不出之旨相違，因有流言涉及定公鞏者，故士大夫間口耳相傳」的情形，則一般尊崇舊禮教的公卿大吏，必視定庵為名教罪人，不容許他紓青紼紫，置身朝士之列，但又不便公然據為口實。如是乎，定公只好外懈清譏，逃避悠悠之口，且防意外的災厄及身，不得不倉皇離京了。這與他嗣後不願重入都門接眷的情節，頗相符合。孟氏對此點提不出有力的反證，僅說「其不肯再入國門，定公濟與所至，原難以常理論」，這是什麼話！定公作詩憶丁香花，倉促辭職遠走，以及顧太清好與江南文人學士交游等問題；孟氏皆以「常理」論斷，認為無可置疑，獨對定公不肯再入都門這回事，即說是「難以常理論」了。似此翻案文章，連強詞奪理的效力亦蕩然無存，怎能教人折服呢？

至於顧太清在丈夫死後不到半年，即被其姑逐出醇邸一事，孟氏認定這是太清與其大婦之子載鈞不相容洽而然，却無事實可資證明，乃摭拾太清於被逐後所作詩中有「亡肉含冤誰代雪」之句，說是「用漢書蒯通傳里婦夜亡肉，姑以為盜，怒而逐之之事，具見家難之作」。意謂太清被逐的原因，不過是「里婦夜亡肉」之類的家庭細故而已。用這種膠柱鼓瑟的思想方法來詮釋詩情及其義蘊，村學究亦將啞然失笑哩！太清所用「姑以為盜，怒而逐之」這項典故作詩述懷，恰合身份，固不必眞有「夜亡肉」的事實，義在比賦耳。亡兒的尸骨未寒，即驅逐一個生男育女成群的兒媳於門庭之外（太清有三子四女），以堂堂天潢貴胄的太夫人，如非有重大的不可告人，且為不能容忍的事情潛在着，豈肯出此!?唯有涉及帷薄不修這類疑似的情況，才認為所可道也，言之醜也，乃出以含糊的斷然處置焉。太清痛感命薄含冤，用「里婦亡肉」的故事來比賦惡姑的作風，意極顯明。果如孟氏的解釋，則詩人屬詞比事，皆係不容假借的現實存在。設有以「薏苡明珠」的典故作詩闢謗者，則其人必係武將而有從異地採購盈車的薏苡回家的本事乃可，寧非笑話嗎？（四）

歷史人物

陳宏謀論

謝康

據父老相傳有一件關於「荔浦芋」的眞實故事，也可以證明陳文恭公之為人。當他在朝廷做京官的時候，有滿族某親王對他談及聞說廣西荔浦特產一種芋頭，如何碩大而味美，為其他地方所出產不及；擬即函知粵西巡撫着將這種特產徵收一些到北京來嚐一嚐，如果眞是特別好的話，就要規定作為貢品，每年由地方送到中央云云。宏謀聆聽了他底意見，深恐因此騷擾地方，增加農民的負担；於是即刻派人同桂林轉知荔浦縣出產芋頭的鄉村長，特別揀選一些下等的芋頭拿來應徵，經巡撫轉呈上去，某親王看見這些瘦小芋頭；大失所望，荔浦縣遂因此得免於每年進貢芋頭的干擾。陳公嘉惠地方，為人民興利除弊，往往類此。從這裡也可以看出他底胆量，為人所不敢為。乾隆帝責他「市恩，沽名」，也許和這類事體不無關係吧。

廣西土瘠民貧，鄉人刻苦自力，風氣淳樸，在昔抗日戰爭前數年，及抗戰期間，「廣西精神」，頗為各方所稱道。桂林孤峯挺拔，秀甲南天，設治之久，肇始於秦代，豪傑之士，往往挺生於其間，清代二百餘年理學家及政治人物，則以茲篇所述文恭公陳榕門為最著。回憶歸桂以來，忽忽十二三年，餓莩流亡，轉徙溝壑，而文恭公故鄉，亦淪為狼窟虎穴，令人不堪想像。讀張平子四愁詩：

「我所思兮在桂林，欲往從之湘水深，側身南望涕霑襟！……」

不禁感慨係之矣！（本節完）

自由報

內警僑合報字第〇三一號內銷證

THE FREE NEWS

第一四五期

中華民國僑務委員會頒發
台教新字第三二三號登記證
中華郵政台字第一二八二號執照
登記為第一類新聞紙類
（半週刊每星期三、六出版）
每份港幣壹角
台灣零售價新台幣弍元
社長：雷嘯岑
督印人：黃行齋
社址：香港銅鑼灣高士威道二十號四樓
20. CAUSEWAY RD 3RD FL
HONG KONG
TEL. 771726　電報掛號．7191
承印者：四風印刷廠
地址：香港灣仔高士打道二二一號
台灣分社
台北市西寧南路壹壹零號二樓
電話：三〇三四六
台郵撥儲金戶九二五二

中、美、日關係及琉球將來

．宋文明．

本年六月二十二日，在華府發表的甘廼廸總統與日本首相池田勇人的聯合公報中，最後一段曾提到琉球問題。這一段聲明曾如此說：「總統與首相曾對有關琉球及小笠原羣島事務交換意見。這些島嶼現今在美國行政管理之下，但日本對這些島嶼仍保有殘留主權。總統重申美國將採更多措施，以擴大這些島嶼上人民的福利，並歡迎日本的合作。首相亦重申日本將在這一方面繼續與美國合作」。這一聲明發表之後，不知由於何種特殊原因，使台北方面感到極度的震驚。數週以來，除了立監兩院的外交委會一再舉行會議，紛紛提出激烈質詢之外，行政院並向立委提出一書面答覆，鄭重表示日本今後如向美國重提對琉球的要求，中國政府自將力加防阻。

我這裡所謂「不知何種特殊原因」者，是因為我感到時至今日，中國立監兩院才來表示對此問題的震驚與關切，實在已成明日黃花，為時太晚了。美國的如此強調日本對琉球的「殘留主權」，對現時國際局勢當然具有極重大的意義與影響；但美國對琉球問題的這種態度，絕不自今日始，亦不是自去年始，而是早在十年以前就已開始了。假若中國方面對於琉球問題要表示注意與關切，就應該在十年前，八年前，至少在三兩年前就要如此作。當時不採取任何有力行動，以表明我們對琉球問題的立場，而直遲至十年以後的現在，眼看生米已煮成熟飯，才來慌忙叫嚷一陣，除了表示我們「大夢初醒」之外，實在找不出如此震驚的理由。

整整十年前，即一九五一年九月八日在舊金山所簽訂的對日和約有三條，曾明白規定：「美國將向聯合國提議將北緯二十九度以南琉球羣島置於託管制度之下，並由美國為唯一託管國時，日本將予以同意；美國在作這一建議及實際行動前，美對這些島嶼的領土，人民及其領水擁有行政、立法及司法的全權」。在這一條文中最重要與含義最深的一個字，便是「同意（CONCUR）。假若盟國說並不承認日本對琉球的這種潛在主權的話，何以規定美國的託管要取得日本的同意？

其次，一九五三年八月八日，美國務卿杜勒斯由韓國過日，與日本首相吉田茂舉行會議後，即公開宣佈將奄美大島交還日本。奄美大島並非嚴格屬於琉球羣島的一部份，但美國在八年之前即把奄美大島交還日本的這種決定，對日本的繼續要求重估琉球，無異是一個非常有力的暗示。

另外，在一九六〇年一月十九日，美日兩國在華府簽訂新安全條約時，在其附件中對於琉球及小笠原羣島曾作如下聲明：「日本全權代表：關於依照對日和約第三條現在美國治理下的島嶼的地位問題，雖未在此次條約談判中成為一項討論的題目，本席願強調日本政府及人民對於這些島嶼上人民安全的強烈關切，因為日本對於這些島嶼具有殘留主權。倘使這些島嶼受到武裝攻擊的威脅，美國自將依照共同合作及安全條約第四條的規定，進行密切諮商」。以上所引幾個文件，係就正式與比較重要者而言，其他美國高級外交官員對琉球問題所發表的類似談話，數年以來，更屢見不鮮。由這些美國的表示中，我們已看出美國雖一再聲明遠東局勢一日不安定，美國即一日不放棄琉球，但自簽訂舊金山對日和約以來，美國即明白承認日本對琉球的潛在主權。換言之，自對日和約成立之後，美國即認為琉球的終將交還日本，只是一個時間問題。美國既作這種決定，其他簽訂對日和約的各國亦都不反對美國這種決定，更使日本相信它的重佔琉球，已無任何問題。

中國由於歷史的，地理的及文化的各種原因，對於琉球的將來，自比其他國家更感關切。但過去十幾年的事實證明，自美國開始籌開對日和會起，直至最近，中國政府對於琉球問題始終沒有表示過一種明朗與堅定的態度。一九五一年九月舊金山對日和會開幕前一天，中國政府曾發表聲明，鄭重表示這一和會對日本問題所作一切安排對我無約束力。假若嗣後中日關係沒有別的演變，我們現在自可根據這一聲明而提出對琉球問題的主張。可是不幸的，一九五二年四月二十八日在台北所簽訂的中日和平條約，却自動取銷了前一聲明的法律效力。這一根據舊金山對日和約而成立的中日和約，條文中從頭至尾沒有提到一個有關琉球的字樣；相反的，在該約有十一條內容載明：「除本約及其補充文件另有規定外，凡在中華民國與日本國間戰爭狀態存在之結果而引起的任何問題，均應依照舊金山和約之有關規定予以解決」。這一條文含義，顯與琉球問題無關；但由此充分表示中國已完全接受了舊金山對日和約的一切規定與精神，其中有關琉球的第三條，自不例外。因此中國要對琉球問題提出主張，最好的時機與辦法，便是向一九五一年九月的舊金山對日和會和其他有關各國，提出一件有關琉球地位問題的備忘錄。其次一個時機和辦法，便是在一九五二年的中日和約談判中，提出我們對琉球問題的主張。在如此重要的兩個機會，中國政府竟未作表示，默認舊金山和會對琉球問題的一切決定，反而到了現在，才要提出抗議，就顯得不僅不切實際，而且也使人懷疑到我們究竟有無這種發言的權利。

現在台北方面所一再強調的，就是要求琉球有一個實行自決的機會。這種要求等於十數年前要求外蒙實行自決一樣，我覺得是一件非常無聊的舉動。外蒙在共黨統治下數十年，不問問而知它的投票結果一定是什麼。現在日本重新經營琉球已達十年以上，日本與琉球的議會、工會，以及各種民衆團體之間，已建立起了密切的聯繫，而雙方人員與貨物的往還，更絡繹於途，幾已恢復戰前的規模。在這種情形下要使琉球實行自決，我雖然不能說將有「百分之九十九」的琉人會支持歸併日本，這一數字也一定將不會低於百分之八十八。假若琉人自決的結果眞會如此，那對中國又有什麼面子？

假使中國堅持琉球必須實行自決，這種自決又必須是琉球人民眞正的自覺與公正的選擇，那最有效的辦法，便是中國立即要求美國，允許中國參與對琉球的託管，然後經過五年至十年的重新教育，再來實行自決。除非中國政府具有如此大的魄力與決心，否則，在現時情況下，我看還是悄悄吞下這顆苦丸，根本不談琉球問題為上策。歷史錯誤已經鑄成，機會已經放過，縱使今後繼續不斷提出抗議與反對，結果不僅在政治上行不通，在法律上站不住，徒使國際間覺得中國沒有人才而已。

對於琉球問題，十年前不想辦法，現在才來想辦法，實際已無辦法可想了。

瘟神開光四十年

——中共舉行建立四十週年紀念，看毛澤東插上三面紅旗，擺着要「百家爭鳴」，「百花齊放」的姿態，好不嚇人！

冷戰變得熱起來

——最近全球苦熱，連冷戰也似不再是冷戰了。

談翻譯

最近香港法院審訊一椿貪污案，有一位現任九龍新界鄉議局副主席的太太被喚出庭作證，法官以英語問她是否因為丈夫做鄉議局副主席而「引為光榮」（Share the Glory），翻譯員當堂用粵語譯給她聽道：「你係唔係馬屎憑官勢」？這句廣東方言的意思，乃說馬糞原是令人討厭的穢物，但官馬當街拉出糞便來，人們怵於官家的威勢，亦就不敢表示憎惡了。殆有如普通話所謂「狗仗人勢」的涵義，純粹變成了諷刺指斥的詞句，跟法官的原來語意相去十萬八千里！

這就是「香港文化」的特徵。港九居民雖然百分之九十九都是中國人，因為百餘年來都是過着殖民地生活的關係，一般人對於英國語文多能通曉，中文却形成似通非通的狀態。你瞧着市面上若干琳瑯滿目的中英文對照語文牌告，如馬路旁的「沿步路過」（Pedestrian Crossing），如輪渡上的「乘客應小心當通過吊橋時」（Passengers shuld take care when Crossing the gangway），即不禁要大讀一聲「好嘢」?!像這類的翻譯才具，若教他譯述洋文著作品，鮮有不弄成牛頭不對馬嘴，而面目全非的。

然而，我們固不必笑香港華人的中文知識譾陋，放眼瞻觀現時本國一般的青年知識份子，寫起中國文字來，若不把動詞、形容詞和語助詞搞錯亂，眞正達到文理順消的程度者，似乎難能可貴了！四十年來，知識青年們攘臂倡言「打倒孔家店」，主張把線裝書丟到茅廁裡去，以研讀漢文書籍為腐敗落伍，因而寫點白話文亦佶屈聱牙，令人莫測高深。我常常這末想：再過一二十年，現在生存着的一些略讀詩書的老輩人凋零淨盡之後，誰要能夠寫出一張「詞達而已矣」的信札，其人即可號稱為「文學博士」而當之無愧也。

說到翻譯工夫，實比自己創作更難，「信、達、雅」三字訣，非有湛深的中文根基，談何容易呢！如果說民族文化精神之興衰，眞是關係國運之隆替我，那末，我們今日何以招致神州陸沉之禍的原因，思過半矣。

馮正先生

公營機構內幕重重

老虎飽食、蒼蠅當災

‧健生‧

（台北通訊）

最近此間各報採訪社會新聞的記者，競爭頗爲激烈，這和往常的情形有點不同。於是同業們見面打哈哈，暗地裏大家各顯神通，龍爭虎鬥搶獨家新聞。

以社會新聞發跡的聯合報，的確有「一鳴驚人」的表現，可以稱得上「權威」。例如：轟動朝野的公路局與台北市公車管理處集體貪污的案子，目前雖尚在司法機關偵查中，但案情的內容已陸續發表了。不過，該報的手法很高明，它是以「司法界消息靈通人士透露」發表的。

據該報新聞說，台北市公車處購料舞弊案，爲數約三百多萬元，其中賄款來源：一是自三十八年二月起，分別向海山汽車材料行廖坤在等三十一家材料行索取國外採購百分之五的回扣，與國內採購百分之十至百分之十五的回扣，共約二百六十多萬元，由前公車處物料課儲備股長張伯英與該股採購股羅雲登二人所經手的。一是公車處於四十八年十一月間，向國產股份有限公司陳霖治購買一百一十輛裕隆牌客車底盤時，每輛索取回扣六千元，共計六十六萬元。

本案朋分贓款者，計有台北市府秘書徐德綸代表部份七十一萬元，公車處長呂志超，五十六萬元，公車處秘書郁鑾梯六十五萬元，公車處物料課長莊謙義五十餘萬元，公車處主計室主任徐源健十二萬元，公車處工務員蔡天賜十七萬元，公車處物料課儲備股長張伯英四十七萬餘元，及該股採購員羅雲登六十餘萬元。此外，台北市議員趙邦平六萬元。而行賄的商人有三十二人。官商勾結共同舞弊者四十一人。

台灣省公路局官商勾結舞弊者，多達五十七人，其中十八人羈押於台北看守所，五人交保候傳，一人在國外。該舞弊案始於四十七年，終於本案偵破前，賄款約二百萬元。該案由公路局修車廠、公路局機料處與台北運輸處等三個集團，集體貪污。一部份係由修車廠供應課材料員陳奇經手賄款約五十萬元，機料處幫工程司葉榮春經手賄款約三十萬元，運輸處機料課管理員林日倫經手賄款約二十萬元。一部份係個人收取回扣約一百六十餘萬元。

台灣省公路局機料處長羅大秉收受金門公司方冠生，台灣汽車公司魯名傑，太平洋煤油公司忻體燮，國際汽車公司林錫瑞等賄款美金二千六百多元、新台幣七萬餘元。機料處副處長方炳成收受太平洋煤油公司高明遠，金門公司張亞軒，台灣汽車公司魯名傑，中國汽車公司孫奇保，鴻康貿易公司王廸元等賄款八萬餘元。現在美深造前機料處儲備課長王崇徹收受中國汽車公司孫奇保賄款四萬五千餘元。機料處儲備課幫工程司葉榮春收受順全汽車材料行林紹鵠，永明工廠何開宗，國際汽車公司職員蔡玉柱，金門公司張亞軒，五泰實業公司張謙發，新豐汽車材料行宿廣昌，合懋公司蘇子謙，中國聯合汽車公司周夢懷，協利汽車材料行蔡朝興等賄款二十七萬餘元。機料處儲備課員王定中收受永明工廠何開宗，永盛橡膠公司林正奇，巨豐五金號方仁恩，興國機械廠宋獻聲，新和車身工廠張鴻福等賄款十多萬元。省公路局副工程師朱振跡收受鴻康公司王廸元，太平洋煤油公司高明遠等賄款約三萬元。機料處儲備課主任課員吳斌收受永豐化學公司呂芳永，大地乳膠廠高承業等賄款三萬餘元。省公路局幫工程司謝樂天收受中國汽車公司孫奇保，國際汽車公司蔡玉柱，新和車工廠張鴻福，久美行店員曾昭華等賄款五萬餘元。機料處供應課長王恩堪收受太平洋煤油公司高明遠賄款約二萬元。機料處供應課幫工程司文裕國、王勛詩共同收受鴻康公司王廸元，太平洋煤油公司賄款二萬九千餘元。省公路局主計處主任課員蘇昌良收受福貿行及鴻康公司王廸元，太平洋煤油公司王廸元，中國汽車公司孫奇保，久美行劉維善等賄款五萬六千餘元。省公路局正工程師徐慶鑫收受太平洋煤油公司賄款二萬餘元。台北運輸處機料課長王慶華、周鎮仁及該課管理員林日倫共同收受順全、海山、金山、永吉，信昌等汽車材料行回扣百分之四至百分之十的賄款十七萬餘元。該課額外工務員朱承穗收受中華造漆公司賄款七千餘元。另外處報開支三千元。運輸處主計課員潘錦桧收受林日倫分與回扣賄款三萬七千元。省公路局修車廠長熊詩涵，該廠供應課長陳鑄仁，材料員陳奇，主計課長廖宜民，主計課員馬貽絢等共同組織貪污集團自四十八年三月至本年一月間，向順全行等十八家商行索取賄款五十四萬餘元，大家分贓。上述兩案，係警備總部在獲偵破移送台北地檢處，由檢察官沈獄華偵查中。

該兩案與另外一件某部汽車基地勤務廠人員涉嫌勾結商人收受賄款案同時發生。後案商人涉嫌行賄部份，被告達三十人之多，業經起訴在台北地院刑庭審理中。

不過，台北市公車處舞弊案中的重要人物，前市府總務秘書徐德綸部份，除徐德綸而外，尚有某主管太太。但因某主管長袖善舞，看樣子，恐怕法外施恩而不可能「下海」了。

此外，省公路局高雄運輸處也有購買材料舞弊案發生，涉嫌者包義斌、何明二人，業經警總遊查二組逮捕送高雄地檢處偵查。由此可見，此間公營事業機構中的問題之嚴重，頗使人憂慮。如果只打蒼蠅而不打老虎的話，這無異鼓勵大官僚們從事貪污運動了。

五十年六月二十日

武俠小說盛行台灣

（台灣通訊）

誨淫誨盜同屬戕害人心，敗壞社會風俗的毒矢，惟政府獨對「誨淫」，特別重視，如前幾年之「文化清潔運動」，一口氣查察了數十種黃色書籍，數家內幕刊物以「誨淫」罪名被罰停刊十個月，從此而後，色情作品乃逐漸走向下坡，專門渲染男女「亂愛」社會新聞的內幕刊物，也相繼壽終正寢！

但是，對「誨盜」却網開一面，如近三年來的武俠小說興起，不但未予禁止，且各黨報，官報都大登而特刊，登高一呼，聲勢日益壯大！獨霸台灣文場，較之當年黃色書刊猶有過之也！主管機關又何獨垂青「誨盜」，薄于彼而厚于此呢？如因未洞悉「誨盜」之害且更深于「誨淫」，筆者願以一得之愚，供諸參考。

近二、三年不良學生組幫成派，鬥毆殺人，追源溯本，武俠小說，實爲始作俑者！舉一近例，六月十五日夜十一時，台北市牯嶺街，一個年僅十六歲的中學生茅武，用利刀，連刺七刀，殺死年僅十五歲的女友劉敏（茅劉二人爲同學，均係建國中學補校夜間部學生。）茅武在警局供稱：「去年七月間加入「璧玉幫」，自己是「老么」，曾經寫過紅單子（寶鷺同幫名單），繞過「五柱香」——拜天、拜地、拜哥兒們（指「老大」、「老么」和「掌法」）。吃過「K子」（意指勒索、敲詐等），並且（「挑過單個兒」，（此指單人與其他幫派對打）。茅武在供詞提到這些黑社會名辭時，如數「家珍」，且面露得色！

舉此一例即夠瞧的了，試想所謂「幫」，所謂「派」，所謂黑社會名辭兒從哪兒學來？鼓勵追英雄豪傑的好勇鬥狠的氣概，以何爲效法？難道是課堂上老師教授不成？試想一個十五、六歲的孩子，血氣方剛，事理未明，看武俠小說着迷了，何不也組幫成派，露兩手絕招兒，豈不也可成爲「武學」高強，名震三山五岳的英雄俠客乎？

近幾年組幫成派的不良學生，打鬥流血之事，屢見不鮮，而殺死人命者，亦二三起矣！難道說這些血淋淋地的事實，主管機關沒看見見嗎？光是事後，由治安機關拿兇送法院以法審判就完事大吉嗎？這正是捨本逐末的辦法，恐難收效于萬一也！

欲求治本之道，必須正本清源，痛下決心，將傳播打鬥殺人毒菌的武俠小說予以查禁，並且徹底執行。而于查禁武俠小說之前，先請各黨報，官報不再刊載武俠小說，作爲率先倡導，民營報刊亦須隨後看齊。

如主管機關，拿出當年停刊內幕刊物的決心，決無做不到之理，否則等於前門趕野雞，後門却任強盜混兒，所謂「文化清潔」云乎者，還有什麼意義？

最後，筆者再大聲疾呼！主管機關趕快採取行動，查禁武俠小說！而各報社也應以人命爲重！否則，誰敢担保，再過一年半載，沒有第二個劉敏慘死亂刀之下！

斷橋

香港與大陸

（本報特訊）澳門消息：風風雨雨中，正是大陸人民衝出鐵幕的最有利時間，昨晨又有中山漁民，駕機動漁船一艘，逃亡抵澳。

該艘機動漁船，係中山八區平沙農場大隊所屬船隻，由一名叫李新的該場糖廠技工負責駕駛載有漁農鄭子春，蕭貴添等五人逃走，昨晨二時在本澳新口岸上岸，爲駐守水警帶往港務警察，船隻則暫在南灣魚仔埗頭灣泊。

據說：李新等原奉命載各人開往石岐參加漁民會議，但船抵中途，六人不約而同，彼此同意逃亡前來本澳。（新）

六月以來，長江以南六七個省份，連降暴雨，山洪暴發，各江水位猛漲，許多堤圍發生缺口。廣東省西江、北江、東江上中下游縱橫幾萬里被淹成澤國，到處一片汪洋大海，萬頃良田沉入海底，許多地方的山峯都成了小島，惠陽，德慶，高要，三水，東莞，順德，南海，番禺等幾十個縣，倒塌幾十萬間房間，沖走了無數人畜，遭受嚴重災害。

現在消息傳來，廣東省西江，北江和東江的洪峯，十九日已經泄入三江水位開始回落。洪水退後，頹垣敗瓦廢舍爲墟，到處一片淒涼景象。

但這次西江，北江的洪水下泄時，多江的洪水位都曾一度超過一九五九年大水災的水位。在洪峯湧到之時，高要，東莞和新會共幾個地方，都發生堤圍缺口的大災禍；被驅迫出來參加「抗洪大軍」的老百姓，慘遭洪水沖走淹斃！

論種菸許可與菸葉收購問題

林嘯松

台灣省菸酒專賣利益是政府的一項主要財政收入，這項收入幾佔政府財政收入的百分之五十，但在菸酒兩項銷售的總值中，捲菸部份則又佔百分之六十三，因此菸葉生產的經濟重要性實際上是佔着專賣稅收的首位。菸酒專賣制度是基於節制私人資本及抑制私有社會壟斷事業而確立，是依照企業方式所經營的專營獨占事業。所謂「專賣」就是壟斷事業的經營特權，有效的控制市場，決定供需，以獨佔的力量造成一種獨佔的價格，因而獲最大的獨佔利潤，其形成，不是出於自由競爭的結果，而是藉政治法律的力量，實行強制手段而來的專賣制度，就財政學上來說，是屬於純財政目的的獨佔，純以財政上的收入爲目的，其形式是經過製銷過程作全盤的獨佔。爲什麼菸酒產製銷的利益，要爲財政所專賣獨佔呢？因爲菸酒是一種國民嗜好的消耗品，政府爲了謀取有效的管制起見，乃採取獨佔爲手段，而達到實際課重稅的目的，因此政府的菸酒專賣利益，在實質上與課稅是沒有什麼不同的，所不同的只是政府要自行經營這項事業，同時更不允許有同類競爭事業的存在而已。

近年來台灣省的捲菸業，在菸酒公賣局不斷改良菸草品質與增進種菸及製菸技術各方面，均有增長足的進步，對於充裕政府的財政上供獻頗爲重大，不僅此也，其實際所負的使命，要而言之，並有下述兩點：一爲生產足量的菸葉，供應國內消費者的需要，增加菸葉專賣收益，並杜絕外來菸製品的流入不使國家蒙受財政漏卮的損失。一爲提高菸葉品質，改進菸葉耕作技術，符合國際菸草標準，打開菸製品的國外市場，以爭取外匯，充裕國家財源。

基於上面的重大意義，對於主管菸酒產銷業務的公賣局應如何加強經營此一獨佔事業，以達成政府所賦予的使命，却是一件十分艱鉅的任務。茲就筆者平時注意力所及，僅提出有關「種菸許可與菸葉收購」制度上的幾點疑難，以就教於負有研究改進以及關心菸業問題的先進人士：

台灣栽培菸草在日據時期即已開始，當時日人所建定的這項專賣制度，光復後公賣局就一直沿用未變，在菸葉產製銷各方面亦從未發生過重大的流弊，然而這項制度本身由於歷久而衰，積則弊生，現在也不是怎樣完整無缺了。（一）

天下為公

黑子

我當了一名行政組裏的事務員，每天東跑西跑；為主官跑，為同事跑，為傳達炊事們跑；總之，我是為我們整個單位在跑，雖然我也是單位的一份子，可是單位裏這麼多人，不能說我是在為自己跑啊！

衣、食、住、行，只要有了問題，不論大小，都來找我，因為這都是事務員的責任。因此我感到身為一個事務員，眞是任重致遠，一日不可疏忽，一日不得稍離崗位半步；就像一個家庭的管家，每天都有人追着要這個要那個。於是，我自己的公假都不能休了，不能休就不休，乾脆連休假的權也棄了吧。原來既使休假，手邊不麥克麥克，也是苦無地方可去，不像那輩來自異域趾高氣揚的盟邦人員，一休假，就搭上了飛機，不是到菲律賓，就是遊日本去了。說得可憐一點，在這裏住了這麼多年，連日月潭都未去過，阿里山是甚麼樣子也不得而知，令人無限嚮往。

這些都不在話下，最令我頭痛的是開會了，幾乎每天都有幾個會，而一開會也就給我帶來了迷惑，佈置會場，準備茶水，通知開會的人員，請參加開會的人員，請主官等等，會開完了又要收拾；因為我們這個單位沒有會議室，遇有集會時就把資料室作為臨時會場，眞是不勝其煩。

而每次開會，似乎總覺得少了一點甚麼。到底是甚麼？可又想不起來；不知擺在那裏，或掉在那裏去了。也許是我的工作太多，事情太忙了的緣故吧。不過還好，一直還沒有人追問。

後來，當主席在恭讀總理遺囑，靜默三分鐘之後，抬起頭來，偶然看見國父遺像的上面，少了一個橫書，這才恍然大悟，眞是該死，居然把「天下為公」丟到九霄雲外去了。

生命的旅程

——給友人的一封回信——

伯翔

自強：來信收到了。滿紙感傷和哀怨，同情卻不同感。

你說：「在人生的旅途中，已摸索了近四十個年頭；在這一段易混難挨的歲月裏，坎坷的遭遇，卻使我嚐盡了人間的辛酸滋味！不是麼？由於戰禍頻仍，從小就隨着家人過着那顚沛流離的生活。雖然聖戰（抗日）的烽烟，沒有影響到我的學業；但勝利的火花，卻帶來了我悲慘的惡運。在舉國稱慶的歡騰聲中，流離了八年的人們，盡都收拾逃亡的行囊，興高采烈地踏上還鄉的路程；我卻懷着喪母的哀戚，走進迷迷茫茫的社會。惟當嬰孩似的搖晃學步的時候，而萬惡的共匪相繼為患，致於我赤手空拳而狠心地拋下了年邁的父親，孤苦伶仃的出死入生飄泊到海外——香港。在港逗留了四載的過程中，與其說生活異常的艱苦，不如說為了延續生命。」

自強，人生的旅程，漫長而不可預知：有平坦的康莊大道，也有崎嶇的羊腸小徑；有春暖花開的日子，也有冬寒凋落的季節。你生長在這憂患的時代，苦難的遭遇，難堪的折磨，雖給你不少無情的打擊，卻也予你很多寶貴的教訓。你既已飽嚐到人間的辛酸滋味，領悟出失父喪母的淒涼心情，而這種遭遇和折磨，將默默地使你更懂得如何記取苦難的過去，如何編織似錦的未來。同時，這種痛苦和領悟，也將化為你生命中的滋養、灌溉、孕育、綻放出你那希望的奇葩。

自強，記否？當十餘年前，你還未走出學校的時候，你不是對人生有過豪壯的誓言嗎：「人生雖短、世道雖艱，但我得竭盡所能，奮鬥！創造！讓我短短的一生，像艷陽下的一面三菱鏡，從每一個角度看去，都會發出不同而耀眼的色彩。」曾幾何時？不知是否為流離的酸楚，鬱結了你的豪情!?抑或是那坎坷的際遇，折磨了你的壯志！還是那時間的風雨，浸蝕了你對世界的情趣!?而你竟對繽滿色彩的人生，發出這喟然的慨嘆。

你說：「命運的擘畫，永遠間隔着人生的苦樂：這邊是風和日麗的晴天，那邊卻是冷落淒迷的雨夜。試如我在這漫長的流浪歲月中，會致力於幸福的追求，也極力的忍受痛苦；然而幸福卻像隱懸在峭壁的花朵，苦難總是分不開的伴侶。雖然在我理想的空際，有時也出現一抹絢爛的色彩；但那不過是曇花一現，得到的印象是那麼短暫，嗅到的芬芳也極其微弱。至我所付與的：卻是悠悠的年華，凌雲的壯志。還有：……」

自強，我同情你多難的遭遇，但我不贊同你對人生的看法。因為：人生並不是平直的軌道，它正像一條峯迴轉折的溪流。列車在軌道上只須檢點好機件，加足燃料、便會毫無阻難的到達終點；而溪流卻要急湍緩慢地經過不少次險阻和迴流，始能流歸河海。須知：梅雨季節的陽光，會往往隱在雲裏；久旱時期的雲霓，卻虛虛渺在天際。故你行行於淒風苦雨之中，見不到陽光時，或跌跡在焦陽烈日之下，得到不雨露時；於是失望與怨尤，油然而生。因此，你又說：

「艱辛的旅程，永遠伸展在前面，走完一程，又是一程，雖已歷盡了千辛萬苦，但是：風、風，雨、雨，依然不停。就以由港到台來這幾年來之極其自由與安定的時間來說，也不知受了多少奚落，幾許辛酸!?以後的遠景，究竟是黑暗，抑或是光明，目前我實不敢預作想像。尤其在這前不着店，後不巴村的中途，又不能停歇不前……」

自強，田裏本來種的稻谷，可是沒法制止它不生稗草；然而即使是一個最笨的農夫，也不會因此放下他的鋤頭，不事耕耘。有道：「莠草不除，嘉禾不生。」你要經得起時代的考驗。別讓那悒鬱的雲翳，遮蔽了你即將四射的光芒；也別為稍許的風波，遲阻了你即將到達的航程。你應該脫下沉默的衣履，穿上奮發的雄裝，以你的才華作動力；以你經驗作指向，把穩意志的舵柄，張起希望的風帆，乘風破浪，勇往直前。夜將盡，冬已踐，晨曦在望，陽春不遠，你的前程似錦，好自為之。

農曆五月一日于台北市吉林路31號

瘟君續夢

第一回：捲土重來，瘟君尋舊夢　投袂而起，小醜鼓雄風

尼赫魯取下小烟袋，磕掉烟灰，縐着眉頭問道：「什麼事這樣緊張。」

希利花拉說道：「據帕塔薩拉蒂大使電報，中國已經有步驟地來對付我們。第一步先發動輿論攻勢，現在全體報紙都在攻擊我們，民衆更紛紛簽字表示抗議，進一步也許會有示威遊行一類事情發生。」

尼赫魯笑道：「這有什麼關係，我們的報紙團體不是已經在攻擊中國，這就叫做禮尙往來，不必驚疑。」

希利花拉慘笑道：「光是輿論攻擊，還沒關係，我只怕他們從其他方面下手。」

尼赫魯「哦」了一聲，把小烟袋取下來磕掉烟灰，問道：「除去輿論攻擊，還有什麼辦法？」

希說花拉說道：「我估計他們有三個可能採取的方式。第一，用武力進攻，在邊界上挑釁，我們同中共這麼長的邊界，始終沒有劃定，雖然周恩來當面同你說過，凡是經我們佔領的地方他們絕不再索回，但是，去年九月間克什米爾同新疆交界地方就發生過衝突，我們的巡邏隊在大紅柳灘被中共軍俘去，後來經過交涉才放回來，假若他們以後繼續在邊界生事，我們那一點點兵力怎能防守得住。」

尼赫魯笑道：「這個問題，你放心吧！中共絕對不敢，周恩來想在亞非國家佔一席位，如何敢得罪我，誰不知道我是亞非人民的唯一領袖。隨便舉兩個例就可以看出中共的誠意。這次達賴喇嘛逃亡經過的達旺，是我們在一九五〇年六月佔領的，當時我們已經承認中共政府，國民黨政府自無法向我們抗議，可是北京方面也悶聲不響默認了，直到中共軍開入西藏，也從未向這裏提出過任何要求。假若他們要索回達旺，這次達賴喇嘛還逃不出來哩！

另外一個例子是波林三多，這個地方在一九五四年我們同中共訂的通商貿易協定，由中共指定為十個貿易市場之一，可是到了一九五六年又被我們佔領了，北京方面也未提過抗議。我曉得周恩來的量大，何況他們那能看到眼裏，這小地方他們讓給蘇聯的比較我們佔領的不知大了若干倍，他都不在乎。所以說周恩來決不會因為邊界問題同我們發生衝突。」

尼赫魯說完之後，希利花拉苦笑一下，繼續說道：「第二由內部顚覆，這是共產黨的拿手好戲。何況我們國內共黨勢力相當大，到處都是他們的特務，上次達賴喇嘛逃亡，三月三十一日到達旺，我們外交部接到消息後，決定為了達賴的安全，四月四日再發表，那知中共新華社四月二日就發表了，他們消息何以這麼靈通。」（十八）

岳騫

文壇軼聞

嚴範孫詩

——道南——

天津嚴範孫（修）為我國近代著名的教育家，其為人極有風趣；但關於他的軼聞趣事，談的不多，發揚潛德幽光，應該是後起者之責，故特表而出之。

民國初年，範孫遊歐州，路經意大利地中海口岸那不勒斯，遂遊其古城龐貝，有詩云：

「平生不入平康里，人笑拘迂太索然；今日逢場初破戒，美人去巳二千年。」

註云：「龐貝羅馬古城中有二千年前之妓院，艷跡粲然。」因為古城中有妓院，寢室四壁皆名手所繪之秘圖，範孫素以不入北里自豪，今竟居然進入了。

範孫以二十歲中光緒九年進士，曾任貴州學政，有聲於時。戊戌變政，乞假歸里，遂專心致力於教育，其政然有成就為人們所熟知的，厥為南開大學。

袁世凱任直隸總督，舉辦新政，遂得五品卿銜，主持直隸教育事宜。光緒三十一年撤禮部改設學部，範孫擢升右侍郎，實為袁世凱之力。至張之洞逝世（之洞以大學士管理學部），範孫以朝政日非，乃辭職。比袁世凱再起，入京組閣，以度支部大臣屬之嚴氏，他堅辭不就。一九二八年（民國十七年）死於天津，年七十，其自輓詩云：

「少時無意逢詹尹，斷我天年可七旬。向道青春難便老，豈知白髮急催人。兩番失馬翻徵倖；廿載懸車得陰淫，從此長辭復可恨，九原相待幾交親。」

梨園漫談

張世春，北平人，現年三十八歲，出身北平榮春社科班，其師為當年頗負盛名的范寶亭和孩盛文等，彼年幼時專習武生短打，故對武工方面頗具根基，後來漸覺身材魁偉，嗓音響亮，遂改習銅錘花面，其拿手劇為「坐寨盜馬」、「上天台」、「空城計」，演出時深為萬千觀衆所歡迎也。

朱世友，亦北平人，今年四十四歲，在富連成五科學戲時，專習青衣、花衫，後攻刀馬旦，再後方改小生，據聞他的旦角戲較小生戲還要淵博，惜乎衷氣不足，無力担任青衣、花衫等角色，好在其人武工根基甚佳，且幾個花槍及耍單刀的動作甚為漂亮，遂被大鵬聘為唯一的文武小生。

張國安，亦名小鴻茂，年五十五歲，乃浙江嘉興人氏，幼年從名師學習老生，頗有成就，惜後倒嗓，乃拜名丑孟鴻茂攻習小花臉，不久遂以小鴻茂藝名掛牌獻唱，在京滬一帶頗負盛名，聞其平時戲德甚佳，凡有演出之時，總是拼力而為，從不馬虎，亦不敷衍，故凡有識者，均甚對其敬重有加，如今為大鵬當局之文管事。

大鵬團員簡介

——瘦西湖——

熊寶森，河北天津人氏，今年四十七歲，由於其令尊在戲劇界工作，因耳濡目染之故，幼年時即對戲劇發生莫大的興趣，其父見其如此愛好，遂領投拜其名師習藝，專研武生，故對長靠短均有心得，而對關戲方面尤所擅長，其拿手戲為「掛印封金」、「過五關」、「活捉呂蒙」、「水淹七軍」、「斬顏良」、「誅文醜」、及「華容擋曹」等。

馬榮利，北平人，現年三十四歲，曾在榮春社坐科，專習文武小生，其成就甚高，對「雙槍陸文龍」、「三氣周瑜」等戲均為得意傑作，聞其所拜之師，先投四大名旦尙小雲，後從孫筱華，至後為名小生葉盛蘭，此三人均為當今梨園界知名伶人，且均有怪癖，聞平時不願授徒，榮利能得彼等青睞，恐智慧較他人過高，非常人所及也。

董盛村，北平人氏，今年四十九歲，出身富連成科班，係盛字科畢業，與葉盛章、李盛藻等名伶為同班同學，藝事甚高，三十餘年的舞台生涯，一直均扮演丑角脚色，名丑蕭長華係其當年的啓蒙老師，蕭對盛村愛護備至，凡有所學，無不盡授，加之董君自幼聰明，經師一點即能領悟，故蕭之能戲雖多，但未幾即被董君盡行學會，且有時尙能亂眞，使梨園界人皆感驚奇不止。（三）

劉璈治台史事

·李仲侯·

一、格林砲隊：這個砲，因台灣籌辦海防，買了格林克鹿（亦作格林克虜），洋炮廿四尊和里明東後膛洋槍一百廿九桿，挑選一百六十餘名勇丁操練，所以稱做格林炮隊。炮隊雖已操練有年，但在劉璈到任後加以檢閱，卻發現「該隊兵勇係由各營湊合成隊、革補、差操、事權不一」，而「賭博、洋烟、窺無忌憚，教習徒自裝炮，令人開放，度數的要，秘不示人，兵勇習成疲玩，出入自由」。於是他在光緒七年十月請將炮隊撤散，仍歸原營，並將各炮分配責令傳習，「庶前此所付巨欵，不致概付流水」。那知過了一年半，再據劉璈考核這些炮兵歸營以後的情形，仍然是腐敗不堪，他說：「察其烟癖，則十有八九，行以槍炮，能開放者尚無一二，而詰其開放度數，則仍屬茫然，餘並不能開放，是名為久練，實同虛糜」。可是光緒九年，因越南多事，閩督何璟奉到密諭籌防，遂又飭台灣鎮道復設格林炮隊。

二、海口炮台：計有安平、旂後、滬尾、基隆、澎湖五處，安平三鯤身海口於同治十三年奏建洋式炮台——配置十八噸安蒙士唐洋礮五尊，四十磅、二十磅小炮各四尊，里明東後膛洋槍一百餘桿，原選輪船炮勇一百四十四名充當頭目，炮手，並募洋教習教練操演，光緒六年六月，洋教習病故，便以炮術精熟的頭目充當教習，光緒八年九月，劉璈加以整頓，計有管事、幫帶、教習、頭目、炮手共九十八員名，月支銀八百七十兩二錢，旂後口南北兩岸分築炮台一座，購置安蒙士唐六噸半大炮四尊，四噸半大炮二尊，原有官兵一百廿七名，光緒八年九月，經劉璈重加釐定，計有管帶、哨弁、頭目、炮手共一百零九員名，月支銀六百八十兩，至於滬尾、基隆、和澎湖三處海口設防的實況，退思錄中雖未敍述，但其規模決不大於安平、旂後。因為安平、旂後兩口密邇台灣府城，而道府衙庫與軍裝、子藥、支應等局皆在城內，實為全台根本，所以這兩口的防務在當時是比較重要的。

三、彈藥：台灣的軍隊，既有一部份使用新式武器，則槍炮彈藥的補充自然是值得研究的問題，光緒九年十月，劉璈曾向閩省督撫建議設立「子藥局」，他的理由是：「郡城軍裝局所存槍炮彈藥，為數本屬不少，乃一經點查，如後膛槍子，則年久變壞者有之，不合膛不能移用者有之，則初買之時，子有限，用之易盡，如愛惜其子，不發操演，或所發太少，軍營操之不熟，雖有利器，置於無用，廣發勤操，子藥立盡，有槍無子，與無槍同，至後膛大炮，子藥尤貴，有槍品類各殊，配購極為不易，海上無事，猶可取資外洋，防務稍緊，勢必遠莫能濟」。（十五）

名女人（十五）

徐學慧

讀者諸君，曾有去「廟街」之經驗乎？板床一張，「異」香撲鼻，客人跑入、門簾隨下，驚魂未定，女偎上床，電燈方熄，雲雨遽施，方夢赴高唐，忽聞催喚之聲發於戶外，此情此景，意興索然矣。

或必曰：廟街乃下等妓女區，不足以登「大雅之堂」。則願為諸君一述名聞香港之「快樂公司」。（十年前猶存，今已取締矣。）

入門，有老嫗招呼，隨領至一廳，煙茶既奉，乃呼女逐一上前，任君選擇，既定，則帶入此女之私家房，（該公司每一女均有一房）門簾下，女陪坐床緣，或為按摩或與諧謔，然均粗俗不堪，久坐即令人乏味矣。陪坐以時計，約四十分鐘，女乃頻頻顧其腕錶，寢且藉故辭出，久候不復返，移時老嫗入，笑謂時鐘已至，請另付值。諸君，處此種環境中，其能引起客人之快感者殆亦幾希矣。

明末清初之秦淮名妓，今已不可復見矣。聞道香港石塘花事，過去曾盛絕一時，余來港晚，未及見其盛，能有一董小宛者乎？能有一李香君者乎？

三百年前事已陳，撫今思昔，感慨良多。且摘錄錢牧齋王阮亭等秦淮雜詩，以實文末。

一夜紅箋許定情，十年南部定知名。舊時小院湘簾下，猶記鸚哥喚客聲。（舊院馬二娘）

淡粉輕煙佳麗名，開天營建記都城。而今也入烟花部，燈火樊樓似汴京。（以上錢牧齋）

舊院風流數頓楊，梨園往事淚沾裳。樽前白髮談天寶，零落人間鄭十娘。（王阮亭）

玉樹後庭一曲哀，宮紗歌扇賜新裁。桃花自向東風笑，爭似佳人面上來。（王特選）（全文完）

談貓

漁翁

貓，俗作猫，面圓齒銳，舌有細刺，黐附肉塊，藏銳爪於內，隨時伸縮，行則以肉塊著地，故足音甚輕，眼之調節機能發達，瞳孔大小，隨光綫強弱而變，晝間日光強烈，其細如絲，且暮正圓，夜能視物，最善捕鼠，以鼠晝伏夜出，遇之無一倖免者。

在一八四九年，有一大船，載滿幾百頭貓兒，駛入美國舊金山，由於漂亮可愛，互相爭購，每頭價達美金五十元以上，可是還不知貓之捕鼠能力。原來，此地嘗鬧鼠患，各家蓄貓以後，不到數月，即無老鼠出現，因此，始用貓來捕鼠，家家戶戶，不能少此一物。據說；美國郵政局的貴重物品，會被老鼠咬破，損失甚鉅，幾年前，飼養數百頭貓兒，放在局內，得免此患。現在美國所飼養之貓，統計有二千八百萬頭，除中國外，恐為各國之冠。

貓為世人所喜悅，以其清潔美麗，且又能為人類除鼠禍，而飼養最早者，要在埃及，至今已有三千餘年之歷史，視為珍貴之物，嘗與貓同睡一處，並有法律規定：「凡將貓兒殺害者，即判處死刑」。同時貓一旦病死，又為之埋葬，此風與我中國同，我國各地所養之家貓，死後排在樹上，作為鳥巢，或掘土而埋之。

世界上最愛貓者，莫若「模罕默德」的教師，他是回教徒，生平以信宗教，愛貓兒，為兩大條件，一夜，睡在床上，因氣候過冷，欲起床添衣，又恐把貓喚醒，寧願冷到天明，此種愛貓之心情，較愛子女，殆尤過之。

談到貓兒，即回溯三十年前一故事來，有友在一寺內扶乩，李太白出，咸以太白為唐代一大詩仙，欲有以難之，太白請命題，良久不能應，忽見乩旁有一貓，即以貓為題，太白又請限韻，乃以有韻中之「九」，「韭」，「酒」三字限之，太白不即不離而詠之曰：「貓兒似虎七八九，慣食魚蝦不吃韭，因捕鼠太猖狂，翻倒床頭一壺酒」。此詩成諸倉卒，又出自然，尤以最後二句，恰到好處，真不愧一代之大手筆。

近據報載，有一女子，因家中老鼠過多，放一貓於室內，點上壁燈後，關閉大門，由於貓捉老鼠之際，碰到壁燈，致釀成一場大火災。

抗戰前，筆者主某部辦公廳事，管檔案者，以文書嘗被鼠囓告，正設法防止間，忽一員進言：「我有祖傳治鼠法，屢試屢驗」，即囑為之，該員至檔櫃前，一面用手畫一貓，一面唸着下面四語：「一二三四五，金木水火土，畫隻金獅貓，來治老鼠子」，初不置信，後果不見有鼠患，筆者衙做而行之，不驗，蓋有祖傳在。貓能治鼠，鼠見紙貓，猶退避三舍，足見威力之大也。

貓為鼠之敵，鼠畏之如虎，不能對抗，抗拒，僅在防禦上打算，以求生存。一日，羣鼠集議於穴中，久之，無有發言者，最後一鼠建議：擬在貓之頸項上繫一鈴，聞鈴聲即入穴，倖免捕殺之禍，可否？請公決案，議決，照案通過。至議誰為繫鈴者？均無以應，此案雖成立，而決不能行，行而不能通，今之到處集會，議論多而成功少者，與鼠之集議；有何異焉。

雖然，貓與鼠為敵對，而又有貓鼠同眠者，何也？據新唐書五行志載：「貓鼠同處，鼠隱伏，象盜竊，貓職捕噬，而反與鼠同處，象司盜者廢職容姦」，言官失職，比喻宵小。今謂上下朋比作奸，彼此容隱，曰「貓鼠同眠」。現在，國際間，有敵對者共處，同床異夢，既無誠意表現，何有共存共榮之具體成就？猶如隔靴搔癢，過之百年，終不能及於癢處，亦貓鼠同處之類似乎。

登臨

方南

百萬人從浪捲生，攀舟寧更問仙瀛？
早疑背水難成陣，便見飛旛乍出城。
蹈海舊曾傳壯語，過江今又奉虛榮。
太平山外滄波遠，總覺登臨意未平。

屈原和詩人節

謝康

——應共寃魂語，投詩贈汨羅——杜甫詩句

屈原是中國民族早期最偉大的詩人，端午是民衆共同娛樂的節目，自從訂定這天為「詩人節」以來，詩人的擊缽催詩，和民衆們的龍船競渡節拍更相應和，於是詩人屈原，更為一般人雅俗所共欣賞了，今年這個端午節日，看龍舟的節目依然熱鬧，而且剛過去不久，且讓我們談談民族詩人的往事吧。

屈原家世及生卒年代考訂

楚是春秋時代長江流域一個新興的民族，據離騷說是帝高陽氏顓頊的後裔。春秋五霸中的楚莊王（公元前六一三——五九一）是聲勢顯赫的一位霸主，到了戰國時，楚為七雄之一，勢力更大，除秦國外，其他韓、趙、魏、燕、齊……諸國，都是望塵莫及的，當時長江南北，從川東夔州起至南京一帶，完全是楚的領域，甚至黃河流域如陳、蔡之類，也都被楚國佔領了。

俗語說：「深山大澤，實生龍蛇」，這樣一個廣土衆民，物產豐饒的楚國，在長江沿岸，三湘七澤之間，必然因山川鍾靈而產生偉大的天才人物，那是很自然的。因為人是在土地上生根，而文學也是在一種特殊的地理環境裏面開花結實的啊。（一）

※※※ 歷史人物 ※※※

海嶠書談

才女顧太清疑案

諸葛文侯

周星詒是咸、同年間科甲中人，久官京師，其時距道光朝甚近，他以在京城聽取士大夫們傳說顧太清與龔定庵之間的艷聞韻事，向其外孫冒鶴亭閒話及之，這有如現時的長老輩對我們叙述民國初年名女人沈佩貞，在北京社交場合中教男人嗅她的腳，在長沙為與魏某的戀愛問題而搗毀報館，在廣州跟國會議員葉某鬧婚姻糾紛而對簿公庭，指證對方身上某處有一黑痣等軼聞趣史然，其真確性是無可懷疑的。孟心史以生在距龔、顧時代越百餘年的人，硬指前輩人士的傳說為虛誣，卻提不出足以徵信的反證，又謂「當時自有一多口之由來，未可知也」。閃爍其詞，令人惝恍迷離，莫名其妙，自難怪冒鶴亭堅持所信，不肯曲從孟氏的說法了。

據孟氏指出顧太清詩集中自註，庚子十月間，有侍太夫人病之言，認為「姑病而家難亦紓」，太清已回到太平湖醇王府居住了。夷考她被逐出邸，是在丈夫去世之年的戊戌十二月，定庵蒼黃出都是在己亥四月，到庚子年間，太清在外面卜居已逾年，而定庵亦已經舉家南遷很久了。這時候，京中士大夫對於龔、顧二人的嘖嘖閒話，諒告靜息，而綸貝勒之母的氣忿亦消歇了。太清以兒女成行之貴婦，幽居在外，宗室中的親戚們為着體面攸關，一定有人向繪老太太及其襲爵的長孫載鈞說情，讓太清復歸醇邸，殆為理有固然。孟氏謂太清出邸「亦非告絕於姑」，理由是太清於庚子年作詩，有親老子幼之詞，「姑婦之間，恩意自在」云云，然則前述太清出邸時所作「亡肉含寃誰代雪」的詩情，即與孟氏引證翩通傳所說「姑以為盜，怒而逐之」的意義不符了，寧非前後自相矛盾乎？

綜觀孟氏所述各種情節，證以京都士大夫自滿清道光朝廷迄民國肇建後的一世紀以上時間，對於定庵與太清的艷事傳說不已，且多認為確鑿，孟氏亦謂「定公與太清事，今京師士大夫，多爭言其確者，如羅癭公之流是已」。可見一種傳說亘百年而不衰，且係流行於高級知識份子之間，如其羌無故實，曷克臻此耶？孟心史銳意於近代史之考實工作，其志可嘉，其功亦有不可沒者。但他似乎懷有一項專作翻案文章的成見，有時不免流於主觀的臆測，而以「丁香花」公案之作為尤甚！我認為冒鶴亭的見解決不錯，無如何，龔顧二人之交，決非泛泛的文字之交，乃為無可否定的事情。

今冒氏亦已作古，愚談「丁香花」公案竟，懷其去世前夕所作「賀新郎」詞，中老友瞿兌之武仲云：「過「殘夢」隨流水，算匆匆一週甲子，彈指。猶記泥金朝報到，曾博家親頗喜，也曾博得鄉鄰稱美；喜今朝三棋局換，笑一錢不值如此，舊時燕，巢空矣！霓裳曲破猶能理，歎京華紛紛冠蓋，眼前餘幾！頭白蕭疏沉之地，雨望東南千里，寫一幅丹青遙寄；佛法本來無我相，問故吾紙上胡足慕？是天寶，前頭事！」吾友張弭翠君聞冒鶴老之喪，曾輓以聯云：「校讎在疑似之間，花發丁香，風致低徊與古恩」；「探味於酸鹹而外，歌殘金縷，平生飛動以時鳴」。爰附記於此，示吾贊佩鶴老之意云爾。（完）

內銷證僑內台報字第〇三一號

自由報

THE FREE NEWS

第一四六期

中華民國僑務委員會頒發
台報新字第三二三號登記證
中華郵政台字第一二八二號執照
登記爲第一類新聞紙類
（半週刊每星期三、六出版）
每份港幣壹角
台灣零售價新台幣弍元
社長：雷嘯岑
督印人：黃行甯
社址：香港銅鑼灣高士威道二十號四樓
20 CAUSEWAY RD 3RD FL
HONG KONG
TEL. 771726　電報掛號．7191
承印者：四聯印刷廠
地址：香港灣仔高士打道二二一號
台灣分社
台北市西寧南路壹壹零號二樓
電話：三〇三四六
台郵劃撥帳戶九二五二

現世外交之新演變

吳本中

談外交必先識其意義。名不正則言不順也。西文『外交』一名詞（英名Diplomacy來自法文Diplomatie）源於希臘文。其意義本不足道。乃證書之意。泰西古代以薄獸皮充紙如我國之用竹簡寫字。法語曰 Parchemin，英語爲 Parchment。遠古交通阻隔，使於四方，何以爲證？持此以爲執節，證明確係代表國君意旨。此今日所以遺風猶存，必呈遞國書，獻『全權代表』證件，始能開始外交工作。實則處此核子時代，電動通話，如居一室，何待證書，如今日全世界婦孺亦知哈里曼是美總統代表矣。

關於『外交』名詞，在科學上之定義，歐美學者紛紜。吾人無暇在此論述。茲篇所言者，捨『外交學』（法文 Droit diplomatique）『外交實務』（Diplomatic practice）『外交技術』（Diplomatic Technique）『外交藝術』（Diplomatic Art）等等名詞不談，僅對『外交』一詞，加以意義上的認識：什麼叫作『外交』？『外交』就是一國政府根據本國需要，酌量國際環境，用最高策畧與智謀，處理對外一切事務，以保持並擴充其國家和民族的利益者也。這是給『外交』新的總括的意義。又可說：『外交』就是國與國間互相交往，處理或商談彼此間所發生之各種問題與事件者也。若以政治觀點看：外交是一國政治對外的延長與表現。若以目的言：『外交』在現代國家間應當是爲民衆而服務，爲世界和平而奮鬥。爲民衆，是即言非如往昔之爲一朝一姓，或如今日之爲某一黨派，某一階級也。爲全世界和平而奮鬥，是即我古聖先賢『治國平天下』之意，因爲天下太平就是自己國家人民的利益與幸福。法語亦有：『服務你的國家，俾你的國家能服務世界！』此外『外交』，若按其本質而言，則外交是科學，是藝術，亦是技術。是科學，因爲有一定的法則，這是一種學問。是藝術，因爲同是辦外交而手法不同，各有妙處。是技術，因爲外交上的實務，外交上的程序等等，非熟練之技藝不能應付也。

對外交有了較新較正確的認識，吾人始可進而稍觀察現世外交之演變。默察現世人類命運受最大影響者有三因素，即（一）國際共產主義之猖獗；（二）核子、火箭、宇宙等武器之發明；（三）傳達方法之神速。包括電視，無線電噴射機等等。全世界任何民族及國家，大如中、美、英、法等，小如庫威特、尼泊爾，政治上均無一能逃出此巨大致命的影響或壓力。斯即言外交上受其無比威脅。然這個題目太大了！吾人曷能於此暢論。所得而言者；傳統外交，典型外交，已有基本上或形式上之演變，世雖尚無專著著論及，吾人亦可簡畧言之矣。茲就（一）外交權力中心之遷移；（二）外交代表級位之演變；（三）外交禮節之今昔等項，加以簡要敘述，世之賢達，其有以教之乎。

外交之運用，寄諸權力，權力之中心，在昔爲君主，故曰『宮庭外交』。今則號稱民主，不但有『國會外交』，且有『國民外交』矣。往者動言『秘密外交』，今則侈言『公開外交』。均爲不久以前所不可思議者。甚至還有『民衆外交』。何以言之？如在英，首相爲其黨競選勝利，冀柄國政而辦外交，必其對外交政策對大衆交代淸楚，始可多得選票，出而服務。

艾登曾爲保守黨競選而到處演說維持世界和平，聽衆有罵其爲戰爭販子者。艾氏笑答曰：『我是戰爭販子！試問越南戰事平息，何人之力？日內瓦和平（指與周恩來會商等）何位得來？……』衆鼓掌且欲驅逐罵者離場。艾氏幽默言道：『千萬不要驅逐他！他在這裏多張一次口，定能給我多贏來一張選票。』若以我們中國人的觀點遭遇此情，當時眞是啼笑皆非。然而這是民主國家的眞實政情。假如艾登眞知對共產極權國綏靖安撫之非縱，亦不能逆輿情而甘落選。外交權力之中心，已轉移寄托在民衆之選票上矣。君不見此次美總統競選，甘迺迪與尼克遜二氏且把我們的金馬外島防守問題這類軍事與外交微妙而秘密的事件，亦公開『擺龍門陣』乎？他們不能不向民衆對這外交問題有個交代，猶如昔日向君主有個秉承，此證『民衆外交』不爲虛言矣。其演變之由來，不必遠溯，即以十八世紀爲例，當時講 Boudoir diplomacy，譯爲『宮庭外交』固不甚合，亦不傳神。蓋 Poudoir 者如許多外交名詞，是法文英用。按原意譯釋乃是女人敷粉閒談的私用房間。換而言之，即用是高貴女人不拘形蹟的坐臥室或小客廳。中國說『走內綫』。當時的大使如能直通女皇或君王寵幸的宮深處，看她擦顏塗粉，放縱說笑，同時輕的一談外交大事，那當然是『了不起』，外交使命即容易成功了！一七七九年英遣 Lord Malmesbury 出使聖彼得堡，求盟於女沙皇加塞林以抗法。在其報告中有極生動的『梳粧室外交』描寫。值大公爵生日盛大晚會時，外交大臣請其隨行，由一後路引入女皇私人梳粧室，遂即引退。女皇賜大使坐，秘談一刻鐘之久，離去於黑暗中穿過錯綜之走廊，幸尋路返舞會。其時該國的外交權力中心既集中在一位稱孤道寡者身上，大使之活動亦自不能外此也。及立憲政府興起，外交中心漸移；議會政府建立，中心更移。遂有「民主外交」以代專制時代之外交矣。此外交中心演變之概畧也。

次言外交使節級位與身份之演變。外交使節之典型、風度、級位等亦隨時代之轉移而演變。遠古希臘羅馬歷史階段，爲現代外交人員之始祖者，如 Herald 乃儀表堂堂，聲音洪亮者之典型；進而有 Orator 乃能言善辯者；再演進則爲條陳有理之 Advocate。近代外交使節級位之品定，起自一八一五年之維也納會議。最高級者爲大使，次之爲特命全權公使，再次爲駐在公使，末爲代辦。茲四階級，除「駐在公使」實際並未實現外，其餘三類，行之至第二次世界大戰前亦無重大的變動。惟近十年來確有三種顯著之演變，即：一、大使之原來意義與尊嚴漸喪失；二、大使之外復有元首遣派出海外之所謂『巡廻大使』『特使』」及駐守 聯合國等 之常任首席代表等。三、無論強、弱、大、小，君主或民主國家，均將淸一色派「大使」出使友國，而無較低級使節之正式派遣。大使本來具直接代表國君本身及其最高主權者之尊嚴的，他有許多優越權力，並且是『不可侵犯的』。論他的身份，他可說是自己國君在外的化身。有資格直見駐在國君主，還與本國君王及駐在國帝王對面商談。在昔朕即國家時代，非如此，焉能完成使命？即在近代歐戰前，亦大體如此。且世界上僅有幾個強國彼此交換大使而已。我中國雖是亞洲洋洋大國，當時亦不過有資格與列國交換公使，尚無大使蹤跡也。自俄「十月革命」，蘇聯當權，首派加拉漢使華，在其本國並尚未採用所謂資本主義國家的「大使」名稱而曰「委員」，然到中國却通知爲大使階級，使駐北京使館界之特殊組織『外交團』爲之[illegible]。蓋大使既級高一等，對英、美、法等之公使自高高在上，按國際慣例及外交禮儀，自然爲外交團團長，在當時之環境下，大可操縱玩弄矣。其他各國雖晚走一步，逐鹿不成，然亦不能不急急升公使爲大使。現在全世界，雖在地圖上有如芝麻綠豆般一個小國，亦莫不派遣大使出駐外邦，大使之本意與尊嚴，幾已蕩然無存。吾人於此已無暇多論矣。

至於外交禮節之今昔觀，問題比較更複雜與微妙。然可一言以蔽之。即其趨勢爲簡單化，民主化。

（下轉第二版）

漫画天下

怎看這隻壞蛋？

陳毅說：中共和蘇俄的關係，密似一隻蛋。美國佬在這蛋上找裂痕。英國紳士却在蛋的另一邊看，後面裂痕多大啊！

請一使是請二！

美國歡迎外蒙入聯合國，却不知道外蒙裙子底下還隱藏着中共。

自由談

製造第四次大戰

馮五先生

年來英美兩國政府皆不斷地要限制香港出產的紡織品輸入，而藉關稅爲唯一武器。他們迭次派遣行政大員到香港來一面游說勸告，一面發出威脅性的主張，認爲「限制港貨輸入是極端合理的」。這眞是十足的資本帝國主義面目，歎觀止矣！

我們不必談過去百餘年來，西方資本主義者在亞洲地區厲行殖民政策，自由開設銀行，發行鈔票，壟斷市場，創立工廠，利用當地廉價的資源和勞力，製成商品，再向東方傾銷漁利的這套帝國主義舊把戲，即以最近十餘年間的香港情形而論：西方資本主義國家的工商業者，得益於香港的廉價勞力和原料，利用這個遠東「自由港」而大賺其錢的事實，亦歷歷在目，斑斑可考。例如「阿洛牌」（Arrow）襯衫，就是在香港做好，運到美國加釘鈕扣後，再輸出東方來傾銷的。「釣者負魚，魚何負於釣；獵者負獸，獸何負於獵？」香港至今仍係西方國家的殖民地，它實在是英美各國的一大利藪，却決非包袱啊！

西方國家的商品，可以毫無限制的傾銷香港以及其他的東方自由國家，實行自由競爭的資本主義原則，心安理得，樂也融融；本港棉織品在英美市場僅佔着當地同樣產品百分之四的銷路，便認爲不得了的嚴重問題，非予以限制不可！試問「自由競爭」之說作何解釋？這對於久受西方資本帝國主義剝削壓迫的亞洲人，在心理上的刺激又何等重大呢！

我在八年以前，曾經寫文章警告西方國家，認爲今後全球人類生活，如果不朝着「世界大同」的大道前進，注意於經濟平等工作，結果不特第三次世界大戰必難避免，而且還要發生第四次大戰——由經濟不平等而來的人種戰爭。凡屬稍有智慧和眼光的政治人物，應該瞭解這種道理。然而，今天西方大國的經濟政策竟反其道而行之，區區的香港紡織品亦須加以排斥了！我無暇替本港工商業者鳴不平，但爲人類未來的災禍而憂心忡忡，不能默爾而息也。

陽明山會談第一聲

——張健生——

台灣航訊

陽明山首次財經會談，七月一日開始了，由副總統兼行政院長陳誠主持，應邀參加會談出席者八十三人，計為國內六十人均參加，海外各地已來台者廿三人，另有二十一人未來。此次邀請海外者計四十四人，這些人士係來自東南亞地區，人員的分配是香港十四人，菲律賓、越南各五人，泰國、馬來亞各四人，日本三人，韓國、寮國、新加坡各二人，琉球、澳門、柬埔寨各一人，海外預會人士的名字，基於僑居地的環境不同，而有公開與不公開的區別。在會談前夕，來自韓國的劉季、呂直泰、與香港的謝伯昌等姓名，分別由聯合報和新生報發表了。因而籌備處一再要求各報記者予以合作。不過，籌備處在進行「籌備」階段，新聞記者的攝影（聯合報），曾經遭受過阻止，新聞記者的採訪同樣得不到應有的便利。例如：陽明山會談第一次會談日程，直到七月一日始正式發給各報記者；籌備處原定各報採訪、攝影記者各一人，但經各報要求，在聯合報「開砲」之後，才獲到增加名額。從這些小事上看，籌備處太過慎重，以致發生不必要的爭論。至於海外與會人士名單公佈與否，不但有口頭上的協定，且有中央四組的通知，這應不該成為問題的，不料，新生報首開惡例，報導香港謝伯昌，因而中央與聯合報記者紛紛向籌備處抗議了，這是會談前夕的一段小插曲。

※※※

這次會談，在開始的那天，沒有舉行任何儀式。程序上分為「聽」「看」，連講的時間也是極為短促的。所謂「聽」，是聽王副院長雲五的一般政務報告，彭總長孟緝的軍事報告，楊部長繼增的經濟報告，沈外長昌煥的當前國際形勢暨外交情況報告，陳主任建中的大陸匪情報告，谷理事長正綱的大陸救災情況說明。所謂「看」者，是參加經濟建設成果的展覽與軍事節目，而「講」才是眞正是會談。但在七天的日程中，除七月二日全天參觀軍事外，剩下來的六天時間中，不過三十一個多小時，其中除去「聽」和「看」的時間，眞正用於會談的辰光，不足二十小時。因為籌備處在宣傳方面過於慎重，所以在會談前後，沒有使人感到是別有生氣的創舉，這裏的一切，依然是沉寂的。

列席會談者，有國民黨中央黨部秘書長唐縱，及中常委陶希聖、谷正綱、張其昀，民主社會黨五副主席之一的戢翼翹，青年黨主席團主席之一的陳啓天，及行政院政務委員，各有關部會首長暨財經金融機構負責人士等。

※※※

一位參加會談的國內商業界領袖郭雨新，他在書面談話中，同意本報六月十七日「自由談」一篇短文（關於台灣發行大鈔事）的看法。郭氏是現任省議員，他認為「發展經濟」必須「革新政治」，因為「政治風氣」的敗壞，「稅制稅風」的惡劣，「司法風氣」的公平與否，「預算」的赤字，「經濟自由」等等，都足以阻礙發展經濟。他指出左列各項問題：

政治風氣問題：貪污是腐蝕政治風氣與國家生機之大敵，所謂「國家之敗，由官邪也，官之失德，寵賂彰也」。我們的各級政府官員，現在已經到了一位監察委員所說「衙門八字開，無錢莫進來」的惡劣程度。他說明僑資外資的投資不踴躍的原因，是「繁複手續與政治風氣」所致，而設廠手續的繁複，上酒家與送紅包的風氣，這三者是發展經濟的絆腳石。

稅捐稅風問題：政府大力提倡改善投資環境，如果只是頒佈獎勵投資條例，而對惡劣非常的稅制稅風不亟待糾正，則是扼殺經濟事業的成長。[illegible]財政部長曾告誡稅務人員：「應以服務精神代替權力觀念」。但「言者諄諄，聽者藐藐」，各地稅務人員濫用權力如故。當前工商界最感頭痛的問題，除填表格，跑衙門，上酒家，送紅包的苦惱外，要數到稅捐負担的繁重，正式稅捐以外，還有許多法外攤派，與稅務人員的服務態度的惡劣了。

司法風氣問題：改善投資環境的消極除害工作，是司法界應負的責任。但有一部份的司法人員不知自愛，遑論維護司法尊嚴，「只拍蒼蠅，不打老虎」，有些人吏不逐自身法染貪汚瀆職的行為。其最令人失望者，司法審判竟然夾雜黨派私見在內，例如：同屬縣市長，同屬貪污罪嫌，處理方式就不一樣。過去，嘉義縣長李茂松案，很快審理，判刑，很快停職，但對南投縣長李國楨案，却可以「奉命不上訴」。今年對高雄縣長余登發涉嫌瀆職案，同一案件，幾個機關在調查，法院傳訊也已經不止一次；同時台北市汽車管理處集體貪汚案，報刊均指與市長有牽連，但時逾三月，還沒有看到什麼下文，李茂松與余登發是黨外人，被人挾嫌控告，處理如彼嚴峻；李國楨等是國民黨同志，罪嫌原是政府官員自行舉發的，但處理又如此寬容，同屬貪汚嫌犯，不僅編處他們的身份，還要區分他們的黨籍，這能說是「法律之前，人人平等」嗎？這樣能懲治貪汚整肅政風嗎？

經濟自由問題：經濟自由必須在政治民主的背景之下才有實現的可能。世間有政治民主而經濟並不自由的國家，如二次大戰結束前的英國，以及目前北歐諸國，都是政治民主而經濟不自由的國家。因此之故，中國的經濟，能希望自由發展進步繁榮，必先從政治的民主改革始。

※※※

另一位煤礦業鉅子李建興發表「國是芻言」，他認為「反共復國，民心第一」，日前民心浮動，流氓到處作惡，殺傷械鬥日有所聞，其影響於社會安寧者，非淺鮮。此類事實，雖未達嚴重程度，然「涓涓不塞，將成江河」，如不亟謀補救，後果不堪設想。「師克在和不在衆」，政府既有意促進海內外反共愛國人士之[illegible]則如何摒除私[illegible]肅政風，以使[illegible]心。如能於發[illegible]之餘，注意民[illegible]攪，反共復國[illegible]成。

五十年七月一日午夜於台北

楊傳廣的「退休風暴」

李華

（台灣通訊）楊傳廣將退休的消息，最初傳到台北來，有如晴天霹靂，震撼了此間整個體育界，國人也以半信半疑的態度，交相談論。中廣公司為探尋一個究竟，在廿九日上午九時十五分，以長途電話隔洋訪問現仍住在洛杉磯的楊傳廣，總算是由於「鐵人」以自己的聲音，給予全盤否定，而雨過天青了。

這位被國人譽為「體育之寶」，我國十項全能運動名將「亞洲鐵人」楊傳廣，自從他揚名世界後，他的一舉一動都成為此間熱門新聞，人們加諸他身上的希望也日勝一日。多年來，楊傳廣由一介無名小卒，被人發掘、訓練、揚名、出國，其間不知費盡了多少人的心血，就是現在有關方面尚每年花費三千多元的美金，供其求學和零用；楊傳廣的家鄉台東縣父老，正在為這位傑出的子弟，籌建一座「亞洲鐵人紀念館」；縣府亦為顧及楊家的生活困難，已在下年度編列一筆補助其家庭生活費的預算；而楊傳廣的族人，於日前特集會舉行大拜拜，祈禱神明庇佑傳廣在外平安。這一些加諸於楊傳廣身上的榮耀與愛護，可以說在中國史上是史無前例的！為何？無他，希望他在十八屆世運會上得到一塊金牌，為國爭光！眞的，如果楊傳廣在這時退休，尤其是如外電所傳的，他想長留國外，擔任伊利諾州大學的田徑教練，甚至連南加利福尼亞大學的學業，都不擬完成，這將給國人多麼的失望與氣餒！

話又說來，我們不能苛求，一個年齡已達二十八歲的運動員，在體力上的自然衰退，運動上是體力與體力競爭的場所，體力不如人，又徒奈何！「鐵人」這樣年齡，可說已超過一位運動員的金色年代；尤其是全能選手，似甚難在這個歲數再創高峯。有人寄以奇跡的發現，如果楊傳廣在卅一歲參加十八屆世運，而竟奪得一塊金牌，不是更值得驕傲與榮耀嗎？然而，這究竟是奇跡哪！不能以奇跡來概括一般正常人體能的發展。

現在楊傳廣是鄭重否認他無意退休了！這一驚一喜的消息，在萬里晴空，亢熱的寶島上，正如一場風暴，掠過人們的心頭，然而，無可諱言的，卻給我們體壇上掛上了一盞「風球」，顯示出我國體壇上優良運動員的「貧血」病象。這一個不算「警告」的「警告」，該是體壇上另一個新的觀念「啓示」的開始；如果能多多發掘及培植出幾個新的「楊傳廣」，大家也就不至為完全把希望寄托在楊傳廣一人身上，而聽到「退休」的消息，鬧得如此全國震動。楊傳廣退休了，還有新的「楊傳廣」來替補，何況楊傳廣頂多也只能再撐持一次場面，一九六八年的十九屆世運會，無論怎麼樣，恐怕也不是這位「老將」楊傳廣負担得起的！

楊傳廣的退休「風暴」暫時是過去了！然而由於這一「風暴」所留下來的問題，是如何使我們體壇上及政府有關當局，能及時注意和決心積極從事運動人才的發掘與培植，但願這一風暴的過後，是一個明朗的晴天，我們體壇上有更多更傑出人才的出現！

、五〇、六、二十九、

現世外交之新演變

（接第一版）

一六六一年九月三十日瑞典大使聘英，按當時外交禮節，英皇派御車及儀仗隊往迎於碼頭，其他大國使節亦高車騁馬率侍從及自己儀隊隨迎。其榮譽位次，以愈近御車後者愈光榮，法與西班牙二大使因爭最榮譽位次，竟致從人仰馬翻。法皇路易十四，以「太陽王」之聲威，聞之大怒，幾向西班牙宣戰；幸西王讓步致歉，此[illegible]榮譽位次[illegible]法使，事方平息[illegible]日一位大使首任[illegible]，等於悄悄而來[illegible]與一般旅客無異[illegible]國慣例中常亦不[illegible]外交部禮賓司司[illegible]迎而已。其他各[illegible]節如有往迎，在[illegible]私人關係而已，[illegible]服制今昔亦迥從[illegible]，往日大使制服[illegible]光燦爛，[illegible]佩名劍，執珍簇[illegible]貴紅皮金字之手提包，內藏國書等件」者祇，今則積存公務員終年累月之薪俸亦不見得買不起。前駐英大使 Lord M'Inesbury 聘沙皇朝一次歸來，自己荷包虧損有二十萬金鎊之鉅。吾人當知「紫衣錦節」已非今朝事，而外交禮節[illegible]

總之：外交在一個現世文明國家及合理世界，應當是人人[illegible]永循此路而進，一時世界之不合理現象，不足計也。

論種菸許可與菸葉收購問題

林嘯松

第一是政府的菸酒專賣政策，對於菸葉的產製銷措施，是根據既定的過程，首先是由公賣局核定發申請植菸農戶的菸草種植許可，並由公賣局主管各菸葉廠與菸農通力合作，栽培菸葉，在種植期間，各廠並指派技術人員分赴各種菸地區，實地輔導種菸，解決菸農技術上的困難，公賣局每年必須辦理種菸考核，根據考核結果，決定各菸農在次一年期的種煙面積，有時則不免因考成好壞而有所增減，因之煙葉廠與煙農之間，常引起若干不必要的糾紛，這中間是否有偏頗徇情與有失公允之處，以及制度是否健全，這都是值得檢討的，曾經有人提議以「委託種煙」代替「許可種煙」，在約定種煙年期中倘使煙農種煙成績不佳，即可停止續約，如有違約亦可中途解約，此項委託種煙制度，有否試行價值，公賣局亦不妨提出研究。

第二是公賣局所屬各煙葉廠與煙農之間，彼此基於利益起見，其關係亦頗多矛盾之處，以致存在着不協調的事實；其一是在輔導期間，輔導人員為了順利達成既定任務，必須與煙農通力合作，儘量建立友善關係，因此平時關係密切程度，就如同家人一般；但在收購煙葉期間，這就輔導人員則一變而為買煙鑑定人員，指定他們所鑑定煙葉等級，實不當予煙農所請託，然而鑑定人員是代表政府利益的，他們應直接向公賣局主管煙葉廠負責，因此這種微妙關係，也就是流弊時有發生的主因，不是暗通款曲，就是一「紅包」外交，反正羊毛出在羊身上，對於煙農並無任何損失，結果吃虧的却是煙酒公賣局，浪費國家公帑事小，而影響社會風氣則責無旁貸，實有大加改進的必要。

據說公賣局每年收購煙葉期間，為了防止流弊發生，必將鑑定人大事調動一番，其實這只是例行公式，於事實並無補益，須知煙農是固定的，種煙地區也是不變的，而每年的鑑定人員也是原有的一班人馬，十餘年來煙農與鑑定人員之間，若論私交，早已非親即故了，即使將鑑定人員轉移地區，互相調配，也不過是徒勞無功而已。

最近幾年來公賣局在買煙期間，實行集中管理鑑定人員，其目的原在隔離煙農，以免彼此接觸頻繁，私相授受不清，以致影響買煙等級，這辦法在最初亦頗收效果，但現在亦早已流於形式了。其二是輔導人員在輔導區內的輔導成績，以煙農出售之煙葉等級高低以為評定標準，[illegible]

（一）

女人與眉

燕謀

人身上長毛的地方很多，但都沒有眉毛長得有意思；眉毛生在兩眼之上，與雙眼相襯，環抱相依之狀，有如夫妻之恩愛。這似乎是造物者的傑作。一個人如果沒有了眉毛，實在是難看，如果我們發現誰沒眉毛，可能以為他患了大痲瘋症，或者認為是一個怪物，或可能使人惡而逃之。一個人如果患了沒有眉毛的病，那眞是不堪設想了。人皆以為眉毛是幫助我們防汗水流入眼中的；其實眉毛的作用價值大矣。須知眉毛除防汗流入眼中之外，最大的作用，是在幫助我們做許多的事情；明白言之，眉毛可以幫助我們傳達情感，等於代心傳情。一對青年男女在相戀的時候，如果雙方都有意思，但是總覺得不敢開口，往往便要借重眉了。我們常說的「眉目傳情」不是嗎！不僅可以傳情，而且還是我們心的反應器。我們看：當她發怒時，她的柳眉倒豎，當她發笑時，她的柳眉盈盈。當她得意時，她的柳眉揚揚，揚眉而所以吐氣也。當她愁悶時，她的柳眉則緊鎖，所謂愁鎖雙眉是也。這不是心的反應器嗎！

眉毛不單是心的反應器，而且更增加了她們的美態。可是這種眉毛的美，是她們的專利權，我們先生是沒有此特權的。如若不信，請看眉字放在女子一起看一看吧！眉在女人的面上便是「媚」，我們形容女士們的美麗，很多不能離開一個「媚」字，所謂媚態，所謂嫵媚動人，所謂千嬌百媚；嬌是她的美，媚是她的動人；古人不是有「回頭一笑百媚生」的形容嗎。由是而知，眉毛在女士面上才生媚，非男士所可得而媲美也。

男士們的眉毛則沒有什麼美麗，也沒有什麼好談。小說上形容男人的眉毛，有所謂龍眉、虎眉、劍眉、臥蠶眉、粗眉、吊眼眉、鈎眉、長眉、短眉、掃把眉等。

在三國時候，蜀中馬良先生是白眉，七俠五義中的徐良先生也是白眉。其次在描寫兇神惡煞的神，是紅眉。在漢代光武時，有綠林賊叫做赤眉。其實是塗了紅色，使人駭怕的。男士們的眉毛，無啥稀奇，不夠意思，還是再來談談女士們的眉毛吧！（上）

談神氣

汶津

神氣一詞，雅而又俗。釋作「威風凜凜」似乎還沒有「旁若無人」妥貼。神氣有二類，一種是人本身的神氣——此殆天授，非關人事。這一典型的人往往在母親肚子裏時就不太安份守已，不免時時以小拳、小脚示威一番。以其出世，吃奶、行動都有霸氣。與伙伴奪玩具，正是發動戰爭的先聲；向陌生人瞪白眼，亦表示對人權宣言之徹底擁護。至其長也，或風雲叱咤，或盛勢凌人，見者退避三舍，聞者變色苦笑。這種人即使到死也不會太平凡。另一類是因事而神氣的：家有多種洋娃娃，新衣三日一套，是人生得意之始，考試必能名列前茅，追女友有始有終，未嘗一落空者，買獎劵則獲巨利，行小善則得厚報，久而久之，再不神氣也得趾高三尺了。讀俾斯麥，拿破俾等英雄傳記，只覺有一股睥睨塵世的氣概。銀幕上所見到的拿破侖，果也是短小精悍，步履之間且予人鏗鏘之感。這種神氣旁人是再羨慕也沒有用的。我想宋襄公的一敗塗地，就是因為神氣不起來。「望之不似人君」，劉阿斗之流天生不配有九五之尊，誤入金鑾殿，却送掉大好江山。許多名士派的帝王，莫不是風流有餘，神氣不足而誤大事的。「生來有用不完的精力」，「字典中沒有難字」，正代表西方式的神氣，而東方呢？「當今之世，舍我其誰哉？」「我欲仁，斯仁至矣！」乃至「我不入地獄，誰入地獄！」皆是。大國對小國，帝國主義者對殖民地，都是威勢赫赫的。聯合國每國一票，却使許多不可一世的會員國不甚窩心。而使用否決權的專家國可神氣了：眞是一着殺手鐧，「紅」透半邊天。至於美國，她的人民倒是一個個蠻神氣的，而在國際間却是個十足庸碌軟弱的大叔。

說到美國人，墾荒者的氣派依然未泯。麥克阿瑟比艾森豪看來更神氣，邋遢却不妙；甘廼廸和詹森都有一種派頭，能夠擊敗勁敵當選，與此當然不會無關。林肯是一位藹藹長者，可是氣宇也自不凡。這一點上，我們的國父和他很相似。而威爾遜就差了，被老虎總理他們玩弄在股掌之上，又不為自己的同胞所諒解，徒有滿腹仁者的理想，終於鬱鬱而死。即使是一位大勇者，外表上的威儀不夠，也會吃大虧，壞大事的。

因事而神氣，未必能持久。譬如為異性所愛慕而無動於衷，或根本相應不理，事後還一個sorry，要向人誇說一番，這個自然神氣透頂。只怕明天你也被人還了一報，欲邀伊人青睞而不可得，那便有如不鬥自敗的蟋蟀了。談情聖手往往栽在大姑娘手下，也許正是上帝給他的一點傷，讓他稍為收斂一下氣焰吧。

「中流砥柱」這類的成語，本身便是夠神氣的。十歲左右的孩子拍着胸脯以未來主人翁自詡時，也是耐人尋味的。「我長大了要做大總統」，跟「大丈夫當如是也！」有什麼分別？

說「三十年後又是一條好漢」的朋友，是否僅僅嘴硬，他人不得而知，如果當眞是他最後的心聲，倒也不愧為一條神氣的漢子，不管他以前曾做過些什麼不太丈夫氣的醜事。

許多可愛的古人都是很神氣的。這些該是希臘的酒神的一系。屈原雖然悲慘，但衆醉獨醒的風姿也不難想見。「亦余心之所善兮，雖九死其猶未悔！」又豈是懦夫的口吻。「我本楚狂人，狂歌笑孔丘。」「我欲乘風歸去，」「四座且勿語，聽我醉中吟」：：：李白、蘇軾、辛棄疾這一夥雄風震人的豪傑，後人只有望文興歎。美人麥爾維爾筆下的阿哈布船長，與巨鯨力拚到底，那種近乎瘋狂的大無畏精神，也是一個凡夫俗子夢想不到的。海明威的海上漁翁，當精疲力竭的歸來後，他自言自語道：「什麼也不是。我出海太遠了。」他等於沒有承認失敗，反正他已經戰門過了。

收回覷綫，看看我們當今的社會。這兒有許多神氣的人物，但我們可以默默佔量一下：他們夠格嗎？他們有充份的理由嗎？有些，除了一襲燕尾服之外，一無所有；有些，只是因為眉毛額角長得特別些；更有不少是大人物的遠親和隔碼頭朋友。讒他們招搖過市，在丑角史上寫成新的一頁吧！

臥薪嘗胆

——黑子——

有一個朋友對我說：現在很少有人談臥薪嘗胆了。言下頗有無限鄉愁，令人感慨萬端。現在科學文明進步，一日千里，人民都過着高水準的生活，這裏的氣候又好，物產又豐富，山清水秀，美女如雲，如置身於天堂。那一個不願趁此大好年華，舒舒服服地過它下半輩子，何苦去想得那麼遙遠，去捕捉那虛幻的未來？所謂人生如夢，而人生也是很短暫的，天下沒有一個傻瓜，沒有一個人願意有福不享，而又莫名其妙地去吃苦啊！

君不見：今日有洋酒，即不喝國產的高粱酒；有高粱酒，則不喝水一樣的米酒；今日有達克龍的西裝褲，就不穿卡其布的褲子；有舶來品的夏威夷衫，即不要劣質的香港衫！有華麗的計程車可乘，誰又願意去坐弗拚命三郎的三輪車，誰也跑不掉這場刼數的心理，那麼還是今朝有酒今朝醉吧，於是煙酒公賣局可高興了，煙酒再漲價，不愁沒有銷路；風化區裏的花兒呀草兒呀蟲兒們的，擠門得什麼似地，可樂壞了口紅胭脂粉的化妝品製造品製造家們，和西藥商老闆們以及會打針的醫生護士們，生意是多麼好啊，社會是多麼繁榮啊，民生是多麼安定啊，快快感謝自由和民主之所賜吧！

旣是大家都在天堂上，誰又閒着無聊肯去下地獄呢？

瘟君續夢

第一回：捲土重來，瘟君尋舊夢　投袂而起，小醜鼓雄風

希利花拉說到這裏，德賽、潘特和凱斯卡爾一齊看梅農，梅農悍快低下頭去。

尼赫魯搖搖頭笑道：「這個問題你更可以放心，我在世一日印度不會被共黨攫去，首先老百姓都擁護我，這些年來我在國際上出了這麼多的風頭，整個印度人都感到光榮，就連那些一生一世都睡在馬路邊的人，也會覺得面子比吃飯還重要。他們那肯丟掉我去選擇共產黨。再說共產黨還有首腦哩！他們最高神經中樞是在莫斯科，赫魯曉夫就十分怕我，恐怕惹了我會弄出麻煩，假若我改採中立偏右的政策，帶了亞非幾十個國家向美國那邊一倒，蘇聯就在世界上孤立了。所以赫魯曉夫決不會讓印共奪取政權的。」

尼赫魯說的口沫橫飛，希利花拉只有苦笑。

潘特問道：「你說中共還有第三個辦法是什麼？」

希利花拉嘆口氣：「我還是不說罷，說了首相也不相信，別人也許會罵我造謠。」

潘特一拍桌子，嚷道：「你只管說，我完全相信，說出來我們才好想辦法應付。」

希利花拉嘆息道：「他們第三個辦法是從外交方面孤立我，打算把過去國民黨堅持不肯割給英國的地區，全部割給緬甸，再大量貸給緬甸一批款項；這樣就把緬甸拉過去了，其次又和尼泊爾談判，把尼泊爾佔領西藏的馬其頓地區割讓給尼泊爾，貸給尼泊爾一批款項，主要條件是叫尼泊爾和我們疏遠，外交方面走獨立自主之路，經濟方面也不用印度盧比，自己發行貨幣。」

希利花拉說到此處，尼赫魯的小烟袋取下來了，翻起一對山蟾眼瞅着希利花拉。

希利花拉繼續說道：「還有一個更為毒辣的手段，他們要和巴基斯坦談判疆界。」

潘特插嘴問道：「中共和巴基斯坦談判疆界，大概是新疆蒲犂和坎巨提之間的一段了。」

希利花拉搖搖頭：「不是的，他們準備談判西藏和拉達克的邊界。」

尼赫魯「咦」了一聲：「拉達克是我們的，中共怎麼去和巴基斯坦談判。」

希利花拉長吁一口氣：「所以這才叫做毒計，他們的理由是拉達克屬於克什米爾，克什米爾屬於誰還未確定，假若他們支持克什米爾屬於巴基斯坦，拉達克自然也就屬於巴基斯坦了。」

希利花拉說到這裏，尼赫魯再也忍不住了，把頭上瓜皮帽取下來丟在地上用脚踩了又踩。（十九）

岳騫

大鵬團員簡介

——瘦西湖

梨園漫談

景正飛，上海市人，今年三十二歲，是上海戲劇學校的高材生，與顧正秋、關正明、張正芬、周正榮等為同班同科的同學，記得當年戲劇學校假上海牛莊路演出日場時，此君不過僅十二、三歲的幼孩，猶如今日的復興和小大鵬的學生，當時最高票價為正廳六角，花樓四角，三樓僅售兩角，而且戲劇學校假中國演出時，僅准星期四、星期五、星期六這三天日場，逢星期日有日場時，戲院的班子自行要演，根本論不到學生們有拋頭露面的機會，後來因為戲劇學校出了幾個高材生，如顧正秋、關正明、張正芳、景正飛等幾位傑出人員，遂引起社會各界的注意和興趣，而且票價較正式戲班便宜得多，故演出時深為大衆所歡迎，那時景正飛的拿手戲為「三盜九龍杯」、「時遷偷鷄」，「盜雙鈎」等，其時正飛身材輕巧，動作靈活，不論矮步、跟斗、鷂子翻身、蜻蜓等均較他人為優，今日記之，不覺有倒退二十年之感。不知景君亦有同感否，一笑。

王鳴兆，北平人氏，今年三十七歲，在科班鳴春社畢業，自學習之初，即研文丑戲路，故凡「審頭刺湯」、「一捧雪」、「蔣幹盜書」等，均為其最得意之傑作，他的戲多是老伶工郭春山所投，加之嗓子好，戲路寬，因此每逢演出之時，均特別為人所歡迎也。

趙玉菁，亦北平人氏，於戲曲學校玉字科畢業，幼習青衣，後兼花旦，故唱來不但具有一副上好佳嗓，嘹亮脆甜之極，受聽，而武功根基之佳，在台灣尚少有人能敵，其拿手戲為「金山寺」、「十三妹」、「烏龍院」、「梁紅玉」、「玉堂春」等。

章正奎，北平人氏，今年四十五歲，彼十四歲時，拜伶人章榮倫就學老生，頗有成就，後來因嗓漸加響亮，且帶鼻音甚重，故於十六歲時，改學花臉，後進志興成科班深造，出科後在江南一帶演出，頗具聲名，深受好評，現為該團花臉，並教授「小大鵬」之花臉戲耳。

尹鴻達，北平人氏，今年三十四歲，原係空軍名票，因平時醉心戲劇之故，遂正式下海參加大鵬劇團演出，其人具有天賦的老旦嗓子，唱時頗有老伶人龔雲甫之味，然因是票之故，雖唱得韻味十足，令人好聽，奈步伐水袖等欠火候，尹有感於此，遂從大鵬基本老旦馬元亮君學了不少名戲，加之尹君好學成癖，故今日已成為寶島上的知名老旦了。（四）

劉璈治台史事

·李仲侯·

當時閩浙總督也認爲他的提議「極爲有見，但「購辦置造須時，倉卒有事，不能應手」，然猶七年之病，求三年之艾，終屬有益。」但終究因爲舉辦無人，費用太大，不得已而思其次，在這年年底改議先設火藥廠，以供前膛槍炮之用，他說：「遇有戰事，即後膛槍炮子藥偶缺，猶有前膛者勉可相助，雖非甚利，終勝白戰」。

四、水雷：劉璈認爲除炮台之外，「海口防具，以水雷爲要需」。而「台灣軍裝局向無存儲」。因此，他在光緒九年十一月詳請閩督咨商兩廣總督及北洋大臣分別撥給各式水雷若干以資應用，結果兩江總督的回文說：「江蘇所存水雷無多，礙難照撥」。兩廣總督的回文說：「魚雷以德國所製的燐銅雷爲最，非中國所能製造，粵省無從代製，請赴德國訂購」。等到出使德國大臣將水雷的售價和訂購辦法查明函復，已經是光緒十年二月了，即使電購，也要幾個月纔能運到，後來究竟買了沒有，未見下文。

五、輪船：台灣原已奉派輪船四隻，北路探航、永保兩船經常爲船局運煤，兼供差遣，南路萬年青亦改差輪，僅伏波仍係兵輪，劉璈認爲台灣防務，非藉得力輪船，戰艦，綏急難恃，所以在光緒十年正月迫切的向閩省督撫及北洋大臣分別請求將萬年青輪船與派在浙江寧波的超武兵艦對換，又請調派原在兩江的開濟快船移駐澎湖，又請酌撥蚊子船（亦稱水炮台）數隻分防台澎，是年三月間先後奉到閩督及南北洋大臣的批示，閩督何璟批道：「該道請將萬年青與超武對換一節，浙省勢不能允，應作罷議，開濟一船早經商左侯相，移駐澎湖，答以奏留江防，未便更易，省防僅揚武兵輪一號，蚊船二號，前厦門請撥蚊船，尚無以應，該道請撥水砲台一節，姑候咨商南洋大臣」。南洋大臣左宗棠批道：「台防緊要，所需兵輪佈置，係屬實情，開濟快船已派駐江陰，聽候長江提督李軍門操練調遣，照護白茆沙、崇明、寶山一帶，以重江海之防，即不佞誓決死戰之處，何能調撥台澎，另請調蚊子船一節，江南僅有蚊船數支，何能撥付台防，且閩省海防本由督撫分內主辦之事，該道何能越界仰求江南代爲借籌，殊非情理，斷難准行」。北洋大臣李鴻章批道：「蚊子船本屬守口利器，惟北洋僅數隻，現飭巡防各要口，不敷分佈，無可移撥」。結果劉璈不僅碰了左相侯的釘子，所有要求還是一無着落，我們可以看出當日清廷對於海防並沒有通盤的籌劃。（十六）

年華

徐學慧

八十一歲的老兵麥克阿瑟將軍，日昨慶祝菲律賓獨立十五週年紀念慶典中發表了一篇動人的演說，麥帥於演說結束時稱：「本人雖在此慶賀貴國獨立十五週年紀念，但本人必須痛苦地承認：年事漸增之暗影，籠罩着生命，使本人不能不表示懷疑，余是否具有再呼籲『余將捲土重來』之能力。」

時光不能倒流，亦不爲人等待，英雄到了晚年的心境，往往瀰漫着一種莫可如何的情緒，而使其僅能從回憶的領域中，慢慢地咀嚼那些永不再回來的趣味。此種趣味。儘管多采多姿，可是，一進入回憶的領域中，卻變爲一種朦朧的難以言說的感覺，逐漸幻化爲淒涼落寞的晚景。

這一境界，對任何人固莫不皆然，而尤以對於軍人與政治家，其所感受分外銳敏。「固一世之雄也，而今安在哉？」一寥寥十一字，道盡了烈士暮年的心情。麥克阿瑟之特別提到「余將捲土重來」那一句，正表明他在心境方面已經老了！

肉體的生命總不是無限的，因此，聰明人乃想到把精神生命延於不朽。對於菲律賓來說，麥克阿瑟的生命是不朽的；對於英國來說，邱吉爾的生命是不朽的。這種人，可說都是絕頂聰明的人。

美國的著名作家海明威，前幾天突然在自己的臥室內「自行槍傷頭部」而死。以海明威的性格來說，不論是自殺或意外，都不出奇，奇就奇在美國的檢察官們居然宣布不研究死因亦將不予公布。據外電報導，謂此舉「乃留待歷史家去思索」，這倒眞正是聰明之舉，而且也是一個最微妙而又引人入勝的小說之結局。

一本「老人與海」就可以傳之千秋萬世了，對於這樣的人，倒也是不必斤斤計較年齡問題的。

春畫談往

介人

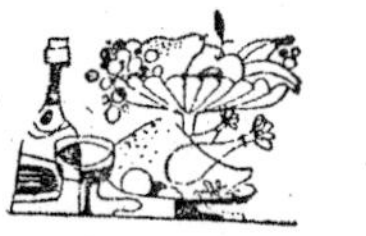

春畫始於何時，已無可考，但現在由於攝影術的進步，春畫已不爲人所重視，更由於裸體寫生的盛行，亦無秘密可言。只是搬上銀幕，一元試鏡，這種活生生的繪聲繪色，栩栩如生，尚爲法律所不許，這種違禁的犯罪案件，因此亦時有所聞。

據有人考證，春畫始原，在中國當始於漢廣川王畫男女交接狀於屋，置美酒佳餚，召諸姬飲，令仰視畫。齊鬱林王於潘妃諸閣壁，皆圖男女私褻之狀。宋劉蹟畫鄱陽王與寵姬欲偶寢狀，以寄其妹。以上的紀錄，似乎均有信史可徵。

迷樓記載：揚州刺史獻隋煬帝烏銅屏。帝曰：「繪者假也，此得人之眞形，勝繪償倍矣。」

唐高宗成鏡殿，武后遂用爲宣淫之工具，所以楊廉夫有詩云：「鏡殿春暖秘戲多，玉肌相並影相摩；六郎酣戰明空笑，隊隊鴛鴦浴錦波。」

大抵春畫盛行於隋陳兩朝淫昏時代，陳後主與隋煬帝，均爲極度荒淫的君主，而丹青好筆，則東京顧虎頭，始見廣大，史稱其繪人家，有頰上添毫之妙，及唐末宋初，其畫大見盛行，可於當時人所著的稗官中，隱約可以窺知一斑。

及降至明代，已爲公開的藝術，在金瓶梅一書中，所描繪的形容，維妙維肖，尤爲淋漓盡致，當時所謂士大夫之流，多倩丹青名手繪畫，以供賞玩，相習成風，不以爲怪。

當時畫此最著名的，當推唐六如與仇十洲，十洲之畫雖不易見，六如作品亦少原跡，惟見明刊本「風流艷暢圖」一種，刻畫精湛，每幅各系以小詞，極香艷，靡麗之至。遜清內府藏有金瓶梅說部圖，凡二百幅。中多蝶褻，據一般傳說爲仇十洲畫，但不一定確實，只是畫法極爲近似，唐仇之畫，僞作太多，實不易判定。」

其次則爲古墓中的磚石車輛兵器等，每多有此類春畫，此亦可見其蔓延之廣，隨處皆有，此外或鑄鏡或鑄錢，錢則謂之風花雪月，鏡或有琢玉或織絨以構成春畫的。閩人以象牙刻成春畫，紅潤如生；甘肅人則以葫蘆刻春畫，活躍眼前，然究不及畫的奇淫變幻，是以撩人遐思。

但這種刻劃也有特出的，晚近山東肥縣的都爾桂，他的精巧藝術，在刻一「秘戲圖」中，會把兩性的心靈多鈎描到刀尖上去，素來稱爲春閨珍玩。有人曾在北平看見過他精刻的象牙墜子，也只一顆核桃大小；半間繡房，放着一張牙床，蚊帳低垂，而一個兩三歲的小孩，裸立在床前暗泣，小手拉開了帳門的一角，恰露着高舉着的一隻女性的玉腿，大有西廂記上紅娘見鶯鶯與張生幽會，「只見你鞋底尖兒瘦」的神態，床下放着一隻男女鞋兩雙，却有一隻握在小孩子手裡當玩物，神似之處，眞已妙到了繪聲繪形，較之丹青，毫無遜色。

北市牛市大街扶桑館，日本美姬細谷雲子，珍藏高麗李辛元所畫扇面，上畫二人野合，有舊白刃持往，又一人挽臂阻之，情狀如生，極見巧思。雲子嘗對人說：「這扇爲某大臣所餽贈。」

至於在清宮，「野叟曝言」曾有云：「大學士安尊，進春畫及媚藥，以邀上寵。」其時滿宮對於仇十洲所繪的春畫，收藏頗多，嘉慶臨終時，在其床上搜得春畫數十幀，皆爲工筆精繪，神態形容，生動活潑，一時宮中互相傳閱，嘆爲觀止。

在廣州，清末有畫師蘇子來，籍隸廣州，世居西關，以善繪春畫名噪一時。在民國二、三年，聞其第二子，曾將彼所繪之畫一鉅冊，計三十六幅，持向當押肆，每幅押銀一兩，共得銀三十六兩，此在當時甚值，較之現值，不啻萬元了。

據說子來繪春圖，匠心神運，別具一格，於其宅之後院，闢有密室，室中陳設，除繪事外，几榻桌椅，高低尺寸，均經親自設計，五彩帳幔，風景畫圖，佈置豪富，四壁玻璃，八面玲瓏，居室中座，毫髮畢露，絨毯鋪地，絲幔蔽窗，纖塵不染，溫和舒適。

嘗令姬妾二人，聽候調度，袒裼裸裎，指使聳臀張股，側攻仰射，擁抱橫陳，扮演各種姿式。子來凝神注視，據以執筆寫生。並利用室中設備，另爲創作形態，有時興之所至，親臨其境，以事糾正姿勢，以求眞相。此殆中國最早之裸體寫生，此一對姬妾，也就成了活生生的模特兒了。

子來晚年，自我懺悔，多作佛像，求解脫，超度，其畫亦精工，求之者每佛像五金，其值可觀，後因雙目失明，輟筆，尋卒。

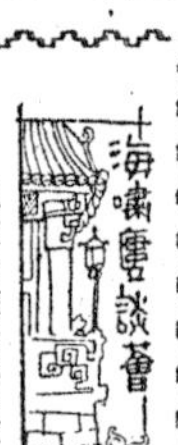

現在台灣大學主講「力學」的丁教授觀海，平日每以國粹娛樂品——馬將——消遣暇晷。但他的夫人王俊英女士（立法委員），原是虔誠的宗教徒，對於打牌之類的玩藝，甚不贊成，丁先生怵於閫令，祇得背地裏從事，免干嚴譴。

民國卅八年（一九四九年）三月間，共軍進攻上海戰事緊急之際，丁先生亦家滬濱，以局勢逆轉，決定遷徙到台灣去，個人並已買好開往台灣的「太平輪」票位，擬先赴台北準備一切。可是，他跟朋友們業經協約按日打馬將若干圈，追滿一千回合再計勝負之數的計劃尚未見完成，未便爽約失信，臨時把船票讓給了別人，自己後走一步。詎料「太平輪」開出第二日，即在海洋中撞毀沉沒了！全體乘客葬身海底，無一倖免者，丁先生的生命，乃是國粹娛樂品挽救了的。夫人瞭悉其情，從此解除管制，聽由良人及時消閒盡興，自適其樂，眞幸運也。

死生有命乎？

諸葛文侯

前上海「中央日報」社長馮有眞，於民國卅七年冬間徐蚌會戰後，逆知大局急劇惡化，決計將報業南移海隅，曾購定「中航公司」班機座位，邀飛香港籌劃。繼而中央宣傳部長彭學沛亦擬由滬乘飛機來港，堅邀馮氏同行，馮乃將原定座位退去，候伴彭氏改乘次班飛機出發。詎該機航行至香港口外的鯉魚門上空時，因氣候惡劣，忽然撞及山頭而爆炸墮毀，機上乘客與航空人員一律罹難喪生，慘矣哉！

愚友龍文治，担任中國國民黨重慶市黨部主任委員，曾於民國卅八年七月盛夏，由渝乘飛機赴廣州公幹，他抵達羊城尋得旅館後，席不暇煖，即挾其公文皮包，雇三輪車赴中央黨部接洽，行至半途中，忽然頭痛腹絞甚劇，大汗淋漓不已，知係沾染了時疫，俗言「急痧症」是也。但以人地生疏，亦無僕從，語言又不通，無從指教車伕改送他到醫院去，旋瞥見馬路側懸有西醫診所招牌，即下車馳入就醫。可是，他不懂廣東話，那位大夫不懂四川語，他有聲無氣的說明了病情，醫生只是搖頭不語，瞪目相對。此時他的病勢已趨危急，感覺不能支持了，回身走出馬路旁，兩足重繭，寸步難移，乃席地而坐，盼望路人搭救，但已不能說話，未幾竟告倒斃矣！三輪車伕覩狀驚駭，即飛報崗警到來，檢查其手中所持的公文皮包，內有渝市黨部致中央呈文與報告書，亦有龍氏的名片，纔知道死者姓名與身份，立刻通知中央黨部派人料理後事焉。

屈原和詩人節

·康翊·

屈原，就是這個時代楚民族的代言人，史記上屈原賈生列傳，已將他底生平，大略有一個交代；歷來編中國文學史，或中國詩史的人，也不會把他遺漏，甚至什麼辭書或辭典之類，也對他作簡單的敘述。因此關於他底生平節概，小學生讀物和報章上早已有了紀載，這裏用不着多加贅述。

如所週知：屈原是楚國貴族的後裔楚懷王時，做過三閭大夫和左徒，是一個賢能的政治家，外交家和文學家，多才多藝，忠君愛國的賢臣，終於遭了小人的妬忌和讒言，兩度放逐（充軍）到外面，不能接近君王，最後一次放逐，係在楚襄王時，到秦國軍隊攻陷楚國郢都的第二年（公元前二七八），終於自投汨羅江而死，他的生卒年代，大概是公元前三四三年正月二十二日生至二七八年（即東周顯王廿六年，至赧王三十七年五月初五日死，也就是楚宣王廿七至楚襄王二十一年），享年六十六歲，屈原死後五十多年，秦始皇滅了楚國，統一天下。其後又經過十多年，楚人陳勝、吳廣、項羽、劉邦，終於推翻秦朝的統治。「楚雖三戶，亡秦必楚！」皇天不負苦心人，汨羅江中的騷魂，這時似乎可以瞑目了吧？（二）

※＊※＊※ 歷史人物 ※＊※＊※

內銷證警僑內台報字第〇三一號

自由報

THE FREE NEWS

第一四七期

中華民國僑務委員會頒發
台教新字第三二三號登記證
中華郵政台字第一二八二號執照
登記為第一類新聞紙類
（半週刊每星期三、六出版）
每份港幣壹角
台灣零售價新台幣弍元
社長：雷嘯岑
督印人：黃行寰
社址：香港銅鑼灣高士威道二十號四樓
20 CAUSEWAY RD 3RD FL
HONG KONG
TEL. 771726　電報掛號．7191
承印者：田園印刷廠
地址：香港灣仔高士打道二二一號
台灣分社
台北市西寧南路壹壹零號二樓
電話：三〇三四六
台郵掛號金戶九二五二

算盤主義與反共外交

李璜

筆者讀到自由報上期的「現世外交之新演變」一文，對於「演變」一辭，發生了甚大的感慨；所感慨者，並不是在宮庭外交轉變成為民主外交，其方式的演變為進步與否，而是在外交方針的原則上，今自由世界是反共外交，乃毫無原則，動即手忙脚亂；而且號稱領導自由世界之美國，其反共外交，無論共和黨抑或民主黨當政，掌舵都拿不穩，以致自由世界這隻船東倒西歪，而船上大車、三副、以及水手們各懷鬼胎，各自為政。此無他，自由世界的掌舵者，以及大車、三副……們都是工商業國家出身，都打的是商人式的算盤主義，故年來禁不起國際共產黨的「和平共存」與「貿易勾引」；一經和平接觸，被赫魯曉夫的微笑政策，和平競賽，一笑兩吹，便大為暈浪，其心皆「以為鴻鵠將至」，各打其發財主意去了！

一

在昔，十九世紀之初，在一八一五年，奧相梅特涅主持維也納會議時，堅決的提出了「法統主義」（Legitimacy），來對付自稱「革命產兒」的拿破崙，明為散佈平等博愛宗旨，而其實侵略破壞他國的作風。梅特涅首相雖被革命史家稱為反動怪物，並為其醉心和平之夥伴俄皇亞力山大一世所牽掣，用神聖同盟來緩和四國同盟，但梅特涅悍然不顧，穩掌撲滅革命之舵，支配歐洲達三十三年（1815—1848）。筆者茲無暇去談梅特涅之為人如何；最後之成敗如何，只試問，當時被所謂革命產兒，四處放火；歐洲大陸，完全弄亂；不是梅特涅這個中心人物，堅持其不安協之原則，又如何能有暫時之安定，俄皇亞力山大一世之永久和平，直夢想而已！

自工業革命發展之後，英人開始以工商立國，而大得其利，大英帝國在十九世紀中葉，囊括東西財富，儼然世界唯一富翁，因之後起工業國家均同向一的，起而與英競爭商業利益。於是國際外交自十九世紀末葉，便已盛行着商業利益的交換與商業利害的迎拒，既無所謂道義，更無所謂原則，一切唯算盤主義所支配，但因算盤愈打愈利害，自私財富與獨霸商業愈來愈不顧一切，於是引起後來居上的德國，不服這這老招牌之壟斷市場，要來强奪蠻爭，於是第一次世界就這樣的打起來；而第二次世界的發端，日本要造東亞共榮圈，不惜犯天下之大不韙，其原因還不是英美既在工商業上佔了先，日本的算盤無法打得過別人，日閥只有出之於蠻幹之一途！

筆者一位好朋友詩人彭芸生兄，在抗戰初期，看着英國在遠東，遇日寇輒走以避之；號稱維持遠東和平，開放中國門戶的美國，既不干涉日閥對中國之侵略，而反在售出鐵砂與日閥，乃慨然的吟道：「世界商場耳，何嘗是國家！」又有一位好朋友，數學家魏時珍兄，看着抗戰期中，一批一批的我國健兒上前線奮勇殺敵的，都是工農羣衆，而逃來後方，避敵安居的，大半為資產階層；而且也深感美國礦商廠商還在圖厚利以資不可一世終必為美之患之日閥大敵，也慨然的說道：『馬克斯所說「工人無祖國」，眞是錯得離了譜，世界上只有資本家無祖國，只有自己的發財算盤，而不知祖國利害為何物也！』

二

不會打算盤，像區區所謂「書生論政」，當然無法趕得上工商界的發言價值，（這句話的口吻，乃是摹仿本報雷社長的調門，而藉之以告天文台報一九一五期寫特稿之黎晉偉先生者，）不過只見經濟而不見政治，談政治便稱為是「書生之見」，就很難透澈的去語於天下事了！

連日以來，令筆者對於「兩個中國」問題，心情感到沉重的，並不在美國政府中人今天說不，昨天說是；而是在日本池田首相之去美，要求甘迺廸總統同情日本人之必需與中共通商，而甘迺廸竟表示「並不反對日本對中共的貿易」，（見美聯社專電）池田因之大為高興，竟在美國放言，「政治與經濟是兩回事」！——甘迺廸同情於日本對中共之增加貿易，然則對其美國工農商各界又如何呢？

君不見，前年赫魯曉夫之訪美，與美國工商鉅子，農場場長相見，大受歡迎，赫魯曉夫對着美國機器，美國農產，一施其微笑政策，則美國廠主場長的骨頭骨節皆為之酥鬆了啊！君又不見，前月英國在莫斯科開工業展覽會，而得着赫魯曉夫來看了一下，英國商務部主持人便稱為莫大榮幸嗎？至於日本自民黨的左派與日本社會黨競爭着前往北平去向毛澤東獻殷勤，也無非想順其國商人心理，打的是增加貿易的算盤而已！

誰說毛澤東不會跟着赫魯曉夫的路子走！請看一看，中共將拚命壓搾大陸人民的錢財，所有饑餓輸出而得來的外滙，一次向澳洲買兩億美元的糧食，再次向加拿大買三億美元小麥，三次就在前兩天又向法國買了一億美元的麥類，毛澤東對赫魯曉夫的和平攻勢，眞所謂心領神會，只要再將一兩億美元向英國、日本一揮霍，則業已心癢難延的美國農工商人將不耐煩美國政府之何厚於其他盟國之工農商界，而又何特薄於本國人呢！——甘迺廸總統在那時也將不得不開放對中共的買賣了啊！

中華民國的聯合國席位之終成問題，並不在一時的民主黨少數政客的無聊策劃，而是在自來西方以工商立國的算盤主義在那裡作祟！赫魯曉夫比史太林高明之處，就在看透了這一西方的社會與政治心理，所以毅然決然採取和平共存政策，認為他的和平攻勢比軍式攻勢，還容易達到赤化世界。毛澤東究竟是土包子，遲了兩年才了解到赫魯曉夫的不戰而勝人之兵的作風，實為上策，而今中共幾億美元一出手：果然便能做到聯合國席位已在望了呢！

三

算盤主義一來，豈持中華民國之聯合國席位將為之不保，一切的民主國家的反共外交，皆將化為清湯白水！此筆者本文一開頭之所以稱奧相梅特涅的「法統主義」之强於俄皇亞力山大的和平原則也！對今日自由世界而言，則民主國家的法統主義，自當是民主自由，而不是專制極權；自當是實行一國內的民主憲政與乎遵照聯合國的和平而兼守正義的憲章。非如此，不足以言反共的內政與外交，非如此不足以恢復被中俄共再三攪亂的世界秩序！——然而反共國家，或誤於私人權力之完整，而不容絲毫侵犯的算盤，甚至犧牲憲政法軌，在所不惜；或誤於國人要想發財，便只見現實近利的算盤，甚至公然認賊作父，甘願投降；因此筆者兩年以來，毅然棄去南洋作生意的私人企圖，而仍然來「書生論政」，固深傲於做生意不能不打算盤，然而算盤主義，推而廣之，用之於國內反共政治以至國際反共外交，實足以為中俄共所竊笑耳！（兩三年來，筆者堅持反共原則，以批評國政，已被稱為有「黨派爭政權」之罪；今茲又堅持反共原則，以嚴責英美政府失策，是否又將被認為有向麥美倫、甘迺廸去爭洋政權的嫌疑乎？一笑！）

漫画天下　南施

此話耐人尋味

赫魯曉夫：他們看迷了，應該演得更加認眞一點！

毛澤東：我們背對着背，不是靠得很緊了嗎！

玩飛刀的專家

赫魯曉夫：如果你不投降，便休怪我刀法失靈了！

自由談

救濟奇聞

中國大陸災胞救濟總會原係民間的慈善機構，每年所消耗的經費，都是從國內外各方面籌募而來的，眞是一絲一縷，來處不易，粒粒辛苦，張羅維艱哩！救總在海內外設置的所屬單位，顧名思義，應以救助「災胞」為職志，毫無疑問，而主持這類事宜的人，亦應該表現着痌瘝在抱，自我犧牲的服務精神，殆為義所應爾。

然而，我們在海隅所見的一個屬於救總的單位，每年耗費金錢不少，却不知道它究竟幹的是些甚末事情？委員數十名，三年亦未曾開過一次業務會議。但聞其以鉅萬公帑購置洋樓廣廈三棟作辦公處，更斥數萬元外幣裝修內部，除分設主任委員，常務委員和秘書辦公室之外，還有職員家屬住宅。富麗堂皇，儼然衙門建置，而其內外景色且視台北的總會豪華多了！據說，這筆鉅大的開支是「節餘經費」挹注的。辦理救濟災胞事宜而有如衙門中的所謂「節餘經費」，已是天下奇聞了。既有節餘欵項，不用之於救助大陸上逃出來的芸芸災胞，而挪為專供自己少數人享受的浪費，亦就太不成話。不特此也，據香港「新聞天地」紀載：月前來自台北的「中國小姐」馬維君，該經濟機構予以接待後，竟說經費支絀，而收受馬小姐所給付一千元外幣的補償費，更屬荒謬之至！又如海隅難民營自行建立的中小學，校舍偪仄，設備簡陋，為甚末不將這筆鉅額的「節餘經費」救助他們充實學校內容呢？名為救濟災胞，實則救助「災官」，我不知台北的救總，對此作何解釋？

日前報載陽明山談話會的綜合報告書，大談其海內外的救濟事宜應如何發展擴充，洋洋灑灑，十分動聽。反觀海外救濟機構所表現的作風如此這般，不啻是一大諷刺。「為政不在多言」，尤其是在海外，從事公職者稍有腐敗低能的官僚行為，即影響國際觀瞻，一眚足以掩盡政府的整個信譽，可不愼歟？

馮子先生

上窮碧落下黃泉，到處茫茫皆賄賂

台北地院看守所長拒賄記

（台北通訊）

自從公車處購料舞弊案發生，接着公車處部份要角被捕，公車處處長呂志超被扣押，呂妻馬德章悲憤自殺，此案高潮迭起，而同時黃啟瑞市長夫婦亦涉嫌有所傳聞，喧騰於道路閭里之間。因為治安及司法當局對黃市長夫婦涉嫌部份亦未採取任何行動，更無下文透露，愈使社會人心感到困惑，各種謠言，更不脛而走。自從黃啟瑞夫婦涉嫌傳聞而至警總將黃啟瑞夫婦涉嫌部份移送地檢處偵辦，在此段時間內，多方面對於政府的威信以及黃啟瑞夫婦的清譽，皆予以密切注視。良以邇來貪污案件，層出不窮，究竟下文如何自為各方所關切。

黃啟瑞涉嫌收受回扣之傳聞，早在徐德綸的口供及自白書中提及並說明此一集體貪污案之目的，在於彌補市長競選時所耗的費用，是經過黃市長默許的，因為是集體的統收統支，其數目相當龐大。當警總偵辦期中，以本案越牽越大，至公車處處長呂志超被捕，呂妻自殺，此案仍在繼續進行。

公車處貪案的被告，有一千二百餘名之多，眞是洋洋大觀，歎觀止矣！詎知在本案於台北地處偵辦中，竟有在押被告託出有力人士，向台北地院看守所長王肇泰行賄，另有一自稱受台北市長黃啟瑞委託之掮客，竟言代表黃啟瑞與王密談，以為紅包萬靈，可以打通，怎知為王所長所拒；緊接此事後，又有一有力人士，也帶着禮品，找到王所長家裏去，代表另一被告蘇昌良行賄，同時此君丟下禮物便逕行溜走，想利用紅包人情殖使所長必收不可。在此同日，有某單位職員造訪王所長，自稱是黃市長命令過訪，稱市長要與所長密談，有話要談，此君並表明如王所長能允見黃市長一面，當可從重酬謝。當此三件事發生之後，王肇泰，立刻召集了全體在押一千二百名被告，當場報告一切行賄經過，同時將公車處被告叫出隊外，義正詞嚴警告彼等，請勿將「紅包」的貪風帶到看守所來；並謂：部下如有任何人接受賄賂及紅包，必將報請上級依法嚴辦。並在當場王所長叫被告徐德綸、蘇昌良，寫了收條，把禮物收回去。以上三件事，均為司法行政部重視，對王肇泰之清廉操守除將獎勵外，並對行賄者亦在調查中。

因黃啟瑞涉嫌久未見下文，社會上曾有下列三種傳聞。第一：黃啟瑞為國民黨提名膺選的市長，黃本人又在國民黨內担任過相當重要的職務，黨方為了面子問題，對黃啟瑞自不能不有所庇護。第二：黃啟瑞之所以涉嫌收回扣，是為了籌措競選經費，係由黨方統一分配，而詎知貪案揭穿，國民黨的信譽，將受到影響，因而將黃啟瑞涉嫌部份，運用黨方之大力，設法撇開。第三：黃啟瑞從上屆市長連任本屆，雖無赫赫之功，但亦不無建樹，與歷屆市長相較，似覺優良，因而有關方面，不願黃氏因舞弊而丟官。

除了一些傳聞之外，另外據聞台北地檢處檢察官沈嶽華，對黃市長涉嫌受賄部份，偵出一條線索，曾察出一筆數十萬元的存款，是以黃市長內眷表親的名義存放的，但在公車案發後，徐德綸等人被捕後，此筆存款也就全部提走，為追究此筆可疑款項，檢方曾傳訊市長的表親查問，他已承認這筆款是黃市長夫人交代他存放的，被提走也是受囑照辦。至於款之來源用途他均不知道，檢方注視此筆款項來源，都是汽車材料商戶頭支票，由是以觀之，黃市長之涉嫌，可說是明弛內張。

除了上述車管處貪污案而外，南京東路市民住宅興建舞弊案，據傳黃市長也有一份。台北市南京東路市民住宅興建案的被檢舉，於四月中旬，爆發於公車舞弊案之後，亦由警總遊查組偵辦，本來亦應移台北地檢處偵辦，但因由於省市二級公車案，均在台北地檢處偵辦，再加另一集體貪污案，台北地檢處，實感吃不消，乃由高檢處下令移轉管轄，由基隆地檢處偵辦。此一貪案，係原任市民住宅興建委員會執行秘書陳茂林，承認貪污事實，據云數字是一百六十餘萬元中，黃市長亦有一份。此案在基隆地檢處本已達成熟階段，但基市地檢處本穩健作風，似是等待台北地檢處對公車案偵結後，始採取行動。

總之此一集體貪污案，應當澈底對市民有所交代。據傳云黃啟瑞涉嫌貪案，早在周至柔未出國之前，早有知悉，因黃氏為一民選市長，如臨眞執行，市長人選將大有問題。由近來種種貪污案件，每每使老百姓感到困惑，此中原因使是黨政高級當局，往往為顧全黨政的面子問題，而將大頭撇開，只是拍拍蒼蠅子，老虎的尾巴也不敢動一動。若此怎不致人困惑，如此又怎能令人不疑！又怎能肅清貪污，收攬人心，立信於民呢！國家法律的尊嚴是否能立，國信是否能彰，在此大貪污案下，我們不妨來一次考驗吧！

（周燕寄）

監委王枕華來函

頃閱

貴報於七月一日刊載蒙藏委員會來函一文，內容涉及誹謗本人名譽及妨害本人公務，實難緘默。查蒙藏委員會田炯錦委員長，始唆屬捏詞誣控，繼拘審軍人求證，復登報亂肆攻訐，確屬有失官常，以上情節，除循法律途徑解決外，已將其審訊軍人公文及按有手印口供照片各一份存閱備查，敬請惠予將此信刊登，為禱。此致

自由報

監察委員王枕華啓
七月三日

纏訟一年的癩蝦蟆官司

曾親閒

（寶島飛絮）

這件官司的起因本來非常普通，也非常之小，可是官司打了快一年還未了。

官司的起因是：在台北衡陽路和重慶南路口的地方，有一個賣麻餅的青年，叫袁飈的，人模樣兒長的還不錯，每天下午帶着一箱麻餅在那兒喊：「麻餅！麻餅！」逢人便叫，「很香很甜！」有時候從上午到下午，都在那裡賣麻餅，態度很不錯，因此吸引了很多人往往要到他那裡買一塊麻餅，有的人還拿他作示範，覺得此人挺能吃苦，勇氣非常夠。

衡陽路是台北的熱鬧之區，過路者猶如人潮，其中有一個女孩子叫張文連的女學生，也經常從那裡路過，看了這位賣麻餅的小販叫賣神氣，不免忍不住發笑，這自然引起這位小販的注意，日子一久便把對方視為多情了，於是小販覺得她是喜歡他的，而她也覺得他是滿有趣的，如此他當然會注意她的，寫信和送點小東西，通常是男人向異性追求的老法子。

張文連是個比較漂亮的女孩子，去年「中國小姐」第一次在台灣舉辦時，她也是報名參加者之一，並且還在中姐初選時入了圍，這位多情的小販為了表示他的愛，還給她送了一隻花籃到選拔會場——國際學會。他的行動可以用一句話表示，那就是「苦苦追求」。其中也不免有釘哨方式。

張文連的家長發現這種情形，於是根據袁的信件，便向台北警局第五分局秘密告了一狀，控告苦苦追求的小販跟蹤。

五分局根據女父的密告，就把袁拘去，沒頭沒腦罵一頓：「不要臉！你是甚麼東西，不去照照鏡子，癩蛤蟆想吃天鵝肉，你放心，警察局不是做媒的，台灣是戒嚴地區，下次再這樣，把你送火燒島送小琉球當流氓辦！」袁某氣不過，又給張文連去了一封信，用複式寫了三份，如此惱了張家又是一狀，於是又被警局拖去，這一次被拘了五天，並且還照相留下手紋。

這位原籍江蘇的袁飈，很讀了一些書，吃了此一悶虧，冤氣實在無從宣洩，便一狀告進法院，為了不堪五分局兩次非法拘捕與將來可能被帶上流氓大帽子送火燒島或小琉球的危險，控告五分局馮載局分局長顢頇低能，濫用職權，縱容部下，侵害人權，同時也控告他的愛人張文連僞造事實，誣人入罪。不必說，這件控告官司，癩蛤蟆是失敗，檢察官予對方不起訴處分。

袁某氣不過，乃化了一大批錢，自己出版一本小冊子，洋洋灑灑，寫了兩萬字來說明他被女家歧視，被警察拘禁，被檢察官作了不公的裁定。他說：「現在我只好向全國父老兄弟們請問，警察局像處理戀愛糾紛這類案子，應該用理說服呢還是用力壓服？要不要罵人？拘禁就能解決問題嗎？」

正如袁飈自己所說：「這不過是芝麻綠豆大的小事，但最後鬧得滿城風雨」，當然傷了他的自尊。那麼照他的意思如何解決呢？

他認為女家的人「縱使明白來追求的人是癩蛤蟆想吃天鵝肉，也不必得罪人家」，「假使眞心想擺脫我，只要一開始，就把我請了去很誠懇的對我說：張文連年紀還小，現在和人不談婚事，如果你眞心愛她，等她大學畢了業再談，現在千萬別妨害了她的學業。再給我戴戴帽子，婉轉的說：像你這樣年齡，眞需一個人幫忙，最好能找一個志同道合的幫手，張文連自小嬌生慣養，吃不來苦。」最後問我多少積蓄，如此我也弄得不好意思起來，恐怕下次她家請我去，我也自慚形穢，不好意思去了。

至於警察，只要和顏悅色的說：老兄：天下好看的女人多得很，何必要追張文連，你是有志氣的人，還怕討不到老婆？這糾紛不也就一笑了之嗎？

可是女方家長沒有那樣，警局沒有那樣，以致芝麻綠豆大的事，也上了法院。現在還沒有了。

這件事倒眞值得一般作父母者的參考呢！

論種菸許可與菸葉收購問題

林嘯松

其三是以菸葉廠為成績評定單位而言，各廠於買菸終了之時，在總結算表報中，如所列上等品菸葉百分比率高，則表示該廠對菸農輔導有功，不僅可以獲得優等成績，且可以受到上級獎飾的殊榮，可是這在買菸鑑定的技術上是可以造成人為等級的，為了爭取「廠」的考績能列入優等，亦可不按菸葉實際的品質，以鑑定其應列的等級，這站在企業利潤的立場而言，要求成本低廉，乃是一般營利事業的準則，然而公賣局所實施的辦法則恰好相反，這也是一件不可思議的事情。

其四是在買菸期間，各菸葉廠為了順利達成任務，常以不求有功但求無過的心理，儘量容忍和避免與菸農之間的糾葛，且不惜多方遷就比較跋扈的菸農，雅不欲開罪於這些少數份子，而他們也正是在地方上有些財勢的人物，事事要求享有特殊待遇，於是他們便利用廠方的這一顧慮，藉故要挾買菸鑑定，以提高其菸葉等級，並以獲得種菸厚利，有時甚至以穢語惡聲相加，當場要弄無賴作風，而菸葉廠對於這類情形，居然感覺束手無策，竟一任其胡鬧一通，這究竟是什麼道理，是不是廠方有了什麼短處或者有了什麼「把柄」給菸農抓住了，因此不敢嚴正處理這類事件，亦頗耐人尋味。

按公賣局規例，對於好事或不法菸農，依其情節輕重可作如下處置：（一）減少種菸面積，（二）吊銷種菸許可，（三）依法送請法院究辦。公賣局這種有關規例，其目的是：一在建立辦事準則，昭示政府威信；一在保障菸農補菸之合理利潤，樹立社會良好風氣。這種規例固應以不施於菸農為最好，但在必要時菸葉廠則應作公正措施，以免姑息養奸，是非不明。同時對於公正執行任務的鑑定人員，更應使其人格尊嚴與個人安全獲得充分的維護。

其五是收購來的各等品菸葉，一經運送到菸廠的調理室之後，即按煙葉調理率千分之三點六，開始淘汰部份不合標準等級的煙葉，這項調理工作，原屬「複鑑」性質，主要在監督買煙鑑定必須認眞執行任務，舉凡工作不力，或涉嫌舞弊之鑑定，其所鑒定買進之煙葉，必定不合標準等品，在進行調理時很可能就會超出千分之三點六的調理率，其超過責任，即由該鑒定自負，煙葉廠除限制其年終考績外，並應立即停止其鑒定任務，這種方式原不在控制買煙鑒定，而在取其有制衡作用而已，可是令人感到不解的是公賣局對於千分之三點六的運用，則在監督各煙葉廠的煙買成績，倘使其所收購的煙葉經過調理時所淘汰的差等煙葉過多，或超過了千分之三點六的調理率，那就是顯示該廠的買煙成績不佳，就會因此招致上級的官腔，為了「廠」的榮譽起見，各廠對調理工作，大都視為並無多大意義，只是敷衍了事。（三）

女人與眉

燕謀

時下女士們外出時，手上總離不了一隻皮包，皮包內除了放上紅脂粉鏡子之外，還有一枝畫眉的鉛筆，眉毛若短，把她畫長，眉毛稀了，把它畫濃，總之長短粗細濃疏，可以由她自己隨心所欲。甚至還要在眉毛下端，眉的上下端塗上青色，望之似若烟暈，尤其是所謂明星歌星以及話劇演員之流，都爭相效法，各自爭媚鬥艷。筆者雙料王老五，無處請教，究竟塗的青色是爲了啥子！除了是向洋姑娘看齊，此外想無啥美麗，更不能與畫眉爭艷了。

其實畫眉毛這玩意兒，恐怕要咱們中國最早，這不是舶來品。洋人不會在這眉毛上領先。我們漢代大臣，張敞先生便是畫眉大師，他常常爲他的太太畫眉，趣話傳遍京師，聞之皇坐，然皆以閨房中私事，皇帝老子也無法管得那麼多。是以可知畫眉的歷史已很悠久了。歷代女子皆以畫眉爲尚，至五代更爲盛行，尤以宮庭中爲甚。直到而今畫眉便成爲普遍化了。爭妍鬥艷，名堂繁多，茲畧擧如下：兩眉修長，形如八字，謂之八字眉，始於漢武宮人。望若遠山，謂之遠山眉，時女爭效之，始自漢代蜀人卓文君。眉長滴翠，易挑愁悶，是謂愁眉，始自東漢梁冀之妻。眉長連心而細長，謂之連頭眉，始自魏武宮人。眉色青綠，謂之青黛眉，乃魏武宮人黛所畫。眉長入鬢角，是謂長眉，後人多效之，亦始自魏武宮人。以青黛眉而細長，謂之峨眉，始自唐貞元年。望之若小山，謂之小山眉，始自五代宮人。望之若五岳然，謂之五岳眉，始自五代宮人。望之若山峯然，謂之山峯眉，始自五代宮人。望之若無珠然，謂之無珠眉，始自五代宮人。望之若月稜然，謂之月稜眉，始自五代宮人。望之若涵煙然，謂之涵煙眉，始自五代宮人。望之若拂雲橫煙，謂之橫煙眉，始自五代宮人。其色倒似酒暈，故名酒暈眉，始自五代宮人。可知昔日畫眉，要以五代爲甚，然亦不如今日之普遍而已。今日畫眉雖然普遍，然又不如昔日名堂之多，此亦怪哉。欲窺畫眉堂奥，最好請教太座；我的同志王老五先生們，只好留待有朝一日再說好了。（下）

學府見聞錄

門鳴秋

即令人生百歲，學校的生活也占了五分之一左右。而這五分之一的時光，真所謂大放光明，新鮮、刺激，而且强烈。

吳稚老說過人生不過吃飯、生兒子，交朋友；前二項的活動，如果掉書袋，引一句夫子的話，便是：「食色性也。」至於交朋友，則爲派生之物，居於副產品的地位。但交朋友卻較諸「食、色」二字，來得瀟灑自如，更會有美感的成分在內。美學上强調若干距離的美，交朋友正是如此，因爲，它不像其他二者顯得太過於現實，而欠缺美的遐想。

而朋友的結交，以在學校者爲最值記憶了。所謂學校裏的朋友，又可稱之爲同學。但是同學二字，如照字面解釋，似乎僅限於抱幾本書在那兒對啃，再擴大一點，彼此規勸，相互砥礪，至於共襄搗蛋之盛舉，應該嚴予禁止的。不過，有的時候，事實可能與此剛剛相反，而也就因爲這剛剛種本末倒置的結果，往往使人記憶猶新，永不磨滅。另一方面，如果把同學、注釋爲共同學習人生，則問題可能就不至於顯得極端，而有折衝的可能。

學府的一切活動可以和官塲現形記的花樣比擬，而不如其卑鄙；可和孫悟空之大鬧天宮的作風較量，但又不如其嚴重。因此，有點和「樂而不淫，哀而不傷」的中庸之道相若。

年青人似乎不該說什麼「人生幾何」的，但是在中學生的幾何書上，卻往往可以找到扉頁的題詞，詞曰：人生一共有幾何？何必苦苦學幾何！學了幾何有何用，不學幾何又奈何？如果說它純是「少年不識愁滋味，」而「爲賦新詞强說愁，」的無病呻吟，卻又不盡然。事實上，有的東西學了不是爲了應付考試嗎？說到考試，令人想起一個幽默：有考生在考塲內「變手攤白紙，兩眼望青天，」百般無聊，只得在卷上寫了十四大字：「天蒼蒼兮野茫茫，出題容易兮答題難。」然後交卷。爲了考試，而開夜車，挑膏繼晷，競競業業，儼彷彿是學生之義務，「平生無大志，但求六十分。」所以用功的日子只限於考試前夕，至於其他的時間如何安排呢？有詩爲證：「春天不是讀書天，夏日炎炎正好眠，秋天一去冬來到，收拾書包好過年。」這首詩是衆所周知，耳熟能詳的。如果理學家一定批上「此疑淫奔之辭也！」一類的話則又不免太苛刻了。古人說秉燭夜遊，又說什麼將謂偸閑學少年，然則，偸閑是少年的權益了，不但要閑，而且要玩個通宵，所以點了蠟燭。可見不但近人有此感觸，古人又何嘗不然？

考試是學生課業上的死對頭，至於在宿舍裏舍監則是學生的大敵了。學生的臭襪子要亂擲，偏偏舍監要求整潔，要求得和軍校一樣；學生半夜要看武俠小說，偏偏舍監要執行燈火管執，如果偸點蠟燭，被抓到了要處分；學生要東，舍監要西，所以如水火之不相容，彼此鈎心鬥角。學生在平日總要罵舍監，將之形容爲閻王、鷹犬、陰險家。這在中外都有同一現象的。不但學生和舍監的關係如此尖銳，甚而師生之間，有時亦然。至此，使我不禁想起阿米契斯筆下的「愛的教育」的人物和氣氛了。少年們的寧謐、天眞、和赤誠，在愛的教育裏表現得淋漓盡至，但是，據說在我們的私塾裏，有這樣的一篇學童日記，詳細情節記不淸了，茲述其大要如後：上課時，老師打瞌睡，同學在桌上畫小人、下棋、嗑瓜子，聲音喧嘩如茶館酒肆，突然師母進入教堂，捉老師耳朵，老師猛然[illegible]醒，師母指着老師鼻尖說：「今天菜錢呢？」老師無以對之。逐令學生散學，道：「大家到池溏裏捉魚，捉到大魚的一百分，沒捉到的零分。」同學乃一哄而散。也許，這只是一種挖苦，然而讀之不免有所感焉。

在大學裏，有一種路上拾遺而歸原主的風氣，頗値一提。在牆上，常常可看到是失主的懸賞：本人於某時某地不愼遺失鋼筆乙隻，因該物屬紀念品，故甚感焦急，有仁人君子拾得者，盼即通知，當奉上電影票三張，決不食言。第二天，人們往往會發見，在該布告書上有一行歪斜的字：五張電影票如何？

學府風光是多彩多姿的，如果仔細的剖析，則每一活動都具有可歌可泣的一面。所謂「人生不過一、何必天天Study」，也許正是這種五光十色生活的原因和哲學根據吧！

等待

——黑子——

在都市生活慣了，無論做甚麼，都免不了要等待一番。於是人們漸漸地對等待習以爲常，在等待中消耗了足以令人驚恐的時間，而尙不自知其已陷入一種麻煩狀態。

去看一塲電影，本來只要兩小時，可是加上往返途中以及排隊購票時等待的時候，前前後後非五個小時莫辦，等於整整去掉了一個晚上。

進一次飯館，座客滿堂，要等上二三十分鐘。而在大伙食團起伙，開飯時排隊魚貫而入，也要等很長的時間。

早晨起來了，等洗臉枱空下來洗臉；一個人在早晨淸醒起床以後而不洗臉，最是難過。晚上回家以後，等浴室間無人時去洗澡，尤其在酷熱的夏天，這種等待是最使人煩燥的。

在一個地方約好了等待異性密友，最是緊張與急人了，一分鐘有如一年，等得愈慘，雙方見了面時也最令人歡心，可以說是等待中別具滋味的一種。

在一切等待中，未有失業者等待着獲得一個工作的機會，更爲令人急切的了，因爲那是生命的等待啊！

生活舒適，環境優裕的人，則又另當別論，可以減除不少等待之苦。而特殊地位的特殊人物，不但絲毫不受等待之累，反之，他們到是製造使別人等待使別人痛苦的魔偶呢！

瘟君續夢

第一回：捲土重來，瘟君尋舊夢　投袂而起，小醜鼓雄風

潘特，德賽都曉得，尼赫魯是眞發脾氣了。他們跟他在一起幾十年，像這種行動只見過二次，一次是二次大戰期間被英國政府拘禁在德里一個古堡中，中國蔣委員長請考試院院長戴傳賢去印度監獄探視。尼赫魯聽到消息，以爲救命恩人到了，興奮萬分。不料英國當局不准他會客，尼赫魯在失望、憤怒、恐懼幾種情緒交織下，會把小帽擲在地上，踩了幾脚之後，用頭去砸牆，聲明假若不准他見中國的戴院長，他就撞死了。英國畢竟是文明國家，對政治犯還算優待，最後終於和戴院長會了面。

還有一次就是印度將要獨立時，突然回敎徒不肯接受他的統治，一定要獨立自成一個國家，英國只好把印度獨立延宕下來，尼赫魯一見準備走馬上任的總統可能要落空，於是就拚命踩小帽。這次尼赫魯爲什麼會發這麼大的脾氣，他們就有點不懂了。

尼赫魯踩了小帽，恨恨說道：「周恩來會這樣對付我，到是大出我意料之外。假若他的計劃成功了，我不但當不上亞非國家的領袖，就連印度首相的位子也坐不穩了。

緬甸在英治時期和印度是一個行政區，都歸印度總督治理，戰後雖然大家分別獨立，可是在我的心目中，緬甸仍等於我們一個邦。宇努也最聽話，一切事情都跟我走，在亞非壇坫上也是我的一個得力助手。有時候我不便講的話，就讓他去講，我不能出頭作的事，也叫他去作，假若他們把宇努拉走了，豈不等於斬掉我一隻膀臂。

至於尼泊爾，根本就是我們的屬邦，和不丹、錫金原沒有分別，尼泊爾執政的國大黨，實際上是我們國大黨的支部，尼泊爾的貨幣是印度盧比，如若尼泊爾也出了問題，好似讓愛沙尼亞、拉特維亞、立陶宛三個小國獨立了一樣，赫魯曉夫沒有不拚命之理。

最後再說到克什米爾，誰不知道我的祖先是從克什米爾來的，假使克什米爾也屬於巴基斯坦了，我豈不變成了巴基斯坦的人，怎能作印度首相？周恩來這一着明明是想把我從印度趕出去，我要再退一步，簡直沒有死所了。」尼赫魯說到憤激處，又把小帽踩了幾脚。

梅農勸道：「首相不必太衝動，甘地給我們留下的遺訓對付敵人是採取不抵抗運動的。」

一句話激惱了潘特，指着梅農道：「你說淸楚些，到底是不抵抗運動，還是不合作運動。」說着伸手又要抓梅農的衣領，梅農不敢再開口。

希利花拉問道：「我們是採取什麼方式呢？要不要提正式抗議。」（二十）

岳騫

量出爲入

——姚詠萼——

前些日子，看到某報副刊載着一則「量入爲出」的故事，是說實業家麥．瑪加，（May T. Camore）小時因受了量入爲出的教訓，以及成爲大富豪。「量入爲出」是教我們對於金錢要看自己的力量而加以運用，這樣不僅能使自己幸福，家庭快樂，進而導致社會安定，國家富强。然而這句中外所共同的至理「銘」言，在今日台灣已不適用了。今日台灣的一般普通公務員在寅吃「亥」糧的煎熬下，每個人都抱着「量出爲入」的打算，千方百計去動錢的腦筋。於是兼職、兼差，差營小本生意。有人還把陳年未作事的太太請出來以爲臂助。這些也是量出爲入」的好辦法，是正正當當的外快，誰也不敢營議。因爲這些當公教人員的，每月所入多者千兒八百，少者三五百元，一個人的生活，已不夠維持，還有仰事俯蓄，若眞的抱着「量入爲出」的「銘」言，一家人不餓死才是怪事。但兼差、兼職，乃至爲太太謀得一事，談何容易。倘非交遊廣濶，則不必作此遐想，豈是人人所能爲。至於那些高級官吏，自然另有一套辦法。他們應酬既大，氣派不同日常，生活決非兼職兼差所能維持。而他們的太太也另派用場，決不能讓她們呆在辦公廳中臂助先生以補貼家用。蓄無此必要亦勢所不可也。幸好他們的後門沒有「禁衛」，四通八達，只要開話一句，「青蚨」可以隨時飛進來。只要戲法變得妙，洋房、汽車，左擁右抱，誰敢道個不字。你不見近日報紙上所謂貪汚也者，不是都靠那些大人物在領導着嗎？他們的「量出爲入」自然不同於那些小公務員僅僅一日三餐加點巴爾。

「人心不足蛇吞象」。錢不夠用，動腦筋搞錢；有了錢，還想儲蓄。大陸太苦，逃來台灣，台灣的月亮不夠美國圓，又想到美國去作寓公，所謂人望高，水望低，倒也不可厚非。靑草不喫是死牛，只要有門路可鑽，沒有不捨命去拚的。一個人喫不消，來一個集團貪汚，三五十元與五千萬元反正同樣坐牢，不若捨小利而謀大獲，三年五載以後，一旦釋放，還不是一個富豪嗎？人家見你有錢，誰還有耐心挖你的根底呢？這個笑貧不笑娼的社會，又有什麼可恥的，這些那些，社會上那些駭人聽聞的新聞，差不多沒有一件不與錢有關。錢！錢！今天它至少有一股大力，足以打動所有人的腦筋。仔細一想，這還不是「量出爲入」害苦了人嗎？

小啓：梨園漫談續稿未到，暫停一期。

劉璈治台史事

李仲侯

六、營務：這裏只說台灣營務的積弊，台營之弊，莫過於洋煙與虛冒兩端，關於洋煙，劉璈說「台灣營務之壞，以洋煙為最，兵勇最易疲弱，煙癖實為疲弱之尤，故整頓營規，必自除洋煙始；欲除兵勇之洋煙，必自該管之營哨官始，倘營哨官先有煙癖，又何能約束兵勇，官弁兵勇習成疲弱，何論精壯，更何論營規」。劉璈到任後接管的道標各營，「老弱洋烟，實居大半，雖屢飭從新汰補，而有恃無恐之游勇所在皆是，仍不免此革彼招，積重難返，法無可施」，因此，他主張到內地去招募，以補各營已汰老弱洋烟的缺額」。關於虛冒，劉璈認為欲杜弊端，必先須定各營領餉冊式，「今查台防各營冊報，第有花名，並無籍貫年貌家屬保人貲斗及餉項起止月日，遇有出入事故，無憑稽考，」「應按照楚軍章程，刊定名餉冊式，頒發各營，即令各營官按照冊式，將所部現存弁勇籍貫、父母、兄弟、妻子、保人姓名，年貌、箕斗及入伍日期，存餉數目截至本年（光緒七年）十月止，按名填註，限文到十日內備造兩分，一分存營，一分具送金台支應局存案，以作為底冊，以後遇有逃亡汰補，應即隨時報由局員照底冊分別填註核銷，其底冊即令各營按年清造一次，以歸簡明，並按名刊發清餉案一紙，由各營官分給各該勇丁收執，限撤營日繳銷，以杜冒頂尅扣等弊」。他又擬定各營弁勇應存月積章程，規定各營弁兵每月酌留銀餉數目，遇有假汰弁勇，送郡點驗，於配船內渡時，按名發給存餉，他堅持「存餉點驗」辦法的理由是：「向來台營不講營規，各勇一得現銀，俱以嫖、賭、洋烟為事，任意花銷，莫能禁止，其弊一；當勇幾年，一經假卑出營，即成空手，無資回籍，因而流落為乞，為匪，無所不至，其弊二。各營月領全餉，不全給勇，營官私挪虧空，一經撤營，勇餉不能清給，動輒鼓噪，其弊三。營官領得現欵，販賣洋烟百貨，押勒銷售，盤剝勇丁，尅扣殆盡，其弊四。虛冒勇缺，無從稽查，餉是勇非，有名無實，其弊五。勇無存餉，無所顧忌，任意為非，甘犯紀律，設應懲辦，即便潛逃，其弊六。各勇能積現銀寄家者，百無一二，若有餘積，非勾引為奸，即被竊借騙，終歸烏有，其弊七。當勇濫花濫借，積欠無還，終以一逃了之，甘當游勇，或隨別營，私開賭場，烟館，或此逃彼招，冒名應點，無害不有，其弊八。有此八弊，無論何人，無從整頓，惟有存餉驗給一道，尚能挽救前弊，十除七八」（十七）

維多利亞女王

徐學慧

今天我們住在維多利亞城，來談談維多利亞女王的事，倒也是很有意義的。英國王朝，以維多利亞時代為最盛，從一八三七年女王嗣位到一九〇一年一月廿二日，這六十年的王朝，造成了英旗無落日的盛況，我們當然不敢說這是維多利亞女王的功勞，可是，至少可以說這是她的洪福。

斯特萊基（Lytton Strachey）所著的「維多利亞女王傳」一書，足以在此為讀者介紹，因此書不僅是一篇很完美的傳記，且是一篇很美的散文。在若干細膩的描寫中，使我們能夠清楚地認識維多利亞女王的真面目。

看看女王對於婦女解放運動的見解吧！一八七〇年，她看到一次婦女參政運動大會的記載，她不禁大為冒火，連忙寫了一封信給馬丁先生說：

「朕亟欲招集每一個能說能寫的人，一齊來聲討這個邪惡的女權要求，這個愚行的前途，簡直不堪設想，而我輩巾幗弱質竟執迷不悟，完全忘記了女人的天性和本分，×××女士該受一頓痛打，說到這個題目，朕氣得不能自制。上帝造人，男女有別——那麼就讓他們安於其位。丁尼孫在公主一詩中有好些佳句講男女之分，女人如果不做女人了，那一定變成了人類中最討厭[illegible]最可憎的東西，而且能還得到男人的保護呢？」顯然雖是一個女人，可是，她對於女人的本分卻看得很清楚。但這並不是說她不瞭解時代，相反的，在她的六十多年的政治生涯中，儘管有時候她也非常固執，然而，最後她還是會用自己的理智考慮得非常清楚，因此，我們可以說，她是永遠隨着時代在前進的，她把英國從旭日初昇達到了麗日中天的境界。（一）

考試烏龍

筱臣

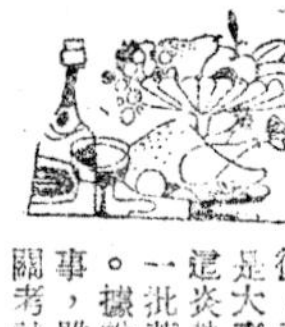

近月來，繼小學會考之後，又是中學會考，接上又是大專學校的入學考試，在這炎熱的酷暑之中，直把這一批莘莘學子弄得頭昏眼花。據說是還發現有舞弊的情事，雖屬傳聞之詞，究屬有關考試「烏龍」，試綜合古今來考試有關此一類的烏龍趣話。

唐朝主考官鄭薰侍郎，把顏標誤為顏魯公（真卿）的後代，便把他中了狀元。顏標謝恩的時候，鄭薰還憒然不覺，問及他「家廟」的事情，顏標卻是一介寒儒，那有什麼家廟可言？言語間完全不對路，鄭薰這位主考官，才發現擺了烏龍。當時有人作打油詩嘲之曰：「主司頭腦太冬烘，錯認顏標作魯公」。

唐朝的劉魯風，從江西投謁一個主考，因為沒有「孝敬」傳達官員，終不得其門而入，他作了一首打油詩說：

「萬卷詩書劉魯風，烟波千里謁文翁；無錢乞與韓知客，名紙毛生不為通。」

從這一點小事情來看，正可反映出考試和「孝敬」幾乎是分不開的。因此又連帶想起清代的一些類似的趣事，據傳同治朝宮內，謹貴人是一條「內線」，她正是大學士全慶的孫女，而貴為「貴人」的。當時流行一個笑話云：「八股文章無一是處，惟『小股』最佳耳。」這話說明了考試和女人「小股」的微妙關係，則考試之舞弊，烏龍和不可靠，也就不言而喻。而且古往今來，都是一般。近年來學校考試也不時傳聞有「賣試題」的事情，這雖是「查無實據」，但空穴來風，也正是「事出有因」呢！

在清代還有謝金圃、吳玉綸二人，典試某省，大通關節，衡鑒不公，士論譁然。於是好事之輩，即用兩人之名拆字，為一諧聯云：

「謝金圃抽身便討；吳玉綸到口就吞。」（討者，討錢，吞者，吞金也。）

同時有德保號定圃，沈初號雲椒，亦出作主考，皆不理於人口，於是亦有人拆字，作成諧聯曰：「德定圃人穿呆立；沈雲椒衣裡藏刀。」（一隱保字，一隱初字。）

殷如璋與周錫恩，同典試浙江，皆不滿於人望。或將兩人姓名作一諧聯，上句用成語，嵌其姓；中句嵌「如恩」二字；末二句一拆璋字，一拆「錫」字，語極自然，非聰慧過人之士莫辦。聯云：

「殷」禮不足徵，看他「如」瞻「如」尺；「周」王有言曰，趁此「恩」科「恩」榜，好將交易換金錢。

章字加上玉字便成「璋」字，金字加易字便成「錫」字，如此匠心巧思的是佳作，如此妙文，是又別開生面的烏龍。

其次再談談廣東考試的烏龍，光緒年間，廣東學政徐花農（琪，杭州人，俞曲園得意門生）取士的趣事。相傳徐花農取士，專取少年子弟，因此那些年老的人，心有不甘，就製造謠言中傷他，不是說他賣關節，就是說他有龍陽之癖，其實這些話恐亦不盡不實，或者為失意者造來取快一時而已。曾記某縣有一位名落孫山的童生，寫了一聯嘲之曰：

「爾小子，整整齊齊，或束帶，或抹粉，或塗脂，三千人巧作嬌娥，好似西施同進越；老閣下，顛顛倒倒，不論文，不通情，不達理，十八省幾多名士，如何東粵獨來徐。」

又有一縣的失意者造謠，說徐花農專取年少貌美的童生入秀才，乃為詩嘲之云：

「花農太守喜花花，取遍黌宮盡世家。但得容顏誇落雁；任教文字笑塗鴉。若非小姐求佳偶；定是夫人擇艾猳。不有宋朝淸指貌，勸君莫入學台衙。」

最後一則，還是有關廣東考試的烏龍。有個廣東學政是滿州人，不大會看文章，但竟妙想天開，把試卷放在一旁，焚香禱告後，隨便拉出來，取到足額為止，看誰的運氣好。於是士子嘲以聯云：

「爾小子，論命莫論文，碰；咱老子，用手不用眼，抽！」

譚畏公的風範

諸葛文侯

前任國民政府主席譚畏公（延闓），世人皆稱其為政壇中的「甘草」，認定他休休有容，而又超乎象外，綽具調和鼎鼐，補擺黨流的智能，常在無形之中，消弭政治上的若干無謂糾紛，化乖氣為祥和。近代名人胡漢民先生平居自視甚高，於人少所許可，更不必說佩服了，但對於譚畏公卻相當尊崇。當年胡氏被送到南京郊外的湯山園居之日，首先即作了一首「憶組安」的七律詩，說是「太傅冲和未易期」，他心裡認為譚公若在，即不致發生這場政治風波了。

譚畏公一生的豐功偉業，知之者衆，毋待贅述，我只是欸出幾點小事情，以提其立身行己，對人接物的風範云爾。

民國十六年首夏，國民黨在南京實行清黨反共後，譚先生亦由武漢到了南京，仍被推為國府主席。維時國民黨人的革命精神尚未消散，南京市黨部很鄭重而認眞地辦理首都黨員總登記，除填寫表格外，還要舉行口試，規定任何人皆不能例外，必須親自到市黨部大禮堂應試。譚先生按時前往受考如儀，而担任口試大員的盡是些年輕小伙子，忘乎其形地開口就問道：「譚同志，你是在那年那月那日入黨的，介紹人是誰？黨證號碼是怎樣的？」譚先生藹然對答後，考試員又問：「你是左派，還是右派呢？」譚揚聲答曰：「本黨是沒有派系的！」這時市黨部組織部長段錫朋在隔室聽到譚先生的聲音，急忙走出請「譚主席」進房裏休息，纔將這[illegible]場面終止了。繼而譚回到國府午餐時，即向常務委員李協和先生笑述這段經過情形，毫無慍色，愚亦在座親聆及之。

湘人張冥飛，久居上海，素以在報紙上寫小說營生，某年譚氏五十歲生日，張撰壽文一篇刊在報上，內有「茶陵譚生，五十之年，吃紹興酒，打太極拳，立德立功，一無所焉」等語，極盡譏嘲之能事。越民國十九年秋，譚在行政院長任內，張冥飛窮困無聊，曾到南京修書向譚氏乞援，左右皆主張不要理會，譚怡然命贈以二百金，說是過去的頑笑事兒，何必計較呢！

民國十七年夏間某日，國府決議討伐唐生智，時愚任國府秘書，譚主席命愚當夜撰擬討伐令三道，計分一長一短，另一則不長不短，俾資選用，限次晨交卷。我所擬的長文稿內，襲用了古文「加緒含容」一語，譚公核閱時，懷疑是我造出欠通之句，但不明說，只對我笑道：「眞糟糕，我是從科場中爬出來的，因為久不看書之故，連你這文稿中的『加緒含容』這句話亦不理解了」。我告以這是摘抄某項古文中的詞句，他急表遜謝之意，甚為懇切。後來李協和先生告訴我，譚畏公教我撰擬三道令文稿，原來是有意考驗我這洋秀才之中文能力的！

今之大人先生，能有畏公這種令人敬仰之偉大風範者乎？為之執鞭，所欣慕焉。

屈原和詩人節

謝康

屈原的著作

屈原的政治生涯是失敗的，但是，他底文學作品，如離騷，九歌，九章，天問，遠游，卜居，漁父，招魂，那一篇不和屈原發生關聯，他不獨是歷代詞賦家的宗師，也是詩經以外的文家的初祖。

漢書藝文志分賦為四類，其中最重要的所謂「屈原之賦」屈原以下二十家，都是出於楚辭，而以屈原為模範的。尤其「離騷」一篇，為後世言情者之祖，歷代學人莫不極端推崇，太史公屈賈列傳引淮南王劉安的「離騷序言」稱：「國風好色而不淫，小雅怨誹而不亂，若離騷者，可謂兼之矣！其文約，其志潔，其行廉，其稱文小而其指極大，舉類邇而見義遠。其志潔，故其稱物芳；其行廉，故死而不容自疏。濯淖污泥之中，蟬蛻於穢濁塵埃之外，不獲世之滋垢，皭然泥而不滓者也。推此志也，雖與日月爭光可也！」的確，屈原人格的偉大，生命的光輝，在「離騷」裡，已經充份地表現出來，淮南王和太史公這樣稱贊他與日月爭光，實在並非過譽的吧!?（三）

歷史人物

內銷證審價內台報字第〇三一號

自由報

THE FREE NEWS

第一四八期

中華民國僑務委員會登記證僑台報字第三二三號

中華郵政台字第一二八二號執照登記為第一類新聞紙類

（每星期六出版）

社長：雷嘯岑

督印人：黃行富

社址：香港高士威道二十號四樓

20 CAUSEWAY RD 3RD FL HONG KONG

TEL. 771726　電報掛號：7191

承印者：田風印刷廠

地址：香港灣仔高士打道二二一號

台灣分社

台北市西寧南路壹壹拾號二樓

電話：三〇三四六

台郵劃撥金戶九二五二

如此的盟邦，我們應知所處

雷嘯岑

一年以前，蔣匀田氏在「自由中國」雜誌上譯刊美國政客鮑爾斯撰擬的「中台國」建議文，附以譯後語，說是我們應作「心理準備」。當時有些人對於「心理準備」這句話譁然起鬨，指其是何居心？好像責怪蔣氏危言聳聽，徒亂人意，而認定美國這個所謂盟邦也者，信義可恃，決不會搞出「兩個中國」的惡作劇，一片自我陶醉的阿Q精神，殊堪詫異。如今事隔一年，不特「兩個中國」的主張已由美國當局公開倡導，而且還要承認外蒙古為「獨立國家」，正式談判建交，將它引進入聯合國，構成「三個中國」的現象；更要招誘一個台灣籍的中國內亂罪犯廖文毅前往美國，用意所在，不問可知。大家目覩這種「曹社聚衆鬼，嗚嗚謀亡國」的帝國主義幽靈作祟情形，心理上作何觀感，有何準備？「昔日預言身後事，今朝都到眼前來」，我們還能夠憑着一股俯仰由人的惰性觀念與虛矯之氣以圖存嗎？

應有的認識

所謂「兩個中國」的陰謀詭計，十年前即已發端推動；固不自今日始，君不見當我國中央政府播遷到台灣之際，英美的政治人物，曾經不斷地發出「台灣地位尚待國際決定」之論調乎？這就是為着「兩個中國」計劃製造法理根據而然的。倡導「兩個中國」之說的唯一作用，亦並非志在維護中國人民自由生存的餘地，期待中華民國政府終有光復大陸，解放全民之日，為的祇是要保持台灣和澎湖列島這塊關係美國國防安危的戰略據點而已。等到舊金山對日多邊和約與中、日雙邊和約陸續簽訂後，台澎地區再沒有藉口「國際決定」而預謀「托管」之可能了。如是乎，美國乃不得不為駐在台灣海峽的第七艦隊另尋法理根據，中、美安全互助協定就是在這種情勢之下產生的！既而毛共聲言要以武力奪取台灣，美國即跟它舉行「華沙談判」，商討台灣問題，且公然宣稱不需要中華民國政府參預其事，這是領導自由世界反抗共產帝國主義的應有作風嗎？假使我們對國際政治稍有卓識與警覺，而在心理上早就有所準備的話，像那種「不以武力為反攻大陸之唯一手段」的中、美聯合公報，即不能隨便表示同意，以陷於作繭自縛的困境中。

或許有人抱持着一種苟安自娛的心理準備，認為美國決不致置台澎地區於俄共集團之手的，縱使國際形勢演變，對我諸多不利，最後大不了搞成「兩個中國」的局面，我們依然可以在台灣自固吾圉，號召全民反共救國，以待世局之變，國事未始不可為也。殊不知「兩個中國」亦係暫時過渡的玩藝，我們且不必設想到「兩個中國」的把戲實現後，在國際上可能遭遇的噩運如何，只看看美國對台灣人大力製造分裂運動的行動，也就恍然憬悟這種苟安待變的惰性思想，無異飲鴆止渴呢！台省籍的留美學生別有俱樂部的組織，平日不跟中國其他省區的人士接觸往來，還是早已存在的事實，絲毫不假，而美國通訊社和代表官方的刊物，亦經常神經過敏地描繪一些台灣人與內陸人互相猜忌敵視的宣傳景色，嘵嘵不休，最近更原形畢露，要把那潛逃在日本的台籍叛亂份子廖文毅，邀約到美國去加以利用了。這一切的作為，最後目的只有一個：立意製造台省人民對祖國的離心力，以期將來對台灣，既可避免「托管」之名，而又獲致「托管」之實。因此，更可了然於「兩個中國」亦是過渡性質的正確觀點，先藉「兩個中國」的魔術，使中華民國政府對大陸上的法定主權歸於消失，國軍若要實行反攻大陸，那便是「侵略」行為，聯合國即有理由予以干涉的。第二步就煽動台省人士如廖文毅之流，倡言獨立自治，反對中華民國，而奉戴美國為眞正的「盟主」。所以，美國對台灣這套作法，即令不是存心搗亂，要把中華民國搞垮，而其貽害所及，殆與共產帝國主義者的內部滲透顛覆活動，殊無二致，危險極了，亦可恥極了，是可忍，孰不可忍？如此的盟邦，寧非滑稽奇聞乎？

應有的對策

有強權，無公理，本是國際政治的指導原則，國與國之間的外交行為，亦係以本身的利害關係為前提，殊無道義可言，自古已然，於今不例外。不過，在文化精神素養比較深厚的國家，一般當政人物的外交言行，骨子裏儘管自私自利，表面上總得顧全大體，決不公然露出賣友求榮，損人利已的幼稚笨拙作風，以維信譽。如十八世紀奧國政治家梅特涅在維也納會議中倡導「法統主義」，十九世紀德國政治家俾斯麥在柏林會議中聲稱願以「和事佬」自居，實際何嘗不是為着本國利益設想，但他們的手段相當高明，足以博得各個友邦的同情共鳴，而不覺其為完全是受人愚弄。即如二十世紀初期美國國務長官海約翰對中國問題所宣佈的「門戶開放，機會均等」主義，骨子裏原是為美國新興資本主義的發展計，要在廣大的遠東市場爭取出路，反對英法德日諸國的「勢力範圍」政策，但表面上好像是仗義執言，主張公道，因而使我們中國人，以及東南亞一切在殖民地生活中的民族，皆認為美國與舊有各個資本帝國主義者有別，是可以親近的朋友，而美國乃藉此達成了後來居上，雄視遠東的目的。

時至今日，美國的政治人物，由於文化根基淺薄之故，不特是沒有如梅特涅，俾斯麥這類卓越的政治家，即像海約翰這樣稍具遠見的當政者亦不可復覩了。一般知識份子和政客官僚們，但知嚮往唯物思想，馳逐於眼前的物質享受，而不知政治理想為何物，除卻商業利益與本身的安全繁榮以外，毫無所謂。尤其是現時圍繞着甘迺迪總統左右的智囊輩，盡是些具有左傾幼稚病，而又迷信倫理相對主義——為目的不擇手段——與實驗思想的譾陋書生，他們心目中的「自由運動」，只是美國商業利益運動而已。祇要講美國的工商業者到處自由貿易，獲致利潤，即使共產主義控制了美國以外的整個世界，亦是不在乎的。我們對於這樣的盟邦，如果始終墨守着本國傳統文化精神的道義觀念，一味的克己犧牲，結局無不大上其當的，外蒙古問題就是眼前最顯著而強烈的教訓啊！

因此之故，我們現時應該很坦白而誠懇地告訴美國當局幾點決策：第一，請美國停止華沙的「美、毛談判」，所謂台灣問題也者，並不需要別國越俎代庖來妄作主張，重演雅爾達式的醜劇，我們自己儘有解決的能力和方法。第二，請美國停止與外蒙古偽政權的建交談判，否則我們亦不妨跟古巴的卡斯羅政府建交，而使世界局勢構成無原則、無是非的混亂狀態，以促進世界大戰之加速爆發。第三，我們更要以嚴肅而肯定的心情向美國鄭重聲明，如果美國眞是贊成毛共政權加入聯合國，並且承認外蒙古傀儡政權為「獨立國家」的話，即從這項事實出現之日起，我們根據「中、美安全互助條約」的規定，決計在一年以後，廢除該項互助條約，屆時美國第七艦隊可撤走。至於討伐共黨，匡復中原，那是我們既定的國策，劍及履及，唯力是視。

這是生死存亡的決鬥階段了！寧為玉碎，毋為瓦全，我們非有此乾坤一擲的決心不可，若讓美國現行對中國問題的搞法發展下去，到時候我們雖欲瓦全亦不可能呢！此時政府固應該存好的希望，作壞的打算，唾棄苟安以待變的惰性觀念，而以最大的努力和耐心，切實團結海內外反共愛國人士，共赴國難。同時，所有在野的反共同胞，亦應[illegible]感「棟折榱崩，僑將厭焉」的危機來臨，大家如其不願作秩歇王朝的順民，亦須以救火心情，急其所當急，將政治上的一切是是非非，暫行揚棄，生存至上，救國第一。集結海內外的人力和物力，對帝國主義幽靈迎頭痛擊，我們一定可以生存的。孫子說，「置之死地而後生」，這是今日當國者所應採取的唯一途徑，其他都是些廢話！

漫画天下　南施

彼此心照的買賣　赫魯曉夫：它眞的是個好孩子，會笑會說話會走。你愛玩不愛玩？甘迺廸：玩玩也好，在它身上裝個「收音機」成嗎？

他畫什麼就有什麼　「藝術家」赫魯曉夫筆下的兩個美人

自由談

鶴立雞羣

馮正先生

本報上期的台北通訊指出：台北地方法院看守所長王肇泰，拒受最近因貪污案發被繫查究的幾個不肖官吏的間接賄賂，且對在囚的公路局車務處那些污吏提出警告，教他們莫把自己攪慣了的「紅包」惡習帶到看守所來！吾聞其語，如見其人，在此好貨蔑紀，貪墨成風的衰世政治社會中，乃有這樣一個皭然湼而不淄，有所不為的微秩末吏，矯矯乎鶴立雞群，實在難能可貴，殊堪讚美也。

官吏原以奉公守法，廉潔持躬為本分，不貪汚是應該的，幷不值得誇耀。可是，現代的一般大官小吏們，受着澆薄之俗的習染，加以大多數人自來少讀詩書，平日不講究做人的道理，乃相率以貪圖非份財物為應有之義，而視廉吏為低能兒了。所以，「為貧而仕」這句傳統的流行語，許多人脫口而出，恬不為怪。總之：做官能夠致富，便屬幹濟之才，不管你那財富的來源如何，別人祇是一例稱羨之不遑；而對於奉公守法，安貧自愛的廉吏，不特社會大衆白眼相加，嗤之以鼻，即高據要津的達官顯宦，亦認為這是不足重視的庸才。如此的人心，如此的政治風氣，國家那有不衰敗之理呢？

年來常聞台北有所謂表揚好人好事的措施，像王肇泰的拒賄行為，不知是否屬於好人好事之列？答案如其不是否定的，我認為政府即應該予以不次的獎勵拔擢，而不問其人有無小圈子主義的「人事關係」。為政之道必以賞罰嚴明為第一義，只聞懲治貪官之聲，卻無獎拔廉吏之舉，政治即永無清明之日，光是藉「精神勝過物質」的詞令，嘵嘵說教，或用嚴刑峻法以繩其後，徒見不明政理，心勞日絀而已。

大陸農田缺乏家肥

焦毅夫

大陸剖視

筆者在前幾期的本報，談到中共在春耕中所遭遇的肥料問題。關於肥料的發展，中共原以「兩條腿走路」、「土洋並舉」方法，解決所謂「高產田」所需的大量來源。中共認為化肥力量大，肥效高，因此，在發展「兩條腿走路」中卻又偏重於洋的一條，於是在大陸展開創辦「化學肥料廠」的熱潮。各省、縣、市、自治區、人民公社甚至生產隊，都設立了或大或小的化肥廠。這些有創辦狂的，祇知隨着北平掀起的熱浪盲目前進，從未計及熱浪可以使其淹沒的後果；更未想到生產化肥所必須具備的條件——原料、設備以及輔助設備等等。更不懂得化學成份，如何使硫酸、硝酸等腐蝕和毒性強烈劑變成有益於農作物的肥料。說句實話，什麼是硫酸，什麼是硝酸？連那些在窰洞裏呆了半生，土頭土腦的省委第一書記，也未必識別。這樣的幹部，所領導那些簡直不知化學為何物的農民去生產化學肥料，豈非天大笑話，這樣的發展化學工業，除失敗之外，沒有第二條路。

「大躍進」以後，中共自感生產肥並不如理想那麼容易，而生產土化肥又取盡了人，畜骨頭，土洋兩條腿都無法開行。但，所幸還有一條原本棄而不用的——家肥，於是要遣鄙棄的腿擔任十六億畝土地，所需肥料任務。

然而，問題是這條被棄的腿是否如從前般任由使喚？目前，中共所遭遇的就是這個問題。這一問題之所以產生的原因：

第一、去年水、旱、虫、風災，中共調去大批勞力去頭痛醫頭、脚痛醫脚，顧首不能顧尾，抽不出人來積肥。

第二、中共強行公社化後，以為人民均樂於從公，沒有規定「按勞付酬，等價交換」，人民積到的肥料，通歸「公有財產」繳交公社或生產隊。因而打擊了農民積肥的積極性。

第三、由於上述原因，人民將自己辛苦積的肥料用於小菜園和自留地。

有此三因，大陸肥料荒，就一天比一天嚴重。據中共報紙說：「黑龍江海倫縣，海與人民公社豐源管理區，全區一萬三千六百九十五畝土地中，有四千二百廿五畝地，從來沒有上過糞，還有三千一百五十多畝，年年糞都不足，今春還未上過頭回，看來產量又得下」，（一九六一年三月十六日「人民日報」）。這種情形並非黑龍江省海倫縣豐源管理區（即生產大隊）一區如此，整個東北地區都是一樣。共報說：「我國春耕較晚的遼寧、吉林、黑龍江三省，今春肥料少於去年」。但又自欺的說：「可是質量比往年好」，（一九六一年五月五日「人民日報」）質量好到什麼程度，是否改用特效的化肥？當然沒有，這從另一則消息可以證明，「內蒙古以大批的羊糞支援遼寧、吉林、黑龍江三省，從去年十二月底到現在，已經運來一萬五千餘斤」（一九六一年三月十二日北平「大公報」）。羊是吃草的動物，牠的糞分的比青草肥效高不多少，如說質量比往年好，那末，往年施的是青草肥，甚至沒有施肥。

中共針對上述缺肥問題，和缺肥原因，於是編出「當兵的愛騎馬，做田的愛好『積肥如積糧』」、「人強地也強」、「收野肥沒有巧，大路不走山裏鑽，屋前屋後牛糞礅，天晴要上山，落雨蝦裏（即平地）扭」和「有收無收在於水，多收少收在於肥」等順口溜，並規定以下積肥辦法：

一、硬性規定農民蓄積家肥，如：「湖北襄陽失波公社確定支部書記陳天才負責組織突擊積肥，掌握生產隊和小隊牛欄，猪圈的積體積肥，將全隊公有私有牲畜，定積肥任務，定質量標準，定報酬和獎懲。」（一九六一年一月十五日「人民日報」）並強行規定積肥數量，共報說：「一年中，大猪平均每頭積標準肥一百三十七担」，（一九六一年二月十日「人民日報」）。河南民權縣雙塔公社，還實行「五包一獎」制度，據說：「五包是：包餵養牲畜頭數，包積肥任務多少，包質量，包工分等和超額給獎。辦法是：每個飼養員根據勞動力強弱，技術高低，每人包養牲口八至十二頭，每頭牲口分別大小，種類確定積肥數量；一般的大牛一月二車肥，小牛一車，騾、馬、驢、（大的）一月一車，頭一車半，小的一車，凡超過肥料五百斤的獎一角五分，記工三分，每個牲畜舖（即墊欄草）半月出一次，隨出隨驗收，隨發獎」（一九六一年一月二十六日「人民日報」）。

二、鼓勵農民上山積肥和下河挖坭肥，「人民日報」社論說：「一種看法，肥是草不是糧食，管草沒有管糧食重要；從表面看，糧食是綠肥，綠肥却是糧食的『糧食』」（一九六一年二月二十七日）。「河坭適於稻田基肥，在冬季積肥運動中，主要是挑塘坭、河坭，秋、冬季多挑一担坭，秋天多收一担穀」（一九六一年三月十四日北平「大公報」）。

三、以值給價，等價交換。「湖南邵陽縣在積肥工作中，貫徹執行了按質論價，多勞多得，超額獎勵的原則，收集人糞尿、猪牛糞、雞、鴨糞、草木灰等家肥，一般都付給部份現金，或入賬登記，定期支取。肥料價欵在『三包』成本內開支，去年十一月份以來，僅塘田公社楊田大隊一隊，就支付社員家肥現金五百六十元。」同一消息又說：「經過這樣賬目分明，政策兌現，社員個個滿意，積的肥料，一般質量好，肥效高」（一九六一年一月六日「人民日報」）。「河南長葛縣增福廟公社，時甚山有兩個七十多歲的老漢，聽到以值給價的政策兌現以後，兩天中上山、下河拾糞肥九十五斤，驗收幹部，當時就給他兩斤食鹽」（一九六一年二月九日「人民日報」）。

上述是大陸春耕缺乏家肥和搶救這一嚴重危機，中共所採取的措施。此中不但暴露中共政策錯誤和農業遭遇的困難，同時，也反映「公有制度」失敗和農民反抗的一斑。

香港與大陸

澳門消息：與廣州，香港有連帶關係的本澳基督教著名嶺南中學，現正陷於漫天風雨的政治漩渦中，事情更有繼續擴大的趨勢。

此次事件起因，可以說完全是中共澳門區統戰份子導演下的政治把戲，原來該校最近有名返回印尼，現居香港的左傾新派校董，突函校方，要從下學期後，從不掛任何旗幟的無政治立場，改為懸掛中共「五星旗」。實行倒向中共方面的懷抱裏，藉此引起作用，並從而擴大其政治宣傳的實力，此一紙公函，遂立即揭起軒然大波，作為校長的黎藻鑑碩士，以無力控制大局，遂先作明哲保身的引退，另一方面由左派支持的張×載，却要乘時起而代之了。

可是，左派導演下將告大功告成的政治把戲，却給在校的廿多名教職員與百份七十以上的在校學生與家長反對，理由是他們堅持不涉及任何政治立場的原訂方針，當然更反對懸掛『五星』旗幟，同時發動挽留黎藻鑑校長，反對張×載上場，為的是張根本不是嶺南系人物，那是有違校方傳統規定的。於是問題首次陷入僵局了。

前天，在校的學生首先激於義憤的採取行動，成立類似「護校委員會」的臨時組織，在學校內大貼標語，如「保全嶺南傳統精神」，「打倒張×載」，「我們不要骯髒的政治」等，同時全體教職員仍然繼續駐在校內。而在校的學生們，也正準備採取進一步的護校行動，發動香港、美國、英國及其他各地的校友，作全面性的來函支持護校運動中。甚至發動在校的學生家長，全力支持他們的護校行動。

看來嶺南中學此次懸旗易長事件，可能更迅速的惡化下去，甚至將招致有關當局的注意了。

漫談陽明山會談

斷橋

（台北通訊）「陽明山會談」第一階段，經已開幕多天；但是，近在咫尺的台北市，却絲毫嗅不到一點兒「會談」的味道兒！老百姓（包括各行各業）對此「會談」竟是如此地漠不關心，簡直令人百思不得其解哩！

據側面消息：有關「會談」籌備之種種，甚至每一個名辭的使用，都必須詳加研究呈閱批示而後行。且籌備處蓋有「機密」的卷宗，可能創空前紀錄，足證是如何的「慎重」將事。

又據說：凡是與新聞記者打交道的「籌備人員」莫不提高警覺，往往是「王顧左右而言他」，使記者先生摸不到邊兒，而籌備處的高級人員對記者先生硬是採取不友好態度，避之若浼焉！且聞有此妙策曰：把宣傳工作做好，記者證要絕對少發，會場只發一張就可以了；老天爺可憐見！籌備處某些高級人員的觀念，恐怕還停留在十八世紀哩！試想：還要把宣傳工作做好，還要對新聞記者避之若浼，甚至有會場只發一張記者證的指示，如此這般，宣傳工作會做好嗎？認為由籌備處散發「統一公報」，即可收宣傳效果，即可把宣傳工作做好嗎？須知道，國事不能關起門兒「會談」的啊！「會談」的消息也不能以「公報」形式統一發佈啊！如此，則反令老百姓懷疑此一「會」，多此一「談」！「國家興亡，匹夫有責」！如此有關國運興衰隆替，劃時代的「會談」，老百姓是願意從各個角度從每家報紙新聞不同的報導中去尋索眞象的！儘管是「統一公報」印的是百分之百的正確消息，老百姓毋寧相信報紙（尤其是民營報紙）上的並非百分之百正確的消息。我敢斷言，如果籌備處負責人不改變觀念，與記者衷誠合作，宣傳工作不但搞不好，敢保證必搞糟。

又據聞：「會談」期間，除了各種各樣的報告，參觀之外，眞正給與會人員發言的時間，頂多不超過四十小時！但是，在食、住、行、娛樂各方面却招待得十分週到，令與會人士有「賓至如歸」之感焉！多花點兒錢，倒是小事一段，大家須知道，這是「會談」，是來商討「國事」的，而不是來「觀光」呀！果能扭轉國運，提早反攻復國，當是自由中國一千萬軍民所共願；但如果僅是請客來「觀光」，則勿怪近在咫尺的台北市，嗅不到一點兒味道，引不起民間絲毫反應了。

論種菸許可與菸葉收購問題

林啸松

筆者不免有點感想：政府的許多法令規章，確乎是相當煩碎，往往關於同一問題，而在若干分開的法令規章中，却又互相抵觸矛盾，等到發生嚴重跡象時，於是又復朝令夕改，或是法外訂法，弄得頭痛醫頭，脚痛醫脚，愈醫而毛病愈多，語云：「法簡則易行，事簡則易舉」，在政治道德落後的國家，尤忌法令規章的繁文褥節，各級政府之間以及與人民之間，僅藉法令規章，來作層層控制的手段，這只能造致互不信任的後果，這正是政治上的精神分裂現象，而政府的大小官員，整天便在法令規章中兜圈子，一旦發現漏洞，就乘機舞弊一番，萬一不幸事敗，身繫囹圄，亦不引以為恥，這是受當前社會風氣的影響所使然，同時公務人員的生活又是如此的艱苦，其榮辱觀念亦早已置諸若輩腦後了。這些話當然都是題外文章，而且極少數份子的偏激敗行，尤不能「以偏而概全」。

第三本文前面筆者曾提到改種菸許可為委託制，同時並改菸葉收購為獎金制，委託種菸是以契約為依據，可以不受地方勢力的包圍，亦可避免菸農把持種菸的特權，流弊自然無從發生，獎金制度目的在鼓勵菸農增產菸葉，努力改進菸草品質，在菸農繳交菸葉時，菸葉廠應先償付種菸生產成本，等到菸葉等級鑑定完了，然後依其等級高低分別核發菸農應得的獎金。

此項鑑定人員應起用新人，最好是現有的大專農科畢業青年，他們有專門的學識，受過國家良好的教育與訓練，同時在廠內工作已久，對鑑定經驗業已見習有素，而且他們所染社會習氣不深，也不必顧慮「貪緣忌諱」，做起事來比那些自認為經驗丰稔以及老於世故的人物，自然要明朗爽快的多。

至於鑑定人員仍然分組進行，每組三人，分設鑑定副鑑定與助理鑑定各一人，各人職責完全相同，以收互相制衡之效，所不同的只是名義與待遇上畧有差異而已，各組均由抽籤來決定鑑定時日地區及菸葉號次，所謂號次，就是將菸農繳交之菸葉，分別編列的番號，每號各註密碼，亦如考生之密封試卷，但技術上或有研究改進之必要，因菸葉體積膨大，不比一份試卷之易於封存啓揭，毫無困難，然而以此用之於菸葉，在技術上或有不同，以免發生流弊，這個辦法，只是一個試探性的建議，至於如何可以行之有效，則須慎審研究，縝密設計，且必須優於原有辦法，纔可試行。（四）

遠程計劃

黑子

閻惜嬌在烏龍院私通宋江的後司貼書張文遠，事發之後，二人密商善後之計，惜嬌語文遠曰：「你我要做長久夫妻，還是短頭夫妻？」文遠對曰：「何謂長久夫妻？何謂短頭夫妻？」惜嬌答云：「害死宋江，你我即可做長久夫妻；若做短頭夫妻，從今以後，你就別再來烏龍院了！」二人計議之餘，自是願做長久夫妻，遂合謀陷害宋江，因遭殺身之禍。

我這一年來，由於失業，生活極不安定。尤足令人嘆息者，即是三番五次地搬家；而搬一次家，就有一次的損失；搬到最後，幾乎竟是無物可搬了；因之感到一身的輕鬆。然而再住定下來以後，跟着來的，並不是輕鬆，而是一眉頭的皺紋，一肚子的委屈，一身的緊張。要東沒有，要西也沒有；要用，就得去買；要買，就得要有錢。因之頗有搬家的時候嫌雜物多，住下來以後怨東西少的前後自相矛盾之感。檢討起來，失敗的原因，就在事事都看成臨時性地，暫時搞搞算了，沒有做長遠的打算。

然而，看看台灣的繁榮，台灣的進步，眞是一日千里。十年前的荒地，今日成了新社區。昔日冷落的街頭，今日是車水馬龍，人潮鼎沸。尤以今年是台灣的觀光年，違章建築被大拆特拆，一夜之間，平地靑雲，小木屋變成了洋樓，美奐美侖，市容爲之壯觀無比。風聞大台北市的轄區擴展擬議，通過市區內的鐵道將改設高架，以及大車站與公路局東西兩站的合而爲一的向空發展，等等等等，均正在詳加籌劃中，令人曷勝讚羨。

也許這一切都是爲了長久之計。只有打長久之計的算盤，才能求繁榮，求進步，求安定，求生存。我不是學經濟的，也不會做商人，既沒有那樣的頭腦，也不懂打此種算盤；只是想着隨便攪幾天就可以跟着大家一起反攻回去；所以，一切沒有做長久打算；所以，我才被註定了失敗！是上帝愚弄我耶？抑或是我命該如此耶？

談知足

汶津

上次談到懂事，懂事的一個重要條件是知足。就連中庸之道也是建立在知足的地基上的。如果不過份咬文嚼字，中國的文化其實就安置在這區區兩個字上。奈何時代的進步，使有所保留的生命觀日漸沒落，人人以狂者自居，人人奔馳於物慾的世界，那種古典的精神竟已難以再睹了。

有人說幸福全靠無知。知道得多了，反而會遭遇到許多煩惱。但誰又願意安於無知呢？我想：多知道一些該沒有什麼大礙，只怕知道得多，要求得也多。我們知道了許多星球的情況，就不免想要上那些星球去探險，甚至進一步的作移民運動，想把它們據爲殖民地。這就有些傷神了。不知足的人，並不以爲一日三餐無虞就是幸福，也不以爲父母無故、兄弟俱存是可喜的，他可能成天想成爲百萬富豪，或福壽雙全的老祖父。烏鴉想把自已變成潔淨的白鳥，小野花也夢想着化身爲薔薇的一天，世界上到處有着不知足的生物，只是我們無法知道上帝作何觀感。

倘若眞看破了，人生不過是「寄蜉蝣於天地，渺滄海之一粟」，又何待好高騖遠？不過人的慾望往往像錢塘潮——上昇上昇又上昇。古代讀書人的十年寒窗，目的不外乎秀才——舉人——進士。現代化的陞官圖，也夠你「玩」的！即使做了一國元首，還會想到進一步稱盟於天下。知足兩字，到了二十世紀，已經有點讓人不知所云了。滑倒有點像「男女授受不親」或四夷來朝那樣，早是過眼雲煙了。

因此，把知足看作一種古老的傳統，甚至是一件古董，也未嘗悖理。工業社會本來是進取的，是狂者的天下。眞能知足樂道的狷者，將成爲人類中的恐龍了。君不見：百元大鈔之悠然出籠，君不見：公用事業之昂然漲價，君不見；高級主管之坦然分贓乎！借問足下，何以知「足」？

來去自如的人們，由於不自足而發明了船艦，與魚蝦爭威，發明了各式飛機，使鳥雀失色。侵略者把地球看得太小，寸土必奪，結果使歷史轟轟烈烈的重演。那麼，知足的人又究竟如何呢？一簞食，一瓢飲，孔子誇之又誇，可是後代的閒逸考據家卻說顏同早夭，必係營養不良之故。許由辭去帝堯的一片好意，卻也不會成仙得道。陶淵明總算知足了，可是酒是不肯少喝的，兒子不肖也不免有一點兒牢騷。也許人要是徹底的知足了，就會成爲行尸走肉了吧。

道家也提倡知足，而且要「損之又損」，偏偏後人還喜歡編些諷刺劇，把李耳寫成莫名其妙的準俗人。孔子重視他的束修，孟子講究他的排場；普天之下還能找出知足的代表人物嗎？鄉間的四夫四婦，一切都聽天由命，可還不忘記拜拜菩薩神靈，求個寶貝麟兒，以便老來託福。至於今天的大人物們高談節約，其中更有意想不到的妙處。

「知足常樂」，中國的長壽們老是津津樂道，甚至還不惜推出因果報應來助威。可是歷史上的「長樂老」，竟是個不知足到無恥的丑角。告誡子弟檢點私生活的老爺先生們，也可能三妻四妾。官面文章不談，「上行下效」在知足這一點上，確也有其深厚的作用力。議員先生們欣然通過議案，自動調整待遇，下次作競選戰的日子，許多良民們也將躍躍欲試了。

「知足是中華民族的一大罪人！」有人義憤塡膺的說。不錯，一個老大的國家，往往會唯我獨尊，不求長進，以致連年輕人都沾上了暮氣。但目前世界上日新月異，對物質的要求，似乎正在日新月異，眞是常常對精神方面也好，文化建樹也好，沙漠也好，沼澤也好，吃飽了大鈔，於是顧此西餐足矣！「知足即罪」此一的呼聲，大可休息了罷！

瘟君續夢

第一回：

捲土重來，瘟君尋舊夢
投袂而起，小醜鼓雄風

尼赫魯考慮一下說道：「你說的事情雖然很可靠，究竟缺乏眞憑實據，抗議無法提，明天我到下院，發表一篇演說，對他們提出抨擊，讓他們知道厲害就算了。」

第二天，尼赫魯帶着全體閣員出席人民院，也就是印度的下議院，發表了一篇強硬的演說。

尼赫魯說：「最近由於中共軍在西藏的屠殺，已引起印度人民的關懷，可以說是文明世界的一個絕大悲劇。西藏是一個落後地區，人民過着與世相忘的生活，他們不求進步，只求和平、安定，但是中共軍挾其坦克大砲侵入這個安靜的地區，從此這個人民就失去了他們的安定生活。」

尼赫魯說到這裏，許多議員一齊鼓掌歡呼。

尼赫魯繼續說道：「唯物並不是十分壞事，中共的毛病是專拾別人之物，他們藉口變亂，把達賴喇嘛趕出西藏，於是布達拉宮就變成了他們之物。」

尼赫魯頓了一頓，又說道：「其實我們也是唯物主義者，我們也是專用別人之物，所不同的，我們是用和平手段，利用國際形勢，要美國同蘇聯乖乖地送上門來，而中共卻是靠着槍桿去搶，兩相比較，可以看出他們的手段是何愚蠢又野蠻，我所以被大家尊爲亞非領袖，絕不是偶然的事，周恩來的材料就差得遠了。」

這時議會響起如雷的掌聲，許多國大黨議員展臂高呼：「我們的首相兼亞非領袖萬歲。」

尼赫魯接着說道：「我最不能原諒周恩來的，就是他這種逢人騙的作風。當中共軍開入西藏之初，周恩來曾向我提出保證，西藏原有制度絲毫不變，印度在西藏利益，全部保留。凡是未定界只要印度佔領的，完全歸於印度。周恩來後來和我們簽訂的和平五原則，就是根據這個觀點擬訂的。不料口血未乾，他竟然對西藏展開屠殺。」

議會起了一陣騷動，有人展臂高呼絞死周恩來。

尼赫魯說道：「其實中共屠殺西藏人原不干我們的事，國際間講什麼道義也是騙人的話，蘇聯屠殺匈牙利人，我們沒有理會，爲什麼對西藏問題不能緘默，原因只有一點，假若我們這時再不講話，中共會進一步向我們提出領土要求，把我們在西藏的權益取銷，我們的麻煩就來了。」

尼赫魯飲了一杯開水，又說道：「假若中共不停止對西藏的屠殺行動，我今後一定在國際場合上杯葛他們，我能把他帶進亞非國際，也能把他從這個盟會趕出去。」

尼赫魯演說完畢，會場偶激動，全體議員一齊高呼打倒毛澤東，絞死周恩來，只有梅農默默坐在那裏，正是：斯人獨憔悴，萬里正含情。

（二十一，本回完）

岳騫

起碼官

白楊

時常聽朋友們在發牢騷，說這年頭的人變了；變得很有點不像樣子。有的人變得異常的可憐。有的又變得相當的使人嫌惡，本來是一個很好，很夠意思的人，往往突然一變之下，把什麼都給抹煞了。這樣的人物，說起來是剛陞的起碼官，滿肚的草包，做事無能，待人吹毛求疵。唯一的稟賦，（新官上任後。）就是對上會拍，對下會裝腔作勢，擺臭架子。

這種人說起來也相當的可憐。在沒有給他陞上一級之前，對什麼事都沒精打采，垂頭喪氣，牢騷滿腹，整天怨東怨西。說自己的年資老，工作效能不亞於任何人，爲什麼不如那些爬在他先頭的阿毛阿狗。（他忘了自己也是屬于阿毛阿狗之類。）一旦給他陞上一級，起碼官幹上後，實在使人看不順眼。突然之間什麼都變了，好像這世界的統治權已交付給他似的。一耀武揚威，爺爺腔也拿出來了，面孔也扳起來了。過去跟他在一塊兒有說有笑，打打鬧鬧的朋友，現在見了面也儘量避免少說「廢話」。交代公事也是一般正經。說話的語氣眞有點使人不敢相信。

倘若是他的摯友在私下問他爲什麼要這個樣子，所謂：「賞又何苦呢？」而他的回答也妙極「弄個官不容易，如果不好好的幹一番，以後沒有前途。」言之有理。要想自已有前途，（自己陞官發財。）必須扳着面孔不管他人死活幹一番。這能怪誰呢？誰也沒有錯。社會是這爛污樣子，也許有一天，上級給我一個起碼官，我可能比這些人更使人嫌惡，因爲在這年頭，不變一下是不行的。

（此稿寫於自己廿五歲生日，發點牢騷，慨賀一下可悲的生命。）

酆都城

白荷

酆都城，一般人誤以爲鬼域，其實乃中國四川省一縣城，在重慶下游，爲一水碼頭。據方象使蜀日記上的記載：「縣有仙都觀，森羅殿，麻姑洞，閻君洞，紫府，以爲仙之居，不知何時創爲地獄中之酆都，蓋道流惑世，失其眞耳。」由此可知所謂十八層地獄之酆都城，乃係道家以神道設教，以勸人爲善；假藉各種神奇怪誕傳說，以增加其神秘耳。四川省酆都縣城，其所以誤爲陰曹地府，實由於道家種種傳說，逐漸蛻變而來，據范成大湖船錄之記載：「酆都屬四川之忠州，去縣城三里有平都山，碑碣所傳，前漢王方平，後漢陰長生，皆在此得道仙去，有陰君丹爐，是酆都陰君，乃陰長生。」由是因此酆都爲鬼伯所居，俗訛爲幽冥之主，後世之好事者，乃附會爲陰曹地府，其實酆都乃人間城市，張紀杜撰種種傳說故事，附會爲鬼城也。

有關酆都城之神怪傳說，民間流傳頗多，茲略述一則，以助談興：據傳說，酆都城外有一條河流，分隔在南北兩岸，南岸爲人間市集，北岸入夜則鬼影幢幢，儼然鬼城，往往亦不易識別，此河乃有名之陰陽河，每晚間各週日落黃昏，南岸店舖均紛紛打烊，僅有小攤販於上零星擺設，置一面盆，盛滿清水，本生意人仍做夜市，昔時無電燈設備，均以香油燈照明，燈光暗淡，路上行人面目不清，顧客購物以後，所付現款，均擲入水中，如果錢幣鏗然有聲，沉入水底，則判定是人世間之買主，不必疑慮有他；惟若見錢幣在水中悄然無聲，即係鬼伯光臨，否則將有厄運降臨，鬼伯光臨之日，香燭焚化，且浮於水面上者，即在北岸陰陽河一帶活動，北岸乃酆都縣城荒塚，鬼伯之墳，在北岸，日落黃昏時節，墳山也。南岸居民不遇得懷，有信[illegible]也。此亦僅爲道聽塗說，不足以爲鬼之戒心矣。

山四川酆都縣城，本屬丘陵地帶，古木陰森，城外山頂建有天子殿，傍水環山，閻羅天子，氣象森嚴，供奉陰氣逼人；並在兩廡分設十殿閻王，及施諸酷刑，各殿塑造鬼卒拘捕地獄罪犯炮烙之刑，刀山，血汚池，形態逼眞，各種幻想中之地獄情景，無不一一塑立，加上傳說中之望鄉台，奈何橋，慘狀像，令人見之有因果報應，就在眼前之重大啓示，因此昔日前往山頂膜拜禮之善男信女，每年以七月十五之盂蘭盛會時，最爲隆重。

筆者於抗戰勝利還都時，搭乘江輪由重慶溯江而下，因時間匆迫，雖途經酆都縣城亦未能登岸一遊，瀏覽此一極富有傳奇性之神秘縣城風光，殊爲可惜耳。

劉璈治台史事

·李仲侯·

他的辦法本是楚營舊章，行之多年而皆有利無害，但此法「止便於公，不便於私！止利於謹守營規之官弁勇丁，斷不利於貪墨疲玩之統領營哨，在謹守者求之不得，而貪墨者妬忌必深，妬則讒。讒則變亂阻撓，無所不至」。以致當時那位制軍何璟都起了「法立弊生」的懷疑，所以這個「存餉舉驗」的辦法，本是良法美意，結果亦只能在道統各營實行，未能施行於全台。

再其次說到外交，在劉璈巡台任內，除法軍侵台封口關於外交業詳上篇外，只有兩件有關外交事務值得一述，一件是鵝鑾鼻建築燈樓；一件是旅後港開濬港口。築燈樓，開港口都和通商行船有關，所以多由海關主辦，而中國海關總稅務司，及各口稅務司皆用洋人，所以成為「洋案」，既為「洋案」，故須報請督撫咨商總署，當作外交事項辦理，因為鵝鑾鼻左右俱係生番地帶，所以初議建築燈樓，劉璈的前任張道台就認為「鵝鑾鼻難於建樓，正恐看守人等不時陷險，以釀人命」。

劉璈到任後，建築燈樓已成定案，只好對着總稅務司說：「此舉人命攸關，宜十分鄭重，清其源於先」。意在藉此劃清彼此的責任，他說：「……要皆扼於地險，番彪不能必保其竟無人命，如果看守人等確遵禁約，不出游，不登山打雀，不深入番社，亦何至有平空釀命亡事，萬一命出意外，原與通商無關，亦應由地方官按照中國律從嚴懲辦，彼此均不得另有違言」。

雖然，這樣聲明了，還不放心，他又提出進一步「清其源」的道理：「欲清其源，端在用人之安與見事之明，台灣地險人雜，動輒逞兇滋事，肇釁甚微，貫禍最大，全賴當局者守約鎮靜，庶可銷患未萌，此中關鍵，非特總稅司遠寓京師，無能採討，即駐台之領事，稅司，教堂，亦皆莫知底蘊，蓋因中外異趣，情實鮮通，領事，稅司之所親近相輔翼者，大都皆中國習賈之流，教堂所交者又多詭之輩，若輩惟利是圖，鮮顧大局，欲求其見得思義，居寵思危者，百無一二，倘竟假以事權，不加深察，則彼將枝節妄生，百般蠱惑，當事者又始終深信不疑，受其愚而不悟，迨至激成事端，中外騷然，則彼猶不自省疚、強詞奪理，反與地方官民為難，在中朝柔遠為懷，原無不可以寬大處之，抑知朝恩愈寬，民憤愈積，積久愈烈，理有固然，津、皖、蜀、閩等案可為前鑒」。這一段理論是以那些如天津教案之類的事實作背景的。他把總稅務、稅司、領事和傳教士一例看待：雖然此一時未可語於彼一時，但對於當日估理稅務，教務人員之專橫無狀，確已刻劃得淋漓盡致。（十八）

維多利亞女王

徐學慧

女王在十九歲就和她的表弟亞爾培結婚。這位表弟小她三月，不是英國人，而是屬於日耳曼民族的。他們結婚後的生活非常好，不到十四年，就生下了兒女九個，然而，也不到十四年，這位王夫卻與世長辭了。

王夫逝世時，維多利亞女王僅四十二歲，此後，她還活了四十年，這四十年中，那個舊日為亞爾培住過的那套房間，一切都保持王夫逝世前的舊觀。每天晚上，她必然命令下人給她的去世的丈夫重新舖被，每晚盛水在盆裏，當他仍然活着一般。

這種夫婦之間的感情，倒也不由得令人記起一個傳說下來的故事。據說有一天，亞爾培大怒，關到自己的房間裏，維多利亞同樣氣忿，敲門要進去。「是誰？」他在門內問。「英國女王。」她在門外答。他不肯開門，外面又是一陣劇烈的敲門聲。他仍舊是那麼問，她也仍舊是那麼回答，這樣重覆了許多次，門依舊沒有開。到最後，停了一停，接着是輕輕敲了一下，「是誰？」裏面依舊是狠狠的問，可是，這一次的回答，卻不是「英國女王」，而是「你的妻，亞爾培。」門立刻開了！

這雖然是一個傳說，亦且無人可以為這一傳說作一證明。可是，宮廷中的事，誰又能指證其必然沒有呢？

自從亞爾培死後，維多利亞有許多年不肯出宮，不肯參加各種公共集會的典禮，（在英國，這是必要的）。因而引致各方面的竊竊私議，到後來，幾乎影響到英國王位的存廢問題。最後，維多利亞終於覺悟到：用這種深自痛戚的方式，來紀念逝世的王夫，是不大適宜的。她終於決定，獻身於事業，獻身於王位，這樣一來，使才得英國臣民，恢復了對於王室的信心。

直到她登極五十週年的時候，英國的國力，在英國歷史上發射出無可比擬的光輝，一直到她登極六十週年，這光輝更是發揮到絕頂。（二）

東坡與佛印

介人

蘇東坡與佛印的故事，歷來私人筆記與民間的傳說極多，至今不衰，茲略述數事，以資談趣。

調謔篇載：東坡喜食燒猪，佛印住金山寺，每燒猪以待其來。一日為其竊食，東坡戲作小詩云：

「遠公沽酒飲陶潛，佛印燒猪待子瞻；採得百花成蜜後，不知辛苦為誰甜。」

據此篇的記載，可見佛印和尚是不吃齋的，他們經常吃的是猪肉。因此，於是又發生了下面的一段故事。一日，蘇東坡正在吃魚，見佛印遠遠來，即將魚盆藏在櫃頂，心想這正可不讓你趕上了白吃，其實佛印早已看到了。

佛印進門詳作不知說：「老蘇，請教你一個字，有人罵蘇字時，將魚字寫在左面，對嗎？」東坡說：「本來如此。」佛印又問：「有人將禾字寫在左面，魚字寫在右面，可以嗎？」東坡說：「也可以。」

佛印又問：「有人將魚放在上面，可不可以呢？」東坡應道：「這倒不可以。」

佛印伸手將櫃上的魚盆拿下來，笑說：「既然不可以，就該拿下來。」

東坡大笑，佛印旋即一掃而空。

類似以上的故事，還有一個，就是有一天夏夜晚上，蘇東坡與秦少游約好瞞着佛印去遊湖飲酒，到了船上，馬上吩咐舟子將船駛到湖中心，一面擺開筵席，舉杯對月，痛飲一番。先由東坡提議行酒令，一二兩句，即景生情，三四兩句，要引用相連的成語。少游當即附議。先由東坡飲酒一杯，吟道：

「浮雲撥開，明月出來，天何言哉！天何言哉！」

接上少游亦毫不思索，賡續吟道：

「浮萍撥開，魚兒出來，得其所哉！得其所哉！」

少游剛剛說完，突然之間，艙板內走出了一個和尚來，口內吟道：

「艙板撥開，和尚出來，人焉瘦哉？人焉瘦哉？」

原來佛印早知他們有約，預先埋伏於艙板下，只好邀了入席，三人共飲。

其實，這一些故事，都是不實不盡，多屬後人杜撰。但東坡與佛印友善確係事實，在金山寺內，至今還留下了一段佳話。相傳東坡曾留下玉帶一條在金山寺，傳為金山寺鎮寺之寶，各僧人亦常持此玉帶而細玩。後來東坡因政治而被權臣所摧害，將其遠謫惠州，還與佛印作天涯之別。

佛印在鎮江，東坡在惠州，彼此情屬知交，不免於思念，但以路遠無人願為致書，故想念殊切。有道人名卓契，因知佛印之心事，乃慨然說：「惠州不在天上，行即到矣，請書以行。」佛印當即作筆致書云：

「嘗讀退之道李愿師盤谷序，愿不遇主知，猶能坐茂林以終日。子瞻中大科，登金門，上玉堂，遠放寂寞之濱，權臣忌子瞻為宰相耳。人生一世間，如白駒之過隙，三十二年功名富貴，轉盼成空，何不一筆勾斷，尋取自家本來面目，萬劫常住，永無墮落，縱未得到如來地，只可以騎鸞駕鶴，翱翔仙島，為不死人。何乃膠柱守株，待入惡趣。昔有問師，佛法在什麼處，師答之在行住坐臥處，著衣喫飯處，屙屎撒尿處，沒理沒會處，死活不得處。子瞻胸中有萬卷書，筆下無一點塵，到這地位不知下落，亦可惜一生聰明要做什麼，三世諸佛則是一個有血性漢子。子瞻若能脚下承當，把一二十年努力向前，珍重珍重。」（見宋稗類鈔）

佛印的卓識如此，豈如世俗所傳的貪玩好吃的僧人，但東坡未能如其所願，跟他做和尚去耳。

談談洋人的相貌

諸葛文侯

信不信由你：我認為就一個人的相貌和氣宇綜合觀察，很可以推測他的性格才能，及其一生事業的大概情形，中國人如此，洋人亦可作如是觀也。

一九五二年美國舉行總統大選之初，競選人艾森豪，塔虎脫，史蒂文生等人的相片和履歷，在報紙上揭載詳明，人皆見之。當時香港「民聲報」以艾森豪：塔虎脫優劣論徵文於愚；推究他們勝敗之數孰多？我根據艾森豪的幾點性格表現，認為他一定獲勝。艾氏於二次大戰結束後，以歐洲盟軍統帥身份凱旋歸國之日，杜魯門總統令白宮全體文武公職人員往外迎接，以示推崇國家元戎之意。詎艾氏避走通衢；悄然駕駛一輛破舊的吉普車，身穿一襲破襯衫，從小徑闖進了國務院，使千萬名站在大街上引領迎候的人羣，為之沮喪失望，此其一。繼而杜魯門與艾氏私人晤談時，表示民主黨願意擁戴艾氏為候選人，問他是否已經加入了共和黨？他卻笑而不答；亦不表示要競選的意思：此其二。當麥克阿瑟元帥撤職案發生時，艾氏在巴黎接見新聞記者，有人問他對麥帥事件的感想如何？他肅然答道：「麥帥是我的老長官，我不能談！」過了一會兒，記者們不談此事了，他又說出軍人不應干預政策的話來；語意即係指摘麥帥，此其三。我綜觀這些事情，再看看艾氏的相貌，認定他的性格擅長表演做作，對一般選民的吸引力；比塔虎脫和史蒂文生都強得多，乃斷言其必可當選。同時有人以艾氏的相貌請教於旅港的人相學專家盧毅安氏（民社黨要員），盧亦說艾氏必然當選，但他將來的政績卻是一塌糊塗，毫無可觀者。後來這些推測都與事實相符合，並非「事後有先見之明」的評判啊！

現任美總統甘迺迪的性格如何，因為他更事無多，無從論斷，但我對他的相貌再三諦視之後，總是有些「望之不似人君」的感覺，而認定他的形態酷似一位新聞記者或運動員的派頭，尤其是瞧着他跟赫魯歇夫站在一起的照片，表現極端不調和的色彩，令人難以想像這就是世界上叱咤風雲的兩大集團首領哩！再看甘氏上任伊始，對於古巴人民反卡斯特洛的革命之役所採取的政策和行動，更懷疑他在競選時夸夸其談的「新境界」「站在最前線」這類大言壯語，是否真有實踐之日，大成問題了。尼克遜指其為「廢話連篇，毫無建樹」，似非完全基於黨派觀念的批評。若將已故民主黨總統羅斯福的相貌與甘氏比較觀察，更有霄壤之別，這與年齡無關，生成是一副缺乏恢宏豁達的氣質，縱使活到百歲，其原形亦不會蛻變的。

屈原和詩人節

·謝康·

韓昌黎說：「凡物不得其平則鳴，……楚大國也，其將亡也，以屈原鳴。」（送孟東野序）離騷、哀郢、卜居、漁父……諸篇，低徊往復，想安頓而終不能得到安頓，作者的情緒，想像和風格，都充份帶着浪漫派藝術，崎嶇，突兀，跌宕不平的崇高氣象和偉大氣魄。這不獨是詩人情感的升華，也是楚民族的哀音和戰國二百餘年文學的精髓。這一首偉大的詩篇，眞是一個充份洋溢着中華民族智慧和歡欣和哀怨的泉源，是大詩人底靈感體認出民族和時代精神直接交流所激出的浪花，也是他崇高的靈魂憑着天才創造的過程嘔心泣血所留給我們後代人的光明啓示。

屈原的偉大，不獨在中國享受了最高的榮譽二千餘年；就是將他來比較西洋古典文學史上第一流最偉大的詩人——希臘的荷馬，意大利的但丁，也是不相上下的。文藝復興時代意大利雕刻大師米開朗傑羅為但丁的雕上的詩句說：

「無人說得出關於他應說的話，太太的光榮環繞着他底名字。……一千個證據中只這個足證明；沒有比他更放逐，更大的虐待，世間上也沒有比他更偉大的人！」

這些話倒很像特別是為屈原而寫出來的，因為但丁和屈原，時代相隔雖則有千餘年，地域相隔也有幾萬里，然而這兩個崇高孤潔的靈魂，居然是那麼酷肖而簡直要結合為一體了。（四）

徵稿小啟

有內容有意義之隨筆、散文、掌故、小說、雜感等類文字，本刊均所歡迎。請用有格稿紙繕寫，如需退還，請附信封及郵票。一千六百字左右的隨筆，比較容易刊出，過長則以篇幅所限，請特別留意。

內銷證警備內台報字第〇三一號

自由報
THE FREE NEWS
第一四九期
中華民國僑務委員會頒發
台教新字第三二三號登記證
中華郵政台字第一二八二號執照
登記為第一類新聞紙類
（半週刊每星期三、六出版）
每份港幣壹角
台灣零售價新台幣弍元
社長：雷嘯岑
督印人：黃行富
社址：香港銅鑼灣高士威道二十號四樓
20. CAUSEWAY RD 3RD FL.
HONG KONG
TEL. 771726　電報掛號．7191
承印者：田風印刷廠
地址：香港灣仔高士打道二二一號
台灣分社
台北市西寧南路壹壹[illegible]號二樓
電話：三〇三四六
台郵撥儲金户九二五二

泛談時局的動向

王厚生

甘、赫維也納會談後，赫魯曉夫忽將柏林問題提至突出地位，引起全世界人士的注目。俄國對於西德的富强具有畏怯心理，與俄國有意解決柏林和德國問題，都是毋庸諱言的，同時，俄國無力從事戰事以解決這些問題，也不算是錯誤的估計。儘管毛澤東狐假虎威，張牙舞爪，然而，赫魯曉夫的確心裏有數，戰爭不是兒戲，第三次世界核子大戰的結果，決不像毛澤東所說的那麼簡單和輕鬆：資本主義國家在地球上整個被抹去，只剩下「社會主義」國家。老實說，毛澤東所說的話，不僅是不符常識，而且是不負責任，信口雌黃，胡說八道。赫魯曉夫心裏明白：整個所謂「社會主義體系」是個什麼樣子，俄國本身有些什麼難題，中東歐共產國家的民心是個什麼傾向等等。要戰爭，有何困難？戰爭的把握怎樣，如何收拾戰爭，以及戰爭的後果等問題，不能不加考慮。我們不甚知道赫魯曉夫對以上問題作何看法，也不甚知道他考慮以上問題的結果。我們雖然不是當事人，却是旁觀者。「旁觀者清」，「當局者迷」，我們對整個共產集團的估計和看法也許比較赫魯曉夫更要清楚，至少在某些方面是如此。赫魯曉夫是由內看外，由本身看別人；我們是由外看內，由人心看共產制度。我們的看法和估計，有很多是赫魯曉夫所看不見、估不到的。

我們的看法和估計怎樣呢？可以說，戰爭萬一爆發，整個共產制度將呈土崩瓦解之勢。這看法與毛澤東的結論剛剛相反，赫魯曉夫的結論假使不是完全悲觀的，也不可能是完全樂觀的。因此，他爲擴張共產主義的勢力，導採「和平共存」的「經濟競賽」策略，而不以毛澤東的戰爭不可避免說爲然。兩方既有意見分歧，免不了爭吵，堅持至於面紅耳赤，引起感情衝動，間在去年的莫斯科會議中，赫魯曉夫曾斥毛澤東爲「戰爭狂」，不是不可能的。

柏林局勢，已告緊張，因在七月八日那天，赫魯曉夫已經提出公開要求，籲召開四強會議以解決柏林問題，並簽訂對德和約。「老赫」所謂四強會議，是高峯會議。七月十三日，西德總理阿特諾有所表示，相信在年底之前，對柏林和德國問題將有國際性談判。這事的演變未可捉摸，但方向已夠明朗。我們閉上眼睛，默想其發展：可能談談拖拖，毫無結果，一如往昔，但是，共產黨的事情很難說，也可能以過去數年來累積的「量變」突然轉至「質變」，忽然雨過天青，局勢急轉直下，也說不定。不過，於考慮現存的種種因素後，後一轉變的可能性微乎其微。但局勢既如此變化，西方各國明知談判不能產生積極結果，大概是硬着頭皮赴會的成分居多。如果甘迺廸和戴高樂兩位總統堅決拒開高層會議，則外長會議似成定局。反正，還有半年時間，赫魯曉夫盡可作狀，局勢還要有變，新的因素還會浮現，至年底，還不知會產生何種結局。

赫魯曉夫申言欲於年底與東德簽訂和約後，隨即宣稱，西方通往西柏林的自由可以不受妨碍，接着又要求召開四强高層會議。一個月的時間，就變化多端。西方對俄國的反應，迅速而堅決。多憂善感者，難免爲柏林局勢担心。但據我看，赫魯曉夫既以四强高層會議解決柏林和德國問題的途徑，担心已屬多餘。對付俄國之道，是要打就打，要談也可考慮。憂感造成畏怯心理，易生軟弱和退縮，這是要不得的。赫魯曉夫停止裁軍和增加軍費，欲與西方攤牌嗎？果眞如此，不僅毛澤東將認爲是「好事」，我們尤認爲是特等「好事」，自由世界對此正求之而不得，不過，我害怕，單單西德的「復仇主義」已夠嚇退赫魯曉夫了，更不必談北大西洋公約的全體作戰力量。

赫魯曉夫忽硬忽軟，何苦提出對東德和約問題？除其他各種理由以外，我想至少還有另一理由，即赫魯曉夫欲以柏林和德國問題移開世人對鐵幕動態的注意力。當然，這也是一種由外看內的看法，未必是赫魯曉夫的眞正用意，但是，「老赫」將柏林和德國問題提出，無意中發生掩遮世人眼目的作用。在自由世界範圍內，因政策强弱而互相埋怨是習見之事，有人因此大失所望，對自由世界的前途喪失信心，其實，鐵幕裡面的問題更多，更複雜，更困難。我們不應爲赫魯曉夫的掩眼法所迷惑，以致只見自己的缺點，而忽略敵人的致命傷。我們無意誇大和强調敵人的致命傷，聊以自慰，或作爲決策的基礎，而是提醒世人，對自由世界失去信心，可以間接助長敵人的餘勢，如果在我們的心理上，眞有毛澤東所謂「東風壓倒西風」的感覺，我們的反共精神必然或多或少地受到侵蝕的影響。中華民國的政府有缺點，却不應對中華民國和反共復國喪失信心，否則，我們看不見有光明的前景，我們便缺少重要的精神力量來從事艱辛的長期的反共工作了。

共產主義這個幽靈在世界各地作惡已有多年，它本身的致命病痛也益見顯露，它的垂危命運，已不是人力所能挽救。現在，盛行在共產集團內部的，是條條大路可以通羅馬的思想。這種殊途同歸的思想對於共產黨（非主義）來說，未必即是「好事」，因爲途既殊，歸宿也不同，這是缺乏「統一行動」的必然後果，共產黨離開統一行動，是不可想像的事。統一行動要有中心，赫魯曉夫今天所尋求者，即是這種中心地位。中心地位基於思想領導，思想發生了分歧，即是正統和異端之爭，是教條和修正論之別，這事關係解釋方法和哲學觀點（世界觀和人生觀）。數十年來，我們提倡民主政治，民主政治基於主權在民，主權在民基於人格尊嚴。馬列思想既可作各種不同解釋，則人人有解釋之權，赫魯曉夫和毛澤東是地球上近三十億人口中之一二人而已，他們兩個人的各別解釋怎能決定一切？凡共產黨人，都應有此自覺。

條條大路可以通羅馬的思想盛行後，統一行動使不可能，所以，赫魯曉夫和毛澤東都有意爭取中心地位，但誰都沒有爭到手，形勢演變成爲兩個人之間的權威之爭和意氣之爭，與思想不相干，與馬列主義不相干，與大是大非不相干，更與所謂共產主義運動的全體利益不相干。共產主義的事業演變至此地步，還有什麼前途可言？誰要繼續走在這條路上，在前面等待的，只是白白犧牲的。

殊途同歸的思想基於民族特點，而民族特點的提出，正好給平時被壓制着的民族情操獲得抬頭機會，民族主義的抬頭使中心領導更加難以建立，因而，眞正的民族主義實與國際共產主義勢不兩立。七月十日，美國務長官魯斯克在全國新聞俱樂部午餐會上發表演說稱，俄國的附庸國正在不斷要求獲得自由。一九五三年六月，東德工人羣衆的反蘇反共鬥爭，一九五六年十月先後發生在波蘭和匈牙利的大規模反蘇反共鬥爭，皆足以證明民族主義與共產主義爲敵。狄托主義被稱爲民族共產主義。目前阿聯與俄國的交惡（納薩總統早已宣佈共產黨爲非法組織，被捕下獄的共黨黨員約有二千人。都說明民族獨立是應該的。毛澤東太無恥，早在一九四九年十一月已自願「一面倒」向俄國，曾受史太林的驅策，在韓國戰場爲俄國去火中取栗。現今韓國無戰事，俄國却與金日成在莫斯科簽訂軍盟（七月六日），毛澤東豈能沒有感觸？

（下轉第二版）

漫画天下

兩難之局（一）赫魯曉夫對着西柏林的缺口，綯着眉說：「除了用核子火箭，還有什麼東西可塡塞東德這個漏洞？」

兩難之局（二）伊拉克敢向油庫點火嗎？

自由談

政治生活的觀感

馬五先生

對日抗戰結束之次年，我在南京偶遇着睽違了廿餘年的中學時代業師羅先生，我陳述自已離開學校生活以來的經過情形後，羅老師以莊重的詞色答道：「你是行年四十歲以上的人了，今後應該務些正業，莫再從事於無聊的政治生涯，才是正道。」我矍然對曰：「做新聞記者，老師以爲如何呢？」他頷首道：「總比搞政治有價值」。這就是我最近十餘年來，一意吃爬格子飯的所以然，老師一席話，對我啓發良多，裨益匪淺也。

居常平心靜氣地仔細思量，假使我不聽老師的教誨，在抗戰勝利後，還是向着政治場中討生活，結果縱然不商職懲處，也必定早已淪爲政壇上的癟三乞丐之流了。何以故呢？第一，生來即有一種不配作官的所謂正義感，見着卑鄙齷齪的事情，即不期然而然的要本諸良心血性，予以指摘糾正；第二，不習慣在表面上對長官表演變料忠貞份子的言行，如高呼萬歲，撞皮鞋後跟致敬之類，只講究做人的標準，服務的守則，居敬存誠，不愧屋漏而已；而第三更不願參加政治上的小派系，且走裙帶關係的邪路徑。如此傻頭傻腦，不識時務的蠢材，試問當代鐘鳴鼎食之政治要人，誰願理睬呢？因此，我對於羅老師的教言，銘感深切，永矢弗諼，人生能得一良師益友，眞是死可無恨矣！

可是，我雖無心於不務正業的政治生涯，但政治總是現實的存在，必須有人來搞才行，而自身的利害禍福，亦沒法脫開政治的影響，本能地希望國家政治清明，讓人民過着好日子。亂世的政治最糟糕，若要撥亂反正，即須從改革政風入手，而以用人的關係最重要。昔賢曾國藩在亂世幹成中興事業的主要因素，就是革除舊有那套因循圓滑，官氣薰人的臭官僚作風，提倡具有「土氣」的政治風格，一掃當時泄泄沓沓，醉生夢死的腐敗現象，使文武官員皆自動地奮勉勤職，力圖自見。今之名公鉅卿，多好談曾文正公的績業，可惜口是心非，在政治上却沒有一點效法曾氏的作爲，欲奏反共復興之功，不亦戛戛乎其難哉！

發起十項主張大團結
青年黨將修改黨章

‧健生‧

【台北航訊】分而復合的中國青年黨，目前正朝着大團結的途徑邁進，復歸統一的曙光已露，這件事，不僅受到此間人士的注意，更獲得駐台的外國報人所重視。因爲該黨於昨天發表一項對時局的主張，同時說明在八月十九日將舉行包括余家菊所領導的整理委員和改造委員會暨金華街中央黨部的全國代表大會，並修正黨章和政綱，因此，朝野人士極爲重視。

該黨發表時局主張，係由全國代表大會籌備會的名義公佈的。其要點如下：「本黨以支持政府，貫徹反共抗俄國策，以恢復國家領土主權的完整與獨立爲最重要之主張，故對外蒙參加聯合國，以及國際間製造兩個中國之任何陰謀，本會支持政府主張，堅決反對。至於傳聞旅日台人廖文毅，美國政府有考慮接受其訪美之說，吾人殊覺意外，查廖文毅既不能代表任何台籍同胞，而所謂台灣獨立運動更屬荒謬可笑，我們要促請政府轉知美政府予以注意，以免影響兩國傳統友誼。在此國際緊張局勢中，我們同時主張中華民國朝野以及海內外之大團結反共工作，應予加强」。

該黨創黨人之一的胡國偉，於去年九月間，發起「十項主張大團結救黨運動」後，即向全黨黨員徵求公意。之後，又由丁俊生等六十三名中央各級民意機關代表連署，於同年十一月六日在監察院會議室舉行座談會發起人會議商討進行大團結運動。而後再由中央黨務委員與中央監察委員暨黨員共二百餘人，向中央黨務委員會建議，在去年黨慶日，召開全體中央委員會議，商討中央與地方改組及籌開全國代表大會。本年四月十六日召開第一次發起人會議，選出胡國偉、王嵐僧、陳翰珍等三十人爲籌備委員，積極進行籌備舉行全國代表大會的事宜。

該黨黨員丁俊生、朱文伯、宋益清、李公權、郭紹宗、陳翰珍、胡國偉暨台籍黨員林章等百餘人，在告全黨同志書中沉痛地說：本黨創立，於今三十七年，對民族負有反共抗俄的神聖使命，對國家負有民主憲政莊嚴責任，過去爲反共而奮鬥，爲民主而努力，事蹟昭昭可考。不幸遷台以後，內部糾紛迭起，寖且釀成四分五裂之局，循至不可收拾，言之痛心！同仁等認爲振黨譽，喚起黨魂，重心，端在憤發人心，轉移風氣。用是提出十項主張，推行大團結救黨運動。他們以黨員身份提出如下的主張：

一、主張重建黨統，重整黨紀，恢復創黨精神。不參加黨內任何派系，不受人利用。

二、主張發揚同志愛，同甘苦共患難，爲黨奮鬥。對於黨事之處理，主持公道，只問是非不問利害。

三、主張依民主原則處理一切黨務，多數尊重少數，少數服從多數，只對事不對人。

四、主張黨格高於一切，不爭權，不爭利，一切言論與行動，絕對不違背本黨宗旨，不破壞團結。

五、主張大團結運動，不問過去恩怨，捐棄個人成見，力求中全會迅速召開，一切糾紛提交大會解決，並儘早召開全代會，以求本黨重建。

六、主張機構領導制度，反對獨斷獨行把持黨權的惡習。

七、主張中央與地方分權制度，反對集中央與地方黨權於少數人的不良風氣。

八、主張推行救黨運動，反對有利爭先，有責不負的鄉愿行爲，和遇事拖延敷衍塞責的官僚作風。

九、主張權利與義務平等，反對利用職權在黨內外安插私人，製造小圈子的自私作法。

十、主張聯合忠黨愛國同志，抱定犧牲奮鬥精神，爲復興本黨而努力，任何犧牲在所不惜，奮鬥到底不達不休。

於是，青年黨大團結運動，很快的獲得大多數黨員的支持，很快的由醞釀而進入籌備階段。因此，國內人士乃拭目以待，樂觀其成。

五十年七月十二日

香港與大陸

【本報專訊】一個可憐的僑眷，因難忍兒女在大陸受飢挨餓，思慮過度，而致神經恍惚，乃以極大悲痛之情緒，於前日晨八時許，被人發覺她在寓所懸樑自殺，救下時已是全身冰冷，返魂乏術，於送院途中，不幸死去。

該名中年僑眷名林月雲，卅二歲，福建人，住渣華街卅一號三樓，其夫在菲律賓工作，每月有錢滙返，她則每日都在渣華街四十號之國安大廈某塑膠廠當女工，日可入數元，生活向爲安定，據謂她有一子一女在大陸鄉下，屢次申請來港，均不獲批准，她因此而終日以淚洗面，常向人打探出入境之手續。

兩月前，她與另兩名女工友搬至上址居住，依然悒悒寡歡，迨至今晨八時左右，與她同住的兩名女工起床，張目一看，赫然見她在旁邊不遠處懸掛在天花板，爲狀恐怖，心知有異，忙起身察看，發覺林用撕破的布條扭成繩子懸掛在一大鐵鈎上，遂大聲呼救驚動同居之住客，合力將她解下，發覺她全身冰冷，只胸口尚有微弱餘溫。立即馳電警方轉送入醫院急救，詎料在送院途中斃命。

公論報鬧勞資糾紛

【台北航訊】由台灣地方人士集資所創辦的公論報，自從張祥傳主持復刊後，頃又發生勞資糾紛問題，現在由警備總部、警察局、總工會、市商會、市政府社會局與市黨部等機關共同處理中。

日前，市政府社會局組訓課會舉行會議，資方蔡水勝、蔡朝根、林翊重與勞方代表趙政永、張埏，以及市總工會與市商會等機關代表均出席會議。當時，各有關機關代表咸認爲：這件勞資糾紛案，較爲特殊，因爲公論報已經復刊，而不是像其他糾紛案因資方關門大吉或面臨倒閉，按常情言，復刊的公論報是不應發生勞資糾紛的，問題的發生，是公論報印刷廠工人，公論報股份有限公司並未照舊全部錄用，只用了十多人，尚有六十二名工人面臨失業，故各機關咸同情工人，乃作公平合理的處置，而與會各代表，除資方而外，一致說公論報工人是無辜的，公司方面應有合理解決的途經，於是依照勞工法要資方負責解決。

早在五月三十一日晚間，公論報印刷廠全體工人，求公論報股份有限公司復工，他們所持理由是：公論報不是創刊，而是擴版復刊，既是復刊，當然工人有權要求復工」云云。但事爲治安機關所悉，立即加以勸導，由工人推派代表，隨同治安人員前往要求該報社長張祥傳予以復工，當時，張祥傳表示，事前公司方面曾通知工人辦理登記手續，然工人並未遵辦，故以棄權論。旋工人代表指出公司方面通知登記時，公論報並未停刊，而負責人是李萬居不是張祥傳。迨張祥傳在五月十七日領到內政部新頒發的登記證後，公司方面不但沒有通知他們是否願意繼續工作，相反的，公論報印刷廠工人會推派代表三人與該公司接洽時，亦被拒絕了。

這件勞資糾紛案，經過各方面協調，始決定由社會局處理的。起初，市社會局基於張社長是市議會議長，而有所顧慮，曾欲置之不過問，後經各方面同意後始同意承辦。據市總工會依勞工法規定，如果公論報股份有限公司不予原有工人復工而遣散的話，可能需要三十萬元以上的遣散費。這張地方報紙，由訴訟而勞資糾紛，可謂一波未平，一波又起。至於張祥傳與李萬居之間的訴訟，現在最高法院審理中，看樣子，恐非短期間內所能解決得了的。（七月十二日）

公治長

大鈔的惡作劇

【台灣通訊】新台幣百元大鈔發行已經十多天了，發行當局在宣佈的發行理由中有一條是說「爲了適應大衆的需要」，但是這幾天到處發生的一些小事，好像是在跟這條理由在惡作劇似的。百元大鈔除了在剛發行的幾天，很多人爲了好奇和湊熱鬧的心情去排隊兌換幾張來玩玩以外，過了這一陣子市面上便很少能見派上用場。

公路局的車上，常常有人拿了百元大鈔買票，車上的售票員一時找換不開，到站只有眼睜睜看着，乘客大搖大擺的走去，這些人白坐霸王車公路局還拿他們沒法辦。昨天公路局長已經發出呼籲，希望乘客合作，不要再這樣的惡作劇了，否則，白坐客增多了，公路局眞喊吃不消了。看來公路局並不歡迎百元大鈔的。

有人在路邊吃了一元兩元的冷飲，掏出一張百元大鈔要小販找錢。可憐他們一車子的食品都算上還值不了一百元，又從那裡去找那九十七八元？無奈又只有讓他們白吃了去。以後再有顧客來的時候，只得多說一句：「一百塊的沒有找的啊！」免得再上當了。

坐三輪車，乘計程車，上小菜場，百元鈔都無用武之地，說不定，大家只有把物價提高來配合大鈔，以免彼此麻煩了。

南部鄉下偏僻地方還有人不知道大鈔的事，有人拿了大鈔去店裡買東西，店東不認識大鈔，客人費盡唇舌還解釋不清，店東一定肯定是僞鈔，還要拉了客人去警所報警偵辦。（吳越）

論種菸許可與菸葉收購問題

林嘯松

第四是菸葉產量與品質的問題，據說菸草栽培的面積及菸葉產量，皆可予以有效的控制，例如四七—四八年期全省菸葉種植面積爲八，一五四、七公頃，總產量計達一五，六四五、七九九公斤，四八—四九年期全省種菸面積爲七、九九〇、四二公頃，總產量計達一五、九五二、五五四公斤，至於本年期則係根據上年期各菸廠實際收購之每公頃菸產量，所決定的種菸面積，僅台中區即達三、三六七、三七七四公頃，因本年期各地菸草生長良好並未發生霜災病害，不單單位面積產量大爲提高，即菸葉品質亦較往年爲好，不過菸葉產量雖已達相當數字，但其品質却仍不能儘合需用，高級菸葉生產量仍嫌不足，而低級菸葉則頗有餘，每年尚須外購美國菸葉以爲補助，今後應在種菸技術上注意選用優良品種，防止霜災病害，以及改善各種自然因子，適應菸作條件，以提高菸葉品質，增加高級菸葉產量，這才是當前菸葉生產事業的重要課題。

以上所述，僅舉其犖犖大者，一得之愚，原不足鑑，且現行之買菸制度，以目前而言，尚不失爲一良好制度，正宜予以維護，使其更趨於完整與合理，至於菸農與菸廠之間彼此因基於利益起見，其關係亦頗多矛盾之處，以致存在着極不協調的事實，這也是無法完全避免的，對於菸農要求菸廠提高買菸等級，衡之以情，亦未嘗有何不良意圖，因爲菸農種菸意在謀利，而利之所在，則必欲爭取而後快，因此菸葉廠惟有能保障其合理利得，才能使菸農心平氣和，與菸葉廠獲取眞心的諒解與合作，同時也才能使菸農感激政府的寬厚。

當本文於發稿之際，適值台中菸廠在草屯鎮輔導區收購菸葉，由於菸葉等級高低問題，菸農要求鑑定人員復鑑，廠方認爲彼等無理取鬧，拒不接受，雙方由爭執而幾乎鬥毆，彼此相覷儼然如同大敵當前，若有無窮憤慨，必須藉此機會盡情宣洩而後快，最後菸廠乃決定撤回鑑定人員，並申明停止收購草屯區菸葉，情勢愈演愈惡，一時尙難打開僵持之局，連日來雙方均招待新聞界與地方民意代表，以便爭取輿論的同情與支持，其實這是各廠在買菸期間的家常便飯，幾乎是一日數起，這種事件對社會已毫無新奇的刺激，用不着新聞記者在報刊上大事渲染，報導得有聲有色，如果他們要研究一下本省菸草種植與收購的制度，那就很難怪不發生這類事件了，一言以蔽之，這都是買菸制度帶來的煩惱，質諸菸酒公賣局的有識之士，與筆者當有一番相同的感念！（全文完）

泛談時局的動向

（上接第一版）

他曾經大捧「老赫」爲共產集團的「老頭」，但「老赫」酬答他的，是停止經援，撤退專家，拒絕救荒，更公開宣佈中共無力履行一九六〇年的貿易協定，造成欠賬三千萬美元。中共現向西方資本主義國家賒賬購糧，俄國此舉，委實不夠「兄弟之邦」情誼。近年來，「老赫」對着西方的顯要訪客，時常辱罵毛澤東的荒謬，所謂中俄共間的裂痕，多半由「老赫」親自流露出來的。總而言之，迄今爲止，俄國視中共治下的大陸爲殖民地，視毛澤東爲共黨支部在中國的代理人，絕無疑義。然毛澤東深受教條的影響，頭腦冬烘，還是夢想從國際共產主義出發（反修正主義），大搞一番，結果是使中共和毛澤東陷於俄國的殖民地境地而不能自拔，更遑論共產國際領導權的爭取。奉勸大陸內外的共產黨人，爲國家，爲民族，爲自已，應知有所抉擇矣！

黨人與汽車

太原生

年來在台灣的執政黨人的「汽車熱」，可說是到了「人言不足畏」的地步。雖然現在報紙上的刺目新聞常為「凶殺案」所佔，同時新聞從業人員也多抱有不得罪巨室的觀念，但也有不少像：沒有到職的公營事業機構的董事長，早已支取了「購買汽車金」而在外活動哪；縣、市議會議長「換購新車」的巨額支出」要有關方面攤派哪；縣、市黨部主任委員的「購買汽車」由政府借用其他名義支付哪等等，常從議會的審查預算的質詢中透露出來。

筆者看到這種消息，常回憶到民國二十年左右的杭州東南日報的前身——杭州民報的一則記載，那則記載不知是刊在「市聞版」還是在陳大慈主編的副刊「沙發」上則已模糊。牠的內容是說「省政府的汽車已經增到十多輛了。但是省黨部還是一輛汽車也沒有買」。刊佈這文字的意思是暗示「黨部人員是革命的」，他的生活方式是跟着大衆的」；反轉來說，也不無有譏刺「省政府浪費民脂民膏」的意味。當時筆者看了那報導，還以為時代進步，汽車是不應該拒絕的工具。為節約而不用牠，也不必標榜！但今日就台灣的現象看，對浙江省黨部那時的作風，眞不愧是「黨部模範」，而時常想加以表揚。不期最近看見「呂雲章廻憶錄」；呂是民國十八年的浙江省黨部委員兼婦女部長，她的廻憶錄中也記有汽車的事，茲摘錄如下：

有時省政府開會，一百多人中間只有我一人是女性，……每到散時，省府委員所有汽車，擺滿了門前，可是黨部裏的委員只有僱洋車。那麼多的汽車，一定，等到黨部委員步出門外，坐上僱來的洋車，才能開動。（見第四七——四八頁）

想那時的省府委員如何應欽、張靜江、朱家驊、陳布雷、周駿彥、錢新之……等都不是「等閒」之輩。而那時黨部委員以儉樸生活來作示範；省府委員不但不以「汽車驕人」，且更自力克制，要等黨部委員走完才坐上汽車。黨政工作人員的態度如此，才有那時的「復興氣象」。本來，十六年後還流行着「革命軍成，革命黨銷」的警語。就是說革命軍北伐完成，革命黨的革命精神已經渙散。以今例昔，那時的革命精神還是算得蓬勃呢。

鄉愿與人情

汶津

最近學生面臨畢業關卡，若干平時視讀書如兒戲的小伙子便為分數苦惱了，求情者絡繹而來，使我大感頭痛，固然一張張臉孔都是旣誠懇又急切的，但回想一下往日「刺之無刺」的德行，只有硬下心腸來。何況一個初中畢業生而認歐陽修為今人，看到梁啟超則只能說「著了很多書的一個人」，實在也不能昧着良心讓他「派司」。按人情說，一年的師生之誼自不能抹煞，但想想天下有多少眞理是毀於一個「情」字的，那一份教育的尊嚴更不能不維持了。

對於送所有赤字學生六十分的同仁，我欲無言。「世故人情」對於世人原有一種吞蝕力，而且連中道哲學也不免會受到誤會。做人之難，不在挨板子、受牽累，也不在追名花，產頭胎，難只難在恨一切恰到好處。

許多左右逢源的人，看似春風得意，實際上卻已宰割了內在的自我，他們付出的代價太大了！生而為人，自然不可能一貫冷酷，至不顧人情人意，但只有「能夠把感情和理智調整得那麼適當，使命運不能把他玩弄於指掌之間」的人，才眞正是有福的。世間的一切原是參差不齊的，根本不可能清一色的，為它們鍍金啊。

鄉愿不但可嗤，而且更是失敗人生的一種徵象。大勇者必然不會向世俗豎降旗。尼采的身體羸弱，百病纏身，卻能掙脫了外界的限抑，獨倡超人哲學，他不愧是十九世紀的戴奧畢錫，把「力」的生命觀高唱入雲。「一切人類將來之最大危險何在？豈不是在于善人和正人麼？毀滅啊，為我毀滅這班善人和正人！」蘇魯支如是說。他要毀滅的，其實正是那些鄉愿——那些「德之賊」啊！

但尼采想以強烈的意志取代人情，怕也不是任何人像他那麼瘋狂的正常人所能苟同的吧。如果人人「掩住了鼻子，頹然走過一切的昨天和今天」而且咀咒着，世界將變得不可思議了。但是表揚「百忍」哲學的中國，也未免大欠缺這種狂飈精神了。於是，維護人情變成了鄉愿的溫床，只見那些麻木的，模型似的人物在每一個角落登場，微笑，點頭，說着「和氣生財」那一類的「老人言」……

你說這是幾十年前的事麼？最近一位民選市長大鬧家庭糾紛，便會出現了為數不寡的「和事佬」。兩面陪笑式的勾當自然不太好辦，可是當事人貴為一市之長，這份人情可算大了？到如今，勉為其難的，總算雙方鳴金收兵了。可是旁觀者不得不想：這些到底還是咱們的優秀傳統啊。

甚至號稱民主國家領袖的美國，也經常以半瓶子醋的和事佬身份出現了。也許是太講究人情味了，由「剩餘主權」到結交外蒙，好像着着都在考驗我們東方古國的能耐。在這種情況下，我們的民意機關等等，也都覺得鄉愿一德已經沒有剩餘價值了。可惜在外交上我們早已做了為時不暫的準鄉愿！

沒有什麼比「沒有聲音」更值得憂慮了。只有鄉愿們才是「無聲勝有聲」的忠實信徒。我們的社會上，除了兇殺、毆鬥、少年案件的記錄直線上昇外，幾乎找不到太多刺激的新聞。出版商們大量印行「人人愛讀」的消遣小說，名家教授們發表些四平八穩的言論，實業鉅子們安閒地出現於大幅廣告裏，政府要員們相率避壽……多麼有人情味的時代啊。

再看看另外一些流行的時尚：紳士型的[illegible]……呢！

瘟君續夢

第二回：狼狽自爭雄，活佛有幸
人天齊示警，浩刼將成

印度朝野齊起攻擊中共，中共也在大陸發動反印，目標特別指着尼赫魯。

從四月中旬開始，中共自稱「退無可退，我們不得不起而反擊」。中共對於一項運動，都有一個周密的安排。這次反印自已並不出馬，首先把「民意機關」的人民代表大會推出來。這時正當第二屆「全國人民代表大會」第一次會議期間，所有民主黨派的代表這次可派了用場，每個人上去講話都是罵印度，指責「印度擴張主義份子」、「干涉中國內政」，還警告印度「縮回你們的手」，不要干涉中國」。

這次雖然是假戲，作得到非常逼眞，因為這些「民意」代表憋了一肚子氣，從來沒有發洩的機會，過去鳴放時要算是一個機會，但是大家不敢盡情的說，怕有後患，果然後來一批鳴放特別激烈的人都變成了右派份子，剩下的更成了仗馬寒蟬，再也不敢開口，但既然是人總難免有七情六慾，强要窒塞起來也十分痛苦，這次總算找到尼赫魯作為發洩對象，可以盡情的罵，罵了還必無後患。大家就越罵越起勁。還有一個原因也使他們痛恨尼赫魯，這批「人民代表」除去共產黨員之外，都是過去的軍政要員及所謂「民主人士」，他們自已清楚，共產黨所以還給他們一個名義，每月賞賜小米兩石，就因為台灣有中華民國政府存在，共產黨要利用他們向政府人員統戰，向國際宣傳。否則共產黨怎會養活閒人，假若中國政府覆滅了，他們的末日馬上就到了。這個情形大家心裏都明白，有一次幾位民主人士在一起晚餐，出門時，黃紹雄披了一件黑馬褂呢斗蓬，戴着黑禮帽，拿着手杖，步上台階時，薩空了以開玩笑口吻說：「看你的樣子很像老蔣！」

黃紹雄一瞪眼說道：「我到現在還是靠老蔣吃飯，當然要模仿他。」

後來黃紹雄被指為右派份子與這句話有主要關係，不過這也是所有附共人士的內心話。他們雖然經常在報紙上攻擊政府，替中共宣傳，但內心裏熱愛政府的心情，和海外人士原無二致。因此對於尼赫魯處心積慮要在聯合國排斥中國代表權的小人行徑，也恨到極點，只是中共平時對尼赫魯十分尊敬，他們自然不敢多說。現在終於找到一個罵尼赫魯的機會，既可立功又可洩忿，眞是公私兼顧，大家都拼命的罵，把尼赫魯的壞事全罵出來了。

李濟琛罵尼赫魯忘恩負義，喪盡天良；黃炎培罵尼赫魯甘作小人，欺軟怕硬；李方就罵尼赫魯為虎作倀，惹火燒身，馬叙倫更妙，坦率指出尼赫魯的行為是損人不利己，害人終害已。（廿二）

岳騫

鄭成功故里

・道南・

今年是鄭成功復台三百週年紀念，他的故鄉是在南安石井，是福建南端的一個半島，與金門島隔海相望。在石井附近，有一座白鶴山，山下有一個用石塊砌成的井，水從石隙流出，旣清又甜。在井的上面有天然的巨石疊成白鶴形狀，遠視恰如白鶴曲頸飲水，因而成為名勝，石井也因此而得名。

該地屋宇櫛比，面江而築，鄉人除鄭姓外，尚有伍、王、張、許、吳等，人口不多，約有三千餘人，除業漁外，泰半經商於星洲、泗水諸埠。

江口有五石，形類馬，其四馬昂首作奔向海外狀，一馬翹首朝鄭氏祠堂，故有「五馬朝江一馬回」之諺。又有石類雞，上刻「海上視師」四大字。

村子的南頭，有一座城門，叫「忠節門」，清光緒元年，巡撫沈葆楨奏請追贈鄭成功諡號忠節，此門因此而得名。今門廊依舊，每逢節日，鄉人在門上張燈結綵，壯麗輝煌。

鄭氏宗祠中，供列鄭氏歷代祖宗木祖，堂中懸掛鄭氏[illegible]橫匾，另有延平郡王及其德配董夫人畫像一幅，長耳[illegible]髮無鬚。聞其族長處，尚藏有廷手當日所用刀帽，每於春秋二祭陳列祠中，未稔今猶保存否？

為紀念鄭成功一生的光輝事績，鄉人把石井鄉改為成功鄉，該鄉居民，家家戶戶供奉着成功的畫像，每逢鄭成功生辰，全鄉舉行盛典，以示追念。

山川風物

紅綠燈

——黑子——

我是最喜歡逛馬路的了。不擠公共汽車而代之以步行，是一種運動，久之，則每日必須抽出一段時間來在馬路上走走，否則，就感到缺少了一點甚麼，或失落了一點什麼。

在鄉村的大道上自然是行所欲行，暢通無阻！可憐我們偏偏生活在都市裏，都市自不能和鄉村比，走在路上，三步一紅燈，五步一綠燈，我本來就患有極嚴重的神經衰弱之症，走在十字街頭，紅燈一亮，綠燈一閃，間接着還有黃燈混雜於其中，祇弄得我六神無主，徘徊着不知向那邊走才好，頗有無所適從之感。

因為，眼前雖然是紅燈亮着，可是仕女們挺着隆胸扭着纖腰擺着美臂踏着高跟鞋的篤篤的竟是旁若無人地衝了過去，我眞訝於她們有如此般的勇敢；祇有當綠燈亮着的時候，我才放心地走去，可是兩旁的脚踏車三輪車小汽車卻莫名其妙地橫撞了過來；我雖憤怒得破口大罵，然而卻是無補於事，而且還係不倫不類的命，有像一個螞蟻似的給他輪流輾死，否則我的未婚妻告到法院去都沒有一用，都得不到一點結論。

而也很巧，好幾個警察馬以及派出所就設在十字街頭，當我鼓起「勢在必行」的餘勇意欲向那裏獲得一點眞理和道義的贊助，可是，還沒有走進去，門前一盞紅燈卻又在那裡警告了我，提醒了我，此門森嚴，似是有些進去不得。

於是悵然而退，若有所悟。

美麗的仲夏夜眞是誘人極了，使得我即言不忍歸去（？）。而此時心情是迷惑的，蕩漾的，想起我的未婚妻一直被陷在大陸，迄今生死莫卜，不禁凄然神為之傷了。

在馬路上無目的地延着，不知不覺步到風化區來了。因為猛一抬頭，只見家家戶戶門前一盞綠燈，三三兩兩的打扮得妖艷冶蕩的春女們在燈下倚門作態！光芒四射，告訴你這裏的隨便那一家門戶，都可以任由你上下進出無誤，只要你有那個興緻。

可是我不敢再相信，凡綠燈都是表示可以通行的了。雖然她們柔荑的纖手强拉着我，甚至是幾個她合謀地硬拖着我，我都要以我的全力來防止，來挽回這一不可跌入的紅色陷阱的無底之深淵。

劉璈治台史事

·李仲侯·

不僅此也，他更覺得建造燈樓一案，「論其事則爲害[illegible]，迹其心則懷叵測」。於是他又上了一個稟，陳述意見說：「台地物產饒沃，久爲彼族垂涎，今彼族建樓於台之極南，左顧山後，右盼山前，前後交通，出沒自便，總稅務司謂僱民勇試汛防，皆不若用番，亦知番本嗜利，即欲以利籠絡者，無求不應，生番應，則山後盡應，山後盡應，則山前必危，彼素所垂涎者，不幾在掌握中也，彼族懷人之概，不惜重資建樓於此，遠議用番，又明知人命攸關，先以濟源之議給我，知其意不僅爲燈樓，無非藉燈樓爲名，希圖防由彼設，番歸彼用，彼可爲所欲爲，否則將來亦可藉命要挾」。劉璈把建築燈樓一事看到這麼嚴重，可見其治事之認眞，後來總署復函說：「總稅務司係中國所設洋官，此次派員前往建造燈樓，係爲保護中外船隻起見，似尙別無他意。」這纔勉強解釋了劉璈的懷疑。

關於旂後港口，早有建議，因爲總督何璟不贊成，所以延宕下來，光緒九年八月又有洋人請求開港，並由台南領事及旂後稅務司先後與劉璈接洽，劉璈認爲開港是有利無害的事，所以他主張由地方官聽自勵開港，他說：「開口之利，利在無事之時，商船與防海之自已兵船皆可停泊，若有戰事，敵人之兵，到處皆可上岸，又不在入口不入口：：：此口一開，全台鷄中各路貨物流通，內山材木可以運出：：：此口開成，將來基隆港之逐漸淤淺，滬尾口之業巳淤淺，均可移器前往，次第開深，而後山花蓮港，成廣港，卑南三處，能各開一口，可泊一二船，全台之血脈流通，軍務吏治皆有大益，較之固守死地，首尾不相應，前後不相聯，相去奚止天淵。」無奈當日總督何璟，愚昧守舊，堅執成見，他說：「旂後港之不可開，無非欲保天險，雖洋船出入口岸本多，然多一口究不欲少一口也，況現值籌防吃緊，更應暫從緩議。」於是旂後開港之事，就作罷論，除上述二事外，關於法軍犯台，首先還有一件很重要的交涉事件，當光緒十年三月八日，法國樓打兵輪駛進基隆港口，故意挑釁，幸經地方文武官員由爲調理，未生事端，劉璈當即報請閩省督撫及南北洋大臣，資請總督照會法國外部及駐京公使轉飭游弋兵艦：「：：：經過通商各口，無法商貿易者，無故可勿進口停泊，如有探辦物件必須進口，務須報由領事照會地方官，派人安爲照料，該兵船主尤須約束兵丁、水手，不許上岸浪游生事，至炮台營壘，係操防重地，不在游歷之列，尤不得違禁撞入，庶幾商民安堵，中外無猜，倘彼不先照會，任意闖入生事，是彼自行無禮，則釁由彼開，我當照萬國公法，會商各國理論，以顧通商大局。」（十九）

望海樓隨筆

維多利亞女王

徐學慧

從一八三七年的英國，（女王登極之年）造成一八九七年的英國，這中間雖然經過了多少變遷，但這一切對維多利亞女王似乎並不發生什麼影響。上天賦給他以這樣的高齡，在政治上也許是比什麼都寶貴的，可以說，維多利亞是一個得天獨厚的人。

到今天，英國人的心靈中，猶不時回憶到維多利亞王朝的世界。不錯，那的確是英國的全盛時代，可是，那樣的日子，怕也很難再回來的了。

今天，當英國人正小心地應付俄國的時候，如果說他們不會懷念到維多利亞女王，那眞是自欺欺人之談了。有一天，那是在維多利亞女王時代，俄國與土耳其開戰，局勢非常嚴重，英國正站在參戰的邊緣中，爲了這件事，內閣中人意見不一，辯論不休，而維多利亞女王卻是極力主張與俄國人開戰的，請看看她的言論吧！

「朕覺得萬分焦灼，深恐再遷延下去，會貽誤我們，使我們永遠墮去威信。朕日夜憂惶，俄國人對我們說那種話，那種無禮的話，朕的血都沸騰了，啊，如果朕是一個男子漢，朕就要去給那些說話無憑信的俄國人一頓痛打！我們將永遠不再作朋友了，除非先用武力解決。」

「倘若英國吻俄國的腳，朕決不參與這一種侮辱，朕要脫下皇冕。」

如朕從前所說的，看一個國家甘心跪下去吻那些大蠻夷，那種阻礙世界一切文明自由的蠻夷的腳，朕不能繼續當這國家的元首。」

維多利亞之死，距今不過六十年，想不到，今天的英國，眞正要「吻這個阻礙世界上一切文明自由的蠻夷的腳」了。若果女王猶在人間，不知道她會作何感想？人事滄桑，有許多地方眞是難說。（三，完）

六月六日

筱臣

農曆的六月六日，是一個多采多姿的節日，從古以來，就遺留下來很多的傳說和趣事，謹綜合予以報導，藉爲消暑之一助。

首先要說的，就是六月六日，相傳爲大禹生日，還得從大禹的出生談起。大禹的出生，關於古書的記載，史記夏本紀，正義注：「禹本西夷人」，則禹一定生在中國的西方。楊雄蜀王本紀說：「禹本汶山郡，廣柔縣人，生於石紐。」譙周蜀本紀，亦有同樣的記載。石紐即唐書地理志所載的茂州石泉縣之石紐山，即今日四川省的汶川縣。抗戰期間，于院長右任曾到汶川縣訪求過大禹的故居，不過毫無所得而已。

大禹既生在四川，川人以同鄉同里的關係，對禹的出生故事，無論傳說方面；或是史乘方面，自較他處信而有徵。關於大禹生日，是農曆的六月六日，據顧銕琇的講演說：「是從四川古籍中查出來的，因爲李冰在川治水有大功，蜀人至摯爲川主；惟李冰是秦朝派來的太守，不是當地人，苦不知其生日，遂以大禹的生日，作爲李冰的生日，至今川人皆以六月六日爲李冰生日，作爲一個隆重紀念日，其來歷是如此的！

降及宋代，俗又以六月初六日爲天貺節，因爲宋眞宗恥檀淵與契丹盟約，使用王欽若的話，欲得天瑞，以封禪泰山諸地，藉以鎭服四海，乃託僞夢見神人，當降天書，果在正月及六月，兩次降天書於京師和泰山，其實都是王欽若等人所僞造，後來眞宗便以第二次降天書日子六月六日，定爲天貺節，下令京師斷屠一天，又親率百官行香於上淸宮。從此以後，上行下效，都以六月六日爲天貺節，天貺就是天賜的意思。但這種風氣，只流行眞宗一朝罷了。其後不復有人奉行了。

到了南宋，又定六月六日爲崔眞君誕辰，吳自牧「夢梁錄」說：「六月初六日敕封護國顯應興福普佑眞君誕辰，乃磁州崔府君，係東漢人也。朝廷建觀在闕門外，聚景園前，靈芝寺側，賜觀額，名曰顯應。其神於靖康時，高宗爲親王日，出使到磁州界，神顯靈護駕，因建此宮觀，崇祀香火，以褒其功。此日內庭差天使降香設醮，貴戚士庶多有獻香花紙。是日湖中晝舫，俱集堤邊，納凉邀暑，恣眠椰影，飽挹荷香，散髮披襟，浮瓜沉李，或酌酒以狂歌，或圍棋而垂釣，遊情寓意，不一而足，蓋此時鑠石流金，無可爲翫，姑藉此以行樂耳。」慶覩崔眞君誕辰，恐怕只限於臨安，即今日的杭州，別處未必如此的。

六月六日，又有人晒書曝衣，大約是取其天氣已熱，可以曝晒而已，別無深意可言。此風似始自明代，沈德符「野獲篇」有「六月六日，內府皇史宬曝列聖實錄，御集文集諸大函，爲歲故事」之說，但浙江麗水却有一個奇怪傳說，「中華全國風俗志」說：「舊歷六月六日爲天貺節，麗水有一種奇俗，相傳陳玄奘自西天取經來中國，經大海時曾墮海中，爲水所濕，故天貺節麗邑有曬經之俗。誠奇事也。曬經之人，大半爲婦女，各寺院廟觀，咸有婦女曬經，有曬一廟之經者，有曬數廟者，有曬全邑各寺觀中。但曬經婦女初五日晚間即羣集佛前，喃喃誦經，至旭日昇即停誦四散，廟中闃無人跡，而所謂曬經者，特其名耳，並無於日中曬經之事實也。」

又有人以六月六日爲狗貓生日，帶了狗貓到河邊洗澡，此風亦始於明代，吳汝成「西湖遊覽志」說：「郡人於六月六日，舁貓狗於河，致有汨沒淤泥，踉蹌就斃者，其義不可曉。」但因此遂有是日爲狗貓浴而人不可浴之說，如人亦浴，則人就無異變成貓狗了。

淸人浮白齋主人筆記，載有雅謔一則：俗傳三月三日爲浴佛日，六月六日爲浴狗日，有客謁楊南峯，値三月三日，楊以浴辭，客不解，謂其傲，思以報之。楊乃於六月六日往拜，客亦辭以浴，楊戲題其壁曰：「君昔訪我我洗浴，我今訪君君洗浴，君訪我時三月三，我訪君時六月六。」

至於後來還有用六月六日來祀隍的，亦有祀土地神的，在貴州苗傜區域之土地廟上，有的聯語，言土地生日六月六日；在河北省冀東一帶，傳說六月六日爲磚頭兒生日，磚頭爲土坯所燒成，此與苗區所傳六月六日爲土地神生日，似乎有些淵源。又山東榮成則於是時祀滕將軍；江西德安祀的是楊泗菩薩，廣州祀的是龍母娘娘。總之，這一天，確是一個極其繁複的祭祀日，各地祀奉的來源，限於篇幅，姑且從畧。

海嶠塵談薈

投共的國軍將領陳明仁，籍隸湖南醴陵縣，出身黃埔軍校第一期，他在軍校肄業時，即於民國十四年革命軍討伐陳炯明戰役中，担任連長職務，以進攻惠州城而卓著驍勇善戰的聲譽，深爲蔣校長所器重。憑着他的資質和際遇，應該早已蜚黃騰達，成爲國家數一數二的干城之寄，何致於臨難而晚節不全，覥顏認賊作父，甘爲降虜呢？原因是他不學無術，而又生就一種桀驁不馴的乖張性格，到處落落寡合，吃力不討好，侘傺抑鬱之餘，終於變成時代罪人，噬臍莫及了。

咱們湖南人一般的氣質都缺乏陰柔成分，失之陽剛急燥，尤以陳明仁最爲突出，玆略述一二事實以爲佐證焉。

閒話叛將陳明仁

諸葛文侯

對日抗戰中期，陳氏任第十一集團軍宋希濂麾下的一名師長，屬於滇緬遠征軍建制。若論學歷與戰功，他都超過宋氏，然仍屈居人下，深感同學少年俱不賤，自己却委頓沉淪，相形見絀，如是乎經常滿腹牢騷，言行愈趨乖戾了。民國卅一年蔣主席赴印度訪問甘地時，道經昆明小憩，維時陳明仁率部駐紮昆明。某日，雲南省主席龍雲設宴昆明郊外的西山，招待蔣公，是日曾有雨，郊區馬路上皆成泥濘狀態，汽車馳過之際，爛泥挾積水飛揚，行人閃避不及，多不免身受濺污。當滇省軍政大員乘汽車前往西山時，適有陳明仁所部士兵三五名踱蹀道旁，因怒汽車駛過而激起的泥漿污身，乃用石子擲之。繼而蔣公一行的車駕來臨，士兵們不知道是最高統帥駕到，依然投石攻擊，前驅的侍衛車上人員，覩狀即停駛不前，下車查詢情由，旋蔣公亦下車視察，士兵們看慣了最高統帥的照片，一見是他來了，爲之驚惶失措，且有跽地告罪者。蔣公不怒其擲石之擧，而怒其下跪的懦種相，認爲有辱軍人身份，審師諸人胸前所佩符號，知係陳明仁的部屬，於到達西山後，即召陳師長晉見。先詰以該部士兵在馬路上投石擊車情形，責其治軍無狀，紀律廢弛，陳只好引咎；繼謂該士兵等服裝破敝襤褸，形同難民，殊失體統，適不如駐在重慶的國軍服裝整齊，精神煥發，指斥陳氏有虧職責。詎料陳氏本性難移，桀驁不馴的怪脾氣發作了，乃答道：「報告校長，駐渝軍隊的服裝，因爲美國特使威爾基最近要到重慶訪問之故，軍需署早已新製頒發，藉壯觀瞻。部下的士兵尙未奉發新制服，而部下又是個窮乏漢，沒有墊欵替士兵們換裝的能力，無可如何！」其詞失態負氣，殊屬不合，蔣公聆之怒甚，即命左右將他扣押懲處。陳氏聞命，竟以立正姿勢，當着領袖面前，將自已衣領和臂肩上的徽章，一概撕下，表示聽候治罪的張飛式擧動，氣氛甚爲緊張，幸龍雲，盧漢等人從旁說情，急囑員司將陳氏帶赴別室禁閉，一幕驚人鏡頭，纔告消除。

屈原和詩人節

·謝康·

現在讓我們談談屈原的代表傑作「離騷」吧：離騷不僅是屈大夫一生的生命史詩底傑作，且是歷代賢臣正人君子心中所同具有的傷心語，是殺身成仁捨生取義的烈士貞魂的絕命辭，也是騷人墨客日暮途窮時，念天地之悠悠，以萬物爲芻狗的悲憤語！同時也是中國甚至全世界詩史上最偉大的詩篇之一。凡是讀過離騷的人，我想都能有這一點同感。世界上最偉大的詩歌，諸如荷馬的史詩，但丁的神曲，哥德的浮士德，米爾頓的失樂園，囂俄的世紀底傳說，波德萊的惡之花：：：都是詩人內在世界的畢生經驗及夢想，和偉大人格的昇華。對於這些詩人的不朽底傑作，離騷對之都無遜色。至於詩人人格高貴和孤芳，靈魂裡的悲哀和仁慈，上列諸人，除但丁外，屈原却有過之無不及；也許因此，他底忠魂的感召，雖然經歷了二千餘年，仍然博得廣大民衆的同情和敬仰吧！

離騷比較九章和九歌更偉大的地方，不僅是因爲它底篇幅，已經化整爲零，不復是散漫零星的短簡，而是一個精心結構前後連貫通篇和諧的整體，因而顯示出作者的感情和想像更強烈，更濃摯，思想上更純潔，更茂密。同時也因爲他底藝術手腕，在九章，九歌乃在漁父卜居裡，多是一些瑣碎的枝節的直接叙述，而在離騷，則多半是一種空靈的象徵式的渲染和描寫，是屈原的全人生而不復是他生活史中底片段了。（五）

自由報

內銷證警僑內台報字第〇三一號

THE FREE NEWS

第一五〇期

中華民國僑務委員會登記
台灣新字第三二三號登記證
中華郵政台字第一二八二號執照
登記為第一類新聞紙類
（本週刊每星期三、六出版）

每份港幣壹角
台灣零售價新台幣式元

社長：雷嘯岑
督印人：黃行靈

社址：香港銅鑼灣高士威道二十號四樓
20, CAUSEWAY RD 3RD FL
HONG KONG
TEL. 771726　電報掛號．7191
承印者：四風印刷廠
地址：香港灣仔高士打道二二一號

台灣分社
台北市西寧南路壹壹本號二樓
電話：三〇三四六
台郵撥帳金戶九二五二

要趁本屆聯大以前反攻

謝扶雅

編者案：謝扶雅先生近在美國策劃「中華民族反對中共入聯合國五百萬人簽名運動」，來函徵求簽署，並撰寫此文以見志。愛國熱情，至堪欽佩也。

我們如要粉碎國際間「兩個中國」的安排和策略，除以反攻的行動事實來表證而外，絕無任何第二條路。這是近來所有留美知識分子和全部華僑共同一致的結論。尤其是，第十六屆聯台國大會召開在即；美國對華政策尚在躊躇莫決，而於聯大會中如何應付中共入聯合國案亦尚未有定策，值茲千鈞一髮之時，我國政府必須立即昭告中外，正式出兵弔民伐罪，才可明白表示全體中國人都具着「中國只有一個」的信念和決心，以正國際的視聽，並促成美國政府在聯大會議中再為中華民國撐腰，打銷任何「兩個中國」方式的動議。

美國民間以至國會中人，固有不少贊成幫助中共加入聯合國，俾中共在裁軍禁核一連串的世界問題上，得因國際共同制裁而就範；另一方面，美國至少可漸由民間團體與中國大陸接觸，不但可發揮影響及改善中共統治，並可設法拉攏中共使其疏遠蘇俄等等。我們不能單純或武斷地譏評美國人這種想法為太天真。素奉實驗主義的美國人，凡事總要試走一步而看一步，等到確實走不通之後，再試換方向另走。從道義的大原則來預作全面肯定或全面否定的判斷，是絕不可能使他們信服而照行的。尤其是在實際的政治上，更不得以道德或宗教信仰為前提；除非確有國際條約的法定，才講得到遵守的「信義」，甚或赳之以宗教犧牲精神。例如最近為西柏林受威脅的問題，甘迺迪總統立即聲明，美國為此將不辭一戰。舉國男女老幼也都在慷慨激昂地響應這個號召。我們外人亦正嗅聞到頗濃烈的火藥氣味。難怪中共格外咆哮地在痛罵甘迺迪比艾森豪更「兇惡」了。

甘迺迪不但在西柏林問題上，亦早在寮國問題和古巴問題上痛受了赤色惡魔嚴重的打擊。他不比和平老人艾森豪的爐火純青。大家相信這位民主黨（歷史上民主黨政權多是作戰的）青年總統於必要時，真會領導美國人走上戰場而不惜。然而我們中國人希望美國來仗義同我們並肩作戰，光復大陸，則等於痴人說夢。中共目今並不如上次太平洋戰爭中的日本軍閥。美國與中華民國今祇訂有共同防衛台灣的軍事協定，而無共同光復大陸的同盟。在珍珠港事件未發生的美國，且曾任由民間大售軍火給日本。美國現下對中共只是禁運。在中共未公然用武力攻取台灣以前，美國無意亦絕無義務去還擊中共。美國上下固無人不願中國大陸之重光，重脫離中共暴政而臻於自由民主，但他們不信現在及其最近將來，大陸內部自己已能形成一股革命勢力，亦不信台灣有光復大陸的本領。美國人倒真是驚訝於中共政權之如是其厲害，並認為它的潛力比蘇俄還要強大得多。他們一般都對毛澤東估價過高。然而實驗主義者的他們，除掉目睹我們反攻點火之日，大陸真能遍地燃燒之外，就祇有作出此種高估中共實力的皮相結論了。

我們留美學人中的老一輩，尤其是甘迺迪的前輩同學——即前哈佛大學留學生們，曾藉白宮智囊團中哈佛出身者之衆，歷經機密上書甘總統，為請美國支持我國反攻之正道。我們亦屢次對詹森副總統，魯斯克國務長官等，反復陳辭，曉以利害；他們雖不明白置復，然而心中有數。要之，失大陸和復大陸，都是我們中國人的事。自助才有人助，國際政治總以現實及法理為基。台灣跟大陸對峙了足十二年，而迄未突破此鐵一般的現實，又怎能阻止「兩個中國」之必由擬議而實驗呢？年年聯大開會時，總務委員會不得不將中共取代中國席位一案列入議程，而在大會中，每由美國代表提議將此案延擱一年再事討論，而當付表決時的贊否票數總是一年比一年逼緊。鑒於這種情勢，美國在今秋大會中，無意再炒此冷飯以自討沒趣。但究將如何應付此一議程，史蒂文生代表團，國務院，和白宮方面，雖已多時與有關各國研究磋商，迄未有具定的方案。我們的沈外部長於六月三十日在立法院的報告，希望美國仍然照上年提「緩議」的老案，但美國不會聽從。據聞這次莊萊德被召自台北返華[illegible]，就是在囑他回任告訴我當局以美國（能再提此案的苦衷（當然還有其他囑咐，例如，希望我國對外蒙勿運用否決權，至於倘真到了「兩個中國」案通過之後，勸我不要走出聯合國，以免國際地位真墮於零等等）。比較最合現實而勉強可說較有利於中美兩國的提案，就美國目下的見解；自以採取所謂「繼承」。則為可行，即是：准許中共參加聯合國大會，而保留中華民國在聯合國，並續佔安理會常務理事席位。除非在這兩個月內，台灣和大陸忽有新局面發生，美國非不出倘有更較妥當的提議。而對這將發生的新局面，或好轉，或更惡化，美國都在密切注視中，而隨時考慮更可以在聯大中贏取多數票的新提案。至少，假使其時大陸某地眞有青天白日旗高懸的一據點，於是美國有理由可重作提請緩議的憑藉。但美國更有一部分人準備着最後的一張底牌，那是極度醜惡，可怕，但亦非殖不得已時的補苴。這張底牌是台灣共和國出現，以至或者在中共大陸宗主權下的台灣自治，如西藏然。

這張牌的背面就是寫着「中華民國壽終正寢」八個大字。大家都知道一向潛居日本而不斷與此間國會參議院外交委員會主席傅爾布萊德保持接觸的廖文毅。傳說這次池田首相於訪美回日後，曾遞消息給廖，說美國方面准許其來此向美國人民，甚至向聯合國大會說明台灣應脫離中國而獨立的主張。這些台灣獨立運動，是受到日本一部分人的歡迎或扶植，也為一些在此間（華府各地）在東京，在台灣的美國人所慫恿和鼓勵的。他們的盤算是：等到偏安台灣的國民政府愈在愈外愈在國際地位低落，以至於已至才然局處，而中共叫囂，敲詐，勒索不已的時候，只有拿出這張牌來和中共政權談判。所以我們大家認為中華民國與其在那時被動地「流亡長逝」，毋寧：提聯大開會以前實行反攻，甚至作孤注之一擲亦所不惜。這就是古語所謂「寧為玉碎，不為瓦全」。今日海外都還在「呼籲」反攻，還在聯名上書蔣總統，正表示一致擁護政府約向心力猶存，實毋需東來西逃，召人赴會。然而若不實行反攻，則縱開一百次陽明山會談，究於扭轉國際局勢何濟呢？

今日談反攻，自有反攻的戰術，倒不至於亦不必是，且決不急作孤注之一擲。最初着手的反攻；必是政治性多於軍事性；以後漸漸轉為軍事多於政治，結局自必又歸於政治性的統一。如出動空軍轟炸各出交通線，而在多處空投政治工作人員與兵士，以佔據若干人民公社；由而漸及線：遣是第一步。這當然不是一下子動員六十萬大軍作諾曼第式的登陸。不諜當局之腹言反攻，屬機密，秘而不宣，這必是意味着導以軍事觀反攻。另一方面，例如第一次陽明山會談結束時，發出的呼籲國際救濟大陸災荒，促令中共開放港口和原空的一套，則又是專從政治反攻來說話。兩皆偏於一端，因而皆不免落空。我們今日必須堂而皇之地，明令反攻，弔民伐罪，同時，機智地運用試探作戰技術，由點而延集為線，再展開而成為面，取資（搶放糧倉），取人（包括共幹和共軍在內）於敵；行見救災揆暴的仁義之師，將如滾雪球般的愈滾愈壯大。我信不需一年之內，便可立覩整個大陸之重光。

一九六一、七、十四、距十六屆聯大會兩月寄自美東

哀賀耀組

自由談

投共的前任行政院政務委員賀耀組，於本月十六日在北平逝世了。他行年已過七十歲，死亦不是甚末意外的事，人生終歸有此一遭的。可是，像賀氏這樣下場，實在太不值得，也太丟人了！他一生亦曾為國家民族流過血汗，論個人的名位並不卑微，但由於慾望大過他的才智，缺乏自知之明，更不瞭解俄式共產主義的本質究竟是怎末回事？認為毛共政權之出現，還是舊有那套換朝代的把戲，只要俯首稱臣，不愁沒有出路的。當民國卅八年暮春，上海戰事劇化之際，他曾經很誠懇地致我不要走，說是共軍將來佔領了上海，亦需要有適當人員負責接收舊有各種國營的文化機構。我唯有苦笑無言，悄然離滬，不敢向他辭別哩！

賀氏決意變節投共前夕，曾到廣州向政府辭去行政院政務委員之職，表示合則留，不合則去的態度，這一點，卻比一般「蟬曳殘聲過別枝」的文武叛徒的作風有別，視張治中，邵力子之流，高明多了。繼而他到香港跟黃紹竑等到處勸人簽名宣言投共，攻訐政府當局種種過失，我在香港時報撰文斥責他們過去都是些出將入相的黨國要員，政府既有種種失策，他們難道沒有責任嗎？當時黃季寬尚對新聞記者覼縷辯稱自己對於喪失大陸並無責任，因為政府當局不聽他們的話，然賀氏默然無聲，只於渡海輪上偶遇我時，說了一句「我知道你在香港幹的甚末事」滑稽調侃之詞而已。證以賀氏投奔大陸後，亦不像王耀武一流人，實行「漢人學得胡人語，爭向城頭罵漢人」的無恥勾當，相信他的內心深處，還齎存着一些羞惡的情愫。這也就是我今日睹得他逝世消息，而不能不感到悲哀之所以然也。

人莫不有一死，雖不必每個人皆做到重如泰山的死法，但賀氏這種畢命情形，連鴻毛亦說不上，那又何貴乎有此一生呢！

馮五先生

漫畫天下

南施

用血灌溉的花朵

中共在偪穗搞花卉展覽，再喊百花齊放。

他妙在佯為不見

赫魯曉夫：「這回我要撞過來了！」

更正：本報上期第一版刊載王賢生先生所撰「泛談時局的動向」一文內，「造成欠賬三千萬美元」，三千萬乃三億二千萬之誤，因誤植，謹此更正。

八項意見，都要澈查
監察院秘密議唐榮

·周燕·

「回眸一笑百媚生，六宮粉黛無顏色」，素以敢言著稱的監察委員葉時修十五日上午在監院會中，討論唐榮鐵工廠問題時，套用白居易在「長恨歌」中兩句千古絕唱，指出政府對於唐榮鐵工廠的偏袒，擅寵獨家，可能造成不良後果。這位江西籍的院委感慨地說：「想當年多情的唐明皇，因為偏愛楊貴妃而引起安祿山之大亂，最後多情皇帝在二者不可得兼之時，尚選擇了江山，賜勒死他心愛的玉環以謝國人，而息衆憤。惜乎葉委員在引證歷史事實時，並未說明在唐榮案中有沒有楊國忠其人，大概他也是讓大家去玩味地猜一猜。葉委員又說：政府所引用的動員法，致令刑法、民法、票據法，稅法一律失效，就好像唐明皇專寵了楊玉環一樣，顯出一枝獨秀，因此其一切法令便顯得相顧「無顏色」了。（真是妙喻，不失千古絕唱也）

另一位敢諫者稱的陶百川委員，接着發言指出：唐明皇寵愛玉環，反而給她帶來了殺身之禍，正所謂「雖曰愛之，其實害之」。如果她能及早考慮到這件事的後果問題，安祿山叛亂尚不致發生，楊玉環也可免一死。現在政府處理唐榮的情形，也正是如此。

監院院會「秘而不密」。本來在十四日討論唐榮案的時候，是開秘密會議，因而引起社會人士的紛紛憎測，因為監察老爺就是要把秘密的找出來使它公開，如果監察院也秘密起來，那又在什麼地方才有公開呢？因此有很多監委主張院會公開。並慷慨陳詞。黃寶實委員首先主張公開開會。錢用和委員說：越是秘密越是引人注意，結果是「秘密秘密」，就是「注意注意」（妙極了），結果還是「秘」不了「密」，所以要公開。曾啟文委員說：我反對開秘密會，像這樣「今古奇觀」的事，這樣「官場現形記」的事，我們還要用秘密來掩護那些貪官污吏嗎？（精彩之至）葉時修委員又接着說：我們監察院的秘密會議，事實上已成了「掩耳盜鈴」的「公開的秘密」，因而秘密會的內容都外洩了，已經失去了秘密會的價值，所以要主張公開討論。（幽默之至。）

十五日的監院院會，由「公開的秘密」轉為「秘密的公開」，監委諸公對於唐榮案的指責鑑況空前。

監委陳訪先憤怒的表示，誰祖護唐榮，誰就是喪心病狂！唐榮鐵工廠以高利貸欺負社會，破壞道德信用，這樣的單位也值得引用動員法嗎？

[illegible]福委員說：據傳唐榮資金均已移轉國外，僅日本一地就有大廈十二棟，應予澈查，且該廠應負法律上的責任。

有大砲之譽，且曾經停止過黨權的曹德宣委員稱：今天大官小官都寵愛唐榮，大概是被「紅包匪諜」迷住了。他希望政府有關官員早日到院報告一切。

監察院全體委員在十五日院會中，一致憤慨地表示，關於唐榮鐵工廠一切不法欺騙黑幕，必須澈查揭發，至於行政院以下的所有官員，於處理本案時有無官商勾結，違法失職之事情，也應弄過水落石出。

監委陶百川在院會席上報告唐榮鐵工廠調查報告，擬具了八項具體的處理意見如下：

一、該廠顧問名單，既據該廠自承「其中有化名」（今古奇聞也）應請會同主管機關查出何者係化名（並非小人），其所頂替者為何人？

二、該廠台北辦事處，既經監查小組查出，有六千五百萬元（小數也）用途不明，為查明其中有無賄欵，應請會同主管機關查明其用途。

三、經濟部核准及台灣銀行担保該廠發行公司債時，該廠財務狀況本已惡劣，但該部行等倘謂其財務狀況良好，迨發現其不能償債時，又未為有效之處理，應請查究有無違法失職之處。

四、該廠欠稅七百七十萬元以上，稅捐稽征機關何以不照稅法勒令繳納？有無違法失職之處，請查究。

五、該廠所欠電費一千四百餘萬元（小事情），電力公司何以不依法處理？（老百姓如欠三月電費便要停止供電）而任其拖欠。

六、該廠資本從民國四十四年前之五十萬元，陸續增資為一萬萬元，據查其歷次增資，多以唐家支票充作現金，於法不合，經濟部以下各主管機關有無違法失職之處，請查究。

七、法院受理該廠訴訟案多起，但未能認真依法處理，有無違法失職之處，請查究。

八、行政院所定「唐榮鐵工廠救濟案處理辦法」，以行政命令強制抵押權人不得行其抵押權，強制債權人不得索取法定利息，強制貸欵料欵之債權人，必須與該廠繼續交易，方得分期收回其債欵，強制公營金融機關，將債欵轉作股欵，為強制性之轉投資，強制持愛國公債之公營機構，出借一億三千萬元以上公債為該廠償債，強制經濟部必須核准，並強制公營銀行必須担保該廠發行五千萬元之新公司債，強制稅捐機關，不得依照稅法勒追稅欵。（哈哈！真是官場現形記中之千古奇聞也。）此等烈性措施與行政權之擴張及國家法益之保障，關涉甚大。該項處理辦法，似係誤解國家動員法，十六條之「限制」，而與民法及稅法等有關條文相抵觸，但究竟是否如此，應送請司法院予以解釋。洋洋乎！八大處理意見也。

「六宮粉黛無顏色」，唐榮鐵廠獨受寵」。然而君不見，馬嵬坡前愛（害）的誰也。唐榮之寵，掩蓋了很久，終於在「十目所視，十手所指」衆人睽睽之下，把西洋鏡揭穿了，因而致使沉寂的唐榮債務糾紛，突又高潮湧起，看來這天幾一定有熱門新聞可看了。監委素以拍蒼蠅為能，打老虎為甚，噫！這一次突然奮起，欲打老虎乎？請拭目以俟之可也。（七月十六日寄）

蒙藏委員會第二次來函照登

頃閱貴報七月十二日所載監察委員王枕華先生來函，敬悉王委員對本室六月廿三日之更正函頗有誤解。查本室前函所述第一點，在說明蒙古人李景凡君在法院控告王委員之原因；第二點，在說明控告王委員者，除李景凡君外，尚有蒙古盟旗總管伊德木扎布先生，並說明伊李等人均非田委員長之部屬。第三點，在說明田委員長僅派員經由司法警察機關之邀約，與曾由本會調服勞役之軍事監犯即王委員之雇傭人「談話」，而非「拘審」。王委員函中所稱田委員長「唆屬」提詞誣控，「拘審」現役軍人求証，即六月廿一日貴報刊登曾親聞先生所寫台北通訊「田炯錦下令拘審現役軍人」一文所認定者，不意經本室更正後，原作者並無任何表示，王委員却作同樣之指認，殊感遺憾。至所謂田委員長登報亂肆攻訐一節，因王委員未指明所登何報，攻訐何事，本室無從說明。以上各節，仍請貴報惠予披露為荷。此致

自由報

蒙藏委員會秘書室敬啟

五十年七月十四日

編者按：關於此一事件，本報經已刊載各方面之來函，以昭公正。惟以篇幅有限，經決定，嗣後不再登載有關此事之任何函稿，敬請原諒為感。

涉嫌公車處購料舞弊
市長黃啟瑞等被公訴

（台北通訊）台北市長黃啟瑞及其夫人黃朱金鳳，因涉嫌在台北市公共汽車管理處購料舞弊案中分得向商人索取的回扣六十餘萬元，十五日經台北地檢處檢察官沈嶽華偵查終結，依貪污罪嫌提起公訴。同案起訴者尚有呂志超，徐德綸，郁雲梯，莊謙義，張伯英，羅雲登，徐源健，蔡天賜，張加再等九人，都是市府所屬大小官員。

此一轟動社會的貪污瀆職鉅案，係由警總移送台北地檢處偵辦。在偵辦期中，社會上傳言紛紛，有人甚至以此案打賭，有說黃啟瑞是黨的要人，由黨提名支持競選市長，在面子為重的前提上，黃啟瑞可能落得一個「事出有因，查無實據」而不了了之。現在事實澄清了這一傳聞，當為市民所樂聞。在地檢處偵查期中，極盡秘密之能事。上月二十六日（星期日），由高地兩院院長及首席檢察官，聯名邀請跑司法大廈的記者赴淡水海濱郊遊，沈嶽華檢察官乘隙邀黃啟瑞夫婦去法院談話，並與莊謙義，徐德綸二對質，因此，確定罪嫌，予以起訴。由於法院的這一手「調虎離山計」，確是瞞過了耳目，所以一直到今天，大家還不知道黃啟瑞夫婦是怎樣被傳訊的。

關於黃啟瑞夫婦收回扣的詳情，起訴書中指出：「徐德綸，莊謙義與被告黃啟瑞交深，此次係被告黃啟瑞直接延攬其入幕，被告莊謙義於到職之前，黃啟瑞即指示其如何作經濟上之援助，並囑於徐德綸切取聯繫。被告徐德綸因總管黃啟瑞公私一切應酬開支，經濟不敷支應，乃一再懇辭總務秘書職務，並請示虧空欵項彌補辦法，被告黃啟瑞又如何指示徐德綸往找莊謙義設法幫忙，及至向商人收取回扣之後，均經徐德綸遵照黃啟瑞之指示，逕交被告黃朱金鳳收受每次數千元一、二萬元不等，其中一次二萬元，適黃朱金鳳不在，經面交黃啟瑞，業經徐德綸，莊謙義實證不移。且國產汽車公司回扣，被告黃啟瑞分得三十萬元……因上開支票尚未到期，黃朱金鳳不願麻煩，囑徐德綸暫為保管……徐用徐妻徐鍾麗霏名義，存入台灣合會儲蓄股份有限公司南門分公司……直至五月七日，被告黃朱金鳳需欵償債，被告徐德瑞乃將……存欵單各一紙（附利息），徐鍾麗霏，鍾廷倫私章，一併交被告黃朱金鳳轉交曾添丁將欵提出，復經曾添丁供認無誤，並有查獲之存欵單可憑」。黃啟瑞夫婦曾辯稱係借物而非回扣，但檢察官指出：「經命徐德綸與黃朱金鳳對質，徐則力言所交付者，均係回扣而非借欵。況據國產汽車公司經理陳翊霖佐證，在與莊謙義洽談訂購汽車底盤一百一十輛及回扣金額尚未成交以前，曾由其陪同呂志超，黃啟瑞前往裕隆工廠參觀，在黃宅及裕隆工廠，黃啟瑞向其表示，請為幫忙，及向莊先生有無與你說過等語，而莊謙義與陳翊霖所談者又係回扣之事，前後參互以觀，其有故意聯絡，益足徵信」。此一貪污集團，計向商家索取回扣欵三百八十一萬餘元，黃啟瑞約分得六十六、七萬元。檢察官在起訴書中指出：黃啟瑞對於職務行為收受賄賂，核有刑法第一百二十一條第一項之罪嫌，前後行為出於概括之犯意，應依連續犯論處。

省府周至柔主席認為如黃案重大，可先行停職。黃啟瑞見到記者時，兩眼紅濕，表示「自身潔白，靜候法律審理」。欲知後事如何，且聽下面分解。（吳越，七月十六日）

青年黨新黨章草案公佈

會親聞

籌備經年的青年黨全國代表大會，最近因第二次發起人會議的召開，刻已進入十分具體階段了。尤其他的發起人大會所擬定的黨章和政綱草案以及大會所通過的「中國青年黨現階段對時局的態度與主張要點」草案的獲得通過，使青年黨的大多數黨員所期望的該黨大團結，無形中更為接近了一步。

青年黨的老黨章是過去大陸時代所制訂的，黨的大權集中於黨的領袖和中央常務委員會，這種情形自青年黨創黨以來，在性質上並沒有多大改變——中央獨裁或領袖獨裁。

但在新的黨章草案上卻不同了，一切以民主的理想為目的。

新黨章草案第一條開宗明義的規定「本黨為愛國、民主、反共政黨」。第三條規定「本黨組織由下而上，全國代表大會為最高權力機關」。當然最大的特色為該黨草案把中央權力平均分散，不使之集中於一個領袖或者一個中央常務委員會。因此草案把中央的權力分為主席、指導委員、執行委員會、評議委員會等四個部份。以上均由全國代表大會選出，任期為二年。

中央黨部設主席一人，副主席一人，其職權為代表該黨對外，簽署文告，提名中央執行委員會執行長及中央評議委員會同意後任命之，列席中央執行委員會、中央評議委員會，必要時得召集以上兩會聯席會議。副主席於主席因故不能執行職務時代理主席。主席職權有點像一個國家的總統。

草案上設指導委員七至九人，很有點像中國國民政府委員的地位，當選資格必須是該黨德高望重，勳績卓著之同志。（上）

圖書館外記

黑子

記得過去在大陸求學時期，對於進圖書館有莫大興趣，亦爲求知慾的一種享受。昔日之圖書館，無今日圖書館之富麗堂皇，設備完善講究，電風扇日光燈，美奐美侖；然而走進圖書館，却有一種漫漫的貧乏感，正像掛在你頭頂上的日光燈和四周的石灰粉壁一樣，是蒼白色的，沒有靈魂，沒有氣氛。

圖書館大多成了中上學生的自修處所，不分日夜，川流不息，日座無虛席；除了自修，倘可休息，可俯案大睡數小時。

雜誌刊物閱覽部門，千篇一律地都是各機關各公司的期刊，如合銀、台糖、台泥、台煤、工礦……其來源也都是由出版這些期刊的發行機構所捐贈的無疑，太專門，太嚴肅，太令人乏味，太不大衆普及化了，較輕鬆一點的如自由談、晨光、暢流，人間世這一類的雜誌都很難看到，其他文藝方面的東西更是絕無僅有。畫報之類則早已不知去向，你會有一種沒有甚麼可看的感覺。既無可看，則祇有仍舊走出圖書館的大門。於是祇見進進出出的人，或在館內電風扇底下佔個座位而在那裏睡覺的人。

於今之世，大家本都在忙着爲生活奔走，那有閒情去翻書本；縱而有幾個不忘書的人，偶一走進圖書館，一看如此情形，也就悄然而退了。

此外，圖書館的秩序也很雜亂，常常有社會人士和青年學子爲了一個座位而發生爭吵；許多座椅都被幾本教科書或書包訂在那裏，令人有望椅興嘆之感。而搬動椅子的尖銳刺耳的吱呀之聲和人們嗡嗡地話語之聲不絕於耳。使你對這個樣子的圖書館，產生一種文化落後地區的鄙視和厭煩之感，實在令人搖頭而莫可云何了。

男與女

汶津

男女是天下最能一目了然的一檔事。我在最近讀到一篇舊文章，暢說生爲女子如何比男子幸福，從食衣住行說起，頭頭是道，作者却是位女性。讀後大有不能不打一場對台戲的心理，就此談它一談吧。

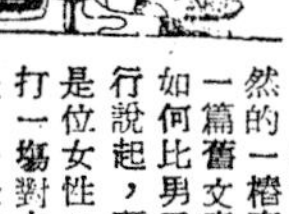

男、女之間，由生理而到心理，幾乎沒有一處不相異，這是造物的妙趣，本不是凡人所能窺測。但上帝本身，似乎也是男性，因爲祂先造亞當，大致是拿自己當模特兒的。在這一點上，女性便不得不拜下風。而且夏娃不過是男人的一根肋骨變的，打開頭兒起，女人便吃了大虧。

最近炎夏駕臨，三千煩惱絲忽而沁汗，忽而淋雨，眞是煩煞人也，於是靈機一動，請理髮師大剪一揮，予以削平，歸來對鏡，不禁連呼快哉。請問女子們有此方便麼？除非有意做尼姑、修女，否則豈不成了笑柄？女子們儘可變換些千奇百怪的髮型，但要乾脆解決，恐怕還有待一次革命。

至於穿衣，男子根本就有不套領帶的自由。譬如在下，常告人曰：領帶是奴隸時代的遺跡；我文明人也，焉取於斯？夏天穿香港衫早已推廣到婚禮、盛典，而女人在這種場合下却仍以盛裝的居多。甚至她們塗的口紅、脂粉全，我也懷疑是否完是基于愛美的本能。

在我這一個俗人看來，大部份的女人都是不塗則已，愈塗則愈醜的。女人之穿高跟鞋，思果先生在「變性的玩意」一文裏已經代爲訴苦了。我若是女子，在這一點上是一定要向世俗背叛到底的。一位女同事說，教室沒有講台，所以必須穿高跟鞋以增爲人師表的威嚴。這話若不是藉口，倒還值得體諒。可是，誰教她們生來比男人們矮呢？

熱天看末場電影是悠然愜意的。而眞正懂得欣賞的雅趣的人，又不必結件買票入場。可是一個女孩子敢獨個兒去看晚場電影，然後穿過幾條黑巷子回家麼？甚至在球場裏，或其他公共的場合，除非有男子相伴，或成羣結隊，她們也是很少露面的。偶然有那麼一兩位，反倒成了衆矢之的，好不自在！這絕不能用來證明咱們的社會還不夠開明，那是勢所必然的，大可不必見怪。

一個朋友向我描述一個「不像是正派」的女孩子。理由是她的言行舉止和他差不多。「那麼，你也承認你自己不太正派囉？」我忍不住試探他。「話不是那麼說，我是男的，沒關係；女孩子家可不能那麼隨便。」他理直氣壯地自辯着。他的結論是「男女天生不平等。」各位親愛的女同胞們，那時我眞是弩駁無辭呢。也只好私下慶幸自己生的男兒身了。

據說女人生孩子和男子服兵役可以五相抵消。可是，服兵役的年數有限，而且逃役有術的還可以成爲漏網之魚。女人呢，除非不結婚，除非不健全，生孩子的苦可逃不了，而且一而再，再而三，不煩死也得蒼老了。即使忍心一胎，也不免受一番苦痛，甚至因而送命。當然，此中底細，局外人也不便多摸象了，還是大家心照不宣吧。

生兒育女一事，男子們雖有些幸災樂禍，總還不能完全抹煞了感激、敬重之情。可是說起女人們的喋喋不休，便不能教人敬服了。我總懷疑上帝造人之際，對唇舌的構造方面有些不同的安排，不然女人們爲什麼發言獨多呢？而且用「言不及義」這句話來形容，保險一點也不寃枉。你看，遇到什麼正式集會，她們倒沉默起來了，除非有一致對外的大事。而她們却始終成爲諷刺家，漫畫家筆下的丑角，「長舌婦」「九頭鳥」的雅號都向她們蝟集，連一些沉靜、斯文的女孩子也蒙上了不白之寃，如果我生而爲女，又能奈何？

西哲叔本華、尼采之流，對女人都是不太敬重的，至少在理論上是如此。叔本華說：「女人總想男人的事是賺錢，她們是花錢。」其實這應該是男人想的，女人們恐怕根本不會去想這套吧。說到花錢，男人中也照樣有不少奢侈成性，浪費得可怕的實例，但女人的例子却比較有名，不知何故？我想了很久，只想通了一點點：大概男人是不聲不響的用錢，一個風流自賞的丈夫在外面花天酒地，回家來還會晴聲嗎？而女人便不同了，她們必須逢人便誇口，今天花多少錢買了件大衣，明天又換了條多麼貴重的鍊綠等等，在數字方面又不太講究精確，積少成多，男人們便說：「嘿，這世界上儘是女人在消費！」說老實話，許多女人所花費的，也不過是全家的伙食費和雜用，可是她丈夫却逢人必說：太座控制着財權啦！不用說，妳們又不知不覺的吃了一椿大虧。

舉一反三，也不必我再嘮叨了。又有一說，謂女人長壽，這我也相信。但活得長久究竟有沒有意思？小心有一天男士們又要把「老而不死」四字奉贈了。

老實話

·克勞·

一是一，二是二；說什麼就做什麼。老實話始終和假話是相對的。假話越多，就越顯出老實話的可貴，所謂「不怕不識貨，只怕貨比貨」貨一比就鑑別出誰眞誰假，誰是誰非。

但在今日的人海裏，老實話就如海底撈針。大家都憑着「三寸不爛之舌」，說的頭頭是道，甜甜蜜蜜，而實際上却全是騙人。

今人如此，考古人亦是如此。「忠言逆耳」，能夠說老實話的，吃虧的時候多，佔便宜的時候少。所謂「殺頭」之罪，多半都在忠臣身上。

由於，人們歡喜恭維，歡喜「戴高帽子」，所以老實話也就少的不能再少。男女愛情方面，更難找到老實話。「你的一張嘴幹什麼的」就憑着一張嘴；「嘴唇一塊皮，愛怎麼就怎麼」。說好也是一張嘴，說壞也是一張嘴。用言語殺人，看不到血，却比那刀在頭上還要可怕。

大家都是以「外交辭令」，恭維的多，捧的多；其罵的，說老實話的就成了犯諱。在婚酒上面，你說新娘如何如何的醜，說新郎的德性如何如何的壞，別人不打掉你的牙齒才怪！所以老實話要說也要「因人制宜」「因地制宜」「因時制宜」。

廬君續夢

第二回：狼狽自爭雄，活佛有幸　人天齊示警，浩劫將成

漸漸共產黨統戰頭目也感到這些「民主黨派」領導人，硬是借他人酒杯，澆自己塊壘，就呈報李維漢，要設法制止。

李維漢也拿不清主意，就去找周恩來請示。

周恩來笑道：「你派他們罵尼赫魯，自然要讓他們罵得痛快，何必從中干涉。」

李維漢縐着眉頭說道：「據各級幹部報告，他們都好似站在國民黨的立場罵，而不是替我們罵。」

周恩來大笑道：「我們同尼赫魯本沒有寃仇，假若眞站在我們的立場罵，反而不痛不癢。只要他們能完成任務就算了，管他哩！」

這一個時期整個大陸展開反印運動，只要有集會就是抨擊印度，有人講話也就是罵尼赫魯，原來被中共捧上九天的尼赫魯，這次一下打進了地獄。

除去隔河罵陣之外，雙方也勾心鬥角，各自佈署戰略，希望擊倒對方。

中共政治局開會討論後，決定培植班禪以代替達賴。經過了西藏事變，中共也曉得達賴與班禪這一對活佛，決不能把他們當小孩子看，這次中共派在西藏的張國華、譚冠三都是老手，居然被達賴騙了。假若再收服不了班禪，不問他是在西藏搗亂，還是再度逃亡，都難於應付。中共政治局會議決定一項原則，厚結班禪，以代達賴，用盡一切手法，務期使班禪傾心誠服，完全站到這邊來。

五月七日毛澤東約見班禪，中共重要頭目全到齊了，有劉少奇、朱德、周恩來、鄧小平、林彪、賀龍、陳毅、烏蘭夫、羅瑞卿、彭德懷、汪鋒、張經武；此外還有宋慶齡。毛澤東稱孤道寡十年，會客時有這麼多人在座相陪，眞是從來沒有的事，就連赫魯曉夫兩次大駕光臨，兩人見面會談時，也未擺出過如此陣勢。

見面時，班禪獻上哈達；毛澤東含笑雙手接過，然後拉着班禪的手到中間坐下，其餘各人分在兩傍相陪。

毛澤東滿臉堆歡問道：「班禪活佛，你這次來北京開會，生活起居過得慣嗎？」

班禪笑答道：「多謝主席關心，一切都很好，這次來開會時，家母及家姊都來了，每天吃飯都在家中，所以生活沒有什麼不便。」

毛澤東笑道：「原來活佛的母親和姐姐都來了，我們婦女聯合會應該予以招待才是。」說過向周恩來看了一眼。周恩來連忙點下頭。

毛澤東又問道：「班禪活佛，你對政府這次討伐西藏叛徒，有什麼意見嗎？」（二三）

岳騫

談標語和口號

——韓幽秋

在我們這個國家裏，用來宣傳的口號和標語特別多，除了在有些圍牆上寫上特別大的外，還有用廣告牌寫起來竪立在通衢要道的；其他碰到甚麼節日還要用五顏六色的紙，寫起來貼，還上推行甚麼運動，則還要用紅布貼上白字，橫掛在馬路的上空，至於商店裏印有字號的包裝用紙和香煙盒上，也要印上一些和國家民族有關的大道理，說得徹底一點，我們的口號和標語，眞可謂爲「無徹不至」了。

宣傳這兩個字，單就字面來解釋，可以說成是宣布的傳說，當然還有點先知後知，先覺後覺的味道，但在宣傳的語氣上，我們不得不加以注意，譬如說，我們時常可以在某一個節日裏看到如下的標語：

「紀念××節，我們要如何如何！」

這種口氣，似乎在告訴別人，不是××節的時候，我們還是我行我素，一仍其舊了。

其次是譬如對匪諜的注意問題，當然，有匪諜，不一定就要在口號和標語上說出來。但如沒有匪諜，那就一定不會有「消滅匪諜」的標語的。所以我們如果在電影院裏的銀幕上看到檢肅匪諜的標語；不但可以想起匪諜的存在，而且匪諜，這種朱毛爪牙，必定相當猖獗，否則就不會貼標語，喊檢肅了。

根據這一理由，我們再看看有些「効忠領袖」呀！「擁護總統」呀的標語，實在想不出有爲出來的必要；因爲「効忠」「擁護」的標語和口號貼得愈多，叫得愈多，這就證明有「不効忠」和「不擁護」的分子存在。假定一位外賓到這裏，觸目都是「効忠」和「擁護」這些標語，試想他腦子裏會產生如何的想法？所以與其說是「効忠領袖」和「擁護總統」，不如說「領袖萬歲」和「總統萬歲」來得恰當一點。因爲「萬歲」固然可以當作「沒有萬歲」的反證，但至少可以說明領袖和總統是受到大衆愛戴的。古時的帝王，沒有要人民貼「効忠」和「擁護」的標語，而只讓人民立「萬歲牌」，其中是大有道理的，至少比喊「効忠」和「擁護」是高明得多。

宣傳的文字切忌「流入八股化」，今年如此說；明年也如此說，實際上却絲毫沒有改變，在被宣傳者的心目中，至少會產生厭倦的感覺。我們在有些紀念日裏，常見遊行隊伍裏，有人手持五彩薄紙印製的傳單，邊行邊向觀衆拋擲，除了給小孩們增添一點拾撿樂趣外，究有幾張落入觀衆手裏，而紙所印的黑字，究有幾次能「令人卒讀」，恐怕也只有天知道了。

劉璈治台史事

・李仲侯・

法國兵輪無故進口尋端挑釁，劉璈主張向法國交涉，自係正辦，可是北洋大臣李鴻章的批示却認為「所擬呈請總理衙門咨答各節，此係口角細故，不及深辯也」。這種含糊了事的態度，果然引起嚴重的後果。後來六月十四日法船五隻駛入基隆，攻打砲台，大戰就從此揭幕矣。

又其次文敎方面；台灣自民族英雄鄭成功，驅逐荷人，收復失地後，一切政治措發自強烈的民族意識，在敎育方面採納了參軍陳永華的建議，首先樹立中心思想，如建造聖廟和明倫堂，舉行祭孔釋菜典禮措施，次又設學校，開科舉，藉以推廣敎化，培養人才，滿廷得台之後，更就鄭氏奠下的基礎，予以充實和拓展，欲使台灣成為「海邦鄒魯」，敎育與大陸各省並無二致，迨劉璈巡台，他對各縣儒學，書院會大加整頓，並鼓勵增加若干處義學和社學以及令改良士番社學，他飭令決科取士必親臨題局試，而且在考試前屆必諭令各屬士子講求經史，不惜叮寧切誡，循循善誘，如光緒十年三月出示說：「台灣為文明漸啓之區，國朝二百餘年數澤涵濡，業已人才蔚起，何近時帖括之士，不特六經糠義，尚鮮講求，即四子白文亦多荒誤，是豈子弟之皆不好學乎，抑徒務虛名之父兄，師保有以誤之耳。……本年科試在即，各生童等務須先將四書朱註及所有經籍，熟讀講解，一律精通，書理通則文理自通，文與題稱，斯文無不取，夫士憑文取，取士何為，誠以論秀書升，無非求通經以致用，而古今來處為名儒，出為名臣者，有不從實學來哉」。劉璈任內，開墾日進，人民富庶，文風丕振，士之講習經史者，足與直省相埒，故到了劉銘傳建省時，全台泮額縣增，而解額亦定為七名矣。

劉璈對發展交通水利亦很注意，惟缺乏整個通盤計劃，璈駐台南時，以其為首善之區，而瀆路湫隘，市廛櫛比，不足以安民居而興商務，乃開運河，導水入城，東引五空橋之水，南引二層行之水，北引紫頭港之水以出於海，宜通積穢，便利運輸，河水兩傍改築寬做大道，植樹成列，屋宇市容大可改觀，前些安平之水可達郡中，船僅可至大井頭街，而河道漸淤，水多渦濁，故璈力主改道疏濬，而郡人以拆屋多損，持不可議就止。安平距郡治六里，中隔帶水，往來專恃舟楫，璈命防軍於兩旁築大道，傍樹榕柳，以馬車載行人往來如織，於是台灣始有馬車。光緒七年劉璈接任未久，台南城中大火，延燒數十戶，火勢猛烈，莫敢嚮邇，璈聞聲，短衣縛袴，率大隊兵勇，親躡登屋頂。（二十）

戰爭

徐學慧

戰爭是不可能避免的，所謂和平，也不過是一個動聽的名詞而已。科學雖然發達，尚未能改變山川疆域，由此種疆域所形成的風俗習慣語言血統等等，則幾乎可以說是具有百分之百的排外性；而排外性，恰好又是推動戰爭的原動力。

提倡國民敎育足以促進國家強盛，這彷彿是盡人皆知的道理。但國家與國家之間又將如何呢？公道與正義，只是一些口號，強國以之作為侵略他國的口實，而弱國則以之作為自我陶醉的符咒，結果是，公道與正義永不能伸張，整個世界仍然為戰雲所籠罩。

強國之不言戰爭，是可以理解的。因為強國往往是戰爭製造者。弱國何以也不言戰爭呢？今日世界，最低限度有五個國家是必須談戰爭的，包括中華民國在內。可是，大家知又諱言戰爭，而一惟以公道與正義作口頭禪，這就有點匪夷所思了。當然所謂戰爭，並不只是談談就算，而是說，必須有戰爭的準備，換句話說，須有可以一戰的實力。以中國的情況來說，這一場戰爭是不可避免的，不僅不可避免，而且也不應避免。要解救中國大陸人民於水火，必須戰爭，這是義戰，是聖戰，此種戰爭，是符合公道與正義的。

切不可以為美國不談戰爭，我們就諱言戰爭。應知美國與我們的處境不同，豈可一概而論。戰爭是為了伸張正義，為正義而戰，理直氣壯，何必諱言。

還是談談戰爭吧！大陸上五億人民，在水深火熱之中，都是希望我們談談戰爭的。

懼內百態圖

燕謀

時不論古今，地不論中外，怕老婆則中外古今成為一律，豈非知識份子皆明怕老婆之道乎！知識份子皆「尖頭鰻」乎！蘇東坡先生將太太比為何東獅子，真是老古板，不諳幽默，調弄陳季常太太柳小姐說是獅子吼則百獸伏。最為知識份子所忌。儘管知識份子怕太太，然而在表面上仍然是不承認，也有一說法：「這不過是愛她的最高表現，你看我奮鬥勇敢，指揮千軍僚屬，怕過誰來，況區區一太太耶？」此則未免近於怪論了。

世界上怕太太，要以美國為最，上至總統，下至平民，均以太太為頂頭上司，與我國人喻太太為太座如出一轍。且有異曲同功之妙。美國到處都是「女性第一」便是怕太太的鐵證。怕太太是東西文化合一，如非天意，便是人為。爰就友朋燕談所及，彙述懼內百態圖：

頭頂燈盌：吳儒李大壯，最畏小君，凡事皆依從閫令，偶有違拗，則叱令正坐，為縮頭龜，中安燈盌，燃燈火，頭頂之不許動，大壯則屏氣定體，如枯木土偶焉。須至油盡燈息，始許離坐。然大壯不以為虐，斯亦怪哉！

操刀斷手：明初開國功臣楊遇春，妻妒而悍，楊畏之，一日明太祖賜楊婢女，絕美，雙手猶嫩滑如玉，楊悅之，偶於妻前誇婢手美，妻頷之，次日楊早起，妻遣人送一漆盒至，曰：「夫人奉命早點」，楊啓視之，則血淋淋婢之玉手也，適為其妻所砍者，楊震懾不敢置詞，妻命拋棄淮河中，無敢拾之者。

請夫人閱兵：明末戚繼光，功業彪炳，威震海疆，然閨房之內畏妻如虎。一日見嘲於僚，光怒，勃然若有所振作，乃使劍直入房內，謀懾夫人。比入室，夫人厲聲問曰：「何為乎來哉？」光聞語，驚惶失措，急舉劍恭立曰：「請夫人閱兵！」聞者皆為之匿笑。

不許做夢：清揚家驥，早入詞林，年逾不惑，尚無子嗣，久思納妾，因其妻童氏絕妒，不敢啓齒。一夕於夢中邂逅一麗人，談笑甚歡，及醒，笑聲猶縱，忽為妻聞，問其有何喜事，發此狂笑，楊初不敢言，妻嚴詰，楊無已乃實告之，妻怒，遽批其頰，楊曰：「此夢也，非事實也。」妻曰：「我為防微杜漸，連夢都不許你做。」楊惟諾諾而已。

厲聲逐客：清翰林吳蔭培，懼甚，妻性褊急，稍不遂意，即以掌摑其面，或捽其髮而毆之，吳聽其所為，直立如木偶。一日有人饋吳惠泉酒二巨甕，踴躍自治，具飲其宅，僕捧一小壺出，神色沮喪，衆知其懼內也，故嬲之，忽聞屏後厲聲曰：「何來此等惡客，不知老娘固吝嗇者也？」衆紛紛散。翌日客詣吳宅取杯盤，吳妻曰：「此留償酒值也。」竟不與。

水漲船高：吾鄉鄉有石某，最畏妻，未發跡時，常為妻洗足，朋友咸知，譏其懦夫也。後會試成進士，妻仍令為之洗足，石曰：「我今功名成就，卿宜為我稍存體面。」妻怒曰：「爾不知水漲船高耶！爾今為進士，我便是進士夫人，服役還不是一樣嗎？」石不敢違，仍為妻洗足如故。

車費二角：抗戰前，江西劉某，任職監察院，院址在復成橋，其寓廬在晒衣廠，每日下班，由其妻親付車費二角，但須按時回寓；遲則不付，蓋防其別有行動也。一日劉因公稽延，歸寓稍遲，妻怒，不付予車資，並大聲詬罵，車伕在門外聞之，不耐久待，因大呼曰：太太幸賜憐憫，速付車資，倘因致我遲歸，我家婆子亦將大發雷霆。鄰居聞之，皆為之鬨笑。

長跪床前：江某好作竹林之戲，在某機關任何職，偶有應酬，則以八圈為度，過時歸家，妻即使跪床前，不呼之起不敢起也。一夕在友家竹戲，為三人所嬲，須至達旦始休。江某乃慨然曰：今已逾時，橫豎跪定了，再遲，無非多跪些時而已。竟戲至天明始歸。次日友朋探之，則跪至中午猶未起。於是改古詩贈之曰：「雲淡風輕近午天，低眉俯首跪床前，時人不識余心苦，將謂偷閒學拜年。」殊謔。

閒話叛將陳明仁

諸葛文侯

陳明仁既被拘禁，只好聽候處分。未幾，蔣公自印度回到昆明，龍雲，盧漢等人代為說項轉圜，謂陳已深切悔悟，蔣公亦知陳是個憨愚成性的驃子型人物，其心無他，即准予免究，且任之為第七十一軍軍長（正席是黃杰），囑陳今後要好好地幹；藉觀後效；迨黃杰（達雲）調任為遠征軍集團總司令後，陳又奉命遞升該軍軍長之職。他在七十一軍軍長任內，亦確能努力向上，改過自新，後來滇緬線的龍陵戰役，即以七十一軍犧牲最大，厥功甚偉。據陳氏事後告訴朋友，說龍陵大戰的指揮官如果不是黃達雲，他的部隊就不會那樣拚命作殊死戰。這也許就是嗣後陳氏在長沙決心叛國的前夕，黃達雲，鄧文儀二人奉命赴長沙勸阻無效，而仍能脫出虎口的內在因素吧！

對日抗戰勝利後，陳卿命率領第七十一軍馳赴東北戍屯，旋於四平街之役，立下汗馬功勞，延譽全國，膺受上賞，這是他一生最得意之時，亦是他後來變節叛國的癥結所在也。四平街大戰起於倉促之間，共軍來勢兇猛，當時駐在四平街的省府主席暨其幹部人員，聞聲擬避往安全地帶，陳不許，說是「你們亦負有守土之責，本軍在此禦寇作戰，你們誰要棄職潛逃，我就軍法從事，殺毋赦！」這樣一來，省主席等只好硬着頭皮甘冒鋒鏑危險了。同時，陳氏為着戰事上防禦工作的需要，規定當地一切公私器材與物資，皆在徵用之列。迨戰事勝利結束後，地方人民的財物損失綦重，而尤以大豆一項，因宜於戰時用作防守堡壘之資，損耗特大。戰事甫畢，一般受到財物犧牲的人，即紛向東北行營控訴，指陳氏罔恤民艱，貽禍地方，而曾被陳氏禁止別逃的行政官吏，亦咻然攻訐陳氏種種罪惡，恣意報怨。如是乎，陳以苦戰奠立奇勳之身，轉瞬間竟成為「皆曰可殺」的罪魁了。政府應悉陳氏固無過，（當時陳由防地飛回南京向蔣公報告詳情）但為撫慰當地官民起見，乃予以撤職處分，教陳氏暫回湖南原籍休息。這在稍為懂得政治的道理，對於立身行己亦略有修養工夫的人，儘可付之一笑，是非自有公論，不必介懷的。然陳氏不足以語此，認為莫大的冤屈，憤不能平，頗有「此限綿綿無已時」之感。往後他在長沙主持軍民兩政，局勢逆轉之際，他的同期同學黃雍，即利用他這項心理弱點，替共黨從事策反工作，說是：「過去你在四平街打了大勝仗，又有蔣校長在上，且落得撤職查辦的下場。如今你鎮守長沙，而校長業已引退，將來跟共軍作戰，勝固可以苟全性命於一時，若失敗，恐無容身之地了。」這類說詞，在不學無術的陳明仁聽來，自能入耳，加以程潛的聳恿，他終於踏上賊船，甘心從逆矣。（二）

屈原和詩人節

・謝康・

梁任公說：「離騷是九章的縮影」，聞一多說：「屈原是文學弄臣。」許多誤解屈原及其作品的話，確難一一稱引了。我覺得離騷不是九章的「縮影」，而是它們的綜合，擴大，和結晶；僅有「九章」，決不能做成屈原的偉大；反過來說：有離騷而無九章，對於這位第一流的詩人底地位，恐怕也沒有多大影響吧！至於說他是什麼弄臣，那完全是左派仁兄蔑視中國歷史文化的說法，這等於有些疑古學家硬說「大禹」是一條蟲，歷史上根本沒有這麼一個人，同樣是不值得辯論的怪論。最後談到詩人節應否紀念屈原的自殺日，這却是一個頗為有趣的題目，讓我們在下文加以討論吧。

端午佳節、雅俗共賞

如所週知：端午節因為和屈原發生了聯繫，成為雅俗所共賞的粽子節，競渡節，和詩人節，男婦老幼，文士俗人，在這一天都各適其適。分開來說，至少有四件事，都是和屈原有關的：（一）屈原以陰曆五月五日沉江，後人就拿這一天來紀念他；（二）包粽子，據說最初原是為屈子而投於水中，後來却變成五月節喫粽子，等於中秋節喫月餅，而忘却了最初的意義；（三）賽龍舟，即所謂端陽競渡，這件事的確是紀念先賢，也有民衆娛樂，或事神祈福的意義。至於（四），由於紀念屈原而促成詩人們的雅集，那却是近今若干年來的事體。（六）

徵稿小啓

有內容、有意義之隨筆、散文、掌故、小說、雜感、類文字，本刊所歡迎。請用稿紙繕寫，如需退還，請附足郵票。右列文字，以六千字左右為限，篇幅過長則比較難以刊出，請特別留意。

自由報
THE FREE NEWS
內銷證警備內台報字第〇三一號
第一五一期
每份港幣壹角
社長：雷嘯岑
督印人：黃行豐
社址：香港銅鑼灣高士威道二十號四樓
20 CAUSEWAY RD 3RD FL HONG KONG
TEL. 771726　電報掛號．7191
承印者：四風印刷廠
地址：香港灣仔高士打道二二一號
台灣分社
台北市西寧南路壹壹本號二樓
電話：三〇三四六
台郵撥儲金戶九二五二

政治的藝術與魔術
——談法國大革命前夕的三級會議——

徐復觀

政治的成敗，主要決定於政治的目的、方向。但實行中的效率，卻常常關係於政治運用上的技巧。當然，這種技巧，最後總是爲政治的目的、方向所制約的；不過這裏卻只從運用的技巧上著眼。

世人每好以政治藝術來表明某種運用成功的技巧。但藝術之與魔術，常是差之毫釐，謬以千里；於是負實際政治責任的人，便容易以自己所玩弄的政治魔術，沾沾自喜地當作自已的政治藝術；許多政治中的悲劇，多是由此而來。所以於二者之間，應該知所辨別。

藝術和魔術，都是爲了化除政治運行中的障礙。但化除障礙是爲了達到大多數人所共同要求的目的，這便是一種藝術。化除障礙以保障極少數人的特殊權益，這便會自然而然的流爲魔術。從結果看，大衆對於藝術品，認爲是真的，所以也是有效的。而對於魔術，最後總會知道是受了騙，因而可能引起更大報復的心理。

像上面那種抽象的說法，或者還不易爲人所了解。我便提出法國大革命前夕開三級會議的情形來作一例證。因爲到現在爲止，歷史才是人類了解自己的最重要方法。

一

法國當路易十六時代，啓蒙運動，已經收到相當的效果，許多知識分子，不再能安於現狀，而政治上卻敗象叢生，上下交困，不擴大政治的基礎，獲得人民的擁護，便不能繼續支持下去。一七八八年十二月二十七日，宰相芮克便說：「我要以一份大年禮送給法國」，即是要決定招集立法議會。議會代表分爲三級，一級產生自貴族，二級產生自僧侶，三級產生自平民。這一消息傳播後，贏得了法國各階層的歡欣鼓舞，爲了新的希望，有的人連眼淚都流了出來。一二級中的特權階級，當然不贊成這一套。在他們看，如要開，每級的代表人數，也應當相等，即是想從代表名額分配上來支配此一議會，使其成爲貴族僧侶的會議。結果大勢所趨，還是第三級的人數，比第一二級的加倍。

由三級所組成的會議，各代表間的意見當然有許多不同。但除了整天在宮廷裏打滾，和王后混在一起的極少數卑劣橫蠻的貴倖以外，對下列幾點要求卻是大致相同的：（一）設立成爲決策而不是爲了「護航」的代議院；（二）成立名符其實的憲法；（三）擔保個人自由；（四）司法徹底獨立，不許國王以命令去干涉審判；（五）納稅義務平等。這說明法國當時並不是沒有大團結之道。並且當時大家所要求的，是改良而不是革命。

路易十六，在當時依然是人民的偶像；人民以爲召開會議，是改良政治，是出於他的誠意。在一七八九年五月四日舉行宗教儀式之際，主教拉非耳在講道中，批評了宮廷一頓，批評是改良的起點，這是古今中外的通例。王后當場聽見這種批評，咬了一次牙。但路易十六卻睡着了沒有聽見；他醒來後神情表現得很高興，笑容滿面，似乎很以主教所說的話爲然。代表們看到他這種高興的樣子，大家也高興起來，以爲他知道了民間的疾苦和自己政治上的不德，而有意與大家從頭再來。對於會議的前途，泛出許多樂觀的幻想。這是說明路易十六在睡夢中來了一次真正政治的藝術，收效甚宏。

假定他醒了以後，也能了解政治藝術，祇不過是因勢利導，照著這一方向表演下去，那法國的歷史就會完全改寫的。但這對於恣睢成性，權力薰心的統治者，是根本不可能的。

他一上場所表演的，都是焚琴煮鶴大煞風景的反藝術的愚蠢勾當。但他和他的貴倖們，卻自以爲在表演天才藝術。

二

會議的主力當然是平民代表。但路易十六把貴族和高級僧侶的代表，當作自己的心腹幹部，而視平民代表爲眼中釘，首先在禮貌上給以差別待遇，他想用這種方法來抹煞平民代表的重要性。他在書房中很隆重的接見貴族與僧侶，而把平民代表擠在一個柵欄中間，讓他們等候三點鐘之久，才一個一個的走到他面前行一個禮後，即向右轉彎而出，並不交一言。會議時，貴族僧侶的代表從大門走進，而平民代表卻只能走後邊的小門。路易十六，生怕平民代表們誤會他是和大多數的人們站在一起，等到五月五日正式開會，他來一篇很長的演說詞，唸的人，唸得聲音爽朗，內容祇是表明他雖然召開會議，但是應當議些什麼，都歸他作主；代表們應當受他的約束，他決不可受代表們的約束。否則和王權大法相抵觸的。但有一點必須作到，即是大家多多的向國庫捐輸。

許多代表聽了以後，感到是受了騙，與爭要有人說「我們從此就開仗了」。但代表中的宮廷貴族和大僧侶，卻心花慫放，因爲這樣保證了「吾子與吾王的奴婢們的共同利益。」他們認爲代表的任務只在於喊國王和王后的萬歲，爲國王和貴倖們捧場而已。

三

主張召開這一會議的宰相芮克，本來認爲既是正式會議：代表們應當在一起開會，實行以人數多少爲標準的表決辦法。但路易十六與其宮廷貴倖，卻堅決主張分級開會。後來史家分析他爲什麼非堅持這一點不可呢？第一、他覺得政治問題，是統一而不可分劃的性質；分級開會，便可使大家不能真正涉及政治問題；最低限度，也只能涉及若干枝節：而決不能觸及他的痛疤。第二、他覺得第一二級代表中多半是他的幹部，而第三級代表，則不過是暫時與以敷衍的卑微的客人。萬一有不識相的客人，決議了什麼政治改良方案，便可以由幹部代表的決議加以抵消。用「幹部會議」抵消「客人會議」，他覺得這是政治上莫大的藝術運用。

但第三級代表卻堅持非統一審查代表資格，非統一開會不可。這中間經過了許多曲折，情勢天天演變。在某一時機，路易十六只要作某種讓步，即可解決問題，但他卻堅持不讓；等到堅持不下去而作某種讓步時，卻又情勢已變，原來的讓步，不復能解決問題了。到了六月十三日，第二級的僧侶代表中有三人與平民代表合流；接著有更多的僧侶乃至第一級中較爲開明的貴族，也紛紛和平民代表站在一起；越六月十九日，統一的「國民議會」，已經得到了確定的勝利。

四

少數的宮廷貴倖們著急起來了，六月十八的那一天，決定要用很嚴厲的辦法，通過御前會議，折散「國民議會」，以保護貴倖和僧侶。

這中間，還玩了幾點小花樣。例如以修理房屋爲理由；把平民代表們原來用作議場的消閑宮關閉，了起來，於是代表們只好把會場搬到球場去。結果，路易十六的親倖達多亞伯爵卻吩咐下來，明天要打球，要大家趕快讓開。後來這位伯爵對於自已這一手，感到非常得意，覺得玩得太藝術了！

六月二十四日，御前會議開了，路易十六顯得有點憂愁；而上述的達多亞伯爵，卻十分得意；因爲他在路易十六前又露了一手大大的謀略。路易十六以顫抖而粗暴的聲音，向代表們訓話；主要是說三級代表，非分組開會不可。同時，貴族與大僧侶的特殊利益，必須特別尊重、保護。

（下轉第二版）

談自由

政黨觀

據說，中國青年黨最近要舉行全國代表大會，修訂黨章，以由下而上的民主精神爲團結改進之基礎（詳見本報近日連載的台北通信）。這是好消息，我以朋友立場，期待他們大功告成，創造新生命，能爲中國憲政前途放一異彩。

政黨與幫會的組織形式雖不同，然其精神和作用殊無二致。道義，紀律，歷史這三種條件缺一不可，而以道義一項最關重要。同志之間如果沒有兄弟般的道義精神，肝胆相照，紀律便無從奠立，儘管在黨章上寫得洋洋大觀，口頭說得天花亂墜，像煞有介事，實際是等於具文。黨部對黨員如不憑歷史（即黨齡）和勞績來作營運驅策的原則，小派系即油然產生，沛然莫之能禦，因而弄成是非不清，賞罰不明，紀律蕩然的怪現象。如有乎，整個的黨乃日漸腐化，縱使不解體，亦必然變爲只有軀殼而無靈魂的集團了。所以，辦黨的人一定要具有「江湖氣」——千萬沾不得一點官僚氣，才可望獲致「天下英雄盡入彀中」的成果。

青年黨的新黨章草案，將中央領導階層的權力區劃爲四部分：以指導委員負最高決策的職責，規定必須由德高望重，勞績卓著的同志中遴選充任；黨務「執行長」之任命，須得評議委員會的同意；中央黨部主席只設置正副二位，摒除所謂「集體領導」的玩藝。這些都符合民主憲政的規範，進步多了。搞政黨而不講歷史與勞績，年紀大一點的老黨人，便視同爛草鞋似的廢物，教他「掃地出門」——走出決策部門——成爲「門神」式的黨員，則後之視今，亦猶今之視昔，新進黨員誰肯爲黨奮鬥呢？共產黨最反對所謂封建思想的，但它那中央執委會和政治局等最高決策機構，皆由歷史悠久，勞績卓著的同志主持之，如年逾七十歲以上的徐特立，董必武，林祖涵之流，始終享有優越地位與發言權，並未置他們於昏庸老朽之列哩！

政黨不問是在朝或在野，是從事憲政運動抑作革命運動？同志之間必須保持着道義，重然諾的江湖氣。否則在野時固難期發揚光大，一旦臨朝執政，內部如不離心離德，陷於失敗深淵者，未之有也。

馬五先生

漫画天下　南施

兄難也同弟難
英法都在沙漠的熱路上碰到麻煩了。

和平之路不通
赫魯曉夫：「你們試走下去吧！」

民意機關支配政府預算
高雄議會「政治分贓」

（台灣通訊）孫中山先生當年批評民初國會議員爲「猪仔議員」，這是國人盡知的民國史話。

在自由中國實施憲政十多年後，而台灣省地方自治也有十年歷史的今天，高雄縣議會竟發生一件被輿論界譏評爲「政治分贓」的笑話，給本省地方自治史留下一段不朽的汚頁。高縣議會第五屆首次臨時大會於五月十六日，通過這樣的一個提案：「查本會歷屆歷次大會所決議應行舉辦工程爲數甚多，如均付諸興建，則非政府財力所能負担。前次大會各議員赴各地考察結果，經本會一再檢討並參酌各地實際廹切要求應行急辦之道路橋樑及水利護岸工程，權衡輕重緩急，在五十一年度應優先辦理者，計需二百三十萬元，請縣府在五十一年度總預算內應予切實編列預算，俾資因應各項工程之興建」。另外附工程名稱表一份，連同決議案，一起送高雄縣政府執行。同時，該議會在同一天（五月十六日）下午討論縣府五十年度第一次追加減預算案時，將縣府已發包的十九項建設工程五十七萬餘元追加預算案，險被否決。議會對該案有三種意見，無黨派議員主張通過，黨籍議員有主張全部否決，也有主張部份通過，部份刪除，他們的理由是：沒有預算而先發包工程，於法不合。結果刪除十四項。

高雄縣議員先則否決縣府追加工程預算案，繼則通過於法無據的「政治分贓」預算案，增加縣府預算赤字。六月十二日，該議會舉行「建設小組座談會」，由議長吳尚卿主持，討論二三〇萬元工程預算案，結論是要求縣府務必尊重議會職權，照案辦理。這次座談會很圓滿，並沒有發生拍桌子大吵大鬧的情形。按：高雄縣五十一年度的總預算赤字爲一千零四十萬元。

因此，關心高縣地方自治的人士頗感驚訝！根據「台灣省各縣市實施地方自治綱要」第十六條暨「台灣省各縣市議會組織規程」第十三條所規定的縣市議會之職權，高縣議會不但沒有提案要求縣政府編列建設預算之權，且有違「但對於縣市預算不得爲增加支出之提議」的規定。所謂「尊重議會職權」云乎哉，豈不是夢人囈語嗎！這就難怪高縣議會這種「越俎代庖」的行爲，被聯合報譏爲「政策分贓」了。

政治分贓一語，該議會亦有部份議員承認。因爲每一位議員可以獲得四萬元，五十五位議員共計爲二百二十萬元，餘由岡山、旗山、鳳山鎮等地區分配，這筆錢雖不是議員倘入總囊，而是爲各人的選區「羣衆基礎」施以潤澤，故說是政治分贓也還不算離譜。但；最使人高深莫測的是「羣衆基礎」，卻有着濃厚的說不出的味道。

高縣在四十九年度（即前任縣長）的水利和土木兩項工程建設費，才只有一百六十餘萬元，而五十年度（即現任縣長）的建設經費僅僅一百四、五十萬元，這是議會所知道的事實。議會今竟不顧事實而又違法要求余縣長予以全權支配較去年增加三分一的建設經費，其手段之狠，無出於其右者。該案將發生兩種絕對不利於余縣長的後果。一是使余縣長的競選政見永無兌現之日；一是如果余縣長不能答應議會要求時，議會可能送一頂余縣長「不尊重議會職權」的帽子，而藉此無法規依據的要求作爲不通過五十一年度預算的理由。這不是無的放矢或危言聳聽，而是有「報」可證的。

由於議會要求余縣長支配工程費一事，因而使人聯想到議會究有何恃而不恐？以及議會調查余氏所謂涉嫌瀆職專案小組長達二萬餘言的「調查報告書」爲何不公開呢？其內容不但選民不知道，即議會內的大多數議員也沒有看到。據高縣議員林景元、鍾泰山、林峯容等與新聞記者所發表的談話，以及議會主任秘書雷先春在答覆記者時所說的來加以綜合研究，實在不能不令外界人士連想到，原來議會調查余縣長涉嫌瀆職的主因，不能說與「政治分贓」無關。揭開來說，議會是爲了使余氏就範，美其名曰調查；實際上，其動機與目的不在彼而在此。

高縣縣長余登發對議會胎死腹中的調查報告書會發表談話，他說：該報告書「所列本人涉嫌違法事項，有的是故意曲解，有的是顛倒是非，均與事實不符。縣府於得到報告書原文後，除將逐一答辯外，如有涉及誹謗名譽之處，並要依法訴究」。因爲「議會已失去公正立場，有少數人在興風作浪，故意打擊我，誹謗我。」又說：「某縣市首長眞正貪汚瀆職，却有人想盡方法爲之掩護；本人不想貪汚瀆職，却有人要想盡方法，羅織上違法瀆職的帽子，這是愛國家愛地方嗎？」余氏此一態度，深獲各界讚許與重視，不是沒有道理的。

由於前述各節的瞭解，違法瀆職的恐不可能是余氏，而另有其人了。民初國會議員，雖被指爲「猪仔議員」，尚不致公然「分贓」。但像高雄議會這種作風，是不是「分贓」呢？

許世英・胡適・賽金花

（台北通訊）許世英老先生年來在「人間世」雜誌上連載其回憶錄，以生花之筆，記述其六十多年前的往事，寫來趣味橫生，膾炙人口，讀之令人不忍釋卷。究竟有他一手，博得衆生滿堂喝彩！

在上一期「人間世」中「許世英回憶錄」，曾提到賽金花這一多采多姿的公案，說到賽金花在八國聯軍之役中，曾與聯軍折衝，對國民頗有貢獻，尤其是對瓦德西的「五不」佈告，幾乎北京城裏的居民們「都異口同聲在感謝賽金花」。許老先生是以回憶方式，來記述他扶櫬回京時，這期間的所聞所見而帶上了一筆賽金花的。

賽金花與瓦德西的一段桃色故事與挽救當時北京城裏所遭受八國聯軍之厄運，隨着孽海花這本小說，而流傳於民間，幾乎三十歲以上的中年人，都認定有這麼一段逸事；當然誰也沒有去考證這故事的可靠性，而且也無須去考證，根本上它就是不登正史的野史，只是當作茶餘飯後的談話資料而已。

許老此文刊出後，中央研究院院長胡適博士，即去函許老先生，說明根據史實的記載，「賽金花的故事全無歷史事實的根據」，是孽海花這本小說造謠於前的。許老先生對於這一「糾正」，不是辯駁的又作了一次婉轉的答覆：說他雖未目睹那時發生在北京任何事件，但當時却悠悠衆口所說確有其事，而且在兩宮抵京後的第三天，即被禁止此類傳說。至於以後有孽海花，那可能是受了那些謠傳的影響，但我聽到那種傳說時，應還在孽海花小說問世之前，而且我至今未閱過孽海花這部小說，最後說到：「當然，我這樣說並不是在懷疑歷史，我只是根據我自己會看到的，聽到的或親自做過的事爲準，我不能想到這些事是否被收入史科之中，也不能因歷史上無此記載而硬要自己去忘去這些事。」當然，兩位老人都是飽學之士，說來婉轉客氣，不過從上述的文字裏已可看出，「所見不同」了！一個根據史實的記載「有書爲憑」，當然不會毫厘之差；一個是根據當時親耳所聽到「幾乎異口同聲」的說法，「有人爲證」決不會信口道來，倒底如何呢，徒使這個本來已夠「微妙」的故事，更加其「微妙」了！

孽海花作者是曾孟樸先生，曾先生墓木已拱矣，但他的哲嗣曾虛白先生却在台灣。孽海花被胡適先生指摘爲「造謠」，雖然這無損於這本小說在文學上的價值，但身爲作者的後人，會虛白先生，能無動於衷嗎？曾先生也有兩點表示：第一、從理論上講，小說中的故事，本是虛構的，所以只聽到過有人指摘新聞造謠，從未聽說過指摘小說造謠，因爲新聞是事實，而小說是描述；如果在小說中找尋時代的影子，求考證，更屬不可想象。第二、就事實來說，關於賽金花的事，在「孽海花」問世之前，早已見之於文字的，已有「彩雲曲」。因此，如果說是造謠，則原始造謠者應是「彩雲曲」，而不應是「孽海花」。同時，也談到：「在我童年時，先父常爲我講述賽金花的事，講得有聲有色，我也聽得津津有味。我相信：他決不爲了要叫我聽得津津有味才講這個故事，也決不會是爲了要幻想使他筆下的故事成爲眞實化，才講這個故事。」

賽金花的故事眞實嗎？賽金花一段對國民公案，確有其事嗎？孽海花是造謠嗎？這些似乎都是不值得爭論的問題，筆者在這裏報導出來，旨是記載近來台北文壇上，有這麼一段逸聞趣事，讓我們的讀者在日後談話到這個問題時，添上一則插曲而已。

李華　五〇、七、十五

政治的藝術與魔術

（上接第一版）

寫法國革命史的人對於這次御前會議一說：「自從波旁朝第一代的君主，一直到最末代的君主，都是始終反對封建制度的，只有路易十六，此時却同貴族扯拉在一起，自然只有「與貴族同歸於盡的」。事情發展至此，歷史的命運大概已經決定了。以後，路易十六爲了挽回頹勢，認爲主張召開會議的宰相芮克不夠忠實，而將其免職，這便更引起人民的憤怒。爾後，又一度裝作順從的樣子，使許多人在最後對他又浮出一點幻想；但終於一轉瞬又露出狐狸尾巴來了。再以後的結果，是舉世皆知，不消叙述的。

五

路易十六的命運，完全是自己一路的政治、魔術所造成的；但在他自己，或者以爲這便是政治藝術；而對自己的命運，提出可以使自己安心的其他解說。順應大勢走的是藝術；僞裝順應大勢，而實際只是爲了滿足少數人權力之私的的魔術。在曲折中誠心誠意去作的是藝術；在油腔滑調中兩重人格的是魔術。中國文化中，特別重視一個誠字，即是告訴人，只能學藝術而不可玩魔術，魔術有時也能收到短暫的效果，但一經折穿後，再大的魔術師也就束手無策了。

我十幾歲在師範學校時候，在某紀念節，同學們表演魔術，明是一隻空箱子，却分拿出了許多東西來，我眞覺得非常稀罕。第二天找到那隻魔術箱子看看，原來是活動的夾底，於是自己覺得太容易受騙了，以後對於任何中西魔術，皆無興趣。所以中外只有亘古常新的藝術品，決無革命富貴的魔術師。

在今天，最大的政治魔術師是共產黨的，它眞有這一套行頭，也眞有這一套本領。但也慢慢被世人折穿了。共產黨以外的任何政治魔術，對於共產黨而言，[illegible]是小巫見大巫，簡直不足齒數。因此，在今日自由世界中，自己對自己演鐵公鷄的英雄好漢，或者自己對自己演無中變有的魔術大師，他們的所作所爲，都只能證明這正是一個悲劇的時代。大家勉力於藝術習作吧！因爲世人要看的是藝術而不是魔術。

青年黨新黨章草案公佈

會親聞

指導委員除列席中央執行委員會和中央評議委員會指導外，遇國家或重要決策時，只要指導委員二人以上聯名，即可約集其他指導委員、主席、副主席、中央執行委員會執行長、中央評議委員會議長會商之。可見指導委員的影響力是相當有的，只是草案並未規定，倘以上被約之人不出席時，應受何種制裁。

草案中的執行委員會爲最高執行機關，由全國代表大會選出執委十一人至十七人組成（設三至五人爲候補委員）相當於我國現在的行政院。其職權爲執行全國代表大會之決議；擬定黨務進行計劃並辦理之；決定黨對時局主張；編制預算決算……等。執行委員會設執行長一人，由主席就執行委員中提名，送評議委員會全體委員三分之二出席及出席委員過半數同意後任命之。執行長在任期中，評議委員有三分之一以上的聯署，就可對之提出不信任案。經全體委員三分之二出席及出席委員過半數通過時，執行長即須辭職，由主席另提人選依章同意繼任，至任期屆滿爲止。

執行長有權召集並主席執行委員會。執行委員會之決議，提名副執行長及各組室會人選，指導監督各組室會工作。草案規定設組織組、宣傳組、外務組、選舉委員會、婦女委員會、財務委員會、秘書室、資料室、會計室等九個單位。副執行長，各組室主任及委員會主任委員，均由執行長提名，經執行委員會通過送請評議員同意後，報請主席任命之。同時並規定前項人員隨執行長共進退。副主管可以不經評議會同意，報請主席即可。

評議委員會爲黨的最高議事機關，相當美國參議院，由全代會選舉五十五人至六十七人組成，候補委員十人。其職權如下：審議預算、審核決算，議決重要政策及其他重要事項：……聽取執行委員會執行長各組室會負責人報告並得質詢之。評議委員會設評議長一人，副議長一人，由全體委員在選人如有全體三分之一以上之聯署，過半數決議得罷免之。

評議委員會下設：政策委員會、紀律委員會、經費稽核委員會、議事組、秘書室等單位。

從以上可以看出，如果此項草案可以獲得該黨各派接受，它將是中國自有政黨以來最爲民主的一個黨章。（下）

瘟君續夢

第二回：狼狽自爭雄，活佛有幸　人天齊示警，浩劫將成

班禪合什答道：「我佛慈悲，最戒殺生，西藏人民這場劫數，是相當使人痛心的。不過，到了今天情況，世尊再來也救不了西藏人民，只有主席可以救得，還望主席高抬貴手，西藏人民就感大德了。」

毛澤東笑道：「殺人還是爲了救人，因爲西藏上層人士作惡太多，必然要遭劫，所以上天假手解放軍去執行。聽說西藏窮人都把解放軍叫做菩薩軍，你聽說沒有？」

班禪苦笑道：「我沒聽說，但是我知道世間斷沒有殺人的菩薩。」

毛澤東看着張徑武說道；「你昨天告訴我，這次平息西藏叛亂，拍了一套電影是吧！可以放映給班禪活佛及西藏來京開會人員看看。」

張徑武連聲應是，自退出去安排。

第二天，中共果然在工人文化宮放映一套平息西藏叛亂的電影，招待西藏在北平開會人士恭觀，各民主黨派領導人也都出席。鏡頭上出現了西藏「叛匪」搶劫民間財產，到處殺人放火的情節，及至「解放軍」一到，趕走了叛匪，解救了人民，藏人扶老携幼去歡迎「解放軍」。

接着又出現了一個鏡頭，中共大小幹部在撫慰災民，發放救濟糧包，藏人不論大小皆有一包，藏人又歡天喜地走了。最後的鏡頭是各地藏人都過着載歌載舞的幸福生活，家家房裏都懸一張毛澤東的大像。

班禪及大部藏人看到了，毫無表情，只有阿沛．阿旺晉美和另一個西藏軍區副司令員朵葛．彭錯饒傑無可奈何的在鼓掌。

出席恭觀的「北京」市「副市長」，「民革」中委王崑崙悄悄向坐在傍邊的「文化部部長」沈雁冰問道：「你們這部電影在什麼地方拍的。」

沈雁冰說道：「這部電影是解放軍總政治部電影製片廠攝製的。明明是紀錄片，當然是在拉薩拍的了。」

王崑崙冷笑的道：「這部電影導演應該下放，他拍的這部片子連美國牛仔片都不如。」

沈雁冰愕然道：「這話是什麼意思」？

王崑崙指着銀幕說道：「美國人拍西部片，經常有殺紅番的鏡頭，事情雖然是假的，紅番到是眞的。咱們解放軍去搭救西藏人，銀幕上也應該找幾個眞西藏人充充鏡頭才是，現在不問死的、活的、殺人的、被殺的，全是漢人，連一個藏人都沒有，我懷疑這部電影大概就是在『北京』拍的。」（廿三）

岳騫

擠的哲學

黑子

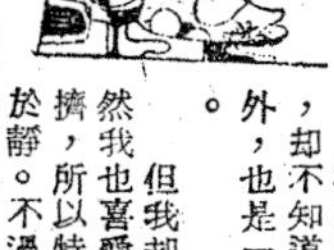

很多朋友都知道我好靜，却不知道我除了喜歡靜之外，也是一個很愛動的人呢。

但我却最厭煩擠了。雖然我也喜愛動，而由於討厭擠，所以特別顯得我的偏愛於靜。不過動却與擠不同，動，活潑，生命的源泉力量，也是一種美的表現，如球類運動，如登山，如騎車，如游泳，對人生有很多稗益和情趣。可是擠却不同，擠是一種擾亂秩序，破壞安定，影響人心，無聊已極，無一利而具百害的行爲和舉動。說它是一種行爲，是因爲它產生在一些人的心臟裏，它在那些人的心臟裏暗中排擠你，還比行動還要來得陰險來得可怕來得令你憎惡。因爲你和他們沒有關係，你不是他們的黨徒，你不是他們的家族。至於混在電影院售票口門前擠在人叢裏買票做黃牛的可憐虫，祇不過是爲了生活而去擠，我常常看見這般人多是背上背着孩子手裏也牽着孩子的沒有謀生技能的無知婦人們，她們擠了半天好不容易才搶購到幾張座位較好的票子，可是能不能夠賣出去還是問題，運氣好碰上了肯花錢的主顧，就賺幾塊，維持一餐兩餐，運氣不好，說不定戲開演了，票還抓在手中拋不出去，連本錢也弄掉了。她們的處境也夠慘，夠可憐的了，雖然觸犯了擾亂秩序的誡條，可是念其苦衷，究竟還有令人值得憐憫的地方，使人予以同情。問題是在：不能怪她們去擠，應該思量思量她們爲甚麼弄得沒有飯吃！儘管我們的市長省長們很有興緻遠涉重洋到歐美去考察人家別國的市政和其他一切一切，只在大的方面着眼，而不從小的地方着手，捨近而求遠，似乎是永遠不會走上盡善至美之一途的了。

像這樣地去擠長龍買票當黃牛的小市民，似乎又遠較那些有地位有金錢而並不愁衣食住行的貴人們專事排擠異己份子爲職志者，又不可一概而論了。如果我是法官，前者將被判免減無罪，而後者則應被送往火燒島施以思想上的感化教育。

我既然是一個好靜者，所以當我在鄉村過了一段極其恬靜而優美的生活之後，我才感慨萬千地體驗到了像我們這樣的異鄉人流浪客，沒有房地不動產沒有家庭親人沒有一點甚麼的人，在鄉村是無法生存的。唐人有詩說：夕陽無限好，只是近黃昏。鄉村對於我們正如同夕陽，雖然我們喜愛它，可是我們不能立身於鄉村。於是又從那裏重回到煩囂的都市，回到擠擁的都市。

我敢說連很多鄉下人都不能在鄉村生活了，他們變賣了房屋產地，跑到都市來做生意，放棄了幽靜的農村生活，來過骯髒與擠的都市生活。

於是我發現了「擠」也是一種謀生的技術，擠得愈緊張也愈精彩，而愈擠也愈容易使你膨脹；當你從小的變成大的，從瘦弱的變成肥胖的，從窄變成寬，從低微變成高昂，你也就成功了；而這一切都是從擠裏得來的。你愈往靜僻處走，你愈變得無知無聞；你愈向人多處擠，你愈能揚名顯姓。難道世間的事就是如此的奇怪，既使我會深深地懷疑，然而也不能不予相信了。

於是這個世界變成了擠的世界，你擠我，我擠你。擠得愈熱鬧愈有好戲看。可是你可不能得意忘形啊，在擠的時候，你得當心扒手。

提起扒手，我又想起了很多很多。譬如說：扒手不是普通人就能幹得了的，扒手眼明手快，乾淨俐落，而且僞裝和掩飾工作做得很好。像我，就不能做扒手，因爲我眼睛既不明亮，手脚也不快捷，尤其是外表，破衣服破皮鞋，頭髮很長，像個剛從監獄裏走出來的。做扒手講究的是衣冠楚楚，西裝畢挺，皮鞋畢亮，頭髮光潔整齊，給人一看就是一種上流社會的上等人物，如此人們才會覺得這樣漂亮的君子紳士，那裏會做扒手呢？可是我奉勸世人，扒手就是這樣的人，你要提防扒手，首先就得提防這般衣冠楚楚之士。

然而，世間上的人多無勇氣懷疑這般衣冠楚楚之士，偏要狗眼看人低，懷疑並鄙視像我這樣穿得破爛的人。我穿得不好不要緊，可是却妨害了我求生的本能和意志；因爲穿得不好，根本不能參加「擠」的行列，看門的人都會不准你進門，警察見了你也要盤詰一番，何況你還要往人多的地方去擠，去自投羅網？

於是，「擠」也成了一種學問，一種藝術。只是你懂得了其中的訣竅，在官場上你可以左右逢源，飛黃騰達，爬在萬人之上。在商場上你可以壓倒同業，別的公司行號負債虧本關閉，你不但可以維持，而且可以得到獨家經理，獲取巨額利潤。情場上你可以擊敗情敵，邀得美人青睞，獵取你最理想的對象。

總之，在這個社會上你要懂得擠，你才能夠立於不敗之地；否則你將永無出頭之日。擠，也是一種哲學啊！

夏天

漁翁

春、夏、秋、冬，爲一年所必經之季節。自立夏（陽歷五月初六或初七日）至立秋（陽歷八月初八或初九日）爲夏季，我國習慣，以陰歷之四月五月六月爲夏，歐美則以陽歷六月七月八月爲夏。

左傳：「趙盾，夏日之日也」注「夏日可畏」，以喻人之嚴厲，如炎熱之太陽然。在華氏九十度以上的天氣下，不但人類感着不安，即狗也伸着舌頭，牛和馬，都氣息喘喘，爲了炎日的可畏，誰也都想覓一清涼界，去避免這熱的威脅。同時，又羨慕那「公子調冰水，佳人雪藕絲」的一般特殊階級，坐在冷氣間；而不知有熱，而不知人間流下多少的苦汗？

寒暑，在歲時上，是免不了的，寒來暑往，暑往寒來，爲氣候交代所必要，尤其農人們，春耕，夏耘，秋收，冬藏，而主要階段，在乎夏天的鋤草、施肥，以助稻、粱、菽、麥、黍、稷六穀的成長，較之春秋冬三季，具有重要性。

宋代詩人范成大詠田家：「晝出耘田夜績麻，村莊兒女各當家，童孫未解伊耕織，也傍桑陰學種瓜。」又賦村莊：「綠遍山原白滿川，子規聲裏雨如烟，鄉村四月閒人少，纔了蠶桑又插田。」此言夏季田家之忙，男耕女織，卜晝卜夜，流露於字裏行間。

有了耕耘，才有收獲，粒粒皆由農家辛苦得來，苟無農人流汗，那麼，饑無以爲食，寒無以爲衣，即有產階級的公子，也無冰水可調，佳人，也無藕絲可雪，是則夏天爲萬物生長時期，流汗是有價值，有意義的。

俗云：「氣候不熱，六穀不結」，又云：「熱不熟，且看五月二十六」，爲着生活，縱太陽如火，也要向火中爲之，「鋤禾日當午，汗滴禾下土」，這是農人固有的本領。不僅農家具此本領，凡屬人類，也要有大無畏的精神，與日光，空氣，和水奮鬥，尤其炎夏的日光，不可規避，有此毅力，才能克服環境，才能應付非常的變亂，才能創造非常的事業。

偶讀蒲留仙之「消夏雜詠」，如服清涼散，消却胸中之煩悶不少，摘錄七言二首於下面，藉遣熱腸。（一）「小有風來便覺涼，簾垂不捲晝猶長，兩三乳燕飛初定，稍落銜泥上筆床」。（二）「簾紋如洗碧陰澄，沉李浮瓜解暑蒸，月黑忽來星一點，流螢飛上讀書燈。」蒲，清人，不得志於有司；惟以詩文遺世，供後人談助耳。

徵稿小啓

有內容有意義之隨筆、散文、掌故、小說、雜感等類文字，本刊均所歡迎。請用有格稿紙繕寫，如需退還，請附信封及郵票。一千六百字左右的隨筆，比較易刊出，過長則以篇幅所限，請特別留意。

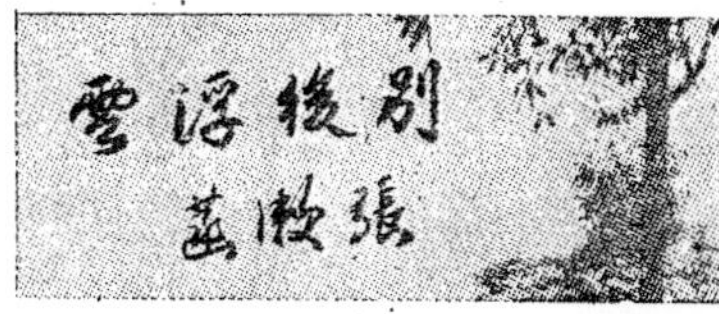

一

這是一個各處都散着春之氣息的上午，夜來一番微雨，把樹木洗得鮮綠如翠；小徑中的泥土仍是潮濕的，陽光由樹葉間篩落下來，照亮了地上低凹的積雨，閃動着跳躍不定的光芒。

吳超獨自一個從清晨便來到這小徑中徘徊，直消磨了整個上午，迄未消除心中那一份，有的激動，這是他二十年來從未有過的現象。昨夜他一整夜失眠了，心頭那團疑問，已變成一個死結，解不開，化不掉，深深地苦惱着他。

昨晚，他帶着幼女芹芹去看電影，散場時，芹芹遇到了一個同學，是個有着兩只大眼睛，模樣極其可愛的小女孩，兩人在戲院門口講了好一會話才揮手告別。

吳超本不會注意這些小事，然而當他的眼光無意間觸到那小女孩的母親時，他的神經立時緊張起來。那是一個風姿綽約，身段苗條的女人，她雖已走遠，但她留給他的印象却是深刻而熟悉的。難道她竟是那使自己私戀了二十年之久，也痛苦了二十年的她嗎？他懷疑着。

十多年來，他在宦海中浮沉，驅馳天涯，多半是在外奔走的日子多，在家安居的日子少。太太和兩個兒子也似乎永遠與他親近不起來。他對那平庸低能的妻子，實在發生不出較深的情感。于是；他在家庭中便不知不覺地形成了一位嚴厲冷酷，沉默寡言笑的家長。子女們人，甚至連太太都長慣他，也尊敬他。只要他在家，立刻便會肅靜無嘩，沒有任何人敢隨便說一句話。這情形，使得他自己非常詫異，因爲他實在是一個溫和忠厚，極重情感的人，爲什麼心情的影響，和歲月的堆積，會把一個人改變得如此厲害呢?！

其實，他何嘗不明白原因何在，追溯起來，二十年前，欲愛者不能愛，已令他苦痛終身，而二十年間，欲棄者不忍棄，却更令他難堪！這種長期的情感折磨，竟把他溫和的性格，磨得冷而硬了！造物弄人，爲他編導了這一幕人生悲劇，欲罷不能，他不知還有幾許憂傷歲月，在磨蝕着他殘餘的生命！

陽光移到他的頭頂上來，他覺得有一點躁熱，小徑上走過幾個下課返家的學生，和下工回去午餐的工人。他雖不想爲了吃飯而回家去，但他却急于要去問問女兒！關于那大眼睛的小女孩的家庭情形。（一）

戰爭之道

·徐學慧·

對於戰爭的觀念加以改變，現在已是最適當的時機。二十世紀的戰爭，再不是短兵相接或者相互砲轟；雖然這也是戰爭的形式之一。最近二十年來，人類不僅在科學研究方面有驚人的進步，而尤以改變傳統的戰爭方式，至足欣賞。由來將通名的戰爭，轉變到相互砲轟的戰爭，這一階段的進展是很緩慢的。但此刻，連砲轟式的戰爭，也已被視為落伍了，代之而起的是各種不同型式的戰爭綜合體，如果說得文雅一點，簡直就是藝術化的戰爭，或戰爭藝術化。

戰爭，一向被人詛咒為殘忍的東西，何以會達到藝術化呢？我想，這可能是讀者們要提出的問題。用什麼定義或名詞來解釋這個「戰爭藝術化」，似乎很難，但有一點，卻是我們每天所感受到的，此即為今日世界的列強們，對於戰爭型式之交互運用，實已到了出神入化的境地。

將「出神入化」引用為「戰爭藝術化」，似乎頗為順理成章。換之事實，也的確如此。有許多戰爭，為強國們巧妙地導演，而以弱國的土地作為演習戰爭的舞台，以弱國的人民作為戰爭舞台上的道具。一場戰爭，外表看來頗為轟轟烈烈，可是，戰爭過後，弱國的人民很可能面面相覷，而對於剛才那一場廝殺，究竟為的是甚麼，則簡直茫然無所知。

今天這個時代，天天有戰爭，處處有戰爭，但許多人卻不認為這是戰爭，這也難怪，有許多真正出動到飛機大砲的戰爭，結果也是莫明其妙。十年前的韓國戰爭，打得那麼「熱烈」，但麥克阿瑟將軍奉命不能越過鴨綠江，杜魯門先生口口聲聲說這是「警察行動」，不承認這是戰爭。再說最近的寮國戰爭，諸沙旺與寮共打來打去，打到結果，又開聯席會議了。這樣的戰爭，究竟是為的什麼呢？恐怕誰也不會明瞭吧！

當然，說誰也不會明瞭，似乎過火一點，最低限度，赫魯曉夫是知道的，甘迺迪是知道的，可徹的紳士麥美倫先生也是知道的，還有，戴高樂將軍也是知道的。問題卻在，知道的人不太多。於是乎芸芸眾生，就只有在這幾位巨頭導演之下，莫名其妙地從事於一種槍砲遊戲運動了。

界線不分，敵友不明，天天在戰爭，卻又諱言戰爭。戰爭之道至此，神乎其技矣！

劉璈治台史事

李竹侯

至劉璈與劉銘傳交惡起因，當不外下列數者：一、當中法戰役，基隆被法據後，當日內閣學士梁耀樞以劉銘傳喪師失地，貽誤大局，疏請罷斥，銘傳亦曾上疏自劾，同時劉璈亦揭其事，南洋大臣左宗棠據以入告，遂褫李彤恩職務，銘傳具疏辯，互論長短，而璈以兵備道加營務處，頗不受節制，銘傳啣之；二、當劉銘傳以防務大臣主台灣，駐節台灣，而以台南委璈，是時軍務倥傯，餉需孔亟，適府兩庫存銀百五十萬兩，銘傳命撥五十萬兩不從，在劉璈之意，以銘傳既受朝命來台督辦，曾在福州逗留甚久，福建積欠台灣協餉近三百萬，應就近向閩省催提，法兵已臨城下，不應提取台庫之餉。三、商人陳郁堂攬辦台南阿片釐金，欠款四萬六千元，防法之時，軍費浩繁，發借不敷，劉銘傳飭繳，提訊究，而璈仍任之，銘傳大怒，積此數因，就上劾劉璈十八大款，內多羌無故實之詞，劉璈就得罪奪官革職，籍沒家產，命刑部尚書錫珍，江蘇巡撫衛榮光到台查辦，六月奏請擬斬監候，改流黑龍江，當時士論莫不寬之。適左宗棠病歿閩垣，彭玉麟巡閱長江，素著剛直，思代鳴其冤，因劉銘傳係李鴻章得力幹部，又係同鄉，不欲出而爭辯，劉璈居黑龍江數年，深獲將軍穆圖善器重，延為幕賓，一夕彭玉麟忽憶及劉璈，命左右擬奏起復，一面電召劉璈晉京，璈得訊，扶病日經三百里，抵山海關病甚，莫能興，[illegible]召其子謙夫[illegible]，先[illegible]銘傳上疏參劾，璈命謙夫[illegible]入京活動，謙在京[illegible]，盡耗其資，父子[illegible]會見時，璈袖刀而[illegible]，一見即拔刀砍之，為左右所格阻，一氣而絕，或言劉璈在鄉辦團時娶賀氏，賀氏有殊色，賀係本大雲山下曾家橋人，其夫通匪，劉璈捕殺之，竟娶其婦，生三子，長謙夫，次旭川，其季已忘其名，謙夫生時，劉璈坐堂上，見賀氏前夫登堂入室，冉冉而沒，就惡之，而謙夫資絕慧，十餘歲即入縣學。平居無異狀，於父母亦能承志盡孝。（廿一）

幽默輓聯

介人

輓聯，誄詞，一般都是歌功頌德，好話說盡，正如俗語所說「狀詞筆下無好人，祭文筆人無壞人」。因為人死了，一切恩怨是非，均已烟消雲散，所以和死人過不去，或者向死人幽默，是百不獲一。

但於此也有例外，在文人的遊戲筆墨中，也屢見不鮮，綜合起來，閱之亦頗足以令人噴飯，例如章太炎之於譚組庵。譚為清末翰林，且係側室所出，父曾任制軍；民國後，譚加入國民黨，有人謂其曾拜孫總理作乾爹。譚逝世後，各方輓章甚多，太炎亦送一聯，用古篆書寫，執事的人不認識那樣彎彎曲曲的字，便將它高懸在祭堂中，幸不久為識者所發現，率令除下，原來那副對聯是這樣的：

「有清公子兼翰林，容共武漢主席，反共南京主席；乃父制軍又總理，乾母孫太夫人，生母譚如夫人。」

其實譚組庵的雅量及其道德文章，本欄同文諸葛文侯先生早有報導，昭昭在人耳目，身後自有定評。所謂拜孫總理為乾爹之說，更屬無稽之談。太炎摭拾浮言，用來湊成一副幽默的輓聯，以圖快意於一時，究屬有傷詩人敦厚之旨。

其較為幽默有趣，而且極為典麗的，首為戲輓鄭汝成的一聯。鄭汝成為袁世凱愛將，鎮守上海時，為民黨刺客所殺。袁撰聯輓之，不知那一位幕客的手筆，比之為周宣之吉甫，光武之岑彭，太炎戲為聯云：

「世無光武，何有岑彭，其曹孟德之典韋乎？刺客亦英雄，破壁竟來[illegible]變哉；時非[illegible]，[illegible]」

[illegible]汪笑儂，有「伶隱」的雅號，原為[illegible]縣，候補，[illegible]工皮簧，於[illegible]之際，終於[illegible]舞台，[illegible]成一派。死後，[illegible]聯云：

「你本是七品令官，革職原為唱捉放；此去有三堂會審，問君可敢罵閻羅。」

所謂「捉曹放曹」、「胡迪罵閻羅」，都是汪的拿手好戲，袁寒雲竟乃借此以資諷刺，既恰切之至，聯亦雋永有趣。

又河北定縣人谷鍾秀，字九峯，少年時，曾在保定跟吳汝倫讀書，過後到京師大學堂肄業，畢業後到日本留學，加入同盟會。民國成立，谷[illegible]

[illegible]身。谷鍾秀的三不幸；[illegible]

[illegible]論甚廣，在朋好之間流行的時候，他的封翁死去了。大官死了父親，例有哀啟，文中說到他的封翁臨終前的情形，有一名詞「至死竟無所知」，又傳為一時笑話。據傳這是孝子在昏迷中語無倫次的傑作，毫不足怪。其友某君賦性幽默，作輓聯云：

「令子半生三不幸；而翁一死竟無知」。

生死均說到，不能不認為佳作。

南海江孔殷太史，這是為百粵人士所熟知的，素性亦極其詼諧，他有輓馬老大（忘其名）一聯云：

「一門鳳雅，仲氏富收藏，是紅顆，綠玉，勝於黑彩盒；半世疏狂，未逢齊朕，先生何好？蘭花以外[illegible]筒。」

上聯所指，[illegible]馬老大與僕婦彩盒均有染，揭發其私文一聯[illegible]至於下聯，則[illegible]好。

同時，陳伯[illegible]府百粵時，[illegible]

屈原和詩人節

·鄭康·

上述（一）（二）兩件事，已成普通常識，用不着解釋的，說到龍舟，[illegible]：題名「屈原與龍舟」（[illegible]），收入「文藝論叢」）[illegible]

[illegible]會謂「龍舟」實屈原當日所好，[illegible]使津渠、[illegible]載雲旗之[illegible]」等語，已有[illegible]。後人踵事增華，[illegible]，投其所好以[illegible]之意歟？[illegible]

[illegible]，亦時流露[illegible]波江之[illegible]。（附案[illegible]）又據古史[illegible]：[illegible]帝[illegible]後裔，[illegible]帝[illegible]，本姓[illegible]，離騷[illegible]為[illegible]帝[illegible]。即[illegible]之[illegible]，[illegible]楚人[illegible]念[illegible]，亦不[illegible]先代[illegible]，[illegible]俗無疑。

[illegible]

海嶠叢談

閒話叛將陳明仁

諸葛文侯

陳明仁在東北行營下令撤職查辦的前夕，尚以為卓著戰功，新膺上賞，躊躇滿志，顧盼自雄，旋得東北空軍將領張某秘密告以將有不測之禍的內幕消息，驚詫莫名，急挽張某以飛機送他往南京晉謁最高統帥，報告四平街戰役經過實情，幸蒙諒宥，准其解除現職，回籍掃墓，而不究其擅離防地之罪。

陳氏蹭蹬半生，剛得發舒機會，又遭此意外打擊，以他那種不學無術，缺乏休養的粗獷本質，當然抑鬱於懷，忿不能平。繼而他在湖南重領師干，雖已位居兵團司令，但內受程星齡（程潛侄兒）李明灝等醴陵同鄉的共黨與共偃們，昕夕浸潤讒惑，外受投共份子軍校同學黃雍的游說挑撥，而不能理解這些洩憤報怨的心情，懵然從賊了。因此，陳氏所屬部隊的官兵意志多不一致，嗣經黃杰在邵陽武岡一帶用擴音機和傳單稍事號召，即有軍長成剛等率數萬人脫離陳氏羈勒，幡然來歸了。

說到黃雍這個傢伙，他真是時代渣滓人物。平日掛着黃埔軍校一期出身的爛招牌，狐假虎威，為非作歹。如對日抗戰時期，他將同二三腐化落伍的同學，在重慶創設一所學店，取名「中正中學」，自封校長，利用學校名義到處募捐籌款之外，隨時向政府的物資和糧食管制機構，索取逾量的配給品，暗地裏在市面拋售漁利。行政機關的主管人員明知其違法作弊，然懾於所謂「黃馬褂」的集團勢力，而且又是以「中正」二字為稱號的學校，大家投鼠忌器，未便加以制裁，這也是政府在大陸上喪失人心，釀成神州陸沉之禍的一項因素也。共黨竊據大陸之次年，黃雍曾來海隅向其同學李默庵和關某何某等游說策反，關何二人斥其無聊，李默庵是願意投共的，忽聞乃父在長沙被清算鬥爭而死，鄉里財產完全籍沒，這才臨時變卦，逃赴南美去作寓公。

陳明仁知識既譾陋，性情又暴躁，平素跟黃雍之流臭味相投，競發牢騷，惺惺相惜，一朝大難臨頭，經不起黃等蠱惑煽誘，乃莫名其妙地自毀名節，可憐亦復可哂。聞陳氏當年領兵在昆明駐防時，曾因賭博失敗，而以軍用汽油若干桶向朋友押款應急，不悉現時仍有此豪情逸興否耶？綜計黃埔軍校生顯赫一時，而臨難苟免中，甘心投共者，實繁有徒，其中以王耀武最無恥，鄭洞國次之，陳明仁又次之。愚與王、鄭、陳諸人皆素昧生平，但就三人變節降敵前後諸事情，加以詮衡批判，而有此結論也。關於王耀武的無恥行狀，容另文記述，以供今世觀人擇士者知所取鑑焉。（三、本文完）

[illegible]

內警僑台報字第〇三一號內銷證

自由報

THE FREE NEWS

第一五二期

中華民國僑務委員會領發
台報新字第三二三號登記證
中華郵政台字第一二八二號執照
登記爲第一類新聞紙類
（半週刊每星期三、六出版）
每份港幣壹角
台灣零售價新台幣貳元
社長：雷嘯岑
督印人：黃行寬
社址：香港銅鑼灣高士威道二十號四樓
20 CAUSEWAY RD 3RD FL HONG KONG
TEL. 771726　電報掛號：7191
承印者：田風印刷廠
地址：香港灣仔高士打道一二二號
台灣分社
台北市西寧南路一一三號本社二樓
電話：三〇三四六
台郵撥儲金戶九二五二

陳副總統訪美的任務重大

雷嘯岑

一

最近十年間，自由世界各國的元首（包括總統，國王）暨內閣總理等，先後訪問中華民國臨時首都台灣者，時有所聞，然我們一直未修報聘之禮，這不特是在外交儀制上說不過去，尤其對於國際政治關係的運用上，太缺乏技術了。現在欣聞陳副總統兼行政院長應邀訪美；雖不無過遲之感，卻不失爲明智之舉。美國跟我們特別締結了安全互助條約，而我們的軍事與經濟建設事宜，受助於美國者又獨多，已往的歲月中，美國總統，副總統和國務長官們，曾經不斷地訪問台灣，如今陳副總統赴華府答禮，不亦宜乎！

陳兼院長此次訪美，正值中美兩國爲着「中國問題」而發生歧見之際，以實際負責執行外交政策的行政當局，跟白宮主人直接交換意見，毫無隱諱地說明我們的決策所在，披肝瀝膽，相見以誠，這對於兩國未來的邦交前途，裨益甚大，關係更匪淺鮮。

二

日前橫亘在中美雙方間的歧見，就是毛共政權應否許其進入聯合國，以及美國應不應該承認外蒙古傀儡政權爲「獨立國」，而公然與之建交？關於前者，美國務院負責人業已聲明態度，決不贊成毛共現在具有參加聯合國的資格，而美參議院外委會亦以全體一致的決議反對予毛共政權以正式承認。這些言行都是真的，原屬無可懷疑之事。但我們要向美國朋友指出一項基本問題：即美國以自由世界領導者地位，如其信守反共產極權侵略主義的原則，且忠誠維護聯合國憲章的話，對於毛共闖進聯合國這樁事，根本就應該表示不考慮的堅決意志，縱使俄共集團及其同路人，夥同一些自由世界的姑息主義者，嘵嘵嘩咩，主張讓毛共政權參加聯合國，而美國亦須堅定其立場於不隨聲附和，冒從事於不惜行使否決權的心理準備。這樣才是自由世界盟主的應有作風，樹立着領導信譽與威望。然美國不此之圖，每屆聯大會議時，但知敷衍場面，提倡「擱置一年再說」，而美國一些沒有政治理想，悍然妄自菲薄的愚昧政客，且對毛共進入聯合國一事，倡出甚麼「程序」與「實質」問題，妄作[illegible]之爭論，徒亂人意，適予姑息主義者以搖弄是非，淆惑觀聽的口實。如此這般地瞎纏胡扯，年復一年，這對中華民國不啻是一種沉重的精神打擊，其惡劣印象和影響，殆與一九四九年民主黨政府的對華外交白皮書，具有異曲同工的「妙用」——只是替毛共張目助勢而已。美國這種模稜態度所產生的後果，一方面是自毀領導反共運動的信譽，使一般[illegible]受共騙的自由國家和人民，對美國滋生離心力，促進中立親共思想之流行，增加俄共集團滲透顛覆陰謀之發展；同時徒然打擊了中華民國的國際地位，而又得不到毛共的絲毫好感，反而使它加強其「美帝是紙老虎」的宣傳效用與信心。美國除卻落得一種心勞日拙的悲哀情境以外，所爲何來呢？因此，我們對於美政府當局和國會議員們不承認毛共政權的聲明，並不感覺興奮——除非美國改變現時對毛共政權參加聯合國的「分期付欵（installment）式的市儈策略。

提起外蒙古，中國人就想到雅爾達協定，還是美總統羅斯福爲着自私自利的企圖，公然慷他人之慨，越俎代庖，擅將併肩作戰的盟邦領土出賣於俄帝的不義行爲，中國政府和人民，當時基於中美兩國的傳統友誼，顧全大局，不惜忍辱含垢，默認此項強權主義的惡作劇，而以蘇俄友好相處爲交換條件。詎俄帝包藏禍心，竟藉軍事佔領我東北地區的機會，積極掩護卵育毛共勢力，實行大規模的軍事叛亂，違背了「蘇聯願以物質和道義精神援助國民政府」的友好條約規定，中國政府乃將「中蘇友好條約」宣佈廢棄，當然的結論，那產生「中蘇友好條約」的主要條件——外蒙古獨立自治問題，即不存在了。雅爾達協定已證明爲美國當局重大的失策，而對中國這一併肩作戰的盟友，尤有其無可磨滅的慚德！時至今日，即使俄帝及其附庸政權，乃至於一般姑息主義者，要求認允外蒙古政權，「獨立國」資格參加聯合國，美國溯廻往事，自省前愆，至少至少亦應該採取緘默態度，才是忝爲「自由運動」領導者自處之道。不料美國甘爲戎首，悍然倡說要承認外蒙偽政權爲「獨立國」，要引導它進入聯合國，大有遺臭萬年，作惡到底的氣概，這是爲的與末，殊難索解。若說旨在和緩俄帝，使其不反對北非小邦茅里塔尼亞之參加聯合國，亦係得不償失的愚昧之計，茅里塔尼亞並不出產鈾鑛、石油、鑽石等類珍貴的物資，對於美國的商業利益，未見得具有足以抵償承認外蒙爲「獨立國」這項政治理想的重大損失吧？至於所謂獲得「良好的收聽並」云云，這種幼稚無知的童話，誠如美衆議員周以德所說的，「我們應該回到幼稚園去學習共產主義」。美國如果不是存心對毛共進行「分期付欵」的妥協勾當，無論從那方面的利害關係設想，都是說不通的。

職是之故，陳副總統到華府與白宮當局商談外蒙古問題時，必須毫無保留地闡明我們的決策，絕對否決外蒙傀儡政權之參加聯合國，不受任何勸誘游說。美方現在是以再三表示不承認毛共政權，不贊成它進入聯合國的姿態，希望藉此和緩我們對外蒙問題的反對心情，屈從美國意見，這才是如假包換的「陷阱」與「陽謀」，千萬謹防扒手，特別注意，免遭陷算。我們否認外蒙古偽政權具有「獨立國」資格，乃有堅強而明確的法理和事實根據，既非意氣之爭，更不是爲本身利害關係而然，正大光明，俯仰無愧。我們的科學技藝，固然不如西方人高明，但對於俄式共產主義之認識，以及政治理想和技術之體驗，自信決不落後，美國政客們所藉以愚弄世人的若干謬陋說法，如「良好的收聽站」，如「承認外蒙古爲獨立國是明智之舉」等等，我們聞之唯有嗤然齒冷而已。

三

我政府對於外蒙問題，如不接受美方的主張，美國即很可能以沒法抑制讓毛共政權進入聯合國的國際壓力爲理由，暗示其「愛莫能助」的威脅意念。實則此兩項事情並無聯帶關係，未可相提併論的。美國如其默許聯合國的罪犯一躍而爲主人，那是強權主義者自掘墳墓，把聯合國送入一條死胡同裏，踏着二次大戰前夕的「國際聯盟」之覆轍狂奔，將來遭受後患最烈的，還是一二强權主義者，希特勒的[illegible]殷鑑，我們並不因毛共有進入聯合國之可能，而感到寢饋不安哩！同時我們更要很坦白地告訴甘迺迪先生：除却承認外蒙古政權爲獨立國，以及所謂「兩個中國」的荒謬計劃以外，美國對於領導反共運動的任何建議，我們皆願盡其力之所能及，竭誠合作，不惜犧牲。目前美國將解決亞洲問題的希望，寄託於日本和印度身上，這亦是淺識綺製的藍圖，實係惰性觀念的產物。印度本身在二十年內決無担任解決亞洲問題的能力，無待贅述，日本呢，它原是個淺見而狹隘成性的民族，趨炎附勢，怕強欺弱，而其行爲又十分渺小，缺乏立己立人的泱泱大國之氣質。二次大戰前，英法利用日本在東方充任「哨兵」使命，[illegible]

[illegible]

談思想問題

現代哲學大師羅素有言：「思想並非人類的一種天然活動，而是一種疾病的產物，正如高體溫是病體的產物一樣。」（見羅著「自由與組織」二卷第八章）旨哉言乎！

任何一種思想的發生，以及由此思想而構成的行爲，不管是好是壞，必然是感受着當時現實社會生活的病患影響而激發出來的。大之如過去馬斯克的共產主義，希特勒的納粹主義；小之如最近古巴卡斯特洛之反美思想，羅素本人之傾向共黨投降思想，皆可適用上述的定義，予以正確解釋，道理極其淺顯，毋待贅述。

在今日的英美社會中，若有人倡言實行民主自由的政治生活，一定被視爲瘋人，沒有不嗤之以鼻的。但在咱們這文明古國，號稱爲具有五千年文化根基的知識界人士，卻經常發出爭取民主自由生活的言行，認爲是當務之急的歷史使命。此無他，我們的政治社會中，存在着一種妨害民主自由的癆病，使大多數人爲着本身的健康，而發生防癆思想和活動。因此，在英美認爲不值一哂的民主自由要求，在咱們這裡便是求之不得的理想生活哪！

善言治道的政治家，對於一種時代思潮之出現，必以客觀心情，運用高度智慧來觀察其發要，善者因之，不善者疏導之，切忌揚湯止沸，利用政治權力，恣意箝制，壓抑，這樣沒有不債事的。德國著名宰相俾斯麥，在八十年前即感到勞工勢利之未可漠視，而創行社會政策以相肆應，作曲突徙薪之計；他於臨逝世之前，且預言勞工在今後世界中必佔優勢地位。後來共產主義在德國這個高度資本主義國家，始終不能發展，即受俾斯麥的社會政策之賜孔多。

明乎此，乃知今日侈言「以毒攻毒」，主張[illegible]用共黨對人對事的思想與方法，以從事反共運動者，實係昧於時代潮流的愚陋思想，祇有增加政治上的病患，日趨沉重，而激起若干不良思想和行爲之不斷出現，治絲益棼，徒自苦耳。這原係卑之無甚高的老生常談，可是，政治的眞正功用就在平易近人，如其殺偏鋒，走詭道，勢非誤盡蒼生不可！

馮五先生

山人自有妙計！

舊好強過新歡？

調整待遇通力合作
縣府議會「一府一會一家」

（台北航訊）台灣省各縣市議會，正在分別舉行第五屆第二次定期大會，但這次大會卻充分表現了「府會一家」合作的精神，因為各縣市政府都響應議會要求調整待遇，而自動在五十一年度概算中編列一筆可觀的經費，作為縣市議會議員的「待遇」，因此，每一位縣市議員每一月可以多領九百多元的車馬費，的「待遇」三百八十元零五角要多得多了。縣市議員調整待遇，是在本年五月二十四日，全省各縣市議會正副議長在南投縣議會介壽堂所舉行的。不定期聯誼座談會中無異議一致通過的。這個不定期的座談會，是由台北市議會議長張祥傳與南投縣議會議長楊昭璧兩人主持，出席者為各縣市議會正副議長暨各縣市議會主任秘書，會中除一致通過調整縣市議員待遇外，並決議六點如下：

一、請省府提高各縣市議會各項經費編列標準，以利會務推行；二、縣市議會審議縣市政府預算範圍，行政院與省府雙方之解釋署有出入，易滋縣市府會間發生權責糾紛，請予明確釋示；三、建議省府通飭各縣市政府應將每年施政計劃，送請縣市議會審議通過，以符規定，而重議會職權；四、為配合省政活動，各縣市聯合於台中市興建議員會館，型式仿照日月潭教師會館；五、請各縣市政府於下年度起，編列縣市議會議員人壽保險費，以鼓勵議員服務；[illegible]府修改各機[illegible]、宴會節約實施辦法第四條甲項及乙項，將原辦法每席餐費由三百元提高至六百元，以符實際。會後，由台北市議長張祥傳等五人，聯袂赴中興新村省府向郭澄秘書長陳情，並要求省府制訂縣市議員待遇。

事後，輿論曾抨擊此事，而內政部長連震東及省民政廳長陳錫卿先後發表談話，都認為民意代表是無給職的，不得支領固定「待遇」。陳廳長更進一步的暗示各縣市政府，不得編列此項於法無據的預算，且指出縣市議會此項要求，是難獲核准的。儘管輿論界的抨擊，選民的不滿，主管官員的談話，而各縣市政府卻一概置之不理，照編預算不誤，這大概是表示「府會一家」的親愛精誠嗎。不但如此，如台北縣政府發鉅款為蘇清波議長購買小轎車；台中市政府購置摩托車贈與每一位議員；高雄縣議員「集體分贓」所謂地方建設經費二百三十萬元。因而報界與選民譁然了，故有人說，府會一家，沆瀣一氣，夫復何言！

各縣市議會要求調整待遇的主要理由：他們強調如省議員與國大代表，同樣是屬於無給職的民意代表，其所享受的待遇一直是有增無減，縣市議員本來所領的車馬費，卻有減無增，同屬於無給職的民意代表，而所得報酬相差懸殊。目前，國大代表月領，各種費用合計三千元，省議員月支二千八百元固定的收入，縣議員只有四百元，市議員僅三百八十元。最使縣市議員不服者，為省議員不但收入多，而且可以兼任公營事業機構的董監事或理事之類的職務，但縣市議員卻不得兼任公營機構的任何職務，即教員也不得兼任了。按照過去的規定：縣市議員月領八百多元，且得兼任教員等職務。在此不公平的情形下，縣市議員大放大鳴了。

縣市議會議員用什麼名義來達到調整待遇的目的呢？他們決定設立所謂「縣（市）政設計研究委員會」，每一位現任縣市議員為設計研究委員，主任委員由縣市長兼任，這樣，每一議員每月支領研究費三百元及調查設計費三百元。此外，要求放寬開會次數，由每年三次定期大會改為四次，而每年三次臨時大會增為八次，如此又可以增加每一議員所得車馬費三百多元，這種藉為民服務之名而實際則增加待遇九百多元，若以此計算，全省縣市議員共計九百二十五人，每月增加納稅人血汗錢為八百三十多萬元，則每年共需一億元左右。然而台北市議會張議長且希望准予設立「縣市議會委員會」。這樣既可處理問題，又可以支領更多的車馬費，這樣一舉兩得的事，卻氣得選民無語問蒼天了。

就所謂設立「縣（市）政設計研究委員會」言，在現行台灣地方自治法規中是無此規定的，而最荒謬的是：代表選民監督政府荷包及督促政府為民謀福利的縣市議員，為了個人的利益而爭權爭福利及要錢，竟自毀立場而屈居縣（市）政設計研究委員，反成為縣政府的附屬機構，縣市議員由監督縣市長的地位變為縣市長的屬下，這是所有民主國家空前未有的傑作，也是本省地方自治邁進一步的「特色」，這一特色將地方自治的民主政治毀滅殆盡，這就難怪報界譏抨為「訓政遺規」了。最使選民大惑不解的是，主持不定期聯誼座談會者，竟是還政於民的執政黨地方黨部的委員，怎不令人感慨萬千呢？

至於首先執行聯誼座談會決議案者是台北縣，接着是台南市、台中縣、市、彰化、南投、高縣、台北市等縣市響應，現在，縣市議員因調整待遇而設立的縣市政設計研究委員會，將成為定案了。走筆至此，實在無話可說了。

（劍聲　五十年七月十四日于台北）

香港與大陸

（澳門專訊）在中共魔掌下，為爭取自由生存之大陸飢胞，冒犯逃亡，昨有新會「陸洲公社」農民两名幸脫虎口，逃抵本澳，繼逃逃亡時被中共巡邏艇發覺，追捕之驚險過程，悲壯恐怖。

據澳兩名飢胞其中一位姓馮者對記者稱：彼等共有八人相約於本月廿一日深夜作集體逃亡，當時偷得「公社」之劃禾小艇一艘，此種小艇本來只可載三四人；但為逃亡計，已不顧一切，擠落艇上，艇小人多，沿途已驚險萬狀，詎禍無雙至，當彼等到馬騮洲海面，已望見本澳時，被共艇發覺追截，彼等乃拚命逃避，但當時風高浪大，小艇顛簸，失去平衡，慘遭覆沒，彼二人幸各搶拾木板，浮游到本澳離島路環，其餘六人，則已失踪，恐已遭不幸。彼二人刻已由路環警員護送來澳警廳登記後釋出，刻由有關救濟機關接待救濟中。

南投通訊

朝野合作大力掘寶記

世人結交重黃金，黃金不見掘不休

南投縣山地信義鄉，繼去年韓國青年金起煥在中央山脈秀姑巒山登山失足，轟動一時後，如今，又因一批似官似商的人在姑姑山上掘寶，大作黃金夢，而再度轟動「朝野」。

姑姑山在南投縣的信義鄉，屬於山地，掘寶現場是一片荒山絕嶺，海拔在四百公尺以上。最初的掘寶工作，從四十七年開始，由山胞許有福挖掘，結果失敗了。第二次是萬寬泰，組織一個掘寶集團，結果也是失敗了。現在是第三次，由當時參加日人埋寶工作的山胞溫明德和香港來台的木材商人許平卿合作挖掘。

姑姑山日人藏寶的傳聞，在當地早就很盛行，當地村民山胞，都還記得在抗戰勝利前大約半年，日本人曾從不明地區搬來一批不明物資，向荒山絕嶺中運去。這批物資數量頗巨，搬運費時一月之久。據兩位曾參加搬運工作的牛車夫說，日軍對於這項搬運工作，非但計劃周密，對於保密工作亦執行得十分嚴厲。

有一位住在嘉義的吳甲三也投書報館，說他三十四年在日軍服役的時候，於是年春末夏初，山中梨花滿開時，被徵往此一神秘的山中建築地下室，因為他是一個泥水匠，所以，他懷疑那就是為了藏寶。溫明德也是在日軍中被徵參加工作，在嚴密監視下工作了七天，有一天他親見一個日軍少校從一只大箱中拿出一塊金磚埋入地下，又用探測器試探，結果被探測出來，日本軍官仍將金磚放入箱中，至於其他還有些甚麼物資，就無法估計了。溫明德參加埋寶時，該地桃花盛開，因此，這一次的發掘工作，也是選定在今年的桃花季開始。關於這批寶物的來源，據說是日本人從南洋各地據集而來，本來是要運回日本去，但因當時戰爭失利，運輸困難，又為避免盟軍猛烈的轟炸，才選定這個偏僻的地方來埋藏這批貴重物資。日軍執行埋寶工作的，據山胞的記憶是屬日本海軍的「誠部隊」和一個航空部隊，航空部隊的負責人是佐佐野少佐，據說現在還健在日本。

許平卿從香港來經營木材生意，常與山胞接近，因此從溫明德方面得到這個情報，溫又不懂申請挖寶手續，於是他們談判條件，議定由許平卿負責向政府申請許可證，軋得股權百分之六十七，溫明德及另一山胞田誠文負責情報，及負担掘寶工資，得股權百分之三十三。雙方的後面還有很多幕後股東。行政院法制科長朱彝訓及國防部聯合作戰研究督察委員馮宗毅少將，便常在寶坑察視。現在寶坑挖掘的工人，每日三十五元工資，只領一半，一半作為投資。

掘寶集團與警務處所訂的契約限期於本年九月六日終止，契約規定，如掘出物資，國家獲百分之六十，掘寶者獲百分之四十。在上週盛傳掘寶有望的時候，國有財產局長楊業孔和憲兵司令尹俊，都曾多次上山視察，並令警方將現場監視工作移交憲兵接管。國有財產局局傳出要與掘寶集團換訂新約，只有百分之十作為掘寶人獎金。報紙小評即以此為譏刺：「究竟有寶無寶，尚未可知，倘竟先來個與民爭利，似乎有損政府信義。『楚人無寶惟信義是寶』，日人在『信義鄉』埋下寶藏，如為掘寶而損信義，固失信於國人，抑見笑於日人」。前天已經換訂新約，仍按四六分賬，總算不再與民爭這份尚未得見的寶。

這批所謂「寶藏」，在還未見到事實之前，許多人就在大做黃金夢。某報傳說有黃金三百噸，又有說是五十噸，已經有家報紙的短評在糾正這種缺乏常識的傳說。但南投縣議會卻有議員建議議會，要求挖寶老板許平卿搬來南投居住，並給予「榮譽居民」證書，又估計南投縣府可抽綜合所得稅及營利所得稅將近二十億的意外收入。可見官民是如何的迷入心竅了。

掘寶工作，每日傳來都有進展，報紙也用大篇幅刊載。現在已深入地下八十公尺，前天傳說掘出一塊「鐵質東西」，昨天南投警局及信義分局為了闢謠，特赴寶洞視察，携返所謂「鋼屬物」一包，送至記者公會「展覽」，以正視聽，原來是百分之百黑色泥巴。到今天為止，還沒有發現有寶的跡象，凡「黃色土」「鵝卵石」「鋼」「鐵」「寶洞門」，均屬過分渲染之天方夜譚。

這一「寶」終要揭開的，看看是不是「百分之百的黑色泥巴」。

（五十、七、十五）

吳越

台北人語

——燕謀——

法官與竊犯同名同姓：高地檢處檢察官吳朝成，於審判一竊犯也叫吳朝成，一法官，一竊犯，同名共姓，相見於法庭，一主審，一為階下囚，庭上階下，審不誤，斯亦審判中之趣聞也。

菸蟲：陽明山會談，由公賣局供應的長壽牌香烟，發現蛀蟲。代談之士說牠可怕，攝影記者特為之拍了照，刊載某報。其實蛀蟲在烟中，並不可怕，烟君嗜烟與菸蟲吃烟，乃為同好，只是一個吞雲吐霧，一個是屠門大嚼，其作用都是生活中之嗜欲也。烟君所吐出的烟，菸蟲絕不感興趣；而菸蟲吃過的菸，烟君也不肯拾牠的牙慧的。河水井水互不相犯。但是，如果烟蟲在倉庫繁殖，那才害莫大焉。小吃蟲兒成羣結隊飛出，到處亂吃，「人煙不分」的吃法，非但煙君忌諱，人們都會吃不消。香煙蟲在於中，為害不大，倉庫中的煙蟲，實在惡性重大，尚希當局為之剿滅，以杜菸蟲之猖獗也。

割鼻償債：一位工人鄭文雄，因討債不遂，拔刀將欠債人鼻子割去。這不是血債，何必割鼻清償呢？

冤聲不能上達：自大陸來台的立委諸公，都已吃慣了蓬萊米及香蕉菠蘿，但對台灣話仍是一句「唔哉呀」，此種語言隔閡，真乃遺憾之至；但更遺憾的是：今日台灣籍的立委，高高在位榮任立法院之長，但卻有另一位立委，對台灣商人涉嫌欺詐，逼出人命，遺族向立法院請願，因為不會說國語，更不會講「官話」，致有口難言，無人通譯，言語不通，竟被轟出院門，致使冤情不能上達，噫！民意機關與老百姓之距離遠矣。

編者·作者·讀者

周文先生：來函謹悉，辱承獎飾，愧不敢當。詩稿已拜讀。惟本刊暫不刊登新詩，乞諒。

梁光華先生：隨筆雜感之文，本刊至所歡迎。惟切忌無病呻吟，言之無物。汝津先生為台灣一年青作家，黑子先生亦係台灣作家投稿於本報者。

張大明先生：尊稿已收到，不日當可刊出矣。

李夷先生：用文言寫作之稿件，本報暫不需要。

瘟君續夢

第二回：狼狽自爭雄，活佛有幸　人天齊示警，浩刧將成

沈雁冰取下眼鏡仔細來了幾分鐘，也不由得笑了。拍拍王崑崙說道：「創作必須要有實際生活體驗，你隨陳副總理到西藏去了一趟，確實對於藏情比我們了解得深刻。」

王崑崙也笑道：「你眞是三句話不離本行，怎麼又扯到創作上去，最近寫小說沒有。」

沈雁冰搖搖頭長吁一口氣，這時已有兩位醫衛員走過來，兩人不敢談話，又聚精會神看電影了。

過了兩日，中共全國婦女聯合會主席蔡暢，副主席鄧穎超及康克清又設宴招待班禪母親和姐姐。及至班禪決定回藏之後，中共大小頭目又輪流請一遍，完全是水滸傳上梁山泊對付盧俊義的作風，一直到五月底，餞行也餞過一遍了，班禪決計二十五日動身，二十四日晚上向毛澤東辭行。在座有劉少奇、朱德、鄧小平、李維漢、張經武、譚冠三。

班禪剛剛坐下，田家英送一個祇條過來，毛澤東看了紙條登時眉飛色舞，一拍茶几嚷道：「杜勒斯已死，我的對頭又少一個。」

一聽說杜勒斯死了，劉少奇等一齊跟着鼓掌，毛澤東走下來拉着朱德說道：「大哥，來！來！來！扭一段。」

朱德笑着站起來，兩人攙着大扭其秧歌。劉少奇帶着鄧小平，李維漢拍手唱「565 6161，5165 3233。」

班禪在西藏雖然也曾見過扭秧歌，但那是文工團的女孩子，扭起來雖怪而不醜。現在看見朱毛兩個老傢伙那一身肥肉，還拚命扭着屁股在搖，嚇得班禪低眉合掌不敢再看。

少停歌聲停止了，只聽毛澤東說道：「班禪活佛入定了。」

班禪睜開眼一看，已經歸本位。朱德一面擦汗，一面說道：「許久未扭秧歌，腰也硬了，記得那一次還是解放軍渡過長江時，我同主席大扭了一次，算來有十年了。」

毛澤東笑道：「當代我只怕三個半人，現在又死掉一個。」

朱德問道：「都是誰？怎麼會有半個。」

毛澤東噴口烟圈笑道：「一個中國人，一個蘇聯人，我不說你們也知道是誰了。只有美國是一個半人，却要加以解釋，你們才能明白。」

周恩來笑道：「一個是杜勒斯，半個是不是艾森豪威爾。」

毛澤東連連擺手，說道：「不是，不是，艾森豪威爾根本不在我眼下。一個是杜勒斯，此人有眼光，有魄力，看得深刻，加上他又担任美國國務卿，有絕大權力，所以特別可怕，等於老虎又生了翅膀。另外半個是麥克阿瑟，他本來也是一隻插翅虎，多謝艾德里和杜魯門聯合在一起，把他的翅膀同牙齒一齊拔掉了，變成無牙老虎，因此只算半個。」（卅五）

岳騫

談嫉妒

孟堅

孟老夫子曾經說過：「人之所以異於禽獸者，幾希！」他所稱的「幾希」，其範圍自然包括那些人類之所以成爲人類應具的某些特性之全部。通常人們都管叫這些特性作「人性」。那麼，則所謂「嫉妒」云者，是否也該列入這幾稀之點的人性以內呢？未見前人論說；是否又該列入這幾稀之點的人性以外呢？也未見前人論證。也許西洋的哲學、人類學、心理學之類會偶涉及：至少在那些「堯以是傳之舜，舜以是傳之禹」……」的「道統」裏，不見專章。可惜！

不過，「嫉妒」這玩意兒似乎古已有之；有人不是說麼：「不遭人嫉是庸材」；講這一句話的人，大概對被嫉妒是深具「痛苦經驗」的；聽那語氣，也多少有點兒「自視不凡」；不然，他將無從爲千古才人下出這悲苦的結論來了。張九齡在他的感遇詩裡，也有這麼兩句：「美服患人指，高明逼神惡」。美服與人何關？高明與「神」何關？因其「美服」而指之；因其「高明」而「惡」之，這豈不是「吹縐一池春水，干卿底事？」說穿了，不過「嫉妒」而已矣！

在中國文學史上，有過這麼一則不甚光榮的紀錄：初唐詩人劉希夷，本無多大的名氣；但他寫了一首代悲白頭翁，描寫年華的淹忽，白首之悲躍然紙上！而從這一首詩裡，其情之濃，才華之美，一般他同一個時代的沈佺期、宋之問等皆相形失色！據傳說宋之問爲了愛他詩中「年年歲歲花相似，歲歲年年人不同」之句，想奪爲已有，便用土囊把我們的詩人劉希夷給壓死了！——嫉妒可以殺人，而且不僅僅限於兩性關係的起因，這就是一個例證。

人們常常說：「女人是醋罈子」，或者說：「娥眉善妒」。言下之意，似乎只有女人們醋勁多少，最酸溜溜。有些欠公道。男人們中，也多的是醋勁大和酸溜溜的。這跟各人的胸襟和氣度最有關係；從胸襟氣度，也可以引申到各人的程度、見能、識力和人生境界的高低等等。有先天的關係；也有後天的關係。一個看得遠、想得開，提得起、放得下的人，他有作爲，有担當，有理想，有計劃，叫他花那種閒心事去嫉妒人家，他倒不如對他可以嫉妒的人「迎頭趕上」了。因爲嫉妒並不是一種好的情緒；起因多半是那植「我不如人」的感覺而來。人家比我好，比我成功，比我更受人敬愛，於是我就有了那種「我不如人」的缺限的感覺。胸襟開濶，知識較高或見解圓通的人懂得一個事實：人不是上帝，他自然不能全知全能十全十美，所以他了解人我之間必定各有短長、得失、休戚、窮達等等的自然不同。人家有人家的長處、得處、歡樂與成就；自己也有自己的，人家的不必嫉妒；自己的也不必「燒包」。人我之際分清，自然心平氣和；一方面尊重人家，一方面也發揚自己，豈非「天下本無事」？但不幸這世界偏偏有許多「庸人自擾」！自己的，天賦不足，條件不夠，努力不多，却對旁人的長處，好處，歡樂與成就，充滿了不順意，不樂意，不善意的心情；於是一位徐娘半老的太太看到交通車上一位美麗的女同事被男同事們一個勁兒奉承和注意的時候，她鄙夷的扁扁嘴，然後問我：「×先生，你看那位小姐怎麼樣？」

「不錯啊，」我看見她的表情故意地說：「大家都說她是美人兒呢！」

這下可惹得她生氣起來：

「哼！」她用鼻孔眼兒出氣，冷冰冰地：「我知道哪，你想她！什麼了不起的，臭美！！」

「美」而加「臭」」，這是何等新穎的發明，於是我說：「不過話又說回來，要是妳大姐在她那個年齡啦——」我有意停住以觀反應。

「我在她那個年齡怎麼樣？」她緊接着問。

「那還不是個迷人精！比她更迷死人呢！」

「死相！」這位常和我開玩笑的太太終於笑了！是的，她終於笑了。她的那種「我不如人」的缺限的感覺得到了彌補；她不再嫉妒！謝謝天！但這一切是所爲何來呢？

上帝創造女人之初，可能心眼兒就給她們選得稍爲小些；她們比較容易嫉妒；理所當然上帝也教她們對愛情比男人們敏感，所以在愛情圈裏，她們常是腰纏醋瓶「十萬」（也許這數目字太多了一點兒）。男人們的嫉妒則常在事業的成敗得失上居多，（並不是說他們不對愛情嫉妒）。

但不管如何嫉妒，嫉妒什麼？嫉妒總不是件「高明」的事。更要加以克制的是因嫉妒而採取那些「自我」對人的破壞、毀謗，不擇手段；而企圖以損害別人而達到提高自己的目的，這就是等而下之了，這更是一種可恥的錯誤和卑鄙的罪惡！但是滔滔天下，却常有這種人，無怪乎前人有「不遭人嫉是庸材」之嘆呢！而孔老夫子之所以說「人之所以異於禽獸者，幾稀」了！

談小

斷橋

雖說古訓上有「唯女子與小人最難養也」，那篇的話，但是，打開一部二十四史看看，每一個朝代飛黃騰達，得志弄權的人物，恐怕十九皆「小人」。

降及今日，「小人」愈形得志；固不待言，爲後三百年歷史將製造更多的七彩鏡頭，以發揚光大吾文明古國的傳國「絕技」，固亦在預料之中矣！

然孔老夫子所說之「小人」，似光指男人，因與女子並列焉！而如今，「小人」得志之勢超邁往古外，即其他玩藝兒，加上一個「小」字，也大吃其香，叫人另眼相看！

此如：女人乃是與「小人」站在同一條線上，被聖人所鄙視唾罵的！但是，如把女人呼之爲小姐，則不得不令人垂以青睞焉！且不管她是大姐、小妹、大嫂、老太婆，甚至舞娘、酒女、綠燈戶的侍應生（娼寮之妓女也），一概可以小姐呼之，一視平等之意，而伊等既皆搖身一變爲「小姐」矣！誰敢輕視？姑勿論其打「小姐」招牌幹任何勾當！亦正如「小人」打「忠貞」，如「孤臣」之招牌幹任何勾當也！秦檜賣國求榮，人所共曉，但是也不能否認他是「忠君」呀！酒女出賣色相，盡人皆知，但是，也不能否認伊輩對繁榮社會（「八七」水災，會有民意代表建議政府，封閉酒家，但爲當政者以關社會繁榮爲理由而拒絕悠）的功勞呀！

更推而廣之，「小」字之妙用大矣哉！如「小汽車、小洋房、甚至小公館，乃大人物之必需配備也！如小吃，乃小人物之所共嗜也！流風所播，「小」字大走鴻運，如台北市有小狀元樓（菜館），小狀元樓（菜館），如廬月化教授提倡小劇場運動，如小大鵬的京戲，如電台吳氏小兄妹的小相聲：……皆蔚起一時，風靡當代。

但是，我們却是活在反共抗俄的大時代喲！大時代特別時興「小」玩藝兒，固所深符吾國講對稱之哲學矣！蓋「大」必須配「小」也！八仙高桌兩邊必須配兩把太師椅子。即使戲台上打旗兒跑龍套的，也一定要一邊兒兩個，或者一邊兒四個，要是一邊兒三個，一邊兒五個？瞧！這齣戲也唱不成啦！

準此以觀，在這大時代裏，我們的「國會」，必須以「小」型姿態出現（官方報紙曾說：『陽明山會談』乃小型國是會議），非前所擬召開之反共救國會議也），不特深符吾傳統之對稱哲學，亦且深符大時代「尚小」之趨勢，更且顯示「民之所好好之」民主風範矣！

別後浮雲

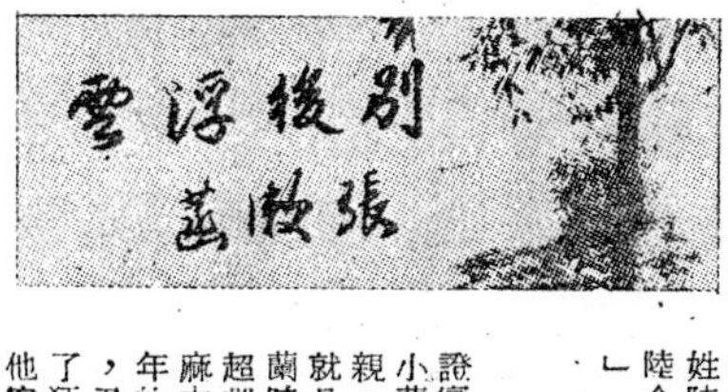

他很快地回家來，一進門，便聞到一陣炒菜的香味，也覺得有些飢腸轆轆了。有他在，飯廳中照例是鴉雀無聲的，他面前的菜，兒女們都不敢自己下箸。不過，他也知道，只要他一放下筷子走出飯廳，那碗精緻的菜，使會在兩分鐘之內搶光。

飯後，兩個兒子上學去，吳超便把女兒芹芹喚到書房裏來，他摸着女兒的頭，和悅地問：

「芹芹，你今天下午沒有課嗎？」

「這一個星期都是上午班嘛，爸爸昨天晚上還問過的。」

「我問你，昨天在電影院門口你碰到的那個同學，就是那大眼睛的小女孩，和你同班嗎？」

「同班的，也是二年級，她很美麗是不是？」

「嗯，是的，她叫什麼名字？」

「叫劉小蘭，她媽媽常常帶她去逛公園，看電影的。」

「劉小蘭的媽媽是不是姓陸，叫陸令蘭？」

「劉小蘭，也有個蘭字，這樣巧的事!?」吳超一心中的疑點更深了。他沉吟了一下，終于囑咐芹芹道：

「芹芹，明天你去問劉小蘭，問她」

二

自從證實了劉小蘭的母親，果然就是陸令蘭時，吳超那平靜多時的心湖，麻木了多年的心湖，又捲起了狂瀾。他寫了一封信給陸令蘭，問他是否歡迎他以老同學的資格去拜訪她，談談十餘年的契濶。次日，他接到了一封回信，是劉氏夫婦一同出面的一封短箋，請他夫婦着芹芹本週末去他們家晚餐。

約會前夕，吳超整夜地夢魂顛倒，他自己也分不清是做夢還是回憶，二十年前的舊事，像一部電影似的在他腦中放映着——

那時的陸令蘭是北平燕大一年級的新生。當她第一天在學校註冊處出現時，她的美麗便立刻吸引了所有在場同學的視綫，吳超也無法抗拒地對她多注視了幾眼。

當時吳超已是三年級生，陸令蘭是新生，兩人見面的機會不多，但在註冊處首次看見她的時候，便像烙鐵烙過似的在他心頭留下了一個很深的印象。無論是在教室或在寢室，只要一空下來，她的倩影便立刻盤踞了他整個的腦海，無法驅除，也無法沖淡。

（二）

海明威

·徐學慧·

在美國那樣的國度裏，能夠產生海明威那樣的作家，並不奇怪。那樣奇怪的是，像海明威這樣的作家，竟然產生了「老人與海」這樣的作品。

作家的生活，多采多姿有如海明威者，尚不多見。他愛好打獵、鬥牛、釣魚，也喜歡軍中生活；其一生，曾數次瀕於死亡邊緣而卒得以不死。像他這種以行險爲樂事的人，他的筆下，應該是光彩奪目，萬怪惶惑，令人不敢仰視。但「老人與海」一書，却祇是一個老漁夫、一條鯊魚、一條漁船，而以孤寂的大海作背景。從表面看去，這不像是海明威這樣一個多采多姿的人所寫出來的作品，同時，也不像是應該產生在美國這樣一個國家的作品。

然而，只要能深入地去分析，我們却又可以發現到，人類與大自然奮鬥的力量，在這本五萬字左右的小說中已充分表露出來。它鼓勵人類與大自然奮鬥，同時教人在環境惡劣之下不須氣餒。這本書，在今天的美國，可能還看不出它所包含的意義與作用，主要原因，乃在今日美國如日方中，正是由青年到壯年的時代。可是，一個民族，總有衰老的一天，或者是有受到挫折的一天，到那個時候，像「老人與海」這樣的作品，就可以發揮其極大的鼓舞作用，而成爲力量的源泉了。

人類的心靈，往往需要詩歌小說或寓言來加以充實。「老人與海」所顯示的意義，是足以充實美國人之心靈的。美國總統甘迺迪，於海明威去世後之翌日，發表簡短談話，謂海明威影響於美人之深，實較任何人爲深刻。此語則誠可謂當之無愧。

海明威的作品，拍成電影的甚多，而亦都在港放映過。「雪山盟」、「戰地春夢」、「戰地鐘聲」等片，票房紀錄都不差。「老人與海」也曾拍成電影，但我始終沒有去看過，爲的是像老人與海這樣的作品，只宜於閱讀而引起深思，但却無法拍成一套可供觀看的電影。

文學名著，不一定可以拍成好電影。坦率一點，文學名著，根本無法拍成好電影。心理描寫，不能藉表演表達出來，唯一的辦法，只有借助於閱讀，再由閱讀引發領悟。如老人與海，就是最好的例子。

這本書，在現世紀的美國人，或可以不讀。而對於現世紀的中國人，倒真具有莫大的啓示作用。我們這個民族，不是有點老態麼？

劉璈治台史事

李仲侯

據臨湘父老言之劉璈幼失怙，貧窶特甚，考取秀才後，須繳納大錢八百文，始可向有司取得文憑，兀坐岳陽樓下，愁思竟日不得解，忽有一漁翁自遠道至，詢其故，慨解囊如數相助，璈發迹後欲尋其漁父，遍訪不可得，乃於邑中設培元局，自捐歲租五十石爲之倡，嗣後凡邑中士子入學中舉者咸有資助。長江大磯頭，爲湘鄂兩省分界處，江流浩瀚，至此窄狹如束帶，兩岸峭壁插天，縴路險惡，無立足地，江船過此，梯夫涉險殞命者不知凡幾，劉璈捐巨資爲闢縴路，並於其上建七級寶塔，號曰漁磯寶塔，再上爲楊林山有觀音廟，相傳亦爲璈所建，並題聯其上，至今猶存，聯云：「楊妃春色，西子秋波，宇宙內兩雙媚眼。林間樵唱，湖邊漁歌，古今來幾個知音」。或曰出自邑人吳獬手筆，未知孰是？劉璈勸助邑人舉辦公益甚多，後遷居岳陽八里湖，對岳邑公益事亦多協贊，故岳臨兩邑人士至今猶稱道勿衰。

劉璈治台日爲改革營制，曾兩次派員回湘召募湘勇，故是時湖湘子弟隨之來台者甚多，如臨湘王開甲佐劉璈撫番，其孫王夢熊，現任國防部中將高參，（近赴南部訪舊，曾有遇見。）因劉璈被劾放逐後有許多湘人道遠不能歸，即寄籍台灣，故至今台南一帶，猶有岳臨人寄籍者不少。劉璈死時年週花甲，同邑名進士吳獬曾挽以聯云：「承太傅左文襄勛，勉多方，六十歲華何等事。溯吾邑楊天官忠寃一錄，三百年來又痛君」。可見當時輿論，對劉璈之含寃負屈，忠不見信，莫不揮以同情之淚，自古豪傑有爲之士，遭時不偶，賫志黃壤者，何可勝道，豈獨劉璈也哉。（五十年五四紀念日完稿於基隆紫薇山莊）

夏日談扇

介人

夏日炎炎，驕陽肆虐，儘管是住在有冷氣設備的豪華都市裏，扇子仍然不失爲夏天的恩物。扇子的發明，是很久以前的事，不過中國開始用扇子在紀元前三千年左右，這時候的扇子是採用染色的雀毛或孔雀毛做成的，扇柄上是鑲有金字和寶石，在當時被認爲一種奢侈品是宮廷裏的產物。

扇子的故事，歷代佳話頗多。晉書謝安傳：「鄉中有罷中宿者，還詣安，安問其歸資。答曰：有蒲葵扇五萬。安取其中者捉之，京師士庶競市，價增數倍。」所謂「謝公一握增聲價，方信炎洲產異材。」熊景星曾詠之詩云：「龍皮鶴翎總虛名，何似葵扇入手輕。羞得團圓媚兒女；也煩聲價藉公卿。織整妙解清涼意；片葉能清煩熱情。好湍山中儲五萬，有人持爾慰蒼生。」

蒲葉蘆葉和小麥稭都是編扇的原料，奇名士何植卽以編蒲葉來維持生活。

大書家王羲之也有關於寫扇的逸事，右軍曾把一位老太太的扇子，用開玩笑的方式寫上字，讓她拿去以百錢出賣。以後這位老太太經常來找他寫字，他不勝其擾，只好躲在石頭的後面，避不見面，於是後人稱這塊石爲躲婆石。

王獻之送給他的侍妾桃葉，作了一首詩，也是寫在扇子上面的。詩云：「七寶畫團扇，燦爛明月光，與郎卻暄暑，相憶莫相忘。」

晉朝溫嶠用玉鏡臺作聘禮，騙娶其表妹，成婚之後，這位久已許心而裝假糊塗的溫夫人，用手掀開紗扇，笑着說：「我早就猜着是你這個老東西！」通脫瀟洒，看來這位新娘子也是富有風情的。

賣扇也有季節性，過了夏天就不免秋扇見捐了。相傳蘇東坡任杭州太守時，有一次拿了一個欠稅的商人，問他爲何抗稅，回說因冬天扇子滯銷，所以無錢納官稅。東坡也學用謝安的老調，拿了此人的扇來，給他畫了廿多把，賣扇者才被放出衙門，即有好事附庸風雅的人，以千錢一把的代價搶購一空，得以完納欠稅。

旗牌傘扇這四種封建時代的儀仗，直到現在，還未絕跡，大出喪時總是少不了這臭排場。畫家畫皇室宮眷時，也必然畫上兩扇帶着海潮和半輪紅日，或者龍鳳花紋，或者鳥羽集成的兩柄扇。此事的來源說來可笑，王莽因有人議論他的形狀像狼，能食人，也將被人所食，王莽聽了很不痛快，此後乃常用翣母遮面，不再讓人看見他那副尊容，這不名譽的排場，後人居然沿用，寧非滑稽。

至於晚近，則還有畫扇以求官的。浙江有一位翰林，文采風流，本來不錯，可惜太熱中了，希望進南書房（南書房等於皇帝的秘書室），托李蓮英設法。李蓮英沉吟一下說：「那末，你替我畫一把扇子，要好好著色。」那人照辦了，過了些時，慈禧太后在遊園的時候，偶然覺得熱了。李蓮英說：「奴才身邊有把扇子，替老佛爺扇扇吧！」慈禧一眼看見畫得很富麗，便問是誰畫的，李蓮英把這人的履歷報了上去，附帶說了些好話。慈禧便說：「我正想找個會畫花卉的人，就叫他在南書房當差吧！」這人就如願以償了。

此外，還有一首民歌，似對於扇子作不平等的調刺，這是爲大家所熟知的一首歌：「赤日炎炎似火燒，田中禾稻半枯焦；農夫心內如湯沸，公子王孫把扇搖。」

王孫公子不僅是使用扇子，而有時還在欣賞那些使用扇子的女人，在偉大而高尚的交際場合裏，「少奶奶的扇子」，仍是不離纖纖玉手的。當華燈初上，簫管徐揚，仙侶雙雙，蝴蝶輕舞。一曲告終，纖腰微倦，倩郎扶坐，蘭氣柔噓。恐香汗之浮脂，掠雲鬢而露濕，於是啓纖蘘，舒檀扇，假郎清拍，搖玉腕以送香風。或淺笑輕顰，紅生秀頰，恐郎窺破，變扇半遮。「回眸一笑百媚生」，藉扇以撒嬌和傳情，往往是特別艷麗而富有風情的。

扇子與藝人也是結了不解緣，他們用作道具或藝術品的價値，遠在實用之上。我們習見的孔明借東風，總是扇不離手，儘管嘴裏唱着「數九天，東風急壞了周郎」，可是手中那把羽扇卻不可或離。其他如演「審頭刺湯」的陸炳，演「西廂」的紅娘，演「烏龍院」的宋江，無不一扇在手，舒展自如，平添了若干美妙姿態。

扇子拿在評彈藝人（說書先生）手中，更有「大小由之，文武不擋」之用，說「大書」的說到張飛夜戰馬超，這把扇子一會兒是刀，一會兒是槍，一刺一劈，彷彿就看到戲台上的將打；說「小書」的將扇一扯開成了隔簾望的簾子，一收攏既可作筆，亦可作傘，總之千變萬化，隨心所欲，無不離妙。

談王耀武（一）

諸葛文侯

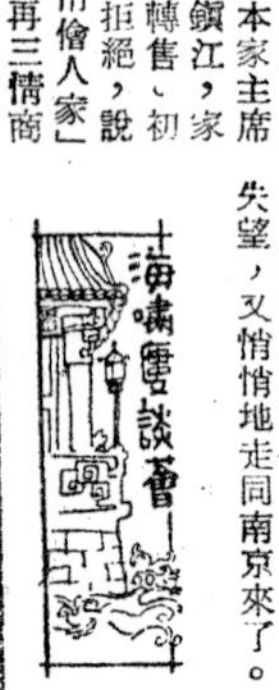

王耀武的名字，在民國卅二年以前，我從未聽說過，直到對日抗戰末期，他以國軍中的一名師長，領兵駐守湘西重鎮常德，打過一次硬戰，頗著戰功，世人才知道有他這末一個軍官，他亦因常德戰役的機緣，升官發財，名利雙收，戰後居然一登步天，貴爲山東省主席了！

王於常德戰役之後，軍職不次超遷，迨日軍投降時，他拜命率軍赴武漢，代表國家主持當地的受降大典，儕居時代要人之列，而我對他的壞印象，亦就從這時候開始的。原因是：抗日戰爭剛告結束之際，武漢一帶的米糧匱乏，糧價騰踴，而各地區以交通工具奇缺，一時殊難從事「移粟」賑濟之舉。王耀武乃利用職權與武力，藉軍糧名義，將湖南境內的船舶車輛，大量徵用，另以官定糧價，搜購湘省米糧，在軍隊掩護之下，舳艫千里，偷運到武漢拋售漁利，大發其抗戰財。繼而他執行受降接收的任務，私人又大發其接收財，其數字殆無可估計。試舉一例以反證其貪瀆暴發的概況：民國卅六年春間，我在南京「和平日報」助老友黃少谷司筆政，少谷的朋友江蘇省主席王懋功，曾在南京築有一座私宅（地點我忘記了。），頗爲華麗，暫時租給美國駐華軍事顧問團的職員居住着。詎王耀武太太不知聽了哪位風水大師的說法，認爲王懋功這座房屋風水之佳，冠絕金陵全城各宅第，主人必卜大富大貴，後嗣昌達。如是乎她千方百計地託人向本家主席夫人關說（王懋功常住在鎮江，家事由夫人主持。），乞予轉售。初時，蘇省王主席夫人嚴詞拒絕，說「我們不是炒房產地業的市儈人家」，但魯省這位王主席夫人再三情商，申述若干理由——當然不談風水好的話——祇要宗最肯讓，不問索値多少，如數照付，決不還價的。即此一端，足見王耀武私人的財富，大有「銀成沒奈何」之景況了。他在民國卅六年以前，歷任軍職，而國軍待遇素號菲薄，抗戰甫畢之初，忽有如此豪富的行爲，若非貪圖了非份的國難財，曷克臻此呢！

愚友湘人徐慶譽，曾供職「軍事委員長侍從室」，担任設計委員，於抗戰期間得識王耀武於湖南，觀其言論風采，似非椎魯無文之流，洎見其官運亨通，連陞三級，持軍符，主省政，煊赫不可一世，特往從之於山東省府，有如魯儒生之負禮器以從漢王也。迨相處半載，乃發覺王氏實係草包人物，爽然失望，又悄悄地走回南京來了。

屈原和詩人節

·謝康·

至於詠龍舟競渡詩，似以唐無名氏「競渡歌」爲最早。其詩云：

「鼓聲三下紅旗開，兩龍躍出浮水來，……

……鼓聲漸急標將近，兩龍望標目如瞬……」

曾屢舉及龍舟。荊楚歲時記稱端五龍舟競渡爲「飛鳧」，則係取其如野鳧浮水之意，當是民間刻畫龍舟時圖形偶然有些轉變罷了。

粽子爲紀念性食物，龍舟爲紀念性的民衆樂，特別是一種水上競技而兼有媚神賽會禳除疫癘的意味，成爲中國特有的民間風俗，歷兩千餘年而弗衰。而且這種風俗傳統，跟隨華僑移居的踪跡，流傳於海外。特別是廣東華僑在南洋，五月粽大概是不可少的應節品物，在華僑多的地方，可能也聽龍船鼓響。

記得我在南洋帝汶時，當地僑胞每逢端午節，多以粽子禮物饋贈親友，比較中秋月餅，更爲時興。大海上雖然看不見龍舟，只是市街上有些兒童玩小鼓的，偶然奏出龍船鼓的節奏。我也曾閒步海邊，寫了一首浣溪紗詞云：

「往事三閭故國傳，端陽角黍總形尖，傷心滄海斜陽邊，無限離愁憑弔古，衆芳蕪穢只堪憐，九洲鼎沸讀遺編。」

（八）

徵稿小啓

有內容有意義之隨筆、散文、掌故小說、雜感等類文字，本刊均所歡迎。請用有格稿紙繕寫，如需退還，請附信封及郵票。一千六百字左右的隨筆，比較容易刊出，過長則以篇幅所限，請特別留意。

自由報
THE FREE NEWS
第一五三期
中華民國僑務委員會頒發
台僑新字第三二三號登記證
中華郵政台字第一二八二號執照
登記為第一類新聞紙類
（半週刊逢星期三、六出版）
每份港幣壹角
台灣零售價新台幣弍元
社長：雷嘯岑
督印人：黃行憲
社址：香港銅鑼灣高士威道二十號四樓
20 CAUSEWAY RD 3RD FL
HONG KONG
TEL. 771726　電報掛號 7191
承印者：四風印刷廠
地址：香港灣仔高士打道二二一號
台灣分社
台北市西寧南路壹壹本號二樓
電話：三〇三四六
台郵撥儲金戶九二五二
內警備台報字第〇三一號內銷證

從日內瓦會議看台峽風暴

宋文明

對寮國問題的十四國日內瓦會議，自本年五月十六日正式開始舉行，為時已超過了兩個多月。在此期內，有關寮國問題的談判，除了這一大規模的十四國會議之外，另在寮國國內的納蒙，法國的尼斯及巴黎，瑞士的蘇黎支，柬埔寨的金邊等地，也舉行過各種各樣的會談，以協助十四國會議的順利進行。可是至今為止，日內瓦十四國會議除了已獲致寮國停戰，並在停戰監督問題上作遲緩的進展之外；其他有關寮國前途的若干重大問題，如聯合政府的成立，軍隊的整編與統一，以及中立的實行，及國際保証等等，都還沒有獲得眞正的協議。不過以今日東南亞地區的整個國際趨勢來看，不論這一日內瓦會議還要拖延多久，以及還要經過何種曲折過程，最後它勢必要獲得和解。因為這一日內瓦會議假若不能獲致對寮局的協議，其結果必然是寮國內戰再起，重新恢復會議前的舊態勢，如此除了重演數個月的紛亂局面，而後再來尋求會商之外，實別無他途可循。

因此現在人們所最注意的，就在於假若日內瓦會議一旦果眞成功，那麼寮國、東南亞及整個遠東的局勢又將如何？就寮國而言，經過這樣一種歷史性的長期內戰，及廣泛糾葛而獲致協議後，寮國內部各派系絕不願再輕啓戰端，致使自已國土成為國際勢力在東南亞鬥爭的試驗場。因此這次日內瓦會議若使寮國眞正成為一瑞士式的中立國家，其今後紛爭焦點所在，已不是國際性的軍事鬥爭，而是限於國內權力的政治鬥爭。這種新的政治鬥爭有時固然也會表現出非常緊張場面，但除非東南亞的整個國際均勢發生根本變化，這種鬥爭將不致於使寮國重陷分裂。

再就東南亞局勢而言，假若寮國紛爭大致告一段落，其今後演變焦點將集中於越南與泰國二者。即軍事衝突將轉移於越南，政治及外交衝突將轉移至泰國。是近一兩年來，越共在十七度以南非共區內的勢力，依照最低估計，已發展到一萬人以上。尤其在湄公河三角洲一帶，共黨游擊隊已控制有相當大的根據地，開始建立起若干正式的行政權力。現在美國對越南這一情勢的政策，正如過去英國對馬來亞的政策一樣，決對共黨游擊武力予以全面的清剿。在這一政策下，美國除了不直接派兵干入外，它決增加對越南的軍援數量，改善越軍裝備，擴充越軍數額，協助越南廣泛組訓民眾，並對越軍實施游擊戰訓練，以及強化越南在經濟文化各方面的反共努力。過去馬來亞在英軍全力協助之下，經過四五年的功夫，才將馬共的主力完全擊潰，恢復了馬來亞大部地區的和平。因此今後越南的反游擊戰軍事行動，縱是在美國的大力協助之下，至少也要經過三兩年的時間，才能獲得一個結果。

其次，寮國問題高潮若一告消失，有關泰國的政治與外交鬥爭，將從三個方面開始。第一，寮國一經正式宣告實行中立，它就有可能與其鄰邦柬埔寨與緬甸共同合組東南亞中立地帶。如是，泰國在東南亞公約中的地位就會受到極大的心理威脅，連帶將使泰國內部產生一種繼續與西方締盟或參加中立地帶的激烈爭論。第二，寮國中立並與緬柬兩國建立中立地帶後，泰國若仍緊持其與西方的聯盟路線，泰國不僅將在東南亞地區陷於外交孤立，而且也有可能將與它的中立主義的鄰邦經常發生各種衝突與摩擦，第三，若泰國在國際上的地位一經創[illegible]則其內部困難即會[illegible]之增加，尤其兩南[illegible]的回教徒分離運動[illegible]北部地區若干少數[illegible]族的不滿，勢將與[illegible]趨於表面化。前者[illegible]正式提出要建立回[illegible]獨立邦的要求，後者在最近不久，曾連續發生秘密軍事行動，均為曼谷當局所制服。可是泰國處境若一旦趨於惡化，這種分裂勢力自將又會抬頭。

以上分析，係就寮局協議後對寮國自身與東南亞的長遠影響而言。這種影響勢必不可避免，但並不具有急迫性質。就是從越南的軍事形勢來看，寮局和解後，越共也不會立以大力注入越南地區，加強該地游擊戰行動，以引發另一次新的國際危機。因為假若它們因為有必要使越南成為另一個戰場，那麼寮國的停戰及其中立，對它們便失去了一切意義。既然它們決在寮境停戰並接受中立，可見它們也無意於使越南戰局擴大。就美國而言，寮局協議後越南軍事衝突的發展範圍，只限於對共黨游擊隊的清剿努力；而越共對這一軍事衝突的態度，也只限於儘可能維持這一游擊武力並就地設法予以擴大之，絕不會冒險派兵南下，公開侵入十七度以南地區。

因此寮局和解後的眞正的影響並不在東南亞本區，而在遠東其他地區，尤其在於台灣海峽。就中共的對外政策來看，它最不願惹事生非，發生糾紛的地區，就是東南亞。因為在東南亞所發生的任何事件，不但將同時牽涉及西方的美英法三大強國，而且還會直接驅及東南亞各國。所以中共想在東南亞發動戰爭，或捲入其他重大紛爭，對中共是有百害而無一利。可是在台灣海峽，中共要想製造事件，不僅將給美國一很大的難看，藉此暴露美國在此地區的孤立地位，而且還會引起其他國家的戰爭恐懼，從而向美國施用壓力，一齊扯住美國的後腿。根據過去許多年的歷史記錄，中共要在台灣海峽製造問題，藉機向美國作要挾，其所選擇的時際，必然是一個東南亞某種危機剛行獲得結束之後。如一九五四年日內瓦會議和解越南戰爭後不久，中共便於是年底及次年初，發動了對台灣海峽的一連串行動。又如一九五八年寮國剛組成聯合政府，東南亞各地亦比較安謐無事，結果便於是年秋，中共又發動了對金門的大規模砲轟。在未來數月，假若寮國果眞出現一個統一，和平與中立的聯合政府，致此一戰爭危機完全消除，那必然又是一個中共在台灣海峽施用壓力的良好機會，使其得以藉機興風作浪，重使金馬問題成為全球注視目標。

也許有人要問，中共在台灣海峽製造事件何以不利用東南亞的混亂局面，而偏要利用東南亞的和平局面。這一基本原因就在於：假若它要利用東南亞的混亂局面在台峽製造事件，其結果不僅將使東南亞變局由此而更加惡化，而且也將使美國利用這兩者間的關係，很容易團結其他國家對中共採取共同製造事件行動；反之，它若利用東南亞的和平局面而製造事件，一面因東南亞一個危機剛行結束，有關各國在心理上不免有一種厭倦之感，一面亦可使美國在台峽完全陷於孤立地位。就如最近的情形來說，若在日內瓦會議未成功前即在台峽製造事端，其結果必然會使這一會議中途崩潰，寮國戰火再起，對整個局勢即將有極大不利。可是若在這一日內瓦會議已告圓滿成功之後，才掀起台峽危機，情形又將完全不同了。

在談到台灣海峽局勢時，我們永遠不能忘記中共與美國之間在華沙所舉行的大使談判。過去美國務卿杜爾斯就曾說過，只要美與中共兩者這種談判繼續保持一天，中共即一日不對台峽使用武力。這種說法，是有千眞萬確的道理。看情形，現在美與中共的華沙談判不僅將會繼續保持，而且還有可能予以加強。果如是，中共將如何掀起台峽危機？一個可能的假定：日內瓦十四國會議一告成功，中共將立即要求美國將華沙談判改為外長級的談判，並正式提出金馬及美軍自台峽撤退問題；美國當然不能接受這種要求，於是中共便向金馬採取某些軍事干擾行動，製造戰爭危機，聳動聽聞，企圖將全世界的目光轉移至台峽，壓迫美國舉行新談判。不過我們要明瞭，美國現政府對金馬政策，正如上屆艾森豪政府的金馬政策一樣，絕不在武力威脅之下實行撤退。對此一點，就是中共也很瞭解。因此中共今日對金馬的態度，是把它作為一個政治問題，而非作為一個軍事問題，絕無意以軍事手段實行強力攻佔。它的可能對金馬作某種軍事干擾行動，是為了以此打開問題，而非以此解決問題。要解決問題，還是要訴諸政治談判。

總之，從各種跡象去作瞭解，若日內瓦十四國會議一告圓滿成功，台灣海峽的危機及金馬問題將立刻發生。這種危機不可能將導致重大軍事衝突，但一定會使有關中國問題的冷戰將以激烈方式展開。

洋人聽者！

自由讀

最近在希臘要求政治庇護的中共黨員王民泉教授，他向新聞記者敘述投奔自由的原因中，提到外國人在中國大陸上「觀光」的情形說：「那些人是在嚴密的嚮導下旅行大陸，除了嚮導教他們看的事物以外，他們看不到任何東西。他們不能有自己的選擇，他們被帶領着經過某些路綫和在某些地點停留。所有應邀到大陸的外國賓客，也都受到極好的接待，我所遇見過的外國賓客，住在最好的旅館裏，生活有如國王和王子、吃最好的食物，並且還得到金錢和各種禮物。他們自然喜歡中共，其中大多數是誠實人，但是他們看不到一切東西。」

這段話將十年來到過中國大陸旅行一下，回來即大鑽「新中國」如何進步的若干西洋人（包括記者和政客）——如英國艾德禮之流的醜態揭穿了。

艾氏一行，當年由中國大陸上回至香港時，盛稱毛共區域的餐旅館內沒有蒼蠅，然毛共至今仍隨時督令都市的住民從事撲滅蠅蒼老鼠工作哩！艾德禮原是曾任首相的高級知識份子，尚且如此受騙而樂受「各種禮物」的誘惑，不惜對毛共隨恭維，其他一般的洋人，更無論矣。

近來美國方面有人主張要跟毛共試行文化交流，派遣記者赴中國大陸參觀。這項計畫如其實現，憑着美國人那種天眞幼稚的心情和知識，經毛共一騙二矇三優待的結果，他們若不被捉弄得團團轉而大發囈語，那才是怪事！美國政客們揚言承認外蒙古政權的作用，乃在獲得一個偵查中俄共之間的實際情形的「良好收聽站」云云，好不笑煞人也！英國派駐在北平的外交代辦，十二年來究竟「收聽」到共區的甚麼眞實情報呢？堂堂外交代辦，出街蹓躂的行動亦受到限制，更休想有接見當地各界人士之自由，你從那兒去「收聽」共區的政治消息？英國人玩政治手法遠勝於美國人，外交上尤有「老狐狸」之稱，然跟共黨政權打交道且處處吃癟。花旗大少爺要想在外交行為中討取共黨的便宜，眞是癡人說夢！

王民泉教授的一席話，我希望美參議院外委會主席福爾布萊德一流人，多多研究瞭解，它確係一堂良好的政治課程，對於西洋人大有裨益也。

馬五先生

漫画天下

南施

勇氣可佩

難做好心

因修正決算法而交惡
立監兩院條文之爭

張健生

（台北航訊）立監兩院因修正決算法而交惡。緣立法院於去年修正決算法，將有關監察院審計權加以縮小，而擴張立法權，旨在使立法院成為美式的國會，因此；有人說，此乃國會之爭的引伸與延續，但也有人認為此說未免誇張，這種見仁見智的說法姑且勿論，然而立監的兩院果眞因此法而交惡，實在使人感到迷惘，而終非國家之福。

監察院認為修正後的決算法第二十四條：「立法院對審核報告中有關預算之執行，政策之實施，及特別事件之審核救濟等項予以審議，立法院審議時，審計長應答復質詢，對原編造決算之機關於必要時，亦得通知其列席備詢，或提供資料。」第二十六條：「監察院對總決算審定數額表應行處分之事項為左列之處理；一、應賠償之收支尚未執行者移送公庫主管機關執行之；二、應付懲戒之事件，依法移送該管機關懲處之；三、未盡職責或效能過低，應予告誡者，通知其上級機關之長官。」第三十條：「中央主計機關查核國營事業附屬單位決算彙編綜計，加具說明，於會計年度終了後四個月內編竣，由行政院送審計機關審核。」第三十四條：「營業決算經審定後，由行政院以命命行之。」按之憲法第六十三條、第九十條、及第六十條、第一〇五條之規定，均不無抵觸，其理由為：

一、查憲法第六十三條規定：立法院的職權為：「立法院有議決法律案，預算案，戒嚴案，大赦案，宣戰案，媾和案，條約案及國家其他重要事項之權。」足見對決算案之審核立法院並無議決之權。第九十條規定，監察院的職權為：「監察院為國家最高監察機關，行使同意、彈劾、糾舉及審計權。」第一〇四條規定：「監察院設審計長。」第六十條規定：「行政院於會計年度結束後四個月內，應提出決算於監察院。」第一〇五條規定：「審計長應於行政院提出決算後三個月內，依法完成其審核。」由此可知，關於決算案之審核為監察院職權，憲法上已有明確的規定。但立法院修正後的決算法第二十四條第一項規定，審計長依法完成之審核報告，由立法院加以審議，並規定對於特別事件之審核得予以救濟，顯然有違憲法的規定。

二、關於審計長應答復立法院的「質詢」一節，在質詢權為近代議會重要職權之一，乃議會施於其負責之行政首長的權限，而審計權施行者為監察院，而非行政院，監察院既為民意機關，沒有對立法院負責的義務，審計長只有「報告於立法院」（憲法第一〇五條末段）」而已！但立法院卻認為審計長由總統提名，須經立法院同意任命之（憲法第一〇四條末段），況「審計長應於行政院提出決算後三個月依法完成其審核報告於立法院。」因此，立法院依據審核報告的推論，自有審議權，既得審議，審計長自應答復立法院的質詢了。如果此一推論成立的話，則監察院當然有權質詢司法院正副院長及大法官與考試院正副院長及考試委員了。因為憲法規定，司法院大法官與考試委員也是「經監察院同意任命」的。果如此，所謂五權憲法豈不失去立憲的意義嗎？試問，立法院為什麼將「監察院得質詢」行政院的「質詢」二字改為「質問」呢？這就是因為立法院基於「質詢」權在憲法上有特殊意義的。換句話說，質詢權是立法院的特殊權利，故施於行政院而不是隨便可以使用的。同時，立法院在審議決算時，審計長應答復質詢，而編造決算的行政機關在必要時，才通知其「列席備詢」，不無予人有本末顛倒之感，也就難怪監察院指為違憲了。

三、依此次修正決算法第二十四條規定，監察院限於就審定數額表為之處理，但對於審核報告則無如何審議的規定，這不啻使憲法上的監察院在行使監察權時，大大的打了一個折扣。而修正決算法另定「營業決算」一章，既規定「營業決算經審定後由行政院以命令行之」（第三十四條），又有「各機關各基金總決算之最終審定數額表，須由監察院咨請總統公告之」（第三十五條）規定，兩相對照，豈不成為天大的笑話。而修正決算法第三十條與第三十四條又違背憲法第六十條的規定，因憲法並無各機關各基金總決算及國營事業附屬單位總決算之分，即不問何種決算，行政院均「應提出決算於監察院」。所以，監察院財政、法規、司法委員會主張提案修正新決算法，甚至有人醞釀送請大法官會議解釋。

立監兩院間的不愉快事件，有關方面會派人從中疏解，或者可能不致弄得不可收拾的地步。不過，就法理言，監察院方面能謂之「吹毛求疵」嗎？但就情理言，監察院會就此事函請立法院查詢，可是立法院卻相應不理，固失國會風度，且不合於古人說，來而不往非禮也。或許監察院先禮後兵，在無下文後而感到太不成體統，所以才有提案再修正決算法的倡議，還以對方顏色。平心而論，立法院雖無「欺人太甚」的意思，但「來而不往」在禮貌上卻有點說不過去。國人甚盼立監兩院應有泱泱大國會的風度，切忌勿因小而失大，切忌予人以話柄而增深裂痕，則國家幸甚矣！

七月十四日于台北

香港與大陸

有一個香港同粵的婦人打開門口，她正拿着糖分給她的親戚小孩，門前走來一大堆街坊小孩子，她說：「新心抱（新娘）派糖！」

給蘇加諾趕到走頭無路的印尼華僑，受到「祖國」特大關懷，派專輪迎接他們裝東歸里。初歸時，還開個會歡迎，那地位就等如歡迎英雄凱旋一樣。他們大吃大喝，不受配額限制。有專供他們棲息的宿舍，用歸僑身份到處行得通，頗為高興。但大快活時光亦有時盡，當他們將金飾外幣折為人民幣而寄存於銀行逐漸用到沒有時，祖國的照顧也至此為止。乃有捱不得窮的華僑，以華僑劫華僑，弄出幾宗謀殺案，兇手被擒，已經拿去槍斃了！

西德的經濟與政治

（西德通訊）

前些時候，在西德的老城海德爾堡——一個浪漫時代的美麗山城——聚會了全西德各方面的政治和經濟界人士，研討全世界現代的經濟問題。這一個討論今後政治乃至生活問題的集會，卻在古老而浪漫，富有宮殿遺跡的山城去舉行，顯示出要在這矛盾緊張的傳統的觀點中，探求並打破過去的觀念和方法。

在一百年以前，德國開始成立全國性的商業年會，那時節不但海德爾堡還是一個夢幻的城，就連德國也還在夢幻之中。德國的工業，是慢慢地生長起來的。可是那時候德國的商業，卻已經非常發達了。所以那時候祇有商業年會，猶之那時祇有商會一樣。

德國的工業，逐漸完成，而形成了全國經濟的重要因素，因之才有今日在海德爾堡舉行的全國工商年會。證明西德的工商業，今日已經變成一體，而農業和手工業卻仍然不會打成一片。

一百年前的德國的政治和經濟，互相影響，才促進全國的統一。今日的情形，政治和經濟，更關係到德國的命運，不但兩者彼此關聯，而經濟更是政治的主體。這兩者間的關係，在海德爾堡大會上一再強調和辯論着。近年來經濟之受到政治化，行變得二者不能分開。大會的主席閔希邁耶和政府總理阿登諾都分別說明。經濟部長艾爾哈的演說，也強調這一點。當西德政府宣佈馬克升值之際，政治界和經濟界，會有小小的爭執。由於升值之決定，完全出於政府，不會考慮到經濟界的意見，而且經濟界反對者尚屬多數，尤其是若干大的經濟聯合會。目前這一風浪，算是過去了。經濟界看到事實上沒有影響，反對的論調也銷減了。今日政經兩界的首長，共坐一桌，飲酒言歡。可是仍然回到了政府和經濟的關係老問題。一切政黨，今日由於經濟問題的複什和利害衝突，似乎都不能完全了解清楚，甚至國會的經濟委員會雖然有若干經濟專家在內，也無法能了解全部的經濟問題，因之可能官廳乃至議會往往對於經濟問題，作下了不合甚至錯誤的決定和措施。於是設立「聯邦經濟顧問委員會」之建議，頻傳於世，今日在海德爾堡也有這種說法。可是阿登諾總理，由於個人的興趣不同，是反對這一建議的。而經濟部長艾爾哈更是絕對不贊成。可是政府當局的不贊成，並不等於問題之不存在，在政府決定經濟政策時，最好要先得經濟界的會商，既不讓政府斷然決定，也不讓經濟界去走議會的後門。

海德爾堡的工商業年會舉行一百週年紀念，是一個很好的辦法，商會過去一直影響到政府的經濟政策，可說是一直到第一次世界大戰，政府任何對經濟上的措施，沒有不事先徵求商會同意的。卜內門商會的元老會長，親身經歷過那一階段，會竭力贊揚商會對政府經濟政策的貢獻。這力量後來慢慢減小了，由於一九一八以後，政府的經濟主管官廳，權力較大，同時其他大經濟社團，也漸漸分散了商會的權力。

有人以為如果成立了一個什麼機構，難免會變成一個一切工商會的統治者，也有人唱反調，認為有設立一個機構的必要，這種種不同的看法和想法，異途同歸，慢慢一定可以找出一條正軌。

西德有若干行業，他們的利害是完全不同的。如像工業手工業、批發、零售、農業等等。又有若干，是彼此間有關聯的，如像工業、商業和僱主公會。這種公會，其組織形態，又有強迫性必須參加的，如像商會，和其他自由參加的其他公會，他們的重要性和代表性當然有所不同。職業公會，關係很大，當然應該算是領導者，可是馬克斯主義，往往潛伏其間。因此有人建議，職業公會必須脫離政治，而專重經濟。如此一來：經濟需要政治化，而公會又必須脫離政治，這些條件，如何實現，才能使政治經濟，和民主制度配合，那是我們今日所需要研討的。（剛宏寄自西德）

本公司創業三十五週年紀念
昨 家嚴慈花甲榮壽大慶荷蒙
官紳名流
社會賢達
同業親友
各行商號
賁臨光寵惠錫多珍隆情厚禮
至深紉感招待容有未週發柬容有
遺漏謹致歉意并申謝忱
振興有限公司董事局暨全體同人
承慶子景宏景安景常女肖儀肖瓊肖嫻 仝鞠躬

振興公司卅五週年紀念
歡讌官紳各界

（本報專訊）振興糖果餅乾有限公司，今年為創業卅五週年紀念，適逢董事長何智煌伉儷花甲雙壽，及其第三公子景常君榮獲全英國麵飽食品比賽冠軍，四喜臨門，該公司董事局暨同人舉行慶祝，昨日假座華人行大華飯店歡宴各界，筵開百桌，賀客盈庭，席間由何建章先生致頌詞，歐陽亦芃先生英文頌詞，儀式隆重，觥籌交錯，極一時之盛。官紳名流，各界友好，各大善團，各行商會，及街坊會等之致賀及赴宴者，達千餘人。（白）

代表

黑子

我們居處有一位鄰居，大家都稱他為代表。我因為剛搬來不久，不知道這位先生是一位甚麼代表；因為他終日無所事事，只見其東張西望，修牆填土，弄籬笆搞屋簷，後來才知道他是一位國大代表。可是住在附近的人，竟沒有一個人和這位「代表」搞得來的，不但搞不來，可以說也沒有那個不敬而遠之，不屑與其做一個鄰居。

原來這位代表閒居無聊，因此把附近的地皮都收購下來，在接近馬路邊的一帶，蓋起一排房子，一間一間地分租給小本營生的人。今天加一條走廊，明天補蓋一個涼棚，把一排房子一直延伸到了馬路；警員先生看見了屢加干涉，但卻不得到結論；繼而時相吵鬧，聲明非拆他的不可。弄得左右鄰起觀望，並且大受其騷擾而感到厭煩。據熟悉內情的人說：這位代表頗為吝嗇，既是知法違法，又不肯花小錢送紅包，不愧是道地的一毛不拔之堅強人物，故此雙方爭持不休，互不相讓，暗自勾鬥。

而我的一個老朋友退了休，正好在那附近租了一間舖面，開起雜貨店來；由於彼此都是鄰居，兼之這位先生又貴為代表，所以買東西不免賒欠，可是這位代表更是得寸進尺，鼓其如簧之舌，開口週轉不靈，要我的朋友活動活動，暫借他五百元，說好三天之內即行奉還（自然是無息借予）；我的這位朋友偏偏地又好說話，竟是一允而就地借給了這位代表。然而三天之後，卻失了消息和人影，直到一個月以後，這位代表才被迫得無法，臨時抓出一張支票來抵擋一陣；而這張支票又害了我的朋友跑了幾次銀行而拿不到錢。只整得他氣衝牛斗，火上加油，聲言「一定要找這位代表算賬，真是豈有此理！」

因此很多人對「代表」這一名詞深深感到不解和疑惑。他們（代表）的一言一行，是那樣地蠻悍無理，居然也能做一個萬民之代表；而既做了代表，復又如是般混水摸魚；其究竟代表誰歟？令我不禁為之茫然。

距離

汶津

「保持距離，以策安全」，公共汽車的車皮上都漆着這麼八個字。有人把它運用到異性友人的關係上，有人則視若無睹，依然橫衝直撞，我行我素。我們究竟應該對「距離」抱持什麼態度？從老到少，從男到女，各人的答案怕都是頗有一段距離的吧？

沒有距離，不能射擊；沒有距離，沒有神秘。古代的「男女授受不親」，使社會始終有一部分蒙在霧霧裏。其實上古桑間柳下，在在都可以縮短懷春男女的距離，道學姿態不過是南宋以後的事。就人性的立場來說，人們相處，還是爽朗些、坦誠些為妙。

但望遠鏡裏的景緻，總是特別吸引人，霧中的人物，也是脫於家常之所接觸，這難道不是人類與生俱來的好奇心在作祟？有些女子宜於遠觀，正如西洋油畫不宜近賞一樣。有些故事只能聽聽，如果自己身歷就失去那分美感了。世間的事分分合合，遠遠近近，只有天生的藝術家能把它們安排得恰如其份，然後靜心地來享用、來欣賞。對於一位畫家詩人，距離之為用也大矣哉！孩子想摘天上的星，撈水裏的月，也只是不識距離的妙用罷了。如果太陽真可以借用來烤燒餅，浮雲也可以撕來充藥棉的話，這宇宙豈不爲脆化作幾何圖形算了？

話雖如此，人的慾望，往往想縮短一切距離，以便遂心所願。從古之驛車到今之火箭，那是不可置辯的野心。鄰家有女，登徒子不免踰牆以求；鄰國有寶，列強亦難免啓窺取之心。世俗的教徒會怨天國太遠，永生大難；保齡球員恨籃框太高，一中的不易。殊不知一旦失去了這些距離，人生的趣味將喪失殆盡。一切從心所欲，得來全不費功夫，久而久之，對這個世界都會厭倦。那時勢必祈求長眠不醒了。「不見廬山真面目，只緣身在此山中。」可以說明天下許多情況。可見距離也是保持人們冷靜的一位功臣了。當局者迷，把心理（如患得患失）上的距離稍稍拉遠，視界便將清晰無比了。如果我們也曾參與法國大革命，我們會察覺暴民政治的危機嗎？那麼像科學所作下的孽，恐怕也得後人來清算吧。

讀歷史，回憶往事，總不免會勾起思古懷舊之幽情，這該是距離釀造的美感使然吧。一個面目[illegible]的人，只要不是[illegible]卑劣，不在跟前時[illegible]倒會想起他的種種好處。頑劣的學生畢業離校時，平日傷透腦筋的師長也會為之動情。沙漠裏的海市蜃樓，不也是距離賜予的一種幻覺麼？

就人與人之間的關係着，確也不能處得太密，太親暱，否則難保不會像兩輛汽車一樣的撞個滿懷，以致弄得兩敗俱傷。再相知的友人，若不知保持相當的距離，總會有齟齬的一天。相戀中的年青人，如果各處一地，以魚雁互通心聲，必能曲盡其妙。可是朝夕相處之下，誰能沒有一絲磨擦？超車是試不得的，到時候即使你想及時煞住，對方也許早已蹙額相向了。

叔本華有一則比喻，說人等於是豪豬，因寂寞而想互相靠近，但卻互相刺痛，以致「合久必分」，如此週而復始，經過多次經驗之後，他們就學會以保持距離的方式共處。他又把這距離解釋作人世間的道德、禮法和世俗。豪豬之喻，自然是太不堪了，這一番想法卻不是瘋話。可惜得很，如果他老人家能和他自己的悲觀思想維持一段距離，許多悲劇[illegible]幸福許多。人物往往是由於情感太熱切，迫於愛世或用世，反致失去了古吏式的矜持，距離的作用也可以由此得到一項反證。

現代世界的距離，無疑是大大地縮短，但國際間的問題也大大的增加了。「老死不相往來」的想法，究竟有沒有幾分道理？只怕人類終究不是一種耐得住寂寞的動物吧。將來地球和鄰近的星球也發生了交通關係，許多距離又將被破壞了。那時，人類是否仍能和上帝保持距離，恐怕都會成為時髦問題了。

瘟君續夢

第二回：狼狽自爭雄，活佛有幸　人天齊示警，浩刧將成

毛澤東說過，大家一齊笑起來。劉少奇說道：「主席真是料敵如神，對一個問題分析得真清楚。」

毛澤東冷笑一聲：「我料敵人十分清楚，料自己就差了，我們黨內有許多問題實在是我料想不到的。」

劉少奇一聽毛澤東提起舊事，不敢再搭訕，趕快低下頭去。

第二天，班禪動身回藏，由汪鋒陪同，從北平前門車站上車，月台上張燈結綵，鄧小平率領李濟琛、黃炎培、李維漢、李四光、張治中、譚冠三、張經武等歡送，班禪登車時逐個握手道謝，臨到李濟琛拉着班禪的手用力搖撼幾下，慨然說道：「活佛，我們不知道能不能再見了。」班禪也覺得黯然。這時張治中已擠過來握手，李濟琛只好退下去。

中共在北平盡力拉攏班禪，尼赫魯也向達賴大做工夫。本來達賴逃亡到印度之後，印度政府在嘉蘇里山上租了一個別墅，供達賴居住，尼赫魯為了避嫌疑，未曾到山上來過。現在尼赫魯既然和中共鬧翻，回頭又想利用達賴。特地到嘉蘇里去探視達賴，作了一次長談，在山上足足盤桓了一天。同時又撥出經費安置流亡在大吉嶺、噶倫堡的西藏難民。對於達賴的封鎖也放寬了，達賴可以自行發佈新聞，接見新聞記者及西藏難民。由於尼赫魯對西藏流亡人士的箝制放寬，藏邊的游擊隊也更加活躍了。

除去互相利用達賴和班禪外，雙方又各出奇術，想打敗對方。中共的辦法是從內部顛覆，鼓勵印共加強活動，命令閃電周報拼命造謠。為了爭取印人好感，當印度文化界籌款紀念泰戈爾時，周恩來慷慨捐了五萬盧比。閃電周報抓着這個題目大讚周恩來的友情，接着就譏刺尼赫魯一毛不拔。

在印度政府的例行記者招待會上，有的記者把閃電周報的消息提出質問尼赫魯，尼赫魯笑道：「我如何能同周恩來相比，他無論捐多少錢都是中國老百姓負担，我捐一個盧比，卻要自己掏腰包的。」

尼赫魯對中共的鬥爭，無法採取內部顛覆的方式，他這次到真是棋高一着，從莫斯科想辦法。五月十五日印度派出一個軍事代表團到莫斯科謁見赫魯曉夫，請求蘇聯給予援助，以對抗中共的壓力。

赫魯曉夫搔着禿頭說道：「你們這不是硬出難題給我作嗎？我不喜歡毛澤東是一回事，但我們同中共好似父子的關係，印度只是好朋友，援助朋友來打擊兒子，大理上有點說不過去吧！」

停了一時，印度代表團無人開口，赫魯曉夫拍拍光頭說道：「現在有一個折中辦法，不曉得你們同意否？」（廿六）

岳騫

張獻忠故里

·道南·

延安古稱膚施，原屬清末的陝西榆林道管轄。咸陽至榆林的公路一千四百六十華里，是從延安城通東經過的。古長安即陝西省垣西京，離延安是八百餘里。隴里路的西段咸同支綫，是從西安直指同官，下火車後越過陝北中部縣的橋山，斜過「古軒轅皇帝橋陵」的前面。便進入「陝甘寧邊區」邊沿的鄜縣甘泉了。

我們循着甘泉勞山鎮北上，過延南的三十里舖就可以看見大山溝裏的荒城膚施，延安的風景區寶塔山清涼山大佛殿，好像很多綫條出現於人們的眼前。延安四面是沒有樹木的黃土山，縱橫不到一里的城池。延水自東門旁邊經過，循聲着河裏頑石，兩旁土山野生着甘草野百合花和野疾藜，成年都吹着西北風。出了延安城的北門三華里，就是棗兒莊，也就是張獻忠故里。曾經據當地土人說：張獻忠的故里，在明末清初的時候，還有百多戶人家，乾隆年間，因為受了張獻忠的影響，張的族人被移至榆林南「鎮川堡」居住。朱毛到了延安，為了效尤張獻忠的故技，於是在那裏建了一所「張獻忠祠」，還豎了一塊「張獻忠故里」的石碑，門前還有兩隻大獅子。該地附近的四面大山，一共有十二個窰，是當年張屯兵儲糧的地方，後來也變成了毛共的窰洞住宅。走筆至此，使活人想到成都少城公園內的張獻忠七殺碑：「天生百穀以長人，人無一德以報天；殺…………殺。」與今天的毛酋時殺，真是志同道合，遺臭萬年呢！

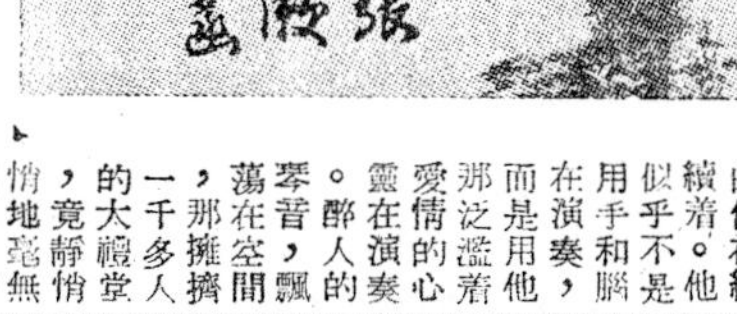

一個月後，他們由於一個偶然的機會相識了。以後，兩人又不約而同地參加了校中一個新成立的音樂研究會，因此更熟悉了些。然而，陸令蘭的身邊老是被成羣的男同學所圍繞。尤其是漂亮而活躍的李，聰明又博學的鄭，瀟洒而長於辭令的王，和那最會在小勛作上獻殷勤的姜，更是追求陸令蘭的四員大將。他們彼此明爭暗鬥，誰也不肯退後一步。陸令蘭呢，總是以她那有一點傲，但卻傲得異常可愛的態度，周旋于一羣追逐者之間，誰也不拒之千里，但誰也得不到她的青睞。在這種情形之下，生性畏羞的吳超，便不敢加入那一個追求集團，而默默地退避着。

有一次，學校舉行音樂演奏會，有吳超的小提琴獨奏，陸令蘭的鋼琴伴奏。當他拉着那段他最喜愛的小夜曲時，柔美的音波顫動了琴弦，也顫動了他的心弦。他微微閉的眼睛，無意間轉到鋼琴那邊。忽然，他看見了一雙蓄滿了智慧，也蓄滿了愛情的靈魂之窗，正在向他溫柔地凝視。他的血液立刻沸騰起來，忘記了身在何處，忘記了自己，也忘記了一切。迷惘中，他的手並未停止動作，小夜曲仍在繼續着。他似乎不是用手和腦在演奏，而是用他那泛濫着愛情的心靈在演奏。醉人的琴音，飄蕩在空間，那擁擠着一千多人的大禮堂，竟靜悄悄地毫無聲息，彷彿只有他一個人在，不，只有那一雙啓發他的愛情的明眸存在！

於是，這次的演奏，他獲得了空前的成功，熱烈的掌聲幾乎震破了他的耳膜；但他一點也不在乎這些，挾着琴便匆匆地往後台跑，他要去找那一雙蓄滿了愛情的明眸，他要向他傾訴壓抑了多時的秘密。興奮使得他幾乎發狂，他竭力衝出那擁上台向他祝賀的同學們的包圍，只一個勁兒往後台擠去。

終于，他找到了那一對靈魂之窗的主人——陸令蘭，她正倚着一根柱子，互搓着雙手在微笑，他立時感到渾身的血液都在跳躍。一霎間，他覺得再不需要猜疑了，那一雙默默含情的如水秋波，已足夠鼓起他的勇氣，他應該馬上去向她傾訴一切。

他喘着氣，興奮地穿過人叢向她走去。於是，他立刻發現她又像平日一樣包圍在幾個追求健將之間。（三）

中華民國五十年八月二日　自由報　星期三　第四版

古籍整理

·徐學慈·

古籍整理，不僅是一件艱巨的工作，同時也是一件急待推行的工作。

浩繁的中國典籍，經已令到現代學子望而卻步，這已是人所共知的事實。古代經典，由於當時的口語已不能適用於後代，於是乎，注疏家便應運而生；不幸的是：那些注疏家並無歷史知識，而一味以己意曲解經典，而經典乃愈解而愈糊塗，以訛傳訛，遂且大失原意了。

一個有趣的事實，乃莫過於那些注疏家之注解詩經。在詩經的風裏，有許多有關男女愛情的詩篇，這本是很平常的事，可是，一到這些道學先生眼光中，就認爲這是「淫詩」，甚至有認爲「當放黜之一洗千古之污穢。」像這樣的注疏，究竟算不算得是注解呢？

只要稍具歷史常識，就可以很清楚地瞭解詩經時代的社會。在那個時代，男女之間的關係，可能比較現代還要開通。我們如果以史家的眼光來看春秋戰國時代，簡直可以說，在當時是沒有所謂「淫行」的。既無淫行，又何來「淫辭」？說詩經中有淫詩，那只是漢以後那些迂儒的酸腐之辭，彼等以其所處的時代眼光，批評到幾百年甚且千年以前的作品，此種批評之不能得其肯要，乃是勢所必然。

談到古籍整理工作，主要的乃在淘汰這些所謂「此淫詩也」的注疏，而還其本來面目。當然，談到還其本來面目，委實大不容易，但能夠作得多少，便是多少。一味像過去那些迂儒一樣，抱殘守闕，或者是管窺蠡測，甚至是曲解經義，這都不是辦法。中國的古籍，雖然比較深奧難懂，可是，如果沒有那些自以爲是注疏家，如執一說，混淆觀聽，則我們敢相信，當能有若干新義，可資闡發。

還祗是就理論方面而言，至於就實用方面來說，則注疏之多，車載斗量，如何去蕪存精，綜合融會，也是一件刻不容緩的工作。古人一生治一經，今人已不可能如此，而欲求其能稍事涉獵古籍，以保存中國傳統文化於不墜，則勢必要大大地將古籍的注疏簡化。

這一工作很艱鉅，但我們不能以其艱鉅遂廢而不作。任何一位學者，倘能發此宏願，集中精力，從事此項工作，那眞是功德無量。當然，最好的辦法，還是文教當局能設立一專門機構，網羅海內外學者，從事研究。

所謂文化復興，不徒在出幾本小說，或新詩，還得從根本問題入手。而整理古籍，才是根本問題哩！

湖湘游台兩詞人

——易順鼎與譚嗣同——

李仲侯

易順鼎湖南龍陽人（今漢壽縣）字實甫，別號哭庵，光緒舉人，官至欽廉道，才情橫溢，少有神童之譽，當光緒二十年馬關條約成立，南洋大臣派他到台灣觀察民情，他明知割台已成定局，回天無力，感傷國事，抑鬱無聊，在台逗留月餘就匆匆覆命，寓台前後共賦詩十二首，悲歌慷慨，有血有淚，茲錄其前六首云：

一

玉門何路望生還，恍惚長辭天地間，黃耳音書隔人海，紅毛衣服共蠻山。亡秦敵血今三戶，適越文身古百蠻：皂帽遼東龍尾客，獨慚無術救時艱。

二

田橫島上此臣民，不負天家二百春：中露微君黎望衛，下泉無夢檜思郇。誰忘披髮纓冠義，各念茹毛踐土身：痛哭珠崖原漢地，大呼蒼葛本王人。

三

愁上高樓望戍烽，東南佳氣幾時鍾，水遶王母三千里，山隔劉郎一萬重。故壘陣圖夔府石，荒城碑字象州松：鯨鯢京觀分明在，何事天驕訪舊蹤。

四

延平祠宇鬱苕蕘，割據英雄氣未消，見說杜鵑啼蜀帝，不妨然犬吠唐堯。廿年賜姓從明國，再世降王已入朝：十二銀山掀鹿耳，神鵰作伍背瀛潮。

五

瘴沒虞衡覽物華，南方卑濕勝炎沙。鉤輈格磔山山鳥，答雜支離樹樹花。寂寞炎州棲翡翠，荒涼壞壁走龍蛇：采風番社何人事，唯見葡萄載滿車。

六

寶刀未斬郅支頭，慚愧炎方此繫舟，泛海零丁文信國，渡瀘兵甲武鄉侯。偶因射虎隨飛將，苦對盃觴憶少游，馬革倘能歸故里，招魂應向日南洲。（二）

夏日談蓮

筱臣

季節已進入了盛夏的階段，在這炎熱季節中的花木，陸地上固然很多，但水生的植物，便只見蓮花了，現在也正是荷葉迎風，亭亭如蓋的時候。

「植物學大辭典」載它的形態說：「蓮，睡蓮科，蓮屬熱帶亞細亞平原產，屬草木，生於淺水中，其地下莖肥大而長，有節，葉圓如楯形；其下之中央，着以葉柄，甚長，夏月水上抽梗，其頂開花，花大而都麗，瓣作淺紅色，或白色，有單瓣雙瓣大小各種之別。」蓮花又有荷，芙蕖、水芙蓉、水芝、水芸、水且、水華的別名，但以蓮及荷這兩個名稱較爲流行。

蓮花的種類很多，明代王圻的「三才圖會」便載有千葉黃，千葉白，千葉紅，馬蹄蓮，墨荷，睡蓮，金蓮，鐵綫蓮，觀音蓮，青蓮等多種。明代的大醫藥家李時珍的本草綱目亦說：「金蓮花黃，碧蓮花碧，繡蓮花如繡，皆是異種。」還有在一個花托上分裂爲兩朵的，叫並蒂蓮，分裂爲三朵花的叫一品蓮，四朵花的叫四面蓮，花托上部更生一托開花的，叫重台蓮，種種不一，這都可以作爲植物的寬生或畸形生長論，不能作爲是另一種花。

蓮是花中君子，古人對它很有愛好，周敦頤的愛蓮說，這是爲大家所熟知的。廬陵歐陽修也很愛蓮，他在揚州做太守的時候，築平山堂，壯麗稱爲淮南第一。堂在蜀岡之上，下臨江南數百里。公每逢暑天，常常一早就招了賓客往遊，派人採了蓮花千餘朵，用畫盆分插了幾百盆，和賓客相間。行酒令的時候，就叫歌妓取了一朵荷花，傳授給客人，輪到花葉摘盡的客人，就罰他飲酒，往往直飲到夜半，才載月盡興而歸。他還吟了一首詩云：「千頃芙蕖蓋水平，揚州太守舊多情；畫盆圍處花光合，紅袖傳來酒令行。」「幽夢影」的作者張潮，也是對於蓮花有偏愛的人，他也是最能鑒賞蓮花的人。他在書裏說：「凡花色之嬌艷者，多不甚香，瓣之千層者，多不甚結實，甚矣全才之難也！兼之者其惟蓮乎。」眞能道出蓮花的妙相。

由於蓮花是潔白而美麗的花朵，不同凡俗，很清靜地站立着，生長在汚泥雜水之中，儘管是開着潔白的鮮花，毫不受汚濁的影響，爲了具備有這種的特質，蓮花就成了清潔的象徵，爲佛教中八大象徵之一。據說菩薩和佛，喜歡坐在蓮花上面，菩薩脫離了汚泥的凡世，正和蓮花出於汚泥而能保持清潔一樣，善男信女更相信，觀音菩薩能把死去善人的靈魂，轉到西方極樂世界蓮花朵上，惡人死後永遠淪入地獄。

這裏姑且撇開蓮花的觀賞價值，而就日常食用着眼，那末，它從花、實（蓮子）、葉、莖到地下莖（藕）全身都是無一不具有實用價值。

蓮花既然生長在炎熱的夏日裏，朝開夜合，主婦們把綱布包裹小包的茶葉，置於蓮花朵中，經幾次開合以後，花瓣凋謝，取出來的茶葉名爲「蓮花茶」，清香可口，另有一種風味。

蓮子：蓮花凋謝之後結成苞，生着幾十粒蓮子，成熟以後，採取製成人人愛食的蓮子，把它剝去皮放在煲裏煮幾小時，放些白糖，這是夏日最好的滋補品。還可以製成蓮子糕，蓮蓉月餅，蓮子鴨等等名貴食品。

蓮藕莖：生長在渾濁池塘底下的蓮莖，可以製成很多佐膳食品：煲肉，炒肉，炆肉等，糖果，店裏製成甜美的蓮莖片和亮晶晶的糖蓮子，是款待嘉賓的茶點之一。蓮莖還是著名的加工食品，就是藕粉，人們這樣喜歡它，除了本身的特色之外，便於携帶致遠，也可能是一個原因。

蓮的全身都可入藥，中藥店就備有花、葉、莖、地下莖的生、乾藕味。李時珍又曾說過：「蓮藕的氣味甘平無毒，消食，解渴，散留血，生肌。久服之令人心歡，止怒止洩，解酒毒。搗汁服止悶，除煩開胃。」又據「普濟方」載：「麥芒入目，大藕洗搗，綿裹滴汁入目中，即出。」蓮藕還可以治痢疾，據「養痾漫筆」載：宋孝宗有一次因爲多吃湖蟹患了痢疾，衆醫無效，後來有位民間醫生以「新採蓮藕研，熱酒調服」，給他治好了。

這樣看來，在實用上，在醫藥上，蓮的每個部份都有不同的功能，蓮的全身就是幾乎無一廢物。

談王耀武（二）

諸葛文侯

海嘯樓談薈

魯省地居衝要，民物浩穰，對日抗戰結束後主持省政的人選，無論就才學，資歷，聲望，以及對國家的勛勞等任何一項條件而言，王耀武皆不夠格；即以防制共匪叛亂爲主要職責，必須任命一個山東籍軍人而兼黃埔軍校出身的嫡派份子承其乏，亦絕對輪不到王氏的。然而關係國家安危極爲重大的魯省專閫大吏，竟使王耀武僭居之，名器之濫，殆可概見，而山東吏治前途如何，也就不言自喻了。

王耀武綰領魯省軍民兩政逾二年，匪患日亟，民生無依，在勦共戰役中，從來未聞其有湛末績業表現，相反地，他的治下「聊城縣」且公然成爲國共雙方不肖軍人買賣軍火的交易場所，即此可知王氏誤國殃民之咎，百口莫辯。迨共軍大舉進犯濟南近郊時，担負正面防禦職責的所謂雜牌隊伍吳化文軍，竟臨陣叛變；因而全局崩潰，無可收拾，這又證明王氏平日領導無方，以致部屬携貳，軍心渙散。昔人謂「文官不愛錢，武官不惜死」，今之武人既貪財，又怕死，王耀武實不愧爲典型的代表人物。

王氏被共軍俘獲後，囚繫濰縣集中營，當時愚有堂弟供職兗州行政專員公署任技士，以城破被俘，亦拘禁在濰縣集中營裏，與「王主席」同難共處。愚弟係文職小吏，三閱月後被釋回到了南京，曾向我敘述囚犯生活情況，他說：「共黨隨時舉行羣衆大會，集中營諸俘虜亦奉命參加，每次大會中，共黨必敎「王主席」登台報告國軍何以失敗的原因，王氏即醜詆其昔時所恃爲升官發財的領袖兼恩師蔣委員長，滔滔不斷，每次皆然，有些話且使一般俘虜人員聆及亦難以爲情，不忍卒聽，但「王主席」泰然表演，滿不在乎哩！」共黨對於釋放的俘虜，每人皆編有號碼，教本人記住，以便將來遇到共軍時報明號數，有所辨別云云。愚弟臨行之際，仍遵舊有禮節，特向「王主席」辭行，王氏諄囑其回到南方後，努力宣揚共軍寬大政策，立功自見，且指示如何向親友們策反的方法。這縱使是迫於環境壓力而發出的不得已之言行，但以王氏身份，在稠人廣衆之前，能夠說這類話，在他的腦經中，根本就沒有羞惡是非的意識存在了。我聞之，不禁汗毛淋淋，認爲太過無恥，詎知他的無恥言行更有甚於此者，眞是匪夷所思也。

屈原和詩人節

·劉康·

今每當端陽角黍，蒲觴艾虎之良辰；鼓聲龍舟，朱旗競渡之勝事。心中固不免鼓舞興奮，但同國事蜩螗，生靈塗炭，每逢佳節，仍不勝其感慨。我想，國難期中的流亡人士，無論智愚雅俗，同是天涯淪落人，逢茲佳節，總不免有一些同感吧。

端午詞名作頗多，不勝枚舉，詞人如蘇軾、劉克莊、范成大、吳文英、納蘭性德、陳維崧、王士禛、汪懋麟、高士奇、吳錫麒、趙懷玉、端木埰、王鵬運、王拯、李慈銘、鄭小谷諸家都有端午詠懷屈子之作。近人沈尹默有減字木蘭花一闋云：

「美人香艸，此語尋常都解道，爭比靈均，文采昭然歷劫新。

蛟龍不起，汨水至今清且瀾，故事難忘，五月南風粽惹香。」

趣味清新，亦不愧詞林中斲輪老手，後兩句能從民俗立場寫出紀念先賢之意，尤佳。又湘潭田勁七絕詩一首云：

「懷沙事蹟古今尊，雨是啼痕淚墨痕。鑼鼓夕陽壁久寂，倩誰湘水弔騷魂？！」

以湘人寫湘事，具見親切之感。國變以來，忠貞人士以三戶亡秦的期望精神，對於屈原更不勝其景慕。寄感慨於河山，發幽光於酒德。每年端午詩人節，台灣、港、澳各處詩人多分別舉行紀念聚會，聯吟備詩，傳爲盛事。（九）

歷史人物

徵稿小啓

有內容有意義之隨筆、散文、掌故、小說、雜感等類文字，本刊均所歡迎。請用有格稿紙繕寫，如需退還，請附信封及郵票。一千六百字左右的隨筆，比較容易刊出，過長則以篇幅所限，請特別留意。

內僑警台報字第〇三一一號內銷證

自由報
THE FREE NEWS
第一五四期

中華民國僑務委員會頒發
台教新字第三二三號登記證
中華郵政台字第一二八二號執照
登記為第一類新聞紙類
（本週刊每星期三、六出版）
每份港幣壹角
台灣零售價新台幣弍元
社長：雷嘯岑
督印人：黃行靄
社址：香港銅鑼灣高士威道二十號四樓
20 CAUSEWAY RD 3RD FL
HONG KONG
TEL. 771726　電報掛號．7191
承印者：田風印刷廠
地址：香港灣仔高士打道二二一號
台灣分社
台北市西寧南路壹壹零號二樓
電話：三〇三四六
台郵儲金戶九二五二

赫魯歇夫的幻想
——從經濟角度看蘇俄的新綱領草案

金達凱

最近俄共中央全會通過了一份長約五萬餘字的「新綱領草案」，並將提交本年十月十七日舉行的第二十二次代表大會審查批准。這個綱領草案的主要內容，是準備以二十年的時間在蘇俄建成共產主義，通過生產的增長，增加國民所得，消滅城鄉經濟文化差別，實行教育醫藥免費，縮短工作時間，進入共黨的理想社會。這是赫魯歇夫的狂想，對內，企圖以新的遠景來刺激黨員幹部與國內人民；對外，則仍利用「和平共存」口號，以轉移西方視綫，鬆弛由柏林危機所引起西方對蘇俄的戒備。但從另一方面看，這個不易兌現的支票，在列寧時期即已開出，其間經過四十二年的時間，經過六個「五年計劃」和已進行了三年的「七年計劃」，基本上還不能解決問題，現在要再來一個「二十年計劃」，說明它們的通路愈走愈遠，其建成共產主義的希望愈來愈渺茫。

蘇俄的建設共產主義的藍圖，係以趕上和超過美國的生產為目標，所以在共新綱領草案關於「蘇聯共產黨建設共產主義社會的任務」的部份中，提出十年和二十年內各種生產的增產數字或比例。根據它們的計劃，工業方面，十年內增加總產量百分之一百五十，超過目前美國工業產量的水平。二十年內，工業產量的增加率將不低於百分之五百，鋼鐵年產量達到二億五千萬噸，遠超過目前美國工業生產的產量。農業方面，十年內，總產量將增加百分之一百五十，二十年內增加百分之二百五十。第一個十年內，按人口比例，主要農產品產量將超過目前美國農業生產的水平。這些顯然是基於主觀的願望，而產生的片面的幻想。

這種幻想的不切實際，一是由於赫魯歇夫對本身生產潛力之估計過高，二是只知自己生產的增長，而不知別人也會增長。以目前蘇俄與美國的生產情況比較看，即可知蘇俄要想趕上和超過美國，並不是一件容易事。例如，一九六零年蘇俄的生鐵產量為五千五百萬噸，而一九五五年美國生鐵產量已達七千萬噸，一九六零年蘇俄鋼鐵產量為六千萬噸，而一九五五年美國已達一億五百餘萬噸。一九六〇年蘇俄石油產量為一億三千萬噸，而美國一九五五年已達三億三千餘萬噸。電力生產，一九六〇年蘇俄達二千六百二十億度，而同一期間美國已達六千餘億度。據美國國家經濟局的研究，如以一九五五年生產量為基準，則蘇俄鋼鐵生產比美國落後二十九年，原煤落後四十七年，原油落後三十四年，電力落後十六年。因此，除非美國生產在現階段完全停頓不前，讓蘇俄單方面的猛進，則二十年的時間，始有接近的可能。但事實絕不會如此，因為蘇俄生產增長，美國同樣可以按照一定的比例增長，屆時蘇俄仍要落後二十年。由此可知赫魯歇夫的十年或二十年超過美國之說，與年前毛澤東所宣傳的十五年趕上英國的所謂「大躍進」的性質相同，中共的「大躍進」業已宣告失敗，「趕上英國」的論調已成絕響，則蘇俄支票之無法兌現，自屬必然。

其次，一個經濟的增長，必須各種生產都有適當的比例，始可發生作用，否則畸形的發展，對整個經濟有害無益。今天蘇俄的經濟建設的重點，完全是在重工業方面，其傾舉國財力以投資的，是重工業。而輕工業與農業則遠為落後，在其各個五年計劃中，重工業每年平均增長速度，均超出輕工業的增長速度。以其相差的倍數來說，第一個五年計劃期間，前者為後者的二點四倍；第二個五年計劃期間，前者為後者的一點三倍；第三個五年計劃期間，前者為後者的一點五倍。第五個五年計劃期間為一點一五倍。這也是它們能夠在太空競賽方面稍有成績，而人民生活水準則日漸降低的原因。

至于農業生產的落後，則更為有目共睹。抛開自一九二八年實行農業集體化以來招致農業和畜牧業的減產情形不談，僅就最近兩年的歉收情況來看，即可瞭解此次「新綱領草案」所規定的在第一個十年內，農產品將增加百分之一百五十，並超過美國農產品產量之自欺欺人。

關于近年來蘇俄農業的減產，據赫魯歇夫去年在俄共中央委員會報告中供說，五九年全俄農作物普遍歉收，打破過去四年的低產記錄。今年一月，俄共舉行中全會時，又暴露出一九六〇年農業經濟的失敗，糧食產量僅及指標的百分之七十三。一九六〇年蘇俄糧食總產量為八十一億普特，比一九五八年的八十五億普特要減收四億普特。此外有大批牲畜因無飼料而餓死。例如哈薩克斯坦餓斃的羊隻達三百餘萬隻，喬治亞達二百餘萬隻，其它加盟共和國或地區的羊隻均有不同程度的損失。因母牛的減產，僅阿爾泰一地牛奶的產量即減產十萬噸之多。這些情況表明，蘇俄農業不僅高速度增產無此可能，即保持過去產量，不使逐年下降，也還要經一番大的努力。

由上述各項以觀，蘇俄「新綱領草案」所提出的「十年或二十年內改善人民生活」的諾言，也勢將流產。根據他們的書面計劃，在今後十年內，蘇俄的國民收入將增加百分之一百五十，二十年內約增加百分之四百。工作時間亦將過渡到每天六小時，每週工作六天。這些雖是現代國家的起碼要求，但在蘇俄來說，要達到此項標準自非易事。人所共知，蘇俄的經濟建設，主要是建立在對人民的剝削與對勞力的壓搾上面。據聯合國的統計。一九四九年蘇俄每人平均所得只合美金三〇八元，而同期內，美國每人所得為一・四五三元，英國為七七三元，法國為四八三元，澳洲為六七九元。至于工作時間之長尤在一般西方國家之上。所謂「勞動競賽」，「斯坦哈諾夫運動」，即是鞭策工人延長工時和負担超額勞動之一證明。因此，二十年內即使能夠改善人民生活達到「綱領」所定的標準，也不過與現在西方國家差不多，則俄共所夢寐以求的理想社會，所宣傳的「共產主義社會是人間天堂」，還不過是資本主義國家的殘骸，又有什麼大肆宣傳的價值。

以上係就俄共「新綱領草案」的第二部份略加分析，其第一部份八章，則在說明當前國際局勢，包括「世界社會主義體系」，「世界資本主義危機」，「工人階級的國際革命運動」，「民族解放運動」，「反對資產階級意識型態和改良主義意識形態的鬥爭」及「和平共存與爭取普遍和平的鬥爭」等。其基本意義與莫斯科共黨國際會議的宣言大體相同，此處不予批評。

總結說來，這次俄共的公佈「新綱領草案」，一方面是表示赫魯歇夫在列寧和史太林的統治基礎和理論基礎上，對于社會主義將作進一步發展，給國內人民以新的遠景的誘惑，使其甘于忍受現實的痛苦。一方面則重彈「戰爭可以避免」的舊調，使西方國家對蘇俄的戒備再度鬆弛。因此，西方國家應從全面看問題，不可執着「和平共存」一語，繼續上蘇俄的當。

自由談

向日本朋友談心

日本前任首相岸信介先生，正在台北作政治性的訪問，我們相信他是一位具有堅定的反共思想的政治家，對中國問題亦比英美人士更有縱深的瞭解，故樂於向他談談心，表示我們的親切感。

日本現階段所處的環境，在國際上一面必須追隨美國的政策，旅進旅退，同時又須顧慮到中共的威脅；在國內要應付那號稱為議會第二大黨的左翼社會黨，以期安定政局，更不能不重視那些素來支持「自民黨」的工商企業者的利益；而一般行年在四十歲以下的知識份子，大多數皆染上左傾媚共的時疫，對政府的內政外交行為，動則發生絆脚石的作用。因此，日本執政者對於國際問題——尤其是中國問題，不便採取明朗化的反共作風，這是我們所能理解而願予以諒解的。

不過，為着中日兩國前途的利害禍福，有兩點意見希望岸先生聽取之：二次大戰之前，日本利用西方列強害怕蘇俄向亞洲擴張的心情，而以「東方的憲兵」自任，混水摸魚，一時獲益匪淺，結果却招來了一場亡國的大禍。懲前毖後，今天不要因為美國要想利用日本作為在亞洲跟俄帝從事冷戰的籌碼，又實行投機政策，惑於眼前小利，渾忘却立國的大道，池田內閣在外交上狠與英國勾結，瞎玩花樣，這是愚昧之舉，此其一也。日本對台灣願意經濟合作，自係好事，但不要憑着「奄有潛在主權」的胡思亂想為出發點，以免自貽伊戚。自民黨政府一直庇縱着一個台奸廖文毅在東京進行叛亂活動，這就不是親善之道，因而我們對於日本的經濟合作，亦難免懷着是否存有「內部滲透顛覆」作用的疑問，此其二也。

我們認定岸信介先生是真正朋友，乃坦率述其肺腑之言，即作為歡迎詞亦無不可。」

馬五先生

漫画天下
南施

要做「好漢」

赫魯曉夫：「你愁什麼？廿年後便是一條好漢！」

「骨頭」之爭

毛澤東：「這難道沒有我的份兒？」

（大陸剖視）

中共虐待礦工

・焦毅夫・

京西是中共六十一個重點煤礦的主礦，也是中共強迫工人勞動已往「煤礦中出勤最高的礦務局」。最近的「人民日報」曾發表關於「京西城子煤礦工人出勤率調查報告」，卻暴露了這個曾經一度出勤率最高的礦，因評工、獎金、衛生以及工人生活等一連串不合理措施，使出勤率大大降低，生產遭遇到嚴重情況。

這篇連載於本年五月十九、二十兩日「人民日報」的「調查報告」內容，可分爲：

一、工人疾病多。報告說：「從一九五七至一九六〇年的四年中，工人病假於勤佔的比重最大，是構成城子煤礦缺勤的主要原因。」又說：「從歷年病曆中發現，工人常見的疾病有兩類：一類屬於時令性的傳染病，如感冒、腸胃炎等等；一類屬於職業性的慢性病，如風濕性的關節炎、胃病和皮膚癬等等。」

這些病之所以侵襲工人身體的原因，據調查報告，「每個礦工從地面到井下，從浴室到宿舍，一般都要經歷四、五種以上的不同氣溫，在這種情况下，很容易感冒。」爲其原因之一；再是「工人在井下出汗多，煤灰容易侵入毛孔」，因爲沒有搞好衛生設備，「使工人上井後，不能很好的洗個澡，因而增加皮膚性癬腫病的發病率」。京西城子煤礦中共的領導幹部沒有替工人好好的安排這一工作：據說：「這個礦總共只有四個浴池，六個蓮蓬頭，但是每班洗澡工人有三百多，每次只能洗七十至九十人，有的工人下班以後，要不少時間才能洗上澡，不僅耽誤工人吃飯，開會時間，也影響了他們休息。同時，由於池子小，接連洗上幾批人，水就不夠清潔，這就容易引起工人患皮膚癬腫等病症。」

在井下採煤，運煤的工人，因受汗水和煤灰雙重侵襲，可以想像航髒的程度，如不好好洗個澡，不但身體難受，而且煤灰佈滿毛孔，阻礙汗水揮發，對健康實有點防礙，並且不能使用浴池，因浴池不能經常換水，致使後浴者無法下身，中共幹部竟然未能顧到，足見對工人生活的漠視。

二、沒有好好照顧工人生活。礦工患病以胃病較多，礦工之所以普染胃病，是因「井下勞動以後，常常感到胃凉」，「領導幹部沒有妥善的照顧工人，使若干自備乾糧的工人，就在井下嚼乾糧充饑，喝自備的凍開水，因爲凉上加凉，胃受不了刺激，久之，就患胃凉和其他的胃病。」

三、不合理的獎勵制度。京西城子煤礦爲鼓勵工人生產，曾訂有獎金制度。這種獎金制度是根據工資級別來決定獎金率的高低。因此，「有些級別低幹勁高的工人拿到的獎金少，而一些級別高，幹勁不大足的工人拿到的獎金反而多。」這種不合理的獎金制度，顯然是中共幹部和領導生產的幹部狼狽爲奸，串通剝削低級工人，「他們把獎金分爲三等九級，小組一級獎金分爲三等。每一等又分三級，每個得獎小組根據組內各人完成定額的情況，出勤情況和平日勞動態度來評級，凡是在一個月內曠過工或缺勤在兩天以上的都不能得獎，缺勤一天減發獎金三元」。

中共駐城子煤礦幹部，訂立這種集體得獎制度，顯欲在工人間發生牽制作用，嚴格點說，幹部命令，個人得獎和任何光榮稱號都激不起工人對工作的積極作用，非用相互牽制辦法，已無法完成生產任務。

這種牽制有時可收些微效果，有時足以促成相反作用。例如「城子煤礦十一組陳書民班有個老工人身體不大好，但是他每月初總來上幾天班，看看小組有沒有得獎可能，如果看到掌子面條件很好，組上工人幹勁又很足，小組得獎有希望時，他雖然身體不大好，也要堅持上班。如果小組根本沒有得獎希望，他就鬆勁了，請假的次數就增多了」。

四、沒有例假制度。城子煤礦向無例假制法，工人如不主動請假休息，就得長年累月爲中共拼命。工人有事向礦方請假，坐在辦公室的管理人幹部，並不考查工人實際情況，只憑個人好惡，即予批准。更不按照行政手續通知考勤人員，批准後就叫工人離開。因此，引起工人和班長不滿，報告說：「往往一些能說會道，管理幹部對他印象好的人容易准假。有時工人請假走了，班長還不知道，這樣情況下，班長、工人對考勤員都有很多意見，幾個專職考勤人員，都很苦悶」。所謂苦悶就是不滿和憤怒的代名詞，因爲能夠坐在辦公室裏管理人事，都是中共重要的黨團幹部，井下的考勤人員，除用「苦悶」兩字表達內心積憤之外，誰敢作深一層的表示。

其他方面存在的問題還很多，如：「地面輔助工種定額很難確定，班長沒有一定工作定額，評獎時只好評爲乙級等等」。因爲篇幅關係，只好畧而不談。

「京西城子煤礦工人出勤率調查報告」，是由署名鐵雲、王濃長等五人集體執筆，雖不能瞭解他們身份，但從「今年三月間，我在京西礦務局城子煤礦作了一次調查」語氣看。這五個人至少是中共「北京」市的黨委書記級或中共的煤炭工業部門的高級幹部。這篇報告自有其代表性和教育作用。因此可以斷定，上述一連串不合理的制度，並非京西城子一礦如此，其他礦區甚至還要嚴重，不過未曾披露報端而已。如將本報一三二期拙作「共區礦工情緒低落」一文，合一研究，就知中共煤炭管理制度之糟了。

香港與大陸

愛斯摩基爾人吃蛆，文明人聽來也起噁心，不要說到放進口裏，但廣州市人們在吃蚯蚓，吃矛虫（沙虫），共產黨謂之爲最富「營養小球素」的食品，勸人民進食。

廣州市民不易配到荳角，但有得配售，要照量扣去白米配額，口荳角被列爲特種營食品。

一個餓到發雞盲的婦人說：「我希望喫到二斤薯。有二斤薯給我喫了，就是當堂死了也願。」

滿街見到我們國家的未來主人翁那枯瘦的臉皮，週身皮包骨，只有一個肚子最大。他們還未到入學年齡，就在各家門口石板地橫下來，呆呆木木地，幾乎要踢一踢才動一動。

有些回到廣州探親的香港人也太不自重，女人們穿了花斑之衣服到處惹眼。孩子們目露兇光跟前跟後，爲勢雖不至公然行搶，但瞻覆使人驚心。

可能使國際學術界震驚
台灣發現鯨魚骨化石

一千六百萬年前「上新代」遺物，一條完整大鯨魚的骨化石，在台灣竹東員崠子上大湖山坡上被發掘出來，經正在苗栗舉行的地質學會年會全體中外地質專家前去仔細研觀，他們認爲這不只是台灣地質界的一件大事，而且經鑑定以後，可能會使國際學術界震驚。

這副大鯨魚的全副骨骼的化石，還是台灣第一次發現的完整的脊椎動物的骨化石。從這具化石，將使我們對台灣地層的年代作更精確的考證。牠將供給地質學家和生物學家以豐富的資料，與世界各地同時代的化石作比較性的研究，牠給學者提供進化考證的資料。

這具鯨骨化石是今年一月間中國石油公司在竹東員崠子上大湖鑽掘油井的地質員范玉來發現的。不過當初只知道這是一具脊椎動物骨化石，不知道究竟是什麼動物。直至最近一週內，由一塊耳骨化石參證的結果，方才斷定：這是一條大鯨魚。

中油公司探勘處地質組組長孟昭彝對於這個驚人的發現已經決定以保護發掘。台大地質系主任馬廷英和師大教授戈定邦兩位博士聞訊也趕往現場察看，都認爲對於這樣珍貴的實物需要加意保護，小心挖掘。地質學會年會去察看的六十五位中外專家都是一致的意見。所以現在挖掘人才遇到露頭時就用洋乾漆塗抹，然後再用二寸厚的石膏封住，在化石的週圍，用水泥作壁，準備最後封成箱狀堅牢，以便搬運。

一週以前，工作人員已經把出土的化石，用水泥封成了高約二公尺，長約四公尺的箱形圍體。計算重量，大約有十噸。他們準備用卡車載回苗栗，然後剔製。不料卡車後胎突然炸裂，車面傾斜，把它滑下來，掉在地上，碎成兩段，搬運工作暫告停頓。目前，這兩段化石又重新封成兩個水泥箱，日內即將搬往苗栗，然後再行加工。石油公司已準備在苗栗建造一間屋子，專門來安置這具化石。現在，水泥的桌子已經築好，只等化石搬來，安上之後，即可在外面砌牆蓋屋。

當代古生物專家台大教授林朝棨說：鯨骨化石對地層的研判，是很重要的資料。孟昭彝教授說：早期的鯨魚，嘴部特別尖，許多陸上哺乳動物入海之後，都有這樣的情形。鯨魚的耳朵已逐漸退化成兩顆耳骨，所以耳骨化石是鑑定爲鯨魚的最好證明。後期的鯨魚才分別變爲目前的香鯨和藍鯨，藍鯨是目前最大的動物，重的達一百五十噸。所以體形對於年代是很重要的。

人類已知的歷史，不過數千年，而這具鯨魚化石，已有千餘萬年。地質學上，時間最近的「新生代」就有七百萬年；包括「現代」一百萬年，往上推是一千萬年的「更新世」，一千六百萬年的「上新世」。據推算，這具鯨骨化石是「上新世」的遺物。

現在要剔製這具大化石，工作是很精細繁重的，工作人員要把附在化石上的岩石除去，更要避免損及化石。孟昭彝教授說：他從來沒有剔製這種化石的經驗，關於這項工作，他說他「完全是個外行人」，所以他希望國內外專家能夠協助他。他說：如果國內有專家願意負責做這件工作，他很願意讓別人來做。否則，就只有自己來做。他表示寧可慢慢做，而儘量地不要做壞。他已經寫信給國內外的專家們，請他們指教，共同爲此項科學貢獻所長。他已經向美國方面搜購有關圖書及資料來詳加整理。

這具骨化石，最大的地方，直徑約有五六寸，做起來一定很費力。因此，孟昭彝教授說：「我極需要國內外專家們的協助」。

吳越

（五十年七月二十八日）

論文藝發展與政府扶助

斷橋

報載政府撥台幣一億元，作爲今後三年發展科學之用：「長期發展科學」固爲政府既定政策，此次撥款一億，只是按照政策行事而已，我們不必咋舌，訝其數字龐大，但是，且牢記！在今天，中華民國五十年的今天，我們仍是以老祖宗的文化遺產作爲別人吹牛的法寶哩！然而，我們的文藝是否可以不要發展呢？是不是我們的文藝已超國際水準，用不着再發展啦！

且住！就在今年「五四」文藝節，陳紀瀅先生曾在聯合報副刊上發表過一篇文章，詳述發展文藝之重要，須由政府倡導扶助，並呼籲政府只要拿出一個步兵團的經費，作爲每年發展文藝之用足夠了；陳氏現任立法委員，且是自由中國名作家焉，他發表此文，字裏行間隱露難以言喻的苦衷！陳氏又是中國文藝協會常務理事，居文藝界領導地位；他的呼籲可以說兼顧了國家立場與文藝界的意願！可是；呼籲歸呼籲，拿出一個步兵團經費來發展文藝之主張，正如同把一根綉花針拋進大海，連回聲也聽不見了。

發展科學，固然可以建研究室，蓋學人宿舍，充實圖書設備，予以優厚之研究費足矣！而政府果眞有一天大發慈悲，每年拿出一個步兵團的經費，來發展文藝，其辦法向發展科學看齊，不亦大盛事乎？然而，我們自隋唐以降，開科取士，文必須載「道」者久矣！即使政府眞有意長期發展文藝，如此做發展科學辦法固屬笑話，但是，其必須載「道」的精神威脅，勢不可免！於是下筆千言，洋洋洒洒，儘是進步之報導，無非光明面之宣傳！固亦深符「戰鬥」文藝之旨矣！可惜，這也還是夠不上文藝的。

所以，先立此存照，或是政府咬咬牙根，拿出一個步兵團的經費，長期發展文藝，如不考慮必須載「道」的觀念，倒不如拿此錢多印些標語、傳單、宣傳小冊之類，來得乾脆！

前些年文獎會之徵文以及嗆訓練徵文，啥講演比賽，以及某某文化公司之出版貸款方式作前車之鑑，筆者對由政府撥款發展文藝之後，眞是一則以喜，一則以憂！如政府欲以鈔票控制作家之筆尖，還是不「發展」也罷！

走筆至此，似可擱住！陳紀瀅先生的呼籲既未使政府採取行動，拿出一個步兵團的經費長期發展文藝，則在下此文，也只好視之爲杞人之憂了。

閒話美人

燕謀

天生美人，良非易事，以今日之能當選國姐，尤不簡單。在衆目睽睽之下，實不易偷關渡過，復在各式服裝，各種姿勢之亮相下，亦難僥倖而過者。除面貌艷麗之外，尤須賦予絕頂聰明，萬般姿態，如彩雲當空，婉轉變化，無美不備，無麗不臻，夫然後始可謂之美人。否則，只重面形之美，猶如石膏塑像，不足以動人也。

昔者對於美人之形容，皆以花爲喻，更有甚者，曰「羞花」，故有「閉月羞花」之辭。如文與可詩云：「美人却扇坐，羞落亭下花。」漢武帝有宮女名麗娟，年十四，美妙無匹，吹氣勝蘭，於芝生殿歌「迴風」之曲，而庭中花皆落。此皆謂美人顏色，花比之亦羞矣。昔人有詞云：「牡丹帶露珍珠顆，折向庭前過，含笑向檀郎，花強妾貌強？檀郎故相惱，偏說花枝好，一向發嬌嗔，細拉花打人。」又清末某君詩云：「芙蓉花發滿江紅，盡道芙蓉勝妾容，昨日妾從堤上過，如何人不看芙蓉？」五代唐明宗淑妃王氏，邠州餅家女也，有美色，號「花見羞」。徐積有詩云：「君不見東家女子花見羞，十六未嫁便悲愁！」此直以花見羞爲女子名字者。

文人筆下之美人百態圖，更是活神活現了。可歸納而述之者：如謂唇櫻烘日，媚體近風，是爲喜態也。星眼微瞋，柳眉重暈，是爲怒態也。梨花帶雨，蟬露秋枝，是爲泣態也。鬢雲亂洒，胸雪橫舒，是爲睡態也。今之電影有睡美人便是一例也。金針倒拈，繡屏斜倚，是爲懶態也。長顰減翠，瘦臉消紅，是爲病態也。醉顏微酡，華裝半卸，含嬌倚楊，春意橫生，是媚態也。而今有人謂女性局部之美曰：蘇州女子美在頭，揚州女子美在腰，杭州女子美在臀，廣州女子美在脚，上海女子美在胸，太原女子美在…………不可道也。中國論美，於情態外，尤貴丰韻，丰韻即神也。神爽，則如花艷。神麗，則如秋月。神清，則如玉壺冰。神困，則如溫軟玉。神飄蕩輕揚，則如茶香，如煙縷。各有其幽倩逸趣，最可使人魂散矣。

關於美好的事物

汶津

在報紙副刊上讀到一篇方塊文章，報導一位蘇格蘭的小女孩認爲世間有十二樣美好的事物。在閱報欄前默唸三遍之後，歸來居然完全記得。這並不證明我的記憶力過人，却顯示着於我心有戚戚焉。那十二件是：走在落葉上歷碎的聲音；嘴裏的蜜；藥店的氣味；清潔衣服的感覺；床上的熱水袋；洗澡時淋下的水；嬰兒的微笑；唱歌時的一種內在的感覺；冰淇淋的冷意，熱天裏的涼風；吃奶的貓；登上高處向後望去。她還作了一個聲明：「除了人以外。」

我覺得那小女孩實在是一位天生的藝術家。她的那一句聲明更是讓人樂於親炙。人當然是最美的一種存在體。這也許不是三言兩語可以說盡的。譬如：天眞，憧事，同情，犧牲，激動時的神情，坦率傾訴時的虔摯……再興慢一點，母愛，國家愛等，都是遠勝於一般動物的。動物亦有其愛，但還不及人類的微妙，深切；昆虫亦有靈體感，但却簡單而全屬於求生的本能。人固然也有醜惡的一面，但兩相衡量，前者是恆久的，後者却往往是短暫的。而我們經常會誇張後者，也許眞該參考一下那位白種小女孩的睿智呢。

藥店的氣味我並不覺得可愛，但我肯定那是一種有特色的，而且比較文雅的氣息，而況蘇格蘭的藥店味也許和我所遇到的大相逕庭。清潔衣服的感覺，即使對我這個不太修邊幅的人說來，也還是很眞切的，那是一種平凡而清新的愉悅。床上的熱水袋，在亞熱帶的人們，即等於冬天的被窩。嬰兒的微笑，負應外加對嬰兒的寵愛的觸覺。唱歌時的內在的感覺，還可引申到回憶時的內在感覺。熱天裏的涼風固然可愛，冷天裏的陽光不更甜美？她還忘了夏日傍晚的樹陰和蟬嘶。她舉出了「吃奶的貓」，也是夠讓人驚歎的，除了單純的美感外，恐怕還帶着母性的本能在內吧。一個大胆的男孩子可能會以疾馳的曠野來取代它。末一項則表現了孩子對世界的一種新奇感。這些不過是她一時所整理出來的罷了，如果再隔一段時期，她可能會另舉十餘種呢。

在去年的日記裏，我隨手寫下了幾則「不亦樂乎」，這當然是帶有模仿性的，但那種感受却的的確確是我自己的：高枕而聽曉啼。夜雨而與友共奕。讀破爛書而神往。繳試卷而長嘯。疾馳而超路人。投遠鏢而中鵠。阮囊羞澀而橫財乍來。枯坐而靈感驟至。焚舊稿而嘘其灰。這些也只是一時之想。其實人間美好的感覺是層出不窮的，一落言詮，就難免掛一漏萬了。

歷史不也是一種可愛的東西？沒有歷史，我們對人性的了解也許會少得多。文字、音樂、美術也都足以給予我們更多的啓示的。如今呢，新聞也成了一個很好的脚色了。

談考績

黑子

公職人員有一年一度的考績。我過去的一個同事亦屬好友的某君，多年來秉公守法，守正不阿，除了個性有點固執，不與同流合污而外，實實在在是一個好公務員。準時上下班，從不遲到早退，遇有急公要務趕辦時，晚間自動加班，敬業樂業，枵腹從公，愛惜公物，兩袖清風。而其人書法秀挺，字句簡潔，文辭通順流利，法規嫻熟，在單位裏是個不可或缺的幹員，然而數十年來，依然故我，仍舊站在小職員的崗位上，未見有擢升或副主管的一線希望。查其年終考績，每多平平，保持乙等也。

而反觀昔日在其麾下者，一個個超過了他，鑽出了頭，不但雄糾糾氣昂昂地搬出了單身宿舍，步進現代化的官邸，擁嬌妻美妾，率兒女成羣，享天倫之樂趣，而且主管數十百千人的業務生命，搖身一變爲領導人物。蓋因其能力特強，表現特佳，而考績當然也是特優的了，斑乃有其一套。茲敘吾友。

有例爲證：聳人聽聞貪污有案的人員，未有不是考績特優高人一等的。此外尚有一奇怪的現象，即是昔日在校讀書名列前茅的，到了社會上沒有飯吃；而那些背榜的愚惰之輩，却能指日飛黃騰達，寧不令人費解！

故我對現行的人事考績業務頗感迷惑，然則我始終認爲：好人，給他零分也壞不了，壞人，加他一百分也好不起來。考績云乎哉？

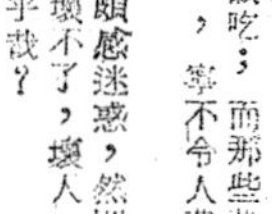

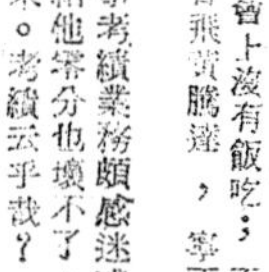

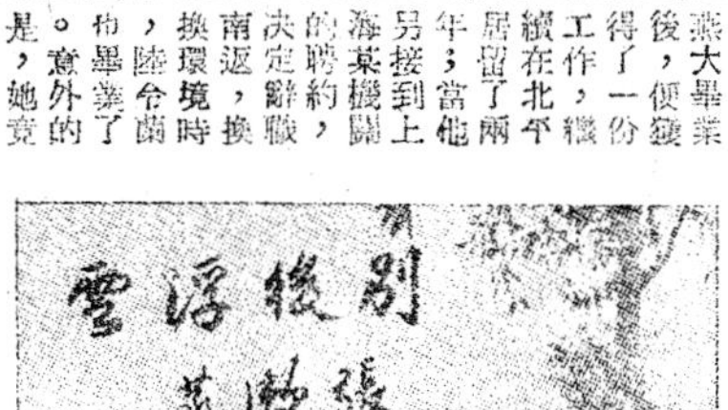

最近台省中醫學院的問題鬧得不大不小，好容易請出一些名流，同時請走一位老闆，以便重新整頓，却苦於找不到合適的院長人選。最後，一位老博士被推薦出來，可是却通不過博士太太那一關。於是竟平空出現了一位年齡耳順的今世武訓，向那位夫人下了一跪，結果不用說，是了功德圓滿的。事後那位先生頗有自知之明，一笑置之，道：此舉雖不足爲訓，但這一時，一切太直，太微妙了，世間的事都不出人意表，給人一種啓發，然而帶給人一種感觸。

有色眼鏡來看這世界，着色的眼光，都無形中蒙上了灰。因此有人一看就沒趣，謂之須顯趣於。察知微，見功夫在需要，相當的修養，才能在芥子之中，見須彌。你如自認不如那女孩子，你歲的至於能，如果你對金錢，你去中，命自我與金錢的感覺如何，可以發現美的，如果你對名位權勢分的關心，落中也可以掘一個以情趣的高妙，自然何況人呢？

瘟君續夢

第二回：狼狽自爭雄，活佛有幸　人天齊示警，浩劫將成

印度代表團團員們不知道赫魯曉夫有什麼錦囊妙計，只是瞪眼看着他。

赫魯曉夫說道：「現在就說你們是需求工業援助，我們從這方面談判，我就可以給你們援助了。」

印度代表團人員遲疑道：「我們的工業暫時不需要援助，而且我們也不是談判工業的人才。」

赫魯曉夫笑道：你們何以這樣糊塗，工業裏面有軍需工業一項，就是專門製造武器的，現在你們只管簽工業合同，我們照樣可以援助你們飛機、大砲，將來有人詢問，我們就推說是你們用援助的工業器材自製的就完了。」

蘇聯與印度的工業貸款，全部數額共八千萬盧布，用途是幫助印度建立工廠。協定將要簽字時，蘇聯第一副總理兼外貿易部部長米高揚覺得不很妥當，拿着草約去找赫魯曉夫。這個米高揚是史太林時代政治局委員中，除去赫魯曉夫僅存的一人，屢次鬥爭中他都站到赫魯曉夫這邊，兩人關係相當密切，赫魯曉夫對他也沒辦法擺架子，訪問南斯拉夫時，有一次汽車在途中抛了錨，司機下來修理，赫魯曉夫和米高揚却跑到田裏去摔跤，結果兩個人都滾了一身土，成爲全世界報紙的花邊新聞。

米高揚趕到赫魯曉夫官邸，老赫正在花園裏同夫人散步，看見米高揚笑道：「你慌慌張張跑來，是不是又有賣不出的貨物要向我推銷。」赫夫人也咧開大嘴笑起來。

米高揚搖着頭道：「別開玩笑了，我們同印度簽訂的工業貸款，主管幹部說是完全根據你的指示，到底內容你知道不知道，我現在把草約帶來給你看看。」

赫魯曉夫一顆肥頭搖得似播浪鼓一樣，連說：「不用看，不用看，我都知道了。」

米高揚「唧」了一聲，說道：「這那是工業貸款，完全是軍事援助，正當中共與印度鬧得不可開交時，我們給予印度軍事援助，究竟不大妥當。」

老赫瞇着眼端詳着米高揚，說道：「毛澤東雖然有時不聽話，究竟是一條兇猛的獵狗，朝鮮戰爭不是他出來頂上，我們無法下台，他也許會弄假成眞，和美國打起來。現在朝鮮戰爭雖然平下去了，遠東方面可以用中共的時候還多。比起毛澤東來，尼赫魯只是一頭癩貓，除去亂叫一點用處都沒有，現在有一塊肉骨頭不嚼，還不知是給狼狗還是給癩貓，我不正常把肉給癩貓……」

米高揚聽了心裏同意，不由大笑，赫魯曉夫對米高揚說：「狼狗；你也要……我養一頭狼狗，關係對外貿易什麼事，」老赫捧着肚子大笑起來。（廿二）

岳騫

別後浮雲

張薇

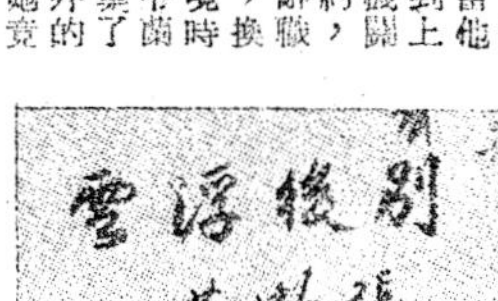

姜沉默地用一本筆記本爲她打着讚美辭，王在運用口才，爲她編了一串新鮮的讚美辭；鄭獻給她一本精裝的書；最後，李跑了來，不知從那裏弄來一把香氣四溢的紅玫瑰呈獻。她微笑着，她那一雙明眸仍在微笑，仍和在台上伴奏時一樣含情脈脈地。但他心中的感受却全然不同了。依然很遠很遠。他苦惱着，是的，這並不是對她而發的，她與他之間的距離不遠；但她的愛情是在自我陶醉，追逐的是音樂，是藝術！人家是風頭十足的校花，那裏會注意到他？他自作多情，凡人豈能……他失望了，走到她身邊時，只冷冷地向她點點頭說：「謝謝你的伴奏。」

他不等她說什麼，他便轉身走了。從此，他只有將那燃燒着的愛情，埋葬在心中，在痛苦中折磨着自己！

三

他在燕大畢業後，便得了一份工作，留在台北，兩年後，另接到某機關的聘約，居然決定辭職，換換環境，南返了，意外的令他，竟在她那裏也到南部來。五年前的一吻，久已熄滅的心中的狂熱，又燃燒起來了。那一吻，由那一吻中去灌注到她的心中，幾乎不能自持地想在四年之中。

他在握手時，她挽着他的手，他的熱情溫柔中，他走上滿面堆笑的宴席，並且以極優待的主管，歡迎他的安排。他要在她的美麗的容顏下，把握她的笑容。

他不再遲疑，於是他在這環境中，她不是沒有他的，她的被捕後，從她的名下……

他的她，他常常想到她，又以她爲傲，他從失望中，總是避免再看她一眼，他又便全部退出，方才獨自決定，走了。（四）

現實問題

·徐學慧·

當英國的麥美倫首相宣佈將要參加西歐六國共同市場的時候，大概有很多人的心情是沉重的。

時間的推移，往往因此產生了許多截然不同的變化。此種變化，有些為人類所不能預料，但有些卻是可以預料得到的。一個悲劇的形成，不是在悲劇發生的時候，可惜，凡人皆有此種習慣，當悲劇不明朗化以前，絕對諱言悲劇。

就世界大勢來說，英國與法德二國之聯合，絕非悲劇。但在英國人眼中看來，此則不僅為一悲劇，且為一可恥的悲劇。工黨領袖蓋斯基爾在議會上高呼「可恥，可恥」，這種心情，是可以理解的。

蘇俄崛起於東歐，促成法德二國的團結；法德的團結，影響到英國勢力之退出西歐。這一局勢之轉變，英國的政治家看得清清楚楚，大勢所趨，亦莫可如何。阿登諾與戴高樂這兩個強人，若論在政治上的才幹，求之並世，實在不可多得呢！

可以想象得到，麥美倫先生也是以無限悵惘的心情，來宣布這一消息的。這一消息，強烈地傷害了英國人的自尊心，但政治無情，卻也不能不忍痛地接受這一無情的現實。

蘇彝士運河之役，美國的袖手旁觀，給予英前首相艾登以很大的打擊。這打擊的直接結果，雖然只是艾登的下台，但間接的影響，至深且鉅，殊難加以估計。麥美倫先生繼艾登上台，對於英國的外交政策，作了極其微妙的改變，卻偏偏遇到法德二國的緊密攜手，就未免進退兩難了。

就歷史眼光來看，張伯倫之安撫希特勒，實有其重大作用。國際間事，有許多微妙因素存在，倒也是很難以常理衡量的。不同的時間，不同的政治局勢，決定了不同的歷史。不論任何一個政治家，也不論他有何等雄才偉略，他總得屈服於現實。

當法德義荷比盧的六國同盟興起時，英國的政治家馬上組織一個七國市場以資對抗。經過這幾年的變化，對抗之局已似不能成立，麥美倫先生在苦思積慮後，才毅然宣布要參加六國同盟，這中間有無限苦衷在，也是無可如何的。

戴高樂與阿登諾創造了今日西歐的形勢，這是一個現實問題。不能改變現實，就得遷就現實，蓋斯基爾的所謂「無恥」之歎，只是由於他不在其位而已。

湖湘游台兩詞人

——易順鼎與譚嗣同——

李仲侯

追簽訂割台和約後，易又續寫六首，措詞較前更為悲壯，純用血淚寫成，至運典之渾成，隨手拈來皆成妙諦，猶屬餘事，再錄於後。

一

二百年來夙處褌，涵濡煦育子生孫，久無劇盜萑符澤，那有强梁梏秩門。麥飯牛羊亡故壠，桃花雞狗遠人村，昆明池上旌旗在，誰撥殘灰驗刼痕。

二

浪泊炎方站站鳶，書生翻作馬文淵—零丁洋外終無路，大甲溪邊別有天。虎齒所居樓十二，鴻毛雞戴界三千，中原一髮何時達，月斷齊州九點煙。

三

賈誼長沙已自傷，長沙今更隔瀟湘；玄蜂赤蟻蒼梧外，紫蟹黃花綠帶莊。海水似牆環北極，大雲如蓋覆南荒：炎天怪底無冰雪，都入羈人鬢上霜。

四

天末孤城城上陴，登臨無地可消憂，藤蘿蘆荻如夔府，薛荔芙蓉似柳州，墜露沉雲都入海，驚風密雨總當樓；大荒我有他年約，披髮騎麟更訪秋。

五

八表風雲一劍磨，夜騎天駟渡天河，梳頭逆旅逢張妹，椎髻蠻夷起趙佗。持節太原公子在，感懷眞定弟兄多。寶刀難斷東流水，萬古愁心奈爾何。

六

哀郢懷沙死拒秦，平生幽怨楚靈均，白麟奇木長纓客，紫鳳天吳短褐人，南北恍超風馬海，東西愁近殺牛鄰，卜居終在江魚腹，歲歲三閭占好春。（中）

荷花與名勝

介人

荷花是亞細亞平原的產物，因此在祖國大陸各地，均盛產蓮藕，成為名貴的珍品，值茲炎夏季節，也正是荷花盛放的時候，亭亭如蓋，幽香撲鼻，每一回憶，令人神往。只是今天整個大陸，仍在赤魔掌握之中，回憶之餘，又不禁黯然神傷。

凡是到過杭州西湖的人，都知道這裏是荷花的世界。「曲院風荷」，便是西湖八景之一，西湖出產的嫩藕和西湖加工製成的藕粉，同樣有名於時。

藕的每一節都粗如兒臂，鮮嫩爽脆，入口生涼，湖邊第六公園的茶亭，專門以它來待客，沒有人吃後不大加讚賞的。

浙江嘉興南湖，也是最有名的產蓮區，當烟雨迷濛之時，遠眺萬頃荷塘，在翠綠中像罩上一層輕紗，景色特別迷人。

洞庭湖西山的消夏灣，傳說是古代吳王避暑處，也是看荷花的勝地。「清嘉錄」記述它說：「荷花深處，燦若錦繡，游人放權納涼，往往留夢灣中，越宿而歸。」

廣州珠江三角洲是一片廣濶的冲積層，到處有的是肥沃的窪沼，經過附近的農民把它開闢成一片片的荷池。特別是泮塘和荔枝灣一帶，舊日也多種荷花，泮塘的伴溪酒家，便是一間三面臨着荷沼的水榭，當地的酒肆茶寮，也喜歡以蓮為店名；如「蓮苑」，「酌荷仙館」等都是很有名的。清季張之洞任兩廣總督時，曾有詩云：「十里田田荷，風來盡是香」，還是一點沒有誇張的。

蘇州的荷花蕩，也是盛產荷花的地方。「吳郡志」云：荷花蕩在葑門之外，每年六月廿四日，遊人最盛，畫舫畢集。」袁宏道遊記，曾叙荷花蕩的情景云：「露幃則千花競笑，舉袂則亂雲出峽，揮扇則星流月映，門歌則雷輥濤趨。」其熱鬧情況，於此可見。而「清嘉錄」所記尤為詳盡：「荷花生日，舊俗簫鼓，競於葑門外荷花蕩，觀荷納涼，今遊客皆蟻舟至虎阜山濱，以應觀荷節氣，或有觀龍舟於荷花蕩者。小艇野航，依然畢集。每多晚雨，故有遊人赤脚而歸，故有赤足荷花蕩之謠。」蔡雲有詩云：

「荷花蕩裏龍船來，船多不見荷花開；殺風景是大雷雨，博得遊人赤脚回。」

以上皆屬記載之作，蘇州的荷花，當極其遊觀之美了。南京玄武湖的荷花也是極其燦爛的。玄武湖又名後湖，當你夏天去玄武湖納涼，一般青年男女，雙雙弄槳，把船搖到靠近荷花，低聲細語，喁喁不休，偶爾伸手撈起一把菱角或是一兩個蓮蓬，便剖開吃，吃了順手把殼一丟，卻驚起了葦底一雙鴛鴦，這是很富有浪漫的情趣。如進入荷花深處，這些荷花，萬頭競媚，香氣微微襲人衣袖，頭腦只覺愈新愈靈。再伸長頭子一看，嚇！密密層層的荷花，極目無垠，竟如一片荷海，這不能不令人嘆為奇觀。

北平地安門外的十剎海，每當盛夏的時候，荷花映日，柳綠垂堤，香風襲來，遊人欲醉，向為京都風景之一。其後兩岸倡設茶棚，遊人更多，一時黃童白叟，綠女紅男，結緣聯翩，遨遊陌上，衣香雜花氣齊芬，鬢影與波光爭競，池荷馥郁，人語喧嘩，更是極一時之盛。

濟南的大明湖，也是盛產荷花的地方。大明湖在濟南城中，約佔全城的三分之一，湖水是來自珍珠，溪亭諸泉。大明湖中的荷花，大多數是白荷，萬頃蓮葉中，無數點白蓮亭亭玉立，如美人出浴一般。清風徐來，陣陣蓮香，沁人肺腑。

大明湖的名勝中心有歷下亭，沿岸的古蹟也很多，其出名的有：鐵公祠，北極閣，南豐祠等。鐵公祠內有一座小滄浪亭，四面軒窗，南面正對湖水，濟南市區南面的千佛山、馬鞍山已盡入眼簾中，一片湖光山色，景色絕麗。這裏石刻很多，盡是歷代文人名士的題詠，其中有清朝鐵保的一副對聯：

「四面荷花三面柳；
一城山色半城湖。」

這副對聯的上聯是寫鐵公祠，也可以說是寫大明湖的全景，下聯是寫濟南。從這兩句妙語天成的對聯上，我們可以想像濟南是如何的美妙。

最後要說的則為故鄉南昌百花洲的東湖，也是盛產荷花的所在，東湖在市中心區，百花洲三面環水，位於東湖的中央，始建於宋朝紹興年間，距今已八百餘年了。原有蘇公圃，冠蓋亭，彭剛直公祠諸名勝，風景幽美，一向享譽於東南。

東湖面積廣達千畝左右，但種荷花的地方佔湖的面積之半，以紅條石砌成的湖岸峽着湖邊綠柳，和湖中盛開的荷花，只覺得淡裝濃抹，風景宜人。

入夜後放舟湖中，清風徐來，幽香撲鼻，輕歎盈耳，更使人為之心曠神怡，暑意全消，不啻進入清涼世界。又是炎夏季節，不禁油然泛起故鄉之思。兒時釣遊之地，豈眞永無舊夢重溫的機會嗎？

談王耀武（三）

諸葛文侯

毛共當年在膠濟路綫濰縣所設的集中營，完全是用以囚禁國軍方面被俘人員的臨時監獄，張治中的弟弟張文心（曾任國軍師師長）亦在縲絏之中。民國卅八年多間，張治中在北平正式投共後，經過共黨機許，會同邵力子、黃炎培，携帶衣物赴濰縣探視，路經濟南時，逍遙羅網的黃炎培，沈鈞儒等，他們知道某君是往集中營探監的，乃要求同去，目的是要看看國軍大將杜聿明、王耀武等人的情形如何。

某君與黃，沈一行到達集中營，首先跟張文心見面，遂交帶來的衣物，即由黃，沈向共幹提出請見杜聿明，王耀武的要求，當蒙許可，囑在客室等候。纔而杜聿明帶着腳鐐，蹣跚而來，後面跟隨一個監視者，不時以香煙遞給杜氏。黃，沈對杜氏詢問了若干關於國共戰爭的話，杜氏先說他在徐州指揮作戰到危急之際，南京軍部曾派直升飛機來接他出險，但他拒絕不走，誓與戰地共存亡，再答復各項問題；最後黃，沈問他是否相信蔣總統能夠捲土重來？杜謂「我是有此信心的！」這時在旁監視的共幹插言道：「我們對杜先生很優待，意在表示共黨對於戰俘的「寬大」政策。」某君聞言，即指着杜氏的腳鐐說：「既然優待，又何須乎使用這種玩藝呢？」共幹笑謂：「這是我們這兒的規定，凡屬思想頑固者，都要帶上鐐銬，杜先生始終不肯改變他的思想，我們實在沒辦法。像王耀武先生，他現在不特不受這種待遇，在營內行動自由，而且有單獨的住所，歇會兒你們就要見到他的」。

杜氏走回囚室後，黃、沈與某君等，即由另一共幹引導往見王耀武，他果然是單獨住在一間房屋裏，身上亦未帶有刑具。他們抬頭望望這間住室的門上兩旁，貼有王氏自己撰寫的白話聯語，大意是表示他搞通了思想，誓為「人民」服務的志願；中間還有一張橫額，上寫着「你也來了」四字，這是他對於一些隨後進入集中營來的國軍被俘人員，炫耀其為「投降前輩」的驕矜意念，眞所謂不知人間有羞恥事了！

上述情形，某君於民國四十年到海隅來向我親口談出的，千眞萬確，毫無渲染。就杜聿明與王耀武二人在集中營所表現的意識型態，比較觀察，他們志節的高下，品格的隆汚，栩栩活現，昭昭在目，能不令人感慨萬端嗎？我說王耀武最無恥，一點亦不過分，然而這類無恥之徒，滔滔皆是；他們在政治上偏偏一枝獨秀，顯赫一時，國家那有不倒霉之理呢！（完）

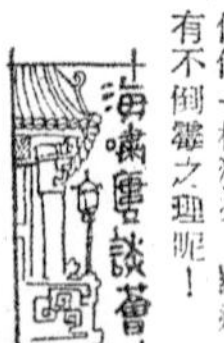

屈原和詩人節

·謝康·

四十一年壬辰台北詩人節雅集，吾友阮毅成先生以七絕一首獲冠軍，（石榜首）頗能發揚愛國詩人的正義感。其詩云：

「千秋愛國屬詩人，不廢江河萬古新，九誓招魂留正氣，早知三戶必亡秦！」

民四十七年戊戌端午，台灣詩人集會台東紀念屈原詩，在予台任，賈景德，張昭芹諸老主持下，評選了張達修，張作梅兩君為左右魁元，詩為律體，清新可誦，其警句云：

「……艾酒蘭湯沿舊俗，瀟聲括色壯新詩。太平洋上喧簫鼓，誓逐嬴秦起義師。（左魁）」

「……儘教艾絲侵變屐，但對蒲香醉一卮，惆悵懷沙心比潔，至今猶繫芷蘭思。（右魁）」

俱能表出忠貞智識分子的心境。旅港詩人詹不律觀競渡有感七律結句云：「年年作客聞簫鼓，回首鄉閭正可哀！」這些嘔心語，尤令人不忍卒讀。

最後，讓我徵引于右任老詩豪為屈原二千三百年誕辰紀念之作如下，以供雅俗的共賞；（民四十六，一九五七年作）

「一卷離騷愛不忘，一叢幽蕙發天香，歌謠傳世非神話，風雨懷人是國殤，為汝行吟迷遠近，有誰端策決興亡，二千三百年時邁，春草生兮酌桂漿。」

（十）

內僑警台報字第〇三一號內銷證

自由報
THE FREE NEWS

第一五五期

中華民國僑務委員會頒發
台敎新字第三二三號登記證
中華郵政台字第一二八二號執照
登記爲第一類新聞紙類
（半週刊每星期三、六出版）
每份港幣壹角
台灣零售價新台幣貳元
社長：雷嘯岑
督印人：黃行寶
社址：香港銅鑼灣高士威道二十號四樓
20 CAUSEWAY RD 3RD FL.
HONG KONG
TEL. 771726　電報掛號．7191
承印者：田風印刷廠
地址：香港灣仔高士打道二二一號
台灣分社
台北市西寧南路壹壹本號二樓
電話：三〇三四六
台郵撥儲金戶九二五二

俄共新綱領草案評語（上）

王厚生

俄共新綱領草案已於七月卅日公佈，全文尙未見到，就報章所刊摘要，請述意見如下：

一、俄共新綱領擬對俄國的政治和經濟等項進行澈底的改革，俾達成以「各盡所能、各取所需」爲原則的所謂「共產主義社會」。二十年內能否達成此一目標，大有可疑，但俄共訂此計劃，顯欲確立俄國在共產集團中的「先進地位」，而視其他共產國家爲落後國，在此情形下，叫其他共產國家拒絕承認俄國的領導地位，還有可能嗎？毛澤東欲藉人民公社的大躍進，「吃飯不要錢」，跳進共產主義階級，豈非幼稚的笑話。

二、俄共製訂新綱領，是新人新政，也可以說是新時代環境的產物。南共新綱領與中共教條主義，對於俄共急於製訂新綱領，可能發生很大的催使作用。就外電報導的新綱領摘要來看，其號召力不大，影響難以深遠，卽是說，不足以壓倒南共新綱領和中共教條主義。這樣一來，在共產集團內部，眞的有了鼎立的三種思想，或者說，三種對馬列主義的不同詮釋。如果站在舊式共產黨的立場上來看俄共新綱領，它對「共產主義」將有極大損害性，特別是它論共黨人事和機構的部分（後面詳論）。但，凡是思想不願落伍的共產黨人，爲了圖存，爲了求活路，也無法不贊成新綱領上所列的原則和改革。事實是冷酷的，在面臨圖存或自取滅亡之際，不能不有所抉擇。

三、新綱領所揭示的「美麗遠景」，對於經濟開發不足的亞非新興國家畧有宣傳上的吸引力，舉例言之，今年六月，阿聯國民會議主席沙達（Col Sadan）訪問莫斯科，赫魯曉夫在接見沙達時說，阿聯所從事的革命尙在初學階段，埃及人民正在學習字母A，假使阿聯的領袖們排斥給予蘇聯人民以「高度生活水準」的共產主義，則阿聯人民將驅逐他們，正像他們驅逐法魯克一樣。當時，沙達的答覆極其有力，他告訴赫魯曉夫，阿聯寧採自行到社會主義之路，阿聯欲與他國和平共存，卻不欲干涉，如謂蘇聯人民的生活水準高過阿聯人民所享有者，這不能卽說阿聯應採蘇聯的社會制度，這是很易了解的，因爲美國人民的生活水準高過蘇聯人民所享有者，而蘇聯領導人顯然不想叫蘇聯改採美國的社會制度。從赫魯曉夫對沙達說話的口氣聽起來，俄共新綱領所謂十年以後如何，二十年以後如何，顯然有宣傳的用意，而宣傳的對象，正是亞非和拉丁美洲若干在經濟上較爲困難的國家。

四、新綱領對俄國內部人民顯具安撫作用，卽是防制內部人民動亂，防制人民嚮慕西歐和美國。新綱領如能發生這種作用，則我們何嘗不可以視新綱領爲赫魯曉夫等自謀鞏固既得權勢地位的方法。不過，新綱領對於共產黨及其統治也有不利的地方，譬如說，戰爭可以避免，也必須避免，東西兩方的不同社會制度可以「和平共存」等等觀念，加上十年、二十年後的物質引誘（衣食住行免費），將使人民念念不忘於物質生活的滿足和享受，因而消散赤化全世界的刻苦和革命精神，其結果必使社會發生種種畸形現象和病態，例如侵吞公款（新綱領限制將來的最高薪金是六百盧布，絕對行不通），僞造成績和文件，私藏和買賣金鈔外幣，以及酗酒（今朝有酒今朝醉）、愛慕虛榮等等所謂「布爾喬亞」習氣。

五、美國總統甘迺廸在不久以前曾經說過，俄國的經濟不能在二十世紀中趕上美國。按俄共新綱領，十年以後，俄人將享有世界上最高的生活水準，二十年後，食住和公共服務一律免費。從表面文章看，這些固然値得羨慕，但「一律免費」的內容和實質如何，仍可推考，假使所謂「食」的免費一如中共所辦公共食堂中的惡劣情形，誰又希罕這一種免費呢？所以，「一律免費」說來容易，也頗動聽，實質內容如何，大有講究，可見「各取所需」的問題並不簡單，當免費取得的東西不合所需時，人民連排長龍取物的興趣也提不起來，「共產主義」與人民又有何相干？十年、二十年後，世界其他國家的進步情形尙不可知；以美國人民的進取精神，豈容俄國迎頭趕上？赫魯曉夫等在草擬新綱領時，好像握有阻滯美國經濟發展的潛力，而事實上，在今後二十年中，俄國須向美國學習之處正多，猶憶一九五五年五月底，赫魯曉夫偕布爾加寧和米高揚到南斯拉夫訪問，他對薩拉伯（Zagreb）的工人、們發表演說，直言「蘇聯願意採用美國工業方面較優的生產方法」。卽以「各盡所能、各取所需」而論，美國今日的情形是，工人們未盡所能，卻巳取所需（藉分期付款辦法）。準此而論，美國實較俄國先進多矣。

六、共產黨善於宣傳，但也失敗於宣傳，誠如共黨慣常所說：人民的眼睛是雪亮的。人民的眼睛不但是雪亮的，而且是客觀的。人民的眼睛不是單看資本主義的腐朽面的，也是看共產主義的腐朽面的。在共產集團中，人民巳不信共黨宣傳，美麗遠景式的將來福利，已不受大衆的歡迎。波蘭人民對俄共新綱領草案的反應，可見一斑。卽共黨黨員也說一切須待時間決定。歷史是未來的鏡子，證之過去，四十餘年的俄國共產經歷，尙不能大大地改善俄人生活，據很多親訪俄國的西方人士說，許多俄人依舊生活在貧民窟中，住屋狹窄，衣著破爛，飲食粗劣。戰後十多年來，俄國搾取其附庸國的資源，俄人生活尙且如此，其他居於被搾取地位的附庸國家，其人民生活慘況，可以想見。中東歐的動盪不安，爲無可否認的事實。

掩飾之事實，在今後十或二十年中，俄國是否仍能掌握中東歐附庸國，並搾取其資源，以爲俄國本身的建設所需，極有問題。倘俄國無法掌握其附庸各國，則俄共新綱領所列舉的目標當完全走樣，二十年後的「共產理想」勢將付諸東流。

七、俄共新綱領僅提南共一次，略謂南共綱領是修正主義思想最完全的具體表現。對於中共，隻字不提。這在某種意義上說，是俄共不重視中共的「成就」，輕蔑中共對國際共產主義運動的「貢獻」。倒是南共在新綱領中，對於中共的「成就」還有較高的評價。南共副總統卡達爾基著「社會主義與戰爭」，將中共的戰爭不可避免論批駁得體無完膚，但到結尾處，仍捧了幾句。南共對中共如此，中共仍嫌不足，領頭發動「反對現代修正主義運動。」現在，俄共新綱領根本不提中共，反之，且在綱領中放進責難教條主義和宗派主義的文字，以致世人皆謂新綱領這段文字係針對中共而發。關於中俄共間的意見分歧，已成定論。甘迺廸總統六月二日在巴黎說，共黨國家之間的歧見可能有一天突然爆發成爲全面的抗爭。美國國務卿魯斯克七月十日說，已有確切證據顯明蘇聯和中共之間有若干緊張。美國副國務卿鮑爾斯七月廿二日指赫魯曉夫在西伯林所取的強硬路綫歸因於中共和東德的壓力。陳誠副總統八月一日在華府也說中俄間的意見分歧是一項無可否認的事實。

（未完，下期待續）

自由談

挺經

近代名人李鴻章自認他的一生事業成就，乃得力於老師曾國藩傳授的「挺經」。甚末叫作挺經呢？據說是以挑担子爲例：肩挑着重物在狹隘的田坎上行進間，若遇到迎面而來的同樣是個肩挑之人，狹路相逢，彼此皆難以通過之際，卻決不後退，唯有賈其餘勇，聳身負重，走下水田中，照樣前進，這過了這一瞬間的困境後，再登上田坎，疾馳而去。夫是之謂挺經，皆在茹苦含辛，力爭上游，絕不瞻顧遲徊，畏難退縮也。人生在世，祇要具備着這種挺勁兒，無論是幹那行活路，沒有不成功的，而以搞政治的人，更需要這種精神，所謂「擇善固執」的義理，卽基於此。

挺經的內燃力，就是挺勁。側聞廿餘年前對日抗戰之役發生時，主管國家庋支的某鉅公，根據財政情況，認爲無法從事長期戰事，期期以爲不可輕啓戎端，說是充其量只能支持三個月就完了。然最高統帥卻答以「打敗了的話，大不了等於北伐沒有成功，我們再來過就是，何用多所顧慮呢？」這便是挺經的高度發展，結果挺住了八年，大功於焉告成。

人們養成挺經工夫的因素，不外三項，卽先天的氣質，後天的學力，再加上旺盛的事業心是也。三者互爲功用，相輔相成，缺一不可，若稍有匹夫之勇，婦人之仁，斗筲之器的的成分摻雜於其間，那就絕對挺不起來，前程終歸是有限得很，不足觀也矣。

現時我們國家所遭遇着的內憂外患，亘古罕有，而以外交形勢尤爲險惡，當國者恰似肩負着重任，在狹隘的田坎上遇到了挑脚漢，實逼處此，他教我們退後一步，讓其捷足先行。咱們如果沒有一股挺勁兒，而跋前疐後，顧忌多端，但求苟安一隅，諉爲將來大不了弄成「兩個中國」，台灣總是可保無虞的，目前不妨暫時退讓，那就完了。「需者事之賊也」，當此危急存亡之秋，我們挺得住，便是生路，否則死路一條而已，可不懼哉！

馮羽先生

今一「秦皇」

中國人說：「秦始皇也要『二世』而亡呢！」

同床異夢

看這兩個親熱睡的傢伙！

畸形戀愛終成悲劇
驚人箱屍案在台北

（台北航訊）正當治安當局下定決心要整肅「問題少年」的時候，多事的和平東路，繼震驚海內外的瑠公圳分屍案之後，昨天在和平東路一段十一巷一弄八號又破獲一件先姦後殺並圖棄屍滅跡的「箱屍」慘案。一個十一歲的國校女學生謝鳳嬌，雙手、雙腳被細草繩細縛後，藏於一隻長約五尺濶約一尺五寸餘的紅色皮箱內。兇手是與死者同院居住的中藥店十九歲學徒張吉帝。行兇的時間是二十七日下午，兇手原來準備攜屍出走，適當天下午暴雨傾盆，雷電交作，不敢將屍體攜出室外，乃藏於房內床上面的擱板上。他本人則冒雨從台北逃回楊梅老家，直到昨日清晨，自知法網難逃，乃向楊梅警察分局投案，根據其口供，在台北住所將屍體起出，兇手押解台北偵辦。

這是一件不正常的「畸戀」。張吉帝在大生堂參藥號做學徒，兇案發生的地點是該藥號的製藥場，兇手平日卽在那裏住宿。同院住有謝鳳嬌一家，謝母在外幫傭，不常在家，死者有三個弟弟，日前又去外埠外婆家，故家中經常只有謝鳳嬌一人。四十七年張吉帝就在此居住，當時謝女尙在國校一年級唸書，約八歲左右，彼此相處很好。直到四十九年春天，謝女十歲時，她長得更爲可愛，因此張吉帝對她起了單戀，時常想入非非。十一月間，欺謝女年幼無知，將其姦污，十五日後又再度姦污。張犯患有梅性淋病，謝女也受其傳染，謝母偶然發覺可疑，便禁止其女與張犯接近，以後見面也不打招呼。張吉帝對以上刺激忍無可忍，便想要與鳳嬌一同去自殺。

二十七日下午二時左右，屋內無人，便將謝女誘至樓上，拖在床上相姦。事後要求謝女一同出走自殺；謝女不肯，他怕遭事外波，便用木棍毆打謝女頭部，右手將她頭部猛擊，並用右腳踢她肚皮三下，那時他見謝女倒下，但尙在呼吸，便又用小麻繩緊住她頸。見她氣絕，將架上皮箱取下，因箱小屍長，所以將死者的手緊於胸後，雙腳屈向腹部，側面裝入箱中。皮箱鎖壞，所以又用蔴繩將皮箱綑好，準備將皮箱連屍體帶回家鄉楊梅，本想自殺，因皮箱把手被他拉斷了，無法帶走，仍將皮箱放回原處，隻身乘當晚[illegible]火車回到楊梅。

二十八日上午吃過一碗早飯，卽去池塘投水，因水淺又上來。復又到當街上買藥，回來吃下，又未死。當日下午三時許，[illegible]一隻，吃了[illegible]，又未死。傍晚，謝母因尋女不着，在張吉帝房中發現其女三角褲，便起來向他質問下落。當時他藏身棉被中，被謝母找出，推說未見其女，乃叫他一同上台北，但被其留說。

謝母同回台北後，卽將其女失蹤事報警。張吉帝經過一番家庭會議過後，才決定於二十九日淸晨二時向住地富岡警分局報案，經北市警出動後，全案便告破獲。張吉帝已將犯罪經過供認不諱；明日移送法院以強姦殺人罪嫌偵辦。

十一歲的謝鳳嬌，姿容秀麗，性情沉默，平日很少講話，最喜歡看文藝小說，智力顯得早熟，很懂事，常向母親說：「媽媽這樣大年齡，還要到旅社去當下女，我一定要好好用功，才對得起媽媽」。謝母對女兒的慘死，非常哀痛，她悲憤地說：「我非要他償命不可」。謝母昨日將她女兒平日所玩的一隻洋娃娃也帶到火葬場，爲女兒陪葬。至於社會人士以及輿情，對於此一慘案，無不同聲指責張吉帝之無人性，其有憤激者，甚至主張就地正法，以儆效尤。

台北市的和平東路，名爲「和平」，實際上卻不「和平」，近年以來，許多轟動一時的刑案，大多數都發生在這條路上。遠者如張昌年分屍案不去說，卽在這半年以來發生的幾大刑案來說，便有陳其昌、吳家辦、謝鳳嬌，連張吉帝這件「箱屍案」，已經是第四件了。這種殺風如果不趕快設法遏止或預防的話，這條「和平路」應該改爲「兇殺路」才名符其實哩！（五十、七、卅、與越寄）

香港與大陸

▲最近有四川新都縣的一個青年婦女，致函在香港的姊姊，乞寄些食品回去給她療飢，信內說：她是生育了兩個孩子的青年人，每天只配給到七兩米，實在餓得發昏，難以支持；姊姊若寄錢回去，毫無用處，因爲有錢也沒食糧可購啊！另有一個住在重慶市的老太太，寫信告訴旅居香港的兒子，說她每月規定配給糧食十八市斤，但有九斤係代用品，這種代用品老年人絕對吃不下去（究竟是些甚末代用品，卻未說明），亦盼望兒子陸續寄些糧食品回去，以維殘命。上述這兩封信內，皆有怨恨共黨的詞句，但信件並未被扣，可見一般檢查郵件的共幹們，亦不忍心濫作威福，殘民以逞了。

▲有由上海來港的某君告訴記者，說毛澤東最近曾經到滬杭一帶巡視，他在杭州覓橋走進一戶人家去，隨便揭開一個鍋看看，內中滿裝着大米飯，他連說「人民的生活還過得去」，頗有喜色。實則這是各地主持「人民公社」的共幹，事先偵查「毛主席」將赴某地巡視的時間，卽臨時給些米糧數當地某些民家煮好，以待「毛主席」來實地視察，表示人民能飽食煖衣的虛象，完全是一種朦騙獻媚的勾當，卽可證明共黨腐化官僚本質之一斑也。

▲目前大陸上流行着兩句話語：「注意六億人口，請看九個指頭」。前一句的意思，是諷刺共黨隨時對外宣傳它統治着有六億人口之多，藉以嚇唬西洋人。後一句是因爲毛澤東曾在「人民政協會議」說過：「國內外的反動派指摘我們的政治不行，生產計劃多失敗了。這有甚末稀奇呢？請看我們每個人的十個指頭，就有九個參差不齊的，我們某些事沒有做好，理所當然。此乃暗示「人民公社」之失敗，亦不足爲怪，因而一般掙扎在飢餓綫上的人民，就造成了這兩句幽默語，以示腹非之意云爾。

從對口相聲到全武行
台北市議會形形色色

（台北航訊）自從台北市第五屆市議會成立以來，陸續不斷地鬧了許多笑話，如吵吵鬧鬧，打架與罵人，已經成爲市民飯後茶餘納涼的話題了。首先鬧笑話的是該議會議員趙邦平，涉嫌公車處舞弊案，雖經地檢處因罪證不足而不予處分，但趙議員却幾乎被整得「破產」，接着是六位議員與教育局長交惡而發生所謂索取旅費事件，也經議會移送法院偵辦，結果是「查無實據」而不起訴。這兩件與市議會名譽有關的事，曾轟動一時。就在雨過天晴之際，由台北市議會議長張祥傳主持的「公論報」，目前刊載一則有關市議員不名譽的新聞，再度引起議會同仁的憤慨。張議長更加左右爲難。該報新聞指出：台北市水肥會曾於七月十五、十六連續兩天，招待數位議員上北投。水肥會招待這些議員上北投的目的是：拉交情談條件。其中有六位議員且各獲得鐵灰色西服一套。因此，議員先生們在酒、色、財的攻勢下而爲水肥會「護航」了。

這則花邊新聞，如果是與張議長無關的報紙所發表，倒也罷了，可是公論報發表這則消息，情形就不同了，因爲公論報社長就正是台北市議會議長張祥傳，因而引起正在開會的市議員們的重視，所以高潮迭起，並且有人提案，主張成立專案調查小組，進行調查眞相，以正社會視聽，免使全體議員蒙受不白之寃。但也有人主張追究消息的來源，更有議員向張祥傳說：「你是公論報社長，不能隨便發表這一條新聞，因爲這對議會的名譽很有關係，」「張議長說：「議長是議長，社長是社長，兩不相干，今天我在這裏是議長」。最後結論是，由台北市水肥會去函公論報更正，否認有招待議員上北投吃花酒玩女人送西服之事，於是這公案暫告一段落。

台北市議會第五屆第二次大會期內，的確發生了許許多多的醜事，而成爲報紙的最佳乘的題材。如這次大會開會後，首先由「對口相聲」而演「全武行」的是黃啓正與張紫雲，繼而效尤者爲沈鑑松與孫性初，黃衍樑與紀明。他們不但吵吵鬧鬧，打情罵俏，而且以很厚的簿冊作爲武器，摔來摔去。而張紫雲與紀明兩位民意代表，在議場內正式宣戰開火，說可以來一場「南拳北腿」或「眞刀眞槍」的演出，甚至被殺死也不要償命的。陳連發議員爲了自已裝電話發生困難，竟在議會突然喊起「幹你娘」，大罵議長。與詩經與楊玉城兩人爲延長時間的問題，也與張祥傳吵了一場。

其次是議會在開會時，其秩序之亂，頗似內地的早茶館，亂鬨鬨的一團糟。議場內的幾支擴音器同時有人亂喊亂叫，搶不到擴音器的人拍桌子，罵山門，吵過不停，加上川流不息在會場中走動的人，使旁聽者嗅不到一點神聖議壇的莊嚴氣氛。再如不少的人只穿一件汗衫或背心，露出大肚皮或「油炸排骨」，簡直是不成話。在表決議案時，尤其紊亂不堪，有的還沒有搞清楚究竟在討論些什麼，竟舉手贊成或反對；也有人在會場外面打交道，一看到有人舉手，也就自然而然的舉起雙手了；最妙不可言的是有人在老遠的地方打電話，看到有人在舉手時，他一邊講話，一邊舉手，大聲喊着說：「我還有一票！」還許多形形色色，就是台北市議會的「特色」。

這些來自民間的議員先生，有時候竟慷納稅人之慨，而增加選民不應該負担的稅錢。例如，市議會在審議雙園區區長胡謙私人的吉普車，報用汽油與保養費預算時，依法應該無疑問的刪除，可是區長在國際飯店請了一次客，議員們竟感用事地予以通過了。台北市政府編列一筆二十萬元的「加強與中央、省市級機關之聯繫聯誼活動等費」預算，議員們竟一文不少照案通過。可是市民的請願案，約有餘件，大會却授權「小組」處理。如此的台北市議會，怎不使選民搖頭嘆息而表示失望呢！

公治長

張價三部曲

·易鳴·

多年來，台灣的公營事業，每每領導漲價，鐵路、與煙酒三位一體。這些公營的事業或生產品，因爲施政與排擠關係着我們日常一切生活，而且是需要。所以每當漲價之議一提出，必定有他三步曲的故事，這三步曲的故事，是提議漲價，輿論譁然，激烈討論，立法院大爲拌擊，不予通過。好了，這一下可漲不成價了——那曉得這正是故事的高潮，使你感到緊張刺激的。此時也，只要我們提出這個的大富翁，列席立法院表明一番苦衷，總之是此次某項事業不得不漲價，非漲價不可，不漲價就無法再辦下去了；若要起死回生，就只有萬妙仙丹——漲價。如此這般，漲價三步曲的故事，表演得轟轟烈烈，多彩多姿，落得爲止，漲價的就照漲不誤。

按往例，公營事業漲價，是電力起頭，（因爲它是違國人的意思，不漲價，卽爭取不到選設）鐵路首進，煙酒跟進，此唱彼和，互爲呼應，正是三位一體，大家都表示要漲價了，假若其單地讓那一插事選提出漲價，豈不顯得太單調，沒意思！

今年這回，事備有點出人意外了。自從電力公司提出漲價，經過了三步曲的故事後，已由七月一日起漲價了。（現在，雖然還在監察院糾舉中，那是故事以外的一章）鐵路卽跟着宣佈對漲價，勢在必行。但是，煙酒卻宣佈不漲價了。豈止不漲價，並且連考慮漲價也不？到底還是煙酒討人喜歡，敗食煙酒的朋友們同聲讚美，可不必爲了一包煙有時要掏空荷包。但是，慢着，我們省省生產煙酒的台灣煙酒公賣局局長吳道良，在省議會宣佈，爲了對煙酒不使不考慮漲價，爲了對煙酒朋友們更讓到的服務和享受，卽將有高級煙酒問世，關於吳氏所說的高級煙酒，我們可想而知，自然和目前市面銷售的一般煙酒有所不同，諸如品質囉！裝璜囉！等等。這樣價格方面當然也要有所調整了嘛！拿香烟來說吧！現在市售長壽牌香煙每包新台幣八元五角，雙喜牌每包七元五角，新出品的高級香烟，價格無論如何不會與上面兩種的一種相同吧。這是想當然的事耳。

寫到這裡，我們還不能不佩服菸酒公賣局的聰敏，認爲菸酒公賣局是在變相加價，高級烟酒的價格儘管高，吸食的人，可不買不抽，仍然買從前的老烟抽，不也就罷了。可是我們回頭一想，台灣的菸酒事業是獨佔性的，一切按配銷制度，在高級香烟出品問世之後，其他「長壽」、「雙喜」，來個減少配售，市面買她不着，怎麼辦？戒吧！如此說來，誰能說這不是在漲價？反正大家心裏有數！據聞現在長壽牌香烟市面就有缺貨現象。

菸酒公賣局這一記花槍，的確要得好，要得使人有些眼花撩亂。採這種迂迴戰術，達到無加價之名，而收加價之實，還幸虧這些烟酒大員們挖空心思，得此妙計，眞可謂有心人矣！（七月廿日脫稿於台北）

舊書攤

黑子

喜歡逛街，而每次逛街，必留連忘返於舊書攤。

台北的舊書攤，集中在衡陽街的一家信用合作社附近的一道長長的走廊上。每到下午五六點鐘，就開始擺出來了，十餘年來如一日，一家緊接着一家，來往的行人多駐足而觀，一時廊爲之阻。早幾年，書攤的書都是亂七八糟地堆在那裏，任由路人東翻西揀，呈現一種無組織無系統的狀態，時常可以從那裏買到一本便宜的且是你所喜愛的書。

可是這兩三年來情形不同了，書攤主人好像都很進步了，不但是書籍雜誌被排列得整整齊齊一目了然，而且除了舊書，似乎也很有一些並不算舊的新書；問問價錢，不管新的舊的，一律看看定價；然後才很愼重地說了個價錢；我才知道，如今買舊書並不比新書便宜多少，有時比新書還要貴呢。

這決不是胡言亂語，有例爲證：有一次我看到一本舊的屠格涅夫的小說「煙」，問問書攤老闆要賣多少錢，這位老闆把書底頁的定價翻開看了看，一點不猶豫地告訴我：廿五塊－原來那本書的定價是新台幣式拾伍元，××出版社出版的。××出版社就設在台北的中和鄉，只要熟習一點書店的情形的人，似乎都知道；而且任何一家書店都可以很容易地買到這一本書，可是這一舊書攤却要照它的定價當新書賣，我幾乎不敢還一個價，竟給「煙」熗了。

衡陽街的舊書攤不但是新舊書籍雜誌應有盡有，另外還有藝片，風景山水的，人物美女的，琳瑯滿目，最能引誘人了。此外尚有專門售賣西洋書籍雜誌畫報的舊書攤，翻看的人也很多，有國人其多爲大專學子淑女們，也有外籍人士偶然路過華，買上幾本回去消遣的。

除了衡陽的舊書攤較爲集中且惹人注目而外，中時路也有兩三家，其餘的街道旁，這一兩年來也有很多舊書攤出現，如牯嶺街等處。多是在下午及黃昏時擺出來賣賣，聽說生意還不錯呢。

鄰

汶津

「海內存知己，天涯若比隣。」說得多麼輕鬆！事實上，「隣」這種關係，絕不是簡簡單單的一等於二，其間從未定界到不賣帳，頭緒紛繁。不妨由小而大，來一番捫蝨之談。

從幼稚園學生開始：小學宣放學歸來，一嘮嘮說今天排位子排在兩個女生中間，眞倒楣！這一來大人就不知何所云爲是了。敎師們如果對此類問題缺乏經驗，很可能破壞了小子們的「研究」情緒。但男女分治，也未嘗沒有困難，因爲如此離調整不當，隣者成仇，遠者反而互感好奇，這也是頗有先例可尋的。

住戶相隣的關係，最讓人注意。芳隣有癖，隔壁人家是首先明察的。如果你夜半在夢中高呼，而板壁隔音設備又差，左隣右舍難免要爲你造些謠言。至於入夜而大開其無綫電，或展開通宵雀戰，芳隣們也會設法反攻的，甚至招來不太客氣的便衣警。如此說來，一幢獨立的住宅是値得稱羡的了。可惜人口增加太快，都市的房屋密度尤大，沒有鄰居幾乎是不太可能的了。睦鄰之道自然不能不講求。過端午送人幾斤粽子，過喜事奉上喜糕喜糖，這些「小賄」能賣得鄰人的心麼？也許他們反會怪你的粽米不熟，你的喜事破了他們的財呢。如果你爲了體恤別人，不會把喜帖送去打攪，有人又會以爲你目中無人了。

有些鄰居善於浪費別人的光陰，任何一段時間內，只要他有空閒，便會登門造訪，說些無奇不有的發話，此時那被勤的主人只有放下工作來洗耳恭聽。領敎完了，也許一鍋飯都焦了，或者孩子屎了床。人間不滿人意的事太多了，「里仁爲美，擇不處仁，焉得知？」可惜孔老夫子不曉得：在這二十世紀的大時代裏，那裏容得你選擇呀？有那麼十幾個塲塌米的住處，也巳經是不小的福份了，至於其他，只有悉聽天命了。記得契訶夫有篇故事，說一位上校如何向鄰居作徹夜性的疲勞轟炸，而且愈「戰」愈勇，那位主人千方百計，終歸無效，最後急中生智，擺出伸手借貸的態勢，才使上校大人急忙告退。這倒可以聊供失意的主人們參考，只是可一不可再，對某些面部肌肉較厚的鄰友，恐怕很快便會失效呢，這也猶之乎蚊蠅與殺虫劑的關係。

鄰居若都是成人，那還好辦，有了孩子丫頭，情勢便更形複雜了。童稚無忌，而大人有心，一語之失，必然惹氣成人猜疑，積少成多，見面便冷眼相望了。到頭來也許視若陌路，只怕還要上一層樓，爆發一場打門呢。會見學校的宿舍裏兩個寢室的人互相反目，成爲小集團，每次選舉或表决要事時，在在掣肘，使旁觀者啼笑皆非。同窗之誼，尙且經不起一個「鄰」字的考驗，更不用怪偶然聚首的住戶了。

在某些省份，械門之風很盛。那都是發生在一些鄰村之間的。爲了一溪清水的取用，爲了一些土地上的糾紛，竟擺開頭可斷，血可流的姿態來，眞是驚人。也許這是生計攸關，不容小看。可是少一位鄰人，多一顆仇讎，總是不太合算的事。兩鄰相鬥，最可能的是雙雙負傷。至於說不打不相識，怕不能那麼瀟洒的運用到「鄰」的關係上吧。有些相處不好的鄰居，不惜把兩家的門戶用牆堵住，另闢出路，如此倒是成就了泥水匠的生意。只怕片面的接觸依然，免不了到時候有辦法的一家只有遷地爲良了。

國與國相鄰，問題更多，像美國與加拿大那樣有傳統的友誼，只怕是絕無僅有的。兩個鄰人相處，總不會想到爭對方一塊肉、兩個鄰國之間就難測了，魚兒吞蝦的故事常會在一陣風雲中流出呢。

月球如果與地球成了鄰居，將來交通大行了，星球上的人不知會不會以大行星自許而有侵擾那衛星的企圖。月球人有知，在目前就該多作防鄰之計了。

女明星

·勞克·

美是女人的特點，尤其是一個女明星。電影圈子內有「肉彈」這個稱號，就是說這個女人能引起男人的性感，坦胸露臂，怪肉麻的。

女人眞愛虛榮，愛出風頭。頭上插花，頭髮上放香水，以及抹粉塗脂。「女爲悅己者容」，主要的還是虛榮心在作祟，使人恭維幾句，笑逐顏開，什麼女人的矜持也沒有了。

凡是被虛榮心作弄的女人，看報紙新聞上對這個女明星捧上幾句，那個女明星的「肉感」照片露出，就大爲羡慕，就設法要走明星之路。

我認識幾個女孩子，一天到晚都在做明星之夢，大談這個女明星如何如何，那個女明星又怎樣怎樣。並動腦子找門路，拉關係，只要上了銀幕，管它鏡頭好也罷，不好也罷。

一失足成千古恨。愛好虛榮的女人，再沒法把握住自己，就落入男人的圈套。今日電影界的男女私情，鬧的「跳到黃河也洗不清」。

報紙上一再的連載，關于「女明星」的生活問題。某女明星爲公共厠所，某女明星爲公共汽車。都是彼此試驗，追根究底，在電影圈混過來的朋友，沒有不默認的。

電影是一種藝術，明星是藝術人才。藝術人才不僅思想要高人一等，而且在表現技巧上也應高人一等。女明星爲了上銀幕，爲了叫觀衆叫一聲，報紙上瞎恭維兩句，就心滿而意足。這就未免有點不夠詩意了。

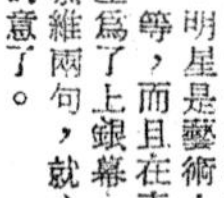

瘟君續夢

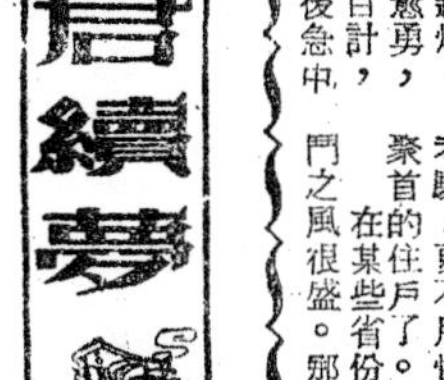

第二回：狼狽自爭雄，活佛育幸　人天齊示警，浩劫將成

米高揚連連向赫夫人擺手：「別開玩笑了，我們談正事。」

老赫突然收起笑容，指着那條狼狗說道：「這頭畜牲牠相當兇，爲什麼我太太牽着牠，却十分柔順。」

米高揚笑道：「那當然了，因爲牠頸上有條鐵鍊被你太太拉住了。」

老赫說道：「對了，養狼狗必須有鐵鍊，毛澤東這條獵狗就少一根鐵鍊，所以我暫且把尼赫魯當鐵鍊用一下。」

米高揚恍然大悟，摸着小鬍子連說：「我眞胡塗，這一點竟然未想起來。」

赫夫人插嘴說道：「你並不胡塗，只是一天到晚打主意要賺人的錢，腦子被數目字塡滿了，所以沒有空想別的了。」老赫聽了又捧着肚子大笑起來。

印度代表團在莫斯科簽訂了八千萬盧布貸欵協定回去之後，消息傳到北平，中共頭目大起恐慌。毛澤東把陳毅找來，逼他去見契爾沃年科詢問究竟。陳毅明知道又是一件麻煩差事，也不敢推辭，硬着頭皮跑進蘇聯大使舘，找着契爾沃年科，剛說明來意。契爾沃年科冷笑道：「毛澤東同志怎麼又來干涉起我們的內政來了，受了一次處罰，還不知道改過，這種人眞是無法改造了。」

陳毅一聽這話不善，連忙陪着笑臉說道：「大使同志誤會了，我們決無意思也不敢干涉老大哥的內政，實在因爲最近我們同印度剛發生衝突，蘇聯老大哥突然與以大量援助，恐怕帝國主義份子又要藉此造謠。」

契爾沃年科說道：「你的話雖然有點道理，不過，這項借欵已經簽訂了，要我們毀約是絕對做不到的，除此之外，外長同志有什麼要求，我可以轉陳。」

陳毅心裏在想我來我就是要求你們斷絕對紅頭阿三的援助，現在你却說是既成事實。除此之外，我還有什麼要求呢？難道說還怕你們和印度結軍事同盟嗎？陳毅心裏的話不敢說出來，思索一時說道：「借欵協定已經簽訂，就沒辦法挽回了，不過，我們希望大使同志能保證此項借欵純粹用於工業，萬不能作爲軍事用途。」

契爾沃年科「哼」了一聲，說道：「這件事情我們如何能提保證，因爲我又不是領導幹部，我只能把你的意思轉陳上去。據我的估計，印度要是購買軍火打你們，我們決不會賣給它，但是，他們要買去打巴基斯坦，我們就不能不支持了。」

陳毅心想這是什麼話，難道炮彈還可以固定只向西打，不向北打嗎？當時也不好再說別的，只好唯唯諾諾回去。見了毛澤東報告一遍會談經過，又被毛澤東指鼻子罵了一頓。

（廿八）

岳騫

別後浮雲

張徹

三日後，他辦好了所有應辦的手續即行離去。走出了工作處，自覺與她之間的距離，已成了不可逾越的鴻溝，不禁萬念俱灰，對人生已完全絕望！

他茫茫然地在街上走着，經過一家百貨店的門前，一輛人力車拉來，停在商店前，盈盈地走下一位麗人。

「喂，到哪兒去？」她向他打着招呼。

「啊，是密司陸。」他在驚愕間站住了。

「我隨便走走。」

是她，又是她，他又遇着她了。

她走進了那家百貨店，他也不由自主地跟了進去。

「聽說你辭職了，是嗎？」她冷冷淡淡地問。

「是的。」

「爲什麼？是趕回南方，和愛人結婚嗎？」她的雙目盯住他的面孔，那美麗的臉上現出一絲高傲而又挪揄的表情。

他的自尊受到了損傷，血液升騰到臉龐上，懊怒中，他不假思索地說道：

「嗯，是的，你猜中了——」

「那眞是恭喜你了，可惜我不能登門道賀，不能瞻仰一下你的漂亮新娘，眞是遺憾！」她調侃似地笑起來，電一般的目光向他射擊着。「你也來買東西嗎？」

「不，我該走了，再見。」他下意識地感到一些報復的快意，向她點一下頭，就昂然走出商店。然而，當他一走出店堂，從來不會流淚的他，竟忍不住湧出了兩行淚水。

回到上海後不久，父母便替他選定了一位浦東小姐，在半新半舊的方式下，由親友出面請客，雙方介紹見面，然後訂婚結婚。雖然他在婚前連對方的面貌身段，一概不會注意，但他一點也沒有反抗。而他只是履行人子的義務，爲父母娶一個媳婦而已。

婚後，他才體會到娶一個絲毫不愛的女人爲妻，是何等難以忍受的事！對方是個旣不美，也不醜，淺薄平庸，智力和學識都與他相距太遠的女子。他在家中，連講話的人都沒有，家居生活對于他、簡直有着坐牢的感覺！

他結了婚十六年，父母相繼去世，妻子也爲他生下了兩子一女。那兩個兒子一切的秉賦，都像母親，因此這兩兄弟便一直不大討父親的歡心；只有最小的女兒芹芹，却完全秉承了父親的一切。這樣，與超的父愛，便很自然地全部傾注到這個幼女身上。（五）

會心的微笑

·徐學慧·

會心的微笑，用於男女之間談情說愛的場面，似乎最爲適宜。情場上的男女當事人，表演會心微笑的這一幕，應該是世界上最甜蜜不過的鏡頭吧！沉浸在愛河中的男女，當他們手攜着手，漫步在杳無人跡的林中時，他們絕對不會說太多的話，因爲說話已是多餘的了，一切的領悟，就是這「會心的微笑」。

一隻鳥兒在樹梢飛過，聰明的男孩子會輕輕地對他的戀人說道：「你看，那隻鳥兒飛到什麼地方去？」這時候，你試着注意那個女孩子的表情，一定是臉頰飛紅，含羞帶笑，低頭不語。如果你一定要追問下去的話，也可能獲得幾種不同的答覆：假如對方是芳心默許，那末她可能這麼答道：「誰知道呢？他們愛到那裏就是那裏。」假如她還要你來表示意見的話，她可能這麼說：「我不知道。你說牠們會飛到什麼地方去呢？」答復儘管不同，而其爲暗示與試探則一。暗示與試探的結果，無疑的又將是一個「會心的微笑」。

這種「微笑」是天真的，這樣的「會心」是甜蜜的。雖然如此，這中間到底還是有些機巧，換句話說，在做「會心」動作之前，至少已經有了這種「會心」的準備。因此，「會心的微笑」，乃不能爲青年男女談情的專利品，外交家或政治家，將此一微笑技巧神而化之，見於處世待人場面，可就奧妙無窮，花樣百出了。

要想欣賞這種鏡頭，乃莫過於做新聞記者。那些大人先生們尤其是什麼特使之流，一下飛機或輪船火車，在歡迎行列之前，照例要來一個「面露愉快之色」。此種愉快之色，可以解釋爲由「會心的微笑」引申出來的一種特殊風格。

在議會上，許多議員們一見面，亦必然是握手言歡多方談笑。雖然他們自己心裏誰都明白，你是屬於何集團，我是屬於某派系，我們今天來開會，當然是要勾心鬥角，各顯神通，可是，在見面之前，一定要來一個握手言歡的鏡頭者，表示「會心」之謂也。不過，這類的會心，又和戀愛場面不同。因爲這種會心的後面，藏着一把殺人不見血的利劍。

可惜我不在寮國。否則，欣賞一下諸沙文將軍和那位符馬親王見面握手的鏡頭，恐怕也是怪有趣的。

人世間難道就沒有眞正「會心」的時候嗎？念天地之悠悠，獨愴然而涕下。

湖湘游台兩詞人

——易順鼎與譚嗣同——

李仲侯

譚嗣同，字復生，號壯飛，湖南瀏陽縣人，曾官江蘇知府，以徐致靖薦加四品卿銜，充軍機京章，提倡新學，與楊銳、林旭、劉光第等，同參新政，時號爲軍機四卿，未成被害，爲光緒戊戌六君子之一，所著「仁學」與康有爲之「大同書」，梁啓超「中國近三百年學術史」，早已膾炙人口，均爲中國近代政治史及思想史上之先驅人物。

嗣同有仲兄名嗣襄號泗生，清末國子監生，光緒十五年唐景崧任台灣道，偕與俱後逝世於台南蓬壺書院，

嗣同所著「莽蒼蒼齋詩集」有寄「仲兄台灣」五律一首：

孤懸滄海外，洲島一螺輕。狂颸脅秋屋，妖氛蠹滿城：依人王粲恨，采藥仲雍行。所願持忠信，風濤險亦平。

連雅堂著「台灣詩乘」，曾言「瀏陽譚壯飛先生嗣同……少倜儻有大志，兩渡台灣有所擘劃」，梁任公於「滄桑吟」引詩後亦註：「死友譚壯飛於甲午前後，曾兩渡台灣欲有所建樹，不得志而歸」。但嗣同兩渡遊台，究係何時，曾作何事，均缺紀載，惟嗣同於甲午以前，曾至台灣招募同志，鼓吹新政，當無庸置疑。

梁任公亡命日本於辛亥二月遊台，所作滄桑吟詩多首，其中一首即係弔譚嗣同游台灣後不幸死難而作，其詩錄下：

西北濤頭起，故人曾獨來。徙薪謀議苦，橫海壯心摧：碧血垂青史，名山託古哀：履綦尋後死，淚雨泣蒼苔。（下）

閒話茉莉

介人

廣東有名的素馨，即北方的茉莉花。夏天的許多花之中，茉莉花開得最早，早過蘭花與荷花，可是一直到秋風送爽，蘭花荷花都已先後凋謝了，桂花已經滿園香的時候，茉莉花還是那樣繁榮無恙。所以從農曆四月到八月中秋，茉莉花的「人生」，佔了整個的夏季。

最強烈而顯著的花香，是茉莉花的香，最純潔而微妙的是蘭花的香，走中間路線的溫和的花香，是丁香花的香，這是 默大師林語堂的評價。由於想像，假如有一座花園，園中有一條花徑，徑口種着蘭花，徑中段種着丁香花，徑的深處種植茉莉花，你漫步花園，由淺入深，花香也由淡而濃郁，你一定可以享到花香的奇趣。

廣州的茉莉幾乎一年四季都有，但夏天最盛，這是有名的女人花，因爲它在夜間比白晝更香，近了人氣，尤其是戴在女人髮上或放在枕畔，它的香氣更濃郁。從前人床上多用帳子，帳內懸茉莉毛球，夏夜清香徐發，襯着美人的體香，確是能令人飄飄然的。

清初余澹心「板橋雜記」，即名廣東的茉莉爲「媚夜仙人」，這名字比小南強更好。夏夜，在閨房裏，茉莉有更好的貢獻，不特媚夜，且可專夜。張衡同聲歌：「願在髮而爲澤，願在衣而爲佩，願在薦而爲席……」茉莉正是如此「無所不爲」，令人通體怡悅，竟夜溫馨，別的花能夠爭取一夜之長嗎！

所謂「小南強」，亦是茉莉的別名，這名稱包含了一個故實。據李調元「南越筆記」所載，當時南漢王稱王嶺南，自負強盛，趙宋遣使南來，居客館中，以素馨花爲供，使者不識，劉鋹紿曰，此小南強也。後使者知受紿，回到北方。及後南漢爲宋所滅，君臣被俘入京，初見牡丹，不識其名，人亦紿之曰，此云大北勝也，以爲報復。

宋初，小南強跟劉鋹一起入宋，流入中原，於是才有人見之於吟詠，宋人有詠茉莉詩云：

「炎州綠女雪爲肌，十二朱闌月未移；香妲腦紋眠不得，爲渠醒到打鐘時。」

從此吳下芳濱，秦淮舊院，無此花不足以盡其媚。後來，蘇州及揚州一帶的婦女們，更在光可鑑人的雲髻上面，插着兩三排穿成弓月形的茉莉花，來增加她們的容光廣香。清，顧鐵卿百城烟水，談珠蘭茉莉花市引蔣寶齡吳門竹枝詞云：

「剪末風微六月涼，畫船銜尾泊山塘；廣南花到江南賣，簾內珠蘭茉莉香。」

此後，則詠茉莉的詩亦很多，如南海布衣岑霍山即有詠茉莉詩云：

「珠江南岸脫雲晴，處處桑麻間素馨。燈事尚傳遊子艇；臺田曾誌美人銘。迎風暗入秋衫賦；籠月微聞夜夢醒，腸斷賣花聲去後，當年朱戶已長扃。」

屈翁山也有句云：「盛開宜酷暑，半吐則斜陽，繞髻人人艷，穿燈處處光。」

茉莉不僅可戴，還可以陳設，又可以釀酒製茶，作球作燈。素馨燈最香艷照人，所以楊用修有云：「粵中素馨燈，天下之至艷者。」

最後要述及的，則爲借茉莉花以資諷刺，有的還召有殺身之禍，爲茉莉半添若干韻事。上文曾述及茉莉花還有一種特性，它和女人的髮膩脂粉，一經接觸，更會發出一種更濃郁的香味，這種香味更能陶醉人。沈三白在浮生日記裏，對他的太太芸娘說：「古人以茉莉形色如珠，故供助妝壓髮，不知此花必沾油頭粉面之氣，其香更可愛，所供佛手退避三舍矣。」芸娘說：「茉莉是香中小人，故須借人之勢，其香則脅肩諂笑。」

而兩夫妻的對話，茉莉罵盡世俗小人之徒，狐假虎威，脅肩諂笑，直是痛快之至！

清末，南海張樵野侍郎，他本與維新有關，慈禧太后把他論成烏魯木齊。途中作茉莉詩，用王漁洋秋柳韻，與樊樊山唱和，驛使傳遞，多至五疊韻。張詩有云：「並時北勝原如子，從古南強屬漢王。」

詩中的遣詞命意，大致是說天下是皇帝的，太后不過是楊貴妃一流的傾國婦人而已。詩詞諷刺太露骨，慈禧太后早有要剷掉他的意思，加上這個詩案，更是恨之入骨，加速要殺他的決心。

這是有關茉莉的一段掌故，亦可以編入茉莉詩話。

海嶠舊談

談曾擴情（一）

諸葛文侯

近卅年來，我所交游的政界朋友，出身黃埔軍校的很不少，有幾位並非赫赫顯要人物，卻是我所樂於親近往還，衷心對他們表示讚佩的，如四川威遠曾擴情，湖南長沙袁守謙，醴陵鄧文儀是也。他們有一種共同的風格，即對人接物絕無「天子門生」的驕矜氣味，更不作訑訑拒人的時代寵兒狀，誠坦和易，予人以可親的印象。袁、鄧是我的老鄉，爲免有阿好溢美之嫌，姑且存而不論。「曾大哥」陷在大陸魔窟中，歷盡非人生活，其存其亡，莫可究詰，溯迴前情，曷勝悵惦，緬懷故人，不能忘也。

民國十七八年間，曾氏于役南京的中樞軍政機關時，甚邀最高統帥信任，這時我不認識他，但據小同鄉黃埔一期出身的蕭洪（他擔任黃埔同學會總幹事職務）君，談出「曾大哥」一樁故事，頗爲有趣，他說：曾氏於民國十六年秋間，一度奉命入巴蜀視察當地軍人對革命運動的意向，回來後不久，即在南京城內斥資購置了一座洋樓作私人住宅，內面裝飾亦相當講究，客廳裏擺設着古董玩器，有若貴人公館然。一般軍校同學們見之大譁，羣向蔣校長表示抗議，認爲這是腐化生活，非革命軍人所應有，要求校長令飭曾氏將洋樓立刻售去，「曾大哥」夷然奉命維謹，即不再作求田問舍之想。實則看看後來一般文武新貴的私生活享受狀況，曾氏之所爲，乃極平常的小巫而已。可見那時候一般青年軍人的革命精神尚旺盛，而曾氏日後亦始終保持其樸素生活，決不隨俗浮沉。難得也矣。

我與擴情交往，是民國廿四年在四川開始的。某夕我約他到家裏便餐，座中有幾個跟他不熟識的客人，我照例介紹一下，稱他爲「曾將軍」而不名，旋有一客以莊重的詞色詢問曾氏是那個學校畢業的？他亦以肅穆態度答道：「兄弟是行伍出身」，同時目視着我微笑，示意莫說他是黃埔學生。飯後問他何以諱言資歷？他說：「對着生疏人一說是黃埔出身，就不免有炫耀的嫌疑，講啥子嘛！」這使我對他發生良好的觀感，往後我覺他立身行己的自然表現，總是一派悃愊無華的誠篤氣質，尤堪讚嘆，如是乎，連我亦不期然而然地學習一般黃埔生的口脗，呼之爲「曾大哥」了！

民國廿五年十二月，西安事變之際，曾氏以軍事委員會政訓處長身份，亦在西安被叛軍拘禁着。繼而叛將害怕中樞大張撻伐，脅迫曾氏向南京廣播，說張楊對蔣委員長決無危害之意，只是要求停止內戰，一致抗日，盼大家放心云云。這段廣播詞，當時我在貴州省城亦收聽到的。迨蔣公回京，曾氏亦恢復了自由，他到南京後，特爲此事簽呈委員長引咎自劾，蔣公批以「無恥」二字，並予以禁閉的處分。洎是他在政治上即一蹶不振，但對人決無半句牢騷語，淪落江湖，泰然自安，在人慾橫流的今日，不亦可以風世勵俗乎！

屈原和詩人節

·謝康·

（四）餘韻

屈原誕生至今，已經二千三百零四年了。他是公元前四世紀至三世紀的人物，我們生存在二十世紀，中國歷史已經換上二十多個王朝；民國成立也滿五十歲了。時世無論怎樣推移，歷代帝王和權勢煊赫的達官要人，一個一個地倒下去，除極少之外，他們的名字在人們腦海中已逐漸模糊起來，甚至於完全磨滅，不復省記了。眞是大江東去，浪淘盡千古英雄，人物俱往矣！然而那行吟澤畔，自沉汨羅的屈原，卻永遠活在人們心中，成爲詩人謳歌民衆紀念的對象。他的聲名，不僅是在中國與河山並壽，即在世界也好像歐洲古代大詩人荷馬，魏琪爾，但丁……諸家，如月經天，永垂不朽。誠如詩人雪萊所說：

「歡愉之詞難工，悽愴之詞多妙。」

屈原的一生，洋溢着國家民族的感情，智慧，也充滿着偉大時代的人生悲劇。試聽離騷中這兩句歌詞：

「寧溘死以流亡兮，余不忍爲此態也！」

這些，都是流亡時代人生世態的哀音，屈原的偉大和我們的共鳴，似乎都寄托在這些悽惋悽愴的詞調裏了。（本節完）

歷史人物

內僑警台報字第〇三一一號內銷證

自由報

THE FREE NEWS

第一五六期

中華民國僑務委員會頒發
台教新字第三二三號登記證
中華郵政台字第一二八二號執照
登記為第一類新聞紙類
（半週刊每星期三、六出版）
每份港幣壹角
台灣零售價新台幣弍元
社　長：雷嘯岑
督印人：黃行鑑
社址：香港銅鑼灣高士威道二十號四樓
20 CAUSEWAY RD 3RD FL
HONG KONG
TEL. 771726　電報掛號．7191
承印者：田風印刷廠
地址：香港灣仔高士打道二二一號
台灣分社
台北市西寧南路壹叁壹號二樓
電話：三〇三四六
台郵撥儲金戶九二五二

俄共新綱領草案評語（下）

王厚生

世人皆謂中俄共之間雖有分歧，但兩方受主義、目標和現實利害等因素的聯系，不致引發決裂，至少在目前無此跡象。這話大體上是對的。對此舉世注目的問題，我想似乎可補充說明一點，即赫、毛之爭不是有意的分道揚鑣，也不是兩方中之任何一方放棄了共同的主義和目標，而是兩方對於當代世界的認識和了解有着距離，對馬列主義的解釋有着距離，另外尚有爭奪威權和意氣成份夾雜其間。赫魯曉夫似乎並不拿毛澤東看做同志，他擬另選聽命於他的人出而代理中共事務，如這個目的達到，中俄共間的關係立可改觀，毛澤東一天不去，赫魯曉夫似一天無意於改善中俄共關係。依據目前共產世界流行的所謂各國共黨獨立平等之義，赫要毛去，不大容易。毛則自有其搞法，赫魯曉夫不肯救荒，便轉向西方資本主義國家求情，賒賬購糧，滿不在乎，這種做法是否符合「東風壓倒西風」的口號，可以全不理會。倫敦星期泰晤士報在七月十六日報導，在中共的政治局內部，反對毛澤東路綫的勢力正告具體化，周恩來是反毛勢力的首領。這個報導的可靠性還待證明，但鑑於中共建黨四十年間的內部鬥爭，領導階層的互相傾軋和誑譏，實有其可能性。從劉少奇在中共成立四十周年的演說詞來看，他在表面上似乎同毛澤東站在一起，堅持三面紅旗，實際怎樣，也待證明。冷觀種種跡象，中共內部有所醞釀，不久將來，也許可見分曉。

八、新綱領有關經濟的部分完全是烏托邦，且讓時間和事實加以證明，現在仍屬文字階段，不必多加重視。這情形，類似一個窮光蛋，簽下一張三十年後的巨額空頭支票，其難以令人置信，原是常情。何況二十年後，簽支票者如赫魯曉夫之流，早已不在人世，將來兌現與否，他們全不負責。但在今天，爲時勢所廹，不得不以老千手法，幹此欺騙勾當，其作用已見上述。

九、俄共新綱領在討論到共黨爭取政權的各種方法時，認爲經由議會是最佳的方法。但是又說，剝削階級對人民使用暴力時，共產黨即需考慮非和平的過渡辦法。甚至說，歷史證明，剝削階級不會自動的放棄政權。這種論調符合馬克思主義，却有違列寧主義。這種論調更使我注意近年來的共黨宣傳，他們時常謗稱「社會主義勢力」如何壯大。這次新綱領則說「社會主義」無可避免地遍到處接管資本主義，這些社會[illegible]的客觀法則。一九五九年赫魯曉夫在美國時，會對美國人民說，你們的孫輩，將生活於社會主義之下。共黨這一宣傳，在此應予揭穿，以免其繼續招搖撞騙，淆亂視聽。的確，亞非若干新獨立國家的官方政策，嘗以建設社會主義爲目標，阿聯如此，印度如此，緬甸、錫蘭和印尼等無不如此。數年前赫魯曉夫在解散共產國際情報局的公報中，聲明欲與世界各國的社會黨爲友。嗣後，他自作多情，將全世界的社會黨統統包括在他的所謂「社會主義勢力或陣營」之中，換句話說，他將民主社會主義者包括在內，將北歐的社會主義者包括在內。實際上，如衆所周知，自由世界的社會主義者自有其國際組織，與俄共不但不相干，且相對立。一九五六年匈牙利十月反共革命時，社會主義國際即曾猛烈譴責俄共的暴行和帝國主義行徑。至論美國，雖推行福利國家措施，但美國人不喜「社會主義」之名，致被俄共這回的新綱領形容爲「國際反動的主要堡壘」、「最强大的資本主義勢力」。其實冤枉之至！

十、新綱領論俄共的對外關係，可分二方面來說：對西方國家，是和平共存，理由相當正大，如說國際局勢緊張，可使國防開支增加，因而使提高人民生活水準的計劃無由實現；國際關係長期正常化，軍費開支縮減，全面的裁軍實現，可使提高人民生活水準的計劃超額完成。新綱領於是要求與其他「社會主義國家」共同努力，防止和消滅戰爭；要求解散軍事集團，停止冷戰，撤消設於外國的軍事基地；爭取受國際嚴格管的全面總裁軍；加强與亞非和拉丁美洲國家的友好合作；增進與美國英國法國西德日本義大利和其他資本主義國家的關係；鞏固一切反對戰爭的勞工階級國際組織；謀求國際間對科學、技術、貿易和文化的合作等等，且說共產主義的歷史使命是消滅戰爭，在地球上建立持久和平，戰爭不能和不應爲解決國際爭執的手段，採取每一防止世界戰爭的方法，並提供條件，使社會生活中完全消除戰爭。新綱領說：「蘇聯共產黨認爲它的外交政策的主要目的是提供和平條件，以便在蘇聯建設共產主義社會，發展世界社會主義制度，並與其他愛好和平的人民一起防止人類之間發生滅絕性的戰爭」。俄國需要和平以實行二十年計劃，也係眞情，但蘇聯欲「發展世界社會主義制度」，輸出思想，輸出革命，問題便變得複雜，所以俄共新綱領雖强調和平，但共黨常以「爭取和平」代替「戰爭」；則共黨的好戰本性，未嘗稍改。新綱領又說：「强大的社會主義陣營、愛好和平的非社會主義國家、國際勞工階級和一切爭取和平的力量團結起來鬥爭，一場世界大戰是可以避免的」。這一段話，包含三種作用，第一，對亞非地區的所謂不承諾國家（普通稱爲中立集團）進行統戰，因爲這些國家將於九月一日開始在南斯拉夫首都貝爾格勒德集會，參加者約有三十國左右。第二，爲共黨於有利時機發動有限戰爭預留藉口。第三，仍不以世界戰爭不可避免說爲然。

新綱領對共黨國家之間的關係，可注意二點，即新綱領本身完全以民族主義的（Nationalistic）形式出現。其次，是新綱領說明：「各國共產黨是獨立的，它們將視它們國家的特殊條件而擬定其政策。它們彼此之間的關係是基於基本的平等，以及無產階級的國際主義原則。它可作爲一個團結的國際勞工隊伍的成員，自願和自發地配合它們的行動。」這段話冠冕堂皇，事實恐難如此，赫魯曉夫能容許其他共黨附庸政權唱反調嗎？毛澤東最有資格對此問題作答。

拾一、新綱領對共黨人事和機構有原則性規定。它譴責史太林所建立的「個人崇拜」認爲「個人崇拜」破壞了集體領導和社會主義合法化。此外，新規定中央委員會的選舉規則，在每屆例行選舉中，中央委員應有不少於四分之一的新人。中央委員會主席團成員之連任限於三屆，但具有「公認威信、組織能力和其他才能」的黨員可以延長任期，惟必須在中央委員會的秘密投票中取得四分之三的票數。凡經三分之二中委的秘密投票，可將黨員逐出中委會或其他黨的領導機構。

以上原則性規定，可作幾點批評：赫魯曉夫在俄共內部仍多牽制，他在中委會中所獲得的信任票不會超過三分之二。領導機構注進新血是赫魯曉夫使俄共「返老回童」的一種計劃，不久以前，他公開表示，應使三十五至四十歲的年青黨員居於黨內重要地位，赫魯曉夫是共產黨人，共產黨人而抱此革命新觀念，應受我們的注意。限制領導人員的任期與列寧的組織思想不合，依列寧見解，黨的領導人爲職業革命家，具有高度的無產階級意識，故可以順理成章，保持終身職位。

（下轉第二版）

不知所云

自由談

美國有些議員——如粵語所謂「牙擦擦」的參議員——尤其是預聞外交問題的外委會首腦人物，像富爾布萊德，韓富利，摩斯之流，無論國際間發生任何一種動態，他們都要咻然大發高論，多所主張，實則對任何問題皆沒有深刻的認識和瞭解，乃屬皮相觀察之談而已。

譬如自由世界反抗共產極權侵略主義這回事，這些好說話的參議員，對於共產[illegible]社會主[illegible]何區別？俄帝所謂「和平」與「戰爭」的涵義如何？他們完全不理解，祇是憑着赫魯歇夫表面上的一言一行，一顰一笑爲議論的標準。過去赫魯曉說了一句必須改變西柏林現狀的恫嚇語，他們就皇皇然一心以爲大戰即將來臨；近日赫魯曉聲言柏林問題可舉行圓桌會議談判解決，他們便認爲大可安心了（富爾布萊德說的）。又如赫魯曉批評一下中共反對「和平共存」的意見不對，富爾布萊德等人，即說是中俄共勢必分裂，而主張美國及早跟外蒙古傀儡政權建交，以便從中分化俄共集團，坐收漁人之利。他們把赫魯歇夫以及毛澤東看成是隨便可以捉弄的低能兒，眞是不知所云啊！

他們對於接受美援諸弱小國家的內政，隨時信口批評指摘，認爲這個是獨裁政治，那個又是不民主的政府，別人若向美國當局有所申述，或者批評一下美國的外交政策，他們即憤然作色，說是干涉了美國的內政。最令人駭笑的，如日前民主黨參議員摩斯，竟說中華民國是靠美國支持的「傀儡國」，恬不知羞，自毀本國信譽。這類人物來佔據最高決策機關，而擁有贓否政策的權力，美國在自由世界的威望，那有不日益低落之理呢？尼采有言：「百事皆有說詞，而百事皆不知其所解」，正可作這些「牙擦擦」的美國參議員之絕妙評判詞。這是美國之不幸，亦爲自由世界該走霉運之基因也。噫！

馬五先生

漫画天下

南施

誰的「王牌」大？

惹禍的「走廊」！

上帝的兒女有福了
烏烟瘴氣的游學與溜學

（台北航訊）

・吳越・

當六千多名大專畢業學生在週前冒暑揮汗參加自費留學考試的時候，報紙刊出，去年七月藉名前往西德慕尼黑朝聖的四十二名「朝聖團」女團員，已經在主管機關的順水人情之下，偷偷摸摸的經由「捷徑」而達到了留學的目的，叫這些奉公守法參加考試的學子又如何心服？

「朝聖團」借名留學的事，去年確是引起社會輿情的一片責難，但是，中國人差不多都有健忘的毛病，事隔一年，大家本來都已把這件事忘記了。由於這次的留學考試，聯合報揭發大部份團員出國護照延期的消息，以及報紙的抨擊和立法委員侯庭督「為宗教團體破壞法令作留學生走私勾當」向行政院提出質詢之後，此一內幕，再度吸引了社會大衆的注意。

「朝聖團」是天主教在去年七月間組織前往西德慕尼黑的，團員都是有錢有勢人家的子女。據說還須要花一筆鉅大的活動費或是捐款，才能取得一個團員的資格，這件事在教會的青年群中，曾經着實引起一些不平。「朝聖團」的目的只是朝聖，為甚麼護照需要十三個月的時間？當時就很引起一般人的懷疑，是不是別有用心？外交部曾急急出來說明，這批護照嚴格限制的有效期限僅為十三個月，即在今年八月屆滿。外交部並規定：「假若其中有未能如期回國者，除非有必要理由，否則將吊銷其護照」。並且外交部一再申言已經在各該女團員的護照上註明：「本護照延期及各項加簽，非經呈請外交部核准，各駐外使館不得受理」。政府官員及宗教界領袖也屢次公開保證，這些朝聖團員「必將在任務完畢後，全部返國」。

到後來朝聖任務完畢之後，這批團員卻並未如她們的宗教領袖保證般的回國，而紛紛轉飛各國，大部份卻是往美國去了，並且大多數都已進了學校，於是又引起社會的責問。宗教領袖又急忙出來說明，這次並且發明了一個新的名詞，說這些團員是去「遊學」而不是「留學」，護照到期了還是要回來的。但據上月三十一日聯合報的消息：這四十二位遠渡重洋的小姐們，不但已向美國政府取得了繼續在美居留的資格，而且其中大部份的護照已被核准「延長有效期限」，另外的少數亦正在陸續趕辦手續中。

原來，當去年朝聖團初出國門時，是經由內政部核可而轉請外交部發給護照。今年年初，就已經有團員們的家長在台北向各有關機關活動，他們的方式是由女兒們在美取得某一些宗教團體的一紙證明，證明她們「宗教方面的學識不夠，仍應繼續研究一年」。如此這般，內政部予以同意，外交部也就送了順水人情。

另據教育部一位不願透露姓名的高級官員表示：開始時亦有一二位小姐希望能透過教育部，直接將出國的原因由「朝聖」轉換為「留學」，以求一勞永逸。教部對這一二位小姐的要求，予以批駁。這位官員說：「否則，教育部何必再辦什麼留學考試呢」？看來教育部到像認真在辦事。

聯合報在昨天的短評中說：「留學考試是現行教育法令所規定的一種制度，凡出國深造的留學生，須經考試及格，方合法定程序。然而事實上，若干有權有勢，而又有錢的名門鉅室，其少爺小姐的出國，多未經過法定程序的留學考試，而是通過種種旁門左道「溜」出去的。這般「溜學生」的放洋，卻又每每披上宗教的道袍。」

同日的徵信新聞報也在評論結尾中說：在這裏，我們不難歸結到，今日青年男女出國留學之途有二：其一是一條曲徑，必須十年窗下，孜孜兀兀，通過一次兩次甚至無數次留學考試，然後取得出國資格。其二是一條捷徑，只要有辦法，有關係，經由上帝選擇而取得出國資格。

立法委員侯庭督今日在立法院向行政院就此事提出質詢，要求答復，他在質詢中說：

一：外交部明明曉得這四十二位女團員是「朝聖」去慕尼黑，為甚麼又准她們去美國？有效期既為十三個月，根據什麼「必要」的理由核准她們「延長有效期間」？自古皆有死，民無信不立，外交部這樣視國家法令如廢紙，不顧政府威信，所送的不是「順水人情」，而是國家命脈！

二：內政部以先核准這個社會團體是出國朝聖，為什麼以後又同意她們到美國去讀書？如果說她們在美國研究的是「教義」，同樣應該透過留學考試，請將這四十二個女團員所在宗教學校的名稱，函送本院。

三：教育部應該知道，今年報考自費留學的大專畢業生有六千多人，僅僅錄取一千五百人，如果允許這四十二位「幸運」女兒，偷偷摸摸的溜出去留學，將何詞又對這四千五百個落第者？聽說前年某高級軍事首長的公子，因報考自費留學不第於自殺，在遺書上期望家人將他的骨灰送到美國去。這個志切向學的傻孩子，如果知道「朝聖」可變「留學」，他將死不瞑目。對於這樣非法留學的事件，教育部難道就裝聾作啞麼？

四：有宗教領袖在報上發表談話說「遊學」不是「留學」，這類遁詞，本不值識者一笑，曾幾何時，「遊學」變成「留學」了。宗教的最大要求是「誠」，也就是不虛偽，懷着鬼胎去「朝聖」，上帝能原諒麼？應請外交部照會羅馬教庭，嚴禁她們的宗教領袖在中華民國破壞法令作留學生走私勾當。

立法委員的這一質詢提出之後，的確是盡了為民喉舌的責任，說了大家要想說的話，現在大家等着看行政院的答覆好了。

茲誌去年出國的朝聖團女團員名單如下：傅智明、鄔逢華、黃曼麗、林玫、李琇琪、沈斐文、于淑煥、孟素聰、張素玉、楊倩絨、梁青、周麗娜、崔式瑛、斐詠菱、羅茜蕾、方愷、趙汝鏑、艾享忠、朱志瑛、王安靜、王則佩、鄭立禮、莊聰華、吳芸、郝海萍、郝蘭萍、馬禮雲、程越敏、姚兆明、葉信安、楊曉嵐、楊淑嵐、黃穎慈、孫振安、苗華岑、王乃驩、張豐君。

五十、八、四

緊張香艷兼而有之
雨港市府現形記

（基隆通訊）

燕謀

有雨港之譽的基隆市眞是多事之秋，最奇怪的是，都是些女人為主角。開頭由市長夫人領銜主演了一幕熱鬧的醜劇，由市長夫人的出走，到營牌表妹李歐美的大鬧市府，又到對簿公堂，而至接風酒宴，眞是一幕夠得上水準的好戲。市長林番王的家庭糾葛剛閉幕後不久，市政府又上演一幕太太隊伍大鬧市府的惡作劇，為了自來水的問題，百餘位英雌大興問罪之師，奇怪的是這些太太好像很有軍令似的攻進市政府，將市長辦公室包圍起來，林番王市長罵她們沒有知識，結果更是激勵她們憤怒，市長面對太太隊伍威脅，藉故從後門而逃，後由市府派車將她們送回去，這幕鬧劇才算暫時收場。

不料這第二幕鬧劇剛閉幕不久，接着又上演第三幕好戲。這幕戲的主題是「色」而不是「水」了。是一幕緋色哀艷的好戲。緣由是基隆市府主計室主任林智敏，在辦公室公然猥褻女職員。七月十四日下午，女主角鄭金枝，携帶請款傳票，到男主角林主任辦公室請林智敏蓋章，當時適副主任不在，談了幾句無聊的話之後，林智敏主任便左手拉着鄭金枝小姐的右手，右手便伸入鄭金枝的胸部，她驚惶失措後退倒地上。剛好被教育科同事李錦闖破春光。而致鬨動市府。男女主角不算熱鬧，林智敏又發動主計室所有女配角，要市府所有女職員簽名，聲明林主任幾年任內，從無輕薄過女職員，結果只有主計室的直屬女職員，在頂頭上司之淫威下，昧於良心地勉強簽了六七個名，其他各單位女職員並不願簽名以助紂為虐。林智敏此着未得逞，復又在報端刊登啓示，否認有猥褻女職員的事，反而指責鄭金枝造謠誹謗；一面又去自立晚報拜託拜託，請「不要見報」，拜託漫畫家牛哥不要畫他，並拜託台北各日報晚報，請不要見報。結果林智敏的計劃整個失敗，各報均以社會版花邊新聞見報，漫畫也見報了。結果搞得滿城風雨，特別給我們這亞熱帶的寶島，帶來了消暑的酸梅湯。

女主角本來為保全飯碗不要敲破而息事寧人，但因林智敏不但不深自檢討，反而在報端刊登啓事；同時在市府例行的業務會報上責難那些支持鄭金枝的職員。（鄭金枝自述）因此鄭金枝便只有訴諸法律了。

在此期間，又穿插了很多插曲。有讀者投書指林智敏以前類似緋色的事甚多，並譽林為「色狼」，要把色狼趕出基隆市府去以安女職員的心。第二插曲，是由林市長夫人朱鳳娥女士，接見鄭金枝，並答應為她後盾，並發動市府所有女職員及基隆市婦女分會為她後援，因為朱鳳娥女士是基隆市婦女分會主委，她又是第二幕好戲的女主角，看這幕戲這樣演下去，是很可觀的。現在鄭金枝已訴諸基隆地方法院告以「猥褻及妨害風化」。基隆地檢處已開始偵訊了。

在第二幕好戲正在密鑼緊鼓之際，七月廿六日又是一羣娘子軍第二次大鬧市府，而且又是為了「水」的問題，幸而憲警趕到，自來水廠廠長答應七日內解決，這場好戲又算暫時收場。以筆者觀察，這類好戲，將陸續不斷地連場演出；說不定還有更精彩的表演呢！

香港與大陸

大陸暴政，促使人民冒死逃亡，在港澳邊區，日有數起。有的幸運地逃出了生天，有的則不幸被捕拘返，其中故事，有血有淚，可歌可泣。據一最近自大陸逃出之青年稱：彼計劃逃亡，已有兩次，惜均未能如願，此次則抱犧牲決心，偕十五人連袂自中山逃抵澳門關閘。時值深夜，正擬偷渡之際，忽被中共守軍發覺，乃放警犬追踪，同時以電光照射，彼乃逃入兵營一角匍匐地下，幸未被電光照及。目睹其餘十四人均被拘返，彼則乘此擾攘之際，閃身出關，大難不死，誠屬幸運云。

又據該一青年稱：今日大陸，不啻人間地獄。凡稍有機會者，莫不設法逃生。此刻大陸人民，已不如過去三反五反時之相互猜忌，鬥爭，而是暗中傾訴，暗裏計劃如何逃亡。沿江一帶，（按，該青年人所指者乃珠江）人民多識水性，即平日不好游泳者，此刻亦莫不加緊學習，蓋彼等深知，如欲逃往港澳等地，除陸路外，尚有水路，學習游泳，熟諳水性，對於異日逃亡，當大有幫助。

筆者復詢以如國軍此刻反攻大陸，則將如何？據稱：倘國軍反攻大陸，則不僅大陸一般民衆揭竿起義，即共幹中，亦必有大批棄暗投明者。因彼等雖為共幹，而彼等之父母妻室兒女亦在飢餓狀態中，固早已不值上層統治階級者之所為。只以時機未到，不敢妄自滋事闖禍而已。目前大陸人民，日夜盼望國軍反攻，彼等認為，只須國軍踏上大陸土地，則任何一處之鄉民，皆將為國軍之耳目。

該青年尚有父母在大陸，據稱：今日大陸上，年老一輩的人，多數鼓勵其兒子設法逃亡，只須其兒女逃離大陸，則彼等總覺希望尚在人間，讓老一輩子的人受些折磨，亦所心願云（田）

俄共新綱領草案評語

（上接第一版）

現在不然，每屆選舉應有新人，主席團成員只能連任三屆，即是不信任列寧的理論，也是不信任領導上的永遠正確性。這確是合乎科學和民主的辦法，可是，行諸於共黨人事制度和機構，後果實在嚴重，因為共黨制度已有積重難返之勢，一旦改絃易轍，黨內將生意見紛歧，黨中央既採集體領導制度，又可隨時經改選而調動，則領導人的威信大不如前，批評和自我批評行將普遍和頻繁，結果可使黨內鬥爭加劇，不僅決策困難，權力不易集中，且有造成政策三反四覆和黨內分裂的危機。但是，這不能責怪赫魯曉夫（即新綱領由他起草）因為史太林的殘暴提醒他們，倘非如此，必同樣使黨中央或黨獨裁者脫離一般黨員和廣大民衆，從而使「共產主義」蒙受無可補救的傷害。我們如將俄共新綱領的組織原則應用於中共，則毛澤東要農業合作化，下面的「小腳女人」可以大發雌威，反對他，指責他；毛澤東要人民公社，下級幹部也可以反對他，批評他，進而還可藉黨中央機構的改選，叫毛滾蛋。共產國家是由黨領導政，黨領導一切，黨的任何改變因此可以影響其他一切。所以，黨人事和組織的改變首應受到我們的注意。

八月七日

科舉談往（上）

漁翁

漢代課士，分甲乙丙等科，曰「科甲」，唐始用科目取士，改稱「科舉」，其後宋用帖括，明清用八股，亦沿科舉之稱。科考之場，謂之「科場」，宋史選舉志：「太宗曰：朕欲博求俊彥於科場中，非敢望拔十得五，止得一二，亦可爲致治之具矣」。足見試必求才，舉在寬營之至意。

科舉之程序，分縣府試，鄉試，會試，殿試等，凡經過各級考試而入選者，曰秀才，舉人，進士，翰林等名稱，縣試者，不限年齡之大小，但於文藝上弋取焉。

在宋參加科考以前，統稱童生，又名文童，童生第試爲縣考，分五場，第一場試八股兩篇，詩一首，餘爲復試，首次復試四書五經文及詩各一篇首，二次復試，四書文，策論，各一篇，詩一首，三次復試，四書文一篇，詩數首，四次復試，再試八股文一篇，入選後，造冊送府，由府再考，稱爲府考，府考科自，與縣試同，獲取後，造冊送院，再應院考，院考由欽派學政爲主考官，俗稱之曰「學台」，經院考錄取者，曰「邑庠生」，又稱「博士弟子員」。秀才即其俗號也。

秀才之名，在漢以前即有之，後漢光武名秀，避諱改稱茂才，謂其才秀異茂美也。唐後仍沿舊名。秀才雖屬小試功名，但爲里人所尊重，凡不得志於有司者，往往抑鬱而寢饋不安，也有曠達自處者，據傳清代乾隆間，有一童生應試落第，時在清明，歸途遇雨，做杜牧清明詩而詠之曰：「清明時節雨飄飄，落榜童生冒雨跑，借問酒家何處有？牧童遙指李家橋」。以李家橋爲酒肆所在也。

鄉試在各省省會舉行，時在仲秋，亦稱「秋試」，又曰「秋闈」，在漢取士，無考試之法，皆令郡國守相薦舉，故謂之舉人。章帝詔曰：前世舉人貢士或起畎畝，舉人之名，始見於此。唐宋謂之舉進士，言舉之使應進士科也。明始以鄉試中式爲舉人，清因之，蓋自本人言之曰登進士，自朝廷言曰舉人，謂州縣所舉到之人也。

獻曝隨筆

汶津

在這個世界上，生前熱鬧，死後寂寥的先例是極普遍的，嘉言惠人並不難，難在使勞苦的人們心安理得，不尤不怨。謊言只是易腐的劣藥，根本無法躲足人世。看看古往今來多少無名英雄，他們的貢獻只存乎上帝的心目，而不必流傳在世俗的讚譽中。甚至他們在生前也很少想到這些。

只有他們遺鑒人才是不會白活的。紀念碑不比夢幻更是久些，但我們永誌堯舜的德澤，他們是中華民族的先聲，即使沒有人能告訴我們他們的面貌和其模樣，又有什麼關係呢？瀟灑的芬芳不在花袋風露，含苞之香，縱然之行，才是人類的智慧。時間將會飛逝過，只有潛心修持的人才能將出永恆的微笑。如果我們把宇宙想像作一間芝蘭之室，我們將會安寧無比，我們將替後晷爭鬥的人們不值。而最重要的是建立起內心的聖殿，華美而高貴，並且永不容忍何風暴的摧殘。們沒接攝大自然的精粹，以靈魂之光取代珠寶，以蔵裝的玄機，展放茉莉一樣的美妙氣息。更把薔薇的愁鬱，澤化爲一如晴雲的愉悅。那麼，你的一片丹心，將遠勝過那薔薇的富麗了。

我們不一定需要儀式煩瑣的宗教，也一樣地其樂陶陶。我們對世界不必有什麼猶豫猜忌，我們該相信文化永遠是欣欣向上的。只要不輕視你的智慧，你將會發現你的生命是如此的豐盈。到處有錦上添花的故事，鮮花開遍在你與鄰人之間。甚至當你安眠的時候，也有安琪兒來入夢。也許還會惹得你笑，說這是一種火花般的幻想。但有多少眞實的世事不是也源自幻夢？如今人們已能如鳥飛，如魚行了。未來的時代中，安知人們不會自在和諧得一如囊嚴？

固然我們面臨着一個陰晴的世代，但那些在黑暗中追索光明的人是何等可嘉可敬！他們不懼辛勞，挺身而出，爲着我們所有世人的父母妻子而獻身，更爲億萬代的子孫拋擲無數歲月，以及一切的幸福，這便是人的高貴處。即使自私的人日漸增加，極少數的殉道者仍足以穩定我們的信心——今天，沒有什麼比不放棄信心更重要的了。

我們看到流汗賣力的勞動者，不免會由衷地感到慚愧，他們仍單純、誠懇地工作着，像我們可敬的先民。而另一批人則在混水摸魚，坐享漁人之利。那麼，何不把我們的智慧針對後者，來一番公平的淘汰呢？世間許多精華的事物，都是因爲魚目混珠而糟塌了，而受到無辜的汚衊。我們想劃除某些敗類，確也不是出自私人的恩怨，而是想：使這世界保持她那種歷史性的美善。

和朋友談天，說到自己的路向。我們迂迴曲折地談了許多，結論是：不能顧忌太多世俗的反應或嘲笑，也不能過份放任自己的一時之快。我們的心理界域有待擴充——像雲一樣地翱翔長空，但也不宜像野馬脫韁那樣地狂奔，以致無法收拾自己。「心遠地自偏」，只要有「能屈能伸」的耐力和修養，你大可不必過於憤世疾俗，以致成爲「憤怒的青年」或半瘋狂的怪物呢。

許多世情是微妙得不可言喻的。「如人飲水，冷暖自知。」只是紙上空談，還不如身歷其境。兵學家而臨陣脫逃，畫法理論家而滿紙塗鴉，豈不爲匹夫匹婦所笑？江湖郎中治不好自己的痼疾，足球教練從未奔馳沙場，能使他的病人、球員心服嗎？許多乳臭未乾的孩子，知識雖然有限，他們對生活的享受和體驗卻比某些冬烘先生更眞實些。滿口「子曰」「詩云」，虛字實字：而不懂得春的親和，秋的幽淡，以及晨的清新，夜的深窈，徒然活在此太陽系第六號大行星上，究竟有何意義可言呢？

海瑞墓

·南道·

向有「南包公」之稱的海瑞，是廣東海南島人，一生剛直，廉潔儉樸。嘉靖四十五年（公元一五六六年），曾上治安疏，痛罵明世宗不修朝政，正直敢言。萬曆十五年（公元一五八七年）逝世，當時他任南京都察院右都御史，臨死時僅餘十多兩銀子，清苦可知。死後南京人民罷市，穿白冠送喪的人夾道百里，哭泣不絕。葬於海南島瓊山濱涯村。

海瑞墓園是他死後第三年（公元一五八九年）建立的，四週用花崗岩砌成牆，背北向南，地勢平坦。墓園廣植樹木，墓呈圓形，直徑五尺，高八尺，用特製的墓磚砌成，磚上雕刻有車輪，龍，各種花紋圖案。墓前屹立一石墓上鐫「資善大夫南京都察院右都御史贈太子太保諡忠介海公之墓」。碑前有大石供桌和五個燒香點燭的石爐，離墳墓前約二十尺的前面兩側，站着兩個威風凜凜的大石像，右側是海安，左側是海雄，他倆是海瑞生前的家人。

據傳說，從前墓園的入口處除有兩根石旗杆外，還有一座莊嚴巍峨的大石牌坊，牌坊的橫額上，前後刻着八個大字，前面是「氣塞天地」，後面是「粵東正氣」，墓前，左右分列石獅子，石馬，石羊，石虎各一對，中間有一個石龜，可惜年久失修，風雨侵蝕，這些石刻，多已破損了。

山川風物

癌君續夢

第二回：狼狽自爭雄，活佛有幸
人天齊示警，浩刦將成

陳毅回到毛澤東「官邸」，只見政治局常委都到了，另外林伯渠和董必武。陳毅戰戰兢兢把會談經過報告一遍，未等說完，毛澤東已經忍不住了。插嘴問道：「蘇聯大使辦公室裏有幾個女同志。」

陳毅不防毛澤東有這一問，順口答道：「三個」。

毛澤東又問道：「那一個最漂亮？」

陳毅頓時忘其所以，眉飛色舞的答道：「替契爾沃年科大使作速記員的那位女同志，面孔最漂亮，可惜身段矮了一點。作打字員的女同志身材十分勻稱，只是面上有幾個雀斑，算是美中不足。另外那位接電話的女同志，樣子長得很甜，可惜腰粗些，這也是蘇聯女孩子的通病。大體說來，都是上乘之選，平均可以打八十分，本來全材是難求的。」

陳毅還在向下說，毛澤東猛的一拍桌子：「該死的東西，一談女人的精神就來了。派你去同契爾沃年科大使會談，總共不到一個鐘頭時間，你却把他房內幾個女同志的像貌品得這麼清楚。可見你的心根本就未用在會談上，大概契爾沃年科說的什麼你都不知道，你還當外交部長嗎？」

毛澤東一頓臭罵，罵得陳毅面紅耳赤，坐立不安，其他的人想笑也笑不出。本來當毛澤東開口問幾個女同志時，周恩來就曉得不妙，使個眼色給陳毅，可惜陳毅正在興頭上未會留意，現在被毛澤東一罵，周恩來、朱德都不好出頭打圓場，事情當時僵住了。

這時活曹操却摸摸鬍子慢條斯理說道：「江山易改，本性難移，他這個脾氣再罵也沒有用，主席何必生氣；問題是這場交涉在北京恐怕談不出眉目，不如去電劉曉，就近向葛羅米柯探詢一下，還比較切實些。」

毛澤東看看大家都沒有表情，嘆口氣向周恩來說道：「也只好如此了。你回去馬上拍個電報給劉曉，要他就近設法阻止這項談判。」

周恩來站起來垂手應「是」，接着問了一句：「萬一阻止不來呢？」

毛澤東看看劉少奇和林彪，苦笑道：「也只能到那裏說那裏了，橫豎尾巴是扭不過頭的。」

周恩來回到「國務院」，李富春和李先念都坐在「總理」辦公室的會客室裏等他。周恩來半笑問道：「你們兩人一齊來，是不是經濟方面又出了問題。」

李富春連連咳嗽兩聲，愁眉苦臉說道：「不得了哩！根據各級幹部反映上來的情況，我們各項生產都和現實脫了節，馬上各種工業都要停頓，形勢之壞，恐怕超過了我們所估計到的。」

周恩來強笑道：「工業停頓，只要農業豐收還沒有關係。」（廿九）

岳騫

十六年的悠長歲月，已把他的心磨蝕得麻木了。五年前他從香港遷居台灣，在台北的郊區買屋卜居。異鄉作客，他心情上增加了一份憂國傷時的沉重，也就把那些失意的往事，摒除在記憶的門扇之外。

他是個民選的民意代表，平日除了開會的日子到會場去報到之外，便少外出，經常在家讀書自遣，偶然也帶着幼女芹芹去看一場電影，倒也在麻木中獲得平靜。

四

造化弄人，命運的玩笑，往往是突然而來的。吳超萬沒料到會在台灣又與陸令蘭相遇。回憶前情，他的心隱隱作痛了。

星期六是陸令蘭和她的丈夫宴請他夫婦的日子，吳超只帶了芹芹去赴宴，却沒有告訴他的妻子。

來到劉家，主人夫婦熱烈地歡迎着。陸令蘭首先爲吳超介紹了她的丈夫，又爲吳太太沒有光臨而表示遺憾。吳超隨口說了幾句道歉的話，便順着主人的指引坐下了。

這是一幢很考究的洋房，佈置得也很精雅。只是，不知何故，在吳超下意識的感覺中，這個家庭中似籠罩着一份說不出所以然的寂寞氣氛。

男主人劉先生是個樂觀好動，不大用腦的純外向型的人。他倒是興高采烈地招待着他太太的這位老同學。但當晚餐甫舉，客人剛回到客廳就坐時，電話鈴響了起來，他接聽後，走回客廳，坐一會，站一會，抓耳撈腮，那付心不在焉的神氣，已明顯地表現在臉上。陸令蘭也就不客氣地說穿了他的心事。

「大概是那班賭友在催了吧？你去好了，免得在這裏出洋相！」

「劉先生有約會就請便吧！不必陪我，我也該走了。」吳超立起身來。

「不，不，吳先生你請坐，你們同學多年不見，總該多談談。我嘛，因爲有個約會推不掉，吳先生不見怪的話，我就少陪了，改天再到府上去專誠拜訪，你請坐請坐。」劉先生很抱歉地說着，硬把吳超按到沙發椅上，自已便急匆匆走了。（六）

梅蘭芳之死

·徐學慧·

一代伶王梅蘭芳，終於去世了，梅氏之死，對中國人民來說，應該是一件大事，那不獨是由於梅氏的藝術；而且也是由於梅氏的氣節。

抗戰時期，梅氏留居上海，爲了不甘被敵人利用，乃蓄鬚絕唱，以揚氣節。像這種高風亮節的人，而謂他會爲共產政權服務，而謂他會歡喜共產政權，那是不可能令人相信的。

可是，在一切不由自主的共產政權統制之下，梅蘭芳畢竟也難逃於被折磨的命運。下所引述，是八月九日香港「大公報」第一版的「本報特輯」中文字，讀者無妨在此中細細體會。該文稱：

「在戲曲工作上，他……不遺餘力執行百花齊放的文藝方針。……在抗美援朝時期，他曾經前往朝鮮，參加……演出。回來之後，又在各處爲工人、農民和解放軍演唱。」

一個六十幾歲的老藝人，還要冒風犯雨，到各地去演唱，這豈是所以待藝人之道？但在共產政權的淫威之下，梅蘭芳能有什麼辦法呢？當年日本軍隊的殘酷，已爲中國人所深知，而對於梅氏留鬚拒唱之舉，猶能加以容忍，以彼例此，則今日之共產政權，其殘酷當較日本軍閥爲尤甚。六十幾歲的梅蘭芳，在共產黨的折磨之下，就像一棵甘蔗似的，一直榨到他死。世間殘忍之事，孰有甚於此者？

在今日大陸，還能有留鬚拒唱的自由嗎？連這一點自由都沒有，還能有什麼好說呢？

偉大的藝術，必須植根於自由，因此，偉大的藝術家，也必然是酷愛自由的。十年來的梅蘭芳，默默地忍受着共產政權的折磨，可以想象得到，他的內心是何等痛苦。如果，就今日梅氏所處的環境來說，則雖生不如死，最低限度，死是一種解脫。

當然，共產黨是不會這麼輕易地讓他澈底解脫的。共產黨以捧死人起家，過去捧魯迅，捧齊白石，乃至捧七百年前的關漢卿；如今，梅蘭芳一死，自然還得利用這點死人價值。

看「新華社」發表的治喪委員名單，有蕭長華，馬連良，蓋叫天，姜妙香以及粵劇演員馬師曾等。這些老演員現在有如籠中鳥，看到梅蘭芳的晚景之淒涼，不知道他們該作何感想？梅蘭芳已經折磨死了，這些未死者又如何呢？

劉銘傳劉璈交惡經緯

李仲侯

（一）

劉銘傳死後，刊行劉壯肅公奏議，桐城陳澹然爲之作序言長數萬字，極盡鋪張頌揚之能事，序中對台灣兵備道劉璈則用最惡毒的文字，詆毀不遺餘力，如保臺略序內說：「劉璈者，湘軍將左文襄舊部也，及是任臺灣道四年，歲餉百數十萬金，所部軍二萬，裨將非進財，色不獲將一兵」，其在懲暴略序內，開首就說：「台灣之暴，莫大如劉璈，而彰化盜次之，朱守謨、潘高陞則狐兎之屬也」，又說：「故竊以謂璈之驕淫貪黷，植黨營財，猶爲當時之公罪，而激軍陷帥，險喪封疆，其罪乃不容誅」，陳澹然爲劉銘傳之孫劉莖莊之門客，又係同鄉，摭拾劉銘傳劾劉璈之語，申引其義，各阿其主，原無足怪，惟把劉璈比諸彰化案內劫館攻城之海洋大盜，則罵得未免過甚，查劉璈治台成績，昭然在人耳目，斷不致不肖若此，蓋劉銘傳參劾劉璈這樁公案，世人多未注意，其實不盡在淸末大吏傾軋成風，排擠異己，也不全繫乎二劉私人之恩怨，其背景實爲淸末湘淮兩軍門戶之爭，劉璈不幸在這門爭中成了犧牲者。

近代人論湘淮兩軍，以湘軍創自曾國藩，淮軍創自李鴻章　李爲曾之門生且兼故吏，一脈相承，無分軒輊，更無所謂門戶傾軋，惟近人蕭一山著清史，述湘淮軍代興關係，並論其優劣，持論頗爲別緻，他論湘軍的主流，不外出自江忠源，羅澤南，王鑫三大派，最後他說：「這三派都和曾國藩有統屬的關係，但不盡惟曾國藩的馬首是瞻，他們只以道義相維繫，可去可留，國藩所謂：『皆思自立門戶，不肯寄人籬下，不願在鄙人及胡駱等腳下盤旋』，確是實在的情形，即如國藩九弟國荃所帶的湘軍，有時也不盡聽國藩的號令，但是金陵攻克後，國藩要解散就解散了，李鴻章的淮軍就大不相同了。

善忘的故事

筱臣

善忘的人，在生理上說起來，當然是一種病態，這一種缺憾，在今天的醫學昌明之下，仍然是可以治療的。關於善忘的故事，中外頗多，茲且專述我們國粹的善忘。

這是一個古老的笑話，在從前專制王朝的時候，某縣有一個衙役，是善忘的人。有一次，他奉了縣太老爺的命令，押解了一個和尚進京，他爲了特別謹愼起見，恐怕因善忘而遺悞大事，就把隨身所帶的東西，來回仔細數了好幾遍，又獨自兒編成了兩句歌兒：

「包袱雨傘枷，文書和尚我。」

一路上老是把這兩句嗆了又嗆，那和尚知道他是一個傻子，認爲這是機會來了，萬萬不可錯過。晚上住店，用酒把衙役灌醉了，把他的頭髮也全部剃光了，又縱下自己的枷，套到衙役的頸上，於是這和尚就乘機溜之大吉，逃之夭夭了。

衙役醒了，說：待我查一查，點一點，丟了什麼東西沒有？他先點了包袱雨傘，說：「包袱有，雨傘也有。」再往頸上一摸，說「枷也有。」再瞧桌上，文書也在那兒，說了一聲：「文書也有。」哎喲，和尚那兒去了呢？和尚怎麼沒影兒呢？「傻衙役一焦急，一巴掌拍在禿兒腦袋上，他高興的說：「幸虧和尚還在呢！可是我自己呢？我自己呢？我自個兒這麼不見了呢？」

另外還有一個故事，名爲「王大嫂回娘家」。南瓜熟了的季節，晚上，王大嫂哄孩子睡覺了，走到門口乘涼，沒有月亮，只有幾點星，忽然間有個人跑來，笑着向她說：「王大嫂，你媽得了急病、快要死了，你還不去娘家看看！」王大嫂一聽，嚇得直跳起來，也不問情由，即刻跑回房間，抱了孩子，急急忙忙的向娘家跑去。

她慌慌忙忙，走到南瓜田上，一不小心，跌了一交，把孩子也掉落了。她趕急爬起來，連泥也不顧去揩掉，抱着孩子，一跌一跌地走到娘家。

她的媽媽正在燈下洗脚，那兒有病呢？原來是別人和她開玩笑。她走到燈下一看，原來抱着的不是孩子，而是一個大南瓜。她一急，也不說情由，往回就跑，她的媽連聲叫喚也當沒有聽見。

走到瓜地，瓜地非常廣濶，天又是黑漆漆的，好難找到孩子，這時她才想起忘記帶火把來，忘記叫她的媽來幫忙找。地方，還是財狼出沒的地方，她深怕豺狼吃了孩子，直急得五內如焚，她一面高聲叫着孩子，一面亂七八糟地翻着南瓜，南瓜給她糟塌了一大塊，她全身都是污泥，手也翻爛了……。費了九牛二虎之力，她最後找到了一個枕頭，是她床上的枕頭。原來她在急忙中，把枕頭當作孩子抱出來，以後又把枕頭換了南瓜。

以上一男一女兩個善忘故事，一望而知爲杜撰的，用來諷刺一般不加思索漫不經心粗枝大葉的一些莽人。至於眞實的故事，在近代的名人中，並不是沒有。茲且略舉二例，以資參閱。

其一爲前年已逝世的黨國元老司法院長王寵惠博士，某年他任外交部長的時候，擬召楊千里入京談話，但命秘書撰擬電稿時，誤告以程萬里，及程入京，屢調不見，程甚怪異，託人問故，王答：「我固未召彼。」其人出電報以示，王始大笑說：「錯了，錯了，我想召見的爲楊千里，非程萬里，今乃差九千里之多，奈何！」於是向程致歉而罷。

其二，則爲民國二十二三年之間，曾任貴州省政府主席王家烈，貴州遵義人，其人顢頇懵內，不諳治理，尤其缺乏記憶力，凡有所事，轉瞬即忘。某年因事訪桂，桂當局設宴歡迎，賓客甚多，白副總司令崇禧亦在座，王初不識白，經主人介紹後始相與寒暄，旋又與他客週旋，少頃復過白，則已忘卻，因復請教，白笑以姓名相告。少頃入席，白適與王座鄰近，王見白，又忘其爲誰，再又請教，白笑而答：「我還是白崇禧啊！」王以頃刻之間，一再相遇，一再請教，大爲慚恧，同座皆爲之掩口竊笑不已。如今來台的黨國大員，多半年事已高，善忘的趣事，當亦在所難免，如果把它搜集起來，必然很多，爲本欄平添若干趣料。

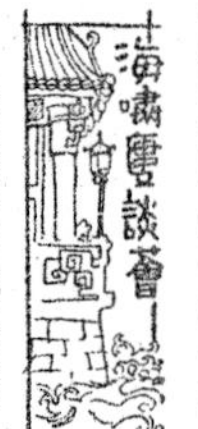

懷曾擴情（二）

諸葛文侯

擴情於對日抗戰期間，常川旅居西安，依其同學老友胡宗南，過着淸閒的幕賓生活，不時到成都重慶兩地來行脚小住，來卽尋我玩四川紙牌，卜晝卜夜，在所不辭。他平日對於世俗一般所指的不良嗜好，皆不沾染，就是喜歡玩紙牌，這種玩藝，川諺叫作「亂戳」，以專門破壞別人，成全自己爲能事，具有十足的搗亂作風，涵養工夫稍差的人，每容易認眞光火的，雖小道亦可以覘驗各人的氣度如何。記得有一次我坐在曾氏的上家，曾經將他手中的四張「彎八點」，連續折破了三張，被下家吃掉，他提着殘餘的第四張，回首向我笑道：「看不出你這個『毛子』亦有這一手，硬是要得！」毛子者，川諺「外行」之意也。

對日抗戰中期，據聞某次陝西省政府改組時，西北統兵大員某，密電中央，舉薦曾氏堪任民政廳長，最高當局復電飭曾氏來渝一行，他欣然就道，以爲此行將有枯楊生華之佳訊。詎結果受到了一頓嚴詞訓斥，指他不應挽人說項，沿襲一般官僚的惡習，扶植私人關係干祿。此事如果不處，我認爲還是受西安事變的影響所致，眞所謂一失足成千古恨矣！從此「曾大哥」乃絕意仕進，願以「散淡的人」終其身了。迨國家實行憲政之始，友輩多勸「曾大哥」不妨競選民意代表，他亦遜謝不敏焉。

民國卅八年冬間，共軍進攻四川時，國軍胡宗南所部大軍，奉命由西北馳援川省，總部設在成都。此時曾氏亦住成都應變，胡將軍以老同學關係，囑「曾大哥」隨時取得聯絡，以便必要時搭乘專機出川，否則戰局變幻莫測，萬一臨到非撤退不可的緊急關頭，我馬蒼黃，將有照顧不及之虞。未幾，國軍決計撤守，胡將軍派人四處找尋「曾大哥」，邀他同走，終不得其蹤跡所在，他亦未留言說是到何處去了，胡氏無可如何，只好悵然飛往西昌去者。曾氏究竟到那兒去了呢？據最後由成都逃出來的川省朋友告訴我：當時「曾大哥」未想到國軍撤退如此迅速，以爲至少亦有一場大決戰，藉觀勝負，然後談得到撤退的話。因此，他跟一位女朋友前往廣漢縣旅行去了。他又怕被人調悉其情，沿途改變姓名，以避耳目，等他倦游歸來，國軍撤退的早已走光，未及退去的揚言「起義」，對於「曾大哥」的安全，實在愛莫能助了！

曾氏處此困境中，插翅難以飛離川省，只好聽天由命，在成都坐以待變。共黨固熟悉他的聲名和身世，一來就將他拘捕了，旋卽解赴重慶，與宋希濂，王陵基等同繫於歌樂山的集中營裡，每天被鞭策作苦工。後來據投共的川籍軍人但懋辛告知愚友，說曾氏體力強壯，尙未被折磨至死。素所敬愛的「曾大哥」如此下場，怎能不太息長嘆而痛惜之呢？

（完）

李芋庵近詩

集杜五律一首　贈張大千

徐楊不知倦，江鳥夜雨懸；淸談見滋味，佳氣拂周旋，攄費義之墨，偸存子敬氈；長爲萬里客，槎上似張騫。

減字木蘭花　贈大千

對牀話雨，相與忘愁還忘暑；兩好朋賢，難得人生此樂兼。評誰作賊，偏括阮囊偸亦虐；竊國盈眸，一笑不還問竊鉤！

馬五先生按：愚友李芋庵兄素以淸貧著稱，上月杪適領得香港某學校之月給束修港幣三百元，密藏於褲袋中，即邀其來自異域之老友張大千赴郊外淺水灣游憩，相與下楊某一私人別墅內，雨夜連床話舊，其樂只且。迨次晨起身，褲子頓失所在。旋有居停工友來告，謂門外草地上棄置一西裝褲，觀之，果係芋庵所有者，檢查袋中鈔票，業已不翼而飛，方知夜間曾蒙樑上君子光顧矣。此時芋庵身無半文，而大千居士囊中亦不名一錢，兩人幾無法返市內，幸高嶺梅君於午間來接大千，得解困厄。芋庵謂東坡詩云：「人生難得秋前雨，赤足虛堂自在眠」；又小山詞云：「今宵背把銀缸照，猶恐相逢在夢中」；彼兼此人生難得之樂，宜招鬼瞰而妒之，然大千居士之靑氈寶藏無恙，迺固非雅賊也云云。乃集撰詩詞各一章以紀其事，另由大千爲繪「失金圖」，藉留佳話焉。愚以昔人有賀友失火書，特師其意，爰將芋庵詩詞刊出，又從而跋言於後，得毋謂爲惡作劇耶？

內僑警台報外第〇三一號內銷證

自由報

THE FREE NEWS

第一五七期

中華民國僑務委員會頒發
台報新字第三二三號登記證
中華郵政台字第一二八二號執照
登記爲第一類新聞紙類
（本報刊每星期三、六出版）
每份港幣壹角
台灣零售價新台幣貳元
社長：雷嘯岑
督印人：黃行霄
社址：香港銅鑼灣高士威道二十號四樓
20. CAUSEWAY RD 3RD FL
HONG KONG
TEL. 771726　電報掛號．7191
承印者：四風印刷廠
地址：香港灣仔高士打道二二一號
台灣分社
台北市西寧南路壹壹本號二樓
電話：三〇三四六
台郵撥儲金戶九二五二

從俄酋米高揚訪日之行談起

·李宗谷·

一

俄共第一副總理米高揚此次訪問日本，據說是跟日方進行貿易談判，先由蘇俄向日本採購一批銅質水管，然後再談其他的貿易問題。當米酋到達東京時，日共及其同路人如「全國總工會」暨左傾文教團體等，歡欣鼓舞，如飲狂泉，一般工商界人士，表面上雖採取緘默態度，內心裡對於米酋之來，自抱着莫大的期望，只要俄共能購買日本若干貨品，替他們打開一點經濟出路，間接即將影響日本的外交政策，而這就是俄帝所謂「和平共存」的冷戰技術。

「和平共存」與「貿易通商」這兩句口號，原是史達林晚年針對着英美的弱點而製定出來的。他根據「資本主義國家間的衝突火拼，必先於對社會主義國家的戰爭行爲而發生」的認識論，於韓戰停止後，乃喊出了這兩句口號，作爲對美國施展冷戰工夫的原則，在他逝世之前，業已卓著成效，首先就是英國倡言「要貿易，不要援助」（Trade no Aid），因而英美在國際政治上搞出「平行政策」，而以對東方問題爲尤甚。如果沒有史達林這兩句冷戰口號，英國當年搶先承認中共僞政權的猴急行爲，就不致於發生。

赫魯歇夫承襲史魔這項冷戰策畧，盡力發揚，又從而光大之，仿效美國的經濟援外計劃，亦對亞非和南美各地區的弱小國家，實行經濟援助，且揚言不附政治條件，藉以引誘一般新興民族及弱小國家的向心力，同時宣傳帝國主義與殖民地政策的罪惡，煽起民族情感的烈燄，對西方國家表示憎恨，而視俄共集團爲可親近的朋友，於是乎俄帝的滲透顚覆魔術得售了。這種無形附着的政治條件，何等厲害呢！然而受之者殊不感覺自已接受俄帝經濟援助，是附有政治條件的。這是西方列強在冷戰上不能制勝俄帝的先天缺陷，無可補救也。基於俄帝這項「和平共存」——實係「和平鬥爭」的發展情況，自由世界的經濟市場日益縮小，而各個大國的外交政策又都是以商業利益爲基準，內部爲着爭取市場與原料，矛盾對立，互不相下，連商品交流亦阻礙重重，內閧不已，今日要限制甲地的某種貨物輸出到乙地的數量，明日要限制某種原料必須由某國供應，或不許販運某些地區。總之，歧見叢生，爭端迭起，壁壘森嚴，爾詐我虞。反觀鐵幕世界的經濟市場，隨着俄帝的「和平共存」與「貿易通商」口號，逐漸擴展，內部一切經濟行爲，皆在俄帝統領之下，構成一元化體系，商品暢流，原料互濟，決無自由世界這種「一國三公」，政出多門的現象。這又是西方列強不能與俄帝和平共存或競賽的致命傷。

自由世界的經濟市場既已逐漸縮小，而人口的繁殖率却日見增大，各個國家皆感受經濟生活維艱，無法打開出路的痛苦，日本乃其最著者。一年以前，米高揚到墨西哥，古巴走一趟，兜賣「和平共存」與「貿易通商」的狗皮膏藥後，彼此締結一種貿易協定，由俄帝採購一些貨品，而巴西對泛美主義即表示不感興趣，古巴且跟美國當局翻臉成仇了。此外亞非地帶若干中立親共國家之「現」，無一不是源於經濟利益而然的。這次米高揚訪問日本，他必然利用經濟利益的香餌，對日本人——尤其是工商企業界，大力誘惑，從事安撫工作，儘管日本人對俄共集團的本質，比較亞非和南美那些國家的朝野人士，認識深刻些，不致如古巴之一面倒，但仍懷着將來與中共貿易通商的遠景，日本的外交政策，務必更趨中立化；而自由國家的中立親共政策，結果是害多於利的！

二

美國以經濟援外計劃，從事「和平競賽」工作，俄帝以貿易通商口號，施展「和平共存」魔術，大家都藉「和平」的名義進行冷戰，各行其是。不過，美國的和平思想是以妥協爲出發點，俄帝的和平意義却以鬥爭爲前提，也就是戰爭的另一形式。美國在戰後十餘年來，因實行經濟援外計劃而支出的美元已逾六百億，俄帝自韓戰結束後，截至今日止，它對一般中立國家所消耗的經援或貿易通商費用，綜計不過五十億美元而巳。可是，雙方所獲致的效用却未可同日而語，前者傾施濟衆，見義勇爲，竟招來一片怨聲不滿之聲，後者煦煦爲仁，孑孑爲義，却發生意想不到的作用，凡是接受了俄帝經濟援助或貿易協定的國家，至少至少，在國際政治上對俄帝表示親近姿態，甚至幫腔助勢，爲共作倀，這是甚末原故呢？俄帝指美援附有政治條件，那是胡說八道，美國爲反共產極權侵略主義而給予友邦的經濟援助，這與俄帝爲煽動反帝國主義和殖民地政策，而對落後國家實施經援的作風並無二致，問題固在彼而不在此也。最大的原因是西方列強均以商業利益爲外交行動的指導原則，自私自利，不相爲謀，甚且爲爭奪商業利益而互相搗亂作踐；中東與東南亞地區所以搞成今日這種局勢，就是商業利益作崇的結果。其次是美國對於接受經援國家的指導監督方法，諸多失當而不合理。二次大戰期間，蘇俄接受美方的軍經援助最多，然美國因爲俄共將美援物資上面的「美」標誌塗去，故曾向史達林怫然抗議，史魔當時雖表示歉仄，但內心極感羞憤，戰後乃對於美國給予大量軍經援助這回事，絕口不談；至今美俄兩國爲着討債還債問題，尙隨時發生不愉快的爭執呢！戰後美國對於一般接受美援國家的指導方法更糟，例如在台灣修一條柏油路，或建築一座橋樑，其中使用了一部分美援物資或金錢，即須在路旁豎立一個「中美合作」字樣的牌子，俾衆周知。似此面有德色，處處以美國爲本位的援外措施，無論在任何地區，都是損害別國的民族自尊心，沒有不引起反感的。尤其是咱們中國人的傳統文化思想，素來就是宣導「施人勿念，受施勿忘」的人生觀，對於美國這種小家子氣派的美援運用作風，更是格格不相入的。

明乎此，即可瞭解戰後美國對西歐的「馬歇爾計劃」可以成效卓著，而對其他地區的經濟援外計劃，却與預期的結果大相逕庭之所以然了。對馬歇爾計劃受益最大的是英法各國，美國對於這些盟邦相當尊重，而這些盟邦對美國亦有其分庭抗禮的條件和地位，彼此眞正做到了互助互諒互信的情形。這時俄帝亦祇在東亟於禁止東歐附庸國家接受美援，忙於消極的防衛工作，內外形勢都對馬歇爾計劃不發生阻碍破壞作用。等到俄帝識破了西方列強內在的弱點，發出「和平共存」「貿易通商」這兩句很有誘惑性的宣傳攻勢之後，美國的經濟援外計劃，即不及馬歇爾計劃那末引人入勝了。加以俄帝亦捐出經援的招牌，跟美國鬥經濟法術，而美國對各個自由國家的經援計劃，亦由於上述幾點先天缺陷，與夫運用方法之失當不合理，乃對俄帝那套和平鬥爭的經濟戰，失去了制勝的把握。

三

赫魯曉夫一面倡說戰爭非不可避免，一面認定俄共集團勢力必將「埋葬資本主義」，在他的理念中，這說法並不矛盾，也不誇大，因爲西方國家貴在沒有跟俄帝進行「和平競賽」，而取得最後勝利的公算。米高揚穿着「和平共存」外衣，戴上「貿易通商」的面具，周遊列國，撒出一些「經濟爛藥」，便有若干急不暇擇的國家，欣然飲鴆止渴，不計後果。鐵幕世界的一切物力人力，乃至於每個人的生命，都是控制在共黨政權之手，共黨要怎樣，便怎樣，沒有任何阻方，更沒有人敢說一句二話。

自由世界過的是民主憲政生活，各個大國之間，既爲着爭取商業利益，彼此對立衝突，意志紛歧，而國際上的經濟市場又逾來逾縮小，資源尤其是獨佔體斷的，不能的盈制虛，共同使用。憑着這種現實情形，若說可以跟我長」和說實，克收推毀共產主義之功，實係難以想像的事。然則如之何而後可呢？共產主義者只知實力萬能，只迷信鬥爭手段。朱舜水有言：「滅虜之策，在於事事與虜相反」，俄帝講和平共存，我們就嗤之以鼻，它說戰爭非不可避免，我們就認爲是廢話，必要時，對它不惜採取實力對付的行動，這是西方國家日前唯一的長處，除此以外，別無倖理。今日諱言戰爭，高倡和平當調者，都是些沽名媚時的不切實際之談，他的命運，祇好等候俄共集團來舉行「埋葬」儀式罷！

自由談

好高騖遠

自從蘇俄搶先放射了一枚衛星火箭升空以來，美國即傾注其物力人力，拼命要跟俄帝在太空中爭一日之短長。這種不願示弱的進取精神，原屬未可厚非，却不必表現着驚惶失色的心情。

道理很顯明，俄帝因爲在原核子武器發展方面，無論如何趕不上美國，而美國常常自我恐嚇，避言戰爭，一面過份渲染原核子武器的破壞力，同時又過份高估敵方的同樣力量，大呼「原子僵局」不已。俄帝冷眼覷破了美國口硬心軟的弱點，乃一面修言「和平共存」，強調戰爭非不可避免之說，以投合美國避戰的意念，一面即以走偏鋒的冷戰方法，悉索敝賦，猛力從事於火箭衛星的發展，對美國實行反嚇阻政策。它利用這種機會，隨時對自由世界施展蠶食陰謀，進行政治勒索與敲詐，示意美國當局，若不認許它的要求，便要發生核子大戰，倫敦、巴黎、紐約、華盛頓各地，瞬息將化爲灰燼。這就是俄共集團視和平與戰爭爲一物之兩面的辯證法則，運用自如，迭獲奇效。今日東南亞地區的赤燄瀰漫，不可終日；北非與南美地區之動亂日亟，岌岌可危；乃至於中東地區搞出中立親共的現象，都是由於美國所謂「嚇阻政策」造成的。

美國在地球上，對於俄帝的蠶食陰謀，恣意姑息妥協，而美其名曰「維持世界和平」；在天空中却須顧及，要與俄帝較高低，爭勝負，絲毫不肯示弱。要使火箭衛星發展爲直接戰爭武器，尙有相當過程的。美國在地上拼命退葸，讓俄帝逐日擴張，連自己的後門——古巴——亦是敵人了。縱使在天空的火箭衛星競賽中告勝利，然地上將無美國立足之處，除非沿襲當年由英倫三島移民美洲新大陸的故智，轉而向星球開國，否則照現在這種領導自由世界的反共方法，勢必走到「死無葬身之地」，危乎殆哉！

馮五先生

漫画天下

南施

不敢保險

廿迺迪說：「怕他這火葯桶連累了我！」

臨時進補

美國佬說：「很快我就會變成大力士！」

赤魔控制下的外蒙

·公孫文·

大陸剖視

來自台北的消息，中美兩個高級官員，經過最近兩週來多次坦誠交換意見，兩國因外蒙問題，及所謂「兩個中國」所引起的緊張關係，已有朝着良好緩和方面進展的趨勢。據悉：美國政府已有擱置進行與外蒙談判建交，以及放棄以「國家主權繼承論」，安排在聯合國席次的念頭。

這一報導已見外電，在美國方面尚不失為明智之舉，因為今天的外蒙，實際已在赤魔的掌握之下，絕無自由意志之可言，茲謹綜合各方情況，略述於次：

外蒙，這一個事實上僅維持着名義上的獨立國家；就行政上的管轄，它既不屬於俄共，也不屬於中共，但由於界於兩者之間，它與雙方卻保持着微妙的關係。表面上蘇俄在外蒙的勢力不如過去明顯，但仍處處留有痕跡，顯示這塊土地曾受蘇俄直接控制；其中最重要的為抄自蘇俄的「一黨專制」，這是蘇俄在外蒙的「傑作」之一。這個獨一無二的政黨名之為「蒙古人民革命黨」，實際上是不折不扣的共產黨。它操縱了整個外蒙的命運，並間接直接地控制了所有的公私機構。蘇俄式的「集中化與紀律化」，也都一成不易地套用到這一塊原來是自由自在的土地。

舉凡一切事務無不以官方（共產黨）的意思為意思，甚至於學校裏講解外蒙的歷史與文化也都「唯命是聽」。現有幾家報紙如「紅星報」與「Kov Ko[illegible]報」，若非共黨的宣傳口舌，就是受着官方的嚴密控制。恐怖政策一向是外蒙慣用的統治工具，人民從未能自秘密警察的桎梏下獲得喘息餘地。

政府禁止人民自由往來於外蒙之內，除非領有通行證，否則一概不得任意通行。共黨的宣傳機構則極力製造「工人意識」，幾種有關工人的書籍被指定為人民必讀的刊物。在全部人口中共產黨員不過佔百分之三至百分之四的極少數，但他們卻是外蒙的統治階級。人民對共黨既然如此缺乏興趣，外蒙的共黨於是在各地遍設「羣眾訓練所」與「青年指導營」之類的組織，進行強制性的思想改造。

也許是蘇俄認為控制已加強，現在居住在外蒙的俄國人，已逐漸減少，但外蒙的中學卻規定俄文為惟一的外國文，責令學生必修。不過令人奇怪的是除了少數曾在蘇俄「深造」有年的共黨分子外，能說流利俄文的人並不多見。學校的課本通常是由俄文的教科書翻譯而來的。官方所規定的文字是一種「改良」了的蒙文，但人民卻強烈反對並要求恢復原有的文字。事實上不少人仍陽奉陰違，而學校裏的教授仍採用原來的蒙古文教本。因為外蒙人深知道，要他們放棄固有的文字無異要他們與過去隔離，而這是他們所不能順從的。

由於一九二〇年以後，中國在外蒙的地位已被蘇俄奪取，現在中共要想在這裏重建勢力已不容易。中共的政策是每年遣送十萬工人到外蒙各地「從事建設」，年屆期滿，再以新的工人代替，因此雖然中共着意在向外蒙伸展勢力，在外蒙長久居留的中國人，卻為數有限。

目前中共對外蒙的攻勢尚無顯著發展，在北平雖有外蒙的學生和學者，但人數不多，中國人在外蒙從事研究工作的更少。反之，在內蒙中共已經設立了一所「蒙古歷史及語言研究所」。

外蒙的知識份子和學人，大部從事研究，但研究的對象不是考古便是歷史，這可說明他們所允准的思想範圍。其中有的在考證游牧社會的生活真相，希望得到新的觀念，有的在研究成吉斯汗帝國的實際性質。過去，這些學者若有報告提出或新著問世必須以俄文刊行，現在已允許利用蒙文。

大多數的外蒙人民仍過着幾世紀以前的游牧生活，他們住的仍舊是蓬帳，用的仍舊是古老器具。除城市之外，看不到電燈。夜晚，游牧的百姓常常趕着羊羣在黑暗中摸索前進。

外蒙共黨不斷的在推行政治和經濟的共產化，這兩項目的是同時進行的。他們已將外蒙劃為七個大區，大區之內再分劃小區。每一小區內都設有國營農場或合作牧場。負責人雖名為選舉，實則由黨方指定，在他們的驅使和監督下，幾乎全部的生產成果，都被迫交予政府，不時政府還會從中徵用「特別勞工」。

合作的制度在外蒙人民生活中推行得愈來愈熱，而「特別勞工」也徵用得愈來愈急，不但一切生產工具悉歸「國」有，就連分配、市場與牲畜的照料，也無不受「國家」控制。共黨的政策是故意使得外蒙人民無法保有自己的生活方式，結果唯一的生路，乃是參加合作組織。

城市裏的改變尤為劇烈，人民的生活與觀念都共產化了，但物質生活的改進極為有限。共黨誇口庫倫一地人口已達十五萬之眾，但事實上一般城市的居民很少超過數千。城市的交通具，仍以牲畜為主，即使俄製的車輛也不多見，道路大部泥濘難行，根本尚無鋪砌的道路。獨一無二的一條鐵路是自一九五三年開始通行，該鐵道北上可達西伯利亞，南下可達中國內部。

外蒙的知識份子並不比其他地方感到遲鈍，與其他地方對現狀而無能為力，外蒙人民竭誠地希望與共產主義以外的世界接觸，然而他們的政府除了與共產國家以及親共的中立國家維持着外交關係外，普遍受到世界各國的唾棄。

今天有若干的國家，想與外蒙建立着外交關係，這實在是匪夷所思，令人不可理解的，其所謂「外蒙的人民」及其所謂「政府」，難道還有絲毫的自由意志嗎？

香港與大陸

一直到現在，澳門還未正式宣佈有霍亂症的蔓延，但港澳方面有關當局以及一般市民都在嚴密預防。據此間一在學青年接獲他那位住在廣州的父親來信，就極力囑咐其保重身體，不要到公共場所，不要吃生冷食物，這封信寫得很技巧，該信說：「近日廣州方面，霍亂症有蔓延趨勢。據當局宣稱，此症乃由沿海城市傳入，我想香港也是沿海城市，則此症當亦有可能傳入香港，甚盼加[illegible]防，萬不可到公共場所，……」該信郵寄日期為八月[illegible]，其時澳門方面尚無任何有關霍亂症之發現，但其後數[illegible]，則盛傳澳門亦有此種病症，是則為自廣州方面傳入，毫無疑問。大陸人民既在飢餓中，又無醫藥，萬一霍亂症蔓延，洵屬不堪設想，但願能早日控制此種病症之流行，就是萬幸了。（田）

地方民意機關浪費公帑

台北航訊

政風敗壞，人心不古，已達空前的程度了。即監督政府控制「荷包」的地方民意代表機關，也有浪費公帑舞弊與自失立場的情事發生，這些笑話成為最熱門的新聞。

桃園縣議會於本月七日舉行第五第二次大會，議員郭木火砲口向內，對議會提出九點質詢，弄得主席副議長調科下不了台。郭木火所指責的九點為：一、議會新建大廈庭院工程工作人員工資支出問題，議會既請了一位設計師，何以又僱用了十位技術人員，其中顯有弊端。二、庭院及道路工程採購石子花費十萬多元，這批石頭到底以如何方式採購？是經公開招標呢抑公開比價？三、採購庭園花木共達七萬多元，到底以何方式採購？四、議會所有的一部小包車，在新舊議長交接後，議會花了三萬多元的修理費，修理好後，到底是借給什麼人使用？何以自己不使用讓給別人使用？五、議長和副議長雖然很少使用這部車子，但這部車子每月所化費的汽油卻多達二百加侖，汽油費達四千多元，而依照規定每月汽油只能用六十加侖，這筆汽油，到底如何報銷？六、新大廈內議長室的一套沙發價達一萬六千多元，大廈的百葉窗共花費一萬五千多元，這兩項到底以何方式採購？有無公開招標？七、據說議會職員，有「特殊」與「普通」之分，「特殊職員」不但經常「出差」「加班」，而且還有種種津貼，「普通職員」則沾不到一點光。八、我們議員間據說也有「高級」「低級」之分，「高級議員」要求議會做什麼，議會就答應做什麼？什麼費用都可以拿到議會來報銷，請問議會到底為這些「高級議員」共報銷了多少錢？而「低級議員」奉派出差調查案子，每每也以法令規定無法報銷旅費。九、外傳興建議會大廈時，有水泥七百多包「失蹤」；其中五百包曾被詹煌順議員借用，以後是否確已歸還，請議會負責作一確切的答覆，以免影響議會及詹煌順議員的信譽。郭木火議員此一質詢議會的指責提出後，頗獲部份議員同情與支持。

此外，宜蘭頭城鎮民代表會出爾反爾，處理一件頭城中學校長馮治安不信任案，竟自我矛盾而失去立場。頭城鎮民代會在不久之前，通過一項請願案，該請願案列舉馮治安就任頭城中學校長數年以來，不但學生素質毫未提高，且學風日漸敗壞，甚至不論學生家長環境如何，一律強迫募捐，興建文體大樓，若不按規定繳款，則扣留學生畢業證書，影響學生升學，盼速調換馮治安校長，以改善校風云。此一請願案，經宜蘭縣議會成立專案小組，前往該校調查，而於五屆二次大會通過：「澈底不信任頭城中學校長馮治安案，應予停職」。按理說，縣議會應頭城鎮民代會的請願而通過不信任馮校長案，完全是民意的反映。不料頭城鎮民代表會在縣議會於本月五日將不信任馮校長案的公文正式發出後，該代表會卻於翌（六）日通過了一件與前次該會請願案完全相反的臨時動議，慰留馮校長。從此一事件看來，所謂「民意」，將不知從何說起。

本屆地方民意代表機關，所作所為，豈僅使選民失望呢！簡直是在胡作胡為了。

公冶長

府會一家集體勾結

台南市政府與議會

·張健生·

（台灣通訊）台南市政府與市議會之間，最近迭經不斷藉「府會一家」的美名，作出集體勾結不法的醜劇，使本省地方自治蒙羞，所以關心地方政治的人士，咸認為此風不可長，希望有權監督者應積極依法處理。

台南市長辛文炳於七月二十九日，以南市計字第二八八六六號函請議會修正五十一年度地方歲出總預算案。將原列歲出總預算經常門十一款一目的公務員退休金八十萬元，修正為五十四萬元，減少二十六萬元，這筆款子，移增為「市議會臨時費」，購置機器腳踏車廿六輛，贈送給廿六位市議員。而市議長蔡丁贊則由該市政府另外撥款二十萬元，為其購置新型別克轎車一輛，副議長亦配有吉普車一輛，這則內幕新聞經聯合報揭發後，辛市長會斷然加以否認，並聲明沒有這件事，主任秘書則說不知道。可是這則「機密」的新聞為報刊界載後，台南市議長蔡丁贊，則老羞成怒，大發雷霆，並下令該議會職員對所有公文皆應「保密」防記，不得洩露，否則將追究責任。

台南市「府會」聯的「家醜外揚」後，八月二日市議會部份議員在五屆二次大會閉幕前，會反對市政府編列預算為他們買摩托車，同時也反對市議長蔡丁贊買轎車，他們準備在八月九日召開臨時大會審查預算時，將這兩筆四十六萬元車費全部刪除。據市議員表示，這件事是秘密會中所決定的，辛市長購車贈送議長及全體議員的消息外洩後，接着，台南市部份里長也起而效尤，要求辛市長為他們每人買一輛腳踏車；市政府的單位主管，則暗中醞釀要求每人配給三輪車一輛。

台南市政府撥款二十萬為市議長蔡丁贊買轎車的另一風波是：市議會未依法定程序買車，致發生議會職員涉嫌朋分回扣的糾紛，而被中間人檢舉，案由台南市警察局偵辦中。據說：台南市長辛文炳在本年度預算中，編列專款二十萬元供議長蔡丁贊購買新車之用，可是蔡丁贊議長卻迫不及待，在新預算沒有通過前，便急着要買新車，先後經過兩位中間人拉攏，終於由台南市自來水廠先行墊借十四萬元，向外僑買了一輛一九五八年的新型別克轎車。介紹這次買賣，原先是由曹嘉德介紹的，當雙方議價的時候，蔡丁贊議長即以「河未過抽橋板」的手法，透過議會親信職員和在美軍俱樂部做事的鄭某把某些買賣做成。當時，曹嘉德提出抗議，要求蔡議長付給佣金，蔡丁贊議長以無法報銷的理由拒付；曹某即持蔡議長親筆寫的證明，請求市警局外事組調解，也沒有結果，因為這筆佣金已被鄭某拿去了。（上）

科舉談往（下）

漁翁

鄉試本稱解試，明史：「鄉試第一爲『解元』」。每屆於揭榜之翌日，由撫台宴主考同考各官及入選之鄉貢士，曰「鹿鳴宴」，而以解元居首席，歌鹿鳴之章，儀式至爲隆重，韓愈送楊少尹序，有曰：「楊君始冠，舉於其鄉，歌鹿鳴而來也。」

明時集各省舉人試於京師，曰「會試」，清仍之，順治三年，爲會試首科，嗣後有正科，有恩科，簡派總裁試之。以第一名爲狀元，餘稱進士。進士之名，由來已古，禮云：「大樂正論造士之秀者，以告於王而升之司馬，曰進士。」謂士之可進受爵祿者也。至隋煬設此科目，唐宋以來皆因之，唐制，凡舉者，謂之鄉進士，試畢放榜合格者，曰成進士，凡試於禮部者，皆謂之進士也。明清時，舉人會試中式，二甲以上，賜進士出身，三甲賜同進士出身，但通稱之爲進士。

曾國藩，考列三甲，賜同進士出身，爲生平一大恨事。有同年某，蓄畏妾，常爲之洗足，曾見之，笑曰：有一聯，請君對之，「替如夫人洗脚」，某不即不離答曰「賜同進士出身」，曾爲之氣結，至今猶傳爲笑談。

科舉時代之殿試朝考，又謂之「廷試」，由專制時代之帝王，親臨主試，以第一名爲廷魁，即狀元，按唐時狀元，亦稱狀頭，皆主試所定。南部新書載：李翺江淮典部，有進士盧儲投卷，翺長女見之曰：此人必爲狀頭，翺即以女許之，來年果狀頭及第，催粧詩曰：「昔年將去玉京遊，第一仙人許狀頭，今日幸逢秦晉會，早教鸞鳳上粧樓。」傳誦一時。次爲榜眼，以眼必有二，故名。但有稱第三人爲榜眼者，宋朱嚴第三人及第，王禹偁贈詩云：「榜眼科名釋褐初。」後以第三名爲探花，乃專以第二名爲榜眼，時在宋南渡後也。

殿廷試爲及第功名，古以解元、會元、狀元，謂之三元，即鄉試、會試、廷試之第一人也。又明人亦稱廷試前三名之狀元、榜眼、探花而爲三元者，李東陽詩：「本朝科甲重三元」。今之所謂冠軍、亞軍、季軍者，即古三元之變相也。

考試

汶津

不經過考試，算不得知識份子。這話大概錯不到那裏去。現代的考試制度，比以往更複雜更繁多。一個暑期裏，除了高考、普考、特考、留學考之外，有各研究所的考試，大專聯考，高中聯考，初中聯考，商職聯考，高職聯考，乃至幼稚園也登了大廣告招考小朋友。

一個大學畢業生，屈指一算，他已經歷過多少次考試？即使他數學考讀滿分，也怕算不清楚吧。而且，如今的考試，其範圍已經由考生擴展到有關人士——家長、教師甚至兄弟姊妹。所謂陪考、護考，已經是極流行的風氣了。台北市初中聯考，據統計陪考家人及新生人數遠超考學生的三倍，其中還有參家觀的例子。這實在不是十年前所能想見。想當年我投考初中的時候，對學校的校址還不太清楚，應考那天，一滿車擠路前進，走了足足一小時才找到了校門。那時不過是不足十一歲的小孩兒，何嘗敢驚動父母來陪？

應考時的緊張先不說，發榜前後的三月「發」鬧也就夠瞧的了。當年考初中如何「那滿」的，如今已不甚了了，大概並不怎麼放在心上。考大學之前，讀書、打球、休閒是並重的。總覺得爲考試而廢寢忘食，甩棄一切生活的常軌，未免有點違反人性。這當然是不敢與人相同的。而在準備之際，讀文學史到唐宋，可能爲某些古人神往，竟想翻翻李、杜、蘇、辛的集子。讀到明清小說，又不禁想重新讀讀紅樓夢，儒林外史，老殘遊記那些作品。有時竟神往了，有時則乾脆丟開正書，如願而後已。興趣主義的讀書方式，恐怕和考試制度有點不兩立吧。

小學生們在學校熬受嚴格訓練的磨鍊，歸來還有一、二家教先生代爲反芻，其一番日「如何」，不問可知。所以歷屆初中聯考，平均八十分而名落孫山的，一點不稱奇。考試能提高人的上進心，十來歲的學童已經提供了充分的證據。只怕這些優秀的考場英雄進入中學之後，受不起沒有致鞭督促，亟須運用頭腦的學習方式的考驗，於是小狀元嘗試紅字的新聞便風聞一時了。

這些都是「國際性」的考試。至於在校內的考試，更是層出不窮，大考，月考之外，更有週考、小考、抽考、臨時測驗等名目。「烤焦了！」學生們喊道。「真金不怕火煉啊。」教育家們慰勉有加的說。這該算是精神上的家常便飯了。

爲考試而開夜車，減體重，省糧食，已是儘人皆知。但考試成爲出走、自殺、家庭糾紛的導火線，倒是近年來的新發展。有的家長愛子心切，考試時不但護送，而且每考完一節即送上一碗「勞軍」的補品，使他的寶貝兒子有了雙重負担。這是天下父母心，不去說它。有一種父母則威嚇在先：「這回考不取，不要來見我！」那位本不甚有信心的考生兼不肖子，早嚇得屁尿直流了。有的就此不去報名，爲父母者省下那筆報名費算了。不過，如此一來，又難免皮肉受苦了。至於優等生而「偶然」失常，以致痛哭一場，也未免難堪，太保們在考場相牽保鏢，倒是另一種鏡面了。

考試技術日新月異，對付考試的策略也須迎頭趕追。課堂常演這樣的活劇：生問：「考試範圍如何？」師答：「講過的都是。」至於大規模的考試中，則不免遠近奔走打聽：今年何人出題？特色如何？然後此公的著作必搶購一空。我看不出幾年，考試心理學將獨樹一幟了。等而下之，利用生理異進行某種方式的舞弊，真有點駭人難以啓齒了。

暑期的文教版，半是考試新聞的陣地。記者們也像大部分家長一樣，好像身歷了一次考驗。譬如九歲小弟弟爲哥哥陪考，有人在作文中發揮，[illegible]一份值得意的試卷。而主考及監考人員對考生們固然有絕對的熱心的關懷，[illegible]，正等於是球賽中的裁判和巡邊員一般。你們也和考生們一樣，要經歷一場不大不小的鏖戰呢。

望夫塔

・道南・

福州海口有雲居山，屬連江縣的大澳鄉，屹立海邊，山上有塔，僅兩級，塔名望夫，實含有一段哀感凄艷的故事。

相傳有漁人某，娶一婦，伉儷甚相得，新婚未久，以風汛已屆，巡率漁船十餘艘出海去。陡遇颶風，海上漁船頗覆殆盡。某以素習水性，見雲起態，預知風暴將至，亟命轉舵避近島港內，計同行有五六艘得隨之脫險，其餘則舷斷船破，多已葬魚腹。

驚魂甫定，檣桅帆楫，均已破損，難修需時，因就島上暫修補葺。其婦自風暴後，焦慮萬分，遍詢鄉里中生還者，訊及其夫，迄無消息。比時五內俱焚，日夜籲天，望夫未返，則攀登此山絕頂，翹首海天，終無形影，因嫌其山不甚高，立傾家財，建塔山頂，俾可瞭望，但僅兩級，無貲可續而停止，婦乃終日佇立此兩層塔上，望眼已穿，月餘之久，消息杳然，復以翁姑鄰里笑，婦怨憤之極，乃縱身塔下，鄉人睹而葬之附近。

不數日，其夫率餘船抵家，驚悉其事，慟極塔下，得婦墓所，觸石以殉。初其鄉人復漁於海，遇其夫，問以何不歸，並述其婦望夫建塔事。渠不知去處，屢次率餘船收帆入口；忽見山頭有塔，誤爲別港，去而之他，及知爲婦所建，始駛返港內，方冀夫婦團聚，不意幽明永訣，僅存之翁只有一死以殉其妻。

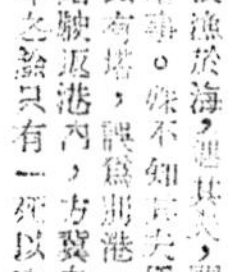

窮君續夢

第一回：狼狽自爭雄，活佛有幸　人天齊示警，浩劫將成

李先念冷笑道：「農業問題更嚴重，目前農村食堂已開始吃番薯和野生植物了，再過幾個月把野生植物吃完，恐怕只有吃土了。」

周恩來奇道：「我們全國農業在三面紅旗照耀下，去年出現了前所未有的豐收，總計達到七千五百億斤，較一九五七年差不多就增加了一倍，怎麼人民還沒有東西吃。」

李先念嘆口氣，「總理同志是個明白的人，怎麼也相信那些鬼話，世間那有畝產千萬斤的地方？總理試想一想，不用說是番薯，就算是泥土吧！一畝地要掘三十萬斤土，恐怕也要掘幾尺深，若有那樣的收成，恐怕明年全國變成一個大湖了，到處都可以養魚，人民也不用吃糧食了。」

李先念越說越憤，口沫橫飛，怪眼圓睜，李富春兩手撫胸，雙眉緊鎖。周恩來默默無言，只是捲衣角。

半晌，周恩來嘆氣道：「這場事情的前因後果，你們最清楚，毛主席是從蘇聯回來，要賭一口氣，才搞出大躍進的把戲，假若開始時有人能把利害說清楚，相信他也未嘗不可回心轉意，可惜是在他左右的人都只會附和，他又不找我們商量，事情鬧大了之後，又有人居心藉此逼他下台，他跟着慫恿，終於到這步田地，毛主席雖然下台了，事情也無法收拾，今天你們來找我，我也有什麼回天之力。」

李先念搖搖頭說道：「總理同志，話不是這樣說，你是行政最高首長，我們兩人是財經負責人，將來全國經濟發生恐慌，牽連整個組織崩潰時，我們三人絕對逃不了責任，一定會成爲替死鬼，所以我們萬不能抱着隔岸觀火的心理，再說毛主席也許還不知道人民公社和大躍進已經壞到如此程度，假若有人不顧一切當面告訴他，我想他也許會馬上覺悟，下手挽救還不太遲。」

周恩來笑道：「既然如此，富春同志你就去和毛主席談談吧！」

李富春擺擺手：「總理同志給我留條性命吧！我去勸他一定挨頓臭罵，光是毛主席一個還容易對付，加上軍師，我怕了。我看還是總理自己去一趟，他對你不能不留三分客氣的。」

周恩來沉吟一下，說道：「在現階段下，我們三個都不方便去勸他，我倒想起一個人，派陳雲同志去比較合適些，你們以爲如何。」

兩李齊聲贊成，不過兩人又各有各的想法。（三十）

岳騫

別後浮雲

張徽蘇

「他是個賭徒。」劉先生走後，陸令蘭的臉陰沉下來，她不滿地說：「一天不玩一下撲克牌，好像就活不下去。」

「每個人的興趣都不同，劉先生爲人很好，看來你們的婚姻非常美滿幸福！」吳超試探地說。

「他並不是壞人，待我也不能說不好。可是，性格不同，愛好各異的兩個人，勉強結合在一起，哪裏會美滿和幸福呢！」陸令蘭微微抬着雙眉說，她的聲音仍和當年一樣地柔美動聽。

「爲什麼說是勉強呢？難道你們不是戀愛的結合？」

「我根本沒有愛過他！」她睇了他一眼，斷然地說。

吳超的心劇烈地跳躍起來，他望着她，覺得二十年的歲月，雖已奪去她的青春，[illegible]那苗條而豐滿的曲線，還是不曾減低一分，尤其那高雅的風韻，氣質與風度，仍和當年一樣，令他心醉不已！

這時，陸令蘭的女兒已帶着芹芹到後院去玩皮球了，剩下一主一客，在客廳中談着學生時代的一些舊事。陸令蘭取來一瓶威士忌，兩隻高腳杯，斟滿了兩杯酒，遞了一杯給吳超說：「來，咱們爲老同學異地重逢乾一杯？」

「好，乾一杯。」兩人飲乾了杯中的烈酒，她又斟滿了第二杯。

「再爲彼此的健康乾一杯如何？」

「對，再乾一杯！」

第二杯又灌下肚去，她嫵媚地笑了。

「想不到你能這樣地豪飲，難怪你們的酒櫥擺了那麼多名酒了。」

「哪裏，那都是他的嗜好，他自己並不大喝酒，而且常常不在家。倒是我煩悶的時候就倒一杯喝着玩，久而久之，我也領略到酒的真正滋味，和微醺之後的意境了。」

她說着一口飲下半杯酒，又順手斟滿，望着他，無可奈何地一笑。

「你好像有什麼心事，」他關懷地望着她，「難道你也有痛苦？」

「做一個人，能夠沒有痛苦？」她抬了抬長眉，向他嫣然凝睇，那雙水汪汪的亮眼睛，因有了幾分酒意而特別動人。（七）

西柏林流民圖

·徐學慧·

共產黨的頭目們，天天在自炫其成就，而東德人民之冒死逃往西柏林者，却天天在增加，這眞是對共產政權的莫大諷刺。

據外電報導，八月十二日一日之內，有二千零十七名東德難民逃到西柏林，創立了八年來的新紀錄。平均每四十秒鐘有一難民越境，且仍有數百人在警察槍尖下被阻。

在東方，香港與澳門二地，即使是在嚴格的出入口管制之下，也有不少的難民偷渡。他們或乘漁舟，或藉游泳，或攀山徑，總之，他們嘗試用各種不同的逃亡方法希望到達自由區。羅湖在邊境一帶，有時候，寂靜的晚上，突然有幾聲鎗響，劃破長空。住慣邊境的人，都知道，這又是一齣悲劇，逃亡者被發現了！

共黨的宣傳家們，不斷地描述共區爲天堂，何以有如許多的人民，偏偏不喜歡住「天堂」，而要想盡方法冒着極大的危險，逃出「天堂」的門檻？

事實粉碎了一切謊言。只要看看東方與西方這兩幅流民圖，我們就可以了解到人類對於共產主義的厭惡程度。這不是任何花言巧語的宣傳可以掩飾得了的。赫魯曉夫對於西柏林問題，叫囂，徒然顯示出他對於這一問題的恐慌，他當然會要用盡「一切可能的方法，來阻止這個缺口。

即令是成功地堵塞了這一缺口，又能解決什麼問題呢？人類的心靈是堵塞不了的，嚮往自由的心事；將會隨着這一缺口之堵塞而更加強烈。不論用甚麼方法或者是甚麼理論，不能爲共產主義之沒有自由作任何解釋，此則爲共產集團的致命傷。

中共頭目們妄說十五年以後趕上英國，其用意亦無非是藉此以更加束縛人民；赫魯曉夫最近也開了一張爲期二十年的期票，又何嘗不是想藉此以緩和蘇俄人民的憤怒呢？可惜，這一切都沒有用，因爲，人類所需要的是自由，是免於恐懼的自由。

看西方的柏林，看東方的香港，邊境綫上，每天都有成千成百的人冒死犯難，意圖奔赴自由。這是一個事實，一個不容改變的事實。共產黨最相信武力，但在這樣的情形之下，武力大概也鎮壓不住吧！民不畏死，奈何以死懼之？

據外電報導：在通到西柏林的交通綫上，有許多共黨警察並未參加拘捕難民。這也就足以說明共產集團的民心與士氣。看來，共產集團崩潰之期已不在遠了！

劉銘傳劉璈交惡經緯

李仲侯

（二）

國藩說：『淮軍如劉潘等氣非不盛，而無自闢乾坤之志，多在合從（指李鴻章）脚下盤旋，豈閣下善於制馭，不令人有出藍勝藍者耶』，又說：『區區微忱，非強賢昆仲以所難，實見捻匪非淮勇不能滅，淮勇非君家不能督導』。可見鴻章開始就把淮軍造成他私人的勢力，與湘軍自立門戶，國藩廓然大公的精神，迥然不同，所以湘軍雖是私有軍隊之起源，而淮軍纔構成私有軍隊的形態，後來袁世凱以淮軍子弟，傳其衣缽，就變成清末民初時代的北洋軍閥了』。

蕭一山對淮軍無一好評，他繼之說：「但這事和湘淮軍的將領出身很有關係，湘軍將領幾全係儒生，雖有少數出自行伍的大將，如塔齊布、多隆阿、鮑超、劉松山等，可是他們都不能自立門戶，能自立門戶的，大半都是學者，他們帶勇都守國藩之法，『用恩莫如仁，用威莫如禮，待弁勇如帶子弟，持之以敬，臨之以莊，泰而不驕，威而不猛。』所以湘軍是含有儒教色彩的軍隊，以維護名教爲主義，衞綱衞國，必忠必信，將領都沒有功名富貴的念頭，曾國藩把『汗馬功名，問牛相業，都看作粃糠塵垢』，固不用說，彭玉麟始終不肯做官，辭安徽巡撫，兵部侍郎，漕運總督，兩江總督，乃至兵部尚書，有人勸他『抗旨鳴高』，他說：『士大夫出處進退，關係風俗之盛衰，臣豈敢稍犯不韙，以傷朝廷之雅化』，玉麟眞是湘軍中的表率人物，國藩的忠實同志，其餘諸人，勵志清苦，只有事業心而無功名心，大概如「玉麟」一樣。淮軍將領，只有一個潘鼎新是舉人，程學啓是降將，劉銘傳是鹽梟，周盛波，周盛傳，袁樹珊是團練，吳長慶是守備，開始就以「鼎」，「銘」，「慶」，「樹」，「盛」，「開」，「程」，「松」，諸字名軍，私人之色彩，非常濃厚，李鴻章以翰苑洊至大帥，這些人都是投効而來，所以容易節制，湘軍將領各自召募成營，國藩僅以在籍侍郎，憑道義相號召，常居客寄的地位，頗像精神上的領袖，而非軍制上的統帥，所以湘軍各有自闢乾坤之志，而淮軍只有在鴻章脚下盤旋了，那裏是鴻章善於制馭的原故呢？

關公諸趣

筱臣

神化了的關羽，二千多年以來，一直成爲世人崇拜的偶像，各地的關帝廟，都是香火鼎盛。到了晚近海外各地，由於有龍岡總會的組織，關公的神靈赫赫，更是無遠弗屆了。由於三國演義的傳奇，家喻戶曉，向來流傳的笑話，也多引用三國的故事，涉及關公的，更數見不鮮。

相傳十多年以前，畫家張大千在北平，有十幾位朋友，請他在中山公園今雨軒吃飯，大千本來是生得天然儀表，一掛好鬍子，席間有人提議每人要說一個罵鬍子的故事，這一類罵鬍子的笑話頗多，很多是頗刻毒的，自然是嘲笑備至，猥褻不堪。張大千是有修養的人，他平心靜氣的聽，也隨着大家拈鬚一笑，大家都說完了，他本着四川人的幽默，擺龍門陣的態勢，他說我也說一個關於鬍子的故事。

他說：「三國時候，關羽張飛遇害，劉備率領人馬報仇討伐東吳，那時關羽的兒子關興，張飛的兒子張苞，兩人都要爭取帥部，各不相下，劉備在中軍帳上說：「你們二人要爭取帥印不難，只要將你父生前事跡表彰一番，說得好的領兵掛帥，說得不好的只好作開路先鋒。」話剛說完，張苞口齒伶俐，辭令純熟，立刻將張飛生前槍挑呂布紫金冠，鞭打督郵，喝斷當陽橋種種事跡，說來娓娓動聽。關興說話遲鈍得很，說了很久，祇說出一句來，他說：「我父親是美髯公，鬍子很長。」正在此時，關公在雲端顯聖，大喝一聲說：「傻娃子，你父親過五關斬六將，單刀赴會，抛刀斬蔡陽，有多少豐功偉績，你怎麼都不會說，爲什麼單提你格老子的鬍子。」

這可說張大千最後的勝利，他那些罵鬍子的人，一個個都罵得口呆目瞪，無詞以對。只是筆者想起了這個故事以後，想起前此即有類似的趣附，張大千只是襲用前人的故事，而予以改頭換面的。據彭兪的「泡影錄」，即有同樣的創作。

泡影錄的第一回，寫廷彥得了秀才，他的朋友劉雄等置酒相賀，劉雄請廷彥坐了首席，黃僞坐了二席，自己坐在上角，叫陳子勤坐在下面斟酒。廷彥忽然放了一個啞屁，絕無聲音，所以大家不知是誰放的，只是一齊將鼻子掩了，而且哈哈大笑。廷彥也掩了鼻子，於是劉雄說道：「我不笑別的，只笑放屁的人，自己也掩鼻子哩！」

劉雄說這趣話時，他並不曉得屁是廷彥放的。不料廷彥懷着鬼胎，只當劉雄已經知道是他放的屁，不覺心中抱愧，滿臉通紅，黃陳二人，聽了劉雄的說話蹊蹺，兩面相覷，看到廷彥面上時，只見酒暈如霞，羞容可掬。陳子勤心中明白，指着廷彥說道：

「你這個人，豈有此理！我並不怪的屁臭，只怪你太欺朋友，你看世上，那一個人不放屁？爲何偏是你放屁，也要瞞着朋友呢？眞是『先生有屁何妨放，瞞着良朋我不平。』照這樣子，定須重罰。」幾個人作好作歹，罰他講一個放屁的故事。

廷彥說道：「放屁的故事不多，只有一個，三位請聽我說來。鄉間建造廟宇，全不講究，三間做屋，不用板壁隔開。東邊供的是眞武大帝，西邊供的是關聖帝君，關公手下有關平，周倉，眞武手下有龜蛇二將，這日淸秋天氣，爽朗殊常，眞武大帝[illegible]……以上這兩個笑話，實有類似之處。

梅蘭芳蓋棺論〔一〕

諸葛文侯

梅蘭芳近在北平死了。一代戲劇名家，晚年過着奴役生活，肌皺齒豁，還須被迫飾作妙齡女郎，抑搦歌唱於紅氍毹上，聲嘶力竭，令人不忍卒覩。前兩年我在香港看過他替共黨攝製的「貴妃醉酒」電影片後，心情深感別扭，累日爲之不快，因爲偶一想起他在台上那副可憐相，就有些難過哩！

我第一次欣賞梅氏的戲藝，是民國十三年夏間在日本東京的「帝國劇場」。這時候，他年靑而貌俊，配以淸脆嫵媚的嗓音，實不媿爲伶界的特出人才，宜其蜚聲於海內外也。民國十四年冬，我在北京「民國大學」執敎，兼投附屬中學高初兩級的國文課程，採用商務印書館出版的中學國文教科書，內容全係輯錄歷代名作家所撰的文言文。一日對諸生講解「良有以也」這句語意，再三引喻，費盡心力，諸生仍不能領會，我情急智生，乃把梅蘭芳提出來作例證，說是：「你們平日每聽到父兄們談梅蘭芳唱戲如何高妙，又在報紙上常常看到爲梅伶捧場的文字，心裏對他已有一種特別印象了。等到自己初次進戲院去瞧着梅蘭芳那種迷人的色相，聽着他唱出一片悅耳的歌聲，不覺欣然自言道：『噢，梅蘭芳之享大名，良有以也——他的聲名原不是偶然博得的』。如是，諸生對於「良有以也」這句文言，個個透澈瞭解，嗣後在每星期的作文中，隨時見到諸生襲用這句成語，恰到好處，決無半硬舛誤之病，殊有趣也。

梅蘭芳在皮簧戲劇的藝術上，有幾點創造性的改進，值得稱讚：一是旦角演唱時，除却胡琴伴奏外，配以「二胡」（北方謂之「二胡」，南方人叫作「大筒」。）和聲相從，音韻美妙極了，亦符合聲律原理。二是他接受王瑤卿的新腔衣鉢而發揚光大之，藉着新編的劇本來肆應表演，蔚成時代風氣，因而奠立了私人自帶琴師的法則，成爲一般名伶的通例，連老生角色亦復如是（孟小冬必須王瑞芝操琴，才可唱好），這是前所未有的。三是他將場面上的大鑼改用較小者，去其粗獷刺耳之聲，使聽衆心情更爲舒暢。他這項場面改良辦法，原是發端於第一次赴美國演出，爲適應洋人的胃口而然，後來在國內亦就普遍流行了。

中國的伶人，十個之中，幾乎就有十個都是沾染着有那套惡劣習氣的，稍具技能，即常常擺架子，鬧脾氣，如爭演出次序，如海報貼出後，臨時不到場，怪象百出，如在台上任意偷懶等等，令人齒冷，而私生活亦是抽大烟，爛賭，最普遍的惡習就是格外腐化。梅伶却沒有這些令人憎惡的毛病，相反地，對人接物總是表現着一派謙抑態度，決不作「名伶」狀，演唱始終認眞不苟，殆爲庸中之佼佼者。

秦始皇論

·謝康·

秦始皇嬴政，是中國民族史上有數人物之一，也是世界歷史上著名君主之一，但是，對於他的認識，歷史家和讀歷史的人，至今還沒有一個定論。

也許因爲他曾經焚書坑儒，及採取愚民政策的緣故，大凡儒家思想濃厚而主張行仁政，或同情「楚雖三戶，亡秦必楚」這句話的人，對他都沒有什麼好感。

漢代的儒生賈誼，首先著「過秦論」，極力指摘始皇的過失，其大意說：

（一）秦皇滅六國後，廢先王之道，焚百家之言，殺豪傑，銷鋒鑄鐻，以弱天下之民，單靠武力以守，以爲子孫帝王，萬世一系，孰知仁義不施，而攻守異勢，陳涉之徒起義，終以亡秦。（論上）

（二）秦皇懷貪鄙之心，廢王道，立私權，禁文書而酷刑法，先詐力，尚暴虐，不知取與守之不同術，始皇失之於前，二世續施暴政於後，是以亡國（論中）

其後蘇東坡論秦皇，也保持儒家的見解，他說：「秦有天下，始皇以詐力而幷諸侯，自以爲智術之有餘而禹湯文武之不知出此也。於是廢諸侯，破井田……決聖人之藩牆，開詐僞之端，而以禮爲贅疣無用之物……。」（東坡另有一篇荀卿論，也是間接罵始皇的。）

（一）

歷史人物

自由報

內僑警台報字第〇三一號內銷證

THE FREE NEWS

第一五八一期

中華民國僑務委員會頒發
台僑新字第三二三號登記證
中華郵政台字第一二八二號執照
登記為第一類新聞紙類
（半週刊每星期三、六出版）
每份港幣壹角
台灣本售價新台幣弍元
社長：雷嘯岑
督印人：黃行寬
社址：香港銅鑼灣高士威道二十號四樓
20 CAUSEWAY RD 3RD FL
HONG KONG
TEL. 771726　電報掛號．7191
承印者：四風印刷廠
地址：香港灣仔高士打道二二一號
台灣分社
台北市西寧南路壹壹本號二樓
電話：三〇三四六
台郵儲金戶九二五二

正視柏林局勢的發展

王厚生

我們看到：局勢開始變動了，它朝着有利於自由世界的方向在變動着。

對柏林局勢，我們正以興奮和激動的心情關懷着，每日二、三千人的奔向自由，使我們感到無限的興奮：東德共黨政權懦怯地封閉通往西柏林的道路，使我們感到激動。一千七百餘萬東德人民正在發生騷動，他們在心理和行動上都是仇共的。要問自由的意義和價值，可以去問東德的人民，他們將為世人提供最為滿意的答覆。

西德當然是個資本主義國家，東德自稱是個所謂「社會主義」國家，現在，生活在「社會主義」底下的人民，竟不避千辛萬苦和冒生命危險，自願地大批地逃向資本主義社會尋求職業和生活，就思想和立場而論，東德共黨政權豈非「社會主義」的敗類？豈非歐洲社會主義傳統的不肖徒孫？東德共黨政權這班東西眞正的做了資本主義社會的一大幫手，做了自由世界在共產世界爭取羣衆的組織人，好極！我們歡迎！大表歡迎！

每日二、三千人的西逃，說明了什麼？

第一、在和平競賽中，自由世界有絕對的勝利把握，東德人民大批西逃，表示共黨已在競賽中宣告敗北。

第二、共黨在競賽中失敗之後，改採強制手段，封閉門徑，用暴力橫加於東德人民，禁止他們的逃亡，這是何等卑怯的行為！公平競賽的精神蕩然！

第三、共產主義明明白白已不是時代的潮流了。為防止人民集體逃亡，必須設置鐵絲網，多麼丟臉！歷史上還有這樣丟臉的醜事否？請拿例證來！

柏林局勢是誰造成的？是赫魯曉夫，也有人說，是中共和東德迫使赫魯曉夫做的，換句話說，是毛澤東和烏布立赫要求這樣的，但不管是誰有意於此，他或他們出此主意，必自以為高明，可是，自蘇聯有意於年底單獨與東德簽訂和約之後，西方（北大西洋公約各國）表現了進一步的團結，美國不但增加軍費，且徵召後備兵；世界輿論被動員起來，對蘇聯實行總攻，東德人民担憂前往西方的道路不通，提前和爭先逃亡，數量之驚人，使東德共黨政權為之戰慄不已，乃不惜在全世界人民的公開獻醜，強留人民生活在他們的「社會主義制度」之下。

東德的逃亡者是誰？他們大部分是二十五歲以下的青年；此外，是技術工人、醫生、教師。這些人民的逃亡使東德發生醫務人員荒，技術人員荒，教師荒，以及勞動力的空乏。要在這樣的荒涼社會中建設「共產主義」，豈不是大笑話！東德共黨政權採取封鎖的下策，證明共黨的慌張，以及他們也承認失去以上的逃亡者，東德將慢慢變成荒漠之地。但是，用強迫方法挽留人民是有效的嗎？我以為，東德共黨也不相信這方法是有效的，不過，為了共產世界的全體面子，不得不出此下策。尤其是東方人毛澤東最講面子，他幾乎必定向東德建議，趕快實行關門政策，可惜，毛澤東自己手上的三面紅旗，把今日大陸弄得昏天黑地，他作建議的聲音也幾乎必定是低得令人難以聽聞，更何況柏林局勢的搞糟，他可能要負主要的責任。

東德目前的混亂形勢，大有爆發反共革命的可能。一九五三年六月十七日，東德人民曾經嘗試過一次革命，但是失敗了，就德國人民的堅強意志而論，他們豈甘心於那次失敗？再革命的來臨，可說是必然的。假使赫魯曉夫一定要在年底單獨對東德簽訂和約，即是表示俄國一定要長期的人為的分裂德國，德國人民甘心於此，誰會相信？所以，東德人民之擺脫共產統治，只是一個時間問題。

共產黨決不致自動放棄政權，反共革命因此成為必要。在德國和柏林，牽涉廣泛，一旦反共革命發生，西方不能置身事外。西方各國此時應對未來必然發生的局面急謀對策，並決然毅然準備作戰。西德政府面臨那一局面時，更不能不忍、和無法袖手旁觀。今年已是一九六一年了，與一九五三年的情形比較一下，西德的經濟、政治和軍事都有長足的增進，大可以與俄國周旋一陣。只要西方堅決和勇敢，挺身而出，我以為，是可以叫赫魯曉夫知難而退的。如果毛澤東不服氣，對戰爭有興趣，西方盡可公開發出邀請，在戰場上見面，時間和地點由毛澤東自擇，凡不敢出場的，才是眞正的紙老虎。

但是，東德人民如有行動時，很可能出現一種意料之外的局面。大家總記得，一九五六年波蘭的波茲南事件繼一九五三年東德暴動而生，而匈牙利在一九五六年十月的反共革命是繼波茲南事件而生的，後者可說是受了前者的鼓舞而生的。時間已過了五、六年，中東歐的實際情況和民心向背，已另有一面貌。基於此，如東德不久發生反共行動，波蘭人民是否將繼起而行動呢？匈牙利的人民又會怎樣呢？這些絕對不是空洞的問題，而是可能性極高的問題。如波匈人民能於不久將來毅然響應東德人民的起義，這局面將迫使俄國作戰略上的大撤退。波蘭人民在後面一搗亂，截斷交通，則俄國駐於東德的二十二師精兵便沒有退路，唯有投降。赫魯曉夫儘管有足夠的力量可鎮壓波蘭和東德的反叛，但那樣做的後果便是一場熱核子武器大戰，即使仍是有限度戰爭，但也因俄國動用武力鎮壓中東歐人民的民族自決，而變成十足的帝國主義，俄國縱能憑武力逞強一時，其結局總不免於失敗。

俄國有動用武力的決心嗎？不見得，以目前的緊張情勢看，俄國可能借助武力，用以維持東德局面，但到東德局勢演變至於不可收拾，面臨與西方攤牌的抉擇時，俄國仍有顧忌，它決不致與西方正面進行射擊戰。

英國哲學家羅素向以和平主義者的姿態出現，他雖反對戰爭，但仍謂美國實力超過俄國。自由世界除美國外，尚有英國、西德、法國等等，如合總力打擊俄國，俄國實在不堪一擊。俄國今天所負的包袱，實際也相當沉重，萬一戰爭發生，中共除能提供人力外，有何實力？中東歐民心靠不住，軍隊警察自然不足恃。美國國防部長麥納馬拉曾於七月二十八日在參議院軍事委員會作證，謂赫魯曉夫並不信任東德軍隊。在這種情況之下，唯一對俄國有利的途徑自然是與西方談判，全面解決對德和約問題。

赫魯曉夫這次處理德國和柏林問題，因東德人民的大批逃亡而顯得弄巧反拙，現在，形勢發展已至焦頭爛額的地步，如何收拾，已成為共黨的一大難題。為了阻止人民逃走，永遠採取封閉政策，決不是高明之計，如放棄封閉政策，又恐人民繼續南逃，更非所願，這對共黨言之，眞是左右為難，這叫做搬了石頭打自己的腳。

倘使美國副國務卿鮑爾斯所說不錯，即赫魯曉夫對德國問題的強硬路綫係由中共和東德所促成，那末，毛澤東此番又要受到克里姆林宮的譴責了。

八月十六日

自由談

談妄人

本報連載小說「瘋君續夢」作者岳騫先生說，他最近寫了一篇名為「美國三大妄人」的文字，準備發表。他所指述的三大妄人，如現任副國務長官鮑爾斯——我從來不用「國務卿」這名詞，因為「卿」字的意義，在政治上是對帝王而言，當年袁世凱設置「國務卿」時，梁士詒即說是「國號共和，誰復卿卿者？」美國係頭等民主國家，尤其不宜沿用這種原是日本譯述的封建的名稱——如參議員摩斯皆是也。

我認為這兩個傢伙還不配稱為妄人，良以政治上的妄人，其言論主張雖不高明，却具有「言僞而辯」的本能，尚足以欺騙一般不識不知的村夫鄉愚之流。像鮑爾斯月初在印度訪問時，拍着尼赫魯的肩膊說道：「如果有人進攻印度，就等於攻打我美國，我們一定要以全力應援的。」事後巴基斯坦總統即公開罵他「愚蠢」，而尼赫魯亦對新聞記者表示，印度不便接受美國這種「友好的保證」；日前他又說出甚末「台灣自決」的瞎話。摩斯則說中華民國是靠美援支持的「傀儡國」，他們類話若出於俄共們之口，倒無所謂，堂堂美國參議員而作此言，簡直是咒罵自己的祖宗三代，對於咱們中國人，固無傷也。

試想想：以一個據有政府高級職位，代表國家使於四方的大員，和一個享有綜覈國策權力的最高民意代表，竟發出這類失格丟醜的政治言論，這決不是普通的妄人所願為的，妄人亦有其所以成為妄人的一套啊！至於鮑爾斯與摩斯對中華民國抱着憎惡態度，亦有一種共同的原因。兩年前，鮑氏交卸了駐印度大使後，曾到台灣逗留過，摩氏揹着參議員的招牌，也曾訪問過台灣，然我政府遵照一般的外交禮儀，對他們未予特別歡迎，待以上賓之禮。他們就因此懷恨在心，而以反對中華民國政府來洩憤快意了。似此淺薄無聊之徒，當然不夠妄人的條件，他們只是咱們北方諺語所謂「混雜子兒」式的人物而已。

馬五先生

漫画天下

南施

不妨引證

毛澤東：「你們說我餓殺了人民，看他們霍亂吐瀉時，怎還有許多東西吐得出來？」

任重道遠

赫魯曉夫：「努力！這是我的廿年計劃。怎愁趕不上西方國家？」

法律之前人人平等

推事　錄事　被提公訴

·吳越·

（台北航訊）一件牽涉立法委員兼律師及其退職書記，及台北地院推事與錄事在內的案子，已經台北地檢處偵結，分別處理。推事譚長申，錄事陳靜，於九日由檢察官張澤涵提起公訴，涉嫌收受賄賂瀆職。另一律師事務所書記李琪，曾將當事人所交付之賄款，換為美金交付，則犯妨害國家總動員懲罰暫行條例，被併案提起公訴。至於立委兼律師的吳祥麟，雖未被起訴，但以違反律師法，將由地院首席檢察官送請律師懲戒委員會處理。

這件案子的揭發是在上月底。吳祥麟律師事務所退職書記李琪，曾因向吳律師屢索結怨，憤而向司法當局自首，揭發其過去與民庭錄事陳靜勾結情形。本案之焦點，為四十年發生之金瑞山銀樓案，當年金瑞山銀樓老板賴長生受台灣銀行委託拋售黃金，涉嫌套滙及買賣黑市金鈔，被政府三審判刑，並將在賴處搜出的黃金二萬多兩沒收，時值二千多萬元的土地權狀則由法院保管。至四十五年，由吳律師囑李琪賄請陳靜串通司法官譚長申，提早「盜卷」發還。

起訴書述及的犯罪事實略說：賴長生因判罪，所有財產，均經查封。其父賴鑾成，以查封之本市延平北路二段一六八號房屋等，係其所有，委託律師吳祥麟，於四十五年二月，向本院提起執行異議，該案因未及，翌年冬季，吳祥麟乃囑其事務所書記李琪，託錄事陳靜，向推事譚長申關說，求為速辦，譚允提前辦理。於同年十二月十七日宣示判決撤銷查封，是日下午，李琪曾邀陳靜前來吳律師事務所，與及賴長生均在座，吳命李隨賴去取款，賴至家將預備之台幣二萬五千元交李，李留二千元自用外，餘款向美鈔販子換成美鈔五百二十元外，仍餘台幣數十元，李即將美鈔四百五十元託陳靜轉送譚長申，另美鈔七十元及台幣數十元送與陳靜，陳靜則以台幣數十元贈與事務所工友魏忠一，並於當晚即將美鈔四百五十元，帶至木柵法院職員宿舍，交與譚長申收受。

這件起訴書認為譚，陳等僅涉嫌於發還房產一案中，但新聞報導則認為陳靜牽涉到的民事案件還很多。因為，陳靜雖然官卑職小，但多年來在地院民庭主管分案工作，便在分案時從事舞弊工作。例如訴訟當事人或訴訟代理人，與那位推事有交情，希望案子分給某推事承辦時，只須與陳靜關說，談妥條件，就會設法辦到。假如某推事要想辦某案，亦須向陳靜關說，附有條件，才能如願，經過多年來的翻雲覆雨，陳靜確會獲得很多的不法利益。民族晚報的社評認為：由此可見陳靜官職雖小，但卻可也左右承辦案件之程序，可以引誘訴訟當事人，及司法人員玩法作弊，可以顛倒是非黑白，破壞國法的尊嚴性與神聖性，陳靜瀆職案之不平凡，於此可見。社評很感慨的說：法律是國家之大藩，而司法人員即是保護這一大藩的主要人員。如果連我們國家的最後堵藩也趨於崩潰，我們的國家社會前途，將無光明可言了。

就在金瑞山這一案中，關於各人受到的報酬數額，便與起訴書中所說，大有出入。公論報報導，當年金瑞山為了報酬這批出力而達成目的的人們，曾付出了一百多萬元代價。光是那位當立法委員的律師，就得了十五萬元現款，及市內土地三千坪。經辦該案的推事得了五十萬元。陳靜得二十萬元，另外一個姓黃的司法黃牛吞沒了三十萬元。四十一年的一百多萬元以及三千坪土地，如以現在時值算起來是數千萬元以上，讓國庫損失了一筆鉅大的收入。徵信新聞的報導，則認為吳律師及某推事，在金瑞山案中所獲得之金錢，並不如外傳之巨，吳本人所得並未超過一百萬元，而某推事亦未獲數十萬元之巨。據說，吳律師實際所獲爲五十萬元，某推事僅數萬元而已，但併及他案之總和，則爲數可觀。關於律師所得之土地酬勞，徵信新聞報導說，該項土地，係在雙連區中山北路兩側起及中崙中正路兩側，某律師並曾經持此項土地權狀，向土地銀行押款一筆，並在龜山尚有一筆產業，已出售。民族晚報的報導則說：陳靜利用職務之便，涉嫌串通司法官及律師等三四人，暗中將存券之該筆充公土地之所有權狀抽出，[illegible]

報導司法行政部長鄭彥棻，昨（十）天下午出席行政院新聞局每週例行記者招待會上，有記者提出問題：賴長生代理政府拋售黃金舞弊案所查封的土地房屋黃金美鈔等，法院既判令發還，為何黃金美鈔迄無下落？當年若將財產發還，則不致有今日陳案之發生。原來賴長生被判刑，又被沒收財產，其據以判刑的法條，是引用懲治貪汚條例，在賴的刑期未滿間服刑到第六年的期間，政府明令廢止該項懲治貪汚條例。法條既經廢止，賴又向法院提出免刑申請，並獲得准許，但對沒收的財產，並未發還。於是又提出發還財產的申請，這項申請，共提了三次，第一次法院的批覆是，這項財產尚在保安司令部；第二次向保安司令部申請，批覆稱已移送法院；第三次再向法院申請後，經謹慎的審理，認為賴長生的財產應予發還。鄭部長對於記者所提的問題，答覆時並未直接涉及該案，只是表示：他對所屬法院有監督之權，監督範圍以內的事，如發現所屬有錯誤，本人必命令澈查，澈查如果屬實，則一定嚴辦。對於訴訟案件，本人不願過問其實質問題。

陳案自發生以後，因為傳說，這個案子同時牽涉到台灣高等法院及台北地方法院的若干推事與檢察官身上，還有最高的民意代表，所以引起社會上許多人注意，而成為茶餘酒後的談話資料，報紙也都大幅報導，紛紛撰評。現在既然偵查終結，提起公訴，雖然犯罪事實與社會傳說，但有相當遙遠的距離，但總算有了交代。

香港與大陸

（本報特訊）澳門消息，據此間通訊社獲自新會逃亡抵澳難民消息，新會境內，亦有嚴重的霍亂症發生。據稱：該縣所屬的禮樂鄉，人口數百人衆，但倖能逃過疫症侵襲而生存的，僅有十餘人。據謂新會城發生的疫症亦甚為猖獗，每日均有數十人送往江門及附近設有醫院的地方救治。該難民並謂此次大陸疫症發生因素，主要為（一）氣候不調和，（二）人民長期營養不良。（三）糧食欠缺，以其他植物及欠衛生之物品充飢，因而形成了此次疫症的發生。

△來自廣州可靠消息：最近一個月來，廣州市的治安極為混亂，人心不安，盜搶案件屢出不窮。消息又稱：該市的西關區和河南區，許多「手工業社」因原料缺乏已停止生產，因此，中共為調整該市經濟，決定將一九五八年遷入該市的居民撥回農村生產，但是，也有些敏感的人，認為中共此舉係疏散人口，以備將有戰爭發生。（自聯社）

難得有的奇聞和怪事

倒風吹到台中郵局

（台中通訊）怪事年年有、處處有，沒有今年此地多，近日發生一件中外古今沒有見過的事，郵政局竟倒閉清理，真是中外亙古奇聞也。

位於省政府所在地霧峯的台中郵局第八支局，已宣告倒閉清理。該局設於省府教育廳與衛生處內，以該廳處為營業對象，近因該局局長張亦，負債數十萬元，就此關門，委請謝祚蔭律師出面負責清理。郵局為保持信譽，已主動將張亦移送法院處理，但僅拘押四五天，即被釋放。

該局倒閉之債權人均為教育廳及衛生處員工。咸認為郵局辦理存儲，係於政府發行公司債，不應以個人瀆職行為而侵害存戶權益，影響政府威信。郵局方面則認為此案複雜，須靜候法院判決。

台中郵局第八支局局長張亦，五十一歲，廣東人。該局除了辦理郵政業務外，其另一主要業務，是吸收教育廳、衛生處員工儲存，因由於市場蕭條不景氣象，倒風日熾，游資都集中郵局，國人對郵局自來十分信任，可靠而有利息可生，提存亦很方便，因而每月儲金達數十萬元之多。由於張亦局長，係郵局高級人員，大家相處日久，因而有人甚至將「儲金簿」連同圖章交張亦為之辦理手續，以期便捷，其信任可想而知。絕沒有任何人可以想得到這塊「金字招牌」竟會在一夜之間，宣告關門大吉，聘委律師清理。據債權人稱：當他們接到律師召集債權人會議時，大家竟啞然莫知所措。

七月卅一日，在謝律師事務所召開第一次債權人會議，由謝律師主持。據當時統計，有帳可稽者，計十九萬七千多元，尚有其個人邀會未計在內。所謂有帳可稽者，乃是指存戶儲金簿內，與郵局存款數字相同，尚有被張亦局長用偷天換日之巧妙辦法所取去者，尚不計在內，一時亦無法統計。據查其方法有三：

（一）儲金簿之存款，如數照收照付，但內帳收多記少，譬如某儲金簿上記載是一萬〇一百元，而內賬只記一百元，其餘一萬元被其挪用。

（二）常有人將圖章放置該處委其代辦，張即自填儲金提款單，蓋上私章，擅加提取運用，存戶根本不得而知。

（三）以花言巧語引誘員工存儲，表示除獲得郵政規定利息之外，尚可另加黑市利息。而且只要存戶同意隨時均可提取。

該張支局長，運用以上三種巧妙方法，許多公務員便上了鈎，衛生處一主任秘書，以犧牲公休換來一筆一千三百元的獎金也遭其殃；他的儲金簿裏記載，而且蓋有郵戳，可是在他的郵局賬內，他的錢沒有影子了。類此的例子甚多，此刻正在調查中。

郵局倒閉，奇聞也。但願郵政當局，好好地處理這件事，否則，遺禍無窮。（周燕）

府會一家集體勾結

台南市政府與議會

·張健生·

此外，蔡丁贊議長在有了新車之後，依照規定，原有正在使用的舊車只好報廢，事經省府批准，這部舊車就應送還市政府公開標售，將所得價款送繳國庫，不料，台南市政府各單位主管聽說蔡議長有了新車，即份份向市政府及市議會活動，要求借用舊車，此事復又使市長與議長大傷「腦筋」。這些事充分暴露了新官場現形記。

台南市政在府會合作之下，的確，出了不少的鬧劇。例如為了台南客運公司公共汽車加價一事，議長蔡丁贊與市長辛文炳，被輿論界攻擊得皮無完膚，且議為「公文偷渡」與「政治公司」，這雖然是過去不久的事，却留給寫地方自治史人的最佳題材。就在公車加價案風波平靜沒有好久，市長辛文炳為了報答「功臣」的勞績，正在打算調動西區區長張耀焜的時候，因高度機密外洩，引起西區全體三十三位里長集體總辭及罷免市長的風潮，結果，辛市長沒有把張耀焜區長調走，而自己却幾乎在這件事上栽了一個大筋斗，直到目前，尚未解決，却弄得市長進退維谷。

本年七月初，辛市長為了償還「人情債」，決定將西區區長張耀焜調任民政局行政課長，由中區區公所秘書代區長，顏基瑞調升西區區長，中區區長則調由台南縣政府戶政課長蘇紹統接長，而現任台南市政府行政課長林金福調任中區區公所秘書。台南縣政府戶政課長蘇紹統調任中區區長的原因，係辛市長為了答謝省議會議長黃朝琴與內政部長連震東的一份「人情債」。顏基瑞調升，是為了要他讓缺，可是張耀焜的調動則缺乏積極的充分的事由。當這一張名單尚在「腹稿」階段便告外洩了。張耀焜區長聽到此一消息後，乃暗中策動全區里長集體趕到市政府向市長陳情，殊料辛市長不以政治手腕還治其人，却對全體里長大充其火，訓斥一番，因此，乃激起衆怒，全體三十三位里長聯名向省府陳情，除指責辛市長不該向他們發脾氣外，並願與張耀焜區長共進退。此時，有人藉機發動罷免辛市長了。

此一風波尚未平息，而另一購車風波又發生了。自從辛文炳當選市長之後，由選舉官司開始，在短短一年多任期內，曾發生所謂「政治公司」公車加價案，調動張耀焜區長案及購車贈送議員案等，除了選舉官司纏訟半年而勝訴外，其餘的幾件案子，沒有一件有結果，都是在全體選民和輿論壓力之下而知難退却，但辛市長却在困擾中度日子，致其競選時候的諾言──政見，也一股腦兒忘了。

老實說，如果民選縣市長咸以個人的政治利益為前提，則其所治理的縣（市）政，必定是一張白紙，而交白紙卷的縣市長的政治前途，也就隨着白卷而告「壽終正寢」。故愛護辛市長的人，都希望他自己冷靜的想一想，以免他日後悔莫及呢！（下）

四官頭

燕謀

民國以來的官制，訂爲四等，即特、簡、薦、委是也。這種官制，似從東洋人那兒搬過來的，不，似東洋人在咱們家搬過去，經過一番加工之後，咱們又去東洋人那兒搬回來的吧！咱們的「特任」官，日本叫做「親任」，咱們的「簡任」官，日本叫做「勅任」，「薦任」官，日人叫做「奏任」，「委任」官，日本人叫做「判任」。既非六官或九品官，亦非英美之「執行」（Executive）及「文書」（Clerical）二級制。此中國之所以爲中國也。

所謂特任、簡任、薦任、委任官者，不侫別以綽號名之，名曰四頭官。蓋特任者，牛頭官也，牛頭最大，形容其能負重任也；古人祭文武二聖之廟，便以牛馬作犧牲品，故「特」者，牛置寺廟之前也。故曰特任官者，牛頭官也。簡任官者，竹頭官也，竹頭又較牛頭爲小，竹係植物，故不如動物牛頭之吃香也。三曰薦任，薦任者，草頭官也，比之竹頭更小了，且其地位如草之根，未能如竹頭之根深蒂固，動播性較大也。末曰委任，委任者，禾頭官也。禾頭官乃直接耕耘公務官兒，其數衆，其作苦；如耕耘農事者然，憑辛勤勞苦而生存也。禾頭官者，直接承辦公務者，其地位如禾末之微的官兒是也。

牛頭官最大，其數甚少，蓋物以稀爲貴也。禾頭官最小，其數多，多則賤，賤者，貝之小也，禾頭官之不值錢者此也。以工作論，官頭愈大，工作愈少，官頭愈小而工作愈重，工作與官頭之大小乃成反比也。以薪俸計之，則官頭越大，薪俸越高，官頭愈小，則薪俸亦少，是則官頭之大小與薪俸之多寡又成正比也。薪俸與工作合併衡之，則薪俸愈多而工作越少，薪俸越少而工作越多，則又成一反比也。另有例外者，官頭愈大，則坐車愈小，官邸亦小；官頭愈小，而坐車愈大，官舍亦愈大也。是故做官之哲學曰：「官要大，包車官邸要小；官要大，錢要多，事要小。」此升官發財之道，小人物不可不知也。

談病

野楓

病，是人生的苦境之一，基督教說它是人類犯罪的結果。佛教說是前生之業。總之，病是人類最大的仇敵，它對人類的危害，尤甚於天災與人禍。實際上人類死亡的最大原因，還是由於疾病，人類也一直在與疾病搏鬥着。

但儘管人類化了幾十年的時間，與無限的精力去研究探索，仍然沒有完全征服了疾病，實際上今天仍然有不少在醫學上東手無策的絕症。而任何一個文明的國家，也沒有方法完全根除了疾病。不過在某些地方它有所忌憚，而在落後地區則橫行無忌罷了。

生、老、病、死，是人生中無法避免的境界。沒有一個人在一生中一次病都沒有害過，是完全健康的人。正如基督教所謂世界上沒有一個義人，人人都或多或少的，在行爲上或在意識上犯過罪。儘管你是不可一世的英雄，甚麼都不怕，但你不能不向疾病低頭。小小的病菌，能使一個大英雄銳氣全消。而任何一個剛強兇狠的人物，經過病魔的侵襲後，也會變得懦弱不堪。病，實在是人生中無可奈何的一件憾事。

害病苦，異鄉的流浪人害病尤苦。當他獨個兒在外面闖蕩，不幸染病，而沒有足夠的錢可以住醫院，又沒有朋友照顧，那眞是人生最痛苦的事了。人在患病的時候，最需要親人的照顧，也最思念家人。躺在淒涼的病床上，最易回憶前塵往事，你平日記不起的人與事，都能清淅地出現在眼前。特別是傷心的往事，更容易在心中重演，你的脆弱的情感，在這時也最經不起考驗。惡劣的心情尤能加速你病勢的惡化，雙管齊下，使你更接近死亡的邊沿。

我怕嚐病的滋味，尤其怕在異鄉作客時淒涼的病中滋味。如果碰上秋天，聽着窗外秋蟲一聲聲的憑弔，與秋雨一陣陣的啜泣，那種悽惻悲涼的況味，才使人心碎呢！

病的種類很多，病的作用也不少；病，有流行性的，時代性的，政治性的，世紀未來的，種類與名目都很多。我們中國人素有東亞病夫之稱，病好像與我們結了不解緣。就目前說，除了流行感冒之外，人們都患了嚴重的時代憂鬱症，與世紀末的頹廢症，以及畸形社會中的心理變態症，與或多或少的精神症。由大陸來的流浪人，更無一不害着嚴重的思鄉病，青年人易染憂鬱症，老年人多患頹廢症，踞高位者愛害政治病：一言以蔽之，我們這個國家，這個時代，與我們這個世界都是不健康的，都是病態的，不過有輕重之分，與大小之別罷了。

有些病是能醫的，有些病是不能醫的，有些病可用醫藥治療，有些病則非醫藥所能奏效。一個人的病易治，整個人類的病不易治，一個時代的病尤不易治，處在我們這個多災多難，多愁多病的世紀末，恐即華陀再世，也怕要束手無策了。

談起來害病也不一定是苦事，有時也有樂趣。記得兒時在家中害病，卻是一種享受。當然，那不是指大病，多半是頭痛發燒一類的小病。只要稍微有一點病的象徵，家人立刻便緊張起來，忙着請大夫，熬湯藥，談起吃湯葯來眞是件苦事，我寧願服西葯。但頭痛發燒一類的小病，多半用不着延醫吃葯，躺在床上休養幾天，或吃點家常的藥丸便會好。而在這段小病的時間中，卻是最幸福的日子了。家人對你照顧得無微不至，你平日喜歡而得不到的糖菓，玩具，在這時都可以得到，沉緬在家人溫馨的愛憐中，些微的病痛便在無形中消逝了。如今，每逢身體欠適，總是懷念兒時的小病，但，那不過徒增些惘悵罷了。

大病是人生中的痛苦，但小病在這忙碌的社會中，有時對你卻有助益，使你在緊張的生活中，得到一點調劑。屏除了一切瑣務，舒適地躺在床上，作點內省的功夫，你平時處之泰然的，現在仔細想一想，也許覺察出錯誤與歎咎。而當你臥在病床上，一切肉體的慾望都減低的時候，能使你對人生體驗得更透澈，而悟出些哲理，暫時放下現實的生活，而想一想永恒的境界，對你將更有益處。在忙碌的人生中，小病倒成了調劑生活的一種方式了。

遮羞費

·橋斷·

「遮羞費」之爲用大矣哉！蓋它可使羞變爲「不羞」，它可使強姦變爲「作愛」，它更可使破瓜變成「完璧」！其化戾氣爲祥和之功，點愚頑爲乖巧之力，較「紅包」猶有過之！

且「紅包」例在背地黑處行事，須循後門而鑽之，固屬野草閑花，難登大雅。如一旦走上霉運，附託非人，原形畢現，則萬惡不赦之大罪，皆扣在「紅包」頭上矣！

然「遮羞費」則是完過稅的正牌貨色，它不須鑽後門，不必在背地黑交易，當它完成一項重大任務，報上披露其芳名以顯身價，足見它是法律所認可的正大光明之名詞兒呀！

吾謂「遮羞費」之身價及其效用，必將與日俱進，蓋民主時代，自由國土之人士，經濟頭腦日新；如把女兒賣到綠燈戶，得價不過三數仟元，眞不划算！何如送給口袋麥克麥克之老色迷「強」而姦之，再索遮「羞」之費，鈔票固較賣身之資多矣！且「羞」亦大「遮」而特「遮」矣！女兒不但不還原爲「完璧」，且可再如法泡製！何愁鈔票不滾滾而來？

至于，「遮羞費」之身價刋諸報端，任人傳誦，雖有「羞」可「遮」，而衆人之口不可「遮」之勢，然也不必管得許多呀！有錢的王八大三輩！哼！「固窮」的君子呀！人家會把你當成孫子喲！

瘟君續夢

第二回：狼狽自爭雄，活佛有幸　人天齊示警，浩刧將成

陳雲在中共國務院內是第一副總理，又是政治局常委，是中共財經最高負責人，二李都歸他領導，兩人假若再想爬高一步，只有擠掉陳雲，但是毛澤東對陳雲卻十分相信，大躍進開始之後，特別在國務院下面設立了一個基層建設委員會，專門主管土法煉鋼，四角錢設立一個工廠這一類的建設，不過，陳雲對於大躍進確實不贊同，因爲他主管中共財經工作十幾年，對於財政經濟情況比較清楚，只是拘不過毛澤東只好由他了。後來毛澤東看見陳雲總是懶洋洋地，心裏十分不滿，就加派程子華去基層建設委員會任副主任，主持一切，陳雲只担個空名。

周恩來同二李計劃妥當之後，馬上把陳雲找來，商量當前的財政經濟情況。兩人見了面周恩來就把剛才二李跑來報告的情況敘述一遍，問陳雲有什麼主意。

陳雲嘆口氣：「當毛主席開始搞大躍進時，我就知道不妥，曾經設法勸止過，但是沒有效果。同時，我們黨內有些人惟恐天下不亂，看準了毛主席禍闖的越大，下台也就越快，所以還間接予以鼓勵，現在毛主席下台了，可是三面紅旗的禍根還是拔不掉，將來受累的就不是他一個人了。」

周恩來連連點頭道：「陳雲同志，你的話精確極了，我想現在就請你出馬勸勸毛主席，不必死要面子活受罪了，乾脆把三面紅旗降下來，仍回到高級農業合作社的階段，幾時等到農民覺悟提高，自動要求組織人民公社時，再恢復也不遲，列寧教導我們退一步進兩步，該退的時候還是要退的。」

陳雲聽了周恩來的話，十分奇怪，問道：「總理同志，你怎麼要我去勸毛主席，他們湖南人這麼多。」

周恩來擺擺手：「不必再提湖南人，經過最近這場鬥爭，毛主席把大部份湖南人都怪下來了，只剩了林老和賀張兩人還維持住舊的關係，但是這兩人都不能負起勸毛主席的任務，所以我想來想去只有你合適。」

陳雲笑道：「既然這樣，總理同志我們兩人一道去好了。」

周恩來搖搖頭：「更使不得，毛主席生性多疑，你是知道的，我們一道去，他又懷疑我們聯合對付他，一個高饒集團的事件還未解決，不要再出來個周陳集團就糟了。」

陳雲竟是工人出身，鬥心鬥口都不是周恩來的對手，考慮再四，終於答應自己去試一試。

周恩來送走陳雲，十分滿意，覺得這總算解決了一個難題，陳雲成功了好；失敗了也由他一人擔災，更不會牽連到自己身上。周恩來越想越得意，不知陳雲却惹了大禍。（卅一）

岳騫

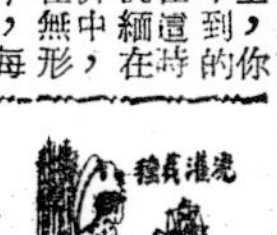

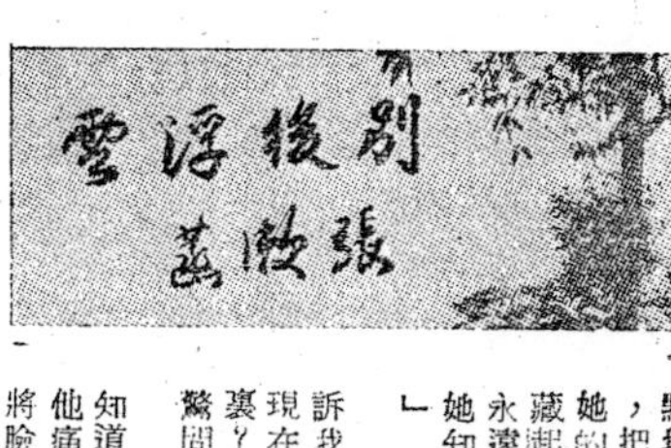

一陣深入心靈的情感激動，使他出了一身汗，他連忙將杯中的酒一飲而盡，她立刻又給他斟了一杯，兩人的手都在微微地發着抖。

「你承認你是絕對幸福的？」她又緊逼一句。

「我從來就沒有幸福過！」他沉鬱地說。

「眞的？你——能夠把你的事告訴我一點麼？」

「如果你願意聽，我可以告訴你。」他放下酒杯，突然正視着她，說道：「令蘭，你恐怕無法瞭解，我爲了一個人，整整痛苦了二十年，至今不能夠減輕對她的刻骨痴情！」

「是她不愛你，拒絕了你？」

「她並沒有具體地拒絕我，因爲她可能始終不知道。」

「她不知道你愛她？」她瞅着他追問：「你沒有向她表示過？」

「是的，因爲她是那麼高傲，那麼不屑于和我交遊，我一直沒有機會和她接近。當時追求她的人太多了，我只有默默地退避，把我對她的愛埋藏起來，永遠不讓她知道。」

「告訴我，她現在在哪裏？」她驚問。

「不知道。」他痛苦地將臉孔埋在雙掌中。

「啊！」她長長嘆了一口氣，然後沉鬱地說：「眞巧，我們的遭遇差不多！」

「怎麼？你也有相同的痛苦？」他抬起頭來。

「嗯，完全相同！」她哀怨地說道：「我也愛着一個人，二十年來我一直在懷念他。不過，他做夢也不會想到我在偷偷地愛着他。他是那麼驕傲，那麼冷酷，那麼寡情，他簡直不把我放在眼裏。我曾經恨他！我命令我自己把他忘掉！可是，可是，不行，我辦不到，我還是要想念他！」她悲痛地訴說着，那幽怨的聲音，像一根顫抖的琴弦，眼淚一串串地滾落下來。

「令蘭，說，他在哪裏？」他緊張地一把捉住她的手。

「他在我的心裏！」她抬起了淚水模糊的明眸，凝視着他。那雙明眸裏所蘊藏的秘密，終于被他識破了。（八）

望海樓隨筆

中國文化

·徐學慧·

什麼叫做文化？這是一個博士論文的題目，放在報紙副刊上來談，似嫌過大。所可能說的是：牛油麵包不是文化，尼龍絲襪不是文化，乃至飛機大炮也不能算得是文化。文化不能以目覩，不能以耳聽，而在立身處世之間，却又是那麼千眞萬確地感受到文化力量的存在。這就是文化。

這話說得很抽象，事實上，像「文化」「道德」「理性」這樣的詞語，也只能抽象地解釋的。中國文化，植根於古代的經典、寓言、詩歌、書信，而見之於習俗禮節。此種禮俗，由於時代的推移，或可能在某些儀式方面有些改變，但其基本精神則仍然存在，而此種精神即是文化。我們的往哲先賢，在文化精神上所作的附麗工作，不僅顯示出他們的苦心，更且是充分表現了他們的智慧。他們是那麼巧妙地，把政治與教育揉和混雜，再用節日或禮俗表現出來。久而久之，這些節日與禮俗就成爲人們生活習慣的一部分，這就成爲傳統文化與民族精神。

在中國，孔子孟子這些名字，已是家喻戶曉，且不去說他們，即使是其他的人物，也一樣地活在我們的心中，形成了我們的人生觀的一部分。這就不能不感謝我們的往哲先賢，在文化精神上所作的附麗工作了。中國人，即令他是一個不會受過任何教育的文盲，他會知道列子莊子屈原曹操劉備李白杜甫顏眞卿柳公權乃至介之推孟嘉這類的人物。寓言、祠誥、節日、戲劇、歌謠，很巧妙地把這些人物介紹出來，而中國文化就是這麼一代一代的被保留下來，而成爲這個社會的道德標準與崇拜的典型，說得更其白些，那簡直已形成了我們這個民族的共同精神。

年年到端陽節來臨時，龍船鼓響，粽子上市，年青的一代，在鼓緊龍飛中大顯身手，而年老的一代，就那麼娓娓不倦的講述屈原投水的故事。他使我們知道有個屈原，使我們知道有個楚懷王，也使我們知道什麼是忠？什麼是奸？

這不過是隨便舉一個例子而已。類此的故事很多，也不必一一細說。我們有詩歌，有寓言，有成語，還有這麼多的節日和禮俗，這就是我們的文化，也就是我們這個民族的精神。力量來自精神，只要精神長在，則我們這個民族就必然有力量來應付任何險阻艱難。陰陽風雨，終無損於日月之明，只要中國文化不被消滅，則中國必不會亡！

劉銘傳劉璈交惡經緯

李仲侯

且淮軍將領，都出身微賤，根本談不上學術，豈能有羅、李、王、彭的氣概，以他們來代替湘軍支持大局，無怪乎袁世凱以一文武都不成材的人，而可傳淮軍之精，這不能不說是國家的大不幸。」

他評曾李的優劣又說：「曾國藩不循私情，不計恩怨，確能拔擢眞才，不愧一時將領，李鴻章却不然，我們看他諫阻國藩奏劾李元度之事，就可知道二人的作風不同，後來李居當路，凡四十年，自視太高，與其舊部禆將，昔共忠難，今共功名，徇其私情，轉相汲引，布滿要津，不問其才可用與否，委以巨伍，又好以利祿驅衆，亮節之士，多不樂爲用（見淸史稿）所以沒有培植什麼人才出來，這是他緩急莫恃，貽誤事機的最大原因，而且他的鄉土觀念太重，曾國藩雖亦利用鄉土觀念，但只是爲打仗團結，絕非植黨聲援，他命李鴻章留淮軍以平捻，把自已的湘軍撤了，又重用塔齊布（滿人）多隆阿（蒙古人）鮑超（四川人）李孟羣（河南人）褚汝航（廣東人）及保薦沈葆楨，都可以見出他的襟懷，李鴻章重視部屬鄉里，纔造成袁世凱，段祺瑞的北洋系統，爲中國軍隊添封建割據的觀念，爲中國社會長貪汚循私之風習，倘以湘軍人物，當他的地位，必不至如此，這一種關係國運的轉變，是值得我們注意的。」

劉銘傳巡台時，曾國藩已下世，李鴻章總攬北洋大權，炙手可熱，會法越事急，劉銘傳正鄉居，由鴻章奏召赴台視師，是時各地淮軍幾已取湘軍而代之，惟台灣獨殊，除兵備道劉璈乃左宗棠舊部外，所部陸續添補近二萬人，都爲湖湘子弟，其中如防守基隆提督曹志忠所統三千人及駐淡水提督孫開華所統亦數千人，皆湘軍中百戰勁旅，爲劉璈所恃以抗法之主力，孫開華更爲鮑超霆軍中之佼佼者，劉銘傳復出督師，解甲已久，舊部均散處畿輔及吳越各地，涖台日，僅挈新卒百廿人，將吏十數，後大戰爆發，淮銘軍將抵台者，亦不過高元章，劉朝祜等纔六百人耳。（三）

雞的諧趣

介人

今年新界農場，養雞的朋友，由於雞價太平，均遭受到了很大的損失，這雖屬「雞蟲得失」，但資本薄弱的經營，實在受不了這種重大的打擊。因此，使筆者連想到若干有關於雞的趣談，以博一粲。

本來若干的朋友，並不是長於牧畜的，來到海隅，謀生之術，不得不藉養雞以圖升斗之需，實不啻與「雞鶩爭食」。當前兩年雞價陡漲時，凡屬經營農場的，莫不利市百倍。一家人得以溫暖，其樂融融，無異「雞犬皆仙」。

除了以上的有關雞的成語和出典，爲衆所週知之外，此外在俗諺當中，也還有成語是流傳在市井而常爲人所引用的。

例如現在各都市的阻街女郎以及妓院的娼妓，都叫「野雞」，幼妓叫做「雞仔」，鴇母叫做「雞婆」，妓院叫「雞竇」。如其事無限制，不循正軌，而濫竽充數的，也叫「野雞」，所以有「野雞車」，「野雞學店」的名稱。如果是良家女子墮落的叫做「墮落雞」，郊外野合的叫做「打山雞」，讚美女人乳房的叫做「新剝雞頭肉」，這「雞頭肉」、是指形似黃實，眞形容得絕妙！

至於有若干三山五岳的朋友，羣居終日，言不及義，則多認爲這是「雞鳴狗盜」之輩。失掉了良好機會的叫做「走雞」，僥倖得手的叫做「偷雞」，喻事小見的叫「雞屙尿」，天黑不見物的叫「雞眼」，二叔婆沙嘴不休的叫「雞咀雞」，這些術語，說來也極其幽默之至。

還有，笑人言語不通的叫做「雞同鴨講」，譏事不從人願，事與心違的叫「蛋家雞」，專食孤寒米叫做「石鱔雞」，謂因大忽小的叫做「大雞唔食細米」，鄙男人嗜女聲的叫做「雞聲雞氣」，稱呼無能之輩的叫做「雞手鴨腳」，形容畸形的人叫做「雞胸狗肚」，這些都比喻得極其恰切，雅俗共賞。

至於氣力衰弱的叫做「手無縛雞之力」，小事大做的叫做「割雞焉用牛刀」？鄰居不和睦，永不相來往的叫做「雞犬不相聞」，慌忙逃竄的叫做「雞飛狗走」，人心惶惶不安的叫做「雞犬不寧」，讚美超人一等與衆不同的叫做「鶴立雞羣」，食完又食的叫做「臘腸蒸雞」，捉到了人家的錯處的叫做「差倒但雞脚」，這些都是指事而言，却也有許多頗玩味呢！

最後，則尚有唐伯虎的鷄誦，王西樓的失雞詞，均屬有關於鷄的小品妙文，頗爲雋永有趣，謹節錄之，以爲本文之殿。

據說明代的才子唐伯虎遊僧舍，見母雞肥壯，向僧建議，請烹以下酒，僧答稱：居士若肯爲此事作誦，老僧當不惜犯殺戒，伯虎援筆立題曰：

「頭上無冠，不報四時之曉，脚跟欠距，難全五德之名。不解雄先，但求雌伏。子生卵，卵復生子，種種無窮；人食畜，畜又食人，冤冤何已。若要解除業障，必先割去本根。大衆先取波羅香水，推去頭面皮毛；次運菩薩慧力，剝去心腸肝胆。咄！香水源源化爲霧，鑊湯滾滾成甘露，飲此甘露乘此霧，直入佛牙深處去，化生彼國極樂土！」

僧笑曰：善哉善哉！雞得死所，牠無遺憾了，遂烹雞以侑酒。

其次則爲王西樓氣度寬宏，平生不見喜慍之色，其家嘗失一雞，王誡家人不必尋覓，戲作「滿庭芳」一首自爲慰藉云：

「平生淡泊，雞兒不見，童子休焦。家家都有閒鍋灶，任意烹炮。煮湯的貼他三枚火燒。煎炒的助他一把胡椒。倒省了我開東道。免終朝報曉，直睡到日頭高。」

海嘯樓談薈

梅蘭芳蓋棺論〔二〕

諸葛文侯

梅伶的先天性質，綽具女性成分，一言一動皆表現着溫柔敦厚的自然氣氛，不帶絲毫矯揉造作的意味，與小翠花，荀慧生之流迥然有別。民國廿一年春間，我到北平旅行，老友劉郁芬招宴於門外「戲劇學校」，同席的盡是些梨園名角。梅伶到得最早，他見我坐在齊如山先生的辦公室內，手持着胡琴，即對我輕聲言道：「您亦喜歡這玩藝，我來唱一段好不好？」實則他並不認識我，也不知道我就是這次宴會的主客哪！繼而楊小樓，余叔岩，郝壽臣，小翠花，尚小雲諸人接踵而至，梅氏對諸人執禮甚恭，尤其是對楊小樓，「大爺」之稱不絕於口。這時候余叔岩正宣告輟演，我問他何故？余謂因患便血症，不能操勞，只好不吃這行飯了。梅氏即謂：「三爺如果眞的不再登臺，咱們就混不成啦！」因此我對梅伶頗有「雖曰未學，吾必謂之學矣」的觀感。

梅伶無論在何時何地演出，也不管聽衆多寡，總是盡心竭力以從事，決不隨便敷衍的。記得民國十九年春某夕，我看他跟王鳳卿在杭州「西湖博覽會」合演大軸戲「太眞外傳」，將告終場之際，聽衆紛紛起身，爭欲先出院外，秩序殊紊亂，此時梅伶在台上特別引吭高歌了兩聲，聽衆即一律安坐傾聆，不復騷動，而他在這最後五分鐘的尾場表演中，亦格外落力，使觀衆皆大歡喜而退。他這種忠於職責的精神，如果中國政治場中的官兒們能有三份相似，國家亦就不會鬧到現在這種地步了！

梅伶在青年及壯年時期，對於男女社交場合，頗能矜持不亂來，這雖然是他知恥自愛之處，亦與體力有關。據聞他在情不可却，勢不可抗的環境下，偶與異性親近，而又未能滿足對方的要求時，必說「我很對不起你」的謝過語，可見他知道藏拙攝生，纔得活到六十八歲哩！他一生只貽害了一個皖人綽號「張夜壺」的新聞記者，那是民國十四年冬在北平馮耿光的住宅內，有一青年惡客懷着手鎗前來馮宅硬要晤見梅老闆，梅不敢露面，張夜壺適在座，乃出而作魯仲連，旋以談判歷數小時不治，而憲警聞訊掩至，實行逮捕惡客，相互開鎗，張夜壺因被惡客挾持着，不幸亦慘遭擊斃了。這樁命案的內容如何，始終未見宣佈，大概不外是涉及男女問題吧？後來梅氏對於張夜壺的喪葬善後事宜，頗多盡力，而當時平津的報紙上對梅氏亦無攻訐指摘的言論，這不能不歸謝於梅氏平日的人緣甚佳之故。

歷史人物

秦始皇論

·謝康·

淸康熙時，朴韶作讀史論略，批評始皇，更站穩儒家立場說：

「始皇用李斯，盡反先王之道，以暴虐爲天下先，孰知沙邱矯詔，亡秦者胡（胡亥），竟成語讖，乃無道秦亂極使然也。」

道光時魯一同作秦論說：「秦之亡，不亡於二世之荒淫，而亡於始皇之雄武。」

以上是肯定始皇爲暴君的代表意見，暴君和行仁政的聖明君主相反，前者底暴虐與苛政，是猛於虎的（孔子語）其結果是君之視臣如草芥，則臣視君如寇讎的（孟子語）。始皇名爲嬴政，而不行仁政，又擅自廢棄古法，一切以吏爲師（法家的主張），那麼儒家的評論者不直他所爲（杜牧阿房宮賦稱他爲獨夫），可說是應有之義。何況他是呂不韋的私生子，屬於「野仔」一流，身家不淸白，更易引起後世人的輕視。還有一個更大的因素，就是一般人對秦代歷史的認識，都不免受司馬遷史記的影響，猶如他們對三國人物的批評，多受羅貫中三國演義的影響一般。恰巧這位自比於孔子作春秋而作史記的太史公，深受了儒家文化的薰陶，一方面在始皇本紀裡面有意無意地描繪出一位「暴君」，另方面在陳涉世家裡面，對陳吳等揭竿起義，作熱烈的讚揚，他們比作湯武的征誅，而將二世胡亥——這個秦始皇的替身，比作桀紂，不消說這位二世祖的罪惡，就是他父親惡貫滿盈的象徵，作爲父債子還的了。（二）

徵稿小啟

有內容有意義之隨筆、散文、掌故、小說、雜感等類文字，本刊均所歡迎。請用有格稿紙繕寫，如需退還，請附信封及郵票。一千六百字左右的隨筆，比較容易刊出，過長則以篇幅所限，請特別留意。

內僑警台報字第〇三一一號內銷證

自由報

THE FREE NEWS

第一五九期

中華民國僑務委員會頒發
台灣新字第三二三號登記證
中華郵政台字第一二八二號執照
登記為第一類新聞紙類
（半週刊每星期三、六出版）
每份港幣壹角
台灣零售價新台幣弍元
社長：雷嘯岑
督印人：黃行齋
社址：香港銅鑼灣高士威道二十號四樓
20 CAUSEWAY RD 3RD FL HONG KONG
TEL. 771726　電報掛號．7191
承印者：田風印刷廠
地址：香港灣仔高士打道二二一號
台灣分社
台北市西寧南路壹壹零號二樓
電話：三〇三四六
台郵劃撥儲金戶九二五二

從核子戰爭談蘇俄作戰計劃（上篇）

郭甄泰

赫魯歇夫於七月八日要求西方與蘇俄開高峯會議商談柏林問題稱：「……余有足夠摧毀西方陣營之氫彈與飛彈（近程飛彈與越洲飛彈）」。月前赫魯歇夫與英駐俄大使佛蘭克．羅伯茲爵士面談時稱：「……只要六顆氫彈就可以使不列顛一掃而光，另外九顆氫彈，則將會使法蘭西全部毀滅」。本月（八月）上旬，蘇俄為柏林問題第二次致西方之照會中又稱：「倘有射擊戰發生，則以核子彈於數小時之內毀滅西德」。一連串發出「轟雷」恫嚇，炫耀其核子實力，使萬里晴空之世界為之驟然變色。甘迺廸總統重視柏林問題，深恐失柏林，即失西德，失西德即失歐洲，失歐洲即失去全世界，一子喪失，全盤皆空，亦要求國會增撥購買飛彈、飛機、軍艦經費擴充陸軍實力，並鄭重聲明：「我們謀求和平，但我們決不屈服」，「戰爭一經發生，將在莫斯科開始而非西德」，藉以嚇阻共黨之挑釁。國際風雲，緊鑼密鼓，大有劍拔弩張，風雨欲來之勢。值此重要時機，蘇俄之作戰實力如何？作戰計劃如何？頗有檢討之必要。茲謹就核子戰爭觀點，透視蘇俄之作戰計劃，柏林問題之歸趨與蘇俄之真正意向，由此可以略窺其全豹矣。

一、蘇俄之軍事實力

蘇俄之軍事力可分為四部份（一）飛彈，（二）陸軍，（三）空軍（四）海軍。分述如下：

（一）飛彈　蘇俄飛彈部隊共有五十萬人，飛彈數目據估計，洲際彈道飛彈約為五十枚至七十五枚，遠較一般人之預期數目為少。其中最重要者為「T—3型」洲際彈道飛彈，射程八千哩，可以攜帶氫彈，自一九五九年起已供作戰使用。其餘如「T—2型」中程彈道飛彈，射程一千五百哩至二千八百哩，「T—4型」射程一千哩等。亦能威脅西歐與英國。飛彈基地共有三十七處，其中十一處為長程飛彈基地，十一處設在西伯利亞的安那的爾，距阿拉斯加不足五百英里。

（二）陸軍　蘇俄武裝部隊人數共為三百六十二萬三千人，較美國明年七月之數量二百五十一萬七千人，多一百一十萬零六千人。陸軍人數為二百四十二萬三千人。依蘇俄陸軍編制計作戰師團一百三十五師，步兵師團四十師，炮兵以及對空師團三十五師，較美軍增加後之軍額九十二萬五千人，多一百四十九萬八千人。另外尚有東歐七個衛星國家兵力約八十萬人。

（三）空軍　蘇俄空軍兵力約七十萬人，遠程及中程轟炸機約為一千二百架，其中計為（1）杜布列夫二十型轟炸機六〇〇架（航程七〇〇〇英里，時速八九〇公里，載炸彈量二〇公噸）（2）米雅斯切夫四〇一型「野牛」式轟炸機一〇〇—二〇〇架（航程六千英里，時速八九〇公里，飛行高度一三、五〇〇公尺，載炸彈量一〇噸）（3）杜布列夫十六型雙引擎噴射轟炸機一〇〇〇架（航程三千五百英里）（4）三角翼四引擎噴射轟炸機數量不明（行程一千六百五十英里）另有戰術空軍飛機四千架，戰鬥機約一萬架，運輸機約二千架。七月八日蘇俄空軍元帥魏登在蘇俄展覽飛機中稱蘇俄已經發展一種強有力而且能發射火箭之空軍」並為文稱：「蘇俄擁有以陸地及海上為根據地之飛機與直升機，以火箭武器裝備之，能擊中陸上與空中之任何目標」。顯示蘇俄對於飛機之重視，並且甚有進步。

（四）海軍　蘇俄海軍總噸數為一百六十萬噸，較美國四百萬噸為少，居世界第二位，其核心力量為潛艇艦隊，約有四百隻。其配備狀態，計波羅的海八十五隻，黑海六十五隻，北極海一百四十五隻，遠東一百廿隻，阿爾巴尼亞沿岸八隻。據情報，蘇俄擬將其潛艇百分之七十五改建為原子能潛艇。又蘇俄有巡洋艦二十五艘，驅逐艦二百三十五艘，以及其他各種艦艇二千艘，此外並有戰鬥機二千架，偵察轟炸機三千架，配備於波羅的海，黑海，北極海與遠東方面。回想希特勒發動世界大戰時，僅有潛艇五十艘，現在蘇俄已有五百艘，自屬具有威脅力量。

二、蘇俄之作戰計劃

在二次世界大戰前，蘇俄之假想敵國原為英國，故其作戰目標第一為英國及德國。第二次大戰後，世界局勢一變，戰敗者德國，在世界上能與蘇俄爭霸者僅有美國，蘇俄又改變假想敵國，一切軍備之編制，訓練，均以美國為作戰目標，其軍事實力與作戰計劃，均集中於核子戰爭方面。其作戰計劃可分為核子戰爭與普通武器作戰兩方面。先就核子戰爭方面言。

核子戰爭，蘇俄一再威嚇西方作戰之口頭禪，其將各國重心置於核子戰爭方面已屬毫無疑問。據最近情報蘇俄現已有洲際與中程飛彈三十五顆至五十顆，駐有美國飛彈與轟炸機的各個國家，當然為其第一目標。赫魯歇夫於八月十一日發表演說稱：「如果西方對我們發動戰爭，我們將對發動戰爭者以及他們的一切基地給予摧毀性的打擊，我們已受到義大利、希臘和丹麥和其他國家境內這類基地的威脅……」由此可知戰爭一經開始，這些基地，當然均為蘇俄之眼中釘，非拔不可。至於第二步轟炸美國，以現在蘇俄的核子力量計之，尚難達到目的。因洲際飛彈在突然下令發射時，如有半數能如期發射成功，已屬幸運，假使飛彈基地位於地下，而且有嚴密之保護，如欲擊毀此種據點，並將通常的失誤計算在內，往往需要十枚飛彈。據一般估計，蘇俄須有數百枚洲際飛彈發射始能置美國於死命。蘇俄軍事思想分析家塔倫斯基少將說：「消滅像美國那樣的一個國家需要八千五百枚核子武器，但是事實上並不需要這樣多的原子彈，因為僅需要少於此數目若干倍的核子武器，便可以毀滅最重要的戰略經濟及政治中心，除此幾百枚，甚至幾十枚核子武器，便可以發生極危險的輻射塵污染。……毀滅整個歐洲大陸的生物與非生物，像上述的核子彈僅需要一萬五千顆，如果僅把這一地區用核子輻射塵污染，也許僅需幾千顆核子彈，便可達成目標，毀滅整個侵略的北大西洋集盟國家以及至都美國基地，也許不需要五百枚以上的核子彈」。塔倫斯基少將為蘇俄現在最具權威，最有影響力之軍事思想家，其意見可以代表蘇俄作戰計劃之輪廓，由此可以推斷蘇俄作戰計劃之大要。惟塔氏嗣後又稱：「遭受攻擊的國家，將受嚴重損失；但彼擊者所保有的報復武力，仍使侵略者也受到劇烈的毀滅：核子火箭戰爭是極端危險的戰爭，不僅被攻擊者將受重創，對侵略者而言也等於自殺行動」。是則對於核子戰爭又深致長懼之感焉。最近赫魯歇夫之演說中亦顯示：「一次大規模核子戰爭，對於蘇俄一如對於對方同樣有害」之觀點。蓋美國現已有洲際飛彈「擎天神」二十七枚，至本年年底「擎天神」飛彈將再增加二十七枚，另外尚增加有「太陽神」洲際飛彈十八枚，至於北極星飛彈現已有六十四枚，一九六一年年底，將另增十六枚，此一百五十二枚飛彈，經甘迺廸總統按鈕之後，即可一齊發射，擊中蘇俄的重要目標。蘇俄如致冒然發動核子戰爭，「以先下手為強」的作孤注一擲，屆時能佔了多少優勢，但最後也逃不了侵畧者應得的下場」。

次就普通武器作戰言。蘇俄之作戰方[illegible]

自由談

我看柏林事變

俄酋赫魯歇夫當初說了一句「決不能容忍柏林現狀長此不變」的話，美總統甘迺迪即發表演說，聲稱美國將為保持在西柏林的現有權利而不惜一戰！英國當局亦主張強硬對付。火藥氣味頗為濃厚，令人有「是何意態雄且傑」的觀感。

繼而赫魯雪夫為要試探英美的真正退讓，教東德共黨政權以武力封鎖西柏林交通，同時又暗中分化西德與意大利當局，表示柏林問題可依談判方式解決的意念，也就是害怕弄假成真，激起戰爭行為，情節顯然，如見其肺肝也。

可是，英美卻首先就洩了氣！英國堅決表示不贊成採取「對付行動」；美國方面更以其豐富的想像力，對於蘇俄將來與東德單獨訂立和約的後果，亦已分析周到，認為縱然如此，將來西方國家的車輛和旅客出入柏林時，亦不過是把原來由俄共掌管着的那顆橡皮圖章（准許通過的記號），改由德共代勞而已。西方國家不宜為着加蓋橡皮圖章的人面不同這項小事，即採取甘冒戰爭危險的作法。這情形，很像紳士與流氓在街上尋相罵的那副醜態：開始時紳士比流氓的樣子武兒，聲言「你若敢碰着我的衣襟一下，管教你頭破血流！」迨流氓不怕事，硬要實行動武的剎那間，紳士揚言「我們是文明人，遇事只講道理的，誰跟你這等野蠻人一般見識呢！」所以，柏林問題儘管鬧得風聲鶴唳，只要仔細留心雙方的表情，即知道都是色厲而內荏，絕對不會發生意外結果的。

現在甘迺迪總統已派其副手前往西德從事拊循工作了。詹遜先生此行目的，專在解釋美國的「和平政策」，毫無疑問，這雖然不免有銀樣蠟槍頭之譏，但比較當年艾森豪坐視俄軍屠殺匈牙利人民，悶聲不響，事後才派遣副總統尼克遜赴奧、匈邊境瞻望憑弔一番的領導作風，略勝一籌。夫是之謂「美國世紀」，嗚呼哀哉！

馬五先生

漫畫天下　南施

米高揚在東京

（一）「你們的藝妓應該表演紅旗舞！」

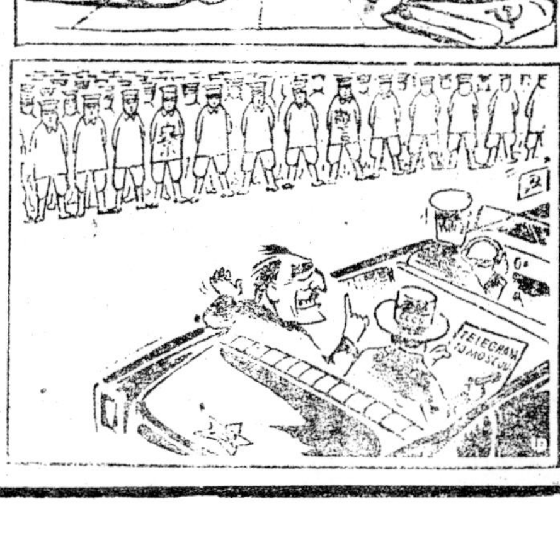

（二）「瞧！多盛大的歡迎場面！」

一波未平一波又起
黃啓瑞夫婦又被控 涉嫌興建市宅舞弊

（台北漏訊）台北市長黃啓瑞夫婦流年不利，台北市的公共汽車購料舞弊案，剛被提起公訴審理，而台北市政府於四十八年間興建南京東路市民住宅五百棟，官商涉嫌舞弊案，因人舉發，案經警備總部函台灣高等法院令交基隆地檢處，歷時四個月之偵查，黃啓瑞夫婦於十四日由檢察官將涉嫌八被告依瀆職罪嫌提起公訴。同案被起訴之人爲：郭炳才（市宅會工務組長），孫世柱（市宅會總務組長），黃篤初（市宅會業務組長），陳茂林（市宅會執行秘書），許江富（台北國際飯店中菜部經理），楊逢春（商）。

本案被告八人中，除黃啓瑞夫婦，黃篤初外，餘均已在押，基隆地檢處於十四日連夜連同案卷人犯移轉台北地方法院調查審理。台北地院已將本案分由推事蘇士職主辦，預料可於近期內定期開庭審理。

起訴書中指出，商人許江富曾向黃啓瑞之妻黃朱金鳳致送賄欵台幣一佰萬元（公共汽車案收回扣七十萬元），市宅會執行秘書陳茂林，曾先後收受許江富賄欵合幣一萬元。

原來台北市政府爲增建市民住宅，解決房荒，早於三十九年間，組織台北市市民住宅興建委員會，除市長爲當然主任委員外，餘外委員均由市府有關單位主管及地方人士充任之。四十六年市民杜山杉與市宅會商談合作營建市民住宅，由杜某提供南京路土地二萬一千餘坪，建築三層樓公寓式住宅五百棟，並自備建築資金。由會方負責工程設計，監工，管理及出售，並貸款週轉，每棟工程價款核定爲新台幣十萬零八千元。當時被告之孫、郭、黃等因共謀對職務上之行爲，取得不法利益，認爲每棟估價有六千元額外利益，孫世柱即至黃啓瑞公館，將情向黃氏報告並共同計議，要求杜山杉提出部份利益，贈與黃氏，當獲黃市長同意。四十七年四月中旬，林、孫、郭、杜至酒吧餐敘，席間由孫世柱向杜山杉提出要求謂黃市長經濟困難，請將該批工程每棟多估六千元之額外利益共三佰萬元中提出一佰五十萬元給黃氏，其餘市宅會人員與杜本人，各得七十五萬，則以監工從寬，協助貸款爲條件，杜山杉未允。

杜山杉以原價與市宅會於五月訂約興建，杜見郭等態度有異，爲恐工程進行困擾，乃邀宴黃啓瑞，並報告前叙孫世柱等要求賄賂經過，請予糾正，並懇依約貸款。黃未予辦理，郭炳才更肆無忌憚，對杜山杉工程進行及請款，莫不藉故刁難，杜因週轉不靈，被廹停工，忍痛將未完工程轉讓與許江富（楊逢春合夥）與市宅會合作營建。公訴書指責黃啓瑞經杜之報告而仍不糾正是與「被告等互有意思聯絡，實施要求賄賂，事證明確。」

許江富（與黃啓瑞爲結拜兄弟）預期第二期工程可獲利三佰萬元，至黃公館與黃啓瑞密議，約定由許與楊負責工程與資金，黃則負責接洽貸欵，所得上述利益，三人平均分配，乃於四十七年十一月訂約。黃啓瑞四十八年一月，爲許江富代向土地銀行貸欵三佰萬元。中旬某日，許楊至黃公館報告工程進行情形，黃妻朱金鳳乃乘機告以黃啓瑞負債甚鉅，欲賣房屋還償，暗示索取約定利益，許會意，乃於同月二十六日，由許簽發八十萬元、八萬元、十二萬元金額支票各一紙，共台幣一佰萬元。復循黃朱金鳳要求，調換台灣銀行支票七張，由許、楊二人送交黃朱金鳳親收，而後由黃朱金鳳分以「黃林氏蜜」（黃啓瑞之母）「李食婆」（黃朱金鳳乳名）「朱王網市」（黃朱金鳳弟婦）及華南銀行城內分行四七三六號賬戶（蔡王蜜即黃朱金鳳親家母）名義，存入華南銀行或第一商業銀行，作優利存欵。黃朱金鳳在檢察官偵查時，曾諉稱該欵係向楊逢春個人所借，並曾交付借據，及時所借之二、三十萬元，償還債務，餘欵分以他人名義存入銀行，作優利存欵。但檢察官問她二、三十萬元償還何人，她又無法列舉。而借係據楊逢春之供稱，又係四十九年十月間許江富被羈後，黃朱金鳳所補給的。復請許妻乘探監之便，敎許承認一佰萬元係向楊逢春之借欵。故檢察官在起訴書中指駁說：「果若黃朱金鳳所供，該欵係向楊逢春個人借貸，用以償還債務，屬實，則該百萬元爲何由許江富賬內招待科目項下支出。既然須變賣房屋還償，何以借入此欵，不以之清償債務，竟以他人名義，分存銀行作優利存欵。而所辯謂已償還二、三十萬元與人一節，又不能舉出各該債權人之姓，且於案發後偽造借據，並敎唆他人勾串偽證，足見其情虧畏究，虛詞掩飾，圖卸刑責」。

檢察官在起訴書中認定：「被告黃啓瑞，孫世柱，郭炳才，黃篤初所爲，依刑法第二十八條係共犯刑法第一佰二十一條第一項之罪。被告黃啓瑞併與許江富，楊逢春依同法第二十條共犯同法第一佰三十一項之罪。該黃啓瑞所犯要求賄賂及對主管事務圖利罪嫌，係屬於概括之犯意，而連二行爲觸犯同一罪名，應依刑法第五十六條處斷。被告黃朱金鳳對於黃啓瑞之對主管事務圖利行爲，從中幫助收受不法利益，依刑法第三十一條第一項規定，自亦犯同法第一百三十一條第一項之罪，應依同法第三十條處斷。被告黃啓瑞所得利益新台幣一佰萬元，陳茂林所得賄欵一萬元，請依法沒收」。

黃朱金鳳十四日在臺北地院第一次調查庭審理公共汽車購料舞弊案，涉嫌收受國產汽車公司賄欵二十四萬元向庭上答覆時，說此欵係向徐德綸借來，不知來源，但又未立借據，沒有議明利息，亦未約定歸還期間。法官問她既是急用借來還人，爲甚麼還要存入銀行生息？市長夫人兩案之辯詞，如出一轍，兩案檢察官法官之懷疑態度又復相同。這眞是有趣的巧合。

黃市長在得悉市宅案起訴後，感覺到十分意外，他說：是非清白，現在只有等待法律公正的裁判了。

（五十八、八、十六）

香港與大陸

▲本報上期經已說到，此次蔓延港澳二地之霍亂症，乃由大陸傳來者。並以八月一日寄自廣州之某君家書爲症。茲據合衆社電訊報導，則大陸霍亂症早已在今年四五月間即已間有發生。台山某一村落有五百戶人家，百分之九十五均染上此症，中共無任何醫藥挽救，乃聽其坐以待斃，後爲避免傳染，乃下令放火燒盡該村，此一消息，一直嚴加封鎖，近日自大陸逃港者始加以透露。港澳同胞對中共此種慘無人道的措施，莫不表示憤慨云。

▲霍亂症在港澳發生，本港左派報紙大登特登，而對大陸沿海霍亂蔓延之消息，則諱莫如深，隻字不提。直至最近，大陸逃亡人士及家書先後證實大陸霍亂早已發生，左報無可掩飾，乃諉稱此一疫症實自北婆羅州傳來，極盡其掩飾之能事。

▲大陸人民，早已無米成炊，即樹根草皮，凡可以填充肚皮者，亦莫不發掘殆盡。在此種情形之下，其染上疫症，自屬勢所必然。營養不良，醫藥缺乏，坐以待斃，殘忍孰甚。

台中點滴

名不符實的文化城

老表

▲台中市本來就有「文化城」的雅號，由于省政府疏遷到中興新村後，又被省府鉅公將它冠上「省府大門」的尊稱。其實台中市既不能被稱爲「文化城」，更談不上是「省府大門」。如果因爲它有了省立中興大學，私立東海大學，靜宜英專及省立台中師專就擁有「文化」的化，那只能算是少數人的享受。不信的話，讓我舉個實例如下：

在前些日子，省立台中圖書館，邀請中興大學教授周恒先生在該館就台灣的人口、農產、水源等問題，作專題演講，聽衆自始至終沒有超過十個人，而且聽衆裏面又多半是軍人。像周先生所講的這個問題，是台灣目前以及今後所面臨的大問題，照理說這種大塊文章應該受到文化城市民的重視才對，然而演講的那天，卻有如此冷落的現象，這是不是「文化城」應有的表現？其實說穿了，吃飯問題第一，肚子不飽，文化也解決不了問題，光是漂亮的名稱又有什麼用？

▲台中市的人口已過三十萬大關，人口多，商業也隨着繁盛，市容也跟着熱鬧起來。新的建築物正如雨後春筍般的興起。中正路的綜合大樓，有七層高，還配有電梯，正在日夜加工，地下室部份十月中旬可峻工。離這座大樓不遠的繼光街，又在興建四層高的繼光大樓，而且在開始動土建築。落成的時間將比綜合大樓快些。另外在公園附近還有合作大樓，正在設計，年底就可以動工。這些大樓一且完成，爲台中市增加不少聲勢。

▲在中部頗具規模的台中市私立新民商業職業學校，有學生一千五百人，各方面都不錯，本來平靜無事，最近董事之間竟發生了糾紛，若干董事還在報紙上刊登啓事對新成立的董事會聲明異議。十二日又有前董事長林垂凱向台中市政府，省教育廳等機關聲請解散新的董事會，要求重新改組。林垂凱是中部望族林烈堂的五公王，他是以新民商職前董事長及創辦人的身份提出聲請。他認爲該校新董事會組織不合規定，並應由創辦人重新組織。林垂凱公開對外間說：新民商職是其父林烈堂於民國廿五年日據時代所創立，本省光復後，其父于卅六年去世，該校董事會即予改組，由林氏繼承父志，接任董事長，不但完成學校立案手續，並還校成立高級部，使之成爲一所完全的商業學校，另外還設立夜間部，學生人數由兩百餘人逐漸增到一千五百人。學校基礎穩固，校務亦上軌道，這時候林垂凱在台北方面另有事業需他主持，不克兼顧，乃請中市聞人張煥珪代理主持董事會，但由於前任校長陳瑚的主持無方，以致校中迭起變故，林氏有意重整旗鼓。然而本屆董事會任期屆滿後，張煥珪有意戀棧，本年六月四日並未依法選舉，日前經前任董事葉子楓提出異議後，林氏才跟着提出，聲請依照章程勒令解散現董事會，指定創辦人重新組織。這個董事會的糾紛本來就醞釀很久，不過現在呈表面化，雙方各走極端，地方人士也從中奔走調停斡旋，但沒結果。這在台中來說，是件不算小的新聞。

監察院兩提案觸礁
對「今御史」們的考驗

公冶長寄自台北

監察院有兩個提案，已經到了考驗「御史老爺」們的階段。這兩個提案是：陶百川委員等五人，在一個月前，提案糾正電力公司從七月一日起加價百分之十二點九一。另外一個提案是內政，司法委員會對內政部長被訴曲解法令，便利張啓仲（台中市議長）競選台中市議員案，擬送司法院大法官會議解釋。但這兩個提案，經監察院會討論的結果，因正反意見都有，所以觸礁了。

緣陶百川委員等在七月中旬，向監察院會提案，糾正電力加價計算不合理一案，院會公推張定華委員等七人爲專案研究小組，限本月十日前提出研究報告。該小組即着手進行研究陶百川委員提案，前後共達三次，在原則上，研究小組同意糾正，唯認爲陶委員提案文字措詞多偏激刺激，而主張修正。其中除張定華所擬「電力費率加價案研究要點」支持陶委員提案外，而熊在渭所擬「對於電力加價案之研究意見摘要」的結論：「就目前所得資料立論，對本案關於應用物價指數一節，在目前尚難確定其違法」云。

監察院在本月十日舉行第六九二次院會，又有鄷景福、朱宗良委員等分別發表書面意見。鄷委員對提案糾正「似無必要」，他主張「函請行政院注意改善實不失爲兩全之道」。而朱宗良委員也主張沒有提案的必要。

陶委員提案草案中指出：台灣電力公司本年度預算中本列有維護費一億一千六百多萬元，折經費二億九千三百餘萬元及合理利潤二億四千八百餘萬元，其合理利潤本已達到百分之六。乃該公司藉口本年度物價上漲，維護費及折舊費皆待增加，而因物價上漲該公司固定資產隨之升值，投資淨額亦因而上升，其合理利潤將不易保持百分之六，於是乃有電力漲價之舉。但本年度距年底尚有半年，物價漲率尚不知，維護費及折舊費究將增加若干，合理利潤究短若干，非至本年度終了亦不能預知，此時實非結算盈虧之時。故最合理之辦法，乃依向例在本年度結束後，以行政院公佈之物價指數計算資產重置價值，並結算維護費折舊費以及颱風損失等究增若干，合理利潤究短幾何，然後決定究應增收電費若干，再行漲價，將漲價所得彌補本年度所短欵項，以補足百分之六的利潤。將來物價如果再漲，電價自可比例調整。乃電力公不此之圖，在本年度物價指數尚未經行政院公佈之時，竟一反向例，預測本年物價上漲百分之十五點五（四十九年度的物價指數），並宣佈電力加價，從每度四角一分六厘六，漲至四角七分〇四，此項基於武斷本年度物價漲率之加價措施，自屬不合。

（上）

說圈圈兒

斷橋

平劇「梅龍鎮」裏正德皇爺對李鳳姐說：「孤家住北京，大圈圈兒裏的小圈圈兒，小圈圈裏的皇圈兒，皇圈圈裏的……」不錯！皇圈圈裏還有一個紫圈圈兒（紫金城）；這是皇帝老子的威風，就這一頓圈圈兒可就把個鄉下妮子給圈圈住啦！到終了，皇帝老子也好，當爐賣酒的村姑也好，究竟是誰上了誰的圈圈兒？那只有盡在不言中了。

再說一個圈圈兒的故事吧！且說從前一不識字的鄉下人，因為家貧出外謀生，居外數載，未回家園，他渾家想煞了良人，乃託同村中人給他寫得一封萬金家書，他拆開一看，原來是一張白紙上畫滿了許多圈圈兒，有大，有小，有雙，有單，直到末了却一連圈到底。他還才眉頭一皺，啊哈！有了，他知道自己的老婆不會讀書識字，却以圈兒代替黑字，於是靈機一動，恍然大悟！高聲朗誦：「相思欲寄無從寄，畫個圈兒替，小圈是我，大圈是你，雙圈是團聚，單圈兒是別離，還有那說不盡的相思話，一個圈兒圈到底」。他閱罷家書，趕緊收拾行裝，同家找老婆團聚去也！

準此以觀，圈兒的功用妙矣哉！自天子以至于庶人，莫不喜歡玩玩圈子，且各擅其術，終于稱心如願焉！降至今日，圈子隨民主以俱進，嗜此道者日多，擅此術者日盛，乃有普天之下莫非圈子之勢！且說黨裏成派，派裏又劃圈兒，圈裏又劃小圈兒，且大圈兒套小圈兒，小小圈兒又套小圈兒，比那正德皇爺嘴裏所誇耀的圈圈兒還多着呢！如機關中之圈子外面的人，一定是吃不開，子昇官發財無份兒，幹到老也沒出息，至于各人民團體，如農會，水利會，教育會，……以及地方民意機構！如鄉鎮代表會，如縣市議會亦莫不各劃圈圈兒！足證圈圈兒乃民主時代之寵兒！夫無圈圈兒則不能行民主，則不能搞集體貪污，則不能賺銅鈿！噫噓！圈圈兒乃民主政治之法寶也！嗚呼！

「國賭」奇聞

燕謀

代表一個國家的東西實在太多了，如國旗、國歌、國徽等等，固不必譚，等而下之，有所謂國學、國寶、國會、國文、國花（梅花）、國樂、國貨、國情、國風、國都、國教；以及我們今天選美的「國姐」……不一而足，何以都冠冕了一個「國」字頭呢？無他，都因其能代表大多數國民的一種象徵，或為大多數國民相習成風，蔚及全國者。在下所譚，乃國之不雅的，一種玩意兒。

自清未迄今，麻雀幾成為家喻戶曉的賭具，由都市而及鄉村，無論男女老幼，皆樂於此道，可以說已蔚為普及的消閒品，斯名之曰「國賭」不亦宜乎！君不見今日西洋朋友，當返國之際，都得購買一副中國的國賭回去，以顯示彼國之人，如果作「國賭」西傳考，當以此時為盛矣。同樣，如咱們今天玩西洋人的「國賭」一樣，當然不足為奇了。話題兒不必扯得太遠，還是回到「國賭」的本題上來。在下稱「麻雀」為「國賭」，不知竹林中朋友以為然否？麻雀又稱麻將，打麻將又名竹戰，或雀戰，或曰「方城之戲」，或謂「竹林之戲」；間有異趣言之者，又叫「搓四圈」或者「搓八圈」，還別言之曰「砌城牆」，明堂繁多。麻將之所以能蔚為全國男女老幼酷嗜的玩意兒，一定有他的適可的一種原因，例如牌九、紙牌、骰子、單雙等等賭具，均不如麻將來得高雅，而且成為家裏主人以之待客的好東西，愛好此道者，只要十三張在手，什麼天大之事可以拋至九霄雲外去也。愛好竹林之戲者，初以男人為多，現在男女平等，女性們也不甘後人，今天可以說是陰盛陽衰後來居上了。方城之戲老幼男女咸宜，故有關竹林方城之趣聞亦不少，茲以記聞所及，以為酷暑抒情一助可耳。

有張某老先生，與人搓麻將，已取得六萬四張，置排列之兩端，不知開槓，及同局者和牌，張老先生於牌堆中遍尋六萬不得，同局者問和何張？張曰：「我聽六萬，六萬對倒」。同局三人皆笑不可仰，並將張之四張六萬取出說道：「六萬四張，公盡得之矣，怎能和？」某君性急躁，常雀戰，如手風不順，輒拍案搥棹，一日聽九同不和，乃於牌堆中尋獲九同，先放入口中嚙咬，後納入衣袋，登樓竟睡，牌局因此而散，人莫如之何。有人雀戰三日三夜，神智昏迷，便後欲小便，其妻以睡壺以之便溺，溺畢，乃置便壺於地，曰：「一同」，其妻呵之曰：「此便壺也。」其人蹶然而起道：「誰家平和」。因「便壺」與「平和」音近，他以為人成平和也。某公一日與三女客作方城之戲，棹上置瓜子兩碟，某夫人取一撮置面前，某公隨磕瓜子，一面抓牌，適公當莊，骰子亦放面前，詎拈瓜子時，誤拈骰子吞下，及發覺為骰子時始大恐，旋就診服瀉劑，於次日由大便瀉出。吾鄉前單某公，年老好竹林戲，一局和二五索清一色，因手中清一色索子，理扯不清，忽有一人出一張三索，公遨倒牌報和，及同局左清右理不能和，公慚湛道：「算一百和可也」同局人道：「眞和則滿貫，詐和則一和俱無，如何能折算？」公悵然而罷。

抗戰時重慶陪都大旅館之某號房間，一夕來客五六人，其中二人為主人之友，闢室作方城戰，餘二人另找刺激行樂，一人坐後觀戰，四人戰至深夜　一次有某乙手上得牌為中、發、白三對，已碰發財白版二對，再碰紅中或三條即和對對和滿貫，續抓牌數圈，進一白版開槓，豈料槓上開下又昇紅中，奏成大三元滿貫，某乙喜不自禁，詎料正在高聲歡笑中，神色突變，竟氣絕而死。此不足為奇，所奇者，某乙上手亦有紅中一對，計全副牌竟出現五張紅中來。但事有更奇者，數月某日上次同來旅社作方城戰中之一人，借另數友又至該旅社作方城戰，夜深後，在局者之一，一次手上及檯上所碰之牌，與月前笑死之賭友，完全相同，且同樣抓進白版開槓，槓上進紅中白版會成大三元和滿貫，自高與之至，樂極而竟又氣絕而死。更奇者，上家的牌，又同樣還有一對紅中。月餘後有第一次來社闢室雀戰某君，借友作方城戰，彼未入局作旁觀者，一局忽見一家手上之牌竟與前二次的大三元全相同，便警傷立起注視，見又如前開槓，乃急按其開槓之手，告同局諸友稍待，先環視其三家手上牌，見上家亦有一對紅中，驚甚，乃囑補槓者將手上牌授已，渠握手中牌暗視，赫然又是第五張紅中。不禁恍然大悟，耳語其二友，旋未終局而散，此詐賭也。

瘟君續夢

第二回：狼狽自爭雄，活佛有幸　人天齊示警，浩刧將成

原來陳雲見到毛澤東之後；未等陳雲開口，毛澤東搶着問道：「你主管的基層建設方面成績怎樣了。」

陳雲搖搖頭：「不夠理想，我就是來向主席報告的。」

毛澤東綳着眉頭說道：「你要知道，我們成敗就緊在這一步棋了，我訂下的三面紅旗，總路線已經過時了，人民公社自從去年六中全會之後，已經退回到高級農業社，他們又乘機會去電報到莫斯科，備了案，短期想翻身都難了，剩下的只有大躍進這一步棋，假若再失敗了，不用別人打擊我，我自己也幹不下去了。」

陳雲看見毛澤東說的如此激動，實在不忍掃他的興，可是紙包已經包不住火，再鬼混下去，將來必然更難收拾。想了一下，硬着頭皮說道：「我不敢欺騙主席，大躍進已經山窮水盡，再也維持不下去了。人民公社還能退回到高級合作社，大躍進却無處可退，全部都陷於停頓，若不及早想辦法補救，必然要牽動整個經濟體系，全部隨之崩潰。」

毛澤東聽到這裏在圈椅上坐不住了，起身在房內兜了一個圈子，看着陳雲說道：「大躍進的成績，清清楚楚擺在那裏，你怎麼說快崩潰了，難道所有成績都是假的不成，尤其是超額完成一千零七十萬噸鋼，數量都經有關部門點收的，你也會懷疑，眞是奇怪。」

陳雲嘆口氣：「主席要是還相信那些假成績，我就無話可說了。不錯，鋼實在達到了一千零七十萬噸的數字，但那是什麼鋼，經小高爐煉出來的，連生鐵都不如，生鐵還能送到鋼廠去煉鋼，這種東西根本煉壞了，當鐵用火候老了，作鋼用含硫太多，不能派用場，十足變成了一堆廢物，主席還把希望寄在這個上面，豈不糟了。」

毛澤東聽到這裏，大為着忙，連說：「既然去年煉鋼方法失敗，你今年要想方法改良啊！」

陳雲冷笑道：「怎麼改良，鋼鐵廠自不會煉出那種東西，完全是小高爐煉出來的，今年小高爐已經停了，還談什麼改良。」

毛澤東越聽越着急，問道：「小高爐怎麼會停，誰下的命令。」

陳雲冷笑一聲：「不必下命令，它們就自動停止了，因為原料找不到，燃料也用光了，不停就自停了。」

毛澤東不敢再問，只是睜大眼看着陳雲。陳雲繼續說道：「原料是人民家中的鐵器，門上的鐵，牆上的釘都包括在內，燃料是樹木，連果樹也算上，現在都光了，小高爐也就無法開工了。」（卅二）

岳騫

鵲橋考

·漁翁·

陰曆七月七日，曰「七夕」，又名「乞巧」，是牛郎織女一年一度相會之日，而茫茫銀河，何以渡之？據傳有鵲為之架橋，此故事已成為歷史上一種不可思議之神話。

鵲，留鳥也，俗以其鳴聲為吉祥，亦稱「喜鵲」，性最懸濕，故又謂之「乾鵲」。據風土記：織女七夕渡河，使鵲為橋。」西京雜記：「織女渡河，使鵲成橋，故是日人間無鵲，至八日，則鵲尾皆禿。」又爾雅：「七月七日，鵲無故皆髡，相傳以為日河鼓與織女會於河東，役鵲為梁以渡，故毛皆脫去。」所謂七夕鵲橋，本此，由來已非一日。

古人詠鵲橋者，委實不少，如薛能詩：「不憂雲路填河遠，為對天顏送喜忙。」徐夤詩：「香閨報喜行人至，碧漢填河織女回。」陸放翁詩：「為梁星渚自何年？毛羽催傷不怨天。」又女詩人黃淑德云：「鵲架成橋事可歌，年年今夕會星娥，時人莫訝經年隔，猶勝人間長別多」。皆以填河之功，歸之於鵲，繪影繪形，流露於字裏行間。

可是，鵲為一小鳥，在短短時間，何能負此填河使命？其中又有一故事在：「袁伯文七月六日，過高唐，遇雨，宿於山家，夜夢女子甚都，自稱神女，伯文欲留之，神女曰：明日當為織女進橋，乞恕違命，伯文驚覺，天已辨色，啟窗視之，有群鵲東飛，忽一小鵲從房中飛去，適夢間所見，是以名鵲為神女。」見「奚囊橘柚」。因此，鵲能為神，或者在指顧間，可以畫水成梁以渡織女也。

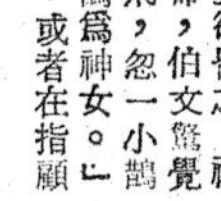

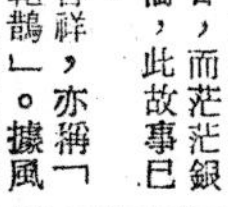

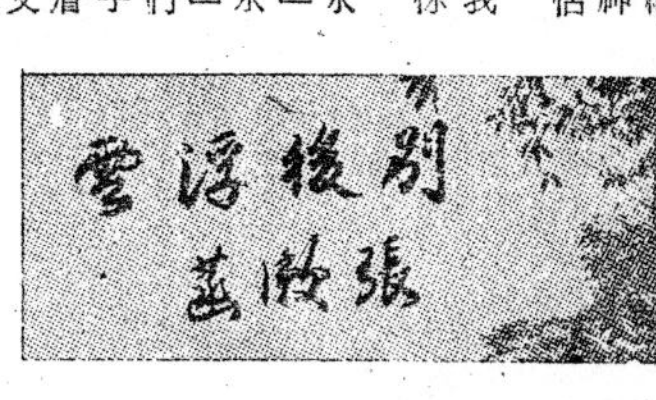

握緊她的手，只覺得喉嚨堵塞，心臟狂跳，四肢僵硬地拘攣着，好一會，才迸出一句話：

「令蘭，我恨我自己……」

「你……你……」

「我該死！我太笨了！」

忽然，他揪着自己的頭髮，搥着自己的胸口，像個孩子似地傷心地哭了起來。

「吳超，不必難過，這是命運！」陸令蘭將自己的手帕遞給吳超拭淚，她強自鎮定下來，冷靜地說。

「是的，這是命運的玩笑，現在後悔也是枉然！」

「再說，愛情並不一定包括形式上的佔有！」

「你說得對！」他用她的手帕拭去眼淚。「主要的是心靈之間的契合！從今天起，我的情感解凍了。令蘭，你不會拒絕做我精神上的情侶吧？」

「我不拒絕你！」

「永遠的？」

「永遠的！」他們互握着手，微笑着，四目交矚，愛情的暖流，由彼此的淚眼，傳達到對方的心靈深處。

在同時，幾乎他們感受到了由于情感昇華而獲致的內心豐滿與充實！生命的狂瀾已經過去，他們現在所需要的，是散文式、靜靜地咀嚼與享受那崇高而純淨的的情感生活！

夜已闌，一輪圓月已移向窗前，兩個孩子玩得疲倦了，跑進客廳打着呵欠，陸令蘭撫摸着芹芹的頭髮，溫柔地說：

「乖孩子，不早了，讓爸爸帶你回家去睡吧。」

「好，我們回去了。」吳超牽起芹芹的小手，微笑地立起身來。「再見，令蘭，過一天我再來看你。」

「好，再見。」

歸途中，他坐上了一輛計程車，芹芹不久便靠在他身上睡着了。他望着圓圓的月亮，心中出奇地平靜而且舒暢！多年淤結在心頭的一團隱痛，已化為烏有。他滿足地吁了一口長氣，心想：

「我畢竟明白幸福兩字的定義了」（九，全文完）

強權與反共

·徐學慧·

戰爭並不能解決任何問題，但人類却經常需要戰爭。健忘好像是人類的天性；經歷過無數次戰爭，也必然遭遇到無數次犧牲，可是，一轉眼，全忘了！小孩子玩積木，一塊一塊的堆上去，却一脚將它踢倒，於是乎，又重新堆集，又重新踢倒，看來全無意識，却樂此不疲。人類對於戰爭的觀念，可能即是兒童心理的重現。

強權政治之不可靠，已爲人所共知。可惜，沒有人肯放棄強權政治的觀念。今日世界之所以熱烘烘，亂糟糟，只有兩點禍源，一點是共產主義，另外一點便是強權政治。我們必須反抗共產主義，那是不待詞費的事實，可是，在反抗共產主義的同時，是不是也得提醒那些強權主義者，稍稍改變他們的觀念呢？

有一種似是而非的觀點，必須加以澄清，那就是，對西方列強尤其是對自由世界盟主美國的某些指責，不僅是對自由世界的反共大業絕無妨礙，而且可斷然的說，那是有利於反共的。今日之強權主義國家絕不反共，也根本不知道如何反共，這已不是什麼秘密的事了，稍稍提醒他們，那正是引導他們反共，何害之有？

在香港，若干所謂專欄作家的筆下，幾乎從不敢談及美國；或稍有談及，亦不外歌功頌德，此種態度，乃正是陷人於不義，實在是不足爲法的。共產黨人，惟恐我們不媚美，因爲他們深深知道，美國只是強權主義者，並不知道如何反共。

作爲自由世界的盟主，而不知道如何反共，此乃爲一最危險的事。我們有責任提醒美國，可以說，只有我們纔夠資格提醒美國。一個基本原則，我們必須注意，那就是：強權主義不會反抗共產主義。

在強權主義者眼光中，只有武力均衡，彼等希望在均衡的局面中，求取優越的利益。在勢力衝突的某些地區中，強權主義者亦可能劍拔弩張，甚或爲之戰爭亦在所不惜。但這仍然是爲了勢力均衡，而絕對不是爲了反共。

對於強權主義者的反共意識，我個人一向懷疑，十幾年來的事實證明，也足以表明此[illegible]不是沒有根據。要反共，必先放棄強權主義，這是原則，這是基本原則。要如何令那些強權主義者明瞭此中道理，這就是我們這些評政者的責任。

劉銘傳劉璈交惡經緯

李仲侯

先是同治五年冬，捻酋任柱，賴汶光，牛洪等糾合馬步精銳逾十萬衆，由河南趨湖北，淮軍統將張樹珊戰死楊家河，賊勢張甚，大股雲集臼口尹隆河以窺安陸，鮑超統廿二營駐臼口，劉銘林統廿營駐下洋港，六年春正月，兩軍期以庚午辰刻進軍夾擊，銘傳貪功冒進，於是日卯刻秣馬蓐食，留五營護輜重，親率十五營渡河鏖戰，賊酋任柱，賴汶光合力蹴之，銘軍大敗，橫屍遍野，賊正渡河追擊，適鮑超以辰刻踐約而來，勢如風雨，張兩翼以衝賊，呼聲動天地，交綏未久，大敗賊衆，殺賊逾萬，生擒八千，奪獲馬匹軍裝無算，是時劉銘傳及左右皆陷重圍，俱脫衣服，坐地待死，均由鮑超拔救出險，翌晨，鮑超並將所獲銘軍翎頂衣物送還，是役也，銘軍不先期出師則不敗，既敗無鮑軍救之，則不但全軍覆沒而且性命難保，銘傳慚愧之餘，反而忿恚不釋，向李鴻章捏報軍情，謂鮑軍背盟遲到，未能按時會師，銘軍初獲小勝，殆鮑軍遲到，牽動後隊，賊乘勢反擊，遂遭挫敗，及會合鮑軍迎戰，始獲大勝，將鮑超戰勝之功，救命之恩，一概抹煞，李相據以入告，鮑竟奉嚴旨譴責，鮑軍自尹隆河大捷後，拔隊窮追，連戰皆捷，自念破強敵，救銘傳出險，功高，冀邀懋賞以爲榮，途次忽奉嚴飭，方悟銘傳之賣己也，超遂憤鬱成疾，得咯血症，告病家居，十年不出，霆軍從此一蹶不振矣，此舉劉銘傳之陰鷙險詐，在當日湘軍以道義相尙，莫不鄙薄其人，又平回之役，左宗棠督師隴上，劉銘傳以直隸提督奉旨由肅州出關，規復新疆，受左公節度，特許專摺言事，他在途次偷偷的向慈禧太后打了一記小報告，說左帥擁軍自重，逗留不進，致左奉旨申飭，左帥素以霸才領軍，知之大怒，認爲後生敢於誹謗前輩，這還了得，未幾，劉銘傳遂乞病還皖，以曹克忠接統其軍，此二事，在當時湘軍將領中無不知之，亦莫不恨之。（四）

名伶之戀

介人

一代伶王梅蘭芳飲恨逝世於北平，留居台北的國劇大師齊如山，曾就梅蘭芳之死發表談話。他說：「蘭芳跟我是四十多年老友了，他的死，的確使我老淚縱橫。」他又說：「我雖然和他十幾年不見面了，但我一直認梅蘭芳不是附共，他只是沒有來得及逃出來罷了！」

齊如山又讚梅蘭芳是中國平劇界一百年來的第一人。他說：「梅蘭芳有六絕，是伶人中最難齊全的，那就是面貌好，表情好，嗓子好，又會唱，也身段好，又會動作。」

齊如山最近聽人傳來梅蘭芳的消息，說是梅在北平所獲配給雖比平常人多一點，但家中吃飯的平劇界朋友太多了，所以生活很不寬裕，而且「配給」吃完了就無法再買的，所以過慣了舒服日子的梅蘭芳，難免要少活些日子了！」

這種對老朋友的諒解，對梅蘭芳的略迹原情，梅如果地下有知，亦當認爲知音，最近梅蘭芳的營養欠佳，因而影響到身體健康，這也是千眞萬確的。留港的某君（姑隱其名），即係經常替梅蘭芳購寄食品去的。

關於梅蘭芳的蓋棺論定，社會當有定評，擬不論列。茲編所欲報導的，則爲中國過去士大夫對於名伶，每多爲之顚倒備至，韻事頻傳，成爲一時佳話，而飾旦角諸令，亦以獲交詩人名士爲榮，一經揄揚，便可身價百倍。例如清初大詩人吳梅村所賦的王郎曲，王郎即王紫稼，是爲人所熟知的名伶。尤侗說他幼時所見王郎，妖艷絕世，舉國趨之若狂，年已三十，遊於京城，諸貴人猶惑之。吳詩云：「王郎十五吳趨坊，覆額青絲白晳長。孝穆園亭常置酒，風流前輩醉人狂。……蓮花婀娜不禁風，一斛珠傾宛轉中；此際可憐明月夜，此時脆管出羅櫳。王郎水調歌緩緩，新鶯嘹嚦花枝暖。慣抛斜袖卸長肩，眼看欲化愁應懶。摧藏掩抑未分明，拍數移來發曼聲，最是轉喉偷入破，殢人腸斷臉波橫。」你看王郎的風韻，歌喉多麼迷人。接着，他又寫道：「王郎三十長安城，老大傷心故園曲。誰知顏色更美好，瞳神剪水清如玉。五陵俠少豪華子，甘心欲爲王郎死。寧失尚書期，恐見王郎遲；寧犯金吾夜，難得王郎暇。坐中莫禁狂呼客，王郎一聲聲頓息。」由此可見王郎的魔力多大，王紫稼與吳梅村之詩，均以此而永傳不朽了。袁子才亦有贈許伶雲亭詩云：「笙淸簧煖小排場，絕代飛瓊最擅塲；底事一泓秋水剪，曲終人返顧周郎。」

此可見旖旎多情，推襟送抱的情好，昭然若揭。雍正間的名旦劉三，也是名動九京，譽滿人口的，某學士未第時，落魄長安，劉三愛其才，不惜以身相事，挑燈勸學，有如伉儷，及學士以第三人及第，由編修開坊薦升侍讀學士，名滿京華，都人盛傳兩人相暱之事。有詩云：—「欲得劉三一片心，明珠十斛萬黃金；一錢不費偏傾倒，姤殺江南李翰林。」

其後，又有鄭太史虎文，亦與某名伶相戀，伶以善歌紅豆子一曲成名，當時鄭有詩贈之云：「記取靈芸別後身，玉壺清淚血痕新。傷心畧似燃於釜；燒宅何緣化作人。一點紅宜留玉臂；十分圓欲上櫻唇，只嫌不及榴房子，空結團圓未了因。」這詩是詠物以喻人，別有寄託，一時和者甚衆。在有淸一代，名士與名伶相戀的韻事，不一而足，不勝悉數。即梅蘭芳本人，亦身歷其境，爲之傾倒的，當亦大有其人。例如順德名士羅癭公，固然對程硯秋誘掖備至，愛護有加，他倆的友好交誼，早已爲人所傳誦，但羅對於梅蘭芳，也是極爲賞識的。[illegible]……他們的藝術欣賞，也應該予以新的評價。

梅蘭芳蓋棺論（三）

諸葛文俟

梅蘭芳一生最大的成就，戲藝尚在其次，首在他做人的風範深堪稱讚。吾國舊時和現代的伶人，林林總總，不知其數，但皆結習未除，俗氣難免，總是給人們以「戲子」的印象，唯有梅氏沒有這種毛病。無論識與不識的人，直接間接都不以「戲子」看待他，而社會各界人士亦很少對他有壞的批評，即曾經跟他一度結合後，旋又各奔前程的婦女，更未聞有對他表示仇恨意念的。這一點，在梨園子弟中，尤稱前無古人，也許可說是後無來者呢！

近代演皮簧戲劇的旦角號稱爲一派的，有「梅派」、「程派」、「荀派」之別，實則眞正具備了派別條件，當之無愧的，只有梅派而已。藝術的眞實價值，必須博大精深，卻不是走偏鋒的玩藝兒，程硯秋，荀慧生皆不足以語此。梅伶戲藝之所以優越，就在他能集各家之長而揚棄其短，加以融滙貫通，然又不逾矩，乃得構成博大精深與富麗堂皇的本質，若要指出它的某點優越性，卻很難說，但一般地教人擊節欣賞，不期然而然，這就是藝術的眞價值。我們試聽四大名旦合唱的「五花洞」留聲片，梅、程、尚、荀各唱一句，亦各具一格，可是，梅蘭芳所唱的，聽來卻覺得夠味兒，而發生嚮往的情感。又如梅伶常演的「霸王別姬」這齣新戲，其他許多旦角亦照樣地演出，然做派與唱聲總不像是那末回事，有些好似霸王別了頭，有些恍如綠林豪傑和壓寨夫人被官軍追逐得要散夥了。霸王楊小樓不妨易以金少山，虞姬梅蘭芳若教其他的旦角承其乏，即有刻鵠不成之象，夠瞧的啦！他如梅派琴師徐蘭元，王少卿二人合奏的音調，美妙悅耳，得未曾有，別的琴師如法泡製就差勁了。我自從民國廿一年在北平看過梅蘭芳扮演「打漁殺家」的桂英兒以後，直到現在，就不會見有一個令我認爲滿意的角色。梅派之雄視鞠部，壓倒一切，眞是良有以也，豈徒然哉！

梅伶有不少及門的弟子，私淑者更僕難數，但芸芸衆生，眞能傳「梅派」衣鉢者寥若晨星。據說十餘年前在青島墮機喪命的葉盛章，具有梅派傳人的本質和智慧，此外即無可觀矣。

共黨竊國之初，梅氏沒有離開大陸的原因，一是他對俄式共產主義無認識，以爲仍不外是換朝代的故事，藝人素不過問政治，誰來統治皆無所謂的。二是政府於撤出大陸時，對一些著名藝人未予照顧，致他們避之則吉。迨受共黨控制後，想逃亦來不及了。眼見譚富英，馬連良輩，亦步着梅氏後塵被奴役折磨以死。至於程硯秋，周信芳之流，早已參加共黨地下組織，又當別論也。（完）

秦始皇論

·謝康·

歷史人物

司馬遷不同情始皇，是否受賈誼的影響，不得而知，（至少是受另一位儒生董仲舒的影響不少），然而他那篇「陳涉世家」，比諸賈生的「過秦論」，影響後世讀者之大，可說是有同等作用的。有了這兩篇大文章，始皇纔難逃暴君的惡諡。可能始皇逆料後世對他會有不好的諡號，所以他就在自己未死以前，毅然宣佈廢除諡法，藉此逃避歷史上類似桀紂幽厲的惡名，也未可知呢！？

儒家指摘始皇的虐政，一部份固然有事實的根據，例如焚書坑儒，以古非今者誅滅三族，偶語詩書者棄市，（殺頭或腰斬）等等，都是很殘酷的，站在中國文化和人道的立場，我們也同情對始皇的嚴格批判。但是另一部份的事實，如廢封建，行郡縣制，使全國車同軌，書同文；定律令，劃一全國度、量、衡及幣制，築馳道，利交通，興水利，修運河，築長城以禦匈奴；移民五嶺，擴大中國版圖，使中國威望，震於殊俗，至今外人稱我支那，實爲秦的音轉，以朝代名而成爲中國國號，這是以後任何朝代所絕對辦不到的。也可說秦之強等於羅馬，所以羅馬稱大秦，亦由於其國勢之興隆，可以媲美中國與秦的緣故。雖然秦之強，由孝公開始，積累年的功業，然後統一六國，並非始皇一人一代的功勞；但是，這個大一統局面的形成，由四五分裂的封建時代，進爲中央集權統馭各郡縣的中華大帝，不能不說是大部份由於始皇的雄圖大略所導致的成果。而且上述這些偉大的貢獻，幾乎完全在十二年內完成，這樣快的速率，也是空前和絕後的。（三）

自由報
THE FREE NEWS
內僑警台報字第〇三一號內銷證
第一六〇期
社長：雷嘯岑
督印人：黃行宣
20 CAUSEWAY RD 3RD FL HONG KONG
TEL. 771726　電報掛號 .7191
承印者：田風印刷廠
地址：香港灣仔高士打道二二一號
台灣分社
電話：三〇三四六

從核子戰爭談蘇俄作戰計劃（下篇）

郭甄泰

赫魯雪夫最近對人談及法國由阿爾及尼亞調返一師時，誇稱：「余能動員三百個師軍隊」。日前復聲言：「美國調至西德一師，余即調去二師」。對其陸軍兵力之衆多，大言不慚，大有睥睨一切，有恃無恐之概。泰勒將軍謂：「軍齡人口在自由世界有一億五千六百九十萬人，共產黨集團只有一億四千五百四十萬人，如果自由世界的領袖，願付出代價，可以憑藉普通武器保衛自由世界」。又據美國國防副部長吉爾百特力氏會於最近向記者招待會稱：「倘將一切部隊與吾人認爲蘇俄所擁有之軍隊相較，吾人並不遠落於蘇俄之後，倘將附庸國及其他集團國家列入，並加上吾人之盟邦，則軍事方程式「以人力而言」亦並非十分不平衡。」但實際上，自由世界的領袖，除甘迺迪總統外，[illegible]吝於「付出代價」，對於其本國軍費之增加，軍備之擴充，均畏縮不前，惟恐增加「負擔」。故就普通武器戰爭言，自由世界較之蘇俄自不免稍遜一籌。

三、蘇俄之軍事優點與弱點

三、蘇俄軍事上之優點有四：（1）工業區域分散；（2）人口衆多；（3）武器新齊；（4）動員迅速。

（1）工業區域分散。蘇俄幅員遼濶，佔整個地球陸地一六%，四境界綫長達六萬五千公里，面積達二千二百二十七萬六百方公里，爲美國之三倍，法國之四倍，英國之一百八十倍，其重工業區又係第二次大戰後有計劃之建設，故其重工業區城極爲分散。第一區設在烏拉山地，此一地區爲針業森林地帶，森林地區、範圍廣大，住民稀少，原子工廠，大部均設在此區。炮彈三分之一，坦克二分之一，船二分之一亦均在此製造。第二爲庫茲內次盆地，工業中心爲斯太林城與諾弗西比爾斯克，此區發展較烏拉山區爲晚，亦爲蘇俄重工業之心臟地帶。第三區爲莫斯科重工業區，第四爲烏克蘭重工業區。此外邊疆地帶尚有列寧格勒工業區，克里米工業區，高加索工業區，中亞細亞工業區，貝加爾湖工業區及遠東工業區等，但不關重要。蘇俄將重工業區設在內地，又將內地重工業分區疏散，在此空軍與飛彈威力與日俱增之時代，毀減不易，實爲一大優點。

（2）人口衆多。就現在各國之軍隊觀之，各國軍隊之特色漸次減少，編制，教育，兵器之制式及戰略戰術之原則，略相伯仲，一國所有人口之多寡，愈可視爲決定各國兵力之重大要素，自十九世紀末葉以來，世界各國均極力擴充軍備，其原因主即爲此。拙著「現代國防（正中四十年版）中對此曾謂：「俄帝及其附庸國，中共匪幫、波、羅、匈、保、捷、阿爾巴尼亞、及東德，約共有七二六、○○○、○○○人，而美、加、英、西、土、葡、日、法、荷、比、丹、挪及西德等約共有四五八、○○○、○○○人，在今後二年內，如俄帝向防務空虛之西歐進攻，則西歐實屬無法抵抗。法、荷、比、希、丹、挪及西德，如被佔領，則俄帝方面尚增加一一八、○○○、○○○人之人力及其龐大之工業能力。當戰爭爆發時，俄帝人力約佔二比一之優勢，如以俄帝軍隊，每四人中有三人參加實際作戰，故西方戰鬥人員與俄方比較可能爲一對三或一對四與五之比。此種相差，殊非普通武器之利用及其火力所能補償」。此項言詞距今雖已逾十年，但基本狀態，今昔仍相彷彿。中共匪幫現有常備兵二百萬，軍齡壯丁，據調查一九六○年爲一億二千五百萬人，如合中共計之，蘇俄集團兵員衆多之情形，更爲顯著。故就常備兵及後備軍力言，蘇俄居於壓倒之優勢，顯然無疑可置。

（3）武器新齊。蘇俄集團在歐洲的人力，大部係來自東歐附庸國，這些附庸國除匈牙利外都是精銳之師；除羅馬尼亞外都是裝備優良。而就蘇俄言，據若干報導第一綫戰鬥機，半自動卡賓，手提機關槍，和無反撞力的平射武器，差不多都是新型的，統一的，已達到標準化。至於蘇俄前綫部隊，現均配備有戰術飛彈及原子炮等，則係盡人皆知之事實。北約組織軍力，既無機械師，亦無炮兵師，步槍，機槍有三種口徑，野戰砲有二種口徑，坦克炮有五種口徑，不僅補給困難，武器部份陳舊，亦屬顯而易見。

（4）動員迅速。蘇俄東德前線軍隊經十日之動員便能將其東德駐軍增加一倍（四十師）三十日之內，可有一百三十五師開入東德戰場，九十日之內即可動員三百師。而且據說前線軍隊有足夠六個月防禦作戰所需的補給，並擁有可在萊茵河上架設十五座橋樑的材料，二千輛裝甲而能涉水的載運車。動員程度極爲迅速。北約美軍均爲原子裝備，雖甚精良，但編制現仍爲二次大戰時之規模，非戰鬥員之數目，幾佔戰鬥員之半。而供給線又遠隔海洋，兵源補給，受蘇俄潛艇之威脅較爲困難，其他盟邦軍隊，每師之數額因國而異，武器補類各不相同，動員遲速由三日而至三十日，各乏標準。加以語言復雜，行動笨滯，以如此素質不齊之軍隊，應付動員迅速之蘇俄，而現代戰爭勝負之數又係決於戰火最初之六小時，蘇俄顯佔優勢，於此可見。

次就蘇俄之弱點言亦約有四項：即（1）核子力量較預期少。（2）運輸系統脆弱。（3）附庸國軍力不可靠。（4）共產集團國家普遍糧荒。分述如次：

（1）核子力量遠較預期少。現在蘇俄之洲際彈道飛彈，據最近之報導，估計僅有五十枚至七十五枚，赫魯歇夫所謂：「如同製造臘腸那樣，接連不斷的製造越洲彈道飛彈」，純係一種謊言，而就戰略空軍言，蘇俄僅有相當於美國B—五二式重噴氣機之「野牛」式轟炸機二百架，其他均爲短程噴氣機，需在空中加油，不能對美國構成重大威脅，蘇俄一再誇稱之核子戰爭對於美國之飛彈基地，尚無法完全予以摧毀，美國飛彈經蘇俄之突擊後仍可保持強大力量予以反擊。此爲蘇俄軍事上弱點之一。

（2）運輸系統脆弱。蘇俄係一大陸國家，雖有三洋十四海並有四萬七千餘公里之綿長海岸線，但在北冰洋七個海的海岸線即達一萬七千餘公里。在冰凍荒凉之中，每年僅有三個月，靠破冰船引導勉強通行。境內主要河流均爲南北流，對東西交通大有妨碍，因此其運輸系統主靠鐵路，據美國衆議員賀斯瑪爾說：「蘇俄運輸之百分八十五乃靠鐵路，將一百六十個運輸中心間之聯絡切斷，則蘇俄各地將陷於孤立，以及無法動員其軍事及經濟力量」。估計用一百六十枚原子彈，以蘇俄鐵路爲目標，向之轟炸，即可將蘇俄之作戰能力消減。所言確屬實在情形，美國現有四千餘架發射原子武器之轟炸機，包圍蘇俄，此等工作，自可輕易爲之，因此蘇俄動員迅速及人口衆多之優點將大打折扣不能發揮，此爲蘇俄軍事上之第二弱點。

（3）附庸國軍力不可靠。華沙公約國方面軍力，據估計約在八十萬人以上，即：波蘭二十萬人，捷克十五萬人，羅馬尼亞二十萬人，保加利亞十萬人，匈牙利七萬五千人，東德六萬五千人，阿爾巴尼亞二萬一千人、此中東德兵力乃有七個師，訓練精且裝備整齊，但若以攻擊柏林，據美國國防部部長麥南馬拉預料：「赫魯歇夫不見得會依仗東德人在柏林爲渠作戰，尤不見得東德人會爲渠而打仗」。明言一旦柏林發生戰爭，東德人將可能會背叛蘇俄。並決不會對西德作戰。其次說匈牙利，匈牙利在民國四十五年發生革命，當時匈牙利軍隊曾按兵不動，結果全部解體，現在匈牙利在經濟困難，士氣消沉之下，雖已重建四個師，但如使之與蘇俄對外併肩作戰，尙須多下工夫。至於羅馬尼亞雖約有十五個師，但裝備落後，阿爾巴尼亞則已與蘇俄翻臉，此二國之軍力只能作爲緊急時期之人力準備，殊不足恃、現在蘇俄對於東歐附庸國可以控制者僅有波蘭與捷克，因捷克將力拒德軍開入蘇合德區，而波蘭亦將死守自德國割來西方各省也。同樣巴爾幹如發生戰爭，保加利亞可能對希臘或土耳其擬起舊恨，因此東歐附庸國之兵力，就蘇俄言，只能說是有一半可恃，另一半則可以說是態度不明。

（下轉第二版）

自由談

難得糊塗

「呂端大事不糊塗」，這表示他對於無關宏旨的瑣事，却是隨隨便便，不願認眞的。對人接物抱着這種態度的人，一定是個勁氣內斂，胸懷豁達的有爲有守之士，如果搞政治，必然成功爲領導人物無疑。

無論是私人相處，或者同僚共事，我最怕遇着婆婆媽媽式的師友長官，芝蔴綠豆般的事兒，亦要尋根究底，認眞推敲，又從而聯想到許多大問題，牽强附會，作出神經過敏的論斷，結果每每構成「天下本無事，庸人自擾之」的現象，平添若干無謂的是非爭執，妨碍大事。這情形在政治上尤爲常見，而其弊害亦就不勝枚舉。

一則笑話：有人見着一位于思于思的美髯公，問他晚上睡覺時，是把鬍子放在鋪蓋外面好呢？抑讓牠藏在裏面的好？美髯公素來沒有想到過這類的問題，一時無從對答，但晚上登床睡眠後，他爲要解釋這個疑問起見，時而把鬍子放置舖蓋外面，時又納入裏面，搞得一夜不會安眠，還是得不到結論。他第二天對那發問的人說：「你眞是好事之徒，無端端提出這種無謂的問題，徒亂人意，害得我通宵失眠，豈有此理！」政治上許多不必要的是非爭執，多類是也。

譬如就團結反共力量這一問題來說：只要是眞心決意從事於反共救國運動的中國人，即應該無條件的一體團結，共赴國難，大家竭智殫慮，籌維有效的反共救國策畧，付諸實行，這便是大事，絕對馬虎不得。至於一般反共人士過去的政治言行如何？私人的政治恩怨又怎樣？那都是無關宏旨的末務小節，大可不必研究，徒滋無謂的是非煩擾，否則與研究鬍子在睡覺時應如何放置之說，同屬無聊，還是馬虎一點的好：俗言「難得糊塗」，此物此志也。希望搞政治的人，愼思明辨而篤行之，幸甚！

馬五先生

漫画天下

南施

自由世界之「水瓜打狗」政策

充耳不聞

果真有舞弊傳染病乎

郵局涉嫌集體舞弊

（台北通訊）

在國人心目中一向被認為制度完整，組織健全的國營郵政事業，最近突然傳出一批高級郵政官員集體貪污案件。昨（十九）日由自立晚報首先獨家公開此一內幕，該報以整個兩版的篇幅對此一涉嫌案件加以詳盡報導，並以特大號的字體作為頭條標題說「國營事業空前羞辱，郵政涉嫌集體舞弊，其嚴重足以動搖國本」。據初步估計，這一集團歷年來的貪污所得至少在一千萬元以上。而因製造中飽機會，致使國帑蒙受損失的數字則在五千萬元以上。此外另有一筆與一般省民有關的款項已被非法挪用，迄今仍無法善後，其數字更可驚人。

據報導透露：涉嫌集體貪污案件的為首者是前任台灣郵政管理局局長，現任交通郵政總局副總局長的許季珂，其他主要份子包括前任郵管局副局長，現任郵管局長的曹啓元，現任郵管局的總務科長兼郵電協會聯合辦事處主任及郵政協會總務組長的安國基，現任郵管局會計科長兼郵協會計組副組長的韓瑞璋，前任郵管局總務科副科長兼任郵管局青潭農場負責人現調任花蓮郵局局長的黃友礎，現任郵管局總務科產業組長的石公愷，現任台北郵局局長的簡爾康，前任郵管局產業組購物負責人現任郵協顧問的卓周紐，現任郵管局稽核的呂進松，現任郵政總局會計處長的王緒，現任台北郵局副局長的王宜嵩等，涉嫌者達十五人之多，幾乎把郵政事業的高級官員都網羅殆盡。

這件駭人的集體舞弊案爆發的起因，最先是由於許季珂的修理官舍及台北郵局局長簡爾康的花費數十萬元頂了一幢花園洋房而起。因為行政院規定，各機關首長不得在台北市區頂押華貴住宅，台北郵局長簡爾康却動用公帑三十六萬元在本市延平路頂了一幢花園洋房，作為官舍，又花十餘萬元的修理費，享受超過了現任的交通部長。許季珂在將要卸除台灣郵政管理局長時，命其心腹總務科長安國基向郵協動用五十萬元，在台北市臨沂街修建一座超過國際標準的豪華別墅。因為郵協與郵局無關，退休後這幢房子就變成許季珂私人的了。

另外一件大胆的作為，是將七百餘萬公債，擅自抵押借款。在許季珂任台郵管理局長時，財政部曾發行一種短期公債，交給郵局代為出售。管理局接到這批公債，竟不交會計科列帳，便私自分發全省各局出售。許季珂認為壓在郵局大部份未售脫的公債券甚為可惜，便下令郵局繳回，再以私人名義向幾家民營銀行抵押借款，再將現款提出生利，名義上將所得之利息補貼員工生活費，實際上能分得這筆錢的，僅是舞弊集團的少數人物。這批被抵押出去的公債券張數和號碼，都經有關機關查出，該晚報並予以公佈。經手抵押公債借款的，據說有前任管理局長許季珂，現任台北局長簡爾康，副局長王宜嵩三人。

建築台北郵政大樓，原預算五百萬元，後來追加五百萬元，總共一千萬元，而承包此項工程的楡華營造廠老板，却是郵政總局會計處長王緒的親戚，王又是許季珂的老搭擋，加上另外其他郵局的修建費，每年超出預算數千萬元。另外青潭員工宿舍及防波堤，不按規定招標，結果沒有營造商執照的商人黃周祥，走通內線，借一張執照便得了標去，但堤防未及一年的保固期便被水冲毀。後來豐原郵局修建，黃周祥又標了去。像這樣前建工程發生偷工減料情事，沒有信用的商人還讓他投標，並且兩次工程，均於未驗收前，便將全部工程費付清。

郵政管理局先後購買青潭，油車坑，稻子園，楣子寮等處地皮約四，五甲，列帳支出台幣一百十二萬餘元，而實際地主及佃農所得價款及補償費只有四十一萬餘元，相差七、八十萬元被中飽。至於郵局方面的購料，也是毛病百出，總務組竟能擅改經視察室複查再由會計科確定的密封標底價，便利商人圍標。此外郵局無謂的浪費，只講交情，購買違章建築兩幢，無法過戶使用，又在中和，景美，北投築地頂購房屋多幢，都因路還無人去住，還要派人看守，浪費公帑。

郵管藉辦員工福利為名，在新店創辦一個小型養雞場，但却浪費了數百萬元，而農場的雞蛋，員工又買不到。農場沒有會計制度，沒有開支帳目，每月盈餘虧損均無帳可稽，主管人員乘機中飽。

環島郵輪，省府交通處認為不經濟而未辦的，郵管局却耗買五百萬元定製了一艘，開航不到半年，便因廢舊而停航，一年停航的虧損三百萬餘元。三年前創辦的汽車掛郵箱業務，當初裝箱費亦達數百萬元，而此一業務，現在已在逐漸萎縮，郵箱等於白掛了。

所謂郵政協會，原係郵務員工及地方人員捐款捐地以維持員工福利的財團。協會主管人員均由郵局人員兼任，故郵政總局及郵管無法報銷的欵項，全部由郵協一肩承當。自許局長就職五年來，郵協濫支的欵額為數至少二千萬餘元。郵協籌欵的辦法，是將租借各地郵局的房舍租金，漫無標準的提高，每年向郵管局索取租金總額高達四百餘萬，郵政官員再轉手郵協來開支濫帳，最近審計部查郵管局的帳，發現預撥郵協明年租金一七〇萬，倘說這便是墊付許，簡在台北修蓋豪華別墅的濫帳。審計部並發現郵電協會另撥郵協每月二十萬元，祇有出帳而無收帳，其去處懷疑是被郵政高級人員挪用。

據悉：治安當局鑒於本案影響所及，足以破壞政府威信，動搖國本，故特加重視，嚴令徹查，監察院也在暗中進行調查。

今天在官方報紙上，已經有郵政官員出面否認的談話，認為都非事實。又有郵政官員說明：郵局或因權宜業務，處置容有未合常軌之處，均已糾正，並未如外傳之盛。交通主管機關也說，如果有外傳情形，必徹底查究。而自立晚報方面却表示：本報記者採訪本案，確已掌握具體資料與有關文件，如有人妄加指摘，本報將繼續刊佈今日郵政更不幸的黑幕。

照這樣發展下去，是非黑白，終有水落石出的一天。

吳越

香港與大陸

港澳的霍亂是由廣東傳過來的，這已是千眞萬確的事實了。發生在廣東地區的霍亂，共產黨一直諱莫如深，但住在香港的四色居民，他們急急忙忙的把蒜頭，如濟衆水之類的防疫品寄回去，已不自今日始，早在幾個月前就實行了。台山，陽江，新會等地，有許多村落，十室九空，到底死了多少人，那就只有天曉得了。共產黨根本沒有做好預防工作，事實上，當大陸人民大都啃樹根草皮的時候，也是沒法子談預防的。而這也就是共產黨不敢把大陸霍亂眞象對外公佈的主因。站在人道立場，我們倒希望共產黨趕快撲滅廣東的霍亂，尤其希望他們能公佈事實，早日接受國際醫藥援助，以便使此種疫症早日平息。

監察院兩提案觸礁

對「今御史」們的考驗

公冶長寄自台北

就法律而言，依照立法院通過的電價費率調整計算公式規定：物價指數以行政院公佈的數字為準。其他因素標準，以法定預算所列為限。故電力公司在行政院未公佈物價指數前而計算重置資產價值，以為增加電價的張本，自不可能。事實上，本年一至六月份之物價指數已發表者，其上漲率為百份之二點四而已。故該公司已「先天下之漲而漲」了。若此例一開，「則天下大亂」。據陶委員說，電力加價浮收颱風損害準備金及維護費數達七千多萬元，而該公司在本年度概算中原列有颱風損害準備金二千萬元，但行政院以本年度是否有颱風損害，尚不得而知，故不宜預列，如有損害，自可援例在決算中實報實銷，陶委員提出的糾正案，是否「胎死腹中」，目前言之尚早。不過，在既成的事實下，就是糾正案順利通過，恐怕也成為「馬後砲」，而無補於事了，因為電力公司已開始收七月份的電費了。

至於內政，司法委員認為內政部曲解刑法上「瀆職」的「涵義」，對於「行賄」及「幫助或教唆行補」非屬於刑法卅一條所定，有貪污瀆職的罪刑。本案起因，係因台中市議長張啓仲，曾兼任台中信用合作社常務理事之職，數年前，該合作社興建國民住宅而涉及訴訟，張啓仲以民意代表及常務理事的雙重身份，向台中地方法院承辦該案的推事行賄，案由司法當局查獲，該推事因收受賄賂而判處徒刑，張啓仲因而被判徒刑，但緩刑而沒有執行，旋張啓仲參加台中市第五屆議會議員競選，當時，曾有人檢舉，省選舉監督乃呈請行政院解釋，行政院交內政司法兩部會同議復省方。內政部准司法行政部函復，認為張啓仲對瀆職案，向推事行賄一節，雖有「幫助教唆行賄」行為，但不受台灣省公職人員選擇罷免規程第十五條第一項第二款「曾犯瀆職圖利罪經判決確定者」，「不得申請為各種選選人」的限制。因此，監察院內政司法委員會經過多次的研究，認為張啓仲既然是瀆職案的共犯，案已判決確定，依法不得作為各種選舉的候選人，應受選舉罷免規程第十五條第一項第二款的限制，事關適用法律與命令發生的疑義，應請大法官會議解釋。按理說，這個案子已經專家研究好幾個月了，應不會有問題，可是，康玉書於八月十日的院會上主張重新研究，當與大宇委員要康委員說明重新研究的理由時，而他又沒有說出具體的理由，却一意的反對。

由此觀之，一向為國人所尊敬的監委們，許多事實告訴大家，監察院已經隨着歲月的增加而增加了，監委們也一年比一年老了，當年那種朝氣也沒有了，已經到了「夕陽無限好」的境地，怎不令人感慨啊！（下）

從核子戰爭談蘇聯作戰計劃

（上接第一版）

現在蘇俄東歐殖民地一億人民都是躍躍欲動，極端仇俄的，所謂可恃之國家如捷克，波蘭等平時固無何等問題，戰時其軍隊態度如何？亦顯然不無疑問。因之蘇俄人口雖多，兵源雖足，但如稍受挫折，一部份可能衆叛親離，自行崩潰。此為蘇俄軍事上之第三弱點。

（4）普遍糧荒

國以民為本，民以食為天。現在共產黨集團各國家普遍發生糧荒，中共匪幫災害頻仍，餓莩載道，東歐曩昔係糧食輸出國，現在一變而為輸入國，捷克，業已達至危機程度，蘇俄亦因農業衰退，無法救援其他共黨國家。試想一個飢餓的蘇俄，領導一羣飢餓的附庸國，除了「日日修談「核子威力」，埋葬你們」，空言恫嚇之外，沒有解決糧食問題，能力之方法，改良人民生活，空腹效命，安能使人民為之打仗？此為蘇俄軍事上之第四弱點。

語云：知已知彼，百戰百勝，由上述蘇俄實力，優點及其弱點觀之，可知蘇俄在實際上並不足畏。赫魯歇夫一連串之「轟雷」恫嚇，現已提高西方警覺，北約軍力由十二師將增加至三十師，美國已徵召後備兵二十五萬人，並增撥三十五億經費購買武器，對於西方軍事上之弱點正在力謀補救，赫魯歇夫打草驚蛇，深覺孟浪，已有見風轉舵談判柏林問題之勢，決不會發動戰爭。

四、蘇俄之真正意向——第三等戰爭

偉大原子科學家愛因斯坦教授說：「氫原子彈如造成，在技術的可能範圍內，可燬滅地球上一切生命。這是由於大氣亦將因之具有放射性的毒，足致一切生命於死的緣故。」

艾森豪總統說：「原子戰爭將使整個世界化為烏有。」

麥克阿瑟將軍說：「全球性之戰爭已成為一種毀滅雙方之作法自斃之怪物，此種戰爭已不復成為一種冒險之武器，奮取國際霸權之捷徑。戰敗則國亡種滅，勝利亦僅能蒙受損失，還是失敗。」

麥美倫首相說：「就軍事力量言，世界力能自毀，即東西雙方均能毀滅東西方，希望永不出現此種事態」。

日本軍事觀察家最近說：「……在這一場全球性的原子戰爭中其結果足使全世界人類減少三分之二，而且，世界上最繁華，和文化發達的地區，勢將全部慘遭毀滅。」

由上述科學家、政治、軍事各權威之言論觀之，可知核子戰爭一經發生，整個地球上所有的生物，勢將同歸於盡。在赫魯歇夫尚無自毀之方法，美國而不自甘冒將彼毀滅之險，如謂彼將挑動戰爭，決無是理。除非瘋狂，就普通武器戰爭言，蘇俄現已有T—1，T—5B，T—5C，T—7A許多種戰術飛彈及三一〇米厘口徑原子炮及四〇〇米厘口徑原子野戰砲。美國亦有紅石火箭，權杖，獵狗等戰術飛彈及吉普上可載之新型原子砲，兩方一經開火，戰術原子武器，勢必將陸續出籠，如果一方損失慘重，敗至不能抵禦，則必將演變為核子戰爭，殆屬毫無容疑。蘇俄亦將力求避免。赫魯歇夫說：「戰爭並可阻礙，共黨思想必可獲得之勝利，吾人將不用戰爭而遲贏得吾人之勝利」。又說：「依照歷史發展法則，社會主義在世界現勢不得勝利，現已為時獲遠，對於該項勢利，並不需要戰爭：：：必須對「第三等戰爭」予以全力支持。」由此可知蘇俄之征服世界作戰計劃，仍將採用「第三等戰爭」。

此所謂第三等戰爭，即中共平日所鼓吹之「民族解放戰爭」，係利用國際間的組織，指使共黨分子利用自由國家任何問題，製造暴亂，以政變或革命方式推翻其政府，建立蘇俄政權子體。以此方式進行顛覆，滲透自由國家，所有金錢，人命，物質，資源等損失，均係自由世界，蘇俄則可坐享其成，事半功倍。一九六〇年度內，國際共黨業已普遍使用「第三等戰爭」，今後蘇俄作戰計劃，仍將率由舊章，普遍使用此項法則，以期不戰而勝。前車可鑑，毋待警惕。

愛情的代價

荻楓

一

「楓！」

我偏過頭去，她哀怨地望了我一眼：「你為什麼不說話？」

我注視着她病後的臉，默然嘆了一口氣。這純真的女孩子，又那裏知道我已經陷入惡劣的境地呢？街道上很靜，路燈拖長了我們的身影。我搖了搖頭，示意她繼續走路。有點毛雨飄着，晚風直刺入骨，但我茫無所覺，只有她父親的臉色追逐着記憶……

「狄先生，」她父親剛在卡座坐下，還沒有叫飲品，便從口袋裏丟給我一包東西。「這是你的代價。」

「代價？什麼代價？」

「二萬元；算是我多謝你輸血給小女。」

說得多麼冷酷！我望着她父親的面孔；我早知道他約見我的目的絕不會有什麼好意。秋嫻患了急病在病院動手術的夜晚，我為了她的安危，不顧一切厚起臉皮到醫院去看望她。於是，在通向手術室的門前，我會見了她的父親。我忍受這一難堪的場面，因為我並不是不認識她的父親，而是她的父親已經向我咆哮過：我是不受歡迎的，秋嫻必須跟我斷絕來往。只因為我是個流浪漢，沒有家世也沒有金錢。我和秋嫻在偶然之中認識，又在偶然之中燃起感情的火花。我們偷偷地相見，偷偷地約會，就像在黑暗中一樣。然而此刻我必須走出黑暗了，秋嫻在急病中，我不是個痳痺者。

幸好，大夫出來了。

「大夫，怎麼了？」我忙問。

「病人必須輸血。但她的血型—O型，在我們的血庫裡只存有五百CC，而她至少也需要一千CC。」

「大夫，」我是O型，讓我來吧！」我毫無考慮。

「你很瘦。」大夫打量了我一眼。

「但我健康！」（一）

談睡眠

汶津

最近讀到拿破侖一句有關睡眠的名言：「年長一點的人四小時，年青人六小時，女人七小時，頭腦簡單的笨人是八小時。」我覺得即此一語，就能證明拿氏是一位「怪傑」了。

對他的話至少有點批評：一是標準定得太苛，一是有岐視女性之嫌。

根據拿翁的定理，我應該只有睡六小時的權利，事實上除了一些特殊的例外，我是必睡八小時以上的，假期裡加上午睡，足足有十小時。準此以求，好像比「笨人」更低一級，和白癡近在咫尺了。這一點我想大可不必為自已辯護，只是我無論如何，還不肯割捨我的睡眠時間。

睡眠原也像人的其他本能一樣，一方面是不可或缺，一方面也可以任君自擇。固然黑夜是公認的睡眠時間，可是做報館工作的，或操其他夜生活的朋友，那時欲睡也無福份，至於面臨劇戰的將士，數夜不眠是常有的事，林白駕機第一個橫越大西洋上空時，那種為睡眠困擾而又強自振奮的神情，確被「林白征空記」（一譯「壯志凌雲」）的主角詹姆斯史都華演活了。不過人的適應能力究竟夠強的了，君不見通宵從戰的參與者那種百折不撓的能耐麼？有些人發誓今後數日將無眠的可能，先抱頭睡他個十幾小時，這倒頗有反芻之風，可惜不是人人所能的。

報載有人十餘年未嘗入睡，而安然無恙，這當然只能視作變態，否則牀第的價值將大貶了。而且此人的誠實程度還有待科學家的考驗。如果世人都能隨心所欲，想睡就睡，不想則罷，倒也自在得多。只怕要睡也不易入夢，只得眼睜睜的看着日昇日落，晝去夜來，那就不免使人怯於作長壽之想了。

有時睡眠也不失為一種消遣，無聊的時候，往牀上一躺是最簡便的方法。常聽朋友們如此對話：「假期作何消遣？」「吃飯睡覺。」有時且省略了前二字。於是有一句觸目驚心的箴言出現了：「床是青年人的墳墓！」這自然是出自上進人物的創作。可惜人各有好，不可相強。許多可貴的靈感，也許還間接是床的恩賜呢。

近聞睡眠過多，有害無益，不覺凜然。原來二氧化碳過多，嚴重的還會促使死亡呢。自此倒也不免略加警惕，以示自重，不過閒暇仙遊的興趣還是很大，幾乎不是自已所能作主的。有不少對睡眠興趣甚少而勤于工作的先例，總是使我十分欽佩，但並不怎麼羨慕。我想普天之下，同好者必然不在少數。

據說多睡眠可以增加體重，我從來不曾了解過這句話的真諦。因為我始終瘦得不容別人作第二種想法。一度據說我患了初期肺結核，乃遵醫之囑，增加營養，注重睡眠，焉知病是好了，距離「胖」字卻依然十分遙遠，人說肺病是富貴症，一試之後必發福，我卻又成了例外。由此也足見我之愛好睡眠，絕不帶有功利主義色彩。

睡眠中的各種特殊狀態，我也分享一、二。據家人說，我睡時鼾聲囈語兼而有之，可惜我自已沒法欣賞，否則倒要聽聽自家的鼾聲是否也像撥電話號碼的聲音—那是我在一次團體旅行中的新發現。不過可以放心的是：我一定不會在夢境中高呼口號的，如果在非清醒狀態中企圖「打倒」什麼，很可能使那木板牀飽受虛驚呢。

愛麗絲一睡，睡出一部孩子們的心愛讀物：李伯一夢，爛了斧柯，解脫了悍妻，睡神眞有祂的一手，可是睡獅等於病夫，必須喚醒；熱帶瞌睡病又使人今世華陀束手，這些難道也是睡神的玩笑？醒來愛上第一個目睹的異性，那種魔術更使人啼笑皆非。到此還是相信科學，一了百了吧。

法令日益繁多，將來是否會有「睡眠管制法」的出現，還在未卜之數。那時睡眠也要按步就班，甚至睡時所發的鼾聲也要符合一定的節拍，比如今軍營或學校宿舍中的紀律嚴明多了。萬一眞到此情此境，即使是登堂入室的「睡仙」們，怕也英雄無用武之地了。

山海關

・道南・

山川風物

山海關又叫榆關，屬於臨榆縣。是長城臨海的一個關口，敵偽時代是中國與「滿洲國」交界的重鎮。那時旅行的人們，都要在這裡辦入關和出關的手續，而且出入旅客都要在此下車，住上一晚，第二天再換車前進。

臨榆縣政府就在山海關。著名的「天下第一關」是東城樓，「天下第一關」的匾有兩塊，城樓裏面的一塊據說是嚴嵩寫的。山海關的城東西有一公里，南北有兩公里，城當中還有一座鼓樓，長城由此往南直伸至海，向北蜿蜒於角山之背，老遠望去，巍峨雄壯，城磚很大。有四吋八吋十六吋，工程可說是偉大極了。

吳三桂的都督府在城西，督府的舊址，現在已經蕩然無存。現在的廢墟上。已經作為學校的校址。府前的石獅石壁算是給督府留下了一點唯一可憑弔的古跡。石壁上面刻有「關山雄峙」，一面刻有「壁壘森嚴」，到是清晰異常。

督府之西有大成坊孔廟，大門總是經常關閉，只可由旁邊矮垣跨進去。殿分兩進，前進為歷代外鄉人及本地人在此為官之牌位，殿前有石橋，殿東有魁星樓，後進為大成殿。殿中古松參天石碑矗立，大殿正中供着孔子之牌位及像，兩旁供奉六位弟子及十二位賢人的牌位。大殿的東西有東西廡，裏面供着歷代賢人儒士如顧炎武等的牌位。

抗戰勝利後，這些勝跡曾經修理一新，佈置很清淨新穎，如今，山河變色，山海關的面貌又不知如何了。

瘟君續夢

第二回：狼狽自爭雄，活佛有幸 人天齊示警，浩刦將成

毛澤東沉吟一下，問道：「依你看，有什麼辦法挽救呢？」

陳雲搔搔頭皮，說道：「徹底解決的辦法就是取銷人民公社，廢除大躍進，仍然恢復第二個五年計劃，按步就班前進，這樣蘇聯援助必然可以恢復，未完成的二百多項工業也可逐步完成，一切困難自然就可望解決了。」

毛澤東聽到陳雲要他廢除三面紅旗，一腔怒火又冒上來，勉強忍住氣說道：「陳雲同志，你是我的心腹，怎麼不知道我的心事，三面紅旗就是我的性命，除非我死了，三面紅旗是萬不能取下的，要你去主持基層建設委員會，你應該從困難中想辦法推進基層建設，管其他的閒事作什麼？」

陳雲搖搖頭：「三面紅旗取下，基層建設也就自然停止了，我也不必担着這個虛名而受實害了。」

毛澤東再也忍不住了，冷笑一聲：「你勸我降下三面紅旗，主要原因是不願主持基層建設，好吧！我總讓你卸掉責任就是了。」說過未等陳雲開口，毛澤東一轉身進去了。

陳雲在客廳裏呆呆坐了一時，無精打采出去，見了周恩來把剛才情形報告一遍，周恩來知道陳雲闖了禍，心裏暗說：「好險，幸而自已未去。」

毛澤東回到內室，越想越氣，打電話把活曹操找來，告訴陳雲反對三面紅旗的意見，問活曹操怎麼辦？

林伯渠聽說陳雲也反對，不由得大吃一驚，可是這個三面紅旗的內容，部份是他替毛澤東設計的，至於人民公社，活曹操也不贊成，但事到如今要是突然取銷，毛澤東非一敗塗地不可，受牽連的將不是毛澤東一個人，他自已也必然要陷入漩渦。

活曹操想到這裏，緩緩說道：「三面紅旗雖然有部份缺點，但是現在已勢成騎虎，下不了鞍了，非硬撐到底不可，主席要拿出最大勇氣來，一鬆勁就完了。」

毛澤東說道：「這一點我都想到了，只是要不要處罰陳雲呢？」

活曹操一翻白眼，說道：「當然要處罰，要重重處罰，假若置之不理，以後還不知有多少窩裏反呢？」

毛澤東一拍大腿，連說：「對！對！就這樣辦。」馬上叫田家英打電話通知政治局委員到「主席官邸」開緊急會議，只是不通知陳雲。

許多政治局委員接到電話都十分緊張，不曉得又出了什麼重要事，不到半點鐘都到齊了，除去陳雲，只少了一個李井泉在成都未來。

大家坐定之後，毛澤東劈頭就說：「陳雲同志反對三面紅旗，有反黨傾向，各位同志看看怎麼處理。」（卅三）

岳騫

梨園漫談

姚香谷女士，為已故上海聞人杜月笙的夫人，她原籍直隸安次縣，生長天津，其外祖父名叫寧寶三，為當時知名的梆子武生，太夫人筱蘭英，藝兼文武，唱作俱佳，亦為菊壇之前輩，故夫人自幼家學淵博，後來年事稍長即入將家科班習藝，對國劇不論皮簧梆子均獲有極深之造詣。

姚女士其幼年藝名叫玉蘭，與胞妹玉英為當時藝壇雙絕，原習鬚生，兼習青衣，當時科班雖分工授課，但主持人憑科班學生，七行五通，無所不曉之主張，乃予多方培植，以使學生們出科後能成為一文武不擋之全材，故姚女士之多才多藝，實理所當然也。

姚女士於民國十七年與杜月笙先生結婚，婚後生活極為美滿，然當時大江南北之戲迷，皆為夫人永離菊壇所婉惜，但夫人義薄雲天，每逢社會公益義演，一經人邀，無不慨允，來台後於四十五年十月廿九日，為慶祝蔣總統公七秩華誕，全國平劇界紛紛演出向總統致敬。姚女士亦為表示擁護反共抗俄之國策，暨愛戴領袖之熱誠，遂毅然假空軍介壽堂串演：「三進士」一劇，其文武場及班底全為大鵬當局之全班人馬，並由名票胡方城夫人、名伶趙玉菁、馬榮祥、程景祥、朱冠英等共同合作演出，當晚其響遏行雲之天賦佳嗓，充沛之氣口，滴水之韻味，使在座觀劇之士無不擊節讚嘆不已。

小大鵬教師素描

・瘦西湖・

大鵬學生班有鑒於直隸梆子漸漸失傳，值此反攻在即，實有提倡此濃厚鄉音之必要；然幾年來總因為師資及場面而無法進行，姚女士聞悉，對大鵬此舉表關切，即挺身向大鵬當局陳述，願將她記憶所得悉數貢獻出來，加上大鵬再經各方之搜羅，資料乃告豐富，大鵬遂授權姚女士與鄭鐵珊、郭玉山等諸君子，研討如何對學生授教之方法，為了提攜後進，培育下一代藝人起見，而使幾將泯滅之劇藝，再度宏揚，其忠於藝術及提攜後進之熱誠，至為各界所欽佩者也。

小大鵬學生班自經姚女士悉心授課，不久即學會了如「紅梅閣」、「辛安驛」、「喜榮歸」、「梵王宮」、「翠屏山」等將要失傳之老戲，遂又露演出來，使台灣的戲迷界沉炒冷飯的劇運中，忽突然又能看到令人嚮往已久的好戲，怎麼不叫人興奮呢！在台灣，直隸梆子能絃歌不輟者，實皆姚女士之功也。（一）

海樓隨筆

時代的苦悶

·徐學慧·

美國的著名作家海明威，在不久以前，莫明其妙地吞槍逝世了。前幾天，一位退休了的哈佛大學教授布烈治曼，又吞槍自殺了！

這兩個人都是得過諾貝爾獎金的，在文學與科學方面的造詣，影响於美國者甚深，何以竟先後自殺呢？美國警局對於海明威的死因諱莫如深，說是要讓歷史家去探索，這也不過是一種遁辭而已。這兩個著名人物之死，對於美國的國運，究竟有什麼影響呢？

一個國家，或者一個民族，有識之士的自殺，實在是一個極其嚴重的問題。作家或學者，都是極具理智的人，非如匹夫愚婦之為愛情或經濟而自殺，他們之死，必然有一個原因，此一原因，亦必然可以斷定，超乎愛情與經濟問題之上。

有什麼問題，還能超乎經濟與愛情問題之上呢？在一個智識份子看來，那就只有時代的苦悶。讀讀大詩人屈原的「懷沙」吧！

「變白以為黑兮，倒上以為下。鳳凰在笯兮，雞鶩翔舞。」

「邑犬羣吠兮，吠所怪也。非俊疑傑兮，固庸態也。」

「知死不可讓，願勿愛兮。明告君子，吾將以為類兮。」

這是屈原的絕命詞，而在這絕命詞中所表現的，却正是那種無可奈何的時代苦悶。

海明威與布烈治曼，究竟有沒有留下絕命書，我們不得而知。但如果說他們的自殺沒有滲雜時代苦悶這點成份，却也甚難使人同意。

美國的國力，在近二十年來，如日中天，物質文明，發達到了高峯。但精神文化，植根淺薄，故不能經得起挫折與刺激。精神文化的空虛，乃在智識份子心頭，積累着一種莫可如何的時代苦悶。消極一點的，便流於遁世；積極一點的，就只有自殺了。

五十年來，在中國，就有兩宗智識份子自殺的故事。一宗是一代詞人王國維的投水，另一宗也是詞人喬大壯之投河，（喬為四川華陽人，南京中央大學詞學教授。）王喬二人之死，也正是中國國運最艱危的時期呢！

海明威與布治烈曼之自殺，是不是對於美國文化所發出的一個警號呢？果眞如此，則富甲天下的美國人，也就值得反省反省了。

劉銘傳劉璈交惡經緯

李仲侯

前面說過，是時湘軍雖已走下坡路，而台灣還是湘軍的天下，劉璈巡台四年，整軍經武，期在一戰，當光緒十年閏五月劉銘傳南抵台北，法軍大隊跟踪過犯基隆，我軍將士用命，連戰皆捷，其時營務處李彤恩，提督孫開華守滬尾（淡水），忽報該處緊急，三次飛書乞援，銘傳遂放棄基隆，移師專守滬尾，基隆從茲陷敵，當撤退時部將章高元伏地哭阻，銘傳大怒，拔佩刀欲刃之，劉璈奉命專守台南並兼顧台中，每聞北傳捷音，極為興奮，方冀乘法勝軍威，盡驅法人入海，忽聞銘傳自動撤退基隆之耗，甚為憤怒，奏揭其短，且言李彤恩矇蔽之罪，於是合詞交章論列，追究劉銘傳擅自撤兵失地之咎，朝旨力促諸帥，逐退基隆法軍，左宗棠適臥病居京，亦詔促督師閩海，左氏於抵台之翌日，即奏稱：「法軍不過四五千，我軍之駐基隆滬尾者數且盈萬，劉銘傳係老於軍旅之人，何至一失基隆，遂困守台北，日久無所設施，後詳加訪詢，始知基隆之戰，三次告急，銘傳乃拔隊往援，基隆遂不可復問，其實滬尾之戰，仍孫開華諸營之功，知府陳星聚屢請攻基隆，劉銘傳謝之，獅球嶺法兵不過三百，曹克忠所部八九營，因劉銘傳有不許孟浪進兵之語，不敢冒出台北，諸將領多願往攻基隆，劉銘傳坐守台北，不圖進取，恭譯電旨，劉銘傳乃應激勵兵勇，收復基隆，不得懦怯株守，致敵滋擾，臣思劉銘傳不懦怯株守，或一時任用非人，運籌未協所致，李彤恩虛詞惑衆，致基隆久陷，厥惟罪魁，請旨即行革職，遞解回籍，不准逗留台灣，以肅軍政」奉旨：「楊岳斌迅速赴閩援台，李彤恩先行革職，交楊岳斌查辦」，劉銘傳有意袒護李彤恩，以左帥抵台才一日，即據劉璈之言上奏，乃上疏抗辯，無效，固已深銜劉璈次骨矣。（五）

閒話酆都

筱臣

一年一度的中元節又到臨了，使我們想起這是一個「鬼節」；更使我們想到今天的大陸，已經是人間地獄，惡鬼當朝，窮凶極惡，餓鬼載地，飢寒嚎啕，殺人盈野，陰風慘慘，陰氣森森，已經完全是魑魅魍魎的世界。這正如世俗所傳說酆都，談起來令人有一種陰森恐怖之感。酆都為閻羅王的駐在地，是幽冥世界的首都，也正如今天毛酋駐在北平一樣。從古以來，在一般信鬼拜神人們的心理上，確實深深地種下難以解釋的憧憬。

酆都縣是四川東南的一個渺小的縣城，介於涪陵忠縣的中間。縣境跨大江南北，全境都是山地。平都山在城北，和鹿鳴山相對，上山廟宇巍峨，林木清幽，蘇東坡有詩極讚其幽趣，「足躡平都古洞天，此身不覺到雲間」，又「山上蒼蒼杜柏花，空屋桂觀何崢嶸！」縣城建於滸河壩上，形似桃葉。舊城在桃葉中段，城埋久圮，代之而與却有整潔的馬路，馬路邊還矗立着高樓，望之很類似長江上游的小城市。

酆都之所以能名傳遐邇，完全因為平都山的不平凡。酆都土著叫它為名山，或酆都山。山之陽，廟剎林立，大江前橫，蔚為大觀。向為舉國無知之輩迷信的閻羅王殿就在山頂。

從城市東北隅，通過仙橋北行，為朝山進香大道，西有接引殿，北嶽殿，東有東嶽殿，火神廟，東西相望。於東嶽殿和接引殿的中間，向北拾級而上，至轉折處有土地殿和門神殿，再上轉輾至陰陽界。山側有界官殿，東北有眼光殿和圓觀殿。從陰陽界上行就是三清殿，從三清殿右側上去有送子觀音殿、千手觀音殿、報恩殿、三官殿，通過山門即為大雄殿。

殿前有橋叫做奈何橋，橋下有一石池，叫血河池。據說橋上常有鬼拉人找替身的事，香客們又會夢到自己的母親在血河裏受苦，甚至還聽到血河裏女鬼號慟的哀音。由大雄殿右側上行數十步為星主殿，殿的右側，有稱為三十三天的石級，級盡處左為王母殿，右為玉皇殿，沿石級上行有百子殿，由百子殿北上，即閻羅天子殿，殿高約五丈，深濶約四丈許，內却黑暗如漆，陰氣逼人。

天子殿的後門，稱為鬼門關，為一曲尺形的黑暗通道，因黝黑無光，給人們一種極其恐怖的感覺。西南下行為望鄉台，係一矮小的神殿，內祀以土地和地仙，殿右側有一大香爐，香爐臨山崖，由此可望全城，傳說在此處可以焚香哭禱，可以和已死父母或親友相會。在酆都香會的時候，常有白衣素裳的婦女們，一邊燒紙錠，一邊揮淚痛哭，期與死者相見，在哭到昏迷時，自然有時也可夢見尊人的幻影。

平都山的神像，當然以閻羅天子為神像中的領袖，天子像共有三座，最大的一座像，傳說是鐵像，高約二丈，戴冕旒，衣朝服，全身金色威風凜凜。第二座傳說是銅像，第三庭是泥像，面顏服色和鐵像相似。神龕左右為四大判官，左右兩側有十帥立像，為木骨青泥像，面容嚴峻，神采奕奕，經香烟多年的薰灼，黑黝黝地露着陰森的氣象，其他還有林林總總的偶像，光怪陸奇，不一而足。

閻羅天子是陰間的主人，他統轄着天下的城隍，閻羅是陰間的中央長官，城隍是地方官吏，分都、省、府、州、縣、各有品位不同的城隍。縣城之下，轄土地神，每一土地管轄一社或一鄉鬼魂，其職掌和陽世的鄉保長相似。酆都縣是陰間的首都，人死後須到這裏受嚴酷的審判，那裏有十殿閻王，主持十陰司的審判，即一殿秦廣王，二殿楚江王，三殿宋帝王，四殿四官王，五殿閻羅王，六殿卞城王，七殿泰山王，八殿平恭王，九殿都司王，十殿轉輪王。其中以五殿閻羅王為首席審判官，在審判後依其犯罪的輕重，生前犯罪的靈魂，發落到十八層地獄，受各種酷刑。

迷信的人說閻王殿裏有一種生死簿，記着各人的壽命長短，和該死的日期，還有一種過功簿，記錄各人的行為善惡，主簿判官，專司查考，登記的責任，每天查出生死簿上壽命已終的人，派陰間無常鬼和雞脚神按時到各地去提取，陰間的司法手續和人間一樣，閻王公差到各地勾取人的靈魂時，須會同本地城隍的差役，和土鄉的土地神，把人的鬼魂提到陰司，先經過陰陽界，鬼門關，望鄉台，到城隍處點名，然後押往酆都，受最後的審判。

海嘯塵談薈

馮玉祥要打吳國楨

諸葛文侯

吾國對日抗戰結束還都之年，馮玉祥受任國府考察美國水利特使職位，尚待放洋。他戰前在南京置有一所住宅，戰時已被日軍折毀，只剩下一片荒地了，戰勝歸來，遂有「無家可歸」之歎。當時蔣主席聞悉其情，即致函行政院長宋子文，轉囑上海「敵產管理處」負責人劉攻芸，速為馮副委員長（馮係軍委會副委員長）配給一座房屋。劉氏遵命擇定霞飛路一八八號花園洋房作馮宅，分別函電通知馮氏暨行政院秘書處查照，馮頗滿意，先派人赴滬接管佈置，以便攜眷居住焉。

迨馮氏所派接管人員到滬查看時，屋內已有杜仲遠之孀婦與其兒女們佔住着，據傳亦係奉主管敵產機構核許撥給她的，且有正式公文為證，旋見上海各報紙上連日刊載「馮玉祥派兵強佔民房」的消息，馮聞訊殊驚詫。但以杜仲遠太太原是熟人，她於復員時全家由重慶回滬的旅費，亦係馮氏供給的，礙於情面，不便多所究詰，乃由馮斥資替杜太太另頂下西愛咸斯路住宅一棟，連傢俱亦代為備置齊全，杜太太表示無條件讓出，不生問題。

未幾，馮氏舉家由南京赴上海安頓一切，他抵北車站時，歡迎的人不少，獨未見市長吳國楨，他的心裏已經有些不愉快，認為吳氏缺乏禮貌，瞧不起國家的特使，等他偕同全家大小和隨從人員逕赴霞飛路新居，杜太太忽然拒絕遷讓，無可理喻，馮不得已，暫行下榻於樓下客廳內。他料想杜太太這種搗蛋的行為，必係受人唆使，故意給他為難的，因而莫名憤懣，次日即將蔣主席，宋院長和劉攻芸等關於配給這所房屋的函電檢出，張貼在客廳的牆壁上，教許多來賓與新聞記者們看到，證明他絕無「派兵強佔民房」的事實。

是日，上海市長吳國楨適亦來訪馮氏，走入客廳之初，馮氏裝作不知道，未予理睬，吳趨前為禮，申述日前未到車站迎接，非敢怠慢，係因事赴南京去了，今日特來告罪云云。馮橫眉冷語之曰：「你是大市長，公事很忙，咱是老百姓，怎敢勞動大駕呢！」吳赧然不答。旋馮伸手指着牆壁上的文件語吳：「你瞧蔣主席，宋院長這些函電是不是假的？我馮玉祥帶兵一輩子，何曾有特勢強佔民房的軍閥行為？我現在是國家的特使，代表政府元首出國考察水利，而你所統治下的市內各報紙，竟視我馮玉祥為打家劫舍的土匪，這還成甚末國家？你們只知道蔣主席的厲害，却不知道我可以在他頭上「插個脚兒」呢！」這時馮氏怒極了，脚向地上亂跺，將給吳以巨靈之掌，旁人覩狀推開吳氏道：「請市長趕快回去處理這件事罷！」吳走出門外說：「想不到馮先生發這末大的脾氣。」旋見劉攻芸來了，急忙拉着劉氏往外奔馳而去。經過三小時後，一隊武裝警察蜂湧前來，上樓請杜太太立刻搬出去，不許遲延，而馮氏原來為杜太太準備的房子，亦就恕不歡迎她了，寃哉！

歷史人物

秦始皇論

·謝康·

我們可以說：世界上任何國家民族的首領，截至現今為止，還不能在十幾年之內，做出秦始皇這麼多而且大的工作，這不能不承認是中國歷史上的奇蹟了！

因為有這些「奇跡」，使得日本和西方的「中國通」或漢學家承認始皇為大君，或英主，例如高桑駒吉的「中國文化」（商務版，民十五年譯本）海思等合編的世界通史（台北，東亞書社四十八年版），桑戴克的世界文化史（二十四年世界書局譯本），馬伯樂的中國古代史，格蘭業的「中國文明」，戈諦葉（H.Cordier）的中國通史，拉胡士及科里葉等家出版的百科全書，對始皇多有好評，或稱他為英主，或稱為軍事天才，或比之於馬其頓亞歷山大，或以他為波斯的大流士與羅馬的愷撒。一般來說：外國人對於始皇，多認為偉大的人物。近年編寫中國歷史的人，如錢濤廉先生，張其昀先生等對於秦代的貢獻，都給以應得的地位，不同舊日儒生狹隘的見解了。

平心而論，歷史上偉大人物，蓋棺之日，已難得到定論，何況評論一個人有多方面的角度，就其對後代的影響來說，評論者觀點，可能有各種立場之不同。

（四）

自由報

內僑警台報字第〇三一號內銷證

THE FREE NEWS

第一六一期

中華民國僑務委員會頒發
台救新字第三二三號登記證
中華郵政台字第一二八二號執照
登記為第一類新聞紙類
（半週刊每星期三、六出版）
每份港幣壹角
台灣零售價新台幣弍元
社長：雷嘯岑
督印人：黃行靄
社址：香港銅鑼灣高士威道二十號四樓
20. CAUSEWAY RD. 3RD FL.
HONG KONG
TEL. 771726　電報掛號．7191
承印者：田風印刷廠
地址：香港灣仔高士打道二二一號
台灣分社
台北市西寧南路壹壹柒號二樓
電話：三〇三四六
台郵撥儲金戶九二五二

急須糾正的政治觀點與詞彙

『必也正名乎！名不正，則言不順。言不順，則事不成。』——論語

丘峻

台灣原屬我國版圖，甲午戰爭後，割讓於日本，受日人統治達五十年之久。迨二次世界大戰期間，民國三十二年，開羅會議後，我與美英三國發表共同宣言，其中規定：凡日本自中國人所竊取之領土，如東北各省，台灣，澎湖，均應歸還於中華民國。這一個宣言，後來不但為波茨坦協定所接納，而且為日本投降時所接受。所以我們中華民國政府當日本投降時，便把台灣，澎湖接受過來，建為中華民國的一個行省。從那時起，台灣，澎湖已恢復其原來的地位，即已經復成為中華民國的領土。等到舊金山對日和約和中日和約簽訂，日本依約放棄對台灣的主權，至此，台灣歸還我國的手續，也已經完成了。這樣，不特於法律上具有完全的效力，而且於實際上也成為確定不易的事實。

台澎早已具有這個歷史和法律的根據，既如上述。照理，凡稍存有國際道義的國家和人民，都不會對它加以懷疑，而至於否定的。但是，畢竟還有只為自身利害，不顧他人死活的國家和一部分的人民，尤其是別具肺肝，另有用心的國際政治掮客而為各該國的主政者，如英國的艾德禮，邱吉爾等和一些名守中立，而實一面倒向共匪之印度的尼赫魯之流，不惜加以懷疑，並故意加以曲解。於是國際間有『台灣地位尚未定』的傳說，聯合國內也便有『託管台灣』的謠言，最近又有『變相託管』——『台灣國際化』的謠傳，實在顯得太不成話了！

「兩個中國」的謬說！

『託管台灣』的謠言稍息，而『變相託管』的『台灣國際化』之謠傳又來了！我們對此無聊的謠傳，可不必去理它；惟對於『兩個中國』的謬說，則不能不加以粉碎！

第二次世界大戰結束，蘇俄以偷雞式之三天戲劇性的參戰，贏得和其他戰勝國同等的權利，一樣地分別佔領戰敗國。東德、西德、北韓、南韓，便這樣子瓜分佔領着德國和韓國。迨日內瓦會議，又產生了北越和南越，把整個的越南也硬生生地分作兩截。東德、西德、北韓、南韓，便宜了赤色帝國主義的蘇俄、北越、南越，又便宜了赤色越奸的胡志明。為了綏靖侵略，安撫共黨，不惜犧牲越南的半壁河山，想換得短暫的和平，造成了自由世界莫大的損害，既經是失策萬分。何以姑息主義者還不知所鑑戒，願覆蹈前轍，又復打算來犧牲我們大部分的中國，五億衆的人民，而提出所謂『兩個中國』的荒謬主張？而無他，想損人利己而已。其實，這種作法，結果，人已損而自己亦受其害，或者受害尤甚，又何苦由來！

西方姑息主義者首倡此議，一些所謂『中立主義者』繼之，且非正式的嚷到聯合國去。居然聯合國裏亦有人附和此議！甚至我們一向認為最忠實的盟友而居於世界反共抗俄領導地位的美國，也有些人隨聲附和，豈非怪事？試問：你們也準備承認『既成事實』，把你們自己的國家也分為兩個『東西什麼國』，或『南北什麼國』，可以麼？『己所不欲，勿施於人』，這是我們中國的古訓，請你們深深地痛切反省一下！

再從中國的歷史看，在五千年的中國歷史上，雖間有賣國奸賊勾結敵寇叛亂之事，但以中華民族堅強的優良傳統，不久自能平亂，又復歸於統一。『漢賊不兩立』，『忠奸不並存』，為中國人立身報國的基本立場，承認與賣國奸賊分立並治，乃為中國歷史所不許，也為愛國民衆所不容。況且共匪殘暴，到處殺戮，揚州十日，嘉定三屠，猶望塵莫及。如果承認俄帝侵略中國的既成事實，眼見五億民衆呻吟慘死於俄共集團的鐵蹄之下而不加以援手，這將是人類有史以來空前的罪惡！即就整個自由世界而言，也絕對不應容許這種違反公理正義的謬論成為事實的！的確，事實也很顯然，公理正義尚在人間，尚在聯合國內，試看將是自掘墳墓的印度代表團或其他『同路人』先後所提『中國代表權案』之被否決或緩議或不予受理，便是明證。我敢於斷言，這種荒謬絕倫的『兩個中國』的主張，必將在公理正義的光明照耀之下，自行幻滅。於是乎，我得儘先提出：

「自由中國」之名不可用！

台灣地位早經認定，而且確定為中華民國的領土，又早已建立一個行省，這就絕對不能容許有人加以懷疑的。那末，曲解荒唐的『託管說』或『變相的託管說』，將必為確定的事實所打破，自然無人能再造謠宣揚得起來。荒謬絕倫的『兩個中國』的主張，也必因之而粉碎。如上所述，客觀環境已經加以澄清了，我們便要反求諸已。客觀環境既如此，返視我們主觀心理形態則如何？

在主觀意識形態的表現上，我們要喚起自覺的有二：第一、『自由中國』這個名稱，從此不再使用；第二，『復國』這個口號，應即停止使用。何以故？且待筆者分別先後，加以說明。

國名之上，冠以『自由』二字，實際應用，首見於戴高樂在英倫所喊出的『自由法蘭西在此』，繼見之於波蘭和捷克，所謂『自由波蘭』，『自由捷克』是也。往後，『自由俄協』，『自由匈牙利』，『自由古巴』，又相繼成立。如果蘇俄不倒，共產附庸國家不能翻身的話，這一類的國家，將來當不止此。

『自由中國』，就是效法『自由法蘭西』的命名而來。自由為全人類所追求，是一個最時尚，最吃香的名詞。惟自由的可貴，則最能痛切感覺於失去自由之後。換句話說，不失却自由，不知自由之可愛，可貴，可爭。所以一聞自由二字，便以為可貴，以為榮耀。故此，『自由中國』一名，就有人認為是光耀的名稱，富於宣傳的效用與價值，盡所以別於共匪的極權統治也。我則期期以為不可。理由很顯明：第一，法蘭西，波蘭，捷克等，都已先後亡國，直接間接為德國所攻佔或俄帝所統治；第二，『自由法蘭西』，『自由波蘭』，『自由捷克』等，都是流亡政府，寄托於他國國境之內；第三，前述各國的立國三要素既經不全，不能成為具體的獨立國家。我們中華民國則不然。我們的國家——中華民國，固然是一個獨立的大國；我們的政府——國民政府，仍然屹立於自己的領土之上；在台灣，擁有上千萬的子民，在海外，擁有二千萬的僑胞；在大陸，還有五億衆逐漸歸心的民衆：立國三要素完整無缺，無論任何方面都表現得是一個現代化的國家。我們為什麼不爭氣，偏要自己瞧不起自已，硬要看成自己的衰颯，一如他人家破國亡後的流亡政府一樣！

還有一個同等重要的理由，下面仍得加以敘述。自由的對面是不自由。有自由世界，就會令人聯想到不自由世界。有了『自由中國』，便會令人意識到『不自由中國』。『自由中國』固然是中華民國，『不自由中國』呢？那末，就難免不令被人意味着什麼『中華人民共和國』了。這在國民心理上，無異塗上一層『兩個中國』的毒素；在國際人士的心目中，也如同罩上一幅『兩個中國』的陰森森的鬼影！

依照法、波、捷、俄等前列的主觀方面而言，『自由法蘭西』，『自由波蘭』，『自由捷克』，『自由俄協』等，都是無土之國，都是流亡政府，那末，就要影響到台灣的地位，而且我們就自己否定了國家實質的存在。依據哲理的客觀方面來說，由自由聯想到不自由，由『自由中國』意味到『不自由中國』，那末，就無形中認定『叛國』實國存在的事實。再進一步的說；前者是我們自己動搖自己的國本；後者是我們製就了『兩個中國』的張本。這一來，主觀客觀，兩皆不利，我們不是白癡，為什麼還要這樣地繼續下去，來自己糟蹋自已，甚至自己毀滅自已呢？！

（上轉第二版）

自由談

談金錢

金錢是萬能之本，也是萬惡之源，這是人所共喻的。我認為那「萬能」的作用，亦常常成為間接增長「萬惡」程度的補助劑。金錢可說是不祥之物！

有了錢，固然可以強化人生的進取精神，創造各種事業，同時亦容易趨於墮落的境界，產生若干罪惡，而後者往往更勝於前者，終歸是福不抵禍的。金錢原係一種代替信用的物品交換籌碼，牠本身並無禍福人生的能力，為禍為福，完全繫於人類使用牠的方法如何，關鍵就看是人使用錢呢？抑為錢所使用？

社會上最愚蠢的人，也就是最不會使用金錢的人，一般所謂守財奴，越是有錢，越不知及身享受其實益，更不能將其使用價值，傾注於福利羣體生活的事業上。一生自奉儉約，對人慳吝，專為子孫聚積藏來之物，結果是貽禍後代，死有餘辜，如最近香港發生同胞弟兄為攫奪遺產而操刀殘殺的慘案，即其明證。子孫如其賢，要錢幹甚末？子孫如不賢，要錢幹甚末？這道理誠如粵語所說「一字咁淺」，怎奈大多數的人懵然不悟，甘為金錢作奴隸，造罪孽，可怪孰甚！

揮金如土和愛錢如命這種兩極性的人物，原是不足為訓的，但就社會大衆的生活關係設想，無寧贊成前者，因為他能夠把金錢揮散於人間，總比密藏在私庫而湮沒其使用價值的好。社會主義的終極目的，是「各盡所能，各取所需」，在這樣的社會生活中，金錢的使用價值便不存在了。然非所語於俄式共產主義社會，它是「各盡所能，各棄所需」的奴役社會，連人類的生命亦毫無價值可言呢！

錢是逗人愛好的，但要會用，否則不啻自溺於禍水之中，無可救藥。搞政治的人，尤其犯不得愛錢的毛病，「染此病，前程就宣告完蛋了，戒之哉」！

馬五先生

漫画天下

南池

一、此亦一法

赫魯曉夫：「你看，紙鳶也可以把飛機弄下來的呢！」

二、背後有鬼

這傢伙到底會給自己嚇倒。

但願從此政簡官廉

黃啓瑞停職前後

（台北航訊）

自由中國首都，國際觀瞻所繫的台北市市長黃啓瑞，先後因涉嫌公共汽車購料舞弊案及興建南京東路市民住宅舞弊兩案，被法院檢察官提起公訴後，省府已於昨（二十二）日決定，台北市長黃啓瑞應予停職，並派現任省府委員周百練代理。

黃啓瑞的自動辭職，不但是台北市的一件大事，也是本省實施地方自治以來的第一個縣市長辭職的案件。黃啓瑞在上月十五日因公共汽車購料涉嫌舞弊（本報會經報導）案被提起公訴後，曾經一度向省府請求辭職，而台北市議會全體議員連署提出一個臨時動議，通過建議省府在該案未經法院判決確定前，暫緩派員代理。當時引起社會很多猜側，有人認為根據「台灣省地方自治綱要」第四十九條規定：「縣市長，鄉鎮及縣轄市長，鄰里長對上級委辦事項如抗不遵行，或有違法失職情節重大者，各自治監督機關（按指省政府），除依法處理外，得呈准先行停止其職務」。前任非國民黨籍的嘉義縣長李茂松，涉嫌建築校舍舞弊案，便是根據這條法令在起訴後即行停職的。又關於此類案件的處理，台灣省政府曾於四十九年十一月二十四日以人乙字第八九七七號令頒「各機關學校辦理人事獎懲案件注意事項」其中規定：因瀆職罪嫌經法院提起公訴者，應即報請停職。此項規定與公務人員懲戒法第十六條之精神，至相符合。因此認為黃啓瑞的請辭，一定會獲得批准。但經省府主席周至柔考慮的結果，決定在法院未判決有罪以前，不予停職。算是度過了一關。

黃啓瑞夫婦一波未平一波又起，本月十五日又因涉嫌南京東路興建市民住宅舞弊案被法院檢檢官提起公訴（見本月二十三日本報），黃啓瑞自覺精神名譽兩受損受，各報刊又紛紛撰評，認為黃啓瑞此時宜暫時離開市政崗位，專心應付官司，以免公私受損，影響國際視聽。於是十八日在台北親將簽呈面呈周主席，請求先行簡派賢能代理市長職務。十九日周主席偕同民政廳長陳錫卿，出席中央黨部之重要會議，專題討論台北市代理市長人選問題。會中除省府方面人員外，尚有黨及行政院高級主管。因為黃啓瑞是國民黨在台北市的提名候選人，台北市又為選戰的中心，同時黃啓瑞在黨方原是中央黨部的副秘書長，所以，黃啓瑞的停職，對黨方的信譽，頗有影響，而關係將來的選舉，尤其甚大，故不得不慎重，會議中先決定了一項原則，是仍以本省人出任為宜。最後決定由現在台北市行醫之省府委員周百練氏較為理想。此項決定乃基於：（一）周百練在台北居住時日長久，各方情形甚為熟悉，且有社會基礎；（二）在上兩屆台北市市長競選提名期，周間百練原為黨考慮的人物。這當然是為了周百練的下屆競選舖絡。周百練的任命，二十二日提交省府例會後就正式發表了，至於何日交接，據周百練說：將向省府請示並與黃啓瑞市長聯絡後，再作決定。在黃啓瑞急求交卸的情況下，交接之期，大概不出一二日內。

在這段停職經過的處理中還有一段微妙的故事，就是黃啓瑞在十八日的呈文中，只是請省方「派員代理市長職務」，意思就是說，將來如法院判決無罪，只要任期未滿，仍可任市長。但這兩條涉嫌的案子，可能一拖兩三年，周百練可能一代就代上兩年另九個月（黃到五十二年六月一日才屆滿），有這兩年多的施政經驗，慢慢舖路，將來出馬競選，周百練自可成竹在胸，駕輕就熟了。殊料在省方昨天對周百練代理台北市長做最後決定之前，突然收到黃啓瑞的一封掛號公文，向省府呈請辭去市長職務。如此一來，在法令上便大有分別了。如是派人代理，代理人可幹到黃的任期屆滿。如是乾脆辭職，便「需自派員代理之日起一個月內公告辦理改選」，以補滿任期。這一來，周百練代理台北市長只有一個月來辦理改選事宜，而緊迫之間的改選，周百練的競選把握，便很難說。因此，黃啓瑞由「請求派人代理」而改為「呈請辭職」，對周百練是不利的。民政廳對此事感到很難處理；陳廳長自難做任何決定，便去和秘書長郭澄商量，當他們正在研究此一問題時，周主席與蔣經國氏適時到了台中，周主席遂臨時決定先將黃啓瑞予以「停職」，並指示陳廳長不管簽請代理也好，辭職也好，根據省自治綱要（第四十九條）的規定，可以先予停職。這一點，可能是黃啓瑞始料所不及的事。至於黃啟瑞為甚麼會有這樣的一個突然解變，用意何在，其中是否還意味着有別的內幕，就非局外人所能知悉了。

自從黃啟瑞兩案起訴之後，熱心政治活動的人，都在紛紛有所行動。黨外人士方面的前任市長高玉樹，會邀集有關人士商討，如果黃啟瑞失去市長資格後，黨外人士支持何人競選。據說，在集會中雖然沒有具體的結論和決定，但大家認為的第一個候選人還是高玉樹。一向以「大砲」著稱的省議員郭國基，在台北市基層社會的影響力，當然也是不可忽視的。

現在出任代理市長的周百練，原是國民黨預定的第五屆市長候選人，本人也頗有實力，如出而競選，很可能穩操勝券。但這次的出而代理市長，對他說來，可算是有得有失。所得之處，是也可獲得一些行政經驗，多一些給市民表現的機會，競用現職可獲得許多利選時的便利，但所失的，是國民黨支持的黃啟瑞既然是這樣的下場，便難免在選民心目中對此一政黨留下不良好的印象，因此影響到對周百練的觀感，使他難於爭取一般所謂的「反感票」，「同情票」，任何一位非國民黨的候選人出馬，均可利用若干選民的存疑心理，來與周百練一較高低。因比，有人估計，國民黨將來可能採取「自由競選」方式，任黨員參加，再作重點支持，以爭取較多的選票而獲勝。

會經兩度競選市長的林清安，在日前會發出文件向各機關陳情，認為黃啟瑞如果辭職獲准，應該由他這位次多票代理市長。這個消息，被報刊當作花邊處理。在競選時，預料他仍將登記為候選人。

至於一般市民，對於未來市長是誰，却沒有這樣關心，市民的要求很簡單，只要是好的就行。

在台北市長接連發生這些汚點之後，一度傳說要將台北改為院轄市之議，又甚囂塵上。因為，改為院轄市後，可以由上級簡派賢能人員來担任市長，不必經過市長的選舉，可也避免選民擇人不當之弊，此事因涉及人民的權利及自治法規，所以尚在各方慎重考慮之中，這次不過是舊事重提，有感而發而已。（五十，八，二十三）

吳越

××××台北航訊××××

海上仙鄉——南沙群島

・周燕・

為了明瞭南沙羣島的綺麗風光，台北組織了一個記者團前往訪問，由台灣南部乘海軍運輸艦向南沙進發，經過了五天的航程，抵達了這「海上仙鄉」，作三日之訪問。

南沙羣島是中華民國最南的國土，南中國海上交通的要衝，太平島為羣島之中心，是鞏固南中國海上領土的堡壘。由台灣基地出發，經過五天的航程，才能到達這個亞熱帶中綺麗的小島「世外桃源」。

南沙羣島從秦代起已入我國版圖，明代鄭和及清代的李準，也都曾率艦到此。南沙羣島位於北緯十一度卅到北緯四度，東經一百零九度，到一百一十七度五十，南沙羣島包括一百零二個島嶼之多，暗礁和沙洲，總面積約六萬四千九百七十六平方公里。其中較大的島嶼有太平島、南威島、鴻麻島、南鑰島、北子島、南子島、中業島、西月島、會母暗沙，位於北緯四度，是南沙羣島中最南的一片暗沙。

南沙主島為太平，位於北緯十二度，東經一百一十四度二十二分，東北距台灣南部八百五十哩，北距海南島的榆林港五百五十哩，距香港七百二十哩，東北距菲律濱的蘇北克灣五百五十哩，西距越南西貢四百四十浬，距越南金蘭灣三百三十浬，東距菲律濱的巴拉望很近，但無直接航路。這個滿佈叢林的島，形勢狹長，東西長約一千二百七十公尺，南北寬三百五十公尺，島頂平坦，平均高度三點八公尺。太平島是由珊瑚構成，地表土壤粗鬆，混合有鳥糞，島上樹木均係熱帶灌木，從海上遠眺，像一塊綠絨浮於水上，四面的海水衛激着珊瑚礁盤處形成了一個白色的橢圓形環，十分美觀。從此島到西沙羣島有四百〇五浬，距東沙羣島，六百四十浬，距南威島一百八十淳。

住在島上的居民，除了保衛中華民國領土的國軍外，便是一部份從台灣移來的居民，他們正在從事這小島的開發，想把這個被譽為「世界桃園」的海島，變成一個繁榮的寶島。

這個海上仙鄉的附近海中盛產紅色加級魚，黑色加級魚，鯊魚和烏白當等魚共計有四百多種，此外還產海參，千貝和夜光貝等很多水產。南沙羣島所產海的參，是一種四梳黑刺海參，也是亞洲品質最佳的一種海參，每斤新台幣二百元，所產干貝肉堅而鮮，大的干貝有一公尺半見方，夜光貝，不僅肉可食，它的外殼，還可做飾品，把殼磨成細粉，粉刷牆壁，銀光閃灼，非常美觀。從前有日本及琉球人到此採集了三百多噸的夜光貝。

記者團乘中國海軍運輸艦去南沙訪問，經過一百零四小時的航程，才到達了這海上仙鄉。

（上接第一版）

急須糾正的政治觀點與詞彙

「復國」一詞亦不能用！

國家興亡，古今中外，史不絕書。其中，有一亡便了，再沒有下文的；有滅亡之後，又恢復重建的。前者不必說，後者呢，中外試舉一例來說明：勾踐復國是中國歷史上影響最大的興亡史實。波蘭三亡（連現在是四次亡國）三復國是外國歷史上影響至鉅的興亡史實。越亡，勾踐臣妾於吳，然以聽范蠡之計，十年生聚，十年教訓，臥薪嘗胆，終於滅吳，而越國於以重建。波蘭三次亡國，被人瓜分，然以波蘭民族精神不死，又復三建其國，尤以畢蘇斯基將軍的艱苦奮門為人所景仰不置。這兩者都在國家敗亡之後，又復重行建立國家者，此『復國』也。所謂『復國』之義，亦只如此而已。

現在，我們中華民國依舊獨立在世界之上，與列強並駕齊驅，且角逐於世界競爭之場；我們的中央政府雖一時播遷台灣，而仍然屹立於本國領土之上，有領土，有人民，是十全十足的一個現代化國家。我們為什麼偏偏要自已做成一副可憐相，自暴自棄，自已看不起自已，自已貶低國格，自願廁身於『亡國之林』!?我們天天喊反共，可以，我們要收復大陸，解救同胞。我們天天喊中興，可以，我們要驅除匪俄。復興絕非復建國家。所不可解者是：我們的國家沒有亡，為什麼偏偏要天天喊『復國』？『國之不亡，何復之有』？不特此也，不但我們的國家還在屹然獨立，而且我們還有並世精銳的強大的海陸空軍，作亞洲反共抗俄的主力，為世界反共抗俄的重鎮。無疑地，在反共抗俄的戰爭中，我們有舉足輕重的力量。我們早就站在反共抗俄的最前綫，還要拍拍胸脯，壯壯人家的胆子，誘導人家也朝向這條反共抗俄的大道共同邁進。為什麼，我們偏偏要扮鬼臉搗自家的鬼！

結論

總之，台灣係中華民國的領土。我們撇開歷史不談，姑從國際法理上講，有開羅會議宣言和波茨坦協定的法律根據；從事實經過上講，我們依照開羅會議宣言與波茨坦協定，於受降時，由日本人手中接收過來，從此復歸中華祖國懷抱，為收復失地的一部分，並且早已建為一個行省。

中華民國為我們唯一的國號，所以中華民國也只有一個。正同所謂『北京王麻子，杭州張小泉，此一家，別無分支行號』一樣。為澄清國際視聽和國內外人士觀念而認清我們的國號只有中華民國一個起見，『自由中國』一名，應即予以廢棄，通告中外；不論對內對外，無論自稱他稱，從此概不採用，讓它成為歷史的陳迹。今後，我們不管在什麼時候，什麼場合，無論口頭上或文字上，都應只稱中華民國為國號，以粉碎『兩個中國』的陰謀，進而消滅『兩個中國』的意圖。其次，我們中華民國依舊屹然獨立於地球之上，『復國』一詞，在現階段，在事實上，應即停止使用，並望永遠不復應用於中華民國本身的歷史上。否則，我們自己承認『自由中國』，別人則心存『不自由中國』，是不啻投人以可乘之機，予人以可陷之際，致使『兩個中國』的鬼影幢幢而來！若修言『復國』，試問將置中華民國於何地？而乃自貶於『亡國之列』，則又人其謂我何？

聯合國第十六屆大會行將召開，國際情勢，日趨險惡；我國處境，自愈見艱危。兩大難題即將來到眼前，對我們作最嚴重的考驗！代表權問題之再度提出，倘易應付，而『兩個中國』陰謀的抬頭，則誠為辣手問題。兩案都關匪偽進入聯合國問題，影響至為鉅大，不容稍有錯失！萬一應付不當，處理有異，則國家前途，將不堪設想！自然，『自助者天助』，『得道者多助』，我們當好自為之，以求必勝！

論語有云：『必也正名乎！名不正，則言不順，言不順，則事不成。』瞻念國族前程，益增戒慎恐懼之感，忠誠謀國者，可不三復斯言乎！

愛情的代價

荻楓

「好吧。」醫生微一沉吟，吩咐護士：「替他檢驗。」

「不！」我愕然；大夫也轉過頭來。她父親緊張地喊：

「大夫，我願意付錢，但不要他的！」

「李先生，但我們存量不夠。」

「別的人呢？」

「可以，但時間恐怕來不及。」大夫望望我，又望望她父親。

「大夫，病人的生命在你手中。」我說。我沒有時間惱怒，雖則她父親的行爲很令我反感。

我終於隨着大夫進入手術室。最後的一剎間，我和她父親對望一眼：彼此燃燒着憤怒，像兩個仇敵。……

「我的血值得這樣多錢嗎？」我按下火氣說。

「因爲我還附有一個條件。」

「什麼條件？」

「離開我的女兒，到你自己喜歡去的地方，我不願意我的女兒知道你曾經輸血給她。」

多麼自私，我忍不住笑出聲來：

「李先生，和我這種人打交道令你難堪是嗎？」

「別多說廢話，你究竟接受不接受？」

「我的血不是商品！」我斷然拒絕，「金錢，商品，那只是你的方式。」

「眞淸高，」他冷笑，「但不知道自己有什麼辦法去養妻活兒？」

「……」我說不出話來，他一下子打擊着我的要害，使我的自尊心全部崩潰無餘。我咬着牙齒，全身顫抖。

她父親不是傻子，跟着又說：

「狄先生，你知道我只有秋嫻一個女兒，我很愛她。將來她就是我所有遺產的繼承人。但是，狄先生，恕我不客氣地問你：還要多少年你才能在社會上掙扎出一個『名堂』來？秋嫻應該有一個安定的環境來學習繪畫，不應該爲生活奔波，否則，她的前途就不堪設想。」

我不作聲；因爲事實上我不能夠說什麼。

「狄先生，也許你感到委屈，但我願意補償你的損失。……」（二）

觀劇雜感

汶津

"The sins of Rachel Cade"與「修女傳」同型的問題劇，卻不幸被套上了一個淺「薄」的譯名。（儂本痴情君薄倖）本片與「修」片一樣，是有所肯定的——人性，愛與信仰。

故事也在非洲蠻荒地區展開。由女主角安姬狄金蓀的被派助醫開始，情節大致是單綫發展的。由本片的過程中，觀衆不難發現文明與野蠻，虔誠與迷信，往往只是分毫之差。而符咒的考驗，竟由土人墮落到了貞潔的護士蘭芝（安姬飾）身上，戲劇性亦由此而強烈化。

導演在平舖直敘的方式中安排了許多波瀾起伏，而始終以安姬．狄金蓀爲主線。前半部戲中，自她與既不信上帝又不承認爲無神論者的上校公安局長狄亨利（役德芬治飾）辯論宗教起，只見暴號于心疾的醫生，沒有病人的醫院，不表友善的土人與鼓聲，以及聲勢赫赫的巫師，在女主角的心理上加重了負扭，也爲本片伏下高潮。爲病童開始割盲腸，以及土人擁會中的情緒奔騰，一連串的細節造成頗爲緊湊的氣氛；而在年青醫生（羅吉摩爾飾）出現後，片勢反淪入渙散、乏力、予人後勁不繼之感，實爲全片最大的缺憾。

安姬狄金蓀第一次獨挑大樑，以全戲而論，她比奧德麗赫本在「修女傳」中的比重似更大，而確也能不負所託。在此她迥異於以往諸片中無關輕重，無可發揮的地位，顯示了她高貴的氣質，細膩的情操，及頗不淺俗的涵鍊。火車到站後第一位遇見的白人便是氣質畧帶粗率的彼德芬治，在一場初逢的舌辯中，兩人都把握住了編劇的要求，確定了兩人在劇中的立場，尤其安姬，更表現了她那種特有的風度與矜持。在落寞的醫院中，她的微微的慵倦之態也賦予了某種氣氛。面對迷信的惡勢力時的冷靜、堅定，向黑人助手說聖經故事時的母性的蘊蓄，行醫時的專注，乃至在土人熱舞時眼角所閃眼的熱意，急行返院後伏床隱忍的掙扎，都有深細的演出。後半部戲雖較鬆懈，她卻仍保持凝定的風範，愛與罪的內心掙扎，情與慾的委婉流露，使觀衆情緒上迭起高潮，最後毅然訣別羅吉摩爾而又隱忍不住的情態，亦予人低徊之感。

其次，彼德芬治一角戲雖不如「修女傳」中之重，卻亦予人深刻的印象，受擱、示愛、毅然請調等鏡頭，都非內心空茫的演員所能勝任。飾軍醫的羅吉摩爾雖然造型頗合該角需求，但俊爽而欠深沉，對情愛的戲尤覺膚淺，他對安姬的戲，予人之印象反不如彼德芬治，如以此說明他對安無誠意，亦覺索然的；尤其末尾歸來携子一戲，更形失敗。倒是與彼德芬治在「修女傳」中一度合作的黑人助手，充分表露了黑人的單純與虔敬，他對安姬的仰慕，對職務的勤懇時，上帝的孩稚式的敬奉，都有發乎其中的份量。是爲女主角的佳襯。

本片的主題應爲：不論愛與信仰，必須以眞摯爲前提。否則，一種宗教性的罪孽感將妨碍了生命的進展。安姬由於愛得眞，信仰得深，故在產嬰之後，不但受到所有土人的諒解，且亦逐漸解脫了自我內心的懲罰。本片女主角的成就實已超越了相當稱職的導演——高登道格拉斯。

「儂」片給予我們很多寶貴的啓示：電影的藝術不等於驚人的場面，奇特的攝製手法等等的累積，而是人性人情的映現及超脫。同樣重要的是現實的背景，如本片對非洲地區的叢林、茅舍、風土的展現及運用，實在是水準以上的。這故事並非宗教家心目中的說教畫面，也未過份迎合觀衆的消遣心理。所以不愧爲一部獨立的藝術作品。

我們切望好萊塢多拍些有價值的影片，也寄望中國的影業界在編導、演技諸方面有所借鑑——對於後者，我們願強調：演員的首要條件是對人性的涵養和體驗；那位女主角可能比目下所有的中國女明星美，但她從未在銀幕向人亂拋媚眼！

瘟君續夢

第二回：狼狽自爭雄，活佛有幸　人天齊示警，浩刧將成

毛澤東說過之後，全場震驚，只有三個人心裏明白，二李面面相覷，李富春希望周恩來出頭疏解，可是周恩來只低頭捲衣角，連頭也不抬。停了半晌，還是劉少奇問了一句：「陳雲同志怎樣反對三面紅旗呢？」

毛澤東恨恨說道：「他勸我廢除人民公社，停止大躍進，仍然回到高級農業社的階段。他明知道總路線，大躍進，人民公社三面紅旗是黨的既定政策，竟敢出頭阻撓，不是反黨是什麼呢？」

無人答話又沉默了半晌，林彪突然問道：「主席以爲陳雲同志所犯的錯誤是政治問題呢？還是思想問題。」

毛澤東瞅下林彪緩緩說道：「當然是思想問題，他再有了政治問題還得了。」

林彪笑道：「既然是單純的思想問題就好辦了，找個機會改造一下就是了。」

這時柯慶施站起來說道：「陳雲同志屬於最高階層，改造也不能太顯著，這樣會使中下級幹部看不起領導同志，目前不如把他派到上海去，表面上是去督導上海工業，實際上要他在上海好好學習一下，暫時把中央方面各項職務都停了，幾時思想改造完成，幾時再恢復工作。這樣處理不知道主席是否同意。」

這時李富春再也按捺不住了，接着說道：「我以爲陳雲同志思想上也不會有問題，他不過是向主席反映下面情況，現在予以嚴重處分，下次誰還敢向主席提意見呢？」

毛澤東看見李富春出頭替陳雲辯護，勃然大怒，指着李富春說道：「怎麼呢，你是不是也想找個地方去學習。」

李富春還想講話，譚震林在傍邊拉着他的衣角，硬把李富春扯的坐下。

沒有人敢再開口，就這樣決定上來，陳雲被柯慶施帶往上海，在愚園路找了一幢小洋房給他住下，每天只是看些馬恩列史的「經典」及毛澤東選集，五一勞動節柯慶施也邀陳雲參加，只是沒有發言資格，一句話也不准講，成了踞嘴的葫蘆。

陳雲被貶之後，所遺下的職務，本來毛澤東有意派李富春代理，只因李富春偏袒陳雲，又在會議上挺撞過他。當時就改派李先念代理。

李先念接到這個命令，眞是喜懼參半，喜的是逐漸擠入最高統治圈子，假若陳雲就此完了，他一定會接補陳雲遺缺，當上中央副主席，政治局常委。懼的是財經問題眞是到了崩潰邊緣，誰也沒辦法起死回生，弄的不好就會變成替死鬼，比陳雲還慘。（卅四）

岳騫

滕王古閣

山川風物

·道南·

故鄉南昌的滕王閣，由於王勃的「滕王閣序」，使得千古馳名，至今猶令人爲之嚮往不已。其地在今南昌市西，瀕臨贛江，橫跨贛江的中正大橋，即由此而西，長達三里之遙。該閣入民國後始全燬於火，其遺址即爲後來之水上警察局，湘人李白澄兄任該局局長十年，現仍健在留港。

該處風景前臨江流，縱目遠眺，視野無際，南浦西山，雖依稀猶昨，而珠簾畫棟，則已無復當年氣象了。豈特「閣中帝子今何在」，即此古閣遺址，亦已久成陳跡了。

本來，閣上不少是詩人墨客題詠的詩篇，但是幾經滄桑，現已散佚殆盡了。閣中舊有失名的名聯一對，全用「滕王閣序」的語句，而運用得非常自如的。聯語是：

「帝子長洲，仙人舊館；
將軍武庫，學士詞宗。」

又宋牧仲一聯云：

「依然極浦遙天，想見閣中帝子；
安得長風巨浪，送來江上才人。」

這一聯上聯是運用王勃的詩句來做意，而下一聯是寫出「時來風送滕王閣」的意境來了。送來江上才人，是暗地指王勃，也很有意思。

梨園漫談

小大鵬教師素描

·瘦西湖·

朱琴心先生祖籍浙江吳縣，但生在十里洋場上海，幼時在上港中西書院就讀，十七歲轉入北平協和醫院習醫，故其醫術之精，在伶界尚鮮有人知，當時，朱琴心先生在協和醫院供職之時，適逢北平戲劇最盛時期，他好像受了傳染似的，遂對戲劇發生了莫大的興趣。

朱先生是十九歲開始學習的，因其聰穎過人，不久即以票友姿態出現於各堂會，其演出之佳，聲譽之隆，在當時梨園界諸名伶亦不過如此，從此一泡而紅，凡有喜慶會或義演時，無不以爭相羅致到朱先生爲榮，可見其當時藝術造詣之妙，決非是一班自鳴不凡之士可比。

他因忠於藝術，精於音律，在友好之敦促和鼓勵下，遂正式棄醫下海披衫登台，與當時頭負盛名的警報老生高慶奎合作，其時朱僅二十一歲，高自與朱演出之後，北平知名的華樂園中無不天天滿座，其生意之好，觀衆之多，實爲華樂園有史以來破紀錄之數。

是年冬天，朱與高分手後，即加入一代伶王余叔岩麾下效力，余赴上海，朱遂偕行，翌年又應楊小樓禮聘演出於北平開明戲院，並以「吳三桂與陳圓圓」一節，造成其在梨園界之崇高地位，迄至民國十三年春天，方開始自挑大樑闖蕩江湖，其演出之地有北平、天津、上海、張家口、山東、漢口、南京等大都市，其拿手劇爲「陳圓圓」「關盼盼」「劉倩倩」，「化外奇緣」，「白娘娘」，「曹娥江」等數十餘齣。

朱君現年六十歲，生性耿直，不求聞達，恂恂有儒者之風，蓋爲伶隱之流是也，他於蘆溝橋七七事變後即告輟演，他的知名弟子極多，如顧正秋、陳美麟、焦鴻英，當年均曾拜在他的門下習藝學戲，如今均能自張一軍，紅遍整個寶島，皆朱之功也。

卅八年，大陸變色，他因不甘共匪拑制，作爲他們的統戰工具，遂逃來香港居住，然共匪是一無孔不入的東西，它們探悉了朱的下落後，會威逼利誘的叫他同返大陸爲劇藝工作，他聽了後即當面作堅決拒絕，共匪仍不心死，透過香港五星旗下的劇人再往向他勸說，他因不勝共匪之煩擾，於四十三年毅然棄家還台，大鵬當局敬其爲人忠義，及仰其劇藝崇高之地位，乃聘爲小大鵬學生班教師，至今蓋已七年，小大鵬青衣人才之鼎盛，朱君之功實不可沒。（二）

劉銘傳與劉璈交惡經緯

左宗棠之援台，先派南北洋兵艦各五艘，命楊岳斌統之入閩，爲援台先遣之師，兩江總督曾國荃電告鴻章，言南洋兵艦之脆弱，不能當巨艦，鴻章以聞，朝旨言：「台灣信息不通，情形萬緊，曾國荃意存漠視，不遵諭旨，可恨已極，着交部嚴加議處，即着安派兵輪，與李鴻章派出之兵輪，迅赴福建，交楊昌濬調遣，該大臣倘再遷延，致誤戎機，自問當得何罪，左宗棠，楊岳斌，迅速赴閩，無稍遲延」後，曾國荃旋奉旨革職留任，楊岳斌抵閩後，奏參李彤恩之案，覆奏畧稱：「李彤恩第知滬尾兵單，不知孫開華諸將之足恃，第知台北爲重，不知基隆一失，難以速收，未免貽誤戎機，其三次飛書告急，實由未嫻軍旅，臨事倉皇，與虛詞搖惑者有別，請照原擬革職回籍，不准逗留台灣，宜其餘罪」，楊岳斌之如此圖結案，原已竊見朝廷倚畀銘傳方殷。不便徹底查究。

台灣建省，議雖倡自沈葆楨、袁葆恒，鼓後實由左宗棠力贊促成，劉璈原爲左公幕府有數人才，文武兼優，巡台四載，成績昭著，台灣改制，左公未始無提拔劉璈升任台撫之意，劉璈是時已是二品大員，劉銘傳原爲直隸提督，論官階只能與防台之曹志忠、孫開華等同列，銘傳於閏五月初一日被召入都，奏陳整頓台灣海防，請求武備與興辦鐵路諸政，上了很多條陳，清廷於初四日命加巡撫銜督辦台灣軍務，抵台後，湘軍諸將，見銘傳僅加巡撫虛銜，而非福建巡撫（當日台灣只一兵備道主政，隸福建巡撫，建省後，乃改稱福建台灣巡撫），固已輕之矣。

是時湘陰左宗棠以欽差大臣視師閩海，湘鄉楊昌濬以湘師總督閩浙，衡陽楊岳斌以陝甘總督奉旨入台督「戰」，將將聯翩，盡是湘人，劉璈睥睨，自不免寵態雄，且傑，銘傳環顧台海，盡爲湘軍勢力所瀰漫，主管之勢既已相猜，節制之權恨難得張，加以基隆撤兵，辱師失地，各方責難繼起，聲威爲之大挫，初以道員朱守謨與劉璈勾結搗亂，致左師有參李彤恩之奏，即首先拜摺參劾朱守謨應予革職，永不敘用，奉旨：「前據左宗棠奏參知府李彤恩，不審敵情，虛詞搖惑，以至基隆被陷，當降旨，將該員革職，交楊岳斌查辦，茲據劉銘傳奏，道員朱守謨，規避鑽營，造言傾陷各情，與左宗棠前奏大相逕庭，必須徹底查明，以昭是非之公，該員朱守謨於軍務吃緊之時，輒敢擅用公欵，乞假規避，殊屬荒謬，應即行革職，至所參該員招搖撞騙及傾陷李彤恩各節，如果屬實，厥罪更重，非永不敘用所能蔽辜，著楊岳斌即將朱守謨飭提赴台，歸入前案，秉公研究，孰是孰非，務得確情，奏明嚴行懲辦，不准稍涉偏私」。（六）

李仲侯

考試範圍

徐學慈

大學入學試而可以由該大學當局指定考試範圍，恐怕也是一件怪事吧！而指定的範圍卻又是一篇一篇的文章，那簡直是怪上加怪，奇上加奇呢！然而，尚有更奇更怪者，則乃是其所指定的文章，其取材範圍之廣，幾乎包括了中國經典及古典文學之大部啦！

香港的國文程度之低落，已是盡人皆知之事，但如以此種指定的考試範圍來看，則又似乎並不「低落」。

令人大感不解者，乃爲大學入學試何以一定要事先指定範圍？就一般的常識來說，大學裏所希望的只是兩種人材，一種是通才，另一種是專才。這裡的大學需要什麼「才」我不知道，但不論是通才與專才，都不需要指定範圍。

單是考「漢上琴臺之銘」一文，恐怕也就無法了解原作者汪容甫（中）的面目吧？單是考「聖哲畫像記」一文，又怎麼能了解曾國藩的才學？眞正研究汪中的人，可以不讀他的「漢上琴臺之銘」；而眞正研究曾國藩的人，不讀他的「聖哲畫像記」，也並不是一件大不了的事。然則此種試題之指定，爲求通才乎？爲求專才乎？

前些時，小學會考有洩漏試題情事，弄得軒然大波，結果還要重考。一到大學階段，卻又可以公開宣布考試範圍，各方面皆視爲固然，無人加以非笑之者。每一念及「竊鉤者誅，竊國者侯。」之語，倒也不禁啞然失笑呢！

香港，眞是一個得天獨厚的地方，作爲一個香港的學生，簡直是有福了。可是，在一切皆有範圍指定的情況下，究竟難產生多少人才呢？這倒是一個値得思考的問題，而此則或爲那些指定範圍者所不及思考。

總有那麼一天，香港的大學生，僅知有「漢上琴臺之銘」，而不知汪中；僅知有「聖哲畫像記」，而不知曾國藩；僅知有「曾子大孝」，而不知禮記；僅知有「林冲夜奔」，而不知水滸。這日子可能也不太遠了！也有人說，現在就是這種情形，何必等到將來。這一點，我不敢武斷。可能斷言的是：指定考試範圍的方式一日不改變，則香港學生的中文程度永不會提高。

曲解專家

筱臣

「自由民主」一詞，在近代學術上有它一定的解釋，和它的歷史淵源，稍爲涉獵社會科學的人們，都是可以領悟的。只是別有用心的政客們，每每加以曲解，用來掩飾在政治上的倒行逆施，尤其是御用的專家們，更是鑄張爲幻，無事生非，任意解釋，顚倒黑白，淆亂聽聞，這是不可饒恕的。因此使筆者想起類似此一類的趣話，歷來流行頗多，這在「曲解專家」，也有他的片面理由呢。

「臺居解頤」載：咸通中優人李可及滑稽諸戲，獨出輩流。一日列座爲釋道儒三教論衡，隔坐者問曰：既言博通三教，可知釋迦如來是何人？對曰婦人，問者驚問如何是婦人？對曰金剛經云「敷座而坐」若非婦人，爲何「夫」坐而後坐也。又曰太上老君是何人？對曰亦婦人也，問者益不解。李曰：老子道德經有云：「吾有大患，爲吾有身，及吾無身，吾有何患。」倘非婦人，何致於患「有身」乎。

又問孔聖何人？對曰亦婦人也。問何以知之？對曰，論語云：「沽之哉，我待賈者也。」倘非婦人，奚「待嫁」爲？闔座傾倒。

其次還有一個笑話，有一天，有個新舉人去拜訪他的一位長輩，那是對於經學考據頗有心得的老人。

「啊！聽說你中了舉人，是嗎？」

「是的，老伯！」

「那麼，你也可以算是孔門弟子，我倒要選擇幾個經書上的問題來考你。」

「老伯有何吩咐，小姪極願領教。」

「第一個問題：……你知道孔夫子戴的那頂帽子叫甚麼？孔夫子的夫人叫甚麼名字？」

「這，這個……小姪還沒有讀過。」

「讓我來告訴你，孔夫子的帽子叫『古今』，孔夫子的夫人叫『天地』。」

「這個，不知老伯是怎樣考據來的？」

老長輩轉過身來，用手指着牆壁上至聖先師有像傍的對聯說：「那上邊不是明明寫着『道冠古今，德配天地』嗎？」

「多謝老伯，小姪增長見識，獲益匪淺。」

「我再來考你第二個問題：「你知道當年孔子的三千弟子中，有多少位賢人？」

「七十二大賢！」

「在七十二大賢當中，你知道有多少人已經結婚，有多少人還是王老五呢？」

「啊……」新舉人又被問得無言以對。

「還是讓我告訴你，已經結婚的有三十人，當王老五的有四十二人。」

「但不知老伯是怎樣考據出來的。」

「子曰『冠者五六人，童子六七人。』古禮結婚時才能戴冠，五六中三十，不是結婚的三十嗎？童子當然是王老五了，六七四十二，未婚的不是四十二人嗎？」

「啊！原來如此，多謝老伯的指點！」

「我早知道你的經書還未讀通，小說你總看過幾部吧？」

「是的，老伯。」

「那麼，我要問你，周瑜的母親姓什麼？諸葛亮的母親姓甚麼？」

「這個……小姪未曾聽過。」

「周瑜不是說過：『既生瑜，何生亮？』「既」，所以，周瑜的母親姓既；諸葛亮的母親姓何，不是很明顯的事實嗎？」

「小姪實在愚昧。」

「最後我再問你，你知道張飛的母親姓什麼？」

新舉人搖搖頭。

「張飛的母親姓吳！」

「老伯怎樣知道？」

「俗語不是常說：『無事生非』，『吳氏生張飛』嗎？」

新舉人無言對答，默默告辭了。

我看了以上二段故事，我們現代的政論家，善於曲解，如果不是[illegible]，我想他們也必然是滑稽大師[illegible]！

海嶠舊談

馮玉祥喪生眞相

諸葛文侯

民國卅八年（一九四九年）多間，毛共竊據了黃河以北地區，毛酋澤東由延安寨馳赴石家莊，招邀一般所謂「民主人士」北上投靠，籌劃僭制稱尊之際，在美國考察水利的中華民國特使馮玉祥，亦接得毛酋促其回國的函電，同時蘇俄駐美大使潘有新，又再三向馮氏秘密警告，說他得到了機密情報，國民黨方面已派有若干特務份子到美國，相機殺害馮氏，希望馮及早離開美國，回到北平去，免遭危險。爲安全計，最好是乘坐由紐約直航黑海的蘇俄輪船，經莫斯科前往中國，包管萬無一失。

馮氏果然聽受勸告，決定歸國，他在出發之前，曾以長函致香港的李濟琛（任潮），提示四點政治意見：一爲勸說毛澤東停止對社會各界人士的清算鬥爭工作；二爲各黨派平等合作，共同建立新國家；三爲實行民主憲政，不參加國際間對立集團的任何一方；四爲內政外交絕對獨立自主，不受外來干涉。函內並附有美金匯票一萬元，聲明這是考察水利旅費項下剩餘的政府公帑，特捐作「民革」的經費。馮氏旋由蘇俄駐美使館嚴密護送，登上俄輪，且來不及向國務長官馬歇爾辭行了。跟隨馮氏同道回國的，除卻太太李德全和一個未出閣的女兒外，尚有隨從秘書賴某（四川人，是個老共，早就充任着馮氏的秘書，抗戰中期由馮向政府要求，派賴某赴美公費留學。後來毛酋首次朝俄，賴亦是隨員之一。）與副官一人。

俄輪航行到達了俄領敖德薩港之夜，船主邀請馮氏及其眷屬在船上看電影，藉以消遣，馮與女兒欣然樂從，唯其夫人李德全適感頭痛，臥息床上，未去參觀。馮氏坐在當中一張椅子上，欣賞影戲時，忽然昏倒地下，不省人事，船主急忙敎人通知李德全，李倉皇奔赴電影室，入門即嗅到一種令人嘔吐昏眩的瓦斯氣味，但不見馮氏所在，據告已抬到外面急救去了。此時馮女亦在昏迷中，李德全驚詫悲傷之餘，把女兒拯救復甦後，詢問夫君情況，船主告以無法挽救，馮氏屍體業已送赴敖德薩市政府安爲裝殮，即用飛機運往莫斯科，再由西伯利亞鐵路運回中國云。因此，李德全始終不曾看見過馮氏的遺骸，只知道馮氏是被預置在電影場坐椅下面的毒瓦斯戕害的。這段經過，係李德全後來對其女婿張某秘密談出，張某憤恨共黨不仁，乃向親友洩漏了。

共黨斷定馮氏必不甘受奴役的，證以他對李任潮所提示的政治意見，尤堪徵信，而馮氏舊部軍隊投共者不少（吳化文部即係舊西北軍嫡系隊伍），他本人在北方亦有號召力。「非我族類，其心必異」，毛共乃假手於俄共，迅將馮氏這個「階級敵人」予以消滅，免貽後患焉。事後「塔斯社」發佈消息，說馮氏係在船上演出其自攝的生活影片，因膠片失火，馮氏當場因心臟陷落而死等語，全是鬼話！

歷史人物

秦始皇論

·謝康·

任何人可以將古人的立身行事，從一個角度或一個立場，加以推論或想像，發爲翻案的文章，和那些不同角度不同立場的人，自難取得一致的見解。桀紂之惡或湯武之聖，都不如古書所寫之甚的，要當屏除成見，一秉大公，用綜合的客觀的眼光以整個民族利益甚至人類進步爲前提，對歷史人物來一個公平的判斷。

以秦始皇爲例，我們大概可以綜合地寫出下列幾點的評論意見：

一、他廢封建行郡縣，合於歷史進化的法則，將中國政治組織向前推進了若干步，這貢獻是劃時代的。

二、他擴充國土，移民實邊開化蠻族，這對於中華民族的融合，確有很大幫助。

三、他築馳道及運河，與水利，對於發展交通及農業，大有裨益。

四、他統一文字，幣制及度，量，衡，對民生日用，很多便利。

五、他築長城，保障關內地方的安全，對歷史國防，有偉大貢獻，現在長城下多開成汽車路，也因爲秦漢時代奠下了這個基礎。

六、他勵精圖治，十多年工夫所做的事情，多於前代同一時間的多少倍。

七、他是一個軍事的天才，武功超越前代，因而提高中國的威望。（五）

內僑警台報字第〇三一號內銷證

自由報
THE FREE NEWS

第一六二期

中華民國僑務委員會頒發
台技新字第三二三號登記證
中華郵政台字第一三八二號執照
登記爲第一類新聞紙類
本週刊逢星期三、六出版
每份港幣壹角
台灣每份售價新台幣弍元
社長：雷嘯岑
督印人：黃行壽
社址：香港銅鑼灣高士威道二十號四樓
20 CAUSEWAY RD. 3RD FL. HONG KONG
TEL. 771… …191
承印者：…
地址：香港灣仔高士打道二二一號
台灣分社
台北市西寧南路壹壹柒號二樓
電話：二〇三四六
台郵撥儲金戶九二五二

論柏林問題

司徒敏

在東西集團各自保持強硬立場，而又尋求談判以緩和危機的情形下，柏林問題，又將陷于週期性的僵局。

自本年六月蘇俄照會西方，聲明將與東德單獨訂立和約，改變西柏林地位，再度掀起柏林危機以來，特別是八月中旬，東德封鎖東西柏林邊境，蘇俄進一步要求限制西德通往西柏林的水陸通道與空中走廊，及美副總統詹遜前往柏林西區訪問，表示西方堅守決心，與美軍的迅速增援等等，使熱戰危機大爲增加。然而由于雙方的總不敢冒戰爭危險，避免過份刺激對方，在若干方面保留餘步，使局勢未致繼續惡化，並尋求談判解決。

這些尋求談判的跡象，可從幾項消息看出：一、俄酋赫魯歇夫致函意大利總理范芬尼，聲言願與西方就柏林和其它問題舉行會談。二、美總統甘廼廸籲請法總統戴高樂，同意下月在紐約召開外長會議，對柏林問題作非正式談判。三、英首相麥美倫發表談話，謂無人爲柏林而戰。四、西德國防部長史特羅斯勸告盟國，說寧願讓東德同胞在共黨統治下多忍受幾年，不可採過激行動以加劇緊張局勢。從這些有關的言論看來，雙方都有不同程度的妥協意向，因此，除非突發意外事件，否則柏林局勢會再緩和下來，不會發生重大變化的。

但柏林局勢的和緩，並不等于問題的解答，所謂談判，也不過是拖一段時間而已。戰後十三年來，柏林遭逢多次危機，既未引起戰爭，也未能打開僵局，其故在此。

柏林問題之難于解決，是與整個德國問題之不易解決分不開的。因此，說明柏林問題，不能不略說德國問題的癥結。

一九四五年德國投降後，美、英、法、蘇四國根據波茨坦協定，分區佔領德國，柏林也由四國分區管制。一九四七年十二月，美國和英國簽訂「雙佔區協定」，將兩個佔領區合併爲一個佔領區，一九四八年美英法倫敦會議，又將法佔領區合併爲一。一九四九年九月，在美英法三國同意下，德意志聯邦共和國便以波昂爲首都而宣告成立，這便是西德。同年十月，蘇俄也將其佔領區導演成立「德意志民主共和國」，這就是東德。同樣情形，美英法在柏林的三個管制區，合併成爲西柏林，蘇俄管制的柏林區成爲東柏林。這是戰後德國的分裂爲東西德與柏林之分裂爲東西兩區的由來。

由于德國之分裂爲二，所以戰爭雖結束十餘年，但和約迄未能簽訂。西方國家和西德希望用自由選舉的方式來統一德國，蘇俄和東德則主張以「和平統一」的方式來進行統一。這兩個方案各與提出的一方有利，而不爲對方所接受。西德的土地與人口超過東德，計全德三五五、七六九平方公里中，西德佔二四七、九〇七平方公里，東德僅佔一〇七、八六二平方公里。人口方面，根據一九五六和一九五八年的統計，西德人口數爲五一、四六九、〇〇〇，東德爲一七、六〇三、五七八。前者爲後者的三倍。再加上西德經濟之繁榮，東德人民生活之困苦，如果由人民自由選舉，自行選擇政府，則勝負之局，是非常顯明的。這是東德反對自由選舉的基本原」。至于東德提出的「和平統一」，則是以「政治協商」的辦法，組織聯合政府，並在聯合政府的基礎上，伺機奪取整個政權。這又是西德和西方三國所不能接受的原因。因此，長期以來，德國問題無法解決，而柏林問題亦隨之無法解決。

但戰後十餘年來，西德復興迅速，各種生產已超過戰前，一九五七年的國民收入爲一百六十億三千萬馬克，比一九三六年增加了百分之七十八。其軍事力量亦日漸增長，已成爲北大西洋公約組織的重要支柱。同時由于西柏林深處鐵幕之內，成爲西方國家對共產集團之重要觀測站，在西柏林自由生活的影響下，東德人民不斷逃向西德，此項逃亡人數，十二年來已達五百萬人，佔東德總人口一千七百萬人的四分之一以上。今年上半年逃過西柏林者已有十三萬五千餘人之多。七月八日一天之內，竟達到三千人。這些逃亡者，大都是青壯年，知識份子與科學技術人員，他們的脫離東德，使其經濟生產，社會秩序和武裝的編組發生嚴重影響，並且長此以往，整個東德有可能變成一塊無人烟的荒地。所以在共黨的立場言，如不能控制柏林，不能驅出西方勢力，則東德必因自由力量的浸透而崩潰瓦解。若東德有失，東歐其它衛星國亦將連帶發生問題。這是若干年來蘇俄對于柏林問題楔而不捨，甚至不惜以戰爭相威脅的內在原因。

因此，一九五八年十一月，赫魯歇夫即發出關于柏林問題的最後通牒，要求在六個月內將西柏林改爲「不設防的自由市」，以便共黨能加以控制。本年六月的照會，則要求與兩個德國分別訂立和約，因而要求西方承認東德地位，如果西方不承認東德，則蘇方將與之單獨訂立和約，這在赫魯曉夫與美專欄作家威爾遜的談話中，也很明白的表示出來。而蘇俄一旦與東德訂立和約，則東德將以「獨立國家」地位，不承認西方國家權利，從而關閉西德通往西柏林的各種交通綫，使西柏林變成一個窒息的孤島。所以西方三國不僅不能在西德之外與東德訂立和約，亦且不能承認蘇俄與東德的簽訂和約。這是目前柏林問題的焦點，也是德國問題的焦點。

在此兩大勢力的直接對峙下，要想避免戰爭，用和平方法來解決問題，是不可能的。但戰端一開，則彼此又難免不遭受核子武器的毀滅性打擊。因此，雙方雖都聲言不惜一戰，但卻不放棄和平談判的試探。

目前有助于造成談判氣氛的，除東西負責人的直接表示外，而下月在南斯拉夫舉行的中立國首腦會議，及在紐約舉行的第十六屆聯合國大會，必將討論柏林問題。特別是後者的決議，可發生重要的作用。

不管聯合國的討論情形如何，西方與蘇俄進行談判的本錢，在于西方的團結與立場的堅定。當西方三國對蘇俄的照會發出強硬提議，警告蘇俄的盲動將招致嚴重後果，使蘇俄有所顧慮時，而麥美倫卻說出「無人爲柏林而戰」這樣的洩氣話，不管麥氏的用意，是否在緩和一下當前緊張的氣氛，但卻洩漏出西方沒有作戰的準備的內幕，給予蘇俄以正面的鼓勵。前次俄駐美大使孟希柯夫在華盛頓招待記者，明白指出美國無作戰的決心，所以蘇俄才胆敢對柏林擺出不惜一戰的威脅。而麥氏的這句話，恰恰證實了赫魯曉夫的估計，這是很不智的。

自由談

習俗移人

馬五先生

「習俗移人，賢者不免」，這兩句古語，確有至理存焉。

所謂「習俗」，指的就是社會環境，亦即是人與人之間的羣己生活關係，每個人的思想行爲，都不免要受着這種「習俗」的影響，新術語叫作「存在決定思惟」。非有大智大勇的精神和魄力，那是不容易衝破這項制約的。

一般的說來，生息在島國的人，一切立身行己，對人接物的風格，總不及生息在大陸平原的人來得恢宏，如日本與中國的民族性，便係很好的例證。英國人如果不是米字旗曾經飄揚過世界各區域，奄有廣大之殖民地之關係，光是寢饋於英倫三島的社會環境中，他們那種「紳士派」的氣質，也就不會養成的。

等由准此，我仔細觀察現時住在台灣的一般內地人士，上自名公鉅卿，下及販夫走卒，對人處事的眼光和胸襟，似乎都有流於短淺狹隘的毛病。許多朋友過去在大陸上，隨時隨地皆表現着氣宇恢宏，眼光遠大的人生觀，到台灣流寓十年八載之後，前後竟判若兩人，最主要的變態，就是缺乏進取心，相率以保持現狀，得過且過爲原則，誰也沒有過去那種瀰滿不在乎的氣概了。這當然是受着現實社會環境的制約，不自覺地形成了島國的民族性，雖賢者亦所不免，心餘力拙，無可如何也！

可是，我們若不放棄還我河山，匡復中原的志願，每個炎黃子孫，即須具有泱泱大國民的本質與風度，在日常生活表示落落大方，高瞻遠矚的作風，一掃懷枝偷惰的小家子氣派，要以改革習俗爲己任，決不隨俗浮沉，趨於消極苟安，而以高級知識份子的責任尤其重大。非如此，復興大業就不容易完成，人定可以勝天，習俗何有於我哉！

漫画天下　南施

牆脚撬鬆了
看赫魯曉夫和毛澤東「合作」得多麼好！

牌子有問題
俄國人說要給巴西換一輛新牌子的汽車。

陽明山會談側記

野鶴

（本報特訊）在台北陽明山舉行的海內外文教界人士談話會，已於八月廿五日正式開幕，現時尚在分組討論各項問題之中。關於此次會談的正面消息，本報記者張健生每日皆到場旁聽採訪，陸續有所報導。本篇所述的，乃是若干側面新聞，或許更爲讀者所注意。

會談前夕的活動

從八月廿二日到廿五日這三天，全體預會人士按日前往金門島，台中市郊和台北桃園各地參觀軍事，經濟，文教等建設，其中最令人讚歎的，就是金門島的現狀。金門原是一片荒涼之地，在國軍未戍屯以前，全島上僅有古樹兩株，現在卻已變成了綠化區域，不特花木葱蘢，農產品亦種類繁多，像飯碗般大的洋葱亦有了。島上居民毫無戰時的緊張氣氛，熙熙攘攘，生趣盎然，一個農民或商人，工餘之暇，常在彈子房跟駐軍官兵較量「桌球」的技能，這不但是過去在大陸上所未聞的情形，即現今在香港或其他亞洲各地區亦係罕見的事。人民爲甚末如此安詳呢？第一是精神上已不感受對海廈門方面共匪的炮轟威脅，因爲全島的地下皆已貫通了，足以容納住在島上的全體軍民，十分安全。所以，島上雖駐軍十萬人，白天在街上卻很少見到士兵往來的蹤影，一聞共匪的炮聲，居民立刻走入地下室，充其量損失一點物質而已。第二是人民生活優，不愁衣食之資，市廛繁榮，物產增殖，即船來品亦堪與台北市看齊，有好幾位初次來參觀的海外僑胞，都認爲這是令人難以相信的事實，大感驚奇。

到台中參觀的對象，首先是「公館」的空軍基地，這兒的一座飛機場，在遠東尤稱第一而無愧，面積即有六十四萬平方尺，比台北市區還要大，裏面的建設一切現代化，連飲料水亦是專用的，電力且可供應到別處。國軍裝甲兵團及裝甲兵學校皆在機場附近，裝甲兵團司令蔣緯國很親切的接待這批來自海內外的高級知識份子，先對大家報告裝甲兵的訓練，設備，運用等詳情，他說的一口很標準的國語，來賓們聽着都覺得他的口才比「老先生」（指蔣總統）強多了，態度也比他哥哥（經國）和藹可親，頗有美國軍人的氣質，而且能操流暢的英語，有兩位從美國回來的「談士」，帶着美國太太一道參觀，蔣司令就用英語答復她們的各項詢問，當時累得他滿頭大汗。蔣司令說到裝甲兵訓練情形，認爲武器現代化的軍隊素質，必須一般受過中等教育的青年子弟樂於從軍，才可以配合得上，否則對訓練工作十分吃力，例如新式武器上的標誌多是洋文省寫的符號，對農民出身的士兵講解武器使用方法，就只好說「一個圈圈再有一個字的便是『開』，一個圈圈再有兩個字的便是『關』，多麽費事呢！」當時大家鬨之哈哈大笑。空軍基地內的軍官、士兵俱樂部分別設置，內中一切設備，以士兵們所享受的最優越，他們休息室內裝有冷氣，軍官們卻缺如也。

其次的參觀對象是新建的台灣省議會，莊嚴宏偉，且有山水花木相掩映，確屬壯觀。議長黃朝琴報告全部建築費不過耗費台幣兩千八百萬元，不到五十萬美金。內面最新式的設備，首推議場中的電動表決器，每個議員的座位上置有「贊成」「反對」「棄權」三種電扭，按過一種後，其餘兩種即按不動了，而壁上排列着議員姓名上就現出本人所按出的顏色記號——紅色是反對，綠色是贊成，黃色是棄權——再無更動之可能。當時參觀人士分據議員席位，由黃議長和本報雷社長站在正副議長席，表演電動表決方法，台上各人把電扭一按，壁上各議員名字中即有一道電光閃爍着作圓形流動，不到兩分鐘，表決的數字已全部分別統計出來，區分爲贊成，反對，棄權三種，核與在場人數適合，毫無疑問。這種最新式的科學產物，目前在遠東亦只有台灣具備着，據說上月日本前首相岸信介到台參觀時，對此亦大感興趣，嘖嘖稱羨呢！

最後參觀新建的台灣省府全部構造——地點在距台中市約廿華里的中興新村——這地區本是一大塊荒坵，省府遷設此地後，一望四山環繞，山水羅列，風景美麗極了。省主席周至柔向大家用圖表作省政簡報，扼要而明析，他只是就心台灣人口每年增加卅餘萬，將來糧食似有問題，但說若工商企業能發展，也就無所憂慮，英國本土就是缺乏糧食最多的島國，由於工商業發展之故，英倫並不感到糧食恐慌，台灣的物產比英倫尤浩穰，更不成其爲大問題了。（未完）

從吳祥麟說到李二白

一移送懲戒一被判徒刑

（台北航訊）吳祥麟與李二白，都是執行律師業務的人，他們之間所不同者爲：吳祥麟係現任立法委員，曾經歷任大學教授與高等法院的推事；而律師李二白不是國會議員，也沒有大學教授及推事頭銜。可是，他們在

海上仙鄉一南沙群島

·周燕·

（台北航訊）（續上期）站立在甲板遠眺太平島，首先觸目的便是三面巨幅的青天白日滿

愛情的代價

荻楓

委屈！」我的腦海閃電般記起了鯉魚門的黃昏：鯉魚門，迷濛的天和迷濛的海。

我們坐在亂石堆裏，看大自然的蒼茫景色，聽潮音的起伏。

「這兒有我們的境界，像夢。」我說。

「還能逗留多久呢？」她慵倦地問，把身子輕輕地靠在我的臂膀上。

「既然像夢就不能逗留很久了。」我忽然感到悲哀，「矛盾！」我又對她笑。

「我不懂。」

「很簡單，因為我感到你是委屈的。那全為了我。」

「不要你這樣說，我只要和你在一起。」

「秋嫻，」她的話令我很感動：「我不知道我們誰更懂得愛的真諦；如果說：委屈，那恐怕不是的；但如果把委屈換作犧牲，在愛情和犧牲中間加一個等號呢？」

「你說得真淺白，楓！」她喜悅地笑了，「我願意犧牲。」

我們一下子擁抱起來。海閃耀着，原來月亮已經爬上來了。

她檢起一顆長三角形的小石子，放在我掌上：

「在構圖上，三角形代表穩固。」

我無言地望着她。從此，這顆小石子就不會離開過我的身邊。

……

「狄先生，也許你感到委屈，但我願意補償……」她父親的聲音又響了。

我茫然望着他。——

「我願意犧牲！」秋嫻又說話了。——

「恐怕，」她父親對我微笑，抓起桌子上那包東西，在手掌上把玩着：「你從來也沒有見過一萬元吧？」

我突然清醒過來，霍的站起身，感到悲憤莫名：

「李先生，我不是商品！」

……（三）

尊重

汶津

某夜閒得無聊，出門坐零南循環線車兜風，車上遇到一樁趣事。途中有客上車，站在我側，繼而有一空軍人士排我而來，站在那人身邊，兩目直視道：「你這人怎麼那麼沒禮貌！」「白活那麼大了。」正在莫名之際，一女聲又迫不及待的介入：「你對小姐那麼不尊重！就是她不排隊也犯不上用腳踢啊。」原來是為另一小姐打抱不平咧。但聲勢之洶洶，使那位「老百性」只有噤口的份。而那位嬌而厲的空軍情侶；卻意猶未盡，「你簡直是吃屎長大的，這麼不知尊重……」身為男子，不禁有某種欲語還休的感觸。「尊重」是多麼高貴的字眼，可惜這位女權爭取者連對尊重自己的基本路子都還沒有摸清楚；她口口聲聲要別人尊重小姐，身為小姐卻不知道尊重先生。別的不說，辱及別人的口腔衛生可實在不敢恭維。動聽的那位先生藉此慚愧一番也自不妨；說不定那一對卻因而增加了幾分情誼呢。

天下沒有討價還價的尊重，可也沒聽說過有一面倒的。「君之視臣如草芥，臣之視君如寇讎」只是一個較顯著的例子。卡萊爾說得好：「所有的尊嚴都是艱苦的。」你不能祈望坐享人們的敬意，更不能只喊喊「互相尊重」的口號便預期世界大同。

尊重這一德先要從夫婦做起。西夫西婦不一定懂得文縐縐的「相敬如賓」，但當街對罵至祖宗三代，持刀互屠而鮮血四迸，也未免嚇煞下一代。君子之交淡若水，君子之爭亦當如此。夫婦從不吵架，不是其中之一完全做到順民姿態，便是兩人精神上有變態的隔閡。眞正的尊重是奠基於親切的接觸上的，否則便成了空洞無依的崇拜。我不贊成夫婦的一方對另一方過份的崇拜，那勢必導致另一方的優越感，長此以往，尊重的質量也就稀薄了。

推廣開來，朋友之間，不可過於褻近。倘若雙方毫無「保持距離」的修養，其間情感勢必甜極而膩，膩極則反。尤其異性友人，更應時常測量一下兩個影子之間的間隔。人和人相處的時候，當中多少要維持一些新鮮空氣，否則眞有變變窒息的可能呢。

父母、子女固然是輩份有別，但長輩對小輩在可能情形下，也應有一份尊重之意。有些父母對子女婚姻大事非採取包辦制不可，結果不但誤了他們的終身，嚴重的更足以破壞了整個家庭的和諧。同時子女個人的發展，也不宜過份干涉。有些同學的家長向子女宣稱：「不學理工，不認你這個兒！」何苦來哉？「養兒防老」也不一定要靠機器和數理公式啊。在此種境況下，大部分年青人只有犧牲自我的意志而尊重生身的雙親，但結果如何？也許他將永不懂得尊重父母之外的其他人！

像文首的那個實例，其實是到處可見的。自己要求許多，卻不能對待別人更公平些。有些女子對男子的鹵莽深痛惡絕，自己卻難保沒有行為失檢之處。她們覺得那是性別上的特權嗎？我寧可不作如是想。有時正反兩面是那麼的相近，以紫亂朱是很容易的。某些人所希求的尊重，也許到頭來竟成為一種侮辱呢。

古代若干君主本是英明有為的，只因為不懂得尊重臣下之道，弄得衆叛親離，一敗塗地。現代人只知道尊重權財利，對萬物之靈的「人」，本身，反而視而不見。看到衣衫襤褸的人，不管他是否胸藏珠璣，臉色就很不好看；對於名片上頭銜很多的人物，則轉換了一百八十度。這種人大概終生不會了解什麼「尊重」的。豢在圈檻裏的畜生，才不希罕你尊重呢，只要餵飽牠們，便是恩德無量了。

要說尊重，還是先攬鏡自照吧。

五公祠

·道南·

五公祠在海南島的瓊山縣，亦即過去瓊州府所在地。所記五公，是指唐、宋時代被貶謫到海南的五位歷史人物。唐朝李德裕，宋朝李綱，李光，趙鼎，胡銓。

李德裕是唐武宗時代有名的宰相，平定藩亂後，權勢頗大，後受讒構害，被黜至瓊州崖縣，做司戶卒。李綱是宋高宗時候宰相，是岳飛以前一位抗遼金侵略的民族英雄，曾勵精圖治，屢建戰功，後為黃潛善等投降派構害，被出黜海南。至於李元、趙鼎、胡銓三人，都是岳飛、韓世忠等聲氣應求的好漢，在對秦檜的投降派作鬥爭中失敗，被黜至海南島。李光貶至海南達三十八年，胡銓也有二十多年。死後，李光被封為莊簡公，趙、胡兩位為忠簡公。

五公祠建於明朝萬曆年間，是一座兩層樓的建築物，清光緒十五年重建，樓上有朱為潮題的「海南第一樓」，五公祠神位安在第二樓龕堂內，其史蹟則記在石碑上。廟內楹聯甚多，茲記其正堂內長聯云：

「於東坡外，有此五賢，自唐宋迄今，公道千秋垂定論；處南海中，別為一郡，望烟雲所聚，天涯萬里見孤忠。」

又樓上五公神位前有一聯云：

「只知有國，不知有身，任憑千般折磨，益堅此志；先其所憂，後其所樂，但願羣才奮起，莫負斯樓。」

這些聯語表現五公的愛國精神，公忠體國，使後人景仰無旣，足資啓發。

山川風物

瘟君續夢

第二回：狼狽自爭雄，活佛有幸　人天齊示警，浩劫將成

中共上面的鬥爭告一段落，基層情況卻更加嚴重了，各種災荒都出現了。

災荒的起因由於中共大修水利。原來中共竊據大陸之初，人民紛紛反抗，游擊隊四起，共軍疲於奔命，最後雖然有形組織大部破擊散，但各種地下組織利用幫會道門的傳播卻日漸擴展，中共頭目也知道老百姓不服，就召開會議研究。

會議開幕由羅瑞卿報告一番國內各地秘密組織情況，由都市到城鄉，到處都有，越禁越多，近來就連下級幹部也紛紛加入，公安人員束手無策，若不早日設法，最後「人民政權」一定會遭到重大被壞。

羅瑞卿報告之後，賀龍搶着說道：「這還不容易，派出隊伍捉一個殺一個，捉兩個殺一對，殺光之後自然就平安了。」

羅瑞卿苦笑道：「殺的不少了，公安部的擋案，粗略統計也在兩千萬人以上，越殺反勸份子越多，這不是辦法。」

賀龍圓睜怪眼嚷道：「怎麼會越殺越多，還是殺的太少，我們在瑞金，在延安時，為什麼沒有反動份子，還不是殺光了。」

劉伯承微笑道：「雲卿，不要嚷了，眞照你的辦法，你的親戚朋友要先遭殃。你不知道你們哥老會也是非法組織，你這位龍頭大爺更應該首先辦罪。」

獨眼龍輕描淡寫幾句話，擊中了賀龍要害，賀龍登時像鋸嘴葫蘆一樣，氣也不敢喘。

活曹操摸摸着五色鬍子說道：「光殺也不是辦法，對付老百姓最好的辦法是不要他們閒着，人的生活太辛苦時，什麼心思都沒有了。」

毛澤東笑道：「林老的話講的眞對，想起當初我在北大圖書館當助理員，一月二十元大洋，吃喝嫖賭都不夠，閒了無事才去研究馬列主義，後來全付精力都放在書本上，沒有心思再想其他問題，只好一心一意皈依馬列主義了。」

羅瑞卿笑道：「我們現在是不是要每一個人民都去學習馬列經典呢？」

活曹操搖搖頭：「你眞蠢，不知道舉一反三，老百姓如何能普遍學習馬列主義，他們坐着不動，腦子只想到其他地方去反而更危險。只有讓他們去勞動、修河、修路，一日勞動十六小時，散了工他們還有精神商量反動，那除非他們身體是鋼鐵打成的了。」

活曹操說過，大家一齊鼓掌，就決定全國總動員大修水利。（卅五）

岳騫

徵稿小啓

有內容有意義之隨筆、散文、掌故、小說、雜感等類文字，本刊均所歡迎。請用有格稿紙繕寫，如需退還，請附信封及郵票。一千六百字左右的隨筆，比較容易刊出，過長則以篇幅所限，請特別留意。

梨園漫談

小大鵬教師素描

·瘦西湖·

章遏雲女士，現被大鵬聘為顧問，並担任小大鵬學生班之授戲課程。章女士乃廣東中山縣人，幼年因對戲劇有深切之愛好，遂於民國九年投老伶工王瑤卿門下，王瑤卿為梨園界有名的通天教主，平時不輕易收徒，如無異稟，決不錄用，當時章女士雖極年幼，然對演劇天才之發揮別具風格，王喜其聰穎過人，遂收為門下愛如己出。從此，遂奠定其國劇基礎。

章自拜王瑤卿為師之後，即埋頭鑽研乃師戲路，故王之好戲十之八九無不盡為所得，民國十三年假北平城南遊園試演十天，時章僅十四歲；但各方對其演劇天才，咸表驚異，當時凡看過她的其後，無不一致認為章是未來國劇界之奇葩，其聲譽之佳，以及受各方之鼓勵下，遂決定矢志獻身舞台，並增聘老伶工李寶琴、金玉琴為其說戲，悉心學習，多方觀摩，以增加戲路之廣博也。

民十六年與名鬚生王又宸合作，赴天津公演十天，至此漸露頭角，已能大胆與當時第一流名角所抗演，其毅力之強，實為內外行所欽佩耳。

至民國二十一年，得聞名大江南北之名琴師穆鐵芬之襄助，乃改習程腔，因而藝術更復猛進，獨步菊壇矣，在名琴師穆之襄助十年期間，其最受各界歡迎之名劇，乃「雁門關」、「福壽鏡」、「青霜劍」等，其演出之佳，靡不膾炙人口，深為各界所讚許也。

章女士平生最得意的時間，應以民國二十三年在上海演出之時，該時其演出之地為黃金大戲院，合演者均屬一時上佳之選，連續三月之久，盛況始終不衰，其號召力之強，在當時除四大名旦之外，實鮮有人能與匹敵耳。

抗戰軍興，日本投降，全國正在復員之時，章驟於國難方殷，遂脫離舞台生活，不再演出，其間唯一例外者，為上海聞人杜月笙做六十大壽之時，南北名伶齊集滬濱為杜祝嘏，特假牛莊路中國大戲院演出義務戲數天，冬皇孟小冬偕名票趙培鑫演「搜孤救孤」連續二日時，其壓軸戲「鐵弓緣」即為章與裘盛蘭所合演者也。

自杜壽演出之後，遂息影港九，以渡晚年，不料共匪慕其名震南北，不惜利誘威脅，騙其重返大陸賣命，幸女士深明大義，不為所騙，乃舉家遷居寶島，過着自由安居樂業的生活。（三）

劉銘傳與劉璈交惡經緯

銘傳繼恩劉璈任台事日久，根深蒂固，若僅參一朱守謨不足以撼之，擒賊先擒王，如不將劉璈打倒，終難站穩，銘傳遂於光緒十一年五月廿六日專摺參劾劉璈十八大罪，文長數千言，欲加之罪，何患無詞，劾案內容主要無非謂劉璈故意扣發軍餉，企圖激成兵變，驅逼銘傳下台，以及無財不貪，無色不愛，一些不着邊際的話，凡知道過去銘傳對鮑超之冒功妄奏，以及對左師之亂打報告，關於劾案內容的眞實與否也就用不着去多研究矣，連橫著台灣通史說：「劉銘傳參劾所劉璈十八大欵，語多不實」，可見歷史家對此案早有過定評，銘傳要去劉璈，這樣做他審慮至熟，已當時如將劉璈劾去，實具殺猴雞作用，蛇無頭不行，湘軍將領失去了領導重心，自必帖然懾服，原來銘傳視師台灣，早已密保其同鄉龔照瑗，接替劉璈的兵備道職，無奈龔在上海辦南北洋軍械轉運，無法分身，被江督曾國荃奏留，他迫不獲已，只得片保劉璈舊部江蘇候補道陳鳴志接代劉璈職務，陳籍隸湖南寧鄉，一面可緩和湘軍士氣，一面表示無黨無私，但對援引同鄉決不放棄，最後在保案內還帶了一筆：「合無仰懇天恩，將台灣道暫緩簡放，待至三五月後，或鳴志辦有實效，或龔照瑗事竣渡台，再行請旨定奪」，未幾，奉上諭：「據劉銘傳奏台灣道劉璈貪污狡詐，劣蹟多端，開單列欵，請革職查辦一摺，劉璈着即行革職拏問，交劉銘傳派員妥爲看守，聽候欽派大臣到閩查辦，所有該革員任所資財，着該撫遴派幹委員嚴密查抄，毋任寄頓隱匿，另片奏台灣台道缺暫委陳鳴志處理」，欽命刑部尚書錫珍，江蘇巡撫衛榮光到台查辦，六月復奏擬斬監候，劉璈上疏抗辯，詔乃復命陝甘總督楊岳斌會勘是獄，楊到台後調停於左李二帥之間，以欽差大臣，一變而爲和平使節，畢形恩守讓兩龍之，改劉璈遣戍黑龍江，奏結其獄，是時左宗棠年屆七十有三，積勞過久，本已多病，及奉命赴台督師，慷慨戎行，冒暑兼程抵閩，晝夜孜孜以謀援台，旋聞澎湖失陷，搥胸頓足後，致廢寢食，觸發痰疾，遂卒於閩，左帥死後，劉璈頓失靠山，加以原始領導湘軍之曾氏勢力亦式微已甚，更無可與李相抗衡者，惟時慈禧以一老婦人操縱朝綱，昏亂昏憒，實無所謂是非公道，劉璈就以不世出之人才，生當不幸之時代，乃在湘淮兩軍派系無情鬪爭中，作了犧牲品，連橫撰通史，評論劉璈竄黑龍之案，最後曰：「士論莫不冤之」，誰曰不然。（全文完）

李仲侯

文化研究所

徐學慧

參加陽明山會談的人士，居然能建議政府，要「設立文化研究所，研究整理中國固有的傳統文化。」此誠爲一種可喜的現象。最低限度，經已表示出，有人注意到了這個問題的嚴重性。

十餘年來，筆者在香港報章討論此一問題的文字，不下百萬言，即在前幾期的本欄，還談到整理古籍的問題。我之所以不憚煩瑣者，乃是鑒於這一問題的嚴重性與必要性，而思引起各方注意。我不敢說，此次參加陽明山會談的人士所提出的上述建議，乃受筆者的文字之影響，但無論如何，能夠有此共鳴，已令人有空谷足音之感，倘能因此而引起當道者的注意，終於採納實行，則筆者這十餘年來的呼籲，總算不算白費。

五年前，筆者在香港某報寫隨筆，曾以「古典文學的命運」爲題，中有如下的一段話。

「中國學人自北而南，棲息於香港者居多，香港的印刷條件僅次於日本而爲東南亞任何地區所不及，在這兩個最好的條件之下，中國的古典文學如不能被保存與發揚，我將毫不客氣的說，這是香港自由人之恥。……以香港的地位和香港所具備的條件來說，其最適宜的工作，乃莫過於文化反共，不，文化反共這的名詞亦微嫌過於八股化，我們不妨這樣說，保存中國文化，發揚中國文化，就是一種最神聖的使命。……然而，香港自由人沒有這工作，連最低限度的注意力亦不會有，這就不免令人詫異了。……中國文化上的黑暗時代，如果由於中共之竄改古典文學而到來，則我們的子子孫孫將陷於萬刼不復之境，難道我們就連這一點遠見都沒有嗎？」

筆者之所以引述這一段文字，亦無非是鑒於這一問題之太嚴重，因而在聽到陽明山上諸公有設立文化研究所的建議，表示極端欣慰而已。

謹此預祝，政府終能採納而立即付諸實施。

同性戀的吃醋

介人

醋本作酢，後世卻改酢爲醋，又改醋爲酢，因此酬醋就變成了酬酢，而醋又成爲作餚的調味品解了。但醋最早又叫作醯，與醬並稱，曲禮上就有「膾炙處外，醯醬處內」之語，又因它味道酸著，也叫苦酒。

醯早在周代便有了，「周禮」裏還有專門管理製醋的官吏「醯人」。醋相傳是昔代酒鬼，竹林八賢之一的劉伶的太太與氏所創製的，劉伶喜嗜喝酒，與氏怕他酒多敗事，欲他節飲，因此每逢釀酒的時候，便暗中攙入鹽梅辛酸的東西在酒裏，使酒變得味酸，後人就模仿她的製法做出眞正的醋來。這個故事恐怕只是傳說，未必眞實可靠，因爲醯醋本是一物，不過周代還沒有這個醋字吧了。

醋的用途是在調味，「禮記」內則上已有「和牲柔肉」之語。所謂和牲便是說拿來和在牛羊猪三種肉裏面，使肉質變得更柔軟易吃，煮魚當然也要用醋，如「晏子春秋外篇」就有「醯醬鹽梅，以烹魚肉」的話。

一般的都以女子善妬稱爲吃醋，此事的來源是出在唐代房玄齡夫人身上的，據唐張鷟「朝野僉載」說：「梁公（按：房玄齡曾爲梁公）夫人至妬。太宗將賜美人，屢辭不受，帝乃令皇后召夫人，告以媵妾之流，今有常制，且司空年暮，帝欲有所優詔之意。夫人執心不迴。帝乃令謂之曰：「若寧不妬而生，寧妬而死？」乃遣酌卮酒與之，曰：「若然，可飲此酖。」一舉便盡，無所留難。帝曰：「我尚畏見，何況於玄齡？」據說那杯酒乃是苦酒，也就是醋，不知確否。另一說謂：此以妬婦比獅子，是因獅子日食醋酪各一瓶，故有是說。

據以上的紀錄，吃醋應認是屬於婦女的專有名辭，但男子漢竟也有吃醋的。第一個先說陳其年，他名維崧，別號迦陵，清朝初年，即以名士姿態，週旋於名公巨卿之間，確是一個風流人物。他是康熙年間鴻儒博學科出身，授職檢討，與修明史。

當時冒辟疆（巢民，董小宛的丈夫）愛陳之才，延爲幕賓，住在私寓梅花別墅之內，派一個名叫王紫雲的書僮侍候他。紫雲貌如女子，白晰溫柔。當時士大夫，戀變童之風氣也很盛，於是陳其年就愛上了紫雲，而且愛得很深。

此事冒辟疆當然知道，有一次，他向陳其年開了一個大玩笑，冒假縛紫雲於梅花樹下；故意要使陳其年遠遠看見，並向他說是紫雲誤折冒太夫人的梅花，太夫人甚怒，要打他，縛他在樹下過夜！陳其年不虞有詐，急得如熱鍋螞蟻，千方百計要挽救紫雲，但老冒一一拒絕，並謂其母最愛那一樹梅花，現在盛怒，無人敢開口求情，陳央之再三，冒始佯勉爲其難而去。不久折回說：「家毋本不允，既然苦求，家母謂須閣下做梅花詩一百韻，代王郎贖罪。」

陳其年聞之有難色，但情之所鍾，無可奈何，立而做詩徹夜，繞室吟咏，大絞腦汁，卒以寫成百韻梅花詩交去，紫雲才獲釋，同時已將近天明了，陳淒然問紫雲「夜來在梅花樹下受寒否？」紫雲據實告之，入夜即陪太夫人在暖閣飲酒，那有受寒之理，陳聞之恨得心癢癢的忙擁紫雲入帳去。

陳其年與王紫雲同居」了六年，後來冒辟疆替王紫雲娶老婆了，陳其年如有所失，酸溜溜的，送他一首「賀新婚詞」，曲折的道出其不可告人的情事，其人，其事其詞，成爲人們談笑的資料，哄傳遠近，原詞題目是「雲郎合巹爲賦此詞」。詞云：

「小酌荼薇釀，喜今朝，釵光簟影，燈前幌樣，隔着屏風喧笑語，報道雀翹初上。又悄把，檀奴偷相，撲朔雌雄渾莫辨，但臨風，私取春弓量，送汝去，揭鴛帳！六年孤館相依傍，最難忘，紅蕤枕畔，淚花輕颺。了你一經花燭事，婉轉婦隨夫唱，努力做藁砧模樣，只我羅裳渾似鐵，擁桃笙，難得紗窗亮，休爲我，再惆悵！」

其次要說男人吃醋的，就是清咸豐帝，咸豐末年，八國聯軍陷京師，天下騷然，幾於不可收拾。咸豐以醇酒婦人自甘戕賊。其時有雛伶朱蓮芬，色藝冠一時，善崑曲，歌喉嬌脆無比，且能作小詩，工楷書，咸豐帝寵愛異常，不時召見，習以爲常。

同時有陸御史（相傳即常熟陸懋宗，不知確否？）亦對朱蓮芬有偏愛，因不得常見，遂直言極諫，引經據典，洋洋數千言，極爲冠冕堂皇，名正言順。咸豐帝看了以後，大笑說道：「陸都老爺吃醋了！」即手批其奏云：「如狗啃骨，被人奪去，豈不恨哉？欽此！亦不加罪也。」

咸豐帝的風流滑稽，實屬可笑，他說陸御史吃醋，其實他自己又何嘗不是吃醋呢？

化友爲敵

諸葛文侯

陝西省的耀縣，位居河套膏腴之地，且爲百物轉運赴陝北一帶的交通樞紐，允稱咽喉重鎭。對日抗戰時期，省政府爲統制物資運輸情況，防止奸究通敵漁利起見，經常派遣正規軍一營，戍屯該縣司稽查檢覈之責。

該縣有紳士成柏仁其人者，原係前陝西「靖國軍」胡景翼所部驍將郭堅的親信幕僚，當年常常代表靖國軍往來於津滬之間，與軍政界人物治商國事，是一個高級知識份子，亦隸革命黨籍。迨郭堅，胡景翼逝世，原有靖國軍勢力消散之後，成氏即隱居西安，不求聞達。對日抗戰軍興，成氏以垂暮之年，更無心問世，乃遄返故鄉耀縣居住。由於他過去曾在軍政界活躍一時之故，地方人士奉之爲長老，邑令亦視他爲「巨室」，尊敬不遑，遇事每就教於他。成氏既具有相當智識，又擅長詞令，實爲耀縣首屈一指的鄉賢鉅紳，潛力殊不可侮。

抗戰時期某年某日，當地駐軍士兵，因向民家借用一個蒸饅頭的蒸籠問題，引起了是非爭執，相持不下，老百姓訴請成氏評理，成氏認爲士兵不對，問題更鬧僵了。事聞於統領駐軍的營長，即親自出面交涉，仍無以折服成氏所持理由，營長怫然道：「我是蔣委員長的學生！」意在懾制對方，予以讓步，詎成氏反唇道：「我是蔣委員長的老百姓，他愛護學生，亦不會不愛護老百姓的！」彼此言語衝突，營長老羞成怒，當場教士兵們將成氏綑綁，說是「揍這小子！」成氏竟飽受八哥拳足交加之痛苦，無可如何。

繼而省主席蔣鼎文聞悉此事，就商於國軍統帥胡宗南，一致認爲該營長豈有此理，即將其逮解西安訊辦，又請成氏亦來西安，對他加以慰問後，請教他怎樣懲處該營長以應得之罪，才算合式呢？但成氏謙遜言道：「事情已經過去，不必深究了。」他心裏固忿懣不平，卻害怕因此再招致對手方的報復，貽患無窮，只好忍辱含垢，表示犯而不校的寧息姿態。可是，成氏後來即暗中參加「民主同盟」，對政府實行反動了。他原是個三民主義的信徒，晚年以不甘膺受武人的無理凌辱，憤而趨於橫決，政治上許多化友爲敵的根源，皆類是也，曷勝慨歎！

歷史人物

秦始皇論

·謝康·

以上從好的方面說，始皇是有功於國家的。但是，從壞的方面說，也有幾項可以指摘，譬如說：

八、厲行法家政策，任用李斯趙高這班小人，刻薄寡恩，搞亂朝政。

九、專制獨裁，殘酷暴虐，剛愎好殺，不施仁政。

十、箝制言論，統制思想，實行愚民政策，剝削人民自由權利，使百家爭鳴的局面，歸於寂滅。

十一、焚書，坑儒，摧殘文化，妨碍學術進步。使漢以後的儒生忙於收拾殘簡，編註古書，一直做作編校整理的工作，很少發明和創造。

十二、築阿房及離宮，大興土木，行封禪，勞民傷財。

十三、法網嚴密，臣民動輒得咎，爲人民所不喜，是以始皇死而民變作。

總之，始皇功罪，可分兩方面看：站在國家建設方面，他底功勳，眞是超越前古，爲三皇五帝所不及的。但若從人民福利及學術文化方面看來，他確是歷史上的大暴君，罪惡浮於桀紂。這些論點，有些或許是老生常談，但有褒有貶，不主一偏之見，或者可以提供讀史者的參考吧。究竟始皇一生，是功不補過，或瑕不掩瑜，抑或功過相抵呢？那只有讓讀者自行判斷罷了。

附詠史一首，藉博方家一笑：

頌德高功三五皇，七雄混一亦豪强。
聲威遠震殊方外，郡縣行施嶺海疆。
賈誼過秦仁政少，張良椎鐵副車亡。
倘教不用焚坑策，傳位扶蘇國祚長。

——本篇完——

內僑警台報字第〇三一一號內銷證

自由報

THE FREE NEWS

第一六三期

中華民國僑務委員會頒發
台救新字第三二三號登記證
中華郵政台字第一二八二號執照
登記為第一類新聞紙類
（半週刊每星期三、六出版）
每份港幣壹角
台灣零售價新台幣貳元
社長：雷嘯岑
督印人：黃行韜
社址：香港銅鑼灣高士威道二十號四樓
20. CAUSEWAY RD. 3RD FL
HONG KONG
TEL. 771726　電報掛號：7191
承印者：田園印刷廠
地址：香港灣仔高士打道二二一號
台灣分社
台北市西寧南路壹壹零號二樓
電話：三〇三四六
台郵撥儲金戶九二五二

西德·南韓·越南與台灣

·宋文明·

最近以來，由於聯合國代表權問題的困擾，時常聽到一些持寧為玉碎，不為瓦全之論的人士將西德、南韓、越南三地與台灣相提並論的說法。根據這些人的說法：代表權問題演變到最後，大不了退出聯合國，縱使如此，台灣一如西德，南韓，及越南一樣，仍將屹立不搖，繼續保持其現在這種國際地位。

本文不擬討論聯合國代表權問題，更不擬對在台中國政府應否在某種情況下退出聯合國問題表示意見。不過我覺得將台灣視同西德、南韓、及越南三地，因為它們在國際間具有相同的地位與作用，那就完全錯了。這種情形在今日如此，在將來亦然。以今日情況來講，這四個地區除了同屬被分裂的國家以外，在台中國政府為聯合國一份子，並為聯合國安理會的常任理事國，而其他三地均被拒於聯合國大門之外。將來假若在台中國政府宣布退出聯合國，那麼它們之間除了仍屬被分裂的國家及均不參加聯合國這一共同點之外，其他亦再無相同之處。現在我將這四地基本處境作一扼要比較：

（一）西德：西德經過戰後這十幾年來的積極復興努力，它在經濟上已建過了一項奇跡。生產發達，外滙充足，並已對亞非美洲許多國家開始提供經濟援助。至於在國際政治地位與安全方面，它現在已是北大西洋公約防衛組織（布魯塞爾公約擴大組織），歐洲煤鐵聯營組合，歐洲共同市場，及斯特拉斯堡歐洲理事會的一份子，直接間接已成了西歐安全的重心。因此它的防務與未來的命運，不僅已與整個西歐合而為一，而且亦與北大同盟不可分割。雖然由於戰後盟國的分區佔領及國際冷戰，德國現在仍處於分裂狀態，但由於東德在人口與經濟發展諸方面處於絕對劣勢，所以這種分裂對西德不僅不是一種致命傷，反而有頗多好處。在這種情況下，西德是否為聯合國一份子，對它並無很大影響。假若有機會成為聯合國會員國，它由此可以擴大在國際事務上的發言地位；即使它永遠不能參加聯合國，對它也不會有何妨害。

（二）南韓：南韓在內部有若干困難，是一種事實。它的經濟與政治情況不夠穩定，也是事實。但南韓的基本安全與國際地位，將永遠不會發生問題。南韓從一九四八年正式恢復獨立，直至於今，它一直受著聯合國的支持與監護。可以說它的成長與發展，與聯合國完全分不開的。如一九五零年發生北韓南侵戰爭，聯合國即起而應付。一九五三年七月韓戰結束，簽訂停戰協定的同日，參與韓戰十六盟國即共同發表聲明，鄭重警告共黨不得再攻擊南韓，否則，十六國即予全力迎擊。同年十月一日，美韓兩國在華府對正式簽訂安全防衛條約，並在韓境繼續維持聯合國部隊統帥部原建制及兩師以上的美軍，以維護韓國安全。因此南韓在對北韓共黨的鬥爭中，除了具有聯合國的廣泛的保護，還具有美國及其他韓戰參與國的實際武力的支持。任何一種對南韓的攻擊，也就是對聯合國道義地位及十六盟國的這種莊嚴諾言的攻擊，其後果如何，當非其他尋常事件可比。而且北韓共區現時只有四百萬人口，而南韓人口卻達兩千五百萬以上，這種人口上的優勢就可保証縱使南北韓實行長期和平競賽，或謀取其他和平解決辦法，對南韓也是利多而害少的。

（三）越南：越南在人口與資源方面，不如北越共區。最近寮國情勢的發展與越南內部共黨游擊隊的騷擾，更使越南處境趨於不利。但就越南在國際關係中的基本地位來看，它的安全亦毫無問題。南北越的分裂與現行疆界，是受一九五四年七月二十一日所簽訂的日內瓦停戰協定及九國聲明的保護，除非共黨國家公開宣布廢棄日內瓦停戰協定及九國聲明的諾言，北越絕不敢對越南貿然發動戰爭。其次，一九五四年九月八日在馬尼拉所簽訂的東南亞公約，在其附屬議定書內會如此載明：「關於公約第三條及第四條規定將適用於之領土及國家的指定，參與東南亞集體防衛會議之各造，頃一致依照公約第四條之宗旨，指定高棉、寮國及在自由越南管轄下之領土。與會各方並進一步協議關於第三條所考慮的經濟措施，亦適用上述國家及領土。」由此以觀，越南的安全及國際地位，不僅受日內瓦停戰協定的屏障，而且亦為東南亞公約所保護，只要這兩項協定仍維持一天，越南安全亦即獲有堅強的國際支持。在這種情形之下，越南是否為聯合國會員國之一，對它便無實際意義。

（四）台灣：台灣現時安全及國際地位的維持，主要是依賴兩大因素。即其一，在台中國政府為聯合國會員國，並為聯合國創始國之一，直接間接會獲有聯合國憲章原則與道義精神的廣泛庇護；其二，有中美聯防條約與美國第七艦隊的堅強支持，使中共不敢輕意在台灣海峽使用武力。可是，假若照「玉碎論」者所說，在台中國政府一旦宣佈退出聯合國組織，那麼台灣的安全便只有完全依靠美國武力保護之一途了。在那種情形下，美國若堅決負起保障台灣安全的全部責任，那麼美國之於台灣的關係，將不會是美國之於西德，之於南韓，和之於越南的關係，而是猶如荷蘭之於西幾內亞的關係。果如是，那麼中共之於台灣的鬥爭態度，亦將不再是東德之於西德，北韓之於南韓，和北越之於南越，而是印尼之於西幾內亞的態度。事實上，只要台灣一旦果然退出聯合國，美國絕不會繼續單獨負起台灣安全的全部責任，致與中共發生直接衝突而陷於孤立，而是要設法拉其他國際勢力進台灣，以分担美國的責任。這所謂其他國際勢力，一種是指美國的盟邦如英日菲等國或共同的國際安全組織，一種便是指聯合國。美國的盟邦或共同國際安全組織進入台灣的結果，便可使台灣成為南韓與越南第二；聯合國勢力進入台灣的結果，使台灣又可成為加薩與剛果第二。但不論成為越南與南韓第二，或加薩與剛果第二，其實際情形一定要比它們更壞。因為南韓與越南的對方，都不是聯合國會員國；加薩與剛果又都屬聯合國會員國的土地，受聯合國憲章精神的遵重。可是，台灣退出聯合國之後，中共一定會進入聯合國，而且又是聯合國內的主要國家，所以這種情形就完全不同了。

由以上這種比較可以看出，台灣與西德，南韓，及越南之間，除了在理論上同屬被分裂的國家這點之外，可以說不論在形式上與實際上，無任何相同之處。現在的情形不相同，將來情況更不相同。本來所謂互相比較與相提並論者，只有在基本條件相差不多的情況下才能適用，若基本條件相差太遠，而猶以彼類此，強作等量齊觀！實在是一種自欺行為。

最後，我再度聲明本文無意對中國代表權問題及台灣未來對此取捨提供意見，但把台灣與西德，南韓，及越南三者同一樣，以為它們可以具有完全相同的政治命運，由此鼓勵台灣重踏以上三者之路，那我認為真是大錯特錯。

自由談

張伯倫與希特勒

盡人皆知核子禁試的談判必無結果，而美英二國居然派其代表與蘇俄在日內瓦談判。此刻，蘇俄業已聲明恢復核子試驗，當頭一棒，大夢醒矣。

美談判代表狄恩，自日內瓦返抵華府發表談話，且自詡其聰明，理由是蘇俄想運用日內瓦談判手段迫美國恢復核子試驗，言下之意，以為畢竟由蘇俄首先恢復，則美國可收世界輿論之效。狄恩又說：「赫魯曉夫正在追隨某些希特勒式的技術。」這話倒一點不假，但他卻忘記了說另外一句，那就是：「西方國家愈來愈在追隨張伯倫的技術了。」

世無張伯倫，可能不會有一個狂妄的希特勒。同樣的，赫魯曉夫雖然狂妄，但如果西方國家不是這麼各懷鬼胎，多方迎合，則亦未必有如此驕縱。

以歷史家的眼光來看今日東西集團的形勢，我們倒必須承認，幸而有赫魯曉夫的狂妄，使得西方國家的政治家們偶爾感受到有點刺痛，否則，局面將更不堪設想。

看看這幾天的電訊吧！

美聯社華盛頓二日的電訊報導：預料蘇俄爆炸一枚核子彈的事件，將加速總統甘迺廸下令恢復美國核子武器試驗的決定。

合衆社紐約二日的電訊報導：前總統杜魯門，今天主張美國的核子試驗應該繼續進行。又稱：蘇俄從不遵守協議，他們是世界上最大的騙子。

美聯社倫敦二日報導，赫魯曉夫今天進行的核子試驗，在歐洲非共地區產生政治恐懼及反蘇情緒之政治原子塵。

上所引述，已足夠證明，由於赫魯曉夫之狂妄，經已在自由世界產生了刺激的效果。假定因此一刺激，而令自由世界振奮，亦未始非一佳事，最怕的是，一轉眼，赫魯曉夫的微笑攻勢又隨恐嚇以俱來，因而令自由世界又鬆懈其警惕；這纔真正是一個悲劇呢！

大政治家，目光注視到百年以後，只有專講現實的政客如張伯倫輩，才會「生活在未來的五分鐘裡」（張伯倫語）。如以此來衡量，則今日西方國家之政客，幾皆張伯倫也，是則赫魯曉夫雖欲不追隨希特勒亦不可得矣。嗚呼！可慨也夫！

盧家雪

原形畢露

如此中立

廢除出版法與開放報禁
陽明山會談的呼聲

·吳越·

（台北航訊）陽明山第二次會談經已曲終人散了。在此次會談中，最爲人們所注意的，就是出版法的問題。

出席陽明山會談的國內四位報人，台北記者公會理事長，聯合報發行人王惕吾，自立晚報董事長李玉階，英文中國郵報社長余夢燕和洪炎秋等，二十六日聯名提出共同意見五項，呼籲政府採納施行。其中與出版法及報業有關的三項是：一、建議政府，由新聞業制定積極性的「自律公約」以代替消極性的出版法。二、建議政府取消「戰時新聞用紙節約辦法」及類似措施，以促進新聞事業之發展。三、建議政府將新聞行政業務劃歸新聞局主管。

出版法是在四十七年修正的，當時即曾遭受到各方激烈的反對，也幾乎引起立法院的分裂，最後還是由於政府的大施壓力，才勉强通過。但由於這一法案的成立，使國際聲譽受到很大的損失，政府也受到海內外若干人士的誤解與評責。

現行出版法的最大缺點，也是大家爭執的焦點，是以行政機關的行政處分代替司法審判。依現行出版法規定：出版品只要觸犯一些妨害公務，妨害投票，煽動他人觸犯褻瀆祀典或妨害風化等罪，或評論訴訟的案件「情節輕微者」，主管官署就得以警告處分，而且連續警告三次無效，即可經內政部核定，命令定期停止其發行。因此，這種處分完全是片面的裁決，被裁決者毫無辯解與上訴的充分權利。

反對出版法的人會說：對於新聞紙，以致命打擊之權，不經由司法程序而輕輕交給行政方面的「主管官署」，這是任何國家都沒有的輕率的法律。王惕吾等建議：廢止出版法而於刑法中曾加有關誹謗及竊視法庭之罪律，不唯保障人民自由權利，抑乃發揚國家法治精神。至於「自律公約」的辦法，則是組織一個新聞言論審議委員會和一個業務調處委員會，分別負責審查新聞及言論的失實，失當，觸犯人權，妨害社會或違背國家利益以及調處仲裁事項，以求達到自我約束，輿論自裁的最大効用，違法犯法的，依然接受法律的裁判。

關於取消「戰時新聞用紙節約辦法」及類似措施，包含了兩個問題，一個是新辦報紙的登記限制，另一個是現有報紙的篇幅限制。這兩種限制的法律依據，前者是民國四十一年間增訂的舊出版法施行細則第二十七條，後者是四十四年施行的「戰時新聞用紙節約辦法」，理由都是鑒於國內紙張生產不敷供應，而國家外滙短絀，不能大量進口洋紙，所以必須法令硬性限制紙張的消費。但是五十年度，國產紙張的供求狀況已完全改觀，內外銷之後，約有大量的剩餘，迫使各紙廠採取減產等措施，這種情形，證明當時立法限制的理由，今天都消失不存在了，因此，這種不適時的措施，沒有再繼續的理由，何況，限制新聞報紙的登記，就等於對人民言論自由的一種限制。

余夢燕在說明第五項建議的時候說：現在主管新聞行政業務機構爲內政部的警政司，已不合時代需要，因爲以警政司來管理新聞業務，是沿襲德國及日本的警察制度，以警務來主管新聞出版事業，實在容易引起誤解。

海內外報人學者，對於台北報人的這項意見，都表示支持。本報社長雷嘯岑先生說：我贊成廢除出版法，也贊成開放報紙的登記。他說：這是政府的不聰明處，既未認眞實施，還要給人藉口，不如廢止的好。報紙違法，可用刑法及違警法來處理，出版法實在沒有必要。香港新聞天地發行人卜少夫說：出版法旣是備而不用，何不廢止？政府犯不着因爲限制辦新報，而被國際間誤認爲沒有新聞自由，政府如宣佈解除辦報限制，一定可以博得海內外人士的喝采。香港眞報負責人陸海安主張加重誹謗法的罰則而廢止出版法，他說：政府准許辦新報，對國家社會並無害處。非律濱新閩日報社長吳重生認爲自由的新聞事業是自由民主社會不可分離的一部份。非律濱大中華日報社長柯俊習指出，據他個人的瞭解，台灣的新聞自由比不上非律濱，至於警政司管新聞，更容易在國際間引起誤會。旅美老報人美洲日報社長李覺之說：美國沒有出版法，新聞自由受誹謗法的限制。

二十八日的綜合會談中，與會人士繼續對此一問題發表議論。唯一來自澳洲的鄭則愈敎授提出的八項建議中，有三項便是針對這一問題而發，他建議政府廢止或再修正出版法，開放報禁，撤銷海外報刊內銷限制。他說：海外還有許多人懷疑這次政府對會談的誠意，原因就是新聞言論的尺度問題。青年黨人胡國偉認爲言論自由是法律內的自由，用不着再來一個出版法，所以希望政府斷然廢止出版法，表示政府開明的民主作風。民社黨與會人士楊毓滋（民主中國週刊發行人）主張請政府開放報禁廢止出版法，以恢復人民言論出版自由，符合民主憲政並提高國際地位。他認爲限制人民的言論出版自由，不僅沒有理由，而且也是違反憲法的。

在陽明山會談上，唯一提出相反意見的，只有來自香港的張國興和台灣「政治評論」發行人任卓宣兩位。張國興認爲台灣報紙所享有的新聞自由已經太多，新聞自由已被濫用，所以主張政府還要加強管理。他認爲台灣的新聞自由尺度比緬甸和印度爲寬。卜少夫說：試問印緬是第幾等國家，他們的政治形態又如何？如果拿我們的新聞自由和俄國相比，自然更多了。任卓宣贊成張國興的意見，也認爲我國的新聞自由已較印度，緬甸爲自由。反對廢止出版法。至於台灣的報刊，這幾日無不紛紛著論，贊成廢止出版法及開放報禁。

副總統兼行政院長陳誠，在會談席上表示：他贊成由新聞界制定「自律公約」，公約如能實施，較出版法必更有效。關於報紙用紙限制，將照新聞界人士所提意見，加以改善。至於不合宜的行政法令可以改進，但必須經過立法程序的，並不宜輕於變動。

陽明山會談的分組會談從今（二十九）天開始，研討「文化建設與新聞事業問題」分在第三組，預料在分組會談中，對於此一海內外關心的「言論自由與出版自由」問題，將會有更寶貴的意見提出，然後獲得結論，提供政府參考。政府如對於這個民主反共的建議，予以重視和採納，則不但是報業史上的大事，一定能獲得海內外同胞及世界友邦的讚揚和支持，進而提高國際地位，取得友邦的尊重，便是這次會談最大的成功與收穫了。（五十，八，二十九）

陽明山會談側記

野鶴

（本報特訊）被邀參加陽明山第二次會談的海內外文敎界人士，共計爲一百零六名，實到九十七名，其中有兩位因病臨時不克出席，即前任敎育部長梅貽琦，香港天文台報社長陳孝威是也。孝威將軍到達台北之日，住在有冷氣設備的「皇后飯店」，一夜之間，感受冷氣侵襲而抱病在床，至今不能出門上山預會，眞是大煞風景。預會人士年齡最高者爲七十五歲的國立政治大學敎授陳大齊氏，最低者爲卅五歲的美國伊省工專阿莫研究所化學物理部主任蕩彥雄氏，這些濟濟多士中，有十七位是具有博士頭銜的。

會談進行中的狀況

八月廿五日開始作綜合性的會談，事前提出建議的固然不少，臨時要求發言的亦很踴躍。大家都是對着文化敎育與新聞事業諸問題表示意見，唯有香港的亞洲出版社主持人張國興氏，除却指摘台灣的新聞記者濫用新聞自由，認爲我國不如緬甸，印度以嚴刑峻法對付新聞界；未免失之寬大以外，更攻訐國大代表無所事事而虛糜公帑，說是應予以停薪留職處分，又主張「凍結」憲法，以應反共鬥爭的需要。他這番高論，當時引起全場譁笑，却無人表示共鳴，次日台北各報紙即紛紛加以批評質疑，迄今日（卅日）尚未平息，據聞國大代表聯誼會亦已召開緊急會議，擬邀請張氏赴該會講演他對於國大代表主張「停薪留職」的詳細理由，看來還有下文嘞待分解哪！

由於要求發言的辯士孔多，原定廿九日停止的綜合會談又延長了一天。在廿九日下午的綜合會談中，筆名「葉青」的台灣「政治評論」發行人任卓宣再度發言（先一日他已經發言過一次），他與張國興指摘台灣新聞自由太多，擁護出版法的意見一致，說是這次會談中很多人訾議現行出版法，殊覺奇怪，難道新聞界應該「無法無天」嗎？當場激起了來自澳洲的鄭振文氏起而要求主席准許他發言，他高舉右手，兩撇短髭橫豎着，神情頗爲激昂，主席陳副總統覩此情況，很和悅地起立說道：「我要報告幾句話，請鄭先生稍爲等一等。」如是，他表示凡屬法制有不妥當的，政府都將加以修正；又說國大代表們這幾年殫精竭慮，研究擬訂光復大陸後的各項建國方案，對國家頗多貢獻云云。他的說話時間佔了一刻鐘以上，這時已逾下午六時，他看看手錶，即宣佈指定分組討論的召集人，然後宣告散會，把任·鄭二位的舌戰場面，無形之中予以消歇了！大家對於「陳老總」這項化乖氣爲祥和的作法，一致稱讚不已。

廿九日下午五時，蔣總統在陽明山官邸中，約見來自泰國，越南，非律賓，香港各地的文敎界人士，具備茶點招待，跟每人談話幾分鐘，詢問有何意見，態度甚爲懇切。香港的張國興氏又申述他攻訐國大代表暨指摘台灣新聞濫用自由權的高見，却未說凍結憲法的話，而改談台灣的交通秩序不好，指三輪車夜間不點燈這類細事了。蔣總統對他所述的前兩點意見，不置一詞，只說：「張先生能夠注意到台北的交通情形，很好很好。」在座的人相予匿笑不已。蔣總統對每位會見的同人，皆稱呼某先生，唯對本報雷社長却稱呼爲某某兄，事後一些同去觀見的人，認爲奇異，據雷氏說，這因爲他是國民黨員之故，其然豈其然歟？

在連續三天的綜合會談中，發言的人，以來自海外各地者佔最多數，中有從西德來的蕭師毅氏，說他娶了一個德國太太，可謂東西文化交流，會衆爲之啞然，發言比較符合課題的，是來自美國的程其保，和台大文學院長沈剛伯，他們都對於敎育問題中述了若干深中肯綮的意見，博得大衆同情。記者問師大敎授梁實秋是否要發言？他說「咱們是盡在不言中。」每位發言的時間，都在廿分鐘左右，因而引起許多人臨時動議，主張每次發言不得超過十分鐘，否則由主席按鈴停止，但陳副老總認爲不必如此認眞，只希望大家自行控制時間，不要超過一刻鐘就行了。來自菲律賓的報人吳重生登台發言，聲明他只說一分鐘的話，大家很詫異。原來吳氏一口福建官話，令人難懂，他寫好一篇講演稿，請在場的一位廣播小姐用國語朗誦之，他本人確實只說了一分鐘的話，再對廣播小姐鞠躬一次即走下發言台了。（二、未完）

湄公河畔的戰鬥

·陳來有·

打游擊，不打硬仗！換句話說，就是不吃虧！好像玩牌，我們的本錢有限，不能孤注一擲的。每一次戰鬥，我們都得到好處；否則，寧可轉進！我們一直採取這個戰畧在雲南邊境上崇山峻嶺活躍着。

打游擊，生活是游動的，但也有游動的樂趣。我們就好像到處有陣地，到處有家。（我們建築的碉堡就稱它做家）把共匪搞得暈頭轉向。常常竄進他們的陣勢裏去，被打得七零八落。

像我，打游擊十一年，大約跟共匪大大小小打了將近五十次的仗。戰果最輝煌的一次，我和三個伙伴，守着一座碉堡，共匪有兩百人分幾次來進攻。我關照伙伴：

——死守！

我們沉住氣，堅持一個原則：子彈打不到的不打！不發現目標不打！

共匪像趕羊一樣的「人海戰術」，遇到我們三十公尺以內開槍的戰術，算他倒霉！一個子彈消滅他一個，眞準！

敵人戰鬥到黃昏時分，退却！

眞是奇蹟，我們四個人，皮也沒有擦破一些兒。你說，共匪經得起打嗎？

我們四個人擁抱在一起大笑，笑痛了肚皮。

我想：你會問我怎麼跑到雲南邊境上打游擊？

——一句話，共匪逼的！

比方：像我，在雲南昌寧就有一個美滿的家庭。我的父親，母親，和兩個哥哥，都是勤勤懇懇的種田，生活過得很安樂，每年存下一點錢。我呢，做販生意，賣布疋、洋貨、磁器，……每年也存下不少錢。至少，我們一家人，靠自己的勞動，生活過得極痛快。

共產黨來了，我家的田產、房屋、稻子被沒收了，雙親和兩個哥哥被鬥爭死了！我是化裝逃出來的，保全了性命！不然，早隨他們到「陰間」去了。我活着，你說，我怎能不和共產黨拚命到底！共匪欠下我一大筆血債，血債是要用他們的血來償還的！

我只好打游擊！

打游擊，一切全靠自己一雙手：住的房屋，是自己砍來的樹木和竹子蓋的。吃的糧食，是自己開闢原始森林耕種的。穿的衣裳，把多餘的食物和擺夷、卡瓦、卜滿……與他們換來的，或是用「半開」錢買的。行，靠自己一雙行走如飛的脚，翻山越嶺。

吃的蔬菜呢，野生的芹菜、水菜、冬瓜、象尾菜、芭蕉心……採摘回來用油鹽煎煎炒炒，很可口的。也許你不相信，眞的，我不撒謊。

當然，我們也養雞、養、做葷菜吃；這不夠的。我們也到溪澗裏捉鯉魚、鬪魚、帶魚。……還有，當我們巡邏的時候，看到野猪野牛，打死它們一兩條，抬回碉堡，夠吃一兩天。我補充說一句：我們每個人隨身携帶的「寶貝」：……一支槍，一把刀，五天糧食，打火機，一條軍毯，還裝了鹽和辣椒。我們就這樣的在崇山峻嶺之間打游擊。（一）

愛情的代價

荻楓

「楓！」

我定一定神，她父親的面孔在腦海上熄滅了；我才發覺她委屈地望着我，停在街上。

「秋嫻，」一種突如其來的衝動，我不顧一切地說：「以後你不要再管我了。」

「你說什麼？」她驚愕不勝。

我沒有說話，伸手截了一部馳過的街車。我的腦海很亂，然而我決定了。

「你先回去吧。」

「你從來都沒有這樣催我回去的。」她情急地說，不知如何是好。

「但你回去之後我有一段冷靜的時間，屬於我自己的時間。」我極力使我的聲調冷酷，但我知道；我不能。我垂下頭，不敢接觸她的目光，一面伸手爲她拉開車門。

街車開動了。在電光石火的一瞬間，我看見她用手掩着面孔。

「秋嫻，秋嫻，」我在心裏呼喚：「原諒我。」

一陣風吹來，毛雨紛飛着。街上濛濛的，我望着街車在盡頭處消失。

一陣空虛，我感到有一種無形的冷漠，直向我罩來。想起過往共同相處的日子，我不禁想哭！

二

一個月了，我躲在這偏僻的市郊，逃避秋嫻，也逃避一切朋友。我不願意在俗人之前把自己解剖。有誰？能夠懂得呢？我的快樂在於秋嫻，雖則我忍受的是痛苦

這些日子，我都是在記憶之中生活的。她的影子，她的一顰一笑，都重重地壓在我的心上。每重溫一句對話都令我感慨系之。

「楓，我願意犧牲！」秋嫻這一句話使我對我們的愛情有了更透辟的理解。犧牲誠然是痛苦的，但我的快樂在於秋嫻，於是我有最大的勇氣來忍受。（四）

女囚

白楊

我到監獄去看文惠，沒有想到，王蓮小姐也在那兒。並且和文惠同一個女囚房。她見到我有點驚訝，以爲我是受什麼人之託去看她的。文惠走出來向我打招呼，她才放下心來。看她的樣子並沒有多大的改變，穿着囚犯的衣裳，顯出有另一種美。頭髮用橡皮筋紮在腦袋後面；圓圓的臉蛋仍然是紅紅的、胖胖的。

我把帶給文惠的兩盒點心分贈一盒給她。帶着笑容說了一聲謝謝。她跟過去一樣，對什麼都不在乎，也無所謂。有說有笑的。我沒有問她什麼，也沒有跟她談及她的丈夫與孩子的事。因爲她的事報上都登過。

「眞冤枉死了。」她對我說：「法律對我們女人就是不公平。」說完斜着眼睛瞟了文惠一眼。

我點頭笑笑。

「本來想上訴的。」她又說：「一想還是算了。人一到攀狗都會欺侮你。」

「妳也想想生活的環境。」文惠在一邊向她打趣的說。

她眉毛向上一彎出，眼睛又斜了過來。

「最可恨的是報上那些鬼話，」她眉頭皺了起來：「我不知道什麼地方得罪他們了。」

我沒有點頭，只是淡淡地笑笑。報紙上的確登過不少她的新聞。發她許多難聽的話。拋棄丈夫孩子，又騙婚捲逃。結果被騙的男人控告了她，她吃上了官司。

我認識她的丈夫，曾在一個機關同好幾年的事。他們結婚的時候，我還去幫過忙。丈夫是個老實人，待人也相當的誠懇熱情。據我所知，辛辛苦苦的積存了好幾年的錢，才討了她這麼一個老婆。可是結婚不到半年，夫妻兩就鬧意見。別人說丈夫怕她，她就變本加厲。隣居們也說她不對；一個女人不應該這個樣子。

星期假日我也喜歡到他們家裏去玩玩。她丈夫始終把我當作一個朋友。我和他也很談得來。我每次去，總要聽她幾句牢騷，說什麼生活苦啦，每個月賺的錢不夠開支啦。丈夫聽她說這些話，就拉我出去散步。他把什麼事情都放在心裏頭。

他們第一個孩子出生不久，聽說兩人的感情已鬧得很僵。她常常單獨出去，夜晚不回來。孩子在家裏哭哭泣泣的；害得丈夫有苦不好意思向別人說。希望我也去勸過她，看在孩子份上。沒有料到，她竟然向我說，嫁錯了人，並且她說話的意思，要我少管他們的閒事。所以我以後也很少去他們家。沒有多久，報紙上就登出了她的新聞。

「妳應該上訴的。」文惠突然這樣諷刺的說。

她搖搖頭，了一下肩頭。

「完全是那個王八蛋想害我。」她憤憤地說。

她所拾的那個王八蛋可能就是那個被她騙婚的男人。我有點不高興，她這樣說完全想隱瞞自己的罪惡。

「好人與壞人將來都會得到報答。」我嘲弄的說。

她的面頰即時紅了。

文惠並不知道她的底細，對我所說的話是何含意，她沒有聽出來。她困惑的望着我。

我對文惠說找個別地方談一件事情。「不是談愛情吧！」她斜着眼睛說。「我們常常談的。」

我挪揄着她，將她的事情全般的告訴文惠，文惠有點不相信。「她對我說是因爲一筆錢被人家害的。」

「眞不害臊。」我說：「又是把丈夫孩子害慘了。」

「她丈夫前天還帶着孩子來看她的。」

「有這末回事？」

「孩子太小了，丈夫可憐兮兮的。」

「她對他怎麼樣？」

「愛理不理的。」文惠說：「她對我說，碰到這種男人沒有辦法，說什麼命中注定的。」

我和文惠正在談話的時候，她丈夫抱住孩子來找我。

「老陳。」我訝異的。

「王蓮說你在這兒。」他面部沒有表情的說。

「你剛來。」[illegible]

[illegible]我把他的話又告訴文惠，文惠點點頭說：

「我去爲你試試。」

老陳帶着感激的神色望着文惠。

這時候王蓮也走了來。[illegible]她氣勢洶洶的給我說：「算我瞎了眼，以後不要來找我。」

我和文惠莫明其妙的站在一邊。老陳哭傷着臉：「妳——」王蓮抱住孩子就走了，頭也不回。

瘟君續夢

第二回：狼狽自爭雄，活佛有幸　人天齊示警，浩劫將成

修水利最初是就原有河道濬深加寬，但這種工程究竟有限，修水利不過是藉口，中共本意是要老百姓勞動，道修完之後，就到處亂挖。毛澤東又異想天開命令治淮，用他的那種「毛體字」寫了「一定要把淮河治好」。又在蚌埠設立「淮河工程總局」。治淮的辦法是大修水庫及攔河壩，從淮河發源的桐柏山起，遇到山谷就修水庫，河流轉角就修攔河壩，把原來入淮的小河道都堵塞了，整個中原水道系統大亂。

淮河算是示範區，以後其他地區的河流，全是按照這個辦法來。一九五五年中共以爲淮河治好了，又動手修黃河，仍是採用截流辦法，從上游三門峽起，築壩攔河，把黃河截斷，下游黃河沒有來源，水位日低，清澈見底，中共山東幹部就向北平報喜，說是黃河清了。毛澤東得到消息，大爲開心，就把林伯渠找來，將山東省的喜報拿給他看。

活曹操看了也十分高興，連連拱手說道：「恭喜，恭喜，實在是吉兆，史書常說聖人出，黃河清，今天應在主席身上，主席眞聖人也。」

剛說到這裏，不防藍蘋從外面回來，一腳踏進廳門，只聽到最後一句話。當時緊走兩步過去抓住活曹操的鬍子笑嘻嘻說道：「林老，你要恭維潤之，說他是眞命天子都好，千萬不要說他是聖人，就憑他那種德性，孔夫子恐怕眞不肯要他作伴呢？」

活曹操被她抓的有點痛，又不好意思去拿開藍蘋的手，到是毛澤東看到不過意，笑着說道：「你趕快鬆手，小心把林老的鬍子拉掉了，王小姐來找你算賬。」

藍蘋放下手，活曹操整好拉亂的鬍子，正色說道：「江青同志，你誤會了，我說的聖人就是眞命天子，這是最早的聖人解釋，堯舜禹湯文武都是聖人，及至孔夫子出世，因爲他的德行太高，普通名詞不夠尊崇他的，後來讀書人就借用對帝王的尊稱，稱孔子爲聖人，那知這一來反而喧賓奪主了，現在人都覺得聖人是專稱孔夫子的，其實錯了。」

藍蘋笑道：「林老，你同我掉書袋是多餘的，我也不懂，管你們聖人也好，眞命天子也好，我還有事，不陪了。」

藍蘋說過向活曹操擺擺手，翩若驚鴻進去了。

中共這一套治水法，首先是打亂了灌溉系統，其次是阻塞了河道的流通，黃河清了不久，變成了黃河乾，下游幾百里路涉足可渡，於是先出現了旱象。不久，汛期一到，上游水位驟漲，水庫滿溢，攔河壩紛紛被沖垮，於是上游化的河水，加上水庫的藏水，一齊排山倒海的灌上來，整個下游全成澤國，中共的水利第一次造成大害。（卅六）

岳騫

陸放翁故居

·漁翁·

山川風物

南宋陸游，字務觀，會稽山陰人，賜進士出身，范成大帥蜀，延爲參議官，以文字交，不拘禮，人譏其放，因以放翁自號焉。

陸之故居，在越州鑑湖亦稱鏡湖，即今之紹興縣。讀題壁詩：「定知千載後，猶以陸名村」，村以姓名，同時又以龜署其堂，在村前，築一樓，本隨遇而安，及時行樂之義，而顏之曰「快閣」。

快閣在城南，面臨鏡湖，右爲越王勾踐臥薪嘗膽之亭山，向亭山南望，崇山峻嶺，茂林修竹，又爲晉代王羲之蘭亭修禊之所在。左有吼山，因宋皇骨殖，避元掘發，蕁移於此，至明初始改爲「宋六陵」，因此，山陰成爲歷史上有名之勝地，而騷人墨客芳踪所至，多在快閣方面，地因人靈，良非虛語。

當放翁家居時，山陰道上，應接不暇，據所寫「做廬詩云：「做廬雖陋甚，鄙性頗所宜，敧傾十許間，草覆實半之，確犖隔柴門，續火出枳籬，縛木爲食牢，附垣作雞塒，黃犢放林莽，蒼鵝戲陂池，傭耕食於我，客主同爨炊，……欲盡恨無人，後世考此詩。」此爲陸老年家居所作，雖形容晚景之苦，而有此快閣，登臨賦詩，亦樂在其中矣。

三十年前，余客餘杭，訪放翁故居，見快閣猶屹然立在山陰道上，給歷代文人之題贈，琳瑯滿目，不可勝記。閣後有碑，刻放翁像，面目生動，令人肅然致敬！今則投荒南天，每憶放翁之所居，並讀「南望王師又一年」之詩句，不禁感慨萬千！

梨園漫談

小大鵬教師素描

·瘦西湖·

如果是眞正戲迷的話，我們當不會忘記聞名大江南北的四塊玉吧！這四塊玉即是李玉芝、候玉蘭、李玉茹、白玉薇，而白玉薇更是其中頂兒尖兒的人物。

白玉薇生長在古都北平，是位名門閨秀，幼年時被家人送往法人所創辦的聖心學校就讀，中學則又考進了北平的美國學校，所以，她不但有優良的英文基礎，而更具有良好藝術修養，這是其他三塊玉不能與她相比的地方，白女士醉心舞台生活之時，是在她高中畢業之後，方投入北平知名的戲曲學校深造，至民國二十四年始學成。畢業於該校玉字科，和李玉芝、候玉蘭、李玉茹同班同科的師姊妹。

白女士當年雖習的是青衣花旦，但實際上却是一位了不起的文武崑亂不擋的全材且角，當時通天教主王瑤卿對她特別寵愛，故曾投了她很多私房戲，因而奠定了她對國劇的造詣，成爲日後輝煌成就之基礎，她能名滿天下，實非偶然也。

白女士在北平戲曲學校畢業後，即組班演出於北平、天津、漢口、上海、南京等各大都市。

白女士愛好文藝，尤喜撰文投稿，文筆清麗脫俗，菊壇中能舞墨弄筆者，多係老伶工之輩，惟年青而能對文學具有修養者，坤伶中當推白玉薇爲首，故而，白女士乃有「文藝坤伶」之譽耳。

白女士來台後，隨夫息影花蓮港，她有一個很美滿的家庭，平時深居簡出，閒暇時偶然也吊吊嗓，練練功夫，現在已有子女四人，結婚十六年來，幾使她在梨園界下嫁之坤伶，當算她最有幸福，她與舞台絕緣，惟年來社會各界對振興國劇之聲，呼籲甚力，加之政府提倡，社會鼓勵，遂有大鵬、復興科班之產生，女士雖倦勤舞台之生涯已久，而時下幼苗之培植，實亦不忍袖手旁觀，復經大鵬當局向其一再情商，始允爲之執教，不然很多老戲如「雁門關」，「兒女英雄傳」等，將要失傳了。

筆者寫到這裏，忽想起當年白女士在上海天蟾舞台之時，其所貼之戲碼，即今日所轟動國內的「兒女英雄傳」，與她搭配的伶人，均屬一時之選，當年上海各大戲院都流行電話訂座，或派人持票送到府上，然白貼此戲時，不但無法訂座，即排了隊伍去買，亦是困難重重，要不是裏面有熟人的話，想看她的戲還正不容易呢！（四）

讀書

徐學慧

如果有這種時間與精力，讀盡天下之書，則「開卷有益」這句話，是可以成立的。問題都在時間與精力不容許一個人讀盡天下之書，因此，胡亂買書來讀，也就未必有益了。

梁啓超開過一張必讀書目的名單，章太炎也開過類似的書目，雖然也不免有人譏其爲多事，但對於那些不知道如何讀書的人來說，畢竟是有些好處的。我們既不能讀盡古今圖書，則對於書籍之選讀，自然要化些功夫，茫無頭緒的抓住一本來讀，雖未必有害，而浪費時間與精力，却已爲一莫大損失。

有許多書籍，其本身沒有甚麼思想體系。（這類的作者很多，尤其是近代印刷業發達的時候。）書中所論，大半拾他人牙慧，幾類剪輯。其實說剪輯還是太過恭維，說是鈔錄倒還比較接近事實。當然，如果鈔錄其精華，而揚棄其糟粕，則仍不失爲一部好書，可惜，要想成爲一個好的鈔錄也不容易，因爲，坊間所陳列的書籍，在眞正講究讀書的人看來，能夠值得一讀的書，倒也並不太多呢！

「伯樂一過冀北之野，而馬羣遂空，夫冀北馬多於天下，伯樂雖善知馬，安能空其羣耶？解之者曰：吾所謂馬，非無馬也，無良馬也。伯樂販馬，遇其良輒取之，羣無留良馬，苟無良，雖謂無馬，不爲虛語矣。」此爲韓退之借馬以喻人才之語，卽借此以喻書籍，亦頗覺恰當。坊間的書籍雖多，但能夠得上一讀的標準者實在太少，更不必說再讀三讀乃至不厭百回讀了。

我爲此語，並不是不要人家讀書，而只是希望，在選擇書本之前，最好能夠慎重，以便能收事半功倍之效。天下圖書，浩如煙海，沒有系統沒有選擇的胡亂讀書，功倍而事未必半。此固爲時間與精力所不許，亦且無此必要。

以香港的情況來說，假定能將稿費制度稍稍加以改變，或可使那些鈔錄家稍形斂迹。八代詩文專家伍叔儻師曾經對筆者說過幾句精采的話，他說：

「香港的稿費制度，應分現鈔與冥洋兩種。那些專事鈔錄古書者，應以冥洋付之，蓋此一稿費，理宜爲古人所得也。」

語雖近於諧謔，實亦深具至理，伍師蓋巳慨乎言之矣。

台灣，林獻堂

李仲傒

在台灣人心目中，於日據五十年間，對林獻堂，是與丘逢甲、連橫二人等量齊觀的，林獻堂別號灌園與連雅堂是同時人，連生光緒四年，歿於民國廿五年，享年五九歲，林生光緒七年，歿於四十五年，享壽七六歲，連較林長三歲，林較後廿年而亡，林生於台中霧峯鄉，父名文欽，爲台灣兵備道劉璈最得意的門生，中法戰役，文欽募佃兵五百，短衣匹馬。親從劉璈於台南籌防守，器械糧秣，悉取諸家，不費官府一錢，事平以資註詮郎中，分兵部，後加道銜，光緒十九年舉於鄉，樂萊園於霧峯之麓，以養其親，台海改隸後，卽絕意仕進，改途經商，歿於香港。

林獻堂生四歲而法兵攻台，十五歲時，台灣割隸於日，二十七歲第一次游東京得識梁任公先生與之訂交，閱四載辛亥，曾迎任公來台寓萊園五桂樓，作平原十日之遊，任公題萊園詩首：「人物自是徐孺子，山林不數何將軍」句，頗推許其人，是年冬，任公旅日，經濟拮据，林氏慨斥千金充其行囊，巨眼識英雄，在台亡後逸民總算具有眼光者。

林氏在民國廿五年，年已五十四歲，始第一次游上海，在僑委會舉行歡迎會時，他曾說過一句：「我回到祖國非常愉快」，爲了這句話，幾乎闖下一場大禍，忘記了作日本人的立場，指斥他爲非國民，翌年六月某日界日人在台各地舉行估據台灣紀念，台中州知事招待各界東遨林氏參加，日本軍閥嗾使一個姓賣間的流氓，爲「祖國」事件質問林氏，除侮辱謾罵外，亦當衆打了他一記耳光，時爲「七七」事變之前年，日本軍部計劃侵華，正伺機待發，軍人氣燄萬丈，驕橫狂妄不可一世，此時台灣軍自荻洲立兵任參謀長以後，軍部聲勢驟張，視總督如無物，軍部亦爲此事逼令台灣總督開除林氏一切公職（一）

章太炎的幽默

筱臣

一代國學大師，章太炎的一生行誼，世人知道的很多。近來偶在某報上，看見太炎先生的夫人湯國梨女士近作，湯女士今年七十九歲了，其詩題爲「日暖」，原詩如下：

「日上晴窗暖，開軒有好風。鳥啼深樹裏；人在百花中。泥潤思歸燕；雲高盼落鴻。情懷欣自得，莫放酒杯空。」

看了湯國梨女士的詩，心情曠逸，老年人有此心境，殊屬難能可貴。因此，使筆者連想太炎先生的一生幽默趣事，亦屬多朵多姿，拉雜記來，大堪捧腹。

最初是太炎先生留日謀革命的時候，目擊日本人鄙視華人，那種趾高氣揚的態度，令人無法忍受。有一天，警察來調查戶口，囑塡具調查表，太炎先生塡曰：「職業：聖人，出身：私生子，年齡：萬壽無疆。」因爲那時太炎先生有聖人之稱，而日本私生子特多，太炎先生特塡此以資調侃。

其次是張之洞任湖廣總督時會對人說：「曾文正公家書常督責家中婦女，每日要紡棉四兩，我現在設立絲、布、紗、麻四局，也是學曾文公經綸家國之意。」太炎先生於是唐改詩嘲張之洞云：

「漢陽鐵廠鎖煙霞，欲取鸚州作督衙。玉璽不緣歸載澧；布包因是到天涯。而今梁上無君子；終古文昌喚賣茶。地下若逢曾太傅，豈宜重問紡綿紗。」

太炎先生不善詩，此詩富有打油味，詩也極其幽默，但如不加注釋，恐怕很少人知道說的是什麼。現在姑且試予注解於下：

第二句「欲取鸚洲」係指張之洞到任時，意欲把督署移於鸚鵡洲。梁鼎芬對他說：三國時黃祖曾開府於此，大不吉利，之洞才打銷此意。第五句「而今梁上」係指梁鼎芬。太炎先生在張之洞幕府有一時期，鼎芬忌其才，說他是革命黨。之洞送他五百元，教他早日離去，第七八句指張之洞自言「經綸家國」之意」。第六句是指張之洞與一賣茶女的一件浪漫軼聞。

除了這一首諧詩而外，又洪憲帝制議起，袁世凱調黎元洪入京，幽禁於瀛台，太炎先生亦入京，袁禁其出入，太炎先生亦改唐詩譏之云：

其一

袁四猶疑畏簡書，芝泉長爲護儲胥。徒令上將揮神腿；終見降王走火車。鐃夏有才原不忝；蔣張無命欲何如？至今偷過劉家廟，汽笛一聲恨有餘。

其二

蓬萊宮闕對西山，車站車頭京漢間。西望瑤池見太后；南來晦氣滿民關，雲移鷺尾開軍帽，日繞猴頭識聖顏。一臥瀛台經歲暮，幾回請客勸加餐。

這首詩表面上雖譏諷黎元洪，而其實則亦調袁，如第一首第五句是指黎的左右饒漢祥夏壽康兩鄂民政長。第六句即係他的部屬蔣翊武張振武兩將軍。第二首的第三句即係指黎曾調隆裕后。而第二首的第六句，所謂「日繞猴頭識望顏」，猴頭則係指袁世凱，故因此更爲袁所嫉恨。因此嗾使鄂人鄭胡等借主持共和黨名義，迎章入京，遂軟禁之於龍泉寺。

再其次則爲伍廷芳民國十二年逝世，伍博士因隨孫總理受陳炯明之叛變威脅，蒙難於永豐艦，伍因爲國憂勤，心力交瘁，一夜之間，鬚髮盡白，且因之抱病，其時伍博士之子伍朝樞亦隨侍在側。

後來伍朝樞在上海晤及太炎先生，談及伍博士一夜盡白鬢眉，可稱奇跡。章笑說：「此君家祖傳，又何足怪？令先祖伍員過昭關，前例具在。」朝樞大笑，纔說：「家父預立遺囑，說是死後，當用火葬，吾國向無此俗，可說家父實爲首創。」章說：「不然，水滸傳的武大郎，何嘗不是火葬。」期樞爲之嘿然，心中實有點恨他說話太刻薄。及伍博士死，太炎先生心血來潮，立卽爲書輓聯送予期樞。聯云：

「一夜變鬚眉，難得東皋公仗義；片時焚骨殖，不用西門慶花錢。」

這一聯卽取材於伍子胥的過昭關與武大郎火葬兩典故，譏而太虐，伍朝樞收到這一聯後，爲之啼笑皆非。

又鄭汝成爲袁世凱愛將，鎮守上海時，爲民黨刺客所殺，袁撰聯至悼，比之爲周宣之吉甫，光武之岑彭，太炎先生戲爲聯云：

「世無光武，何有岑彭，其曹孟德之典章乎？刺客亦英雄，破壁竟來盜雙戟；時非周宣，怎生吉甫？此趙匡胤之鄭恩耳！君王休痛哭，殺身猶勝斬黃袍。」

妙在盜雙戟斬黃袍皆爲戲名，隨手拈來，逸趣橫生。

略記爭取青年活動

太原生

台北民族晚報連載李少陵氏的「斛廬雜憶」，在「我認識陳獨秀」一節中會云：

「學校放了暑假，我往徐家滙復旦大學拜會老友毛飛、譚常愷，談起陳獨秀先生，他們亦以一見陳先生爲快。當我回來經過霞飛路漁陽里巷口之時，忽然見到一個『外國語補習學校』的招牌，我們前往打聽，知道這個學校專爲貧苦青年而設，不收學費。……當即報名。三、五星期之後，我親自見到陳獨秀、楊明齋、李漢俊、沈雁冰、袁震瀛、俞秀松、陳望道這些先生們，來來去去，或作特別講演，或作個別談話，態度和藹，情緒熱烈，師生之間，氣氛融洽，與衆不同。因爲我是中華職業學校木工科的學生，好像更被他們重視。陳獨秀親自請我到他家裏談話兩次，他的夫人並親自做菜請我吃飯。」

依據李氏所記載的事實，大概在民國八九年間。那時正是新舊思想混戰的時候，求進心切的青年們多渴求思想的解放；有抱負的智識份子也都以能陶融青年爲樂。以原來社會間在倫理方面如長幼、師生；一般觀念如官民，知識階級及其他庶民的距離之大，而從事新文化運動的則打破那種觀念，且「態度和藹，情緒熱烈」的吸引，青年們自被融化在他們的精神中；像中了催眠術而「五體投地」「之死靡他」了。

憶民十以前，不僅是共產黨的籌組人有一套吸引青年的方法與態度，就是國民黨的前輩也不少有滂礴的熱情以吸引青年。筆者那時會見在外求學的青年們於秋季開學前歸來！在杭州的常說「這一次的暑假在衙前三先生（蕭山地方對沈玄廬氏的稱呼）家裏過的，各校同學來的有七、八十人，大家賓至如歸，無拘無束，劉大白先生也常和我們在一起」；在蘇州的又說「這一次我們在同里柳孟晉家（吳江地方人常以此稱柳亞子），接觸到許多像陳去病啦，葉楚傖啦等的文學之士」。

總之，在四十年以前的時候，政治單純，不懂慈善公益事業，多由地方團體和私人來負責，就是對社會進步的原動力的青年們，政治也只有按步就班的辦幾所學校，倒是教會方面，已逐漸有青年會等的組織。於是，像籌組政黨的，或有豪情勝慨的獨特人士，便逐漸控制了青年們的思想，而對他們的趨向具有決定性的作用。

幾十年來搞青年運動的功罪問題，非一篇短文所能析述。在二十世紀的七十年代，各方面負責領導青年的，態度是否和藹；情緒是否熱烈；精神和物質是否不稍吝惜的肯爲青年犧牲？還是理論等於訓話；主管公私刊物編務對投稿青年惟以背景及圈子而定取捨？筆者倒以爲很值得對此而檢討的。

小啓： 海嘯樓談薈續稿未到，暫停一期。

柳宗元論

·謝康·

歷史人物

（773—819 A.D.）

柳州柳刺史，種柳柳江邊，
談笑爲故事，推移成昔年。
垂明當覆地，聳幹會參天；
好作思人樹，慚無惠化傳。

——柳宗元作：種柳戲題。

在唐宋八大家中，柳宗元是我比較上最感覺親切的一位。因爲他貶死柳州，有開化蠻荒之功：留下許多紀念物。而我，生長柳州，雖然後於他一千一百餘年，然而很受他的文學影響，若干年前，曾經早晚瞻仰他底神庵遺像，衣冠塚，羅池，柑香亭，蘇子碑（韓文詞，蘇東坡書）柳侯祠，深深受他感動。瀛海集裏面，我曾經留下好幾首紀念柳文惠侯的詩詞，作爲表示一些敬意！對於他底同情心和欽佩，我承認是超過對韓文公的。

在去年冬末，我在本報發表論韓公的文字，其中頗有微詞褒貶參半的。但是，對於柳侯的遭遇，我心中却充滿了同情憐憫的熱情，此外，我能什麼呢?!我希望這不是我個人的偏見。（一）

內僑警台報字第〇三一號內銷證

自由報
THE FREE NEWS

第一六四期
中華民國僑務委員會頒發
台僑新字第三二三號登記證
中華郵政台字第一二八二號執照
登記為第一類新聞紙類
（本週刊每星期三、六出版）
每份港幣壹角
台灣零售價新台幣貳元
社長：雷嘯岑
督印人：黃行書
社址：香港銅鑼灣高士威道二十號四樓
20 CAUSEWAY RD 3RD FL
HONG KONG
TEL. 771726　電報掛號．7191
承印者：四鳳印刷廠
地址：香港灣仔高士打道二二一號
台灣分社
台北市西寧南路壹壹柒號二樓
電話：三〇三四六
台郵撥儲金戶九二五二

民心士氣與文化教育
——對陽明山文教會談的感言——

張六師

一、

如果照共產黨的宣傳教條——只報喜不報憂的作風，則我們對陽明山會談，應該一律報以「好」字。但在自由、民主原則下，我們對這次文教會談中所發現應以為「不足」之處，也應該坦白直言。

由報紙所載，在整個台北和陽明山的氣氛中，似乎是處於一個輕鬆安定的太平盛世，這就與當年廬山談話會中，大家心情緊張，沉重的氣氛兩樣。當時自然是由於蘆溝橋砲火壓範圍，日益擴大，全國人心也極緊張之故；但比之今日的雙重敵人——俄寇與毛共砲口和火箭隨時可毀滅大家的生命財產，地下組織與特務隨時可以奪去你的生命與自由，情形便更嚴重得多。（昔日還有大後方可退，今日則連美國都比台灣還更不安全了）。

一位海外報人，二十七日在會中會指出：「政府在保持台灣安定方面很成功，但卻造成一種『醉生夢死』和『自私自利的心理』」（中央社二十八日台北電）。由這幾句話的背後，已描出我們「反攻基地」的眞實現象。可是其始因則不自今日，而是由第七艦隊開入台灣海峽起，接着「美援」年年撥來，美軍與外僑的風俗，商業文化，生活方式……也隨之流入，再加上我們自己還有一套過去在京滬重慶時代造成淪陷大陸主因之一的「風氣」，又在台灣復活，所以今日的陽明山會談，便與當年廬山談話會的氣氛，還有所不同。（當然，氣氛還有其他許多不同之處，非本文範圍）

更使我們增加感慨的是參加座談的幾位名報人，對爭取新聞「自由」的情緒激昂，其「情緒」與認眞的程度，比之這次會中反共的情緒，便有差別。就報紙所載事實已如此，報紙未登的如何則不可知，我們不知道幾位先生，事後會互相舉杯握手，更加強「團結」否？在海外共產黨公開蠢罵這次會談的文字，入台報紙會有引用，我想他們應該以會談中的激昂「情緒」，對共黨也來些以牙還牙的激昂同樣吧。

二、

假如我們今日把觀察事理的範圍擴大來看，我們今日大家同處大海孤舟，在驚濤駭浪中，唯一、首先、提前、要重視的事實是「爭取生存。為了爭取生存，唯一、首先、提前要着手的事是如何打倒消除奪取我們生存的敵人。為了打倒，和消除這個敵人，我們臥薪嘗胆，夢寐不忘的事，不是只自求安全，繁榮、提高生活，爭取（西式）自由，民主。……而是應拿我們所獲得的暫時「安定」，繁榮，提高生活，和現在還僅存的自由，民主……來換取永久的整個國家民族（包含外蒙，唐努烏梁），乃至全世界人類（包含鐵幕內）的安定，繁榮，高程度生活，和自由，民主。不如此，不僅我們上述的求生的目的達不到，而這一葉孤舟，必然會被正向我們着着進逼的敵人，席捲而去。敵人不會坐待我們強大，更不會愚蠢地等我們發成力氣去撲滅他們。而他們也並未會一時一刻在只知安定，享受……的。因此，我們今日人人最大的任務是應該戰鬥！拼命！在死中求生，在戰鬥中求強大，在戰鬥中求勝利與進步和安定與繁榮，拼命去換取自己和子孫的永久自由和民主。

我們過去一千一百多萬平方公里的國土，六億以上的同胞，今天只剩四萬八千多平方公里的一個省，和一千一百萬自由人民。（請別以為海外一千四百萬華僑是和台灣省與歐洲人本地土住人一樣，安享着「安定」，「繁榮」，自由，民主，平等生活）。而我們的敵人，則是處心積慮，千方百計，天天部在張牙舞爪，着勢待發，高呼「解放台灣」，「解放西方殖民地」。

如果有人寄望於第七艦隊永久為我們作安全保障，則不僅可憐，而且太天眞。因盡人皆知大戰爆發，第七艦隊任務當然變動，何況，華沙美毛一百多次會議中，美國不是很坦白的提出要求毛幫保證放棄對台用武，美國即可撤退台峽嗎？但結果碰釘的是美國。請問，我們還有什麼自己應走的路？可是要走自己決定的道路，則今天的人心士氣，如果上下全如前述海外某報人所指出的「苟安」，「醉生夢死」，「自私自利」，則中華民族的前途安在？台灣省還能獨免於俄寇毛匪的「血洗」嗎？

三、

過去中國政府與人民曾有三十多年在大陸反共抗俄的經驗和教訓，但最後我們打輸了。過去的時間內，中國對俄寇與共所驅使的漢奸集團，在各方面鬥爭中，雖互有勝負，但截至七七事變為止，都是中國佔上風，敵人在我們手下失敗逃亡了二十四年以上的時間。（從雙方同時由廣州北伐起）。我們曾經使俄寇在我們的壓力下屢次聲明「對外蒙領土主權的尊重」，「認為共產主義不適於中國」，和撤退出新疆與北滿中東路……。

在對日戰爭八年後，經美國的壓力，我們和八年乘機坐大，再度叛變的外國在華東赤色武裝集團，居然和談協商，共組聯合政府，大開門戶，放任赤色細菌，滲透，分化，顛覆而至不可收拾。到了今天，又過十二年，我們政府與民間還沒有把過去勝敗得失的經驗與教訓，從新作澈頭澈尾的虛心檢討；透過文教機構，使枕戈待旦之士，有所警惕，安定繁榮的羣衆居安思危。也不會對民間和海外表現出有效率，有收獲的提高士氣，瓦解敵人的戰果。海外[illegible]關於別國範圍，但至少亦應比毛共集團有表現，而國內如何，則令人不勝其杞憂了。

過去從未見過我們政府對江西，陝北，新疆三處會經俄毛暴力蹂躪洗劫，而又收復匪地區，會作了什麼精密的得失檢討，透過文教關係，使國人有所警覺使軍政人員有所防範。到今天我們還是不知道台灣復興基地，有什麼該使我們海外華人，在反共抗俄陣綫上值得學習取法的大衆化知識，作法，和生活風範。這是不應向政府學習，而是該向民間取法的。而民間的人心，士氣與生活風範，（包含每一個人——尤其是青年。）他們的反共抗俄知識和見解與生活修養，在他們所到之處，是應該發生示範作用的。（這和軍事機密與對共鬥爭技術的秘密無關）。

四、

西方政府過去會極力反對政治進入學校，但他們對每一個小孩，却要他知道上帝與魔鬼的分別。近來美國朝野鑒於俄共用思想麻醉，製造鐵幕，由兒童至少年到老年對自由世界的仇恨與戰爭思想，已有人正式提出在學校實施反共教材和學設「自由學校」的建議。

根據這次教育部黃季陸先生的文教報告，我們仍看不出其中與過去在大陸時代有何不同之特點。最可慮的是我們人力和人才比共黨內數量少到不成比例的現勢下，但今日居然有百萬以上青年，既「不具備就業能力」，還不免「游離閒散」「滋生社會問題」。這是多可怕的大陸撤退現象？

寫到此處，想起近代先賢蔣百里先生的名言，他說：「我於民族之興衰，自世界有史以來迄今，發現一根本原則曰：生活條件與戰鬥條件一致則強，相離則弱，相反則亡」。

我們今日處危急存亡之秋，既已饒倖獲得安定，可以休養生息，培植戰力，雪恥復國，而作為從事此項根本大計的下手之處，便是「文化」「教育」可是一頓風尚的造成，對外士氣的激發，人才的培養，如果，離當前的現實生存需要，而在戰爭中竟忘記自己今日的「一息尚存」，是賴僅存有的戰鬥實力，而不把一千一百萬的全民生活條件，使之與戰鬥條件一致，將如何應付敵人全民皆兵的軍國主義政策？

自由談

國際小丑

世界上任何馬戲團，都有小丑一角。丑角之為用，旨在「調節空氣」，或因下場節目安排未及，乃不得不借重於丑角出場，藉以拖延時間。實案的丑角，寓諷刺於高一點的，可惜這種人才並不多見，習見者皆滑稽突梯之輩，以低級趣味的動作，搏觀衆一笑而已。但這畢竟無傷大雅，因為這是馬戲團。

今日的國際舞台簡直是馬戲班表演場所，雖然也有人還麼說，但總不免是一句諷刺之辭，想不到竟乃自甘有些國際政客，竟乃自甘為小丑，而每到世變紛紜之際，這些小丑們便挺身而出，，着意表演那些低級趣味，這就有點匪夷所忌了。

把印度尼赫魯當作國際舞台上的小丑，大概是不太冤枉吧！這幾日來，尼赫魯在南斯拉夫首都參加所謂「中立國高峯會議」，事後又匆匆飛抵莫斯科，據說是要拉攏甘迺廸與赫魯曉夫會談。他到底拉不拉得攏，那是另一回事，但尼赫魯這個丑角，在這十年中專門幹此種拉攏生涯，卻是事實。就國際政治來說，此種行徑，眞是十足的小丑行為，但尼赫魯自樂此不疲，沾沾自喜，若有得色焉。

馬戲團的小丑，演得好不好，無關宏旨。演得好，觀衆報以一笑；演得不好，觀衆也不過是倒胃口而已。但一講到國際舞台，可就大大不同了。嚴格的說，國際舞台上是不容許有小丑的，思想不同的對立，自由與極權的對立，民主與獨裁的對立，這些還是何等嚴重的事。這些國際小丑，究竟是甚麼立場？若尼赫魯輩，穿插在美國與蘇俄之間，插科打諢，盡量表演滑稽，是其人，果贊同自由與民主乎？抑贊成極權與獨裁乎？如謂二者都不贊同，而即名曰中立，則此種中立，究有何用？

藉中立之名，行小丑之實，左手要盧布，右手拿美元，其情雖可憫，而其心則可誅。小丑大行其道，國際間事不足問矣。

盧家雪

漫画天下　南施

軟硬之間

麥美倫：「戴高樂的鼻子可不是太硬了麼？」

中者不中

西柏林市民：「你們怎不瞧向這兒來？」

一致為自己謀福利

縣市議員力爭待遇

（台北航訊）台灣省縣市議會議員，要求增加待遇，即將成為事實，眼見這些為選民控制荷包的人，他們自己將要親自伸手來撿選民的荷包了。

議員要求加價，是在兩個多月以前就在展開的「運動」。在上一會計年度快要結束之前，台灣省二十一縣市議會的正副議長，聚集在南投縣開聯誼會，討論的主題就是如何增加縣市議員的福利，要求增加待遇更是主要的目的所在。在會議上，大家定出一個行情，各個議會分別去向自己的縣市政府交涉。大家決議採取一致行動，有福同享，不達目的，誓不休止。要用縣市政府提出來的新預算作為武器，如果縣市政府不同意增加議員的待遇，就不通過它的預算，以為抵制。全省縣市在南投的這一集會，因此被輿論界譏為「同業公會」。

」，全省縣市議會聯誼會在南投集會之後，他們還發表了許多應加價的理由，他們指出國大代表也是民選的代表，六年才開一次會，平時再不開會的時候，每月還要坐領數千元的乾薪，而縣市議員，辛辛苦苦的開會，每個月卻有幾百塊錢，實在太可憐了。立監委員雖然說常在開會，待遇也是高過縣市議員十幾倍。就是省議員，每月也有幾千元的收入，縣市議員是基層的民意代表，却受到虐待，因此，他們認為非加價不可。

縣市議員要求加價的事，一經轟傳開來，便引起了朝野的注視。台灣籍的內政部長連震東氏公開發表談話，說是民意代表是無給職，縣市議員要求增加待遇，是於法無據的。內政部是主管全國選政的機關，內政部長的說話，當然有他的根據，因此，連震東的話，就等於代表了政府的態度，正面駁斥了縣市議員的要求。連震東的話只是說縣市議員不該拿待遇，對於同屬民意代表的國大代表却不敢及一詞，因此，縣市議員說：連震東欺侮弱小民族！

台北市議會議員首先向市政府交涉，希望市政府成立一個「市政研究委員會」，聘請全體議員為研究委員，每人每月三百元的研究費，作為議員們的加薪。市長原來是人民的「僕人」，人民是市長的「主人」，而「市政府研究委員會」的委員卻又是市長的「下屬」。台北市的議員們，堂堂的「主人」不做，却要去做「僕人」的「下屬」，實身的代價，只是區區的三百元。將來在議會中，這些身為「下屬」的議員，不知如何去質詢他的「上司」！

台北市議員的這一要求，並未得到市政府的同意，因為這不是市政府的權力所能解決的問題，它要請示省府之後才能辦理。這樣一來，不免惹惱了市議員，於是對於市政府提出議會審議的新預案，多方挑剔，在舊預算終止的那一會期中，不予審議，拖了下來，害得七月份開始的新會計年度中，市政府無錢使用。後來，還是說好說壞，暗地講好了條件，才在會計年度已經開始之後的會期中，通過了新預算。同時，「市辦私中」案在市議會遭到杯葛，也是由於議員增加待遇的事沒有談好所致。至於其他各縣市，也都有類似對縣市政府為難的情形，這原是一致的協同戰術。

各縣市議會議員，為了要求提高自己待遇的問題，最近鬧得更為熱烈，這種熱烈的情形，已經受到省府和有關方面的注意，但由於各縣市財政困難，其增加的幅度，將可能為現行待遇百分之五十。省府對此一問題之加以考慮，據說是得力于國民黨省黨部方面；其經過的情形，大致是這樣的：

各縣市議員為他們出席費問題，紛紛向市政府要求，縣市政府乃將此一問題，向省府請示，開始，省府方面對此反應冷淡，後來有關方面加以促成，因為為了這個問題，曾經開了三次會議，現在雖然還沒有具體結論，但據關係人士說：依目前趨勢看來，增加已成定論，但以甚麼名義增加，增加多少？這些問題，都值得考慮，因此，議而未決。

關於以甚麼名義增加，縣市議員方面的要求，是發給研究費。可是有關法令裏，並沒有這個名稱，因此，還有些枝節問題，待進一步的研究。

至於增加的幅度，縣市議員目前是支領出席費，每天每人為六十五元，一年之中依規定是大會五十一天，臨時大會二十一天，共計七十二天，全年所得為四千六百八十元，每月平均只得三百多元。但依目前的財政情形看，將來增加不會超過其全年所得的百分之五十。

如果縣市議員待遇增加，鄉鎮民代表是否急起直追呢？這問題，值得考慮。據統計：本省現有縣市議員為九百二十九人，而鄉鎮民代表則為五千二百一十三人，如果他們也要求增加，這筆經費確實相當可觀。因此有關單位，為此也傷了一番腦筋。

據可靠人士說：增加是不可避免了，而且還要自本年七月份開始，省府一俟商定後，即准各縣市政府辦理追加預算。

台北市議會不愧為全省縣市議會的老大哥，一切都站在前面領導。關於議員增加待遇的問題，台北實際已開始了行動，市府在工務局的預算內，以「市政建設研究委員會」的項目，編列了一筆經費，這筆預算是以六十二位議員為目標，每人每月三百元，名義上是車馬費，實際上是加薪。這筆預算已經議會通過，送到省府去核示去了。不久，這些「主人」就可能從他們的「僕人」手中領到這筆錢了。

（五十、九、二）

吳越

陽明山會談側記

野鶴

（本報特訊）八月廿七日開始分組會談各項問題，共分為四組，而以討論新聞事業之第三組，與討論反共救國方案之第四組最為熱烈。香港「談士」張國興在廿八日分組會談時，依然發揮他認為台灣新聞自由太多太濫，主張加強管制壟斷的論調，引起台灣新聞界「談士」王惕吾（聯合報社長），余夢燕（英文中國郵報社長），李玉階（自立晚報董事長）等人的反擊，而任卓宣（政治評論發行人）則支持張氏的意見，一時爭着發言，火藥氣味濃烈，主席卜少夫未按民權初步處理，不能維持會場秩序，很像中學生開會大吵大鬧的情況。另一香港「談士」黃天石以和事佬姿態，搶先說話，李玉階指摘主席不照報名發言次序辦理，大聲抗議，同時因為黃天石替張國興解圍，說張氏國語講不好，常常囉裏囉嗦地夾些英文字句，致滋誤會，而英文中國郵報的余夢燕即繼起發言，調「我們是辦囉裏囉嗦的英文報」以譏諷黃氏的說法，場面紊亂極了，只好宣告休息十分鐘再談。經過休息時間後，因是日下午必須向大會提出分組會談的結論，主席哀求各位好說話的人「幫幫忙」，這才終止吵嘴式的爭辯，把各項意見歸納，草草作出綜合性的結論。第四組會談的問題很大，也很單純，大家在原則上都是一致的，沒有甚末爭執，香港「談士」熊式一發言時，不斷地說「我的朋友邱吉爾」，「我的老友艾德里」，「麥美倫亦相識」等語，弄得大家哄堂大笑，情緒輕鬆，而來自美國的「談士」陳和銑，則繼起演說國際形勢，歷一小時之久，他的高論尚未完結，座上的聽衆只剩下三五位了。這一小組做了一件為全體「談士」所共鳴的事，即周鯨文氏建議發表一種聲明，促請政府早日反攻大陸，旋經綜合會談採納了。這算是陽明山第二次會談的重要成果。其餘第一二兩組是討論教育文化事業，集海內外若干專家學者，詢謀僉同，作出了不少的建議，尤稱洋洋大觀。

八月卅一日舉行全體會談，由行政院長陳先生作結論，然後由吳經熊博士代表全體談士致詞，吳氏除申述此次會談的意義與成就外，特別指出台灣的人情味十足，光是宴會一項，每天即應接不暇，疲於奔命，他告訴大家：如果在海外感到生活困難，可以回到台灣來，一定不會餓死的！是夕，蔣總統在陽明山會談場所，設宴招待全體談士，連第一次會談的人士亦同時邀約來了。蔣總統即席講話，闡述教育文化對反共救國工作之重要性，而特別強調小學教育的關係更大，他指出當前教育工作的中心點，是在恢張中國傳統文化的倫理觀念，才足以跟共產主義者從事思想鬥爭。他的態度很親切，心情亦顯示着愉悅，他對於每天會談的情況亦很清楚，每位談士說過某些話，主張如何，皆洞悉無遺。如台北聯合報社長王惕吾在大會和小組會談中，為着新聞自由與自律問題，發言最多，蔣總統在是日下午五時接見台灣新聞界談士時，即笑謂王氏：「你講了許多話，提出若干意見，很好很好。」

總之，這次會談的經過情形，可謂熱烈而認真，建議亦不少，無論如何總是表現着國家一種新的動態，對團結海內外力量，至少奠立了良好的基礎，這是無可否認的。如果第三次的黨派會談，能像二次會談的情形，那就更可欣喜了。

從九月一號起，海外的談士即忙於應酬，各方約宴的請帖如雪片飛來，甚至同時有五六處宴會的，論關係，皆非去不可，因而大感「狼狽周章」，肚子塞到膨脹，兩腿亦走酸了。唯有二號中午蔣經國先生在「榮民醫院」的宴會比較輕鬆而單純，他邀約的盡是些香港來的談士，毫無拘束，彼此有說有笑。他對着來賓講了一段應酬故事，說是：某日夜間他從外面回到家裏後，年方髫齡的兒子問爸爸幹嗎回來這末遲？告以有應酬，但小孩兒不懂「應酬」二字的意義，再三詢問，乃告以凡是不願意去而又不能不去的地方，就叫作應酬。小孩恍然：「我每天也要應酬呀！」他指的是每天還要到學校去讀書這回事。這段故事逗得全體來賓捧腹大笑不已。記者敘述這項雅談，是希望這次陽明山會談不要像小孩兒心目中的「應酬」也。

（三、九月三日於台北）

「小啓」本期稿擠，「渭公河畔的戰鬥」一文暫停一期。

陽明山上漏網新聞

張健生

（台北航訊）陽明山第二次文教會談，從八月二十五日開始，到三十一日已經圓滿結束。此次會談較首次會談有不少的進步。如與會人士的素質，和所談的問題，都是百年樹人的大計及白領階層的知識份子，尤為可貴者卓若自由討論的氣氛，充滿山上山下，不過，此間人士所注意者為第三次政治會談，大家所關心的是政治會談何時舉行？民社黨張君勱、毛以亨；青年黨左舜生、李璜；國民黨潘公展、張發奎；旅美學人謝扶雅及旅港學人黃宇人；暨孔、宋、吳等是否參加三次會談？這些都成為此間人士的家常話。

在陽明山會談籌備處正式公佈邀請海外人士回國者為六十六人，其中有十七人未回國。這些因故未能及時返國會談人士為：香港新亞學院院長錢穆，香港聯合學院院長凌道揚，教授香港崇基學院院長容啟東，何魯之，工商日報社長胡秩五，華僑日報社長岑維休，星系報主持人胡仙，美國三藩市金山時報發行人洪耀宗，美國三藩市世界日報總經理李卓平，美國紐約聯合日報總編輯吳敬敷，泰國京華日報社長林志昂，及美、日、菲教授王爵榮、吳主惠、晏陽初、劉大中、祖炳民等。相反的，未公開公佈邀請而反國與會者却有五六人，這也是唯一的特色。未返國與會人士可能因個人的事業或因其他事故，所以無法抽空與會。

此次與會人士以廣東籍為最多，而地主籍的本省人士只有台大教授彭明敏、潘貫、高天成與成功大學教授賴再得及國語日報社長洪炎秋等數人，而另一位聞名國際的省籍在野人士李萬居，沒有邀請，據說，不是政府不請他，而是他現在因病在台灣療養院醫治，為了他的健康關係，所以這次未邀請而另行安排。也有人說，李萬居為本省人，在地方上有基礎，無論對外號召或影響國際間觀瞻亦有莫大的稗益。假如政府旨在團結全國人士一至反共復國而不邀請地方有力人士，這是一大損失。

有一位在野黨人士，在二次會談前，曾向有關方面推薦黃欣周、蔡水勝、沈雲龍、劉鵬九、辛植柏、邵培之、胡自翔等數人，結果一個個都名落孫山而榜上無名，該在野黨另一重要人士李不韙等十五位立監委，所推薦的胡國偉等，卻被邀請了。故有人說，政治是現實的、無情的。

編者·作者·讀者

汶津先生：請續賜稿

吳越，張健生，周燕三位先生：承為本報撰寫通訊，曷勝感謝，惟以所寫稿件，係取材自台灣報章，故有時不僅內容大同小異，即標題亦有相同者。且郵遞時間，亦幾乎相同，是以顧此失彼，有負作者寄稿之美意。茲與諸君約定數事：

（一）本報社長雷嘯岑先生，刻尚在台灣，請即與雷社長一晤，俾便解決此一問題。

（二）凡台灣重大社會新聞，各通訊社均有稿件，當日發出，本報為三日刊，且以航機關係，提早一日付印，致諸君稿件寄來，多未能趕及排印，一拖達一週之久，未免成明日黃花，請諸位先生特別留意漏網新聞，或獨家新聞。

（三）大新聞固然重要，但饒有趣味之小新聞，亦為讀者所樂聞。例如蔣夢麟老先生之結婚，是最好的社會新聞，此中頗多趣事，惟諸位先生迄未一寄此等新聞，是或為諸位先生未曾留意此等新聞之故。姑舉一例，可概其餘。

愛情的代價

荻楓

我準備離開香港，這是我的理智告訴我所僅能做到的。一位住在南洋的朋友替我辦妥了當地的入口手續，於是我到輪船公司去訂船票。歸途，我順帶買了一份報紙。

我把報上的大小新聞都讀完之後，無意中看到一段紅色的廣告：

我倆情投意合，並得雙方家長同意，謹訂於公元一九××年×月×日假尖沙咀玫瑰堂舉行結婚典禮。謹此敬告諸親友

王撒光　李秋嫻　啓

天哪！這竟然是秋嫻的結婚啓事。事情變化的迅速遠超於想像。這眞是太巧合，我一個月沒有看報紙，但一看便看到這重要新聞。

秋嫻結婚了，這應該是我所希望的事情；但却偏偏發生於我情感尙未平復的時候。我眞的不知道是悲是喜？我無法分析，我也不能分析。

我忽然想：假如這個李秋嫻是另有其人，同名同姓的呢？我忽地血脈僨張，呼吸緊促起來。我也不明白，爲什麼會有這樣的想法？

我必須知道這件事的眞相！

回到家裏，我沉沉迷迷的全身癱瘓在床上。忽然看見秋嫻走進來，我狂喜：

「秋嫻！」

「楓！」她幽怨地立住了。

「秋嫻，你眞的要結婚？」

「你還問我？我天天盼望你，但你……」

「秋嫻，原諒我。」我伸開兩手擁抱她。

「不！」她退後一步，突然扭身就跑；我連忙追出門去。轉眼間，我們都置身在茫茫的原野上。

「秋嫻，秋嫻！」我翻身而起：啊，哪有什麼原野？只有桌上的十五支燭光燈泡在發着黃。我發覺自己在流淚；我太軟弱了。

雖然明知道是夢，但我還是恨它太短！

秋嫻，秋嫻結婚了，我眞的不知道是悲是喜？（五）

八仙簡介

漁翁

道家以辟穀修養，能長生不老者，曰「仙」，凡非尋常所及者，亦皆謂之仙。宋之問文：「髣彿入神仙之境」。白居易詩：「忽聞海上有仙山，山在虛無縹渺間。」得道者，多在景物幽靜，塵氣不擾，非常人可到之地。

我國民間相傳張果老、呂洞賓、韓湘子、李鐵拐、何仙姑、藍采和、鍾離權、曹國舅，八人爲八仙。但神仙通鑑等書，皆不載，惟元劇本有八仙慶壽曲，蓋其名始於元代也。

八仙以張果老爲首，張自稱堯帝時人，隱於西華嶽，東太行間之「中條山」，一辟穀養松，與鶴鹿爲友，與天同壽。唐武則天爲女皇時，曾遣使赴中條召之，張詐死，今果老巖上有唐碑誌其事。唐開元中，遣使迎之至京，宮中賜宴時，玉貞公主自屏後窺之曰：「此仙既生於堯時，胡爲若此少年英俊？」帝曰：「張乃神仙，或老或少，以神仙善變耳。」公主欲嬪之，此仙拒而還山，不知所終。

呂洞賓，京兆人，原姓李名瓊，字伯玉，爲唐之宗室，妻金氏，生四子，咸通中及第，兩調縣令，民咸德之。値黃巢亂，夫妻棄家亡命於終南山巖洞中，時惟兩口，遂改姓「呂」，易其名曰「巖」，一作嵒，取郤巽夫妻相敬如賓之義，故字之曰「洞賓」，其後妻亡而身孤，純屬陽性，復別號「純陽子」，晚年，易黃冠服，以回道人自署，莫測所往。元遺山唐詩鼓吹中，有呂洞賓詩一首：「別號純陽子，亦稱回道人」，世人尊之爲「呂祖」。

李鐵拐，隋時峽人，名洪水，小字拐兒，又名鐵拐，常行乞於市，後以鐵杖擲空化龍，乘龍而去。又說李本偉丈夫，少時從李耳學道，道成而靈魂脫離肉體。時李耳在華山，召之去，鐵拐臨行對弟子道：「此次去華山，需時七天，我之軀殼，留在此地，倘七日未歸，即爲我埋葬於地下」。鐵拐去後六天，其弟子以母病垂危，追不及待，乃將軀殼先一日埋下。到第七日，鐵拐靈魂歸，找不着軀殼，附一跛丐尸起，故走跛而貌醜惡，下凡時，離不掉一支拐杖。

韓湘子，字清夫，唐韓愈從子，少學道，落魄不羈，愈責之，湘曰：「湘之所學，非叔所知」。愈曰：「有異聞乎？可陳之也。」湘以詩進：「一壺藏世界，三尺斬妖邪，解造逡巡酒，能開頃刻花」。乃取土覆盆，彈指間而花開，花片上有「雲橫秦嶺家何在？雪擁藍關馬不前」之句，愈不解，後愈貶潮州，中途遇雪，湘冒雪而來，詢其地，乃藍關也。愈自詠，取此句於七律中，至今猶膾炙於人口，而湘別叔後，飄飄仙去，不知其蹟。

何仙姑，名瓊，據宋魏泰東軒筆錄：「永州有何氏女，幼遇異人，與桃食之，遂不饑，自是能逆知禍福，鄉人神之，爲構樓以居，世謂之何仙姑」。按永州居湘省之南，即今之零陵縣，城資瀟水，何居河街，夏炎拍之以扇，因此，沿河一帶，計屋數百間，無蚊患，不用帳，傳何一扇之所致。又何修道於祁陽所屬之紫霞峯，遺「白泥池」，傳爲其浣洗處，居民取泥燒瓷，琳瑯可觀，不亞江西景德鎭之出品。

藍采和，唐末人，常於長安市攜藍而歌，後於濠梁酒樓，乘雲鶴仙去。按濠梁，一名濠上，即莊子與惠子遊樂之所。黃庭堅詩：「樂莫樂於濠上」，當地人以藍成仙處，鑄像手提竹籃，飄飄然作騰雲狀，今尙有。

鍾離權，漢咸陽人，生而奇異，美髯俊目，身長八尺，遺棄世事，於縣東四十里正陽洞修煉，即今之河南正陽縣，洞有石碑，上書：「漢鍾離」三字，但不誌其詳。

曹國舅，宋人，據陔餘叢考：曹國舅爲宋曹太后之弟，考宋史慈聖光獻太后弟曹佾年七十二而卒，未聞有成仙之事，此外別無國咸而學仙者，想係傳聞之誤。又按道山清話記：晏殊乃仙人曹八百托生，所謂曹國舅者，恐指曹八百而言也。

在八仙中，雖以張果老爲首，而民間多尊崇於呂祖，純陽香火不絕，到處有祀宇，尤以粵人信仰爲最虔誠云。

盧君續夢

第二回：狼狽自爭雄，活佛有幸　人天齊示警，浩刼將成

雖然出現了災荒，水利幹部不敢把情況報告上去，仍然拼命修堤築壩，中共水利部長傅作義在「人代會」報告，誇口大陸人民所作的土方，可繞地球九匝。那知道就壞在水利作的太多，才造成這麼多的災荒。

光是「水利」已經成了災害之原，接着又發動一場大躍進，算是把天災固定下來了。原來大躍進的口號是「以鋼爲綱」，把煉鋼擺在第一位，共報日日大呼要「鋼鐵元帥升帳」，鄉間幹部奉到的命令是萬事無如煉鋼急。於是城鄉集鎭，只要有井水處，都設有小高爐實行土法煉鋼。煉鋼雖然可以用土法，但是原料却不能自造，非鐵鑛不可。中國鐵鑛本來就少，已開採的又都集結在幾個鑛區，絕大部份地區沒有鐵鑛，只好搜刮民間鐵器，不拘家庭用的鐵鍋，門上的銅環，牆上的鐵釘，完全奪了去煉鋼。原料問題，算是解決了。但是煉鋼要焦炭，除去少數煤礦區之外，焦炭根本無法可想。共幹沒辦法就動腦筋，想竅門，最後想到用木炭代替焦炭，好在中國任何地區，樹木總是有的，於是就大伐樹木燒成木炭，再用炭去煉鋼，木炭火力弱，根本就不能溶鐵，共幹就要老百姓站在爐口用扇煽火，結果煽火累死了成千上萬的人，樹木也被伐光了，不但森林被劃成半地，連果木樹也同樣被伐了煉鋼，廣東的荔枝樹被伐，到了荔枝季節，毛澤東和藍蘋吃不到掛綠荔枝，趕快下令禁伐果樹，已經所餘無幾了。

水利、煉鋼之外，還有一個造成災荒的原因是墾荒，墾荒本是中共的基本政策，不過以前只是在邊區開墾，如新疆、青海、黑龍江等處；強驅投降，被俘國軍或者是被指爲罪犯的知識份子去作苦工。盈千累萬的人由於抵受不了嚴寒氣候及辛勞過度而病死。但是這類墾荒眞是在荒地開墾，雖然死了不少人，對於天氣還沒有影響。到了大躍進開始，內地鄉村共幹也奉令墾荒，內地沒有荒田，就揀墳場、山坡、森林去開墾，結果墾出來的土地未必就能長出莊稼，却失去調節水份的作用，因爲大地上沒有森林也沒有草，落了雨馬上就被太陽吸收回去，而山坡被開墾之後，都變成梯田，落了雨一直排洩下來，連土壤也冲跑了，荒山變成了童山，當莊稼收割之後，假若坐了飛機從中國大陸上空兜一個圈子，就會發現整個大陸已和外蒙古沒有區別，都是漫漫黃沙，毫無生意。當時也有比較懂事的共幹，向上級提意見，再這樣下去，不用二十年內地必然會變成沙漠。但是上級幹部眼見反對大躍進的人都倒了楣，誰還敢多事。有的人更會想到翻我們也沒有二十年了，多留些困難害國民黨也是好的（卅七）

岳騫

談史可法

·蔣明·

明末李自成作亂，崇禎帝倉皇登煤山自縊以殉國，一時壯烈犧牲之臣，指不勝屈，而死守揚州之史可法，爲其中之特出者。二百年後，又有後代史堅如出，暗殺清吏，慷慨成仁，尤爲萃忠烈於一門，垂流芳於萬古矣。

史可法，河北大興縣人，字憲之，號道鄰，家貧而好學，應童子試，見賞於督學左光斗，命就讀於其家，視若己出，不數年，舉於鄉，旋會試而爲進士，由推官右參議，積功擢南京兵部尚書。因李自成入京，以大學士督師江北，駐揚州，時明將吳三桂引清兵入關，平李寇，滿人遂進駐北京而王焉。

迨清兵進攻揚州，清帝之叔多爾袞，致書勸降；史以督死不顧投降，資國却之，多爾袞嘉其志不可奪，用紅衣大炮轟擊，城陷被害，臨危時，留下遺言：「我死當葬梅花嶺上」，揚民求屍首不得，遵遺囑葬袍笏於梅花嶺，嶺在揚州城外；即今之江都縣，因嶺濬河積土而成，迴閣繞以梅花，故名。衣冠塚在其中央，附建專祠，後人稱之爲史閣部。

史後代至德俠時，因游幕於粵，在番禺落籍，數傳堅如出，倜儻不凡，喜與江湖俠士遊，慕荊軻聶政之爲人，炸爾廣總督德壽，被執，從容就義，遺骸由同志收殮，誌其碑曰：「司馬氏。民國成，追贈上將軍，更建紀念碑於故督署公園，胡漢民撰文：稱其「志行之烈，死事之勇，逾超於荊聶之流」。其成仁取義之精神，與乃祖史閣部後先媲美。

山川風物

梨園漫談

「小大鵬」爲空軍當局康樂大隊「國劇訓練班」之別稱，此一名稱之由來有二：

一、四十七年十二月初，該班全體學生赴菲律賓演出時，當地僑胞以其全銜冗長，稱謂不便，乃公開賜以「小大鵬」三字，後經新聞界大事宣揚，致流行海內外迄今。

二、空軍康樂大隊平劇隊，其原名爲大鵬劇團，成立於三十九年五月，至四十二年四月，始編隸於康樂大隊，而後方更名爲平劇隊，然社會一般人士，則仍以「大鵬劇團」稱之，「國劇訓練班」爲「大鵬劇團」所孕育而成長，故被稱爲「小大鵬」於理甚通，且亦順口之至耳。

「小大鵬」自正式成立至今，亦已六年之多，其在作育平劇人才，及發揚平劇藝術方面，均已有適當之成就，故其成立之意義與經過，以及其教學方式之如何，實有公開之必要，以提供研究平劇者之參考。

小大鵬教師素描

·瘦西湖·

平劇不但爲社會各界所需要，亦爲空軍官兵所愛好，尤以燕趙健兒，嗜之尤深，故空軍有史以來，各級部隊與機構之間，均經常有平劇之活動，且多有類似票房之業餘性組織，還台以後，人才不免減損，其活動數量與表演內容，均不能滿足官兵之願望，而調劑身心，激勵士氣之效用，亦因而銳減，空軍當局爲了不願使大好國粹有散失之現象，爲了維護忠孝仁愛之本質，捍衛我戲劇固有歷史文化起見，遂益增發揚平劇之決心也。

雖然，大鵬有發揚國劇之決心，但人員缺乏，不易實施，而願來台之藝人，又爲數極爲微少，不但無以應軍中之需要，亦不能得社會各界之滿足，且藝人年齡日漸老大，若繼起無人，亦將成廣陵絕響，爲此，大鵬遂有正式成立「小大鵬」之決心，以培育下一代之精英，而使我國劇能繁衍綿延傳及千千萬萬後代之子孫。

培育平劇新人之政策既已確立，不久即着手正式推行，於四十一年五月間，首先物色到一位嬌小玲瓏的蘇州籍女童徐露，那時她僅芳齡十歲，由於她天賦聰敏，未及一年就登台獻藝，其公開演出之時，曾瘋狂了整個台北，而全省各地聞訊趕來欣賞者，更不計其數，大鵬見此情形，遂正式定名爲「國劇訓練班」，由空軍康樂大隊長兼任班主任，而以平劇隊隊長副之耳。（一）

著作

是不是香港這個地方眞箇獨鍾天地之靈氣，不然，爲什麼會產生滿坑滿谷的作家？

古人視著作爲絕頂艱難事，故其爲文乃從不敢苟且，意欲藏之名山以傳於其人，是以左思的三都賦成而洛陽爲之紙貴。這樣的著作精神以及一篇著作刊出以後所產生的影響，在今天這個時代，最低限度在香港這個地方，是不可復見了。

古人視著作爲明道，今天則視著作爲牟利，明道與牟利之間，其相去何止千萬里？今人之著作，旣以牟利爲前題，故其取材乃不免流於低級趣味，務以迎合市井俚俗者的興趣爲目的。在這樣的情形之下，好的著作之難於產生，亦自勢所必然。

著作之濫，到了今天這般田地，倘古人而能再生於今日，恐不免要搖頭歎息。在香港，一本五萬字的書，印三千本，大概不過五百元，如印二千本，則三四百元亦足夠應付了，由於印刷條件之方便，幾乎只要稍有資本者，即可按日出書，書出得多，而該書作者之名乃愈顯，久而久之，這種人就成爲「作家」。究竟算不算得是作家呢？

若要牛產奶，必先讓牠喫草，此乃任何人都可以知道的常識。但有若干作家，似乎是不需要吃草而經常可以擠出牛奶來，這就不免有點近於奇怪了。

一個從事著作的人，如果說是一定要愼重到有如唐代詩人一樣，「吟成一個字，撚斷數莖鬚」，這固然不爲我們所贊同，但無論如何，最低限度的愼重是必要的。著作者本身對於讀者負有一種責任，此即萬不能粗製濫造，以圖欺騙讀者於一時。因此，當其從事著作的時侯，首先就得考慮到，此一著作在刊行以後，究竟能在社會產生甚麼影響？有什麼價值？

徒然在白紙上印些黑字，就算是著作了嗎？如果說這些也是著作的話，則廁所上面的題字，也應列入著作之林了。或必以此說爲刻薄，實則今日坊間出版的書籍，大部分不會超過廁所文學的價值。廁所文學，不必有思想體系，亦不必經過剪裁與組織，但畢竟還需要靈感；而坊間若干著作，連靈感都沒有，那就更不用說有什麼剪裁組織的了。（上）

徐學戀

台灣，林獻堂

李仲侯

他受了這次教訓，當然不敢再去大陸，直至民國卅四年日本投降，於八月底飛底上海，翌年八月參加台灣光復致敬團，赴南京參拜中山陵晉謁蔣委員長致敬，並往西安遙祭黃陵，光復後，他曾出任台灣省參議員，彰化銀行董事長，台灣通志館館長，與國楨，俞鴻鈞主台，均聘爲省府顧問，他自民國卅八年九月赴日治病至四十五年逝世於東京，整整七年從未返台，或傳他在日與搞台灣獨立運動之廖文毅有所勾結，其實不確，廖爲鄉人子弟，同居異域，平日偶有過從來往，容或有之，開他並不贊成他們那種搞法，不過他對台灣光復初期政治之不滿，對當時行政長官陳儀尤深惡痛恨，則確屬事實。

陳儀於民國卅五年春任台灣宣佈戒嚴令，捕治台省漢奸數百人，林獻堂亦在黑名單之列，台灣士紳組織台灣光復致敬團赴大陸，陳儀不許林氏參加，經士紳丘念台等幾經折衝，後來雖允許參團而不許任林爲團長以爲組織條件，不許在大陸談政治，不許向廬山謁蔣主席，種種留難，不一而足，當卅六年「二二八」事變前夕，林氏亦曾苦口婆心，勸阻民衆對抗政府，不宜過於燥暴，對軍政當局亦曾婉詞諷諫並臚陳事實應速謀改正各種不良作風，無奈陳氏剛愎自用，對於曲突徙薪之言，全不信採，當事變勃發，全台騷動，林適鄉居，無力阻止，但曾對外省官吏同胞，盡力加以庇護，如防止追索長官公署財政處長嚴家淦，使避匿其家並保護安全返台北，事後，國防部長白崇禧來台宣撫，召林氏徵詢省府改組人事意見，白提及陳儀是否可仍任省主席，林則避而不答，另舉他人以應，可見他對陳儀毫無好感，陳亦從此銜之次骨，後來此事因各方相互嫌忌難釋，是爲林氏旅日養疴七載而不克回台之最大因素。有人說，林氏是愛國份子，也是極力支持政府反共者，不過他支持政府是有條件的，由於他的主張、他的條件，未易爲政府所接納，他只有飄泊異國，老死他鄉了。

閒話蟋蟀

介人

金風送爽，暑氣漸消，時序已進入了新秋，開始送來了唧唧的秋蟲之聲。秋蟲即好勇鬥狠，供人類作賭博工具的蟋蟀，也是秋聲蕭殺中的一種可憐蟲。

蟋蟀是昆虫直翅類，兩頭雄蟀碰頭必然作生死鬥，原因是爲了爭雌蟀。也有一種蟋蟀不好鬥，即使是一頭金頭鐵臂銀牙鋼腿的佳種，遇到一頭弱的同性，也辟易逃避。據說：這種不好鬥的蟀，正像枯陽□復生，不能人道的人類，對雌性無所動心，所以對同性使不願鬥，潛心寡慾；與世無爭，正也許是昆蟲直翅類的自然性。

蟋蟀却相反，雄性身軀小，雌性軀體大，如果不諳奧妙的門外漢，往往便會顛倒雌雄。雄蟀前翅□波液狀，藉以振翅發聲，雌性却是網狀脈，不能發聲，雄蟀振翅發聲是有一種目的，目的便是求偶，恰像蠻荒男女高歌求愛一般。

人類有所謂潑婦，昆蟲雌性直翅類也有所謂潑蟀，這種雌性潑蟀，受姙時期，如果遭遇雄蟀，雄蟀必給牠咬死。據說：這是姙期瘋狂性，但也不是凡是雌蟀都有姙即瘋狂性。作爲一頭好的雌蟀，是不咬蟀公，甚至吃掉蟀公。蟋蟀還有一點奇異之處，凡屬動物，圓毛也好，羽毛也好，爬蟲也好，交尾都是雄上雌下，但蟋蟀却是雌上雄下，那才不可思議。

蟋蟀的色分老色與嫩色，老色隨時可以參加戰鬥行列，嫩色的起碼要飼養二十天，才可以用武，用武前，必須先配以雌蟀，大約入暮後放下去，一夜，越晨起回，[illegible]其淫慾，它愈是感到雌蟀的可貴，愈是肯和同性拼命，雖鬥到筋疲力竭，依然不休，雌性動物的吸引力，鼓勵力，眞偉大。

[illegible]

門蟀這玩意兒，在香港來說，還不及澳門來得更感興趣，原因可能是香港法律不許公開博彩。澳門開埠四百多年，門蟀這玩意始終沒有少替，只是二次世界大戰期間，曾經停止了十幾年。近年來，又已恢復了，而且還隨事增華，組織秋聲社，懸獎徵文，發行特刊。

猶憶前年秋聲社徵文，某君以「蟀獄行」爲題，作了一篇七古，其詩應徵，獲得亞軍，其詩如下：

「鏡湖七月欲徂暑，窗外梧桐凝宿雨。閒坐無聊感晝長，賞心何處神仙府。湖邊高臨酒家樓，早錫嘉名號五洲。艷說此間開蟀獵，何妨乘興作清游。濠江新組秋聲社，意切嚶求同道者。此調年來久不彈，多君重把閒情寫。[illegible]翅爲鎧甲爪爲槍，鬚作盔纓牙作刃。鴻濛界破甫遭逢，舞爪張牙守且攻。羣肘相持肉搏裏，接腰一躍身凌空。凌空下墮仍擬臂，却令不休重作氣。突圍再戰兩雄爭，彼竭我盈強弱異。昂頭振羽繞盤鳴，似報擎旗斬將聲。主人聞捷心花放，獲彩何殊衣錦榮。攜歸榮饌親調理。愛護眞如保赤子，錦標高舉衆凝眸[illegible]

評語是：「叙事抒情，穠不入纖，曲而能達，層次井井，末端尤饒弦外之音，不愧傳誦之作。」

程天放南昌落難記

諸葛文侯

一九二七年即民國十六年初，國民革命軍擊破北洋軍閥孫傳芳主力，攻下江西南昌，九江諸重要地區後，重新組織省政府，任命李烈鈞先生爲省主席，而以現在台灣担任中央考試院副院長的程天放爲省教育廳長，程氏又兼任省黨部委員，他與省黨部要角段錫朋，會華英（女性）等，都是抱有濃厚的反共思想者，但因當時國民黨採取容共政策，表面上國共合作，骨子裏相互對立，段，程等人曾祕密組織「A．B．團」（Anti—Forshavik），即以反布爾希維克爲宗旨的團體，暗裏吸收國民黨中的青年知識份子，頗遭共黨忌恨。是時革命軍第三軍朱培德部駐在南潯路一帶，朱氏以未能攫得江西省主席，抑鬱於懷，但李烈鈞先生是朱氏的恩師（朱係雲南講武堂出身的，李是講武堂提調）兼老長官（民五李氏率滇軍入粵討龍濟光時，朱係團長，得李氏連年提拔，洊至滇軍總領地位。），不便爭奪，乃將第三軍軍部設於九江，避不與李主席見面，而派師長王鈞駐紮南昌兼任衛戍司令，另以共黨教導團長老共朱德，担任南昌市公安局長。他們對於共黨在南昌的釀亂行爲，熟視放縱，毫無所謂，朱培德且隨時潛赴武漢，向當時親共的汪精衛政府表示効忠之意。迨是年春三月間，武漢政府下令免去李協和的省主席職務，任命朱培德承其乏，如是共黨在贛省日益鴟張，而以南昌省城尤甚，工會糾察隊隨便捕殺人，肆無忌憚，形勢險惡已極，國民黨的清共運動亦積極準備發作了。

十六年三月八日，程氏在南昌市街上被一羣暴民捉去，關在工會的一間小屋中，指爲反革命份子，即有一共幹拔手鎗對着他的胸膛，厲聲斥責他爲甚末要革命？主張立刻擊斃示儆。旋有一人呵止道：「我們對反革命份子要明正典刑，俟交人民公審裁判執行可也。」程氏乃倖免於格殺勿論之禍。到三月卅一日，共黨號召市民舉行紀念上海「三．卅一慘案」大會，曾將程氏押赴會場公審，程管見在場主持公審的人，乃是原任國民黨南昌市黨部委員，即向他要求予以答辯的機會，那人惡聲應之曰：「反革命份子那有說話的權利，不許出聲！」假使當時容許他答辯，很可能因言語衝突，激怒共黨而加以當場處決的，由於共幹之呵斥，程氏又逃過了一度鬼門關。越四月中旬，南京國府成立，實行淸黨，南昌方面的共黨即決計暴動，擬將所有在押的「反革命份子」集體屠殺之。然此時武漢方面亦準備與共黨割席絕交了，朱培德諗悉其情，乃將在南昌的共黨重要份子，一律「護送」到武漢去，而將程氏等被囚繫的國民黨人士，移交地方法院處理。程氏等從此脫出魔窟，得慶更生，終於五月十八日恢復自由了。（上）

柳宗元論

·謝康·

柳子厚生長在唐朝中葉已開始衰落的時代，他生時韓愈已有六歲，劉禹錫二歲、白居易二歲、王叔文二十一歲。至於元稹，却比他小六歲，李賀小他十七歲而在他之前逝世。這些人都是他底朋友，從政治上的發展言，當時是很難有所作爲的，單從上述這些人的做官成績，就夠可以證明了。子厚始以童子有奇名於貞元初，廿一歲舉進士（僅遲於韓愈一年）廿四歲結婚，廿六歲舉博學鴻詞科。年少才高，一時仰慕者甚衆。名聲大振，名公鉅卿爭羅致之。三十一歲爲監察御史裏行，三十三歲因王叔文執政，改尙書禮部員外郎。誰知不到一年，王叔文失敗，貶子厚於永州，居十一年，召還長安，有詩爲證：

投荒垂一紀，新詔下荊扉。

疑比莊周夢，情如蘇武歸。

賜[illegible]留逸[illegible]，五馬助征騑。

[illegible]衡陽佀，春來逐燕飛。

[illegible]中行劉禹錫促與子厚同回來，子厚乃作此詩酬贈的。[illegible]他底詩句，很知道他底心情，亟想回京師做事，不料到長安不久，又被貶柳州，偕同年餘，卒於任所，年才四十七歲。韓愈作柳州羅池神廟碑記以爲紀念，據稱柳州人已奉他爲神靈了。（二）

歷史人物

內僑警台報字第〇三一一號內銷證
自由報
THE FREE NEWS
第一六五期
中華民國僑務委員會發行
台教新字第三二三號登記證
中華郵政台字第一二八二號執照
登記為第一類新聞紙類
（半週刊每星期三、六出版）
每份港幣壹角
台灣零售價新台幣弍元
社長：雷嘯岑
督印人：黃行寰
社址：香港銅鑼灣高士威道二十號四樓
20 CAUSEWAY RD 3RD FL HONG KONG
TEL. 771726　電報掛號．7191
承印者：四風印刷廠
地址：香港灣仔高士打道二二一號
台灣分社
台北市西寧南路壹壹零號二樓
電話：三〇三四六
台郵撥儲金戶九二五二

民族科學家與民族工業家
——政府應該發出神聖的號召——
鄧中龍

當國家民族已瀕於危急存亡的時候，凡稍具國家民族意識者，自應獻身為國家民族服務，此乃無人可以懷疑的事。

政府為了團結海內外，乃有陽明山會談的召集。第一階段為工商界人士，第二階段為文教學術界人士。此刻兩階段會談均已宣告結束，從海外各地不遠千里而來的工業家科學家，在目睹自由祖國的各種進步建設以後，是不是還有點其他的或者可以說是難於言說的感覺呢？

促成本文寫作的動機，一方面固然是由於果積在胸中多時的意見，另一方面卻是由於留美火箭專家李元炯博士的一次談話。

為便於明瞭起見，不妨引述原文。

「李元炯博士指出：現在海外及國內的好幾位研究機構電子及火箭的專家，已具備此類學識，經驗及技術。因此，人才不成問題，而且花錢也不多，清華原子研究所的一些設備都可以利用。……只要我們全心全力去做，一年以內，我們可以發射出一枝直射火箭。不會亞於巳告發射此類火箭成功的日本和以色列。李博士表示：如果政府有決心去做，他願意回國協助此類接近太空的科學發展研究工作。……李博士指出：許多留在外國的我國科學家，都是愛國的，他們深切的願意回到祖國來。他說：我們都是中國人，只要有真正適當及有意義的工作給我們做，我們都願意回國服務的。」（香港工商日報八月卅日第三版）

李元炯博士這一段談話中所蘊藏的感覺，恐怕也不僅限於李博士一人吧！這一段談話所引起的暗示，是不是意味着政府方面必須有一個劃時代的神聖號召呢？

民族科學家與民族工業家這兩個口號，在現階段提出，不僅為事理所必然，亦且為時勢所必需。我們總覺得，政府在這若干年來，埋頭建設台灣之功固已彌足稱道，惟迄今並未好好地運用並發揮海內外的人力與財力。須知反攻大陸，為我們的既定國策，在反攻大陸以前，對於在反攻後如何建設新中國的重大政策，自應慎思熟慮，多方策劃。而此種策劃工作，誠如李元炯博士所說的，非全心全力不為功。

在善用海內外的人力與財力方面，政府究竟作了多少工作呢？一個時代有一個時代的中心工作，因此，一個時代有一個時代的口號，換句話說，我們必須有一個時代的號召。

今天的時代號召是什麼呢？

站在團結的立場，站在發揮人才的立場，站在建設未來新中國的立場，我們今天所迫切需要的是集中科學人才發展工業潛力。

中國的科學人才流散在國外者極多，而中國的工業人才及工業，散布在海外者亦不少，我們必須針對這些人才，來一次莊嚴的號召與呼喚。這就是我們何以要提出民族科學家與民族工業家這個口號的主要原因。

為了保衛國家民族，我們敢斷言，只要政府能及時發出此一號召，則任何具有國家民族意識的科學家與工業家，均將樂於返國服務。

當然，所謂號召者，並不是一篇文告或一篇廣播那麼簡單。進一步，我們還得具備配合此一號召的環境，換句話說，應該有配合此一號召的政策。

這幾年來，華僑工商業者回到台灣設廠所遭受的困難，我們已時有所聞，而海外科學人才之迄未回國為國家服務，也是人所共知的事實。形成此種事實的癥結究竟在哪裏，是值得有關當局加以檢討與反省的。

每年有大批的學生出國留學，學成以後，却遠居異國，楚材晉用。此種人才的浪費，對國家對民族，都是一種嚴重的損失。我們常自嘆中國的科學不如人，而對於科學人才不願回國之事，却又熟視無睹，此誠為一可悲的矛盾。此種矛盾現象一日不清除，則中國的科學發展將永無成就之日。科學發展如無成就，則所謂富國强民之說，豈非徒托空談。

顧科學之發展與資金及設備有關，而談到資金與設備，則又與工業之發達與否有莫大關係。以香港為例。十年前的香港，純屬一轉口城市，經過這十年來的努力，由簡單的難民工業，一躍而為能與世界各工業國家的出品爭一日之短長。此種進步的痕跡，歷歷可尋，而論其時間，則亦不過短短十年耳。華僑在海外從事工業者正多，倘政府能善于運用彼等之經驗，則彼等皆可成為優秀的民族工業家，此乃為吾人所可斷言者。

且不必說海外的人才與財力。即就台灣境內來說，優秀的科學人才與優秀的工業家，正復不少。但這些人才是不是已經充分發揮了他們的潛力呢？凡熟悉台灣內情者，都可以答覆這個問題，據我們所知，台灣的人力物力，充其量也不過是發揮到十分之三四罷了。國外的人才不知道羅致，國內的人才又不能發揮，這種嚴重的浪費，對於國家的損失，簡直是無法估計的。

今天我們不是處在太平盛世，台灣的一切法令，都是把它當作戰時看待。而惟獨對於科學人才與工業家，却又任令其投閒置散，或者楚材晉用，彷彿太平盛世之若無事然，這豈是令人大惑不解的事。反攻大陸，何等重大，單純是軍事上打到了大陸，是不是意味着我們的大業就已經完成了呢？任何人都可以想象得到，反攻大陸以後是建設未來的新中國，而且任何人都可以理解得到，有效地建設未來的新中國，必然要有一套工業再建設的計劃藍圖。還必須着重兩方面：第一，海外民族工業家與科學家的經驗與學識；第二，十年來，蘇俄及中共在大陸從事地下資源研究的全部材料及其工業設備全貌，在設計藍圖下，應該有一個接收與利用的準備。這兩點完全是專門人才的事，而且必須立刻着手，免致將來措手不及。

李元炯博士所表示的，許多留在國外的我國科學家，都是愛國的，他們深切的願意回到祖國來。這句話眞是何等沉痛。讓許多優秀的愛國的科學家留居國外，空懷報國之心，這難道還不值得我們檢討麼？

科學之發展足以將工業躍入新階段，而工業之發展又足以推動科學研究躍入新階段，二者乃相輔相成，而又同時為富國强民之二大基本原動力。富强之學，不能徒事空談，惟有發展科學研究與推廣工業生產，方足以致富强之實。十餘年來，台灣在各方面的進步，有目共睹，固然值得欽佩，但我們絕不能以此滿足。要想達到富强，要想完成反攻大業，要想有效地建設未來的新中國，要想把中國躋於世界强國之林，則捨發展科學與工業不為功。

像以色列這麼一小國，居然能發射火箭而令世人刮目相看，此則端賴全球猶太人貢獻其科學頭腦與彼等所心愛之祖國。散布在海外的中國民族工業家與科學家，不論在質與量的方面，都要優于以色列吧！這無盡的潛力，政府是必須加以充份招攏、團結與發揮的。

許多羈居異域的科學家與工業家，正在等候政府的神聖的號召。讓我們在此高呼，我需要：民族科學家與民族工業家！

自由談

最近貝爾格來德所舉行的「不結盟國家」會議，本是一個自吹自擂的鬧劇，對東西兩大集團固然起不了絲毫作用，甘迺廸和赫魯曉夫雖然循例致賀，內心又何嘗把他們看在眼裏。其實就出席會議的人員來說，多數是敷衍發起人的面子，甚至如塞浦路斯總統馬卡里斯更是抱着反對態度來的，沙特亞拉伯同伊拉克根本拒絕出席，只派了外長來看看風色。像這樣一個會議，已夠支離破碎的了，更妙的是五個發起人，自封為

群丑爭風

中立國五領袖的狄托、納薩、蘇加諾、恩克魯瑪和尼赫魯也大鬧意見。

五丑鬧意見的原因是由於各懷鬼胎，爭風吃醋而起。狄托在開會前夕，接到東德共黨頭目的信，要求狄托在大會上支持東德對西柏林的立場，狄托又被摒於共黨集團之外，附庸國無人敢與之交往，此次接到東德共酋來信，不免受寵若驚，果然在開會時大罵西德政府是法西斯，要以大會名義提出譴責。狄托的意見剛提出，尼赫魯首先反對，尼丑反對的原因是由於印度推行第二個五年計劃，需外援二十二億美元，德國佔三分之一尤強，假若這場鬧劇眞通過此項議案，以西德總理阿登諾的剛毅性情，說不定馬上就會撤銷援助計劃，尼丑落了個扭虛名而受實禍，自然不肯，竭力反對，於是裂痕表面化了。

除去這一點之外，尼丑又同恩克魯瑪鬧了意見。原來尼丑向以中立國家唯一領袖自居，後來添上了狄托、納薩、蘇加諾，已經十分勉強，現在跑出個恩克魯瑪，小國寡民，黑頭黑腦，也自稱領袖，擠在一起，尼丑已大不開心，而恩丑又不知進退，竟然要求甘赫在阿克拉開會，簡直想變成中立國唯一領袖。尼丑寧肯讓印度人餓死三五百萬，也不肯把中立國領袖頭銜送給別人，所以勃然大怒，會後偏又推恩丑去莫斯科晤見赫[illegible]遞陳情書，尼丑硬[illegible]恩丑合坐一部飛機，結果一對醜八怪竟勞燕分飛。

由於這一類小丑也在國際壇坫上躍武揚威，足徵世運之衰，無論如何，二次大戰之前外交場合上絕不會見到這種人的。

高瞻遠

漫画天下
南施

這兩個「和事老」！

「中立」的真嘴臉。

粉紅色旋風籠罩台灣

富女徵婚似眞似假
應徵男性如醉如痴

（台北航訊）台灣全省，這幾天似籠罩在一陣「粉紅色的旋風」中，千百萬未婚的男性，都被這股風吹得渾渾噩噩。就是不夠資格被「旋風」的秋波一掃的人，都以極大的興趣加以注視，成爲最輕鬆最發噱的社會新聞。這股「粉紅色的旋風」的發源地是台北市婦女會，發動這股旋風的是該會秘書劉也萍，而旋風的芳名是「百萬富女方麗冰」，旋風的進行方向，進襲向一切有資產的男性。

台北市婦女會在一週以前，才傳出一百餘位女士徵婚的消息，在三日，更投出一顆足以轟動任何男人的「粉彈」。該會向報界公佈：一位擁有三幢房子，一所無線電裝備工廠，一所冷氣機工廠的百萬富商——中美家庭電器保養公司總經理方麗冰小姐，已向婦女會辦妥徵婚手續。據該會秘書劉也萍和方麗冰向記者表示：方小姐因爲太熱衷於她的事業，以致忽畧了自己的終身大事，蹉跎了三十五年的青春歲月，現在她已感到芳心寂寞，因此想找一位男友，先友後婚。方小姐理想的對象是三十五歲至四十五歲年紀上下的男人，條件也不苛刻，只要對方誠實可靠，第二要身體健壯，第三要具有相當於百萬元的財富就行了。但是劉也萍說：要應徵的只能去婦女會找她，如果直接去找方小姐的，不予受理。這則消息見報之後，立刻便成了「轟動」全市的輕鬆新聞，街談巷議固然多以此爲話題，而有些幻想「人財兩得」的光棍，更以爲是天降洪福，興奮無比。於是向婦女會函電交投，堆積如山。親自前去該會的男士，更是戶限爲穿，應接不暇。當然也引起採訪社會新聞記者的興趣，經過大家深入採訪，才發現這個以百萬財富爲徵婚之餌的女人，所言所行，很多與事實不符。

記者在中華商場三樓看到這位企業家房內有一只破冰箱，幾件零碎工具，一些陳舊的收音機和電唱機，她却說她的「中美家庭電器保養中心」有五位工程師，七八十位工作人員。記者問到她的財產，是不是真的有一百萬。她說大概差不多，談到錢總要謙虛一點（口氣不止百萬）。問她是否需要男友來投資？她說：老實說我現在資金短絀，當然歡迎囉！記者問她的兩個工廠在那裏，她支吾一陣就不說了。又問及她的三幢樓房的地址，她只說在台北郊外，詳細地址說不出來。她說她是蘇州教會辦的「鎮華女中」畢業，並說她在台北當大學教授，教哲學和心理學，但當記者請教她大學名稱的時候，她却說：只說是一家大學就好了。現在的房子，是最近才租下來的。

方麗冰自己說一生從來沒有結過婚，事實上却有過五次的結婚紀錄，現在年齡也並非如她所說的三十五歲，那只是她四年前的年齡。原來方麗冰是隨她在上海結婚的丈夫沈某來台，因爲與房客太太的哥哥往來，引起物議，就和丈夫離婚了。方用徵婚的方式與一個姓方的男人結婚，方又看上同一宿舍，比她年輕十歲，僅二十五歲的青年張恩耿，又與方姓丈夫離婚，要與張恩耿結婚，但張的家人反對，方女去警局和法院控告張父，于是在四十二年一月間，成了報紙上轟動全省的頭條社會新聞，結果，張恩耿還是逃出家庭和她結婚了。過幾年又離了婚，才嫁給第四任丈夫侯世民，過了六個月又離婚。想不到現在却以從來沒有結過婚的姿態公開徵婚。

方麗冰在台北市信義路不到一年之內，就搬了三次家，每次都是因爲拖欠房錢，而一路被無情的房東「請」下去，現在却一步登天，跳上了中華商場大樓，並且變爲「百萬富婆」，興起「粉紅色的旋風」，向全台灣的光棍挑戰。

住在信義路的時候，有一個姓馮的年青男人和她同住一間房，她說這是她的「弟弟」，另外一個常去找她「聊聊」的張老頭兒，她說是她的「大哥」。她向房東說，她是大夏大學畢業，現在淡江英專當教授，教的是「西洋文學」，然而她的房中除了幾份畫報外，就沒有一本洋文書。房東曾經諷刺她說：「方教授，您眞輕鬆，雖然教大學，一本書也不必參考，只是看看畫報，比起其他教授眞是又痛快又輕鬆！」以後，她便再以不提「教書」的事了。原來她每天忙着外出，說是去上課，結果被經常拉她的街頭三輪車工友拆穿了底牌，却是去打麻將。方麗冰打麻將不挑剔對象，三輪車伕、擦鞋匠都和她「摸」過麻將。打牌時候，大家講話都粗不入耳，她却很高興能聽到這些髒事情，她說也可做爲「寫作材料」！她每次住信義路的克難房，隨身都是只有一床兩椅，此外別無傢俱。現在却突然「暴富」，要以「相對基金」徵婚一事，似乎的確値得懷疑。

婦女會本來並不是專辦婚姻介紹的機構，不過是一片熱誠針對當前社會的實際情況而展開的服務工作，用心當然不會有人懷疑。雖然主辦徵婚的劉也萍秘書，先說是經過調查屬實，才讓她登記的。劉也萍也證實她銀行確有幾十萬存款。但最後劉秘書還是承認，她們因爲人手不夠，可能調偵不實，現在既然方麗冰問題甚多，她們決定取銷她的登記，不管她這事了。因此，當然不會再有人懷疑劉秘書與方麗冰當中，事先是否是商量好了的「噱頭」了。因爲，雖然這個消息是出自劉也萍，她不過是一個散佈「福音」的天使而已。

現在這陣「粉紅色的旋風」已經過去了，留下來的問題却値得人深思，爲什麼凡有徵婚便能引起轟動？難怪有人專門玩這一套了。

吳越

民社黨團結的難題

曾親聞

（本報特訊）沉寂了許久的民社黨團結運動，最近又因主張召開全國代表大會而傳說紛紜，不過由於各派彼此的互不相讓，以致儘管團結之說爲黨員奔走相告，但團結的事實，恐怕還是不易實現。

三十八年政府播遷來台，民社黨的中央同仁也隨政府撤來台灣。不過也與其他黨派一樣，中央來的並不齊全。

三十九年，該黨領袖君勱先生赴印尼，印度講學，在台的中央黨務交與徐夢巖（傅霖代理），而黨的實際權力，仍然由中常會掌握，中常會呢大多數爲勱老的學生，自然與老師比較親近些。可是徐夢老認爲：勱老既不在國內，黨務由他代理，他當然要行使領袖的權力（按民社黨的黨章規定領袖對中常會的決議有交同複議的權力。），然而中常會並不樂從，於是徐傳霖與以蔣匀田爲首的八位常務委員廝擦開始，最後到演變到黨的分裂。徐乃對抗八常委的指摘，還開了一次全國代表大會，成立了以他自己爲中心的民社黨新中央。但八常委也不甘示弱，，他們在四十四年八月十五也開了一次執監全會，抬出一位湖北房縣的戢翼翹爲代主席。由於徐傳霖是新生南路三段九巷五號，所以民社黨員們自己稱「徐派」爲「五號」，八常委是以民社黨前中央黨部——新生南路三段九巷四號爲活動中心，於是大家稱八常委派爲「四號」。這以後雖也勉强達成協議，但以徐氏中途逝世，所以四十八年八月十五名稱上雖由「四號」和「五號」共同召開的全代會，實際上根本是團而不結的一次全代會。

因此就在四十八年的十一月九日和十日兩天之內，台北出現了兩個民社黨全國代表大會。一派以向構父爲首，大會選出向爲主席，劉承善、余仁美，蔡家聲、李實甫爲副主席，任命杜如明律師爲秘書長。中執委有一百廿餘人。另一派選的向樹漢，劉政元，孟昭麟、李華裕、李緞、朱遠謀等六人爲主席團主席，以戴持平爲秘書長。不必說；這兩派的陣容都是與八月十五日的和平東路民社黨全代會所選出的張君勱爲主席，石志泉，蔣匀田、王世憲、郭虞裳、孫亞夫爲副主席，王漢生爲秘書長的陣容相對抗的。

一個政黨，分裂之局，本不應長久，所以該黨有識之士，早就作過熱心奔走，從中調停的工作了。只因三方面各不讓步，互相堅持，以致團結之望，仍然不能達成。

據悉：本年五月間，該黨主流方面以金侯城、郭虞裳、楊毓滋等出面，假台北衡陽路掬水軒，與向構父談判，向因生病，委由他的秘書長杜汝明代表：由金侯城首先說明希望團結的願望，接着他表示：希望構老不要堅持，大家有面子就夠了。但杜汝明的談話却不如此簡單，他首先要求主流方面承認他們這一派的新黨員爲合法，如不承認這個前題，即無從團結起。據說主流方面也與另一派的核心人物劉政元，向樹漢接過頭，其結果與杜所提的要求相同。因此，形成一種僵局，無法進展。

按四十八年的主流方面共選出中央執監委一百二十餘人。向構父和劉政原的一派於全代會時，也選出幾乎相等的中央執監委。這其中由於後兩派爲了與主流方面對抗，有很多執監委據說是臨時入黨的。如此當然不爲主流方面所承認，但是後兩派却要堅持「承認」爲團結的先聲。

主流方面的意見也並不是一致的：四位副主席（石志泉已死）希望大團結。而中常會中有很多人却激烈反對不必說：大團結成功，很多常委就要讓位。另一方面：執監會中一部份人現正醞殖副主席團，提出修改黨章的要求，這一部份人的目的。希望把戢翼翹抬出來補石志泉的缺。當然問題並不那麼簡單。不過，這這已夠說明民社黨的大團結還得再加努力。

湄公河畔的戰鬥

五個月前——共匪突然又向我們進攻了。這次，他們的人多得像螞蟻一樣，死光了一批又一批來進攻。我說過，不打硬仗！於是乎，我們只好轉進又轉進；轉來轉去，敵人死了很多。轉進到第十八天，非得向湄公河南岸的原始森林裏轉進了，再和共匪繼續打仗。這十八天，我有八天沒有吃飯，餓得眼睛發花，頭發暈。於是，我就採摘路邊的野草菜往肚皮裏塞，身上背着剩餘的米，也不能燒飯，怕被共匪發現目標。糟糕！

湄公河北岸沒有一條船，我們不能暴露在沒有可攻可守的地形地物的岸邊上，那樣待下去是最不利的！

——渡河！

湄公河的水又清又亮，又涼又急……

游水不能，水太急。而且，我們身上負重的「寶貝」太多……它們和我們的生命一樣重要，一樣也不能放棄，除非生命毀滅。在這緊要關頭，各人利用智慧渡過湄公河啊！

有人，他的兩脇下夾着竹竿，隨湄公河的流水飄到南岸，有人，他馱着隨身物品游到湄公河的南岸。

當然，最穩當的是砍竹子捆紮成竹筏，渡河。我們五個人，（他們仍然在山頭上戰鬥啦，，掩護我們）砍了一大堆竹子，捆紮了好幾個竹筏。可是，我的手掌被竹子片劃開一個口子，流了好多血，顧不了了！

我們把竹筏丟下湄公河，故意發出很大的聲音，試探可有共匪潛伏在岸邊森林裏，免得在河中間遭受敵人的襲擊，那是不利於作戰的！

果然，潛伏在岸邊的共匪，一排機槍子彈向竹筏掃射過來，打個空，又一排一排的掃射過來，仍然打不着我們！我們早就掘好了掩體，躲避在裏在，防他這手。

我們向共匪的機槍陣地掃射了，轉移目標。一方面，我們讓一些伙伴們上竹筏渡河，掩護他們。

「我們願意拼命到底，不願做俘虜」這是我們打游擊的信條之一。

我們順利的渡過湄公河。

我再向你報告共匪的殘酷：敵人抓去我們游擊隊十多個四五歲大的孩子，削尖了一根竹子刺進孩子們的肛門，當「活靶」，輪流射擊。可憐的孩子們又哭又叫又掙扎，血染紅了竹子。這一羣共匪正在狂笑的當口，被我們抛去兩個手榴彈，炸得他們一個活的也沒有，統統死了。然而，我們也沒有搶救到一個活着的孩子，遲到了幾分鐘。

我忘記講了：

去年秋天，我愛上一位卡瓦族的姑娘，她很美麗，很賢淑；她也愛我。我兩經過朋友的協助，輾轉來到這人間快樂自由的土地——東方之珠香港。不久，我們結了婚。我們之間的感情，很好，很好。再五個月，我將做第一個孩子的爸爸。

——我請諸位讀者，您吃紅蛋！

・陳有來・

愛情的代價

荻楓

三

我一早就到達玫瑰堂，我祈求見到秋嫻的一面。時間還早，玫瑰堂靜悄悄的，於是我在附近踱來踱去。

我不知道自己要什麼？也不知道自己爲什麼這樣做？我想：她結婚了，我快樂嗎？我又想：她快樂嗎？也許她是被她父親強廹的，才一個月啊？但另一方面我又罵自已的想法自私。

「看新娘子！」有街童喊。

我趕忙朝玫瑰堂望去：不錯，教堂門口停着好幾部汽車。看熱鬧的人羣像潮水般湧來，我反而看不清楚了。

我走上前去。

新娘子俯下頭，被攙扶着走進教堂。那熟悉的背影，那熟悉的走動姿勢，……秋嫻！眞的是她！雖然看來瘦了，走動也不那麼自然了；但是她，能夠逃避出我的眼睛麼？我的情感衝動到了極點，揑緊拳頭，全身流着冷汗。

「噢，秋嫻！」……

典禮的音樂響起了，典禮的程序也在上演了！但我雙腿沉重如鉛，釘在玫瑰堂外的樹下。

「新娘子眞漂亮！」一個好事的觀衆說。

「新郎眞夠福氣，他一定花了不少心血。」

觀衆爆出一陣哄笑。

悔恨像蛇一樣咬着我的心，尤其是這些話，更令我瘋狂。我甚至想：但願她的新郎不是個好東西！（原諒我）但令一個意念又閃進來：那末，她往後的日子怎樣過？難道也和我一樣只在懷想中過日子？沒有幸福，只有冷漠？

矛盾！

是的，矛盾！從開始到現在，我們都在矛盾的夾縫中打滾。也許人生本來就是如此的，我不禁冷笑了！

「新娘子出來了！」

人羣紛紛後退。我看見秋嫻把手穿在新郎——我看清楚了，這是個胖胖的漢子，很「福氣」——的胳臂裏，垂着頭走出來（六）

拍馬趣聞

尹望卿

「拍馬」即拍馬屁的簡稱，爲現代官場中一種罵人「口頭禪」。意思是：包括了上起中朝大官，下至供職地方小得像芝麻綠豆般的職員，只要誰有點點卑躬屈節依阿取容的跡象發現，就得叫誰「拍馬屁」。若輩生成了賤骨一把，寡廉鮮恥，氣節掃地。盡管拍馬有方，一時僥倖而弋取得富貴功名到手，恰似木槿，朝生夕隕，幾會見能有好的結果？

「拍馬」風氣，不自今日始。公羊傳：「公子翬諂于隱公」。諂媚，就是「拍馬」，外見之于形色。「脅肩諂笑，病于夏畦。」孟子指出「拍馬」是一件辛苦事，比那些在溽暑中縛草治田的還要苦，想當然耳。大抵「拍馬」約，其中有些的確是「徑徑然小人哉」熱心利祿，自己缺乏眞實本領。批逆鱗不能，捋虎鬚不能，探驪珠不能，展驥足不能，跳龍門不能，什麼都不能。百無聊賴，實偏處此，只有走「拍馬屁」這一門徑。光只拍馬，猶嫌不夠，須要配合吹吹牛皮。于是乎往往信口開河，胡天胡帝，自我欺哄，拍拍吹吹，吹吹拍拍，笑罵由他笑罵，其態固醜，其情可憫。筆者且引述古時五位拍馬屁非常有趣的，寫在下面：

一爲鄧通，據漢書：「鄧通以濯船爲黃頭郎，文嘗夢欲上天不能，有一黃頭郎推上天，覺而之漸台，以夢陰求推者郎，見鄧通，夢中所見也。」因此，鄧通得幸于文帝，賜以蜀之銅山，使得自鑄錢，錢布天下。文帝病癰，鄧通爲上嗽吮之。癰固瘡毒，膿出如注，見之作嘔，而以舌舐，是乃極盡「拍馬」之能事者。景帝立，沒入官，鄧通則寄死人家。

二爲丁謂，當宋眞宗時，丁爲參政，宰相寇準薦之，得致通顯，丁事準甚諂，嘗會食中書，羹汚準鬚，丁徐起拂之，準笑曰：「參政國之大臣，乃爲人拂鬚耶？」丁大慚，遂成仇隙，旋謂去準而代之。仁宗立，丁以營山陵不謹竄遠州。像丁謂拍馬，反而碰釘子、毋怪老羞成怒，不擇手段的，要把老寇搞垮。

三爲易牙，史記：「易牙名巫，善調味，齊桓公北伐中山還，嘆曰：「天下異味皆嘗，但未得食人肉耳。」巫歸、斷兒兩手以啖公，自是有寵于公，所言多從。」易牙別無所長，只不過是一個會搞喫的大師傅，殺子媚君，活該萬死。及桓公立，公然與其黨豎刁、開方等搗亂齊國。拍馬屁的，十之八九，屬于壞蛋。但壞到像易牙，絕無僅有，眞令人不寒而慄。

四爲趙師睪。據劉時舉續資治通鑑載：『戊午慶元四年春正月，京尹趙師睪，除工部侍郎。佗胄妻早死，有四妾，皆封郡夫人，其次十人，亦有名位。去歲，有獻北珠冠四枚者，佗胄喜，以遺四夫人。而十人慍佗胄，佗胄患之。師睪時守臨安，亟出十萬縉，市北珠爲十珠冠，乘佗胄入朝未還，遺人致饋，十人者大喜，分持以去。佗胄歸，十人者咸來致謝，遂以翌日，都市行燈，羣婢皆頂珠冠而出，明日，語佗胄曰：「我輩夜來過朝天門，都人爲希有，咸聚觀焉，郡王奈何不與趙大卿轉官耶？」翌日又言之，遂有是命。（工部侍郎）佗胄與衆客飲南園，而過山莊，指其籬舍而謂曰：「此眞田舍間氣象，所惜者，欠雞鳴犬吠耳。」少焉，有犬嘷于叢薄之下，亟遣覗之，京尹趙侍郎也。佗胄大笑。』當時太學生周源等對趙攻擊甚烈，竟以寵黜聞。這位先生爲着迎合主子的意思，至以身躡伏叢薄間，汪汪汪裝作狗叫，是又在拍馬行中，別開生面。

五爲李精白，明熹宗時，魏忠賢以一宦官，擅朝政，專橫無忌，生祠偏天下。精白爲山東巡按，其祝祠云：「堯天巍藹，帝德難名。」而將「魏」字山頭，移書于下，作「巍」，懼擊上公之首。此等拍馬，挖空心血，絞盡腦汁，想入非非，至于此極，抑又何苦。

「國家之敗，由于官邪。」成爲鐵律。筆者竊嘗謂：官之邪，莫過于甲方拍馬，乙方樂于接受拍馬，上下勾結，爾食我汗，爾議我識，百弊所由而生，萬孽所由而造。大抵「臣心如水」，硬繃繃而正氣凜然的，自已必不拍馬，同時不樂于接受人家作拍馬勾當，無形之中，國家蒙其麻，受其福。呂蒙正說得好：「臣非執，臣不欲以媚道妄隨人主之寵，以害國家。」換一句話：就是我不拍馬屁，對，拍馬屁的，自己失格，事小，國家遭殃事大，可懼哉。

瘟君續夢

第二回：狼狽自爭雄，活佛有幸　人天齊示警，浩刧將成

災荒首先出現的是旱災，越是中共自詡治水得最徹底的地方，旱災越是嚴重，最慘的要數山東，因爲要治理黃河清，到處栽流築填，結果變成了黃河乾，山東境內入黃的河流共十二條，有九條全部乾涸，黃河水沒有來源，下游只剩了一尺深，清澈見底，游魚可數，行人涉足而過，十分便利。只是老百姓苦了，不用說莊稼旱死，後來連吃水也成了問題，一時不會餓死卻要渴死。鄉村一片咒罵聲，下級共幹也不敢干涉，有時爲平民憤，也跟着派毛澤東的不是。

北方各省苦旱，南方各省正受水災，自從森林伐成平地，荒山開成梯田，失去調節作用，落了一場大雨，頓成澤國，許多水庫又被暴雨沖垮，天上水與地面水會合一起，四面八方泛濫，整個大江以南，全部莊稼被水災淹得顆粒未剩。除去水旱災之外，各樣災情都出現了。蟲災、霜災、冰雹、風災，凡是歷史上發生過的災害全出頭了，把共產黨幹部壓的氣也喘不過來。最使局外人莫明其妙地，有幾個地方剛發生過水災，不到半個月那裏又變成旱災區了，何以會旱得這樣快，就因爲水利修得太澈底了，落了雨滴水不留，三天不雨就小旱，兩個禮拜未見雨，田土全部龜裂，禾苗未被淹死的也全旱死。共幹面對這種形勢，再也不敢吹「馬克思主義出糧食」，「要收多少糧食就收多少糧食」等一類鬼話，反過來把責任推給上帝，說「共產黨不能戰勝天」，意思災荒都是天造成的，與共產黨無干。

不過有些共幹也會想到在「舊社會」裏雖然也有過災荒，但也只是多年遇到一次，而且也沒有各種天災一齊來的，也沒有全國都成災區的，逃荒只要逃出去幾百里路就成了，不像現在到處是災，動也不能動，只有束手待斃。

老百姓也不曉得是水利、煉鋼惹下的禍，以爲上天示警，共產黨的江山不久長了，大家都抱着一個心理，高低不替共產黨賣力，生產隊到了田頭上就偷着睡覺，鋤地只鋤一層，督隊的共幹眼看大家都在勞動，可是莊稼卻越長越壞，共幹無計奈何就叫人民生產自救，所謂生產，就是找野東西吃，最初選野生植物，所有草根樹皮，都算作野生植物，要老百姓挖回來磨成粉製餅，共幹自詡是發明，結果人民吃下去全身發腫，慢慢死去。

後來野生植物也吃光了，共幹又轉念頭去打野生動物；黃淮一帶千里平原，除去野兎之外，那有什麼野生動物，老百姓只好掘田鼠，黃鼠狼一類東西吃。又吃死了不少。災情越來越重，人越死越多，未死的也不肯作事，於是歷史上未見過的草荒也出現了。（卅八）

岳騫

舍利塔

·道南·

山川風物

現在已是深秋紅葉滿山的時候，使筆者偶憶起南京棲霞山的紅葉，並連及於棲霞山的名勝舍利塔。

舍利塔是隋文帝建造的，相傳隋文帝遇到異民，獲得舍利子數百顆，便在各地建塔來收藏它。隋王劭「舍利感應記」說：「隋文帝潛龍之際，有婆羅門沙門，送舍利一裹與之。後以感於神尼智仙重於佛法之言，故隋興後，因而仁壽元年，詔天下於三十州起舍利塔，塔內各作神尼之像焉。」

塔在藏經樓之南，高五丈餘，自底至頂共七級每級八面。第一層右面鐫釋迦本行至涅槃緒變圖，次層四面鐫四天王像，餘四面鐫佛像二尊，門二扇而面與面之間有石柱，柱上刻經咒，字尚可辨。三層以上各面鐫佛像二尊，塔頂微毀。各層飛簷多殘缺，塔前立接引二佛，亦以石爲之。昔人謂有顧虎頭筆法，令寺僧重加裝飾以金彩與泥塑無異。

舍利塔雕刻極工，和我國的佛教史，美術史都有極大的關係，歷代詩家頗有吟咏，如南宋曾極詩：

「一丈唐碑今露立，十尋梵塔已低摧；層層石佛雲間出，坐閱齊梁成劫灰。」

又清王士禎詩：

「昔我聞阿育，驅神作道場；如何震旦國？重見鐵輪王。變幻從僧語，依微畫佛光；那堪事勢盡，千古但蒼凉。」

可知舍利塔的殘毀至南宋時就已如此了，此後歷朝歷代的興廢存亡，舍利塔眞是歷盡了滄桑！

梨園漫談

小大鵬之由來

·瘦西湖·

四十八年八月中旬，班既建立，因仍在試驗階段，致未擴大招生，僅由有關單位與人員，分別介紹應考，計錄取男生張富椿、馬九齡、陳良俠，女生楊丹麗、古愛蓮、嚴莉華、鈕方雨等共七名，於九月一日入學，時徐露仍在學習期間，遂以徐爲第一期生，張等爲第二期生，第二期生經訓練一年有半，成績斐然，遂充實班之組織，於班主任之下，設教務、訓育及總務三組，暨一學生隊，並根據教學四年餘之經驗，匡訂教學之計劃與進度，擴建房舍，增聘教師，而登報招考第三期生焉。故「小大鵬」之第一與第二兩期生，係嘗試與建立階段，其發展與成長，實則自第三期始耳。

四十六年元月，招考第三期生，報名者共有八十餘名之多，然錄取者僅夏元增等十七名，於元月十六日入學，不久又淘汰三名，僅有十四名矣；連同第二期生，及此時已結業而進入實習階段之第一期生徐露，共爲二十二名。但因學生人數過少，必須與大鵬團員混合演出，始得練習與實驗之機會，實感諸多不便，乃於四十七年三月，招考第四期生，報名者一百餘人，錄取者三十一名，於四月一日開學後，嗣又淘汰二名，因此，「小大鵬」成立於今，其總共人數實爲五十一名也。

四十八年三月間，國防部爲了培養軍中康樂人員起見，乃於康樂總隊之下，分別設立話劇與平劇人員訓練班，然平劇訓練班因師資設備關係，令由大鵬劇團主辦，並派空軍康樂大隊長兼任該訓練班主任，其組織與人員，則仍以「小大鵬」之全班人馬爲舊，不另設置，其學生名額定爲八十名，大鵬劇團於奉令之後，因房舍僅能容納新生五十餘名，遂將四期生二十九名移轉於該班，不足人數，再另行招考補充之。（註：連同以前之各期「小大鵬」生，已有八十八名）以「養成德藝俱優之平劇藝人」爲其教學之目標。在德的方面，要求教者，能具備有現代公民之學能，並培養其愛國愛民族之意識，在藝的方面，則要求其具備有平劇各項技藝之基礎，並啓發其研究發展之潛力，而在當前之時代，尤要求其能認識思想戰意義，及平劇在對共匪思想戰爭上之效能。以期收到良好成果，方不負國家所付託之重任。（二）

小啓：上期本題爲「小大鵬之由來」，因手民未及更改，致誤植，謹此更正。

著作

徐學慈

就著作的態度慎重來說，今人實遠不及古人。如果把古人的著述故事一一講述出來，則我們這一代的人實應慚愧無地。

讀者諸君應皆知司馬遷的「史記」一書為中國古典文學中之偉大著作，可是，諸君可會想到，司馬遷在完成這一本偉大著作之前，他的態度是怎樣的呢？司馬遷曰：「南遊江淮，上會稽，探禹穴，闚九疑，浮於沅湘，北涉汶泗，講義齊魯之都，觀孔子之遺風，鄉射鄒嶧，厄困鄱薛彭城，過梁楚以歸。」像這樣的著作精神，怕也不是今人所能想像的吧！

清代學人顧亭林所著的「天下郡國利病書」，該不能不承認他是有價值的吧！可是，有多少人能知道他在完成該書以前是怎樣的呢？顧亭林縱遊北方諸地凡二十有餘年，其每次出遊也，「以二馬二騾載書自隨，所至阨塞，即呼老兵退卒，詢其曲折，或與平日所聞不合，則即坊肆中發書而對勘之。所至荒林頹阻，有古碑遺跡，必披榛莽，拭斑蘚讀之。」今人之中，如有以騾馬載書自隨，而縱遊于荒林古蹟間，以覓著作材料者，大概不被目為瘋子，也會被人目為怪物吧！

豈止是無人以騾馬載書自隨，說句不大客氣的話，現代人讀過的書而需要二馬二騾來載運者，恐萬不得一，所讀的書既少得可憐，而又不肯沉思潛修，以期有所領悟，一談到著作，就彷彿人人都是作家，三五百元印幾千本書，令人不忍卒讀，今日著作界之貧乏，實在是令人不敢想象的。

且不要說古人，就說說外國的作家吧！美國文豪辛克萊，李惠斯，在寫他的名著「箭匠」之前，單是這種小說的大綱就有六萬字。他有一次，花了十二個月的時間，寫成了一部以勞資問題作中心的小說，結果卻把寫成的全部原稿投入字紙簍裏。一九二〇年，令他一舉成名的小說「大街」，一共寫了三次，從開始到最後完成，其間一共化了十七年功夫呢！

不朽的著作，絕非一蹴可幾。一個著作者的一生，能夠有一篇著作可以傳之萬世，也就是最好的了。

一百一十年前，英國文豪迭更司著的「聖誕節的頌聲」，只是薄薄一小冊，在倫敦出版，兩星期內，趕印一萬五千冊，尚不能應付。在香港作家眼中看來，兩星期一萬五千本的銷數，簡直是在聽天方夜譚呢！（下）

台灣，林獻堂

李仲侯

至於林氏開始領導台胞展開民族運動的時候，已是日本佔據台灣有了廿多年，業用武力削平過百餘次大小抗日流血事件，統治力量漸臻鞏固，推行殖民政策，更為積極，政治方面，以「殖民化」與「皇民化」為施政中心，在行政機關雖有少數台胞參加，但限制極嚴，只能屈就低微職務，如雇員，工友之類，凡發號施令的高級職員，都是日本人，經濟方面，實行榨取政策，台灣一切生產都以日本利益為依歸，控制剝削，至為嚴酷，台胞生活悽苦非常，一切皆受到儘量的壓制，生活水準不知降落在日人若干倍以下，教育方面以差別教育為基準，台胞所入者為公學校，日人學童所入者為小學校，中等以上學校，台胞入學多受限制，愈高愈嚴，台胞能入高等學校，專門學校，大學者，寥寥無幾，日人之猾制台胞，俾使其受低級教育為止者，蓋在便利其役使驅策耳，當時林氏鑒於日本所設的公學腐敗低能，自聘教師在家教授子弟，一日忽被官廳傳訊，諭令須立即關閉其家庭學館，林氏要求自動辭退教師，由其本人親自教讀，亦嚴斥不准，其餘概可想見矣，故光復後，台胞除會在大陸受過高等教育或少數在台受日人高等教育者外，其餘被日人造就的人才，儘多醫藥音樂家之流，尤以牙科醫師為最多，社會方面，日人嚴厲取締集會結社，禁止一切言論自由，日人工商業的公司組織，非有日人參加，不准成立，那時日人完全以一種征服者之姿態對付台民，台胞經過百餘次反抗日人皆遭失敗以後，處其淫威殘暴之下，惟有忍痛服從，莫可如何。

林獻堂看到日本人對台灣所施的殖民地政策，殘暴無人道，越來越不像話，他不甘屈服於異族的這種殘暴統治之下，興起了強烈的反抗，不惜大聲疾呼，鼓吹民族思想，團結台灣知識份子，如迭向日本政府請願撤銷「六三」法案，發動台灣議會設置運動，主持台灣文化協會，向日本人爭自由，爭人權，確曾搞得有聲有色。（三）

淫妄之祀

介人

清梁晉竹「兩般秋雨庵」隨筆，有「世俗詡妄」條，專記世俗淫妄的神祠，其中頗多可笑的。杭州清泰門外，有此還廟，小偷多向之祈祭。濟寧有宋江廟，江洋大盜，奉之為神，附會得還有點道理。汲縣有紂王廟，顯州有衛靈公祠，福建有吳天保廟，龍陽君都向之焚香禮拜，難道紂王也是龍陽君的同志嗎？

還有許多水滸傳中人物的廟宇，赤山埠有武松廟，石屋嶺有楊雄石秀廟，也不知怎樣一個來由？近人，上海的幫會首領在西泠橋北堍，建設之武松墓，和蘇小小墓相並，那當然是荒唐無稽了。

河南陳州城外厄台，有廟，題曰「一字王佛」，封孔，為一字王，又稱之為佛，那眞是阿彌陀佛！北方又有所謂牛王廟，說是奉祀冉伯牛（孔子學生），也許和牛魔王變成了一家呢？浙江溫州有杜十姨土地，五髭鬚相公廟；原來上一位是杜拾遺詩人，男化為女。後一位伍子胥投海，化為相公，妙不可言。河南雍邱孟姜女廟，她的旁邊塑上了蒙恬，不知她何時改嫁，大概范杞梁是給蒙將軍謀殺了，才把她佔去做將軍夫人了吧？杭州孤山林和靖祠：塑一女像，題曰梅影夫人。（他還有一位仙鶴郎君未塑。）世俗之人，捕風捉影，不獨五通神可以受到一方香火的！

嶺南的淫妄之祀更多，頗多涉及男女之私，眞是洋洋大觀。在琼崖各縣有所謂綠郎紅郎之神，頗類於江浙的五通神，少女最忌綠郎，犯之，男最忌遇紅娘，犯之皆不祥，甚或發花顛，所以俗有「女忌綠郎，男忌紅娘」之諺。其實這都是從前婚姻不自由和男女婚嫁失時的悲劇，發生精神錯亂。故皆獨身男女碰着，已男女則從[illegible]會沖犯着它。

番禺有恩情廟，相傳從前有男女兩人，素不相識，在船中相遇目成，彼此準備船泊靠岸後，可以完成好事，那知女的忽然失足落水，男的奮勇撲救，因為彼此皆不諳水性，遂雙雙溺死。後來屍身浮出海面，兩人竟相抱不解。地方人感於他們的多情，以為成了神，遂為之建廟，稱為「恩情之神」。男女有私情的往往至禱之於廟。廣西桂林也有恩情廟，所祀之神更不堪，竟是為了同性戀而殉情的龍陽君。

新會有羅夫人廟，乃一養蠶少女，偶過東山神廟採藥，歌曰：「路邊神，爾單身，一蠶生二繭，吾捨一作夫人」。果結二繭。女還家後，其夜風雨大作，少女忽然失蹤，家人四出搜尋，在路上發現紅綫一根，直入廟中，尋之，女已端坐廟中而儼，遂奉為東山神夫人。因為她姓羅，又稱之為羅夫人。

此外還有所謂赤足先鋒神，也是司男女私情之神，各地多有小廟供奉。俗例凡男女苟且之私的，多在神前祈禱許願，如償所願，則以調製五色香囊酬神，神壇前香囊纍纍推集，祈禱的每向神乞取一二，並許以加倍奉還，愈是神前香囊愈集，愈多於不靈驗也靈驗了。

潮城有青龍古廟，祀的為安晉聖王，傳說是晉代蜀人王坑，郡人祀之甚虔，每值神像出游之日，晉人爭由數十里外趕來參加盛典，人山人海，街道為塞。廟中時有小青蛇出現。傳說為神所驅使，民衆呼之為青龍神，凡其出現的地方，民衆即用安石榴枝迎接，蛇見枝即止其上，不去，於是具牲並演傀儡戲酬神，倘青蛇多日尚不離去，則送諸廟，蛇至廟即不知去向，所以為潮邑奇跡之一。又三月廿七神誕，例有演戲酹神，且必須演孕婦一劇，劇中有飾大腹便便的婦人，俾婦女看了以後可以得子息。所以演此劇時，婦女爭相往觀，並且傳說有多年不育的，看此之戲後每能生育。

其有由於時勢的推移，而香火自然衰落的。廣州灣——湛江——的赤坎埠，當法國馬路折入中國大馬路處，道旁有廟，名為白馬大王廟，香火很盛，而埠中的雛妓老娼，朔望日赴廟拈香。據說倘祀奉不誠，不但是生涯冷落，且神將變為尋芳的客人，而於某方面予妓以難堪，所以此輩奉之惟恐不謹。昔雷屬原有白馬大王廟多，民十一年駐軍予以盡毀，此廟以在租界，得以獨存，但到第二次世界戰告終，我國收回廣州灣，娼妓懸為厲禁，白馬廟遂自然冷落了。

亦有賴駐軍的力量而取締的淫祀，雷州東郊，有天福宮，進香的盡是鶯燕之輩。當時雷州勦匪司令黃強見了以後，深引為異。後來有人告之謂此為淫祠，所祀的為北府君，大概即江南五通神之類。婦女過其廟，必具醴焚香，契之為父，否則必遭淫虐，而此間之操淫業，更次以時赴廟拜神。黃強聞悉之後，乃下廟燬於獄，並焚其偶像，淫祀遂絕。

海嶠叢談

程天放南昌落難記

諸葛文侯

程氏被捕時，懷中藏有日記本，詳細註列「A．B．團」核心份子的姓名，以及各人所負任務與散佈地點等等。然共黨當時竟未搜身，否則證據確鑿，早已一命嗚呼了！他被拘囚在工會之際，想到這本日記中的事情，悄悄地把那些關於「A．B．團」的記錄各頁撕下，揉碎擲散於痰盂中，幸未被發覺，亦云險矣。

程氏被暴民架去的時間是在午前，維時李協和先生正辦理省府移交事宜，他原兼攝革命軍總司令南昌行營職務，每日在行營辦公，行營直轄軍隊駐在南昌，尚有杭毅所統帶的憲兵兩營，蔡忠笏的砲兵一旅，廖士翹的工兵一營，他就靠這點武力以維護行營及其自身的安全。程氏被捕後，李於當天下午親筆長函南昌衛戍司令王鈞（王亦係雲南講武堂學生），囑其尊重法紀與人權，即將程氏暨曾華英等予以釋放。我此時隨從李先生司記室，也派我持原函往謁王鈞面交候答復。我到衛戍司令部見着王鈞，申述來意，王看過李先生的信，說這事他不知道，要問公安局長朱德，我說：「朱局長素不相識，李主席亦沒有信，不便貿然往見。」王氏即謂「我陪你同去罷！」到了公安局，王鈞對朱說明李主席來信的內容，朱以橫惡姿態答道：「軍閥李烈鈞的信，理他幹嗎？」王鈞亦默不作聲，我覩此情形，深知不特營救程氏無望，連區區本人或許亦有遭遇意外災難之可能呢！

我急忙辭出，回到行營向李先生報告經過詳情，他以沮喪而激越的心情說道：「我若不是江西人，怕將來地方父老們說我不愛護桑梓，一定要把南昌打得它落花流水！」我倆正說着，王鈞亦來會謁李先生，他並未經過傳達，逕自走入李先生的辦公室，開口「老師」，閉口「老師」地聲述他對拘捕程氏等人，事前並不知情，事後不能作主等苦衷，李先生依然發脾氣，謂「益之（朱培德）意欲何為？」我退出室外，詢問值日副官何以王司令進來時未經傳報，副官輕聲告語：「行營的衛兵已換為滇軍了！」我聞之駭然。是夕即將此情轉告李先生，他心裏有數，馬上命令上述各直屬部隊赴日開拔赴贛東，李與我暨副官三數人，微服喬裝。於第三日黎明走出南昌城，乘舟向贛東而去了。

南昌這次事變，固然是共黨一貫的陰謀，但朱培德以大軍駐屯江西，他如果不為着爭奪省主席而故意縱使共黨釀亂，藉以威脅其「李老師」不安於位，共黨豈能得逞乎？其始也簡，將畢也鉅，後來共黨在江西發展坐大，推究根源，朱氏實不能辭其咎也。（下）

歷史人物

柳宗元論

・謝康・

柳子厚在政治舞台上的失敗，卻做成他文學上成功。尤其在山水紀游方面。假使他一帆風順，在朝延上安穩地做着卿相，他那些在永州的傑作，就不會產生了，那豈不是中國文壇一大損失嗎！

子厚以元和前一年（公元八〇五）至永州，翌年（八〇六）作永州龍興寺西軒記等文三篇，居永州雖鬱鬱不樂，惟刻苦讀書，或遊山水以自適，所為文乃視前大進。與友人書云：

「自貶官以來，無事讀百家書，上下馳騁，乃少得知文章利病。」（與楊憑京兆）

「僕近求得經史諸子數百卷，常候戰悸稍定時即伏讀，頗見聖人用心，賢士君子立志之分。……永州於楚為最南，狀與越相類，僕悶出遊……」（與李翰林建）

大概，他在永州將近十一年的工作和嗜好，就是讀書，作文和遊山，玩水。在貶永州以前，他住長安的時間頗久，即從廿一歲（公元七九三）登進士第那一年算起，至貶官（八〇五）止中間十二年，多數時候，也是留在長安的。那時他雖已有文名，作了許多墓志、表、狀、贈序等應酧文字。但他並不眞正重視文學，以為是雕蟲小技，或博奕遊戲之類。（見答與武陵論非國語書），而且文章風格多沿東漢六朝的習氣，注重表面儷詞的工夫，與永州以後的作風不同。所以，貶謫永州，是子厚文學成功的一大關鍵。（三）

內僑警台報字第〇三一號內銷證

自由報

THE FREE NEWS

第一一六六期

中華民國僑務委員會領發
台僑新字第三二三號登記證
中華郵政台字第一二八二號執照
登記為第一類新聞紙類
（半週刊每星期三、六出版）
每份港幣壹角
台灣零售價新台幣貳元
社長：雷嘯岑
督印人：黃行靈
社址：香港銅鑼灣高士威道二十號四樓
20 CAUSEWAY RD 3RD FL
HONG KONG
TEL. 771726　電報掛號 7191
承印者：田風印刷廠
地址：香港灣仔高士打道二二一號
台灣分社
台北市西寧南路[illegible]號二樓
電話：三〇三四六
台郵撥儲金戶九二五二

長期發展科學評議

魯戈

國家長期發展科學委員會係以中央研究院評議會及教育部共同組成，成立於民國四十八年五月間，並訂有「國家發展科學專款運用辦法」六項。其一、充實科學研究設備。其二、設置國立研究講座教授。其三、設置國家客座教授。其四、設置研究補助費。其五、添造學人住宅。其六、補助學術研究刊物。

在上項辦法中，所謂充實各大學各研究機構科學設備，聘請客座教授作短時期之講學，添造由國外歸來講學者之住宅，以及補助學術研究刊物等事，該會推行至如何程度，迄未見該會作詳細報告，故一時尚不能評議，但設置國立研究講座教授及研究補助費兩事，兩年以來已成為國內報章刊物指責的對象可提出一談。現在該會於九月一日公佈五十學年度科學研究講座教授名單，計續聘二十四人，新聘七人，共三十一人。九月三日又公佈研究補助費名單，計共五百三十二人，其中屬於自然科學者計四百一十人，屬於社會科學者計一百二十二人。由於這次名單的公佈，又引起外界的懷疑與非難。根據這些懷疑與非難，可歸納為以下各點：

（一）中國科學落後，我們應急起直追，迎頭趕上時代，固無可厚非，但一定要冠以長期字樣，似可不必。譬如國家的經濟建設，教育建設，那一樣不應該長期發展，為什麼要專指科學而言。

（二）我們承認自然科學與社會科學同等重要，而我們國家現在的處境，似乎社會科學更覺重要，可是我們看三年來科委會（以下均仿此簡稱）所公佈的研究補助費名單，顯然偏重自然科學，如今年審定補助的五三二人，其中屬於自然科學的即佔四一〇人之多。

（三）在這些研究講座教授中，飽學之士固然很多，但不孚衆望者亦大有人在。以不孚衆望之人，濫竽充數，破壞學術尊嚴，就不免令人連想到派系關係了。

（四）三年來公佈的研究補助費名單，大部份是原班人馬，似乎第一期列名之人，在第二第三期多數都蟬聯下來，這樣，獲得補助者恆能獲得，未能獲得者則長期未能獲得，似乎人選有趨於固定之勢。在此種微妙的關係之下，一二流的大專教授，為着他自己的尊嚴，犯不着去碰這個釘子，也就只有藜藿自甘，安貧樂道了。

（五）在研究補助費申請之時，要提出準備研究的專題及計劃，提付審查。顯然的，單單憑一紙題目與計劃而決定取捨，似不很容易找到一個較為客觀的標準。主其事者，當然自信定能堅守公正立場，但外界的觀感，就未必一致。同時申請人還須將已發表之研究成績（指著作和發明）送會審查，而審查的三個專門委員會僅有二十一位委員，姑無論二十一位委員是否都是萬能博士，任何學科他都了解，縱是萬能的話，在短短一個多月內，一個人要審查數十部著作或發明，恐怕無此精力，如果將這些著作和發明信手翻翻，試問又憑什麼作取捨標準。

（六）台灣社會比較安定，大專教授，多能安貧樂道，這種善良學風，為大家所共認。但有了研究補助費情形就不同了。照現在這樣情形，似已把大學教授分成三個等級：第一級每月連本薪約可得五千元，第二級約三千六百元，第三級則僅得本薪約二千元上下，不僅物質待遇相差懸殊，甚且身份與地位都受到影響。在學府中如竟分成此種等級，實在是不適當的。也就是說，不患寡而患不均，誰在無形中製造這些不良後果？

（七）公立學校中，以台灣大學得到的研究補助費名額特多，其餘所分配的名額有限之至。據解釋各校設校歷史有長短，教師名額有多寡，而台大教師多，故分配數也多，其實校史長短與教師多少與科學人才不能作比例分配，毋怪各校多嘖有煩言。又因經費有限，私立大專不在補助之列，後以各校力爭，乃俯如所請，可是我們看今年發表的名單，台北工專僅有兩名，海事專科，淡江文理學院，台北醫學院都僅有一名，（有某校某一系，即佔七八個名額，相差懸殊）像這樣分配，是否存門戶之見，明眼人自能知之。但得者能分着一杯殘羹，總算碰着好運氣，大可彈冠自慶也。

（八）照規定，接受研究補助費者，不得在其他機關兼任有給之職務，可是兼職者仍大有其人。又照規定，受補助者須於一年內完成專題研究報告，並限定研究滿半年即須作初步研究報告，可是不按期繳送者仍大有人在。又兩年來受補助者完成的研究報告，當然堆集如山，琳瑯滿目，但到目前，仍未見一鱗片爪刊行，是否照例歸檔，又非局外人所可得而知了。

以上意見，都是歷年來一般社會輿論的反應，見仁見智，容有不同，但可斷言的，大家都是「小心的求證」，而非「大胆的假設」，更無絲毫意氣存乎其間。筆者茲本善頌善禱的心願，略貢拙見如下：

一、我們不能抹煞獲得研究費（指研究講座教授）與補助費（指各大專教師及各研究機構之研究人員）的學術工作者，不是一時之選？但我們不禁懷疑，未能獲得此項資助的教師們，就一定沒有入選的資格，總不能說個個都沒有成就，個個都沒有研究興趣。據四十八學年度統計，全國大專學校教師人數為二、七八三人，再加上軍事學校和研究機構的研究人員，至少將在四千人左右，獲得補助者所佔比率，至為低微。在這樣僧多粥少情形下，盍不將那些研究費和研究補助費，（美援部份欵項如無法爭取，放棄好了）集中起來，改為增加公立大專一般教師的研究費，雖為數有限，但利益均沾，大家自無不快之感。至於私立院校與各研究機構人員，因待遇已較公立學校為高，想亦無話可說，不會作無謂之爭。

二、我們認為，對學人生活的補助，與其採用現在的那種方式，還不如把它改作獎金，所謂獎金，即對於有很大價值的發明與具有權威的著述，給以很高的報酬，使之確能對生活有所補益。如此受益者將不會成爲固定，有成就才能獲得鼓勵，沒有成就則不能獲得鼓勵。同時將這些研究成果公之於世，可收切磋觀摩之效。其不夠水準的，當然無法僥倖，因審查人不得不一秉大公，抱着戒慎恐懼心理來從事。所謂偏見或歧視的流言，自亦不復存在。

三、國家長期發展科學計劃的實施，會給予我們一種極可喜的想法，也給予我們看到國家在長期發展科學方面的美麗遠景。可是別的不說，只就研究補助費一項而言，已經暴露出無可掩飾的缺點來，以致遭受物議。立法院過去對於長期發展科學計劃會一度加以質詢，我們現在殷切希望立法院對於這一機構的綱領，章程，專欵運用辦法，以及研究費和研究補助費分配審定等手續，更作進一步的審議，以慰全國學人之望。

最後來一個小揷曲以結束本文。照國家長期發展科學委員會規定，研究講座教授得聘用專任「助理研究」及兼任「助理研究」人員一名，協助研究，由會每月致一千元報酬。照理說，這位助理人員，應該有相當學術水準，才能勝任愉快，可是據我們所知，有些講座或聘留外學生，或聘在經濟部服務人員，甚而有聘用初中畢業生者，這些做法，雖為科委會所拒絕，但崇高的學人不尊重崇高的學術，可見一斑。又接受研究補助費的人，例須按期提出研究報告，但也有人不能如期提出，而名額仍然保留，在他們補提欵報告後仍可獲得補助。不僅此也，聽說一年未提出報告，一年的補助費仍照領無誤，這一點也可證明科委會對於少數學人太厚道了，反過來說，對於多數學人則未免太刻薄了。佛說：不可說，不可說！孔子說：沒奈何，沒奈何！吾亦云然。

自由談

會議的病態

會議的作用是在集思廣益，尋求解決問題的妥當方法，或者取得某種重要問題的正確分析和結論。

可是，據區區卅年來所體察到的會議情況，咱們同胞只要有十來個人以上的集會，其性質和程序便表現着病態叢生的現象，與會議的目的背道而馳了。人數越多的場合，情形就越糟，有時候比市街上的鬧子館還不如呢！語其概況，不外幾端：

一是對於會議的問題缺乏研究理解，識見比較淺陋的人，他就最勇於發言，殆如尼朵所謂「百事皆有說詞，而百事皆不知其所解」，嘵嘵不休，莫名其妙。這樣一來，凡屬具有眞知灼見者即望而生畏，守口如瓶，不顧枉費唇舌，而那些好表演，愛說話的角色，乃特別起勁，志得意滿，以為自己眞是辯才無礙的英雄好漢。這恰似市場上劣幣驅逐良幣的狀態，結果沒有不糟的。二是不顧議題，不守份際，妄作長篇大論的講演，他說得口沫四飛，興致濃郁，別人卻疾首蹙額，不忍卒聽，但沒法停止他的發言權，而會議的作用為之抹煞淨盡，大家的精神與時間徒然浪費了。三是不明會議程序，任意胡來，使會場的氣氛趨於惡劣，自愛者只有半途退席，避之若浼。這些病態極其普遍，我們閉目思之，到處都是。

會議是民主政治生活的重要方式，然在現代中國，似乎是利少害多，得不償失。若說這是教育關係，但一般高級知識份子亦難免有此病態，所以，國父孫中山先生在四十年前，即諄諄然揭櫫「民權初步」，教國人注意學習，實係對症下藥，良有以也。

現代知識份子好談民主自由，原屬應有之義，然現有的會議病態如不清除，眞正的民主生活，即永無向上發展之望。會議如果變成鬧子館，多見其為瞎吵胡鬧的情形，那又何苦有此一舉呢？

馬五先生

漫画天下

南施

賭桌上的豪注

第一號「公敵」

唐榮案暗潮洶湧

第一回合唐榮佔先　第二回合即將上陣

且看政府手上有何法寶

政府不惜以冒天下之怨的勇氣來救濟的唐榮鐵工廠，而得到的報答都是違背政府法令，故意使前天減資改組的股東大會流會，阻撓政府原定十七日開始對六千餘債權人的第一期償債工作，影響政府信諾，造成嚴重後果。

（台北航訊）原定五日下午三時舉行的唐榮鐵工廠減資改組臨時股東大會，因等先經濟部工業司長趙冠先爲調協與唐傳宗之間關於資產重估的歧見，於五時十分才舉行。大會由唐傳宗主持，趙冠先及警備總部高雄分區劉副司令等列席。代表九九九六〇〇股（缺席四百股）的股東三十六人出席。會議舉行時，唐傳宗首先發表對政府監查小組資產估計等項不滿之聲明，責難監查小組對唐榮採取敵對態度，有悖政府救濟案精神。繼由出席股東代表六?議員張富，提出此次臨時股東大會之時效問題，認爲依公司法一八〇條第二項之規定，召開臨時股東大會，應於十五天前發出通知，此次通知係八月二十一日發出，恰巧爲十五日，而非十五日前，與法定時間相差一日，應視爲無效。主席唐傳宗將此異議提付表決，經全部出席股東三十六人同意，本次臨時股東會議無效，改作座談會。雖經趙司長勸告，但無效果，便在退席時提出最後警告說：他以沉痛心情，目覩會議流產，其後果相當嚴重，應由唐氏家族完全負責，政府將對債權人無法交待。劉副司令也警告唐家：六千多債權人，如果因爲債權落空，而引起治安問題，唐家要負責任。

唐氏家族對股東大會的流產，完全是出於預定的計劃，實際上是希望藉此拖延刁難手段，使政府再接受他們所提的幾點要求！第一是請政府答應在處理期間的虧損，唐榮不予負責；第二要求把土地增值稅一億多不扣除而列爲「資產」；第三要把一億五千萬不能收回的呆賬列爲「資產」；第四要把「股東往來」欠九千多萬也列爲「資產」。即是說：唐榮不接受監查小組估計的資產餘額七三九萬元，而想把上面那些不合理的要求列入，可以增加他的資產額，成爲最大的股東，達到繼續控制唐榮鐵工廠的目的。

處理小組於上月十八日會議中，決定唐榮限期減資改組新公司。會後，經濟部次長兼處理小組召集人童致誠，立即告知唐榮廠顧問羅克典，余祥琴二人，請轉告唐榮。童次長爲愼重計，同日下午親自趕往高雄，擬與唐傳宗洽商，但唐傳宗已得訊，同時從高雄潛來台北，避不見面。八月二十一日，唐榮始發出開會通知。童氏在開會前，對會議日期已予注意，並會面請唐傳宗，將大會改爲六日舉行，以符公司法規定。但唐傳宗一再保證：唐家已有減資至七三九萬的決心，堅持於五日開會，以提早完成減資，增資程序。四日晚間，受命列席大會的經濟部工業司長兼處理小組秘書趙冠先，還曾和唐傳宗等做五個多小時的「秘密協商」，童兼召集人也在台北隨時利用長途電話，聽取雙方談判的報告，並作原則性的指示，最後達成了協議，即是處理小組同意於必要時，使唐榮公司增加其保留的財產數額。唐傳宗還特別在長途電話中要童次長放心，並說：「馬上就開會，會中一定完成減資、增資程序」。但事實上，唐榮却仍以不合公司法的藉口，玩出拖延的把戲，把雙方的協議推翻，使政府方面上了一個大當。

童次長於獲悉唐榮鐵工廠臨時股東大會流產之後，非常氣憤，立刻在昨天下午六點急電處理小組，指示處理小組：一、處理小組工作人員準備撤退。二、唐榮公司不緊急支付的款項，停止支付。三、唐榮公司董事長唐榮及總經理唐傳宗，薪水停發。四、唐榮公司顧問余祥琴、羅克典，協理胡白華，薪水停發。五、勸勉唐榮公司員工繼續努力工作。六、唐榮公司治安問題，請警備總部高雄分區劉副司令負責加強。童氏並向上級自請處分，以謝債權人。台灣銀行總行，也以長途電話通知處理小組蔣國華代執行長，請將該行在唐榮公司之資產，就近予以控制。據處理小組透露：唐榮公司經濟危機發生後，銀團貸給的新台幣七千萬元週轉金，目前祇剩約一千萬元可供調轉，除大虧損二千餘萬元外，大部份已不能供週轉了。

行政院今天上午由陳兼院長親自主持院會，通過有關唐榮鐵工廠五點處理辦法；限令唐榮廠於本月二十二日召開臨時股東會，完成減資增資手續，否則由金融機構債權人宣佈唐榮鐵工廠破產，由政府引用總動員法接管，另行改組新公司，處理小組暫不撤退。但唐榮鐵工廠，六日並未發出開會通知，今日發出，又與規定不符。勢將重蹈流產的覆轍。唐傳宗沒有召開股東會的誠意，至爲明顯了。

股東大會的流產，據說該廠顧問余祥琴律師表示很興奮，他認爲是一次策略的成功。唐傳宗六日上午碰到小組代執行長蔣國華時，會很高興的說：我這樣做，是想政府注意我。蔣氏當告訴他，政府早已注意你了。由此可見，股東會的流產，是一項有計劃的預謀。

據傳：唐傳宗在股東會的前夕，特由台北請去一位名相家替他算命。他說：唐家今年糾紛多，但逢兇化吉，命中有貴人扶持，只要能拖過今年，就能轉危爲安，渡過難關。所以唐傳宗採取了「拖」的辦法。

又據傳：唐榮目前所持以要挾政府當局的主要武器有二：一爲一大批顧問的黑名單，一爲六千餘萬元的所謂親屬存款的眞名單，即部份政府官員是唐榮的債戶。基於這一不可告人的因素，他不怕政府不徧袒他。因此，政府與論不建議的：政府爲了鞏固本身的威信，必須對唐榮廠加以行動亟謀澄清。今天的聯合報社論以「政府不可再溺愛唐榮」，自立晚報社論以「國家法治面臨考驗，唐榮處理案不容再拖」及徵信新聞報社論「出乎常情常理的發展，唐榮案的突變」爲題，籲請政府迅速依法處理，不要爲了救濟一個家族，使政府的威信掃地，而且招惹疑竇，損害民心。

立法院經濟委員會全體委員，上月二十四日在高雄考察唐榮鐵工廠時，童致誠私下與立委們作了一個妙喻。他說：政府自頒佈唐榮救濟案後，摸不清唐榮的底牌，便投下了七千萬元的鉅資，等於打梭哈一般，梭下去了，這一梭是輸是贏，尚未分曉。惟據監查小組全體人員數月來的清理，已逐漸將唐榮的底牌搞清了。今後的處理小組任務，便是唐榮廠反虧爲盈，打贏這場梭哈。在座立委諸公，飽聆此一「梭哈」妙喻後，均會心一笑。

但這次唐傳宗的「手法」，顯然高過「梭哈」的技術，政府要想贏唐榮，只怕不容易吧！最後說不定「偷鷄不着蝕把米」哩！（五十九，七）

昌文

香港與大陸

△粵省陽江電白等地，霍亂症仍未能控制，此種未能控制之主要原因，乃爲大陸人民對於飲食根本無所選擇，草根樹皮，凡能裹腹者，即令至不衛生，也得拿來充飢。在這樣的情形之下，一旦發生疫症，又怎麼能控制呢？

△最近此間僑胞接得大陸家書，多囑咐寄種子回去。蓋大陸缺糧，一切種子都被吃得一乾二淨也。番薯種早上埋在土裏，到晚上就被挖出來吃掉了。

△代寄糧包方式，現已在中共機構的苦心積慮之下，想出了一道絕招。此即由寄件人在香港還稅後，由該公司發給收據二紙，一紙寄件人自存，另紙由寄件人直接寄給大陸親友。再轉向當地領取。連郵費都省下了，而刮的又全是外滙。眞是「一舉數得」。

台灣漁業發展近況

老表

（台中通訊）△台灣省在最近幾年中，由於施政方針的正確，據聯合國糧食調查組織之調查報告指出：自一九五八年至一九六〇年（民國四十七年至四十九年）四年中，漁業增產的速度，已佔全世界第一位。

此項施政成就，就台省漁業發展分析，可分爲三個時期，第一時期爲卅五年至卅九年，平均年產約爲七二、四〇〇公噸。第二個時期自四十一年至四十六年，平均年產八萬公噸至七萬公噸不等。此一時期被列爲發展時期。第三個時期爲四十七年至五十年，在這一個時期中，台省的漁產最高紀錄已達二五九、一四〇公噸（四十九年生產統計）。其中漁獲量爲二一八、〇〇〇公噸。這項數字較光復前民國廿九年最高紀錄一〇九、〇八一公噸增加百分之九二點六，而較第一時期增加至百分之四〇六點二。養殖方面，亦較第一時期增加百分之三九一點八，目前產量爲四九、〇三〇公噸。

而且漁業的發展趨勢，遠洋已漸漸超過近海，近海又優于養殖。據省政府統計，四十九年遠洋漁產爲八五、二一〇公噸，但全年總產量百分之三二點七八。近海漁產爲九四、八五六公噸，佔全年總產量百分之三六點六。

由于此項趨勢，省府今後對漁業發展，其目標，將以加強遠洋和近海爲主，預定今年漁產總目標爲二七〇、〇〇〇公噸。其中遠洋漁獲量估計可加二一六、〇〇〇公噸。爲配合此一目標，動力漁船的修建與漁港之拓建，將仍列爲主要工作。據省府分析，至去年止，本省動力漁船已增至五、五四六艘，其噸位較光復前增至百分之一七〇。在漁港方面，目前已開闢的已有四十餘處，其中設備完善，規模良好的有高雄、基隆、蘇澳、馬公、安平及新港等。

據有關方面進一步分析，最近四年來爲配合漁業生產而迅速建立的本省漁產加工外運銷業，四十九年統計，其產品統額爲新台幣四億七千餘萬元。其製品種類包括魚丸、貝介類，罐頭等。在運輸方面，現有五十八個生產地魚市場及四十一個消費魚市場，保障了魚產價格之平穩及漁民福利。因此，亦使本省漁民的生活大大改善。截至四十九年底的統計，全省漁民已達卅一萬餘人，其中專業計十八萬四千人。政府爲保障他們工作的安全，舉辦漁民保險，至今年三月統計，參加漁保的達十五萬二千人，八年來支付保險費達四八、七六六、七七九元。在增進漁民福利方面，除貸欵建屋設置獎學金，考選優秀人才出國外，並有興建漁民托兒所，淡水供應站，漁用倉庫等。（八月廿九日寄）

陽明山第二次會談後　台灣各界的反應

陽明山第二次會談自上月底結束以後，海外參加人士大部份都辭別祖國，反回僑居地去了。現在還有一部份學人，應教育部之約，留台作學術講演；社會各界，尤其是知識份子，仍然不斷地注視此次會談的收獲。

大致說來，社會各階層對於此次會談，其印象都還不惡。因爲這次會談的問題是文化教育，參加的多是來自各方面的學者專家；濟濟多士，薈萃一堂，從容不迫地來討論與國之計，可以說是一種「盛會」。而且大家都能相見以誠，坦白眞摯，說自己心裏要說的話，場面十分輕鬆、愉快、和諧，並沒有一般政治性會場中的氣氛，確實是難得的現象！

此次會談的情形，以及所得的結論，各界見仁見智，看法容有歧異，可是有幾個重要之點，却所見略同，還值得一述！（一）關於「言論自由」之爭，有的說台灣言論太自由，有的說台灣言論不自由；在一般老百姓的心目中，雙方都不致有些偏見。言論應該自由，台灣言論也並不自由；但處此非常時期與環境之下，所謂言論自由，必須要有限制！凡是違反國策危害社會的言論，定要加以取締，任何人也不能以「不自由」三字來責難政府！（二）參加會談人士中，有些著名的權威政論家，平時對政府頗能急言直諫，而此次會場中却默無一言，大家一方面表示失望，一方面又表示懷疑；究竟是什麼原因呢？（三）關於恢復民族倫理道德的問題，談論的不乏其人；尤其以程其保與經熊兩位名學者更懇切言之。其實，這一問題在台灣乃是「舊話重提」，台灣近十年來，提倡恢復倫理道德，可算不遺餘力，不但以此爲反共的精神武器，而且中等以上學校早已實行講授四書（改稱中國文化基本教材）了。不過，成效如何，還希望當局切實檢討，徹底改進！因爲倫理道德，就是民族靈魂，事關國脈民命，怎麼可以徒託空言，敷衍了事呢？（四）此次會談的問題是文化教育，參加的人，所謂文化人可算應有盡有，而從事教育工作者，除少數大學校長教授外，衆多的中小學和師範學校、職業學校，全無一人參加。原因安在？不但一般人無法了解，也感到「莫名其妙」。究竟這些學校在教育中都不重要呢？還是少數大學教授便可解決一切教育問題呢？

以上幾點，只是道聽塗說，筆者據實報導就是了！（杜多，九月十日）

愛情的代價

荻楓

突然，她抬頭向四面張望：

——她找我？難道是？

我本能地退後一步。我也不知道她是否找我。但她終於看見我了：她臉容變得無比慘淡，嘴唇一動，一下子摔倒玫瑰堂前的石階上。

「新娘子暈倒了！」人聲大叫。

「秋嫻！」……

我的腦海像給什麼震動着一樣，什麼東西也想不出來。只有許許多多的人影在我的眼球上走來走去……

「是你！」

我猛一定神：原來是她父親。他瞪着我，面上像罩上一層霜。

「狄先生，你這算是什麼意思？」

我忽然變得異常冷靜：

「秋嫻結婚了？」

「她當然要結婚。」

我點點頭：「替我恭賀她。」

她父親大感意外，臉色和緩不少：

「我以爲你已經離開了香港？」

「不錯，」我呼了一口氣：「今天晚上，芝萬儀號輪船。」

我離開；對於她父親，我毋須再解釋什麼。

站在玫瑰堂外，我回過頭去——那羅馬式建築的圓頂，突然給予我一種異樣的情緒。我默默地爲秋嫻祝福。

我寄了一件禮物給她；那是我們從鯉魚門帶回來的那塊長三角的小石子。

香港，不再是我留戀的地方。（七）

遺產

黑子

眼鏡張近來忽然活躍了，那自然是有原因的。

張大光是我們科裏的科員，年齡雖不大，可也不算小了，正好是六六——三十六歲，大學畢業，幹了十多年，如今仍舊是一個科員，連個副科長都沒幹上，加以一直是待字於「單身宿舍」裏的獨身漢；這年頭如果不中愛國獎券第一特獎，境況是很難好轉的。

然而眼鏡張近來有說有笑，除了科長副科長是另眼相看，同事間也熱絡起來，就是那最冷若冰霜一派正經的打字小姐穆素琴也改變了作風，換了一付春天的面孔，我們的科也跟着顯得有了生氣。

原來張大光新近收到了由美國紐約華爾斯街白朗特大律師事務所寄來的一件通知，說他的叔祖父張開甲生前曾有遺囑指定張大光爲其遺產繼承人，希望他尅日赴美辦理接收事宜。

對於張大光，這眞是一個晴天霹靂的好消息，不異於中了第一特獎。人逢喜事精神爽，這個飛來福隨即爲全科裏的人都知道了，大家一般恭喜致賀，爲幸運的張大光帶來一陣高興。

於是眼鏡張在科裏不寂寞了，開始活躍起來。除了馬上辦理申請赴美的出國手續而外，手邊似乎也活動起來，不像從前那般經常鬧窮了。原來出納員賈勤自動地預支了好幾個月的薪水給他，成了科裏面的公開秘密。一向猶太的王管制員居然也請他看電影，上館子吃飯。就連最愛拖債的吳統計員也令人驚服，不知多久以前借了張大光的一百塊錢，現在竟然搶先還了，而且一邊解釋一邊道歉地說着：

「眞是對不起啊！張兄。有借有還，再借不難！」

張大光不便拒却，本來嘛，自己借出去的錢，應該收回，這還有甚麼說的，於是才接了過來，隨手放進褲袋裏。

我們的科長更是有意思，有一天拍着張大光的肩膀說：

「大光，年齡也不輕了，總該成個家才是啊！」說着又降低了聲音：「我看穆小姐雖然沉靜些，也還不失爲莊重，怎麼樣，讓我做個媒人吧！」

張大光扶着鼻樑上的鏡框，一面微笑着說：「我是心有餘而力不足啊！」

副科長馬鴻圖正好在這個時期有了外調的消息，於是向科長試探着建議說：

「大光做人處事都還不錯，學識經驗也有，而且也是我們單位的老人了，我看這次……是否可以……」馬副科長的這一臨去秋波居然贏得了科長的俯允考慮，答應爲其待機設法。

下班時，同事們逐漸地離開了。穆小姐也拿起了皮篋，意外地却對着眼鏡張掃了一眼才的篤的篤地走出了辦公室。

一切都在微愉中度過。張大光只等外交部的出國護照一到，即可動身前往美國。

過了幾天，收發員在一堆信件中發現了有張大光一封從紐約寄來的信，於是興奮地叫了起來：

「張先生，您的信！從美國來的！」

科裏的人又緊張起來了，全爲張大光高興着。張大光接過了信，打開一看，上面寫着：

「大光先生：令叔祖張開甲老先生所留遺產業已查明，全部僅存美金十元二角正，茲隨函附寄奉上，即請不必煩駕前來紐約領取。G．白朗特」

眼鏡張突然倒在椅子上，半天說不出一句話來。科裏的人都覺得奇怪，及至看了大光的這一封信，才隨着嘆了一口氣。一切又都回復了平靜。

·作者與編者·

有若干文友投寄之稿每多不能採用，至感歉仄。茲願與文友略申數事：

一、捧場文字不登，攻擊私人文字不登。

二、專門描寫本身的生活者，例如我今年三十尚未結婚，我昨天在某地見到一個姑娘向我一笑之類。凡此類文字，一律不登。

三、言之無物，主題不明者，不登。

四、本報審查稿件，自信頗爲嚴格。且以篇幅有限，未能大量容納。間有少數文友，每次投寄逾十篇，彷彿「稿海」攻勢，嗣後應請少寄。

浯溪

山川風物

·漁翁·

浯溪在湖南祁陽縣西南五里許，乃湘水一支流，而北滙於長江，環山抱水，茂林修竹，風景絕勝，氣象萬千！

唐元結，字次山，舉天寶進士，拜道州刺史，罷官歸，路過此地，愛其勝異，遂家焉，命曰「浯溪」，所作浯溪銘序，至今猶膾炙人口。

溪上有浯亭、浯台、浯池，謂之「三浯」，在蒼松翠竹處，尚有元之釣魚台遺蹟。同時顏眞卿亦過是溪，書「大唐中興頌」一篇，鐫於高丈餘之石碑上，筆力遒勁可觀，遊者每翻印而去，如獲至寶。

邑人追念先賢，建「元顏祠」，祠內住一僧，無恒産，崖上有一穴，名「飯罅」，可容米一斤，傳每日有米盈罅，差供僧一人之食，後僧鑿而倍之，則米烏有矣，此雖齊東野語，亦可爲世之貪婪者戒。

清室中葉，有楊翰者，亦由進士簽道州刺史，告老歸，過浯溪，謁「元顏祠」，低徊流連不忍去，亦卜地而居之。因世局滄桑，元廬早成邱墟，楊宅蕭條，園鞠茂草，不禁有今昔之感！惟周圍崖石上，所鐫元顏及古今名人詩歌，琳瑯滿目，有印以售遊客而爲生活者，詢之不以姓名告，其實即楊翰之孫也。

瘟君續夢

第二回： 狼狽自爭雄，活佛有幸　人天齊示警，浩刧將成

「草荒」這個名詞在中外歷史上都是陌生的。歷史上每當大亂之後，農田無人耕種，長滿雜草。唐人詩：「君不見漢家山東二百州，千村萬落生荊棘，縱有健婦把鋤犂，禾生隴畝無東西。」說明那是由於人口減少，壯丁死亡，剩下老弱婦弱，無力耕種，才到處生滿荊棘。

距離現在還不滿一百年時間，淮河北岸崛起一股捻匪，先後縱橫了十幾年，整個淮河兩岸，變成了戰場，到了後來，每一村莊人口所剩無多，種田也只限於門前一節地，遠的都長滿黃蒿，黃蒿年深日久，長得似小樹，裏面就成了野兎窠巢，每天幾百野兎一羣到莊村門前壕內喝水，看見人也不躲，人們最初還偶然打幾隻野兎來吃，後因爲人少兎多，簡直不敢招惹牠，恐怕野兎傾巢而來，會把僅剩下的一點糧食吃光。這種情況延續了十幾年，到了捻匪平定後，人口逐漸增加，村民斬荊棘，闢蒿萊，才把草地變成沃壤。

中共所宣傳的草荒，和過去完全不同，歷史上的草荒因爲人口減少，無人耕種，農田變成草地。今天中國大陸，雖然被中共殺掉兩千萬人，但中共宣傳人口已達七億，爲歷史上人口最多時期，至於農田連森林，山坡都開墾了，農田自不會拋荒，結果却出現了「草荒」，不能不算是「毛澤東時代」的奇事了。

草荒省份達十二個，整個長江以北，嘉峪關以東，黑龍江以南，直達海濱，到處發現草荒。草荒最嚴重的是山東省，草荒的田竟佔四千八百萬畝，山東全省可耕的田也不過一億四千萬畝，三分之一都長了草。這種草並不是小草，一鋤就除了根，而是一種蒿萊，長的比人還高，盤根錯節結在一起，不用說除草了，想進到田裏都難，中共對此東手無策。各級幹部層層向上報，一直報到中共農業部，主管幹部把數字加在一起，竟達三億畝，整個大陸可耕田也不過十五億畝，有五分之一長了草，這個如何了得，主管部內事務的第一副部長劉瑞龍就拿去找部長廖魯言商量。廖魯言是毛澤東手下紅人，在黨內是農村工作部副部長，在「國務院」內又担任農業部部長，原任農村工作部部長鄧子恢因爲反對毛澤東的人民公社，久被打入冷宮，一切農業政策，均操於廖魯言之手，這時廖魯言得到這個報告，吃驚不小，自己無法解決，又不敢直接去向毛澤東報告，只好先找譚震林。

譚震林也是農村工作部副部長，不過他已升任政治局委員、書記處書記，成爲中共黨內農業政策決策人員，地位早駕鄧子恢之上。（卅九）

岳騫

徵稿小啓

有內容有意義之隨筆、散文、掌故、小說、雜感等類文字，本刊均所歡迎。請用有格稿紙繕寫，如需退還，請附信封及郵票。一千六百字左右的隨筆，比較容易刊出，過長則以篇幅所限，請特別留意。

小大鵬之由來

梨園漫談

·瘦西湖·

小大鵬學生班，在管教時，採行若干良好之措施：如，在生活管理上；嚴防其沾染過去平劇伶員之陋習，務使其生活趨於活潑、純潔、嚴肅與正常。在施教時；取締辱駡與責罰，以防止其自卑心理之發展。在排練與表演時；嚴禁不合作與不認眞之行爲，以防個人英雄主義之產生。故以「德藝合一」爲其班銘，以「尚德重藝敬業樂羣」爲其班訓。

其訓教計劃與進度均以五年爲期，期滿實習一年，必要時得予延長一年，故學生在班受訓之總期間，共爲六年，然藝術無止境，第一期之學生徐露，雖已結業三年，躋身團員之列，而仍在該班不斷研究和學習，何也，無他，實爲精益求精，百尺竿頭，更進一步也。

學生在學習的五年期內，劇藝方面以一年半爲基本訓練期；分初級與高級兩階：初級之術科，以壓腿、下腰、圓場、雲手等爲主。高級之術科，以小翻、毽子、起霸，把主等爲主；學科以鑼鼓經、習唱、崑腔等爲主，以三年半爲分科訓練期，依學生之天賦，及其性之所近，納入有關各科，分別施教，科別有四：

（1）生科：含老生、小生、武生等。

（2）旦科：含青衣、花旦、武旦等。

（3）淨科：含大花臉、架子花、武二花等。

（4）丑科：含文丑、武丑等。

另設箱管科，如衣箱、化裝、檢場等，及音樂科，如文場、武場等，則爲選修。

訓育方面，視學生教育水準之程度，而分別集體施訓。如公民教育，則分爲大中小三班。均採用一般國民學校初中之教材，小班以國校二、三年級爲準，中班以四五年級爲準，大班以初中一年級爲準。大班並兼習繪畫與英文。其他如德智體育之活動，亦按其水準，分別實施，其可記述者如下：

1.專題演講：如時事報告，歷史故事，平劇史實等。

2.個別談話：如生活指導，及做人的道理等。

3.娛樂活動：如團體遊戲，棋類娛樂指導等。

4.體育活動：以球類爲主，（註：該班已成立籃球隊）

5.文化活動：購置兒童讀物及古今文藝小說，以供閱讀。（三）

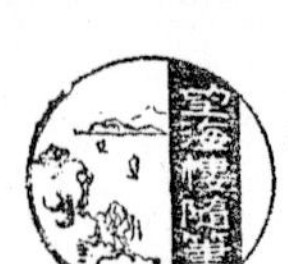

古籍的整理

·徐學慈·

用現代學術研究的標準來衡量，我們簡直可以說，中國古籍尚是一塊未開墾的處世地。宋儒的箋注，清儒的考據，對於昌明古學雖不能說全無作用，但卻沒有一個能還古人的原來面目。大部據己意以考古文，乃愈考愈糊塗，而古人面目遂至於模糊不可辨識，甚且肢解無完膚了。

自海禁大開，西方學術大量傳入中國。東西學術之比較異同，非本文所擬討論，但我們卻不能否認，西方學者治學所用之分析演繹歸納等法，實在比我國過去之治學方法高明。文學批評方面的書籍，過去在我國一向很貧乏，此乃由於過去學者治學不重分析演繹歸納所致。中國古籍，歷數千年，其所以尚待整理與開發者，理即在此。

有關治學方法的問題，原非一朝一夕可以改變，但處今日而談整理古籍，卻必須借重於西方學者之治學方法，此則可無庸置疑。歷代學者對於古籍所作的註疏證釋工作，如謂全無用處，也就未免上誣古人，但能令讀者的受用處並不大，也是無可爭辯的事實。主要的毛病，乃在過去的註疏家專事尋章摘句，作的是解釋工作，而不是分析工作。而此種解釋工作又不過是任據己意，曲解原文，積習相沿，致原義盡失。

在今天而談整理古籍，首要的問題，便是還古人本來面目。我的意思是說，我們必須把古籍作有系統的分析，從而建立一種思想體系。只有這樣，纔能讓一般的讀者受用，也惟有這樣，才能昌明古學，保全傳統文化。

前幾天，倫敦市長伯納爵士訪問香港，臨去之時，有某記者問他對中國食品的風味有何意見。這位市長先生除大讚中國食譜而外，並且對中國的筷子也有創見。他說：「我覺得中國筷子好像是幫助消化的一種用具。因為用筷子夾饌，是不能一次過大量夾起的。」我引述這個故事，乃是想要說明，對於我們所習見的事物，必須加以分析。像這位倫敦市長對於中國筷子的意見，就是用的比較分析方法。

中國古籍的注疏，在我們看來，簡直就像用筷子那麼平常了。此刻談到整理古籍，倒是應該具有倫敦市長伯納爵士對於中國筷子的新看法。這也就是說，我們需要以比較、分析、歸納，跳出註疏家的圈子，以期與原著者的思想接近。

台灣，林獻堂

李仲侯

所謂「六三」法案者，係日本帝國主義於明治廿九年，所通過的法律案，其內容以台灣新附未久，情勢特殊，為使台灣總督因時制宜起見，得由總督發布與法律有同等效力之「律令」，換言之，總督之命令，即等於法律，對反抗者，適用匪徒刑罰令，對治安有連坐保甲規約，對思想不純者，有浮浪取締規則，處置匪徒，將開臨時法庭，一審定讞，由警察就可處罰執行，司法案件亦由三審降為二審，「六三」法案為日本加強管理台灣成為殖民地化的特殊地區，予總督以無上權威，實行專制統治之有力根據，台胞之要求撤銷此案，一面在擺脫自身之枷鎖，對專制統治的一種反抗，一面是一種民族意識的覺醒，爭取自由人權的開始抬頭，這一運動，台灣旅日知識份子，本早於民國七年已在東京成立了「六三」撤廢期成同盟會，至八年秋林獻堂抵日，乃推他為中心領導人物，聯合留日學生，屢次在東京開會，向日本政府和國會，到處呼籲請願，情緒至為激昂，雖國無未允撤銷，但當時總督跋扈專橫如後藤者，亦未敢堅持執行此案，實對林獻堂不無有所顧忌。

後來「六三」法案，通過日本國會政府改為法律第三號，本來訂有限期施行之法案，已變成了無限期的法律要求撤銷這個法案，也自然喪失了目標，那時正值朝鮮發生了萬歲事件，對日本帝國主義予以強烈反抗，對全世界發出宣言，朝鮮要正式獨立，台灣之成為日本殖民地，要較諸朝鮮為早，而對日本抗爭，反事事不如朝鮮有力，且日對朝鮮政策，亦遠較台灣為溫和，台灣知識界在心理上不無有一種相形見絀的自卑感，又適逢第一次世界大戰剛結束，威爾信主張民族自決，戰後民主主義澎湃全球，即日本思想界，在吉田作造教授暨京大學生所組織之新人的領導下，展開了如火如荼的民本主義運動，台灣留日學生，耳濡目染所受影響尤深，那時台灣知識份子的理想，以為向日本爭取台灣議會設置之成功，自與民族自決暨民主主義有不可分之關係。（四）

七夕與七

筱臣

今年的八月十七日，亦即農曆的七月七日，也叫做七夕節，俗稱牛郎會織女的日子，中國人沒有不知「七七」的。公曆的七月七日，那是公元一九三七年的事，日本侵略者在北平盧溝橋燃起戰火，全中國人民，與日本開始了八年時日的艱苦抗戰，直到最後勝利為止，這個「七七」也是一個難忘的紀念日。

這裏且略談關於「七」的掌故。數學裏基本數字有九個，這九個數字各有千秋，不過七這個數字更為人所喜愛。比方拿過年來說，「一元復始」，自然是元旦日最重要，以人來說，人為萬物之靈，應該最大。但在北史魏收傳裏卻以正月的第七日為人日。俗名「上七」，俗語還說，「上七大過年」。這證明自古以來我們就尊重「七」。

以紀元來說，黃帝，顓頊，帝嚳，堯，舜，禹，湯謂之「七代」。秦，齊，楚，燕，趙，韓，魏為「七國」，又稱戰國七雄。

以男子來說，魁梧奇偉的稱「七尺昂藏」。建安「七子」更是有名於時。漢末建安中，孔融，陳琳，王粲，徐幹，阮瑀，應瑒，劉楨，同時文學齊名，號建安「七子」，以同居鄴中，又稱鄴中「七子」。後來明代文學之士，李夢陽，何景明，徐禎卿，邊貢，康海，王九思，王廷相號「前七子」。李攀龍，謝榛，梁有譽，宗臣，王世貞，徐中行，吳國倫，號「後七子」。並見「明史文苑傳」。

其次還有「七王」，「小學紺珠」載：韓世宗，劉光世，張俊，岳飛，楊存中，吳玠，吳璘子」按即韓蘄王，劉鄜王，張循王，岳鄂王，楊和王，玠涪王，璘信王。

再其次史有「七賢」，晉嵇康寓居河內之山陽。阮籍，山濤，向秀，劉伶，阮咸，王戎，並相與友善，遊於竹林，號為「七賢」。在文學方面，更有所謂「七大家」，「李紹蘇文忠公集序」內有云：「古今文章者非一人，其次之名天下者，惟唐昌黎韓氏，河東柳氏，宋廬陵歐陽氏，眉山二蘇氏，及南豐氏，臨川王七大家。

在女子方面，則有「七女」，「明統一志」載：七女池在漢中府洋縣，漢中記，昔人無男，養七女，父歿，女於此負土，各為一冢，遂成此池，其冢三在城固縣，四在興道縣。其次還有「七姬」，七姬廟在江蘇吳縣城北任蔣橋西，元至正廿七年，明太祖遣徐達等圍張士誠於姑蘇。其婿潘元紹知事急，召妾七人，諭以事勢，同時縊死。挾屍瘞於後圃，潯陽張羽為撰壙志以表其烈。廟址即潘氏故圃。（見朱象賢聞見偶錄）。

只是「七」對婦女似乎不免稍涉煩惱，三從四德合起來是「七」，對女人未免要求太苛。其次還有「七出」之條，無子，淫佚，不事舅姑，口舌，盜竊，妬忌，惡疾，這些都是對於婦女不平等的待遇，更何況做一個主婦，最令她傷腦筋的，就是柴，米，油，鹽，醬，醋，茶——開門七件事。

在醫學上說，「七」對女人似乎也有不解之緣，依據統計，一般說來，女子的初經來潮是十四歲（七乘二），月經週期是二十八天（七乘四），結婚多在二十一歲（七乘三），懷孕足月是二八〇天（七乘四〇——四〇週），停經年齡是四十九歲（七乘七）。這些都是極其科學而有準則的。

此外，在天文方面，則有「七色」，太陽之光線，本具有種種顏色，以三稜鏡直日中照之，其透過之光線，常現紅橙黃綠青藍紫七色，此為美人奈端所發明。另外還有「七星」，所謂七星，就是北斗星數七，故稱「七星」。杜甫有詩云：「七星在北戶，河漢聲西流。」

在音樂方面有「七音」，所謂七音，即「宮，商，角，徵，羽，變宮，變徵之謂。另有「七律」，「國語周語下」載：王曰：「七律者何？」「解」：黃鐘為宮，大簇為商，姑洗為角，林鐘為徵，南呂為羽，應鐘為變宮，蕤賓為變徵。還有「七絃」。「晉書孫登傳」：登好讀易，撫七絃琴。嵇康「酒會」有詩云：「但當體七弦，寄心在知己。」

在軍事方面有「七校」，「漢書」武帝平百粵，內增七校。「註」百官表，中壘，屯騎，步兵，越騎，長水，[illegible]

閒談女褲

燕謀

西洋肉彈夢露一次到東京，據說她沒穿褲子，為報紙增加花邊新聞，生色不少。女人穿褲不知始於何時，殊無證可考，然女人穿褲，乃文明下之產物，中國古代婦女無穿褲記載，閨房之述最露骨的記載，惟有「羅裙帶兒解」，未見解褲之說，大抵宋明以後女子始穿褲，然皆視女褲為褻物，男人皆諱之。

西方婦女亦多有不穿褲者，尤有以穿褲為侮者，有人問一法國姑娘是否穿褲？而女勃然生嗔道：「你以為我是穿褲的女人嗎？我乃一正人女子也。」原來法國習俗妓女始穿褲，正人女子則以穿褲為恥。除到十八世紀末葉，除女伶外，巴黎婦女仍不穿褲；英國亦僅男子穿褲，女子不穿褲而皆穿裙。

日本女子，在處女時期必穿內褲，入學校校長必檢查，歸家則母親亦必檢視，惟出嫁之後，則聽便也。日本人平時在家穿和服，有時逛街夜市，十之八九也是不穿褲的，此彼之習尚也。

俄國女子，對於內褲據云未之聞也。在哈爾濱的俄國女人，每當華燈初上，道路行人，及舞廳酒吧所見者，都不穿褲，好事中國人，喜窺其秘奧，常在燈光輝煌之時，站在暗中，以窺其薄紗中之奧秘焉。

戰時陪都重慶，因係山城，馬路頗斜頗大，黃包車快於下坡時，往往脚少着地，飛快奔馳而下，有一太太適乘黃包車由上飛馳而下，適與上行之車相撞，而彼太太所乘之車，撞個車仰人翻，此則非同小可，原來那位太太未穿內褲，變脚朝天，大獻原形，路人見狀莫不圍觀之，途為之塞。此亦不穿褲之趣也。

現今婦女穿褲則三角褲，雖有褲名而實則等於零矣。倘有另外者，本省有的女子穿褲，褲脚則以鬆緊帶緊之，其用意如何不可得而知矣。

大陸西南山區苗子，姑娘也只穿裙而不知褲為何物；今日台灣山地姑娘，同樣不穿褲而穿裙。由此觀之，落後民族根本不穿褲，可知女子穿褲，乃近代文明之產物矣。瑪麗蓮夢之不穿褲，則她另有卓見，正如幽默大師林語堂博士所謂「不打領帶」的主張殊途同趣。

小啓：「海嶠樓談薈」續稿未到，暫停一期。

歷史人物

柳宗元論

·謝康·

他自已也承認：在永州時很好作文，與在京時頗異。（賀進士王參元書）這時期的作品，可傳者頗多，如「封建論」，「非國語」，[illegible]辯」，「捕蛇者說」，「永某氏之鼠」，諸篇，或見解卓越，或趣味雋永。尤其是永州山水游記諸篇，膾炙人口，尤稱佳作。

永州諸記，共十餘篇，即世所傳誦的，始得西山宴游記，鈷鉧潭記，游黃溪記，鈷鉧潭西小丘記，至小丘西小石城記，袁家渴記，石渠澗記，小石成山記，等九篇，又永州新臺記，零陵三亭記等數篇。這些雜記，姚姬傳古文辭類纂選了十四篇，（另柳州山水兩篇，共十六篇）並附加一些好評。如「游黃溪記」後附方苞評語云：

「子厚諸記，以身閒境寂，又得山水以盪其精神，故言皆稱心。探幽發奇，而出之若不經意。」

又劉大櫆（海峯）評云：

「山水之佳必奇峭，必幽冷。子厚得之以為文，琢字鍊句，無不精工。古無此調，子厚創為之。」

又「鈷鉧潭記」後，劉海峯評云：

「結處極幽冷之趣，而情甚悽楚。」

按方、劉二氏評語扼要，深得箇中三昧。特別是劉海峯指出柳子厚山水記具三特點：（一）創造性（二）奇峭幽冷的景趣（三）悽楚抑鬱的心情。於情景各方面，都能發掘到。特別是創造性，原是文學最重要的一個條件。大家知道創造的作品，它的價值，絕非摹仿的東西所可同日而語。

（四）

內僑警台報字第〇三一號內銷證
自由報
THE FREE NEWS
第一六一七期
中華民國僑務委員會頒發台數新字第三二三號登記證
中華郵政台字第一二八二號執照登記為第一類新聞紙類
（半週刊逢星期三、六出版）
每份港幣壹角
台灣零售價新台幣弍元
社長：雷嘯岑
督印人：黃行竇
社址：香港銅鑼灣高士威道二十號四樓
20 CAUSEWAY RD. 3RD FL. HONG KONG
TEL. 771726　電報掛號．7191
承印者：四風印刷廠
地址：香港灣仔高士打道二二一號
台灣分社
台北市西寧南路壹叁叁號二樓
電話：三〇三四六
台郵撥帳戶金九二五二

我對於教育問題的幾點意見

·薩孟武·

編者按：薩孟武教授此文，乃應本報雷社長之請而寫。薩先生在文末自謙是還文債，實則文中所論，皆切中時弊，其將有利於今後教育制度之改革，殆無疑義。論及大學理工科與文法科學生之取錄標準問題，認為後者應取天才，而前者無妨取錄中才。因此乃不贊成有如今日台灣各大學之取錄標準，而將資質稍差者，派至文法兩院。理由是：理工醫學生在學了之後，必能畧懂一二；至於文法科學生，如果不懂就竟完全不懂了。此論深為編者所同意，爰特書出，以供擬訂教育政策者參考。

中國學制前後變更了兩次。舊制是初小四年，高小四年，中學五年，大學預科二年，大學四年。北伐成功，定都南京之後，改為新制，即初小三年，高小三年，初中三年，高中三年，大學四年。舊制由小學而至大學共十九年，新制縮短為十六年，這兩種制度孰優孰劣，固然各人的意見不同，惟據余之所見，似舊制比之新制為優。

新制既然縮短三年，在理，課程應該隨之減少，顧各級功課乃增加了數倍，我猶記得我在初小時，第一年只有國文一課（體操在外），第二年只有國文與算術兩課。課程很少，我們念了又念，爛熟之至。到了今日還能背誦。國文教科書是商務印書館出版的，著者為海鹽張元濟、長樂高鳳謙。第一冊第一課，是「天地日月，山水土木」，第二冊是暑假後開始念的，所以第一課是「學堂暑假，一月已滿，今日早起，穿新衣……」第三冊是過年後開始念的，第一課為「元旦兄偕弟赴叔父家賀年，聞樂聲，弟悅甚……」，第四冊又是暑假後念的，炎暑未消，所以第一課為「太陽居空中，其體最熱，故能發光……」，每冊每課均與節氣有關，所以印象很深，而吾人念了又念，讀了又讀，口順了，所以念到第四冊，不但會寫一百多字的文章，而且寫得很通順，這不是我個人如此，我們同級學生無不如此。這種情況絕不是過去人聰明，而是過去功課少之故。

因為功課少，所以每早九時上課，下午一時上課至四時完畢，星期六只念半天。小孩最重要的是睡眠，九時上課，目的要令小孩有充分睡眠的時間。今日如何呢？八時上課，而又有昇旗的儀式，據我所知，小孩至遲早上六時半必須起牀，而晚間又有許多練習題，每位教師書題又多，大約十時以後，方能上床安睡。睡眠不夠，身體安得健康。

同時，課程又多，小學生何能消化。今日大學生國文通順的為數甚少，其所以如此，完全在於中小學教育的失敗。而中小學教育的失敗，又因為擬定課程之時，專家意見太多。我認為地理重要，他認為歷史重要，另一個人認為生理重要，又一個人認為植物重要……專家站在專家的立場，個個均認自己所學的乃世上最重要的學問，於是一切均納入中小學課程之中，件件學，件件不懂，這是今日中小學最大的失敗。大學課程亦多，重複者不少。

今日小學似有常識一科，而昇學考試之時，所問常識，毫無價值者：例如某廳長是誰，某部部長是誰，這是常識麼？今日他們做了廳長部長，也許有人認得，一旦下台，過了數年，誰又記得。凡立德、立言、立功之人，人們自會知道，小學生不知道，也不重要。至於德、言、功三者均無的人，何必令小學生暗記，虛費小學生的精力，我們認為可惜。

入學考試之難，這是許多父母傷透腦筋的事，而入學考試所以困難，原因乃在於教育制度。今日非小學出身者不得入中學，非中學出身者，不得入大學，非大學出身者又無出頭的機會。我們以為除小學係義務教育，而既定於憲法之中之外，中學在家補習可也。家裏有錢的人可請家庭教師，教其兒童，一方可減少升學艱難，同時每家均能依其小孩的資質，施以適當的教育。

至於投考大學的人必限於中學畢業生，吾人更不贊成。貧家子弟讀了六年小學之後，一方做工，同時補習，何以國家竟然剝奪他們升學的資格。固然今日亦有「同等學歷」的規定，但其所謂同等學歷是謂讀了高中二年，做事一年。即高中二年還是要念的。最奇怪的，有人告我，高中讀了二年半，做事一年，則不算「同等學歷」，因為教育法規定二年，現在已念了二年半，所以沒有應考的資格。天下那裏會有這種不合理的法令，這不是法令不合理，而是解釋法令的人，不識法學，腦筋硬如鋼鐵，太不靈動之故。而主管長官復庸懦怕事，恐失掉烏紗帽，故一切均呆板的根據法令，使意外之事不至發生。所謂官僚政治，科員政治就是指此而言。

大學畢業生在求職時有較多的優點，吾人固不反對。此後升級若再以大學畢業為根據，那就不通了。大學有無畢業，不過暗示學識如何，而既已進入政界或實業界，則事能極其重要，不顧其事能如何，唯以大學有否畢業為標準，那裏能夠得到人才。

傅斯年先生曾經告我：德國學生似狗，美國學生似貓，狗是認人的，德國學生只認教師，不認學校，今年這位教師在柏林大學，許多慕名學生均進入柏林大學，明年這位教師派至另一處大學，學生又羣赴該大學。美國學生只知道哈佛、耶魯，至於教師如何不甚注意。吾國如何呢？也同美國一樣，學生是貓，只認房子，第一志願必是台大。其實，各大學的教師相差無多，而且彼此互兼課，何必羣擠一校。

不過我總認為那種資料，做那一種工具，這是不可勉強的。許多人喜歡進某一個學校，則考取者必是第一流學生。對於第一流學生，加以許多啓發，當然容易成為第一流人才。這不是教師，學校之功，而是學生資質本來優良之故。

今日學生因為出路之故，最喜歡學的是醫與工。而醫工理三院人數又有限制。限制固然可以，如果限制三院人數，而由社會要求，教部命令不能不多收一定人數的學生，而將資質稍差者，派至文法兩院，則我認為失策。據我之意，學習技術的院系，例如醫工農無妨多收學生，至於純粹理論的院系，例如文理法三院，學生必不可多。前者學了之後，必能畧懂一二，後者不懂，則完全不懂。所以後三院應考取天才，前三院無妨考取中才。教育政策，必須注意此點。

總之，吾國教育制度應行改革之處太多，自由報社長雷嘯岑先生要我寫文章，故書此以還文債。

五十年九月十日

漫画天下

南施

高處不勝寒

與鬼為鄰

自由談

盛世危言

馬五先生

自中樞政府遷移台灣以來，「十年生聚」的成效，斐然可觀，民衆安居樂業，生計漫揚，生活優裕，社會秩序十分安定，這是事實。然「十年教訓」的工夫，不客氣地說，離題甚遠，而且令人怵目驚心。

誰都承認咱們來到台灣是過的憂患生活，即令台灣海峽仗有強大盟邦的海空軍力量協防，安全可保無虞，然國難十分嚴重，每個公務人員必須以臥薪嘗膽，漆身吞炭的艱苦卓絕精神，表現着不忘在莒的生活情況，才足以領導羣倫，為國奮鬥。然而，我仔細觀察一般中上級文武人員的心情和行為，惰性苟安，滿不在乎，個人先求保持既得權益，唯恐或失，相率孜孜汲汲於生活享受，大有「國家事，管它娘」的氣概，一派奢靡自娛的景色，比較過去在大陸時期，更有甚焉。舉凡食、衣、住、行等費用，無不取給於公家，而其享受的優厚程度，絕非過去在大陸上的高官厚爵所可同語，中樞如此，省級亦然。但「節約救國」的聲浪，又隨時洋洋盈耳，說的是一套，做的另是一套，苦的只是一些位卑祿薄的低級吏員而已。貪污風氣之形成，即基於此。

「山外青山樓外樓，西湖歌舞幾時休？春風吹得游人醉，錯把杭州作汴州」請看今日之台灣，是否有此現象，恐怕無法否認吧？老百姓如有此情，政府還須曉以明恥教戰的義理，設法轉移風氣，官吏亦隨波逐流，醉生夢死，面對着亘古未有的國難，而侈言反共救國，寧非一大諷刺乎？

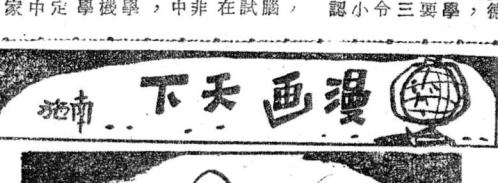

由今之道，不變今之習俗，漫說不配談反共救國的話，縱然共黨自行滅亡，而未來新中國的政權，亦不會有咱們這般偷情腐化份子過問的餘地，這是必然的道理，大家不要再糊塗罷！

監察院向行政院提防止貪汚糾正案

（台北航訊）繼立法院在上一會期，由一百一十二位委員提出「戡亂時期貪汚治罪條例草案」之後，監察院亦於昨（十一）日內政委員會第一七七次會議通過「防治貪汚問題研究報告」，即可送請行政院糾正。在立監兩院此一配合之下，或者可望對近年來漸趨奢靡之民風，與漸趨腐化之政風，能收振衰起疲，戢止之效。

本案是由陶百川委員提出。最初提出是在兩個月之前，正是汽車修配廠、公路局、北市公車管理處等舞弊鉅案相繼揭發之時，因此有感而發，乃提出本案。經由監察院參事室參事五人，加上審計部二人，共計組成七人小組負責草擬草案條文。再由內政委員會張維翰、陳肇英、陶百川三位委員審查核定，然後才提經內政委員會議通過送請行政院糾正。在七人小組起草之草案，只有一至第五條的條文，而在負責審查及內政委員會之委員，俱以為這五條辦法都是只對行政人員，而審計人員在防治貪汚上，亦應當加強責任。同時，審計部又為監察院屬下單位，如不併案提出糾正辦法，難免有被人視為有欠公正，因此，最後同意增加一條「加強審計與防治貪汚」，計共六條。

監察院此一「防治貪汚問題研究報告」，語氣極其沉痛。對於導致貪汚之不當措施，俱有具體事證之指出，對於防治之法，亦有善意之建議。故本件雖出之於公文書，實在也是頗堪一讀之警世好文章。

報告中第一條是「革新風氣與防治貪汚」。指出當前社會風氣日趨澆漓，官箴漸墜，人慾滋漲，或藉公營私，或弄權納賄，違法瀆職，於復國大業，影響殊巨。因此，建議行政當局，今後對於廉隅之砥礪，氣節之旌揚，道德教育之加強，生活軌範之建立，婚喪慶弔之儀節，宴會迎送之限度，與夫選舉運動之弊端，迷信酬神之浪費，以至嬉遊沉緬之取締，應由各主管機關就其職責，分別妥擬辦法，付諸實施。

「改善待遇與防治貪汚」。研究報告認為：軍公教人員生活之安定，與士氣效率與節操，有極大關係，亟須再加調整。

報告中指出：有的機關仍有變相固定津貼，公營事業人員待遇因藉口生產建設而特提高，美援會更是一枝獨秀，差別待遇，亦足引起不平。至於宿舍分配，更是公務人員中之最大不平，例如台灣省府中級以上職員，同在兩地配有宿舍。甚或有出租或頂押圖利者。但絕大多數公務員，每月房租津貼僅四十元，根本不能租到一蓆之地，待遇懸殊，頗不合理。至於各機關之福利，亦多因其有無額外收入而厚薄不一。此外，臨時雇員有長期雇用連續七八年者，待遇既差，又無配給福利，生活更苦。此種不平不足，實為導致貪汚之厲階，應該迅加改善，以勵廉隅。

在如何「健全法制與防治貪汚」中明白指出現行法制之不切實際，或空疏矛盾，亦予不肖官吏以利用職權收受賄賂之機會。例如規定之宴會節約標準，公差旅費給與辦法，都不切實際，逼人作偽。法令之空疏矛盾者，如房屋之修建，同一事件可准可駁，尤易予經辦人員以索賄機會。均應由各有關機關注意改善，俾使公務人員不能貪汚。至於所謂「管制」，流弊甚多。報告中建議，分別事例，逐漸放鬆管制，使不肖官吏不能因緣以圖利。

在「嚴密管理與防治貪汚」中建議：今後人民向政府申請之事件，統應明定辦結限期，不得拖延，並應將各種期限公告週知，以免導致故事積壓，造成受賄機會。事務管理，積弊最深，主張仿美英日等國的辦法，集中委託中央信託局統籌代辦。為防止事務及主計人員挪用或積欠商民欵項圖利，應規定付欵日期，經辦購置營繕或出納人員，應時予調動，以免日久串通舞弊。財稅經征人員，因與商人交往接近，如久不更調，更易滋生流弊，尤須特別注意。

近年貪汚案件之屢見疊出，司法機關之未能主動舉發，迅速偵破審結，嚴法懲治，也在「加重刑罰與防治貪汚」一項中加以檢討。認為自偵查以迄判決確定，動耗經年累月，社會早經淡忘，不能收懲一儆百之效。而判處過輕，適足以鼓勵貪汚。因此，懲治貪汚之特別法，應迅速制訂，以挽頹風。

審計工作，以查究不法不當支出為主要任務，與貪汚風氣之防止，關係至為重大。在最後一項「加強審計與防治貪汚」項中，建議及早確立縣市審計建制，加強縣市審計工作。至於現行審計制度之改進，招標議價流弊之防止，審計人員學養之勵進，巡廻審計辦法之加強，提報監察院年度總檢討會議切實檢討。務求有所改進。

記者在本案通過後，即走訪內政委員會委員陳翰珍，請他發表感想。承陳委員告稱：一個好的辦法，必須要各方面的配合，徒法不足以自行，還是要靠大家的決心。據陳委員稱：這個研究辦法，是非常的平易可行，這些舉出的事例都是顯而易見的。只要能具有確實改善的決心，防治貪汚是絕對可行的事。

（昌文）

台中近事

△台灣雖然實施地方自治已十多年了，可是民意代表－縣，市議員候選人程度之差，水準之低，已一代不如一代，每次開會所鬧的笑話，簡直令人匪夷所思。

台中市議會為提高民意代表的素質，健全民意代表組織，特建議台中市政府，指出台省地方自治獨有天足之進步，但仍在學生階段，唯有提高民意代表素質，使能更加強明瞭自治法規，行政法令，公文處理程序，以及其他常識等，始能更益促進地方自治之進步，以及避免許多無謂之糾紛。希請轉呈省府修改地方自治綱要時，重視實際情形，參酌本省鄉鎮縣長任用資格條件，暫行訂頒縣市議員候選人資格規定，以健全縣市議會組織。

台中市議會這項會人注目的建議案，市政府已於九月二日專案呈縣省政府核奪。（老表）

民社黨即開全代會

各方注視張君勱是否回台

吳越

（本報特稿）在陽明山第三次政治性的會談舉行之前，青年和民社兩個在野黨的動態，自然受到大家的重視。而該兩黨受邀請參加的「談士」，較一二次為多，也是必然的。因此，兩黨內部團結的問題，非但國人關心，他們自己尤其努力。

昨（十）日某報傳出：民社黨將於月梢舉行全國代表大會的消息之後，立刻便引起大家的關心。經記者深入訪問的結果，所謂「月梢舉行全代會」實是「中全會」之誤。該黨全國代表大會舉行的日期，可能是在十一月份，視實際情形或者會提早一點，但絕不會再遲了。

本月三十日民社黨將召開中全會，這本來是一年召開一次，去年因為黨內的許多因素，沒有開成，四十八年的中全會是在八月份舉行的，中間間斷了一年。據該黨某高級人士透露：這次中執全會，出席人數約在一百餘人左右，通知業已正式發出，海外回國參加人士，已在着手辦理入境手續中，開會地點在和平東路該黨總部。記者問到張君勱先生是否能回國參加中執全會？據這位經常與張君勱先生保持密切聯繫的人表示：因為時間的關係，張先生可能不回來。記者又問：十一月份舉行的第三屆全國代表大會是不是能回來？他笑了一笑說：「當然大家都希望他回來囉！」

這次在全代會之前舉行的中全會，是不是專為討論中全會的問題而開？雖然該黨方面表示：這只是每年一度的例會，並無特殊意義。但稍具常識的人一想，便可也想出這是一句外交辭令的話，全代會一定是中全會討論的主要課題。關於是否要在這次的中全會中，成立一個專案的組織，來負責籌備全代會的召開。據民社黨的高級人士表示：根據該黨黨章的規定，全代會的籌備工作由主席負責，也由主席召集。如果張君勱主席屆時不能回國召集，依法應由在台的四位副主席召集。該黨現在的四位副主席是：蔣勻田，王世憲，孫亞夫，郭虞裳。

民社黨第一屆全國代表大會，於民國三十六年七月二十四日在上海舉行，政綱黨章一直沿用到現在四十三年四月十五日該黨分裂為徐傅霖及蔣勻田楊毓滋八常委兩派，雙方各自成立黨部。徐傅霖逝世後，即由戢翼翹領導徐派，一直到現在，還是這樣。四十七年該黨舉行第二屆全國代表大會，黨章方面並無重大修正，只是增加了幾項臨時修欵，將原來的一位副主席增加為四位。這次要在十一月份舉行的全代會，該黨定名為「第三屆全國代表大會」。

關於新黨章和政綱方面，該黨現在還未着手草擬，這是全代會的職權，應該由全代會去討論。但據這位高級人士個人的意見認為：該黨現行的黨章，是第一屆全代會產生的，由大陸帶來，應該仍然很完整的帶回去，不宜多事更張，但為了適應現實情況，可能修正或增加一些臨時案欵。關於代表的產生方面，他主張代表的產生辦法宜簡化，但必須包括全國性。因為現在黨在台灣，關於台籍代表，他主張在人數的比例上不妨稍微放寬，當然也不要過度。據他的估計，大概參加第三屆全代會的代表人數，比第二屆的二百多人還會增加。

談到國人關心的該黨團結問題，這位高級負責人士以堅定樂觀的語氣告訴記者：我們內部沒有問題，當然是合起來開的。

最後記者問他，這次全代會的召開是不是為了配合陽明山的第三次會談？他說：我們應該開的會就開，不能完全為了甚麼，怎麼說都可以。在制憲行憲，三黨一向就是團結的。在這個風雨飄搖，共赴國難的時候，尤其需要三黨循憲政的體制，作政治性的團結。

在野黨的團結，是國人的一致盼望。民社黨全代會佳訊的傳出，是否意味着陽明山的第三次會談舖路呢？那就只有且聽下回分解了。（五十、九、十一）

台北代市長的困擾

·公冶長·

（台北航訊）省府委員周百鍊接代台北市長後，有幾件事是叫人喝彩的，例如在人事方面：用人唯才，不分黨派；保障優秀的職業公務員，加強行政效率，整頓政治風氣。

目前，最使他困擾的有兩件事，一件事是市政府的人事問題，一件事是台北市的環境衛生問題。關於人事問題，他在接代市長前，黃市長原想運用原來的親信——市政府的各級大小主管，出其不備，來一個總辭。當時，周主席再三叮囑代市長，走馬上任後，在人事上不得輕擧妄動。不過，周代市長在就任的那天——八月二十日，會對市府全體員工表示，短期內不調動，而短期內不調動的涵義是什麼？就是說將來還是要調動的。所要調動的是些什麼人呢？從現在的種種跡象顯示，第一類要調動的是因政治關係而進市政府的，按常規言，政務官應隨同主管共進退的，這是基於政治道德，但事實上，市政府務官沒有隨黃市長共進退。第二要調動的是庸而無能者。代市長在人事方面的原則，一為唯才是用，不分黨派。但其親戚決不任用。一為保障優秀的事務官，如果涉嫌瀆職非法的公務員，決不姑息，一律依法處理。他為了嘗施其原定計劃，而得罪了有關方面。據說，他上任後，台北市有關方面會推荐了不少的人給他，但他未任用，他所要任用的人，不少是無黨派的。因而為關係方面所不滿。

周代市長且宣佈每週一、四、五、六的早會，各單位主管必須參加，這是仿照前任高市長的舊制。早會的優點是：各單位主管上班的時間提早了，無形中增高行政效率；其次是他不了解的分文，或處理某一案件有疑問時，都可以在早會上提出討論研究或調查。他最反對的是前任留下來的秘書室主任與主任秘書市長間各自為政的制度，聽說過去市政所一團糟的原因，其病源發生在一國三公（秘書室主任、主任、主任秘書、市長）所自行劃行的公文，各不相互連繫所致。

至於環境衛生問題，周代市長如果把治標的工作做好，就成功了一半。因為預算為市政之母，沒有錢如何做事？況本年度的預算，早已編列經議會通過了，所以他只有執行而無變更之權。欲改善環境衛生，必須從根本解決，根本的問題為：台北市的違章建築一時無法消除，而原有的下水系統建設，僅適合五十萬的人口，今台北市的人口已達百萬，所以原建下水道，已不敷用，必須重建，如果重建的話，則需要新台幣十億元，試問這筆鉅額的欵項從何而來，上述兩個問題；若是無法解決，而環境衛生能如何改善呢？可是目前環境不允許周代市長拖延，因而他只有從治標方面着手，來改善環境衛生，這是一件艱難，苦的工作，然而只許他成功，不許他失敗。否則，對他未來的政治前途是有極大阻礙的。

更正：

本報第一六六期第二版「陽明山第二次會談後台灣各界的反應」文內第一項關於「言論自由」之爭一「並非不自由」句遺一「非」字，被手民誤植為「並不自由」。謹此更正。

愛情的代價

荻楓

這世界雖大，但給我們立足的地方卻並不多。事隔三年，我因為其他方面的原因，我又回到香港了。

有一天，我從一間餐館出來，聽到背後有人叫，

「狄先生！」

我一回頭，竟然是她的父親。

「是你，李先生。你好！」我生硬地招呼，雖然時間的流駛已把舊日約恩怨洗淡，但我總難忘記他曾經怎樣對待我的臉色。

「回來很久了？」他熱烈地握我的手。

「才幾天。」我淡淡地說。「秋嫻可好？」

「秋嫻？」他立即黯然。「狄先生，我對不起你。」

「秋嫻究竟怎麼了？」我睜大眼睛。

「她，她已經安息了。她睡的地方已經長滿青草，三年了啊，狄先生。」

「不！」我叫出聲。

「她結婚的那天暈倒，當晚便送進醫院，醫生說是舊病復發，不久便不治了。」

「不！」我軟弱地說，禁不住眼眶濕潤。這便是我飄泊南洋的代價麼？我問自己。可憐的秋嫻，是誰害了她？是我！是我！是我的軟弱，是我可憐又可笑的自尊心！

「她死的時候一定帶着怨恨。」我淒然說：「三年，三年了啊！」

「都怪我這老頑固。」

「如今，誰怪誰，都是多餘的了。李先生，容許我去致祭她麼？」（八）

談出走

汶津

閒來翻看報上的分類廣告，發現有不少「警告逃妻」「敬請原諒，早日返家團聚」的作品。雖然類屬應用文，卻莫不辭情並茂。社會關係日愈繁雜，社會問題也船看潮漲。所以這就慢慢變成司空見慣了。可是每天有人走出家門，揚長而去，想像起來也有些荒謬。不過有人出走了固然鬧得滿城風雨，「安全返航」時是否也為人們所知呢？這就是最大的關鍵了。

話雖如此，我們也不必粉飾太平。大概這是一個動力至上的時代，人的流動性也難免大些。寶島的氣候又經常悶熱，就是老夫老妻也難保沒有動肝火的時候。再把它放在情緒的擴大鏡下一誇張，就不免災從心中起了。

出走的人，心情也分兩種。一種是心頭一橫，管他天翻地覆，也不準備重投家園了。另一種則半悔半恨，欲待歸去，又怕喫人恥笑，很像武松撞上景陽岡去的光景。於是一不作，二不休，乾脆跑遠點，不去想他。如果聰明一點的，當然不會忘記每天到閱報欄前去細看一遍尋人啟事。只要讀到家人的告饒性文件，就可以順水推舟的「勉強」回府了。於是這一次的出走也就成為一段插曲，以後大家心照不宜，再也不提他了。

這當然是不幸中的大幸。可是那心中的裂痕，真能彌縫得全無痕跡麼？明天再吵架的時候，會不會你嚷「上次誰叫你們硬把我拉回來的」；我「有本事再走出去」呢？所以不告而別實在是一種冒險。因此而使有關的親友患上心臟病，神經衰弱，更不在話下了。

照理說出走應是成人的事，一般孩子們心無芥蒂，早晨與人爭得面紅耳赤，或號淘一場，太陽不過中天就又握手言和了。在家裏就是賭賭氣，一覺酣眠後也就沒事了。可是時代已經進步了，孩子又是極有模仿性的。報上的出走新聞，當事人的年齡也像兵役年齡一樣的日趨降低了。尤其因為考試成績不佳，榜上無名，自覺對不起祖宗八代，或熬不住教鞭咒罵，便匹馬單槍的離開了家。可是，人海茫茫，何處是歸？「小亡命者」那部電影中的主角，不是給人極深的印象麼？

底下的「善後」工作，便得交給平日過於自是的家長辦了。登報？報警？到底有什麼用？還不如親自出馬，到孩子平日慣去的地方找吧。也許他竟忘了出走的初衷，在那兒臨流水而羨游魚呢。你只要輕輕的告訴他是開敞的時候了，他就會乖乖的「原璧歸趙」了。

以上是動機比較純粹的出走。還有別具用心的，竟把出走當作一種工具或手段，這就難辦了。愛妾出走，為與元配夫人爭一份遺產，那位東家大人豈不左右為難？何況家醜不可外揚的古訓也不能不顧。還有席捲而逃的少妻，挾帶而飛的愛女，都不免使人氣結。一手提拔的部屬攜了銀行存款，不知去向，那大亨心裏該是什麼滋味？唉，「行不得也，哥哥！」

上次轟動全省的分屍案發生後，加緊戶口調查，竟發現有數十位婦女「不在其位」，可見出走之風，已經十分流行，甚至有點習以為常了。

而且走的人都是理直氣壯，義無反顧；被撇在一邊的人，抑也靜觀下文，保持君子風度。這樣的社會豈不妙煞！

還有一則妙文妙聞，竟是父母「敦請」兒子回家的。其文字極盡謙卑之能事，甚至有表示懺悔之意。稱呼對方則一律用「您」。實在使讀者（如果他也身為父母）汗顏。但不知那位「原諒人」九十九次的好兒子是否動心歸去。

至於出走而留下親筆書信，表明意旨，倒是乾脆的辦法，只要字裏行間不帶威脅性質，也值得同情。不過為焦急的家人計，還是留下一個通訊地址的好。天下事可不能做得趕盡殺絕啊。

人境廬

・道南・

山川風物

「人境廬」在廣東梅縣城東的下市角，距離梅縣城約二華里，是詩人黃公度的故居，他晚年優遊鄉里的遊憩之所。「人境廬」三個字是日本人大域米灑寫的，原來他在二十九歲時（一八七六年）考中舉人，同年十二月隨何子峨出使日本，任使館參贊，那時候認識了大域米灑，而成為好友。

至於題名的來歷，是因為詩人平時喜讀陶淵明的詩，尤其愛「結廬在人境，而無車馬喧」的詩句，所以將自己的住處名為「人境廬」，將自己四十年來所作的詩六百餘首集為「人境廬詩草」。

詩人的「人境廬新詩」中有八首，就談到「人境廬」的風情，茲選錄其一云：

「春風吹庭樹，樹樹若為秋。忽作[illegible]宵雨；來登近水樓。輕雲攢岫出；疊浪拍天流。不識新波長，沙邊有睡鷗。」

這是詩人早期的作品，這種閒談瀟疏，可說是受到陶詩的極大影響。詩人除嗜好寫詩以外，還喜歡對聯，他曾親自撰了一副對聯。聯云：

「有三分水，四分竹，添七分明月；

從五步樓，十步閣，望百步長江。」

這聯寫得十分通俗而工整，能概括出廬宇的全貌，原來在掛在園圃裏的，據說後來散失了。

徵稿小啟

有內容有意義之隨筆、散文、掌故、小說、雜感等類文字，本刊均所歡迎。請用有格稿紙繕寫，如需退還，請附信封及郵票。一千六百字左右的隨筆，比較容易刊出，過長則以篇幅所限，請特別留意。

廬君續夢

第二回：狼狽自爭雄，活佛有幸　人天齊示警，浩刼將成

譚震林看了各級報告，反問道：「魯言同志，依你看這種草荒是怎樣形成的。」

廖魯言楞了一時，說道：「這一點我到沒有研究，大概山東土壤適宜於長草。」

譚震林笑道：「胡說，「毛主席聽見了又要罵你不配當農業部長了。」

廖魯言忙道：「震林同志，依你看，應該是什麼原因呢？」

譚震林沉吟一下，說道：我想的也不夠周全，不過其中有兩點，是可以肯定的。第一，山東的勞動力特別少，從抗戰到解放，我們新四軍大部就在山東地區活動，戰鬥員都是就地取材，打仗免不了死人，何況咱們那時武器少，裝備差，全靠用人去換敵人的子彈，要有多少人纔夠派用場，所以山東省的壯丁，百分之九十都參了軍，其中絕大部份都光榮的為黨犧牲了。這幾年中，老年人死了，中年人沒有了，小孩子未能長大，種地沒有男人自然差勁，田裏鋤的不深，耕作的不細，就容易長草，及至草長多了，再想鋤也鋤不掉了。」

廖魯言連連點頭：「震林同志，你分析得精確極了，這些資料我以前從未聽說過，第二點是什麼呢？」

譚震林慢吞吞地說道：「第二，恐怕是舒同有心作成。」

廖魯言驚道：「舒同怎敢這樣作，與他並沒有好處。」

譚震林搖搖頭：「魯言同志，你沒有參加最高級會議，對於一些問題，你還不知道。今天鬧得我們焦頭爛額，無法收場的人民公社就是舒同一手促成的。」

廖魯言十分詫異，問道：「人民公社發源於河南遂平，干舒同什麼事。」

譚震林冷笑一聲：「你那裏知道：毛主席在河南遂平搞出人民公社這個名堂，當時也只是說說玩，假若沒人跟着起哄，最多兩三個月他就忘記了，那知舒同得了消息，一夜之間把山東農業合作社都併為人民公社，及至毛主席離開河南到了山東，人民公社已成定局，再想縮手也縮不掉了。」

廖魯言嘆口氣：「舒同這麼會拍馬，到是想不到。」

譚震林擺擺手：「魯言同志，你又錯了，他要光是為了拍馬，到也倩有可原。他居心要搞垮毛主席，所以專門慫恿毛主席作違反黨員大衆利益的事。到了最後看見時機成熟，他一變為公開反對毛主席，總於達到了初步目的，毛主席總算垮了一半。」

廖魯言憤憤說道：「將來有機會再同舒同算賬，現在還是研究草荒問題！」

譚震林笑道：「這正是一件事，現在乘機會就把責任推向舒同身上。」（四〇）

岳騫

梨園漫談

小大鵬之由來

・瘦西湖・

學生之入學年齡，規定為九歲至十二歲，在訓期間，凡衣、食、住行、醫藥、書籍、簿冊、文化、娛樂等費用，均由該班供應，並每人每月多發零用費二十元。如在實習期間者，則發生活補助費若干，期滿留班或參加大鵬工作者，則按聘僱人員待遇支給薪俸，倘因中途開革，或自動退學者，則須補償在班期間之一切費用，惟由班淘汰者可豁免。

其教學計劃與進度之執行者為教師，故師資之良好與否，及教學方式之當否，實為教育成敗之所繫。

關於公民教育之教師，均聘師範大學，或一般師範及具有教學經驗者担任之。其他訓育活動，則由政工幹校畢業，派充康樂大隊之政工官，康樂官等主持之。

關於劇藝之教師，均聘請國內各著名平劇科班畢業，及著有聲譽之平劇藝人担任之。如富連成科班畢業的蘇盛軾，董盛村，哈元章，孫元彬，孫元坡，馬元亮，榮春社之趙榮來，馬榮祥，馬榮利，王永春，蔡松春，鳴春社之劉鳴寶，景鳴璽，北平劇校之李金和，夏聲劇校之趙原等三十四人為專任教師。老伶工朱琴心先生，及北平劇校四玉之一的白玉薇女士，為兼任教師，又名譽顧問：杜月笙夫人姚谷香女，章遏雲小姐，及崑曲專家徐炎如先生亦均義務兼教，其陣容之堅強，可謂頗極一時之盛也。

關於劇藝之教學，規定八個步驟，逐步實施：

（一）劇情說明：使學者瞭解劇情之變化，及劇中人應有之性格。

（二）劇詞講解：使學者明悉一字一詞之意義。

（三）劇情背誦：由學者自行誦熟，並予考核。

（四）共同對詞：並要求相互瞭解。

（五）研習腔調：生旦淨等分別學習。

（六）練習身段：生旦淨丑的身段務須認真揣摩。

（七）實行排練：分初排，響排，及採排三，每一排練之後，均加檢討改進。

（八）正式演出：演出之後，觀每人成績之優劣，再予詳加檢討。

由於計劃週詳，師資堅強，教學合理，裝備充實，故其作育人才方面，成就甚多耳。（本節完）

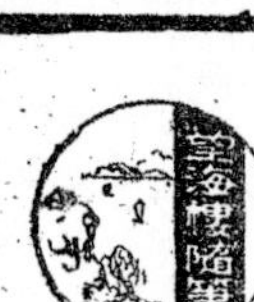

成一家之言

徐學藝

一本著作而不能成一家之言，其價值如何，已是難說。古人之著書立論，乃出於不得已而後有言，故一言既出，影響當時，傳之百世。此種對於著作態度之慎重，一方面固然是爲讀者着想，另一方面却也是爲自己着想的。

今人之著作，十之八九乃肚內空無一物，而必欲藉此以鳴其高，竊著作之名以自炫於市井小人，這麼一來，此類書乃不可卒讀。坊間的「心理學」，「邏輯學」甚或「文學史」之類的書，正不知有多少，洋洋數百頁，動輒數十萬言，而從頭到尾，幾乎沒有一段理論是屬於那位作者自己的見解。著作之濫，濫到今天這個地步，可謂歎觀止矣。

談文學的書，照例一開頭就要說明文學之定義。所謂定義，乃是提綱絜領，令讀者有一個概括的認識。對於這一點，我們當然沒有理由反對。可是，一般的著作中之定義又是怎樣的呢？我們常常可以看到，一大堆的屬於別人的文學定義被引用過來，直把你弄得神昏目眩，於是乎作者又照例來一個定義。這個定義算是什麼呢？時代曲中有雞尾歌，我想把它借用過來叫做「雞尾定義」，大概也不算過分吧！

一個歌女偶爾唱出雞尾歌，倒還沒有甚麼，因爲這本是尋開心的玩意兒，聽的人並不會以爲忤。但談到學術上的問題，而出之以雞尾定義，那就未免存心戲弄讀者了。

要拿得出真知灼見，才能算是著作，否則，還是藏拙的好，須知藏拙並不是一件壞事，肚內空無一物而必欲借他人之物自炫，此則徒爲識者所笑耳。學問之道，是必然要拿出真知灼見而自成一家言的。胡亂刊印書籍，簡直是暴殄天物。

浪費紙張還不要緊，香港的紙很便宜；浪費印刷費也不要緊，因爲那畢竟有限，但浪費讀者的時間與精神，可就真是罪過了。還是讀讀世說新語吧！

世說新語品藻篇曰：「王黃門兄弟三人，（按：皆晉王羲之之子）俱詣謝公，子猷子重多說俗事，子敬寒溫而已。既出，坐客問謝公：「向三賢孰勝？」謝公曰：「小者最勝。」客曰：「何以知之？」謝公曰：「吉人之辭寡，躁人之辭多，是以知之。」」

台灣，林獻堂

李仲侯

爭取設置台灣議會的原則是：凡在台灣者，不問其爲日本人與台灣人，抑或在行政區的熟番人，均得公開選出代表，組織議會，凡台灣總督頒布法令及全省預決算均須由議會審議通過後，方得實施，第一次於民國十一年二月由林獻堂領銜連署者一七八人向日當局提出設置議會請願書，由日本眾議院田川大吉郎及清瀨一郎兩代議士，貴族院由江原素六議員介紹，向日本帝國會議聯名請願，自從林等在日提出此一請願案後，台胞聞之，群情激動，極爲興奮，惟台灣總督聆悉此訊，猶如青天起了霹靂，大爲驚震，登時策動所有各種御用報章雜誌，對林獻堂等痛加「圍勦」，說林等在倡導台人獨立運動，用盡各種方法，阻撓此進行，日本帝國會議對這項請願案，雖未予通過，但對台胞精神上的鼓舞，則實很大，而且顯明的揭示了台灣民族運動的方向，自從此案經日本帝國會議否決後，台灣總督認爲此種運動，必須壓制撲滅，調查上請願書簽名蓋章簽署人，如經營事業與政府有關係者，一律取銷其資格，如在機關服務者，勒令解職，一時之間，恐怖氣氛，震撼全台，很多同志，情緒均極不安，終日惶惶然，有若大禍將臨頭，意志薄弱的，則垂頭喪氣，甚至有背叛離去者，在這樣惡劣環境之下，林氏依然繼續團結同志，努力奮鬥，從未鬆懈，此後每年帝國會議開會時，無論在台在日，直接間接，他總是不停的奔走呼籲，不管日政府理不理睬，仍然努力爲台灣議會設置而活動，直至「九一八」事變發生爲止，從未間斷，此亦可以看出林氏不屈不撓的精神。

文化協會的目的，在於提高台胞文化水準，喚起台胞民族意識，使日人無法藉口台人文化水準低劣，而輕視台胞的政治地位，因爲日人統治台灣，實施殖民化政策。第一着重在箝制教育，絕不容許台灣人自己教育台人，此一限制，關係日人企圖銷滅台人固有文化道德之根本決策，台胞所受痛苦，亦莫不以此爲甚，同時要算日人統治台灣各項暴政中，罪惡最深，用意最毒者，在政治道德上說，這項可恥的愚民政策，貽禍於台人最烈，充其極不獨亡國，勢必然滅種不可。（五）

閒話蒼蠅

介人

在防霍亂的蔓延當中，蒼蠅是爲人所極端憎惡的，幾乎沒有人不「談蠅色變」，而且防之唯恐不夠嚴密，關於滅蠅的工作亦且是澈底萬分。

昔人對於蒼蠅，沒有一個不是深惡痛絕，如張維詠蠅詩云：「鼓翼有聲喧耳畔，側身無賴簇眉邊。」朱子春蒼蠅詩云：「生從污穢忽飛揚，鼓翅搖唇覓己肥。」梅堯臣蠅詩云：「怒劍休追逐，髮屏漫指彈；與蚊更晝夜，共蜜上杯盤。」鄒浩詠蠅詩云：「適從何處來，食飲污修潔。」蒼蠅確如上詩人所說，由於污穢所引起，白天的蒼蠅，晚上的蚊子臭蟲，實在是惹人討厭。

蒼蠅的繁殖力極大，牠只有兩翅，種類甚多，性喜日光。蠅的生活史及其習慣，現在所知道的很少。尤以蠅的卵蛹兩期更爲我們注意不到的。牠的生活史由卵變爲成熟的蠅須經過十至十四天，一個雌蠅一次可產卵一百二十個，在夏季每十天可產卵一次，全夏季約產卵九次，假使每一個雌蠅僅產卵一百二十個（平均一個夏季；雌蠅可產卵一千個）則一夏季內已可繁殖到數千萬萬。設或每二百八十八個等於一兩重，則一個雌蠅在四十天內所繁殖的蠅，即算牠的一半是生存的，此時牠的重量尚有八百十磅，所以滅蠅方法當早在春天施行。

蠅爲疾病傳染的機械性媒介物，由牠傳染的疾病很多，除了霍亂以外，其他若傷寒症虎疫等，均可傳染。患病人的排泄物內有許多病原菌，蠅若棲息其上，此時蠅體蠅足染有此種污物，再飛至他處，復集於食品或食具之上，人們用了此種食具或食品，即吃了或受到該種傳染病的傳染了。

昔人有詩伐蒼蠅的文章，如歐陽修即有「憎蒼蠅賦」：「蒼蠅，蒼蠅，吾嗟爾之爲生，既無蜂蠆之毒尾，又無蚊蚋之利嘴，幸不爲人之畏，胡不爲人之喜，爾形至眇，爾欲易盈，杯盂殘瀝，砧几餘腥，所希秒忽，過則難勝，若何求而不足，乃終日而營營。」……又是借蒼蠅的行徑，用來諷刺一般當道的小人和惟利是圖的食汚之輩，意有所指，言在物外。只是要消滅蒼蠅的傳染，單憑文字的討伐，空言無補。必須實行清潔衛生，慎爾飲食，這才是根絕之道。

蒼蠅確是向來被人憎惡的一種小生物，但是在中國古來的傳說中，牠的個性有時並不壞，不僅能給人報信伸冤，而且有時還很風雅，會吟詩，會醫病。「元怪錄」中就有一個這樣有趣的故事。

文明元年，常州有位名叫滕庭俊的士人，染上了熱病，時愈時發，則數年不絕，發的時候，則渾身如火燒，要好幾天才歇，名醫束手。有一次，他奉派出門去走到滎水西十四五里的地方，天快黑了，但是距離前頭的驛站尚遠，只好向道旁的一個莊家去投宿。恰巧這個莊家主人出去了，庭俊徘徊門前，無聊之極，不覺脫口吟道：「爲客多苦辛，日暮無主人。」吟聲未絕，屏旁走出一個老人，鬚髮稀疏，衣服很敝舊，向庭俊拱手說：「老夫雖無所解，而性好文章，適不知郎君來，正與和且耶聯句，聞郎君吟爲客多苦辛，日暮無主人，雖曹丕門客，不能過也。老夫與和且耶同作渾家門客，雖貧亦有斗酒接郎君清話耳。」庭俊隨即向他招呼，並問他住在那裏。他表示自己是主人家的掃門客，姓麻，旁人都稱他爲麻大，請滕庭俊也這樣稱呼他。這位麻大隨即領庭俊從屋西繞了進去，不料門開處另有房屋兩間，却很華敞，陳設也很富麗，桌上還放着酒餚果核。麻大就招呼他坐下，不久門外來了一人，庭俊聽他招呼，知道來者就是所說的和且耶。這人一來就詢問聯句的事情如何，麻大表示詩題已經擬就了，是「同在渾家平原門館聯句」，並且隨朗誦自己已經作成的四句詩道：「自與渾家鄰，馨香逐滿身；無心好清靜，人用去灰塵。」

和且耶表示自己也作了四句詩，不過是七言的，說罷也唸出來道：「終朝每事依烟火，春至還歸養子孫；會向苻王筆端坐，爾來求食渾家門。」讀書的滕庭俊，眼看他們兩人吟詩聯句，不覺技癢，因此也朗吟道：「田文稱好客，養士幾多人，如見馮諼在，今希圓下賓。」於是彼此舉杯歡飲，那知道這時主人回來，聽見有人要投宿，却又不見了客人，於是便四處呼喚，庭俊聽見有人相喚，便揚聲答應，那知一出聲答應，轉眼不見了麻大與和且耶，而且連房屋桌椅陳設也不見了，只見自己正坐在廁所的門外，門傍有大掃帚一枚，以及一隻大蒼蠅而已。滕庭俊知道遇了怪，不覺一嚇，出了一身冷汗，於是熱症從此不再發了。

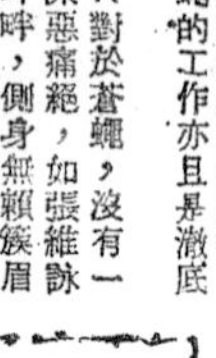

憶遼西戰役

諸葛文侯

民國卅七年冬間，毛共在東北以九個縱隊之眾進攻錦州，頗有孤注一擲之勢。國軍最高統帥部詗悉其情，即訂定戰略計劃，擬藉優越武裝的兵力，將大部共軍聚殲於遼西地區，根絕後患，其計甚是，然因士氣不振，而指揮官亦庸愚無能，終於一敗塗地，錦州失陷，平津震驚，全國軍民的心理皆大受影響。繼而徐州外圍碾莊大戰，黃伯韜兵團乃以苦戰不支，全部告燼，平津守將傅作義隨之通共投降，而大局則從此趨於魚爛土崩之境，不可收拾了。所以，遼西戰役的成敗，關係國家安危極鉅，不能忘也。

當時國軍作戰計劃，是以廖耀湘統率五個精銳軍，由瀋陽向錦州外圍通往長春的鐵道據點「彰武小化屯」地帶前進，截斷敵人的補給綫；另以闕漢騫統率兩個軍，由葫蘆島直趨錦州，雙方夾擊，一鼓而覆滅敵軍，解除錦州之圍。詎廖部大軍抵達彰武之後，忙於搶運當地儲集的高粱米，分運後方出售漁利，竟逡巡不前，坐待共軍從容應付，而以大部兵力轉進包圍我軍。是時廖耀湘司令部在距彰武數十里的後方某地。我空軍偵查前綫情況，見國軍四面已被敵人包圍着，急通知地面部隊注意，前綫將領正在籌維對策間，而廖總部忽被敵軍游擊隊攻襲，廖氏僅以身免，倉皇馳赴前綫某師部，召集諸將領會議戰守方略，決定以團爲單位，各自就地趕築工事應戰，五個軍綜計有四十五團，分別對敵戰鬥，消耗其實力，迨敵勢衰竭，來自葫蘆島的兩個軍亦可會師反擊，而與錦州城內的范漢傑、龍澤湘諸師相呼應了。這計劃當時名之曰「梅花戰略」，廖耀湘亦已用電話對各部隊下達命令，按計實行。

越數小時，廖又以奉上峯緊急命令，通飭各軍停止執行上項作戰計劃，旋東北軍政長官衛立煌以十萬火急電令，抽調前綫兩軍回守瀋陽城，謂防備共軍突襲也，此時軍心渙散，迨奉調部隊向後方移動時，其他各部亦紛紛自由撤離陣地，秩序大亂，甚至在行進間自相誤會攻擊，形成崩潰之象。敵軍覘狀，急以全力追奔逐北，而廖部五個軍乃盡墨矣！廖氏本人亦死於亂軍之中，罔知所在。敵軍再回戈猛攻困守錦州之范，龍殘部，摧陷而廓清之，葫蘆島方面之援軍，聞訊只好別求出路，遼西戰役，就是這樣結束的！後來衛立煌之被逮問，即爲此故。

柳宗元論

謝康

歷史人物

有人說柳氏山水記，其源出於水經注。但我們若細味水經注的文學（如江水注諸段）其優美處似與柳文多少異處。已不能說柳宗元摹仿酈道元了。再說水經注，很少奇峭幽冷的景趣，更沒有作者個人悽楚抑鬱的心情，流露於其間。柳文確能以個人的感情，貫注到山水流連及字裏行間，隨處表演，情景交融，這是他所獨創，也是他勝過酈道元的地方。至於後來明代的徐霞客游記，那些山水長篇，是從酈、柳兩家變化出來的別一種風格。簡單說一句：酈、柳、徐三家鼎足，並垂不朽。

三、死在柳州

柳州以棺材著名，「死在柳州」這句話，與生在蘇州，住在杭州，食在廣州，並傳於世。柳子厚死在柳州，使這句成語，更增加它歷史的和文學的意味。

子厚以元和十年（公元八一五）六月至柳州，離開長安時，原與劉禹錫同行，（禹錫貶連州）至衡陽分路。賦詩贈別云：「十年憔悴到秦京，誰料翻爲嶺外行？伏波故道依然在，翁仲遺墟草樹平。直以疏慵遭物議，休將文字佔時名。今朝不用臨河別，垂淚千行便濯纓。」（五）

內僑審台報字第〇三一號內銷證

自由報

THE FREE NEWS

第一六八期

中華民國僑務委員會登記
台教新字第三二三號登記
中華郵政台字第一二八二號執照
登記爲第一類新聞紙類

社長：雷嘯岑
督印人：黃行奎
社址：香港銅鑼灣高士威道二十號四樓
20, CAUSEWAY RD. 3RD FL
HONG KONG
TEL. 771726　電報掛號 7191
承印者：田風印刷廠
地址：香港灣仔高士打道二二一號
台灣分社
台北市西寧南路壹壹本號二樓
電話：三〇三四六
台郵撥儲金戶九二五二

台灣歸來答客問

王厚生

客：請問台灣近況如何？

主：這問題甚大，不易作三言二語的答覆。但可以說，任何社會有其好的一面，也有其壞的一面，問題在於將好的一面和壞的一面作個比較後，那一面較强，如好的一面勝過壞的一面，則這個社會就可歸進好的類別，反之，只可歸進壞的類別。在好的類別和壞的類別之間還可分成若干等次。一個社會，將好的一面盡量擴大，將壞的一面盡量壓縮，還便是最好的向上的日新的社會，反過來說，如壞的一面擴至最大，將好的一面壓至最小，甚至一無好處是處，這社會必趨沒落，最後至於崩潰。

客：你將台灣歸進好的類別，抑是壞是類別？

主：我將台灣歸進好的類別；二年前，我會到台灣，那次旅行爲期一個半月，嘗參觀各項建設，獲得初步印象，此次重遊，逗留時間較短，僅二十天，但耳聞目擊，深感台灣已有更有進步，因此，如謂政府在台灣不做事，當然不甚公道。就台北論，市面較二年前繁榮很多，惟物價並不便宜，公敎人員的生活依舊相當清苦。

客：最近台灣發生很多貪污案件，究竟是什麼緣故？

主：造成貪污的原因複雜，我只能就觀察所得，提出三點，第一，公敎人員薪酬微薄，不足以仰事俯育；第二，政府未採大力獵捕的預防措施，從根上剷除貪污；第三，社會上缺乏擴大的輿論，致使[illegible]大的輿論，吃虧的到底還是政府。

客：台灣有無危機？

主：台灣有進步，也有潛伏的危機，在我看，任何社會都有其危機，蘇聯的社會有危機，美國的社會一樣有危機。由於危機往往是潛伏的，半隱半現的，所以，危機有多大，不易估計。有的人估計得大，有的人估計得小。一般說來，台灣在軍事上經濟上大有進步，社會上卻有危機，上面所說的貪污只是其中的一端而已。如果不諱疾忌醫，將社會上的危機隨時地加以救治，則台灣的情形將益見好轉，對達成反攻復國的最後目標更有裨助。

客：以台灣現有的力量反攻大陸，有無[illegible]？

主：這問題牽涉軍事，非外行所能解答，不過，反攻的成敗，決定的因素不在[illegible]，在於政治，據我個人看法，假定政府號召各方的力量予以擴大，反攻大陸的成功希望便會大大增加，不然，希望將相對的削減。政府失去大陸時，是政治先失敗，軍事隨之失利。今後反攻大陸，應先打勝政治戰，舖平軍事可勝必勝的道路。因此，我爲政府着想，覺得凡足以使政府號召四方民衆奮起反共的任何改革措施，都應立即付諸實施。國民黨秉政已三十餘年，不免有積重難返之病，但爲反共復國計，更爲長遠的生命打算，雖治病怕痛，也應毅然決然的接受診治。

客：照你看，政府肯毅然的接受診治嗎？

主：關於這一點，只能希望政府肯毅然決然的接受，老實說，政府將大陸丟掉，使多少人民流離他鄉？使多少人民在共黨暴政下渡着淒慘的歲月？我們希望政府改革；希望政府具備號召四方民衆的力量，無非是希望早日打倒中共寶國政權，早日光復大陸，早日結束流離他鄉的生活，早日解救大陸同胞的苦難。我們有理由有權利，要求政府改革，而且要知，改革政府的政策不是我們的目的，我們的目的是提前光復大陸，重返故鄉。

客：培植政府的號召力量的確非常重要，政府有號召力，即是民心歸向，缺乏號召力，即是民心背向，從前，政府因失去政治上的號召力，以致失敗，今後，唯有培植和擴大政府的號召力，才是反攻必勝的條件。

主：我也是時常這樣想，而且本着這個想法，不時發表文章。這次在台灣，亦會公開表示：台灣地域小，人口少，政府要號召民衆，還比較容易，將來反攻，登上大陸，我們面對着廣大的領域，衆多的同胞，政府要號召民衆恐不無困難，除非在反攻大陸以前，政府改採足夠的開明政策，預爲準備。

客：提起反攻，海外的呼聲甚高，政府果有決心否？

主：我怎能代表政府發言？但是，我可以就個人的體會感受，表示個人的看法。政府對反攻大陸具有決心，無可懷疑，問題在於時機。在政府，是伺機而動，時機未到，政府毫無動作，受海外民衆詬病，不足爲奇，民衆催促政府乘早反攻，出於至情，未可厚非，而且也唯有不斷催促，使政府益感振奮；同時，可使國際人士知道，我們中國人民的眞正意志，以及此意志之不可忽視。至於政府負有最大責任，志在必勝必成，謀定而動，此種態度也值得同情。在台灣時，會觀襄陽演習的電影，對於陸海空三軍的奮勇强大和作戰力，不僅深獲印象，且深爲感佩。如果局勢有變，國軍反攻，中共政權必崩無疑。據聞蔣總統對於反攻大陸之心情較任何人尤爲急切。

客：目前的國際局勢固甚緊張，據我看來，戰爭還不易發生，世局在緊張中可能再拖延若干年，這對我們非常不利，因爲世局愈是緊張，由恐懼戰爭而幻想和平的國家和人士愈多，這些國家和人士經常爲了世局的暫時緩和而不惜討好共黨國家，因而，我們被犧牲的可能最大，政府對此可有警惕？

主：政府對世局不會沒有認識，只是缺少做法和對策，我個人至少有此感覺。目前，國際局勢混亂緊張，這是事實，但這是所謂「冷戰解凍」以前的局勢，還不是第三次世界大戰的前夕，當然，局勢仍大有可爲，德國和柏林問題是個棘手的難題，但儘管是難題，總得有個解答，長期的不解答德國和柏林問題，我可以斷言一句，絕對的不可能，既然，怎樣解答？這個大問題，這是個戰爭或和平的大問題，俄國在應付這個問題時，將採何態度？西方自由各國在應付這個問題時，又將採何態度？撇開俄國和西方自由各國應付這個大問題的態度不談，德國人民本身將採何態度？在這裏面，我們窺見有危機存在。再看東歐地區，那裏的演變也是不可知之數，拖下去，我還可以斷言一句，對共黨絕對不利。在我們的大陸上，廣大同胞的生存已成嚴重問題，如謂中共統治可以長久保持，簡直是無視人民的力量。對着這一大有可爲的局勢，我們單單嘆惜當代自由世界沒有偉大的政治家是不夠的，我們應時常反省，爲什麼別人老是拿我們的利益作爲討好共黨的代價？我們亦應時常反求諸已，念念不忘於三件大事：我們在國際大環境中的處境，我們在台灣小天地間的建設與安定，以及我們怎樣不錯失當前大陸上的有利時機趁早反攻。

客：反求諸已，就是主動的意思，你以爲政府能夠在三件大事上爭取主動嗎？

主：不錯：政府應有主動，而且，時至今日，非主動不可。我們不應等候歐洲的局勢有變。歐洲有變，我們也變，這是西方人重歐輕亞的原因，我們希望西方人放棄重歐輕亞的觀念，改採重亞輕歐的觀念，至少能歐亞並重，則我們不能等待歐洲變後再變，應該是我們先變，促使歐洲隨着變。我們要先變，是辦得到的，變的方法是可以設想的。

客：在陽明山第二次會談中有無談到主動求變的問題？

主：談到一些原則，關於陽明山第二次會談的情形，願意另約一個時間詳談。

自由鼓

出版法問題

這次海外文敎界人士在台北陽明山舉行的會談中，對於我國現行出版法應否廢止問題，辯論最爲熱烈。我在原則上是贊成廢止或修正的，但在綜合會談時，不欲多所置喙，何以故呢？

一是主席陳兼院長當大家辯論激化之際，曾聲明凡屬有欠妥當的法令，政府都應該予以修正，行政院已設置有修訂現行法令的委員會，從事審核工作云云，自用不着我們多所詞費了。二是現行出版法自頒佈到現在，迄未使用過，例如對「自由中國」雜志案的處理，即不是援用出版法而然的。它既是一種備而不用的政治武器，讓它冷藏生銹，亦無不可。三是會談時有人冒充「護法」勇士，信口開河，說我國的出版法遠不及印度，緬甸之嚴厲，竟把先進文明的祖國，跟落後而尚待開化的國家等量齊觀，胡扯到了極點，即令人發生「余欲無言」之感了。

不過，此時此地，對國內新聞界的關係尙在其次，最應顧慮的仍是國際新聞事業會議，曾藉口咱們現行出版法，認爲中華民國沒有新聞自由，而拒絕我國參加，這是國家信譽上的莫大損失，權衡利害，太不划算了。訂立一種不輕易使用的法令，而以國家信譽爲之殉，忠誠謀國求治者，必不出此。職是之故，我盼望行政院的法令審核修訂委員會，對於現行出版法至少亦能加以修正才是。至於新聞界的「自律公約」運動，那是道德價值問題，沒有出版法固然要自律，有出版法亦不能不自律的。假使「自律公約」實現了，刑法上的誹謗罪亦加重了，而現行出版法依然如故，那末，這次文敎界人士會談的結果，就新聞事業而言，只是對自身增加了幾種枷鎖，又何貴乎有此一談呢？

這件事影響政府對外的信譽甚鉅，千萬不宜等閒視之。

馬五先生

漫画天下

南施

非折卽還

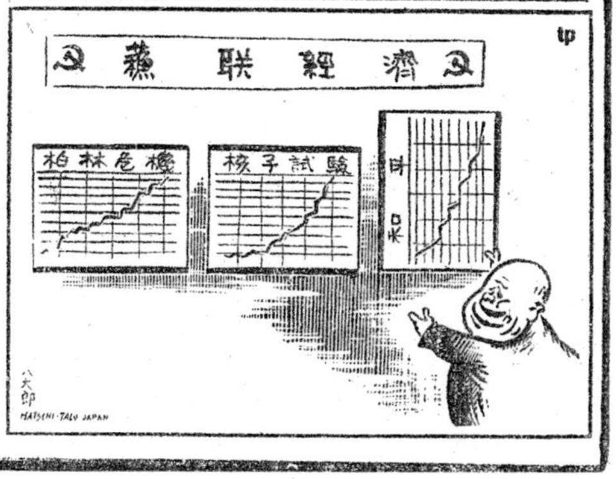

絕妙擺佈

現實與道德的衝突

省議員袒護酒家女

吳越

（台中航訊）台灣省議會爲酒女年齡問題，引起激烈辯論，省議員們在「道德」與「現實」的衝突及「酒國名花」的親臨拜託之下，結果是揚棄了「道德」，遷就了「現實」，而不惜將前日的決議案推翻，將原定「酒家、酒吧及茶室業者，不得雇用未滿二十歲之女子爲服務生」降低爲「十八歲」，議員們的理由是「酒女越年青越好」！

台灣省議會在十三日的第三次臨時大會中修正通過省府送審之「台灣省特定營業管理規則」。該法規中的第十八條規定，酒家、酒吧及茶室業者，不得雇用未滿十六歲之女子爲服務生。十二日省議會中，經女議員提出反對，乃改爲不得雇用未滿二十歲之女子爲服務生。男議員陳重光當時對此亦表示贊同，故該條文即告完成二讀。

當天晚上，有一位省議員把這個消息去向台中市女侍應公會理事長醉月樓酒女蕭好（花名麗嬌）「報告」了。因此十三日特由酒家老板們陪着來省議會「請願」。正在會場中的議員們聽到「名花」駕到，紛紛溜出會場，圍着幾名酒女問長問短。此時，主持大會的副議長這時宣佈休息十分鐘，讓大家都有機會去親近「名花」，於是男議員們一切湧向議會大廈前門的石階上，衆星捧月似的把幾名酒女圍在中央。

麗嬌向議員們訴說：現在的酒女，大都是未滿十八歲，如果這個法規通過了，很多姊妹都得失業了。她向所有圍在她身邊的議員們瞄了一個媚眼，然後帶着薄怒嬌嗔的說：「當酒女年紀大了沒人要。你們大家每次去，還不是儘找年青的！」陳重光議員一把拉住麗嬌的手臂爲她代出主意道：「你找人代爲申請覆議好了。」想不到旁邊有人出陳議員的「洋相」說：「今天是你大聲疾呼要將十六歲改爲二十歲的呀！」弄得陳議員在「名花」面前眞不好意思。剛好，議長黃朝琴來了，張富議員把酒女拉到議長面前，請議長設法，議長面對「名花」，帶着幾分歉疚的說：「是你們要通過的；我有什麼辦法！」議長走後，熱心的議員便研究覆議的程序。圍在四週的議員都紛紛顯出一付「勇士」的姿態，表示願爲「紅粉知己」效勞。

十時四十分重新開會時，蔡文玉議員一馬當先，要求提出覆議，女議員表示反對，但經表決有十二位議員贊成，覆議案乃告正式成立。

在討論時，女議員[illegible]反對[illegible]案，現在女服務生[illegible]都在暗[illegible]爲立法應以道德爲基礎。而男議員則認爲酒女越年青越好，主張將修正案改爲十六歲，他們的觀點則是注重現實。

男議員蔡文玉說：現在做服務生的，多在十七、十八歲之間，如果這一法令規定下去，將使許多人失去做服務生的機會，故主張覆議。

林蔡素女議員立即提出反駁說：民法規定二十歲的女性，才有婚姻自主權，現在有些未成年的少女，其中多數都是受到中間的利誘，議會不能立法鼓勵少女去做酒女。出賣靈肉來補助家庭，是個非常嚴重的社會問題。

男議員陳筆主張做服務生以十六歲爲宜，他的觀點是顧到現實。並且有好幾位男議員附和他的意見。他們認爲服務生並不完全賣淫。

可惜身爲養女會理事長的呂錦花議員沒有在場，如果她在的話，一定可也提出數不清的例子，來證實養女在酒家茶室的悲慘無人道的血淚史。

女議員王宋瓊英，梁許春菊，王國秀等同聲表示：議會立法要根據道德，如果不顧道德而遷就現實，將使神聖議壇不堪設想，她們希望男議員拿出良心來。

男議員劉盛才支持女議員，他說：我每每看到一些未滿十六歲的女侍應生陪茶客侍宴時不禁回想：如果這些女子是我的子女，我心裏將有甚麼感想？因此，他希望大家想想。他的話博得女議員的鼓掌。

發動這場「論戰」的酒女，正在高踞旁聽席上，遙爲男議員們助威。因此，女議員指男議員是受了酒家老板的拜託。她們說：如果議會的決議是受酒家的左右，還成什麼樣子！

辯論上午未得結果，議長宣佈表決，女議員見男多女少，不願表決，紛紛退席，議長大聲指責女議員「不懂民主」。終因人數不足，只好休息。下午開會時，旁聽席上又加多了十餘位「助威」的酒女陣容和台中市的酒家老板。陳世叫議員提出折衷方式，改爲「不得僱用未滿十八歲之女性服務生」，經表決以三十票對十四票通過。於是，男議員對「酒女名花」的效忠，終於獲得勝利。

但在一般省民的心目中，認爲監察院剛在十一日通過「防治貪汚問題研究報告」糾正案中，還在感嘆「民風奢靡，政風腐化，社會風氣日趨澆漓，人慾滋張，政風民俗不能與戰時生活相適應」，而建議由主管機關妥擬辦法來「加强道德敎育，建立生活規範，取締嬉遊沉緬」之際，而省議會却通過這樣一條「勵近誘惑少女墮落」的法規。因此感覺到，監察委員與省議員都是民意代表，雖然在職權地位上有上下級之分，但在「道德」素質上，却不應該一個在天上，一個在地下哩！

台灣橫貫公路游記（一）

雷嘯岑

（本報特稿）陽明山第二次會談閉幕後之第三日（九月二日）大會秘書處招待來自海外之全體預會人士游覽台灣橫貫公路，我以起床稍遲，不及趕上飛機出發而誤了卯，此外還有十餘位同仁亦因事未及參加，大家引爲遺憾。主持修築這條公路的「退除役官兵就業輔導委員會」主委蔣經國先生聞之，特爲我們這些「落後」了的游客，再安排一次游覽節目，他本人亦陪伴我們前去。因此，我們比那般先去旅游的同仁更能瞭解沿途的一切景物，可謂幸運也。

這條橫貫台灣東西兩部地區的公路，全長爲三四八點一公里，盡在叢山峻嶺之中。我們一行於九月六日清晨，由台北乘坐軍用飛機到達花蓮後，改乘公路汽車前進，開始走入「太魯閣」之後，整日皆在懸崖絕壁或高山深谷間彳亍着，幸而天氣晴和，未曾下雨，得以恣意騁目，歷覽各種離奇而險巇的景物風光與地理形勢，心神大爲愉快，蔣主任且不斷地爲我們說明指點所經各地區的特別情景，很像是一位恪盡職責的嚮導員。我問他走過這條路多少次了？他說：從開始勘測路綫起，到去年五月間全路通車爲止，已經步行過六次了！以全長將近七百華里的險阻崎嶇之路，步行一次亦就不容易，連走六次，是壯舉，亦是苦行，體力稍差，毅力不充份的人，那是做不到的。

六日正午，行到「文山」的天祥站休憩，這兒有溫泉，而琉璜氣較輕，「中國旅行社」新建了一座旅館，尙未開張，我們即在台灣省府建築的招待所用茶點，我看四面風景佳麗，林木葱蘢，花鳥繽紛，沒有一些塵囂氣氛，不勝流連嚮往之思，笑語同游任畢明兄曰：「我若到香港得中馬票頭獎，一定携家隱居於此，不管世外桃源也。」他大笑，即吟打油詩一首云：「雷公發奇想，馬票中頭獎，搬到文山來，天天在欣賞。」事爲蔣主任及其副主任趙孟完（聚鈺）先生所聞，即在招待所內尋出湘紙一張和筆墨等教我寫下這首打油詩，附題跋語，同游諸君子皆簽名於後，擬裱背裝框，懸諸招待所客廳上，藉留紀念焉。同游的邵品鄭夫人是美國籍，亦簽上了「Betty Shio」的洋文名，構成中西合璧的產品，蔣主任與我及任畢明，陶鵬飛四人，提着這張字攝影一幀，以備分贈同游諸君子。（見附圖）

圖左起：蔣經國、雷嘯岑、任畢明、陶鵬飛

神木被折農民傷感

孕婦產子局長接生

・周燕・

【台北訊】常言道：「水火無情」，而今要增加一個無情的「風」才對了。

這次「波密拉」來得猝然，災情慘重。不錯，這次颱風來得太快了，而且變化也太快了；氣象所在十一日上午發出的颱風警報，說「波密拉」是輕度颱風，到了十一日下午「波密拉」却被晉級爲「中度」颱風了；而十一日夜裏氣象所又宣佈「波密拉」是「強烈」颱風了，事實證明，氣象所這一「連升三級」的預測並沒有錯，但是在時間上却差了十一個小時。等到看見報上颱風登陸的消息時，老百姓已經災情慘重了。今年是觀光年，洋小姐「波密拉」，輕移蓮步，迅速敏捷來合作了一次惡性的觀光，她未依我們氣象安排的旅程規定，提早了十一個小時光臨台陸，大發雌威而去。

台北市第十分局局長鍾發能澈夜坐鎭警局指揮救災，洋小姐去來迎送，一共換過十次警裝，自稱他是一生更換服裝最多的一次，打破最高紀錄。

「波密拉」過境，發威拔倒司法大厦門前合圍大樹幾株。檢察忙驗屍，法庭停審，法院門可羅雀。

颱風無情，連以防颱爲職責的警察局也不客氣，警局門前的車棚，整個被「波密拉」小姐掀去，巡邏車被壓在棚下，而欲行不得也。

淡水警分局長在暴風雨中，客串接生婆，以他的紅色吉普車權充產房，司機助手，經過半小時的忙碌，上帝保佑，母子均安，傳爲颱風佳話。

計程汽車利市百倍。台北市千餘輛計程汽車全部出動，在街上奔馳不停，全日營業高達千元，越過平日三倍。

颱風「波密拉」小姐已經飄然去矣，但她足跡所至皆爲一片悽涼景象，台北市的動物園鳥獸籠子，被洋小姐打開天窗，奇禽異獸很多恢復自由，離開樊籠。她又把梅花鹿的欄柵中，另闢一道大門，讓它們亂跑。她又把猴籠的屋頂揭開，讓那些小行者任意地攀登樹枝。小鳥雖然已經飛去很多，但有些仍然躲在籠子裏，連頸子都不敢伸出來。梅花鹿一雙已經隨「波密拉小姐」私奔了，其他大多數仍擠在一堆，對「波密拉」心有餘悸。猴子雖然跑了很久，但牠們却驚魂不定，仍在們外徘徊，不知何所適從。大象餓得發荒，看見人來便伸出鼻子要東西吃。獅子與老虎都失去了往日的威風。蜷伏在籠裏無精打彩。

淡水鎭有名的二百餘年「神木」，周圍廿餘尺，長七丈餘，素爲鎭民所膜拜者，終於在此次「波密拉」之撒野下，躺下了。據一農民向記者說；在這枝「神木」茁長之時起，他家便每年豐收，每年八月七日，必殺猪宰羊來祭拜「神木」但此次却「壽終正寢」，農民傷感不已。

愛情的代價

荻楓

第二天一早，我和她父親驅車趕去墳場。她父親交給我一封信。我呼的撕開信角，抽出一張白色的信箋：

楓！這是我最後一次喚你了：

記得你說過：愛情不是委屈，而是犧牲。因此你決定犧牲自己來成全我了。你既然忍心這樣做，我，什麼不忍心這樣做呢？因此我答應結婚，使你心安理得。我把身體交給父親，把我的心交給你。

我的血管裏流着的血液（你輸血給我的事我已經知道了），我已經感到最大的滿足。還有什麼更大的榮耀呢？當你爲我付出一切的時候。有時我害怕生命的短促，因爲這樣我就不能見你了。但狄更斯說：「生命在我，復活也在我。」楓，沒有我的日子，我們的愛情依然活着的。

也許，我能在你的夢中和你相見！

秋嫻於病中

看完信，我忍不住涕淚交流。假如，假如當年我勇敢地排除一切而和她結合的話，那就不會有現在的淒涼一幕。我們都把愛情看得太透澈，可是悔恨的時候已經晚了。這又是誰的錯呢？

我倒轉信封，一塊三角形的小石子滾出來。我把它放在掌上，彷彿聽見秋嫻在說：

「在構圖上三角形代表穩固！」

鯉魚門的情感重又升起，我忍不住叫了兩聲：

「秋嫻！秋嫻！」（九，全文完）

談地獄

汶津

「地獄」一詞，多少帶有宗教或迷信色彩。尤其佛教、基督教等所說者，更是窮兇極惡，人類智慧所能想出的一切苦痛，都包羅在內了。但丁神曲地獄篇（The Inferno）中所描繪的一切慘狀，更令人懍然不已。另一方面，與地獄對峙的天堂，又往往是一扇窄門，凡人難以登堂入室。「地獄」的傳統觀念，實在影響了整個人類文化，而使許多世人平添罪孽之感。

若就冷靜的觀照來解析，地獄的觀念，乃是一種抽象的心理學的現象。至少有以下三種成因：

一、自我懲罰：這並不意指在行動上對自己的肉體有所傷害，而是內心的抑鬱或恐懼。也可以分成兩方面說。一是較少數的智者；在這類人，自我懲罰可能是非宗教性的。現代學者常將「道德」一詞的意義擬爲一種自律的準則，一種生命現象的延續、限制或均衡。就此而論，祗有智慧的人必較一般人更與道德感休戚相關。然而人的慾望是「野火燒不盡，春風吹又生」的，除非達到了聖人「不踰矩」的境界。於是，在道德感的考驗下，若干智者遂對自己的言行有較苛刻的反省和批判，其結果又往往難符先定的準繩。於是在「不怨天，不尤人」的風度下，可能全盤歸咎於己。尤其在發生了某種後果不良的具體事件後，如一時躊躇而誤了他人的生機，或一度情感的波動而損害了他人的幸福等，更不易原諒自己。（何況智者平日在道德上亦有其優越感，一旦發覺自己所作所爲竟無異凡人，其創痛可想而知！）終於爲自己造成一座特殊的地獄，如非獲得其他外界的有力影響，或一旦自以爲足以將功贖罪，則將服終生的刑役。當然，若其人抱有開明的宿命論，亦不致自苦如此。另一方面則爲凡人的自我懲罰，此多屬被動的，不同智者之主動造成苦獄。他們或受膚淺的宗教思想的浸潤，或受傳統迷信的牽制，以爲自身時刻有罪，而又不能自行超脫，或奉行宗教儀典又不夠殷勤，終於自覺唯地獄是其歸宿。其中當然也包括作了惡事而良心未泯的。除非有某種可以被相信的力量（如幻覺的神示等）賦予解脫之感，否則也將終生自苦。

二、「心有餘而力不足」之絕對化：人的力量畢竟有限，這點從稚齡孩童捉不到月亮星子起，就能體驗到了。但孩子時代，還不致引爲大憾。年長之後，處處受到挫折，即覺人的可憐。但若甘心承認人的渺小，亦不妨以皈依宗教或其他方式自求解脫。有些自覺不凡的人，偏又不肯放棄「人定勝天」的設想。有時甚至超踰常軌，欲圖有所表現。如果幸而卓然有成，此人即逐次成爲一奮鬥家。否則，一而再，再而三的失敗，必然促使他進一步的懷疑和迷惘。「心有餘」是他的生命的起點，「力不足」則使他幻覺到處身地獄的心情。於是虛無主義，頹廢主義，悲觀主義，應運而生。他們對宗教缺乏信心，卻每有宗教徒的絕對心情，矛盾遂形嚴重。甚至像叔本華那樣的大智者，也難逃此劫。最後不但自拘於苦痛之思緒，而且爲世界留下淒楚的音符。

三、由於世界之不和諧：此點又以被動的成份居多。因爲人生世間，不容置身天外。尤其在近代，桃花源式的避世生活，已屬大不可能。然而世界的和諧雖爲古今賢哲所孜孜追求促進者，其恒久的成效卻不是短時日內可得而見，於是大則戰爭，小則欺騙、侵凌，在在違反自由、平等之人道原則。所謂「弱者」，遂飽受人爲的痛苦。此種地獄看似暫時性的，實則也不易解除。因爲一種地獄瓦解後，若無適當的積極措施，很可能又導致另一種地獄的誕生。身歷其境的人，若非有達觀的心情及遠大之眼光，殊難自解。尤有進者，日常生活之起碼條件——如衣食——也發生了問題，即修養高人一等者，也不易悠然「不改其樂」。我們謂大陸人民公社是地獄，正屬此類。

對天堂的企望不妨先行擱置；而對各種方式地獄的解救，當是每一時代人們的天職。

山川風物

官窰古鎮

·道南·

廣東南海官窰鎮的象台村，這是康有爲的故鄉，從廣州坐船去，只須四小時就可到達象台村。

這個村雖然不大，卻很美麗，它背靠着巍峨高聳屹立着的象崗嶺，面對着清澈見底靜靜地流着的河水，右側是有名的官窰古鎮，左側是被稱爲羊城八景之一的古山金寺。康南海即有題咏，其詩云：

「歲歲春明十丈塵，故鄉一日得閒身。廿年未了山中約，三宿甘爲乘下人。大海潮來龍聽法，諸天花散佛聞恩。靈洲山色還淸靜，坐看風帆過幾巡。」

今天康南海的故鄉，亦已淪爲匪窟，讀「故鄉一日得閒身」之句，又不禁令我們寄予同感。象台村本來是經過了一次大刧，那是光緒戊戌政變以後，當時淸政府到處搜捕康有爲及其家族，並聲言要滅六親，誅九族，康有爲的弟弟康廣仁也就在此時被腰斬，而康姓家人此時都逃亡出外，康有爲的叔父怕淸朝挖他祖墓，甚至連祖墓也遷葬。

現在大陸淪陷後，象台村又遭受到第二次大刧，全村姓康的只留下廿餘人，康南海的太太和他的兒孫都避難來台灣，只有康同璧女士（康的女公子）現留北平，年已七十餘了。據說留在家中的遠房子姪輩只有康保滋，也快將七十了。

瘋君續夢

第二回：狼狽自爭雄，活佛有幸　人天齊示警，浩刧將成

譚震林何以要和舒同過不去。說來過是私人之間的名利之爭。這在井崗山落草時，譚震林已經嶄露頭角，他到井崗上去是奉了中共湖南省委的命令，去指導井崗山的黨務，所以在那一個時期，譚震林是具有欽差大臣的身份，井崗山大頭目朱德、毛澤東、陳毅都受過他的領導，至於彭德懷還在平江當旅長，未曾落草爲寇哩，至於林彪也只當上營長，舒同在那時連名字也沒人聽說過。可是到了抗戰勝利，陳毅，饒漱石一股新四軍盤據魯南蘇北時，陳毅任司令員，饒漱石任政治委員，譚震林任副政治委員，舒同卻已爬到政治部主任的地位。

按照共軍編制，司令員同政治委員一級，副司令員同副政治委員一級，政治部主任同參謀長一級，政治部主任屬政治委員、副政治委員領導，同時也要接受司令員的指揮。就這種規定來說，譚震林原是舒同的頂頭上司，可是舒同倚仗有饒漱石撐腰，連陳毅都不放在眼裏，何況譚震林。兩人鬥爭一個時期，突然饒漱石被整肅了，譚震林以爲報仇時間到了，那知道舒同棋高一着，和另一個江西同鄉曾山都倒到劉少奇那邊去，不但地位穩固，又調任山東省委第一書記，八大會議時當選中委，名次還在譚震林之前。譚震林七屆就是中央委員，舒同尚是一名白丁，現在爬得這樣快，而且爬到譚震林前面去，更加深了兩人的意見，不過當時劉少奇支持他，毛澤東也相信他，譚震林自忖不是時機，就強忍下來。

到了八屆六中全會，毛澤東被廹辭去政權「主席」之後，毛澤東已看出舒同眞面目，是在幫助劉少奇幹他，也就懷恨在心。不過，在這段時期，毛澤東仍極力維持各方面的和諧，不願輕易更動一名省委第一書記，再說也抓不到舒同的罪名。

譚震林看透毛澤東的心事，這次抓住機會就帶着廖魯言去向毛澤東報告，指舒同故意將田地拋荒，使農田長草，有意製造災荒，企圖拖垮人民政權。

毛澤東聽了譚震林的報告，一連抽了兩口紙烟，緩緩說道：「僅憑這一個理由要幹掉舒同，恐怕不太容易！你何不再搜集一些其他證據。」

譚震林遲疑道：「別的還有什麼證據呢？」

毛澤東冷笑道：「你怎麼這樣蠢，當初你汪華東時，連潘漢年，楊帆你都能指他們是美帝特務，怎麼今天對舒同沒有辦法了。」

譚震林苦笑道：「那時有許建國裏應外合，今天少一個樣的人呢？」（四一）

岳騫

徵稿小啓

有內容有意義之隨筆、散文、掌故、小說、雜感等類文字，本刊均所歡迎。如請用有格稿紙繕寫，如需退還，請附信封及郵票。一千六百字左右的隨筆，比較容易刊出，過長則以篇幅所限，請特別留意。

梨園漫談

復興戲劇學校

·瘦西湖·

復興戲劇學校，於民國四十六年三月正式成立，該校校長爲國內名票嘯雲館主王振祖先生，王君從事戲劇達二十餘年，既係藝術精湛之業餘劇人，又爲提倡國劇之實行家，因鑑於近年國劇日趨衰落，人才凋零，爲力謀復興起見，致發起組織復興戲劇學校。

該校位于台北市郊外北投鎮溫泉路六十八號，環境幽靜，風景絕佳，對培育下一代之藝人，可謂最適宜的所在，校內除設有禮堂、課室、飯廳、宿舍、辦公室等外，而專爲學生所建之小型舞台，技藝練工場所及庭院等，可謂建築堅固，設備齊全耳。

該校之組織，分爲教務、實習、訓導、總務四部門，其教育方針以啓發爲主，對學生除傳授戲劇之專門技藝之外，並授以國文、英文、數學、自然及社會科學等科，灌輸品德修養，以達手腦並用智德兼修之要求。實習專重戲劇技藝之訓練，使每一學生得以奠定舞台技藝之良好基礎。訓導則負責學生之生活指導，思想訓練，並照顧學生之起居飲食。總務則管理學生之衣、食、住、行，生活必需品之供應，以及學生之衞生保健、娛樂、福利等事宜。

該校學生來源，是包括多方面的，如社會孤兒，大陸來台之義胞子弟，港九來台之難童及藝人子弟，或對戲劇具有濃厚興趣愛好之兒童，經過嚴格考試和選擇，其學識，健康，戲劇天才符合相當標準者，方認爲合格。

現在該校共有男女學生一百二十名，男生八十，女生四十，其年齡自九歲至十六歲不等，而以十二歲至十四歲者最多。其學生之年齡及學歷，分爲甲、乙、丙三班教學，爾後復視其資質之優劣分組投以劇藝，學生坐科規定七年，六年習藝，一年實習，而所有食宿、服裝、教育等費用，則由校方負全責供應，不過雖然硬性規定爲七年，但在第七年之實習期間，視學之成績好壞，得酌予津貼，以示鼓勵也。

該校似此優渥之待遇學生，實不愧爲孤兒之天堂，學生之樂園，何況畢業後，不但可學得戲劇專門之技藝，而具有一般生活能力，亦無須仰人之鼻息也，該校自開辦以來，先後已在國內外公演百餘場，其公演之劇目亦達百餘齣之多，在今日國劇衰落之時，而有如此良好成就，實王校長平日苦心孤詣之功耳。

港大五十年

·徐學慧·

當香港大學正在興高采烈地慶祝其金禧紀念的時候，作為一個香港市民，究竟有些什麼感想呢？

在這一連串的慶祝節目正在不斷舉行的當中，我不想說一些太過於揄揚的話。但我卻必須要說，香港大學並沒有發揮它的力量，或者也可以這樣說，香港大學並未達成這時代所賦予它的使命。

港大創辦於五十年前，這五十年中的國際風雲，變化得太多了。香港地當東西孔道，華洋雜處，已歷百年，設立在這樣一個地方的大學，到底應該着重一些什麼，可能是稍有思想者都可以答覆的問題。我的意思是，香港大學不應該只是從事於造就幾個專門的技術人才，而以官方的力量保障他們畢業出來以後的收入。由於香港所處的特殊地位，由於最近五十年的時局變化，香港大學應該担負起一個非常重大的時代使命，這就是：讓這間大學作為東西文化的橋樑，而更主要的，是把東方文化以此為媒介而傳到西方。

這使命是很重大的，也是很有價值的。東西文化之交流，不僅只是有利於中英二個，更且有利於人類的前途。可是，香港大學在過去所表現的，卻也不免令我們感慨萬端，甚至可以說是失望。

香港大學應該吸引更多的西方人前來研究中國文化，而不是將更多的中國人施以倍等於倫敦十三歲小孩的英文程度之教育。如謂此即可以溝通東西文化，則稍有常識者均不致苟同。

當然，就我個人的觀察，香港大學正逐漸在變，這也是事實。港大中文系已逐漸有華人學者執教，這是好的現象，但對於這種情形，我們亦只能視為一種現象，恐怕還不能確定香港大學真正的已改變了它的觀念。

無論如何，只要在變，總是值得讚美的。五年前，筆者在本港某晚報，曾以「論香港大學」為題，（該文已收入拙著望海樓隨筆第一輯內）寫了將近兩萬字的長文，文中說到：香港政府應該扶助香港的書院，且曾列舉了新亞、崇基、聯合這幾間書院的名稱，未及五十天，錢穆、凌道揚、蔣法賢三位先生發表公開談話，主張成立中文大學，後一年，而上述三院且已由香港政府補助了，像這樣的事，適足以證明香港當局亦已開始認識到時代與潮流，而逐漸在變了。

我不否認，香港大學在最近十年來的進步；但我個人對於這一間大學卻有太多的期望，我的意思是說，香港大學必須肩負起溝通東西文化的使命。

台灣，林獻堂

李仲侯

日據初期，日人對台灣各地原有的「書房」，稍取漸禁政策，三家村尚可以「三字經」，「千字文」，四書、尺牘之類教訓童蒙，漢文命脈尚不絕如縷，二十年後，這種「書房」已完全禁絕，一切教育機關皆操諸日人之手，絕對不容台人過問，前面已經提及。

台灣文化協會，早在民國十年即由台灣醫學專門學校學生蔣渭水等發起，其思想來源，一面感於台胞之文化過於低落，一面由日本留學生所吸收歐美式的民主主義，尤以女子，農民，工人，店員之覺醒，有顯著之提高，其他如打破迷信，衛生思想之普及向學生之鼓勵等，都有相當的影響，文學上亦有新舊文學之論爭，家庭亦有新舊思想的爭辯，爾後可以見到向來所無的現象，陸續出現，如農民對地主，尤其是與製糖會社的抗爭，女子對婚姻的主張，工人對工廠之抗爭，店員對店主的糾紛，甚至學生對學校之反抗，各方面都有熱烈反應。

也有人說：林獻堂在民國三四年前，日本元老板垣退助伯爵到台組織同化會，林氏為台人率先響應之第一人，後來這個組織僅幾個月，即遭台灣總督命令解散，其部屬之日人，或被總督驅逐出境，或被莫須有之罪名被捕入獄，板垣所倡的台灣同化會，不但成了曇花一現，而下場亦至悲慘，林氏蜷伏於異族之下，對統治者的號召，隨聲附和，未免失諸輕躁，有損清譽，這也是未瞭解當時台灣的情勢所致，要知同化和自治這兩觀念，在當日台人一般知識界，就有兩個不同的看法，而且有兩派人都是針鋒相對的，所謂御用派者，對自己的民族文化力量完全失去信心，願意死心塌地去服從異族——，無疑的，這族人與日本政府一樣，主張同化於日本；但另有一批人對自己民族文化力量還抱着信心，表面雖不敢公然主張自治，採取行動去反對同化，但在心理上卻都十分清楚，這批人後來又分成兩派，一派是對民族文化具有信心，但在力量上，認為當時的台灣，絕對無法與日本抗衡，而其希望則全寄託於大陸之祖國，主張放棄台灣，歸回祖國，認為只要祖國有辦法，台灣自然有辦法，這是當時所謂祖國派，亦稱大陸派，另一派號死硬派，亦稱台灣派，這派要佔台灣的最多數。（六）

北雁南飛

筱臣

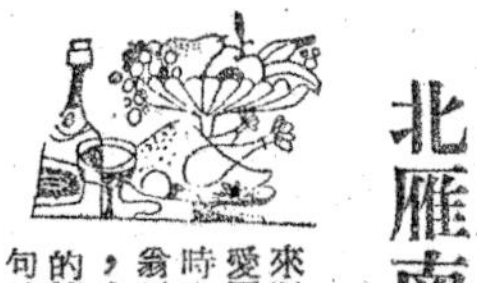

「自恨不如雲際雁，南來猶得過中原。」這是南宋愛國詩人陸放翁的名句。當時金人入寇，中原陸沉，放翁以不能過中原，引為遺憾，由筆端吐露出他心底沉痛的情懷，今天我們讀到了這句詩，當亦有「蕭條異代不同時」之感吧。

王漁洋的「秋柳」詩中有句云：「相逢南雁多愁侶，好語西烏莫夜飛。」他的本意是悼明亡之痛，「南雁」是指國亡無依的故舊大臣，「西烏」則係指一面倒向滿清的漢奸。我們重讀這兩句詩，又不勝其舉世滔滔之感了！

我們這一羣流亡他鄉的愁侶，十載以來還家歸未得，有的至今還是雁訊隔絕，所知道的慘狀的哀鳴遍野，當茲秋色滿江南的季節，聽到鳴雁的嗈嗈的呼聲，雲天在望，你能不為之涕泗沾巾嗎？

鴻雁的故鄉，是在西伯利亞，蒙古，北西藏，那裏正是一塊理想的天國樂土，每到夏天便花草遍地，糧食滿野，還有風光明媚的湖沼，可做游泳池，風景幽美的小島可作棲息地，加以地廣人稀，敵害很少，可以成羣結隊，自由自在的去覓食。但到了秋天，受了寒威所殆，就不得不傾家南徙，變成遷客旅人，開始過着流浪的生活了。

一羣一羣的鴻雁千百成羣，作萬里長征，且歌且行，且息且食，約須經過一兩個月的時間，才能到達風和日暖的印度，南洋羣島，澳州過冬，河南一帶不過是每年春去秋來經過的地方吧了。因此民間有「雁來過年燕來種田」之諺。

「爾雅翼」說：「淮南鴻烈云：雁乃[illegible]來，仲秋鴻雁，季秋候雁來。」候雁比鴻雁而小，故說詩推鴈為鴻鴈，而別以此為鴈也。……今月令及周書，乃不復有鴻鴈候鴈之別。月令則云：「八月鴻鴈來，九月鴻鴈來賓。」周書則曰：「白露之日鴻鴈來，寒露之日又來。」既是一種，何得前後不齊如此，似不應當有的事。

許叔重注二鴈說：「從北漢（當作漠）中來，過周雒，南去至彭蠡。季秋時候之鴈，從北漢中來，南之彭蠡。以為八月來者其父母也，是月來者蓋其子也，羽翼稱弱，故在後耳。」其實鴈的種類很多，用南來前後做標準，來分別牠的種類和父子關係，實在沒有根據。

鴈每年春去秋來所經過的路徑，據類吐稅說：「鴈的旅行路途，常與海邊並行飛去，但不在沿海而稍在內地。」又據蘇厄比說：「鴈冬季常在揚子江流域，北至黃河流域及其支流，及陝西中部，河南，山西南部，河北南部小平原上。」這種候鳥有的方向大概正向北去，渡戈壁沙漠，別的則向東北。揚子江下游的蕪湖地方，冬季白面雁是極多的，陝西，山西，河北諸省，別種雁類都有看到，但這種雁卻沒有，然則這種雁類取那一條路到西伯利亞生產地方去呢？

據專家的意見，牠是通過東海到高麗或日本，再從那裏東海濱海岸及薩哈連島或千島羣島及堪察加半島而到西伯利亞的。可是古人不明雁的來處及去處，只好亂造典故，信口開河了。如「山海經」說：「雁門山，雁出其間」。又如「荊州紀」載：「雁塞北接梁州汝陽郡，其間東西嶺，屬天無際，雲飛風驚，望岸迴翼，嬬翼數度，故名雁塞，嬬同於雁門山也。」

相傳雁到衡山便不再去，所以「楚志」說：「衡州有回雁峯，雁至此不過，過春而回。」而唐大曆間的嶺南節度使徐浩見到懷集縣陽雁來，竟認為祥瑞了，他們那裏知道雁最遠可以飛到澳州呢？

雁在遠征時，是相約成羣，整齊行列，由強壯而有經驗的做先導。弱小的隨後而飛。飛時是你的頭接着我的尾，互相緊貼着，同時每一隻雁都伸着長頸，嘴尖向前，蹼足向後而飛，領隊的叫一聲「伊唉」，隨行的就齊聲附和。先導的變一個方位，全隊也跟着改換隊形。這種排隊，古人稱牠做雁陣，雁陣的排法，有時單行橫空，好像寫着一個「一」字，有時雙行相交、彷彿睏成一個「人」字，因為形狀像字，所以又叫做雁字。

雁隊每次在休息或就食時，總有許多年長的來担任守望，一得發覺危險，就立刻發出警報，同伴聽到叫聲，便各各跑幾步，然後斜飛斜翼的飛向空中飛去。

雁每年都要不避艱苦，不怕犧牲，作一次長征，正好像冬眠的動物必須冬眠一樣，只有雁的體溫沒有改變，所以向暖地作萬萬里行來代替冬眠。當江南木落草衰，月白風清之夜，在寥廓的碧空裏，隨時可以看見幾排雁陣隊自北飛來，同時還可以聽到牠們的嗈嗈叫聲，使人們感到已經是深秋了。

陳明仁投共真象

諸葛文侯

愚既敘述國軍叛將陳明仁於對日抗戰時，在滇緬路龍陵之役，以及戰後在東北四平街抗拒共軍這兩場戰績的經過事實，茲再記其於民國卅八年七月間在湖南長沙投共真象，俾供將來的歷史家有所參考焉。

民國卅八年七月間，陳氏以兵團司令兼湖南省府主席，擁兵三萬餘，鎮守長沙，而原任省主席兼長沙綏靖主任程潛，因變節謀叛之故，恐遭不測之禍，藉出巡為名，避往湘江彼岸之岳麓山下以待變。是時中樞為拊循陳明仁，曾派黃杰，鄧文儀乘專機飛赴長沙而晤陳氏，洽商一切，黃，鄧與陳係黃埔軍校同期學友，鄧與陳且係同里閈之青梅竹馬總角交，情誼迥異尋常也。

黃，鄧到達長沙後，今總統蔣公以師生關係，曾致長電由鄧文儀譯交陳氏，曉以國家民族大義，諭以利害得失之數，情意至為懇切，並指示三策，盼陳知所自處。一為盡力在長沙外圍與共軍決戰，重振當年四平街之役的聲譽，上策也。二為全師而退，向湘西行進，與宋希濂部隊會合，鞏固川湘邊境。關於補給問題，蔣公謂本人不日將赴重慶，首先予以解決，此為中策。倘全軍不能完全脫離戰地，而敵軍壓力過大，無法制勝時，即不妨提攜可用的兵力，退出長沙，將叛國的巨憨程潛逮交政府究問，大義滅親，昭示愛國的情操，是下策也。陳氏奉讀電文後，嗚咽流淚，與黃，鄧談話五小時，曾哭泣兩次，足見其內心之矛盾痛苦為何如也！

最後陳氏說他感到兩大困難之事：一係部隊三萬人的給養，目前即發生問題，在衡陽的華中軍政長官公署置之不理，等候蔣公入川處理，緩不濟急。二則其妻患着血崩症甚危險，不能移動，糟糠之妻殊不忍棄置而去，擬先將汨羅江前線部隊調回長沙，再行計議。

黃，鄧仍為陳氏借箸籌善後之策，而陳之參謀長陳廣（與入寇雲南之陳賡同姓名，係黃埔四期出身的共產黨員。）忽馳來報告，謂長沙外圍發生槍聲，戰事已起，黃，鄧二同學最好今日下午五時前離開長沙，以策安全，若待至次日，戰事瞬息變化，難保不無意外之虞云。實係藉此恐嚇黃，鄧二人，迫其速去，以防陳明仁接受他倆的勸告，不肯投共，此七月廿七日事也。（上）

柳宗元論

·謝康·

[illegible]一詩云：

「去國十年同赴台，渡湘千里又分歧。重臨事異黃丞相，三黜名慚柳士師，歸目並隨回雁盡，愁腸正遇斷猿時，桂江東過連山下，相望長吟有所思。」

兩人交誼甚厚，此二詩已微見其旨。子厚至柳州後，有同貶之劉禹錫等（漳、汀、封、連四州刺史）詩云：

「城上高樓接大荒，海天愁思正茫茫。驚風亂颭芙蓉水，密雨斜侵薜荔牆。嶺樹重遮千里目，江水曲似九迴腸。共來百越文身地，猶是音書滯一鄉。」

具見子厚故人情重及心境的疲困。又別從弟宗一詩有「一身去國六千里，萬死投荒十二年，」句這是致柳州後次年所作，所謂十二年，即永州十一年，柳州一年也。「萬死投荒」句尤充份表示出牢騷悲憤之感。

據韓昌黎柳州羅池廟碑記，寫子厚在柳州的政績，約有數點：

（一）不鄙夷其民，教以禮法；

（二）於是民業有經，公无租負，流亡四歸；

（三）宅有新居，涉有新船，池園修治；

（四）猪牛雞鴨，肥大蕃息；

（五）子從父詔，婦順夫指，嫁娶葬送，各有條法，出相弟長，入相慈孝；

（六）解放奴隸，令民不得以男女質錢。（六）

歷史人物

內儒警台報字第〇三一號內銷證

自由報

THE FREE NEWS

第一六九期

中華民國僑務委員會領發
台僑新字第三二三號登記證
華郵政台字第一二八二號執照
登記為第一類新聞紙類
半週刊每星期三、六出版
每份港幣壹角
台灣零售價新台幣式元
社長：雷嘯岑
督印人：黃行憲
社址：香港銅鑼灣高士威道二十號四樓
20. CAUSEWAY RD 3RD FL HONG KONG
TEL. 771726　電報掛號．7191
承印者：田風印刷廠
地址：香港灣仔高士打道二二一號
台灣分社
台北市西寧南路壹壹本號二樓
電話：三〇三四六
台郵撥儲金户九二五二

論行政權與司法權

張健生

一個民主政府只能行使人民准許它所行使的權力，因為這種權力通常經由民選的官吏去執行，或由民意代表機關完成立法程序交由政府去執行。而政府的統治權分為制定法律的立法權與執行法律的執行權。我國在五權分立制度之下，執行權的行政作用，將治事權與治人權分開，治事權由行政機關與司法機關執行，治人權則由考試院與監察院分掌，而成為立法、行政、司法、考試、監察的五權，創世界最新的五權憲法。

在一個民主的法治國家，人民的權利義務，憲法都有明文規定。執行機關無論司法、行政、抑或監察、考試、立法，都受其拘束。因此，國家的一切行動，都要遵守憲法的規定，不得逾越。凡是「應以法律規定之情事，不得以命令定之。（憲法第一〇八條）」所謂「應以法律規定之情事」係指憲法上有明文規定者而言。如憲法規定由中央立法並執行的「省縣自治通則」的法律，政府「不得以命令行之」，即是例證。如果政府官員為便利行事而以他們所贊成的行政命令去執行，試問所謂是民主法治嗎？所以憲法規定「命令與憲法或法律牴觸者無效」（憲法第一七二條）。而政府機關的公務員（廣義的）亦須依法律命令執行，其職務（公務員服務法第一條末段）。否則，如「公務員不盡其應盡之責」，重者死刑或無期徒刑，輕則十年以上的有期徒刑（刑法第一百二十條）。「稱公務員者，謂依法令從事於公務之人員」（刑法第十條）是也。蓋法人或自然人的權利受到損害時，依法有向國家請求賠償的權利（憲法第二十四條末段）。例如，自然人的人格權與姓名權受侵害時，有請求法院除去其侵害及請求損害賠償（民法十八、十九條）的權利。

歐美法系的國家，國會無權制定妨害人權的法律，司法機關如果以違憲的法律來裁判有關侵害人權的案件是無效的。而行政官署也無權以行政權力來損害自然人或法人的財產。在有優良民主傳統的英國，有一種異於普通法而與普通法併行發展的「公平法」，現在美國也有。因為從前英國的法律，大部分是由法庭制定的，而不是由國會制定的。法官們因而養成守舊的習慣，不再隨新環境的需要，去制定新的法律。他們有幾種格式，稱為「法庭訟狀」，起訴的人必須填具其中一種。如果起訴人的情形與所有格式都不符合，他們便不能起訴。感覺受到冤枉的人，於是直接上訴到英王那裏。後來，上訴的人愈來愈多，英王不得不制定一個新法庭，稱為「公平法庭」，專門用合乎良心的公平審判法，來處理普通法律所不能公平解決的條件。所以，歐美法系國家便產生了一套「公平法」，其原則和條文都與普通法不同。

美國聯邦政府與州政府都不得變更憲法中所規定的公民權利。例如，佛羅里達州在一九一九年制定一條「勞動還債（Peonage）」法，有一個黑人工人因為不肯以勞動來償還他的僱主所預付給他的五塊錢，而受到該州法院判罰一百元；但該工人無力繳付罰款，因之被監禁六十天。但事隔二十五年，即一九四四年，美國最高法院宣佈該「勞動還債」法違反憲法而無效。又：美國國會遠在一八六五年通過一項法律，即在聯邦法院中出庭的律師，必須宣誓聲明他在南北戰爭中不曾有任何援助南軍的舉動。但最高法院認為這是褫奪人民的公權，所以宣佈不合憲法而無效。

美國前總統杜魯門於一九五二年四月間，下令商業部長替美國政府接管幾家鋼鐵廠。杜魯門總統說：這個行動是為了防止這幾家鋼鐵廠罷工，因為鋼鐵廠一罷工，國家的防禦力量便將遭受破壞，而韓國戰事也將受到不良影響。他並且引證憲法中所賦予總統指揮軍隊總司令的權力，來說明他的行動是合乎憲法的。但是在同年的六月間，美國最高法院以六票對三票，宣佈杜魯門總統接管令超出了他的總統權限，而且不合憲法。於是，杜魯門總統只好撤銷他接管鋼鐵廠的行政命令。由此可知，民主國家的權力，是由人民准許而行使的。

在民主法治制度之下，國家的統治權力常受法律的拘束，所有一切行政行為，不得超出法律的範圍。所以行政官署行政權的行使，不得與法律或命令或行政習慣法抵觸，沒有法律的根據，國家無權增加人民的義務，至於行政官署的自由裁量，亦須適法及合乎公益。法律的適用，由司法機關與行政官署分別執行。

司法機關適用法律的原則：審判官非經當事人的請求或檢察官的起訴，不得自行審判；此即不告不理之謂；審判官不得以法律為不正當而拒絕適用，因為審判官的任務以執行法律為目的，任何法律，一經國家正式制定公佈，即有強制通行的效力，所以審判官只有適用的義務，如拒絕適用，則審判官豈不變成立法委員嗎？審判官不得以法律不明不備為理由而拒絕審判案件。那麼，在什麼情形下可以拒絕適用呢？老實說，只有在法律牴觸憲法時，審判官得拒絕適用。因憲法係國家根本大法，一切法律或命令都不得與之牴觸，故違憲的法律與命令，當然無效，所以審判官得拒絕適用。

行政官署適用法律的原則：行政官雖然沒有當事人的請求，但須適用法律。行政官在受有適用法律的委任時，便不問人民的願望如何及有沒有請求，即須依法執行。而行政官在執行法律時，有發佈命令的權力，因法律僅規定大綱，沒有詳細的項目，大凡詳細的項目是由行政官以命令來加以補充的。行政官有服從上級長官指揮監督的義務，所以無權拒絕法律的執行。凡是規範國家生活關係的法律，叫做公法；而規範社會生活關係的法律，謂之私法。公法中的行政法，係指行政事件關於公法關係之爭；私法中的民法，為民事事件關於私法關係之爭。但是，從行政行為而形成的私法上法律關係者，自其效力而言，其法律關係之爭，有民事的性質；如就其發生原因言；其行政行為之爭，有行政事件的性質。因此，凡是民事訴訟，其審理限於當事人陳述的範圍，故採取辯論主義與當事人主義，所以當事人不告而審判官即無權審理。至於行政訴訟，因直接關係國家公益，其審理權雖可採用職權審理主義，但必須依法審理，和限於訴爭目的的事件。所以在行政事件中常發生行政裁判與司法裁判先決的問題，以及「審判權限」問題與「權限爭議」問題等等。

關於這個問題，在大陸法系的國家，是有規定的。例如法國為防止司法權干涉行政權，設有解釋訴訟在特定情形之下，不許普通法院解釋行政行為。如以行政事項為先決問題的民事訴訟，就有爭執的先決問題，必須獨立的先請求行政官署的裁決或行政法院的判決，否則，不得提起民事訴訟。因此，德、法國家都設有審判權限爭議裁判所，如積極的權限爭議，就同一事件，法院與行政官署都認為屬於自己權限內所發生的爭議，或某一民事事件，正在法院訴訟中，行政官署認為該民事事件，在性質上為行政事件，應屬於行政官署的權限，假使法院與行政官署雙方發生類似權限爭議時，則行政官署可立即向權限爭議裁判所提起爭議之訴，因而法院只好中止民事訴訟程序，由權限爭議裁判所裁決該事件應屬於司法權或行政權。一旦裁判所裁決該民事事件屬於行政官署的權限，法院將受其拘束而無權審判。類似積極的權限爭議，都是由行政官署提起，以防止行政作用受到法院的干擾。

（下轉第二版）

自由談

做人與做官

官是人類的一項公共職業，與做人之道似乎並行不背，其實非也。

做人首先要保持人格的尊嚴，有所不為，雖不必每個人都以聖賢自任，而一定表現着我國儒家所標榜的崇高義理，但至少亦得具備一種「惡居下流」的人生觀，躬身實踐，不愧屋漏。所以，世俗對於無所不為的人，總是投以鄙視的眼光，羞與為伍的。

做官卻不然。官是有權有勢的職位，尤其是我們中國的士大夫，一方面以作官來解決生活，更為子孫奠立席豐履厚的基礎，同時藉此揚名顯親，驕其妻妾朋友，在物質與精神上，都發生很大的誘惑性，因而不免患得患失，無所不為了。人而至於無所不為，試問還有甚末人格尊嚴之可言呢？古今來的官兒們，大多數都是些高級知識份子，當其在野之時，常常表示其有所不為的高風亮節，矜式聾倫，一旦担當一官半職之後，在意識形態上，即多見其官僚俗氣薰人作嘔，而在思想言行上，更鄙陋不堪，任何下賤的事，皆不惜悍然為之，鮮所瞻顧了。若有人焉，既要做官，又要講究做人的道理，必然到處碰壁，一無是處，結果只有落得焦頭爛額，被人攻訐指摘而淒然走出官場之一途。

可是，有政府組織，便不能不設官分職，處理政事，做官的人如果盡是些無所不為之徒，天下即非大亂不可。治亂的關鍵就在能否樹立良好的政治風氣，而其責任完全繫於握有用人權力的領導人物身上，非所語於一般的官吏。上有好者，下必有甚焉，居上位的人若不知尊重個人人格，珍視做人之道，而使貪使詐，率文武百官以趨於無所不為的生活方式，其國危矣！

曠觀歷史上林林總總的政治領導人物中，只有唐太宗李世民尚能注意到做官兼顧及做人之道，貞觀治績，並非偶然的。我希望今之名公鉅卿們，都看看唐太宗傳記，稍加體會學習，庶幾政風或有改善之日也。

馬五先生

不勝負荷

留以有待

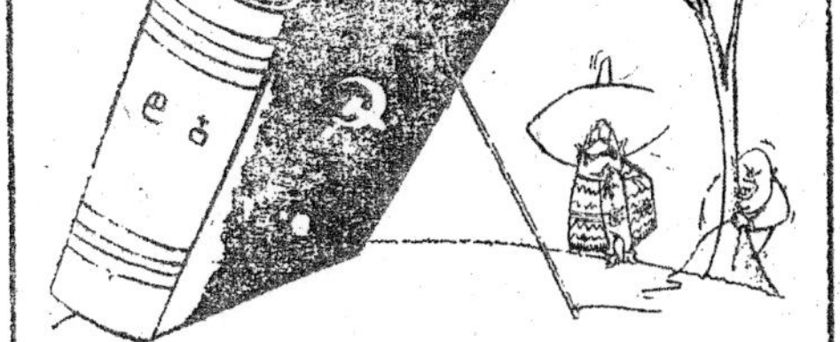

偷天換日獨霸影壇
日片走私案被破獲

周燕

（台北航訊）一件駭人聽聞，數字龐大的日本影片走私進口案，現已被治安當局破獲。這項大走私案的價值，四年已逾新台幣一億五千萬元，走私影片，數達二百七十部以上，可以說是最近幾年來走私案中最大的一件。由於牽涉了十數家經營日本影片業務的片商，所以司法機關非常重視。先後被傳訊過冠洲、畢龍、中國、大東等影片公司負責人，對此案作證；前任電檢處處長沈遵晦被傳訊，科長李功燾已被扣押。

據調查統計，查近五年來所有日片進口及核准的一切資料，牽涉甚廣。這筆龐大走私案是如何發現的呢？據權威者透露：是根據調查五年來的官方核准數字、及日本映畫年鑑上所載的輸台影片的數字比較獲得的。自一九五七年起，我國經政院核准的每年進口的日本片，為四十四部，（其中獨立配額十部，六大公司廿四部，國語片交換日片十部），而日本映畫年鑑上所載的逐年輸入自由中國的數字為：一九五七年：松竹十六部，東寶十九部，大映三十九部，新東寶三部，東映三十五部，日活十三部，其他五部，合計一百二十六部。一九五八年：松竹十二部，東寶廿一部，大映十六部，新東寶三部，東映十八部，日活十四部，其他四部。合計九十八部。一九五九年：松竹廿部，東寶廿二部，大映十九部，新東寶十九部，東映十七部，日活十九部，其他一部，合計一一七部。一九六〇年的統計數字，因尚未出版，無法統計，據熟悉內情者估計，至少也在百部以上。

日本映畫年鑑的統計數字是肯定而可靠的。因為日本映畫年鑑，是日本六大公司所組成的映畫公會所出版的，而其資料的來源則係根據日本官方的映畫出版委員會的統計數字，日本影片輸出必須向這官方的電影輸片機構登記，所以該年鑑的數字是十分可靠的。

根據上述的日片輸入自由中國的數字統計，自一九五七年起，至一九五九年止，三年的進口日片，共為三四六部，如果加上一九六〇年的最低一百部日本片，四年來共進口日片四百四六部，但依照我國官方核准進口數字，四年共應進口一七六部，實際上超過核准數額達二百七十部之多。依目前日片實際之盈利而論，每部最少可以獲得六十萬元新台幣，二百七十部日片，已逾一億五仟萬元矣！

這些只顧牟利的片商又是如何的進口呢？走私自有其巧妙的一套。最要者如下幾種方法。

（一）以舊執照申請延期上映新片——走私片。其來源則係日本漁船，由琉球方面偷運而來，根本不經過電檢處。

（二）由香港假國語片之名義進口，在片頭之上，改頭換面，裝上二三百尺所申請的國語片頭，這是一種偷天換日之功，混過海關及電檢處人之法眼而進口，再將影片分售各小片商，運往都市以外地區上映，以避免電檢處的耳目，然後在都市能設法取得放映執照者，即在都市先行上映，然後再運往外埠。

（三）由二輪片申請進口，也裝上舊的二輪片頭數百尺，實際進來新的頭輪片，按照視定，一部片子的准映執照有效期間是三年，在此期內，固然無須另外申請執照，即使期滿，也只須送去複檢一次延期執照的有效期即可，這種情形照例是沒有問題的，所以走私進口二輪片是最聽明的辦法，它可以處通行無阻，表面上是舊片，實際上映則是新進的走私新片，而舊片新片均可上映。有一部名叫「飛天大俠」的片子，便是採取這個辦法。但這些片子都是在都市外的鄉鎮映，因為這極可能逃不了檢查人員的法眼。

（四）以故事長片分割成若干短片進口，因短片進口不受限制，將連續進口的短片，來台後兩部併成一部。片商將其中之大部份影片運往全省各鄉鎮，利用欺瞞的手法走私上映。因有部份影片仍在台北市上映時，便設法移花接木，或者張冠李戴的手段，請申上映執照，因此乃有部份電檢人員，被捲入走私的漩渦中。

日片走私進口有二大集團，一為琉球方面之集團，一為香港方面之集團。最近由警察局實際查獲之私片已有廿餘部，其頭輪片有「乳母樹」、「五代將軍」、「月光假面」、「飄魔的化身」——均無上映執照，「東京夜曲」、「好男兒」名實不符，其中「乳母樹」是由台北六合影業社所發行的，「五代將軍」是由「冠華影業社」發行的，「月光假面」是由中外影業社發行的，「惡魔的化身」係由台南國華影業社發行的。

電影檢查處，自屠義芳五月接任以來，因治安機關查獲走私日片，以及部份日片於上映時加上貨色鏡頭而被處罰的款項，已高達十六萬元。

這件案子在調查之初，原只注意到日片走私的問題，由此而又連想到走私何以又能在市場脫手呢？因此又涉嫌到電檢處部份官員，收受「紅包」的問題。據傳原來是「電圈內」互相攻擊而引起的。說來說去，總而言之，還是「紅包」害人。政府要扶助國片，維護稅收，這一個大漏洞必須堵塞起來，否則國片危矣！

台灣橫貫公路游記（二）

（本報特稿）

雷嘯岑

由天祥再前進，路途險，山逾高，原始森林亦逾多。車行蜿蜒道路中，殆如螺旋式，一層一層地往上爬，有一段連續爬登四個巉立的山嶺，左臨絕壁，右瀕深谷，偶從車窗玻璃中俯視那萬丈懸崖，心臟為之跳盪，不覺目眩頭暈了。沿途多見原始森林，而以檜樹尤夥，這種樹圓而高直，永不生白蟻，因為它的本身上有一種油質，白蟻聞之生畏的。自橫貫公路開闢，每年輸出檜樹到日本的數量已不少，其他古柏蒼松亦大宗輸出，對國家經濟裨益匪淺。此外若干樹木的生長形態，奇異壯觀，很像剪紙式的人造模型。偶爾還有劍蘭一叢，滋生在岩石或曲澗的山河間，點綴着大自然的景色，美麗極了。在一處海拔二千尺左右的高山間，地名「薛家場」的路旁，豎有「鶴壽居」牌坊一座，循牌坊下行數十丈之遙，有一所磚造的平房，據蔣主任說：「那是一個行年一百廿四歲的高山族老婦人的住宅，伴侍着她的只有一位年高九十六歲的兒子。至於孫輩多人，皆在外面居住營生，也不知道有若干代了。這位老太太尚健在，蔣總統和陳副總統都來訪問過她，並替她新建了這座磚屋，俾資顧養，起初她住不慣，認為她那茅屋舒服些。她不會說國語，只能說高山族語和日本話」。我們因為時間關係，未能走下山麓去瞻仰這位「人瑞」，只在「鶴壽居」旁的亭子上遙望了幾分鐘而已。行行重行行，通過一處隧道之後，有地名「燕子口」，兩面石山對峙，中夾一條山溪，叢林掩路，花鳥迎人，那些石頭都是大理石質，晶瑩奪目，石壁間有無數的大小洞口，燕子巢於中，小燕倏聞車轆之聲，喃喃然出入飛翔，令人見之心曠神怡也。午後二時車行至海拔三千尺以上的高山上，名叫「慈恩站」，我們即在這兒進午餐。山上的溫度突變，身上頓感衣單了。站下有一顆古杉龐大無比，據專家考證已有兩千年了。現在就命為「碧綠神木」，蔣主任與我立在樹旁拍照一次（見附圖），又和全體同游者合攝之。旋蔣主任謂「慈恩站」的站字不甚好，擬改為「慈恩堂」何如？我很贊同，他便教我寫此三字另行刻製，我答以為不嫌醜陋，敢不奉命！回到台北後，即向友人借得筆墨交了卷，這算是旅行中的一段文字姻緣啊！

「圖片說明：本報社長雷嘯岑先生與蔣主任經國先生攝於兩千年神木旁。」

論行政權與司法權

（上接第一版）

另有一種消極的權限爭議，在同一事件，法院與行政官署都認為不屬於自己權限內的時候而發生爭議，遇到這樣的情形，該事件的當事人可以向權限爭議裁判所提起爭議之訴，請求裁決該事件究竟應該屬於法院呢，抑或應屬於行政官署？這種確認之訴旨在保護當事人的權利，故與積極的權限爭議旨趣不同。權限爭議裁判所的由來，因為在十七世紀，法院經常利用其審判獨立的地位而干涉行政，因而紛爭迭起，德，法大陸法系的國家，乃成立權限爭議裁判所，來解決民事事件中的司法權與行政權的糾紛。

我國雖為大陸法系的國家，但沒有權限爭議裁判所之設。關於先決審判權限爭議的問題，則採取自爲審理權限制度。例如法律上有明文規定者，關於商標專用權的事項，有提出民事或刑事訴訟事件的時候，法院必須俟行政官署評定的評決後，始得進行訴訟程序（商標法第三十七條）。又如關於專利權的民事或刑事訴訟，法院必須在訴訟當事人向行政官署提出的呈請案、異議案、撤銷案確定之後，始得進行訴訟程序（專利法第八十八條）。否則，法院應中止其程序。凡是關於「私權上之爭執，與對於行政處分上之爭執，性質各別，凡配受案件之爭執，首先應分別其究屬民事訴訟事件，抑屬行政處分事件，如屬行政處分事件，即須駁回其訴，俾免侵及行政權，致生糾紛（辦理民事訴訟案件應行注意第八條）。」此一規定，是非常清楚的。

就我國行政訴訟法第五條規定言：行政法院於受理訴訟之權限，以職權裁定之。換句話說，行政法院受理的訴訟事件，普通法院應受其拘束而中止程序。至於普通法院以職權裁定而受理的訴訟事件，行政法院同樣受其拘束。所謂「訴訟全部或一部之裁判，以他訴訟之法律關係是否成立為據者，法院得命在他訴訟終結以前，中止訴訟程序。前項規定，於法律關係應由行政官署確定其是否成立者，準用之（民訴法一八二條）」。其如果某民事事件，其裁判權屬於行政官署者，法院應駁回其訴。假若該民事事件，法院「得」不「中止訴訟程序」時，即係失職，濫用職務上的權力，使訴訟當事人蒙受其損害。

「得」字的解釋，因身份不同而異。例如自然人或法人的「得」字，與公務員的「得」字解釋就不同。像刑事訴訟法第四三四條：「判決確定後，發見該案件之審判係違背法令者，最高法院之檢察官『得』向最高級法院提起非常上訴。」此處的「得」係指檢察官的權力。如果說，檢察官既「發見該案件之審判係違背法令」而「得」不「提起非常上訴」嗎？不提起非常上訴，就是檢察官拋棄職務上的權力，拋棄職權就是失職的行為。一個依法令從事公務的人員，「如有不盡其應盡之責」時，即構成刑法上的瀆職罪。可是刑事訴訟法第二條第二項規定：「被告得請求前項公務員，為有利於己之必要處分。」這個「得」字係指被告——自然人的權利；民法第十八條：「人格權受侵害時，得請求法院去其侵害；……得請求損害賠償或慰撫金。」這個「得」字也是自然人的權利；又憲法第二章「人民之權利義務」：第二十四條末段有「被害人民就其所受損害，並『得』依法律向國家請求賠償」，其「得」字很顯然的是指自然人或法人的權利。類似情形，不勝枚舉，不過有一點是值得注意的，那就是自然人或法人可以拋棄法律上的權利，但行政官與司法官却不能拋棄依法執行職務上的權力。因為自然人或法人拋棄權利，是其自由，法律上不能制裁；而公務員及審判官或檢察官却不能拋棄職務上的權力，拋棄職權即觸犯刑事法構成瀆職罪行了。

筆者不厭其詳，列舉法律中的「得」來說明其意義，旨在提醒審判官應注意民訴法第一八二條條文中的「得」的意義，不可忽畧。一旦忽畧，即在無形中以審判權干涉行政權了。因此，筆者對民訴法一八二條條文中的「得」「中止訴訟程序」的解釋，認為如得不中止訴訟程序的話，當然為失職行為。

史尚寬大法官對行政權與司法權的問題，曾經這樣的說過：「余以為行政法院既有權裁定關於受理訴訟之權限，則行政法院一旦裁定受理之行政事件，法院應即受其拘束，不得提出爭議，請求大法官會議解釋。但法院已判決確定之事項，行政法院不得再提起爭議。關於消極的權限爭議，應解釋得由訴訟當事人聲請大法官會議解釋，究應屬於普通法院抑應屬於行政法院之權限。但大法官會議規則，聲請解釋以中央或地方機關為限，此在憲法上並無根據（憲法第七十八條），司法院固不應採取閉門政策，以否認訴訟當事人應有之權利也。至於行政機關與普通法院間之衝突，法律既無特別規定，應解釋得由有爭執之任何一方請求大法官會議統一解釋。」筆者個人同意史大法官的此一見解。

（五十年九月十二日于台北寓所）

希望

林顯榮

「能夠實現自己願望的人都是英雄，而能滿懷希望者都是幸運兒。」因為他的生活中有星星，有太陽，有着輕盈的微笑。

年青的亞歷山大第一次出征，他召集了為數不少的軍隊，向他們發表了歷史性的演講，並且把財產分給貧民們，同他在一起的只是「希望」！拿破崙帶領着軍隊騎在馬上通過阿拉伯沙漠，金碧輝煌的金字塔呈現在他們眼前。「弟兄們！四千年的歷史文化在望着你們！」拿破崙興奮地指着前面。使他致勝的也是「希望」。

一個希望破滅了，另一個新的希望又在醞釀中。像一隻受了傷的野獸，舐乾了傷口上的鮮血，又勇敢地撲向第二個目的物。能夠勇往直前，不知失望，消極與失敗為何物的人，成功的機會總是與他接近的呀！法國大文豪大仲馬說過：「人生就包括在『期待』與『希望』之中。」

「希望」是美麗的；可是「在每一個年青人的身上都看得出凋零與頹廢的影子。」年青人的第一步是追求；幸福的希望之光呀！第二步是動搖；現實環境使人心灰意冷。第三步是幻滅。這是何等可怕的悲劇。

在奮發圖強的國家之中，在朝氣蓬勃的社會裏，人人都有着瑰麗的希望。同樣的，在一所學術風氣瀰漫的學府中，人人受到其涵煦覆育，自然會欣欣向學的。反過來說，像我們中華民族五千年歷史文化的遺留，僅成為一個古老沒落的帝國，充滿着無望的深沉的悲哀，就惟有竟日暮氣沉沉的望洋與嘆了。

能夠把我國從「古老沒落」中解救出來的是「希望」！是朝氣蓬勃，而不是老氣橫秋。是年青人的勇往邁進，而不是幻滅與動搖。是幼童們的歡笑與快樂生活，而不是刻板的教條生活，讓我們為祖國的富強康樂之未來虔誠祝禱；願那希望中之一日終將來到！

說傻

汶津

「傻」跟愚、蠢、笨……都是陽似陰異的。一句話，「傻」字更複雜些。說「傻孩子！」的並不是懷疑孩子的智商，而是母親的親暱詞，正如妻子說「死鬼」並不是想做寡婦一樣。那些自命為傻子的，也沒有絲毫自貶之意，如果有人誤會，倒顯得他自己太蠢了。

「傻小子」固然不大悅耳，傻大姐也往往可笑，可是一般說傻，往往有些瀟灑的意趣。有時人們更用以自謔，「我是傻。」說得那麼輕鬆愉快，好像讓淡淡的陽光灑在你的頰上。

孩子時代多半有點傻。在大人眼裏，那是不懂事，是胡鬧。「男孩子都有反對他們有好處的東西的脾氣，他們頑拒一切，從智慧到好的衣服。」這是長者的「卓見」。可是在孩子們自己，倒不免覺得古板的大人才傻呢。

有時候傻人也有傻福，因傻而受人歡迎的例子一向不少。故事裏的女婿一角，照例是憨傻的居多，在丈人面前，極盡可笑之能事。也許戀愛這樁不大不小的事情，本是易於使人失常的吧。平日聰明過人的「有為青年」，一碰上意中人，便有點魂不守舍了，甚至顛而抖之，往時的男子氣概也不知躲到那兒去了。如果女孩子親眼見到這種傻法，便該在心裏好好打算打算了。

馬克吐溫的「傻子旅行記」便會轟動一時，洛陽紙貴。雖然也有人把它譏作中學生的寫作（雖知道不是那批評者自己太傻呢？）卻無損於它的風頭之健。書中說：「人在世界上，有做傻子的權利，只有傻子才能活下去。」這真是千古不刊的宏論，雖然作者又加了一個「不過」的轉折詞，說「傻」的程度猶有深淺之分，我們對那位首屈一指的旅行家的人生哲學，卻已不難了然於心了。同時，似乎懷疑精神也是做傻子一項必要條件，當別人對古代名畫讚歎不已時，他卻說：「他們對於這樣模糊破舊的壁畫，居然看出美麗可愛的地方，我覺得萬分奇怪。」像這樣的人才，即使起達文西於地下，又能奈之何哉！

專心於事業的成年人，也多半有三分傻氣，搞文學藝術的人，更要高估為七分。察秋毫之末而不見輿薪的科學家們，也不會被鄰居當作聰明人吧？其實對自己和世界稍有點幽默感的，便不難把「傻」字看作一位益友，心安理得的走他自己的路了。

最有味的傻，該是在知已的友人面前所表現的。一個人太完善，太無懈可擊，往往會變得索然寡味。把道德和智慧寫在臉上的人，傻子們只好敬而遠之。年青的情侶之間，總得有一個顯得傻一點才成，否則碰上風水不好，相剋起來，眞不堪設想。做傻子實在未必吃虧，不過要做第一流的傻子，卻還需要幾分天賦。

裝傻是一門藝術，一門高度的藝術。裝得不落痕跡，還要賓主盡歡，尤其不能光憑天才。完全排斥了「傻」這一德，活着似乎不太簡單，好像缺乏了滑潤油。有人微笑着「旁聽」對自己的謗言，有人把悲劇輕描淡寫的打發過去——「傻則傻矣」！

一說到傻的徵象，有臉紅——因為所謂聰明人的臉皮總不會太單薄，經常紅不起來；發撈——據說有些大道理是發撈發出來的，但無害於其傻；木訥寡言——巧言令色總不容易太出色，而且難保不出皮漏，口才差些卻別具風味；以及莫名其妙的表情——傻子的最大特色端在此，相形之下，有些官樣文章的表情就不足為道了。

做一個智商並不低的傻子可不容易，林肯大概就是當演這種腳色的，至少面對他那位英氣勃勃的妻子時。另一方面對「傻」這一德的欣賞口味，也很難維持一個相當水準。也許還是某些自命喜於「冷眼旁觀」的少女，真能深得其中三昧吧。但，太帶斧鑿痕的傻相，也要謹防旁人翻胃。譬如某些「諧星」的大作，我個人是不大領教的。

沈復與中秋

·道南·

「浮生六記」的作者沈復，在第一章「閨房記樂」中，曾談到在中秋這一天，他與新夫人陳芸女士的燕婉愉快，極其歡樂的情況，在中秋佳節這一天，把它敘述下來，頗饒逸趣。他說：

中秋日，余病初愈，以芸半年新婦，未嘗一至間壁之滄浪亭，先令老僕約守者勿放閒人，於將晚時，偕芸及余幼妹，一嫗一婢扶焉，老僕前導，過石橋，進門，折東曲逕而入，疊石為山，林木葱萃。亭在土山之巔，循級至亭心，周望極目可數里，炊烟四起，晚霞燦然，隔岸名山林，為大憲行台宴集之地，時正誼書院猶未啓也。攜毯設亭中，席地環坐，守者烹茶以進。少焉，一輪明月已上林梢，漸覺風生袖底，月到波心，俗慮塵懷，爽然頓釋。芸曰：「今日之遊樂矣！若駕一葉扁舟往來亭下，不更快哉。」時已上燈，憶及七月十五夜之驚，相扶下亭而歸。吳俗婦女是晚不拘大家小戶皆出，結隊而遊，名曰「走月亮」，滄浪亭幽雅清曠，反無一人至者。

以上為沈復所記，他中秋節與新夫人的遊樂，並沒有如而到清寂的滄浪亭，自樂其樂。可惜他兩後來的幸福，市街，而到清寂的滄浪亭，自樂其樂。可惜他兩後來的幸福，並沒有如東坡居士的「水調歌頭」所說：「但願人長好，千里共嬋娟」，陳芸女士卒以身體虛弱，不久香消玉隕，寧毋令人感嘆。所以沈復又慨然說道：「恩愛夫妻不到頭，如余者，可作前車之鑒也。」

山川風物

瘟君續夢

第二回：狼狽自爭雄，活佛有幸　人天齊示警，浩刼將成

譚震林說到這裏，忽然拍下腦袋，連說：「我眞胡塗，怎麼把譚啓龍忘記了，他到可以扮演許建國的腳色。我馬上就去信告訴他。」

毛澤東微笑點頭道：「其實我早想到了，所以不說，就要試試你的靈機如何，難為了總算想起來了。不過，這件事倘不能去信的，還是要他來一趟，當面指示方法才成。」

這個譚啓龍原是江西人，出身也算是新四軍，不過他的地位不高，只能算是三流人物，當時新四軍總部在江北，江南剩了一點殘餘，由譚啓龍統率，自已也封自己為游擊司令。但是直到新四軍正式叛變，自訂番號，把全股分成七個師時，師旅長都沒有他的名字，所以譚啓龍在共黨裏面實在是傍門中的左道。

民國三十八年徐蚌會戰之後，蚌埠失守，譚震林當時名義上還是新四軍副政治委員，在蚌埠時就逢人炫耀過江即當浙江主席，後來中共派人買通叛將戴戎光，由江陰讓出一條路，過了長江，譚震林也如願以償當了浙江主席，譚啓龍率領土共來歸附，譚震林看在同宗，就保他任副主席。又過了一個時期，華東區高級共酋內鬨，陳毅和饒漱石因為爭奪一個女「同志」打架，陳毅的眼角被饒漱石用一杯滾茶澆傷，以後好了還是留個疤痕，害的陳毅永遠戴付黑眼鏡，在任何地方都不敢除下。

這些情形經中共特務人員報到北平，毛澤東聽說勃然大怒，下令把饒漱石調去北韓任志願軍政治委員，陳毅名義上任上海市長，卻留在北平反省，粟裕調去任副總參謀長，劉曉派去任「駐蘇大使」。四個大頭目一調走，剩下重要人員就數到譚震林了，於是譚震林就代理華東局書記，代理華東行政委員會主席，成為新華東王，這要算是譚震林一身最得意的時期。

譚震林經常住在上海，無法兼任浙江主席，恰好這時中共把蘇北，蘇南兩行署合併恢復江蘇省的建制，譚震林就調任「江蘇省主席」，遺下的「浙江省主席」缺就給譚啓龍，還讓譚啓龍擔任浙江省軍區司令員，當時中共浙江省委會還沒有第一書記，其餘都是副書記，譚啓龍集浙江黨政軍權力於一身，東南半壁大權操在兩個姓譚的之手。

譚啓龍自知功名富貴都是譚震林一手提攜，對於這位宗兄更是奉命唯謹，無論什麼事都秉承譚震林的意旨去作，那知道偶一疏忽，出了一個亂子，兩人一齊跌下來，差點變成陳紹禹，徐向前第二，眞是福禍相連了。（四二）

岳騫

梨園漫談

台灣國劇的搖籃

·瘦西湖·

在我們現代的社會，不論是什麼事，說句實話離不開一個「學」字，如說一件事能不學而會，這是不可能的，何況學戲這一行，較其他行業更不簡單，所以從前戲班裏有兩句俗語，說是：十年可以出個狀元，十年可出不了一個戲子（現稱演員）。這兩句話雖然淺俗之極，但也足以證明唱戲的是如何困難，決不是一蹴可成，何況學戲之人，不但要有智慧與天分，還更須要加上恆心與苦練呢！

因此，學戲的人每日天將破曉的時候，即要一骨碌從床上爬起來步至僻靜處所望空喊嗓）（現在劇校亦是如此，為了要培育下一代，使他們都能成為一個名演員起見，亦完全仿照當年科班的老法，於天曉之時，即命他們照以往空着肚子往就近之後山，在那裏放開喉嚨大聲的喊着「伊……啊……」等字句，務使能唱出自己認為最適宜的音調，以期能達到國劇中最好的韻味。

學生們學會了唸詞與唱腔之後，就每天跟着琴師吊嗓，老師們也在一旁加以指點，咬字，板眼、運腔等有所差錯，務使隨時糾正，至學生們把腔調學會之後，即排演奏。

當然，國劇並不是只要能唱兩句就行了，至少也要學習到別的東西。譬如說：旦角們每天都要練習「踩蹻」，以及「圓場」、「下腰」、「趟馬」，「打子」等。男生們則要「拿大頂」、「打子」、「翻觔斗」、「舞刀把」、「拿……」等。在復興戲劇學校中，不分你是扮演什麼角色，首先都要學唱工與武工，然後再依照該生的成就而分為生、旦、淨、丑各行分組上課，授以技藝，以使其能做到最佳的身段，和漂亮的動作。[illegible]文武全才，合乎最佳標準耳。

一個好的演員，嗓子好固然極為重要，但做工卻也不可太忽略了之，該校有一個做工老生葉復潤，平時就以身上勤作漂亮而見稱，做工老生大多平常就以帶上髯口（假鬍子）穿上「蟒袍」在苦練呢！

唱工老生胡陸蕙，該校有一唱工老生李復斐，平時亦以嗓音高亢而享譽劇壇，他的能戲如「烏盆計」，「四郎探母」，「借東風」等尤佳。

一年

中秋一年一年的過，我們的聯合國代表權也是一年一年的拖。擱置一年的辦法，業已行了十餘年，此刻似乎會採取交由研究委員會再研究一年提出討論的辦法。美國外交家的智慧，有時候，倒也不由人不贊嘆備至，但反過來說，我們的政治家們似乎還缺少了一點魄力。讓我們的政治家們，熟讀左傳，戰國策這類的書，可能會要好些。春秋戰國時代的縱橫捭闔之術，雖不能全部照抄於今日，但卻也有許多地方是值得參考的，春秋時代的周天子，與今日之聯合國，也不過是名稱不同而已，列國中之強者，時存問鼎之心，亦與今日列強間之對聯合國的態度並無二致。赫魯曉夫會經主張把聯合國搬到歐州去，不就是問鼎嗎？猶憶去年美國某報會經說到，聯合國不容易搬動，如在歐州新建一聯合國總部，則至少需錢若干若干云，此則與春秋時代問鼎之輕重，幾乎是同樣的想法了。春秋戰國時代列國紛爭，而周天子乃徒擁虛名，此則與今日之聯合國何以異？五霸七雄，亦猶今日之英，美法蘇德日耳，當其時者，或主合縱，或倡連橫，蘇秦張儀范睢之流，憑三寸不爛之舌，東游西說，位高而多金，此則大類今日之尼赫魯狄托等人。所謂不結盟國家，實際上乃是集縱橫之術于一爐，左手要盧布，右手拿美金，如是而已。

在這樣一個時代，作為一個弱少國家，而思所以自存，自必有術。春秋戰國之際，有若干小國，乃是專門利用大國間的矛盾，甚或設法製造一些矛盾，以圖生存。這種方法，就今日的形勢來說，實在是還可大派用場的。

這就是看那些政治家的謀畧與魄力了！今日之勢，不能坐以待變，而必須自變以引起他變。若長此安於一年一度的「擱置」，而僅求其保持聯合國代表權，老實說，也就不免缺少些氣魄了。齊桓晉文之所以要保持周天子，無非是為了便于挾天子以令諸侯，今日美國之要聯合國，與赫魯曉夫之要拆聯國，只是雙方所處的形勢不同，說穿了，都是為了便於控制聯合國以令天下而已。

我不相信我們的政治家之謀畧，僅只是限於爭取到以一年一度的「擱置」為滿足。如是瓦全，何妨玉碎？

台灣，林獻堂

李仲侯

當時台灣人口約三百餘萬，大家必須生於斯，死於斯，無論如何，台灣人就是中國，對自已的民族文化具有絕大的信心，對台灣的一切都熱烈的愛着，只要在日人統治下的台灣，能夠維持中國固有的文化和生活，他們受到任何困難犧牲，都在所不惜，只要能達成這個願望，即已心滿意足。

林獻堂之號稱台灣首富，是由其父林文欽借其從子林朝棟在台中霧峯一帶，篳路藍縷，以啓山林，他家所開拓的疆土，東入番界，北沿大甲溪，南抵集二大山，延袤百數十里，闢田藝樹，剛是供他家役使的細民就有千餘人，自可想見，其財富之豐，收入之多，但若離開了他的土地，則生活就恐成問題，他有這麼大的財產，倘能安份守己，馴服於日人之下，自會比一般御用派更獲得政府之寵過，享受其優裕生活，他當日不此之圖，竟在四面楚歌中，勇往直前，為人所不敢為亦不屑為之同化運動，其意何居，大抵那時他對保家保產，亦有甚多顧慮，至少他在那時的思想，是接近於我所舉的後一派的，他在民國十年出任台灣總督府評議員，卅四年復被日政府任為民族院勅選議員，其間旅進旅退且屬虛職，然始終未與日本政府脫離關係，此雖出自日本一種籠絡羈縻手段，林氏亦虛予委蛇，從未見其峻拒，大抵他搞民族運動，是極端傾向溫和路線一方，如蔣渭水，羅福星等所主張的流血革命，他不但不參加，並未見得贊成，當民國十六年台灣文化協會出於左右兩派之爭執而陷入分裂時，所有右派重要幹部都當場退席，林氏屬右派人物，他想挽回頹勢，委曲求全，仍出任該會委員，可見台灣在日據時期，進行的民族運動，錯綜複雜，分合無常，始終難以定於一尊，大抵林氏的思想，會受梁任公的影響甚深，梁氏於光緒卅三年在日本奈良與林獻堂第一次會面，即告訴他說：「中國在今後卅年，斷無能力幫助台灣人爭取自由，故台灣同胞，切勿輕舉妄動，而供無謂之犧牲，最好效愛爾蘭人，對付英本國之手段，厚結日本中央政界之顯要，以牽制台灣總督的政治，使其不敢過份壓廹台人」。（七）

中秋與觀潮

介人

一年一度的中秋佳節，又降臨了人間，客裏的中秋，年復一年，自不勝其石火電光，歲月如流之感。如其是在江南，在過去的承平時代，一般的仕女們，又忙着赴海寧觀潮。到海寧觀潮的汽車和火車，到這幾天，莫不擁擠異常，而且有不少的外國人士，情侶雙雙，他們都是慕名而來，欣賞這一佳節偉大的壯觀。

「早知潮有信，嫁與弄潮兒」。潮是有季節性的，它到了每月十三到二十日這一週間，它總是如期而至，決不爽約。只是在八月十八日這一天，習俗以為這是潮的誕辰，其勢尤烈，這是它的最高潮，所以在這天當中，觀潮的人特別多而且極其擁擠。

浙江潮何以會成為奇觀，據說浙江之水入海處，有龕赭二山，南北夾峙，海水經此，受到兩山所阻，激湧入江，奔騰怒號，有如千軍萬馬之勢。這兩座山淤塞以後，海寧就變成為觀潮勝地。其實浙江近錢塘江的地方，有好幾個地方都可以觀潮的，紹興縣的三江，也是觀潮最好的地方。

海寧潮之為天下奇觀，毫無半點誇張，先由江口兩道白綫由細變長，瞬即相接，從此以後綫漸粗，粗得眞快，乃排山倒海，驚天動地而來，一直奔到我們的面前，湧成小山，就算到了頂點了。觀潮台距海塘還有二十英尺，可能還會給濺到水沫呢！

蘇東坡在八月十五夜，即中秋之夕，他有觀潮詩五首：「定知玉兔十分圓，已作霜風九月寒；寄語重門休上鑰，夜潮留向月中看。」「萬人鼓噪懾吳儂，猶是浮江老阿童；欲識潮頭高幾許，越山渾在浪花中。」「江邊身世兩悠悠，久與滄波共白頭；造物亦知人易老，故敎江水向西流。」「吳兒生長狎濤淵，冒利輕生不自憐；東海若知明主意，應敎斥鹵變桑田。」「江神河伯兩醯雞，海若東來氣吐霓；安得夫差水犀手，三千強弩射潮低。」蘇東坡另外還有描寫錢塘江的湧潮詩云：「八月十八潮，壯觀天下無。鯤鵬水擊三千里，組練長驅十萬夫，江旗青蓋互明滅，高沙白浪相吞屠。」此可見潮勢的奇偉，排山倒海的洶湧之勢。今天的大陸，正有如狂潮高漲，多少人的全家性命財產，葬身於狂浪的魚腹之中，若干人的自由和幸福，都被這狂潮席捲以去，觸景傷懷，悲痛欲絕，嗷嗷待哺的餘生，又那兒來的閒情，去到浙江觀潮呢？

至於東坡詩中所謂「吳兒生長狎濤淵」，則係指在觀潮之餘，還有弄潮的習俗，關於弄潮的習俗，遠於宋代，每年以八月十五至十八那幾天最熱鬧。

據說吳越時，吳王夫差把伍子胥殺死，用皮囊把他的屍裹着，投到江裏。後來伍子胥就常常隨浪湧同來。據「夢粱錄」載：當潮來的時候，杭州不少健兒拿來彩旗彩傘，百十成羣，跑到水裏來迎接伍子胥。這就是「弄潮之戲」，有的還能執着五枝小旗在潮頭戲弄的。宋人詩云：「弄罷江潮晚入城，紅旗颭颭白旗輕，不因會吃翻頭浪，爭得天街鼓樂迎。」這就是描寫弄潮的風俗的。元明以後，錢塘觀潮和弄潮，不減宋代，明人史某就曾經做了一首詩記述弄潮的盛況，據說弄潮那天，「雞聲喔喔天未明」，人們就奔起來江邊了。當潮頭湧來，潮聲雷動之時，弄潮好手便下水去大顯身手，能在江潮滔天中，似浮萍一樣飄游，安詳鎮靜得很。

在南宋時代，每年八月中旬錢塘江觀潮的時候，京兆尹還在那裏教習水軍，弄潮兒也就在這個時候表演技藝。據「武林舊事」載：水戰時，幾百隻大戰船分列兩岸，然後分別出動，擺開陣勢在水面上表演乘騎，弄旗，標槍，舞刀，如履平地。忽然黃烟四起，對面看不見人，水裏爆發了像山崩一樣的聲。到烟消水靜的時候，弄潮者閏已早消逝於別處，連一條船也沒有了。只見「敵船」給焚點着，隨波流去。跟着，幾百健兒被髮文身，手持十幅彩旗，爭先下水，出沒於鯨潮萬仞中，騰身百變，以能使旗尾也不沾濕為誇耀。

從這些記載，可見古代的游泳健兒——弄潮兒的技藝是最卓越出衆的；這些地方，也可以說明我國的水上運動，在宋時已經相當發達了。（七）

中秋書感

鄧中龍

纔過七夕又中秋，嶺外音書滯故州。
入酒飛光皆舊月，繞魂鄉夢繫新愁。
長悲絕筆思尼父，誰為出師效武侯。
一夜傷心眞五處，年年倚醉上西樓。

陳明仁投共眞象

諸葛文侯

黃，鄧二人對於陳氏參謀長陳賡的恐嚇言詞，無所容心，仍勸陳明仁權衡個人利害，領悟共黨殘賊異己之種種事例，斷然申張大義，毋趨歧途，致貽後悔。鄧氏且願與明仁同共患難，盼其先將部隊掌握集中，渡過湘江，向西陲進發，至於陳妻病不能興，可用肩輿護送偕行。陳氏亦表示贊同，即對前綫部隊下令集中長沙，邵陽一帶，但囑鄧文儀不必單獨留在長沙，一切彼有把握處理。黃鄧乃於是日（七月廿七日）午後五時半乘飛機回到衡陽，次日飛廣州復命，謂明仁必不謀叛，試觀後效如何可也。

黃，鄧二人離開長沙後，程星齡等重返長沙，對陳明仁百般煽惑，而以其參謀長陳賡早已於七月廿二日，代表明仁與共方簽署了「和平協定」為理由，脅廹明仁不應反汗失信，使湘民膺受戰禍，貽害桑梓。明仁接受黃杰，鄧文儀的勸告，下令集中軍隊，內心上原係格於情誼，勉強而行之，此時經不起程，李諸鄉長的游說慫恿（李明灝，劉斐皆係醴陵人，且曾為陳明仁的教師），另有黃埔軍校第一期出身之黃雍，又從而對陳氏極盡挑撥鼓動之能事，謂明仁如不投共，必然戰敗，結果雖欲求如當年四平街戰役後之撤職查辦下場，亦不可得也。明仁原不學，賦性剛強而少謀斷，被程潛及李，劉，黃等人包圍誘脅，無以自拔，乃於民國卅八年八月二日通電宣稱維護湖南和平，不戰而投靠共黨了。後來黃杰在武岡，邵陽一帶，號召陳明仁部衆萬餘人去逆效順，翩然來歸，亦得徐於明仁投共前夕下令集中之一舉，否則所部多駐屯汨羅江至新墻河之綫，陳氏既投共，即失去控馭的權力，在共黨嚴密監視之下，一兵一卒亦無法投奔黃氏麾下矣。假使當時的華中軍政長官對於陳部給養，能設法供應，而中樞亦在七月廿二日以前，即派黃杰，鄧文儀赴長沙聯繫說服，則陳明仁的行動，很可能另有抉擇。無奈是時政府內部亦多政潮，相互猜忌傾軋，國事無人主持，政令軍令皆陷於紛亂現象，致令有勇無謀的將領如陳明仁者，徘徊歧路，莫適誰從，最後為期苟免於難而靦顏投共，雖曰天命，豈非人事哉！？（下）

柳宗元論

·謝康·

歷史人物

這種敎養兼施，移風易俗的政治，對地方是很有實惠的，古賢大夫何以過是！我們可以說柳侯在地方政治上的成功，可以彌補他在中央政治的失敗；同時也說明他是一個有為有守的人才，不特以文學見長而已！不然的話，古今來到柳州做過太守的人，沒有一千，也有幾百，何以別人姓氏很少流傳，而柳侯祠廟巍然獨存呢！？

柳侯廟中附「龍城柳碣」一塊，有「驅厲鬼」字樣，相傳子厚得此碣於地中，心滋不悅，以為將死於柳州也，然不幸而其事果驗。

在柳州，喜植花木，除種柳一事，已見本文篇首所引外，柳河東集中尚有種木槲花詩及城西種柑樹等詩。山水游記有「柳州東亭記」，「柳州近治可游者記」，「邕州馬退山茅亭記」，「桂州訾家洲亭記」諸篇。然因不服水土，益多病，據羅池碑記云：「侯嘗與部將魏忠，謝某等飲酒驛亭，謂之曰：『吾棄於時而寄於此，與若等好也。明年吾將死：……』及期而死」蓋已自知不壽矣。病篤時，遺書劉禹錫，韓愈屬以編詩文集及托孤之事，以元和十四年己亥（公元八一九）十一月八日，卒於柳州刺史任所，享年四十七歲，柳人思其遺愛，立祠崇祀，並以鄉賢名宦配饗，以迄於民三十八年冬柳州淪陷之前夕。而今事隔十二年不知柳侯祠，衣冠塚，思鄉軒，柑香軒，等紀念性建築物，究何如矣！（七）

內警台報字第〇三一號內銷證

自由報

THE FREE NEWS

第一七〇一期

社長：雷嘯岑
督印人：黃行審
社址：香港銅鑼灣高士威道二十號四樓
20 CAUSEWAY RD 3RD FL HONG KONG
TEL. 771726　電報掛號．7191
承印者：田風印刷廠
地址：香港灣仔高士打道二二一號
台灣分社
台北市西寧南路

台郵撥儲金戶九二五二

論「文化進軍」與「政治登陸」

黃少游

陽明山第二次文化教育會談已完滿結束，其總結有三：一曰文化進軍；二曰政治登陸；三曰軍事反攻。全國上下與海內外同胞若果都能共向此一程序與目標努力，則瓦解共匪，光復大陸，乃指顧間事。作者一介書生，軍旅之事，未嘗學也。故僅就「文化進軍」與「政治登陸」二者，略抒管見，以就教於海內外賢達之士。

一、文化進軍

第一、何謂文化？對於此一問題之解釋，學者意見甚多，要而言之，此乃包括知識、信仰、藝術、道德、法律等，爲一種生活方式，而爲人類獨有的精神產物。文化與教育不同，文化可以包括教育，而教育不可以包括文化。因爲教育是文化之一，文化又是教育的成果。沒有教育也沒有文化，因爲教育是傳道授業解惑的工具，而文化則是整個教育成果的活動。例如沒有文藝教育（包括訓練），也就沒有文藝文化的活動；沒有音樂和舞蹈的教育，也就沒有音樂和舞蹈的文化的社會活動；其他皆類此。但是教育本身也是文化之一，它與其他社會的控制的宗教與道德等文化的屬性也是一般無二。

第二、文化的特性。文化的特性有四：其一、集體底成就：例如語言的方式，文字及單字的意義均爲積多年之團體行動而產生。其二、文化具有強大底適應力，累積力和同化力，此考察美國生活方式之內容與起源，可知其梗概。其三、文化具有傳播性，如採用外國之法典，外國之各種制度如教育的政治的和司法等的制度，即爲文化傳播底證明。其四、文化可由學習取得，且文化變易不易，故過去亡人國者恒必設法亡其文化與消滅其歷史及同化其生活。

第三、文化進軍的含義。什麼叫做文化進軍？所謂進軍，簡單的說，就是一種人類醒覺運動。就是對匪共在中國大陸的黑暗統治，去用中國傳統的優良的文化去喚醒它和感召它，使之發生如歐洲中世紀後「人的自覺」和「人的發見」。換言之，即「人的尊嚴」和「人的靈性」也使之在中國大陸復活，以對抗並消滅匪共殘酷的非人道的魔鬼式的統治。文化進軍有先聲奪人的作用，也有降服敵人和粉碎敵人的功能。如書載「禹舞干羽於兩階，七日有苗來格。」再如歐洲文藝復興運動與中國民初的新文化運動，要皆對於舊的統治的摧毀與新的統治之建立俱有莫大之功績，此當爲任何人所不能否認者也。再如匪共最善於利用文化宣傳（如文藝詩歌小說戲劇等）爲欺騙及麻醉人之工具，而常達到不戰而屈人之兵之目的，同時，又常以欺騙世人之馬克斯主義之花言巧語（即學說思想）爲催眠爲咒語，純樸之世人於不知不覺中墮入其彀中而被其利用或奴役，此要皆文化及利用文化之力。再文化爲一個國家或一個民族的靈魂，此不論是固有的文化或傳來的文化，是單純的文化或積和的文化，要皆對於一個國家或民族之生存與發展有其重要的關係。否則，只是別人（國家或民族）的附庸。同時，如前所述，文化爲人類獨有的精神產物，遺當然不應脫離人性或違反人性，否則根本不成文化。所以文化在消極方面必須是人性的和有人性的。在積極方面必須是發揚人性的，和光大人性的。所以文化進軍就是以「人」伐「不人」，以「人性」伐「獸性」，以促起現在黑暗的中國大陸人們普遍的「人的自覺」和「人格的尊嚴」與「人的抱負」底啓蒙的革命的運動。荀子說：「水火有氣而無生，草木有生而無知，禽獸有知而無義，人有氣有生有知亦有義，故最爲天下貴也」。又說：「人之所以爲人者何已也？曰：以其有辨也。飢而欲食，寒而欲暖，勞而欲息，好利而惡害，是人之所生而有也，是無待而然也，是禹桀之所同也，然則人之所以爲人者，非特以二足而無毛也，以其有辨也。（作者按：辨，乃人獸之辨）今夫狌狌形笑，亦二足而無毛也，然君啜其羹，食其胾，故人之所以爲人者，非以其二足而無毛也，以其有辨也。夫禽獸有父子，而無父子之親，有牝牡而無男女之別（作者按匪共現在大陸乃推行此種政策）故人道莫不有辨，辨莫於分，分莫於禮，禮莫大聖王」（以上見非相篇）清儒劉蕺山說：「人苟不能斡旋氣運，利濟天下，徒以其矯能爲一身家之謀，則不能謂之人」。見（王源墓表引）國父孫中山先生說：「人生以服務爲目的，不以奪取爲目的」。凡此古今哲人名言，乃我中國傳統文化優良之所在，以及文化進軍必勝必成之要素與武器。

第四、文化進軍的先決條件。文化進軍必有堅強的文化部隊，此種部隊靠筆桿，靠口舌，靠手腳以及最高的智慧和優好的技巧。但是這種部隊怎樣組成和練成呢？自然也需有最高的統一的指揮部。關於此，現在自由中國還沒有，所以要組成文化進軍部隊和練成文化進軍部隊，必需先要有一最高的統一的文化組織，把一切出版、新聞、雜誌、電影、廣播、戲劇、文藝、音樂、繪畫、舞蹈、古物、古跡、寺廟、宗教、和禮俗等等文化事業都集中統一起來，加以積極性的管理。這樣才能夠談得上進軍，否則如現在管理的散漫和消極以及對於「文化」二字和其內容根本不瞭解，又怎樣談得上組成文化部隊和練成文化部隊去進軍啊！現在最令人可悲可嘆的，就是還有些知識份子與及有些官員們，連「文化」與「教育」二者的分辨和性質都弄不清楚，而且以爲「文化」就是「教育」，豈不可哀！現在自由中國文化事業的主管是多頭的，分散的，亂雜的，消極的，[illegible]

二、政治登陸

[illegible]

說：「荀子論湯武[illegible]

[illegible]

自由談

法治的楷模

年高八旬以上的英國哲學大師羅素，最近因爲在集會場中使用擴音機演說反對核子戰爭，有違國家法令，經法庭依法判處兩個月的徒刑，法官念其髦耋之齡，核減爲拘役七天示儆。民衆聞訊雖表示抗議，大呼可恥，但羅素本人束身司敗，決無異言也。英國元勳邱吉爾的女兒，因犯違警律，迭被法院傳訊處罰，她的父兄並不認爲有傷名門體面，而向法院講情或施用政治壓力，她自己更毫無怨尤。這才是法律之前，人人平等，實爲不折不扣的法治精神。

假使這類事件發生在咱們中國，那還得了嗎？一般知識份子必定譁然起哄，說是蹂躪人權；一些名公鉅卿更認爲法院處理案件，未能配合國策，而執法無私的法官，除卻扎破飯碗外，還要落得一個「不明大體」的罪名，宣告永不敘用。大家試回憶一下對日抗戰時期某豪門的二小姐那種胡行妄爲，沒人敢說一聲「不」字的情形，作何感想呢！

口稱民主法治，遇事卻以特權階級自居，本身決不受法律的拘束，不特一般官吏有然，即所謂民主人士的芸芸士大夫亦復如是。所以，中國人高呼「民主法治」口號垂五十年了，結果只見其爲「你是民，我是主」的政治生活，知法犯法的官兒們，且創立一種「配合國策」的歪法理論，而恬然不以爲羞。看看別人所表現的法治精神，靜言思之，能不汗顏乎！

吾國古代的君主專制時期，廷尉尚能以「天下之平」自任，守法不阿，雖帝王亦不能干預他的職權，距今日，而知歷時數千年後的今日，而法律乃成爲士大夫們——包括官吏在內——徇私作惡的犧牲品，政治生活竟退化到野蠻部落的境界，可哀孰甚？可恥又孰甚耶？

春秋責備賢者，我們若要創造法治國家的榮譽，其基本條件必須一般士大夫不玩法乃可，老百姓是沒有責任的！

馬之先生

漫畫天下

毛澤東對卡斯特羅說：「你不要害怕，他們餓久便成習慣！」

自由世界人民對肯尼特說：「爲什麼你永遠是走慢一步的呢？」

把握時機創造歷史

立委戰慶輝論反攻 書面質詢陳兼院長

（台北航訊）最近幾個月來，社會各界要求反攻大陸之聲，如雷震耳，旅居香港各界名流四百五十八人，曾上書蔣總統，籲請早日反攻大陸；旅美華僑中華公所主席楊文伯先生領銜呈陳兼院長，對時局的意見書，也曾說到必須及早反攻大陸，陽明山第二次會談，全體人士促請政府早日反攻大陸的聲明，即曾明言「我們認爲目前就是反攻復國最好的時機。」諸如此類的表示，可以說是人民內心的呼聲，政府方面當不致充耳不聞的。

在九月十九日立法院第二十八會期第一次會議上，戰慶輝委員會爲此問題對行政院院長的施政報告來了一個書面質詢。戰委員說：「本席認爲國家的命運，完全繫於能否反攻大陸；反攻的成敗，完全繫於能否把握時機。」因此，他特別提出這個問題來，「就教於陳兼院長」。

這篇書面質詢，在引述了最近數月來各界人士（包括上文所述的香港各界四百五十人的上書，以及陽明山會談人士的聲明等）的呼籲文字之後，加了一段評語，該文說：「以上的引證，皆爲半年來對反攻大陸問題，具有代表性的重要意見，是客觀的正確的，不可以忽略的。」

接着又說到「……十餘年來，只見反攻口號，未見反攻行動。……倘今後仍然年復一年的拖下去，則所謂反攻也者，在政府豈不成了「畫餅充饑」的自我陶醉！對國人豈非變成「望梅止渴」的欺人之談？」

對於某些認爲倡導反攻的人爲不識時務者，戰委員在該一書面質詢中，直率地批評那些人是「不明革命軍事的特質」，而且「更不知反攻軍事的形勢。」該文指出：

「近常人有說：「反攻」本來是口號，相信反攻的人爲癡昧無智，倡導反攻的人爲不識時務，因爲我們現有的海上運輸，陸上戰力，均不足以支持一個登陸反攻的軍事行動。」我想這是不明革命軍事的特質，更不知反攻軍事的形勢，純武力論者的說法。北伐，抗戰，皆足說明軍事的力量和勝敗，均不可完全用數字計算的，況今日之形勢較北伐抗戰時更爲有利。」

戰委員在批判了這一謬說之後，接着說到政府在這十餘年始終不肯反攻的顧慮。他說：「十餘年來，政府在反攻軍事方面，始終不肯輕舉妄動者，顯然是在等待一個一舉而收全功的機會。」但他跟着指出，這種觀念，應該重新認識，澈底糾正。理由是：

第一，大陸人民的抗暴行動，非借外力支援，不能全面起來。換句話說，這座火藥庫，一定要我們冒險去點燃才能爆炸的。第二，由於我們的抗戰經驗，從蘆溝橋到珍珠港，更足證明，國際形勢的有利轉變，全靠我們從戰鬥中去爭取，決不可專事等待的。第三、爲了「漢賊不兩立，王業不偏安」……倘能一舉復國，完成革命大業，固爲上策；倘力有未逮，勢所不許；亦當效武侯法蜀漢，……雖不能一舉滅曹，亦當六出祁山。」

該一書面質詢的末段，特別強調時機。並提出個人的時機與歷史的時機。認爲如再不反攻，則吾人將爲時間所吞沒。該文說：

「目前的形勢，爲我政府反攻復國的最好時機，天下公認，舉國期待，絕對不可坐失，絕對不應再拖，再拖我們將被無形的敵人——時間——所吞沒，本席上會期的書面質詢，特別強調時間的重要，就個人言，一人之春秋有限，如不及早圖之，百年之後無能爲矣——麥帥重臨菲島的悲悽！睹者無不唏噓！就歷史言，更是殘酷無情，如南宋，如明末，皆在反攻復國聲中，漫漫的被時間吞沒了，況反攻復國大任，必須在我們這一代完成，下一代才能幸免共產主義的毒害，因此本席希望政府，把握時機，爭取時間，早日反攻復國，完成歷史的任務。」（本報記者公孫文寄）

台灣橫貫公路游記（三）

雷嘯岑

（本報特稿）是日午后五時到達梨山住宿，走完橫貫公路的一半路程了。此處四山環列，中有一片開豁地，附近居民亦較多，除高山族外，有退役軍人聚居的村落，又有由退役軍人經營的「福壽農場」，還有一座「鄂嘉飯店」，是一位湖北嘉魚縣籍的退役軍人開設的，此外有郵政局、電報局、醫務所、有公路局工程總段第二工務段辦公處，形成具體而微的市鎮規模，將來必成爲橫貫公路上首屈一指的市鎮無疑也。我們下榻於設備相當完善的招待所內，入晚天氣驟寒，我除了加穿毛綫衣和背心之外，還借用了一件棉大衣，由於地勢甚高之故，氣溫和平原相差在十二度以上，如果下雨，在室內亦非生火不可呢！晚飯前，蔣主任向我們作了一次關於修築橫貫公路的簡報，又將勘測和修築時的實際狀況電影片，放給大家看，其艱難創進，慘淡經營的情形，良堪贊佩。在勘測路綫時，許多人跡罕至的絕壁峻坂，皆臨時架設棧道，俯伏經過，有些地方且要用索橋繫着一根粗繩，將人身裝在一個籮筐中，由上面吊下去，稍一疏虞，便告粉身碎骨呢！高山深谷間，晝夜多有暴風雨，岩石飛崩，山洪洶湧，隨時隨地皆可傷害人命的。有一位名叫靳珩的工程師，就因爲在深夜的暴風雨中，起來查看新建橋梁，被山上飛石擊斃了，當時土人皆害怕這種築路工作不願應徵，全靠一般退除役軍人，他們曾經出入於槍林彈雨之中，滿不在乎，担任了築路的主力部隊。例如名叫「愚公劍壁」的一段路，硬是用人力把一座石山鑿成峭壁，中關大道，其艱苦之狀，我們瞻看銀幕上的影片，也就感歎不置了。退役軍人每天從事於築路工作的人數，最高額爲五千人，外加陸軍步兵支援隊，生產作業隊（即囚犯），青年建設總隊，戰訓總隊和廠商們，平均每日有一萬人工作着。美援項下撥給的築路機器——如鑽孔機、壓路機等等，沒法運到叢山峻嶺中，我們就將機器拆開，分別用人力揹上去，再由工程師將機器綴合起來使用，美國朋友見着詫異，大呼「不可思議」，這就是中華民族的精神和幹勁，此其所以立國五千年而屹然無恙也。

晚飯後，附近高山族的男女同胞，聚集在招待所前面廣場上，爲我們舉行歌舞晚會。場中央燒着一爐熊熊柴火，一隊高山族的妙齡女郎，開始合唱了一曲「打回大陸」的歌，然後分別獨唱她們的固有歌謠。這些女郎個個穿着旗袍或女學生裝，也有燙頭髮的，說的一口很標準的國語，跟我們內地同胞毫無異樣。這固然是得力於政府十餘年來在台灣執行的普及教育政策，國民學校到處設立，山地亦不例外，而橫貫公路之開闢，厥功亦復不淺也。歌唱之後，她們大家手携手地圍繞爐火跳土風舞，由慢而快，蔣主任拉着我一同參加，大跳特跳（見附圖），跳了五分鐘，我渾身大汗了！趕忙脫出行列，坐在椅子上休息。繼而當地高山族的酋長來到廣場上，對着我用一個土製的口琴，發出咿咿之聲，我莫名其妙，蔣主任教我起立，說這是高山族對外來客人致敬的禮節，我跟他握手，他口裏唸唸有詞，我也聽不懂，大概是些客氣話，他年紀很大，不像青年人能說國語，但其表情極其謙和，據說，他在日治時代，曾經殺死過廿四個日本人，他家裏現在還掛着的一只羅兜，就是裝那廿四顆人頭的紀念物。他對我們內地人卻親切異常，這是可貴的民族思想啊！

圖片說明：在橫貫公路梨山站上，高山族男女同胞舉行歌舞晚會本報社長雷嘯岑先生與蔣主任經國先生伴同高山族男女跳土風舞。

立法院的病態

·健生·

（台北航訊）行憲後第一屆立法院自從來台後，就一直「寄人籬下」而沒有一個「家」，起初擠在台北中山堂內，後來，省政府於三年前疏遷到中興新村，立法院總算有了「家」。可是，一年兩次會期的議場，仍租用中山堂，因此，立法院基於國際觀瞻，乃有興建議場之議。現在，立法院所建之議場，工程快要完成了。可望於明年度第二十九會期啓用。這座議事場，約一千七百餘建坪，每坪造價爲四千三百餘元，原編列預算捌百五十餘萬元，預計二百四十個工作天完成，但事實上已經延長若千工作天了。這座莊嚴肅穆的建築物，共有三層，底層爲會議場，場內席次排列爲半圓型，主席台在中央，兩旁爲政府首長席次，主席台後面爲首長休息室，前爲委員室；二樓爲記者席及旁聽席，有記者休息室與會客室；三樓爲辦公室。議場有隔音設備，委員席與記者席，均設有辦公桌，不似現在簡陋的設備僅有座位而已。

立法院在「變」了，但是，這是小變而非大變，總而言之，變比不變好，因爲變使立法院有朝氣。不過，這種變是不是持久？這就要看立法院的事實表現來確定了。比如說，有些委員們，在前幾年被選民與輿論抨擊並譏爲「護航」者，在上次會期中都有強差人意的表現，這可以從質詢停航補貼案中得到答案。然而過去表現不壞的委員們，有一部份反而緘默了，這又說明了什麼呢？記者套句俗語：無可奉告。還是大家心照不宣去想吧！

立院每一會期，以經濟委員最爲「茂盛」，常有「僧多粥少」之患。如本會期在九月一日開始報到後，委員們爭着填表參加經濟委員會，而遲到的委員莫不引爲遺憾，據說，爲了爭取權益，竟有人一清早就排隊報名的。這種現象頗像市民爭看「蘇絲黃的世界」的片子一樣，搶先排隊買票。另一件事，是六十歲以上的委員，因爲他們年高而聽覺視覺差了，所以抽籤時並不與五十歲左右的委員同抽，而是不必抽籤列在前排。這張高年委員名單的人數，年年在增加，今年已增至五分之二強了。的確，這是一個很嚴重的問題，也顯示國會議員（立監委員與國大代表）成爲「老成議員」了。漁云：歲月無情，誠哉斯言也。長此下去，將不知何以善其後呢！

有人主張嚴懲貪墨之徒，不稍寬假，故希望立法院制定嚴刑峻法來挽救政風。於是有人認爲：如欲改革敗壞的風氣，必須從立法委員放棄兼任律師會計師做起。否則，立法者自身不正，又焉能正人耶！

立法委員自己立法保障本身的利益；「曾任立法委員三年以上者」，得任簡任推事或檢察官暨律師；如果「任立法委員五年以上者」，得任最高法院院長。而今立委諸公，已任職十四年，早就具備做最高法院院長的資格了。惜乎自由中國只有一位最高法院院長，因而立委只好屈就律師會計師之一途。這件事，儘管社會早已詬病責難，幾於人人所指，可是立委諸公仍我行我素，有關法條卻遲遲不予修正，而有關方面竟無動於衷，這豈非咄咄怪事？

立法院種種病態的基因，是長期不能改選暨沒有強大的在野黨，以致暮氣沉沉，未克發生政治上的制衡作用，各級民意代表如何使其按照常軌，新陳代謝，這確屬值得研究的大問題。

五十、九、十八

翻譯雜談

磊庵

過去有位學者提議，他說「英文中譯，應該用語體文，比較明瞭」，我認為不然，語體和文言，兩者儘可並用，當看詞句意義而定，庶幾互相合拍，凡文理淺近的會話之類，自以語體為妙，意義深長者，似乎用文言，較為簡潔，因為淺近的文字，一用文言，便覺頑固而多餘，反之，深奧的文字，用語體譯出，又感詞不達意，且有粗俗之弊，但不管語體或文言，主要關鍵，先要把意義表達出來才對，試舉例如下：

如會話中 Where are you going? 用語體譯成「你上那兒去啊？」便很切實，如用文言，當為「汝何往乎？」或汝往何處去耶？」那就非常蹩扭。

如 They intend to go to America 用語體譯成「他們打算到美國去」，很清楚明瞭，如用文言，則為「彼等均擬赴美」，在文字的語氣來講，還可勉強，而其中「Intend」一字的解釋，文言為「擬」，「預計」，或「計劃」，用上去都不對勁，不及「打算」二字，來得恰切，而且一個「均」字，不加進去，句子變成生硬，加進去罷，原文並然「均」字之意。

談到翻譯，四十年前的林琴南先生，可算是一個能手，他本是著名文學家，而所譯小說尤多，風行一時，膾炙人口，頗受社會歡迎和好評，但是他本人並不懂得英文，一面請人口述，一面自己筆錄，再加以飾刪改似成者，讀了他的譯作，似乎富有趣味，其實與本文意義，離題甚遠，早已脫節了許多。

據我所知，譯作之佳者，在昔無有過於蘇曼殊大師，他本有高深的中英文基礎，他的譯作，可說是譯作中之精品，和原文對照，既不失意眞，讀下去也一氣貫通，不像是篇譯文。

可是中詩英譯的作品，過去大半出自外人之手，然外人對中國文字，尤認識不足，致漏洞百出，我曾經讀過多首英國人譯的唐詩，茲舉出二首如下：

一王建的五言「新嫁娘」，中有未諳姑食性」句的「姑」字，本指丈夫的母親，英國人譯為 auntie 此字在英文係姑母，誤解丈夫的姑母了。

二、王維的五言「雜詩」，中有「來日綺窗前」句的「來日」，即來的那天，而英國人竟把「日」字譯成了「太陽」，又誤解了，這些地方正和國人把英文誤解的譯作，同一情形。

近見各報副刊，大半以譯作居多，因就我個人見聞所及拉雜談談，以供同好。

談懸殊

汶津

國父曾談到眞平等和假平等的問題，提倡「立足點的平等」。這是深知人類天賦便有懸殊的緣故。但是人與人的差異究竟大到什麼程度？談到這兒，就用得着我們的統計資料了。

報載衛生機構調查市民的手上細菌數量，發表了一篇驚人的統計結果。考第一名的是一位冰果商。他雙手的洗手水中，每一CC計有細菌十七萬次，他調製的冰水等於是一杯毒藥云（想想看有多少人喝過他的特製毒劑而竟倖免於難的！）第二名竟落一位公務員手上，他的紀錄只遜前者一萬。倒是學生們還衛生些。而最低紀錄是一位大學二年級女生的玉手，她的一CC洗手水中只有細菌三十九枚！兩相比照之下，不容你不乍舌瞪目。這還是後天的懸殊呢，和學識教養有關。那位女生想當然是一位名門閨秀，或天很少操作的，而且嬌嫩是少女之常，也不值得過份驚駭。倒是那名列榜眼的公務員，不知職司為何，卻有如此不凡的「成就」！

說到先天才具的差異，固然很難用倍數來計算，然請看一看世間所謂天才與白癡，作一估量，就不難使你嘆息上帝的不平了。不過天賦是可恃而不可恃的，否則也就不需煩王安石寫「傷仲永」那樣的文章了。「唯上智與下愚不移」，可信嗎？難道許多天才人物的話（如「一分天才，九分努力」）都是故示謙虛？事實上許多偉大的智商都不算是最高的。由此，則「懸殊」二字似乎又不值得過於重視了。

但人間許多不平的現象，也像山岳的崎嶇一樣。譬如「朱門酒肉臭，路有餓死骨。」這是何等強烈的一種諷刺性畫面！許多悲天憫人的志士，也會為此付出生命的代價，來爭取後天的平等，成為「懸殊」的死敵。可是長江後浪推前浪，總是有層出不窮的不平等與抱憾。一部二十四史就如此地完成了！

縮小範圍來看，就是在一個家庭之內，兄弟姊妹之間，也還是有不少的差異。其中最顯著的是長子、次子與幼子的不同待遇和男、女的尊卑問題。長子在家庭中總往往吃得佳些，而且往往有些權威性，次子常是遭忽視或激視的對象，對長的、幼的，他都佔不了便宜，可是愈是如此，他愈是愛惹麻煩，於是他在父母心目中的評價，便不免一落千丈了。至於幼子，邀着人小，倒容易得寵，在兄姊面前，說不定還會倚小賣小呢！所以常人認為老大較穩重，老二較惹氣，老三則狡猾。這是有點「時勢造英雄」的意味的。又明兒得寵的時代照理說該已經是明日黃花了，卻仍有不少人把女兒當作賠錢貨的。這就委曲了。

常聽說兄弟姊妹中男的不愛讀書而家人強迫他升學讀書，女的喜歡讀書而逼她輟學持家的。那些父母的頭腦和一般現代人的懸殊也委實太大了！

謀職的時候，往往都持有要人名片或介紹信，於是當事者就必須有所分辨了：究竟那一匹馬來頭最大，其他的只[illegible]

陸游遺跡

·道南·

最近話劇「釵頭鳳」又再度演出，使讀者連帶想及陸游故鄉的遺跡。是一位南宋的愛國詩人，他是念念不忘於恢復國土的。他的故都在紹興，至今還有幾處遺址，如魯墟、快閣、沈園等都是。

魯墟是陸游的故居，在紹興城外鑑湖中，魯墟有東西兩村，中間只隔一條小河。根據「山陰縣志」所載，陸游的故宅是在西村，可是因距今有八百年之久，滄桑變幻，這所故居已無遺跡可尋。

快閣在城西偏門外，相傳是陸游修建的。快閣前面是門樓，樓上從前懸有匾額，上書「快閣」兩字。站在樓上，可望見鑑湖的全貌。樓後還有一個大花園，現在已經變成了菜園。但是假山、小橋，石筍依然存在，牆上還有許多小石碑，刻有歷代名人讚美快閣的詩句。

沈園是陸游常去遊玩的地方，它在城南，禹跡寺東南，面積約有十四畝。從洋河弄進入沈園，就可看到池塘旁邊有一座小山，據說過去山上有一座亭子，陸游常在這裏飲酒賦詩。就在這座亭子上，流傳着詩人一個悲慘的故事，也就是「釵頭鳳」的來由。放翁詩：「城上斜陽畫角哀，沈園無復舊池台；傷心橋下春波綠，曾見驚鴻照影來。」現在的春波橋，就是因為放翁之詩而改名的。這橋在禹跡寺前，原名羅漢橋，現尚完好存在。

山川風物

瘟君續夢

第二回：狼狽自爭雄，活佛有幸　人天齊示警，浩劫將成

二譚之倒霉，起因於農業合作社，當時毛澤東已開始變更農村舊的傳統，命令全國農村組成農業合作社，屬於一個社的農民通稱社員，所有私人農具，土地都入了合作社充公，大家在一起作，收成除去繳給中共的「公糧」及賣給商業機構的「餘糧」之外，剩下的按人口及勞力分配。這種制度推行之後，引起全國農民一致反對，反對的原因首先是吃不飽，更重要的農民不肯放棄田地，本來中共施行土改時，把農村富庶人民列為地主，富農，家產全部被掠，拿得動的屬於共產黨，拿不走的分給當地貧苦農民，雖然好的房子，田地都分給幹部，但是剩下的也分給農民一點。中國農民熱愛土地，這一來覺得眞是當家作了主人，儘管收獲糧食絕大部份要交給共黨，實際收入比過去當佃戶還不如，但是農民面對着田地還感到一絲安慰。現在一旦實行農業合作社又把田地充公，所謂當家作主等如作了一場大夢，農民的全面反抗是必然的。

當然在共黨刺刀下生活的農民，想作正面的反抗自不可能，但是消極怠工總還可以。農業合作化剛剛行了一年，糧食收成大減，農村共幹已看出不妙，層層向上報告，一直報到中共農村工作部。這時，譚啟龍正任浙江省委書記兼省主席，眼見農民怠工情緒日漸高漲，深為不安，就專程到上海去找譚震林請示，譚震林兼任江蘇省主席，自然也有同樣感覺，就掛個電話和中共中央農村工作部部長鄧子恢商量，鄧子恢以為譚震林是毛澤東的親信，又是湘南人，他都反對農業合作社，可見得農業合作社是眞有問題了。就告訴譚震林可以斟酌實際情況處理。

譚震林當時沒料到這是鄧子恢個人的意見，以為是中共中央決定的，於是就告訴譚啟龍，凡是不適宜建立農業合作社的地區，可以解散。譚啟龍得到指示，也就轉知專區及縣幹部，各級幹部正為了農業合作社頭痛，得到命令，一夜之間就解散了一萬五千多個，浙江省總共只有五萬三千個合作社，一下就去了三分之一還多，消息傳到北平，毛澤東氣得暴跳，也顧不得召開政治局會議，親自帶上一架飛機直飛杭州，齊集浙江省委，訊問誰主張解散合作社，二譚無法抵賴，只好承認是他們主張，不過他們是奉到華東局的命令。

譚震林一見大事不妙，就把責任推到鄧子恢頭上，毛澤東盛怒之下，不分皂白，把二譚解除職務，帶去北平交給中央黨校重新去學習改造。（四三）

岳騫

牛馬生活

·黑子·

牛在投生到人世之前，跑到玉皇大帝那裏去詢問：「請問大帝，我到人世去，有多少時間好活啊？」

「四十年！」大帝對牛說。

[illegible]

新婚艷詞

·磊庵·

鬧新房之舉，在中國各地很爲普遍，筆者家鄉，卽有鬧新房而提出新郎的性問題來，強迫新娘作答，新娘不肯以言語作正面答覆，僅以頷首搖頭爲表示亦可；但如「有無敎倫」，「會否納鑿」等問答，非答是均足爲問者口實，而引起更多質問，更多難堪；有時新娘被逼的啼笑皆非，必由第三者[illegible]者調處，強制新郎代爲回答，才過難關。

蓋從前的婚姻，男女均無自主，以一變素昧平生的年青男女，驅使同臥一榻，以在極短促時間中，達成必要的所謂「周公之禮」，在男性一方面，固然生理上還處于主動地位，或緊或弛，聽從尊便，在女性一方面，則百分之百處于被動，近於坦白，則流于淫蕩，失其自尊，過於保守，則近于無情，不像夫婦。所以每一個受過考驗的小姐們，多覺得這一應景場面，是畢生最難應付的問題。而有些佻薄之士，還從而寫出不少的艷詞，以渲染此春宵一刻；筆者還記得丁國澎的幾闋詞句，其「昭君怨」云：「寶馬香車儀嫁，且喜還羞又怕，鶻突此時心不分明。不識今宵緣故，畢竟怎生發付，吃緊在心窩，婿如何。」又「浣溪紗」云：「燭影花光耀錦屏，翠幄深處可憐生，桃花着雨不勝情。偷覷已成心可可，含羞未便囑輕輕，牙根時發一聲驚。」第一闋是寫尙未到洞房花燭，刀出鞘弓上弦的時分，只在暗自打量，如何接受以應付這一局面，故上下闋的結筆，多是用疑問之詞，答出未經人道女孩子們的方寸。至第二闋，已在實行戰門；女因之搞得丹流體外而又自憐，受了一些創傷；但細看着自己面龐的異性，卻又是竹英俊可人，所以只有時發驚叫出其少許的忍受不得，而又未便叫他不要過于狂暴，以減少彼此的情趣，這是作者筆下的入木三分處。他還有一闋「銀燈映玉人」是寫已成好事之時半推半就的形態，也可說是在初度蜜月中的生活，其詞云：「石葉眉峯淡鎖，更還人臉露幾朶，將近翻疑，欲前已卻，倭慫嫣釵嬋，面對佯無那，怪佯羞或，半響抬身。剔殘燈炧。憶得曾窺青鎖，登三生未果，夢裏並肩，幾同生受，難道今宵眞個，試問伊知麼，但低頭無語，淚痕紅涴。」全闋長八十四字，已不是像小令那麼容易。玆望讀者細細體會，當知此文不僅以字面香艷爲尚也。

小啓：望海樓隨筆續稿未到，暫停一期。

一幕政治趣劇〔上〕

諸葛文侯

民國廿八年對日抗戰初期，政府爲團結全國各方面力量，集中意志，共禦外侮計，設置「國民參政會」，網羅各黨派領導人士及社會賢達，担任參政員，對國計民生問題，獻替可否，藉資採擇。

第一屆的參政員，十九皆係一時俊彥，大家朝氣勃發，總想爲國家有所貢獻，而以改革內政，廣開言路爲首務。維時一般輿論對於行政院長孔庸之頗多譏議，而尤抨擊其財政金融措施。如是，參政員傅斯年，羅隆基，馬君武，梁實秋，周炳琳等，擬聯合多數同仁，建議政府更換行政院長，一新耳目，振奮人心，而共產黨籍的參議員董必武，林祖涵，陳紹禹，秦邦憲等人主張更力。旋由梁實秋起草建議書，準備徵求同仁簽名之後，正式提出大會討論，聲勢甚盛，頗聳聽聞。

政府當局諗悉其情，卽由朱家驊，陳立夫諸人分頭疏通，希望打消原案，以免掀起政潮。傅，羅，馬，周等皆堅持非提出討論不可，行不行，橫在政府，然民意不應抹煞。詎董，林這幾個原先鼓動反孔最激烈的共黨份子，乃突變態度，聲言他們擁護孔院長，對國內外表示一致抗戰救國的團結精神，決不贊成分裂運動云云。共黨份子之出爾反爾，前倨後恭，用意實不在團結救國，而在製造執政者與在野人士間的矛盾對立，增加政府困難，促進政潮之發展，尤其要使執政黨內部引起糾紛，自亂陣營，因爲馬君武，周炳琳都是國民黨員也。傅斯年等一面痛惡共黨份子之譎張爲幻，出賣朋友，同時亦不願放棄原議，自墮信譽，決定不要共黨份子參加提案人之列，其他業已簽名附議者，如有不便，亦聽其自由抉擇，因而有些簽了名的，臨時要求退出了。參政會副會長汪兆銘，表面上對此事雖不置可否，暗中卻贊成反孔運動，傅斯年等更覺得有恃無恐，滿不在乎；對外並不諱言他們反孔的計劃。既而武漢撤守，政府移入重慶，參政會在渝復會，反孔運動照樣進行如故。

閒話竹枝詞

介人

竹枝詞，據唐代詩人劉禹錫說：他在建平司馬任上的時候，（建平卽今湖南省武陵縣），看見當地的人唱着一種歌曲，是用笛子和鼓伴奏的，一邊唱一邊跳舞；誰唱得最多，誰就是優勝者。劉禹錫採用了他們的曲譜，製成新的竹枝詞，體裁和七絕一樣。可惜後來這種唱法也失傳了。只從「民間集」中保存的幾首竹枝詞，知道它的句法是上四下三的，上面四字作一頓，注上「竹枝」二字，下面三字作一頓，注上「女兒」二字。「竹枝」「女兒」，大抵是在唱的時候的一種和聲吧。實在情形怎樣，就不得而知了。

竹枝詞的唱法雖然失傳，可是後代文人仿作的仍然不少。這種仿作竹枝詞，由於本來出自民間，所以始終沒有完全脫掉鄉土氣息。文人仿作竹枝詞，也大抵是描寫鄉土景物，民間的風氣或地方特產之類，多少總帶一點鄉土的色彩。因此，它的風俗也和一般舊體詩有所不同。例如多用白描手法，少用典故，文字通俗流暢，排斥堆砌艱深等等，都較接近於民歌，這是竹枝詞的特點。

這裏且介紹台灣的竹枝詞十首，這是兩年前章鏡禮先生所作，從以上的詞句中，我們可以藉知台灣近年來的大致情況，以及社會進步繁榮的眞相，對於采風之助，確是不無小補的。

（一）

橘柚花開遠近香，秧苗出水一尺長；新春已過上元節，除草施肥戶戶忙。（按台灣農村的繁榮，凡是赴台觀光的人士，均已耳熟能詳，當然二五減租的政策，也是有助於農村之繁盛的。）

（二）

賽會迎神舊日風，滿城盡在鼓聲中，萬人空巷爭羅拜，媽祖由來衆所崇。（按台灣大拜拜之風頗盛，浪費殊多，習俗由來已久。）

（三）

七夕相連到月半，家家拜拜樂年豐；祈神[illegible]獻珍餚饌，鷄鴨千盤在眼中。（按新年時期的大吃大喝，鷄鴨千盤，自非今天大陸所能望其項背。）

（四）

一年兩季樂豐收，稻穀車車苦老牛，金玉滿箱農戶喜，男更新服女修頭。（按台灣農村經濟，眞是家給戶足，燙髮，穿新衣而下田工作的，比比皆是。）

（五）

水闊相望闊復開，田禾不雨也能栽，溝渠四達農夫便，竹井通泉汨汨來。（作者原註：台灣南部高田之水多鑿井，以竹管引爲噴泉。）

（六）

輕綢小傘照驕陽，曲髮丹唇競巧妝；誰說農家無粉黛，村姑今可比王嬙。（作者原註：鄉村生活安定少女喜從事裝飾。）

（七）

環山蓄水電規宏，千里光明一線通；科學昌明人樂利，不宜仍信鬼神功。（作者原註：指日月潭發電廠。）

（八）

台灣物產嘆無窮，甘蔗香蕉一望中；烟水萬邦舟船集，財源不竭有無通。（按台灣的物產豐饒，更加以交通便利，自然是可以貨暢其流，物盡其用。）

（九）

干戈昔日衛國家，鋤鐮今朝破大荒；橫貫東西兩遙岸，萬重山岳變康莊。（按橫貫公路的修築，全係榮譽軍人胼手胝足的功勞，這次本社社長雷先生應邀出席陽明山會議，會應蔣經國先生之邀請參觀橫貫公路，關於該公路的建設詳情，另詳雷先生的「台灣橫貫公路游記」，請讀者加以參閱。）

（十）

十載台灣作壯漢，萬家歡頌喜新猷；願揚白日青天幟，淨掃蠻氛照九洲。（按儘管今天卜居在台灣的民衆，生活安定，但爲了國家民族的前途，他們仍然是期望着早日反攻大陸，掃淨陰霾，使全國人民同登衽席，這是舉國一致所期待的。）

台灣，林獻堂

李仲侯

任公乃林氏畢生所最佩服的人，對他所說，自爲拳拳服膺，實際日人當時在台政治力量之強大，與夫台灣地理之特殊環境而論，縱使愛國志士，實行流血革命，亦必無成，自可斷言。

林獻堂家世富裕，以一紈袴子弟，能於國破家亡之後，奮起作民族解放運動，屢蹶屢起，始終勿懈，自屬難能可貴，他與任公締交時，年事甚少，他因爲嚮往祖國，故進而發展爲尊敬祖國的學者，認爲與祖國學者作精神上的契合，對他將來的事業是有裨補的，民國前一年（辛亥）二月任公遊台，在未抵前一日，林氏卽拍無綫電給任公，祝其海行平安，任公非常感激，途中賦詩有：「迢遞西南好風，故人相望意何窮」之句，任公至台後，備受林氏熱烈歡待，在萊園所賦五律：「暫掩新亭淚，相傾北海樽，春歸萬嶺竹，地闢一萊園，魚鳥忘賓主，杉松長子孫，不逢催課吏，或恐是桃源」，並附自註：「萊園在霧峯之麓，萬梅嶺下逸民林獻堂所築以頤養重闈者，極山水林木之勝，余玆行，獻堂先後之連與接屬，備極摯渥，館余萊園者旬日，爲遍園池館而去，獻堂爲剛愍公從子，與諸昆並好學能文，使人生故家喬木之感」。

任公旅台，林氏特於清明後一日，大會櫟社詩人於萊園，歡宴之餘，以杜甫句：「主稱會面難，一舉累十觴」，此時任公得「難」字和「累」字，林氏分得「稱」字，其詩曰：「大任天方降，從游愧未能，來觀滄海日，如飲玉壺冰，卽事忘賓主，傷春老履興，勞人爲世出，先借壽觴稱」，賦就覺未盡洽，請任公指正並請教作詩之法，任公答以「多讀、多作、多商量」，人事紛紜，林氏初未措注及此，後來民國廿七年林病足旅日，酧贈親友之作漸多，始專心讀詩並學作古體，發奮成「海上唱和集」，時年又逾花甲，其詩瀟宕清逸，進出於蘇白之間，亦多可誦，如辛酉仲秋鐵炮碑成自賦長句誌感：

紅衣斑剝土花鮮，掣電轟雷世局遷。
卽墨解圍雖用火，晉陽不陷定由天。
每談浩刧驚餘燼，漸恐流傳誤後賢。
六十年間弔陳迹，兩行清淚墮碑前。

辛未自題宅門景薰樓

百年門第祖恩深，五鳳添修壓翠岑。
禪榻鬢絲中歲後，石橋流水短橋陰。
抱孫自愛愚公谷，望古聊爲梁父吟。
閒說仲宣能作賦，晚來被酒試登臨。

（八，全文完）

柳宗元論

·謝康·

四、柳州詩文評價

（甲）散文

子厚與韋中立論師道書，自述文章取材之來源，略謂：「本之書以求其質，本之詩以求其恆，本之禮以求其宜，本之春秋以求其斷，本之易以求其動。……參之穀梁氏以厲其氣，參之孟荀以暢其支，參之老莊以肆其端，參之國語以博其趣，參之離騷以致其幽，參之太史以著其潔。」可知其淵源所自，原本經史及諸子之書，奠定良好之文學基礎。及貶於南方，自恣於山水之間，以名山大川之勝，助讀書養氣之功，文章遂益臻奇妙之境。其筆法還曲冷峭，雄深雅健，似司馬遷，文名方駕昌黎，而同工異曲。議論文如「封建論」，「守原議」，「桐葉封弟辯」，或體勢雄俊而深切事理；或辭理勁古廉悍，咄咄逼人，都不愧爲大手之筆。學術文如論語辨，辨列子諸篇，識解超卓，發前人之所未發，方望溪評爲：「飄然若秋雲之遠，可望而不可卽。」以古文筆法，作考證文章，這是唐宋八大家中所少見的，唐人惟李翶可能與之頡頏。韓退之讀儀禮，讀荀子諸篇的內容，似不及他充實了。韓柳二公讀書心得之深淺，可於此等處見之。又韓柳文集中，俱有「復讐議」之作，而柳文的嚴密，遠過韓文，方望溪以爲兩篇文章，不相上下，劉海峯以爲柳氏此文雖精悍，然失之過密，俱欠公允。惟曾國藩能賞識此文，以爲允當不過，則先得我心所固然的了。（八）

歷史人物

徵稿小啓

有內容有意義之隨筆、散文、掌故、小說、雜感等類文字，本刊均所歡迎，請用有格稿紙繕寫，如需退還，請附信封及郵票。一千六百字左右的隨筆，比較容易刊出，過長則以篇幅所限，請特別留意。

內儒警台報字第〇三一號內銷證

自由報

THE FREE NEWS

第一七一期

中華民國僑務委員會頒發
台教新字第三二三號登記證
中華郵政台字第一二八二號執照
登記爲第一類新聞紙類
（本報週刊每星期三、六出版）
每份港幣壹角
台灣零售價新台幣弍元
社長：雷嘯岑
督印人：黃行齋
社址：香港銅鑼灣高士威道二十號四樓
20. CAUSEWAY RD. 3RD. FL
HONG KONG
TEL. 771726　電報掛號．7191
承印者：四風印刷廠
地址：香港灣仔高士打道二二一號
台灣分社
台北市西寧南路壹壹本號二樓
電話：三〇三四六
台郵撥儲金戶九二五二

我對當前教育的幾點感想

・梁實秋・

編者按：梁實秋教授所著本文，與本報一六七期發表之薩孟武教授一文，同爲針對當前教育問題各抒己見。薩教授之文，着眼在課程與科系問題，梁教授則着眼在師資缺乏問題之嚴重性。文中指出：「在臺灣，無論那一門，只有這麼幾個人，有人從臺北兼課到台中，甚至到台南，……各系編排課程時，都會感到教師的人數不少，而專門課程常缺乏適當的教師來担任，於是兼課之風大盛。在兼任教師亦找不到時，則只好硬着頭皮以不合格的教師來担任。」此種情形，不僅台灣爲然，即香港亦復如此。讀梁教授此文，令我們對於中國教育界的前途，不勝感慨系之矣。

台灣的教育很發達。我們常聽人報導，台灣由於實施強迫性的國民教育，入學的兒童達百分九十八點幾，比美國高，在全世界上也是在前三四名之列。我們到台灣各地旅行，可以親眼看到規模宏大的國民學校到處皆是。中學則自光復時之十幾個學校一躍而有二百多個學校。大學則由一個而增加到七八個，中學畢業生大部份都升入了大學。對於這樣蓬勃的現象，我們應該滿意。但是細按其內容，則問題甚多。僅就個人平時耳目所及，略述幾點感想。

先從最低級的幼稚園說起。所謂學前教育，其重要性是無人能否認的。但是因爲學前教育沒有列在官方核定的教育體系之內，官方遂不予重視，任由私人辦理，既不輔助，亦不督導。目前台灣的幼稚園，包括托兒所在內，有二百七十多家，有辦理妥善的，也有不如理想的，普遍的感覺是師資缺乏。幼稚教育是一種專門學問，並不是一般所謂保姆所能勝任愉快。而台灣的師範學校僅有一處有一班幼教班，每年約有五十名畢業生，這如何能應付當前的需要？此事欲謀補救，實在輕而易舉，在各師範學校內增加幼教班，在地方教育行政機構內增列輔導幼稚教育的業務，即可奏效。困難在教育行政當局的觀念需要改變一下。幼稚教育是整個教育的一個重要的階段，不宜因其不在教育法規之內而即任其自生自滅。

國民教育之當前最大問題在於惡性補習。此問題之嚴重性非身在台灣者不能體會。一位寄居在美國的教育學者即曾公開發表議論，認爲補習是好事，不可加上「惡性」這樣的一個形容詞。他若是了解國內實際情況，當然不至有此高論。現在台灣朝野均甚重視此一問題，而且也有不少措施是以消滅此一現象爲目的。我覺得此一現象原因不止一端，大家都已討論過，只是其中有一重要原因尚未受到適量的重視，那便是小學教師的待遇過於菲薄。六七百元一月的薪水是不能令一家溫飽的。一個人在不能維持一家生活的時候，動腦筋找一些外快，我們是不該深責的。靠山吃山，靠水吃水。學生搶着要考入比較好的中學，正是天假良緣的給教師送來加緊實施補習的機會。一般說來，補習的收入比正式薪給要高出許多。有一位小學教師，靠了補習收入，兩年來刻苦積蓄居然在鄉下買了一小塊地皮，可憐現在嚴禁補習，一時沒有辦法在地皮上造房子了。不過我敢斷言，除非國民義務教育延長，小學畢業生無條件的全體升入初中，補習的現象不久還是要死灰復燃，而且可能轉入地下，防不勝防。徹底解決之道是提高待遇。所謂敬師，所謂福利，都是聊勝於無的點綴，實則並不有關痛癢。莫說提高待遇事關國家財政就擱在一邊，須知提高教師待遇即是國家財政的一項重要業務。這一業務辦不好，即是財政沒有辦好。在所有教育工作者裡，小學教師是最清苦的，如不亟謀提高待遇，不僅惡性補習無法根除，而且還要把教育整個的腐蝕掉。

中等教育似乎是在量與質上太不平衡。少數的省立中的成績卓著，大多數的地方辦的中學即難以望其項背。此種差別的原因之一即是師資優劣不齊。一般的中學教師之受過師範專業訓練者，在比例上並不高，還已是影響教學，而這一大部分代用教員其中頗有素質太差者。我看過許多次中等教師檢定考試的英語卷子，非常令人失望。中學不容易聘到優秀的教師，而原有的優秀教師又往往不安於位而紛紛轉業，其原因何在，又是在於待遇太低。有人重視教育制度的改革，有人重視課程標準的修訂，其實比較起來這都是不急之務，眞正要緊的是大量提高教師待遇。

辦教育，要錢，要人。有時候有錢不愁沒有人，有時候雖然有錢亦找不到人。現在各大學校的學系，其教師陣容堅強，能合於從前在大陸時水準者，能有幾系？各學系普遍的爲聘請教師而感到困擾。在台灣，無論哪一門，只有這麼幾個人，有人從台北兼課到台中，甚至到台南，在學校方面是不得已而爲之。各系編排課程時，都會感到教師的人數不少，而專門課程常常缺乏適當的教師來担任，於是兼課之風大盛。在兼任教師亦找不到時，則只硬着頭皮以不合格的教師權且充數。老一輩的教授逐漸衰老凋謝了，他們的悽慘的榜樣對於年青的一代不能發生鼓舞的作用。年青的學者們不是容易養成的！好容易培養出一些有求學興趣的青年學者，他們大概又都找到出國的機會，大部分是一去不回頭了。請海外學人回國講學，只可偶一爲之，發生一些刺激或點綴的作用，按步就班的正規教育是不能靠他們的。在此情形之下，大學教師的來源可以說是近於枯竭了。此時還有人要創辦新大學，眞不知他們從哪裡去延請教師。近年來南洋及香港也在台灣物色人才，使台灣的教師更感到供不[illegible]各大學之空[illegible]處說，還是錢的問題，不過目前即使有錢亦將無濟於事，因爲師資的培養不是可以立刻訂貨交貨的。負責教育的人應該想一想這個問題。

留學生之所以成爲問題，是因爲太多的青年都想出國，而一去便不回國。出國如爲深造，我們應該多多鼓勵他們出國，同時亦無需担心他們不回國，因爲以深造爲目的而去國者，深造到某一個階段大部分會回來的。事實上不是如此，大部分是爲出國而出國，讀學位，覓職業，於是定居下來。我知道有一青年，他想回國，他的父親寫信給他說：『你回來我就打死你！』學生不回國，家長也不要他回國。這個怪現象，原因何在？有人說，國內無充分之研究設備，一回國使難以繼續研究，這是實話，但還只是對某幾門學問中之少數有成就者而言，對多數留學生並不適[illegible]有人說[illegible]儲才外國以爲異日之用，這是自我陶醉的話，是人家不願回來，哪裏是你要儲才？目前國內需要人才，還談什麼異日？現在人人想出國，國文系的畢業生也出國，濶人家子弟出國，窮苦人家子弟也一樣的有辦法出國，何以大家都千方百計的要離鄉背井，去父母之邦，這其間必有原故，大家心裏明白，只是不須說出。說穿了[illegible]一般人心目[illegible]沒有什麼出路[illegible]多少可留戀之處，看不出怎樣明確的前途，所以走爲上計。我們要把台灣作成爲一個可留戀的地方，要研究則有研究的便利，要就業則可以解決生活需要，對於有抱負有担當的青年則更須提供一個政治清明刻苦奮鬥的環境。能如是，則大部分青年會自動歸來，至於那些迷戀於外國物質享受者，則不回來也能。

漫画天下　南施

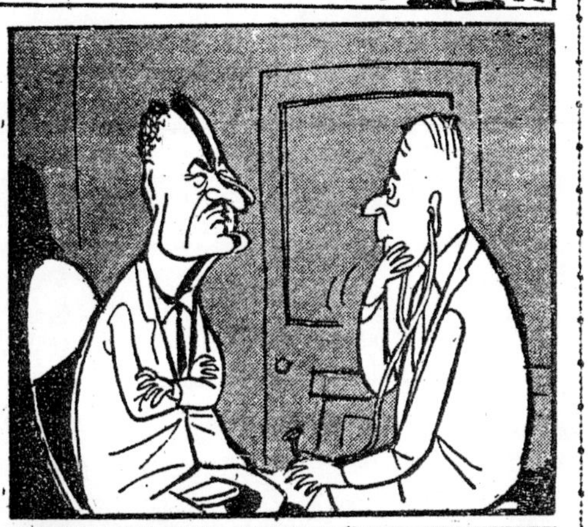

整容醫生對納薩說：「你這個分裂症已不只是面子問題了。」

赫魯曉夫對毛澤東說：「你看我的鎚子比你强！」

自由談

談台灣的太保學生

馮五先生

據說，台灣各個中級學校的「太保」「太妹」——香港人叫作阿飛——依然很猖獗，而其行爲酷似過去大陸上各大都市的黑社會份子一樣，殺人越貨的情形亦有，這成甚末話！

夷考「阿飛」學生之所由滋生，原始都是一些朱門子弟倡導的，我的朋友中就有兩個「太保」兒子曾經在學校胡鬧，使校長疾首蹙額，無可爲計。「父兄之教不先，子弟之率不謹」，這是一定的道理，現時身爲父兄者，十之七八都是「五四運動」前後的維新人物，醉心「民主」與「科學」的口號，拳打孔孟朱程，脚踢佛釋耶穌，非孝蔑倫，賤師輕道，指禮教是吃人的妖魔，視儒學爲錮閉思想的枷鎖，要把綫裝書拋到茅厠裏去，誰如談談中國固有的歷史文化，即被譏爲時代落伍的頑固份子。因此之故，舊有那套倫理道德觀念，從根掃蕩以盡，而新的人生觀又沒有能力創立起來，却把西方一些壞思想習慣，毫無選擇地接納了。不說別的，中華民國肇建已經五十年，而規範社會人羣生活方式的婚喪禮節，迄今缺然沒人注意，並無一定的準則，教育有如貿道，政客官僚充滿着文教機關，他們並不是辦理文教事業，而是作官扒錢，乘機標榜自己，更無心於陶冶青年，示範後輩——根本就沒有整然體系的教育宗旨和政策。文化思想成了眞空，共產主義乃因利乘便而在中國一枝獨秀終於竊據整個大陸了！所以，今日台灣阿飛學生之產生，完全是現代一般只知喊口號的知識份子自作孽的結果，並非某一個人的責任。

依區區的落伍頑固之見，解決阿飛學生的方法，積極的自然還是要從教育入手，把咱們自己那些固有的妥當的文化思想，予以闡揚復興，躬行實踐，少說「全盤西化」的瞎話，奠立百年樹人的根基。消極方法唯有先將朱門子弟的太保太妹們，不顧一切地痛加懲罰，如送到火燒島去服勞役之類，普通的流氓既可這樣處置，達官顯宦的子弟爲甚末就不行呢？假使行不通，那末，作教育部長的，當教育廳長和中學校長的，就應該投劾掛冠以謝國人，老着面皮挨受社會人士的咒罵，馴至罪孽深重，不自隕滅，而禍延子孫，貽害國家，不亦大可哀乎！

各方注目，團結在望
青年黨即開全代會

吳越

台北航訊

青年黨眞正的大團結在望，「五十年度臨時全國代表大會」已經獲得該黨各方面的同意，定期本年十月二十八日召開。

原來青年黨於四十五年四月份，由所謂「大華」「新生」兩派團結之後，一直是貌合神離，並未十分融洽。而由原來的「新生」中分裂而成的所謂「整理委員會」仍在余家菊的領導之下，不肯來歸。於是，青年黨有了這樣的兩個組織：一個是由李璜、左舜生、李不韙、陳啓天、張子柱等五主席領導的「青年黨中央黨部」，還是各方面所承認的「主流派」；第二個是由余家菊領導少數人的「整理委員會」。其他不屬於這兩個組織的，也還是有人。

但青年黨「主流派」的內部，還是不協調，尤其是四十七年召開的「中全會」被鬧散之後，內部的裂痕，越來越深。該黨大部份同志，先是自動集會座談，隨便交換意見。到了今年四月，乃正式發展成爲「非常時期全國代表大會籌備會」。該黨大多數的高級民意代表，如八十多個國大代表中的六十二人，十三個立法委員中的九人，以及七位監察委員中的六人和其他各方面的老黨員，都參加了這個籌備工作，形成了除開少數「主流派」之外的一個大團結形勢，引起社會的重視。

陳啓天、王師會等，對於全國代表大會的召開，也是贊成的，但他們堅持「五十年度全國臨時代表大會」必須由五主席召集，不能用自動集合的方式。經過多次的磋商，「非常時期」表示讓步，願意放棄「非常時期全代會」的名稱，改爲「五十年度臨時全國代表大會」，並共同推舉林可璣爲「全國代表大會籌備總幹事」，負責全代會的籌備工作，關於全代會召開的日期，決定在九月份內舉行。總幹事林可璣推出來了，幹事會也產生了。但對於全代會召開的日期，代表產生的辦法，黨章政綱的草案等等，陳、王方面，却因內部意見尚未協調，以致久久提不出來，可是九月份又將過去。因此，「非常時期」方面，乃發出通知，決定九月二十三、四兩日，在台北召開「非常時期全國代表大會」。新的分裂危機，一觸即發。

在該黨面臨破裂邊緣的時候，該黨的左舜生、李璜、李不韙、陳啓天、張子柱等五主席及王師會、林可璣七人具名，在本月十八日向黨人發出一封函件，呼籲團結；並擬訂四項辦法，徵求中委及幹部同志的意見。如果多數贊同，即照此進行，如不得多數贊同，他們也無法挽救危機。這四項辦法是：一、臨時全國代表大會由五主席名義召開之。大會一開幕後，五主席即以代表身份出席。二、除當然代表（歷屆中執監委）二五七名已依法產生外，其遴選代表及台籍地區代表，由五主席會同秘書長規定比例，擬出名單，交由籌備會幹事會研定後公佈之。三、恢復第十一屆全國代表大會所定之黨章，由此次全代會斟酌修改之。四、召開時間，爲求海外代表能來台出席起見，應於開會前十五日通知香港代表。這項重要函件公佈之後，還能獲得多數黨人的贊同，於是，青年黨團結的曙光又重現。

本月二十日，王師會，林可璣偕同一向在該黨具有超然地位的老黨員于復先，去與「非常時期」方面人士進行商談。據記者獲悉：這次重要會談，一直進行到當日深夜兩三點鐘才告結束，並獲得三點初步協議：

一、「五十年臨時全國代表大會」，定期於本年十月二十八日在台北召開。

二、十月五日公佈代表名單，十月十日以前發出開會通知。

三、二十三日「非常時期」的代表，仍然如期開幕，接受五主席辦法後閉會，以待十月二十八日的正式全代會的召開。

這幾項初步協議，到了昨（二十二）天，還一直從下午三點鐘折衝到深夜，才獲得各方面的完全同意。紛擾已久的青年黨，到此才算眞正步入大團結的坦途。

將來關於代表產生的資格方面，據記者獲悉：凡是該黨歷屆中委，以及民國三十八年以前參加的同志，都具有代表資格。台籍代表的產生，則另有一套辦法。至於黨章方面，大致將以上海時期的第十一屆全代會通過的黨章爲藍本，只是斟酌修正，改變不會太大。

國人一致關心的該黨在港元老，李璜、左舜生兩人，是否要來台出席「全代會」的問題。記者曾問過該黨的許多高級人士，他們的答覆是：「這是一次眞正大團結的全代會，他們會很高興來的」。（五十年九月二十三日）

香港與大陸

△今年「十、一」僞慶，全港九懸「五星旗」者，據統計，僅得七百三十一面，場面非常冷落，足徵人心向背。本港左派報紙，僅登載什麼酒會花絮，游藝節目，那些「大躍進」，「豐衣足食」，或者「紅旗如海」的字樣，全部沒有了。「中國銀行」門口，僅懸燈籠兩個，外加紅色紙板襯底，上面一個字也沒有。不啻說明大陸已一無所有也。

△最妙的一景，也是最悽慘的一景，就是有一包代寄糧包的公司，上面畫了許多人，無任何文字，而牌遍下面即商店門口也擠了許多人，這些人當然不是來慶祝，而是來寄糧包給他們的大陸親友，此誠爲一莫大的諷刺也。

△在廣州，近來搶劫之風大盛。據一曾返內地探親者談，彼以僑胞身分，可以到酒樓用餐，詎「伙計」剛將白飯送到，一轉眼則白飯不知去向，連忙回頭一望，則見有一瘦漢正手捧白飯邊去邊吃，此君亦無可如何，苦笑而已。

△僑胞返廣州，如携帶包裹過多，而需僱用苦力者，此刻均存戒心。因內地人民，此刻都沒有負荷五六十斤的能力，如有一百斤左右的包裹，勢必僱用苦力四名，而若力們往往在中途四散奔去，顧此就不免失彼。但有一最好的方法，那就是雇用之先，淸楚說明，只要他們好好送到，可以任他們飽餐一頓，則担保不致有何意外云。

台灣橫貫公路游記（四）

雷嘯岑

（本報特稿）

八月淸晨，我們先到梨山的「福壽農場」參觀，這裏純粹是由退役軍人經營的，其中種植各種菓樹蔬菜，如梨，桃，白菜，番茄等，皆已有所收穫，且爲台灣素所缺乏者，而人參與當歸亦已出苗育成莖，明年必告成熟了。次則訪問附近的「榮民村」一般主婦皆訴說當地小學校的師資不足，希望政府增聘教師，她們對於生活並無不滿之處，只是耽心兒女們的教育問題而已。由梨山出發向北行，直達宜蘭縣城，這段路有山有水，亦有草原，完全係森林畜牧地帶，頗有江南風光，跟昨天所走的數百里高山峻嶺情形，迥不相同了。車行甚安穩，我們一行廿人，外加公路局的服務小姐一名，沿途輪流說笑話，心情很輕鬆，蔣主任所講的笑話故事最多，逗人發噱不置。中途在「南山」地方停下，大家走到一個高山族村落中，換家參觀。我進入一戶人家，見一中年婦人正在做飯，另一老翁席地抱膺一個小孩兒，我們以國語向她說，她微笑無言，改用日本話，她赧然對答如儀，才知道那老翁是她的父親，小孩是她的女兒。村裏有國民小學一所，有衛生機構，也有警察所，兒童們都能說流暢的國語，這是好現象。再前進經過「獨立山」下，也有幾戶人家，據蔣主任說：「這兒在日治時代，是日本人餵養毒蛇（製藥用）的場所。二次大戰日本投降時，主持其事者，竟將所飼養的大小幾百條毒蛇，一律放入山林中，以致當地居民多受蛇害，床上常有毒蛇蜷伏着，現在已告肅淸了。我們本來要到橫貫公路的補給綫某地（在梨山與宜蘭段之間）去參觀電力廠的，這是最大而又最新式的水力發電廠，全部建設都是在山洞裏，不怕地震亦不憂轟炸，但以時間關係，臨時作罷了。換日下午四時到達宜蘭縣城，是乘飛機，於四時二十分鐘回到台北，愉快而雄壯的長途旅行，於焉完成。

綜觀橫貫公路全綫：由花蓮的「太魯閣」到「梨山」一帶，的鑛產最豐富，森林次之；由「梨山」到「霧社」這條補給線，電力功用極爲重大；由「梨山」到「宜蘭」段的幹路，是畜牧和森林地區。這條公路之開闢，在國家經濟上，具有不勝其估計的利益。現擬再由宜蘭境內的「棲蘭山」加修一條支路以達台北，對於軍用更有莫大的便利也。蔣經國先生以輔導退役官兵就業的職責，在六年之內，安置了十萬退役官兵的生活，大半就是藉修築橫貫公路而解決的。他自己身先士卒，冒險犯難，篳路藍褸，以啓山林，現時，全路完成，同時即有數萬退役官兵得到了安居樂業不需政府照顧的生活根據（連帶創立了許多生產事業）。我們回憶過去在大陸上，只要有幾十個傷兵的地方，社會秩序即搞得雞犬不寧，以及對日抗戰結束後，一般退役軍人集體到中山陵哭陵等類情況，返觀而今十萬以上的退役軍人擁塞在台灣，居然相安無事，能說不是對國家的一大貢獻嗎？所以，我認爲開闢橫貫公路這項艱鉅而偉大的績業，將來在歷史上決不匪於秦代李冰父子之修築「都江堰」，永留口碑於人間。民國五十年來，身爲總統的兒子者，多矣，像蔣經國先生這樣勤公職，不辭艱辛，不避危難的「太子」式人物，可謂前無人也。（完）

傳說甚盛，迄難證實
傳張學良恢復自由

·匡謬·

（台北通訊）九月一日，泛亞社自此間發出電訊，謂警備總部正式宣佈，張學良已正式恢復自由云云。香港報紙多於次日刊出此一電訊，且以重要重要新聞處理之。但是此重要新聞，台北方面毫無所悉，警備總部也並未正式宣佈，台北報紙也沒有一家報紙刊有此一要聞，然而一般敏感者以爲警備總部既於此時宣佈，當有必要，而台北報紙並未報導，宜乎疑竇叢生、猜測紛紜，此一所謂宣佈，或與其女婿之返國參加陽山會談有關？

張學良恢復自由之消息，遠在去年秋間，台北曾有一二家報章略有報導，但亦是如曇花之一現，但張學良迄未公開在公開場合露面，致外間仍是猜測紛紜，此乃事所應然。八月廿日張之快婿陶鵬飛，由海外返國與會，其女公子回來，因而其自由問題，又必然引起議論。又有些人士說張自新竹移居台北市郊後，即已恢復自由，只因其本人幽居多年，不願與外界接觸云云。這些傳言都是一個謎。

警備總部發言人王超凡中將，曾於九月中旬答記者詢問時指出，泛亞社此一消息，絕對不確。王氏稱：張學良之犯法被禁，起於若干年前，移禁台灣後，警備總部迄未與聞此事，何來「警備總部正式宣佈」之說？詢以張學良是否已經正式獲得自由？王超凡中將則謂此事與警備總部無關，自無從答覆。

據某立委透露：張學良確已獲得自由，因彼已習於靜居生活，不願參與任何社交活動，致未公開露面。又傳台大曾有意邀彼前往講授明史，而遭其婉拒，可見其安於恬澹之生活並非子虛。新聞人士很想與張會談，某有關人氏徵詢其意見，亦均婉却。張曾語人：彼研究明史頗有心得，而且興趣甚濃，對時事未措意，故不能滿足新聞朋友之希望。又另有人傳說：張雖然習慣幽靜生活，但並未與都市完全隔絕，數日前曾有人發現張在西門鬧區散步，疑其甫自電影院出來，因正是黃昏，轉瞬即失去踪迹云云。

以上這些傳說，不過是道聽途說而已，不能解人之謎。在陽明山會談甫結束，有張之女婿陶鵬飛前往會晤張學良，談約一小時，只是問候生活情況而已。其後又有參加陽明山會談的香港方面代表周鯨文晤過張學良，而且訪過三四次之多。但是此一新聞，在台並無所悉，亦無一家報紙得到此一獨家新聞。而只是周鯨文氏返港後發表一項書面談話，台灣各地始悉此一消息云。

作者·讀者·編者

陸權先生：稿費已結算，稿費單已由郵奉上矣。

一民先生：一千六百字左右之短篇小說，本刊亦所歡迎。至於雜文隨筆方面，則五百字，一千字，八百字，均有版面容納。惟必須文筆簡潔，內容充實。吟風弄月之作，恕不刊載。

「大時代」與「疏遷」

斷橋

在台灣，無論那一所大學、專科、或中等學校的院牆上都大書：「時代考驗青年，青年創造時代」六個大字。

自從「轉進」到美麗的寶島之後，有聰明人焉，名之曰『大時代』，以配合我們養精蓄銳，反攻復國的偉大國策，對鼓舞人心，激揚士氣，殊多貢獻！「大時代」究作何解釋，出自何典故，梁實秋先生亦會抱存疑態度，但那祗怪梁先生太過認眞之故，其爲識時務之「俊傑」所暗笑，笑他迂濶，豈不活該！蓋五柳先生讀書雖不求甚解，但不願爲五斗米折腰，掛冠返里，大吟其「歸去來兮」！以明其志，表示他讀書可不求甚解，而其志則不能稍違也！降及今日，讀書求不求「甚解」，固無人過問，但對時髦摩登的名辭兒，以及口號之類則宜不求甚解，而且，欲想解，欲解不開！如果眞要鑽牛角兒，那才叫聰明人笑掉大牙哩！蓋摩登名辭兒的本身，就天生來有其伸縮性，且富魅惑性！姑妄聽之可也！硬要打破沙鍋問到底，豈不大煞風景，不幽默之至乎！

『大時代』固不宜以「訓詁」眼光存疑！「疏遷」亦不宜探索本源詳加註釋，蓋我們以大陸廣大土地，無限江山，換來的「大時代」，我們以數億新台幣換來的「疏遷」（指台灣省政府從台北遷往南投縣屬之營盤口事），此二新名辭兒，來頭兒之大，身價之高，以及「神聖」不可侵犯之凛凛然狀，乃中國修辭學史上偉大發明，應由政府明令褒揚該二新名辭兒發明人，俟其積榮棄世，並准入祀忠烈祠，而彰忠藎以勵來玆，並飭主管文教機構將該二新名辭兒編入辭源、辭海續編之中，以示宏揚文化之至意！「大時代」，「疏遷」只不過是偉大的新名辭兒之昭著者，至于啥「府會一家」啥「研討會」之類皆此「大時代」所產生之寧馨兒也！想不久的將來定會有更偉大、更具魅惑性新名辭兒應時出籠，不妨擦亮眼睛等着欣賞也罷！

從死談起

汶津

以前寫過一篇死的文字，把「死」比擬作一種境界。最近和友人談起海明威的死，忽然心中有所感觸。要想死得適時適地，除了機遇以外，可還有什麼講究麼？

海明威的死，自殺與否，查無實據。但是他死在此時，除了使人哀悼之外，實在沒有太大遺憾。因爲他的事業也庶幾可以蓋棺論定了，再活幾年，也未嘗會有更出色的作品問世。單只「老人與海」這部書，也足夠使他在後人的記憶中佔一席地了。

這和前年撞車而死的卡繆，就不可相提並論了。卡繆較年輕是一點，而卡繆雖也被置身于存在主義者的行列，他的向上的傾向，那種「知其不可而爲之」的勇者的總勢，確實令人惋歎天不假年。如果我沒有卡繆的潛力過份高估的話，他是可能成爲二十世紀的歌德的，當然那還需要長時期的潛心修鍊。可是在他得到諾貝爾獎後的一兩年間，卻撒手而去了。在他有生之日，他始終還是屬于若干知識份子的。換言之，他的境界正在提昇中，他的影響力也有待擴充。他和莎岡之流一比，更不可同日而語。

還有一位影星賈里古柏，他雖然一生從事第八藝術，給予世人的印象卻是：一個美國風的眞君子。從他的爲人到演戲，可以一以貫之。這種人對世人最具潛移默化的奇效，因爲鏡頭易顯現的影子最能給予深刻的印象。實際上他已成爲一種平凡而又卓越的典範。他的死，也是世界的一個損失。

以上這幾位「大牌」的死，方式各異，卻只有那位以行動爲事業的老影星死得最溫和，這豈不是太耐人尋味了？海明威原是不像文人的文人，一個行動至上主義者，可是有人懷疑他有變態的可能，只是向世界故示男子氣。在這裏忽然又想起一篇訪問莎岡和BB的文章，出人意料之外的，莎岡苦悶得專好飛車兜風，BB卻覺得家居聽聽音樂是最愜意的。生的狀態難道對死也是一種強烈的對比？

最近台省掘寶案的主要人物許平卿，竟在搭車下山之際摔死在寶藏地附近。爲他蓋棺論定，都說是一個老好人。可是這樣的死究竟能給人們什麼樣的啓示呢？「以身殉寶」嗎？還是「壯志未成身先死」？「今朝有酒今朝醉」的信徒們，對於死，你們又有什麼感想呢？

死並不神秘，至少在科學眼中這是平凡不過的，病菌的蝕害，生理機能的枯竭，都是死的前奏。至於死前而作不吉語，生時便被注定死期等等的說法，可靠性有多大，由于誰也不能代司死神之職，因此終究是人間之謎。死後投胎的景象，也沒有「過來人」可以作證，那是不是有點像抽籤服兵役呢？誰知道！

許多對死表示達觀的人，多半長壽。我們不妨對死保持一份敬意，這樣倒能間接促進我們的生氣，但大可不必稍存畏懼之心，否則它將更加得意，甚至窺機向你進軍呢。

有些年及古稀的老人，往往還喜歡拿死來開玩笑，寫些文字兒戲一番，但好像很少因此觸怒死神的，大概閻羅君也很能欣賞幽默吧。只怕惹惱了小鬼，等到你名列治下時，少不得有些苦頭吃了。

對死意志堅強的人，也能發生一種抗拒力。如對遠出未歸的親人的強烈的懷念，常會使臨終者一再苟延殘喘，而使醫者張口結舌。「我不能死！」有時成爲一種具有魅惑性的口號。生、死之間的奇跡，在牀蓐上，在沙場上，都是自古有之的。何況如今醫藥發達，起死回生，還用不著找華陀、扁鵲一類的聖醫呢。

最不堪的一種死該是自殺了。但日本武士道的切腹而殉，我國古代烈士貞女的刎頸，不都有人讚以烈的氣概？有人還爲自殺者必爲大勇呢。見仁見智，不便遽下斷語。只怕自己撒手謝世，還要累及別人受苦；否則倒也不值過慮——君不見世界人口處處過剩乎？

廬君續夢

第二回：狼狽自爭雄，活佛有幸　人天齊示警，浩劫將成

改造期滿，兩人出了黨校，一時變成了失巢之燕，無處容身。過了一個時期，毛澤東把譚震林派去上海市分局任農村工作部部長，變成了柯慶施的部下，雖然連降三級，總還算有了工作，最慘的是譚啓龍，朝內沒有奧援，唯一靠山是譚震林，現在譚震林也變成了泥菩薩過河，自身難保，那還有力量照應他。

譚啓龍閒了一個時期，恰好舒同來北平開會，譚啓龍就跑去找舒同，兩人都是江西人，又都出身於新四軍系統，舒同在山東也缺乏親信幹部，就想把譚啓龍收爲已用，不過，在山東省的機構中，想安置譚啓龍這樣一個高級幹部，也非簡單的事，舒同考慮再三，只有保舉譚啓龍任山東軍區司令員、省委書記處書記。

中共軍區編制，凡是以都市命名的，如瀋陽軍區，濟南軍區，成都軍區，都是一級軍區，轄兩省或三省，司令員也都由上將出任。凡是以省份命名的，如山東軍區，安徽軍區，都是二級軍區，只轄一個省，軍區司令員多由省委第一書記或省長兼任，這個職務本來無足輕重，但在名義上總是與省長同級。同時舒同又保他兼任省委書記處書記，所以譚啓龍雖然降級、比起譚震林來，筋斗還算跌輕些，當然全虧舒同提携。

又過了一年，舒同指山東省長趙健民是地方主義份子，向中共中央告了一狀。這個趙健民雖是山東人，卻未在山東混過，出身是二野，工作也都在西南地區，高饒事件之後，山東高級幹部大換班，當時鄧小平因爲鬥爭高饒有功，剛補升政治局委員，權勢炙手可熱，乘機就把趙健民塞到山東作省長。

山東本來是三野系的地盤，現在插進一個二野系的人，本不容易相處，加上趙健民也想扶植自已的勢力，努力提拔本省土共出任專員、縣長，於是這樣一來，山東人與江西人，二野系與三野系就鬥得一塌胡塗，中間雙方都有人倒下去，可以算是兩敗俱傷，只是未分出高下。

中共八大會議開會前夕，毛澤東恐怕各省土共反對他，就藉口整肅地方主義份子，好幾個省長倒了霉，還有河南省委第一書記潘復生都背上這個罪名垮了台。舒同看準時機，就告趙健民是地方主義份子，有意破壞團結，一舉把趙健民打倒，連帶還有兩個山東籍的省級幹部，也受了牽連。舒同鬥垮趙健民，乘機就把譚啓龍頂上。譚啓龍毫未費力又當了省長。不久中共八大會議開幕，山東省出席的代表比較多，在舒同努力活動下，舒同當選中委，譚啓龍也當選了候補中委。（四四）

岳騫

五妃墓

·道南·

山川風物

海南島有五公祠，在台南則有五妃墓，眞是異數。這是明永曆三十七年，鄭延平郡王成功之孫克塽降清，清兵入台的前夕，義不可辱的明室後裔中，出現一樁哀感頑艷的節烈故事。

明太祖九世孫遼王之後的朱術桂，被封爲寧靖王，奉永曆帝命，督鄭成功師。永曆十八年，鄭經奉之渡台，築宮西定坊，即今台南之大天后宮，供歲祿。永曆三十七年閏清兵攻台，澎湖失守，克塽已議降，於是仰天長嘆曰：「孤爲明裔，義不可辱。」決心殉宗社之先。六月廿六日，台灣情勢更趨惡劣，乃召姬妾告之曰：「今大勢已去，孤死有日，若輩幼艾，可自計也。」姬妾五人，袁氏、王氏、秀姑、梅姐、荷姐皆泣對曰：「殿下既能全節，妾等寧甘失身？王生俱生，王死俱死。」遂各冠笄，同縊於中堂。

事後寧靖王葬竹滬，即今高雄縣湖內鄉，與早死的元妃羅氏合厝。五位姬妾，併葬於承天府大南門外魁斗山，即今之台南市健康路，台人稱之爲五妃墓。袁氏、王氏、及秀姑本爲嬪，梅姐、荷姐原爲侍婢，後人重其節義，乃統尊稱之爲妃，亦所以表彰節烈。

墓前尚有五祀廟，神案上供五妃塑像五尊，並排而座，朝服冠帶，儀態端莊。廟內有聯云：

「血花一元鳥哀啼魄；
香流五桂花是女貞。」

冕琉七日唐景崧

·磊庵·

漫談史事

甲午馬關條約，清廷以台灣割讓與日本，一時羣情憤激；尤其台灣數百萬人民，不忍目擊二百年來祖宗坟墓之邦，淪爲異域，更民氣沸騰，奔走駭汗，共謀抗日之策；而台灣民主國總統，遂應時而生，蓋此時台灣撫台邵友謙適以不知兵法辭職，詔以藩司唐景崧署撫篆，人民遂擁護其出任艱鉅也。

唐在受事之後，即檄調前台灣總兵吳光亮舊部二千名飛虎軍，又檄福建候補道楊汝翼一募湘勇一千五百名，在籍道員林朝棟募土勇一千五百名，副將黃義德募粵勇三千名；及東莞縣槍手一千餘名，又飭楊永年募粵盜一千名，在三個月內，連原有部隊成軍一百四十營。同時檄在籍兵部主事邱逢甲爲義勇統領，禮部主事李秉瑞爲軍務大臣，刑部主事俞明震爲內務大臣，副將陳季同爲外務大臣，道員姚文棟爲遊說使，聲勢甚壯，遂于五月朔日改稱台灣民主國，紳民公製「台灣民主國總統之章」之銀璽以獻。惟在淮軍革勇李文魁糾黨劫殺撫標中軍參將方良元一事，景崧不能置之于法，予以兵權，反被挾制，民心由是瓦解；而日軍方面，並以道員李經方偕樺山資紀賚交割台灣之事，未能辦到，乃于初六日自宜蘭澳底登陸，初八日到九份，初九日過瑞芳，初十日入基隆，十一日據基隆城寨，提督張兆連、通判孫道義、總兵曾喜照，及其駐在之部隊共七營，或則潰散，或則遁逃，景崧見大勢已去，竟于接事之第七日，私取庫藏，自焚撫署而內渡。

所以後來與日軍周旋，而造成慘烈犧牲的，只有台南與嘉義，台南自甲午八月，即由劉永福軍以駐防，與唐相約劃溪而守，至乙未中秋後，嘉義失守，日軍四路，水陸撲犯，始爲所逞，在糧盡械絕時，永福集紳商共議，發行一種紙幣，自制錢一百文起至三千文，流通市面，以資救急；械彈部份，亦經由南北洋大臣，以舊槍千枚，彈數萬發，民間更有自餉募兵，犧牲壯烈，指不勝屈，因之日軍所付出的代價，當然也不會少；那裏試他們在攻下嘉義與台南之後，即傳令全台及山一帶，只須歸順，兩年准其自由遷徙；否則，訂定規條九條，迫令全島人民就範，否則云云。男人掘地活埋，或燒火油燒死；女人矢志不屈者，縛而投之大海；全台死難者不可勝計；牛莊街劫殺倭兵一名，日人立即報復，先後被殺者至六、七萬人，台人輯島碧錄以紀其事，流血而島爲之碧，亦足見罹難者之多矣。

蒙哥馬利

·徐學慈·

英國的史學家有湯因比，哲學家有羅素，軍事家有蒙哥馬利，可謂三絕。

蒙哥馬利以白髮高年，居然僕僕風塵於倫敦與北平，放言高論，且自以為得計。對於這樣一位年老的將軍，我實在不忍用「荒謬」或者「糊塗」這類的形容詞，加在他的頭上。但功成身退，何以不能息影林泉，自保令名，而必要大言不慚，以為盛德之累，此則不免令人大惑不解耳。

英國這個國家所產生的人物，論才幹，吾無間言。但如以人類道德來衡量，則這些人物，包括政治家，學者，或者將軍，可以說，都具有雙重人格。因此，表演於英國的外交，亦多為變軌外交，甚至是多軌外交。此種外交政策，集矛盾之大成，而英國人乃能巧妙地將此種矛盾統一操縱，運用自如。羅素前曾揚言，與其為核子所毀滅，無寧投降於共產主義。此刻蒙哥馬利自中國大陸歸來，亦會大放厥辭，亂談國際局勢。我個人始終懷疑，如羅素蒙哥馬利輩之言論與行動，而沒有英國政府的支持。就國家立場而言，選擇適當的人才，担任反派角色的任務，本來也無可厚非。問題卻在，今日之共產主義，乃為人類自由的公敵，如果單純地運用國家主義來對付公敵，則不僅無致勝之望，亦終將為其所吞噬。

蒙哥馬利為英國的軍人，軍人的行動，理當受國家的節制。這位老將軍，一而再的出入於中共之區，亦一而再的大放厥辭。凡此種種，曾未聞英國政府一加干涉，則其為政府暗中所支持，殆屬毫無疑問。支持一個不甘寂寞的將軍，與人類的公敵打交道，即令對英國本身或可能有最低限度的利益，而其於對自由世界的損害，則已不能用言語形容。自由世界之所以不能團結反共，有由來矣。

第二次大戰勝利後，英國國力就衰。既不能製火箭探太空，又不甘自居人下，法德二國之興起於西歐，乃使英國對於共產集團方面油然有拉攏之意。英國在國際壇坫上不甘寂寞，而蒙哥馬利在晚景中亦不甘寂寞，情投意合，一舉兩得，這大概就是蒙哥馬利不時唱唱反調的主因吧！

秋蟬鳴樹間，促織鳴東壁，八月高秋晚，涼風正蕭颯。如蒙哥馬利者，其殆秋蟬與促織乎？

一幕政治趣劇〔下〕

諸葛文侯

迨蔣委員長由長沙到了重慶後，他聞悉此事，即以參政會會長資格，邀約倡導反孔運動最堅決的傅斯年，羅隆基，周炳琳，梁實秋四人談話（馬君武臨時藉故未去），由朱家驊陪同到南岸黃山的官邸見面。當時羅隆基頗有怯怯之意，說此行凶多吉少，傅斯年則謂大不了坐牢而已，總不會殺頭吧？

蔣會長接見四人時，和顏悅色詢問他們反孔的理由，梁實秋從懷中取出業已擬好的彈劾孔院長建議書，列舉十大罪過，洋洋三千餘言，蔣公從頭到尾，仔細閱覽，歷時廿餘分鐘，四人屏息危坐，靜待吩咐。旋蔣公說道：「你們所述各節，多係道聽塗說之詞，與事實不符的。如關於財政方面的指摘諸點，乃係宋部長的責任，與孔院長無涉。自國府行政院成立以來，綜計曾任院長者有七位，孔院長是最能幹的一位。你們對政治有甚末意見，儘可向我提說，以便考慮興革，不必動則糾衆在大會提案討論，轉滋紛擾」。四人聆悉無言，蔣公即以茶點相饗，盡興而散。

辭出後，傅斯年鬱鬱不樂，羅隆基竊竊自喜，周炳林與梁實秋默然無聲，乘車至海棠溪渡江回重慶市內，船行到江中，傅斯年把衣襟上掛着的參政會證章摘下，猛力拋擲於大江內，忿然作色曰：「參政會之設立，原是欺騙大家說話的，如今不讓參政員對政治問題公開討論，還要這撈什子的證章何用耶？從今後，我也不必出入參政會了！」朱家驊急忙安慰傅氏道：「老兄不必太激動，有話回去慢慢地商量罷！」

一幕政治趣劇，便告終結，但諸人對於共產黨人之欺詐行為，已有深刻的認識，尤其是傅斯年，逢人即大罵共產黨不是東西，嗣後董必武，陳紹禹等在參政會內，無論發表任何言論主張，或提出任何議案，大多數參政員皆表示不感興趣，只有羅隆基，章伯鈞之流，依然跟着共黨份子鬼混而已。（完）

人名趣話

燕謀

老子說：「無名，天地之始」。然而人類自有了文化，發明了符號（文字）之後，便從無名的圖圖世界中，個別的賦予一個符號，張三李四王二麻子，阿毛阿狗，貓仔牛仔等：：才有了一個分別，否則我、你、他，誰？弄不清楚，混混沌沌，那真是莫名其堂：：了。人類有了名字，在彼此不瞭解之下，而得瞭解了，在彼此不合作之下而合作了。如此便產生了所謂「文化」。故老子又曰：「有名，萬物之母」，實在可說是一句至理名言。

如此說來，人類命名豈不是文化的開始嗎？答案是「誠哉，斯言也！」我們的老祖宗在周代已經創作了「命名」的一種儀式了。所謂「三月名子」之規定，在家庭中，還是一種極隆重的儀式哩！

中國古代人名，奇名怪字甚多，徒索隱行怪而已，不必多舉例了。大致是：古人多單名，魏晉以後漸行兼名。名字在今天來說，不過是一個人之符號而已，然而中國人對此頗饒情趣，其主要原因，乃咱們文字的特殊，方塊字不外象形、象意、象聲、字之雅俗一見便知，因此人之命名，競作好名，以相令配。大抵競尚雅名者，多是唸了幾句書的人，名之不雅馴者，則多是所謂老粗之輩。

咱們中國人，人口衆多，文字雅俗，一見便知。國俗一人往往數名：幼有乳名，長有學名，另外還有，號、外篆、別名，故一人常有十餘名字者，這種多名之輩，不知是何心理，令人費解。國人取名時，又必盡選好名，男子則恒以忠、孝、仁、義、俊、偉、瑞、泰、祥、龍、虎、雄：：等。女子則多以淑、貞、嫻、婉、玉、麗、花、珍、秀、英、菊、蘭、：：等巧，美字為多。人至年事高邁，則又有所謂高的一種境界之名字，如庸齋、蒓庵、石泉、東坡、或者某翁，某公、某士之士等，名目繁多。因大衆情趣相似，故同名者極多，如以前台省主席吳國楨氏，台灣與其同名者，有四十五位之多，其餘更僕難數。不多著筆了。

名字佳而有幸者，如清末最後一屆狀元王壽彭，其試卷在二甲中，因是年適為慈禧六十大壽，臚唱時，慈禧以其名字吉祥，遂拔置一甲一名，遂得大魁天下，此乃名字帶來幸運也。抗戰時，第三屆參議員有盧前者，膺選時，曾鐫小印曰：「盧參政前」，及次屆落選，人或戲之曰：「今當為『盧前參政』矣。」蓋將「前」字變為動詞，而成為前參政之盧某也。此亦饒有趣味！陸游老學菴筆記載：「田登作郡，自諱其名，觸者吏卒多被榜笞，於是舉州皆呼為火，上元放燈，許人入州治遊觀，吏人遂書榜揭於市曰：『本州依例放火三日。』」後人遂以「只許州官放火，不許百姓點燈」，作為專斷之喻，其實只一名字中一個趣話也。

名字雅俗皆有，其下再說俗名吧！古者，如北齊有顏惡頭，南唐有馮見鬼，金有郭蝦蟆，元史有石抹狗狗，遼有驢糞，金又有濮王傳名猪糞等怪名。近有猪頭，乞食，糞桶，狗屎之類不雅之名。台胞染日俗，男名皆多以「郎」，「雄」之類，女則多以「子」「妹」等。

四十七年前台灣更名甚難，現在已可申請更改不雅馴之名，不失一小德政也。以在下愚見，不僅以「阿屎」、「乞食」等臭名必須更改；但有的名字實在太美過頭了的美名也應更改才對。所謂今日之我並非昨日之我。民國廿幾年的海倫，她是婷婷玉立，嬌艷欲滴的少女，而今她則頭是楊花白，臉如春水皺、齒已豁、背已僂、簽下一個芳名，仍是「海倫」。啊！海倫是何等美女！希臘諸邦為了她的艷麗，與特洛埃打了十年的仗，壯士傷亡殆盡，凱旋時，只有老翁和寡婦夾道歡迎，這些人睹海倫的豐采，竟說：「為她再打十年也值得」！她是這樣一位老婆婆？

然則名之雅俗，於人何患？名雖不雅，而其待人處世光明正大，似亦無傷大「雅」。反之，名字確漂亮高雅，為人却是一肚子的男盜女娼禽獸不如，如其臭名昭著的雅名」，比比皆是，雅名反而成了他的保護色，若是「雅名」又何所取乎？則是名雖好雅，然須名符其實，貨眞價實，其名雅、其行正，是乃眞名也。

書生談兵的故事

李仲侯

戰國時趙奢之子趙括，自少學兵法，言兵事天下莫能當，嘗與其父奢辯兵，奢不能難，然不謂善。奢死後，秦數敗趙兵，趙孝成王中秦反間，起括代廉頗將軍，其母反對，如失敗請無隨坐，後秦將射殺趙括，數十萬之衆悉降於秦，坑死長平，當時藺相如早有批評，謂括徒能讀父書，用兵不知合變，若膠柱鼓瑟，斷其必敗，三國時馬謖負奇氣，好談兵，發明攻城為下，攻心為上之戰略，武侯用其策以征服南方，後亮出祁山，拔謖為先鋒，與魏將張郃戰街亭，一敗塗地，先主臨危曾有遺詔與亮，謂：「謖言過其實，不可大用」，自昔書生，好談軍計，代有其人，史不絕書，再於晚清，得數人焉。

沔陽陸建瀛字立夫，清道光末，由監司擢升大員，好結納當世士，一時名士如嚴正基，魏源，梅曾亮，陳奐等均被羅致入幕，公退之暇與這班書生，抵掌談當世務，馳騁古今，以為天下事，無不可為者，由是聲譽鵲起，爭相揄揚，聖眷因之日隆。咸豐二年，粵西洪楊起義，越洞庭而北，勢張甚，時陸在豫督辦河工，嘗從容語諸幕客曰：「今日羣盜弄兵，無堅不摧，然實乏遠略，所苦當今任事者，少解兵具智略耳」，因囑草疏，擬戰守方略上聞，咸豐嘉之，諭令察度軍情，如必親往扼要調度，可即酌量籌辦，不為遙制，陸於是以兵部尚書總督兩江軍務，乃上疏言小孤山為長江要隘，然在小孤山設防，不如在上游蘄，黃等處設防，上韙其言，復加欽差大臣並賞還頭品頂戴，十月陸到江寧與將軍巡撫等會籌防務，調兵募勇，倉猝未集，而上游羽檄交馳，警報狎至，乃於十二月庚寅誓師出發，奏稱東西梁山及荻港各需兵千人防守，請由江蘇安徽巡撫如數酌撥，從之，先是陸派兵三千往防湖北武穴下游之老鼠峽，至是選壽春鎮總兵恩長為翼長以濟師，使率松江提標兵二千先行，陸自率陸續到兵數百，親軍數百，與員弁幕僚乘舟，溯江而上，倍道前進，以謀堵禦。

咸豐三年正月丙午朔，太平軍去武昌，盡銳東趨，俘男女數十萬，舳艫十萬，中江而下，大軍則循兩岸夾江分馳，當時海宇承平，武備久弛，綠營尤窳腐不堪用，陸兩次所遣進防老鼠峽之兵，皆零畸湊集，兵將不習，分數不明，到防後，都艤舟江岸，並不度地為營自固，潛濠築壘，本非綠營所諳，偶或登岸操演，飾藝以炫衆，見者皆目笑之，聞太平軍至皆膽寒氣索，船已漸稀矣。（一）

柳宗元論

·謝康·

至於雜記一類，尤其山水紀游之作，子厚尤為獨步千古。韓昌黎自當退避三舍，甘拜下風的。此外描寫風土人情之小品文學，有時帶些諷刺意味，如種樹郭橐駝傳，如三戒，如捕蛇者說，如序飲，序棊諸篇，也都是很膾炙人口的。

（乙）文學批評

韓愈闢佛老而崇儒，所謂「文以載道」，所載的道，就是孔孟儒家之道。他底文學批評，全是以道德為基礎的。柳宗元論文，却不完全同於韓氏的見解。他所謂道，亦不全是儒家之道（韓闢佛而柳好佛）。所謂文，也比較的不注重議論文，而注重山水游記以及雜記類的小品文字，比較上似乎接近於現代純文學的性質。總之，韓氏注重載道的文，柳氏注重審美的藝術文，這是他們不相同的第一點。柳氏與楊京兆憑書云：「凡為文以神志為主」。又答韋中立論師道詩，雖以「吾所以羽翼予道」為言，然究其所謂道，仍偏於「旁推交通而以為文」之道，即是否文學上做工夫；與韓愈所謂「由是而之焉之謂道。」專替聖人立言或護衛聖致的態度，「非三代兩漢之書不敢觀，非聖人之志不敢存」（答李翊書），和「所能言者皆古之道」（答尉遲生書），兩者之間，相差是很大的。（九）

歷史人物

內僑警台報字第〇三一號內銷證

自由報

THE FREE NEWS
第二一七一期
中華民國僑務委員會登記證
台報新字第三二三號登記證
中華郵政台字第一二八二號執照
登記為第一類新聞紙類
（半週刊每星期三、六出版）
每份港幣壹角
台灣零售價新台幣貳元
社長：雷嘯岑
督印人：黃行憲
社址：香港銅鑼灣高士威道二十號四樓
20 CAUSEWAY RD. 3RD FL. HONG KONG
TEL. 771726　電報掛號 7191
承印者：四風印刷廠
地址：香港灣仔高士打道二二一號
台灣分社
台北市西寧南路壹壹[illegible]號二樓
電話：三〇三四六
台郵撥儲金帳戶九二五二

從核子戰爭談英國國防方針

·郭甄泰·

英國哲學家羅素為世界之著名學者，學問淵博，立論精闢，向為一般人士所推重，但為反對核子戰爭，為反對美國在英國設置核子潛艇補給站，在倫敦曾發動數次遊行，表示抗議，同時，復聲稱：「寧願向共黨投降，亦勝於冒核子戰爭同歸於盡的危險」，日前並計劃於九月十日舉行一萬人集體靜坐，抗議核子武器，因之被判處監禁一星期。言動怪異，舉世為之震驚。最近美、蘇因柏林問題，劍拔弩張，均表示強硬之態度，但麥米倫首相忽於前日宣稱：「無人願意為柏林而戰」，率先示人以弱。現在在蘇俄恢復核子試驗以後，英國復表示：「無意恢復試驗」，態度畏縮，又使各國外交人士為之錯愕。世人因此對於英國之軟骨，拉腿政策，紛紛責難，對於英人往昔勇敢冒險，領導世界之精神，深致懷疑。實則就國防地理及實力種種方面言，英國態度如此，確係因有極大之困難與迫不得已之苦衷，固不能因此即謂英國民性業已泯滅，英國世界上之領導地位業已喪失也。茲僅就核子戰爭觀點檢討英國之優良國防方針與其困難之所在，由此可以明瞭英國之國策，與其國際上之立場，英國對蘇俄之態度何以軟弱？依此殆可窺其一斑矣。

一、英國之國防方針

國防方針為國防計劃之骨幹，一切國防施設之準繩常須追隨政治，不能獨立存在，政治上有一定之目的，國防上始能有一定之方針，英國現在政治上之目的有三：

（一）維持歐洲均勢。英國之傳統國策為維持歐洲均勢，不願使歐洲有較己更強之國家，先與普結合以抗拿破崙，繼與日同盟以抑制俄國，世界大戰時復與舊敵法，俄結合以當德，均為此傳統國策之發動。

（二）保護各處權益與通商貿易。英國在昔「國旗無落日」，殖民地遍於世界。現在各殖民地雖各紛紛自治或獨立，但多仍為英國協之一員，英國在各該地，仍保留有許多權益。因此英國在各該地，主權雖已退出，但仍大多保有軍事基地，重新使用或留駐軍隊之權，藉以維持各基地之聯絡網，保護全世界各處所有之權益與通商貿易。

（三）防止蘇俄之核子襲擊。蘇俄之假想敵國除美國外，英國仍居重要地位。在第二次世界大戰前，蘇俄某氏曾謂：「英國為各人之大敵，吾人現以英國為目標進行戰爭準備，盡可憎之英國，無往而非蘇俄之障礙，吾人若不與之戰，即不能不屈服，願我同志，共喻斯旨」。月前赫魯曉夫與英駐俄大使佛蘭克，羅伯茲爵士面談時稱：「只要六顆氫彈，就可以使不列顛一掃而光」。由此可知蘇俄自第二次大戰後對於英國，處心積慮，迄處於敵對地位，蓄蘇俄既係以世界革命為目的，自須以此世界上最老大之資本主義國家為目標而使之崩潰也。現在蘇俄擁有大量核子武器，在緊急時期，美國核子力量是否會採取肯南之「擺脫政策」，袖手旁觀，亦不無可慮，英國在此種情勢之下，自須維持一個核子武器嚇阻力量，遏阻蘇俄不敢妄動。

因此現在英國之國防方針為：

（一）參加集體防衛歐洲之北大西洋公約組織，提供固定之軍力，以維持歐洲之均勢。

（二）在歐洲至遠東航海線上的各基地，就地駐軍，以維持各該地內部之治安。

（三）保持一「可靠的核子嚇阻力量」，並與美國合作，允諾美國在英國設置核子武器基地及補給站，以補其國力之所不及。

二、英國之國防實力

英國國防部隊，最近因核子武器之發展，各方面需要經費極鉅，為減輕經費對國家經濟之重壓，於一九五七年曾宣佈為重要之改革，其目標為將三軍改為人數較少，訓練較高，裝備較現代化之部隊，以期能適應時勢，而又能減輕國家的經濟壓力，預定於五年期間完成。現在實力概況如下：

（一）總人數。英國陸海空軍人數，於第二次大戰結束後，曾大行裁減。一九五〇年韓戰爆發，遂又開始重建其國防實力。一九五〇至一九五三年間，國防經費倍增，現役部隊人力由七十七萬人增至八十七萬五千人，一九五七年的人數為七十萬，五年計劃預定裁減軍力三十萬人。一九六〇年四月英國陸海空現役總人數約為五十二萬五千六百人（包括婦女一五、二〇〇人），後備和要訓練的輔助部隊共五四九、七〇〇人，最後目的在於建立三十八萬八千人的正規軍。

（二）陸軍。英國陸軍於五年計劃完成後，只預備維持十六萬五千人，裝備現已革新。新裝甲車與新坦克車業已配齊，步槍已改用FN自動上彈的來福槍，此外並藉簡化武器制度，減少武器種類，加速供應方法，以增加其機動性。兩個炮兵隊並已裝備美製「軍曹」飛彈與英製「雷鳥」飛彈。

（三）海軍。英國海軍一九六〇年四月備有七十萬噸，人員九萬七千八百人，將來計劃維持八萬八千人。主力艦原為戰艦，二次大戰後主力艦改為航空母艦，自一九四五年八月原子彈在廣島、長崎投下後，主力艦又由航空母艦演變為核子潛艇。現在英國正在趕造六艘核子潛艇，第一艘核子潛艇「無畏」號已於去年十月二十一日下水。此六艘核子潛艇建成後，即可能有五艘出海服役，隨時有八十枚飛彈可用。其威力較轟炸機一百架，越洲飛彈二百枚更為有效，更易隱蔽而所費亦較少。戰鬥機「海盜」能載投原子彈，預定於本年參加服役。英海軍大臣卡靈頓稱：「皇家海軍本身不足以對付蘇俄，惟與北大西洋公約組織及聯邦部隊聯合一致，則足以應付」。「皇家海軍亦擁有核子力量」。可見英國海軍亦正在力爭上游，不甘落後，雄風實力，不減當年。

（四）空軍。英國空軍兵力一九六〇年四月為十六萬三千五百人，分為轟炸機，戰鬥機，海岸防衛，運輸，飛行訓練，技術訓練，保養及訊號等部隊，海外部隊包括駐德的第二戰術空軍隊，將來計劃維持十三萬五千人，飛機中之V級轟炸機羣可以運投核子武器。威金生於去年十一月宣佈：「此種V級轟炸機隊，乃嚇阻戰爭之一種有實效貢獻：：此為吾人已有一種最強有力之V級轟炸機隊」。最近英國復發明一種由機械人駕駛之轟炸機，可以向任何目標投擲炸彈，英國空軍實力尚屬不可輕視。

三、英國國防上之困難問題

英國國防自核子武器發明後，日益困難，舉其大者，約有四項：

（一）地理上之困難。英國為一島國，在昔日如能控制海權，即可安如磐石。現在由法國以長距離炮即可轟擊倫敦，蘇俄飛彈，更可隨時威脅英國，英倫三島現已毫無安全可言。吾人均知英倫三島在英國之地位，猶蘇俄之於歐俄區域，中國之於蘭州成都以東地帶。蘇俄不能退往堪察加，亦不能退往烏拉爾，必須以歐俄區域為生命綫，退出歐俄區域即等於亡國。中國不能失去蘭州成都以東地帶，失去此地帶，中國實質上即不能謂為存在。中、蘇如此，英國亦然，英國不能退往加拿大，亦不能退往澳洲等，英國失去三島，即等於滅亡。就英國國防地理言，再有世界大戰發生，必難存在。美、蘇或能有萬一之機會，藉其剩餘之人力與資源再圖復興，英國則不能。版圖狹小，對於飛彈戰爭，無法應付，實為英國國防上無法解決之問題。

（二）軍備選擇上之困難。現在軍備需財極鉅，陸海之外，復有空軍，兼籌並顧，常為國家財力所不許，而分散兵力，又為兵家之大忌，西班牙之強盛，不能維持久遠，現在之法蘭西亦將日趨於沒落者，即係因其國防地位，地理環境，對於軍備，均須兼重故。英國為一海權國，七八十年來，英國向均採取海軍第一主義，以掌握世界海權為主要政策。在十八世紀，要以法西兩[illegible]海軍總力為標準[illegible]海軍力為[illegible]

（下轉第二版）

毛澤東說：「我原以為老大哥的原子塵會飛到美國去！」

自由世界人民說：「赫魯曉夫又玩弄舊把戲了！」

自由談

莫辜負了天意！

馬五先生

本月中旬來自海上的大颱風「南施」小姐，她的行程本是向着台灣寶島直衝的。當她剛要接近台島邊緣之際，忽有一股高氣壓從中國大陸馳入台灣上空，廹使「南施」小姐改道投奔日本境內去了。

假使這次的大颱風不是臨時改變方向，對着台灣攔腰橫掃而過，其損害之大，真是不堪設想，因為它的衝力超過了一噸重，雖鋼骨水泥的建築物，亦抵當不住的。幸而天佑中華，浩劫得免，思之思之，不勝驚喜交迸也。

天幸未可常邀，人心尤宜警惕，我們將如何奮勉自愛以答天和，殷憂啓聖以舒國難，這是一個生息在台灣的人，應該切實領悟的。像目前朝野間一派偷惰苟安，醉生夢死的情形，如果不知改悔振作，則細懷天道福善禍淫之理，上帝決不會永久饒恕的，大難之來，必無例外。

要改變亂世的人心，轉移社會風氣，必須政治人物以身作則，樹之楷模，光是說些節約救國的空談，發些克難反共的文告，而內心裏總以為台灣海峽有友邦的強大海空軍防護着，安全可保無虞，不妨逸豫自娛，以待世局之巨變，或者大陸上的共黨暴政自行崩潰，又讓咱們以「台灣人」的姿態，重溫當年「重慶人」的接收舊夢，那就是「哀莫大於心死」，非干天譴不可哪！

我並非提倡迷信，推崇神權，但絕對相信「禍福無常，唯人自召」的義理。若說上上下下皆趨於苟安且夕，得過且過的偷惰生活，而有撥亂反正，復興國家的奇蹟來臨，那末，南宋與南明的危亡史事，便不應該存在於天壤之間了。

台灣今日的政風，視南宋，殆有甚焉，離南明亦不很遠，大家再不悔悟的話，豈不辜負了這次的天意嗎？

具有深厚人情味的故事

嘉義少女上書總統 因貧輟學請代覓職

核示轉台北市婦女會酌辦逕復

（台北航訊）台灣最近發生了一段一位十八歲的純潔少女與她最崇敬的蔣總統之間的充滿著濃厚人情味的動人故事，現且已傳遍寶島。

十八歲的本省籍女學生黃淑惠，本年七月間畢業於省立嘉義女中高中部，她雖已考取大學（銘傳商專），但因爲家庭經濟關係，不能繼續升學就讀，想要尋找一份職業，藉以半工半讀，又因社會上人浮於事，請助無門，在此自覺前途茫茫，心中痛苦之際，心頭忽然閃起希望之光，乃於中秋節前夕親筆寫了一封長信寄呈蔣總統，請求總統爲她這個「小國民」找一份職業，實現她的願望。這封信全文約有千言，文筆流暢，語詞純眞，字跡更是秀麗非凡。

她的願望並沒有落空，在九月廿六日，偉大而慈祥的蔣總統，在日理萬機的百忙之中，立刻批交總統府第一局局長唐振楚專案辦理，核示「轉台北市婦女會酌辦逕復」。總統府第一局便於當日以（五〇）合統（一）智六四〇三號函送請市婦女會查照辦理。

台北市婦女會在接到總統府第一局的公函後，辦公室內立刻掀起了一陣興奮的氣氛。該會負責方面立即爲黃淑惠着手進行介紹職業。

該會秘書劉也萍向新聞記者表示：她接到這封公函後，最初是驚訝，繼而是感動得幾乎說不出話來了。她說：總統日理萬機，但在百忙之中，却仍願抽出時間，爲一位年輕女孩的前途表示關切，並且幫助她實現她的願望，這說明我們的總統，不僅是那位小女孩所「最敬愛的總統先生」，更是我們全國同胞所「最敬愛的」一位偉大的元首。

遠在嘉義的黃淑惠家，亦已於九月廿七日晚獲悉總統爲了黃淑惠的事情，業經轉交台北市婦女會辦理，全家人都高興得又叫又笑，黃淑惠本人更是感動得流下了眼淚。她會向新聞記者表示：如果她在台北找到一份職業之後，一定好好努力工作，將來進入大學，也一定努力用功讀書，以報答總統對她的無上恩情。

黃淑惠寄給總統的信是這樣寫的：

「敬愛的總統先生：

非常冒昧的寫這封信給您，我想您也許不會直接看到它的，因爲它只是一個小國民寫來的，但如這封信爲總統秘書所接，請呈上給總統看，好嗎？

首先我應自我介紹，我的姓名是黃淑惠，年齡十八歲，今年七月畢業於嘉義女中高中部（實驗班文組），雖然已經考上大學，但因家庭經濟關係，父親無力讓我去報到，我也想最好聽父親的話，免得惹父親生氣，所以現在已決定不去念了。

一個高中畢業的學生，既不能就讀大學，就應該找個職業，即社會上那有事情等着我呢？必須我自已去找，而我是個剛踏入社會的女孩子，一切世事不太瞭解，爸又是個商人，機關公司方面認識的人很少，所以我現在是陷於失學失業之中，心中痛苦極了，不知今後將如何？可謂前途茫茫，想要在家中，但家庭經濟不許可，爸爸的意思要我找個輕易一點的事作作，一面準備將來再升學，所以我誠請敬愛的總統先生能夠幫助我——一個陷於失業之中的剛踏入社會的女孩子。

我能作的事是幫人家寫鋼板，作事務員，廣播員等等，比較適合一個普通中學高中部學生作的事情。

我是一個儉樸人家的子女，我一定會勤苦耐勞地作我的事，只要我有一份如意的工作，我一定要盡職，負責任。

我希望我的工作可以在台北，因在台北可以利用業餘的時間補習，如果敬愛的總統先生，您幫我找的職業是不供膳宿的，那沒關係，我可以設法與我的許多同學（她們來台北上大學）住在一起，我想這不會成爲問題，唯一問題是您不知能否撥出時間爲我找事情，我想如果您肯幫我找事情，一定沒有問題的。

現在我找事心切，雖然天天看報上的人事廣告；也寫了不少信去應徵，但總是如沉深海，沒有音信，所以我想請總統先生幫忙。

一個失學失業的中學畢業生，呆在家中實在不值得，且吃閒飯，這滋味眞難受，將來變成怎樣，可料想而知。現在我是既不讀書，又沒機會爲社會服務，精神痛苦得很，我非常渴望總統先生能幫助我，速給我回音，以免我等待着太久，我想你是不會使我失望的。

最後我懇請您速速幫助我找一份工作，月薪只要能夠應付我食衣住行所需便可了，差不多八百元我想便夠了，如果更多，我可寄回貼補家用，希望能迅速給我回音，好嗎？敬祝

職安，健康！

少女黃淑惠拜叩

九月廿四日」

蔣總統關切貧苦女學生黃淑惠就業的好意現已傳遍遐邇，廿八日雖是教師節，各機關團體休假，但仍有不少工商行號及機關團體打電話到台北市婦女會，都願意聘用這位自強不息的黃淑惠小姐。經台北市婦女會登記下來的，計有中國保險公司，否斯脫內衣公司，永通打字機行等。

台北婦女會秘書劉也萍，廿八日下午三時會打長途電話到嘉義，但沒有找到黃淑惠本人，劉秘書立即又寫了一封限時專送信給黃淑惠，約請她在廿九日前來婦女會一談，以便替她安置工作。據悉，黃淑惠將儘可能於廿九日自嘉義兼程趕來台北，到台北市婦女會拜會該會理事長王吳清香，秘書劉也萍，以便對今後的工作與讀書問題，作一妥善的安排。

黃淑惠對總統對她的幫助和關切，萬分感激，在感激的心情下，她馬上寫了一封回信給總統，謹致她的申謝之忱。原信是這樣寫的：

「敬愛的總統先生：

我不知該說什麼好，我要怎樣來報答您仁慈的恩賜呢！我十二萬分的高興，此刻的心情實非筆墨所能形容，當徵信新聞葦記者把這個好消息——總統先生已答應撥出寶貴的時間，幫助一個小國民找職業的事告訴了我之後，我興奮得流下了眼淚，一瞬間，我體驗到總統，您是多麼的仁慈呀！您是如此地關心一個小國民的前途，我將如何報答您的宏恩呢？

當我把信寄出去之時，我想這封信讓您看到的機會太少了；因爲您的公事很忙，而且這封信只是出自一個小國民之手，沒有論及國家大事，我決沒料到您會親自看到，而且滿口容應了。當然，這是我急切的盼望的，只是沒想到希望的達成，竟是這麼容易，使我驚喜交加，說不出一句感激的話，後來，我仔細想一想，我的感激不是言語所能形容的，也不是幾句感激的話所能說盡的；但我必須向您道謝，希望它能表達我的感激心意於萬一。

我想我所要說的，只是「謝謝」二字，我當更努力地來達成我的抱負，就是目前一面承担您幫我找的那份職業，爲社會服點小務，一面努力地準備明年的大專聯考，希望能考上如意的大學，將來學成之後，爲祖國服務，希望對國家社會有點貢獻，以不辜負您在我身上所花的寶貴光陰及心血，我竊思這才是報答您的宏恩最好的辦法。

我感到非常的榮幸，能夠得到不容易得到的幫助，我說得出的感激的話，只有寥寥數語，然而，我的感激的心是永不磨滅，也是話語所無法表達的。最後希望您能看到此信。並希望總統秘書把這信轉達給總統先生。

敬祝

職安，健康！

小國民黃淑惠拜叩。九月二十八日」

嘯谷

一間學校兩塊招牌 省立縣立夾纏不清

杜多

台灣省教育廳爲了配合省辦高中，縣市辦初中的新政策，從五十學年起，將台北市的省立建國中學永和分部、和省立商職學校的三重分部，分別移交台北縣改辦縣立初中。在該兩分部原有學生尙未完全畢業以前，永和分部暫稱台北縣立文山中學永和分部，三重分部暫稱台北縣立新莊中學三重分部。等省校學生完全畢業後，便各自獨立爲縣立初中。爲顧全現實，這種辦法，本來未可厚非；可是權責自始就未劃分清楚，所以省校與縣校之間，措置難免有棘手之處。在省校方面，認爲「我的分部」並未結束，何來縣校，喧賓奪主？在縣方面，認爲「我的分部」既然奉令成立，不但有權接收，而且也有權管理。論理，省校分部和縣校分部雖暫時同設一處，但原有的學生歸省校，新招的學生歸縣校；「上帝的歸上帝，凱撒的歸凱撒」，各負其責，各理其事，一個校門掛兩面牌子，大可互不妨礙，相安無事。而實際則大謬不然，如今却形成撲朔迷離的局面，令人匪夷所思了。第一，招考新生，由縣校名義登報公告，由省校教師閱卷決定去取，仍用縣校名義放榜。第二，照規定中學增班增校，平均每班應聘教師二人；縣分部奉令招收初中新生四班，應聘請教師八人，分部主任及職員均不在額內。事實上分部主任及職員固由省校分部兼任，連八位教師也由省校指定；爲正名定分，又要縣校校長發聘書。縣校校長對此八位教師，素昧生平，其資歷如何？能力如何？堪任何科？全不了解，既無法敎聘，也不甘心做「傀儡」，乾脆置之不理。第三，縣校分部經費，例應由縣負担，而縣校校長對於其分部經費，竟也無機支配；「自己出燈油讓人家照亮」，誰又願意幹這傻事呢？以上種種矛盾事實，不但做成是非不明，權責難分的局面，而且也成爲無法解決的膠着狀態，使雙方都尷尬非常。

這一尷尬局面，究竟如何打開呢？據說縣教育當局爲此事與省縣校負責人早已「接觸頻繁」，謀求解決途徑；無如雙方立場分明，各有理由，互不相讓。看情形，誰也不願加責於已，讓權於人，更不甘心做人家的「附庸」。所以行政方面，雖然盡奔走呼號之能事，舌敝唇焦，終難獲得圓滿結果。其中最耐人尋味的，就是縣教育當局是最重要的負責人，而事發之後，始終沒有堅決的主張，不能本着教育廳的命令，切實執行已的任務；對方唯唯否否，似乎有所顧忌，又似乎有什麼「難言之隱」。只可憐那些執教的老師們，成了三不管，半天吊，那才寃枉哩！

從核子戰爭談英國國防方針

（上接第一版）

二十世紀初葉，德國海軍加速膨脹，因財政關係，二國標準主義雖以維持，自一九一一年以後改以維持對德十爲十六之標準，海軍王座，仍未動搖。及第一次世界大戰發生，英國陸權戰略主義派抬頭，英國陸軍大量參加歐戰，死傷慘重。戰後美國海軍勢力勃興大有凌駕英國之勢，英國乃於華盛頓會議中決議與美國維持同等之比率藉以恢復陸軍之元氣。海軍王座，日形動搖，第二次大戰時，英國陸軍鑒於前車，在歐洲戰場採取避重就輕戰略，死傷較少，但戰後爲維持歐洲均勢遂不得不參加北大西洋公約組織，駐屯固定軍力，以維持歐洲集體之防衛。因此英國在軍備上不得不採取陸海並重政策，重蹈西班牙，法蘭西之覆轍。現在核子武器，日漸發展，英國於陸海空軍之外，復需保持相當的核子力量，緩急輕重之間，顧此失彼，可以想見。

（三）兵力分佈上之困難。英國現在陸軍兵力，預定維持十六萬五千人，但在海外之駐軍，即約達十萬人，由歐洲至遠東的航線上，星羅棋佈，仍保持有一連串之基地，在萊茵區，直布羅陀，馬爾太，塞浦路斯，巴林島，亞丁，馬爾太夫，新加坡，馬來亞，香港，怯尼亞，利比亞，喀麥隆，加勒比海，均設有海軍或空軍基地，以應付各該地內部之治安及外來之侵略。現在歐洲區駐有五萬人，非州區約有二萬至二萬五千，遠東區約有一萬五千至二萬，此等軍備均有司令部，空軍前進基地，海軍基地及補給基地之支持，所費極多而作用極微，一有緩急，並不可恃。

（四）財力上之困難。英國國防預算自一九五〇年至一九五七年間，平均約佔國民生產毛量百分之十，除美國外，已較其他任何國家爲高，嗣因實行五年計劃，國防經費，逐漸減少。一九六〇年至六一年的國防經費爲一十五億九千萬磅，約佔預算總額六十億磅之四分之一，國民生產毛量百分之七，一九六一至一九六二年度的經費，較上年略高，但百分比實際上可能更小，故英國國防經費可謂爲正在逐年緊縮之中。日前英國會要求德國分担其駐歐軍費，蓋該項經費每年約需二億二千萬磅，約佔其總國防經費七分之一，實有難以負荷之苦衷也。當此英國國防經費日益緊縮之際，英國駐外軍隊如此之多，經費如此之鉅，另外尙須充實核子武器。例如海軍之主力艦，原由戰艦改爲航空母艦，現又由航空母艦改爲核子潛艇，現正在趕造六艘核子潛艇，以期適應。飛機正在趕造「海盜」戰鬥機，用以投擲核子武器。陸軍於革新普通武器裝備之外，又需購置或自造各種對地面飛彈，對空飛彈，空軍於V級轟炸機之外，又須新製造機械人操縱投擲炸彈之飛機。核子武器，不斷改進，國防經費，即加不勝加，促襟見肘，自不待言。

四、結言

[illegible]不致河漢斯言。

默戀（上）

冰山

車子來了，他習慣的跨上車，眼角習慣地匆匆瞥向那熟悉的位子，遽忙又犯罪似的逃了開去，僅僅這麼匆匆的一瞥，他已知道她是否坐在那裏了？

他，然後目不斜視地，筆直走向汽車上最後的一排，雖然，別人最討厭坐在後排。可是他却偏戀著，那爲人所厭棄的地方，爲了坐在最後面，可以儘心的欣賞着她，而不必臉紅心跳。腦中飛翔着美麗的夢。

上帝賦與他一付修長英俊的身體，但也許上帝忘了吧！或者，造物的一切本來就沒有圓滿的，他是如此的害羞與自卑，尤其是在異性的面前，爲此，他雖英俊却缺少了瀟洒的風度，失去了吸引異性的魅力，他更自卑了。

從小他就沒有和女孩子一起玩過，長大了受小說上的影響，大罵着：女人是禍水，見了雙雙對對手挽手的情侶們，大罵着無耻，同學們鬧戀愛，他又嚷着：無聊！無聊！他對女孩子有太多的憎恨，發誓着終身不娶。

他從未想到會對女孩子發生興趣，那是如此的突然，在毫無準備下，他深深的痛苦着，他的心再也不能安定，只是默默地忍受着，羞於向人訴說，他憎恨着自已。

這一天，在他平靜的求學生活中，有太多的改變，往日，他過着早出晚歸的通學生活，由中學而大學，是如此的平靜而自然，今天，這一輛車上却新添了一位××女中的女生，他爲她的風儀所傾倒，她太美麗了，以致他不願用字眼去形容她，彷如幽谷中的百合花，清新脫俗，啊！那彷彿並非在塵世中，第一眼就陶醉」這一天他不能專心上課，眼前只是幌動着一個影子。

他不敢同朋友講，「聖人」這綽號對他太刺耳了，以前他從不談論女孩子的事，看到同學們三三兩兩在一起總離不了，「密死」「打鈴」，他大叫着：無聊，浪費光陰，「聖人」這個美名很自然的就套在他頭上。在女孩子面前他會不自主的紅臉，窘得手足無處安放，更沒有看女人的習慣。

車的世界

燕謀

西方科學家有預言曰：人類若千萬年之後，將演化到頭大而腳細也。其故安在哉！人類文明愈進步，則用腦者多，用腳者鮮矣！多用則發達，少用則萎縮。其言是否？觀今日世界「車」之多，則思過半矣。

人類之生存，離不開陸地，「車」則爲陸上之主要交通工具也。一國之強弱，文明之高低，科學之盛衰，視車之多寡可知矣。是則人的世界，亦「車的世界」也。

在鐵道上行之者，有「火車」，火車其共名耳，火車因人而異，類別言之，富人者，乘的是舒適而快速的「特別快車」，「柴油快車」，「飛快車」，「觀光列車」。窮光且則有「普通站車」或者「普通擠車」（因爲窮光且多也，多則必擠，坐位不足則站，有時站則只可立足）。所幸者，物亦有車，貨物有「貨車」，動物亦有車，猪牛羊可乘「動物之車」，植物亦有車，曰「植物車」，礦物亦有，煤炭礦砂可坐「礦物車」。此鐵道上之車說也。

在公路及街道上跑的是「汽車」，汽車亦共名也。依鈔票之多寡而別之，上焉者有最新型的「小轎車」、「密月花車」；中焉者乘「金馬號車」、「直達車」；下焉者乘「人力車」，擁擠而站的「公共站車」，用力踏的「腳踏車」，放響屁的「摩托車」和「機器腳踏車」；再等而下之，有慢如牛步的「老牛破車」，「拉圾車」，「手推車」，「手拉車」，「鐵架三輪車」等等各式各樣的車。

因用途而異者，有公家用的：軍、公務員上下班乘的「交通車」；交通車，亦有別者，因地位之高低，而有大小之不同也，官大則車小，官小則車大也；高級主管尚有「雙車」一是老爺上班，二是夫人小姐家用，一車不可得兼二用，故必雙車也。有其名而無其實的所謂「巡迴教育車」，放映電影的所謂「電化教育車」，有腳圖書館之所謂「圖書巡迴車」，只喊口號而不幹事的所謂「宣傳車」，嘈得不得安寧的「播音車」，汽車的救星，所謂「救護車」，全車紅亮的所謂「消防車」，交信方便是「自動郵車」，鎮壓灰塵的是「酒水車」，消彈黃貨的是「水肥車」。因工作用的有：「工程車」，「壓路車」，「起重車」，「開山車」，「推土車」，「吊車」。軍用的：「裝甲車」，「架橋車」，「戰車」，「警備車」，「十輪大卡車」，奇奇怪怪的「吉普車」等。

商業上用的車：有「計程汽車」往來如梭的公共汽車」，「遊覽車」，「觀光車」，公路局的長途車」，死人乘的殯儀館「拖屍車」……等等，數不盡的車，滿坑滿谷，熙熙擾擾，街巷充斥，眞是來如流水去如龍，加上一切一切大大小小不同的「車」，囂囂市上，寸土難安。昔日安步以當車者，今日殆不可能也，我要慢步待頭，威脅大矣，老命豈不耍乎！故車多爲患大矣哉！「車禍」！「車禍」！無日不有。窮得如在下塡方格紙者，乘車即無錢，安步亦不可能也，此孔老夫子所謂：「難矣哉」乎！

台灣光復已來，交通尤爲發達，車輛之多，與大陸時較之，何止天壤矣，不但名目繁多，花樣百出，眞是令人眼花撩亂。時代進步，一日千里，咱們昔日的「花花世界」，而今則成爲「車車世界」矣。古者「彈鋏歸來兮！出當車」的馮先生可以無憂矣。

車的名堂愈繁多，則感慨愈混矣。坐在又漂亮又輕快的轎車之中，趾高而氣揚，神氣十足。密月花車」，更是飄飄欲仙之狀。觀光列車，悠哉遊哉！好不風騷，人也。直達金馬快車，「特別坐臥快車」，安逸，漂亮小姐服務又快，又痛快哉！富人之所快矣！與之又行在下，欲其所乘之「擠眞老牛破車」，相形之下，「下」之，擁站有感矣。「乘車戴笠」之

「車」充滿了世界，所以成爲「車的世界」，以「車」爲中心，當然，見有車的階級爲中心（小轎車），不愛慕虛榮的女性，見無不低首拜倒在「車」下，而醉心之，充滿了車的玩具。輪之下！有憾也，車主的身份愈尊，型式愈新，小姐們愈心醉，新貴管他是錦繡其外，那絮其中，只要看在車的份上，也得屈就屈就，昔日有「金龜婿」，今日有「汽車婿」也。中產之人，袖短難舞，窮光且之吾儕，只好拖了老牌破車，用力踏着，滿街遊魂去矣！

瘟君續夢

第二回：狼狽自爭雄，活佛有幸　人天齊示警，浩刼將成

譚啓龍跌而復起，全虧舒同，按說舒譚之間應該沒有什麽矛盾，實際却不然，凡是當共產黨員的，都有一個共同之點，就是警惕性特別高，排他性也特別強，因爲警惕性高，所以對任何人都不放心，甚至夫妻之間都互相防備，說不定今天的夫妻，明天就變成敵人，至於朋友，同志更視爲準敵人，隨時要打算鬥爭。又因爲排他性強，一個共產黨員必須不停地去鬥爭別人，這樣既可保障自身的安全，又可作爲升官的階梯。高級共產黨員都讀過聯共黨史和中共各項文件，知道史大林所以成功，就因爲他鬥垮托洛斯基，季米維埃夫，卡曼湼夫等人，毛澤東所以能爬上中共第一把交椅的位置，也因爲鬥垮了陳紹禹，李立三，張國燾等人，有這種活教材在，中共黨員所念念不忘的就是怎樣鬥爭，尤其是要鬥倒比自已地位高的人，蕭軍曾發牢騷說：「同志的子彈打進同志的胸膛」，即指此而言。

譚啓龍接到譚震林的信，到北平去了一趟，見了面譚震林就把鬥爭舒同的計劃告訴他，保證鬥垮了舒同之後，保舉譚啓龍任山東省委第一書記，譚啓龍聽說有向上爬的機會自然不放鬆，一口答應回去搜集資料，鬥爭舒同。山東地方幹部，本來是山東人的力量大，舒同在山東搞了幾年，並未扶植起自已的勢力，高級幹部中唯一同鄉心腹是譚啓龍，譚啓龍一倒戈，舒同變成了孤家寡人，連還手之力也沒有，輕而易舉就被二譚打垮了。舒同垮了之後，譚啓龍如願以償升了山東省委第一書記，仍兼省長，好不風光。

山東的饑荒雖然可以推到舒同身上，可是老百姓並不因舒同垮了就有飯吃。全國農村糧食供應，越來越少，有些地方，老百姓簡直看不見糧食。中共幹部異想天開在各地推行代用食品。

第一種被提出的代用品是番薯，遠在初訂大躍進計劃時，毛澤東就說番薯與人參同樣價值，各級幹部就抓住這一點吹噓，勸人民不要吃雜糧，最好全部吃番薯，既愛國又愛身。本來在北方，老百姓在太平年間到了冬天也要吃些番薯以貼補食不足，共幹要他們多吃番薯還不太困難，在南方的老百姓就不同了，長江以南的人很少以番薯作爲食糧，平日種番薯只是用來喂猪，現在把猪食給人吃，老百姓自然不肯，於是共幹就以身作則，展開宣傳攻勢。

首先發動的是廣東省委第一書記陶鑄，在廣州請客用了全番薯席，據說一桌菜全是番薯作的，強調番薯不但可以和米麵平起平坐，還要勝過米麵。（四五）

岳騫

楊貴妃墓

·道南·

山川風物

楊貴妃墓在馬嵬坡鎮的西郊，在陝西興平縣西約二十里，由咸陽西行，過了興平，就到馬嵬站，路程並不很遠，不過四五十里而已。

楊貴妃墓高約一丈餘，在到達楊貴妃墓之先，路旁就有一塊小小的石碑，「唐楊貴妃墓」五字。到了墓前，那裏就豎立着畢沅所建的石碑，上刻「唐玄宗貴妃楊氏墓」八個大字。墓地的四週，圍有一道土牆，久經風雨的浸蝕，如今殘敗不堪了。到此只覺一片荒涼，所幸牆內還有蒼翠古柏，點綴其間，但亦寥寥可數，

眞不料此名傳千古的美人，所遺留的，僅此冷落孤墳而已。一般前來憑弔的人，面對着此一坯黃土，細想唐宮眞不禁悲從中來，人世盛衰無常，當唐宮盛日，有誰能料揣楊貴妃也竟會有馬前縊死這樣的悲慘下場呢！

據傳，楊妃墓就是她當年絕命之地。「君王掩面救不得」，只有草草埋葬於此。

墓前還有一座祠堂，不知建於何時。祠中四壁刻有唐宋詞人墨客的憑弔詩，也刻有明詩騷人文士的哀艷頑感的詩句，可見是非非，只瞬息的事，而美人艷跡，却千古永傳。天長地久有時盡，此恨綿綿無絕期！

文人筆下的是非

·周燕·

「盡信書不如無書」，讀書人應當三復斯言也。文人筆下之典要，多有不足爲信者。如上林不產盧橘而相如賦有之，甘泉不產玉樹，而揚雄賦有之。簡文雁門太守行云：日逐康居與月氏。蕭子暉隴水而云北注黃河，東流白馬，皆非題中所有之地。唐明皇幸蜀過峨眉，而香山長恨歌乃云：峨眉山下少人行。宣州去江數百里，郡中無江，而謝眺登城樓詩乃云「澄江淨如練」；蘇武詩有「俯看江漢流」之句，其時武在長安，那來的江漢！

文人之寓言，多不可以爲典要。如晏子春秋，二桃殺三士。史記魯仲連射聊城書，齊將自殺。孟優假孫叔敖衣冠，而莊王欲用之。國策，秦滅六國，而安陵六十里以唐睢之故而獨存。夏禹之鼎沒於泗水。張華之劍躍龍津。相如作長門賦，武帝諷之，寵陳皇后如初，其實並無此事也。他如孔稚圭北山移文，嵇康與山巨源絕交書，皆偶爾興到之作。實則孔與周交好無間，而山公與嵇亦並未絕交也。大概文士們都如蘇東坡一樣，「想當然耳」之作也。豈知誤了後世多少讀書人也。

又如詩人們的詩，亦莫不然。僅以王昭君一事而論，詩人筆下之王昭君均有不同。如崔國輔詩云：「一回望月一回悲，望月月移人不移，何時見得漢朝使，爲妾傳書斬畫師。」又白居易詩曰：「漢使却迴憑寄語，黃金何日贖蛾眉？君王若問妾顏色，莫道不如宮裏時！」此皆愛惜憐憫，深致惋惜之情！然明江陰某君題明妃圖云：「驪山烽火因褒姒，蜀道蒙塵爲太眞，能使明妃出絕塞，畫工應是漢忠臣。」這又一種爲畫師呼冤的見地，要之皆爲文人筆下操之者。又如吳王夫差因寵西施亡國，人皆以西施爲妲己褒姒之流。然而唐人有詩云：「若論破吳功第一，黃金只合鑄西施。」又譚其芷有詩云：「干戈未用吳王滅，西施應種蠡之功。」而袁簡齋又謂沼吳之功不同，其詩云：「妾自承恩人報怨，捧心常覺不分明。」獨爲西施另寫心曲，立意標新如此。後人皆以前人之作而概是之，史實之眞蹟則亂矣。昔蘇東坡試文有臯陶爲士，瞽叟殺人，陶三罰之，舜三宥之」，歐公問其所出何書，對曰：想當然耳！古人筆下產物，不可以輕取而爲典要者，因其無定論，並非妄詆古人也。

史記與武俠

·徐學慧·

武俠小說在中國的歷史，至少有兩千年，太史公司馬遷其始祖也。

史記爲刺客列傳，爲游俠列傳，遂令朱家郭解之流，豫讓荊軻之輩，聲被萬世，爲人所樂道。而於孟嘗平原春申信陵君之事，亦特詳其養士之道，凡此凡屬於武俠小說的範疇，只是無人以武俠小說名史記耳。

司馬遷在刺客列傳之後，大讚這些刺客們是「不欺其志名垂後世。」在游俠傳之前言中說到：「自秦以前，匹夫之俠，湮滅不見，余甚恨之。」又稱：「至於朋黨宗彊，比周設財，役貧豪暴，侵凌孤弱，恣欲自快，游俠亦醜之。」這已不啻爲武俠行徑下了定義。如果用簡單的辭語來加以闡釋，則我們直可以說，司馬遷心目中的武俠標準，即是「行俠仗義，除暴安良」，而此亦即爲今日的一般武俠小說之標準。

太史公以刑後餘生，在精神極度痛苦中，撰述這一部五十二萬六千五百字的史記，他下筆時的心情之沉重，是我們可以想象的。他對當時的環境，無可如何，就只有將滿腔悲憤，發洩在這些游俠刺客身上，因此，史記一百三十篇中，也就是這些文章描寫得特別生動。一個接受了可恥的宮刑的儒生，本身已不可能行俠仗義了，他把行俠仗義的責任，寄托在荊軻專諸聶政曹沫朱家郭解這些人身上。這種心情，也是很自然的。

由自身的痛苦，而想到天下人的痛苦，因而特別表彰游俠刺客，欲爲人間除不平，這是史記中的微言大義，也正是司馬遷之可敬可愛處。班孟堅著「漢書」，作司馬遷傳贊，獨對此頗有微詞。其言曰：「又其是非，頗繆於聖人。論大道則先黃老而後六經，序游俠則退處士而進姦雄，述貨殖則崇勢利而羞賤貧，此其所蔽也。」實則班孟堅之所謂蔽，卻正是司馬遷之明，此種批評，可說根本上是不了解太史公的。

曹子建因遭遇不幸而寄情於仙，陶淵明因遭遇不幸而縱情於酒，然皆不如太史公之因遭遇不幸而托情于武俠也。行俠仗義，除暴安良，是現實的，豈能謂其繆於聖人之道而譏其蔽？

「聖人之道」四字，把中國文學的發展，限制了二千年。也正因爲如此，我們才特別欣賞司馬遷的史記。

書生談兵的故事

李仲侯

乙酉夜恩長與太平軍鏖戰，中砲墮江死，師全潰，陸於十二月乙巳晦次九江，休兵數日，知太平軍已棄武昌東下，乃命舟師上駛，途次逢敗卒白恩長敗狀，聞之咸膽破，速命返舟疾行，過九江不敢留，江西巡撫張芾駐九江之師，亦只得迅速引退，九江陷後五日，太平軍乃悉師進蹴安慶，陸棹小舟夜過小孤山，時有標兵數駐百營山椒，安徽按察使張熙宇，督砲船泊山趾，名爲防守，實毫不足恃也，陸徑越小姑山亦不敢留，標兵砲船一夕皆不知所往，於是太平軍直泛長江數千里，如入無人之境矣，陸乘肩輿過安慶城外，巡撫蔣文慶登陴問戰事，陸憑軾搖手曰：「賊勢浩大，萬不可敵」，將邀入城同守，不聽，壬戌太平軍陷安慶，蔣遂殉難。

陸返抵江寧，隨行僅十七人並兩舟而已，蓋自九江以下水陸兼行，凡七晝夜而達省城，並撤燕湖荻港板子磯防兵，歸東西梁山，聲言將親督廣艇舢船進防東西梁山，未及行，師船已不戰而退，將軍等致書趣令仍赴上游迎戰，不答，請結營城外爲犄角，亦不答，將軍等詣商戰守事，稱疾不出，凡閉閣謝客者三日，江蘇巡撫楊文定，原留守江寧，稱總督已歸，即日拜疏移駐鎮江，於是將軍祥厚，提督珠洪阿，副都統霍隆武，布政使祁宿藻，會疏劾總督巡撫避寇狀，有詔陸建瀛已革職，旆交祥厚拏問，委員解部自罪，楊文定革職留任，祥厚兼欽差大臣兩江總督，詔程相距二千里，及奉詔旨已在江寧將陷城時矣，江寧城將陷，陸乘小輿謁將軍，還至十廟前遇太平軍，被叢刀砍之死，江寧陷後，被害者不下數萬人，由此江南士庶莫不怨陸之輕浮不諳兵事，致使生靈塗炭，千里爲墟，陸狃於承平之時，憑藉國家寵靈，令鼎風流，無衛[illegible]，不悟兵事之難，須實練，更非河工諸事可比，欲藉出境禦寇，塗飾庸目，上希寵督，邀取軍功以爲榮，貿然出師一行，布置，識者固早已知其必敗事誤國矣。（二）

翁媳趣話

介人

某翁鰥居，二子均已成室，長子居樓左，次子居樓右，翁則自處其中。每當佳晨月夕，時入黃昏，兩對佳兒佳婦，雙宿雙飛，翁孤燈獨對，臥不安枕，遂信口致千家詩一首，高聲吟曰：「因嫌鬢髮似蒼苔，左右叩扉兩不開，春色滿園關不住，聲聲唧唧耳邊來。」

左樓長媳即步原韻和曰：「溪邊小草滑如苔，洞口桃花帶雨開」，右邊次媳續云：「滋味今生嘗不得，投胎許爾報將來。」文人遊戲，造此淫句，亦殊缺德。

其實老翁續絃，亦屬必然應有之舉，食色性也，年剛五六十歲的家翁，兒媳輩每每不體諒老人的孤衾獨處，百端阻撓，致令嘵舌的文人，每爲之造事生非，以資笑謔。於是這裏有兩則「妙計續絃」的故事，可資佐證。

其一、清末某邑有黃生熊某，年四十餘，妻歿，生有二子，長子已娶媳，次子方讀中學。熊以精力尚壯，常思續絃，但子媳均反對，齊說老人日常生活，有兒輩伺應，無須多此一舉。熊慨然說：「你們固然都有孝心，但總有不方便的地方。」二媳力陳沒有什麼不方便的地方，熊爲之嘿然。

有一天，熊想沖涼，喚他的兒子提水入室，子適不在，媳代服其役，熊則裸體以待。媳至，見翁一絲不掛，大驚而去。晚間告之其夫，子見父後，頗有不悅之色。熊說：「我早說你們伺應，總有不方便的地方，現在有什麼可說？」子無奈，第二天即託媒爲熊續娶，一家融融和樂。

其次，又有某翁，五十喪妻，其子方任職某大學教授，翁以形影相弔，深感寂寞，然雅不願向子示意，子亦不疑翁有覓繼室之想，如是已年餘。翁不耐，値嚴寒之季，因告其子說：「我每晚腳冷澈骨，這應該怎麼辦呢？」其子次日即購毛襪一雙以奉。翁怒，擲襪於地說：「這豈可以暖腳嗎？」其子悟其意，即託友爲之覓一中年婦爲之續絃，結婚之夕，友戲告翁說：「此當較毛襪暖多了！」翁爲之呵呵大笑。

在廣東潮州，向有千字文酒令，亦涉及翁媳間的趣事，只是潮語的，須得略加注釋。故事是這樣的：

某一戶人家，有翁姑，媳婦，小姑，小叔。一天，老翁高興，出一個酒令，第一句要有「四四方方」四字，第二句須要「聲多」，（按這兩字須用潮語讀，所謂聲多，即中間的意思，即第二句要有中間兩字。）第三句要有「來來往往」四字，第四句要用「千字文」一句完令。

其時小姑正在開皮箱取衣服，因即首先說道：「我個衣箱四四方方，我個鎖匙正在聲多，我支鎖匙來來往往，取出乃服衣裳。」

老翁讚好，小叔年方八九歲，正在小桌上寫字，他也念道：「我個書桌四四方方，我個紙頭放在聲多，我的毛筆來來往往，寫出始創文字。」

衆人拍手稱善。媳婦在灶頭煮飯，她念道：「我個灶頭四四方方，我個鼎仔（鼎仔即鑊仔，潮人叫鑊爲鼎）放在聲多，我支鼎溜（鼎溜即鑊鏟）來來往往，妙出菜重芥薑。」

老翁此時已忍不住，因爲生怕好句被人用盡，他本來是躺身在床上的，立即起身念道：「我的睡床四四方方，我們二老睡在聲多，我的雙手來來往往，律出律呂調陽。」

說後呵呵大笑，（按潮語以手捋物稱之爲律。）這個酒令，與開首所述的改詩，始有異曲同工之妙，均用來諷刺翁媳之間的有不可告人之隱，誠所謂不謀而合。

海嘯齋談薈

杜月笙·戴笠離合記

諸葛文侯

在我國對日抗戰之役發生以前，杜月笙對戴笠尙少往還，彼此不過泛泛之交而已。迨京滬淪陷後，杜戴二人皆避地香港，杜氏激於民族大義，仍以全力進行京滬一帶的鋤奸策反運動，戴氏則綜持國內外的情報工作，雙方職責相輔相成，目的無殊，私人交誼即更進了一步。

當汪政權醞釀成熟，將告出現前夕，高宗武等經杜氏策反効順，輸誠中央，携帶汪政權與日本所訂賣國密約全文，潛至香港交給杜氏。維時戴笠在重慶，統領軍事委員會軍統局暨財政部全國緝私處職務，聞訊大喜，即電囑駐港的親信幹部某君，陪伴杜氏赴渝，意在率先取得高宗武等帶來的「日、汪密約」這項珍貴情報，以便轉呈最高當局也。杜氏飛抵重慶機場之際，戴雨農親來迎接，禮遇崇隆，招待尤殷切備至。既而杜氏將「日、汪密約」送交最高國防會議秘書長張岳軍氏轉呈層峯，杜認爲如此庶合體制，然戴氏深爲失望，覺得杜氏不夠朋友，因而不無怨憤之情，對杜乃由親近而疏遠，尋且割席絕交了。這時候，杜氏住在重慶打銅街交通銀行樓上，日常賓客盈門，交際頻繁，耗費頗不貲，而交行董事長錢新之僅給以廿萬元法幣的該行存摺備用，杜氏不免啼笑皆非，蓋此戔戔之數，只可供作個人零星用途，談不到對淪陷區從事策反鋤奸工作的話，情緒殊悒鬱，戴雨農亦熟視無睹，漠不關心。

未幾，在昆明的「西南運輸公司」職員林士良，許性初，以藉勢經常從滇緬公路私運外國貨物至大後方，悍然營私漁利，肆無忌憚之故，被戴笠拘捕訊究，證據確鑿，呈奉最高當局予以槍決了。輿論翕然稱讚，但行政院長兼財政部長孔庸之大爲震怒，斥戴氏擅權越職，違背紀綱，因緝私事宜是財政部主管的，而林，許事件財部始終未據戴氏有所報告請示，行政院更毫不知情。孔氏這一氣非同小可，決將戴氏所兼「財政部緝私處長」予以免職處分，內定以宣鐵吾承其乏，宣，戴雖屬軍校同學，但平日感情甚惡劣。當孔氏決定免去戴氏兼職，明令尙未發表時，雨農尙在江西巡部中，杜月笙聞悉其情，密語軍統局幹部電告戴，囑其注意應付。然戴指爲謠言，決不可信，謂最近且呈奉最高當局核准撥編「稅警隊」爲四團，正在加緊改編之中，焉有此人事更張之理呢？（十一）

歷史人物

論柳宗元

·謝　康·

其次，與傳統之所謂「文」，內容亦不大一致。因爲韓所說的文，是指「散文」；柳所說的文，卻是兼指文與詩的。（見柳氏：楊評事文集後序）這就是說廣義的文，包含詩在內，這是繼承曹丕典論論文，劉勰文心雕龍，蕭統文選這派的說法而來的。昌黎反對魏，晉，六朝文，於是並其文論亦加以反對。子厚則比較圓通，有時兼取六朝文論之長，以古文來補正載道派的偏誤。而且，在詩方面，子厚比較接近陶淵明；在山水游記方面有幾分類似酈道元，都可以作爲旁證。

（丙）詩歌

世稱元和八大詩人，而韓（愈），柳（宗元），元（稹），白（居易）爲最著；次爲孟（郊），劉（禹錫），賈（島），李（賀）諸家。柳詩又與韋應物齊名，閒淡簡遠，超越塵俗；同受陶淵明影響，世稱「韋、柳」。然蘇東坡特稱許柳詩「在陶淵明下，韋蘇州上，韓退之豪放奇險則過之，而溫麗靖深不及也。」他又說：「李、杜之後，詩人繼出，雖有遠韻，而才不逮意。獨韋應物，柳子厚，發纖穠於簡古，寄至味於淡泊，非餘子所及。」

柳詩最爲世人傳誦的有「江雪」，「漁翁」，「溪居」諸首，葛賢寧：「中國詩史」認爲千古絕唱，與自然深深融合。陸侃如，馮沅君合編詩史：認爲柳詩接近王維，五古大都描寫自然的美，有時比王維更清更峭。易君左編中國文學史：稱他底詩超越塵俗，清逸閒淡。這些評語，大概已經成爲子厚五言古詩的定論了。（十）

徵稿小啓

有內容有意義之隨筆、散文、掌故、小說、雜感等類文字，本刊均所歡迎。請用有格稿紙繕寫，如需退還，請附信封及郵票。一千六百字左右的隨筆，比較容易刊出，過長則以篇幅所限，請特別留意。

內僑警台報字第〇三一號內銷證

自由報

THE FREE NEWS

第三七一期

中華民國僑務委員會登記
台社新字第三二三號登記證
中華郵政台字第一二八二號執照登記為第一類新聞紙類
（每星期三、六出版）
每份港幣壹角
台灣零售價新台幣貳元
社長：雷嘯岑
督印人：黃行富
社址：香港銅鑼灣高士威道二十號四樓
20 CAUSEWAY RD 3RD FL
HONG KONG
TEL. 771726　電報掛號．7191
承印者：四聯印刷廠
地址：香港灣仔高士打道一二二號
台灣分社
台北市西寧南路壹壹零號二樓
電話：三〇三四六
台郵掛號金戶九二五二

本報啓事

本報為紀念中華民國國慶，隨報附送國旗一面（限香港區），敬請讀者注意。

慶祝國慶緬懷先烈，我們要切實負起現階段反共抗俄復國救民的使命，責任不容推卸，意志不可動搖，艱險不足畏懼，團結奮鬥必克成功。

中華民國五十年雙十節　蔣中正

國慶中的憂患語

——祝民國五十年雙十節——

雷嘯岑

一年一度的雙十節國慶紀念，今天又來臨了。在平時，躬逢這類盛事，人們除緬懷昔賢開國的豐功偉績，加以崇敬頂禮之外，大家唯有歡欣鼓舞，樂也融融。可是，今天我們對於國慶佳節的心情，却大異其趣，因為中華民國正處在亘古未有的變患時期中，整個大陸上的土地和人民，都被無祖國觀念的中共暴力集團控制蹂躪着，中華民國政府播遷在「大海外扶餘」的台灣省區，生聚教訓，期待光復中原，還我河山。每個炎黃子孫，都具有滿腔的殷憂義憤，不敢自逸，哀民生之不易，懍禍至之無日，既念先烈，行自念也！古人所謂「先憂後樂」，正係我們對此時此地此事的應有之義。

一、

人情對過去每好留戀，對現實常是疏忽，對將來多存希望。我們今天紀念國慶，却應該以檢討代替留戀，以警惕代替疏忽，而將希望寄托於實踐工夫上。

國父孫先生領導國民革命運動，開創中華民國，要建立「民有，民治，民享」的現代國家，不幸創業未半，中道崩殂，而由國民黨人繼志述事，完成了剷除軍閥政治，打倒國際帝國主義侵略敵人，而廢除不平等條約，進而實行憲政這些建國鴻業，可謂不負先烈締造民國之功，亦不失為國父的忠實信徒，在近四十年來的國家政事，國民黨人又居於領導地位，然結果竟招致了神州陸沉之禍，國幾不國，其故安在呢？去年陳立夫先生由台北回到美國，路過日本東京時，新聞記者對他提出這項疑問，他答以「我們太無知，一切措施跟人民脫了節！」這種勇於承諾錯誤過失的政治家優良風度，是值得稱讚的。的確，我們過去在大陸上經常犯着「無知」的毛病，一切政治行為，多與人民的實際利益相背馳，尤以對日抗戰結束後的所作所為，其無知的程度更足驚人，文恬武嬉，紀綱隳敗，事證孔多，不遑枚舉，總結就在「以軍取政」，而昧於「馬上得之，不能以馬上治之」這項極其淺近的政治原理，致令毛共竊發坐大，最後乃構成了「蛇吞象」的奇形怪狀，試一反省，不亦大可哀乎！

凡屬愛護中華民國的中國人，現時都抱有國破家亡之痛，莫不盼望政府及早進軍大陸，弔民伐罪，匡復錦繡山河。這種反攻復國的志願，我相信今日的當國者比我們更為堅強而急切，毫無疑義。可是，反共之役在本質上是一場思想戰與政治戰的綜合體，光是着眼於軍事價值，絕對不行的。目前我們的軍事建設已有長足進步，經濟方面亦有良好的發展，皆為無可否認的事實。唯有政治建設，不客氣地說，不特未見進步，有些地方且視過去在大陸的情形還不如呢！一般政治人物由於環境變遷與生活艱困的關係，失去了戰鬥精神，偷惰苟安，滿腦子「混世」（Muddle Through）觀點，為台灣海峽既有美國以的強大艦隊協防，又有「中美安全互助協定」存在，台澎地區安如磐石，永無陷於共黨魔掌中的顧慮。流亡他鄉，生活第一，好容易得到一官半職，唯恐或失，多做多錯，少做少錯，不做即不錯，不錯就能夠固位怙寵，好官自為。如是乎相率以開會為服務之本，請示為負責之本，貪圖為求生之本。試看今日在台灣的從政人員，能以政治為用處，表示其合則留，不合則去的風格之政務官究有幾人？立志奉公守法，實心任事，毅然有所不為的事務官又有若干呢？大家泄泄沓沓，如脂如韋，爭權而不負責，多言而無實際，有如曾國藩當年批評清朝咸豐時代的官吏所說：「欲求一攘利不先，赴義恐後者，竟不可得」[illegible]的情況，政風之壞，令人怵目驚心，慄慄危懼，憑着這樣的政治機能，與敵人從事政治比賽戰，而希望博得民衆同情擁護，獲致勝利嗎？即令[illegible]越的軍事力量所摧毀，若將這股偷惰的政治風氣帶回大陸，吾敢斷言其必然重蹈對日抗戰結束後的覆轍，非失敗不可的！

造成這種偷惰苟安政風的因素，時人多歸咎於物質生活條件太缺乏，我不承認此說。就現時在台的一般中上級公務員生活情形而言，比較在對日抗戰時期，不知優裕若干倍了，然其負責任，守紀律，明恥知義的精神，却未可同日而語，我認為這是一般士大夫的良心血性被現實環境掩沒所致，情形相當嚴重，若因循怨略，不能予以糾正而改變之，中華民國前途，實在不敢樂觀啊！變易政風之道亦不難，天下為公，用人唯才，去門戶之見，[illegible]派系之私，核正名實，信賞必罰，明是非，明功過，在上者只要以一二事實來表現這種作風，人心振奮，風氣定若改觀。蓋良心血性是人所共有的，人之好善，在清明興旺的政治氣氛中，自然發生振頑立懦的功用，捷如影響，不成問題。所謂「以警惕代替疏忽」的用意，其在斯乎！其在斯乎！

二、

陳立夫先生認為丟掉了大陸是「我們太無知」，這是他基於良心血性而發出的自我批評，表示對歷史負責的態度，難能可貴。究其實，這「無知」的責任若完全課在執政黨人的身上，也是不公平的，朝野人士——尤其是各黨各派的人皆與有責焉，只是輕重之別罷了。在對日抗戰結束，共黨羽毛尚未長成之際，而一些在野黨派如「民主同盟」以及其他臨時湊合的所謂「民主黨派」之類，若不依附共黨以與中華民國政府敵對，自行抵消建國的力量，共黨即不致有那末迅速擴展的機會。國民黨執政，還容許人民多有自由生活，也不會[illegible]離德，在野黨派「交心」[illegible]，甘作奴役。今日大家痛定思痛，當以前者為鑑不遠吧？

（下轉第二版）

自由談

談智慧

馮五先生

號稱為美國原子能之父的奧本荷瑪，自認是「世界上最寂寞的人」，何以故？因為他的智慧太高了。對於人間世的一切事象，觀察得最透闢，任何問題亦理解得最徹底，因而思想言行，皆與衆不同，適如屈原所說的「世人皆醉我獨醒」，一般人把他看成傻子或神經病者，他却視一般人都是些蠢材或可憐蟲哩！

愛因斯坦在生時，不願受其本國人民的擁戴，回到以色列去作總統，而寧願寄居美國，研究他的相對論以終其身。晚年有人問他：未來的世界大戰若發生，主要武器可能是些甚末吧？答曰：是木棍，是石頭。你如果認為他這種說法近乎神經病語，那你本身就是個知識界幼稚園中的頑童，可憐亦復可哂也。

人生的各項職業，皆可以鍛鍊，增進智慧，唯有搞政治工作的，每每是汨滅智慧，本來很聰明的人，一搞政治即多見其表示許多愚蠢的言行，真是「一行作吏，便無可觀」，別人認為可笑，他却洋洋自得。像最近參加陽明山第二次會談的所謂文教人士，應該都是些高級知識份子了，但有人在這種場合中，居然大談其「凍結憲法」與嚴厲管制新聞自由的論調，智慧淺陋如此，寧在駭人聽聞。這證明立憲要想吃政治飯的知識份子，僅有的一點智慧亦被私慾掩沒了！愛因斯坦婉辭總統而為，奧本荷瑪認為世人無可與語者，即由於智慧太高之故，而一般的政治人物言行，更使他們這類哲人搖頭歎氣，增加寂寞之感。

柏拉圖的哲人政府，尼采的超人哲學，唐德的理性主義，乃至於巴枯寧，普魯東的無政府思想，都是高度智慧的結晶。但人類的智力並非平均發展的，下愚衆多而上智甚少，此人類生活之所以常在變亂中，所謂與立世界永久和平，消弭戰爭行為云云，蓋係自欺欺人的囈語而已。

漫畫天下

南施

雙十的光輝

如此「三馬車」

張君勱自舊金山來文
暢論三黨共同綱領

・吳越・

（本報特稿）

在陽明山第二次會談舉行的時候，民社黨籍的與會人士楊毓滋曾主張制訂國民黨，青年黨和民社黨三黨共同綱領。楊毓滋說：今日的中華民國憲法就是當初由三黨共同制定，但有許多地方已不適合目前的需要，所以應該再由三黨來制訂一個共同綱領，對反共抗俄大業一定會發生作用。陳兼院長誠在當日作結論的時候，對此一問題表示：他希望有一個全國共同反共抗俄綱領，這樣比較三黨的綱領更爲有效。他說：我常常想，現在是憲政時期不是政協時期，過去政協的教訓很多，我們不要幾個黨包辦一切，包辦是辦不了的。他強調團結海內外的反共力量，並且提出「以創造代佔有」「以團結代傾軋」「以至信代猜疑」「以鼓勵代責難」來自勉勉人。蔣總統在會議結束招待與會人士席上，對於這次會議中的表現備加讚揚，他說：我特別高興，在陽明山會談中，大家只知有國家民族的立場，沒有任何黨派或地域的立場，這是我們大團結的有力表現。

三黨制訂綱領之說，陽在明山會談中並未得到重視，不過制訂全國性的反共綱領，則已得全體贊成。日前台灣收到九月九日張君勱特自舊金山寄來一篇「論三黨反共復國共同綱領」的文章，這是張君勱對此一問題的唯一公開反應。

張君勱是因爲有友人去信質問「你是否贊成三黨合作，而排斥其他海內外的力量」，怕引起旁人對於民社黨與當局有合作包辦政局之印象，所以，特別對此問題加以申說。張氏認爲楊毓滋所以提出此項建議，是有三點歷史背景：「第一，三黨憲綱領合作起於抗戰結束之後，雖名爲三黨，實即爲有黨有派與無黨無派合作之代名詞，民青兩黨與國民黨簽名之十二條綱領，亦有王雲五與莫德惠先生在內，此可證明三黨云云，實不限於三黨。第二，楊君所提議者爲三黨之反共復國綱領，此綱領不一定由三黨黨員制定，自必徵求海內外民主反共人士之意見，其意重在綱領之制定，以使內外一致之形勢，說不上分贓，實亦無贓可分。第三，昔日所云無黨無派，指參政會或政治協商會中之無黨無派人士。在今日形勢下，自然要包括海內外反共人士，而爲全國性的聯合運動。因此三黨合作之含義，當不致發生包辦之誤會。」

張君勱認爲楊毓滋用三黨合作的名詞與陳院長所云結合一切反共力量，名詞雖異，實際一致，意在借三黨合作爲鎖鑰，「此三黨合作局面能打開，自然易使一切反共力量參加」。他讚揚陳院長「要以創造代替佔有，要以團結代替傾軋，要以互信代替猜忌，要以鼓勵代替責難」的話，是很有價值的言論。

談到實際問題，張氏說：「依十年來經驗，政府對待各黨派與海外民主人士，是否能遵行以上各原則（創造代佔有，團結代傾軋，互信代猜忌，鼓勵代責難），未免仁智各異：……今後互信與團結之習慣，如何確立起來，此爲值得研究的問題。……十年來借反共之名，要求集中力量，已類見不鮮，[illegible]……猶君主時代所謂愛民，到老不愛百姓，時，沒有阻制局面方法」。

最後他說：「因此吾們信仰民主與法治之人，以爲政府既標榜團結互信，必須有監督機關。他國憲諸國會以行使監督。吾國雖有立法院，至今不能取一黨局面而代之。在全國未能總選舉以前，救濟之方，惟有以共同綱領爲準則，以各方代表之聚會，公平量裁，某之政策不合事宜，某事不合法，某事不公道，某人用之不得其當，可以由合作之團體，公平客觀的建議進止或黜陟。除原有三黨外，再加下其他代表，以上所云云，不僅限於監督，尤重在各方智力之整合。不特無礙於憲政的體制，實可擴大支持政府的力量。惟須特別聲明，吾人贊同大團結者，但不能忘了政黨政治之要素，吾人所論，不關乎內閣中席次之有無，而政綱之是非與用人之得失，乃不能不爭的一件大事。此[illegible]須各黨[illegible]代表，憑綱領以爲量裁之所」。

陳副總統在訪問美國的時候，曾經與張君勱晤談過。據說：兩人曾經就許多問題，作過廣泛的討論。當然，張氏也會談到一些原則性的問題。據熟悉內情的人透露：在陽明山第二次會談舉行之前，民社黨曾經把這所謂六項原則同國民黨商談，但沒有獲得結論。在陽明山會談進行之際，民社黨方面又將此三項原則就商於另一在野黨的某重要人士，該一人士因事先已獲知民社黨與國民黨商談未獲結果的情形，同時認爲第二次會談是以文教爲主，不宜討論政治性的問題，因此也不願多表示意見。結果，經過三次往返，該人士始允提供三項原則，加上原有的六項便成爲九項原則，俟加上一段前言，再行商談。倘在議論未定的時候，楊毓滋突然在陽明山會談席上提出「三黨制訂共同綱領」的意見。在文教會談提出政治性的問題，使山上山下都感到愕然，很多人都認爲楊提出的時間和場合都不甚適宜。據說：在會談結束之後的一次[illegible]中，有人曾便談到這個問題，仍然是未獲結論。

據[illegible]過這六項原則的人說：六項原則，無非是些改進地方自治及選舉工作，改選[illegible]縣民意代表等意見。差不多都是重申[illegible]主張，並無甚麼[illegible]之處。

「三黨制定共同綱領」之說，本已隨陽明山第二次會談之結束而消沉。這次由於張君勱的一篇文章，又引起一些議論。（五十、十、一）

維護世界正義，抵抗共產侵略，是我們海內外同胞無可旁貸的責任。我們惟有發揚愈艱彌勵、遇阻不迴的民族精神，為履行神聖的責任而加緊奮鬥。

五十年國慶日　陳誠

歡迎雷社長並交換意見
本報台灣作者舉行茶會

（本報記者台北航訊）本報台灣作者，於十月一日在台北市博愛路美而廉三樓舉行茶會，歡迎雷社長，到有立法委員夏濤聲、監察委員陶百川、國大代表陸克超、孟瑤、教授黃少游、鄭學稼、陳式銳、張漱菡等，以及新聞文化界人士，約三、四十人。茶會由本報台灣分社主任張執中主持，他首先向大家介紹雷社長並說明這次茶會的意義。

這次茶會係聽取大家對本報應與應革的意見。在自由交換意見的氣氛下，大家都是暢所欲言，輕鬆、幽默與風趣，兼而有之，但有許多寶貴的意見，多半是平時不易聽到的。雷社長告訴在座的筆友：他雖然是第一次和大家見面，但大家的文章他是很早就欣賞了，從文章的筆調與風格，而推測某一篇文章的作者是四川人，或者是北方人；……他首先說「自由報」言論方針是：擁護反共抗俄國策；民主自由法治；及批評政治措施。他告訴大家，自由報完全保有「自由人」的風格，所不同的是：「自由人」係集體創作而「自由報」則爲其個人所辦。他是國民黨的黨員，也是維護自由民主的中華民國公民；以黨員的立場說，對黨的政策應該支持；以國民的立場說，對政府的措施若有不安的地方，不能不負起善意的批評及作建設性的建議而盡輿論之責。但要貫徹這個立場，是相當艱苦的。比如說，在香港找朋友寫文章，是一件很困難的事，因爲香港這個地方是相當複雜的。從前由大陸開始逃到香港來的反共朋友，因爲經不起時間考驗而有點動搖，這樣的人不敢叫他寫；同時，有部份友人因現實生活環境所迫，而耐不了窮，發生動搖，甚至有「第四勢力」出現，接受外國朋友的幫忙，受外國人幫忙的人，寫出的文章，其立場和結論，也未必合適，所以也不願用。因此，只好把稿源寄託在台灣，可是，這裏的朋友，也有許多顧慮而不願寫；事實上，也受到環境的限制，因此有許多稿件常會中途失踪，如陶百川先生一篇「論法治」的文章就沒有收到，這不過許多稿件中途失踪的一個例子而已。故作者多還就現實環境，在內容方面與取材方面不能不多加以考慮。從表面看去，一般讀者認爲「自由報」的內容在火氣方面要比「自由人」差些，但火氣內斂，在寫作技巧方面可能還要更難。

雷社長說：只要文章的內容、動機是純正的，又不抵觸國策，不但不「腰斬」，而且全文照登。他寫文章，只求心安而已。

鄭學稼教授說：現在創辦一個刊物，其困難多了，尤其政治方面的文章，是很難寫的。這是他的感覺。他對台灣各報所刊登的武俠小說，頗多使人失望。儘管有的武俠小說，在人物方面的描寫是深刻的，但既不具有中國七俠五義小說氣質，發揚忠孝仁義的精神，也沒有日本武士與歐洲騎士那種味道，俠義心腸。比如現實情況不能寫，於是歪曲事實，這種現象姑名之曰：太空時代超現實主義派。過去，中國小說中，有一部包公傳，只要包大人到，什麼事都解決了。可是到了水滸傳，就不問法律，而替天行道了。這是大家所嚮往的典型人物。他說：將來有時間，要談談這個問題。黃少游教授很幽默地說：做官不能寫文章，寫文章不能做官，這是很有道理的。

本報作者們，紛紛提出建議：希望雷社長能據此有所改進。愛特綜合報導於下：

一、「自由報」應有獨創的風格，領導輿論。加強內政方面的評論；要內政走上正軌，就必須建立法治的社會。因爲法治觀念與制度沒有建立，所以才有司法大廈兇殺案的發生。社會秩序如此，其他從何談起？

二、公正而客觀的報導和評論，是報人應有的原則。至於「自由報」必須從各方面加以改進，如第一版的漫畫最好取消而恢復「自由人」的「牛周展望」，因爲漫畫不是普通讀者所能瞭解的。如第二版的「台灣通訊」，應着重議會政治或漏網社會新聞的報導。

三、印刷方面，最好用六號字，這樣可以容納文章。尤其一版的文章最好不要轉到二版，以免失去文章的份量。不要長篇小說，或小品文，或散文。但要的短篇之有物，切忌無病呻吟。

上述問題，由雷社長加以採納作爲改進的藍本。有些問題則由他在茶會上一一說明。這個聯歡茶會，歷時兩小時才散會。（本報記者張健生寄）

國慶中的憂患語

（上接第一版）

[illegible]之際，前事不忘，後事之師，我們現在需要的，是以結合海內外反共力量，挽救國家民族的危亡。當此反共救國運動的時候，在野人士重於得失，自有其檢討國策和[illegible]之權，但須以不根本否定國策爲前提。本黨[illegible]在中華民國的存亡關頭，[illegible]置身於一業之中，而要求彼此保持[illegible]……

有人認爲中國問題或許有啓示的作用，係整個自由世界問題之一環，我們亦可以仰賴友邦之力，達到復國的願望，[illegible]……

[illegible]革命，亦只能以共黨集團[illegible]民主生活的社會爲[illegible]，這革命之說，[illegible]是大道的野人士的[illegible]都應該懂悟，純是國家之福。

三、

雙十節是中華民國的紀念日，在今日有[illegible]……

[illegible]……中華民國萬歲！中華民族獨立自由萬歲！

默戀

冰山

日子一天天的過去，他只是默默的思戀着，連正眼看她的勇氣都沒有，更不敢表白出自己的愛意，讓那份不可捉摸的情意埋藏在心湖底深處，他怕同學發覺了他的情感，因此在車中更是正襟危坐有如老僧入定，但眼角却不期然的飄向那車中的一角；她每天習慣的坐在那一角，這情形他第三天就發覺了。

誰說只有女孩子愛照鏡子呢？現在他時常呆立在鏡前，他覺得自己並不算醜，往日穿衣只是隨便一套就算了，可是現在就在鏡前瞧上老半天，前前後後的轉上幾轉，還買了把梳子，把往日的鷄窩頭梳得整齊，生活的細節他開始不勝其煩的留意着，那是他以前所厭惡着的。

他又開始恨自己了，爲什麼不對她點點頭笑一笑呢？「她該不會討厭我吧！上次我看她一眼她不是友誼的微笑一下嗎？」於是他又恨那次自己竟像犯罪似的逃開了她清亮的眼睛。每次他下了最大的決心，明天一定跟她搭訕着，可是到時候他又不期然的臉紅心跳，他想着要是她不答話，那該多麼尷尬，雖然他知道她絕不會這樣，在她的眼神中，他可窺知她對他有着好感，不是嗎？每次當他上車時，她總是暫時讓眼睛離開書本，善意而多情的瞧着他，而害羞的他却不敢正眼望着她。也許兩人都彼此默戀着，可是誰也不願撕掉那薄薄的界限——只要點一下頭問聲好吧了！

他想，她今天又換衣服了，可憐他被這份感情所痛苦着，整天想着她的一切，腦中，縈繞着她的影子。有時見了她同別人說話，他有莫明的妒意，雖事後訕笑着自己的無聊可笑，可是每次見了她和別人一起總是滿心的不舒服。

每天他猜測着她會搭那一班車回家，有一天很幸運地，他猜對了，中途剛好她旁邊的客人下車了，他坐在她旁邊是如此的近，不期然的心跳加速，極力想向她搭訕着，可惡的是一句話也跳不出口腔。

往日偶而她沒上車，他總爲她編造許多理由，生病啦！遲到啦！放假啦！……。他像失去了什麼的空虛。

現在他深深的痛苦着，懊悔着，以前的日子未曾同她認識，而今那機會失去了，她已不再通學了，多日來那期望的影子不再出現了，也許以後他還有機會遇見吧！那時他將不再失去……

（下）

自由

荻楓

深圳河橫在前面，夜更殘了。

我們伏在稀爛的泥巴上，又冷，又餓；整整半天了，手脚也因爲長時間的扭曲而麻木起來。前面，十步一燈的警戒使我們分明地看見那沿河列佈的鐵網上的尖齒。燈下，傳來了專責追捕「逃亡者」的哨兵頭盔的亮光。每隔十五分鐘，另有一班「搜索隊」帶着强光手電打田邊穿過。我望望星天，回頭看看子劍，彼此交換一個眼色：「是時候了！」

我們握手，雙眼緊望着對方；所有要決定的和要叮囑的，都落在這一剎那了。我發覺子劍的手有點抖。

「子劍！」

「瑜！」他激動得很，過份低沉的聲調有點哽咽。

「走吧，到那邊就自由了。」

他緊張地看着我。「搜索隊」的燈光剛剛隱去，我們立刻從掩蔽處爬出來。跟着，我們落下一條小溪之中。根據方向推測，這條小溪可能通入深圳河。

順着溪水，我們向前移動。我們不敢游泳，恐怕弄出水花；夜眞靜啊，尤其是當哨兵移動腳步或者轉換崗位姿勢所弄出來的音響，我便彷彿摸着死神的鼻尖。

小溪到了盡頭，天哪！河床竟然給堵塞了，上面還堆了幾層石卵，一碰便滾下來。怎樣過去呢？雖則深圳河就在前面。

「搜索隊」又出現了，沉重的脚步聲和手電光越來越近；子劍拼命貼着我：「拼命，拼命吧！」

我一手掩過去，一手用力拉他沉下，全身浸在水中，只露出頭部躺在溪岸的草堆裏。當手電光在小溪上閃來閃去的時候，我們連氣也不敢呼。深夜的河水冷得刺骨，好不難受。然而脚步聲和手電光終於又逝去了。像上演戲劇一樣，我幾乎有點不相信自己。驚魂稍定，面對還幾層石卵，我考慮應該怎樣爬過去。

「瑜，」子劍在我耳邊說：「我們沒有時間了。」

是的，天快亮了。如果天亮前，我們還不能過去，那麼，我們的結局可想而知；折回去再等下次機會嗎？也不見得一定安全。時間一分一秒地過去，看來，情形逼得我們要硬拼了。

忽然有尖銳的槍聲爍出，兩顆紅紫色的信號彈在深圳河的上游亮起，吆喝聲，跑步聲幾乎是同時傳到；跟着，幾盞強力射燈也集中在上游掃來掃去。——無疑，有「逃亡者」不幸被發現了。對於這位朋友，我不禁又難過又同情；我又想，如果發現的是我，我是寧死也不回頭的！

但是，我連思索的時間也沒有，子劍突然聳身一跳，跳上河岸，一步衝出渡口，直撲向深圳河。我大吃一驚。

「站住！」才落地，槍聲馬上跟着響了！

我不顧一切地縱上河岸，剛好看到子劍的身子在槍聲中打一個搖晃，跟着掉下深圳河去。

——但槍聲還沒有停止。

——我看見兩顆紅紫色的信號彈自我的頭上落下。

我閉上了眼睛，但是，一想到子劍在那邊，不知道從那兒來的一股勇氣，我一側身滾出渡口。哨兵們正大步趕過來集中，但是，也許他們想不到後面還有人，竟然沒有發現我。

我向下游匍匐而去。

生與死都淡然了，我只有一個信念：渡河！渡河！不知道過了多少時候，像奇蹟一般，我在水底摸着了對岸的水草。……

東方泛出魚肚白色，岸邊，我找到了滿身殷紅的子劍。

「瑜，」他沙啞地問：「我們自由了嗎？」

我點點頭；跪在他身邊；他一笑，肌肉突然放軟，靜靜地躺住了。

我抬頭：黑夜正在隱退，微風吹拂，忽然一陣模糊，忍不住滾出兩行熱淚。

陶淵明故里

·道南·

山川風物

陶淵明的故里——栗里，在江西廬山南麓虎爪崖下，那裡溫泉北里許有個陶村，適當星（子）德（安）公路的旁邊，村民皆姓陶，藏有「陶氏家譜」，其中有不少關於淵明的故事和傳說。

淵明解官後，最初住在星子縣的玉京鄉，後來因爲要和當時住在廬山的道士修靜朝夕相處，所以據居栗里。現在他的故居宅址雖早已湮沒，可是這一帶風景，仍使人悠然神往。當從陶村出來就順着虎爪崖流出來的小溪，走到「濯纓池」，沙中有石鏡，上刻「醉仙濯纓之池」數字，從這裏循着山往進入一個大約一畝的鋥地，撥開荒草，一塊巨石赫然長臥。這就是有名的「醉石」。史載：「陶淵明先生棄官歸，「藍輿」時往來廬山中，醉輒臥石上」。就是這塊巨石，石高約一丈二尺，仄斜着，成不規則的四方形，爬到石頂上，石面如桌，上刻「歸去來館」四個大字。

醉石旁邊，即溪水潺潺的「醉石澗」，曲折南流，和溫泉匯合。醉石稍上荒草叢中，有一堆廢墟，乃「醉石館」遺址。此外還有「五柳館」遺址，傳說「五柳先生傳」，就在這裏寫成。陶淵明的墓地在面陽山，面陽山又在栗里西北十華里，墓畔有「靖節書院」遺跡。墓西的柴桑山，傳說陶淵明也曾住過，墓東爲陶家祠堂。舊門聯上還刻得有「鬱香昭奕禩，子孫常戀舊柴桑」之句。從陶淵明的詩句中，有關於他的故里敘述頗多，爲了篇幅，姑且從略。

瘟君續夢

第二回：狼狽自爭雄，活佛有幸　人天齊示警，浩刧將成

俗語說吃在廣州，廣州人吃東西眞是世界第一，許多老年人曾經吃過滿漢全席，全羊席，也有人在北平吃過全豬席，就是沒人吃過全蕃薯席。到了第二天看見南方日報登出的全蕃薯席菜單，許多人忍不住連罵幾聲「丟那媽」。

原來這個全蕃薯席的菜單，裏面雞鴨魚肉，飽參翅肚，一應俱全，只是在每種菜裏面加上一些蕃薯片或蕃薯絲。就成爲全蕃薯席。這種全蕃薯席何止可以和米麥平起平坐，和毛澤東常吃的團結菜也可起平起平坐的。

問題是老百姓如若有雞鴨魚肉吃，又何必去吃蕃薯，這幫共幹若非是有心和人民開玩笑，那就是他們的知識和歷史上的晉惠帝差不多了。

不過，蕃薯還是推廣開了，因爲老百姓不吃蕃薯就沒有東西吃，不必談什麼營養了。可是過了兩個月蕃薯也沒得吃了。因爲蕃薯的產量也不多，而保存更不易。加之中共的食品工業原料缺乏，也打下蕃薯的主意，把蕃薯釀酒，製糖，製餅乾，又用去不少，吃用之外，由於保存不善，也壞了一部份，蕃薯於是也斷了。

中共幹部沒有辦法，就叫人民食木薯粉，又宣傳木薯和蕃薯同樣功用，較蕃薯更擋餓，老百姓無奈何也只好按照共幹的指示去食木薯粉，可是木薯粉和蕃薯不同，有一部份有毒質，許多人吃下去中毒而死。但是未死的還要吃，大家抱着一個主意，脹死總比餓死好。過去一些饕餮之士拼命吃河豚，現在生存在「新社會」的中國人，只有拼命去吃木薯粉了。

不過吃木薯也並非到處有得吃，長江以北的人想吃木薯也吃不到，因爲當地不產。雖爲共幹會找竅門，他們居然又發明了吃小球藻。

原來北方的村莊，周圍都有一道池塘，這種池塘本是在大亂時修築挖的護莊壕，以後亂事平定，寨壕失去作用，無人修理，多數傾頽了，寨壕填起許多條通路，也被截成一段一段，變成了池塘，池塘的水沒有源頭，全靠落雨，夏天池塘滿溢，夏秋之際，逐漸乾涸，池塘的水經過發酵，就生出一些綠色的浮萍，這種東西可說沒有一點用處，平時鄉民養鴨，就放在池塘裏，吃不到魚蝦時，就吃些浮萍。到了抗戰期間，民生漸苦，有些鄉民就撈浮萍喂豬，但因爲這些浮萍體積太小，在塘裏一丈見方的面積，揚起來也沒有一面盆，所以鄉民撈來養豬，也只能當作副食，若全靠這種東西，連豬也養不活的。

中共幹部在羅掘俱窮，什麼都吃光了之後，竟然動腦筋到了小球藻，想的雖然新鮮，可是困難却甚多。（四六）

岳騫

慶祝雙十國慶

台灣產物保險公司
地址：台北市館前路49號
電話：二六六七一

專營儀器進口
三光儀器行
電話：二九八四五

台灣合會儲蓄股份有限公司
地址：台北市懷寧街30——34號
電話：總機二四七一五至二四七一七

新竹玻璃製造股份有限公司

復興航業股份有限公司

台北市保險商業同業公會

國慶
慶祝
志雄印刷廠全體同人敬賀

中華民國
五十年雙十國慶
開國紀念薄海騰歡
電懋影業公司
總經理鍾啓文暨全體同人敬賀

雙十國慶
慶祝
珠海書院同人敬賀

國慶
慶祝
德明中學同人
校長陳樹桓敬賀

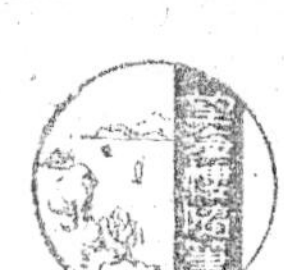

國慶五十年

·徐學慧·

五十年這個時間，不算短了，可是，五十年來的中國，卻不曾寧靜過一天。倘能起九泉於地下，則那些壯烈成仁捨身取義的先烈，怕恐也是死難瞑目的。

一年年是那樣過去，又一年年是那麼過來，後死者將何以對先烈呢！這才是需要深自反省的問題。我們不需要再繼述辛亥革命時代的豐功偉績，因為那些，我們已經聽得夠了。問題是，我們究將怎樣報答先烈的豐功偉績。

一年一度的紀念儀式，那也不過是一種形式而已。除了形式而外，是不是還有實際的行動配合呢？所謂行動，乃是指每一個人都能站在自己的崗位，各自發揮所長，為反攻復國這一共同目標而奮鬥。換句話說，政府有政府的行動，人民有人民的行動，而此種行動，應皆為共同協力，而非相互抵消。

台灣的情形，我個人不大清楚，如單就香港的情形來說，則我們實在不能不承認，這十多年以來，簡直是浪費了時光。從大陸流亡來港的人士如是之多，此輩人士在香港的所作所為，究竟對於反攻復國有多少裨益，那可能是一個令人汗顏的問題。

常常聽到有人說，我們要為國儲才。自然這種論調，是沒有人不同意的，但實際情形究竟如何呢？真是有才的人，整天為一日兩餐而奔波勞碌，而那些有資格儲才的機構，卻永遠不用人才。人才的浪費，在香港是一個非常嚴重的問題。

也常常聽到有人說，小圈子主義要不得。這種論調，是何等冠冕堂皇。但實際情形又如何呢？小圈子觸目皆是，非圈子中人，休想分半杯羹。

在香港，寫稿有寫稿的圈子，教育有教育的圈子，至於拿美金者，則更各自為圈，圈內有圈，圈圈不已，圈圈相鬥，置道義廉恥於道外，只求腰纏美金，那管國家大事。

這眞是這個大時代中的莫大悲劇。此種悲劇如不斷上演，則中華民族行將永遠沉淪。靜言思之，誠令人不寒而慄。國慶乎？國慶乎？吾為汝懼，吾為汝悲！

書生談兵的故事

李仲侯

葉名琛，號崑臣，籍隸湖北漢陽，性聰慧，讀書目數行下，未弱冠中道光乙酉副車，詞筆犀利，詫為老宿，辛卯舉於鄉，乙未成進士，授編修，直□秘堂，歷任府，道，藩，臬有年，丁未調任廣東藩司，旋升巡撫，未幾，晉拜兩廣總督，賞頭品頂戴兼欽差大臣，葉以翰林清望，年未四十，超任兼圻，既異眷勛績，膺封拜，居常好談兵，耽讀史，遂疑古今成功名者，不過如此而已，不知天下事多艱難也。粵局自林則徐，琦善與英辦理外交失敗後，耆英，徐廣縉相繼督粵，仍乏起色，葉在粵為拒絕洋人入城事，早已與英人發生齟齬，遠在葉署巡撫時，英人以兵輪闖入粵河，申入城前約，是時總督徐廣縉密召諸鄉團練以謀對抗，先後至者逾十萬人，自乘扁舟赴英船，告以衆怒不可犯，一面命耆老十餘輩赴領事館，陳說百端，曉以利害，英酋方謀扣留總督以為質，兩岸練勇呼聲震天，欲與決鬥，英酋大懼，請仍修和好，不復言入城事，葉既以巡撫升總督，自恃曾佐前督拒洋人入城事有賢聲，益自負，以為洋人不足畏矣，常以雪大恥，尊國體為言，凡遇中外交涉事，厭外人尤甚，每接洋人文書，輒略書數字答之，或竟置之不理，顧其術僅止於此，既不屑講交鄰之道，與通商諸國聯絡，又不默察諸國情勢之嚮背強弱瞭實謀所以處之，英人以入城事為粵民所阻，居常悒鬱，兼恨葉之推阻，而懷其積年應望，未有以難也，會東莞會匪倡亂，糾他寇圍廣州，勢極猖獗，有議借人力禦寇，葉斥之，諸寇旋敗散，按察使沈棣輝，親冒矢石，督戰功高，事後列上官紳兵練之力戰者請獎，葉格不獎，兵練從此持解體，棣輝亦憂憤而卒，葉並檄諸府州縣，凡普通匪者，准許吏民格殺勿論，梟黠者皆假拜會匪名相仇殺，先後被殺者十數萬人，從賊者皆不敢歸，部份逃入海，英人以火輪船圖而降之，裝往香港，晝夜施以訓練。（三）

開國佳話（上）

筱臣

一年一度的雙十節紀念，今年已屆五十之年，過去在國內舉行紀念，大家總不免有虛應故事的心理。現在海外則不同了，大家都是抱着沉痛的心情，緬懷先烈的艱難締造，軫念來日的憂患頻仍，魯難未已，所以更抱着一種戒慎恐懼的情緒，用以迎接國慶紀念的到來，而深愛祖國的熱情，則更是如火益熾。

前幾天，適陪同某報記者專訪鄉賢王有蘭先生，王先生為同盟會老同志，今年已七十有六，當年曾參加臨時約法起草，代表江西出席南京各省代表會議，選國父為總統的一人，親歷其盛，五十年往事記憶猶新。某記者或當有專文記述，筆者為陪末座，聆聽珍聞，謹述鱗爪，以資報導。

楚材晉用

據王有蘭先生述及，辛亥革命那年，他剛從日本中央大學畢業歸來，奉到上海同盟會總部的電報，每一省要選三位代表赴南京參加代表會議。其時江西反正獨立，都督有五處之多，如九江都督，南昌都督，贛南都督……，但仍以南昌都督為江西全省的都督。時九江都督為馬毓寶，江西都督則為彭程萬。其時王有蘭先生以同盟會老會員的革命歷史關係，已內定為江西代表之一，另一位代表則由九江都督馬毓寶所推薦的林子超先生（按即林森總統），其時林先生服務九江海關，以策動馬毓寶反正有功，故以福建人得任江西代表。除了以上兩位代表而外，另外還要選一位代表，當由彭程萬徵詢王先生的意見。王先生則力薦潛伏在南昌的同盟會員趙聲北。趙先生為粵人，留美學生，在美學國際公法，學有專長，在江西任高等學堂英文教習，學非所用。

當時彭程萬以江西三位代表，福建人已佔了一個，如今又保薦一位廣東人做代表，似不相宜。王先生則答以此係革命事業，建國需才，各省代表中，恐軍人佔大多數，非對於法學有素養者，決不能勝此草擬約法的重任。似應不分畛域，泯除省界，以革命事業為重。彭程萬當亦從善如流，予以採納。可以說江西代表三人中，外省籍即佔去二人，眞正屬江西籍的，只有王先生一人。

同時，在江西爭要代表的倘有贛人俞應鼇（日本士官畢業），歐陽武（現已附共任偽省長），粵人吳鐵城（時在九江與林森先生組織閩省報社。（同盟會秘密機關）以上江西兩人，均為王先生所反對，吳鐵城則改以代表團秘書名義隨同赴京。

上海歡迎

南京旋即光復，各省代表均已紛紛齊集南京，當時擬推定大元帥以資統攝。各代表中湘人以譚人鳳為首力主推選黃克強，鄂人則以劉成禺為首力主推選黎元洪，各是其說，莫衷一是，各代表正苦於無所適從之際，適上海陳其美來電，報告國父已由新加坡轉上海，不日即將抵達，並盼咐南京推定代表前來迎迓，共商建國事宜。

當時南京四十多位代表中，即推定馬君武王有蘭等六人赴上海歡迎。國父到滬後，即寓於靜安寺路斜橋陳其美所佈置之別墅內。各代表既已到達，與國父相晤之下，極為歡愉。並說：「你們是代表之中的代表，遠來歡迎，實不敢當！」

當由代表等提出臨時大總統，臨時約法，臨時國會，三大問題向國父請示。國父當答以臨時二字不甚妥當，不如逕稱「總統」，似為名正言順，因為在歐洲時，即已聽到武昌起義消息，當即順道訪問英法比各國，致力於建國的外交關係，並已向英商定購買軍艦若干，向比購買軍火及借款（亦即後來中比借款的濫觴），如果不是以正式總統名義簽字，對於國際上的交往，恐亦多少不便。

後來六代表力陳利害，認為現時只十七省獨立，全國尚未統一，革命勢力尚未完全鞏固，不如冠以「臨時」二字，較為合理，在號召方面亦易為力。國父有到各代表如此力爭，當亦俯從衆議。

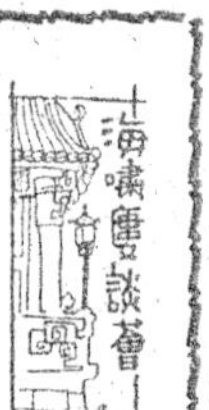

杜月笙・戴笠離合記

旋戴雨農自江西上饒一帶回至重慶，正擬將擴編稅警團的人事，經費問題妥擬計畫，呈請上峯核示中，忽聞財政部的免職命令發表了。這項意外事變，使戴氏大為驚駭而發怔。

他所憂者並非個人的職位關係，而是別有一種不得了的問題，無法應付，可能因此大栽跟斗，身敗名裂也。蓋他在緝私處長任內時，業已暗中進行中美情報合作機構之設置事宜，花錢不少，事前並未呈報上峯核准，由他私人暫行挪用緝私處款項應用，為數甚鉅，一旦去職後，例須交代清楚，而繼任者又係一位不能談私話，講交情的對頭冤家，萬一財政部打起官腔來，硬要公事公辦，怎末得了呢？他如此憂慮焦急，無計可施，終於病倒了！

杜月笙氏雖以「日、汪密約」一事招致了戴雨農的誤會冷落，但他心地光明，無所介懷，且認為戴氏是一傑出人才，殊堪敬佩。側聞戴氏因緝私處交代困難而臥病在床，乃本其豪俠的情操，派人告語戴氏，不必憂傷，若在兩億元法幣數額內，彼可負責代為張羅應急，閒話一句，決不拉稀。戴聞此空谷跫音，大為感動，又想到杜氏曾將其所得悉孔庸之準備免去戴氏兼職的秘密消息，預先告知這回事，覺得杜氏確係道義朋友，不可多得的。即對杜氏深致感謝之忱，杜亦親赴戴宅慰問探疾，戴一見杜，起身抱持杜氏，號啕痛哭一場，熱淚滿襟，眞是英雄識英雄，相惜相親，從此兩人頓成刎頸之交，情感融洽了。

戴雨農得到杜氏慷慨救助，很便利地解決了緝私處交代問題，自然快慰無量。嗣後杜氏又向孔庸之極力稱贊戴雨農的才幹，謂孔院長以宰相地位而不能容納這樣的傑出之士，為國家出力，太可惜了。孔答言「他不聽指揮，任意胡搞，並非我不用他啊！」杜謂：「如果院長不念舊惡，肯驅策雨農，我願意担保他今後一定服從領導。」過了兩個月之後，財政部乃將緝私處職務縮小，另行設置「貨運局」，負責綜持全國貨物運輸事宜，仍以戴笠兼任局長，慢慢地再將緝私任務亦併歸貨運局了。後來戴與杜氏親密合作，同共甘苦，抗戰末期的「中美合作所」，「忠義救國軍」，乃至於上海的「通濟公司」，都是他二人同心協力創造起來的，追本窮源，不能不欣佩杜氏有識人的眼光與公忠體國的熱情也。（下）

諸葛文侯

柳宗元論

·謝康·

此外七律如「別舍弟宗一」，「登柳州城樓寄漳、汀、封、連四州刺史」，「柳州峒氓」諸首，都是好詩。其中警句如：

「一身去國六千里，萬死投荒十二年！」

「桂嶺瘴來雲似墨，洞庭春盡水如天。」

「青箬裹鹽歸峒客，綠荷包飯趁墟人。」

更是膾炙人口的。他的詩風，和韓公的不同；但是有一點相同的，就是，二人的詩名，都為文名所掩。後人多知有唐宋八大家中韓、柳提倡古文之功；而不知他們在元和八大家中詩人的崇高地位了。

五、結語

柳宗元是天才很高的一個苦命的文人，但也是中唐時代開化柳州的功臣，千載下猶令人想見他的高風亮節，讀其書而景仰其人。記得柳州柳侯公園，有一樓台，名「思柳軒」，楹聯云：

「既雨登樓，高發晴嵐歸眼底；
臨風懷古，三唐餘恨入腳來！」

似頗能寫出此種思古之幽情。又筆者於二次大戰後重過柳州文惠侯祠，亦有詩紀之云：

劫餘勝蹟此棲遲，且上高樓詠舊詩。
青箬綠荷迷故峒，黃蕉丹荔有新祠。
柑香亭古千秋愛，柳水流芳百世師。
躑躅漁翁巖下曲，西風吹恨拂羅池。

景企前賢，此物此志也。（十一、本篇完）

歷史人物

內僑警台報字第〇三一號內銷證
自由報
THE FREE NEWS
第四七一期
中華民國僑務委員會頒發
台社新字第三二三號登記證
中華郵政台字第一二八二號執照
登記為第一類新聞紙類
（半週刊每星期三、六出版）
每份港幣壹角
台灣零售價新台幣弍元
社長：雷嘯岑
督印人：黃行齋
社址：香港銅鑼灣高士威道二十號四樓
20 CAUSEWAY RD 3RD FL HONG KONG
TEL. 771726　電報掛號．7191
承印者：四風印刷廠
地址：香港灣仔高士打道一二一號
台灣分社
台北市西寧南路本號二樓
電話：三〇三四六
台郵劃撥儲金戶九二五二

「三頭馬車」之說與聯合國

·宋文明·

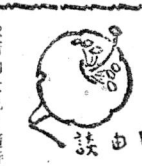

在去年十五屆聯大會議期中，俄酋赫魯曉夫爲了報復哈瑪紹秘長在剛果問題上的堅定態度，所以在聯大會場內外，便一再要求哈氏辭職，並提出所謂「三頭馬車」建議，主張以代表共產，西方與中立諸方面的三人委會，代行聯合國秘書長職權。自此之後，蘇俄不僅在聯合國各機構的會議及一般外交辭令中，不斷倡言這種「三頭馬車」的荒謬建議，而且也把這一建議擴大到核子停試及有關裁軍監督的諸種實際談判中。至本屆聯大會議開幕，蘇俄外長葛羅米柯藉與記者接觸的機會，即重彈舊調，認爲聯合國非實行它的這種改組建議不可。尤其哈馬紹秘長的不幸在非洲墜機殞命，更使蘇俄認爲有機可乘，大事叫囂，企圖全力推動它的「三頭馬車」的野心。

所謂「三頭馬車」或三人執行委會一事，究其根本而言，實際就是一種現行安理會否決權的擴大。現時安理會內這種否決權形成，雖具有一段長遠的歷史背景，藉此使大國所負責任與其權利相平衡，但這種否決權的行使，在聯合國憲章內有嚴格規定，只限於對國際和平安全有關的重大問題，絕不能作無限制的濫用。而且就是這種否決權的本身，也因一九五〇年第五屆大會中所通過的「集體行動」決議，已多少爲之削弱。這一有關集體行動的決議案曾明白規定，若安理會因大國否決權的阻礙而無法有效行使保障國際和平的步驟，聯合國大會即起而採取行動，以資補救。可是不論安理會所作的決議或聯合國大會所採的其他行動，除了在最少數的事例下由安理會直接呼籲會員國採取行動，一如美國的參加韓戰之外，在一般的情形下，這種決議或其他措施，最後勢必都要通過聯合國秘書長及其所領導的行政機構爲之執行。因此聯合國秘書長一職，雖其原始的規定上並不擁有太大的政治權力，但其對聯合國本身及各會員國的安全無疑是有極大的關係，尤其在哈馬紹秘書長任期以內，由於聯合國的接連出兵加薩與剛果，以及派團調查寮國局勢大大擴張了聯合國秘書長一職的政治含議，結果使這一職位由原日單純的聯合國行政首長，便逐漸具有了國際冷戰調處者的身份與地位。哈馬紹秘書長的受國際重視在此，被蘇俄嫉視亦在此。今蘇俄提出所謂「三頭馬車」建議以代替單一秘書長，一面就在表示過于哈馬紹這種作風的不滿，另一面在企圖要把聯合國的整個行政機構從此置於蘇俄否決權之下。如此一來，聯合國的任何決議，不論出於安理會或聯大會議，若得不到蘇俄的首肯和支持，都將一籌莫展。果如是，聯合國的辯論歸辯論，決議自決議，將不會有任何重要行動發生。

赫魯曉夫在提出這一建議時，他心目中以爲這種辦法足以維護蘇俄在聯合國中的權益；但他顯然沒有想到這種辦法不論在理論上或實際上，都是說不通行不通的。赫魯曉夫曾經說過，世界上只有中立的集團和國家，絕沒有中立的個人。根據他這種說法，一個人不是屬左，便是屬右，不是支持這建議，便是反對這一建議，永沒有中立調和的意見。那麼我們可以說，按照赫魯曉夫這種「三頭馬車」所組成的聯合國執行委會內代表共產，西方及中立的三方面將永不會有同一的見解，永不會在一個問題上獲得協議，這三人委會也將永遠僵持不動。可是事實上，聯合國成立十六年來，只設有一個單一的秘書長，而無「三頭馬車」的執行委會，也照樣進行一切工作。在此期內，蘇俄集團與西方集團固互相對峙鬥爭，固屬一基本事實，但兩者間也並不是全沒有過意見相一致的時候。至於說非中立集團，有時雖也與其中之一相應和或反對另一集團，但大多時候，都是採取一個調和與折衷的立場，去緩衝兩方的意見，結果常因中立國家這種橋樑作用，得使一些棘手問題獲致協議。而且一個行政機構的得以圓滑推動，發揮統一領導的效能，其基本憑藉並不在於其所屬各部份的完全意見一致，而是在於其組成份子間的一種協調與互相讓步精神。有了這種協調與互相讓步精神，才能多數容忍少數，少數服從多數。假若根本沒有這種協調與互相讓步精神，事事務求各份子間的完全意見一致，要全體同意才能行動，那麼任何行政機構都將無法成立。今日這種聯合國組織雖說不夠完善健全，尚待改進之處仍多，但其基本骨架並無問題。譬如以安理會與聯大會議這兩個立法部門來說，安理會猶如一國的上院，以否決權保證了大國的特殊權利與地位；聯大會議猶如一國的下院，在以少數服從多數原則保證小國的發言地位。而秘書長一職猶如一國的行政機構，在安理會與聯大的監督下，執行安理會與聯大的決議，它的一切作法絕不會與安理會及聯大的決議有所牴觸。因此在改進聯合國行政效能這一方面，我頗贊同加納總統恩克魯瑪所提每屆大會閉幕之後，另組監察委會以督導秘書處工作的建議。假若說現行單一秘書長制有何缺憾，這樣一種監察委會的設立，就足夠補救這種毛病。而蘇俄所提「三頭馬車」建議實際並非補救或改進聯合國的行政缺失，而是猶如一個國家同時要選出三位總統，以同樣權力行使政權而又各不相讓，其差謬之遠，自不問而知了。

再進一步說，所謂由代表西方，共產，及中立的三方面組成聯合國執行委會一事，在語意學上也有重大毛病。因爲今天的世界雖顯出西方，共產及中立的三大國家類型，但並不是所有的國家都參加了這三大集團，而且事實上這三大集團之間也並沒有嚴格不移的政治界限存在。就共產集團來說，南斯拉夫的政治形態毫無疑義是屬於共產主義，但它在外交上現亦標榜中立。就西方集團來說，如奧地利、瑞典，愛爾蘭、芬蘭，西班牙，南非聯邦等，顯屬其中之一，但在外交上它們亦各行其是，與西方大國毫不相關。再就非中立集團來說，它們之間的互相矛盾與參差不齊情形，更是多姿多彩，那樣繁多絕不是一個簡單公式所能概括一切的。特別是最近顧洛斯總統辭職後的巴西政府，在宣佈其新外交政策時就曾聲稱，它將根據環境需要，隨時決定支持共產集團，西方集團，或中立集團。換言之，巴西根本不屬於任何現存集團。今日世界的實際情形既紛亂複雜如此，那麼蘇俄所提代表共產，西方及中立的「三頭馬車」組織如何能代表聯合國的全體會員國　既不能代表全體會員國，又怎能阻止那些不屬三集團的國家不可分別提出它們的行政代表？如此演變下去，那麼聯合國絕不僅止於「三分天下」，而是要天下大亂了。

總之，我認爲赫魯曉夫這種「三頭馬車」的建議若作爲一種外交武器運用，以此對西方施用壓力，作爲討價還價的籌碼，那是它們份內的事，縱使別人如何厭惡，亦無用處。但若把這一建議看得過份認眞，非要聯合國如此不可，那就認爲這無異宣告聯合國的死刑。不過　相信，由於剛果中央政府的已恢復與蘇俄的外交，莫斯科所以提出「三頭馬車」建議的原始忿恨已逐漸消除　可望蘇俄亦將逐漸放棄或修正其這一不合理的建議。

漫画天下　　南施

克魯曉夫在電話裡說：「葛羅米柯同志，你在低峯會議裏面，態度愈强硬愈好！」

西方老太婆說：「這個小孩子不會眞的給搶去吧！」

自由談

轉移政風之道

天天侈談革命，而實際生活情況充滿瘠腐敗偷惰的景色；隨時高呼節約，而食衣住行卻盡量奢靡浪費；這是目前中華民國政府一般官員的普遍性質與作風，事實顯然，無可否認的。

構成這種現象的原因，既非由於待遇菲薄，提不起工作興趣，也非環境惡劣，存在決定了思維，更非個人的知識愚昧，不明白國家民族的禍福利害而然。這般人談起革命理論與節約問題來，頭頭是道，滔滔不竭，雖專家學者亦辯論不過他哩！然則其故安在？一言以蔽之曰：哀莫大於心死！大家把那與生俱來的良心血性都汨沒了，因而言偽行僻，恬不爲怪。

要挽救這種衰敗的風氣，靠法令規章是無用的，任何良法美制，他們都可「負之以趨」，成爲營私作惡的利用工具。唯一的轉捩點就在領導階層能夠自覺，拿出良心血性來作爲用人處事的準則，唾棄天下爲私，明知故昧的領導方法。先從親近的幹部整飭起，不但是要使他們不敢欺，不能欺，還要致他們做到不忍欺的境界，自有上行下效，人知奮勉的成果，這卻不是光用文告訓詞所能成功的。像現行各機關的「人事凍結」制度如不撤除，雖聖人在上亦沒法創進修明的政治生活。軍隊裏的士兵如果盡是些老油條式的「營混子」，即絕對沒有作戰的能力，行政人員何獨不然呢？

現時的從政官吏，十九都是執政黨的黨員，非實行黨的政策不可的，黨就是他們的衣食父母。只要辦黨的人能夠表現着民國十五六年那種革命的精神與作爲，轉移政風即易如反掌，凡屬頑劣的官吏，在這種領導潛能之下，如不改邪歸正，即被自然淘汰，決無倖存之理，所謂精神勝過物質是也。有志之士，曷興乎來！

馬五先生

治標還須治本
學童死諫惡性補習

·吳越·

（台北航訊）　高雄市鼓山國民學校，頃發生一宗六年級學生王仁欽交不出惡性補習費，憤而自殺疑案，已引起社會普遍重視，高雄市長陳啓川已下令澈查依法嚴辦，市議會五日下午也通過一項臨時動議：由教育小組徹查全案經過，請市府嚴辦，鼓勵檢舉惡性補習，以求收到根絕之效。高雄地檢處檢察官，對此案也在進行調查有無涉嫌到刑責之處。台灣省教育廳長劉眞並已令在省公幹的高市教育科長馬誠久，立即趕回去查辦具報。主管全國國民教育的教育部國教司長葉楚生也重視此案，認爲這種情形非但違反了政府的法令，也違反了教育的原則。

鼓山國校六年級學生王仁欽，家庭窮困，父親是冰廠的小工，母親販賣冰棒，一家人生活貧苦，因此，沒有餘款繳學校的補習費，也就受到級任導師繆剛直的歧視。九月二十六日，勉強湊了四十元補習費到學校去，因爲進教室遲了一步，級任導師便罰他當衆下跪，在全班同學面前受到羞辱。王仁欽將心一横，補習費不繳，下課後跑到街上藥房僞稱母病，要買三粒安眠藥。藥房查知有異，給了他三粒鎮靜劑，王仁欽同家服後痛哭待死，才被母親查出原委，於是王母攜子去學校找繆老師理論，繆反要他寫悔過，雙方在校門口吵起來，當場引起旁觀者不平，才將這件事鬧大了。

禁絕惡性補習的問題，教育廳在本學年度開始之先，數度通令禁止，並且規定如某一學校被發現惡性補習的事，非但該担任惡性補習的教員將受處罰，就是那所屬的學校負責人及教導主任，亦將遭受連帶處分。但儘管法令規定是這樣的嚴厲，老師和家長們也並非不知道惡性補習有害學童身心健康，大家還是要陽奉陰違地這樣繼續做去，當然有它不得不然的原因。

據家長們說：我們也知道讓孩子去參加惡性補習是有害身心的事，孩子們從天亮就到學校去，一直要到深夜才疲倦不堪的走回來，看了眞使人心痛，但不去怎麼行呢？不參加補習受老師歧視，同學看不起，有的老師甚至把課本上重要的東西不在教室教，特別留到補習的時候才教，爲了孩子的自尊心，爲了孩子的成績，我們明知有害，但也不能不去接受。

政府對於禁絕惡性補習，曾經費了許多精神去研究，例如取銷初中入學的常識科考試，便是爲了減輕學童的負担。但不考常識，大家還是集中精神去補習國語算術兩科，學童的負担並未減輕。政府又從本學期起實行「省辦高中縣市辦初中」的計劃，希望把大家過去爭着考省中的現象消滅，輕鬆地去考縣市的初中。可是台灣學童的就學率有百分之九十八，升學率也很高，而台灣的中學無論在質與量上，都不能配合學童的升學率，大家爲爭着進好的學校，惡性補習還是免不了。何況，台灣因爲實行「入學聯考」的原故，學生的入學機會每年只有一次，如果一次考不取，只有等來年，所以對於這個稍縱即逝的機會，誰也不敢放過，爲了競爭，便只有參加惡性補習了。

有人說：就算初中的數量能達到容納全體升學學生，但高中的數量不夠，素質又有好壞，將來考高中仍不免競爭，那時候，不過是把在國民學校的惡性補習帶到初中去了而已。

教師方面，眞的是爲了教學而補習的並不是沒有，大多數的教師還是着眼在補習費的收入上。據熟悉教育界情形的人說：補習費的收入，遠超過正式的薪津，收費的多少，視學生家長的肥瘠不等，據說現在的行情，每一個學生是五十元到一百元。這筆錢當然不是教師一個人獨得，大概要提出三成左右來孝敬校長和教導主任，否則他們如何會包庇呢？因此，一些規模大的國校校長「坐地分肥」的收入，眞是十分可觀。有的教師，怕被督學查到，將補習轉入「地下」，遷到自己的家中，不得已在校中的補習，也一定派出學生在校門口「放哨」，警告督學的到來，於是熄燈靜坐，不露聲息，以免督學發覺，或者從後門叫學生偷偷溜走。教師更是教學生說謊，不要對任何人說出參加補習的事，補習費也被取了一好聽的名字「進修費」。據說：有的教師因爲補習費的收入，已經蓋起樓房來了。因此，每學期爭取家庭殷富的學生到自己的班上讀書，便成了教師們開學時的一件大事。有的老師送「紅包」給校長，運動做五六年級的導師。本學期開學時候，台北市新生南路的某國民學校，便發生老師爭奪富家學生的醜劇，鬧得報紙上連篇累牘，騰笑一時。

一位從事教育工作多年的本省籍老師說：眞正的補習發軔期是在日據時代，約在民國二十年左右。日本在台實施奴化教育，限制本省人升學，中學既少，錄取又差等（日人平均六十幾分取錄，本省人必須八十五分才能考進），因此競爭激烈。同時，日人兒童就讀之學校稱爲「小學校」，由日籍教員執教；本省兒童就讀之學校則稱爲「公學校」，由本省教員或成績較差之日籍教員担任。因此「公學校」教員常受「小學校」教員輕視，精神受很大打擊。爲維護自尊心，乃義務爲學生補習，使其升學率提高，藉優良的表現，抗議小學校教員的輕視及爭取社會和家長的尊敬，由於動機純正，均無不好的批評。後來，日人驚於升入中學學生體質孱弱，乃嚴令禁止補習，以後補習有的遵令停止，有的乃由公開轉入秘密。這位老師說：光復後，教育方針紊亂，師資缺乏，國庫困難，教材不齊，於是學生成績，一落千丈。爲彌補這個缺憾，有良心的教員開始補習，不管升學與否，一律參加，沒有物質上的要求，只有精神上的安慰，可稱之爲師生共同的「善性補習」。以後因爲大陸來台人口日增，國民生活又改善，學校少而升學人多，學生爲達到升學目的，再加教師待遇的微薄，自四十一年起，原來純正的補習動機就逐漸變質爲惡性補習了。

根絕惡性補習，不單是一紙禁令便可奏效，必需從根本去着手，如改善教師待遇，提高教師素質，增設中等學校，劃一中學水準，改進聯考方式等等。否則，現狀存在一天，惡性補習仍將繼續一天。

金屋藏嬌，鳳娥哭府
基隆市府好戲連台

（基隆通訊）　基隆市府眞是好戲連台，而且是愈演愈精彩。記者曾於八月十二日於本報爲讀者報導過，開台戲是由林番王后座出走，李歐美（林夫人表妹）大鬧市府而對簿公堂，接風酒宴，悲歡離合，多彩多姿；接上演的是娘子軍大鬧市府，爲自來水而顯雌威，而且還演過二進宮；第三幕更精彩的是主任在堂堂辦公室公然猥褻女職員，亦曾相見公堂，搞得滿城風雨。因爲這些連台好戲，具有連貫性，事隔二月有餘，讀者可能記憶猶新，因此不妨略加提示。常言說得好，好人是不會寂寞的。這句話應用到林番王身上，可能會變質吧！

剛剛太平二個多月的時光，眞是好人不寂寞，果然熱戲接踵上演，不出預料。九月廿日，基隆市府熱鬧非凡，主角非別人，正是林番王的夫人，哭鬧市府，這幕鬧劇暫名之曰「鳳娥哭府」吧！原來是林番王市長不甘寂寞，搞的「金屋藏嬌」，而被太座朱鳳娥偵察破了，因此廿日上午她到基隆市府大哭不已，又在公共關係室向記者哭訴，指責番王市長不履行丈夫責任，公然在台北市金屋藏嬌，另築香巢。原來早在九月十八日；林番王夫婦糾紛的第二回合而告發場，當天上午十時，林太太前往市長辦公室大哭大鬧，原因是林市長週末離開基隆之後，一直沒有回家，去至台北金屋渡週末了。林太太說：自從和解到在已整整三個月，她本來願意忍耐半年，但目前實在不能忍了！因爲在和解書上所協議的她搬出市長公館，住在婦女會，一直等到八公主出嫁後再搬回來，但是她發現自她搬出市長公館後，林市長根本就不回家，她看苗頭不對，只好再搬回來。回到公館之後，她發覺大部份東西都不見了，林市長對她更是冷冰冰的，動輒就大發脾氣，別人送到公館的東西，市長一點不留，全送到台北去，如洋煙、洋酒、甚至換洗衣服，也不留在家裏。

林太太稱：家裡一共有十個人吃飯，市長每日菜金只付出不到卅元，她只好和她的親生兒子吃醬瓜，但是林市長前任太太所生的兒子們却可盡情享受，他（她）們可以在館子隨便叫菜，請朋友在館子吃飯，每人各有一個儲藏櫃，一人一把鎖，好東西都放在櫃中，誰也別想動一分念頭，可是她自已和親生兒女，却受到歧視與精神上的虐待。

林太太很沉痛的說：儘管她已搬回公館，但林市長仍然每星期五、六到台北去，一直到星期一、二才回府，上次颱風來了，林市長却住台北金屋中。她曾幾次跟市長出去，但林市長根本不把她當人，見到朋友也不介紹，使她尷尬萬分。後來，她打聽到林市長在台北另築金屋。金屋之中所藏的，原本是一家名「白玉樓」酒家當酒女，花名「秋萍」，林太太說：那個酒女秋萍她也見過的，去年冬天聖誕節那晚，基隆市車管處處長張民和一位姓林的木材商，請市長到白玉樓吃花酒，她也去了，因此認識秋萍；但當時她並未發覺秋萍與她丈夫間有一段特殊關係。後來林市長每週在台北市金屋中享樂，並且帶着酒女秋萍與林市長前任夫人的女兒連絡感情，並且還公開在桃園大宴賓客，公然向友人介紹秋萍是他太太。

林太太哭訴於記者面前時，市府女職員們，擠滿公共關係室，有的甚至忘了上班，顯然對林太太有共鳴之感。幸而忽然中出來了一位和事佬議員張生塗，將林太太勸走。林太太臨走時揚言，監察委員巡迴小組正在基隆視察，到時她要向監委訴願，請求主持公道。話雖如此，監察委員是否能監察得了她的家務糾紛呢？

上午林太太哭鬧市府之後，市議員張生塗等立即出面調停，請林市長夫婦，到神州公共食堂設宴和解，但由於林太太喋喋不休，林市長一怒之下拂袖而去，使第二回合的戰況更趨緊張。下一幕的又精彩如何呢？讓讀者拭目以俟之吧！

周燕

寶島飛絮

·匡謬·

（台北通訊）　歐風東襲，寶島吻風熱。近來台北市隨時發現青年男女當衆公開表演熱吻，這完全是西洋化的傑作。甚至有一對青年男女在公共汽車上，情不能自禁的當衆擁吻，全車乘客爲之嘩然，而該一對青年男女則旁若無人，毫不在乎。在司法大廈內的地方法院公證處，每週六都有公證結婚，有一對新婚夫婦行罷禮儀之後，也等不得了，當衆擁抱熱吻一場，表演精彩，勝過西洋片中的熱吻鏡頭，金髮女郎如果見了也將遜色三分矣。

另外一位酒吧女郎，與三位美國老，乘三輪車兜風，在大街之上當衆表演熱吻，不但一處表演，而且到處表演，結果乃被警察拘進警局，論以妨害風化。

△正慶官場得意，驚見自已訃聞。基隆市仁愛區長劉祿明，在他就職週年紀念日，不知誰人惡作劇，在台北中央、新生、公論三家報紙刊登大幅訃聞。驚動了正在省府公幹的基隆市長林番王，當林番王趕返基隆，看到劉區長正在辦公時，不禁爲失笑。同時廣告中，已宣告組織了治喪委員會，市長林番王爲主任委員，蘇德良議長，省議員張振生，謝清雲爲副主任委員；另外兩則是由仁愛區公所和仁愛區全體里長出面的訃聞。訃告中謂劉區長于十月四日上午十一時三十分「仙遊」，訂於六日下午二時假仁愛區公所大禮堂舉行「告別式」云云。此亦官場現形記之「惡作劇」也。

△「質詢的質詢」，立法院本月院會中，發生質詢的質詢創舉。因爲黃國書院長在上次院會中曾經說了一句「質詢還不是那麼一回事」，因之引起李公權委員的「質詢的質詢」，李委員說：立法委員的質詢權，是憲法所明訂所賦予的，而且是神聖的，豈可以說「質詢還不是那末一回事」嗎？當請黃院長答覆，但黃院長說他沒有說這句話，但被另一位立委起立作證稱黃院長說過那句話的。這位院長也是立法委員，而被立法委員質了一「詢」，可謂是「質詢的質詢」，創下了質詢新名詞的先河。

考試叢談

尹望卿

「試罷歸來日未西，佳人含笑出深閨，纔前攜手低聲問，御院今朝是甚題？」以往考試，多麼有意味。「報道是龍君不信，果然奪得錦標歸。」以往考試，多麼有來頭。「一舉首登龍虎榜，十年身到鳳凰池。」以往考試，多麼有希望。文章寫得相當漂亮，卷子繳上；遇着好的試官評閱得出，取中了，便可作爲登仕版的終南捷徑，出入于丹墀，紆朱拖紫，威乎其武。最怕是：放榜一剎那間，探問得失，「解名盡處是孫中山，吾兄更在孫山外。」若聽到朋友這樣回答，必然會老羞成怒，大罵評閱卷子的主考官瞎了眼。

溯自唐太宗開科取士，以訖明清。千餘年來，吾國知識份子羣，扃門閉戶，廢寢忘食，把全副精神，完全用之于線裝書上。多讀之外，多記多作。總想造就到爐純青地步，摸筆能寫得出一手好文章，參加考試。其實，場屋之中，窠筆應試的，作文章固難。當主考官的，手持文柄，權衡低昂，鑑別妍嫱，尤非易易。筆者根據史書所載，科場中花花絮絮，無奇不有，千載而下，傳爲笑談。也就反映到主考官一丘之貉，壞的多。好的眞如鳳毛麟角，很少。

第一：有的主考官，明知應試的爲一「沒字碑」。而因礙于某某面子問題，非取不可，並且排在最前頭。唐書：「天寶二年，時判入等六十四人，張倚得幸玄宗，試官宋遙苗晉卿，以倚子張奭，拔爲第一，羣議沸騰。帝御花萼樓面試，奭持紙擱筆，終日不成一字，人嘲之爲「曳白」。」又據摭言：「鄭薰當主考官，謂顏標爲魯公後，以爲狀元。人笑之曰：「主司頭腦太冬烘，錯認顏標作魯公」。」前者荃弄筆頭，連狗屁文章哼不出半句。後者呢？准「半瓶醋」。而皆大魁天下。可見當時主考官，不是評卷子，而是評面子。不是考文字，而是考名字。

第二：學海無涯，幾曾見主考官便能讀盡了天下書。老實說：有的名則學台，實則書獸。方其坐在那大宗司交椅上，恒框怯怯，顛顛倒倒，根本拿不出衡文取士的正確觀念和充分把握。如唐文宗時，劉蕡應良對策，其文章內容，極言宦寺禍國，考官畏宦官，不敢取。李郃曰：「劉蕡下第，我輩登科，能無厚顏乎？」又據宋史：「陳若拙以第二人及第，爲榜眼，若拙素無文，人譏爲瞎榜。」上述兩人，劉蕡在平時是一位作家，倒楣文章，寫得義正詞嚴，字裡行間，充滿着秋霜之氣，洋洋灑灑，有聲有色，應當取而不取。陳若拙胸無點墨，相信耳所塗的，只不過卅筆老狗而已，不應當取而取。居然殿試列名于三鼎甲；狀元之下，探花之上，如此這般的高擢巍科，出人意外。當取不取，與不當取而取，竊其癥結，由于主考官缺少眼光，胸襟，膽氣，魄力等等主要條件，總括一句，即爲學識程度尙差。這種只宜于在三家村搖頭擺腦，充充猢猻王。委由不夠水準到鑿戰棘闈大場合中，來扭任衡筆文字。除非政府是把國家掄才大典，當作兒戲？

第三：挾雜無謂顧忌。有的主考官，拘泥諱甚，爲「避免對某嫌疑，其文雖好，可以壓卷，而不拔置第一。辟如宋神宗嘉祐二年，歐陽修考試禮部進士，梅聖愈與其事，得蘇東坡「刑賞忠厚之至論」，以示歐公，歐公驚喜，以爲異文，欲以冠多士，疑出自曾子固手所作，子固爲歐公門生，乃置第二。文章本當取第一，歐公生怕招惹世言，因爲厥初不知是蘇東坡的，以爲是曾子固的卷子。像廬陵這樣有，得未曾有。此外脾氣怪的考試官，憑個人之愛憎，愛之則取，憎之則捨。如五代時，桑維翰屢舉，主司惡其姓，以「桑」與「喪」同音，因此被黜下第。言位大文衡桑姓，得非怪物。姓喪的。說爲字音同「史」。不辯。假如姓」，那麼眞要拒人于千里之外，不准其來與考，豈有此理。「文章自古無憑據」。了歐公騙人語。實實在在，沙礫自沙礫，金玉自金玉。除非在黑夜黯黯無光。否則，在青天白日之下，應該一望便可辨別出來。考試場中，小人充塞，弊竇叢生，從古至今，不知埋沒多少眞才。羅橫十上不中第，史名爲「隱」，把名字都改變，金榜無名，此恨難消。但又灰心不得，梁灝八十二中狀元，「也知年少登科好，怎奈龍頭屬老成。」總有一天，會碰着能識貨的大宗師。

遺囑與墓誌銘

·謀·

西人恒重權利，一毫一絲而不苟，縱是親人亦所當然。而中國社會則不然，向以宗法爲尙，故除巨富顯貴外，死者向無遺囑。歐美人士，則無論貴賤貧富，類死皆有遺囑，此遺囑形同家法的宣判，權利分明，而其格式並無一律，寫法亦各任其便，凡有律師及見證人者，均有法律效力，因此發生不少奇聞：如大文豪托爾斯泰的遺囑，寫在樹幹之上。有一水手遺囑寫在蛋殼之上，而且僅有五字：「我統統給梅」。又有一水手的遺囑，全文刺花於其背上，而於大腿上刺簽名，然法律認爲有效。至於遺產處理亦有不少奇特異趣者，如澳洲昆士蘭，有一計程車司機，遺囑將全部財產，贈與其故日在昆士蘭出生的私生子。底德有一警察，遺囑將遺產四萬元，贈與一老鸚鵡。阿雪萊爾達有一營造廠商，他的遺囑是將一萬四千七百磅財產，贈與一羣犬，每頭每星期五先令。舊金山有一碼頭工人，遺囑將財產一千五百磅，贈與女明星安秀麗丹，而彼與安毫不相識，此亦怪人也。

中國人對遺囑不大重視，而對於死後的墓碑則十分重視，所謂「人死留名」，不管生前醜惡劣行，總想活着的人知道他一些事蹟，此即中國人之所以死愛面子也。中國人撰述墓誌銘，恆喜輔張誇耀，表功頌德，生前雖默默無聞，死後便是聖人。然而欲坦白簡當，恰到好處者，殆不可多得，曩見某週報，有人擬各色人等墓誌銘，每人只用一二句成語，不僅恰如身份，而且含義幽默，較古文名家長篇累牘雋永多矣。茲錄於次，以博一粲。

盜匪銘云：「二十年後又是一條好漢」。浪漫詩人：「牡丹花下死，做鬼也風流。」屠夫：「放下屠刀，立地成佛」。佛家：「我不入地獄誰入地獄？」小偷：「此番不着，下次再來。」郵差：「無法投交，退回原地。」運動員：「競賽終點。」劇人：「閉幕」。老學究：「嗚呼哀哉！」演說家：「……完了。」牧師：「……阿門」。章回小說家：「且聽下回分解。」教員：「下課」。醫生：「另請高明」。法官：「判決」。律師：「辯論終結。」簡潔可喜，勝過老八股又臭又長的墓誌銘多矣。

瘟君續夢

第二回： 狼狽自爭雄，活佛有幸　人天齊示警，浩刼將成

共幹把小球藻製餅乾，先遭遇了技術上的問題。因爲小球藻本身有一種沾液，好似生雞蛋白一樣，這種液沾，腥臊惡臭，若不把液沾洗淨，無論如何也不能入口，好在農村有的是人，共幹就勒令人民全體出動去漂洗小球藻，初步困難算是解決了，接着是原料成了問題，需求這麼多的小球藻呢？共幹考慮再三，還是從老百姓身上打主意，勒令老百姓繁殖小球藻，於是家家戶戶都動手，把破缸、破盆裏面裝上污水，撈一點小球藻放進去，過了兩日就長滿一盆，但是這種東西依然太少，無論怎樣努力繁殖，想靠小球藻來裹腹，總是一件作不到的事，共幹亂哄哄鬧了一陣，也就自動收場，不再提小球藻了。

在覓食物代用品方面，中共大頭目是採取放任主意，要各地共幹盡量發揮所長，自找「竅門」，其間出了不少笑話，也引起不少慘劇，山西省平陸縣六十一名民工中毒事件，可算是一個典型例子。

平陸是晉南一個小縣，地連黃河，距中共修理黃河截流的三門峽不遠，風南公路的張滿段就在平陸縣境內，中共當時因爲加工整修黃河，命令風南公路要在黃汛以前完成，以便支援三門峽水庫工程，從事這項工作的，有三千多民工，都被編成排、連、營、團的組織。

在這一支築路大軍中，有一個「張店營」是從八十里外張店公社調來的。其中一個第三連共有一百四十多人，一半是老弱殘兵，勉強支持了一個冬天，已經病倒八十多人，還剩六十一人，也都是帶病從公。因爲人數少，未完成的工程較多，過年也不准休息，還要自動加工，大家心情相當壞，工程進度也更差。

主管伙食的是公社支部委員，他看出民工餐餐喝兩碗麵湯，實在沒有精力作工，要想工程進度快，非讓他們吃飽些不可，於是他就帶着伙伕到山上去找野生植物及野生動物，爲六十一人加餐。

支部委員帶着伙伕找了半日，果然　到半筐野芋頭和一隻野貓，帶回來洗淨放在一起煮熟，特別多放了一把鹽，及至晚上民工回來，看見飯桌上擺了一盆肉煮芋頭，大家看也不顧得看，就狼吞虎嚥吃的乾淨，民工吃了這盆冷肉，又喝了一些冷水，吃了不到一個鐘頭，開始有人嘔吐，肚痛，不到半夜就全部病倒，許多人因爲吐瀉太多，奄奄一息，入了昏迷狀態，一直拖到天亮，張村公社的黨委書記得到消息，率領全公社所有的中西醫生趕到，展開施救工作，可是病人過多，藥品太少，西藥當時束手無策。（四七）

岳騫

袁崇煥墓

·南道·

山川風物

袁崇煥，字元素，廣東東莞縣人。他在明末督師薊遼，抵抗清兵入關，曾經建過大功，人們都稱他爲袁督師。崇禎二年，清軍打到北京，督師入援，列陣於廣渠門外，以衆寡相差十三倍的兵力，背城血戰。滿軍因無法對付，設下了反間計，故意泄漏消息給明廷，說袁督師私通敵軍，多疑的崇禎皇帝，信以爲眞。這樣，這位忠心爲國的英雄，終於在崇禎三年的八月十六日，被殺於北京。

督師被殺後，身後蕭條，無人敢出面收屍，獨有一位佘義士冒險將屍身竊回埋葬在廣渠門內。這位佘義士曾爲督師部下，素欽督師爲人，憤其被害，決心永伴忠骨，便在墳旁定居守墓。臨死遺命子孫不准離開該地，須世代守墓，同時要子孫把他葬在墓側，以遂永不離去的素志。那地方本極荒涼，自佘氏世代在那裏定居後，便漸漸人多起來，人們爲了尊敬佘氏，便把這地方稱爲佘家館。

袁督師墓四週有磚砌圍牆，墓向南背北，地勢很高。墓前有大碑一方，題有「明袁大將軍墓」六字，係清光緒十七年南海吳榮光所書。碑前有供桌，墓前甬道植馬尾松兩行，側有一小墓，便是那位佘義士的墳地了。

袁祠則在左安門內龍潭湖東，祠址很高。門前刻有康有爲所寫「袁督師廟」橫額，兩側有康氏寫的對聯，祠中廳內有袁督師遺像，春秋佳日，前往憑弔的人頗多。

寂寞

·雲無心·

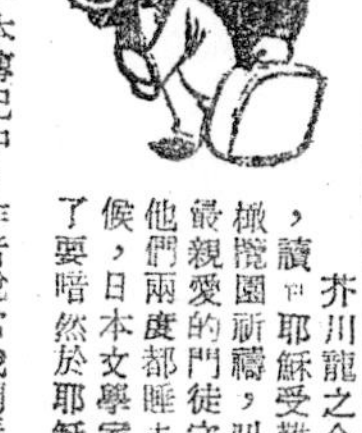

芥川龍之介讀新約，讀耶穌受難前夜在橄欖園祈禱，叫他三個最親愛的門徒守夜，而他們兩度都睡去了的時候，日本文學家也禁不了要暗然於耶穌的寂寞了。

在一本傳記中，作者說當我們看見林肯瘦長的身影在街頭傻步的時候，我們彷彿能看見他悲愴的寂寞一滴又一滴地，自他褲脚滴到地上。

耶穌說：整個世界也填不了人心裏的空虛。

人生下來，不知道爲了甚麼，但又不得不生；人眼看自己一無補救之道地對向墳墓，不知道在墳墓的另一端是怎樣的一個世界；人是一個孤島，永遠和另一個同類遙隔着一片海洋；人注定了要平凡，要步入漠視，被永恒的大靜默所否定；人永遠路在一無形的大網中，掙扎又掙扎，仍然脫不了它的羈束；人或許相信在宇宙中有一純美之處，卻又無遠芒其處的路，或若弗夢幻滅了，遂在絕望中咒咀世界；……於是人便寂寞。

當孤獨時人會寂寞，但處於熙熙攘攘之中，人仍免不了寂寞。我們不能否定它，也不能忽略它，於是有的人便試着用種種的方法忘記它；也有一部份大勇者面對它。

波特萊爾便愛醉，他叫人醉於美酒，醉於女人……醉的方式是無數的，高明拓拔之士的醉是灑脫的，凡人的醉卻是失態無聊的，但總脫不了是對寂寞的逃避而已。而寂寞果眞能逃避的嗎？

有的人笑，病態地笑着；有的人縱慾，病態地縱慾着……生命在逃避中逝去，如開花而不結果的樹，秋來的時候只剩下一棵光禿的樹幹而已。

我們看古今成功的偉人，只看見他們各色各種多姿多彩的成就，而忽略了他們成就最主要的一點——寂寞。啊，終身埋首在實驗室中的居禮夫人，愛迪生這類科學大發明家不寂寞嗎？終身把健康投資在日以繼夜的寫作上的文豪巴札克不寂寞嗎？還有耶穌、林肯、托爾斯泰……他們不寂寞嗎？且誰也人類的價値大抵就在於那一點「知其不可爲而爲之」的精神？沒有一件眞正偉大的事業不是由經年累月寂寞的努力所積成。偉大的人只有在面對寂寞和利用寂寞中生成。凝視他們的背像，無論是但丁的，是貝多芬的，都能感到那股悲愴的大勇的力量。正因爲他們的勇敢，才使我們在讀他們著作或傳記的時候，能感着一股溫暖。

寂寞是無可逃避的，與其是逃避它，倒不如面對它利用它來做些有益的事情。因面對寂寞而得的悲愴的安慰，又豈是那些終日歌舞徵逐的人所了解得了的呢？

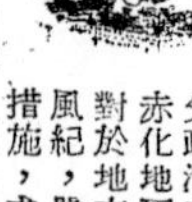

香艷文告

・燕謀・

憶當年剿共之役，倡七分政治三分軍事，進行掃除赤化地區之毒素蹤跡，因之對於地方之風化與軍隊之軍風紀，嚴加整飭；而禁娼之措施，尤注意於軍人宿娼之劣行，成效昭著，國人共睹。當時，有駐武漢之某將軍，流連花酒，時在太平洋酒店，闢一香巢，日租三十元，且爲聚賭押妓之所，市民戲曰：「北××將軍之辦公室」也！事爲統帥蔣公所聞，召而譴責之，同時下令警局，嚴令各妓女須在懸掛牌之妓館營業，不准在旅館酒樓及公共場所應徵，妓女須一律佩花，以別於良家婦女。軍政人員有在妓館留宿者，妓館須向警局舉報，否則與軍人宿娼同罪。此爲當日漢口一面以襟頭花收花捐，一面嚴禁軍政人員宿娼；同時浙江杭州亦宣告禁娼，而其佈告文則爲別開生面，而以駢四儷六，琅琅可誦，堪稱香艷之文告也。奇文須共賞，敢效文抄，錄之以博一粲。

文曰：「蓋聞女閭創於管仲，冶遊開風氣之先；教坊仿自李唐，狎邪染士夫之習，娼妓之設，有由來矣。然而南朝金粉，僂於北地胭脂，洛下釵裙，不敵吳中巾幗。是以徵歌選舞，競誇茂苑嬌娃：問柳尋花，爭說秦淮畫舫，珠簾暮捲，揚柳岸金勒馬嘶；翠袖春裘，杏花天玉樓人醉；烏衣巷裏，眞個消魂，綠水橋邊，驀遇艷，淺斟低唱，風月無邊，快綠怡紅，江山如畫。纏頭慨擲，不惜巨萬金錢，嚙臂訂盟，可謂成雙玉釧。豪情逸緻，當時作爲美談；薄俗澆風，亙古留爲污點。嗚呼！白太傅一往情深，枉洒悲傷之淚，杜樊川十年夢覺，徒贏薄倖之名。燕舞鶯歌，鳥非同命，蜂悲蝶怨，蟲盡可憐；楚館秦樓，有似黃金虛牝；環肥燕瘦，無非紅粉骷髏；十二金釵，顛倒幾多豪傑；三千粉黛，消磨幾許王孫。矧龜鴇無情，失意便遭白眼，而護甕有毒，剝膚都爲紅顏。言念及茲，可不懼歟！邇者荼蘼開到，花事將闌，桃李無言，春光已老；白日青天之下，豈容神女生涯；水深火沸之秋，應醒陽台殘夢；縱焚琴煮鶴，雖煞風景而奚辯；打鴨驚鴛，破情關而不惜。亟宜解放，毋庸泣翠啼紅。女權從此提高，正可揚眉吐氣。護花鈴解，誰敢乞借春陰，咏絮詩成，願此後皆爲閨秀，將代結朱陳之好，琴瑟相借。倘再爲桑濮之行，牢籠以待，陰霾誓掃，舊汚同除，試看今後之杭城，安有當年之花草！」眞是滿紙「阿彌陀佛」，迴環婉轉，香艷凄惻，有血有淚，堪稱文情並茂。香艷文告，歎觀止矣！

小啓，望海樓隨筆續稿未到，暫停一期。

海嘯樓談薈

楊度做了共產黨（上）

諸葛文侯

最近在台北某機構參觀關於中共問題的情報資料，證明號稱爲洪憲帝制「六君子」渠魁的楊度，晚年竟加入了共產，因中共的文件中，竟有「楊度同志」語，確實無訛，人多視爲荒謬不經之事，我却不感意外。蓋以楊度生性狂悖，自負爲王佐才，而其業師王闓運（壬秋）更是一個縱橫家，滿清咸豐王朝權臣肅順與慈禧后爭奪權力的那幕宮廷變劇，王氏即係幕後編導人物。試看「湘綺樓文集」紀錄，肅順權勢甚張時，王氏常住北京法源寺，肅順每於夜間趨訪王，就商要政，某夕肅順談到駐英國使臣人選難得，王氏曾自薦，肅謂：「那怎末使得？您去後，沒人商量事了。」可見他二人關係密切爲何如者！迨肅順敗亡，王氏遁隱湘南僻壤「桂陽州」數載，託名修撰桂陽州志，實係避禍。所以，他晚年作自輓聯語，即有「縱橫志不就，空餘高詠滿江山」之句。世傳王氏後來曾勸曾國藩取滿清帝位而代之，未始無因也。

楊度與王壬秋都是湖南湘潭縣人，王的媳婦又是楊度之妹。楊氏少從王秋受業，聰慧有奇氣，王甚器重之，視爲薪傳高足。楊的思想亦爲「尊王攘夷」論者，與革命黨人不投洽，但才氣縱橫非凡。當戊戌政變後，他游學日本，聞康，梁等人昌言中國將遭世界列強瓜分之禍，曾作歌一首以激厲國人，中有云：「中國如果是希臘，湖南即是斯巴達，中國若爲德意志，湖南便係普魯士，若中國眞要亡，除非湖南人盡死！」其氣慨之軒昂激越，頗爲時人所稱許。當時國父孫公亦很注意他，約他參加革命運動，然他自稱爲君主立憲主義者，遂謝不敏，而介紹黃克強先生與孫公合作。這說明楊度自幼受其業師的縱橫家學術思想之薰陶至深，凡崇奉公羊學用世之心甚切的知識份子，總是不甘寂寞的。自明朝復亡以來，湖南人的文化思想，大別爲兩類：一爲王船山派，尊崇民族大義，發爲革命思潮，如黃克強，蔡松坡一流人是也。一爲賀長齡派，醉心經世之學，講求學以致用；如曾國藩，胡林翼等屬之，王壬秋，楊度亦是皈依這一派的。

開國佳話（下）

筱臣

民國紀元

國父與各代表面談之餘，當堅決認當時所提「天運辛亥」不妥，有改正朔統一之必要，認定推翻了三千多年的專制政體，當予世人一新耳目。建議以中華民國紀元，援引公曆，由元年以至億萬年，一便於記憶，二進於世界大同，三像算年度，減少歲潤麻煩。當由各代表完全予以接受，再由各省代表會議決予以宣佈。

當代表返抵南京後，即籌備開會，選舉總統，但對此改元一事，頗費唇舌，極力疏通。各亦頗多議笑之記載，六代表以面受國父之託，不能稍事更易，一致力爭，幸獲通過。後來臨時大總統就職之始，即咨臨時參議院審議，決議以中華民國紀元，廢舊曆，行新曆，附件擇要錄存，但吉凶神宿一律刪除，決議附案，時內務部總長照公佈。居正代理部務，及主管禮俗司，集參考典章，取材簡易，不半月而編印頒行。後來居正的「梅川日記」說：「初裁首基日，記於爲識事」。

選舉總統

當國父於各代表面談之際，正值陽曆十二月底，距離民國元年的一月一日僅十餘天，當一月一日已商定以陽曆的一月一日爲臨時大總統就職的日期，所以各代表匆匆返抵南京，籌開各省代表以及選舉總統。當時選舉總統的程序，係由各省代表中推定一代表，一省爲一票，每人一票，其時僅有十七個省區，所以全體爲十七票。干有蘭先生自屬江西代表中唯一的選代表，他投下了開國的選舉臨時大總統神聖的一票。那時的投票極其自由，無所謂指定，更無所謂黨團操縱，純以各代表的自由意志爲準。開票結果，國父得了十六票，當選爲臨時大總統。只有一票雜，還一票畀譚人鳳的，他投了黃克強一票。此可見當時各省代表對國父的一致推崇，衆望所歸；另一方面也顯示了投票的自由，饒有泱泱民主國家的風度。凡此均足以顯示國父博大雄壯的偉大，與其坦率誠懇之處，也顯示了當仁不讓，爲國服務的忠誠。

熱烈歡迎

當選舉揭曉，在民國元年一月一日歡迎國父赴京就職之日。原定下關歡迎的秩序，已由歡迎大會籌備處預備了新製的華麗馬車，及同樣毛色的駿馬一對，乃後來改變歡迎儀式，故乘南京小火車進入市區。

當行抵各站時，萬人空巷，老少男女，不約而同，齊集各站，歡呼萬歲，其時一般散沙式的民衆，更無所謂組織，均屬自動自發的，手執歡迎旗幟，舉市若狂，一時熱鬧空前，可說極一時之盛。

最令人感到驚奇的，則爲北伐軍到車站時，其率領的女子軍千百人，爲江中雪北伐軍，面塗脂粉，服裝艷麗，遠望如一隊女兵，隨國軍行列，外國人大概當時在小火車上，蘭先生亦隨行，不知其爲女兵，深訝何以有女兵，始知爲江中雪率領的北伐軍女子行列，此一別開生面的歡迎，亦爲開國歷史上留下了一段中國佳話。

書生談兵的故事

李仲侯

咸豐六年九月英人爲中國水師巡河登英艇拔下英國旗緝捕逸匪十三人案件，復藉口翻前約，要求入城，如不允許，即攻城，翌日葉方在校場閱武闈馬箭，忽聞炮聲從中來，吏報英兵艦進攻，已奪獲中流砲台，文武相顧失色，葉笑曰：「烏有是，日昃，彼自走耳」，令粵水師勿與戰，英艦進逼十三洋行，明日英人據鳳凰山砲台，守兵以先奉有勿與戰之令也，則皆走，不知所往，又明日英人奪踞海珠砲台，遂襲砲注擊總督署，司道冒砲火晉見，請避居，葉正手一卷，笑而遣之，十月乙酉朔，砲聲大震，城崩缺口二丈餘，英兵入城後，突又退去，葉遣人往詰英領事用師之故，維時英水師提督亦在坐，同辭答曰：「兩國官不晤，情不親，誤聽傳言，屢乖舊好，請得入城面議之」，葉心憚洋人詭譎，慮見受辱，不許。是時英兵不滿千，而兵勇及團練赴援者數萬人，皆畏敵人火器，未能力戰，遂分五路會合粵垣亂民縱火焚西關外洋樓，先燬美、法兩國僑民居室再及英館，十三洋行皆化爲灰燼，喪失資財無算，英兵乃攜火器焚燬沿濠居民數千家以示報復，始悉衆登舟，揚長而去，葉見英人無如之何，乃大喜，狃於前功，益好作大言以御衆，漸忘其無所挾持矣。

英商以洋行被燬，喪失資財多，憤報英皇，於是英廷簡二等伯爵額爾金赴粵，調派兵輪，分泊澳門香港，候進止，遣使告美、法二國誘以合從之到，額爾金抵粵後貽書索賠償，葉不答，咸豐七年五月我瓊州鎮總兵黃開廣以釣船紅單船百餘與英師戰於三山，我軍潰，九月諜報英船驟至，將大舉攻城，葉笑曰：「訛言耳，必無是事」，十月忽有英法兩國小火輪船闖入粵河，豎白旗示無戰意，仍言入城索償及通商事，葉答以通商以外，概不能從，於是英、法、美三國兵船皆集黃埔，進泊花地沙面，登河南岸奪民屋以駐兵，將軍巡撫司道進見，商應戰策，而葉澹若無事然，或密詢其故，則曰：「彼第作勢來嚇我耳，張同雲在敵中，動作我先知之，我不與和，彼窮蹙矣」，張同雲者本係一通事，葉購以爲外間者也，有識者退而歎曰，強寇豈可以空言應哉，已則無備，輒謂人窮蹙，譬如延頸受暴客白刃，尚告人曰，彼懼犯法，窮蹙甚矣，自欺如此，禍其可紓乎，僚屬見寇勢日廹，團練迭請調兵設防，不許，請招集，葉曰：「姑待之，過十五日必無事矣」，蓋此乃乩語也，先是葉之父志詵，喜扶乩，爲建長春仙館，祠呂洞賓，李太白二仙，一切軍械進止咸取決焉，乩語告以十五日過後可無事，而廣州竟於十四日先陷。（四）

澹巖

・漁翁・

永州，府名，居湘省南陲，即今之零陵縣，在漢時稱古零陵郡，距粵西全縣八十里，城當瀟湘二水合流處，爲湘桂水陸門戶，歷史兵事上之重地也。

城東二十里，曰「阿家橋」，通湘桂要道，層巒疊嶂，有兩巖焉；一曰「亮巖」，一曰「黑巖」，統稱之爲「澹巖」。亮巖可容千餘人，巖頂有一圓孔，每月望日，尤其中秋之夕，月方中時，映入巖內，分外明亮，故名。據傳清代有在此課蒙童者，應縣府試皆售，趨之若鶩，所遺讀書石台，今尚存。

距亮巖數百武，即黑巖所在，巖內無光，不知長若干里？有用燭火入者，不數步而滅，又以電火進，至半里而冷氣逼人，巖內藏古戈矛多種，曾有持之出，經考古係千年以上之漢物，相傳三國時張飛取零陵所遺留者。

此岩因宋詩人黃庭堅所品題而得名，黃字魯直，號山谷道人，舉進士，紹聖初，知鄂州，爲蔡京所惡，貶宜州，即廣西宜山縣，路過此地，徘徊於岩洞者竟日，經親書：「永州澹岩天下稀」七字，鐫於巨石上，因此，遊人紛至踏來，而成爲勝境焉。

余講學蘋洲時，愛斯岩清幽，屢遊不厭，岩旁有一古剎，名曰「老殘庵」，爲遊人下榻處。以岩內留題者多，見獵心喜，而賦一絕云：「何年天地闢斯岩？一點圓光露半舍，我欲留題無紙筆，向僧借取老殘庵」，韶華易過，忽忽不覺爲三十年事也。

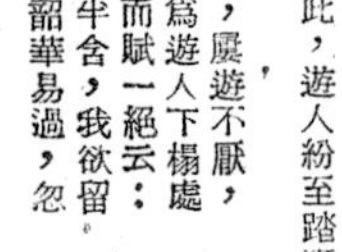

亮節清風

以上均屬王有闢先生的回憶，話匣既開，滔滔不絕，凡二小時之久，口沫橫飛，極爲興奮。適正值午膳之際，某記者以所得既多，未便過於煩擾，乃興盡告別。筆者以旁聽之餘，得此珍聞，亦未敢默爾，撮要摘錄。

筆者從王先生遊，忘年論交，亦已逾三十年了。知之最深，私心嚮往彌切。其居處僻處山隅，非有鄉導者亦不易尋獲。港居十二年，安貧樂道，從無疾言厲色，以耄耋之高年，善於健談，博覽全書，每多切要。書法則以寫碑老乎更融貫自己意旨，卓然成家。現正應留港倓虛大法師之請，以正楷寫金剛經全卷，再用珂羅版印出。行將爲香港佛學界下一頁極可寶貴之文獻。王先生晚年潛心經典，頗多心得，故亦樂從其說，而爲之義務從事。王先生「亮節清風」，從他這一席話中，已顯出其當年在開國時，即富於正義感，巖寒松柏，五十年來如一日，誦「黃花晚節香」之句，益信先生之學養有素，不忮不求，其所由來有自。耆年碩德，先生實當之而無愧？私淑之餘，又安能不致其高山仰止之思。

內僑警台報字第〇三一號內銷證

自由報

THE FREE NEWS

第一七五期

中華民國僑務委員會頒發
台教新字第三二三號登記證、
中華郵政台字第一二八二號執照
登記為第一類新聞紙類
（半週刊每星期三、六出版）
每份港幣壹角
台灣零售價新台幣弍元
社　長：雷嘯岑
督印人：黃行富
社址：香港銅鑼灣高士威道二十號四樓
20. CAUSEWAY RD 3RD FL
HONG KONG
TEL. 771726　電報掛號．7191
承印者：田風印刷廠
地址：香港灣仔高士打道二二一號
台灣分社
台北市西寧南路壹壹本號二樓
電話：三〇三四六
台郵撥儲金戶九二五二

台灣的投資、工業、與貿易

・陳式銳・

英文中國日報自九月十八日至廿二日連載有關台灣經濟的專題訪問，最後還附一篇社論；它就官方及民間的見解，描繪出當前台灣的投資、工業、與貿易，不偏不易，雖說是初次嘗試，它的努力是成功的。我過去經常為「自由人」寫稿，自改「自由報」就中止了，一方面是舊問題談來乏味，另一方面也是教課增加；承雷嘯岑先生一再催促，今就中國日報所載，譯述概要，藉饗讀者，以篇幅所限，待後另文加以討論。

投資方面，自獎勵投資條例公佈後至本年六月，十八個月統計華僑的實際投資額為二一、三〇八、五九九、七八美元，較過去九年的實際投資額二五、八五七、八二八、七五美元（中國日報的數字有出入），增加比率不小，顯示新立法收了功效。惟中國日報指出：投資人尚待立法的放寬，尤其關稅及土地的轉移；而銀行信用對工業的便利，對生產與輸出的通融，亦覺須加改善。機器進口的關稅，新規定可自十四至三十個月分期繳納，財政部由此一放寬，第一年收入估計減少五億一千萬元；惟投資人仍希望關稅豁免或安裝三年後開始繳納，因為設廠三年內資本及開辦費支出浩繁，能夠獲利者究屬少數。而廠地喊價之高，以及移轉手續的麻煩，以是投資人的頭痛事。此外，投資人對法令仍存疑懼心理，他們恐怕政府為適應軍事或政治的便利而作自由解釋與實施，所以要求對「轉移產權」或軍政干擾有較多的保護。

另一方面，政府官吏對外來投資卻持樂觀態度，僑委會委員長周書楷以為只要資本及人物的移動再加放鬆，就可以進一步改善投資氣候。他指出：華僑資本主向為香港所吸引，但香港投資已至「飽和」；而「太平洋遊客天堂」檀香山，工資的高昂（每小時高至一、五美元），已嚇退投資人。所以比較之下，他看台灣仍有充份機會可以誘導華僑投資。但他覺得政府中下級人員尚須求得進一步的瞭解與合作，方足以吸收大量外資入台灣。他並進而建議一個精美的投資計劃公開於全世界，以招致國際的大投資家。但主辦審核投資的官員卻不完全承受周氏的樂觀，他們鑑於東南亞國家對外滙的嚴格管制，華僑投資多採秘密方式，故雖見投資有利，終無法有大規模的計劃；而且，利之所在，投機隨之而來，兩年前的華僑「投資」，多為本地商人假以獲取巨利，已是公開的秘密。他們並坦率承認，時至今日，這種「非行」尚未能完全免除。他們寄望於華僑資本的參加公營事業轉移民營，蓋政府近決定出售公營事業股票，證券市場亦將建立，均可供僑資較大之活動範圍。不過，公營事業的轉移，不無人事上的困難，如管理的變動及政治性的問題，即有勢力的「顧問」則難以移動。

次言工業。對於經濟計劃，工商界尚無反對表示，礦業界顏欽賢提出須有金融的配合；他反對此次當局命令紡織、紙業、煤礦等業減產自一五——二五％，他說減業與否是工礦業自己的事，政府應做的是對他們放寬信用；但他說中國開發公司可貸之款以億計，而僅少數工業合格借款，「這實是笑話。我們的金融政策有待改善」。紙業界游彌堅對經濟計劃亦不持異議，但他說生產計劃應配以消費計劃。他指出生產應適應市場，市場困難工廠自己會減產，所以他也反對政府的減產命令。他提倡可以促進生產的消費，「如你以分期付款買一冰箱，你每月須有一定儲蓄直到償完貨價為止。此款直接歸入工廠，而再度流入生產，這是我們應該提倡的一種消費」。他說人民把儲蓄存入銀行固無可厚非，惟在現行緊縮銀根政策之下，他懷疑有若干儲蓄轉入生產目標。所以他說分期付款售貨如為採用，在台灣可以幫助建立金融制度。

工業家林挺生與其他人士同一見解，台灣工業的出路在增加出口，他提倡以增加出口來打破惡性循環。落後國家的人民貧窮，缺乏購買力；既無購買力就無市場；無市場，資本就不入工業，也就無就業機會，結果人民是持久貧窮。林氏認為短期間台灣人民的購買力無大量提高的可能；去年的平均個人所得是七十五美元，人民在長期通貨膨脹之下，不期然而然就全花了。所以惟一可循之道是找尋有購買力的市場。台灣工業過去受政府以高關稅的保護而成長，他不反對工業初期的保護，但這種保護不能展延至永久；他認為工業應由溫室出來露天，在國際市場以競爭求取生存。在金融方面，林氏不同意一般人所說的政府採取緊縮銀根政策；依他所見，人民與銀行對信用均不在乎了。

至於貿易方面，中外人士咸指責政府的從事商業，他們以此阻礙經濟的生長，且傷害了私人企業。他們抨擊中央信託局及台灣物資局的與民爭利，並指出它們的處理貿易實務，當不如貿易商的有效率。他們接受現實，並不反對貿易管制；但是，對於法令規章的繁複，有關貿易機構的重疊，他們認為對貿易無益而且有害。法令涵義含糊不清，每使商人無所適從，因而發生循私舞弊；外人指出，貿易規定很多未經公開宣佈，政府又慣於設立特別小組，朝令夕改，雜亂無以復加。說捐有營業稅，印花稅，綜合所得稅，合計十五％，雖比較香港的十二％，不甚高；但問題在稅捐稽征處對於稅額的高估，有時高達稅額四〇％。且依照稅法訴願之前，須先如數繳納，而省府財政廳如裁定發還，亦在兩三年之後。他如信用狀規定繳足全部金額，始得申請進口，與他國僅先繳納一部份不同，所以貿易商不但蒙受利息的損失，而資金且凍結於銀行。於此，流行著一個不健全的心理，政府以為無商不奸，商人則以無官不貪，互不信任，而糾結不清了。

最後，涉及蕭條問題。臺灣經濟的向上受到抑阻，過去十年的好景也日見消失。政府最近限令紡織業、及煤礦紙業減產高達二五％，官方迄無購買力的統計，就商場所表現，今年是降低了。政府說四十九年的平均個人所得為一〇五美元，非官方相信至少應扣除二〇％所以低於四十八年，今年也沒有增加的跡象，蓋由於企業的停滯及人口的增加。四十九年台灣銀行年報說：「本年經濟發展雖仍能維持去年進度，但已現勉強，有逐漸趨向疲滯的象徵，其原因如下：

（一）外滙改革及滙率調整所生之刺激，在國內物價不斷上漲之情形下，已逐漸削弱。本年工業產品外銷雖仍有大量增加，但已日感困難，對進一步擴展已具戒心。

（二）本年物價上漲雖巨，但八五％起因於食物類物品價格之上升，工業產品價格增加甚微，工業並不能得到通貨膨脹之利益。另一方面，抑因農產品價格上升，使增高工業成本，工業投資受到妨礙。

（三）十年來台灣經濟快速發展，刺激因素甚多，戰時物資因乏所引起之戰後巨大需求，不斷之通貨膨脹政策，有利於生產之外滙政策，國內對新產品之需要，人口驟增所造成需求等等。此等刺激因素大部份已隨時日而消失或削弱其力量。以目前情形而論，如無新刺激發生，則大量投資，特別是工業投資，將甚少可能，而經濟發展進度必然減緩

（下轉第二版）。

漫画天下

南施

進退兩難

碉堡圍牆上的慶祝

自由談

忠與佞

偶閱宋人所撰「雞肋集」中，有這樣的一段故事記錄：唐太宗某日游御花園，見一樹葱蘢拔萃，頗示嘉美，從游的近臣宇文士及，亦隨聲讚歎不置，太宗正色道：「魏徵常勸我遠佞人，不知佞人為誰，今乃得之矣！」當時宇文士及聽着作何感想與表情，作者未有紀述，但我相信他一定赧顏無地自容，決不致如近代的官僚們，厚着臉皮而以挨受領袖的辱罵為寵榮吧！

唐太宗這種表示，深符親賢求治之道，杜漸防微，影響滋大。身為國家元首，日理萬機，雖天縱英明，而個人的智慧亦屬有限，缺失在所難免，全靠左右親近幹部，遇事作客觀的分析，獻替可否，無所詭隨，更忌阿諛逢迎，以期固位邀寵。如此久之，在上者只要不是昏君，他亦會省識你的一片忠誠，予以信任的。假使是個昏君，那你朝朝逢君之惡，專對他說些愛聽的話，結果國事敗壞，天下大亂，你個人亦必然沒有好下場，殆可斷言。所以，魏徵希望唐太宗「願陛下使徵作良臣，勿作忠臣」，可謂不刊之論。良臣對於君主是知無不言，言無不盡，置個人利害得失於不顧的；忠臣則揣摩君主心理，投其所好為第一義，深恐稍拂上意，致被疏遠。前者赤忱為國，是大忠，後者私心為己，是小佞。大忠之人居心致君於堯舜，沒有不愛其領袖者；小佞之輩，志在貪圖一身的富貴，貌示愚忠愚信，實則有奶便是娘，臨難必苟免，如近人張治中，邵力子即其顯著的例證。忠與佞迥然有別，混淆不得，要在知所辨識耳。

時人好談忠貞之義，理固然也。但願在上位者取法乎唐太宗，毋以佞倖小人為忠貞份子，而醜赤胆忠肝的良臣為不可親近的異己之徒。果如是，政風必卜丕變，庶政自然修明，朝氣蓬勃，人人奮勉，復興之象，充沛於海內外，貞下起元，國魂返矣。若滿朝文武盡係宇文士及之流，而謂可奏反共救國之功，其誰能信乎？

馮平先生

國事方多棘，大端能不論？

一立委質詢十二年 組織法迄今未送審

【台北航訊】我們的國防組織法，至今是未經過立法最神聖的立法院通過，但是立法院每年審核預算時照例通過不誤，十多年來一直有立委在質詢，但是質詢任他質詢，大官我自爲之。這位質詢十二年，質詢達廿四次，這位鍥而不舍，歷盡言責的立委，實在令人欽敬不置。那不是別人，正是劉錫五委員，雖然如此，却仍鍥而不舍，此次會期，又來了一個書面質詢，賦詩十首，誠可謂別開生面。奇文宜共賞，謹錄之以償本報讀者。

行政院長，暨各位首長！本院各位同仁：

本席質詢是一個老案——國防部組織法送審案。到了今天，本席並不絕望，相反地，似乎要更有大的希望了。記得議會雜誌第五卷第三期，登載着本院魯蕩平委員的竹枝詞十二首，描寫第廿七會期會場景象，極饒風趣。其中四五兩首，都是爲本席質詢而作的。第四首道：「今天院會又重開，前度劉郎復上台。質問國防組織法，曾經二十有三回！」本席的質詢，並不止二十三次，但重要的質詢，却已有二十三次。因此本席佩服魯委員的精細。第五首道；「劉郎本是有心人，國事關懷極認眞。多數委員如此說：『徒勞無益費精神！』」魯委員稱我「國事關懷極認眞」實不敢當；但心嚮往之還可自信。至於說「徒勞無益費精神」那就不敢苟同了。因爲事關國家大政，言責不可不盡，雖費精神絕不考慮。

本席自三十九年起，質詢本案，迄已有十二年，其間口頭，書面書之綦詳，誠至無從說起，無須再說之境。此次質詢，因魯委員竹枝詞關係，不免觸景生情，乃用中華新韻，作了五言絕句十首，權代詢詞，請陳院長答覆。

（一）炎黃開國久，綿歷五千秋。「民國」名吾土，遠東第一籌。」

（二）五十年間事，從頭仔細譬，太平會幾日？法治最當先。」

（三）憲章既已宣，舉國盡平看。匹夫且遵守，況乎爲長官。」

（四）五院治之分，治分各立門。立門便有法，「國防」又何云？」

（五）浮海一星紀，臥薪百政書。千呼此立法，唯唯復施施！（施施同迤迤）

（六）獨賴大君子，昔年曾發憤。皇皇提議案，四座同歡欣。

（按：陳院長送來之「國防部組織法草案」，於四十三年送立法院審議，立委諸公對此甚表歡欣）

（七）好事竟無長，勞人何更張？從茲議席上，大法費思量。（按：陳院長送來之「國防部組織法草案」至十三年十一月三日，兪鴻鈞院長予以撤回，於是立法院遂無此法案）

（八）賢者國之柱，規模資建樹。徙薪當及時。莫教焦頭助！（按：民國三十九年十月九日，總統曾在革命實踐研究演說：「我們要建國建軍，就先建立制度。制度不建立，國家就無法長治久安。」陳院長在前任院長時，（四二年十月九日咨覆劉錫五委員質詢）亦云：「今天不樹立制度，對於後人，將無法交代。」此皆名言，意味深長。」

（九）新自西方同，滿天榮譽飛！難量彼土富，願借經邦歸。

（十）十年法未立，誰謂粗饑信？國事方多棘，大端能不論。

劉錫五委員質詢第二點乃國防部所屬的單位，茲可從略。第三部份是質詢國防部三點，請政府注意者。

（一）査國防部各單位，暨各總部所屬單位，均有學校之設立。此等學校是否完全屬於軍事性質，尚有疑問。其非軍事性質者，宜即改歸教育部管轄，並合併一般學校辦理，最近報載國防部將要辦理「理工學院」之說，如果屬實，豈非怪事？

據國防部咨詢：國軍現行軍官教育體制，區分爲基礎教育，專科教育，和深造教育三個階層。而深造教育又區分爲指揮參謀教育，軍種及聯合教育，國防教育三個階段。誠使如此，則現行軍事教育體系，宜如何調整，明定規制以昭示人，實爲急務。

（二）査行政院各部組織法中，明定設署者：如內政部組織法中，內政部設地政署，經濟部組織法中，經濟部設農林署、稅務署、緝私署等皆是。今者陸軍總部設署凡十一；海軍總部設署凡五；空軍總部設署凡六；聯勤總部設署凡四。而國防部無一署。此廿六署之重要性如何，姑不置論；誠使必須設署，則宜仿照一般例，直屬國防部；今也不然，乃使分屬於隸屬於國防之各總部之下。此一超出常規之體例，可乎否乎？

（三）依照「中央法規制定標準法」之規定，關於國家各機關之組織者，應以法律定之（第四條）；應以法律規定之事項，不得以命令定之（第五條）。試查國防部所屬一百一十個單位中，何者有法律依據？何者尚無法律依據？

以上三點爲陳院長言之，並請陳院長予以答覆：由此一法案，可知「質詢還不是那麼一回事」，便有了「具體的答覆」。所有某報「今日春秋」云：立法院質詢史可分三個階段：第一階段是一問一答，第二階段是只問不答。故第三階段爲立法院偶一問，原是還是一回事？究竟能否成爲一回事，還看如何。如此而已！如此而已！質詢權云乎哉！神聖云乎哉！（匪麿寄自台北）

香港與大陸

⚫大陸飢荒情形，此刻已不算新聞了。前些時日，此間僑胞接獲家書，多囑寄種子回去，足徵今日大陸的貧乏，已至極嚴重的程度，但尚有更妙者，則爲近日中共方面竟指令其駐港機構，發動香港僑胞寄肥料回去，辦法是，由僑胞交錢給中國銀行，再由中國銀行代寄肥料。肥料不像生油大蒜那麼簡便，勸須以担計，中共又恐怕僑胞方面個人之力一時難於負担，便又稱可以合數人之力，（例如：在港的親友，兄弟或同鄉）集資存入中國銀行，而且還可以分期存欵，待欵項存夠後，即由銀行方面代寄肥料返大陸。此種情形，可謂慘矣。

⚫僑威還鄉探親，往往攜帶食物甚多，近日以大陸飢荒情形實在過於慘重，人民無物可食，只有出諸槍劫，而搶刼的目標，自然是在僑胞身上。有某僑胞，其父返大陸探親，帶有食物重百餘斤，詎過期甚久，未見其父返港，寫信回鄉，亦云並無其人回來，經多日偵查，始知其父已被害，屍陳荒郊中。近日此間僑胞紛紛以此爲談論資料云。

全省漁會改選前哨戰

周燕

【台北通訊】台灣省各級漁會改進後，第三屆改選工作，省方已決定十一月一日開始辦理，預定十一月上旬以前完成選舉。本省沿海漁產頗豐，收入僅次於米、糖，因此漁會的健全與否，不但漁民自已關心，政府一向非常重視，除了縣市長省縣議員之選舉外，要以漁會的選舉爲重要，而其競爭之激烈，又不下於地方選舉，因爲本省地方派系十分複雜，每屆選舉，競爭均甚激烈。此次選舉與以前之選舉又有所不同，即爲改進後漁會裁併者多，因此撤併漁會所發生的困難問題，即是理監事的減少，對於漁會選舉有興趣的漁民，大有沽名釣譽者，競選理監事，有時爲了想參與一點政治活動，如果名額減少，也就等於減少了得到榮譽的機會，這是大家對漁會撤併所最關心的一件事。本省各縣市區漁會正密鑼緊鼓進行改選工作。按每縣有若干區漁會，每區一漁會，每一區漁會設代表六十人，選出理事七人，監事一人，總幹事一人，省代表一人。如果現在沒有修正的漁會組織法，則撤併漁會後，便要減少代表，理監事、及總幹事三分之二，使對於競選雄心勃勃的人來說，未免大煞風景。將來如果漁會有任何糾紛發生，也都將是這些人事問題而起，這也是漁會撤併的絆腳石，也是問題的癥結所在。

在此次漁會改選前夕，先行審查漁會會員資格這也是進行改選的前奏，有意出馬一競者，當然重視此一基層活動。尤其本省同胞對於選舉特別感興趣，地方派系之爭，各不相下。此次嘉義新塭區漁會，因爲審查會員資格時，因剔出會員資格而引起火拼，大演全武行。按從事漁業生計的漁民，有兩種不同的會員資格，一種是自已有船出海操業者爲甲種會員（有遠洋近洋）其次是無船而在沿海岸從事捕漁維生的漁民，列爲乙種會員，（其餘經營漁業與加工業者亦列入乙種）甲種會員的漁民，可以參加勞工保險的漁民保險，乙種漁民會員便不能參加勞保，。嘉義新塭區漁會，因剔除會員資格而引起打鬥事件，便是因爲派系之爭而起，此次打鬥場面很可觀，，而且也很激烈，據警方發表報告稱：現已拘捕十九人，有很多新塭區漁民亦陳及該案，該十九名中，以蔡國輝議員爲首，他被控擄械妨害治安。因爲警方在這十九人所乘的汽車中，搜出武士刀三把，利刀三把，木刀二把，小刀一把，及鈍刀四把；這十九人當中，包括三部汽車的司機，因爲他們三人對於持有兇器的乘客，未向警所報告，且在警方攔截時隱藏乘客所帶的兇器。並謂該青年中，有很多是有案的流氓。

按嘉義新塭漁會，有會員二千五百名，在漁會理事會審查資格時，剔除了三七五名，因而引起爭端而致打鬥。這雙方派系，一爲現任漁會理長、的蔡連章派，地方人士謂之「在朝派」，一爲現任漁會常務監事蔡長銘派，又謂之爲「在野派」，均爲派系之核心人物。而被剔除會員資格的原因，據說是因爲有的會員有公務員身份，及有的是甲種會員核爲乙種會員，而引起不滿。幸而警方早有佈署，血鬥尚未擴大。

直至記者來稿時止，台南，屏東又掀起改選高潮。台南市漁會改選，形成緊張局面，因爲現任理事長吳頂專及歐雲明兩人的鬥爭更形激烈，因吳頂專不接受歐雲明所提向法院聲請宣告魏東安破產，藉以補任省議員的條件要求，所以二將只有競爭到底。一決雌雄，不久好戲可能登場。

其次屏東漁會醞釀車城，新園漁會分別合併恆春，東港二區漁會，車城區的會員已堅決反對，拒絕歸恆春區漁會，新園也反對歸併於東港區漁會。但最辣手的是車城區漁會歸併問題，由於該會人士之反對，已獲得主管當局之重視，再因該區漁會的轄區遼闊，會員數達千多人以上，機動漁船也很多。此一歸併難題，主管當局現已在請示省府處理云。

台灣的投資、工業、與貿易

（上接第一版）

但戴着三項經濟帽子的尹仲容，却舉出半年的生產數字，否定經濟「蕭條」，而稱爲「調整」期。但他的說法，不爲報界所同意，聯合報有所保留地說至少是蕭條的象徵，大華晚報對此並要求尹氏解釋紡織業等奉令減產至四分一。不過，有些致使經濟困難的因素，却遠非尹氏所謂調整的那麼簡單：如工業生產不及人口增加三、五%以上，財政赤字不斷增加，金融政策不配合經濟政策機構法令繁複因而阻碍經濟擴展等。一方面，工商本身亦有其弱點：如缺乏企業精神，逃稅（稅務員共同勾結），投資博取近利，信用不佳因而銀行不敢貸款，詐欺橫行以至敗壞發展計劃，游資仍不受勸告投入工業等等，中國日報對當前台灣的經濟實況報導之後，繼之以社論提出它的見解如次：

一、就社會經濟觀點言，今日急需降低人口增加率，提高每人生產力。政府用人過多，對效率及生產兩無裨益；農工每人生產數字仍低，如不少青年及婦女仍然無所事事。政府應宜佈一應付未來人口生長的政策；如計劃家庭及節育，應普遍倡導。除非人口膨脹有所抑止，將來諸多經濟改善將爲人口過剩災害所抵銷。

二、政府對預算及支出，應該追求一個較爲可靠的政策。現在公營事業的措施，其不惜與民爭利，主要在維護財政政策，反膨脹的措施，大多打擊了工商，加上大衆購買力的低微，造成市場的衰落。財政赤字的擴大，依賴美援程度遠較五年前爲甚，預算情形爲近年來之最壞者；如果政府不嚴格控制預算及自我節約，一切自助乃至經濟復甦的說法，均屬口惠而已。

三、爲着維持生活水準及緩和人口問題，台灣應以輸出求生存。但貿易規章及手續的繁複，費時又費事，致貿易商難在公平而有效的基礎上與外商競爭。在現經濟之下，企業自由與進取精神，說多於做；正如鼓勵輸出，殊乏深邃的努力，如貿易金融方面，尚存續有中世紀的作法，繳納一〇〇%信用狀，已爲他國所未聞；而銀行，非有壓力，不願通融民營進出口。，稅率之高及不切實際，致使商人與稅務員勾結逃稅。上層官員有政策的矛盾，下層人員則强烈反對簡化與改革，蓋足以消滅他們的威權及「外快」。

中國日報最後說：近年來，台灣經濟在某些方面曾有着長足的進步，但在這些的背後，我們不能忽略了危險的信號。除非這些危險信號爲主持經濟行政者有所留心，我們對步向困境的經濟，殊少辦法可加挽救。

瘟君續夢

第二回：狼狽自爭雄，活佛有幸　人天齊示警，浩劫將成

還是中醫辦法大些，就採用民間流傳的救毒單方，先煮茶豆湯解毒，可是，工地上那有茶豆呢？總算公社支部書記特別照顧，下令從倉庫中運來二升茶豆，煮了湯給病人灌下去，果然吐瀉都止住了。

支部書記看見六十一個中毒民工竟然未死，認爲是一件奇蹟，爲了邀功，就撥電話向縣委會報告，縣委第一書記也覺得是自己領導有方，馬上就拍個電報去太原向省委會報告，省委會第一書記陶魯笳正感到山西這兩年來麻煩事太多，光榮的事沒有一件，得到這個消息，頓時精神百倍，馬上掛個電話去北平向中共中央報喜。

中央書記處書記李富春接到電話，不敢耽擱，就馬上去向毛澤東報告。毛澤東正在同活曹操商量全國饑荒的事，聽到李富春的報告，頗不耐煩，縐着眉頭說道：「陶魯笳不是瘋了嗎？六十一個人的死活有什麼不得了，值得這樣大驚小怪，我們現在每天餓死的人成千上萬，都想不到辦法挽救，六十一個人死就讓他們死去算了，囉嗦什麼？你打個電話重重申斥他一頓。」

李富春沒有一點表情，轉過身就要走，活曹操擺手說道：「富春同志，你不要走，我同主席商量一下。」

李富春只好站住，瞪眼看毛澤東怎麼表示，毛澤東也莫明其妙，翻着眼只看活曹操。

活曹操拈着五色鬍子說道：「主席不必發氣，這件事到可以用作宣傳資料，近幾年來我們只是取之於民，很少用之於民，我們打着爲人民服務的招牌，可是服務實在不多，應當趁這個機會大大宣傳一下，讓全國人民都知道政府關心他們，有些小的不滿也就化除了。」

毛澤東聽了還是不懂，問道：「怎麼宣傳呢？人已救活不就算了。」

活曹操哭道：「我們不能承認是茶豆湯救活的，應當派一架飛機，運些藥品去，多派一些宣傳人員跟着，要將當時情況寫成通訊在各報紙發表，然後再拍電影，撰小說，還可以找到郭沫若，田漢，臧克家等人，要他們多作些詩，轟轟烈烈展開宣傳，全國人民都感到安慰，作用眞是抵上一個小豐收呢！」

毛澤東一聽眞對，同時向李富春說道：「你去找陸定一商量一個辦法，就按照林老的計劃進行。」

從第二天起，整個大陸報紙、刊物、電台都大力宣傳營救「六十一個階級弟兄」的事，但是老百姓却無動於中，整個農村受到水旱、風、雹、霜、草諸災之外，又加上共黨的人禍，老百姓餓死了，未死的也沒有人形，田裏生滿雜草，家中斷了炊烟，大致算是毛澤東的新社會面貌，正是千村霹靂人遺矢，萬家墨面沒蒿萊。

（四八，本回完）

岳騫

雨中行

陸權

從電影院出來，站在售票亭前，抬頭看看天上的陰雲又聚起來了，看樣子馬上即將有大風雨的降臨，我望望手中的傘，不禁得意的笑了起來，嘿！眞不愧是有先見之明，我早料定這天氣還晴不了的，所以便不顧方便與美觀，將這柄大黑雨傘帶了出來，看，現在不是已有雨點飄下來了嗎？我昂然的左右顧盼一下四週愕然的無傘者，在雨聲漸密中「砰」的一聲撐起了大黑洋傘，便威風的向雨中邁步走去。

才只走了幾十步，剛想穿過公園的棚門口，忽然一條淺藍色的身影猛然向我撞來，我不禁立定了怒目而視，剛想罵出口，只聽見一聲嬌柔的「對不起！」飄了過來，我立刻軟化了不少，一看原來是一位大約二十歲左右的少女，穿着一件淡藍衫子，兩肩上已淋濕了，正紅着臉抱歉的向我微笑着，我趕緊彎腰說：「沒關係！沒關係！」她見已不氣便轉身又跑了起來，我呆呆的看着她的身影，忽然想起她是正在雨中，一時不知什麼動力竟使我追向她大聲喊道：「小姐！要不要我的傘！」他停住了，我將傘罩在她頭上，她懷疑而謹愼的看了我一眼我的學生軍服，輕輕的問道：「你是學生？」「是×大的。」我也正爲着自己多事的唐突有點難爲情，可是她笑了：「謝謝你，走吧！」似乎在確實了我的身份後放心了不少，於是我們便在傘下向成功路緩緩走去。

我偷眼瞧她，眞是可愛，紅潤光彩的臉蛋，長睫毛活潑的一閃一閃，表情自然純眞，要不是因爲看她老早先對我具了戒心，我想和她說幾句開心話，老實說那個男人見了這樣的女孩子不感興趣，那才怪哩！

「到那裏？」我問：

「圖書館。」她，歇了一會，她又補充似的說：「他脾氣很壞，所以我只得冒雨趕去。」

「他？」

「嗯，我的男朋友」她瞟了我一眼，抿着嘴嫵媚的笑了笑。

「啊！」我不禁若有所惜的叫了一聲，隨即爲了好奇，我問：「發生任何事都不能失約嗎？」

「我們從來沒有失過約。」她說：「失約的話，等的人固然會心焦，被等的人也有些不忍心是嗎？」

我不響，雨有節奏的打在傘上，我心中悄然的昇上一種說不出的滋味，似乎很希望將這無味的旅途趕快結束，但又矛盾的怕害它突然中止。她見我不作聲，又問：

「你沒有要好的女朋友？」這次是充滿關懷的。

「沒有！」我寂寞的搖搖頭，深深體味到孤獨造成的辛酸。

「奇怪」她歪了頭端詳了我一下：「你儀表不凡，人也眞誠，爲甚麼戀愛不成功？是不是有過痛心的羅曼史？」又是深深的一盼，我沒有接觸她的目光，眼睛直視着前面搖搖頭。

「那就是你太高做了，不屑還就任何一個女孩子是嗎？」

我不理她，她不禁有些激怒了，說：「你這個人眞是有點自命不凡！」

她的激怒使我剛才一股茫然之情閉塞的心胸重又開朗，我聳聳肩俏皮的說：「女孩子都不喜歡我這副蠻脾氣，而我又不願爲了女孩子改了我這與生俱來的脾氣：……」

「那你一定得改改你的脾氣吧！戀愛眞是最快樂的事啊！」她意味深長的說，歇了一會，她停了腳步，仰起頭深深的望着我的眼，像在搜索些什麼，突然她同情的嘆了一聲說：「我很希望能幫助你！」

我覺得奇怪，就在和她認識的短短的時間，交談不上十幾句話，她好像就是世界上最了解，最能同情我的人了，然而我們的關係這樣的微妙，甚至連她的芳名我都不知道。

雨小得多了，我們拐進了圖書館的門，想到這裏我對這偶然的雨中的旅程特留戀起來，可是，她開口了，並揚起了手說：「你看！那就是他！」

我停住了，隨她的手望去，一個穿軍裝的人在涼亭中向我們頷首而笑，我沉默了一下，抬頭望望天上的雨，已細多了，便說：「我不過去了，再見吧！」

「你眞好，謝謝你，希望有機會再見。」

一轉過身來，我感到有些茫茫然，自己也奇怪怎麼會在這樣一個短短的時間內，和一位陌生的女孩子竟會感到難言的別離之情。

「喂！等一下。」後面傳來招呼聲，我回頭看見她滿臉笑容的跑向我。

「什麼事？」我跑回去。

「沒什麼，星期天來我家玩，好嗎？新生街×號。」她猶豫了一下，然後神秘的笑着說：「我有一個妹妹——你願意來見見她嗎？」我楞了一下，但很快的便會意了，我沒有說話，我點一點頭。

我望着她的背影，我禁不往笑了。「人生眞是奇妙，但願我有好運！」

徵稿小啟

有內容有意義之隨筆、散文、掌故、小說、雜感等類文字，本刊均所歡迎。請用有格稿紙繕寫，如需退還，請附信封及郵票。一千六百字左右的隨筆，比較容易刊出，過長則以篇幅所限，請特別留意。

五人班

·方氏·

山東濟南的娛樂場中，除了平劇，秦腔，蹦蹦戲，洋琴戲，以及河北柳子之外，還有一種土戲名叫五人班；有時亦稱五音班。乃是屬於肘骨子戲的一種土戲，按肘骨子的流傳頗廣的，依流行的區域，淄川，博山等地的稱東路；武定，濟陽等地的稱北路；五人班則屬西路，以章邱爲中心，而流行於濟南一帶。

五人班最初甚簡單，僅一鼓，一小鈸，每行腔多係乾唱，一點絲弦襯托也沒有。後來因山東章邱是富縣，有「十八九打鐵」，推着二把小手車出門掙錢的多。又有舊軍鎭孟家的洋字號綢緞莊，經濟條件優越，聽的人漸多。唱腔亦花梢，劇情亦爲複雜。迨「五音連彈」時代老角金城花，鄧九星，林長清，半碗密，跟柱子（本名李德興），以及鄧九星的兒子鮮櫻桃（本名鄧洪山），與山東吼班同台演出，合班名「五六合班」之後；經章邱的一位郭孝廉提倡，更有了試戲，於是在濟南灼突泉，勸業場，南崗子，及各廟會中；亦佔有地位。

近二三十年，五人班最紅的角兒是跟柱子和鮮櫻桃。其次是花旦雨蓋燈，小生明鴻鈞，武旦白蝴蝶，花臉一聲雷，所演的內容多是婆婆媽媽一類的調情戲。好小姑子和嫂子磨豆腐，當媽的送女兒出嫁上轎，什麼新媳婦回娘家啦！王二姐思夫啦！簡直都給五人班演活了。加以早年社交不公開，男女私情都是受束縛的。五人班則描述兒女之情最拿手，專能搔着年青婦女心坎的癢癢處，於是這些所謂「粉戲」，不管傷風敗俗也罷！打破禮教也罷！却叫一羣大閨女小媳婦看樂了。一般人亦稱此爲「拴老婆橛子」的戲。尤其跟柱子與鮮櫻桃最走紅，他兩都是花旦，演的所謂「雙包頭戲」也最受歡迎。像蓋金定灌藥，劉瑞蓮走雪地，王定保借當，便轟動一時，差不多每演必滿。

聽說有一回演李翠蓮賣釵，有一位女戲迷，抱着孩子從莊上趕着來看跟柱子與鮮櫻桃。急急忙忙經過一塊南瓜地，忽然瓜秧絆了一腳，孩子也摔在地裏，便抱起個南瓜就跑，待戲看完時，給孩子吃下奶吧！一摸南瓜子刺了手，才知抱錯了，拿南瓜當了孩子；由此可見五人班之迷人。

看戲的傻子

·蘭羅·

一天，我犧牲了晚飯、去看拉娜．端納主演的一部影片——春風秋雨。這是一部很有人情味的悲劇，看過的人都說忍不住哭。那天我身臨其境，看了看影院中「現場」的情形，覺得他們實在沒有誇張，坐在旁邊的一位中年女士，簡直要痛哭失聲，坐在我前面一排的幾個女學生更是鼻涕眼淚，唏噓不止；而且一面哭，一面彼此埋怨制止着，好像說：「都是你！害得人家也忍不住了！」

在電影院哭，有時很不好意思。可是好的影片，就會使觀衆感動，得非哭不可。有句俗話說：「演戲的是瘋子，看戲的是傻子。」瘋子能把傻子騙哭，可是瘋子還是比傻子高明一着。但是，我們卻每個人都不免在人生舞台上當了一陣瘋子之後，就自動情願的跑到電影院去當一回傻子。明知銀幕上的一切離合悲歡，只不過是春夢一場，等到電燈一亮，馬上就煙消雲散，了無痕跡；但在看戲的當時，卻是認眞非常，把自己化入戲中，跟着戲中虛構的人物去哭哭笑笑。誰也不會因爲早知道銀幕上的悲喜是僞的，就不去看。有人說，這種認眞的精神，其實也正是我們生活的精神。而且不但自己頂，而忍不住自己的眼淚也要奪眶而出的時候，最好還是能有辦法控制自己一下。把眼光的焦點離開銀幕遠一點，「No-Smoking」看看周圍的告示，精心設計的戲院天花板，以及坐在那些正在爲戲中人掉眼淚的芸芸衆生。在這一剎那之間，你會發覺自己的由那虛構的悲劇氣氛中退了出來，變成了一個有意識的旁觀者。你不但覺悟到，那不過是一幕劇，而且你還看見其他觀衆們的不能置身事外，而覺得有些可笑呢！

我們不但在看戲的時候，應該有辦法讓眼光離開銀幕，退後一步，把視野放大，來提醒自己：「那是一場戲」，其實，在人生途中，也應隨時有這種本領的。當自己在掉入悲劇氣氛中，哀傷欲絕的時候，也得及時把鏡頭拉開，退到淸醒的，有意識的，「看戲的人」的立場上來，，讓自己覺悟到「人生如戲」。古往今來，無數驚天地，泣鬼神的悲劇上演過，在上演的當時，劇中人哀慟悲傷，不可終日。但多少年後，人們再去談到它們的時候，它們已變成了故事和陳跡，只能供人憑弔了！能夠明瞭這一點，我敢說，你已懂得了人生。

不過，爲了在看戲的時候，不使自己眞的成爲傻子起見，當劇中人物生離死別，氣氛哀傷絕人，認眞生活，還要欣賞別人認其生活。所以這個世上也就總不會缺乏演戲的瘋子和看戲的傻子。

儀表與風度

·程綺如·

人看人，先從皮相看，故儀表等於一件貨品的外表，首先給人接觸到的，就是這外表，儀表好，給人第一個印象是好的，「雖無大過，面目可憎」或者是「垢面囚首」人將避之唯恐不及了。

晉王恭美丰姿，人多愛悅，或稱之云「濯濯如春柳」，後漢迺一體貌魁梧，名動京師，士大夫咸想望其風采，這是天賦的優越，不是人爲可以做得到的，但我們所說的儀表，是屬於人爲方面的，譬如正其衣冠，愼爾行狀，注重禮貌上的週旋，這些都是應有的儀表。

表面現着怪險相，寒酸，自卑，孤僻，傲慢，神氣不屬等等，都會使人發生異感與不尊重的。「有諸內，形諸外」，成語所謂「腹有詩書氣自華」，故儀表除了一些可以從衣飾上做得到之外，還須有精神方面之修養，一般人從衣冠上做工夫的矯揉造作，而結果是俗不可耐，徒然着起識者的反感，這叫弄巧反拙。

儀表是一種氣象，如器宇軒昂，和志氣表達等等都屬之，一個卑鄙齷齪者打扮起一個紳士模樣來，仍然掩不住他的眞相的，猶之初出茅廬的村姑，忽然抹粉塗脂，學起都市小姐，也不會洗去她的村氣，所以儀表是出乎自然的，不自然做作的儀表，也是弄巧反拙。

在人與人的交接中，多少含有「外交」的意味，不失禮是必要的，尤其對於初相識的人，這一點，不能不特別注意，當然，這於平時的修養也有着極大的關係，據說有一故事，某人家每吃飯時，要孩子們都盛服就位，儼然如赴成家宴會，友人怪而問之，以爲碰上了什麼慶典，那人說：「不然，我家規矩每吃飯都如此，原因是要養成孩子們參加大場面的習慣，習慣了，則他們以後參加大場面時，不致露其窘態。」這辦法的確是有他的道理。

與儀表有關的，便是風度，這風度除了外表可人之外，還得包括對人的態度，作風，手段等等，這於對方的感受，當然有其不同的反應，如大方落落，人們會覺得你是一個可親的人，銖錙必較與瑣屑褊狹，人們會覺得你是一個小人，風度與氣度是相關的，對人應有雅量，便使人感到舒服，「與公瑾交，如飲醇醪」，這是予人何等深刻的印象，唐張九齡是一個內外風度俱佳的人，所以深得玄宗的愛重，到了致仕，玄宗每問人，必曰「風度能如九齡否」，可見風度感人之深，周敦頤胸次洒落，黃魯直謂之：「周茂叔人品甚高，胸中洒落，如光風霽月」，又可知風度的表現，與人品的修養，有着密切關係的。

海嶠叢談薈

楊度做了共產黨〔下〕

諸葛文侯

辛亥革命以後，楊氏回國投入袁世凱幕中，初與梁啓超一派人相結合，排斥民黨勢力；迨癸丑二次革命之役失敗，袁氏控制了全國，權力集中，威望崇隆時，楊氏乃與其老同學湖南桂陽人夏壽田（前清榜眼，王壬秋的得意門生）狼狽相依，利用袁總統的日本顧問有賀長雄，昌述中國不適宜實行民主共和制，而以君主立憲最爲妥當的理論，更賄賂袁氏的美國顧問古德諾附和其說，藉爲翊制異己的口實，暗中竭力慫恿袁氏稱帝。旋即在報上發佈所謂「君憲救國論」，同時組織「籌安會」，強拉四五個學者名流爲發起人，嚴復原是不贊成的，楊氏擅將嚴名列入，張諸報端，一面請總統府派憲兵到嚴宅守衛，名爲保護，實係威脅嚴氏不得否認。適可見楊度熱心捧作皇帝 而以開國元勳自任的慾念，十分濃厚，也就是他那狂悖不安份的縱橫學術所使然也。

迨到洪憲皇帝夢歸於幻滅，他被政府指爲禍首，明令通緝，纔在津滬租界內，過着亡命生活時，依然不改其捧人做皇帝的固有思想，試看她當年輓其業師王壬秋聯云：「曠代聖人才，能以逍遙通世法；平生帝王學，至今顚沛愧師承。」即知其不安份的素性，始終如一，至死方休！

楊氏潦倒，不惜替上海聞人杜月笙充當秘書，聊託庇蔭，因而得與湘潭同鄉的中共黨發起人之一毛澤東相遇合。我想楊氏之加入共黨，必在毛澤東已躍居共黨地位，而開府於江西瑞金時。他決不知馬列主義爲何物，祇覺得共產黨那套專政獨裁作風，跟他的「平生帝王學」是脗合的，又可以乘機擁戴毛酋做皇帝，一展自己所師承的學識了。他的兒子楊公庶，曾留學德國習化工，對日抗戰期間，與其共事於巴蜀，言行固無特殊之處，茲聞其亦是一名老兵，在共匪區頗爲活躍，可謂克紹箕裘矣。

王闓運，楊度，毛澤東這三個湘潭人，對最近六七十年來的中國發展過程中，禍害良非淺鮮，這是國家之不幸，亦爲咱們湖南人的羞辱啊！

重陽談詩

漁翁

登高避禍，落帽逸酒，成爲重陽節流傳之佳話，古之詩人，每於把杯賞菊之餘，而有吟風弄月之作，載在詩集者，以唐人爲最多；如李白、杜甫、王維、岑參、王勃、崔曙⋯⋯等，均有名句，流露於字裏行間。

李白九日飲龍山：「九日龍山飲，黃花笑逐臣，醉看風帽落，舞愛月留人。」一經留題，不僅龍山有幸，即孟嘉落帽之盛事，更膾炙人口。又重九詩：「昨日登高罷，今朝更舉觴，菊花何太苦！遭此兩重陽。」值此佳節，登高把酒，流連兩天，而興猶未盡，無怪乎蘇東坡所謂四時令節，惟清明與重陽，不宜虛度也。

杜甫詠重陽，有五律七律十首以上，在陶淵明後，要以杜老首屈一指。所賦九日藍田崔氏莊云：「老去悲秋強自寬，興來今日盡君歡。羞將短髮還吹帽，笑倩傍人爲正冠，藍水遠從千澗落，玉山高並兩峯寒，明年此會知誰健？醉把茱萸仔細看。」杜等會飲之地點，在藍田崔氏莊，有藍水玉山之勝，主人姓崔，而不詳其名，與會者，更不知其爲誰？又在蜀中所作五律七律各一首，感身世衰老，飄泊江湖，不免抑鬱於懷。其一，九日登梓州城：「伊昔黃花酒，如今白髮翁，追歡筋力異，望遠歲時同，弟妹悲歌裏，乾坤醉眼中，兵戈與關塞，此日意無窮！」其二，九日云：「去年登高郪縣北，今日重在涪江濱，苦遭白眼不相放，羞見黃花無數新，世亂鬱鬱久爲客，路難悠悠常傍人，酒闌卻憶十年事，腸斷驪山清路塵。」此二首雖晚年傷感，抑窮愁而詩工，令人不忍卒讀！

王維九月九日憶山中兄弟：「獨在異鄉爲異客，每逢佳節倍思親，遙知兄弟登高處，徧插茱萸少一人。」此首七絕，爲千古所傳誦，今日流亡海隅而身世如斯者，不知凡幾？佳節思親，當有同感！

岑參行軍九日思人：「強欲登高去，無人送酒來，遙憐故國菊，應傍戰場開。」彼在軍旅間，不忘故國之菊，恐其踐踏於田土財物，而憐爲戰場。今日之大陸，田園廬落，骨肉流離，而赤土千里，三徑已荒，還有菊松之存在否？

王勃蜀中九日：「九月九日望鄉臺，他席他鄉送客杯，人情已厭南中苦，鴻雁那從北地來。」勃久客蜀中，鳥倦欲還，以臺名望鄉，登之更感鄉心之切！唐人絕句中，多於無情處生有情，此聯是其著者。

崔曙九日登望仙臺：「漢文皇帝有高台，此日登臨曙色開，三晉雲山皆北向，二陵風雨自東來，關門令尹誰能識？河上仙翁去不回，且欲近尋彭澤宰，陶然共醉菊花杯。」當時漢文作此台以望仙，但神仙既不可期，只好尋友如彭澤者，與之同醉花間以樂令節，隨遇而安，及時行樂，可爲今日流亡者所效法。

此外高適重陽詩：「百年將半仕三已，五畝就荒天一涯」，鮑溶九日登高：「幾回爲客逢佳節，曾見何人再少年」；蘇軾九日次韻定國：「一見玉山人今老矣，洹河性故依然」，均爲詠重陽之名句，爲後人所樂誦。

宋時黃州潘大臨寄謝無逸書曰：「秋來景物，件件是清勝，昨聞臥，閉疏林風雨聲，欣然起，執筆題壁曰：「滿城風雨近重陽」。忽催租人至。遂敗興，止此一句奉寄」。後李縉重陽風雨詩有：「重陽七字足千古，斷句不勞後人補」之作。在此寥寥七字，成爲後人衆口喧騰之成語。

又按重陽之應節食品，如糕餌之類，詩人劉夢得因五經無糕字，作重陽詩，即不用此字，宋子京爲詩以嘲之曰：「劉郎不敢題糕字，虛負詩中一代豪。」傳爲美談。

上面所寫重陽之一作，類多國難家身，千里，佳節思親觸，情見乎辭。筆者亦飄泊海角之一，客裏過重陽，苦無所詠愁，抄古人詩，藉打並數人數語，於下面：我所未言者，已皆古人已言之，所未書者，已借古人手，寄百感港十二年，讀詩千首，佳節吟風，搜索枯腸，無所有，願古人言，洗卻愁絲千萬縷。

書生談兵的故事

李仲侯

城陷後，聯軍劫將軍巡撫至觀音山，詭云會議公事，旋搜至八角亭，擁葉登大轎中，倚冠帶鋼頂如平時，遂登觀音山渡飛橋，踰城出，薄暮、舁入舢板小舟、擱上大輪船，從者或以手指河，諷之以目，蓋勸其赴水也，葉瞪不悟，將軍巡撫等，會疏劾葉，旋得旨以乖謬剛愎之罪褫其職，壬寅，洋人遂將軍巡撫等還署，挾葉至香港，猶每日親作書畫以應洋人之請，從者力勸其不可題姓名，乃自書海上蘇武，咸豐八年二月英人挾葉至印度之孟加拉，居之鎭海樓上，惟武巡捕監視與一擲工二僕實從，葉猶常賦詩見志，日誦呂祖經不輟，九年正月藍瑣病卒，葉亦寢疾，西醫治之無效卒，英人斂以鐵棺並所作詩稿一卷，歸還廣東，時人讀其詩，未嘗不哀其志，而恨其玩敵誤國之咎也，因嘲以語曰：「不戰、不和、不守、不死、不降、不走、相臣度量，疆臣抱負，古之所無，今亦罕有」。

昆明何桂清，字根雲，弱冠入翰林，循資八遷而至侍郎，督學江蘇，值太平軍假擾江南北，屢囑幕僚草疏陳兵事，糾劾疆吏之退縮僨事者，持論多侃侃，咸豐帝奇其才，改官浙江巡撫，未數年由大學士彭蘊章奏保升任兩江總督，何力薦其私黨王有齡爲江蘇布政使，咸豐十年春，張國樑攻克鎭江，何以籌餉功加太子少保，未久，張軍克九洑洲，何以又功加太子太保，當是時，何渥承眷倚，慷慨談兵，許譏輻輳，聲譽翔治，與湖北巡撫胡林翼不相上下，天下莫不以胡何兩公保並稱。

自和春張國樑圍攻金陵，潛濠築壘，久困太平之師，大營兵勇七八萬人，月支餉五十萬兩，皆取辦於蘇浙諸郡縣，兩江總督駐常州，專主餉事，未嘗缺乏，及張和二帥稱募壯勇，增築長圍，需餉有加，浙江告警，大營派提督張玉良統領援浙軍救浙，　驟加行費，浙自顧不暇，餉亦不繼，糧台收款因之亦驟絀，月短二三十萬金，何馳書告張，和二帥，請自後閏四十五日發一月餉，是時張，和均頓兵城下日久，將卒雖習戰事，實已驕佚，酗酒狎妓，酣嬉無度，月支兵餉尚不敷用，及驟聞減餉事，咸恨恨如有所失，煩言朋興矣，太平軍遣別隊由宜興進踰武進之夏溪隍里埠，烽火雖距常州僅四十里，實乃虛張聲勢，圖解金陵之圍，自金壇，句容相繼失陷後，張玉良全軍移常州，中途逆接和春檄調援大營，張抵常州後，和復連馳羽書令箭調之，何曰：「彼不知我欲守常州耳」，留不遣，和復調總兵馬德昭往援亦不許，計各路先後集常城者不下二萬數千人，未幾，王有齡升浙江巡撫，何如失左右手，有齡到浙，由驛日發一書，爲何規劃甚備，咸勿離常州一步，且曰：「艱難之際，萬目睽睽，瞻大帥爲進退，一搖足則衆心瓦解，事不可爲矣。」有齡蓋洞見何之癥結而鍼砭之也。（五）

張默君詩

自題倚馬看劍圖

圖作於民國四年五月九日原存京都玄圃旋爲日兵擄去，或傳淪於匪

雲濤澒洞春淞滬。晞髮荒江敵老屋。何當哀感來嵯峨。遙睇神州日初旭。神州有美氣如虹。天挺英姿起南服。閩風吹衣霧轂舉。鸞采飆發清以穆。曼睩神涵天地靈。修眉秀奪山川綠。山川天地鬱奇雄。孕毓斯人獨邁俗。孤襟朗抱擊空冥。劍魄珠光迴斗宿。人如神兮驥如龍。我欲從之橫海陸。大陸將沈海水濁。國恥未湔萬古辱。忍以春秋度等閒。整理蒼生不平局。陵風倚馬睨吳鉤。凜凜秋霜迸寒玉。亂紅笑指血雨霏。醜虜望風咸懾伏。與君敵愾誓同仇。咄嗟莫效新亭哭。豈云衛國男兒事。肯教坐誤閨憂樂。滔滔眼底幾纓眉。彊半韋鞲徒局促。鷸爭那見危巢傾。遂令島夷恣踐蹴。培風孰是騰層霄。恢弘漢道光河嶽。國魂呼取東瀛歸。海立雲垂雷霆飛。驟心畫悄潛孤微。軒赫赫張炎威。

右默四十六年前舊製也。（今刊大凝堂集白華草堂詩第九頁）當時詩文家讀之，嘗認爲乃自寫照，圖油繪，作於滬，直三尺八寸，横二尺許，右上角題「與子同仇」四字，下署「默君」，默御鵝黃衫，披一淺絳色短斗篷，凌風飄舉，倚碧白龍駒，仗劍揚眉凝注，霜寒射天地，搖星辰，有騰起挽國難之勢，維妙維肖，氣象萬千。是一富歷史性之作品，失之殊愴夢魂！神鬼有靈，弗知尚在人寰未？

內僑警台報字第〇三一號內銷證

自由報
THE FREE NEWS
第一七六期
中華民國僑務委員會頒發僑台報新字第二三三號登記證
中華郵政台字第一二八二號執照登記爲第一類新聞紙類
（半週刊每星期三、六出版）
每份港幣貳角
台灣零售價每份新台幣弍元
社長：雷嘯岑
督印人：黃行靈
社址：香港銅鑼灣高士威道二十號四樓
20 CAUSEWAY RD. 3RD FL. HONG KONG
TEL. 771726　電報掛號．7191
承印者：田風印刷廠
地址：香港灣仔高士打道二二一號
台灣分社
台北市西寧南路[illegible]二樓
電話：三〇三四六
台郵撥儲金戶九二五二

共產極權統治的沒落

王厚生

雖說，現代極權國家的統治手段較諸古代的君主專制更爲「高明」，更爲嚴密，更爲殘酷，但實際上，無論就統治時間的久暫或統治基礎的深淺來看，現代的極權國家實不及古代的專制政治。君主政治在歷史上可以維持幾百年，現代的極權政治顯然不能這麼久。希特勒和墨索里尼的統治如以歷史學家的眼光來看，都是短命的。

現代極權政治爲什麼一定短命？我發現一個很重要的原因，這是說，理論與實踐發生矛盾。在從前，君主是替天行道，或則君權神授，在理論與實踐方面不至於發生衝突。現在，是民權時代，理論上，是主權在民或廣大無產階級，實踐上剛好相反，是一個人或少數人控制一切。在人民方面，既受「當家作主」的教育，又被迫接受在上者的領導和控制，人民怎能沒有迷惘之感？法西斯主義雖倡「社會」「精英」的議論，但在民權時代與民主國家的人民總力較量後，總不免於失敗。共產極權政治雖已有四十餘年的歷史，但它自建立以來，或者說，從頭到尾，非靠鐵幕不可，所以，在我看來，四十餘年的共產極權政治，是在人類歷史上寫了一頁大大的笑話。自稱優越性極高的共產主義，竟靠鐵幕和圍牆加以維持，將來人類的頭腦就算受到原子輻射塵的毒害，總不致愚蠢到相信今日共產黨所作的種種謊言吧！

共產主義和法西斯主義的相同處實在太多，它們都講革命，且都以革命起家，取得政權之後，保持政權的方法也是一樣，全靠特務警察。共產黨何嘗不講社會「精英」的議論，列寧將共產黨人的先覺思想和領導革命能力吹得那麼高，豈不是將共產黨人描繪成爲社會上的「精英」嗎？至少，他們都是無產階級隊伍中的帶頭人或「精英」。現在，我們大家知道，在共產國家中，領導階級的生活是應該特別的，異乎和超乎當家作主的一般無產階級，而且，享受特殊的生活和權利，還有相當正大的理由，說他們——領導人物——應有較好的健康，以便繼續替無產階級服務。當然，這也是一種謊言，沒人要聽。從共產黨領導階層脫出來的人，受良心的譴責，也忍不住要對共產制度咒罵一番。這種人多得不勝枚舉，他們現在自由世界，從事反共的工作。

一面將無產階級的地位提高至最高，一面又有一個人或少數特權分子高高在上，發號施令，指揮無產階級隊伍向東轉，向西轉，向左轉，向右轉，做這，做那，日子久了，無產階級甘心於被驅策，我萬萬不相信。所以，共產黨犯的大毛病眞是理論和實踐發生矛盾，使無產階級陷於奴隸地位而無以自解，共產黨雖千方百計，喋喋而辯，總不能自圓其說。尤其是農民階級，思想最不易搞通，他們在共產黨領導的革命中，論地位，不及工人階級，所謂「工農聯盟」，農民階級還須接受工人階級的領導，將來「社會主義」或「共產主義」實現，他們是被改造至於消滅的對象。可是，今天，在歐洲或亞洲，從東方到西方，共產黨普遍依賴農民階級而存在，毛澤東這個冒牌半桶水的農業專家，將大陸上的農業生產弄得一團糟，今天大喊着「大辦農業，大辦糧食」的口號，希望農民階級救共產黨（工人階級代表）的命，這豈非理論和實踐發生矛盾？以前，向農業合作社冒進，向人民公社冒進，都沒有重視我國農村社會的特性，今天整個失敗，一敗塗地，轉向[illegible]經驗，這也是[illegible]論和實踐發生矛盾。凡共產黨人，都是冒牌貨色，毛澤東冒充農業專家，已由事實加以訓斥。魯赫曉夫也自命爲農業專家，且曾批評毛澤東的人民公社，可是，在蘇聯，他也沒有將農業弄好。共產黨人講理論，頭頭是道，好像很有辦法，碰上實際問題，都是經驗不足的，他們唯一的本領是拿人民做試驗品，殘忍成性。

馬克思和恩格斯爲共產主義奠立理論基礎時，對農民階級投以輕蔑的眼色，認爲農民階級是落伍分子，保守性太強，革命性太弱。他們何嘗預見到今天的現實？預見到共產黨在農業國家革命？預見到今日共產黨政權必須依靠農民階級的支持？俄國十月革命後，列寧曾犯不大不小的錯誤，實行軍事共產主義，試驗失敗，改採新經濟政策，安撫農民階級。在最近的「共產黨人」上，有名叫尤金者，大談農業問題。據我所知，尤金是蘇聯駐中共的前任大使，此人在史太林未死之前，一向專注理論，且爲紅人，史太林死時，他還在中共僞都，對後來赫魯曉夫鞭屍之舉，不以爲然，致被召回，尤金還撰文討論公社，謂蘇聯會於一九三四年實行，成績不佳，至是年六月頒佈新法令，規定農民可以保有私人家畜。公社實驗遂告結束。尤金說，如欲公社成功，須有豐裕的物質基礎和高度發展的技術。尤金這話一面批評了已告腐朽的史太林，一面也批評了該死未死的毛澤東。儘管如此，俄國共產黨對本國的農業眞有辦法嗎？不見得，事實擺在眼前，用不着我們多說，相信唯物主義的共產黨人，應該向鐵一般的事實低頭。

由於理論與實踐發生矛盾，我們相信，共產極權統治行將結束，事實上，已開始走向結束。東德共產政權爲防止人民逃亡的種種措施，充分反映人民對共產極權統治的憎惡已達頂點。如謂共產主義有其國際性，那末東德共黨政權近來的獻醜，是國際共產主義的獻醜；東德共黨政權近來的失敗，是國際共產主義的失敗。共黨能否挽救這回的失敗？我看不能。一九五三和一九五五年，東德共黨政權迫害工人階級，使世界上許多人民醒悟了；一九五六年二月赫魯曉夫鞭撻史太林，宣佈「偉大史太林」的罪狀，使世界上許多人民覺醒了；接着，一九五六年十月，波蘭和匈牙利人民相繼反共起義，俄國用武力鎮壓匈牙利弱小民族的革命，使世界上無數人民猛醒了。在一九一七年俄國十月革命前後，世界各國的知識分子都對俄國懷抱很高希望，試問：今天，有那些著名的知識分子還對俄國有所期待？我們所見到的，是俄國內部的知識分子有內心苦悶，法捷耶夫自殺，巴斯特納克抑鬱而死，反排猶詩人葉杜辛高受民衆喝采。另外，我們所見到的，是著名知識分子對俄國和馬克思主義的紛紛反叛，較新的例子是布洛赫教授（Prof. Ernst Bloch）。布洛赫教授現年七十六歲，是來比錫卡爾馬克思大學的退休哲學教授，他最近訪問西德各地的大學，因鑑於東德共黨政權對人民的壓迫措施，極爲氣憤，而拒絕再回東德。布洛赫教授的重要著作是「希望之首」（The Principal of Hope），一九五五年時，他曾獲共黨的國家獎狀，謂他的著作具有深入的分析和進步的世界觀。布洛赫教授以前對於共產黨的態度還算友好，雖未免有意見分歧，但他仍望共產主義可使他自己的夢境成爲現實。至今，他已完全絕望。

東德共黨政權除鐵幕外，還建築圍牆和廹遷居民等，阻止人民自由逃往西柏林，這在布洛赫教授看來，不是太笑話而是太不成話，他在某次討論自由的會議上發言，說「意志自由來自願意，它藉不斷的連續的選擇，決定和行動而實現。選擇是自由的起點。」他又說：沒有選擇的可能性，便沒有進步，倘使世界的整個過程已於事先決定，則疑惑和懷疑作爲改造和改變的願望，在世界上不能有立足之地。

共產極權統治的沒落已在眼前，爲了加速它的整個潰亡，自由世界不能放鬆壓力，從它的內部製造矛盾，使它在最後崩潰之前，無力再作最後的掙扎。這種打擊方式，適用於中東歐，尤其適用於我國的大陸。

漫画天下
南施

多行不義必自斃

風悲日昏

自由談

聯合國快要垮了！

一年吵鬧一次的聯合國大會，本年恰揭幕之前夕，那位[illegible]經理人——聯合國秘書長韓瑪紹墮機殞命了！這一不祥事件的發生，平添了本屆大會的熱鬧氣味，也可認爲聯合國「壽終正寢」的先聲。

韓瑪紹是在非洲斡旋世界和平事宜而殉職的，本屆聯大會議開始時，全體與會人士對他表示稱讚悼念之意，理所應爾，亦爲人性所宜然也。但俄共集團的代表們，竟不同意，充分表現其「恨人爲快樂之本」的共黨特質，史達林說：「共產黨人是特殊材料造成的！」一點也不錯。只就這項佛形設想，西方國家希望利用聯合國這機構，以與俄帝談判世界和平問題，豈非天眞幼稚到了極點嗎？

聯合國秘書長的繼任人選問題，遑論其他的重要議案？因此更使我認定本國政府對外蒙入會問題，毅然採取不妥協的決策，允稱正確。當茲姑息政策。今年我們若忍讓外蒙闖入聯合國之後，明年他們再要提出所謂「中國代表權問題」來討論，我們就只有自怨自艾，痛感受騙吃虧，向隅悲憤之一途了！此時我們必須表現着「成事不足，敗事有餘」的勇氣與作法，以周旋於國際強權主義者之間，庶幾可免爲刀俎上的魚肉，不致任人宰割，否則前途將不堪想像的。聯合國素來是個閙劇場所，強權主義者何嘗有重視它的意念呢？我們若奉之爲維護世界和平，申張正義公道的太上政府，不亦愼乎！老實說，我們如果能夠把這座閙子館搞垮掉，那就算是有種哪！

馮五先生

故入人罪，枉法裁判
從監察院糾彈案看政風

張健生

台北航訊

從監察院去年十月起，至今年九月止，一共提了三十三件糾彈案，其中彈劾案七件；糾舉案十六件，糾正案十件。這些糾彈案，都是對不肖公務員利用職權貪污，或治安人員非法刑求，或司法官妄加人罪，枉法裁判，或稅吏串通商人逃稅等等。被彈劾者，有中央政府與地方自治機關的公務員，有最高法院與地方法院推事，有調查局人員，也有警察局人員。總而言之，這些糾彈案中，它告訴大家的是：被糾彈者不但是民主法治政治前途的絆脚石，也是反共大業的破壞者。

關於彈劾案：一、財政部專門委員邵鴻鑣，利用職權，矇蔽長官，串通大同製鋼公司違法逃稅圖利於第三人，並陷人於罪。二、司法行政部調查局嘉義調查站，嘉義地方法院，台灣高等法院台南分院，審理嘉義市民林成舟涉嫌經營地下錢莊案，均有違誤。最高法院推事歐陽經宇，葉經嶼，方希魯、鄺源泉、張金蘭等，旣未予以糾正，迨該院檢察長趙琛提起非常上訴後，竟斷章取義，曲解法意，以圖文過飾非，故入人罪，實屬違法瀆職。三、台灣省立錫口療養院院長洪耀德，處理該院標製被服案件，監督未週，疏忽失職。前主計員孫戟門，事務員代理總務主任職務鄭克君等，經辦標製被服事務，疏忽職守，並涉有勾串舞弊，圖利包商罪嫌。四、台灣省警務處副處長李葆初座車，撞傷兪仁寰致死，該李員對應加救護之人遺棄不顧，非特有虧警察人員職守，並涉有刑責罪嫌。五、台灣銀行公庫部襄理毛承樟、蔡孝敏，經辦愛國公債，監守自盜，侵佔公欵；國庫科副科長齊希古，會計科科長費菊辰，顯有串通舞弊嫌疑：該部經理鍾家成、于博生，不將所掌管之公債業務，列冊移交；稽核施能欽，助理稽核陳冰，檢查人員沈汝鹽、王志慶等，稽查不力，均屬有失職責；總經理王鍾，監督不週，顯屬疏忽失職。六、台東地方法院刑庭推事金毓敏，審判林慶喜、李平松自訴，及李秀玉反訴僞造文書案，顚倒事實，妄加人罪，顯有違法失職之重大嫌疑。七、台灣省公路局副局長錢益，機料處處長羅大秉，副處長方炳成，課長王崇敬，幫工程司葉榮春，橫貫公路工程總處組長兼購料審核委員會主任委員徐慶鑫等，承辦購買彎曲有色擋風安全玻璃，不依法公開招標，涉嫌舞弊，台灣省交通處路政科科長何劍，處理本案，徇私包庇。

關於糾舉案：一、苗栗縣政府建設局林務課課長吳杜火，課員邱劍坤等，辦理陳塗申請承租牛欄湖七九三號土地案，拖延偏袒，報告不實。建設局長鄭作櫓，前縣長賴順生、劉定國等，對該案疏忽失察，有虧職守，有失政府威信，均屬違法失職。二、陸軍第三營產管理所管理員勺炳麟，被控假借職權，趁營地訂租機會，實行勒索貪污，事證明確，罪嫌重大。三、苗栗縣政府財政科股長陳長茂大，處理苗栗鎭維祥字內廠五七三號日產土地，朦蔽上峯，將日產土地劃爲該縣府地政科職員鄧炎輝等所有，而將鄧某私有之次等土地改變爲公有，復經該地政科承辦人吳策誠，將該項公有土地悉數分租與鄧炎輝及其舅父之子林乾德，致現耕農林炎山已購得日產房屋失去承租機會，顯有通同作弊，損害公有財物之瀆職罪嫌。四、行政院新聞局電影檢查處處長沈邁晦，主管業務，措施無方，且又利用配偶名義，經營影業，攫取厚利，涉有違法瀆職重大罪嫌。五、台南地方法院民事刑庭執行推事呂玉介，承辦王矜明與劉清風債務糾紛案，處理不當，涉有違法失職罪嫌。六、台灣倉庫公司高雄倉庫前主任樓圭璋，及其所屬特約倉庫管理員黃重光，沈鄂，管理部經理院君慈，總經理王大松等員，辦理順發、大景兩木行特約倉庫事件，均有失職情事。又該公司人事室主任張樹檀擅增職務加給亦有瀆職之咎。七、台灣省政府建設廳長林永樑，科長羅慶蘭，技工江景嵐等，處理五福煤礦申請使用江景仁所有台北縣板橋鎮後埔段二三之九號土地案，不依法令，侵害人民權益，實屬違法失職。八、花蓮縣政府地政科股長鍾振乾，勾結陸軍第四營產管理所主任莽退仙等，假借職權圖利。九、蒙藏委員會前任總務處長孫儉，與蒙古各盟旗聯合駐京辦事處代表兼蒙藏委員吳化鵬，職員李景凡等，於四十一年間，假借建築蒙古辦事處疏散宿舍爲名，申請配售木材，轉賣圖利朋分。又該總務處長於四十二年間，假建築該會會議室厨厠等名義，申請配售木材，轉售圖利。十、台南市南區灣裏省躬國校校長曾耀寬，對於學校經費，任意開支，學生代辦費，於學期終結後，旣不依法公佈，亦不發還餘欵，顯有違法舞弊之嫌。十一、台北市政府財政局財產課前課長郭肇良，課員戴文忠等二員，承辦放租公地案件，確有違法失職情事。十二、台大醫院醫師葉衛、黃清標等，對於病人屈化民疏於診治，以致於死，涉有業務上重大過失罪嫌。十三、台東縣政府建設科技正劉鵬傅，科長曾偉賢，縣長黃拓榮等，經辦招商承刈國有安南漆樹，違法瀆職。十四、台中縣警察局清水分局長陳霞，局員馬盛芬，沙鹿分駐所所長陳振華等，辦理查緝陳大欽僞造公賣局新樂園及中興菸等包製紙一案，涉有公文書罪嫌。陳振華並有利用職權，侵佔公賣局調查員匡立之的獎金，其措施乖張，玩法弄權，致匡立之氣憤自縊身死，亦難辭失職之咎。十五、彰化縣政府前財政科產股科員黃金鏞，經辦縣民吳份申請承租公地案件，利用職權圖利申請人，僞造公文書，便利申請人舞弊朦混，獲不法權益。前財產股長鄭季湘疏於督導，致錯誤引起糾紛。前科長王濟泉疏忽失職。建設局課員劉鐵對於吳份申請建築所附公地租賃證件，疏於審核，致建築侵入公地範圍，旋又註銷建築許可，前後措施矛盾，有損政府威信，疏忽失職。課長吳錦輝疏於監督，亦屬失錯。又技士甘仲昌任意積壓公文，顯屬違法。課長李英科監督欠週，亦難辭疏忽之咎。十六、基隆市政府民政科指導員許厚功，利用職權，以其妻林銀之支票，先後向台灣精神療養院借貸現欵，顯屬違法。

關於糾正案：一、內政部處理中央警校前組員張駿妨害公務案，不依法送懲戒會而撤職，殊屬不合。二、苗栗縣政府辦理陳塗申請承租土地案，久懸不決，致高院據以判決有失公平。三、財政部對大同機械公司的報酬金，改課行商所得稅及營業稅案，於法不合。四、省財政廳對台北區合會業務，疏於督導。五、台北市各屠宰場管理不善，管理人員形同虛設，殊失政府管理之旨。六、警察及治安機關，近年偵訊嫌疑人犯時，仍有刑求情事。七、台北市財政局職員，承辦放領公地，確有違法失職情事。八、各國營事業機關員工借支數額龐大，宿舍押租漫無標準，福利設施未盡合理，不但呆滯大量資金影響財務調度，且加重利息負担，損耗鉅額公帑，殊屬失當。九、貪污案件日增，對國家前途影響至鉅，應就各項防止措施，提請注意改善。尚有部份不公開的糾彈案，尚未列入。

前述糾彈案，將於十一月舉行的總檢討會提出來檢討。

民社黨三屆全代會年內舉行
傳張君勱將返國主持

（本報記者台北航訊）中國民主社會黨主席張君勱，將返國主持該黨在今年底所舉行的第三屆全國代表大會。至於該黨究竟在什麼時候舉行全代會？目前沒有確定日期，這需要看國內外的情勢變化而定了。質言之，如果三黨（國民黨、民主黨、青年黨）共同協議制定綱領能夠提前完成，則民社黨此次全國代表大會將在陽明山第三次會談前舉行，以便決定提名參加會談的人選，否則，該黨全代會可以在陽明山第三次會談後召開。上述消息是民社黨一位高級人士，而且也是張君勱先生的一位親信對本報記者所透露的。

張君勱回國主持黨務，基於下列三種因素。

第一、由該黨部份中委所組成的所謂「中執委聯誼會」要求該黨副主席團於九月底舉行第三屆二中全會，改選中央執行委員時，結果，聯誼會方面當選中常委者僅僅七、八人而已。而支持蔣勻田者佔總額四分之三強的中常委都當選了。該黨聯誼會的歷史背景，外界知者甚少，記者不得不加以說明箇中原委。緣該黨於四十八年間，舉行第二屆全代會之後，由於極少數人士爲了鞏固黨內地位，乃有聯誼會之議，其目的爲倒某副主席云云。據說：聯誼會此次要求召集二屆二中全會的動機，係基於加强實力，想在改選後的中常委總額中佔有二分之一以上的席次，意在控制中常會，以便通過請「何構父、劉政原、李緞」等「歸隊」而出席第三屆全代會的議案，這樣既增加聯誼會的聲勢又可以發揮作用，而牽制「死硬派」。孰料經過票選，竟大失所望。因此，副主席團方面原來的計劃：假使這次當選中常委名額不足以影響中常會時，立刻召集第三屆全代會改選中央委員。但此一計劃中常委當選名額佔四分之三强而「胎死腹中」了。

第二、經過這次改選，沒有使中常會有所勸搖，同時，黨內同仁等於投了一次信任票，反而使副主席團更堅強，是經得起考驗的，所以預定本年十一月底召開第三屆全代會的日程，不得不加以修正，暫不決定日期，原則上在年內舉行。加上聯誼會方面伊步倫此次因選舉中常委而加暴死硬派胡浦青案發生後，普遍引起該黨黨員對聯誼會的厭惡而頃向副主席團，何況胡浦青向台北地檢處按鈴控告伊步倫傷害案件，尚在偵查中，結果雖不得而知，可是却有利於死硬派，在這樣的形勢下，故第三屆全代會只好請張君勱回來主持了。

第三、張君勱因鑒於國際環境日益惡劣，乃於今年夏間致函副主席團蔣勻田，要他問國民黨試探三黨合作綱領之義，以明振奮人心，尋謀朝野反共力量的大團結，進而扭轉友邦不利於我國的輿論。但據蔣勻田公開的說，此類試探商談，迄今數月，進展甚願。此時重申三黨合作綱領，而是悚於內外環境日非，但救國救民已有后時之感了。不過，張君勱回國主持黨務的另一原因，是爲了促該黨本身健全起來，進而發揮在野黨的力量，完成反共大業。

（本報記者公冶長寄）

香港與大陸

由旅客自內地回來告訴親友一個故事。這個故事幾乎可以編一齣獨幕劇。時：將近秋節的某一天。地：穿過深圳海關將近到上火車的地方。人：一個在地上拖着兩隻線絡和一個布袋的香港歸去探親人和一群在車站附近閒佇的面有菜色男女。

幕開：那歸僑狠狠地拖着三件東西，要拿到車站寄倉，豈知三袋糧食經檢查過後，不像原來服貼，砰嘭砰嘭在路上的，從一隻線絡中跌出已完稅的一斤猪油。玻璃瓶破了，一斤猪油流得一地。他十分痛惜，無奈何再往前去。

這時來了一堆男女，先到的女人搶了破瓶子在手，後到的人用短衫前幅做成兜子，紛紛抓抓地上沙泥石塊裝入懷去。此劇至此閉幕。

廣州人抱怨中共政府將好的食物運出香港賣，壞的東西留在大陸銷。他們經常吃不到好東西，抱怨不能出聲，只化爲幽默之句：「入得口出不得口，出得口，入不得口。」這句話的意義：凡吃得入口的東西，香港是不要的，所以運不得出口；運得出口的東西，廣州人永遠到不得嘴。

△澳門消息：截至最近爲止，從大陸偷渡來澳仍無眞正的捷徑，雖有人以爲能出高代價，便能托人在大陸偷運旅客出境，比是絕不可能之事，即使有人放盤口，亦是意圖斂財而已。

據從旅行社方面獲悉：從大陸偷渡來澳旅客，三年前確曾壹度有人經營，代價每名壹萬元港幣，彼等是以金錢賄賂共幹發給通行證，名正言順憑證出境的，但時間極短，交易者不會超過十元，其後因在澳接洽偷渡出境方面過於張揚，爲中共駐在本澳的諜報人員獲悉詳情，受賍共幹，遂爲中共所捕搶決。此後此路即宣告不通，所有自大陸偷渡來澳的，均係在大陸自行安排，憑熟悉偷渡途徑船家，引帶出境而已，代價約三四千元，不過此種的偷渡方式，仍極危險，蓋經常爲沿途中共關卡及炮艇截查中。

最近則有極小數來往港澳及大陸間之漁船，作不定期式的偷渡人口出境業務，此種偷渡人口的漁船並不多，代價約爲三千元左右，他們是經常在本澳接洽的，但如非相熟，亦不輕易代偷渡人口出境，蓋防洩露秘密，招致全家殺身之禍也。

走走

·勞克·

走是一種口頭語，比方：沒事的時候，人家問你幹什麼，你就說：「走走。」在走的語氣上，似乎是沒有目的，沒有意義。只是爲走而走的。

不會跳舞的人，進了跳舞廳，被女孩子邀請，只好硬着頭皮，說是：「我跳不好，我們隨便走走」。在某些場合，只用一句話，可以使氣氛和諧起來，甚至於風趣中有雅，雅中有風趣。

語云：一句話說人笑，一句話說人跳。憑着「禍從口出，病從口入」，所以說話都要經過大腦，考慮復考慮。孔子叫人「三思而後行」。如果在語後加上疑問和謙和詞，再應嚴重的事也就不嚴重了。

「走走」應在輕鬆的場合和娛樂的地方，卻不可在官場上。在官場上，你說你到外面只是走走，主官就認爲「姜太公釣魚，一點志氣都沒有」。明知有個好缺，就這「走走」一句話，便斷送掉機會。

所以「走走」可以說出來，但不可成爲口頭禪。言之無心，聽之有意。我還聽到過「他媽的。」出口就是的口頭禪，初次見面時很得不到人們的諒解。

究竟「知我者爲我心憂，不知我者謂我何求」的人太少。陶淵明那個時代到底過去，文明帶來了合羣與互助，所以「走走」的語句，用之得當，可收宏效，用之不當，則事倍功半，有時還是反效果。

我在每天晚上都是要出去走走的，田野上，小山上，在青草綠叢中，慢慢地走，也有一種特殊的況味。有人說我過於孤獨，我不否認。不過，我借用太戈爾在漂島集的詩句來說明，「我是大自然的奴隸，但也是大自然的主人。」我是把走當成我的應有的科目，但我並沒有天天放在口頭上。我對某些人說是走走，對某些人說是散步。雖則我對孔子的「察言觀色」，還只在皮毛階段。

交通與文明

林顯榮

交通發達了，世界縮短了距離，四海成了一家；那是我們全人類的幸福。但又何嘗不是人類的大不幸呢？

由於近代交通的四通八達，促進了文明的迅速發展；也由於文明的進步，使人們對交通的開發建設不遺餘力，然而，這一切都是被戰爭的巨掌所推動的。「從遠古時代到今日，這地球上沒有一天不發生或大或小的戰爭。」也因此文明愈發達的今日，乃是愈不幸。

交通包括了鐵路、公路、水運與電訊。今日交通非常便利，乃是一件不可否認的事實。汽車火車把我們從台北頃刻送到了台南，萬噸的輪船在短短數天內，能夠把我們送到世界的每一個角落。清晨我們還在台北看着太陽昇了起來，然後跨上了飛機，日落時我們已是在洛杉磯的海濱浴場休息；那將是多大的幸福；文明所帶給我們的獻禮是最豐盈的了。可是，公路爲載運軍火而開，西伯利亞大鐵路從莫斯科伸到我國邊防不備的邊境，萬噸的軍艦與潛水的魚雷快艇使得海上擾嚷不寧，德國的飛機在幾小時內可把倫敦夷爲平地，無線電報網神經過敏，一刻不停地報告着無窮盡的危機與發佈作戰命令；那又是人類的大幸嗎？

交通發達了，文明進步了，大都市也跟着形成。於是五彩十色的霓紅燈，車水馬龍的人羣，社會的黑暗也披着文明的外衣出現；在文明的背後是人世間的汚濁面，罪惡與黑暗隨時都在我們四周顯現。嚴重的童工、女工、勞資糾紛等問題，沉重地壓着我們的心頭，那又是文明社會裏的大幸嗎？

我喜歡回想起那些古老的年代，「人生的旅途本來就是朝拜聖地的艱苦歷程。」通過了遼濶無邊的阿拉伯沙漠，阿拉伯的牧人趕着一大羣的牛羊，從這一個地方漂泊到另一個地方。他們的旅途是孤獨的，陪伴他們的只是炎熱與沒有水喝的沙漠，他們孤獨的坐在棕櫚樹下嘆息，悵惘，用手杖在地上，寫着一個個故事與阿拉伯字母的代數式，「天方夜譚」的故事也因此形成了。他們的心中有着精神之光，聖地麥加與麥地那一天天的接近他們，寂寞的晚上有可愛的星星向他們絮語，整個大地的微語安慰着他們，誰能說那不是最大的幸福，最眞實恆久的文明？

我並不是不滿現實的憤世嫉俗之人，也絕不想回到中古世紀去做一個自然人。面對今日欣欣向榮的交通發展與文明進步，我有太多的願望。

德名詩人歌德曾云：「世界之所以創造得這樣遼濶，乃是爲了預備給我們流浪。」離開了戰爭，罪惡與紛爭，我們原可以盡情享受文明的獻禮，可是現在卻處處是禁地。隔着臺灣海峽就是浩瀚太平洋，然而我們卻僅僅是「望洋興歎」的民族，無能爲力；法律的禁令就夠把你釘住在一個小島上，何況海上禁止通行呢！天空中更到處是禁區，不准通行。打開了收音機，你可打開世界之窗，看到遼遠天邊的形形色色，可是它告訴你戰火正在熾烈地燃燒，或者世界奇聞叫你啼笑皆非。當文明成爲眞正促進人類幸福的一天，也就是這些怪現象泯滅的日子。讓我們期望着那一天吧！當那一天眞正到來時，我們就可以跨海返回到祖國的懷抱。──慈母般溫柔的撫慰呀！我們也可以自由地到達聖城伯利恆，瞻仰耶穌誕生的地方；在數天內我們可以到達萊茵河畔，憑弔偉大樂聖貝多芬的故里──蓬恩；到多瑙河上消遣一個夜色撩人的晚上，作一個仲夏夜之夢。當我們返回到家鄉時，心中該是起伏着神聖莊嚴的感謝曲呀！生命不是空白的，人生的意義是豐盈的；這世界是眞實華麗的，沒有年青人之嘆息，沒有老年人之呻吟。

這世界的文明，有待於我們年青人去把它創造得更美麗、更遠離野蠻。交通也有待我們創造得更發達、更屬於我們的戰利品。以今日如此進步之文明，如此發達之交通，而我們仍關在象牙塔裏，就永遠只能望洋興嘆了。

望夫石

·張明·

山川風物

幽明錄載：「武昌北山上有「望夫石」，傳昔有貞女，其夫從役，走赴國難，攜弱子餞送此山，立望而死，形化爲石。」又安徽當塗縣西北十四里，正對和縣城樓，有一「望夫山」，據寰宇記云：「昔有人往楚，累歲不還，其妻登此山望之，久之乃化爲石。」

據上所云，人之生離死別，爲最悲慘之一幕，可是死別雖慘，一死便了，惟有生離者，兩地相思，欲見莫由，其抑鬱惆悵之心情，永遠不能解除，較之死別，尤爲悲慘！凡登過九龍城寨之獅子山頭，目覩「望夫石」嶙峋畢肖，便知生離之痛苦矣。

獅子山在九龍蜿蜒山脈上，除赤望山外，爲第二高峯，「望夫石」在此山背後，從沙田若干角度看去，那一石頭，一面像抱子於懷，一面像負子於背，若到達「望夫石」面前，乃一塊數丈高，數十圍大之頑石也。

相傳昔有一婦人，以其夫遠役數千里外，多年不歸，又杳無音訊，每日負子登獅子山而望之，由徘徊而惆悵，由惆悵而發生一種不可思議之擬情，結果由癡情化爲石，石上顯現母子形狀，故名之曰「望夫石」。

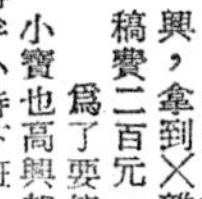

中獎記

鮑家彬

今天，我很高興，拿到×雜誌的稿費二百元。

爲了要使妻和小寶也高興起見，我特地提前半小時下班，趕到西門町老大房食品店裏去買了一點他們所喜歡吃的香糕和粽子糖，算是對他們的慰勞和犒賞。

歸途，經過衡陽街時，被一個漂亮的小女孩纏着：「先生，買一張獎券吧，明天就要開獎了，包你中第一特獎廿萬！」我看他焦急的眼光，期待人買的可憐樣子，不忍心拂逆她的意思，心想反正今天拿了稿費，就破例買一張吧。

「先生，謝謝你！」這小女孩笑了，笑得那樣甜！

晚上，小寶嘴裏吃着粽子糖，手上卻在不停的做功課。妻也在一邊打毛線，一邊吃那清翠而香甜的香糕，臉上卻不時的流露出快慰的笑意。我卻鼓起二郎腿，仰靠在籐椅上抽雙喜烟，其味道眞比平常吃的新樂園要好得多多。

「文，你今天的財氣好，可買了一張愛國獎券？」妻微笑着說。她的手仍然在不停的打着毛線。

「既愛國，又可發財，這眞是太好了。」我噴出一口煙霧，卻迷惘的說：「不過，我雖是買了一張，卻怕……」

「哎，別說這種洩氣話，好不好？」妻不等我說完，便急忙打斷我的話說：「我們應當生活在希望裏，不要老向壞處想，假如我們能中了第一特獎廿萬，那多好！」

「對，我可以利用這一筆錢，來辦一個文藝雜誌，鼓勵青年作家投稿，園地絕對公開，不特約名作家捧場。」

「得了，得了，你又是三句不離本行，這點錢也夠你辦正經雜誌？人家所喜歡的，是黃色的小說雜誌，或黑色的偵探雜誌，要不就是輕鬆的電影雜誌，誰愛看你這個無名小子所編的文藝雜誌？再加你不請名作家捧場，準沒有銷路！結果你不把廿萬元賠光，那才怪哩！」

「雲，依妳看，應怎麼辦好？」

「我看，還是把它放到大公司或工廠裏去生利好了。既保險，又不用操心，眞是一舉兩得哩！」

「萬一倒閉了，怎麼辦呢？」

「傻瓜，他們的資本都有幾千萬，也會倒閉得了？」

我被妻說得啞口無言，只好裝傻不做聲了。

第二天晚上，妻一聽到外邊街上叫賣「開獎晚報」的聲音時，就不管三七二十一的，在我西裝口袋裏摸出一元錢，跑到街上去買了一張來，誰知還未到門口，她便高興得直叫了起來：「文，快來看，我們中了第一特獎廿萬！」

「啊，眞的？」我急忙掏出愛國獎券來一對，果然不錯：「第一特獎：○○○○○一！」

「哈哈，我們變成富翁了！」妻樂得幾乎要發狂。

「爸爸，我要一部新的順風牌腳踏車。」小寶說。

「好的，爸爸明天就買給你！」我也高興的答應。

翌日，是禮拜天，爲了慶祝中獎，我們全家沒有起火，在外面痛痛快快的吃喝玩樂了一整天，才回家。

誰知好景不常，我們將二十萬巨款放進一家鐵工廠還不到一年的功夫，該廠就負債纍纍，被政府接管了。

「該死！我當時怎麼不想到放銀行呢？」妻懊喪的說。

「太太，因爲妳貪別人高利，」我說：「所以別人才要吃你的老本啦！」（完）

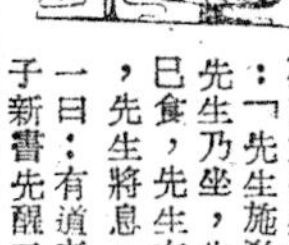

閒話先生

·漁翁·

先生之意義有三，一曰稱師爲先生，管子弟子職云：「先生施教，先生乃作，先生乃坐，先生將食，先生巳食，先生有命，先生欲作，先生將息，先生巳息。」一曰：有道者，稱爲先生，賈子新書先醒云：「世主忳忳如醉也，而賢主昭然先悟，譬猶俱醉而獨先醒也，」是以先生爲先醒，以其得道在先耳。一曰：年長者稱先生，以其生於我之先也，孟子曰：「先生將何之？」寓尊老之意。總之，以傳道授業者稱先生，爲最合理想，最符實際，古以上至學台，下至課蒙童者，咸稱之曰先生。可是先生不易爲，姑無論學問之優劣，品性之好壞，必受過人間之考驗與質難，刺諷與批評，茲就所聞，寫在下面，藉佐筆談。

清乾隆間，有陳某，少年入詞林，拜命主攷江西鄉試，俗稱「學台老師」，該省文化水準頗高，聞陳年少，恐學不深究，期有以難之。迨陳抵埠，約集貢廩生員百餘人，迎於江干，適值大雨淋漓，街道幾爲水淹，待冒雨滋行積，旅裝甫卸，有廩生某呈一上聯云：「大雨滂沱，洗盡街衢迎學士」，名雖歡迎中之恭維語，實則用以試主考官者，陳閱後，知其來意，即提筆對之曰：「一聲霹靂，打開天眼看文章」衆乃愕然而歎曰：「先生，天才也。」

有課蒙童者，因事外出，適大雨，主人着傭工送雨具去，途中傭者向先生口占打油詩一首：「風蕭蕭，雨濛濛，長工送傘與長工，酒席筵前分上下，每年薪價一般同。」先生爲之不悅，歸告主人，主人正責備開，忽奶娘揷嘴道：先生，乃家廟龕上之「天地君親師」，地位崇高，爾何人斯，敢與比衡！只我或可並駕齊驅，先生問之，則曰：「我爲主人育幼，先生爲主人施教，苟不育，何有教？以育以教，其功一也。」先生雖不恰於懷，但以言之成理，乃一笑置之。

傳一寒士，以課讀謀生，但學識過低，而好爲人師，常以「別」字教人，如「王曰叟」，讀爲「王四嫂」，又「季康子問仲由」，讀爲「李麻子開冲田」，東家以其教別字過多，將薪金扣除，寒假歸，妻索薪金，寒士曰：「王四嫂扣去幾多，李麻子開冲田，又扣去若干，」忽然曰：「李麻子開冲田，還有田在，王四嫂乃一婦人，如無邪，決不至扣去薪資。」一再詰之，而寒士莫答，傳爲笑談。

文人筆下的「色」

·燕譜·

好色，人類之天性也，知好色，則慕少艾，魯男子倒底有其人否？有其人，亦乃不近人情之人乎？「食色性也」，孔老夫子亦不諱言，反性之道，人性之所不許，「螻蟻也知春色好」，何況人類乎！

「好色」之「色」，其對象當然是女人，女人爲男人所好的對象，自古已然，「國風好色」樂而不淫」，淫者超乎好，故好色是求「樂」，書經有「內作色荒，外作禽荒」之誠，其誠在「荒」，荒者超乎求樂之淫，然而男人之好色以女人爲求樂對象，則又未免有侮辱女性之嫌矣。

關於好色，古今文人筆下記者甚多，而且咸爲佳構，詩經云：「出其東門，有女如雲」，「有女同行，顏如舜英」，「光澤女美」，所謂「樂而不淫」，至少其窗已淫。許多著名作品中，都以女人爲題材，尤其詩詞，香草美人之句，觸目皆是，而文人好色，尤爲普遍，如「好色，人之所欲，妻帝之二女，而不足以皆有」，公然給後世莘莘學人，於十年寒窗之時，便知「書中自有顏如玉」之可求，面壁十年，終有艷望。只要書讀得穿，那怕頭髮白了，而紅顏自會來也。雖如道學先生者，提到「她」時，無不津津樂道，倡言「蛾眉皓齒」，「細腰微骨」，而今更也羨慕三圖與蜂腰，如大文豪宋玉的登徒子好色賦，高唐賦，司馬相如的美人賦，張衡的定情賦，會子建之洛神賦，江淹之麗色賦，「才子佳人信有之」，認爲風流韻事，「紅袖添香應讀書」，又是何等艷福！「十年一覺揚州夢，贏得青樓薄倖名」的杜牧之，固不必論，就是作「原道」，諫迎佛骨，以繼道統自命的韓愈，也有兩位艷姿呢！韓愈二姜，一名絳桃，一名柳枝，其名已艷，不讓太白賦的樊素，小蠻專善，據說能歌善舞。韓愈至壽湯驛，絕句：「風光欲動別長安，春半邊城特地寒，不見圓花兼卷柳，馬頭惟有月團圓。」挾美以作蜜月之旅行，則又是何等賞心樂事！韓退老亦自不孤，故有圓圓之感。旋柳枝蹤牆逝去，爲家人追同，他鎖州初歸詩：「別來楊柳街頭樹，擺弄春風只欲飛；還有小園桃李在，留花不放待郎歸」。自是專寵絳桃。大概文人多界風流自命，往往自作多情，不管女人愛不愛他，柳枝私逃，正抵不住那股酸氣吧！

文人好色，自以爲非如此，即不定稱身份，因而有自造艷史者，什麼贈妓詩之類，直以淘金娘子爲知晉。今日捧明星女伶之風甚盛，獻詩贈詞不一而足，其實那些艷貨又懂得啥子爲文乎！

書生談兵的故事

李仲侯

是時常州並無敵人，何飛章報捷，并每日陳報常鎮軍事，凡各路共需兵若干，奏請統歸張玉良節制，自任力保蘇，常，詞氣甚壯，何意在擁衆自衛，蓋已棄金陵大營於度外矣，不久，太平軍各路援軍悉詣金陵城外，進窺大營，大半多空蟲，張國樑激厲將士，搏戰七晝夜，太平軍來益衆，餉又不繼，外無援應，諸軍能戰者，多留駐常州，九檄而不至，兵遂敗，和帥部下全軍皆潰，狼狽走鎮江，張國樑只得自毀其軍亦退鎮江，何恐和劾亡，亟致書慰勞，何奏稱金陵圍師既敗，宜從新部署，丹陽以上軍務，由和春張國樑主之，常州軍務，臣與張玉良主之，俟布署稍定即謀進取，實皆空言也，張國樑戰死丹陽，和帥以十二騎奔常州，何聞丹陽失守大驚按察使及道府聯銜稟請退保蘇州，何得稟大喜，即拜疏言和春已至常州，軍務仍歸督辦，臣即至蘇州，籌餉接濟，紳民耆老數百人即夕籲香赴轅門，跪請留常，文經諭之不散，執鞭之士出屯之，猶不退，何怒，遂令開槍縱擊，死者十九人，先是何密遣親軍護送其父及兩妾至通州，特張榜禁民遷徙，並派兵嚴查諸門，紳民曰：「彼置吾輩[illegible]亦不走，無非便其獨走之私，毋寧留之，俾與吾輩同死」，四月乙丑朔，紳民復相聚遮留，聲勢洶洶，何懼，微服由間道脫走，步行出東門，上馬，遇知府平翰在城外巡緝，疑其追亡也，手洋槍擬翰以嚇之，翰退避，乃怒馬絕塵騎去，從者在十里外樣舟運河之湄，遂親率兵五百赴蘇州。

常州自何逃後，文武皆走散，紳士中一舉人一醫生倡議，擁通判爲城主，苦守數日即陷，通判及二紳死之，紳民遭屠殺者尤衆，以何禁遷徙故也。

（六）

奇癖談趣

筱臣

在芸芸衆生之中，各人有各人的癖好，由於先天的秉賦或後天的習慣，自然是多采多姿，無奇不有。因爲人們的品性不同，嗜好各異，自然亦未可以其怪異而加以非議。猶憶多年前邵洵美爲「論語」作癖好專號徵文啓事曰：

「人有癖好，猶水有波紋。水無波紋，固一泓死水，人無癖好，眞一個死人。有癖好，精神斯有寄託，生活斯有情味。毋以癖好之累人爲可恨，要知生趣固端繫於此焉。

「雖然，癖好之不同各如其面，或沉湎於古董字畫，志尚風雅，或酷愛山林煙霞，心絕紅塵；或喜下棋，或好種花；或嗜捲煙，或愛舞腰；或搜集郵票，或珍藏古錢；或獨標高格，飲酒賦詩；或深入旁門，談狐說鬼；或慕嚴子陵，摟愛人而湖畔垂鈎；或效養由基，趁汽車而郊外尋獵；或經典一卷寄生命於我佛，或麻將八圈置國事於他娘。

「亦有熱中名利，身列權門爲榮；好出風頭，名登報紙而喜。更有別具心得，永不整容，罔問世事，長日酣臥者。世界之大，無奇不有，雖表現之形態不同，情趣之可愛則一。筆諸紙墨，均成妙文，爰出專號，以供紀錄。所望海內同文，各抒雅興，共襄盛舉。最宜信手拈來，直言而談相，切忌縐眉苦思，閉戶以造車。夫文章原本天成，癖好亦出天性，憑妙手之偶得，便至情以流露，寧非趣事，不亦樂乎？是爲啓。」

這篇文章，頗饒有六朝小品風味，是較幽默的，可惜癖好專師洨有看到，中間不知道有些什麼奇癖。這裏，且先引述古人的奇癖，有史可考的，雖屬信手拈來，但絕非杜撰；於事有徵，更非閉戶造車。

南史劉邕傳：「劉邕嗜食瘡痂，以爲味似鰒魚，嘗詣孟靈休，靈休先患臭痔，瘡痂落床第，盡取食之，靈休大驚，邕曰：「性之所嗜耳。」靈休瘡痂未落後，褫取以貽邕。南康國吏二百餘人，不問有罪無罪，遞互與鞭，鞭瘡生痂，常以佐膳。」

負暄雜錄記：「長慶末，權長儒留滯廣陵，將赴闕，美公餞飲，有狂士傳言長儒有嗜爪之癖，乃即健步及諸鋪保處得爪甚多，洗濯既淸，以紙裹候長儒酒酣進獻，長儒欣然，餘涎垂吻，連啜啖之。」

又：「南鄉永興，本牧猪奴，後得藏鏹而負，但建業而不事成家。因永興年十五，爲人牧猪於廢墟中，四週結籬，茅舍如斗，子夜常與母猪私。廿餘頭中無一倖免；越兩年，舉一雄，聲言夜拾，賣得五十金，合其私蓄，乃承頂自營。自此，諸牲竟成變姬，且且伐之，翌年又舉一雄，寄養鄰婦，而母猪因難產被剖陰死，擬爲之埋，於其茅舍近旁開坑時，發掘得三大窖藏鏹，遂購該廢墟地，樂一別業，鄰婦爲之作伐者屢，均被拒，依舊豢猪作樂，以終其身，其癖殊奇！」

周書蔡賞傳：「蔡不好聲色，尤惡見婦人，雖相去數步，遙聞其臭，經御婦人之衣，不復更著。」

五代前蜀世家書：「王衍好戴大帽，每微服出遊，民間以大帽識之，因令國中皆戴大帽；又好裹尖巾，其狀如錐。」

宋書庾炳之傳：「庾炳之性好潔，士大夫造之者，去未出門，輒令人拭席洗床，時陳郡殷冲亦好潔，小吏非洗沐更衣，不得近左右，士大夫每不整潔無容接之，炳之潔反是，冲每以此譏焉。」

清異錄說：「沈×提督之母，勛貴女，獨生驕養，十四歲時，拾一幼狗，身雪白，親爲沐浴飼養，長甚雄壯，臥床前，日夕不離。暑夜炎熱，露體納涼，假寐窗下竹楊，熟睡；竟爲該犬所乘，家人未知之也。逾年，母爲之議婚，竟挾私蓄及狗，曬居於鄉曲，年十六而生提督。據云：「提督之胯下狹長似狗，臀部有一短尾近寸。過二載，狗死，父亦亡，母接之歸者數月，母繼死，不再嫁，又養狗作樂，養大提督。」

四洪流賊記：「張獻忠嗜殺，陷川時，取婦女之小足，均斷之，疊而爲塔，而缺一纖小者以爲塔尖，正尋覓間，其變妾以小足稱，適在側，問所欲，獻告以故：變妾侍寵而笑之曰：「妾足則如何？」獻忠觀之大喜，即命武士推出斬之，以之爲塔尖，此則極惡窮兇，不近人情者也！」

[illegible]這些都是於史有據，那信不信又由你呢！至於近人的奇癖，則由於社會演進，更屬花樣翻新，日新月異，由於篇幅有限，更當另文報導，以饗讀者。

鄧中龍近詩

重陽雜感

其一

水光看盡又山光，地僻亭深草自芳。
尚有榴花籠小苑，了無秋意作重陽。
眼多閱歷知人老，架滿圖書覺味長。
說到陳隋終掩卷，枯槐斜日倍茫茫。

其二

十年漂泊早忘機，不爲登高探翠微。
海浪臨風波渺渺，鄉心入夢淚依依。
人中龍亦垂垂老，陌上花難緩緩歸。
便欲苦尋湖畔約，衡陽回雁少南飛。

查無實據

斷橋

如果「查有實據」的話，我們中華民國五十年的歷史很可能重寫。大概就是因爲受「查無實據」之賜，如今，我們才浮海來到這寶島之上，從事反共抗俄之神聖事業呀！

我們看報紙，時時發現如此台辭說：「如果查有實據，一定依法嚴懲」！

眞個是如兒「其肺肝焉」！不用提，說這漂亮台辭的官兒，總得是主管，且太小了還沒資格，按照以往法例爲證，須是縣市，廳處局之長字輩以上的官兒。

讀者大概都有豐富經驗，閱貪污案新聞至「如果查有實據，一定依法嚴懲」，必自然的會報以會心的微笑，跟着就把手中的報紙擱在一邊兒。則已明白宣佈，該案到此已是曲終人散，剩下的不過是惡濁的空氣和滿地瓜子皮，香蕉皮罷了。所云「查」也者，乃官兒們的「廣告術語」也，且結果一定是：「查無實據」啊！眞的？天底下會有那樣傻瓜？別人拉屎，他甘願去揩屁股？於是，開國五十年來，多少大貪污案，雖喧騰舉國，然而，都在「查無實據」的保護下逍遙法外了。

「查無實據」四字，不知救活了多少貪官污吏，掩蔽了多少政治上的罪惡。馴至蝕腐國本，釀成紅禍，今天，我們才受其賜來到這寶島上，高喊反攻大陸！

但是，官兒們對「查無實據」四字卻是愈加愛寵，奉之爲座右銘，奉之爲穩住陣腳的護身符！如謂不信，試閉目一思，若今日的各級主管不以此四字做萬靈符咒，喻喻有辭兒，朝夕上口，恐怕自己的烏紗帽就難保了。

老子說：「實其有，用其無」，我們的官兒們深譜此術矣！故對「無」字特別欣賞，予以重用焉！實其「有」者，充實了自己的荷包，用其「無」者，「查無實據」也。然則此種官場技術，反而保存了國粹，發揚了老子的哲學思想，是則陽明山會議諸公，口口聲聲說要設立什麼中國文化研究所，也就不免多事一舉了。嗚呼，噫嘻。

才女梁令嫻

·道南·

筆者曾在五月六日本欄，以「霧峯萊園」爲題，談及梁令嫻曾隨梁任公來台灣。令嫻女士幼承家訓，學有淵源，再加以天生麗質，妙善詞章。她年廿五歲的時候，即有「藝蘅館詞選」的發刊，後來由上海中華書局印行。

發刊後，任公即郵寄該書，求正於朱古薇，朱甚爲推許，康南海讀完這部詞選之後，亦千里裁書給他的門徒韓素園，盛讚令嫻多才，同輩同和都不及她。

其後令嫻婚於周國賢，周國賢自幼生長海外，對於國學素少研究，有一次道出香港，和徐君勉的女婿葉翰民遇於旅社，辨論婦女服飾問題，各持一說，爭論甚烈，但因翰民嘗治法學，富有辯才，國賢遂爲所屈，大以爲恥。細忖一已未嘗治國學，徒然誦習蟹形文字致有所失。

歸而師其妻，稍稍學誦讀訓詁。有不合，令嫻往往大聲呵斥，不稍寬假，國賢唯唯稱是，奉命惟謹。「以伉儷而兼師友」，一時傳爲美談。其後國賢數爲北洋政府外交官，不幸早死，別鵠離鸞，恩情斷絕。

後來令嫻再婚藍公武（按藍已於四十六年逝世），公武能文章，爲任公所賞識，與吳貫因，張東蓀有三才人之稱。但公武善變，不重氣節，罷官後，寄居北平，始而投僞，終乃附共。佳人遲暮，令嫻已垂垂老了。有人嘆息她之身世，才多命蹇，恐怕有蔡文姬，李易安同樣的遭逢吧。

內僑警台報字第〇三一號內銷證

自由報

THE FREE NEWS

第一七七期

中華民國僑務委員會頒發
台數新字第三二三號登記證
中華郵政台字第一二八二號執照
登記為第一類新聞紙類
（本週刊每星期三、六出版）
每份港幣壹角
台灣零售價新台幣貳元
社長：雷嘯岑
督印人：黃行實
社址：香港銅鑼灣高士威道二十號四樓
20 CAUSEWAY RD 3RD FL
HONG KONG
TEL. 771726　電報掛號・7191
承印者：田風印刷廠
地址：香港灣仔高士打道二二一號
台灣分社
台北市西寧南路壹壹零號二樓
電話：三〇三四六
台郵撥站金戶九二五二

從土地利用看台灣人口問題

·丘峻·

人口、農田、建地、三者，原屬各個獨立的問題；但在台灣地方，則又各成為互相關聯的一環。這話怎麼說呢？

首先，讓我從人口問題說起。

台灣人口，在光復之前，據說六百餘萬，一說將近六百萬。光復以後，大陸來台的人數漸多，迨政府遷台，大陸來台的人數益衆，到現在為止，台灣人口將近一千一百萬。據去年公佈：台灣人口增加率為千分之三十五，今年已增高至千分之三十九了。如果這個統計可靠的話，則一年可以增加一個高雄市，兩年可以增多一個台北市。因此，有人認為台灣人口問題，相當嚴重。但又有人謂，根據戶口普查結果的統計，台灣人口的生產率只有千分之二十五；並進一步指出，台灣現有八十萬已達結婚時期的男性無法覓得配偶，如再行晚婚，節育，則千分之二十五的生產率恐怕還無法維持。故前者主張台灣應提倡節育，以解除人口的壓迫；後者則根據國父遺敎——全中國人口八億不為多的說法而主張台灣再增加人口，反對節育，以免人口生產率的減低。台灣人口每年的增加，不論是千分之二十五也好，千分之三十五也好，甚至千分之三十九亦好，其間增加數字雖有所差異，總之，台灣人口正在逐年遞增之中，則是彼此看法相同，觀點一致的。人口既然正在逐年遞增，則所賴於維持生活的糧食問題，便不能不設法加以解決。要解決這個糧食問題，則耕地面積的保持與擴大，將為其先決條件。而耕地的大部分則為農田，是農田生產為解決人民糧食的主要途徑。

其次，就讓我來談農田問題。

台灣耕地不多，農田佔地比例尤少；但與人口相較，益以農產品的豐收，每年穀米剩餘甚多。在日據時代，所產穀米，除台灣自用一部分外，大部分輸往日本。光復以後，人口雖日見增加，而穀米仍多出不少，依舊分別輸往日本及香港等地銷售。及至近年，人口遞增益衆，住屋需要更多，於是公私房屋，逐漸增建，而所用建屋基地，多屬農田或其他耕地。又以市場的擴充，商店的加增，佔用耕地，尤其是農田面積，也着實不少。像這樣的增建住宅、商店，固然使用土地不少，究不如建設工廠、新村、學校用地之更多得驚人，為着交通運輸的方便，其所選用之地，又大部分係通衢大道的附近，或公路、鐵路兩旁一帶的良田。那末，住宅、商店、工廠、新村、學校，逐漸增建，耕地，尤其是農田的面積，則日見減少。人口逐年劇增，耕地逐年銳減，實成一個尖銳的對比，而影響民食，在全部面積有限的海島上，確將形成一個嚴重的問題。這就人口問題言，也便直接成為重大的威脅。說也奇怪，為什麼作都市計劃的人事先竟沒有顧慮及這樣重要的問題？等到事實都已擺在大家面前，而各方面，尤其負有司之責者，又為何到現在還沒有注意到這個現實的大問題呢？

現在，再讓我說到建地問題。

台灣人口遞增，職業問題就不能不謀解決，以免因人口之增加而失業者亦日見衆多。於是一方面吸收國內外游資，一方面歡迎華僑及外人投資。各種大小工廠遂因之而分頭建立，蔚成大觀。各種工廠之次第籌建，固可以增多人民就業的機會，未嘗不是解決人口問題的一端。然而，工廠用地多屬農田、耕地，而且用地都很多，數百坪而至數千坪乃屬常事；是以每一工廠籌建完成，則土地，尤其是農田、耕地，即因之減少一如該廠所用土地的面積。建設新村，所用農田、耕地更多。溯數年前起，為籌建軍警公教人員及眷屬宿舍以至平民住宅，尤其是海、陸、空三軍軍眷宿舍，早已在各地分區進行，一村一村地完成，又一村一村地相繼，用地之多，動輒以甲至數甲乃至十數甲計，其驚人程度，又非工廠用地所可同日而語。至因求學人數之增加，而增建校舍或增設新校，所用亦皆農田、耕地，且多達百千坪數，對於土地面積之減少，也非同小可。因此，全台土地面積，尤其是農田、耕地面積，繼續減少之急轉直下，遂成為自然的趨勢，縱因農業生產技術之長足進步，而農產品量之能否維持平衡，也自成為一大疑問。這就將轉變為關係人民糧食的一個實際的大問題，在此人口與時俱增，成為嚴重威脅的情況之下，應當為政府及人民所注意。然而不然，寧非怪事！

從上所述情形看來，台灣人口逐年遞增，已成為不能忽視的問題，而所需糧食便不能不設法解決。住屋、商店、工廠、新村、學校的漸次增建，則土地面積，尤其是農田、耕地的面積，大量減少，影響糧食，便益增加人口問題的嚴重性。可知人口、農田、建地、三者，在有限地面的台灣，確實成為嚴重的循環關係。這種事實固已形成一個實際的問題，惟事態仍在繼續發展之中，補牢固嫌稍晚，而亦未始不可以收之桑榆也。

為今之計，我們可從下列幾方面去設法尋求有效的解決方策：第一、節育是從根本上解決問題。如果土地，尤其農田、耕地的面積，今天不再減少，農業生產量又能維持平衡，則在若干年內，不節制生育也沒有問題。第二、欲農業生產能維持平衡，則須要土地，尤其是農田、耕地的面積，不能再有所減少。要土地，尤其是農田、耕地的面積，不再減少，則除商店、舖戶外，所有工廠、新村、學校都必須避免選用農田或其他土地。第三、民房住宅，尤其是新村、學校，只要交通方便，比較遠離市區，亦屬無妨，而且易得風景之美，園林之勝，幽靜之樂，出塵之雅，故其建築基地的選擇：在擬作都市計劃之前，便須有妥善的安排，以盡量避用農田或其他耕地為原則。倘能先從路政建設，使交通便利，另行劃定普通住宅或新村及學校地區，完全避免使農地，則為最上之策。第四、各種工廠、新村、學校佔用土地面積很大，如建於市區附近，或鐵路、公路兩旁，則多屬農作之地，影響民食，非常重大。前者既未作妥善的安排，預先沒有劃定地區，則今後所有工廠、新村、學校之建設，應擇定偏僻之地區為宜，既可開闢荒郊，兼預策安全，復可保全農地，以維持民食，而減少人口問題的嚴重性。第五、開闢荒區，以增廣種植土地的面積。台灣各地許多荒山僻野，尚待墾闢，墾荒之後，均可用作種植之地，或種水陸兩稻，或種各種雜糧，或種有用木材，栽有益果木，逐年增加，依次推廣，以解決人口增殖之所需要，或作出口以為換取外滙之物資，以富國計，而裕民生。又或開辦新式農村，或闢作各種新村，學校和工廠地區，是人口增加所帶來的住屋、糧食、職業、生產等問題，亦可於為解決。第六、移山填海，兩皆成為平地，共用相得益彰，遠如荷蘭，近如港九，均行之而大著成效。台灣近年也正從事這一計劃的工作，在沿海一帶，或築成魚塭，或建為農地，分頭生產，共裕民生。往後果能繼續進行，次第完成，則到若干年後，當使人口問題的嚴重威脅，為之大大減輕。第七、海埔新生地區，係由人工改造而成，花費資金不少，且須經過相當時日，繼能種植，似此，作為一種準備，徐圖發展，自無不可。如欲求急效，則倒不如先保全原有農地，繼續生產，為輕而易舉。進一步，應用科學原理，利用科學方法，改良耕地土質，改進農業技術，從事土地高度利用，以謀大量增產，收效亦當速而且大。

（下轉第二版）

漫画天下　南施

弄蛇者也怕這條「兩頭蛇」了？

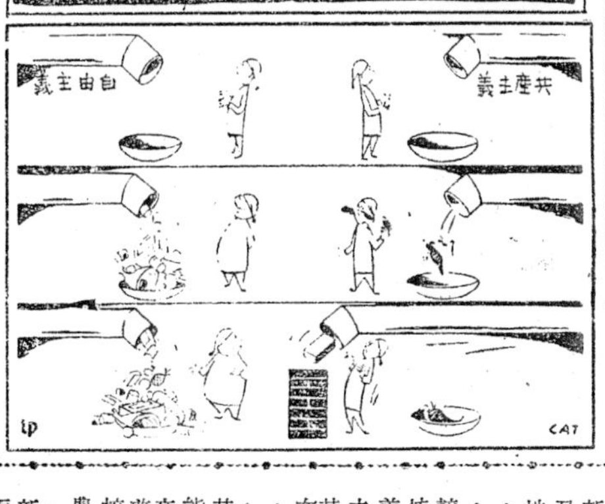

東西德的經濟奇觀

自由談

談「選災」

馬五先生

民主政治多浪費，這是無可否認的事實，不論精神與物質兩方面皆然，而以物質的浪費為尤甚。

民主政治的重要方式就是選舉。談到選舉的浪費情形，眞教人不堪想像，競選人為着爭取勝利，從提名列入候選人，組織助選團，以至向選舉區域進行活動，為挨家挨戶的訪問請託，到處發表演說，挖空心思以博取選民好感；對地方有力人士的巴結聯絡，送禮招宴；最後臨到投票之日的各種安排應酬等等：無一不是需要煞費苦心，大耗財力物力的。這只是按照正常的選舉方法而言，此外還有許多意想不到，視聽不及的事情，難以枚舉。總之，辦理一次選舉的浪費程度，殆有如經過一場劇烈的水火之災那末嚴重，決非過甚其詞。

我國古代的選舉制，是授權地方官紳，博訪周詢當地品學優良，德望崇隆的賢士大夫——即現代術語所謂高級知識份子——推舉於政府，量材器使，勤力國事。這樣的選政，頗似現代國家初試憲政生活的間接民權——又名曰「委託選舉制」，或稱複選制，結果總視直接由人民普選出來 民意代表，略勝一籌，因為最後是由各地區的知識份子來斟酌選選的，而浪費亦比較減少些。夷考歐美各先進文明國家普選成績，眞正才學優越，德高望重之士，由於不願，或不能從事浪費之故，多半難以入選。所以，在咱們中國若認眞實行英法美諸國的人民普選制，一般有為有守，才智不凡的窮書生，敢斷定他決無獲選之可能也。

明乎此，即知國民敎育不普及，產業不發達，民衆組織能力缺乏的國家，「選災」必然嚴重無疑。然而選舉乃是民主政治中心機能，要談民主憲政，則明知其為浪費可驚，亦非嘗試不可。說句老實話，我是贊成間接選舉制的。

歌聲舞影轟動寶島
花蓮山胞千人舞會

·阿鬼·

（花蓮通訊）花蓮縣阿眉族山胞的擴大豐年祭千人大舞會，十五日在本市花崗山運動場舉行，首屆商展亦同時揭幕。

本屆大舞會，所不同於以往歷屆的，不只參加舞蹈的人數多，而節目內容也經完全純化，澈底表現阿眉族原始祭典歌舞的風格，一掃過去滲雜現代氣氛的作風，樂器亦使用該族古代樂器。據擴大豐年祭千人大舞會的籌備會透露：連日由台北各地向該會聯絡要求參觀的單位很多，尤其駐華的外國使館和領事館，亦紛紛來電要求留座位，美國新聞處及米高梅電影隊亦派人來花，要求拍攝千人大舞會的實況。省觀光協會會在月前表示：屆時有五十輛遊覽車運送觀光旅客來花。這次花蓮盛況空前的大舞蹈，不但轟動了台灣的觀衆，且也引起外籍人士的興趣，預計對本縣的觀光事業，當有甚大的助益。

舞會於十五日上午十時開始，會場四週已爲三萬餘觀衆擠得水洩不通。開幕禮由議長主持，縣長柯丁選應邀致詞，六十九歲的阿眉族總頭目林五郎，身穿紅袍，頭戴羽毛，用阿眉族語致詞，感謝上蒼和神明護佑，使年年豐收。到歌舞人員進入會場時，四週觀衆擠入警戒線，進入會場，使表演無法進行，經軍警增加實力勸導後，始勉強清理出一塊表演的場地，但已被延遲了四十分鐘之久。

阿眉族各部落男女青年一千人，一律着古裝的短袖紅襖黑布裙，腿上綁黑白相間的巾帶，頭上飾有白色獸毛，滿綴珠翠的鳳冠，攜手慢步，配合着悠揚的歌聲，列隊起舞。男子們多戴紅巾羽毛，全身披掛鏈環，充滿了活力。他們圓潤的歌聲，美妙的舞姿，獲得了數萬觀衆的喝采。在場參觀的外賓與美高梅影片公司，美新聞處，台灣製片廠和中央製片廠，都在現場獵取珍貴鏡頭。

舞蹈包括七個節目：男豐年舞，女豐年舞，竹管舞，原始風光舞，獨唱，與秀林鄉泰雅族山胞三十餘來客串的高山族土風舞，最後是大家來跳舞；阿眉族男女青年和來賓大家攜手圍成一圈，表示團結友愛，共同歡樂。不少外賓，平日跳慣了西洋舞，下場參加後，顯得手忙足亂，邊學邊跳，樂不可支，法國代辦戴國棟與海軍武官羅格航，各地回國參加十月慶典僑團的僑胞，都參加了跳舞的行列，與阿眉族男女手拉着手，顯得異常親切。歌舞歷二小時才結束，下午三時和八時，還各有一場表演。整天三場中，晚間一場最爲精彩，由於會場燃燃着熊熊的營火，不但使豐年舞增加原始氣氛，並且別有風味。

阿眉族也學會了西洋式的花樣，在豐年祭舞會中舉行一次別開生面的「阿眉族小姐選美」，提高觀衆的興趣。十位候選人由阿眉各部落推出，十四日晚間由主辦選美單位更生報，裝設五輛花車，每車站兩位候選美人，在花蓮市區遊行亮相。正式選舉於十五日下午一時開始投票，九時半揭曉。結果是體態健美，充滿青春活力的阿美族姑娘朱金玉以四二七〇票壓倒羣芳，當選爲「阿美小姐」，朱小姐十七歲，她感謝大家的支持，她希望找一個好丈夫，不計較他是那裏人。第二名李美蓮，第三名鄭春蘭。三名當選的「阿美小姐」，第一名獲銀冕一座，第二名得銀杯一個，第三名得銀盾一座，同時各附送紀念品，其餘參加各候選人，亦獲各界贈送紀念品以爲鼓勵。民航公司派人在場拍攝照片，第一名阿美小姐的玉照，將成爲民航月刊的封面女郎。在選美票櫃中，發現一張金額一八〇元的銀行支票，不知是那位觀衆誤投入票箱，抑是有意送給當選小姐的，主辦人員百思莫解。

阿美族是台灣東部人數最多的山胞，無論男女老幼，都能歌善舞，充滿了羅曼帶克聞名中外的情調。他們的歌舞，是隨祭典而來，過去他們每月都有祭典，因此歌舞成了他們經常性的娛樂。他們最主要的祭典有豐年祭，農事祭，觀月祭，運動祭，捕月祭，成年祭，巴卡拉奧祭，巴羅海阿魯馬美珠模德祭，馬沙沙埃魯祈禱等，以豐年祭最熱鬧隆重，而且表現得多彩多姿。

豐年祭又叫美利新節，在每年中秋節前後舉行，原來的儀式是要一連舉行七天，男女老幼，盛裝與會高歌起舞，狂歡達且，比漢族的春節還要鄭重其事。同時也是青年男女們互相表示愛慕的時候，進行求婚的最好時機。

豐年祭的第一日叫做美巴福：由部族領袖長老，領導全體族人到會所祭祖。第二日叫巴卡拉南：由曾經「出草」殺人的英雄，與部族中的上級人物到頭目家中，在懸掛人首的棚屋前進行追悼會，獻三牲，殺猪雞送老年人及頭目。第三日叫那巴大特。第四日叫與巴大特：是青年人的日子，年青男女聚集一塊，盡情唱歌跳舞，選擇自己的意中人，極富羅曼帶克的情調。這天以後，很多青年萌生愛苗，奠定終身幸福，年長的人則巡迴各部族家中喝酒狂歡。第五日叫阿羅德：年青人酣舞豪飲。第六日叫哈科模特：這天全族男女老幼大集合，每家傾巢而出，集於會所前廣場，舉行歌舞大會，這是七天中最隆重的日子。第七日叫巴特郎：由頭日集合族人，講述過去一年的大事，提出未來的工作計劃，然後隨巫師到河畔沐浴祈禱，用鋤掘地，表示另一年工作的開始。七天的節日，至此告一段落，第二天便恢復他們的正常生活了。

這是阿美族當豐年祭的盛況，由於時代的變遷，這種傳統規律已經改觀了。今天最多在每年舉行一天豐年祭舞，大部份的節目都自動取銷，只算是保持一點祖宗的傳統習俗而已。現在當局正準備輔導這種活動爲東部的觀光節目哩！（五十、十、十五日）

讀者來書

編者按：本文乃一讀者王仲威先生寄來者，王先生另附函，茲特將原函一併發表。

敬啟者調景嶺中學迭生事端先之以學潮，繼之以打鬥，今則主持校隊者已由老病之人一變而爲無人矣，仲威身爲學生家長尤極關心，素仰貴報爲正義之喉舌，特撰爲通訊稿一篇敬祈賜予發表，俾能引起當局及社會人士之注意爲禱。原文如有不妥之處尚希賜予斧削，無任感激之至

此上

自由報社

王仲威謹上十七日

調景嶺中學的前途

香港調景嶺中學之前身，原爲社會局所創辦之兒童學校。六年前由中國大陸災胞救濟總會接辦，旋派李汝爲校長。李氏因鑒於以往在中山學會之失敗，常存組織重於教育之心，是以教職員之進退，以及學生之升降，多有樹黨市恩之意。以是校務各方，無甚起色。惟着眼於學生人數之增加，以便爲表報生色。遂至程度不齊，向學之風殊欠濃厚。優秀子弟深受其累。高年級學生紛紛轉學。雖放寬尺度，甚或作無條件之收錄，仍有十餘人一班者。而低年級學生人數，有多至七十餘人者，發展失其平衡。

今夏中國大陸災胞救濟總會以前校長李汝年老多病，調台服務。而李則戀棧，拒不移交。函電往返，久未解決。並曾於八月二十八日上午，因移交事宜，與港九救委會主任秘書馬鶴年發生扭打。此舉對於同日下午發生之王伯勤傷害馬鶴年案，且有重大之暗示與鼓勵。嗣後乃由董事長謝伯昌兼任校長。中國文化協會唯一之專任秘書黃熙則兼任教務主任，並代行校務。當移交之前，上峯原無由黃氏代行校務之意。李則一再電請委任黃氏爲校長，繼又電請委任黃氏爲副校長。交代之先提有條件，不違目的拒不移交。黃氏亦以李氏不願移交爲理由，拒絕以教務主任身份到校接收。頗有共同合謀之意。及打鬥事發，救災總會爲息事寧人，乃作權宜之計，同意黃氏代行校務。謝氏固無法分身，黃氏亦極少到校。於是學校當局者乃由年老多病之人，一變而爲無人矣。似此因循坐誤，缺乏積極推進之效；貽誤學子，誰任其咎。今李氏移交已近兩月，猶未離校。目的何在，殊難索解。以國人血汗所辦成之文教機構，自應力加整頓。尤望爲人師表者，以身作則，愼勿導人以惡風（仲威）

從土地利用看台灣人口問題

（上接第一版）

如將舊有農地，尤其是一般良田，作不必要之建屋、建廠、建村、建校的使用，而再從事開闢或另行改造新生地區，實在是一大損失，予人口問題以一種無可避免的壓廹，又何苦自作孽來！第八、各級機關，尤其公營事業機構，儘可能將保留未用，甚至已用而收益不大的土地，實行放領或放租於人民，以作主要糧食的生產，或作高價作物的培植，則民食增加，民用自豐。最後，還要一方面吸收國內外游資，一面歡迎僑資外資，加以充分有效的利用，或籌設各種工廠，或興辦各種實業，或爲工礦商賈貿遷之推進與擴張，或作農林畜養事業之改良那發展，既可解決人口增加之失業問題，復可富裕人民的日常生活，從此進而謀求外銷，爭取外滙，則國際地位，自又逐漸提高。如是則人民生計得以逐步安定，人口遞增便不成問題了。

以上所說各點淺顯的道理，平凡的作法，應爲許多人所想到，應爲有心人所注意到，是「卑之無甚高論」，也可以說是「老生常談」的平庸之見。不過，我們於此，一方面可以瞭解人口、農田、建地，三者的相互關係，換句話說，就是人口增加與土地利用的關係；一方面可能獲得啓示，要和緩，進一步，要解決台灣的人口問題，也必須三方兼顧，纔能求得適切的答案。

此外，有人主張，將台灣糖業公司所有耕地開放，改植主要食糧，而放棄原有作業，以求減少人口的壓廹。卻又有人認爲，這是只爲目前，不顧將來的一種「竭澤而漁」的辦法，充其量的結果也不過是「挖肉補瘡」而已。這種主張的本身便成一個嚴重的問題，則利害相權，確值得我們多方考慮和詳細商權，而不能輕易從事的事件。所謂茲事體大，不能掉以輕心者也。不知提此主張的人曾作詳細打算否耳。

大陸文壇近況

·龍翔·

一九五一年夏天，中共莫明其妙地掀起一個清算「武訓傳」影片的事件。當時是大陸淪陷的第二年，雖然鄉間已被土改，鬥爭殺得屍山血海，但在上海卻還相當自由，人們在家中談談共產黨的不是，還不會受到干涉，尤其文化藝術界人士也都未把共黨放在眼裡，可是自從「武訓傳」事件發生之後，大家才領略到共產黨之蠻不講理，實在出乎想像之外。

「武訓傳」是部紀錄片，敍述山東義丐武訓一生行乞興學的故事，這件故事在中國流傳甚廣，上海製片廠看中這個題材籌備開拍，未及完成上海就淪陷了，不過，負責這片的導演孫瑜並未隨同政府撤退，中共佔領上海後，文化頭目夏衍、戴白韜都認爲這部電影可以繼續開拍，對人民有教育意義，拍成後，中共華東區大小文化嘍囉一齊撰文捧場，一時引起武訓崇拜，在上海幾間戲院一連映了五個多月。突然，北平方面發動了攻擊，一九五一年五月二十日人民日報發表「應當重視電影武訓傳」的社論，指責「武訓傳」是一部有毒素的影片，鼓勵人們向資產階級妥協。在中共大頭目的看法，武訓去行乞就該鬥爭，他爲什麼不去搶呢？

北平一發出指責，上海大小頭目馬上改了口風，一齊抨擊武訓傳，把昨天介紹的好處，今天都指爲缺點，首當其衝的是導演孫瑜倒了霉，除去撰文承認錯誤，又在羣衆大會上向人民低頭，接着就失去了消息，是否被判了勞改，尚無確實資料可以證明。

中共雖然禁映了武訓傳，鬥垮了孫瑜，但是卻不能拔除人們對武訓的好感，於是又進一步派人到山東堂邑武訓家鄉去搜集資料，證明武訓實在不是「好人」。同時又轉移目標捧出與武訓同時的一個捻匪小頭目宋景詩來，把宋景詩譽爲農民起義英雄，先後發表的宋景詩史料就出了好幾本書，幾乎把宋景詩抬到洪秀全的地位。其實宋景詩到眞不是個好東西，他當捻匪曾接受招安，又叛而爲匪，最後終於被消滅，大概他的反覆行逕和中共相像，因此才受到尊敬吧！

本年十二期「紅旗」發表一篇「十年前學術界一次調查研究工作」，重提到當年攻擊武訓傳的經過，不過，重心只是鼓勵幹部認眞去作調查研究工作，不在武訓傳了。

因此，武訓傳的編導孫瑜近來走出冷藏庫，又重新被派工作，今年曾經在蘇州拍攝了「魯班的傳說」，在四川編寫「鐵龍之歌」是歌頌成渝鐵路的，又到貴陽改編黔劇「秦娘美」，最近又在上海編「上海之春」的劇本，希望他這次不要再鬧出事來，把「上海之春」編成了「上海之冬」。

台北公園

·黑子·

祗要不陰天下雨，公園裡是不寂寞的。

江湖相士在樹蔭下踞一席之地，舖上白紙一張，上寫善相天下士，招引遊園人，鼓其如簧之舌，大談古往今來。費新台幣伍元欲知未來吉凶者，頗不乏人。

賣香蕉、花生瓜子的小販，巡迴於園內，從東南而西北，北東而南西，週而復始，不知何處爲止境。

太極拳習練，不分晨昏，教師爺與弟子相繼表演，贏得路人不得不觀而望之。

太保少年，在草地上買拳頭腳，難解難分，大有爸媽斯狄恩「養子不教誰之過」的驚險鏡頭，圍而觀之吆喝助陣者，亦有其人。

在愛情中的男女，有靜處一隅者，有隱坐叢枝內者，有坦然倚於椰子樹傍者，處處皆是；擁而談之，撫之愛之，纏綿動人，不知夕陽之西下，東方之既白。吾友馬君夜歸，每過公園而不欲入，蓋單身老境，觀之徒喚奈何天也。

失業男子流連終日而忘返，臥高廊，倚巨柱（博物館大廈），噴水池內脫下唯一牌的襯衫洗而滌之，晾而晒之，然後再穿上；花五角錢進一次公廁，搖頭嘆息，表示要向市政府提出抗議。

總而言之，言而總之，公園實在是名符其實的公園，人生的萬花筒。而公園裏的遊客，從他們的面色上來觀察，心情開朗的人似乎不太多，而十之八九爲心事重重沉而思之，不知明日爲何日者。吾友馬君說得妙：人各懷鬼胎。但有辦法的人則不遊此等公園，似是顯而易見。於是到這裡來的多爲無甚地方可去的人。

公園裡也是很現實的，你從那個十字旋門的一邊走進去，仍舊得從另一邊轉出來。

君子篇

華

何謂「君子」？實在也難下定義，中國人把「君子」一詞，作爲眞善美的集合體，一切文章道德的最高標準，不過，時下一般人口頭的或是文章上的，開口「君子」，閉口「君子」則似乎很有幾分輕蔑之意，「君子」一詞的涵義，也就變了質，走了樣，這且不說，反正「君子」的本意，無論如何是屬於好的方面的，太普通的名詞，要正正經經解釋，往往又說不清是什麼的，「君子」與「聖人」都一樣不易說清，「聖人」據說是先天的，是「生而無所不知無所不能」的，因爲是先天，故而不能勉強，數目上也就太少，至於「君子」，則是人人可爲，後天的「學而知之」的，「君子」大抵與西洋的「尖頭曼」相像，可是不全一樣，「君子」常常與「士」連在一起，合稱「士君子」「士」是小民之首與「君子」原是彼此，其成爲君子」的機會當然，比其他三民爲多，又常有人稱「正人君子」或「大人君子」，「正人」與「大人」，都是屬於好的方面，這可以「正人」的反面「歪人」，「歹人」與「大人」的反面「小人」等，都是屬於壞的方面爲證，「正人」「大人」既同爲好人，則他們之能與「君子」連在一起，也就不足爲怪了。

「君子動口不動手」，是常常帶在般一人口頭的，即便可笑亦復可憐如阿Q，也知道如何拿來抗敵（「敵」者，限於小D王鬍也），按，動手實在野蠻，「君子」是文明的代表，當然不允許「動手」的，但也許因爲「君子」的手不見得十分高明，即使動起來，也敵不過「小人」的緣故，天下所有的「教條」，統是「君子」們立的，「君子動口不動手」，這一條當然也不能例外，「君子」是聰明人，自然選擇了自已拿出的一項，但「小人」往往「野蠻」得連這些「敎條」都不高興守，三句不合，就一拳向「君子」對心窩打來，「君子」當然這時也情知不妙，沒心思再背那套滾瓜爛熟的「教條」了，胡亂抵擋一下，拔腳就逃，拋去皮鞋，丟下帽子，也在所不惜，這不能說是狼狽，因爲「教條」上又有「君子不吃眼前虧」這麼一條的，阿Q忘去這條，其結果是難逃幾個響頭，阿Q平日對「君子學」這門課程，並未讀過，故其失敗，也決非偶然，按「眼前虧」，確是以不吃爲妙，狼狽回家之後，便可從從容容，寫張狀子，多添加些罪名，到衙門裡告上一狀，好在「官」們與「君子」原是彼此，豈有不方便一下之理，故而當日「狼狽」之仇，報復了還綽綽有餘。

相傳又有句話：「知過能改是君子」，這是條通融條例，對「君子」是不無好處的，做「教條」的未免偏袒「君子」，但是也許因爲體諒「君子」們成之不易，一且有些芝麻小事，就斷然革去「君子」頭銜，也許會因刺激過甚而跳井上吊的，做「敎條」的體貼入微，寬宏大量，有過不要緊，只要能改，是仍不失爲「君子」的，這條令下，犯過的「君子」，也就一天比一天多了起來，甚至恣意忘爲，無法無天，這且不論，至於「小人」呢，當然永遠是「小人」，有過不改是小人，有過能改也仍是「小人」，決不必妄想做「君子」的，好在「小人」有過也往往不肯改，彷彿一輩子只願做小人似的。

「君子學」「敎條篇」第一百另六條，又說：「君子固窮」，這眞是給「君子」一個釘子，一盆冷水，未免洩氣，但爲的是夫子說的，就只得苦苦遵守，不敢駁回，夫子的原意，大概以爲是：「窮」是一個試驗，能過「窮」這一關，始足與言「道」也，「窮」之後，要你安貧；「安貧」之後，始能「樂道」，其中頗有「置之死地而後生」的精義，所謂死心塌地，破釜沉舟，「固窮」云云，乃夫子爲「君子」們所擺之「背水陣」也，又有句俗語：「君子之交淡如水」，「交」者，交際也，應酬也，「窮」了就送不起禮，請不起客，如此之「交」，豈有不「淡如水」者乎？鏡花緣中有「君子」國，其國民全數，統爲「君子」，誰逐揖讓，煞是「好」看，然而，「好看」而已矣，要知道清一色的「君子」國家，每每乏味，住久了，且會感到肉麻，添幾個「小人」，喚喚口味，不無開胃通腸之益也。有眞必有假，是故「偽君子」不可避免，如果你在外面上了什麼當，回得家來，你的妻子定會埋怨而近乎譏諷地說：「你眞是個君子」！但這裏的「君子」，則又另含一番意義了！

秋天

漁翁

秋爲四時之一，自立秋（陽曆八月八日）至立冬（陽曆十一月八日）爲秋季。我國習慣，以陰曆之七月、八月、九月爲秋，歐美則以陽曆之九月、十月、十一月爲秋。據玉海載：「五日爲一候，三候爲一氣，故一歲有二十四氣，七十二候。」每月二氣，在月首者爲節氣，在月中者爲中氣，大暑後十五日爲秋季開始，由立秋而處暑，而白露，而秋分，而寒露，而霜降，即秋來而入冬季矣。

「秋風起兮白雲飛，草木黃落兮雁南歸，」時多肅殺之聲。孟浩然詩：「更聞楓葉落，淅瀝度秋聲。」歐陽修作秋聲賦，有曰：「夫秋，刑官也，於時爲陰，又兵象也，於行爲金，是謂天地之義氣，常以肅殺而爲心。」刑官，即司寇，又稱秋官，以其掌刑而主殺也。一年四時，皆天地之氣，何獨至秋而如此餘烈？蓋秋之爲秋，以言乎官，則刑官也，時有陰陽，而秋於時則爲陰，以言乎象，則兵象也，天有五行，而秋屬金，就其爲刑官，爲兵象，爲陰，爲金之理推之，則知其非天地之仁氣，乃天地間之義氣也。

可是，秋聲雖感人之切，而天高氣爽，星月皎潔，令人發生不能自已之情緒。在古詩十九首中，有云：「明月皎夜光，促織鳴東壁；玉衡指孟冬，衆星何歷歷！白露霑野草，時節忽復易；秋蟬鳴樹間，玄鳥逝安適？昔我同門友，高舉振六翮，不念攜手好，棄我如遺跡。南箕北有斗，牽牛不負軛；良無盤石固，虛名復何益！」此詩以首句爲題，乃詠「秋夜即興」者，描寫秋天景物之淒楚，失意人在蕭瑟中，而不得顯貴朋友之援助，表示怨望，在今日世態炎涼之社會裏，流落者讀之，不禁感慨萬千！

入秋夜漸長，故樂府有「秋夜長曲」，爲齊王融所作，魏文帝詩曰：「漫漫秋夜長，烈烈北風涼，輾轉不能寐，披衣起彷徨！」唐代詩人王勃張籍均有此篇，爲千古所傳誦。

然而，秋雖多愁，穀類非秋莫熟，書云：「有秋」，春秋云：「有年」，荀子云：「秋收冬藏」，元史亦云：「百姓歲計，全仰秋成」，故秋爲收穫之時期，苟無秋，則生機絕，關係於人民之生活，民族之生命，社會之生計，國家之生存，至深且鉅！

秋，不僅僅在民生問題，且爲文武人員會試會操之季節；在昔科舉時，鄉試在仲秋，故曰「秋闈」，亦稱「秋試」，唐演詩：「秋榜才名標第一」。今日各級學校，皆以秋季始業，會考亦於入秋行之。左傳：「秋獮」，敎田獵習五戎之意。「唐代以重陽日講武習射，謂之「賽馬節」，宋以其制，元明亦因之，清制：各省綠營，於霜降節排列甲仗，出西郊之外，行軍禮而返，謂之「迎霜降」，猶漢立秋貙劉也。今之閱兵，會操、演習、皆舉行於秋時，是秋色平分，在四季中，不落春下。讀王勃序滕王閣：「落霞與孤鶩齊飛，秋水共長天一色」兩句，更爲人間所重視之季節矣。

木棉庵

·劉公木·

木棉庵，位於福建漳州東南三十里的九龍嶺北麓，庵坐西向東，四周環種木棉，故庵名木棉。南宋賈似道即死於此處。是閩南一重要古蹟。

按賈似道係南宋台州人（今浙江省臨海縣），理宗時以姊爲貴妃，累官左丞相兼樞密使，督師漢陽，宋理宗開慶元年（公元一二五九年），蒙古大將忽必烈由西北，忽必烈部將兀良合台由雲南兩路攻至鄂州（今武昌），似道兵敗，割地納幣稱臣請和，適蒙古主憲宗蒙哥去世，許和。似道反奏鄂州圍解。公元一二六五年度宗立，似道益專權，同平章軍國事，封魏國公，賜第葛嶺。其實公元一二六〇年忽必烈即位，即派大將伯顏，阿朮二侵宋，宋軍屢敗，元軍連破襄陽、鄂州、安慶、揚州，公元一二七四年，元迫至建康（今南京），陳宜中等劾似道罪，貶爲高州（今廣東茂名縣）團練使，安置粵東循州，籍其家，旋由鄭虎臣押解途經九龍嶺北麓木棉庵時，虎臣乘賈道入廁，更衣之際誅之，宋誤國奸相乃斃命於斯。

虎臣誅賈似道之廁所，至民國三十一年仍存該庵右側，入民國更在庵之側建一石亭，亭中立一碑，文曰：「宋鄭虎臣誅賈似道於此」等字，以資騷人墨客憑弔。該庵背有巍峨之九龍嶺，前有一望無際之荔枝園，四周有二、三古木參天，而庵尤古色古香，觀之莫不興思古之幽情也。

山川風物

中國颱風古名

謀

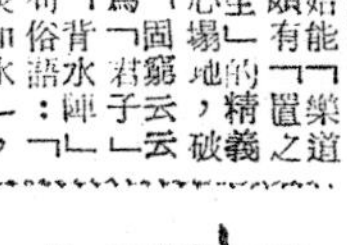

居海洋島國，有二大患焉，一曰「風」，二曰「震」，風之無情與水、當爲大患。大陸同胞，初播居寶島，不知提風，至遭到「風災」之後，則成「聞風色變」。海洋之風，稱爲「颱風」，或稱「颶風」，世人又稱「打大風」，「打風舊」；報紙上亦有「颶風」與「颱風」之稱。「打大風」與「打風舊」係俗語也，而屈大均廣東新語上亦有「風舊」之名詞，蓋據云：「南海歲有舊風，曰颶風。」颶風與颱風，在人們之心目中似無甚分別，但嚴格言之，颶風是指猛烈旋風之名稱，颱風指北太平洋一帶，以菲律賓爲中心之颶風，蓋暴的專有名稱也。

考颱風之命名，我國古已有之，如福建志云：「五六七月，颶南風將發，則北風先至，又轉而東南，又轉而南，又轉而西南，始止。」又王漁陽「香祖筆記」云：「台灣風信，與他海異。風大而烈者爲颶，又甚者爲颱。颶倏發倏止，颱常日夜不止。正二三四月發者爲颶，五六七月發者爲颱。」可爲證明。外國氣象台，恆以北半球所發生之颶風，以小姐之芳名。故每次颶風發生時，報紙恆以某某小姐芳蹤消息。如此次台灣遭「波密拉」小姐光臨，造成重大之災害，幸而另一史無前例大颱風過門而掃轉了柳腰，否則「風情慘重」，眞乃不堪設想知。外國氣象台，賜颱風之芳名，十分美雅，然而此僅是新舊而已。因爲颱風命名之舉，在幾百年前，咱們已經有了。據王漁陽「香祖筆記」云：「……颱之名，以時而異。正月初四日曰接神颱，初九日曰玉皇颱，十三日曰關帝颱，念九日曰烏狗颱。二月二日曰白鬚颱，三月三日曰上帝颱，十五日曰眞人颱，念三日曰馬祖颱。四月八日曰佛子颱。五月五日曰屈原颱，十三日曰關帝颱，六月十二日曰彭祖颱，十八日曰彭婆颱，念四日曰洗炊籠颱。七月十五日曰鬼颱。八月念一日曰竈君颱，十五日曰魁星颱。九月十六日曰張良颱，十九日曰觀音颱。十月十日曰水仙王颱，念六日曰翁爺颱。十一月念七日曰普菴颱。十二月念四日曰送神颱，念九日曰火盆颱……。」彼此之所不同者，古人所用爲上帝、關帝、灶君、彭祖等名稱，使人惶惑，不似今人用者是小姐芳名，令人頓生綺想，如此而已。

大嶼山紀遊

·徐學慧·

十月二十日，即重陽後二日，與唐君師諭，曾君半等，有大嶼山之遊，踐夙約也。大嶼山位香港之南，航程約二十哩，西爲珠江口坦□尾，在焉。自梅窩捨舟登陸，乘巴士約半句鐘，抵鳳凰山麓，沿僻徑，過絕壁，攀懸崖，約二小時，至昂坪，拔海千六百尺，蓋已逾鳳凰山之半矣。昂坪爲盆地，南有寶蓮古寺，其北即昂坪茶場。場主英人大律師貝納祺氏，主其事者爲老友李興傳先生暨胡德錦先生。李君湘人，專攻茶葉種植與水土保持之學，亦雅好詩文，應貝納祺君請，自台來港，主持農場業務，已逾二年，茶場佔地五百畝，已開發地約三之一，茶樹碧綠，點綴蒼茫，火山中，牛色不少。柚樹可數千株，高逾丈，歸植茶林中，與柚樹相間而種者，爲紅豆樹，唐人詩中所謂此物最相思者也。是日下午四時抵昂坪，次日上午九時下嶺返港，計時不及二十小時，而遊蹤所至，頗多可紀，詩以識之。既呈同遊諸君子，並簡石君右君、廖君蘭堂；或可當臥遊也。

奔泉絕谷出人間，十里松風自往還。行到水窮雲欲起，不知猶在鳳凰山。

絕嶺孤懸水一方，秋山碧樹費平章。白雲似爲遊人戀，宛轉峯巒着意妝。

百畝方疇盡種茶，千株柚樹繞山家。迷人最是寒泉水，半負斜陽半落花。

長嘯迎風意近狂，小橋獨木過牛羊。聞雞別有無窮味，絕嶺何須號鳳凰。

牛羊自嶺返，履獨木小橋如平地，蓋已習之也。

嶺上閒雲去復回，鷄黍羹酒不辭杯。十觴已盡休言醉，自愛名山入座來。

鳳凰山如巨人，高聳雲表，俯瞰昂坪。

鳳凰山上霧難開，古寺鐘聲喚客回。爲愛秋蟲耽夜睡，月明林下獨徘徊。

鳳凰山終年有雲霧，古寺鐘聲瀰漫雲霧間，別饒清趣。

寶蓮寺外塔橫天，偶過禪房話夙緣。聞道老僧常採藥，秋山月色兩茫然。

天涯孤棹幾時還，百畝茶林萬仞開。一片詩心橫絕嶺，相思撒滿鳳凰山。

與傳兄特自台灣賜來相思樹種，遍植茶林，今已高三四尺矣。爲言此樹長成，可高數丈，期以五至十年，紅豆滿樹，碧茶滿山，則此地可易名相思嶺。李君爲茶業專家，不圖有此詩意也。

書生談兵的故事

李仲侯

何至蘇州，巡撫徐有壬不納，下令從總督者不許一人入城，遂劾何棄城喪師暨親兵在途焚掠狀，何革職，拏解來京審訊，何走常熟，紳士攔輿遞稟，謂常熟小邑，不足煩督府親駐，請免稅餉以召寇，何告以親兵乏餉，紳民致餉銀千兩，贍銀二百兩，約無逗留，艤舟三日，宣言發借洋兵，遂之上海，未久；蘇州陷，徐有壬死之，何上奏揣稱：「和春潰逃，兵勇解體，大局動搖，非臣書生所能支持」，得旨：「平時侈談兵短，一旦決裂，不知認罪，猶以書生自居，可嘆可恨，殊有愧書生二字」，何奔上海後，屢以辦團練，聯內應謀復蘇州爲名，遷延兩年，竟不就逮，同治元年四月始逮入刑部獄，是時蘇常紳民恨何尤甚，總辦秋審獄刑部直隸司郎中余光倬，常州人也，實司定讞，引封疆大吏失守城池，斬監候，秋後決律，謂桂清擊殺執香跪留父老十九人，忍心害理，罪發加重，擬斬立決，爰書定後，詔以何桂清係一品大員，用刑宜審，諭六部九卿如有疑義，不妨各陳所見，於是與何親暱者，爭上疏申救，適李棠階以耆舊起用，爲太常卿，密疏言刑賞大權，不可爲悠悠之議所撓，今欲剿賊而先庇逃帥，何以作中興將士之氣，至此上意始決，於是年冬棄市。

張佩綸爲豐潤縣人，世人多以張豐潤稱之，當光緒初年，西比以次戡定，海宇無事，想望太平，兩宮勵精圖治，頗能重視言路，會俄人渝盟，盈廷議和戰，繼之惠陵大禮議起，一時棱棱具風骨者，咸有以自見，吳縣潘祖蔭，宗室寶廷，南皮張之洞，豐潤張佩綸，閩縣陳寶琛，尤激昂喜言事，號曰清流，而李高陽當國實爲之魁，疏入多報可，彈擊不避權貴，白簡朝入，璽帶夕褫，舉朝爲之震竦，松筠庵諫草堂，明楊椒山先生故宅也，言官欲有所論列，輒集於此，赤棒盈門，見者驚相傳，次日必有文字，豐潤喜著竹布衫，每對坐客，放言高論，尤喜好談用兵大計及民生利弊，往往窮日夜不休，時人爭譽之，時二張蒙眷注特厚，南皮以閣學撫晉，豐潤以庶子攝都堂，知癸未科貢舉，駸駸大用矣。（七）

女侍韻事

筱臣

讀了九月二十三日本報台中通訊，吳越先生所報導的「省議員袒護酒家女」一文，他的結論是：政府正在「加强道德教育，建立生活規範，取締嬉遊沉湎」之際，而省議會却通過這樣一條「迹近誘惑少女墮落」的法規，不免引爲遺憾。

關於本案的獲得通過，已詳見原文，筆者不擬詳爲論列。只是使筆者連帶想及有關女侍史話及其韻事。

酒家之有女侍，相傳始自卓文君。文君與相如的故事，向爲歷代所艷稱，世人均已耳熟能詳。

酒樓用女侍的風氣，確實在漢代即已實行，後漢張衡南都賦有云：「酒則九醞甘醴，十旬華清，醪敷徑寸，浮蟻若萍，其甘不爽，醉而不醒：：：侍者蠱媚，巾幗鮮明，被服雜錯，履躡華英，儇才齊斂，受爵傳觴。」這段話很能將當時女侍的姿態，服裝刻劃出來了。

唐代國力强盛時，交通發達，外國人時常經商往來，酒樓茶肆生意興隆，使用女侍的風氣，自然也就發展起來了。李白金陵酒肆留別詩云：「風吹柳花滿店香，吳姬壓酒使客嘗；金陵子弟來相送，欲行不行各盡觴。」「請君試問東流水，別意與之誰短長？」這樣便可以確信當時金陵就已有女侍，胡姬顯係「異國情調」，吳姬才是「本地風光」。

宋人筆記敘述女侍的情況，更爲詳細。宋孟元老作東京夢華錄，記云：「凡京師酒店，門首皆縛綵樓歡門，唯此店入其門，一直主廊，約百餘步，南北天井，兩廊皆小閣子，向晚燈燭熒煌，上下相照，濃妝婦女數百，聚於主廊櫃面上，以待酒客呼喚，望之宛若神仙。」又記云：「凡店內賣下酒廚子，謂之茶飯量酒博士，至店中小兒子，皆通謂之大伯，更有街坊婦人，腰繫青花布手巾，綰危髻，爲酒客換湯斟酒，俗謂之焌糟。」當時開封這些「待酒客呼喚」的濃妝妓女，以及爲「酒客換湯斟酒」的街坊婦，是店家僱用的，或是自己營業的？書上雖然沒有說明，但按其性質，當可稱之爲女侍。

宋吳自牧著夢梁錄，仿效東京夢華錄，記述南宋時杭州的酒肆，亦云：「中瓦子前武林園，向是三元樓，康沈家在此開沽，花木森茂，酒座瀟灑。但此店入其門，一直至主廊，約一二十步，分南北兩廊，皆濟楚閣兒，穩便坐席。向晚燈燭熒煌，上下相照，濃妝妓女數十，聚於主廊櫃面上，以待酒客呼喚，望之宛如神仙。次有南瓦子熙春樓，王廚開沽……俱有妓女，以待風流才子買笑，迎歡耳。」這顯然宋朝南渡以後，汴京的女待之風，也南渡到杭州來了。

宋周密武林舊事記酒樓也說：「每庫設官妓數十人，各有金銀酒器千兩，以供飲客之用。每庫只有值者數人，名曰下番，飲客登樓，則以名牌點喚脩尊，謂之點花牌。」

此可見女侍之風，由來甚久。至於在海外港澳以及台灣等地，恐怕是近三十年才有的。猶憶其時香港正聲吟社以「女招待」命題，一時佳作如林，陳履諧先生所作七絕八首，對於女招待的來歷，亦有所說明。茲錄於次：

本是良家女子身，如何入市沽當壚；壚邊沽酒謀生活，艷說文君第一人。

少小胡姬十五餘，春秋佳日獨當爐；兩鬟窈窕千般媚，尤物移人一世無。

昔聞西漢霍家奴，原是姓馮名子都；既藉將軍驕貴氣，居然調笑酒家胡。

太白仙才號楚狂，金陵留別引壺觴；莘莘子弟來相送，壓酒吳姬勸客嘗。

客舍門前近水臺，綠楊樹下繫漁船；邯鄲女子嘗沽酒，對客挑燈競數錢。

紅粉金爐絕世姿，美人醇酒最相宜；夕陽西下能留客，醉倒長安輕薄兒。

白馬銀鞍氣象雄，五陵年少立市東；落花滿地環遊後，直入胡姬酒肆中。

樊川詩集最清華，會詠秦淮賣酒家；商女不知天下事，國亡猶唱後庭花。

陳履諧先生之詩，論史有識，獨抒己見，尤不失爲最末一首的兩句「以商女不知天下事、國亡猶唱後庭花」，語極沉痛，寄慨無窮。今天台中的女侍如雲，倘在酒酣耳熱之餘，亦誦及此詩，得毋有同感。

又當年香港石塘嘴一帶，爲香港女侍集中之地，酒樓不下二三十家之多。近電車路有名陶園者，獨具園林幽趣，主人胡少遜氏，固名書畫家，其中楹聯，有涉及女侍的，亦清麗可誦，有某君一聯云：「檻外蝶多情，詎爲採香才入夢；樓頭鶯解語，未曾呼酒已銷魂。」又有萬花樓鶴頂格門聯云：「萬貫解腰銀，莫愁買醉無資，虛渡春秋拋好景；花香添眼福，但願司花主宰，都成眷屬補情天。」

——一宗重要史實的異議——

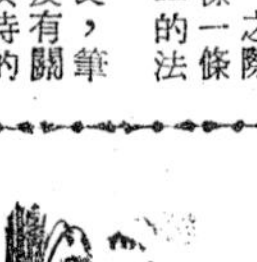

丘徽五與姚雨平

丘峻

最近清理舊報，於民國四十八年三月二十九日之中央日報的「十六屆青年節特刊」上發現公愚先生所撰「丘逢甲庇護黨人」的一篇短文，其後段云：

『吾友丘仰湯，當時在廣州方言學堂讀書，居住惠愛街長興里丘家祠，即方言學堂監督丘逢甲先生公館也。嘗對愚言，革命黨人攻督署之役，是晚夜深，聞白雲山尚有槍聲，該祠堂屋後園牆，有革命黨四十餘人，踰牆跳入，到祠內躲避。三十日各城門關閉，軍警分頭搜索；惟丘家祠，軍警不敢進入，因丘逢甲適領清廷工部主事，爲京官大員，粵督張鳴岐，特諭軍警不准進入丘家祠搜查，爲留京官情面，而不知丘早以丘仲闕別名，加入同盟會，所以有一部分黨人，以丘與總督有交誼，藉丘可以庇護，至三十日，丘家祠多至黨人百餘人，因存食米無多，僅可煮粥一餐，分食完了，有黨人姚雨平（光復時充廣東北伐軍總司令），到丘家祠探望丘徽五（方言學堂學生），至四月初一日，聞南門已閉，姚乃假裝出城，至文明門，被巡警盤詰搜檢，僞髮忽落，被執解至大南門拘押。訊問時，姚乃冒稱爲丘徽五，係在方言學堂讀書，總督所派承審官始准由方言學堂保釋，後回祠說出，引得鬨然大笑。具見丘逢甲，身爲清吏，暗中加入革命，而以京官身分，陽與總督相交，而陰則爲護革命青年，用心誠苦、其功亦不淺也。』

前文所記丘逢甲庇護黨人，事誠有之；惟其中關於姚雨平與丘徽五一節，則與筆者所知，頗有出入。

姚雨平爲吾邑平遠革命先進；丘徽五爲筆者族中兄弟；故對於彼等行事，知之頗詳。茲先略述其有關事項，俾讀者於此事經過較易明瞭，冀有助於判定此事之眞實性爲如何。

查廣州惠愛西路（原名惠愛西街）將軍衙右側爲花塔街，花塔街對過爲朝天街，街尾向右轉則爲天香街，向左約轉一十步小彎又爲米市街，再前約十餘步，右邊有一『平遠留學公所』在焉。米市街中間，向左轉爲學宮街，通四牌樓；南頭直接惠福西路（原名惠福西街）。各街所居均爲旗人，故俗統稱爲『旗下街』，係一四通八達之區，而該『平遠留學公所』則正處於此不易令人懷疑之地，革命黨人遂設一重要機關於此，密藏槍支百餘，並彈藥，及其他武器。因此地與丘家祠交通甚爲方便，穿越大街小巷亦頗安全，故革命黨人之來往於此兩處者甚夥。蓋以該公所位於旗人聚居可作掩護之地，而該祠則爲遜清工部主事丘逢甲所居，邏者莫敢侵犯，是以黨人聚會於此兩處者亦多。（上）

孔子與賭博

·征冬·

政府發行「愛國獎券」，於是乎味全發行「房屋獎券」，接着味王也要發行「四十萬獎券」。爲了「合乎潮流，迎頭趕上」。我決定從下期起發行「一種包括「子女玉帛」萬能獎券」。當此緊要關頭，有人講話了。說要設法制止，因爲政府有法令禁止賭博。

由於年年祭孔，不免想起孔夫子來了。爲了這件淘氣的事情，他老先生在二千年前便說過：「子率以正，孰敢不正？」終究夫子有學問，修養，最後來了一個頗切時弊的結論：「陌巷黨有人飽食終日，無所用心，難矣哉！不有博奕者乎，爲之猶賢乎已。」

事實上我的幾位最近丟官的朋友，便率直的對我表示過要去學一學打「麻將」。打「麻將」當然是賭博，政府有法令禁止。但這些朋友「好學」，實在是「無所用其心思」了。於是我也只學夫子「毋固、毋我、毋必」的態度，至於他們說去「學一學」，倒不是「情見乎辭」的話，因爲相知甚稔，對於「麻將一經」，他們是「雖然未學，吾必謂之學矣。」高調入雲，不着邊際的話，往往發生反作用，至於把一些心思用到拉回扣，紅包，借債，倒閉，害人害己，倒不如奉勸一聲，「去打一打麻將」好多了。但事後做「阿斗」太子之一的我，又不免打一打他們一頓官腔「殊屬非是，着即查明具報」云云。我不志乎「麻將一經」，然而「寡人有疾，寡人好財。」看來還是不妨每期買一張「愛國獎券」，「屋券」以優游乎歲月吧！

自由報
THE FREE NEWS

內僑警台報字第〇三一號內銷證

第一七八期

中華民國僑務委員會登記證
台[illegible]新字第三三三號登記證
中華郵政台字第一二八二號執照
登記爲第一類新聞紙類
（半週刊每星期三、六出版）
每份港幣壹角
台灣零售價新台幣貳元
社長：雷嘯岑
督印人：黃行寬
社址：香港銅鑼灣高士威道二十號四樓
20 CAUSEWAY RD 3RD FL
HONG KONG
TEL. 771726　電報掛號．7191
承印者：四風印刷廠
地址：香港灣仔高士打道一二二號
台灣分社
台北市西寧南路壹壹叁號二樓
電話：三〇三四六
台郵掛號館金戶九二五二

論新聞自由與出版法

張健生

民主政治的必要條件是消息靈通；消息靈通的必要條件是言論出版自由。民主政治的特質是以民衆的意見爲依歸，議員們的主要任務是把選民的意見轉變爲公共政策而已。消息的來源，來自公正而客觀的報章雜誌以及廣播電台和電視上的新聞報導與評論，並且隨時隨地可以買到或聽到的。是故民主國家的人民享有言論自由，著作自由，出版自由（我國憲法第十一條）及秘密通訊的自由（第十二條）。因爲這些自由是屬於人民的基本權利，而載諸憲法中；這些基本原則誰都無權曲解或破壞，但共產極權國家又當別論。因爲構成民主政治的要件，不是形式的空泛的具文，而是實質的內容與具體的事實。假如人民的言論自由出版自由，受到政治上的任何干擾，即令憲法有明文規定也就等於零了。

我國新聞紙與新聞法起源於宋朝，當時的禁令分爲：管制發行，禁刊朝廷的秘密，或捏造事端與軍事機密，並且實施事前檢查制度。由元，明兩朝相沿至清初，大致的情形都相同。比如清乾隆皇帝與光緒皇帝年間的「僞造奏摺」案和「蘇報」案，都是依據「大清律」例刑律盜賊類中的「造妖書妖言」條文而判決的。到光緒二十四年間，始由康有爲根據各國有關出版法的律例，參以國家當時的國情，擬訂報律，呈送皇上，八年後，即光緒三十二年六月，清政府頒布「大清印刷物專律」，令全國報界遵守，這是我國第一個正式的出版法。清政府在頒布「大清印刷物專律」後，同時又由巡警部公布「報章應守規定」的行政命令來加強控制新聞出版自由。滿清爲達成完全控制人民言論自由，又於光緒三十三年間，由商部把日本明治四十二年廢止的「新聞紙條例」全部接受過來，改訂爲「大清報律」，該「大清報律」尤較「大清印刷物專律」更嚴厲，因爲報律採取事前檢查制度，還是專制政權控制言論出版自由的產物。

迨辛亥革命成功，中華民國誕生，成立臨時政府於南京，國父孫中山先生出任臨時大總統，頒布「中華民國臨時約法」，規定人民享有言論、著作、出版自由的權利（約法第六條第四款），而滿清專制政權所頒布的有關「出版法」及其他律刑，都當然廢止無效了。當時，臨時政府內務部卻擬定了「民元暫行報律」的行政命令，通令全國報界遵守，即爲「全國報界俱進會」所反對，並通電臨時大總統呼籲，孫中山先生爲尊重民意，飭令內務部取消。不久，袁世凱當權後，爲了想做皇帝又怕輿論攻擊，於是在民國三年一年間，先後公佈了兩個箝制言論自由的法案，即「報紙條例」與「出版法」。未幾，袁世凱下台，而其所公布的「報紙條例」也於民國五年元月被黎元洪廢止了，但「出版法」直到[illegible]十五年，段祺瑞[illegible]北京報界之請求，才告廢止。可是，安福系卻早於民國十四年間，由京師警察總監朱深頒布「管理新聞營業條例」的行政辦法了。該條例竟規定辦報的人要覓具殷實舖保，報才獲得發行權，新報要舖保，這就是北洋政府壓迫人民言論自由的惡例，此一惡例當時曾騰笑中外，北伐成功後，這種惡例乃一掃而空。

全國統一後，國民政府於民國十九年十二月十六日根據政治會議通過的「出版條例原則」，而公佈了「出版法」。該出版法在七年後，即民國二十六年七月十八日第一次修正。如果嚴格的說，訓政時期的出版法，反而比行憲十三年後的現行出版法，要進步些。因爲訓政時期的行政機關，是無權處分報紙的。依照司法院的解釋；如果報紙違反第二十條：「有關政治之傳單或標語」；第二十一條：「意圖破壞中國國民黨或違反三民主義者；意圖顛覆國民政府或損害中華民國利益者；意圖破壞公共秩序者」；第二十二條：「不得爲妨害善良風俗之記載」；第二十四條：「不得登載禁止公開訴訟事件之辯論」等行政處分，行政官署不得行使「停止發行命令」或「扣押處分之執行」權。換句話說，凡是報紙違反前述各條規定，必須「應由普通法院審判執行（二十三年院一〇九二），如果新聞紙未「經檢察官偵查起訴」，則「法院不能逕行罰辦（二十三年院一〇九九號）」。然而現行出版法，卻規定行政機關有權處分報紙：「禁止出售：：：扣押」，「定期停止發行」與「撤銷登記」。這不是說明現行出版法比訓政時期的出版法較爲嚴厲嗎？假若進一步分析，司法院二十三年的兩個解釋令，現行出版法仍要受其拘束的。因爲過去的報紙條例與出版法既係刑律之特別法，而現行出版法也是特別法，（按照大理院民國六年統字第六一四號解釋令規定）。當然受解釋令的約束。

筆者在此應該特別提出敘述者，係民國十一年，國是會議提議採取聯省自治，各省得分別制定省憲。當時，湖南省憲第十一條對言論自由，會這樣規定：「人民在不抵觸刑事法典之範圍內，有用言語、文字、圖畫、印刷或其他方法，自由發表意見之權。不受特別法令之限制，或檢查機關之侵害。」這是我們所應重視的。

從歷史上看，一個國家的民主或不民主，可以從該國法制史獲得結論。像英美民主先進國家，在法制史上是有着驚人的成就的。比如十四世紀英王愛德華第三，爲了防止人民批評政府，而設立「星座法庭」來審判他所不喜歡的人，完全不遵守英國傳統上的普通法規則。後來，英國國會於一六四一年通過：廢止這種壓迫人民言論自由的「星座法庭」。一五三〇年，英王以安全爲理由，設立所謂「登記制度」。同時，英王又運用其不必經過國會立法而檢查書籍的所謂「皇室特權」，藉防止人民著書立說曲解聖經的理由，來管制著作家與出版商。但不久英王失勢，國會於一六四三年制定所謂「出版檢查法」，來管制人民的出版自由。並箝制輿論。當時，英國大詩人彌爾頓曾於一六四四年寫了一篇長文向國會抗議。

一七五六年到一七六三年間，英國與法國在北非洲殖民地問題上發生了正面衝突，於是英國便幫助普魯士與法國作戰，這場事不關已的戰爭，英國人民不贊成，英首相格倫威爾便因此備受國人的責難。英王爲此出面在國會發表演說，擁護首相。當時，英國一位大政治家約翰‧威爾克斯，係下院議員，在其主持的「北英國人」報第四十五號上，抨擊英王的演說全無新意義，完全係首相的翻版。因此而怒懷了英王，認爲是對他個人的重大侮辱。英國務大臣哈立法克斯爵士爲討好英王，便簽發了一張不載被捕人姓名的拘票，把威爾克斯及其他四十八人統統抓起來，關在倫敦的天牢——塔內，並派人搜索他的住所與報館。威爾克斯被捕後即申請人身保護狀，經首席大法官裁判而釋放。因爲英政府這種逮捕是非法的，而且侵犯了議員的「特權」，可是威爾克斯卻坐了七天冤枉的牢。他出來後，根據首席大法官的裁判向法院控告國務次長爲茲非法主持逮捕，結果，英政府因非法逮捕威爾克斯而化掉了十萬英磅，這場官司才算了結。這一事實，並非如某「議法勇士」所說，英國政府有權封報館，逮捕新聞記者。

另一個故事是：英國在戰爭時也沒有封報館或限制新聞自由。第一次世界大戰初期，倫敦「每日郵報」於一九一五年五月二十一日，公開把英軍內部腐化的情形；以及配備，軍需等[illegible]，加以無情的揭露與攻訐，當時舉世譁然，不僅觸怒了英國當局，連英國人民，也以侮辱英軍而憤怒，一致拒絕購閱「每日郵報」。但經過事實證明後，朝野方才覺悟，英陸軍大臣因而下台，另設軍需大臣專責充實軍備，終而使英國獲得最後的勝利。這是一件極有意義的先例，值得我國報人重視。新聞記者的報導與評論，如果沒有得到法律保障，則所謂負起指導社會、領導輿論，都是廢話。這裡所說的法律保障，係指我國刑法第二十二條：「業務上之正當行爲不罰。」而言。

五十年九月三十日

漫画天下

南施

銘法如神

繁榮泡夢

訂正：上期「兩頭蛇」說明「阿爾巴尼亞」誤植「阿爾及尼亞」特此訂正

自由談

談領袖慾

馬五先生

我發覺現代中國智識份子——特別是對政治生活感興趣的人——多賦有強烈的領袖慾，任何一個團體只要有了三位知識份子做成員，即爲着爭奪領袖地位而大演醜劇，縱使團體搞垮，亦所弗惜，眞係咄咄怪事！

無論大小團體的領袖人物，其所由來決非偶然的，品德與才幹缺一不可，既要有擁利不先，赴義恐後而爲大衆服務的德行，又須具備着眞知灼見，衛繁闢難的才能。果若是，自然實至名歸，大家心悅誠服地奉之爲老大哥了。

國父孫公一生致力於國民革命，不知失敗過多少次，但所有參加革命運動的中國人，不管是否國民黨員，都一致願意奉戴他爲領袖，毫無異議，因爲他確有做領袖的品德與才幹。只看他身後僅留下一大堆書籍和一所上海住宅的事實，其一生品德之崇高偉大，即非今世號稱爲領袖人物者所能比附於萬一啊！

領袖地位並非儻來之物，可以爭奪取得的，若憑着一些不光明的手段魔術而僥倖爭取到手，結果一定是衆叛親離，內鬨迭起，馴致團體整個崩潰，留下若干笑料於人間。這類淺近的道理，身爲智識份子者未必不明白，何以明知而故昧之呢？我認爲還是由於本身缺乏生活基礎與職業技能所致，除卻吃政治飯以外，無路可走。既以搞政治爲謀生之道，組織團體乃係必要方法，而爭奪團體領袖，即爲獵取政治爵位的應有條件了。

明乎此，可知我國一般士大夫經常高唱民主政治的論調，而民主之神總是姍姍其來遲，其癥結就在一般士大夫沒有恒產，照現代術語來說，即是沒有中產階級存在。一面靠作官解決生活，一面又倡言民主政治，實際只是爲達到自己的政治慾望之一種託詞，而爭奪領袖地位的行爲價值，殆可想見矣。中國的知識份子如不能揚棄以作官爲生計的方式，民主政治終歸是鏡花水月的幻景罷了。

台灣農業增產展望

·吳越·

台北通訊

台灣近年人口急增，軍糧民食的供應日益迫切。最近數月來，物價上漲的指數，以食米爲最高，嚴重的時候，有的地方甚至缺乏供應。當然這並非表示台灣存糧缺乏，因爲台灣是以米糖爲產量的大宗，每年還要外銷爭取外滙。這種缺市現象，只是一時供應的失調，但是食米一經上揚之後，便居高不下，也是不爭的事實「民以食爲天」，政府已經在注意這個問題了。努力的方向是「增加糧食生產」。

米穀方面，四十九年第二期農作物因受「八一」風災及前（四十八）年「八七」水災流失埋沒土地尚未全部恢復，致稻作面積減少。據農林廳長余陽鎬在省議會上的報告：實際種植面積四三四、九三四、九三公頃，較預定種植的四六六、〇〇〇公頃，減少了三萬一千多頃，達成九三、三三％，估計生產量糙米十億四十七萬餘公斤，達計劃產量一、〇二〇、〇〇〇公噸之九八、〇九％，計劃單位產量二、一八九公斤，實際產量二、三〇〇公斤，達預定單位產量一〇五、〇七％。換句話說，種植的面積雖然減少了，但單位產量提高了，故在計劃產量上並無影響，台灣五十年度對於米糧增產的措施，還是提高單位面積產量，擴大栽培蓬萊稻，並在台北，宜蘭及苗栗三縣，設置塑膠布保溫秧田五十處，使培育幼苗免受凍害，提早插秧與收穫時期，增加產量，提高稻種品質。雜糧方面，台灣主要的爲甘薯，落花生，大豆及小麥。台灣已經育成幾種紅心甘薯，其中「台農五十七號」新品種，產量高，富營養，經四十九年度的擴大繁殖推廣，到目前止，已經大量生產，估計種植面積已達一千四百公頃，生產量達二萬四千五百公噸。此外，油菜已經育成新品種「台中一號」及「新竹一號」，含油量產量都高，四十八年開始推廣，成績優良，四十九年秋，二次推廣種植面積一萬公頃，目前已到收穫期，估計產量約爲一萬一千五百公噸之鉅，已成本省主要油料作物，而且物資局也已經配合收購加工爲白絞油，將預備試銷東南亞，將來外銷前途很有希望。玉米，最近台南農業改良場首成雜交玉米「台南一號」，「台南三號」，「台南五號」，含蛋白質高，產量較當地品種高出五〇％以上，且可提早成熟。現在種植面積達二千多公頃，頗受農民歡迎。同時本省家含蛋白質飼料頗感缺乏，上項雙雜交玉米的青成，推廣以後還可以增加飼料的供應。

特用作物方面，蔗糖是台灣的主要出產，四九——五〇年期製糖工作，經已結束，至三月底止，產糖量達九十三萬公噸，估計最後可達九十六萬公噸，超出預定計劃，爲光復以來產糖量最高的年期。五〇——五一年因受各種經濟因素的影響，種蔗成績未達理想，截至三月下旬止，已種八萬八千餘公頃（白糖八萬五千公頃，餘爲赤糖），最後估計可達九萬三千公頃，估計劃面積的九三％。今後只有從加強蔗園管理，提高單位產量，才能達到預定的生產目的。

茶葉生產以外銷爲主；對於綠茶產銷，除設法保持北非市場外，應計劃銷售中東其他國家，以求擴大外銷範圍。對於紅茶產銷，注重高級碎型紅茶的製造，迎合英美市場的需要。爲達成上兩項目的，除了在農業方面推廣優良茶樹品種，防治病蟲害，指導改善茶園耕作管理方法，施用化學肥料，以求增產以外，並且加強督導製茶工廠，改善製茶技術，如規定茶葉必須「一芯四芽」禁用茶剪採茶，取締非法製造，以求提高品質。根據最近四年來統計，本省茶產量之所得外滙，逐年都有增加，今後還有繼續增加趨勢，已經受到各方普遍重視。本年三月十一日特成立了「台灣茶葉改進委員會」，以加強茶葉產製銷間的聯繫，而促進本省茶葉的發展。

鳳梨：五十年度全省預定栽植面積二，七九〇公頃，總產量一六四，一二〇公噸。爲提高單位產量，獎勵密植，每公頃由二萬五千株增到四萬株，既可增加產量，又可防止沙土流失，保持水分，果實大小平均，減少損耗，增加製罐率。四十九年鳳梨罐頭外銷二百餘萬箱，得外滙八百四十餘萬美元。

香蕉，五十年度全省預定栽培面積一萬四千公頃，總產量十二萬五千公噸。目前因配合外銷需要，必須確保產量，提高品質，實施山地蕉園水土保持處理。

柑桔，四十九年底總產量四萬九千八百公噸，四九至五〇年期外銷總量二十一萬箱，外滙收入八十多萬美元，打破光復以來最高紀錄。目前栽植面積日廣，五十年度預定栽培面積一萬一千三百公頃，爲謀更加發展，已在宜蘭等九縣市設置示範園二十二處，以供觀摩，同時對柑桔黃龍病的防治已經找到適當辦法，現在已舉辦示範工作。

黃麻：五十年度黃麻預定栽培面積一萬二千公頃，生產精洗麻一萬七千餘公噸。不過本年春雨充足，原來準備種植黃麻的土地，一部份已改種水稻。同時因爲其對抗作物面積增加，將影響本年黃麻種植面積。

香港與大陸

大陸的糧食，無疑地已陷入極度的恐荒中，那位幹部向記者透露一些外界人士不容易知道的事實，那就是：藉以療飢的番薯藤在廣州也賣至七十元人民幣一担，上海四十元。在這樣的情況下，一些無組織的搶糧運動，如九月廿八日廣州河南紅星戲院附近之鳳樂樓糧倉就曾發生過三千二百飢民，蜂湧地衝進糧倉強搶糧食的事件。起初是搶糧票，糧票搶光了，便搶米、麵，等到共軍聆訊時，這批搶糧的飢民已作鳥獸散，結果，住在附近的居民和工人有數百名失蹤。

又七月廿六日，中山境內歧關綫附近，也發生過強搶麵粉打死司機，搬運的事件，在短短的四十五分鐘內，搶去一車麵粉再將汽車推落山坑，將屍體推落深淵。這事的經過如下：七月廿六日下午三時十五分，一輛滿裝着六十四包麵粉的貨車，從石岐開出，欲開往拱北的華僑接待站的，當時，車上有一名司機及兩名搬運工人，在將至唐家灣附近時，突然走來一批面體飢瘦，形容枯槁的飢民，不由分說，便將該貨車截住，先將該司機及兩名搬運工人擊斃，然後衝上貨車，將該車麵粉完全搬走，再將貨車及屍體推下山坑，呼嘯一聲，分頭竄去。

粵閩邊區農村生活令人聽來如同聽了鬼故事，住在這個鄰邇不遠的區域，外間人詳知悲慘內幕。

有一親者從此間親友所托，將一批食物包括八斤豬油，十斤麵粉交給居於距離某鎮四十里的老婦人。乃因往返太遠，親者只將東西放在某鎮，而去信通知她來拿取。老婦人六十多歲，不算太老，乃[illegible]緣故，體力衰疲，她走了四十華里到某鎮拿得食品，再肩挑回她所居的農村，中途乏力不支，栽倒於路下之低田，過往行人不問已是慣事，但當她甦醒時發覺豬油沒有了，麵粉沒有了。

青年黨團結遇風波

（本報記者台北航訊）中國青年黨大團結運動，在順流中突然激起了一排風浪。表面上似乎是陳啟天一意孤行，實際上，當然是現實環境逼得主流派不肯放棄既得權益。

且說青年黨內憂黨之士，目睹黨不成黨的情形，心內沉痛萬分，乃有十項主張大團結運動之倡導，在一呼百應之下，大家以「不究既往」而相忍爲黨了。就在大團結運動已至成熟階級，陳啟天方面以迅雷不及掩耳的手段，透過在香港不知台北眞實情況的李璜，左舜生兩人，同意他所捏擬的所謂「四項辦法」，於九月十八日向全體黨員幹部徵求意見，因爲這封函件係主席團主席左舜生、李璜、李不韙、張子柱、陳啟天等五人及秘書長王師曾、林可璣等署名發出，所以聲勢浩大。其目的在阻擾非常時期全國代表大會使其流會，不料這封信發出後，並未完全達到目的。非常時期全國代表大會雖仍按照九月二十三日預定計劃舉行會議，但在「忍」字之下，不得不提前休會，而接受陳啟天方面的建議。

非常時期全國代表大會休會的協議，是由陳啟天簽名認可的，而且有該黨元老于復先爲見證人，該協議並正式向台北各報發表。關於協議的內容：雙方同意「五十年臨時全國代表大會」，定期於十月二十八日在台北召開。而全國代表大會代表名單，由林可璣於十月五日公佈，十月十日以前發出開會通知。可是就在非常時期全國代表大會於九月二十三日開幕後，並於當天休會，以待十月二十八日的全代會的召開，之後，下文沒有了。

陳啟天簽字的協議，現在全不承認而推翻，他根本不理會自己簽字的文件，而又主張：萬事必須安排妥當，所謂安排的涵義，是從「代表」事先安排起，以至中常委未來的人選；甚至據說他還要非常時期全代會方面，保證他的主席地位不垮台云云。同時，公私不分而一味反對朱某與王某等人。但非常時期全國代表大會方面，認爲黨事，一切應依照民主原則去做，因爲一個在野黨，若是不講民主原則，不建立制度的話，對外將何以監督政府黨？儘管有人從中斡旋，但目前種種跡象顯示，陳啟天方面是不可能讓步的，除非奇蹟出現。

該黨留居香港的李璜、左舜生等，現已電告台北該黨黨員，再三叮囑，十月二十八日的全代會，不得再延期了。據說：非常時期全國代表大會決定不延期，仍定於十月二十八日舉行會議。不過，他們擬在開會之前夕，將在此間公開舉行記者招待會，把該黨原定八月十九日召開代表大會延期到九月二十三日，以及九月二十三日突然休會，到十月二十八日復會的經過情形，公諸報端，讓社會人士公評，誰是誰非！

近幾年來，凡是愛國之士，咸注意在野的青年黨與民社黨黨內的動態，國人對這兩個在野黨，也極爲關心，因爲在野黨的一舉一動，以及黨內的紛爭，都足以影響到全國無分黨派大團結合作運動。青年黨此次果不幸而重蹈覆轍，就不免使國人失望了。（本報記者公冶長寄）

大陸文壇近況

臧克家拍馬留禍根

·龍翔·

大陸文人中拍馬術最精的人所共知是郭沫若，可是自從前年郭「手蟲詩」捱了板，近來不敢走份張牙舞爪，有時勉強寫點拍馬文字，也頗爲含蓄，盡斂鋒芒。所以「郭老」倦勤，於是坐第二把交椅的臧克家就後來居上了。

郭臧兩人雖然同是拍馬專家，但是拍術也不盡相同。郭的拍法是臉皮厚，不問祖宗，爺爺，大嬸，鋼都喊得出口；臧克家的優點是善於强大其詞，一件芝蔴粒大的小事，到了臧克家筆下一渲染，馬上變成天大的事。譬如一九五五年他給毛澤東寫封信，要把毛澤東的舊詩詞在他主編的詩刊上發表一次，毛澤東回信約他去談談，這本來不算回事，毛澤東每天不知要見多少人。可是臧克家回去寫了一首新詩，描述這次是幸福的會見，詩中說到他見了毛澤東之後，馬上轟動九城，所有熟人都來向他道賀，那種做作，相信郭沫若看了也搖頭。還有一次是在一九五八年毛澤東率領所有大頭目，到十三陵督工挖明朝皇陵，於是臧克家寫了一首「毛主席來到十三陵」，把毛澤東比成皇帝，百靈呵護，山岳震動。能寫那種詩的人，在大陸確實找不出第二個。

最近毛澤東在北平會見日本的親共人士，這批傢伙都知道毛澤東會作舊詩，而日本人凡是研究漢學的，也都略懂一點舊詩，大概有人提出請毛澤東贈一首詩給他們作個紀念，回國後也可以寫一篇「幸福的會見」。

可是這批東洋鬼子那知道毛澤東肚裏有多少草料，以爲他眞是「天亶聰明」了。其實叫毛澤東對客揮毫，要他的命也作不出。不過，毛澤東的脾氣是死也不認輸的，自己作不出，就亂拉別人，忽然記起魯迅一首詩，就抄下來給鬼子作個紀念。

詩的全文是：萬家墨面沒蒿萊，敢有歌吟動地哀，心事浩茫連廣宇，於無聲處聽驚雷。

魯迅寫這首詩的時間是中華民國二十三年五月三十日，詩實在並不高明，與魯迅其他舊詩比起來，自是下乘之作，所以歷年捧魯迅的文字，從來也沒人引證過這首詩，不料毛澤東獨具慧眼，相賞於牝牡驪黃之外，一時高興，把它寫出來。

一羣日本鬼子接到這首詩並無表情，可能由於他們不懂詩的本意，也許是不懂毛澤東爲什麼要寫這首詩。十月七日人民日報刊出毛澤東手寫這首詩的眞蹟，臧克家一看如獲至寶，馬上趕寫一篇文章，題名是「毛主席親題魯迅詩」，刊在十月十三日的人民日報上。（上）

徵稿小啟

有內容有意義之隨筆、散文、掌故、小說、雜感類文字，本刊均所歡迎。請用有格稿紙繕寫，如需退還，請附　封及郵票。一千六百字左右的隨筆，比較容易刊出，過長則以篇幅所限，請特別留意。

九月談蟹

·磊庵·

水族中的美味，無過于蟹，「九月團臍十月尖」，是吳人吃蟹的天經地義，其意以爲團臍早熟，尖臍晚成，所以九月裏先吃團臍，十月裡次吃尖臍；團臍到了十月，一塊蟹黃，其硬如鐵，吃到嘴邊，彷彿味同嚼蠟，遠不如尖臍的玉膏溢齒，給你上下唇都要膠着起來；尤其這兩隻巨螯，長得和李逵的板斧一樣；所以畢體部右手持了蟹螯，左手持了酒杯，只要吃的痛快，即便「了此一生」，也算不得什麼。

洋澄湖大石蟹，雖然來台十多年，連夢也沒做到，只是幾位老上海，到黃花滿地的今日，我想沒有一人不在唸着「解縛華堂一座傾」的詩句吧；眞正洋澄大蟹，紅毛金爪，臍白背青，每隻十來兩重，在上海幾家大飯店裏，定有充份的準備着，三四個好朋友步入店堂，選定座位，每人一斤花雕，兩隻大蟹，也多花不了二三十元，所謂對蟹，至多兩三元一斤，便是高價；有些講究人家，先把蟹洗淨，再在臍內夾上一片生薑，一片猪油，然後上籠蒸熟，不叫煮去了鮮味，也不叫蒸的過火或火候不到，假定有一桌人吃，至少要生三兩隻炭爐，現吃現蒸，蟹殼發脆，味遂適口；當年揚州鹽商的食譜，聽說便有此規定。

台灣所產之海蟹，說不上風味二字，這種梳子蟹，外形和香港常吃的差不多，而鮮味遠遜；又有一種小蟹叫望潮，雖不好吃，卻倒好耍；前幾年我到四草里去有事，那知安平到那裡，還隔了一條海峽，遂乘竹筏渡海，在海灘上面，便見遍地爬滿了錢大的小蟹，都舉起一隻雪白的獨螯，迎人若望。望潮又名招潮，潮欲來，則舉螯如望，不失常期」，見山堂肆考。而臨海異物志也說：「望潮，小如蟛蜞，殼白，隨潮而上，背坎向外，舉螯如望，故俗呼招潮；惟文登呂亢所繪蟹圖十二種之七之望潮，則謂其「穴居」海灘。我要明白隨潮而上這句話，于第二次前去時，特加注意，原來海灘之沙泥上滿是小坎，其大小剛容一個蟹殼，牠既非隨潮而來，也非隨潮而去，這是古人體物工夫之不同。讀者如有居住在海邊上的，不妨去實驗一下，這要比到博物館裏去找標本來看，定然較勝多多呢。

我不知道

木人

他裸露上身坐在木沙發上，燈光照着遍體的傷疤。他似乎縮做一團，平平的臉上飽潤着無言的悲傷。

「你在做什麼？」我在他對面的花壇上坐下來。那邊燈下正有一羣沒有回家的僑生圍着下象棋，吵鬧嬉罵聲嘩成一片。

他深長地嘆了口氣。

「我在想人生，想各種問題。」他看看我，平滯的眼神也是悲哀的。搖搖頭說：「我在想我悲慘的生世，在想這世界。人家說愛人類，我只覺得恨。將來我一定會走上極端的：這人生實在是太悲慘了。」

沈默。深夜的空氣泛滿九里香濃郁的香味。

「這世界那裡有愛？」他接着說：「都是你不死我就活不了的樣子。我覺得達爾文這個人眞了不起，他的進化論是眞理。生命永遠是相尅的，人的生命也是這樣，你認爲對嗎？」

我望着遠方平房的三盞黃燈，燈光在惺忪的眼中化成許多閃動的芒絲。整天都灰暗陰沈，此刻的風適勁而帶涼意，宿舍前的小樹在風中幌動。我聽着他說話，他的聲音好像很遙遠。

「你認爲對嗎？」

我看進夜，夜是沈默，我也浸在無言的悲傷中。我搖搖頭說：「我不知道。」

「你不明白，你還年青，我已經二十九歲，明年就三十歲了！我在想我怎樣浪費了光陰，怎樣去補救，才能對人類有所貢獻。哎，生命眞苦短啊！」

我覺得很悲涼，悲涼得像吹拂我的夜風。我看見自已已經是二十九歲，三十九歲，四十九歲……六十九歲，七十九歲……：我看見我自己的生命在無助的哀傷中飄逝，然後，是墓與髑髏。

「現在只要說有一件合乎眞理合乎正義的事，我一定能不考慮地把生命犧牲了去做」他說，語氣並不激昂，倒很鬱結。

「甚麼是眞理呢？」我問。

「那一定有的，」他說「總不見得太陽從西邊出來，可見宇宙中還是有眞理的。我感覺得到它，但太笨，說不出來。」

「但我不知道有沒有眞理。」我說。

「當然，你光看這世界是這樣的。」

沈默了一會，他說：「其次，我需要一個女人，需要愛情來充實一下我的生命。」

我想着我遠方的愛人，她可能和別的男孩子在一起，可是他和我一般地寂寞。

──我很惆悵。

「你認爲愛情能充實生命嗎？」他問。

「我不知道。」

我搖頭。

「我希望我能夠寫一本眞有價值的、偉大的書，花一生的時間去寫。你認爲我可能寫出一本眞有價值的偉大的書嗎？」

「我不知道。」我說，聽見自己聲音中的寂寞在繞。

「怎麼你一點主見都沒有，老是說你不知道？問你眞等於自問。」他埋怨。

哎，我眞的不知道啊！」我嘆了口氣。他所問我的問題，正是我一直想問別人的。「知道自己不知道，也算是知道啊！」

也許我該告訴他生命是相愛相濟而不是相尅的；我應該告訴他宇宙中眞有眞理；我應該告訴他愛情能充實生命；我應該說他會寫出一本眞有價值的偉大的書。──但我不願意說我不知道的東西。所以我告訴他我不知道。

歇一會他唱起聖母頌來。他的聲音嗄啞，好像被禁錮了二十九年而逼出來的。他時常唱歪了音。平常我一定會覺得他的歌聲難聽得要死。然而此刻我却留心的聽着。他的歌聲是哭泣的，充滿了悲涼的寂寞和絕望。

我望着遠方黑暗中三盞閃動着芒絲的燈光，聽着他的歌聲和一陣陣的風聲，只覺得自己在無邊無盡的寂寞中浮盪……。

翠屏山

·道南·

施耐菴的「水滸傳」在我國總算是一部家喻戶曉，老少咸宜的偉大著作，在中國文學史上所佔有的地位是不必說了，就是在世界文學史上也佔有其重要地位，爲歐美人士所重視，現在已經有兩種英文譯本。

愛情的事在「水滸傳」裡，寫得高雅之至，肉慾的誘惑，情態的逼眞，寫女人的淫亂，不流於邪俗，寫男人的好色，潛在[illegible]力。翠屏山和西門慶的故事，就是這樣充滿了濃情密意。

小說中的事實，未必有依據，類多虛構事實，但例外的亦所在多有。例如石秀大鬧翠屏山一事，據「娛萲室隨筆」，則實有其地，實有其人，記云：

近讀冒氏小之吾亭詩，有翠屏山五古一首，並有自註云：舞鶴樓在薊州城內大街，相傳即潘氏妝樓。據此，則潘巧雲竟有其人，翠屏山竟有其地矣。詩亦復俊拔可喜。詩云：

「日落翠屏山，驅車過其右，人言潘氏女，昔作楊家婦。府吏府中趨，空房愁獨守，情天有境空，佛法無淨垢。阿難戒體毀，觀音鎖骨朽。至今梳妝樓，隱約薇垂柳。一客聽未終，整襟屢搔首，虞初說九百，君子不上口，悠悠滕薛爭，誰能置可否？呼童且晚炊，爲我煑斗酒，宣和事已遙，茲事莫須有。」

詩的結尾，雖假予撇清，然亦「不語怪力亂神」之義。但潘巧雲一段紅杏出牆故事，已躍然紙上。

山川風物

廣播電台與歌曲

雨村

「移風易俗，莫善於樂」，負有移風易俗使命的廣播電台，少不了音樂。

音樂有多種，而流行歌曲則已成爲今日台灣各廣播電台中之主要節目。流行歌純以輕倩悅耳取勝，故雖屬音樂中之末流，不登大雅之堂，但亦非毫無音樂常識及修養者可得而輕易一唱，歌手及樂隊亦必需技巧爛熟，音調悠美，演唱之際，如行雲流水，使人聽來悠然意遠，始克臻於上乘，聽者始能覺其爲一大享受。近聆各廣播電台經常播送之流行歌曲，不但伴奏者七拼八湊，不成章法；且歌唱者更多屬胆大妄爲之士（女）。當其唱也，咬字不清，音階不準，衷氣不足，荒腔走調不搭板，聽來令人緊張終日，實有失娛樂之原意。茲列舉一二事實，聊供主持廣播節目諸君參考。

一、強令不會唱歌者登台獻醜，志在宣傳，實則丟盡面子者；如不久以前考取某大電影公司之準明星數位，在應電台記者訪問之後，「循例」被問以，「你今天唱支什麼歌？」（按：證諸今日，即連女作家亦非登台獻唱，始克被譽爲當今全材，初出茅廬之諸小姐兒們，在大記者宣傳之下，實不敢不唱也。）於是，乃「輕」啓朱唇，「慢」展歌喉，在遠離音樂節拍之下，初試鶯啼一番，不但咬字不淸，音階不準，而且在收音機旁聽來，其聲似有如無，欲斷還續，着急之下，不禁大歎其被反宣傳。新明星們在未以優秀演技示人之前，先以拙劣歌聲自暴其短，其本人之不善藏拙，亦電台主持人之惡作劇。其結果，乃成爲對聽衆耳朵之虐待，殆人非關掉收音機不可了！

二、台灣各電台經常有所謂「聽衆晚會」節目播出，所謂「聽衆晚會」者，乃召集某節目之忠實聽衆蒞臨電台，過一過廣播癮之謂也。廣播乃聲音之傳眞，「晚會」節目無他，非說即唱，而爲了「娛樂性」起見，「說」者鮮，而唱者多。聽衆乃一羣烏合之衆，事先毫無準備，屆時濫止，紅燈一亮，主持人開始進行「晚會」。於是想過癮者「有志一同」大展歌喉，過其「廣」播歌聲之癮。此種「歌」絕少伴奏，多爲乾歌清唱，因忘詞而有始無終者有之，因走調而不知所之者有之，其不悉收音機畔之千萬聽衆有何義務來收聽此種噪音也。

至若廣播「明星」逢喜慶佳日以歌喉娛聽衆，殆使聽衆「賞下耳音」者正方興未艾，民營電台爲商業廣告而播送之俚俗歌曲，尚不在此例。是以打開收音機，刺耳歌聲此起彼落，難逢一段乾淨「週波」，合灣號稱廣播電台密度最大的地區，如能將夠水準的悅耳之音取代目前這類大胆的自我陶醉式的歌聲，非但爲聽衆之福，且亦爲廣播事業之福矣。

鼠患

·楊楨榆·

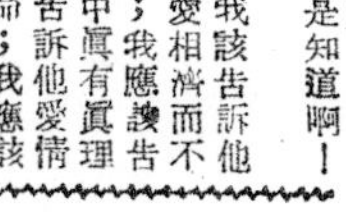

我們家鄉把老鼠叫耗子，名稱的由來，想是這小動物專偷食谷米，消耗糧食之故。

老鼠之於人類，確實有百害而無一益，難怪人們對這小畜生是深惡痛絕，所謂耗子過街，沒有人不喊打的！

儘管別人如此，小可出門人，慈悲爲懷；對耗子這東西雖有惡感，但從無「敵意」，誰知老鼠子竟不識好歹，我的「懷柔政策」，非但未起「安撫」作用，且而帶來了莫大的禍害；一到夜晚，鼠輩們成羣結隊，在室內出出沒沒，深更半夜，吱吱喳喳，一向神經衰弱的我，平時有個風吹草動，都要驚醒，被老鼠子這麼一鬧，硬是沒辦法，弄得徹夜失眠，好不傷心！在忍無可忍之下，我只有用一個對策，在老鼠子「樂以忘形」大鬧天空」的時候，便用個棒子敲幾下，「吓唬吓唬；起初，倒有一點威力，鼠輩們一聽音響，便稍爲斂跡；久而久之，紙老虎被識破，小畜生些曉得了只有棒子響，不會有人來，膽子壯了，倒是不怕，儘管我敲我的，牠照樣幹牠的，如此一來，我的「嚇阻政策」，便完全失去作用。

因此鼠輩們更肆無忌憚，越來越「胡鬧」，好好的寢室，牠偏要東挖一個洞，西咬一個孔，弄得滿目「瘡痍」，好生「悽涼」；我在防不勝防之下，又想起一個法子，便是把房內的洞一個個塞住，應用的東西一一關好，以避後患；誰知道高一尺，魔高一丈，老鼠子鬼計多端，「略施小技，照樣出出入入，大肆活躍，我的「圍堵」政策，又宣告瓦解。

「圍堵」無效，我只好採「焦土」政策，以作防禦；豈料鼠輩們生性狡猾，偷偷摸摸的到處「打游擊」，總是餓不死牠，相反地，「賊子」是越來越兇，人家說膽小如鼠，彼輩倒食膽包天，有一晚，竟大肆「報復」，乘我熟睡之際，「一不做，二不休」，大咬我的腳皮，待我驚痛醒來，可惡的傢伙，又早已聞風而逃。

這夜之後，對老鼠子痛恨之極，「菩薩心腸」，不容我也動了「肝火」，攤牌」的時候，腦子裏總在想，如何把牠們「消滅」而後快?!最後主意決定，來個「四面辣椒」。於是上加辣，毒藥、捕鼠器之類，買了許多回來，一切，當晚即「偵察地形」「布置陣地」，埋伏好了，就等彼輩來送死！果然「明槍易躲，暗箭難防」，老鼠再精靈，終未料到我這一着，一個個中了陷阱，送上「鬼門關」！剩下一些命不該絕的東西，眼看苗頭不對，大勢不好，便拔腳而逃，到井崗山（荒野）「落草」去了！

詩與酒

·漁翁·

詩以言志，酒能助興，詩而無酒，不能表現其豪放之氣，酒而無詩，不能發抒其蘊藉之情，盧梅坡詠雪梅：「有梅無雪不精神，有雪無梅俗了人」，余竊其句曰：「有詩無酒不精神，有酒無詩俗了人」，蓋雪梅有連關性，詩酒亦不可分離也。

古之文豪大家，醉心於詩酒之間者，不一而足，茲舉其犖犖大者而言之。

晉王羲之與謝安等於永和九年三月三日，會於浙東會稽山陰之蘭亭，作修禊之舉，其詩序有云：「雖無絲竹管弦之盛，一觴一詠，亦足以暢叙幽情」，與後之春夜宴桃李園：「開瓊筵以坐花，飛羽觴而醉月」，逸興高致，若出一人之手筆，文酒之會，由來已久，至今猶流傳於人間。

唐白居易，宦遊三十載，退居洛陽，性好杯中物，耽琴淫詩，凡酒徒，琴侶，詩客，多與之遊，自傳云：「醉復醒，醒復吟，吟復飲，飲復醉，醉吟相似，若循環然」，因此，自號為醉吟先生。

宋歐陽修守滁州，作亭於瑯琊山兩峯之間，而記之曰：「觥籌交錯，起坐而喧嘩者，衆賓歡也，蒼顏白髮，頹乎其中者，太守醉也」，又曰：「醉能同其樂，醒能述以文者，太守也」。太守在衆賓中，飲少輒醉，而年又較高，故以醉翁名其亭，並以自號焉。

古之詩人，生平最嗜酒者，莫如李太白，所作客中行：「但使主人能醉客，不知何處是他鄉？」此太白客蘭陵醉酒而作，謂有主人留連歡飲，以暢其旅懷，則不知異鄉之為苦也。

杜子美飲中八仙歌：「李白斗酒詩百篇，長安市上酒家眠，天子呼來不上船，自稱臣是酒中仙。」此雖子美形容過甚，然太白之酒量，為一般騷人墨客所不及。又曲江對酒：「酒債尋常行處有，人生七十古來稀」，杜居官無以為樂，惟人生自古難活到七十歲，不如隨遇而安，及時行樂，陶陶然而浮一大白也。

唐代詩人，除李杜外，亦多好飲，飲必醉，醉而吟，吟得名句，流露於字裏行間，千百年下，猶為世人所傳誦而不已。

有宋一代，文化之盛，不讓李唐專美於前，蘇東坡夜間獨酌，乃有「更邀明月作三人」，醉後詩成而字不楷，又有「醉裏題詩字半斜」，時人以東坡之名句，往往得之於酩酊間，所謂酒助詩興者歟。

書生談兵的故事

李仲侯

光緒十年法越事起，清廷決意對法用兵，張佩綸以翰林學士署副都御史，拜欽差大臣之命，視師福建、張過上海，中國人士仰望豐采，莫不以一接謦欬為榮，張抵閩，一切軍事咸歸主辦，平時修言兵事，實不知兵，而意氣極盛，總督何璟，巡撫張兆棟皆曲意事之，排日上謁，直如參衙，竟未嚮及防務也，七月法提督孤拔率戰艦八艘窺福州，泊馬尾，其地距閩省四十里，為中國自有船塢以來規模之最宏偉者，當初建塢之議發自左宗棠，而由沈葆楨以五年之力完成之——初一日法人遞戰書於楊武管駕張成，是時何如璋為船政大臣，張以達何，秘不發，再告張佩綸，亦置不理，初二日各國領事商人均下船，衆知必戰，入請亟備，張佩綸斥之出，軍火亦靳不發，嗣洋教習法人邁達，告學生魏瀚，明日開仗，魏畏張之暴而不敢白，初三早見法艦升火，起椗，始馳告，而法已照會未刻開戰，張始怖，遣魏瀚向孤拔乞緩，以詰朝為請，比登敵舟而砲聲已發，我方戰船猶未啓椗裝藥，敵發砲七，福星，振威，福勝，建勝殊死戰，船相繼碎，餘船放火自焚，是役也，艭輪船九，龍槽舟十餘，小船無數，伏波藝新二船均逃回自鑿沉，林浦陸勇盡潰，而法船僅沉魚雷一艘，張佩綸，何如璋始聞砲聲，即從船局後山潛逃，是日大雷雨，張跣足而奔，中途有親兵屯之行，抵鼓山麓，鄉人拒不納，匿禪寺下院，距船廠已廿餘里，次日抵鼓山之彭田鄉，適有廷寄到，督撫覓張佩綸不得，遣弁四探，如有報者賞千元，遂得之，何如璋奔快安施氏祠，鄉人焚祠逐之，棄夜投洋行宿，晨入城，往兩廣會館，市人又逐之，後踉蹌出就張佩綸於彭田鄉，張佩綸恐敵踪及之，給何如璋回廠，自駐彭田鄉，累日偵知敵出攻長門，將謀他往，始回。

按馬尾之戰，實由張佩綸調度乖方，開戰先逃，以致全軍盡潰，不可收拾，喪師辱國，實一死不足以蔽辜，事後張猶上疏自辯，朝廷震怒，上諭：「張佩綸於馬尾一役，尤屬調度乖方，即行革職，來京聽候查辦」，張回京後，翰林院編修潘炳年等由都察院代奏張佩綸何如璋等偵事情形，給事中萬培因又奏張何等諱敗捏奏，濫保徇私各節，詔左宗棠，楊昌濬查辦，得旨，均發往軍台効力贖罪。（八）

蚊子的故事

筱臣

時序已進入了中秋，大陸在秋後，即無蚊子，香港與台灣，因為在亞熱帶，雖屆冬令，蚊子仍多，且傳播各種疾病，此眞是人類的大威脅。

按蚊子軀體雖小，其器官結構則甚奇，吾人所見其長嗦，細小如針，實則為兩管合成，一管尖端有鋸，噬人時；先用鋸切開人的皮膚，然後吸血，但人血濃厚，不易吸進，於是由另一管吐入液體，將血冲淡，逐漸從容吸入，此液體即毒汁，侵入血液，乃成疾病媒介。所以蚊子害人，實有其天賦技能，令人防不勝防。

昔元微之有詠蚊詩云：「毫端生羽翼，利嗦噬肌膚，暗毒應難免，羸形日漸枯。」是在一千餘年以前，人們巳知其毒害了。

亦有人以蚊的危險，比賦人的惡毒，如明陳大成即有詩云：「白鳥問炎時，營營應苦飢。進身因暮夜；得志入籬帷。嘘吸吾方困；飛擾汝自嬉。西風一朝至，蕭索竟安之？」此實嘲人不擇手段，鑽營名利，結果還是自我毀滅。清人仁和單斗南先生亦有詠蚊詩云：「性命博宵血，人間爾最愚！噬膚憑利嗦，反掌隕微軀。」此亦足以發人猛省。

現代詩人則有陳新午女士的「苦熱不寐有作」之詩，也涉及蚊子，與上詩同一意境。按陳新午女士，為陳散原詩人的女公子，現任國防部長兪大維的夫人，詩古峭簡樸，誠淵源有自。其詩云：「酷夏久不雨，炎蒸熾驕陽。我眠苦未穩，輾轉嫌漏長。夕陰風露少，憎此蚊蚋狂。宵小豈在多，擾擾時近旁。噬人爾何愚，反掌身自戕。起坐章風帷，一吶心清涼。」

除了上述有關蚊子的詩而外，茲且再述一個有關蚊子的故事。從前有位員外，家財百萬，膝下有一位女兒，生來千嬌百媚，性愛讀書，極愛文學，每天都吟詩塡句。有一年夏天的傍晚，小姐又在閨房裏吟詩：「蚊秀才，蚊秀才，日落西山你就來，一蕊紅花你去去，何必帳裏叫哀哀！」恰巧她哥哥從她房前經過，聽到他妹妹在閨房裏吟詩，說的是秀才的名字。原來他鄰居有位秀才姓溫，叫溫秀才。他哥哥一時聽錯了，以為自己的妹妹跟溫秀才做了不可告人的事兒了。於是乎不及問明白就匆匆跑去告訴他爸爸老員外去了。老員外生性暴燥，氣量很小，也不管三七二十一，就說要把女兒投入海裏去，以免家醜外揚，有汚清白家風，於是找來家僮，用轎子抬去投海。抬到中途，碰見趕豬公的（公豬是專為母豬配種的）。小姐在轎子裏，百感交集，順口又吟起詩來：「豬哥仙，豬哥仙，兩耳直立要人牽，我沒貪花因花死，你來貪花却賺錢。」家僮聽到了，心裏明白小姐是寃枉的。於是放下轎子對小姐說：「這次妳實在是寃枉的，現在我想放妳走，你提快逃生去吧！」小姐道了謝，就急急忙忙地逃去了。一程跑到一個叫大港口的地方。天又黑，肚又餓，孤伶伶的一個人，不覺熱淚縱橫！最後，硬着頭皮跑進一家旅館，對老闆表現了自已的處境，要求老闆收留她。老闆大發慈悲，便留她在旅館打雜。時間過得很快，一幌就是十八年。十八年後，他哥哥上京中了狀元。消息傳來，他爸爸老員外即刻動身前往京城迎接兒子衣錦還鄉。恰好走到大港口這個地方，天又黑了。無巧不成書，老員外眞巧又住在他女兒那家旅館。老員外奔走鄉，旅途寂寞難過，乃請老闆找一位小姐做伴。找了好幾位，老員外都不中意。最後，老板想起了那位寄居在他家的小姐來了。小姐本來是不肯去的，不過想到自家窮困的境況，又加上老板一番勸誘，終於半推半就的千呼萬喚始出來，小姐本是良家婦女，始終羞得不敢抬頭。老員外畢竟是年紀大了，眼睛又花，燈火又暗，就這樣糊裏糊塗地趕赴陽臺。兩父女結了露水姻緣還不知道，事後在談心中，小姐才發現這員外，自已的爸爸。不禁大吃一驚。員外問起她的身世，小姐只好含糊支吾。最後小姐拿了一把香扇，題了一首詩在扇裏，她告訴員外說：「你如果想知道我的身世，打開扇子便清楚了，不過中途不能打開，要等你那中了狀元的公子回家請客的時候方可以拿給你公子打開。」員外以為這位小姐恭賀他兒子高中，特送給兒子的禮物，老員外便很小心的收藏起那把扇子。小姐在老員外離開之後，想前顧後，無顏見人，終於跳河自殺。且說老員外接回狀元，在家裏大開宴會。老員外在宴會席上，當衆把扇子交給他的兒子，狀元打開扇子一看，只見裏面的詩是：「我因帳內趕蚊蟲，丟了祖宗十八冬；手抱爺爺親血脈，紅羅帳內正相逢。」狀元這才恍然大悟，原來自已一時糊塗，竟害了妹妹一生，造成無可挽救的悲劇。氣憤塡膺，終於跳海自殺。老員外戴起老花眼鏡，拿起扇子仔細端詳，不禁痛哭流涕，咬舌而死。

丘徽五與姚雨平（下）

丘峻

當三月二十九日起義失敗之後，姚雨平與丘徽五俱避匿於平遠留學公所中。因恐被搜查，急先將所有槍支，彈藥等武器，盡投所內深井中，並封閉井口，若廢井然，以策安全。至四月初一日，閘搜捕甚急，擬他往，遂離該所，方北出至朝天街，驟遇巡邏隊伍，是時，丘前行，而姚隨後。巡邏者搜查及丘，假辮忽落地，巡邏者急詢：何人？幸丘為人機警，立即高聲而答：我乃姚雨平也。遂即被執。姚即乘機返身逸去，後免於難。

至總督派員承審，丘即直認為丘徽五，保方言學堂學生，遂准由該學堂保釋。丘獲釋，回至丘家祠，面丘監督，報告此事，聞者大笑。

後辛亥革命軍興，姚氏統粵軍北伐，丘氏出任軍需，隨軍轉戰，大敗張勳軍於徐州，聲威大振。及清帝退位，袁世凱繼任總統，意謂革命告成，乃相與解甲南歸。

嗣後，姚氏每奉命任職，丘必隨之，可見二人關係之深。

民國九年，姚氏奉命衛戍汕頭，司令部設於崎碌，以水上一區為好缺，區長一職，久懸而未派人接充。有人詢諸姚氏，則答以『留以待丘徽五者』。姚氏族人不察，輒謂，丘徽五是何人也，好缺要留與他！我姚氏族人尚多閑居者。而知其內幕者則為之嘆曰，丘徽五冒名脫姚氏於險，於姚氏有救命之恩，是冒自已九死之危，脫他人殺身之禍，其被感念而重視之也，宜矣！不知者豈可妄加非議乎！卒待丘至，始派往接管；惟丘聞姚氏族人言，憤而未就，且終不願見姚。不久，姚亦因故去職。

上記兩說，不僅大有出入，而且竟至相反。但歷史事實，務求正確，不能以訛傳訛。惟此事祗有求證於當事人，最為恰當。惜丘徽五已作古多年，而姚雨平又留在大陸，生死莫卜，亦無從得證，孰是孰非。不過，前後兩說，眞偽尚不難辨別。可以說，筆者所知似較合乎情理；而公愚先生所記則否。試舉一端，便不難明瞭。據謂：『至四月初一日，閘南門已閉，姚乃假裝出城至文明門，被巡警盤詰搜檢，假髮忽落地，被執解至大南拘押。詢問時，姚乃冒稱為丘徽五，係在方言學堂讀書，總督所派承審官始准由方言學堂保釋。』等語。姚當時既冒認為丘徽五，在方言學堂讀書，似此情形，姚氏為革命黨人，且為事變領隊之人，又為革命黨之唯一特剪辮——假髮——雖然當時方言學生亦有剪辮者——總督所派承審官豈有昏聵而疏忽至此，竟將亟欲緝捕正法，得而甘心之姚氏，未經明確驗明丘徽五正身，便輕易即准由方言學堂担保釋放者乎？此可以證明姚氏冒稱之事為不足信。然則丘氏冒死脫姚之險，豈非信而有徵乎？還質公愚先生以為如何？

岳陽樓

·漁翁·

岳陽，古稱巴陵郡，地當洞庭湖入江之口，為湖南全省門戶，宋置岳陽軍於此，有事之秋，此為必爭之地。城西有「岳陽樓」，下瞰洞庭，風景絕勝，氣象萬千！唐開元四年，張說出守是邦，與當地文人，登臨賦詩，成為文酒盛會之所。杜甫過此地，有「昔聞洞庭水，今上岳陽樓」五古之作。至宋慶曆五年，太守滕子京倡議重修，范希文為之作記，蘇子美繕書，邵竦篆額，號四絕焉。范記岳陽樓，除描寫風景外，入後有：「先天下之憂而憂後天下之樂而樂」兩句，勗子京以憂國愛民為職志，與風花水月之文有別。又傳呂純陽道人，慕此地風景，在八百里洞庭間飛來飛去，三醉樓頭，而人不知為一飄飄者。樓上古今名人所留題者之詩歌，琳瑯滿目，不可勝記，就中有一最通俗最滑稽之聯語，為遊人茶餘酒後暢談之資料。聯云：「呂道人太無聊，八百里洞庭，飛過去，飛過來，一個神仙誰在眼；范希文亦多事，數十年光景，甚麼先，甚麼後，萬家憂樂總關心。」抗戰時，筆者隨軍駐岳陽，閱登斯樓，心曠神怡，賦五古一首：「勝地幾遊遊，當年備緊舟，喜今重見面，懷古一登樓，兩字關天下，三省醉上頭，光陰如過客，又是洞庭秋」，忽忽不覺，為二十三年事，往事溯廻，感慨係之！

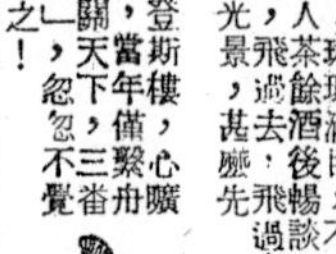

內僑警台報字第〇三一號內銷證

自由報

THE FREE NEWS

第一七九一期

中華民國僑務委員會頒發
台教新字第三二三號登記證
中華郵政台字第一二八二號執照
登記為第一類新聞紙類
（半週刊每星期三、六出版）
每份港幣壹角
台灣零售價新台幣貳元
社長：雷嘯岑
督印人：黃行憲
社址：香港銅鑼灣高士威道二十號四樓
20 CAUSEWAY RD 3RD FL
HONG KONG
TEL. 771726　電報掛號 7191
承印者：田風印刷廠
地址：香港灣仔高士打道二二一號
台灣分社
台北市西寧南路壹叁本號二樓
電話：三〇三四六
台郵撥儲金戶九二五二

談共黨陣營的內爭

王厚生

俄共此次召開第二十二屆代表大會，使共產陣營內部的爭執和分歧不能再行掩飾。不久以前，中共方面有幾個負責的人（包括陳毅），否認中共和俄共之間發生紛爭。今天，一切內幕已由赫魯曉夫加以揭破了。

表面上，中共和俄共之間的理論爭辯已休戰近一年，實際上，兩方面仍各持異見，毫不妥協。在對西方的外交政策方面，徹底言之，在赤化全世界的策略上，中共和俄共仍有不同意見。譬如，赫魯曉夫於十七日對俄共大會發言，自動將年底與東德締結和約的時限取消，他說：「在我們的時代，從事追求一項實力主義的政策，是非常危險的。」周恩來在十九日發言，重彈老調 他說：「只要帝國主義仍然存在，就仍然存在着侵略戰爭的土壤。和平的最兇惡的敵人就是美帝國主義。它是現代殖民主義和國際反動勢力的堡壘，是現代侵略和戰爭的主要力量。現在，全世界都看到，肯尼廸政府具有更大的欺騙性和冒險性。……美帝國主義的所作所為表明，在我們面前依然存在着戰爭危險，各國人民必須提高自己的警惕。」照這一說法，赫魯曉夫的「和平共處」政策便是錯誤的，取消與東德簽訂和約的時限，即是向西方示弱。可是，蘇聯外長葛羅米柯於十月廿五日在俄共大會中，強力地籲請美國甘廼廸總統與赫魯曉夫舉行首腦級談判。葛羅米柯的言論代表蘇聯官方政策，自無可疑，則蘇聯官方對「美帝」和「戰爭危險」不加警惕也屬顯而易見。

中共對美國的強硬態度實際是一種自卑感的變態，在內心中，中共何嘗不想與「美帝」恢復正常關係。據路透社北平十一日電訊，陳毅曾向路透社總經理兼總編輯柯林表示，中共願意與美國進行外長級談判，作為緩和緊張局勢的步驟，但是陳毅要求由華盛頓採取主動。這裏，中共的自卑感一望而知，而且，如果能由華盛頓採取主動，外長級談判眞的舉行，似乎「美帝」又不可怕了，甘廼廸政府的「欺騙性和冒險性」即告消失。所以，中共的言論和政策也相當的矛盾。

在阿爾巴尼亞這一問題上，中共顯然偏袒阿國，實在，中共有不得不偏袒阿國的苦衷，它不是袒護阿爾巴尼亞，而是為它自己的立場和理論辯爭。赫魯曉夫在十七、十八兩日公開指罵阿爾巴尼亞之前，必定經過深思熟慮，明知此舉一定引起中共不快。然赫魯曉夫決然為之，表示他已抱與中共攤牌之決心。我們知道，赫魯曉夫自俄共第二十屆代表大會以來，開始反對個人崇拜，現在，他這次的演詞相當刺激，在發表前，必交俄共中央主席團加以研究，經全體（至少是多數）同意，始借赫魯曉夫的口讀出。所以，繼赫魯曉夫之後，周恩來發言，不同意公開「兄弟黨，兄弟國家之間的爭執和歧見」，然而，俄共要員如米高揚、薩斯洛夫，福爾采娃、柯西金等，繼續抨擊阿爾巴尼亞，毫不放鬆。大家心裏明白，阿爾巴尼亞今日的反蘇的立場是怎麼回事，幕後是誰在嗾使和搗亂。

現在，消息傳來，赫魯曉夫於二十七日午後發言，希望中共作出貢獻，使阿爾巴尼亞共黨與其他共黨之間的關係重歸正常化，且謂這事唯中共才能幹得最好。

這是惡作劇！叫阿爾巴尼亞回頭，即是叫中共回頭。所謂解鈴還是繫鈴人，此之謂也。中共肯這樣做嗎？我很懷疑。十月二十六日，中共的人民日報將赫魯曉夫抨擊阿爾巴尼亞的全文刊出。用意何在？我個人覺得中共欲使大陸人民對這次爭執先作心理準備，日後，可能還有官方的反駁言論發表。

就周恩來的演詞看，中共雅不願將分歧加以公開或擴大，周曾說：「我們必須很好地團結在一起，必須像愛護眼珠一樣地愛護我們的團結，決不應該有任何損害這種團結的言論和行動」。當前，中共內部紛亂，經濟情況嚴重，中共不願多事，以免影響內部安定。假使中共沒有目前的困難，情形可能不同。同時，中共現今在共產陣營中處境孤立，這也是它看風駛舵，要求團結的原因。

但，要求團結，是否即中共回心轉意之謂，也不盡然，今天，共產陣營已不能緊密的團結在一起，這是因為「我們社會主義各國之間，我們各國共產黨之間，在獨立自主和完全平等的基礎上，實行兄弟般的互相支持和合作」（見周恩來講詞）。所以，各行其是，將是今後最可能的形勢。據倫敦方面蘇聯人士所獲情報，謂中俄共之間的歧見將長期存在。這情報沒有大的錯誤，但據我觀察，爭執和歧見既經公開，且屬思想或理論性質，這對中俄共之間的關係來說，總是一大麻煩，或者可以說是一大股憂。

關於反黨集團，的確應加肅清，這個集團的罪行，多到不勝枚舉，其中包括：

一、二次大戰前，史太林執政時期，有三百五十名鐵路工人被卡岡諾維奇下令集體處死（福爾采娃在二十日的秘密會議中所說）。

二、蘇聯文化部長富絲佛斯夫人於二十日揭穿一九三六至一九三八年紅軍流血清算事件的內幕，並指出史太林應負消滅杜卡吉斯基元帥之責。

三、米高揚於二十日指責前外長莫洛托夫完全反對和平共存，並不解其含義。莫洛夫以為和平只是無戰爭之謂，他反對與外國擴展文化關係，且過高估計資本主義的力量過低估計「社會主義」的成就。

四、蘇聯阿門尼亞共和國共黨薩羅貝恩於二十一日指控馬倫可夫在阿門尼亞、列寧格勒、白俄羅斯迫害共黨領袖們，並指出在一九一七年革命之前，有百萬以上的阿門尼亞人遷往國外。

五、蘇聯國家安全委員會主席希里平於二十六日指責卡岡諾維奇會在史太林時代親草特別法令，設特別法庭，使蘇聯人民因稍涉反國家活動之嫌疑，即不經正當審訊而遭拘捕處決。莫洛托夫亦參預其事，至今仍不悔改。

六、烏克蘭共黨第一書記普德哥尼指責莫洛托夫、馬倫可夫、卡岡諾維奇、伏羅希洛夫四人抗拒赫魯曉夫的反史太林運動。

七、俄共宣傳家伊利揚眞夫於二十四日指蘇聯經濟學家伏尼辛斯基之死應由史太林負責。

八、俄共主席團團員年邁的史華尼克指卡岡諾維奇、馬林可夫、莫洛托夫犯謀害之罪，在他們指示下，殺害了一班反史太林派個人崇拜的人。被害者至死後始獲昭雪。

九、俄共中央委員普朗馬列夫指摘莫洛托夫和卡岡諾維奇在一九五七年試圖阻止歷史的重寫（貶史太林）。

以上所舉，因限於報導，當然是不完全的，尤其是有關內幕的消息，我們所知太少，將來，或許會知道得更多。反黨集團的中心和思想人物似乎是莫洛托夫，據俄共「眞理報」總編輯薩盲柯夫在二十五日所說，莫洛夫曾於十月初致函俄共中央委員會，攻擊現在提交大會討論的俄共新黨綱草案，指其為反革命的，為和平主義與修正主義的。據我揣想，赫魯曉夫等所以要這樣嚴厲的譴責反黨集團，與莫洛托夫等的態度和函件有或多或少的關係，明白言之，再度將反黨集團的罪狀提出，是受莫洛托夫等人的逼迫。如我的揣想還有多少理由，那末，中共實不應完全責備赫魯曉夫等，也應責備莫洛托夫等的反黨集團，更應自我有所譴責，因為中共的態度和政策與莫洛托夫等的反黨集團原是一丘之貉。

大家把假面具扯開了吧！

這一罵可真罵出毛病來

自由談

閒話教育問題

馬五先生

曾聞吾國僑居新大陸的學人薛光前先生說：紐約州立中學的教師到學校上課時，須請警察來保護，否則常常被學生侮弄凌辱，資為笑樂，而校長莫可如何也。但教會創辦的私立中小學，對學生管訓甚為嚴格，必要時且實行咱們中國儒家所說的「朴作教刑」——打手心或打屁股，毫無假借。他又說：在美國坐着公共汽車旅行時，車上如有若干青年學生同行，他們興之所至，也可能拿着刀棍之類的武器，脅迫男女旅客把衣服脫光，引為笑料，用意并非劫掠，而是表現他們的武俠氣概。這種美式太保學生生活，雖不能說是全國皆然，卻決非羌無故實之談，台灣的太保學生，視之尚有愧色。然許多有錢有勢的人，乃拼命要把子弟送到美國去留學，吾為此懼！

卅六年以前，我在北平看見徐樹錚辦的一所私立「求是中學」，採用軍事部勒的方法以管訓學生，連學生的頭上亦要管，一律不許留髮。學校製定了若干條的學生守則，印在招考章程上，註明凡自信不能遵守這些規律的，即不必來投考，這與上述美國教會私立學校的管訓精神是一致的。然政府辦的中學校，多見其對學生採取放任主義，許多太保學生即應運而起，貽害社會，莫此為甚，豈非教育上的一大失敗嗎？

根據我國四十年來的事實經驗，凡屬國營或公營的事業，未有不是腐敗浪費的，教育亦不例外。月前我在台灣看過一套特製的彩色教育影片，其中除卻幾個行政官吏參觀文教機構，自我標榜的鏡頭以外，便是一二為着表面宣傳作用而臨時特編的童軍升旗典禮，和一小撮女孩兒作 柔軟體操 的表演形式而已。若說這樣的玩藝就算是教育成績，寧教我要氣破肚皮，而不禁大呼一聲「豈有此理」！

如要救弊補偏，實事求事，今後政府應以全力推廣國民教育和師範教育，而獎勵併協助民間創辦大中學校，加以嚴格的監督就行了。樣樣國營公營，結果樣樣腐敗低能，虛有其表，是亦不可以已乎？

同一案件・兩種裁判
台北地方法院近事

台北通訊

台北司法大厦地方法院民刑庭審理一件關於債務糾紛案，竟作兩種不同的判決，弄得當事人啼笑皆非，而法界人士亦搖頭而嘆，這則漏網新聞，本報記者就該民庭判決書與刑庭判決書分別報導於後，由大家對照看一看，到底那一個對？

該案由自訴人張依慶（男，六十二歲，工人，住台北市昆明街一六七號）向台北地方法院刑庭提起自訴，控告鄭月英（女四四歲，商人，住中華路三八一號），侵佔會款三萬多元，案由地院刑一推庭事葛義才審理。判決主文：鄭月英意圖爲自己不法所有，而侵佔自己持有他人之物，處有期徒刑三月，其餘部份無罪。

該案刑庭判決書事實部份：鄭月英於四十八年五月廿八日起，在本市西寧南路一九六巷二弄四號家內，召集合會一組，共計會員四十六名，自任會首，第一次繳納會款二千元，嗣後按月開票二次，每次繳納一千元，自訴人張依慶參加一會，繳至四十九年十一月間止，總共應得會款新台幣三萬餘元，鄭月英竟於向各會員收取後，侵吞已有，一文不給，案經被害人張依慶自訴到院。

刑事理由部份：被告鄭月英對於右揭時地召集合會一組，計會員四十六名，自任會首，除首會繳納會款二千元外，按月開標一次，每次一千元，自訴人張依慶參加一會之事實，供認不諱。惟稱自訴人之會，於第三十五次開標時，即已標去，會款已全部付清云云爲辯。但據自訴人稱：本合會款額甚鉅，如已得標，必應覓兩家殷實保人，經被告（鄭月英）認可收存保單後，始交付會款等語，請求命被告提出保單作證。訊據被告初稱：交付會款，並無收存保單，彼此信用，故亦無收據云云。嗣經本院傳證另一會員劉友章到庭證明，謂其標得會款時，確有塡具保單一份，並請劉欽水、林賢龍等二人作保等語，以此質之被告，乃又改稱：以前他們得標時，都有找保，後來慢慢都未找保云云，其先後供詞，顯見矛盾，從而被告既不能提出保單爲憑，空言辯謂自訴人業已標去，會款亦已付清一節，自難置信。被告（鄭月英）係合會會首，收取會款不予轉給，而全數吞沒，顯有不法所有意圖，應令負侵佔之罪，姑念初犯，酌情從輕處以有期徒刑三月，用資懲儆（詳本年度自字第二一〇號侵佔等案件判決書）云云。

該案業經高院刑庭將被告鄭月英不服地院刑庭判決，提起之上訴駁回，維持原判，依法該案不得上訴高院而定讞；除非發現新證據新事實暨違法判決，被告鄭月英始得向最高法院申請非常上訴。該案刑庭判決，有沒有違誤？台北地方法院民庭推事王金照所撰判決書是最佳的證據。該案自訴人張依慶在刑庭勝訴後，乃向民庭提出告訴，請求被告鄭月英賠償三萬九千三百元（本年度訴字第四四三七號）。地院民庭判決主文：原告張依慶之訴及假執行之聲請，均駁回。訴訟費由原告張依慶負担。

該案民庭判決書事實部份：原告張依慶訴訟代理人聲明，求爲判決被告鄭月英賠償原告張依慶新台幣三萬九千二百元，並願提供担保聲請宣告假執行，其陳述略稱：被告鄭月英於民國四十八年五月召集合會一組，被告爲會首，會員四十六名，第一次支付會款二千元，嗣後按月開標一次，每次付一千元，原告參加一會，四十九年一月標得會款三萬九千二百元，被告竟於向各會員收取後，侵佔爲已有，分文未給付原告，被告犯侵佔罪，業經判處罪刑確定，刑事判決所確定之事實，民事審判自可用，被告當邀集合會，侵佔會款，於報紙刊有新聞；被告侵佔會款，應負賠償責任，爲此請求判決如聲明云云。提出傳票函及大華晚報各一件爲證。

被告鄭月英訴訟代理人聲明，求爲判決主文所示，其答辯略稱：被告尚未收到刑事判決，查民事審判不受刑事判決之拘束，原告張依慶謂刑事已判決確定，並未提出證據，至於大華晚報新聞，被告鄭月英已去函更正，爲此請求判決如聲明云。提出函及聲請判決抄本各一件爲證。

民事理由部份：（略）本件附帶民事訴訟於判決後，民認被告向其他會員收取之會款未給付原告，係犯侵佔罪判處徒刑，併將本件附帶民事訴訟裁定移送本院民事庭，附帶民事訴訟，經移送民事庭後，即爲獨立民事訴訟，於爲裁決時，本不受刑事判決之拘束。次按台灣民間之合錢合會，其性質乃會員與會首間締結之（單邊）契約，會員相互間不發生債權債務關係。是會首向會員收取之會款，於其收取後，其所有權即屬於會首；會首對於會員雖應給付會款，但係其對會員負有此項債務，會首向會員所收取之會款，債務之會員，殊無侵害其權利之可言，蓋其會款債權仍然存在，被告向會員收取之會款化用，未給付原告張依慶，縱經刑事判決認其犯侵佔罪處徒刑確定，對於原告不負損害賠償責任，原告張依慶請求被告鄭月英賠償三萬九千二百元，難謂有理由，應連同假執行之聲請，一併予以駁回。

由此觀之，該案經民庭駁回原告張依慶之訴，因而被告鄭月英不負侵佔賠償之責，僅屬於民間債務糾紛範圍而已。

張健生

台灣雜誌協會的自請運動

台北航訊

「台灣省雜誌事業協會」（簡稱「雜誌協會」）像其他民間團體一樣，多是由執政黨中央所直接領導的，同樣也像其他民間團體一樣，經常出現一些令人發笑的醜事。於是裏面的正直會員們爲了整個協會的名譽，便暗暗的來一次「自淸運動」。表面上看，搞自淸運動的好像只是一二人，其實乃是有很多會員在幕後支持的。

據說，這一次「自淸運動」的起因是這樣的：第二次陽明山會談之前，雜誌界配有名額，很多人趁機想活動一個出席的機會。黨中央便透過協會的黨幹部們，希望他們提出初步名單人選，然後再作選擇。於是該會會員孫鳴（台北志誠補習班主任，兼辦志成學生月刊擔任發行人）便大肆活動，請客拜託等一齊上陣，當然花了相當的費用，由另一會員蔡馨發（聯合新聞發行人，爲該會理事及常務理事）爲其奔走。果然，孫鳴以最高票當選第一名，另外五名是虞舜、劉干雲、孔祥輝、胡志忠，不過，孫鳴雖得了最高票，但眞正出席了的，却是第二名虞舜律師。

當孫鳴在新陶芳，大同酒樓、南京飯店、金龍餐廳請客時，有的會員到了，有的員員未到，有的根本不知道，不知道的以後知道了，大爲光火，於是醞釀的空氣越來越濃，再加以爲孫鳴從暗中出力的蔡馨發，平時跑中央，跑治安單位，跑美國新聞處，已在會員中留下深刻印象，這樣，「自淸運動」便開始了。由劉干雲（雜誌協會會員，法律半月刊發行人兼主編）出面，採取法律行動，控告孫鳴，蔡馨發、唐賢翔（新聞觀察週刊社長）共同僞造並行使僞造公、私文書。在劉干雲自已所具名向台北地方法院檢察處呈送的告訴狀中如此說：

「陽明山會談第二階段文教代表，雜誌界配有名額，孫鳴以理事身份有意角逐，唐賢翔、蔡馨發力助其成，設如出諸公平競爭與合法爭取，本無可厚非，詎孫鳴及唐賢翔、蔡馨發身爲文化人，竟敢目無法紀……共同僞造學經歷，塡於孫鳴簡歷表上」，因爲孫鳴不是上海法政學院的畢業生，他確塡明自己是上海法政學的畢業生，他未有任「華東通訊社副總編輯，華美晚報副總編輯，聯合新聞通訊社副社長，前鋒新聞通訊社副社長兼總編輯」之職，但他在雜誌協會籌備處具函行政院陽明山談話會籌備處及陳院長暨國民黨中央時，都如此塡造了，劉干雲的告訴狀稱「此爲人所和知之虛僞事實」。至於蔡馨發和唐賢翔二人，乃是幫助孫鳴將孫鳴所塡之「學歷表上」上海法政學院畢業」的「畢業」二字塗銷，「顯爲變造私文書之行爲，自亦爲法爲不容」。

當然，蔡馨發、唐賢翔也不甘示弱，他們聘請律師杜汝明代理到法院也提出自訴，控告劉干雲誹謗罪，他們稱劉干雲之所以要提出告訴，乃是因爲劉未被柬邀出席陽明山會談，「憤難可洩乃指自訴人……爲他人僞造學經歷」，並且又控告劉干雲僞造文書。

劉干雲馬上當庭提出反訴，反訴蔡馨發、唐賢翔僞造及誣造。因爲蔡馨發、唐賢翔以之爲控告劉干雲的證據「世界評論」第九年一一九期，根本未刊載有損於蔡、唐兩人的文字，是蔡唐兩人所呈的證據，是他們自已變造。

如此，劉干雲一不作，二不休，把蔡馨發利用職權，作背信圖利的行爲也告了一狀。原來蔡馨發以該會值月常務理事身份，於本年四月挪用該會公款五萬三千九百元，向南華內衣公司購買襯衣七百件（每件十五元買進，五十餘元賣出），蔡是以雜誌協會員工消費合作社名義購進，但事實上這個機構早經主管官署解散了。

現在這個案還在台北地院審理中，究竟誰勝誰敗，尙待司法最後判決，這裏只是把原因——造成該會自淸運動的來龍去脈向讀者先作一個報導，至於雙方鬥爭的結果如何，那就先要看法院怎樣裁判，才可以略見分曉。

大陸文壇近況
臧克家拍馬留禍根

・龍翔・

魯迅題這首詩時，距離他的死只有兩年，當時魯迅已被左派文人奉爲盟主，實際上聽受中共潛伏在上海的文化幹部周揚的指揮，魯迅這首詩的本意當然是攻擊國民政府的。首句形容一年疾苦，次句是說人人都如伏馬寒蟬，不敢講話，三句則把思想浮出現實之外，四句就感到有一絲曙光，當然這曙光，魯迅是指的正在狼奔豕突向陝北逃竄的中共。

魯迅是文學家，不是預言家，可是這首詩留在二十七年後的今天來詠中共，確實比黃大仙的籤一靈驗。因此臧克家的註解，變成句句都罵中共。

「臧註」首先說到政府當時「實行白色恐怖，對人民實行殘暴鎮壓，對進步文化實行統治與宰割，弄得民不聊生，全國成了一個大監獄。」這段話若把「白」改爲「紅」，「進步」改爲「自由」就天衣無縫了。

第一句「萬家墨面沒蒿萊」，臧克家特別感到興趣的是他註解是「全國人民，都成了臉上刺墨，晦氣重重的囚犯，生活在水深火熱之中，流徙、死滅在草莽之間。」這一段確實是說的共產黨統治了，民國二十三年時代，中國雖然外受日本鬼子侵略，局勢十分緊張，但人民生活逐漸好轉，國家日趨強盛，則是事實，否則以後如何能支持八年抗戰。要說人民變成晦氣重重的囚犯，更是說的現在，囚犯的具體生活是沒有行動的自由，甲地不能到乙地，鄉村人民不能入城市，試問民國二十三年時如何有過這種現象，人民不但在國內旅行有絕對自由，即是出國到香港、南洋也從未受過限制，假若那時人民眞是囚犯，不能自由行動，政府也在深圳設個「邊防局」，遇到人民出境就開槍射殺，則今天海外那裏又有糧包寄回大陸。

「臧註」又說人民生活在水深火熱之中，流徙、死滅在草莽之間，也是罵的共黨統治。水深火熱四字本是抽象語，說是過去和現在還都缺乏證據，只有流徙兩字完全是共產黨的統治政策，目前在邊區省份中共設了許多國營農場，如「新疆生產建設兵團」開墾的荒地，青海的柴達木盆地、東北的密山、合江墾區（俗稱北大荒），都是把判了罪的人或被指爲不穩份子遣去墾荒，試問在民國二十三年何嘗有過這樣的事。

臧克家寫這篇文字的本意是在拍馬，但是由於對「新社會」所知太多，一不留神就在筆下寫出來。目前也許沒有問題，到了有一天中共要淸算臧克家的時候，像這一類拍馬文字，可能會變成反黨証據呢！

（下）

作者・讀者・編者

汝津先生：久不見惠稿，甚念近況。

黑子先生：稿已收到矣。祈勿念。

匡謬先生：尊稿取材頗適合，惟請勿用文言爲作。

一得先生：所詢諸事，謹答如下：（一）馬五先生確爲本報社長雷嘯岑先生之筆名，你猜得很對。（二）本報園地絕對公開。散文隨筆掌故短篇小說等均所歡迎。（三）新詩無法刊出，舊詩亦不擬多刊。（四）有關文學理論的文章，如能深入淺出，而字數在三千字以下者，可酌量刊出。惟此種文字，並不適宜於篇幅較少之報紙刊登，此則須請閣下特別注意者也。

接吻漫談

·燕謀·

不久之前、自由中國電檢處、不知會幾何時、睡在高枕之上想通了，把中國自有電影以來所禁的「吻」破題兒開放了！眞是惠德非淺，製片家及明星們喝彩不已、同時今後他（她）們也可以大顯嘴唇，讓我們也欣賞吾人固有的「國吻」，眞正值得大書而特書的。

製片家們、爲了適應觀衆渴望，據云已拍好了一部「第一吻」的片子，同時第二吻業開拍，我想以後「國吻連珠似的放出，眞夠刺激也。

本來接吻這玩意兒並不值得稀奇古怪的倒是那剪刀先生。牠偏要分個彼此，高鼻子本來不便於接吻，但是剪刀先生通統讓它通過無阻，而我們的「國吻」則慘遭ㄎ剪，所以大家把「吻」這玩意兒看得神秘不可思議，數十年于茲，豈不冤哉！

本來接吻不儻是人類表達愛情的方法，而且遠不如人類的動物亦莫不然，動物如飛禽走獸，牠們也如人類一樣，情意綿綿而交頸互吻，何況重情愛的人類乎！

如果要考「吻的起源」，不妨可以來個大胆的假設，那便是「有男女之後，就有了吻的歷史了。」最原始的人類接吻，是絕對公開的，根本沒有什麼秘密可言；秘密接吻倒是進入了文明，出現了所謂「聖人」之類的人物，創造-仁義道德，及夫婦之道之後，才把「吻」關起來的。

吻，或作「脗」、「爲其吻合」，初見於莊子，釋義．「兩唇相合謂之吻。」是指上唇下唇相合而言，至於四片陰陽嘴湊合在一塊，咱們老祖宗叫做「親嘴」，某些人或叫「吃個皮杯」。其實接吻與親嘴二者一也，紅樓夢裏賈寶玉愛吃姐姐妹妹們的胭脂，這小鬼頭是偷着親親嘴的，借名而已。自從西風吹到咱們這個古老的東方，Kis這玩意兒被文明人公認爲「人類愛情的表達方法，」於是乎在我們的辭書上增加了接吻的一條，註云：「西洋人禮貌之一」，把古老的「親嘴」，全盤西代起來，說醒了，還不是等於二五之於一十嗎？（上）

說夢

匡謬

人生在漫漫無限長的時間中摸索，自生到老百頭，不知所以，這正是所謂「人生如夢」，人生必有其夢，夢豈不成了人生乎？人生在無限長之時間中如電光之一閃，如果我們能夜夜做夢，則我們過一日等於活兩日，活五十等於百歲乎？有如此便宜的事乎！眞是人人求之不得也。白天活着做夢，夜晚睡着做美夢；至於夢中的苦樂，畢竟是「夢中的苦樂」，大可不必斤斤於計較的。如果你要斤斤計較的話，我敢大膽假設一句，他和那些在牆上貼紅紙兒，寫着「夜夢不祥，書破粉牆」的同樣不懂得夢！……

古代聖賢哲人，對於「夢」這玩意兒，也各有一套妙論，莊老夫子曰：「要人無夢」，張湛注曰：「眞人無往不忘，乃當不眠，何夢之有？」可見莊老先生斷定「至人」是無夢的。然而孔老夫子則時以「不復夢見周公」爲憾，可見孔老夫子則是喜歡做夢的至人了，而至少也是不反對做夢的，但他却反對白天偷偷入夢鄉的人。「宰我晝寢」，他老夫子斥之爲「朽木不可雕也」的人，但宰我則是滿不在乎，似乎縱然宰了我也得睡個午覺不可也。（笑話也。）

列子論夢曰：「周之尹氏大治產，其下趣役者，侵晨昏而不息。有老役夫筋力竭矣，而使之彌勤。晝則呻呼而即事，夜則昏憊而熟寐。精神荒散，昔昔夢爲國君：居人民之上，總一國之事；游宴宮觀，恣意所欲，其樂無比。覺則復役人。……尹氏心營世事，慮鍾家業，心形俱疲，夜亦昏憊而寐。昔昔夢爲人僕：趨走作役，無不爲也；數罵杖撻，無不至也。眠中夢囈呻呼，徹旦息焉。」……此文原意說出「苦逸之復，數之常也；若欲覺夢兼之，豈可得耶？」此其中大有玄味，我這愚人是頗略不出的；我只是斷章而取義地賞識這故事的本身，所以才遠從二千年前引出來作爲談助，我只覺得做夢不是一件壞事。但我仍是孔老夫子二千五百年後的小小信徒，反對白天做夢者，然而殆所謂時乎做夢則做夢者歟？

但是我總覺得「至人」也好，「眞人」也能，畢竟沒有我們的一份，也大可不必夢想，只看「乃當不眠」一個條件，你我就做不到，你若主張每日「八小時睡眠」，就別想做「至人」「眞人」的資格，但是你別就心，還有爲我們揹木梢的：我們也該知道「愚人無夢」！他們是一枕黑甜，哼呵到曉，一些兒夢的影子也看不到的！我們還幸運的還可以勉强做幾個夢，雖因此而失去了「至人」「眞人」的資格，却也免於下愚，這也未嘗不是幸運。

至於「至人」「眞人」之無夢，與愚人之無夢，究竟有無分別呢？我還得偷偷懶，仍然撫拾我上文所引的來答覆吧！「眞人……乃當不眠……」而愚人是「一枕黑甜，哼呵到曉」的！再加上孔老夫子的一句「上智與下愚不移」也。孔老夫子喜歡做夢，豈不是失去了「至人」「眞人」的資格嗎！我答曰：「唯唯否否！」孔老夫子是聖人，自有他的特殊地位，用不着來爭「至人」「眞人」的名號。但得知道，孔老夫子所做的夢，而能夢見周公，才能成爲「至人」「眞人」：我們也還不夠資格的。

我們終於只能做第二等人物。但是其中還有點分別，如我的朋友某君，他夢見花，夢見詩，夢見綺麗的衣裳……眞可算得是有夢皆甜了。次則如我，枉生在天府之鄉，而勉可除於愚人之标，然而照例是黑漆一團，一覺睡到大天白亮，不過我得首先聲明的哼呵到曉是沒有的。

播居寶島以後，不知怎樣漸漸地乖了一點，經營夜有所夢，而不一其夢，但是夢竟管做，却做不出一個清醒的夢，成夜亂夢顛倒，醒來時不知所夢，恍然若失。而最難堪的是每天早上將醒之際，殘夢依人，戀戀不去，忽然變眼一睜，如墜深谷，萬象寂然——只有一角日光在牆上癡癡地等着！我此時不想起來，必凝神細思，想追回夢中失去的一些甜密的事物，但是更惘惘然，茫茫然，更是不知其所以然。雖然記憶不清，然而夢中的天地是自由的，海闊天空任我翱翔，境界無邊，任我徜徉，這一點是清清楚楚的；不過這究竟是夢，而不是人生哪！

門的兩面

·幹華·

門，它有兩面；一面是外面，一面是裏面。門的外面是屋的外圍，而門的裏面是屋的內部；門外是危險的，是寒冷的，門內是安全的，是溫暖的。

在日常的時候，每一個人都可以從門旁經過；不論他是到屋內或屋外，門是不會阻止他的。

賢淑的和好靜的人，大都喜歡逗留在屋裏，過着安閒的生活。所以，歷代的文化都由他們保存和發揚。但，另外一部分人是屬於英雄豪傑一類的，他們不喜歡整天坐在屋子裏。因此，必須到外邊跑跑跳跳，呼吸幾口新鮮空氣，愉快一會身心。故此，他們所看見的和接觸的事物都比較多；他們把這些有趣的事物傳給屋裡的人。屋裏的人聽了自然高興。有時候，他們也會被那奇特的事情所吸引，而自動的走出了門。

當太陽西沉的時候，不論什麼人也要趕緊走進門的裏面去；因爲這時的門是已關閉了的。若你離開門的距離太遠，或迷失了門的方向，那你便會被霜雪所冰凍，被豺狼所吞食，以及被黑暗所淹蓋！

門，它有兩面；一面是外面，一面是裏面。朋友，當黑夜來臨時，到底你在那一面呢？

山川風物

梁山伯與祝英台

磊庵

東晉梁山伯祝英台，以婚嫁未遂而殉情，致演成哀感頑艷之故實，到了今天，幾乎家喻戶曉；惟對於此事之發生地點，頗多歧異之處，其有力之說，約可分爲二：一爲寧波府志：「東晉穆帝時，會稽梁處仁字山伯，從師過錢塘，逢一士人同渡，自稱上虞祝貞，字信齋，同學三年，祝先歸，梁後訪之，則爲祝氏九娘英台，梁求婚，祝已許貿（邑旁，下同）城馬氏，梁後爲貿城令，旋卒，祝適馬氏，過梁墓，臨穴哀慟，地裂，並葬焉。」一爲宜興荊溪新志：「梁祝在宜興善權山碧蘚庵讀書，同宿三年，善權寺後有石刻，大書『梁山伯祝英台讀書處。』又吳中呼黃色蝴蝶爲梁山伯，黑色蝴蝶爲祝英台，謂死後焚衣所化。」

按會稽爲秦置，其地爲今之江蘇東南部，及浙江之東南部，依清代郡縣編制爲考據：則上虞屬浙江之紹興，貿即浙江之寧波，宜興屬江蘇之常州，而皆爲會稽，絕無畛域之可分；惟紹興因有大禹之事蹟，聲聞更著，不求甚解者，遂以爲會稽爲紹興之專稱，馴至以訛傳訛，而事乃失眞。

宜興兩洞爲京杭國道上之大風景區，偏東近湖汶者爲庚桑洞，偏西近張渚者爲善權洞，善權有前後二洞口，又稱前洞爲旱洞，後洞爲水洞。後洞出口不數千武，即爲梁祝讀書之處「碧蘚庵」古蹟，雖年代久遠，庵之屋宇，久已傾圮，而斷坡之上，却有巨碑刻「碧蘚庵」三字。碑高四尺弱，寬二尺弱，厚約一尺七、八寸，字作八分書，鐫鑿至七、八分深度，體極古拙，幾面碑面，望而知爲千百年前古物。此碑竪處，即爲善權寺牆內，據云，前尚有「祝英台閣」，而所謂梁祝讀書處」之石刻，轉不可覓。筆者數度前往，並一度乘小舟穿過幽深至五、六十丈之水洞，而撫摩碑文，覺其運力純出古法，每一筆之横斷面，均直立無偏倚。兩洞主人儲南强氏，曾以宣紙墨拓之「碧蘚庵」碑文見贈，抗戰時，始隨居處被焚。山下有古村名「祝陵」，居民數百戶，均以燒石灰爲業，其村即爲紀念梁祝而命名。當時事聞于謝太傅，疏請于朝，詔立「義婦塚」，詞曲中之「祝英台近」七十七字，始創于宋，辛棄疾「有寶釵分，桃葉渡，烟柳暗南浦」之好句，亦可見事之入人深也。筆者幼年，嘗聞邑人稱黃蝶爲「梁山伯」，黑蝶爲「祝英台」，皆謂爲蝶之本名，及至漸長，始知其事，此種古老之民間故事，其証明力更視刊物爲强矣。

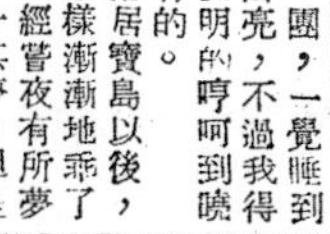

戰時景色

·斷橋·

戰時，戰時，不錯！我們這個世紀的中國人一直是活在「戰時」啊！大人先生們不是常常如此說嗎？爲適應戰時體制須這樣做呀！比如：爲了適應戰時體制，加强反共宣傳，須限制「出版法」。比如：爲了不使鋼鐵生產停頓，爲了不使四千員工失業，造成社會問題，有礙治安，須要依戰時頒佈的動員令救濟唐榮鐵工廠，（政府有關大員一再聲明，不是救濟唐榮家族）；我自呱呱墜地[illegible]，到了少年時代，又親身參加了抗戰，剿匪戰，穿槍林，入彈雨，[illegible]跑到寶島，滿認爲避秦之地，[illegible]「戰時」[illegible]嗎？于是，不免去尋覓一番走走！

我走在馬路上，但見流線型、鍋蓋型、棺材型各種各式小轎車風馳電掣，摩托卡，三輪車南來北往，呀！一挺機關槍，一尊榴彈砲呀！

于是，我又行行復行行，尋尋覓覓，[illegible]進，走到人流[illegible]

[illegible]我眼花撩亂，但見紳士淑女高視闊步，笑語喧嘩，但見店鋪門前的霓虹燈五顏六色，但見電影院門口兒高懸着海報，但有得迴盪在空中的靡靡之音。

但，于是，我眞不相信自己的眼睛了，又繼續前進，走到西門町圓環，這當兒，西門町的人潮洶湧，個個穿紅掛綠，眞像太平年景的廟會呢！不用說拿我的肉眼凡胎瞧不出丁點兒戰時模樣，就是拿了千萬倍的放大鏡，也找不到丁點兒戰時景色呀！于是，我這才走到圓環裏的蓄水池邊兒想坐下歇一歇，嘿！正是「踏破鐵鞋無覓處，得來全不費工夫」！[illegible]原來近在眼前，不是有一座碉堡麼？千眞萬確，一座碉堡[illegible]長滿綠草，[illegible]洋洋地，像是在[illegible]這還不是「戰時」景色嗎？官兒們[illegible]

[illegible]多多引據戰時法令，因時因人而制宜，多多救濟唐榮公司。繼續勵行紙張節約，限制新聞紙登記，百年之後，撰寫歷史的人，也不能翻案，有此碉堡爲證呀！誰敢說台灣無「戰時」景色！

發牢騷

·周燕·

今日社會，不知是個什麼社會，人心特別苦悶，動輒牢騷滿腹，尤以苦力生涯與下級公務人員爲甚。牢騷何時何地沒有，何以今日如是之多也？

因爲牢騷以今日爲最盛，堪稱「牢騷之世」，故有一位「牢騷先生」，寫了一篇「牢騷」大文，揭示各種模範牢騷，茲錄於下，共發牢騷君子一傑。

一、屈賈式的牢騷，二、李揚式的牢騷，三、蘇東坡式的牢騷；四、李赤式的牢騷。屈原、賈誼、李陵、揚雄、蘇東坡、多爲人所知，惟李赤鮮爲人所曉。據說他與李白同時。何謂李赤式的牢騷？據云是一種滑因頭的牢騷，即是不像別人發牢騷。牢騷先生對以上的四大牢騷，亦有批評：

一、屈賈式的牢騷是有偉大的目的

二、李揚式不及屈賈式，因爲只是個人的待遇問題。

三、蘇東坡式的牢騷，像屈賈式的固執，也不如李揚式激激，是詩人眞情的流露，不過他未免太消極了。

四、李赤式的牢騷，不妨誅心一下地說，他下也許覺得牢騷中自有一種樂趣，正在沾沾自喜呢！

其實牢騷那個沒有，只不過多多少少而已，誰敢說他一輩子都沒有發過一次牢騷？所謂人生不如意之事，十之八九，人遇到不如意的事，鮮有不發牢騷者也。部下在上官面前發牢騷，個人在朋友面前發牢騷，先生在太太面前發發牢騷，比比皆是。時代進步了，牢騷也變樣了，現代式的牢騷，爲已而不爲人也。屈賈式的牢騷，能得光輝燦爛，名列詞賦大家，爲文人典範。歷史多[illegible]，但蘇東坡，文字上寫下一些成績，伊後世學子欣賞，未嘗不是有功後世的人物。有人說社會上是得意的人不發牢騷，失意之人多發牢騷，上位者不發牢騷，在下位者多發牢騷。其實是在上位者敎在下位者不要發牢騷，得意的人敎失意的人不要發牢騷。似乎只有不得的人的牢騷才算牢騷，只有在下位者的牢騷才算牢騷，在上位者與得意的人的牢騷便不是牢騷。其實不論在上在下，得意與失意，多少也有點牢騷吧。然而總是將牢騷歸罪於在下位與不得意者，也有欠公平吧！

牢騷至是不好的嗎？請問「道德經」不是老子的牢騷嗎？「南華經」不是莊子的牢騷嗎？史記不是司馬遷的牢騷嗎？離騷不是屈原的牢騷嗎？等而下之，岳武穆的滿江紅不是牢騷嗎？全部水滸傳，不是一部大牢騷嗎？古時忠臣以及孤臣孽子，那一個不是牢騷滿腹啊——牢騷者，抒發不平也。不過牢騷要爲人而發，爲公而發，不要爲個人發牢騷，要爲大家發牢騷，果能如此，牢騷價值大矣！惜乎現代式的牢騷，只爲自己而發也。

書生談兵的故事

李仲侯

吳大澂早官詞林，有才名，負大志，殆與張佩綸屬同流人物，第其出身較後，而好大言，喜侈談兵事則一也，光緒十年已洊升至河東河道總督，二十一年中日之戰，日軍以六千人犯海城，而我方宋慶所部四萬人，益以提督唐仁廉駐奉兵一萬六千人，環攻海城月餘不能拔，日軍堅守海城，蓋在牽制中國大軍以便海道進擾山東也，中日之戰，我軍自平壤敗績後，淸廷深慮淮軍已不足恃，乃思起用湘軍；湘軍宿將如魏光燾，陳湜，李光久等皆奉詔募軍北援，召兩江總督劉坤一晉京，授欽差大臣督辦東征軍務，駐節山海關，時吳大澂已洊湖南巡撫，心慕李合肥之爲人，欲以邊功邀封拜，遂乘機上疏請纓，常熟翁同龢亦助之，命領一軍出關助戰，[illegible]至山海關會辦劉坤一軍務，短衣匹馬，意氣豪甚，並挾有大批碑版古玩自隨，常與僚屬雅歌投壺以示整暇。

未久，大澂奉命率兵圖海城，環海城而軍者六萬餘人，日軍逼遼陽，提督依克唐阿託詞援遼東，移軍遁，長順亦隨之往，牛莊勢益孤，未久，魏光燾敗於牛莊，李光久棄軍逃，死二千餘人，被擄八百餘人，軍械盡失，[illegible]營口，聞大澂走，[illegible]退田莊台，[illegible]田莊台亦失守，[illegible]錦州聲援斷絕矣，吳之退田莊台也，全軍望風潰，一晝一夜退三百里，沿途風聲鶴唳，草木皆兵，以致軍資輜重概行拋棄，日軍進田莊台後，所獲輜重無算，檢驗吳軍槍械，大部份均不曾啓封使用，是可見其狼狽之狀，不過，吳較前述諸人，實爲幸運，軍敗後，朝廷未加處分，詔仍許還湘撫任。淸室末年，刑賞失墮，仕途茸闒，亦可窺見一般。（九，全文完）

四川人的幽默

介人

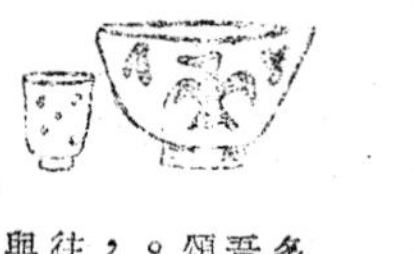

四川人的智慧，似乎頗多幽默感，近代的文士李宗吾，發明了厚黑學，曾經傳頌一時，這是爲人所熟知的。四川人士，多屬善於詞令，巧言如簧，凡屬與他們交往的，均有此同感，這或許與他們愛上茶館，擺龍門陣有關，久經訓練，自然成爲善諧專科博士了。至於作詩製聯，亦多滑稽有趣。

五十年今禧國慶已經過去了，猶憶某年國慶紀念日，四川重慶各界演戲慶祝，各門外對聯一新，當時戲臺前一聯，曾有多人撰擬，顧或失之陳舊，或則側重於娛樂，迄無佳作。後某名士像鼓鑼之音，爲撰一聯，頗爲幽默。聯云：

「普天同慶，當慶，當當慶；
舉國若狂，羣狂，羣羣狂。」

川黔道上，土地廟所在皆是，趣聯亦多。如：

其一
五行么老者；
三才二先生。

其二
五行之么爲土；
三才之二爲地。

或隱或現，嵌入土地二字。又如：

公公十分公道；
婆婆一片婆心。

因爲俗呼他們夫妻是土地公公與土地婆婆。又如：

噫，那兒放炮；
啊！他們過年。

這乃除夕夜的寫景。又如：

人人敬我二老；
個個賜他三多。

這些對聯極合農村的情景，頗饒深意，亦恰似四川人的口氣。

現在香港已有了姑姑筵，使筆者亦憶起四川姑姑筵的趣聯。

首先創設姑姑筵的人黃敬臨，原籍江西淸江，筆者在成都與之謀面時，他的語音還帶有濃重的鄉音。他在四川候補，鼎革後以謀生之術，乃在成都開設菜館，親自動手烹飪，一切技術極佳。惟每日限定一席，菜價亦昂，他不許顧客點菜，必由他親擬一切，客亦無不滿意。他藏書萬卷，亦喜寫經籍，書法秀麗。客來故下書卷，執刀鏟爲客烹調，事畢又手執一卷以自娛，頗富風趣。每歲除夕，自撰春聯，均有川中稽之語，茲記其兩聯如左：

其一
可憐六十年讀書，還是當廚子；
做得廿二省味道，也要些工夫。

其二
做些魚翅燕窩，歡迎各位老爺太太；
剩些殘羹冷飯，養活我們大人娃娃。

四川人叫小孩子做娃娃，也可說全是白話素描，寫來也就夠慘了，這也是讀書人的末路。

至於涉及諷刺政治的，則爲民國十九年，川軍二十四、二十八、二十九三軍合駐成都，系統不明，秩序紊亂，達於極點。時成都造幣廠所出銀幣（俗稱五角者通稱廠洋），成份不足，又復濫啞，商民不欲行使，以致釀成停市現象。市上既無法換銅元之處，於是飲食日用品，亦無法購買，人心惶惶極感痛苦。有好事者撰成一聯，最能代表人民憤恨的心理。聯云：

五角廠洋，破！濫！啞！
三個軍長，鄧！田！劉！

所謂鄧，即鄧錫侯，向有水晶猴子之稱，現已附逆。田劉即田頌堯與劉湘，此二人均逝世已久。當時此聯漸漸傳入三軍長耳中，深感有礙於顏色，不但再抱放任政策，乃下整頓決心，漸漸收復廠洋，由是良好大洋始敢在市上露面。

又四川文人劉思亮，屢於小報發表譏諷劉湘的文字，劉湘恨之入骨，乃予以逮捕，置之獄中，嗣後劉湘出兵抗戰，任第七戰區司令長官，始予以釋放。不久，劉湘即病逝於漢口。劉思亮又在某小報登一聯挽之曰：

司令長官千古；
中華民國萬年。

第二天，思亮坐在茶館裏，一般友人紛紛譽此聯幽默，思亮說：我覺得此聯不妥，方擬改之爲「劉甫公千古，中華民國萬年」。友人說：「如此修改實不及原文，且劉甫公爲三字，中華民國爲四字，亦對不住。」思亮大笑說：修改的妙處就在劉甫公對不住中華民國啊！

也談史可法

太原生

本報第一六四期第三版，載有蔣明先生之「談史可法」一文，述「二百年後，又有後代史堅如出，」「其成仁取義之精神，與乃祖史閣部後先媲美」。筆者以史氏無後，惟其殉國之精神，實爲中國固有文化之昇華，因也稍談感想也。

明宏光元年（淸順治二年，西曆一六四五年）淸兵殆揚州，揚州城守，戴名世「揚州城守紀略」載：「四月十九日，公知事不支，召副將史得威入，相持哭。得威曰：『相國爲國殺身，得威義當同死』。公曰：『吾爲國亡，汝爲我家存。吾母老矣，而吾無子女，爲吾嗣以事吾母。我不負國，汝無負我』。得威辭曰：『得威不敢負相國，然得威江南世族，不與相國同宗。且無父母命，安敢爲相國後』？時劉肇基在旁泣曰：『相國不從顧其親，而君不從相國言，是重負相國也』。得威拜命。……」。此爲史氏決心成仁前之私事安排。（公的安排，爲致書淸軍統帥豫王：揚州事由其一人負責，弗殺百姓。惟未見納，故有七日之屠殺）。

溯明代帝室，對大臣最忌刻薄，故雄才遠略之士，往往不能展其抱負。語云：「冰凍三尺，非一日之寒」；流寇之不能禦，非李、張之有特殊能力。當福王即位於南京也，時思宗新縊，寇氛未靖，而淸兵紛紛入關。但南京之政治狀況，仍內者奸臣（如阮大鋮、張孫振）弄權；外者悍將思逞（如左良玉父子）與驕兵五殺（如高傑、劉得功、許定國）。史氏在朝內遭阮之忌而被擠出外，以無兵之人負督師之任，困難可以想見。及以幾個月時間「用德感化」能指揮高傑部時，朝中又派衛胤文來監軍，加以牽制。觀史氏致母遺書：「兒仕宦凡二十有八年，諸苦備嘗。不能有益於朝庭，徒致曠違定省。……今日殉城，不足贖罪。望母委之天數，勿復過悲。……」此「諸苦備嘗」四字，滿含辛酸，而罄竹難書之政治黑暗，社會混濁亦由此四字完全洩露。

後代人人歌誦史氏之精神，亦有不少人痛惜史氏所處之時代。然而有多少肉食者（在現在應包括高級民意代表）鑒此歷史教訓而深自警惕，從而戮力國事，使政治澄清，社會進步，人民幸福？乃至逢到大故而能捨身殉國？回顧最近三十年來，神聖的對日抗戰，馬革裹屍之將軍多爲質樸無華非征緒之士；共黨吞噬大陸時，平日顯赫之要員披着「高擺」；大陸沈淪，同胞水深火熱中掙扎，乃退守到台灣的袞袞諸公，甚多惟爲自己這一行列的待遇是競。眼子現實的功利主義如日中天之盛，相反的中國文化日漸式微。言念及此，益顯史氏精神之偉大而今日更應格外歌誦史氏也。

山川風物

中國寡婦山

·道南·

大凡是到過南洋的人，皆知在南洋有一個「寡婦山」，這裏含有哀感頑艷的故事，文學家也常常爲之歌詠讚嘆不置。

寡婦山拔海有一萬三千餘尺，算得是南洋第一高峯。這山是在亞庇市東六七十里地方，晴朗的天氣，在亞庇市就可以看到它的輪廓，除中國寡婦山這個含有羅曼蒂克的名字傳聞遠道外，它還有不少的名稱，諸如：神山，京那峇魯山等都是。

據本地土人傳說，遠在數百年前，中國曾派遣兩位王姓的大將到婆羅洲來，傳說中王氏部下有一位士兵，因一次偶然的機會，發現一位杜森族酋長的女兒，驚爲天人，幾經奔走追求，好容易獲得酋長女兒的應允，兩人居然締結爲夫婦，這是第一次華人同杜森族聯婚。

婚後不到數月，這位士兵覺得南國雖好非吾土，害起嚴重的思鄉病來，杜森族這位女子亦很同情他，不得已含淚送丈夫北返，約期歸來。孰料她丈夫一去杳如黃鶴，害得她空幃獨守，最後抑鬱想天開，決定獨自兒不辭跋涉之苦，攀登上神山之顛，以便盼望北國南返的帆影，這樣一日復一日，在山上默望了十天，最後認爲絕望了，才奮身躍進山上的一個湖中，而告香消玉殞，從此以後，這山便叫「中國寡婦山」了。

徵稿小啟

有內容有意義之隨筆、散文、掌故、小說、雜感等類文字，本刊均所歡迎。請用有格稿紙繕寫，如需退還，請附信封及郵票。一千六百字左右的隨筆，比較容易刊出，過長則以篇幅所限，請特別留意。

內僑警台報字第○三一號內銷證

自由報

THE FREE NEWS

第一八○期

中華民國僑務委員會登記證
台僑報字第三二三號登記證
中華郵政台字第一二八二號執照
登記為第一類新聞紙類
（半週刊每星期三、六出版）
每份港幣壹角
台灣零售價新台幣弍元
社長：雷嘯岑
督印人：黃行[illegible]
社址：香港銅鑼灣高士威道二十號四樓
20 CAUSEWAY RD 3RD FL
HONG KONG
TEL. 771726　電報掛號．7191
承印者：田風印刷廠
地址：香港灣仔高士打道二二一號
台灣分社
台北市西寧南路壹壹零號二樓
電話：三○三四六
台郵撥儲金戶九二五二

論世局責美國哀中華

黃少游

自第二次世界大戰結束，十餘年來，共產國際勢力擴大膨脹，有進無已，幾如巖石下墮，不阻不止，世局險惡，乃由於此。「和平共存」，為一夢囈！吾人打開世界地圖一看，不覺驚心動魄，不但東歐盡被赤化（如波蘭、捷克、匈牙利、羅馬利亞、保加利亞，阿爾巴尼亞及東德），亞洲大部亦被紅流襲取（如中國大陸、北韓、北越、外蒙古及寮門寮），南美古巴以及非洲的阿爾及利亞也為共產勢力插足，至若非共國家，不是大多貪圖苟安，痴心妄想如貓與鼠似的希望與共產集團「和平共存」，（如所謂中立主義和不結盟諸國），就是各自為政及缺乏堅強的領導中心，（如美英法三國，不能有眼光的切實的為堅強反共而誠心通力合作）故其結果，世界局勢，眞是江河日下，也無怪乎赫魯最近向俄共大會口作大言，說是「帝國主義崩潰及社會主義（作者按：即共產主義）在全球獲勝，乃是不可避免的事。」

最近東西柏林及越南局勢之日趨緊張，外蒙之強入聯合國，以及赫魯之悍不顧世界輿論之反對及人類之災害而試爆半億噸核子彈，其目無世界及橫行世界，可謂已達極點，然而非共國家竟一籌莫展，莫知積極對抗，反一再妥協退却，此種情勢將不知伊於胡底！

美國為當今自由世界的盟主，資源豐富，勢力強大，對內講求民主自由；對外從沒有政治及領土野心，而且有國際正義及遠大的國際合作及和平的理想，如門戶開放主義，威爾遜十四條；斯汀生不承認主義，羅斯福四大自由宣言與大西洋憲章以及馬歇爾計劃等等，皆為明證。一九六一年一月二十日，甘迺迪總統就職演說中，也表示了美國的一種光明和正直的精神，和國際合作的理想，他說：「……對那些我們現在歡迎加入自由國家之列的新國家而言，我們在此保證，絕不容一種形式的殖民統治結束後接着是一種為嚴厲的暴政所代替，我們將不常是期望看到她們支持我們的每項意見，但我們將始終希望看到她們堅強地支持她們自己的自由，而且記着在過去那些愚蠢地謀求騎在虎背上以壯聲勢的人，結果是必然反為虎所噬。對那些居住在半個地球上的茅草房子和村落中為求打破集體貧困的枷鎖而掙扎的民族，我們保證我們決以最大的努力協助他們自助，不論需要多少時候，這並不是因為共產黨正在這樣做，不是因為我們想他們選票，而是因為這樣做是正確的。如果社會不能協助那無數的窮人，它便永遠不能保全那為數無幾的富人。……對那個主權國家的世界議會聯合國在一個戰爭的工具已遠超出和平的工具的時代中，我們所有的最後一個最大的希望，我們重申我們決予支持的保證，以阻止其成為一個供作謾罵和抨擊的場所，加強其保護新興的和實力薄弱的國家的力量，並擴大其權力所能及的地區。最後，對那些自願和我們為敵的國家，我們不提出保證，而提出一項要求，雙方重新開始尋求和平，以免科學所發明出來的兇險的破壞力量在一次有計劃的或者意外的自我毀滅行動中，將人類整個毀滅。……雙方都要記住，謙恭並非軟弱的象徵，且誠實總是須有明證，讓我們永不基於恐懼而舉行談判，但讓我們對舉行談判，永不感恐懼。讓雙方去探索是什麼問題使我們團結一致，而不用心於那些使我們分裂的問題。讓雙方首次製訂認為明確的觀察及管制武器的建議，那種摧毀其他國家的絕對力量置於一切國家的絕對管制之下。讓雙方合力招來科學的奇蹟而不是科學的恐怖。讓我們合力探測星球，征服沙漠，掃除疾痛，叩啓海洋的深處，及鼓勵藝術與商業。讓雙方合力在世界各地注意以賽亞的命令，去『卸下沉重的負担——（及）讓受壓廹的人自由。』而且如果一處合作的灘頭陣地能在猜疑叢林中建立，則讓我們雙方合力作次一工作：去創造一個法治的新世界而不是勢力的新均衡，在那個新世界中，強者公正，弱者安全，且和平永保久遠」。

惟美國對於世界事務常缺乏深刻的認識和堅定的一貫的立場，或者是虎頭蛇尾，例如對於朱毛匪幫，它本來就是蘇俄的第五縱隊，但是她卻認為是中國土地改革運動者，所以她不惜一再逼廹我們中華民國政府與之合作，（如馬歇爾將軍八上廬山要求今日的蔣總統答應合作及開政治協商會議）及廹使我們停止對朱毛匪幫的軍事行動，（如軍事停戰三人小組）結果使我們士氣不振民心渙散，而失掉整個中國大陸，又如外蒙古獨立是美國強使我們中華民國政府和共產蘇聯簽訂所謂中蘇廿五年友好協訂的結果，若果不是美國在中間撮合我們是決不會上這個當。又如雅爾達會議，美國討好蘇聯不惜犧牲正義原則，使蘇聯不費一兵，不折一將坐收漁人之利，獲得無比權益。又如韓戰麥克阿瑟將軍本想一鼓作氣打過雅綠江彼岸把韓共和中共一下消滅，但杜魯門總統下令中止而以北緯三十八度為停戰線。又如東德波蘭和匈牙利反暴革命爆發，美國竟袖手旁觀不予支援，故不旋踵而失敗，慘痛犧牲。凡上種種，要皆證明美國對於共產國際征服世界不許有一國能倖存之陰謀和險計都沒有認識和遠見及缺乏堅定的世界反共及滅共的政策和立場。

但是射人先射馬，擒賊先擒王，蘇聯很瞭解此理，所以她以反美仇美為主要目標，她以為美國垮了，英法及其他所謂資本主義國家（包含中立主義和不結盟國家）還愁不能置於其暴力統治之下嗎？可歎美國大好的防止蘇聯赤化世界的黃金時代過去了，一誤於杜魯門之圍堵政策，再誤於艾森豪之戰爭邊緣，現在臨到了甘迺廸時美國對於蘇聯與共產國際從各方面看（軍事、科學、經濟）已不是絕對的優勢，反而在共產集團方面，還有所謂中立主義國家或不結盟國家，幫腔作勢，助桀為虐，故現在世界情勢之險惡，第一在反共國家沒有眞正的領導中心即反共的國際組織（如共產國際組織）第二，在反共國家沒有反共滅共的決心，（如國際共產之決心消滅資本主義及取而代之的決心）第三，在反共國家沒有統一的一致的行動（如國際共產之對於自由世界，其中如南斯拉夫雖與蘇俄交鬨，但對於自由世界之一切仍與蘇聯一致行動）第四，在反共國家尤其是英美對共產國際猶存一種「和平共存」的幻想，及自行傾軋崩潰的奢望。第五，在反共國家對於中立主義和不結盟國家過事寬縱，任其愚昧與遊移。舉凡這些危險情勢的形成，我認為美國不能辭其咎。第一，因為美國今天反共的出發點，是為美國的利益，而非為整個世界的利益，所以她一切言行都是以美國的利益為第一，所以不能眞正獲得各國的民心和同情，做一個反共的世界盟主。第二，美國常為美國的打算或基地主義而犧牲盟國而不顧盟國重大的利益和反共的基本立場，所以常引起受惠或受援國對美國的反感。第三，美國對共產蘇俄太沒生氣息，而不知把握時機運用實力，一下制服，只知道臨時救火，而不知根本去消滅火星。只知道救治瘧疾而不知撲滅瘧疾，所以結果等於「抱薪救火」赤焰已張，美國後門（古巴）也不能倖免。這些當然是美國過去一切作為的後果。至若我國實在可哀，對日抗戰勝利後本可獨立自強，祇因信賴美國和依賴美國而舉國大計亦莫不受其影響，故其結果使大陸不保，啞子吃黃連，苦在心頭，不唯此也，政府遷台之後，美國又發表白皮書說我們政府貪污無能以掩飾她們美國過去對我們中華民國政府種種干涉的罪過。

（下轉第二版）

漫画天下

南施

赫魯曉夫說：「史太林主義死絕了。我來替代史太林。」

墳墓中的伴侶

自由談

政治的悲喜劇

土耳其的軍事首領古塞爾將軍，已當選所謂新政府的總統了。他在兩年前以「苦迭打」手段推倒了孟德斯內閣，實行軍人獨裁政治，繼將孟德斯等十餘名行政大員一律置之死地。揚言新訂憲法，要把政權移交給「文人政府」管理，表示他是完全出於救國救民的義憤，纔發動軍事政變的，決無貪圖政治權位意念。如今却依照軍人「欽定」的憲法，堂而皇之榮膺總統高位，泰然自若。這場政治悲劇兼喜劇之演出，眞是煞費苦心，也確實殘酷之至！

政治權力中毒，原係人類普遍的劣根性，比比然也。但以軍人的中毒表現最難看，而其貽害於社會國家亦最烈。像古塞爾這次殘殺前任政府內閣總理以次的十餘名大員，其所揭示的罪狀即不成話，這能說是國家之福嗎？最可憐的是土耳其前任總統伊諾駑，為着跟孟德斯作政治鬥爭而依附軍人，推毀憲政常軌，逞快一時，結果依然故我，毫無所獲，徒使開國元勳凱末爾創進的一種現代民主憲政生活基礎，毀蕩無餘，未免太可悲哀了。

軍人搞政治已不相宜，藉武力以奪取政權，僭竊統治地位，尤其是禍國有餘，利民不足。近十年來，凡屬以軍事政變手段攫得政權的武人，如埃及的納塞，伊拉克的賈山，土耳其的古塞爾，南韓的張都暎，朴正熙等等，那一個能把國事搞好，使政治進步了呢？祗見其紛紛擾擾，蜩螗不安，人民大倒其霉而已。

所以，民主憲政生活儘管有毛病，究竟不失其為良好的政治制度，至少至少，亦可以防制權力中毒的惡疾，不致於無可救藥也。

越是落後的民族國家，軍人干政之風就越甚，而其政治情形即更糟，土耳其的前途，我認為不敢樂觀，其他類是的國家更無論矣。

馮孟先生

精神病態乎？妨害自由乎？

東海大學校長涉嫌
台中地院提出公訴

台中通訊

私立東海大學校長吳德耀嫌涉妨害職員孫永林自由一案，台中地檢處於上月二十日偵查終結，已於二十三日移送刑庭審理，主辦推事王治現正査閱全卷中，將儘速於日內開庭審理，及地檢處將起訴書密送刑庭並未在公告欄公佈兩點，朱士烈院長已斷然否認，他強調說：「本案由王治推事審理，仍是抽籤決定的」。地檢處也說明，本案起訴書仍是依照規定在公告欄內公告，並無不公開之處。

檢察官在起訴書中，曾引證心理學上的所謂精神病態，是爲醫學上的問題，吳校長係一普通大學校長，並非精神學專家，未經鑑定便將孫永林強制送醫，認爲涉嫌妨害自由，以是提起公訴。堂堂大學校長，竟然涉嫌妨害他人自由，所以本案能引起文化敎育界人士的關切。

東海大學校長吳德耀之起訴全書文如左：

犯罪事實：該告吳德耀（男，四十六歲）係私立東海大學校長，有孫永林者，於民國四十四年十一月間，經該院前總務長丁陳威介紹在該校担任技工迄今已有五年，相安無事，本年六月二十七日被告吳德耀突藉口孫永林患精神病，當請台中救濟院附設靜和醫院派技術員尤錫元，江耀燈前往東海大學將孫永林以汽車載至靜和醫院，被告吳德耀並派秘書杭立慈爲孫永林辦理入院手續，強制治療達二十天之久，不令其外出及接見，孫永林以被告吳德耀以莫須有之精神病將其拘禁於靜和醫院，遂以妨害身體自由罪嫌，訴請本院檢察官偵辦。

證據並所犯法條：訊據被告吳德耀對於本年六月廿七日以孫永林患精神病電請台中救濟院靜和醫院醫療之事實，並不否認，惟並以孫永林確有精神病，時常胡言亂語：曾對校方要求十萬元退職金，並聲言東海大學董事貪污，對美籍主計長亦有不利之言語，有台南結核病防治院函暨孫永林民國五十年五月廿五日報告可資證明，本校爲顧及其健康及前途，一本人道計，將其送入靜和醫院治療，並無惡意等語。然訊據被害人孫永林則稱：本人從未患精神病，迭經孫永林在偵査中供述綦詳，即訊據被害人孫永林在台唯一親屬即孫永林之叔父沈振五（按沈從姑母姓）亦稱孫永林時常與我接近並無精神病，僅平常好多說話而已。査被害人孫永林　民國四十四年十一　間經東海大學前任總務長丁陳威介紹至東海大學充技工，迄今五年有餘，一向相安無事，係屬事實，是沈振五證明孫永林並無精神病，堪以採信。被告吳德耀東海大學秘書杭立慈雖分別以孫永林時常說不中聽話，如要求退職金十萬元，誹謗董事貪污，其不利於美籍主計長之言語，甚或自稱要把其送到金門，有人要求殺害他並自殺等語相加，並提出台灣省立台南結核病防治院函及孫永林報告等可資證明云云。惟査孫永林因病住台南結核病防治院醫療，係民國四十六年之事，該院四十六年元月廿九日南結總字第〇一二〇號函及同年元月廿四日通知雖曾言及孫永林精神失常不聽醫護人員指導請派員接回轉送精神病院收容等語，但其精神失常，究竟達於如何之程度，被告吳德耀嗣後並未加以鑑定，況孫永林住台南結核病防治院，距今已有四年之久，自難憑結核病醫院之抽象認定，而認孫永林爲精神障礙之人，此其一。至於孫永林民國五十年五月廿五日報告雖有如校方解僱應給我十萬元解僱費」一語，然觀其報告內容不過爲要求校方繼續留用而出此下策，亦難以認定其精神狀態不健全，此其二。此外被告吳德耀，秘書杭立慈等雖稱孫永林常說不中聽之話，然査孫永林所說董事貪污，對美籍主計長有不利之言語，甚或說要送他到金門，有人要殺害他及自殺等語，究係如何之事實，而被告吳德耀秘書杭立慈又不能一一舉証以證其說，自難採信，縱或有之，此觀沈振五所稱孫永林平常好多說話之情，不能作爲認定孫永林患精神病之佐據，此其三。按人之精神狀態不外由知覺，情感，理智所組成，三者調節平衡，發揮適當應有之功能，即係精神健全，反之，若精神受有嚴重之障礙，使三者發生異常狀態，即係精神不健全，是爲醫學上之問題。被告吳德耀係一普通大學校長並非精神學專家，對該孫永林之精神狀態是否達於精神障礙之程度，按諸事理之常，應先行鑑定，且孫永林尚非瘋狂失去理智，對於被告吳德耀並無構成同脅之危險，而被告吳德耀並不徵得孫永林同意，亦未會同警察機構辦理，置其人身自由於不顧，作不必要之緊急措施，將其強制入院治療，姑不論靜和醫院醫師洪鴻儒出具之診斷書證明孫永林所患爲妄想型精神分裂症是否屬實應無解於刑責，以被對於無危險性行爲之孫永林採取此項事實既據被害人孫永林，證人尤錫元，江耀燈等證明屬實，被告犯行自堪認定，核其所爲，應有犯刑法第三百〇二條第一項之罪嫌，至孫永林在偵察中謂被告吳德耀將其強制入院治療，意在謀害其生命，以消滅東海大學貪污之證據，核其所稱皆爲空洞無稽之談，且經主治醫師洪鴻儒當庭結證所施打之藥物，非殘害其身體者，自難以推測臆想之詞入於罪，併予說明。合依刑事訴訟法第二百三十條第一項提起公訴。

（阿鬼寄五十、十、廿五）

台中近事

老表

△銀耳——白木耳，由于含有多種維他命，功能潤腸潤，而且滋補腎臟，國人素來視爲珍貴補品之一。現在台省銀耳價格，每兩新台幣二百五十元，較之其他菌類價格，高達數十倍。本省因爲人口激增，土地的利用已達到飽和點，霧峯鄉四德會，從事研究各種菌類之培育，松茸一項，已獲成功，并得到農友之協助，產量也逐年增加，由于全產品質的優良，獲得各界的贊許與鼓勵。於是設置發菌場于台中縣霧峯鄉坑口村，爲農友服務。又鑒于本省氣候，頗爲適合于各種菌類的培育，乃進而研究銀耳的培養工作，經過數年的試驗，經試種成功。對促進農村經濟的繁榮，改善農友的生活，非常巨大。據農場發表培植銀耳的方法如下：一、先選就原木，每根長約三尺，必須保留樹皮，原木要新鮮爲佳。二、每根原木上，每隔五寸之處，以四分的圓鑽，穿進五分深，插入菌種後，再蓋上樹皮，堆積於樹下，覆以清潔的草袋或鮮草，以防雨水浸濕。三、菌種于播種五至三十天後，每隔四天必須澆水一次。四、必須隨時巡視，妥爲管理，于播種四十天後，即能生產銀耳，三個月後，可見白雪滿枝，盡是銀耳了。

△吳鼎輝五十一歲，王滿龍卅四歲，兩人均係台中縣人，平日穿着講究，宛如富商，自稱爲旅日歸國華僑，其行騙的方法，多係向無知婦女下手，先察環境，認爲她有儲蓄，再伺機騙取黃金。這兩個騙子多以華僑身份專門以高價收購黃金爲詞，如肯出售，可給予每兩新台幣五千元的高價，倘不願出售，亦可代爲放息生利，不致受到貨幣貶值損失。兩人并手提約新台幣十元票面之大木箱一隻，其下盛以砂土，草繩墊底，然後在中間以木板釘緊，其上放置十元新台幣十數張，使別人誤以爲匣內盡是鈔票。這兩人會于今年四月寄居台中市民權路華中旅社，在民權路四九〇號居民詹東妹先騙黃金八兩，相約共同外出付款，行到民權路柳橋時，交予鈔票兩綑，藉口有事待辦即他去，詹東妹回家後發覺「鈔盒」除面，底數張係贋眞鈔票外，其餘均屬白紙，只好報警。八月廿一日晚，這兩個傢伙在中市遊蕩，爲警一分局大誠派出所捕獲。據吳鼎輝、王滿龍在警一分局供稱；他們已在台中做案八起，騙取市民藍鼎榮等黃金七十餘兩。但照警方估計，可能尚不止此數。

△在以前，台中市的大小咖啡館，確實是清白、正派。由于台北黑色咖啡館的歪風吹襲台中市，使清白、正派的台中咖啡館也染上了黃色。而且新開的如雨後春筍，充斥整個台中市。這種黃色咖啡館在自由路、中正路、成功路、中山路、中華路等地，有八、九家之多。每值華燈初上，黃色咖啡館的生意，都特別興隆。有些是外間明亮，內間黑暗。有些則全部是暗燈茶座。據說；這裏面別饒情趣，可以叫到本省姑娘，姑州姑娘、南京姑娘、天津姑娘和山東姑娘，只要鈔票，可使君選擇，侍陪鴛鴦茶座。（八月四日寄）

論世局責美國哀中華

（上接第一版）

其後見我們政府在台發奮自強，又勸我們放棄金馬以作她們對匪幫交涉不侵台的條件，所幸我們反共堡壘意志堅強不爲所惑雖又屢經匪共攻擊，然均保持屹然未動，誰能爲之，乃我民心未死及中華民族精神永存的結果。最近外蒙加入聯合國問題，我本已決定使用否決權以阻止，惟又受美國作法或做法的影響，而又使我不能不改變既定立場，否則，我在聯合國內的中國代表權或將不保，反而言之美國若堅定反共立場和顧及全世界反共國家尤其中華民國共同的利益，則外蒙加入聯合國根本不可能，同時聯合國內每年中國代表權問題也根本不會發生，就是因爲美國苟安心理，妥協觀念及現實主義在作祟，君不見「繼承國」理論和「剩餘主權」之說曾於數月前在美國流行乎？哀哉美國，哀哉中華。

五十年十月二十七日於台北市。

台北外記

謬匡

△警察代表國家看霸王戲，有一位警察，闖進戲院看白戲，司門小姐問他有票沒有？警察先生光火曰：「你有眼沒有？」繼續又說道：「警察是代表國家的！」這位警察先生原來是代表國家來看戲的，國家看戲是不買票的，可怪這司門的小姐有眼不識泰山，竟然向國家收票，豈不謬哉！然而「朕即國家」的君主時代早已過去，想不到還遺留在警察先生的腦子裏，「民主」搞成「官主」，「公僕」變成「公主」，乾坤搞顚倒了，天下豈不大亂哉！

△警察受賄無罪：整個派出所的警官警員，公開集體收受「紅包」，按照名冊，全部分紅，私弊竟作公辦，但不幸被檢舉，當場人贓具獲。但是現在官方已宣佈：自願送紅包不犯刑責。此一「雷大雨小」，竟在「査無實據」一言以宣之，了案大吉。警察乃是代表國家的，收受紅包，也是代表國家收的，有什麼了不起，只要是代表國家的，一切都可逢凶代吉，遇難成祥，百事順遂也。

△陳副總統病了：陳揆在外交戰最緊張之際病倒了，發高燒，很奇怪的是，他的高血壓和低血壓都是九十度。葉公超大使自美返國當日，在陳揆床邊會晤。葉使緊急召回的內幕，不言可知了。這樣大事，記者先生爲何把它漏了！

△台灣省雲林縣議員蘇東啓，政府宣稱以叛亂嫌疑被捕，蘇氏爲青年黨黨員，雲林縣負責人。外電誤傳爲蕭同茲被捕，並誤蕭同茲爲青年黨主席之一，因叛亂被捕。電訊誤傳如此，蕭同茲見了，不知有何感想?!紅帽子誤不得呀！

△多事的雨港：基隆市林番王市長，上任以來，眞不寂寞，好戲連台。不久金屋藏嬌，夫人大哭大鬧市府搞得六神不安；現在市長夫人，已提出傷單，向地檢處按鈴申告林市長傷害罪。原來林番王將朱鳳娥毆打成傷，勢非對簿公堂不可了。基市第一老爺與第一夫人如此戲鬧，市民們不覺想到神聖的一票了！治國平天下，先在修身齊家啊！

△美國溫哥華市長訪問自由中國，臨別贈言說：「台北的脚踏車多得出奇，脚踏車上人的生命太危險了；台北市的人讓車，溫哥華市的車讓人；他看到台北的人都在讓車，溫哥華市的人過馬路時，可以擋住一路車停下來。溫哥華市的警察注意行人的安全，台北市的警察注意車輛而忽視行人。臨別贈言，也是臨別「箴言」，亦是臨別「諍言」，正是朋友的逆耳之言。只此寥寥數語，也夠我們的市長大人學習幾年哩！

作者·讀者·編者

一得先生：所寄有關大陸近況之稿，經已拜讀，惟以字跡潦草，且一紙兩面，又不用有格稿紙，在排校方面極感困難。本報人手有限，無法重抄，祇得割愛，尚乞原諒。

明夷先生：函悉，承獎飾，愧不敢當。第一版文字，多以評述國際及國內大事爲主，每篇以二千八百字爲最適宜。閣下如有高見，歡迎發表，惟須言之有物，持之成理。陳腔濫調之八股文章，恕不歡迎也。

北喬、文斌先生：函悉，涉及攻擊私人，歉難發表。

諸方先生：函已代轉矣。知注特聞。

接吻漫談

・燕謀・

公開接吻乃西洋人的貨品，在大庭廣衆之前，坦然擁吻，當事人也許神怡心飛，旁觀者總覺得有些肉麻幾分。中國人男女之間，花前月下，簾裏閨中，在雙方柔情密語，欵欵切切，到了倆情相悅達於頂點之時，始一笑相接，而且還講究一個口香腮，丁香半吐，欲生欲死，無限溫馨！

吻的意義很廣泛，古希臘的人稱接吻爲「打開天堂之門的鑰匙」。名生物學家達爾文解釋吻是「激情的表證」。高爾特茲稱吻爲「花蜜般的呼吸」。莎士比亞說：「吻是愛的印證」。古羅馬時代的詩人馬提爾說：「從香樹所提煉出來的芬芳，成熟的蕃紅花的清香，冬天裏抽芽的水菓的芳香，夏天裏熱情如火的草源的花香，又像少女手中撫弄着的琥珀，更像一束招引蜜蜂的鮮花」。這位馬先生的解釋太堪尋味了，近於迷糊難慨。另外有幾種說法很够意思，說「吻是愛的鎮痛劑」，「幸福的印證」、「愛的言語」，「愛的禮品」、「馥郁的飲料」、「維納斯的甜酒」。總而言之、「吻」這個字，祇可意會，不可言傳。事實上每人的吻，和不是同一時地的吻，都不會同一味道的。

最懂得吻的人，應該是善於享受的羅馬人，他們將一切接吻分爲三大類：第一類叫做「奥斯寇拉」、吻在額上的，這表示友情的吻；第二類叫「巴息雅」、吻在頰上的，表示鍾愛的吻。第三類是「薩費雅」、這與唇相接的熱情之吻。這與歐西風尙相同：吻在額上的是尊敬，吻在頰上是友情的鍾愛，吻在手背是表示服從和効忠，吻在脚上是表示崇拜和服從，吻在唇間則是愛情的表示，不過大同而小異也。

時代的進步，吻也隨着演進，今日的吻，象徵着四種情形：一、崇敬，依受吻人的品位，因人因地而異吻，吻在膝部、髮部、耳部二、慈愛：父母長輩對子女，所謂舐犢情深即是。三、寒暄：在悲歡離合的場合。四、鍾情：是人類至情的表現，這種襟尙有份部性徵。總之「吻」是要發乎情而止乎禮。否則亂吻一切，便會出毛病的，吻得恰到好處，則可以「一吻定終身」，「吻」豈可不愼哉！（下）

辯論筆戰圍剿

雲無心

辯論會的目的並不在於辯出眞理，因爲辯論會上能出的題目，往往沒法得到結論；而主辯，助辯及參謀們絞盡腦汁，來個渾身解數，也只不過想如何遮掩防禦自己的弱點，和揭發攻擊對方的弱點，務求使對方受到最大的傷害，最好把對方擊得一蹶不振，自己則勝券在握。至於所辯論的是否眞是自己的信仰，則是最最微末的一節，最要緊的是牙尖嘴利，即使是對乎易御而持，在論調上來個一百八十度轉變，也沒所謂。若能憑三寸不爛之舌，在任何情況下能克服對方，不論是光明手段，或用詭辯，能爭取評判員的同情，混淆評判員的視聽，以至在判分上加上幾分，得到最後勝利，那便是莫大的光榮。

結果公佈後，來個頒獎如儀，「冠軍亞軍都有獎品，大家握手言歡，皆大歡喜，笑嘻嘻，抱着獎品回家去了。既不相信自已辯論中所的說多許話，也不相信對方的。

這種大團圓式的收場，最不傷和氣。

往往在報章雜誌上你來我往的辯論會，却不是那麼回事了。這種辯論會，又叫做「筆戰」。

本來嗎，你有你的生活環境，我有我的，你我之間，思想上必有出入的地方。許多事情可不能像一公尺等於標準狀況下銅光的若干波長那樣，來個轉不了彎的定義。於是乎你有你的尺，我有我的，公說公有理，婆說婆有理，結果便你來一句，我回敬一句，大戰五百回合。

起初是某某人發表或數篇東西，上面有涉及，或是不涉及別人之處；後來是一個或一些拿了不同的尺的人，或是被涉及了的人有所聲辯，在報章雜誌上指摘某人錯誤：諸如讀書不通啦、做人的基本條件不足啦、不講道理啦：被指摘的又來一次反反指摘：…一來一往。戰場展開後，往往有第三者加入湊熱鬧「筆戰」的「戰」字、至此自遂成了「神來之筆」。

戰事漸趨激烈，結果有自知理虧噤聲落荒而逃的；有不了了之的；有忘了大前提，只顧互揭瘡疤，互表臭史，大罵祖宗三百代，而弄得臭味衝天的；有最終以誹謗罪對簿公堂的，不可類列。

大抵文人自古相輕不可免：自己對自己的文章自然最了解，最容易引起共鳴；加上總以爲自己眼見的才算眞實，（殊不知也有眼花的時候；）自己的是世界標準尺；…加上中國數千年的面皮主義，爲了面皮，豈可不一爭長短？

筆戰，除了攻訐別人陰私，互揭瘡疤的以外，大抵都是些天眞的讀書人，因維護自己的信仰所作奮鬥中的一些接觸戰。對也好，不對也好，其用心不會太辣，亦不會至人於死命。

更有甚的是圍剿一羣走狗傻羅平日受主人恩，吃主人的飯，仰主人的鼻息。一且有人對主人不利的言論或行勳時，主人命令一下，便羣起而攻之。鄉情形眞像獵熊，一大羣狗圖攻，務叫熊不能脫身。還要利用一連串紅色帽子、國父云，總統說、眞理自由平等……去套他，去攻他，叫世人認淸了他可殺，再由寬大慈悲的主人輕輕板動槍機，將之射殺。

慶功會上可能每隻狗會分到一塊牛肉。這些狗也只是爲牛肉生存——沒有一已的思想，沒有一點人性。主人歡喜摩挲他時，把尾巴個樂極忘形；主人震怒叱喝時，又嚇得屎滾尿流。

主人告訴他們甚麽是不好的，他便說不好；主人告訴他們甚麽是好的，他便說好。正因主人矛盾而善變，這羣狗也不得矛盾，不得不善變。

共匪以圖剿來濤算智識份子但我們却以圖勞來維護了奴才的道德，表面看去，似乎不同，實則異曲工，其挾一筆。這究竟是不是反共之道呢？

從辯論會想到筆戰，從筆戰想到圍剿。回想到柏拉圖對話集中希臘人追求眞理的辯論，不覺有點默然。

戒烟記

陸權

王烈由辦公廳回到家裏，悶聲不響，一進門就急着脫他那身二尺半，誰曉得是人太胖呢，還是衣服太瘦，費了九牛二虎之力，撕將了半天，才把衣服脫下來，喘了一口氣，坐下籐椅，不住搧着扇子。

他的女兒桂芬倒了杯茶遞過來說：「爸，你自從戒了煙，發福了，看你那褲子，緊繃繃的箍在身上曲線畢露，脫了衣褲，多麽肉感！」

老王瞪了他女兒一眼：「哼，發福，再胖下去，腰帶都不夠長了。」「這就是戒煙的好處呀！」他的太太在旁邊插上一句。

老王白了他太太一眼，鼻子裏「哼」了一聲，似乎有話沒有說下去。

老王是老面，已經吸了三十多年香煙了，就是戒煙也有三十多次的紀錄，每逢煙價上漲，或者手頭困乏，再不然就是偶染微疾，總要戒煙一番，有時戒上一個月二十天，有時僅三天五天，最後總是找個藉口，重新再吸。

這一次戒煙，他下了最大決心，一則因爲年歲大了，時常傷風咳嗽，二則物價上漲，經濟負担也太大，三則新樂園香煙，煙質已不如前，於是咬咬牙，狠狠心，吸完最後一包雙喜，這是他的老規矩，這次戒煙，必買兩包好煙吸，把精美的煙盒和打火機，揩拭乾淨，用布包起，束之高閣。最初他見別人吸煙，有點饞想吸，他克制自己，漸漸習慣成自然，久而久之，也就視而不見了。但困難也跟着來了，第一是代替香煙的糖菓費開支過大；第二，食量增加，身體發胖，第三呢？自從戒煙以後，沒精打彩，興趣全無。

他的太太常問他：「你怎麽連麻將也不玩了？」

他總是說：「戒煙期間，沒有興趣，暫停娛樂。」

「我不吸煙，照樣打麻將。」

「那就是因爲你根本就不吸煙呀。」

「這麽說？，豈不是吸煙之害嗎？」

「什麽吸煙之害，這是戒煙之害呀！」老王接着又說：「不吸煙的，自然不應時常吸煙，已經吸煙的，也不必戒烟，拿我這次戒烟來說，錢沒有省下，反而增加了一筆糖菓費，長了一身脂肪，壽命上自然要少活幾歲，吃糖吃倒了胃口，倘因此得了胃潰瘍……。」

他女兒桂芬趕緊截住他的話頭：「得啦，得啦，別再往下說了，我給你買新樂園去吧。」

張茜也學作詩

・大陸文壇近況・

龍翔

中共幹部近來作詩成了風氣，抗戰以前，中共未受招安時，盤據江西，逃竄陝北，那個期間中共頭目能哼句舊詩的，除去毛澤東之外，只有一個瞿秋白。就文學根底來說毛，澤東已不能望瞿秋白的項背，作人來說差的更遠。中共由江西突圍逃竄時，大夥兒一齊跑，獨獨把瞿秋白丟下，派他去上海，行經長汀被國軍擒獲正法，秋白死時集唐詩成七絕一首，言婉而哀，頗爲可憫。

中共竄到陝北之後，接受招安，改編爲國軍，大小頭目吃飽穿暖，「舞廻金蓮步，歌轉玉堂春」之餘，也學着作詩以附庸風雅，先後崛起的「詩人」有林伯渠，董必武，朱德，不過所起的影響很小。那時共區文藝正盛行趙樹理的「觀音老祖坐蓮台，一朶祥雲降下來」的文體，中下級共幹根本沒有人去學舊詩。

到了大陸全部淪陷後，共幹中一些屠沽負販，椎埋惡少都作了封疆大吏，這批人最擅長的是殺人，最缺乏的是學識，可是，又不肯自認是土包子，爲了表示有「文化」，就爭着學作詩，所謂詩就是七個字一句順口溜，翻開最近三四年的共報看一看，幾乎所有二三流幹部都寫過詩，其中作得最起勁的是中共「國防部辦公廳主任」蕭向榮，前「廣州市長」朱光。最自負的要算是中共「外交部長」陳毅。

陳毅的「才華」也是多方面的，最初是塡詞，後來作舊詩，最近又見作新詩。因爲陳毅如此多才多藝，所以傳染給他的「夫人」張茜也會作詩了。張茜這個人在中共黨內實在是後起之秀，據我所知抗戰期間她尙和政府一個科員同居，至於她那時是不是共產黨，何時成爲陳毅的「夫人」已經是是文獻不足徵也。不過，張茜在共黨裏面創了三個第一，首先她是共報上第一個以「夫人」名詞出現的，在此以前，通稱「愛人」，自從張茜歡迎蘇加諾夫婦以「陳副總理夫人」身份出現後，共報上才有了夫人名詞，近兩年來如周「總理」夫人，羅瑞卿夫人，都常常露面，最近歡迎尼泊爾國王的，那位前輔仁大學校花，現在成爲劉少奇夫人的王小姐也出現了，說來還都是張茜的風氣。其次她曾經率領一個代表團去訪問過高棉和北越，在中共大頭目的夫人中，詩是她第一個帶頭。最後再說到她是所有「夫人」中的第一個「夫人」。

張茜的詩是登在十月二十三日人民日報上，題目是「古老與新生——記尼泊爾友人的一次訪問」。這首詩是新詩，共計四十句，分成十節，非常整齊，就詩而論，到還能懂，比較毛澤東的澆餅歌與鼓兒詞體都還好些，所差的是究竟是詩還是散文，抑或是報導文學，有點分不淸楚。

鄭和遺蹟

周遊

山川風物

明三寶太監鄭和，七次出使南洋，遺蹟甚多。其在福建，曾修葺長樂壽峯「海天山月亭」，後人遂稱爲「三寶岩」。此岩在唐時爲林愼思讀書處，宋朱晦翁南遊時，邑人劉砥劉礪從學，留斯岩最久。因愼思德成於此，又名此岩曰「德成」。岩奇側幽絕，透迤而上，可徹百武，有石對峙如側爲石門，晦翁手題「讀書處」，鐫石門上。又有黑龍潭陽德峯諸勝，閩人永樂狀元馬鐸詩云：「三寶岩前宿障開，滄溟日色炤崔嵬。天香半襲瑤池草，花影全侵石徑苔。就起黑潭千鳳合，嶂鳴陽德九霄來。舉頭自覺蓬萊近，滿眼文星接上台。」

鄭和當年出使至爪哇時，皆在三寶龍登陸，其地原稱端川，爲爪哇最大通商口岸，亦是中爪哇省會。有獅頭山，山上有三寶洞，洞前築有一亭。亭上四壁懸掛聯額甚多，中有章太炎篆書一聯云：「尋君千載後，而我亦能先」。上欵「民國五年十月過三寶洞書此，神若有知，應其昭鑒。」下欵「勛二位前東山省籌邊使章炳麟」。其他尚有日本人之對聯，亭後即石洞，供鄭和塑像。香案有水井，名「三寶井」，水清而列，傳爲鄭和所鑿，供士兵飲水者，亭左長廊盡處，有土墩，後來華僑爲紀念鄭和，名曰「三寶墩」。每年六月卅日，例必舉行慶祝，迎神出巡，與國內抬城隍無異，鑼鼓喧天，爆竹雷鳴，人山人海，雲集景從。而「三寶洞」等處，男女趨往膜拜者，絡繹不絕。

罵人談趣

漁翁

罵者，詈也，謂以惡言加於人也。史記：「高祖輕士善罵」；又「武安侯召長史曰：今日召宗室，有詔，劾灌夫罵座，不敬，繫居室」，謂醉而詈罵座客也。故蘇東坡有「雜邀罵座灌將軍」之載詠。

東漢時，有禰衡者，平原般人，字正平，少有才辨，而氣尚剛傲，矯時慢物，曹操嘗召爲鼓吏，使爲鼓吏之節，欲以辱之，衡直在操前更衣，裸身而立，孔融勸衡趨謝，衡陽諾之，又造操門外而大罵之，操怒其狂傲，謂孔融曰：禰衡豎子，孤殺之，猶雀鼠耳，顧此人素負虛名，遠近將謂孤不能容忍，乃送與劉表。此事曾編爲劇本，曰「打鼓罵曹」，爲婦孺所共知，認爲禰衡之正氣，足以斥曹操之奸雄也。

古人有言：喜笑怒罵，皆成文章」，宋代王安石，盛極一時，趨炎附勢之輩，造作言語，以爲聖人復也，歐陽修亦善之，常勸蘇老泉與之遊，安石亦願交老泉，老泉曰：「吾知其人矣，是不近於人情者，鮮不爲天下患」。安石母死，上大夫咸往弔，獨老泉不與，作辨姦一篇，引王衍盧杞，謂天下蒼生，而以王安石陰賊險狠，合王衍盧杞而爲一人，詈之爲大奸慝。一字之貶，足爲安石千古定論。

清室中葉，有袁海觀者，湘人，字樹勳，官至兩廣總督，晚年，解組歸，在鄉作壽，車馬水龍，極一時之盛，親朋以聯語祝嘏者，數以千計，皆三多九如之恭維語，就中有一增生某與袁至好，撰書一聯以諷之曰：「樹德何曾，祇緣含垢納汚，細流悉歸於海；勳績安在，除却貪財愛色，其餘皆不足觀。」嵌樹勳海觀於首尾，句句刺諷，瀟灑自然，滿座皆謂其罵人過甚，而袁虛心接受，懸諸中堂，謂衆賓曰：「道吾道惡者是吾師，道吾善者是吾賊」，衆皆爲之愕然！

俗語罵人者，莫過於綠頭巾與亡八，據元典章云：「娼妓穿著紫皂衫子，戲角冠兒，娼妓之家長並親屬男子，裹青頭巾。」以青裹頭者，元遺語也。至明改服綠色巾，俗謂之「綠帽子」。故世俗以妻之有淫行者，嘲其夫爲戴「綠頭巾」，每令人不能忍受。

龜與蛇合，古說有徵，韓愈云：「烏龜怯姦怕寒，以殼自遮。」故世人呼龜爲「亡八」。五代史：「王建盜馬，人呼爲「忘八」。明末，有人書降召門云：「一二三四五六七，孝弟忠信禮義廉，歇後語，一言亡「八」，一言「無耻」，言實姦無耻而以龜名之也。

左宗棠與台灣

李仲侯

台灣自康熙廿二年納入清室版圖，初設分巡台廈兵備道，隸福建省，並管台灣與厦門，雍正六年始改爲分巡台灣道，專統台灣與澎湖，故又稱分巡台澎道，乾隆五十二年加兵備銜爲分巡台灣兵備道，乾隆五十三年奉旨，嗣後補放台灣道員者，俱加按察使銜，得專摺奏事，並兼提督學政，此清統治台灣，歷朝設官之大畧，也清室一貫以故步自封，採取消極統制政策，台灣雖屬海疆重鎭，屏藩七省，總以能安於現狀不發生事變爲統治目標，自康熙以迄咸豐二百餘年間，此海外扶餘，重溟鰲柱，漢番雜處，漁耕竝偶，從未發生過重大事故。亦云幸矣。

自同光間，日法兩國先後興師侵犯台灣，窺伺東南，海疆警報頻傳，邊防從此吃緊，清廷大吏，始有注意及台灣防務者，同治三年日本爲琉球事件，命西鄉從道領兵大舉犯台，欽命福建船政大臣沈葆楨辦理台灣等處海防兼理各國事務大臣，節制福建鎭道等官，並特准其調用江蘇，廣東輪船，以資抗禦，同治十三年，日寇既平。沈葆楨奉命經理台灣善後，建議甚多，其中會同閩浙總督李鶴年，奏請設福建巡撫行署於台北，一年以半歲駐台，如直隸總督之駐天津，從其議，時論以爲係治台經久之謀，然猶未涉及分省建省問題也，嗣後光緒元年巡撫王凱泰，二至六年巡撫丁日昌，七至九年巡撫岑毓英，均如制蒞台分駐，於台灣軍事吏治，確屬大有起色，光緒七年刑部左侍郎袁保恒上疏請改福建巡撫爲台灣巡撫，有關閩撫事務，則歸閩浙總統兼辦，當日台灣兵備道劉璈，任事伊始，銳意興革。曾親往台中彰化一帶察勘地形，謂台灣孤懸海外，幅員廣闊，籌備防務，必須南北兼顧，聲氣相通、方易措手，查彰化居南北之中，其所屬下橋仔頭莊，地勢寬展，人文炳蔚，具有大都會條件，擬移道缺於此，岑毓英巡台亦親履其地，查勘形勢，深體其議。（一）

美女雜詠

介人

中國小姐李秀英已於日前過港赴倫敦，代表自由中國去爭榮譽了。近來選美的風氣極爲盛行，台灣當亦未能例外，短短兩年之中，除了李秀英而外，還有林靜宜，汪麗玲，馬維君小姐。她們都是爭妍鬥艷，期有以各顯身手，使筆者偶憶及有關美人的雜詠詩句多首，以美人諸般形態爲題材，光怪陸奇，蔚爲奇觀，亦且頗多幽默，試錄於下：

背面美人

詠背面美人圖的，以「痴心欲掉畫圖看」爲絕唱，天眞閣艷體詩，周昉背面美人圖七絕中，中有一首，頗爲別緻，詩云：

「小朶櫻桃折得否？無人窺見綠娥愁；玉階喚致紅鸚鵡，不是歡來不轉頭。」

又「心自向君身自背，省他一見一銷魂」，造意亦佳。

另有二句不知爲阿誰作。句云：「不堪回首應掛汝，果是何心懶對儂」。則更雋妙。

瞎眼美人

香艷集有美人詞八闋，其中有一首「浪淘沙」詠瞎美人：「悄悄又瞑瞑，似睡偏醒，個人風貌太娉婷。廣雪鬢雲光翳月，忍再眸星，何必盼淸冷。暗已惺惺，那儘秋水不晶瑩，多看爲郎非冠玉，不肯垂青。」

此詞意境較爲深入，自不失爲佳構；尤以不肯垂青一語，描寫傳神，令人尋味。又香艷叢話載有賀瞽者新婚，接詠瞎美人，雖不是直作如是觀，不妨併爲一說，謂寄「剔銀燈」云：

「窈窕佳人絕世，奈面對猶如千里，百遍博神，幾番招手，惟有垂頭而已。朱顏憔悴，空自題遠山眉黛，歡亦不知人喜，怒亦不知人氣。腰卸羅裙，胸開寶襪，何必燭前迴避，個中滋味，那得有定情偷視。」

這首詞較上首詠瞎美人的，似乎更爲風趣可喜。

缺唇美人

據說從前有一個禿子，娶了一個缺唇女子爲妻。洞房之夜，新郎戴了帽子，掩蔽光頂，新娘則以巾掩嘴，彌縫缺憾。禿子乃催新娘熄燈，新娘非假熄燈不敢脫帽，新娘因唇缺，不敢當丈夫前吹新郎，再三催促，新娘無奈，乃背着新郎，以口向燈吹之，唇缺氣漏，只聞一片「非非」之聲，而燈則光亮如故，好事之徒聞之乃作打油詩云：

「檀郎何事緊相催，袖掩朱唇出綉閣；滿口香風吹不住，教儂空自喚非非。」

啞吧美人

詞寄「點絳唇」

詠啞吧美人詞云：

「黯默含吁，誰猜個裏相思苦！未能言語，暗地通眉語。玉手輕翻，忍把心情吐，偷耍汝，縱無推拒，半字何曾許？」

此詞似不甚佳，不知出自何人手筆，錄之以聊備一格。陸放翁詩云：「花如解語還多事，石不能言最可人」，移此以詠啞吧美人，應該是絕唱了。又「盡在不言中」，「此時無聲勝有聲」，若以之詠啞吧人，亦屬天衣無縫之作。

倚樓美人

倚樓美人圖，調「賣花聲」，詞云：

「春意鬧枝頭，花事勾留，女兒情緊總夷猶，試把花枝比顏色，越顯風流。獨自倚高樓，無限新愁，一枝權當酒家籌，欲把紅箋傳好夢，夢也溫柔。」

此圖係歐陽純作畫，陶作舟題詞，圖文並茂，相得益彰。

燒香美人

李在躬有美女燒香詩，載「萬花金谷集」，詩云：

「三寸弓鞋步翠苔，想憑天竺進香來，眼凝秋水波勤蕩，掌合金蓮戰未開；腰細漫搖春日柳，臉紅猶帶雪天梅；不知暗祝緣何事？斜把金釵撥冷灰。」

騎馬美人

王西樓以樂府擅名，擬美人騎馬一闋詞云：

「露玉筍，絲韁軟把，襯金蓮，寶鐙輕踏，裙拖翡翠紗，似扇掩泥金畫，此昭君，只少面琵琶，天寶年間若有他，卻不把三郎愛煞？」

濯足美人

晨濠詠詩宮妃濯足，詩云：

「濯罷銀盤雪欲飄，橫眈枕上束鮫綃。近來玉筍纖纖嫩，放下金蓮步步嬌。踢碎香閨拋燕子；踏殘花月上瓊瑤。五更索向鴛鴦枕，勾引郎官去早朝。」

詩中所謂「迎來玉筍」，「放下金蓮」，顯然是小足美人的濯足，此可見纏足之盛於明代，如今，這種小足美人，當不復重見於現世紀了。

打油詩

白荷

打油詩又名歪詩，不必拘於韻格，亦不必講究平仄，隨興之所至，信手拈來，採用俚言口語，滑稽有趣者爲主，但亦有諷世警人之作，故已成爲我國遊戲文字之一種。

按打油詩之由來，據庵外集上記載：昔唐人張打油有咏雪詩云：「江上一籠統，上黑窟窿，黃狗身上白，白狗身上腫！」中於詞句俚俗，而描寫雪地景色，尤爲生動突出，故爲後世效法，打油詩乃成之爲別出一格之詩體。

某君性詼諧，愛作打油詩，在某私人企業公司任職，星期假日常邀二三知己在宿舍，品茗淸談，有時詩興大發，乃發起打油詩聚會，由在座諸友好公議一題，各詩友信口開河，胡謅一則，方算完卷。某週末又逢聚會之期，以「辦公廳所見」爲題，與會者計五人，甲曰：「一月挨到終，難得領薪俸，扣除借支數，口袋裏空空！」乙曰：「老婆等薪水，買米又買煤，罵我沒出息，眞正活受罪！」丙曰：「簽到籌無蹤，課長無笑容，埋頭忙抄寫，面赤耳又紅！」丁曰：「小李眼睇睇，望着「陳美麗」，股長發脾氣，爲的是醋意！」最後某君笑語曰：「諸位說完，我來做個總結吧，派克筆威風，經理在辦公，抽烟看看報，從容又輕鬆！」彼此附掌大笑，此一滑稽突梯之打油詩集會，乃於歡笑聲中閉幕矣。

捐輸

黑子

貧窮與富貴永遠在兩個極端。

一個人窮愁潦倒弄到衣食無着走投無路的時候，可以去賣血。我就曾經在一家醫院裏被人抽去了二百五十西西的血，紅紅的濃濃的血，很可愛的血，換來了僅僅能維持一個月左右的生活，於是又鼓起一點餘勇，在秋風凄雨的十字街頭徘徊。

募捐的學生手裏執着一面小旗子來了：「先生，請捐一點錢吧！」我一看，是爲了支援金馬前方將士而發的募捐，我隨手在褲袋裏摸出一張紅色的五元鈔票，我不能不愛我的國家，秋天雖然涼爽可是冬天來得却更快。掙扎在饑餓綫上與疾病邊緣的人在同生死決鬥。冬令救濟隊員沿街奔走，募捐的對象大多是軍公教人員和學生，以及販夫走卒，他們的收入本極有限，可是他們却從極有限的收入中自願奉出神聖的一票（鈔票）其精神可嘉。

誰能坐視一個人，一個生命毫無理由地被拖向死亡的路？

一輛最新流綫型的黑色小轎車在路的中央疾馳而過，不知開到什麼地方去，也許是深宮內院，也許是郊外風景區的豪華別墅；深宮或別墅的門禁森嚴，募捐的人一輩子不敢碰一碰轎車，也敲不開他們的朱漆大門（門環是一種飾物）說不定門內還有「惡犬傷人」呢！住高樓乘轎車的人有福了。

可是，紅包，禮物，高貴的食品，都被送到朱漆大門裏去了，他們吃不完，用不盡，然而永遠有人不絕地送給他們。

這個世界眞怪，愈是有錢的人愈有，愈多，也愈保得住，因此他們是富翁。像我，這輩子從來就沒有人給過我，送過我，除了我的父母兄姊和好友；雖然我沒有，然而我貢獻，我犧牲，即使是我自己身體內抽出來的紅色的血錢，流下來的汗錢。我沒有，即使有了一點也保不住，所以我一直是兩袖淸風。

愈是沒有的人愈沒有，越少，也越保不住，所以他們一旦有了一點，就丟了它，因此他們一直貧窮。

惟一不同的是，也許貧窮的人感情最重，最仁慈，心靈也最美，他們永遠爲別人付出一連愛，偉大的愛，他們不希冀獲得什麼；可是富有的人雖然永遠保有，永遠獲得，永遠不會喪失他們，但却永遠被物質束縛，他們所也缺乏的也正是一個最重要的部份，那就是情感，仁慈，和靈魂。

貧窮與富貴永遠在兩個極端。

× × ×

內僑警台報字第〇三一號內銷證

自由報

THE FREE NEWS

第一八一期

中華民國僑務委員會頒發
僑台教新字第三二三號登記證
中華郵政台字第一二八二號執照
登記為第一類新聞紙類
（半週刊每星期三、六出版）
每份港幣壹角
台灣零售價新台幣弍元
社　長：雷嘯岑
督印人：黃行審
社址：香港銅鑼灣高士威道二十號四樓
20 CAUSEWAY RD 3RD FL
HONG KONG
TEL. 771726　電報掛號．7191
承印者：四風印刷廠
地址：香港灣仔高士打道二二一號
台灣分社
台北市西寧南路壹壹柒號二樓
電話：三〇三四六
台郵掛號金戶九二五二

立法委員質詢權評議

張健生

立法院院長黃國書在本會期第三次會議，即本年九月二十六日，說了一句「我們的質詢，就是那麼一回事」的話，因而引起李公權委員的感慨，而提出「質詢中的質詢」來就教於黃國書院長暨行政院王雲五副院長。李委員認為立法院委員同仁的質詢權是神聖的，是莊嚴的，也是中華民憲法所賦予立法委員的「特權」，所以他對黃國書院長的話頗感覺失望。「質詢中的質詢」風波，因王雲五副院長一席話而雨過天晴。現在，就有關質詢權的演變與歷史，暨法律上的規定，分別提出來談談，並就教於黃國書先生。

質詢權的運用，在歷史上，以美國下議院為最著名。我國立法院與英國下議院相異，而立法院與行政院的關係也和英國下議院與內閣的關係不同，這基於我國為五權法制，而英國則係內閣制，此乃盡人皆知的，但民主國家國會議員的質詢權，係來自英國下議院，所以質詢權的作用，及其進行的方法，與質詢的範圍，從大體上來看，我國立法委員的職權，和英國下院議員的職權，許多地方是相同的。我國憲法上只有「立法委員在開會時，有向行政院院長及行政院各部會首長質詢之權（第五十七條）」的規定。至於立法委員如何質詢？質詢的範圍如何？都有規定，尤其行政院院長的答覆質詢，也有所限制。

在什麼情況下，立法委員才可以質詢呢？撥歸立法院議事規則所定，立法委員必須對於行政院院長，及各部會首長的施政方針，施政報告，及其他事項有疑問的時候，始得提出口頭的，或書面質詢（第六十五條）。立法委員所提出的質詢，經行政院各首長答覆後，認為仍有疑問的時候，得再質詢，易言之，直到立法委員認為行政首長的答覆沒有疑問時，始不再質詢。若是行政首長對立法委員的質詢，一時答覆不出來，但是必須徵求立法委員的同意，始得改為定時口頭答覆或改用書面答覆，否則，被質詢的首長，須立即答覆（第六十六條）。立法委員行使質詢權另一種方法，是運用報告事項的方式，列入議事日程，由立法院院長移送被質詢人（第六十七條）。被質詢人收到質詢後，在十天內應將答覆送由立法院院長轉知質詢的立法委員，並列入立院法議事日程報告事項內（第六十八條）。同時，行政首長在答覆立法委員質詢時，不得超出質詢範圍之外（第六十九條第一項），更不得拒絕答覆（第七十條）。而立法委員所質詢的事項，不得作為討論的議題。其他如立法委員有提案權，以及人民請願案經審查成為議案後，立法委員亦得行使提案權。立法委員有否決議案之權，與變更行政院重要政策之權。其他尚有表決權與同意權。何以立法委員的質詢權謂之「特權」呢？那就是委員們在立法院會議場中所發表的任何言論及書面文字，不受控訴。但委員們在報上或在其他場所發表詆毀他人的文字或言論，是不受「特權」保護的。

英國最早的質詢記載，是一七二一年的上議院，而質詢犯錄的印行，（極似我國立監兩院的公報）則始於一八五三年。英國質詢制度中，有所謂「質詢時間」的規定，乃是下議院晚近的事。英國國會的歷史，始於一二六五年福特蒙時代（MONTFORT），而正式成為法定的議事機關，是在十四世紀。遠在一百多年前，即一八四七年，下議院議員對國務大臣提出質詢，每天只得一件，到了一八八〇年，在會期在一百十二天內，議員所提質詢案件，亦只有一千四百五十六件，平均每天十三件，（但較諸我國現在的立法院，還是要多的。）但從此以後，這種質詢案件即迅速增加。六十年前，即一九〇〇年，平均每天已增到四十一件。由此可知，質詢案件的增加，是英國國會歷史上的先例。儘管質詢繁冗，且被人譏為「疲勞轟炸」，但未阻礙憲政發展。

英國國會議員對質詢案件增加的解釋，最主要的原因係基於現代行政機關日漸繁複所致。因為議會必須運用其簡短的質詢時間，以便對行政措施得保持最合理的監督作用。此固為自然趨勢，也是事實需要，並非議員有意與政府為難，或藉此為個人出風頭，或求政治上滿足個人的利益。因而英人對質詢極為重視，而不是像我國立法院院長所說「質詢就是那麼一回事」。

故英人用「可以燭照公共事務及於隱微之處」一句話來說明質詢的重要性；同時用「在對公眾詮釋政務」的話來表示質詢的目的。有時候，英國政府也運用機會來說明行政措施，這種非正式的公佈，常由國務大臣利用「質詢時間」作申訴的機會。

有時私人解釋或道歉，也在這個時候為之。故英國下院的「質詢時間」實為現代議會程序中最具特色最有價值的重要項目。

因此之故，所以英國議員咸不肯輕易放棄質詢權，而行政當局亦從不厭惡，或拒絕答覆。這一點，恰恰與我國攪「府會一家」者的觀念完全相反。

英國國務大臣除了口頭答覆國會議員的質詢外，尚有類似我國行政院院長的施政書面報告，分別送給議員。英國下院議員的質詢時間限制，從一九〇二年起，有一個時期，每一議員每日限制提出質詢六次。

但不似我國各級議會限制每一議員的質詢只有若干分鐘那樣嚴厲。到了一九三〇年由六次減為三次，就在這種限制下，平時政府官員每日口頭答覆質詢，仍超過百件，書面答覆尚不在內。但是，英國會議員運用口頭質詢題，必須與國務大臣職務有關；所提問題，不應涉及與本題無關的人名或敘述；敘述必須有事實，不宜捕風捉影；本屆會議正在進行辯答中的問題不能作為質詢；各種委員小會議中尚未作報告的問題不宜提出質詢；抽象的法律結論。

或假定的情勢、或要求發表的意見，咸不宜作為質詢；對王位繼承者，對殖民地總督，或司法官等，不能質詢；某一問題經詳細答覆後，不能再質詢。這些傳統慣例，必須遵守的原因，係基於避免招致外間物議，啟人輕視。

英下議員在處理選民請願案時，與我國立法院處理人民請願案大致相同，不過，他們較為認真而已。以上所述為英國下院議員運用質詢權的情形。

至於我們的立法院呢？一言以蔽之便是立法院內空氣的消沉。缺乏欣欣向榮的朝氣。而有能力有研究有抱負的委員卻噤若寒蟬，相反的，有些委員卻趾高氣揚，不可一世。這一風氣是不是也得加以改變呢：

大概是不待明說了吧？

漫画天下

南施

考古家說：「這個『古碗』不值錢，裂痕太多了！」

莫托洛夫說：「難道這便無路可走？」

自由談

經濟上的奇聞

馬五先生

中華民國政府經濟部長，最近在立法院公開承認經濟事業上有特權階級存在，可謂奇聞也矣。

我想這所謂「特權階級」決不在一般社會大眾之間，而在政府本身——包括民意代表與執政黨人在內吧？因為我們知道教育界的太保學生，都是些達官貴人的子弟；沒人敢取締，而會任立法委員三年以上者，即取得當然的律師與會計師資格，不必問他是否習過法學與會計學也。等由准此，凡屬各級民意代表都享有日常生活上的各種特權，司空見慣，理所應爾。談到經濟界的特權階級，我是外行，不甚了了，很希望經濟部長能夠據實報告，俾廣見聞焉。

按照正規的法理說，無論君主政治也罷，民主政治也罷，在政治上享有某種特權的只有國家的行政元首而已。此外任何人皆無超越法律或紀綱以外的特權可言，否則便是野蠻落後的國家，不足齒也。咱們中華民國號稱為民主憲政之邦，政治上居然有許多特權階級存在，這像甚末樣兒？身為主管機關首長者，明知有特權階級妨害政務，貽禍國計民生，何以不加禁制消除，而讓其橫行無忌呢？若說非不為也，是不能也，那末，積極的應訴之於輿論以明是非，消極的可以投劾去職，以求其心之所安。不能如此，便係官僚份子，誤盡蒼生，實為國家的一大罪人也！

目前台灣的經濟情形，即令沒有特權階級從中腐蝕敗壞，我亦認為危機重重，殊堪憂慮的。果如楊部長所言，又有特權階級作祟，前途更是萬分危險，非急起整飭不可。因此，我們有理由要求經濟部把現有經濟界特權階級活動的實在情形，向社會人士詳加說明，藉着是何內容。再要諱疾忌醫的話，雖欲挽救，亦來不及了，可不懼哉！

青年黨臨時全國代表大會揭幕

海外主席致詞要共患難
在台各系各派微有暗潮

（本報記者台北航訊）中國青年黨人又是主席團主席之一李不韙（現任監察院委員），十月二十八日下午五時許，在台北博愛路美而廉舉行中外記者招待會，報告該黨臨時全國代表大會有關事宜，他在記者會上列舉事實物證，來揭發該黨另一主席陳啓天對台北報界所發表的談話，是全無事實根據的。該黨整理委員會秘書長陳祖貽，與該黨護黨委員會秘書長向大延，暨大華新村劉永濟及其他中立派的重要份子，也出席記者招待會，答覆中外記者有關問題。

李不韙在書面中首先說明：青年黨自遷台以來，糾紛叠起，致黨務癱瘓，有虧在野黨之職責，兩年前，黨內同志即呼籲團結，主張召開全代會，改革黨務，但現負責者囿於成見，始終不理，迫不得已，今夏始有非常時期青年黨全代會發起人會議組織，而黨務委員會、整理會、護黨會，以及中央與地方民意機關代表，均踴躍參加，形成該黨來台後未有之融洽氣象。在籌備期間，原定本年六月間召開全國代表大會的，但再三延期舉行大會，完全是接受陳啓天、王師曾、林可璣等同志的意見，這是基於「相忍爲黨」啊！可是，陳啓天於九月二十三日所提協商意見，非常時期全代會完全接受，並且共同簽字公開對報界發表聲明，殊料事後，竟食前言，而在報端公開聲明，反對在十月二十八日舉行臨時全國代表大會。其理由：有所謂「寬籌大會經費」，實際上，全代會經費早經非常時期全代會準備妥當，而不成爲問題了。又所謂「人事問題」，更是無稽之談，因爲根據團結方案，現任主席團五主席均非由全國代表大會所產生，主席團主席任期爲兩年，應於四十七年四月十六日召集全代會改選，後經協議而延期兩年，到了去年四月間，本應召開全代會，然而陳啓天卻置之不理，因此，乃有非常時期大團結運動的醞釀，日前，整理委員會方面全部支持，而護黨委員會方面支持者百分之八十以上，現在陳啓天方面，獲得支持者，只有監察院委員胡阜賢及十個八個國大代表而已，至於立法委員一個省沒有，其他如台灣也議員暨各縣市議員同樣的沒有。

大會經費與人事問題，不過爲其藉口而已，眞正的問題是什麼呢？陳啓天反對召開臨時全國代表大會的原因；據他們說：陳啓天反對的原因係主張：修改黨章與選舉問題，必須事先安排妥當而後再開全代會，但此一主張，非常時期全代會方面根本就不同意，理由是；在野黨黨內選舉而講求控制，不建立民主制度，又何貴爲在野黨？因而鬧翻了。

至於所謂冒名通知一節，他們也有說明。十月二十日，林可璣以以「中國青年黨臨時全國代表大會籌備會幹事會總幹事」身份發出「籌代字第一號」通知，分別寄給全體代表的，而林可璣是中常會認可的，他是奉主席團五主席之命行事的。林可璣所發通知原文爲：「一、茲奉李不韙、左舜生、陳啓天、李璜、張子柱五主席之命，定於五十年十月二十八日在台北市舉行本黨臨時全國代表大會。二、依據本黨中常會之決定，台端爲臨時全國代表大會××代表。三，臨時全國代表大會之報到手續與開會場所，另行通知。四、即請查照爲荷」。同時，在香港的李璜、左舜生於十月十七日，會致函李不韙說，假如陳啓天不履行九月二十三日的協議的話，即請李不韙代發通知云云。如果遵照民主原則，五主席有三人同意，當然爲多數，豈有不合法之理呢？

在談到非法行爲時，李不韙曾在「附件」中列舉事實說；陳啓天於十月二十六日所舉行的中常會原有四十八位中常委，除去在海外的李璜、左舜生、何魯之、鄒振文、池正、黃日光等六人外，在台的中常委尙有四十二人，出席中常會的中常委，祇有十九人，根本不足法定人數，不足法人數的中央常務委員會議所議決的事項有效嗎？他們並且列舉出席十月二十六日中常會的中常委名單爲證。這十九人爲：陳啓天、王師曾、林可璣、胡頌翔、胡阜賢、僉康、蔣偉之、李頌啓、劉東岩、張伯倫、蕭炳星、趙純孝、沈雲龍、成光烈、朱坤三、黃欣周、翁福清、周寶三、劉鵬九等。未出席是日中常會者，爲丁俊生、劉永濟、王嵐僧、朱文伯、潘再中、黃鳳池、張希爲、喻孝權、徐漢豪、陳翰珍、葉時修、陳咸森、于復先、李不韙、夏灝聲、余家菊、李萬居、胡國偉、朱祖貽、劉泗英、沈夔龍、朱世龍、張子柱等二十三人。

據王師曾在記者招待會中說：該黨臨時全國代表大會已於十月二十八日下午三時揭幕，由創黨人兼主席李不韙主持，出席代表一百八十一人，尙有海外代表十一人及台省地方代表約四十八人左右未能及時出席大會。臨全會揭幕後，即行休會，等海外代表來台後，約於十一月十一日開議。而葉時修在記者會中賦詩明說未來青年黨的前途。這首詩姑名爲「起死同生」，詩云：「不排斥任何同志，但求團結；是唯一合法途徑，必定成功。」

李璜、左舜生二人，在書面開幕辭中提出三點，與青年黨黨員共勉。第一，要相信人性是向性的。明是非，共患難。第二，要堅持民主方能反共。非民主憲政不足以反共，勿見人民言論失其自由而不力爭；勿見人民身體非法遭受侵害而不反對；勿聽政府用人用錢失當而不加以批評；以至本黨（青年黨）同志受無端的非法侵擾與拘捕，而不挺身出與爭持，這是在野黨應有的責任。第三，要力促早日反攻大陸。今日之急，莫急於弔民伐罪，打上大陸；徒恃開會以謀團結，外交以謀自保，則團結無非空話，自保終於不保；如能早日反共，本黨願爲前驅。據說，李左之開幕辭，改了三次，寫了兩篇，始成定稿，足見其謹愼也。

總而言之，青年黨大團結運動，在衆志一心之下，不因陳啓天等極少數人的反對而遭受任何影響。比如說，像一向不問黨事的于復先，以及不參加黨內任何會議的張鼎，暨有病的李不韙等，都是看了陳啓天對報界發表致同志信後而激於氣憤，乃出席代表大會的。這麼說來，由於陳啓天這樣的做法，而刺激起青年黨來一個大團結，倒也未嘗不是好現象哩！（本報記者公冶長於十月二十八日夜寄）

× ×

堤防●特權●永和鎮

（台北通訊）與台北市一水相隔的台北縣永和鎮，最近因爲修建新店溪堤防的問題，發生了被摒棄在堤外的居民，以死抗議的事件，雖然以死抗議的人被救活轉來，可是他所代表的二千多戶近一萬人居民的生命財產，被洪水吞噬的危機仍然沒有獲得挽救。這件關係永和五萬多人生命財產安全的建堤案，尙在各方審愼研究中，如果處理得不好，還不知道會發生些其他的不幸。因此，這一問題的發展，也更引起社會人士的關切了。

永和鎮位在新店溪旁邊，有橋與台北溝通，早就形成爲台北的衞星都市了。永和鎮因爲地勢較低，新店溪靠台北市的一邊又築有堅固的堤防，所以一有洪水發生，永和鎮便成了澤國。永和鎮容易淹水，是大家都知道的事實，但被淹得最兇的一次，是今年九月十二日「波蜜拉」颱風來襲的時候，差不多整個永和鎮都被淹沒，大新巷水積達一丈高，很多年不淹水的地方今年都淹了。過去永和居民，雖然年年呼籲政府求救，但是均無下文。今年因爲不知趣的洪水，竟敢淹進一些知名之士的居處，政府便突然要建堤了。

本月廿二日，由住在永和的立、監委員，國大代表及知名之士發起六百多位戶長，召開了一個「鎮民戶長座談會」，會議開始先成立了主席團，又成立了一個包括知名之士二十七人的「永和鎮建設促進委員會」。在主席團選舉的時候，曾經發生開打的場面，因爲住在沿河一帶眞正低窪地區的居民，一個都沒有被選入預定的主席團名單內，這就爲這批人將以誓死反對建提，留下了不幸的伏線。這次座談會上應邀出席的政府官員，上至中央級的下至地方的都有，如內政部長連震東，內政部地政司長馬實華，經濟部水利局長朱光彩，省建設廳副廳長田維五，省水利局長鄧先仁，省公共工程局長王章清，水利局十二工程處長王秀林及台北縣警察局長袁祖起等，都在會中分別就其職掌有關治河計劃有所報告。在一個普通戶長的座談會上，能勞動這麼官員的大駕，這在寶島來說，還是第一次，如果不是看在知名人士的特權份上，恐怕不是這樣容易請到的。有家日報的小評說：「這像是一個『國民大會』，希望政府官員重視民意表現，不要只用在這一次，其他的鎮民會中，都能踴躍的去解決問題，就是國民之福了」。台北縣長謝文程及建設局長林福老卻未來列席這個「新店溪建提促進會」，曾引起與會戶長的不滿，事後省位高級民意代表，甚至憤怒到要彈劾他。

據經濟部水利司長朱光彩在會議上說：美援會原則上同意優先設法撥款補助，作爲新店溪堤防的工程經費。省水利局長鄧先仁則說：淡水河防洪措施是一大工程，非一二年所能完成，但颱風年年有。鄧局長表示：政府可能將採取一項緊急措施，在永和鎮秀朗一里以上的新店溪及北市南機場一帶，先行修建堤防。如果此一計劃行順利，至遲年底可以開工，在明年六月或七月間颱風來臨前完工。（上，吳越寄）

日教授大放厥辭
龔德柏撰文痛斥

（本報記者台北航訊）日本亞細亞大學經濟學教授石村暢五郎，代表日本六十多個學術團體應中華民國國立台灣大學之邀來此訪問。石村教授於十月十八日在淡水鎮淡江文理學院公開演講時，因「胡言」，而引起現任國大代表，前南京救國日報社長龔德柏的憤慨，乃投書「徵信新聞報」，公開「駁石村教授的胡說」，這位反共的老報人，近十年來，在報上根本就沒有看到他的文章，讀報的人早就將他遺忘了，他的近況，外界人士也很少知道，但這篇「胡說」的文章發表後，朝野人士咸認爲「老刀未老」，且有薑是老的辣之感！石村教授到底說些什麼？龔德柏竟敢對這位來自東瀛的學人「放肆」指其「胡說」呢？石村教授在淡江文理學院演說時，有謂：蘆溝橋的第一槍，是共產黨的游擊份子同時向中日軍隊開的，因爲挑起中日戰爭，正是共產份子當時陰謀的最大目標云云。蘆溝橋事件的史實，石村教授持此異說，因引怒惱了老報人龔德柏先生，而撰文指其「胡說」。徵信新聞報編輯在處理與文時，在文首加了按語說明該報的看法與態度。

龔文很露骨地提出嚴厲的指責。他不但懷疑石村教授說這話的「動機不純」，且指其「是軍閥的殘餘份子，要藉這種說法，以爲日本軍閥卸脫罪責並試探中國究竟有沒有人知道此事的眞相？我以爲權威方面或者是某『名政論家』或者某大教授一定會有文駁斥其謬妄。但等了……一星期，還沒有看見報紙有文章發表」。龔氏爲了「不致使石村教授認爲中國無人」而「不能不說幾句話」。但像石村教授「這樣缺乏國際常識的人，殊堪憐憫」。

龔文謂：「石村教授說：蘆溝橋的第一槍，是共產黨同時向中日雙方放的。假使蘆溝橋的衝突，若因這一槍即繼續打下去，中間沒有停止，那末，共產黨的陰謀，算是眞正發生了作用。但『七七』晚間開始衝突，旋即停止，雙方派員調查。據石村教授說：他曾『看見這些報告』。是中日雙方都已明瞭是共產黨的陰謀，就應該彼此諒解，渙然冰釋，不再衝突，以免中了共產黨的苦肉計。」於是，龔氏提出五個問題請石村教授答覆。他說：「我要問石村教授：一、何以日本方面不願停止備戰呢？二、何以日本近衞內閣於七月十一日（即事變發生四天後）的閣議，即全體一致議決：派三個師團赴華北呢？三、何以無故佔領豐台呢？四、何以三星期後（即七月二十八日）日軍調查後，不經任何國際法的手續，就向南苑開砲，殲滅在南苑營房的中國一三二師部隊！打死二十九軍副軍長佟麟閣；與一三二師師長趙登禹呢？五、何以日本空軍也出動向中國軍濫施轟炸呢？連駐在北苑的石友三部隊，也受重大損失呢？我上面的五個問題，若石村教授能答覆一個，就算石村的話有點根據。」（上）

談楊秀清

漁翁

楊秀清湖南耒陽人，世居城西十二里之「啞子山」，家少康，其父魁梧而性情強悍，因納糧稍遲，受辱於催征夫，憤而暗組鏢子隊，以排滿復明為號召，效劉邦豐沛起事之壯舉，定期攻城，事洩，被清兵圍勦，將秀清全家之捕入獄，依律無論老幼，應均奏斬。

時秀清僅十二歲，相貌非凡，為該縣官所鍾愛，認為此兒貴不可言，不忍列奏，乃得倖免，留在衙內作為義子，恐為層峯所悉而坐罪，即辭官攜秀清回籍廣西，延師課讀，視若已出。一日，有星相家至，見秀清鼻如懸胆，兩耳特長，有王侯之相，惜眼露青光，眉心稍陷，恐無良好結局耳。乃對家主曰：「此兒有貴相，善為培植，雖稍有缺陷，但相隨心轉，如導之以德，輔之以仁，亦可逢凶而化吉。」

秀清以全家被害，對滿清不共戴天仇，年方冠，聞洪秀全在廣西活動甚力，乃與之聯絡，一見志同道合，經過數年之策動，始於道光三十年六月間，在廣西金田村，公開豎立義旗，反抗滿清。

迨咸豐元年八月，攻入永安州，即建立「太平天國」，洪秀全自稱天王，封楊秀清為東王，由全州進入湖南永州，又由永州向長沙進攻，為清兵所阻，不能克，論路線應由耒陽出醴陵瀏陽而入岳陽為最捷徑，而秀清以耒陽為故鄉祖宗墳墓之所在，不忍其受軍事上之蹂躪，乃命令所屬部隊，迂道由桂陽汝城而出茶陵安仁一帶，雖富貴未歸故鄉，而愛護桑梓之心，昭然若揭，至今猶長留在邑人之印象中。

咸豐三年二月間，太平軍佔領南京，洪秀全即以南京為國都，分東西北三路推進，志在撲滅滿清，統一全國。

結果三路失利，對外既無進展，對內又互相爭奪，尤以秀清位高震主，不能見容於天王與同僚，卒為北王韋昌輝所害，不得考終命，果如相士言，論者惜之。

煤及其他

黑子

詩人歌頌自然，因為自然界是至高無尚的真善美的境界。在自然界中，山又是唯一被謳歌的題材。古往今來，多少詩人傾慕並吟哦高山峻嶺。他質學家與探險家不惜生命危險，結隊登山，深入不毛，我國西藏高原的喜馬拉雅山尤其是他們嚮往的神秘地區，葬身在崖谷與冰雪中的人，不知凡幾，然而前往的人仍舊是不計一切，其情可憫，其情神尤可敬佩。

山，像是一尊恐龍，盤踞在遼闊的大地上。山，是雄偉的，傲岸的，也是年青的，永恆的；英勇、沉靜、以不變應萬變。山，是一位深思的哲學家，孕育着滿腹的智慧。山，是一位豪邁的富翁，擁有着無窮盡的寶藏；供人索取，挖掘，人類因而得以生存延續。正像農人倚靠土地得以耕種，收穫稻麥，食糧一樣；我們開採山的金、銀、銅、鐵、錫等等，藉以供應我們的需要和滿足我們的慾望。

山，究竟擁有多少種類的礦藏，被發現的以及未被發現的，我們尚屬無法統計。不過每一種礦物，都是貴重的，有價值的，煤是人類所迫切需要的。而最能引誘人的，應該是金子了。莎士比亞在黃金夢裏說得好：

「金子！黃黃的，發光的，寶貴的金子！只這麼一點兒，就可使黑的變成白的，醜的變成美的，錯的變成對的，卑賤變成尊貴，老人變成少年，懦夫變成勇士。這黃色的奴隸可以使異教聯盟，同宗分裂；它可使受咒詛的人得福，使害着灰白色的癩病人為衆人所敬愛；它可使竊賊得到高爵顯位，和元老們分庭抗禮。」

黃金雖然為世人如此重視和爭相掠取，但它本身祗不過是一種裝飾品，並不具有任何實際作用。在所有礦物中，我倒是頗看重為一般人所不甚注意的煤。

煤是黑的，污穢的，廉價的，因此煤為一般人所輕視和不屑與之接近。但我卻歌頌它，像詩人歌頌自然，歌頌山一樣，我歌頌煤。像一個傻瓜似的，我鄙視庸俗的黃金；而我欽慕度着艱苦生涯的挖煤的礦工，我歌頌煤，因為它具有美麗的靈魂和生命。我重視生命，尤其重視有意義的生命。歌德說：「無意義的生命不如早死。」然而生命要怎樣才算有意義？常常為這個問題，我感到迷惑，相信和我同樣對生命迷惑的人正不知有幾許，尤其是那些陷在愛情中的男女。有許多人很輕易地毀棄了自己的生命，葬身於黃泉，都是因為不知生命的意義究竟何在，生命的價值究竟何在所致。

燃燒着的靈魂，才是最有意義的生命，而煤具有無比的力量，燃燒着的生命，才能產生價值。我在這個世上，活了這麼多年，從來沒有購置過黃金，我懷疑，黃金的價值究竟在那裏？我認為只有工作，不斷地工作，從工作中得到酬勞和快樂，生命才是有意義的，有價值的。

煤雖然是黑的，那麼髒，那麼醜，但是它燃燒起來，就不再是黑的了，不再是醜的了。所以燃燒的生命是美麗的，有意義的，有價值的。

當你工作了一年，在嚴寒的冬季裏，有一個短暫的休閒的的時候，守在屋內，大家圍着一爐熊熊的火取暖，講講鬼的故事，喝喝濃的咖啡，該是一件多麼幸福的事啊！

現在科學進步，一切動力都改用電氣，但是，多數的人仍舊使用着煤，人類依然不可缺少煤。燃燒的時候，它貢獻了強烈的生命的熱力，發出鮮紅的火花，死後變成了煤渣，仍被利用鋪路，任由人類無情的沉甸甸的脚步踐踏，擠出沙沙的聲響，煤是不寂寞的。

煤是謙卑的，正如驕奢的人總是在黃金堆裏打滾，煤却是常和貧苦的羣衆打成一片；而富貴的人心靈貧乏，貧窮的人靈魂富麗。煤正像一位有抱負的苦行者，其生命里程的每一個階段都產生了不可磨滅的功績，可是却默默無聞，堪稱為偉大的無名英雄。不像那珠光寶氣的黃金。只是垂墜在貴婦人的胸前，挽着她們的玉臂，或是無恥地躲在她們的香閨，自甘墮落地被軟禁在她們的象牙盒子裏！

大陸文壇近況
章士釗每下愈況

澤東「豐沛故人」自居的章士釗，在一羣附共人士中要算是最受優待的一個，十二年來所有的「民主人士」只有他一個人可以在羅湖橋自由出進，盤川也由「毛澤東選集版稅項下支付，在芸芸羣攏份子當中，毛澤東對他總算是「聖恩高厚」了。

可是，章老先生最近一次從香港回去之後，就未曾聽到他的消息，據傳中共大頭目對他屢來香港，成就毫無，又虛耗了許多「版稅」已感不耐，決定今後不准章老再出國。

上項消息尚未獲得證實，十月二十三日人民日報突然發表一篇文字，指名攻擊他。事情表面原因是由魯迅而起，中共最近擴大慶祝魯迅八十誕辰「全國文聯」開紀念大會，由「文聯」主席」郭沫若致開會詞，這位會因偷了法國作家羅曼羅蘭給魯迅的信，被魯迅駡為「洋場才子加流氓的「郭老」，也在大會上貓哭老鼠的哀悼一番，其他的人更無論矣。

魯迅既然被揚之升天，魯迅的仇人就非打入地獄不可了，這些年來魯迅生前的對頭一部份被清算了，如徐懋庸，一部份假投降了，如郭沫若竟厚着臉說魯迅對他十分關切，他也最崇拜魯迅。

其實真正與魯迅一個重大打擊的還是章士釗，可是這些年來因為毛澤東祖護他，始終未曾出事。章周（魯迅）寃仇結於章士釗任教育總長時，魯迅在北京女師大[illegible]發生意見，楊校長將魯迅解聘，引起女師大風潮，教育總長章士釗下令解散女師大，解散文告警句有：「釗念兒女乃家家所有，良用痛心，為官使人人悅之，亦無是理。」魯迅指出是抄襲前人齊姜醉遣晉公子賦中：公子正翩翩年少，未免有情，丈夫而碌碌因人，官能成事。」結果章士釗把魯迅原任教育部僉事的職務也免去了。從此魯迅恨透了老虎總長，用盡方法攻擊他。

十二年來由於毛澤東的庇蔭，這筆舊賬早不計了，不料十三日一篇成語解釋「關於每況愈下」，指出許多人都把這個典故用錯了，正確的應是「每下愈況」，話鋒一轉忽然說到「魯迅也弄錯這個成語的文章，那是以精通古文自詡竭力反對新文化，但連每下愈況這個普通成語也弄不清的章士釗為對象的。」

章士釗被共幹指名道姓的罵，確是首次，尤其是刊在人民日報上更不尋常，若非「組織」批准，那個署名「江上青」的作者是沒有這種胆量的。當然要說目前掀起一個大的清算章士釗運動自然不會，但此老再重來海外的機會恐怕也不多了。故都北望，對這位每下愈況的老人，我們到不勝悵念之致呢？

釣魚台

・蔣明・

古代隱逸之士，寄情於烟波江上，藉垂釣以鳴高，而釣之有台，委實不少，茲舉其犖犖大者而言之。

周姜太公望、名尚，釣於「磻溪」，又曰「渭水」，在陝西寶雞縣東南，源出南山，北入於渭，谿中有泉曰「茲泉」，相傳遇文王處，亦即呂氏春秋所謂太公釣於茲泉也。離陝垣五十里為古咸陽，所遺「咸陽古渡」之秦碑，今尚存，河彼岸為「姜太公釣魚台」，古人有「晚霞抹古渡，河浪撲漁舟」句，是為此地寫照。

東漢嚴光，本姓莊，避明帝諱，改姓嚴，字子陵，不事光曰，釣於富春山下，在浙江桐廬縣西，前臨富春江，江側有灘武「嚴陵灘」，為嚴光游釣處，佳麗明媚，風景絕勝，今山邊有石，平臨水上，可坐十人，名「嚴子陵釣台」。留題者多，就中有不署名之五言一絕云：「吾愛嚴子陵，人愛漢光武，子陵有釣台，光武無寸土」，至今獨傳為佳話。

此外戰國莊子之釣台，在今山東濮縣，有莊子祠，為唐貞觀時所建。漢韓信之釣台，在今江蘇淮安縣北，其隣為漂母祠。梁昭明太子之釣台，在今安徽貴池縣西之玉鏡潭。唐張志和之釣台，在今湖北大冶縣道士洑。金隱士王藝之釣台，在今北平市西之花園邨。雖各荒烟蔓草，而雪泥鴻爪，有跡可尋，遊者每徘徊流連不忍去！

山川風物

短篇小說
君子好逑

朱韻成

吳志剛快三十五了，可還是獨身。「老吳呀，我說你怎攪的？到現在還是光棍一條！——你總得想個辦法才是啊！」朋友們碰着他時免不了便大同小異的說。吳志剛聽了只笑笑，顯得莫測高深的樣子。

「放輕鬆點、自然點、風趣點。」最不輕鬆、最不自然、最不風趣的陸老三也時常這樣勸他；他只得苦笑。

在他的老朋友羣中隱約有這樣的謠言：吳志剛獨身是因痴情，忘不了羅敷有夫的大學時代的女學同學崔鳳玲。誠然以往他對她很有點意思，但硬說他為她做「寡人」就太冤枉了：他連她的邊兒都摸不着。但他有口辯不清，只能沉默。

他想還是陸老三說得對：「放輕鬆點，自然點、風趣點。可是又談何容易呢？看看陸老三在女人面前縮頭彎身抹嘴抓腮的樣子罷：吳志剛覺得有點吾道不孤。但他知道除了這軀體的儀態外，他自己本身的條件也不容易引起女人注意的，好幾次他瞪着鏡裏的身影發呆：太瘦了；又加上五呎十一的身高，看來便像搖搖幌幌的竹子。塌肩膊，再好的西裝跑到他身上也挺不出神氣來。面色不好，兩抹濃黑的眉下，眼散發着茫然憮憮的光芒，老像睡不醒。鼻子又大又扁，鬍子露着十分之若干公分。頭髮是純男性的，後枕那根尤其的特立獨行。

「跟女人一起嘛就得說點笑話。」記不起是誰會這樣跟他說過。吳志剛也曉得自己直直僵僵，沒的轉彎，說話有稜有角。他也說過不少笑話，但有往往笑的只有他自己——真是沒趣！他的老朋友都結了婚，有些孩子也有兩三個了，閒着去拜訪時，光那幾張結巴熱鬧的小嘴便吵得他昏了頭。難怪，最後沒法的陸老三上個月也訂婚，在筵間直露着兩排參差的牙，眼睛在胖臉上不見了

「嘿嘿，老吳，你真該想想辦法，找個歸宿啊！」只在跟吳志剛說這句話的時候陸老三沒笑。吳志剛又莫測高深地笑笑，這次可感到有點寂寞。

過了一段日子，有一天陸老三來找他。

「老吳，記不得我訂婚那晚坐我太太身邊的張小姐？」陸老三已逾越地稱他未婚妻為太太了。

「張小姐？——」

「諾——戴黑框眼鏡，頭髮長長的那個。」

「哦——」

「你對她有點印象沒有？她對你的初次印象很好呢！」

（一）

葫蘆墩

劉公木

葫蘆墩，隋時名爲低沒檀洞，或波羅檀洞，後改名富春、葫蘆墩，即今台中縣治豐原。是隋時流求國國都所在地；亦是我國正規軍最早到達台灣的地方。據連橫著台灣通史上冊開闢紀載：「陳稜傳曰：『（隋煬帝）大業三年（西元五〇七年）拜虎賁中郎將；後三歲，與朝散大夫張鎮洲，發東陽（今浙江金華）兵，自義安（今廣東潮州）泛海，擊流求國（今台灣）……其主歡斯渴剌兜（或作歡斯哈喇兜）遣兵拒戰，鎮洲頻擊破之。稜進至低沒檀洞（今豐原）。小王歡斯老模率兵拒戰，稜擊破之，斬老模……分爲五軍，趨其都邑（今豐原西郊岸裏社）……稜遂塡塹，攻破之，斬渴剌兜，獲其子島槌，虜男女數千而歸（福州、福盧山）。』」

豐原之東有八仙山、台灣中央山脈，東北有大雪山，北有后里山，西北有鐵砧山，西有公舘丘陵地，南有大肚山、后里山之南有大甲溪，大肚山之南有大肚溪；表裏河山，形勢完固。因四面環山，中爲盆地，其形呈葫蘆狀，中心點又有土墩（在今豐原第一市場旁土地公廟附近），故名爲葫蘆墩。豐原氣候良好，不冷又不熱，四季如春，風和日麗，山明如畫，水清如鏡，河流散布市中，大樹遍立道旁，風光優美。山川鍾毓，美女如雲，是台灣的美人窩，與桃園合爲台灣二大美女產地。其產「葫蘆墩米」，米質之佳，冠於全台。日據時，台灣總督即選葫蘆墩米，供獻日本天皇食用。豐原香蕉有香味，與南投齊名。它與員林、花壇合稱台灣三大菜產地，台北，基隆二市蔬菜大部所靠此處供應，它又與嘉義，羅東合稱爲台灣三大木材集散地。與員林、彰化合爲台灣三大水菓產地，更是台灣馬鈴薯唯一產地。其所產蔗糖，亦頗有名。兼之，其北郊后里之葡萄，甜美碩大，爲台灣第一。南郊頭家厝所產鳥葉荔枝的一種，幾與福建莆田荔枝媲美，爭爲全國最佳荔枝。西界大雅之柑，褒過員林產，葫蘆墩眞不愧爲「農產豐富，民食原泉」的「豐原」。豐原形勢險要，物產豐富，有如三代之河東，周、秦、漢、隋、唐之關中，宜乎隋時流求國選爲都邑也。

再者，今豐原西郊岸裏社，即古番王往處，其酋至清乾隆時，尚受清帝封誥，並賜姓潘，改名福隆。轄地北至今苗栗縣三義；南至彰化，南投二縣；東至台中縣東勢鎮，西至台中梧棲。其受封匾額，今尚存於台中市，台灣省立圖書館內，可資參證。

左宗棠與台灣

李仲侯

光緒十年中法戰役，法軍孤拔進陷基隆，全台震撼，如無翌年和議告成，則法軍之席捲台灣，係屬意料中事，當中法事急，清廷以左宗棠爲欽差大臣，督辦福建軍隊，穆圖善楊昌濬幫辦軍隊，左氏受命之日適臥病京邸，時年已七十有三，因其積勞過久，病狀纏綿，聞命後即慷慨成行，冒暑兼程抵閩，晝夜孜孜，以謀援台，旋聞澎湖失陷，搥胸頓足至廢寢食並扶病渡海，周歷台灣形勢，認爲台灣建省，實極迫切，是時廷臣袁保恆雖主建省，無人響應而另一派丁日昌則主張派一重臣爲駐台督辦，俟數年後辦有規模，再議建省，蓋茲事體大，在朝廷長事守舊諸大臣，咸不願輕議更張，慮滋紛擾，獨左宗棠力排衆議上疏曰：

「今日之事務以海防爲要圖而閩省之籌防以台灣爲重地，台灣雖有鎮台，一切政務必秉承督撫，重洋懸隔，文報往來，平時且不免稽遲，有事則更害梗塞，如前次法人之變，海道不通，諸多阻礙，其事一也，臣查同光之交，前辦理台防大臣沈保楨，躬歷全台，深維利害，曾有移駐巡撫十二便之疏，比經吏部議准在案，嗣與督臣李鶴年、巡撫王凱泰仍以巡撫兼顧兩地復奏光緒二年侍郎袁保恆請將福建巡撫改爲台灣巡撫，其福建全省事宜，兼歸總督辦理，部議以沈葆楨原奏，「台灣別建一省，苦於器局未成，彼此相依，不能離而爲二」，未克奉准允行，厥後撫臣丁日昌以冬春駐台，夏秋駐省，往來不便固有專簡重臣督辦數年之請，臣合觀前後奏摺，督撫大臣謀慮雖周，未免各存意見，蓋王凱泰因該地瘴癘時行，心懷畏怯，故沈葆楨循其意而改爲分駐之議，丁日昌所謂重臣督辦，亦非久遠之圖，皆不如袁保恆事外旁觀，識議較爲切當，夫台灣雖係島嶼，綿亙亦一千餘里，舊制設官之地，只海濱三分之一，每年物產關稅，較之廣西，貴州等省，有盈無絀，倘撫番之政果能切實推行，自然之利不爲因循廢棄，居然海外一大都會也。

（二）

金蓮古今譚

燕謀

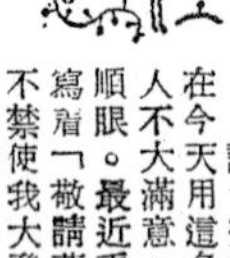

請女賓光臨曰「蓮駕」，在今天用這名詞，是乎有點令人不大滿意，而且也似乎不大順眼。最近看到一張請帖，上寫着「敬請蓮駕光臨」字樣，不禁使我大發一笑。被請的那位太太不僅不是「蓮駕」大概五十歲以下的女人的駕，皆非「蓮駕」久矣。

中國婦女纏足之始，似有未定之論，一說始於南唐李後主宮女窅娘，李後主做了一幅六尺高的金蓮花，使窅娘用帛纏腳成新月狀，在金蓮花中跳舞。一說：齊東昏侯鑿金爲蓮花，貼地上，令潘妃行其上，步步生蓮花。說這是後世女人纏足的開始。但是有人說唐代已經有了；甚至有人主張，早在商代之妲己已始作俑了。這些是考證的範圍，在此不用多費筆墨。

依筆者姑妄論之，纏足恐怕不是女人發明的，很可能是男人搞的鬼吧！試觀今日許多關於女性的裝飾品，都不是男人爲女人設計嗎！女人的打扮得漂漂亮亮，還不是在獲得男人的喜愛嗎？準此以觀，今日之女性足下的高跟鞋，豈不是變相的纏足嗎？今日寶島姑娘，大多學習穿高跟鞋了，但是，那只是在街市上，宴會應酬上，到了郊區，她們多半將高跟鞋脫下用手提起走的笑話。可見高跟鞋是一種變相的纏足也。

古時男人喜歡金蓮、故仕女效之，楚王愛細腰，後宮皆餓死，上有好之，蔚爲時尚，天足女人，反被視爲下賤的下等人了。因此文人筆下生花，寫下不少金蓮文學作品。例如清代的方徇先生，便著了一本專門品評女人纏足的怪書，曰「香蓮品藻」。但是我不知道，方徇先生的嗅覺是否有了痛癢，明明是一雙臭腳，他偏稱「香蓮」，豈不是對女人別有用心乎？「品藻」即品評也。方徇先生對「香蓮」特別感興趣，而且有深刻的研究，他將「香蓮」分爲九品，似乎給「香蓮」制訂「九品香蓮」的官階然。香蓮由「神品」「妙品」到臏品列爲五式——什麼蓮瓣、新月、和弓、竹萌、菱角；五式之下，還有所謂四照蓮、釵頭蓮、穿心蓮、並頭蓮、倒垂蓮等，極其香艷之至，洵可謂「金蓮博士」矣。文人無聊至此，夫復何言呢！這位方徇先生，不僅對金蓮有特別研究，而且他還主張多娶小老婆，他也著了一本名「壹四杯」論，與怪傑辜鴻銘如出一轍也。

從李後主與東昏侯兩個寶貝昏君故事看來，此非特橫男人玩弄女人的玩藝兒而何？所謂「三寸金蓮四寸腰」，簡直把女人當作玩具品。到了清代，統治者爲了束縛女人，大事提倡，竟把女人一雙好好的足，無形中施以刖刑。幼時，見小姑娘纏足，而痛苦不堪，痛哭流涕，一雙裹足，又臭又長，不盡人情，不合情理，孰甚於此？經過辛亥革命之後，已將此一陋習革除，然而「蓮駕」的觀念，仍然未能從舊文學中洗滌潔淨，此亦不可解也。

男人對女人的要求未免太苛了，本來今天早已成爲「天足」的世界，然而不知是誰，他又發明了高跟鞋，又復將女人的雙腳，束縛在那三寸高跟之上，行動起來，婀娜生姿，圓臀搖擺，胸腆挺挺，多嬌是多嬌矣，但是與古時的「步步生蓮花」又有何分別呢？尤其蜡板，銀燈之上，蛇樣腰肢，鴨樣臀，非賴有此摩登的「金蓮」不可乎？雖然她可以取悅男人，而卻苦了女人。然而我雖然盡量多說公道話，但是女性們並不以爲然，她們甘願受罪，而不以爲苦，反以爲有高跟鞋穿爲時髦，爲高貴，此又不可得而解了。

現時又有西洋傳來之「芭蕾舞」，這還不是我們千多年前的潘宮娘的復生嗎？如果論「國粹」，我們早已發明此道了，豈可讓西洋姑娘專美於前乎！

雖然摩登的高跟「金蓮」，不致於如舊式「金蓮」削足以適履，但在作用上，因爲臀腰臂挺，沒有什麼不同之處。今日仕女穿高跟鞋，也皆在舉止舒適，與「纏足」的目的，有何二致呢？換詞言之，說他是「纏足」的蛻變，又有何不可呢？假如方徇先生再世，他可大大的寫一部「新香蓮品藻」，而且古代的香蓮，在湘裙六幅之下，只見瓣而不見梗，今天則瓣梗腿露，寫將出來，妙感也不堪言狀了。

寂寞小論

羅蘭

寂寞是一種靈魂上的苦悶孤獨之感。我們不但在「夜靜酒闌人散後」的情景之下，感到空虛和寂寞，不但在「半生飄零羈旅」的景況中感寂寞；我們也同樣可能在紅燈酒綠繁華熱鬧的場合感到寂寞。而越是才智超羣的人，越覺寂寞。因此，如你不甘寂寞，你就必須遷就一下流俗。曲高必然合寡。除非你忍得下寂寞，否則，你只好唱唱濫調陳腔。然而，也幸虧這個世界上究竟還有那許多不怕寂寞的人，他們在漆黑的夜空中散佈下幾點星光，照亮了他們自己的那個時代，也照亮了後來人們的路。

樂聖貝多芬一生孤獨，然而他却說：「當我最孤獨的時候，就是我最不孤獨的時候」。因爲他在寂寞孤獨之中，才更不得不去把情懷寄託在領略大自然的美妙上才更有機會去整理他那不平凡的思想和靈感。他的音樂決不是繁華熱鬧場中的產物。許多有名的詩句，也得力於作者當時心情上的寂寞，當被引用的「枯籐老樹昏鴉，小橋流水人家，古道西風瘦馬，夕陽西下，斷腸人在天涯。」作者當時如沒有深切的寂寞孤獨之感，決寫不出這樣佳句。又如張徹的春江花月夜中「此時相望不相聞，皎皎空中孤月輪，江畔何人初見月，江月何年初照人。」也深深刻劃出作者當時那「前不見古人，後不見來者」的寂寞之情。又如「千山鳥飛絕，萬徑人踪滅，孤舟簑笠翁，獨釣寒江雪」一時，在隱逸中，又是何等的悲涼寂寞！

每一個人都有在靈魂上痛感寂寞的時候。我們時常會感到滿腹辛酸，却覺家人親友之中，竟無一人可與之一吐積鬱。尤其是當我們發現，並且證明了人們多數喜歡看你春風得意時的笑臉，而不喜歡聽你秋扇見捐時的牢騷；當你一腔心事方待傾訴時，却見你生平好友婉謝約談，離席辭去，那時，你心中又是什麼感覺？但如你夠豁達，你就應該了悟，人與人間只能在笑語喧騰的時候顯得親熱，或在一方可以施捨善意，博得慷慨之名的時候，顯得仁慈；除此而外，沒有誰正會分担你心靈上的寂寞。因此，我們在這漫長而又孤零的人生道上，只有勇敢的承担起這[illegible]的寂寞，用自己的力量發出一點光和熱來，在[illegible]的永恒中，發出一點光輝。西哲說：「世界上最強的人，也就是最孤獨的人」，才能在孤獨寂寞中完成他的使命。要成爲強者，即不可避免寂寞，而唯有那夠堅強，能面對寂寞的人，才有力量使他的天賦才華不致被[illegible]，反而因寂寞孤獨而生發光輝。因此，能在孤獨寂寞中完成使命的人，即是偉人。

海公祠

道南

山川風物

經營既已在本欄述及海公祠的風物，並且再述海瑞先生祠的風貌，海瑞世稱剛峯先生，明代瓊州府海南人，官至右都御史。在[illegible]海公以一個縣令，十次捨[illegible]奸相嚴嵩，終於，打倒了嚴嵩的故事。

他做縣令，就是在古新安江流域的淳安縣。浙省淳安，界接皖南，而新安江也發源於徽州，而流入淳安，經建德，接着富春江。徽州是名聞天下的黃山所在地，因此，徽州的平地，已高過了浙海的天台山和雁蕩山之巔。

因爲黃山山脈向浙西縣亘，故山勢雄壯，因地勢的傾斜，新安江的清流，十分急湍，如果在飛機的鳥瞰下，新安江，簡直是在崇山峻嶺的當中，掛着一條長凡二三百里的瀑布！沿江灘石山灘嶙峋，流水潺潺，林木蔭翳，山色蒼翠，自然，風景之美，尤峙東南。

海公在淳安作縣令時，清廉自矢，一清如水，百姓悅服，後人遺愛難忘。因此，在渡頭的小山上，築海公祠來紀念他，到了今天，人民對他的遺像，當作神靈供奉了，香火之旺，四時不斷。

內僑警台報字第〇三一號內銷證

自由報

THE FREE NEWS

第一八二期

中華民國僑務委員會頒發
台教新字第三二三號登記證
中華郵政台字第一二八二號執照
登記爲第一類新聞紙類
（半週刊每星期三、六出版）
每份港幣壹角
台灣零售價新台幣弍元
社　長：雷嘯岑
督印人：黃行憲
社址：香港銅鑼灣高士威道二十號四樓
20 CAUSEWAY RD 3RD FL
HONG KONG
TEL. 771726　電報掛號 . 7191
承印者：田風印刷廠
地址：香港灣仔高士打道二二一號
台灣分社
台北市西寧南路壹壹本號二樓
電話：三〇三四六
台郵掛號金戶九二五二

讓大家活得光彩！

——寄望於中國國民黨四中全會

陳涉

一、

蘇俄核爆威脅西方的同時，又在聯合國大事勒索。我們雖無資格談核子反擊，卻已受到勒索之害，放棄一再聲明的原則，終於使外蒙進入國際組織，任何解釋，都難自圓其說。目前俄共集團緊跟着倡議提先討論所謂中國代表權問題，看樣子，不把我們逼死絕不放手。而且在戰略上，似乎在採用閃擊戰，不讓你有喘息的餘暇。姑無論蘇俄這一陰謀是否得逞，和我們今年勉強可保得住聯合國的席次，但政治性的災難，料想必將從聯合國及其他方面接踵而來，應爲謀國者忖度之中的事。

目前世界危機可算到了相當「險」的程度，人類煩躁情緒，在自由世界與鐵幕之內，同時可被發現。假若要想避免一次戰禍，除非有奇跡發現，這種局面似乎絕難維持太久。雖然我也深信，美蘇兩國都想不戰而勝，東西雙方，忽張忽弛，皆係冷戰姿態。可是自從蘇俄恢復核爆，長程飛彈射入太平洋以來，蘇俄咄咄迫人的氣燄，早已夠美國還擊的藉口，美國的隱忍，說是屈辱也好，說是等待時機也好，總之非戰即降的局面業已形成。

二、

在這麼黯澹緊迫時際，談我們自己的根本大計，似嫌迂闊；然而生存慾望是天性，個人如此，國家亦然。我們既不必焦慮一旦核子戰爆發起來，人種滅絕，更不必舒着脖子等死；何況我們仍有相當樂觀理由可判斷共產集團必敗，自由世界必勝的根據。所以談談我們自己的問題，非不切要。

所謂自己的問題和根本大計，範圍何其廣泛！但簡單來說，只有兩個課題：一、是怎樣活下去？而且還活得不勉強；二、是怎樣實現光復大陸抱負，以慰六億人民喁喁之望。我們也相信十數年來，自蔣總統以次，所有有責任心的官吏和人民，都在這兩個大題目上下功夫，而且已經有了相當成效；尤其是掌舵的蔣總統，靠他的英明睿智與數十年在政壇的聲望，確定了一條正確航線，贏得國際信賴。無容諱言，這面大旗，至今仍是我們國內一切權益、制度和地位的屏障。我們更充份相信反攻大陸失土，必可實現！這項偉大功業的領導人，也非他莫屬。

三、

但是，爲了確保勝利，也爲了人人活得光彩，無論黨政都需要一番大革新，不僅爲海內外人士的一致願望，就是今天在黨政方面據有高位的人何嘗沒此感覺！目前社會上充滿種種麻痺現象，機關內也不乏腐敗事實，距離中興條件，可說相當遙遠；我絕不認爲「有官皆貪，無吏不污」是自由中國的公平寫照；相反的，大多數負責的各級官員，仍能砥礪自守。問題在於多數人都難能施展抱負，因而缺乏一種蓬蓬勃勃的朝氣。來訪友邦客人往往對台灣說些溢美之詞，固然一部份是事實，一部份也是人家的禮貌，我們千萬不可陶醉，盡信爲真。然而，怎樣革新？千頭萬緒，談何容易！不過此人人都覺得此時此刻各方面都有革新的必要；應興應革的事，雖多至萬計，興利除弊，固爲首要，振奮民心，實在是當時之急。最有效的方法，莫如即時反攻大陸；其次，在內政上做顯著刷新，也不失爲明智之舉。聽說執政黨將於最近期間召開四中全會，我們懇切希望這次會議能產生一新耳目以及振奮民心的政策。

以客觀的眼光衡量，我們覺得首先須要革新的應該是黨的本身。中國國民黨對歷史有貢獻，誰也不能抹煞，中國國民黨對歷史也有未了的責任，盡人皆知。一般國民矚望它能領導全國進步的殷切與黨員們企求一個健全而有能的黨中央的心情，並無二致。自卅九年改造以來，轉瞬已逾十年，雖然不斷努力，有所獻替，但也發現了若干新問題，則不容諱言；尤其是每逢選舉年，糾紛迭起，弊竇叢生，以致同志之間離心離德，時有不愉快事情。我曾聽見在大陸時主持黨務工作的人士慨歎說：「我們幹了半輩子黨務，窮了半輩子！今天……」絃外之音，不彈自響。今天若干黨員缺少革命精神，則爲普遍現象；至於利用職權自私自利之輩固非絕無僅有，如今若想重整革命精神，必須大刀闊斧，作一番新的政革，才能使黨內外一新耳目，而重整黨紀，由領導階層先行樹立一種革命氣質的風範，尤爲首要。質言之，須首先把官僚作風從黨裏根除出去！起用青年，讓無能無守之輩走開，任何事情，都是上行下效，如果要想下級黨部振作，上級黨部須先做榜樣！無可諱言，如今黨部內，不但無革命初期那種生龍活虎的景象，即連抗戰時期那股艱苦奮鬥精神也不得見。一進黨部大門，只覺得暮氣沉沉，一片蕭瑟氣象，說穿了，尚不抵一個民營事業機關，有活力有朝氣！

革命事業，雖不限定年齡，但革命工作應倚靠青年！如今黨內各組會尚有不少北伐以來的老同志，佔據缺額，名爲優遇，實際上是擋住青年的進路。爲了新陳代謝，這班前輩似應另行安頓，以便新進同志担當重任。

中常會原是黨內最高決策機關，按理除總裁、副總裁之外，應有部份常委專心致力於黨務，代總裁與副總裁負責籌謀；可是常委諸公多半身兼數職，整天價忙本身職務之不暇，再加上東開會西應酬，他們那有時間爲黨想問題？只不過每逢星期三，匆忙趕去黨部簽到。奉命唯恐不謹，自已何敢有主張！這麼一來，名爲恭順，實係瀆職！我認爲既然號以黨領政，就應該黨政劃分清楚，以便黨確實將督政之責，肩負起來！現在黨政不能截然劃分，至少應有三分之一常委不兼政府公職，以全日時間致力黨務，少開無謂之會，也避免無聊的應酬，多觀察，多靜思，把意見貢獻於總裁，甚至於替總裁負責。這樣庶幾乎有一番振作；否則，照目前情況演變下去，黨中央既辜負國民喁喁之望，同時也絕難維繫黨員與黨關係於正常。看看各小組開會情形和每週實踐堂紀念週凋零慘澹之氣象，令人不禁扼腕痛惜之至！

四、

國民黨大會之後，往往發表宣言與政治決議文。這些文字多半官冕堂皇，四平八穩，寫之於十年前固無不可，寫之於十年後亦絕不過時，籠統浮泛，已達極點！這樣文件，不用說一般對政治無甚興趣的國民不會注意，就是出席會議的黨國彥俊誰會涉覽？擬下來只是從政同志的官樣文書，到時候讓科員同志草擬一份報告，上級備做例行考核而已！

聽說今年要有革新，無時間性與一般性的決議文將不再見。果爾，無妨說，是一大進步，姑拭目待之！

總之，盱衡國內的情形，人心望「新」。無論從任何角度看，我們須振作起來，要活得下去，也要活得光彩！老百姓既這麼期望政府，黨員何嘗不這麼期望黨，時間與環境，都不容許我們再蹉跎，趕快動起來吧！

（十一月二日）

漫画天下　南施

赫魯曉夫：「難道還會遇上同花順嗎？」

毛澤東：「你還敢動手？」

自由談

心理作戰一例

馮子先生

據十月卅日外國通訊社發出電訊：台北有位不願透露姓名的專家說，最近北平電台發表反對蘇俄試爆巨型核彈的廣播詞，毛共方面已予否認，這可能是潛伏在北平的反共間諜份子所爲云。

無論所謂台北的專家是否眞有其人，但這種說法實在無謂之至！此無異替「新華社」作義務宣傳工作也。

北平既有反對蘇俄試爆核子巨彈的廣播詞，即令是出於反共的諜報人員所爲，亦不妨讓敵人去猜疑好了，何必由我們來自我揭穿呢？在那位所謂專家的下意識中，或許以爲這是表示反共陣營的特務工作成績優異，洋洋自得，實則不免鴨屎臭。記得當年毛酋澤東將要解除其僞政府的主席職務前夕，台北首先報導了這項消息，使英美的諜報機構亦感覺失色，而有相形見拙之歎。因爲他們平日自命消息靈通，對於中國人所指述的大陸上各種情報，皆視爲缺乏正確性的宣傳品，不足置信的。有此一着，咱們對毛共的情報價值，使英美人士亦不得不另眼看待了。然我們却沉不住氣，還要加以渲染，說這是我方諜報人員滲透了共匪最高層的結果，而表現着淺薄的意識形態，何苦乃爾！你不作此畫蛇添足的宣傳，別人亦心裏明白這回事的，一經自我吹擂，反而減少了問題本身的價值，且給以虛矯的印象，太不沉着了。

任何一種國際性的鬥爭，所謂心理作戰的宣傳工作，皆佔主要地位，勝敗之數，多基於是，而其運用之道，即爲虛虛實實，不可捉摸，使敵人惝恍迷離，莫名其妙，讓自己人增加信心，不著迹象，這才是心理作戰的上乘。如其專對自己臉上擦粉，露出阿Q精神，縱令是眞情實況，作用亦就有限了。心理戰必須具備着高度的智慧，不是隨便可以玩弄的，否則徒然浪費人力物力而已，談何容易！

青年黨糾紛經緯

斯馨

關於中國青年黨最近內部發生糾紛情形，本報迭有通訊刊出，然皆語焉不詳。本篇所述，比較客觀而有系統，特再披露，以窺全豹焉。——編者

在開始時，各方僉認爲青年黨「全代會」是該黨團結的前奏，到了現在，因爲在過程中魚龍曼衍，波瀾層出不窮，才使人感覺其不如想像的單純。關於該黨「全代會」各項新聞報導，已散見台灣及海外報章雜誌，非失之過偏，即出於揣測之詞，均不能探入問題中心。記者特將數月來所蒐集的資料，加以整理後擇要於本報發表，以饗讀者。

青年黨目前所籌備的全代會有二，一是在法統以外的自動集會，亦即所謂「非常時期全代會」；一是在法統之下，由中央召開的臨時全代會。自從該黨五主席（李不韙、左舜生、陳啟天、李璜、張子柱）發出四點號召以後，「非常時期全代會」於九月二十三日在台北寧波西街福州同鄉會集會（由丁俊生、王嵐僧、宋益清、陳祖貽、潘再中召集），決議接受五主席號召，暫行休會，但仍然選出以朱文伯爲首的九人主席團，劉永濟爲臨時秘書長。同時推派主席團之一胡國偉爲代表，與該黨中央臨時全國代表大會總幹事林可璣談判，會在報章分別發表聲明。先是，林可璣爲了勸說「非常」方面打銷自動集會，參加在法統下召開的臨時全代會，故不惜委屈求全，以期達到此項目的。不意「非常」方面在「休會」以後，每日要求林氏發開會通知，否則仍復開會，而對開會前必需完成之項目如：港方代表赴台經費籌措，黨章草案，擴大團結等，一概置之度外。林氏至此感覺問題嚴重，遂不敢再應「非常」方面請求，擅發開會通知，在十月二十六日該黨中常會中，經過長時間討論，決議兩項：（一）電請左舜生、李璜來台出席臨時全代會；（二）定十一月以內召開臨時全代會。「非常」方面獲悉之後，立即在次日（二十七日）用限時專送信件及長途電話發出開會通知，定於二十八日下午在寧波西街福州同鄉會舉行「臨時全代會」，具名者赫然爲李、左、陳、李、張五人，但上面並無「主席」字樣，且刻「中國青年黨臨時全代會秘書處」木戳。「非常」方面這種做法，顯然是想化「非常」爲詭異，立即親自草擬否認聲明送各報登載；張子柱留在陳啟天家中，直至深夜，對於「非常」方面這種攪法，不斷地嘆氣搖頭，表示悲觀。

「非常時期全代會」在十月二十八日第二次在原地址集會，已改用「臨時全代會」，但離生了臨時秘書長劉永濟以後，並未進行議案和選舉，仍然暫行休會，是爲了等待港方代表出席之故。另一與上次不同的，二十八日的會是由李不韙主持，並在會上宣讀了左、李由香港寄來的大會致詞，會後並在「美而廉」餐館舉行記者招待會，只有公論報、徵信新聞及美聯社派有記者到場，其他各報均無人預會。

近日「非常」化身的「臨時全代會」又由臨時秘書長劉永濟發出開會通知，日期是十一月十一日，地點仍在福州同鄉會，這次據說是正式開會。最妙的每次開會通知發出的地址都是台北濟南路一段三號（爲劉永濟住的監察院宿舍）。該黨中央現亦在積極籌備臨時全代會的召開，看來兩個「臨時全代會」將先後在台北演出。

這次青年黨「全代會」所發生的紛爭，並非由於派系，而是由於政治思想發生歧異。參加「非常時期全代會」的主要份子，在上屆國大開會時反對修改臨時條款及總統連任，在所謂「新黨」醞釀時期，頗爲嚮往，早與現在該黨維護法統的人士發生了距離。因左舜生、李璜遠在海外，李不韙年事過高，耳患重聽，張子柱體弱多病，因此黨的領導責任自然大都落在陳啟天的身上，在去年政府邀請該黨參政時，陳啟天雖然遷就了現在「非常」人士的意見，沒有參政，却仍不能使他們滿意，他們覺得陳啟天不能表現在野黨嶙峋的風格，千方百計必需去之而後快。實則陳氏在青年黨不失爲一個老成持重的顧全大體人物，擁護他的幹部也不少，何況該黨的老同志大半服膺「國家主義」有一種凝固的韌性，該黨的法統也不是輕易可以摧毀得了。

「新黨」雖未建成，對三黨都有感染乃是事實，尤以青年黨爲甚。如該黨的「民主潮」雜誌即會對「新黨」運動大爲聲援。自由中國需要一個像樣的在野黨，「新黨」沒有建成，更希望舊黨能爭氣，青年黨的紛爭，無論從那一方面說，都是民主政治的損失，特別是在此海內外需要大團結的時候。最後，記者認爲一個政黨的主義，等於是它的靈魂，而歷史便是它的精神，丟棄了這些，剩下的軀殼雖有血肉，也是死的東西，如果想利用舊軀殼孕育另外的新生命，總覺難以想像。深盼青年黨的朋友能本一貫政治立場爲國家盡其職責，不要在思想上發生分歧自亂步調，對黨對國均無好處。

×××

日教授大放厥辭
龔德柏撰文痛斥

（續上期）撰文以一種極淩厲而幽默的筆調，作「入木三分」深刻地進一步的指責石村教授說：「石村教授若眞不知道蘆溝橋爭變原因，我不妨明白告訴你：這不但是日本軍閥的計劃，並且是日本廣田內閣的決策，由近衛內閣執行，來佔領華北五省的。蘆溝橋日本一個士兵在演習時失踪，不過是一種藉口而已。我記得原田熊雄所著「西敏寺公與政局」中（七卷五一頁）爲張鼓峯事件日本板垣陸相向天皇要求出兵佔領張鼓峯，天皇除否決其要求外，並對板垣陸相以嚴肅的言詞申斥道：「陸軍的作法，實在可惡，滿洲事變的柳條溝，這次事變的蘆溝橋，作盡卑劣的事，實實可惡，此次斷不可又如此……」連高高在上受盡欺矇的天皇，都斥柳條溝蘆溝橋是卑劣的事。而應該無事不知的教授，還敢以「出於共產黨陰謀」之說，來欺矇我們，未免太輕視中國無人了。「西敏寺公園與政局」這樣大的著作，或者石村教授沒有工夫去讀。我再舉一都篇幅不甚多的著作；而且日本知識階級，殆無人不讀的書，來質問石村教授。即重光葵所著「昭和之動亂」，石村教授也沒有讀過嗎？那末，石村教授的知識，未免太淺薄了！即令是經濟學教授，這樣日本人應該人人必讀的書，也沒有讀過，還有什麼資格來台灣訪問；並且向中國人大放厥詞呢！」

最後，龔氏「奉勸石村教授回到日本找重光葵著的「昭和之動亂」上卷「北支工作」六項（一二一頁——一二三頁）讀讀就知道蘆溝橋日本一士兵失踪，對華北五省大舉侵略的開始。在這項政策是廣田內閣一九三六年八月十一日五相會議所決定的；近衛內閣出兵五個師團，不過實行廣田內閣的決策而已。石村教授，你把這樣缺乏常識的話來欺騙中國人，未免太輕視中國無人了！老朽多年來不願在報紙寫文章，但這件事我不說話，未免使人誤解中國眞正無人。奉勸石村教授！以後不要再說這樣沒有常識的話，使日本教授在中國丟人，至少在老朽健在期內，決不許你猖獗，以後切記！切記！切記！」

這篇火辣辣的文章，眞是大快人心而又過癮。的確，像石村教授這樣的人，實在目中無人了，但不知此種人何以要被邀請到中國來講學？（本報記者公治長寄）

台灣珍聞

△新竹縣地方法院有位姓楊的女檢察官，是閩省海軍耆宿楊樹莊的親屬，年方少艾。她審判一椿訟訴案，宣告一壯年被告人以無罪處分，原係按律論斷的。詎該被告人誤認爲楊檢察官對他別有好感，乃隨時來法院訪問楊氏，楊以爲普通的交際應酬，略加周旋，而該壯年當事人竟向楊法官表示戀愛求婚之意，使楊氏大爲吃驚，斥其無理，而該人仍糾　不已。楊氏因此會請求司法行政部給她調職，然部方則謂沒有缺額可調。楊氏的父母皆住在台北，她單身居宿於新竹法院宿舍內，頗不自安也。

△新竹法院另一女推事黃雅卿，於審判案件之後，被該縣前任議長鄭某，在旁聽席上以穢語辱罵（鄭的兒子是被告人），黃推事當堂赫然震怒，敎法警將鄭議長羈押，依法處以三天拘役，以爲藐視法庭者戒。該縣縣長暨現任議長聞訊，急求調解，黃推事亦表示可不執行拘役，但其他的推事檢察官羣起反對，鄭某祗好在拘留所委屈了三晝夜，禍從口出，信然。

△台大某教授的兒子是個太保學生，他向其同學陳姓女生追求戀愛不遂，最近不知在何處借得一枝獵槍，於黃昏時候踰牆爬入陳宅，適陳女與其兄站在庭院中，陳女瞥見是太保學生來了，拔足飛奔入房內，太保持槍追入，陳女驚惶躱到床底下，太保對着床下放槍一響，子彈貫穿陳女的腿部。乃父在隔室忽聞槍聲，出來察看，太保又向陳氏開槍，幸子彈卡在彈膛內沒有射出，陳氏趨前捉捕太保，而太保先到門口用小刀切腹自殺不遂。據聞陳氏且係政界要員，然太保學生竟敢對陳女實施暴行，可見台北太保學生猖獗之一斑了！治安機關再不拿出有效辦法來，太保學生之爲禍將不堪設想也。

△台灣新聞界在最近將來，會有一場劇烈的營業鬥爭。據說，官方報紙準備開年後擴大篇幅，日出三大張，但不加價，將以鉅額公帑從事賠累，以與民營報紙爭高低。這樣一來，各民營報刊勢必吃不消而大感困苦，有些且將支持不住了。這是資本主義社會的托辣斯方法，民營報刊似難想出有效的對策，深堪注意的。

堤防•特權•永和鎮

水利局的計劃，採取分期完成辦法，第一期據說是從上游的秀朗路穿過博愛街十七巷至頂溪派出所，這樣一來整個光復街及部份博愛街乃至竹林路的二十餘戶一萬多居民，都將被隔於堡外，那時除了自動的逃命而外，祇好「合法」的被水所淹了，因此，他們不得不拚命力爭。據低窪地區居民所獲情報：水利局這樣決定，是受特權階級包圍的結果，因爲特權人物的土地都在那一帶，又因爲該鎮自強街的大排水溝，被特權階級人物填築作爲建地販賣，洪流無法排出，今年水患就特別的大，這又是低窪地區居民認爲罪大惡極的事。

低窪地區居民，羣情憤激，於是，在二十四日舉行了里民大會，選出了三十九位代表，來研究反對部份建堤的對策。又自三十九位代表中推出四位代表，參加「永和鎮建設促進會」的「廿七人小組」，他們建議：堤防應該自上游的秀朗橋經竹林路彎到中正橋，反對先在竹林路上游建堤，如果沒有經費，最好不要先作部份建堤，以免下游遭受更大的水災。但是他們的意見並未被採納，聽說特權人物幕後策劃先在上游建堤的活動甚厲，而他們的多次集會，低窪地區的代表一個都沒被參加，他們認是被出賣了。大家表示：如果不若是平民的生活財產，將不惜以生命來爭取。因爲網溪里的三十九位代表中，多半是滿苦的平民，其中尤多退役的官兵，他們沒有力量影響政策，但他們惟一所恃者就是「拚命」，當爲爭取財產而喪失理智時，是很難說的。從他們最初擬向政府各機關提出的請願書中所說：「如專爲遷就彼等特權之需要求，爲之興築上項堤防，於勢廹切急之下，民等兩千餘及萬餘居民決以生死相拚，將來發生流血慘劇，造成嚴重後果……」其激昂悲憤之情，可見一般。但也有代表認爲這樣字句太過刺激，主張修改。

王少輝就是低窪地區選出參加「廿七人小組」的四代表之一，他眼見居民的意見不受重視，自己深愧未能達成大衆付託的重任，便在二十六日晚上，偷偷寫好了遺書，二十七日先服下大量的毒物，然後將居民的請願書送到某中央機關去，在該機關的收發室毒發倒地，經獲送台大醫院急救得甦。王少輝是一個退役軍人，自已並無一寸土地，只有一個妻子，低窪地區居民，聞王君爲他們以死來向特權抗議，大家都感到非常悲憤。

現在對於建堤問題，旣已鬧到有人「死諫」的程度，顯見問題不簡單。因此，有人建議：政府機關的官員們絕不可向特權低頭，建堤一定要顧到全體鎮民的利益，絕不可置千萬人的家庭於不顧。無論先建上游下游，應以減少居民損失爲原則，不必考慮誰住上游誰下游的問題，否則將帶來更大的糾紛。

王少輝的服毒請願，已成永和鎮建堤的悲劇之第一個警告，如果處置不當，將來會不會發生其他不幸事件，是值得考慮的。希望將來建成的堤防，能符合全體鎮民的利益，則王少輝服毒之事是第一次，也是最後一次。

（下，吳越，五十，十，卅）

官運與官福

・聞雞・

當了十五年的公務員，案牘勞形，到現在依然沒有擠進「草」字的行列。附髀與歎，深感於官階迢遞，可望不可攀。有人說「做官的人有一番官運與官福」，我這麼一個芝蔴大小的公務員，雖然並不希望榮升，然而仔細推敲此言，卻也覺得含有至理。

官運的亨通，大約不離兩種因素：有力的背景，和自身的才華。二者之中尤以有力的背景最爲重要。儘管你才華卓越而缺乏有力的援引支持，終不免老驥伏櫪蹉跎一生。縱是自己的才華平庸，只要背後有人，就不難一帆風順，出人頭地，能做三分，就有人捧場吹噓，口碑載道，毫無建樹，官官相護，也不無笑罵由之，我行我素。所以凡能熟識此道的人，既然心研研要想擠入官場且牢保官位，第一步便要緊拉關係，深結奧援，等而下之，就不難蠅營狗苟，視名節賤如敝屣草芥，於是官場綱紀，因焉廢弛。

但是有官運的人卻未必能享盡官福。一個在官場上飛黃騰達的人，內心之中未必沒有蘊藏的苦惱。原因是做官也有做官的苦楚，對上而言，必須察言觀色，善體旨意，以固寵信；對下而言，又需德威兼施，調和人事，領導羣倫。能夠上下協和，方可得心應手，否則上級懷疑，僚屬猜貳，縱然居官理政，終是人事紛紜，苦多於甘，而且安享官福的人，不只要在官場上肆應裕如，著著得體，就是在官邸之中，也需要有一位賢淑體貼，且能信任丈夫的美眷。太太天生麗姿，出入相偕，博人艷羨，固然是人生一大樂事，即便是一世紀前的黃面老婆，也必須要有良好的婦德。否則三天請願，兩天鬧衙，固然使官場風雲變色，尤且在家庭中一無樂趣。與其居官理政，名溢中外，反而不如隱姓埋名，終老泉林來得佳妙。

官場因素複雜，詭譎多變。我雖然缺乏「外鑠」，卻也沒有「內感」，十餘寒暑易節，雖是寂寂無聞，一貧如洗，倒也落得干干淨淨，心安理得。

散步的時候

汶津

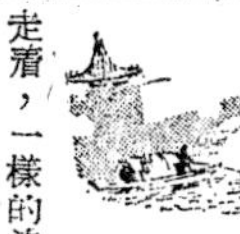

走出餐廳，我沿着小徑回到營房。望望他的舖位，空的，只有正方的白棉被。整個營房裏也是空空洞洞的。我拿起便帽戴上，再轉身去看時，他已施施然的走來了，手裏揑塑着帽沿。

並肩走出營門，天已經漆黑了。我們走過那盞路燈，然後我幾乎看不清他的臉龐。他把雙手交叉的抱在胸前，我卻把右手揷在褲袋裏。一樣悠緩地走着，一樣的沒有說話的慾望。

那一片草塲是遼濶的，在夜色裏更顯得一片空茫。

「月亮旁邊的那顆星叫什麼？」他問。

「我不知道。」

月光是隱微的。擴音器裏放着孟得爾松的小提琴曲，非常熟的旋律，可是我不記得它的名字。前晚問他，他也說：「很熟，可是想不起來。」

草塲右側有一座小型的紀念塔，我想拾級而上，他卻向中央的草坪上踱去。我改變了主意，跟着他的背影走過去。

這已經是好幾個星期的習慣了。早些時候晚飯後的天色還早，我們一起在草地上看晚霞，看變幻的山色。我說：「山畢竟是怡神的。」他告訴我：「從這邊看觀音山最美。」當然，他是更懂得山的。我們的默契好像是山和山的，我們的寧靜卻更像一陣吹不皺溪水的微風。

一陣不帶寒意的風自我們背後吹來，穿過兩肩之間，消逝了。

我們停駐下來，悄悄的坐下。草地上的露水猶淡，我想到很遠很遠，一個女孩子的故事。

「你懂得精神交往嗎？」他近乎自言自語，又像在垂問一個孩子。

我點點頭：「如果你也自覺懂得。」

我忽然想告訴他一些什麼，但終於仰首去看着雲了。我知道這已經過去了，他和我，誰也不會再談它了。猶如那天午後我揣測他收到一位女孩子第一封覆信而輕描淡寫的揭破了一樣。我們可以不爲這些掛心，除非掛心是必要的。有時他不也情不自禁的揭破自己的往事嗎？我會默默的聽着，也會調侃似的笑出聲來。那畢竟是沒有什麼不同的。對於我，我只想躺下身子，仰面看這無垠的星空。

於是我的心胸和星空一樣地遼濶起來。沒有一齣悲劇存在，沒有值得惋歎的往事。偷眼瞥他，也正沉向不可名狀的遠處。

這是一個沒有女孩子的地方。也許有，而總不是那種最狹義的「女孩子」。有號音，有哨聲，有課室上的瞌睡，還有空空洞洞的營房和方方正正的棉被。更重要的是晚飯以後，我們踱過這日漸親切的草塲，不爲什麼，甚至於也不想什麼。

有一次我們談到一兩個女學生的故事。在趣赴高潮的中途，我們會心的呼了一口氣，不知是誰說：

「只是一些可愛的孩子。」說着我們跳過一條寬溝，燈光逐漸的密起來。

……「人是最微妙，也是最重要的。」我說。

……「那是自然，自然與我。」

前兩個星期，他會帶我去看海，海和漁村。我說海浪像一排白色的駿馬向前狂奔，他說他願意在海邊上禪坐一個下午。而後我不耐了，他了然於我的表情，又帶看我穿過他所熟悉的漁村歸去。

而此刻，沒有任何語言，更沒有繁雜的思慮。他不必來開導我，我也不想向他說教了。存在就是自由。你可以讓自己去傾聽別人，但你不能勉強別人傾聽你。天庭恒是無聲無臭的運行着，祂啟示着一些人們因愚昧而忽略了的眞理。我乍地坐了起來，問他：

「你正想些什麼？」

他神秘的一笑：

「不是想海，也不是女孩。而是在星空的那一面……」

「在星空的那一面——」我喃喃地附合着。

「你呢？」他轉過身來望望我。

「在想三百年後的世界，我們的子孫。」

「我們的子孫——？」

播音器已經沉默了，月光好似比方才明朗些。細碎的虫鳴從那個角落飄送過來。我們不約而同的站起身來，撲撲衣上的草泥，向熟悉的方向踏去。

西湖

漁翁

我國風景名勝區域，在山推江西匡廬，在水推浙江西湖，湖在杭縣城西，周三十里，三面環山，有三潭月，斷橋雪，南屏鐘，孤山梅，皆足以妝點湖光山色，繪成天然畫圖。

初名「聖女湖」，緣春秋之末，越王勾踐藏愛女於此，並錫以湖名，又因地而名之爲「錢塘湖」者，但後人以湖在城西而皆稱之曰「西湖」。

蘇東坡詠西湖：「水光瀲灧晴偏好，山色空濛雨亦奇，若把西湖比西子，淡妝濃抹也相宜。」妙在淡妝濃抹，西子經此詩點綴，亦得與湖山並垂不朽。

湖畔有蘇小小墓及岳王墳，每逢春秋佳日，西湖女士如雲，莫不在墓前景仰憑弔，底事流連！昔人詩云：「蘇小墳鄰岳王墓，英雄兒女各千秋」，至今猶傳爲佳話。

※※※※※ 短篇小說 ※※※※※

君子好逑

朱韻成

看吳志剛沒有回答，陸老三接着說：「我太太把她說得好極了：她讀中學時父親死了，母親辛苦把她供完了師範。她教書所得的錢能省下一毛都送回家去，供她弟弟讀大學，今年暑假她弟弟才大學畢了業。你看她長得還不錯，只爲了弟弟的事才把終身大事拖到現在……現在才二十五，跟你正匹配。我太太的意思是要成全你們……她人品好，又煑得一手好菜……。」

「哎，這又何苦來？」吳志剛嘆了口氣。

「嘿嘿，成了，成了。別再多說。……你說甚麼時候好看？唔，讓我想想看，嘿嘿，唔，今天是星期一——星期二。好！就星期六晚大家都有空！」

「……」吳志剛話在喉嚨裏轉，卻說不出來。

星期六，陸老三四點多便跑來找他，一面幫着他轉來轉去，一面嚴厲的監督他。到黃昏出發時，吳志剛變得像個新磨的錚鍋，全身上下，從頭髮臉皮到黑皮鞋，無一處不發亮。陸老三猛捧了他一頓，但他照着鏡子，覺得既不自然，又顯得滑稽。

在飯館裏等了快半個鐘頭，陸老三的「太太」王小姐領着張小姐來了。

「這位是吳志剛先生。這位張芷君小姐。」

吳志剛在鞠躬時打量了一會張芷君；她穿了淺藍色的旗袍，身裁略嫌瘦弱，但比一般女性要高一點。她的眼低着，所以沒法看見眸子的表情。她的臉即使在燈光下仍有點蒼白，五官還勻亭，咀的曲線生得最柔和，薄薄的，塗了點淡色口紅，怯生生地笑着。

纔坐下，堂倌帶着菜單來了。陸老三接了過來便望張芷君那邊讓，弄得她很不好意思地讓回去，搖着頭說：「你們點罷，我實在不會。」

吳志剛這才發覺張芷君的眼比常人來得小，看來只有兩條瀰瀰的縫：這是她顏面上唯一的缺點。

推辭不了，張芷君點了個炒腰花。吳志剛也被逼着點了個炒蝦仁。餘的由未婚夫婦張羅去了。

「張小姐跟王小姐是同事？」

「噯。」

一段空白。

「也是同學？」

「不，王小姐在台北唸師範，我在台中。」她頭稍抬了抬，

「哦——」吳志剛裝着若有悟的樣子。歇一會又像問別人又像問自己地說：「教書眞不是容易的事啊！叫我就不行。」

「習慣了就好了。」（二）

矛盾借魯迅罵共

龍翔

最近中共舉行盛大紀念會，慶祝魯迅誕生八十周年，由全國「文聯主席」郭沫若致開幕詞，郭沫若的開幕詞很短，內容着重兩點，一是恭維魯迅的偉大，二是紀念魯迅要堅決擁護「黨」的領導，學習毛澤東的著作。郭沫若的開幕詞事先都可以猜到，不值得一談。接着由「文聯副主席」「作協第一書記」矛盾作專題報告，題目是「聯系實際、學習魯迅」。矛盾的報告詞較郭沫若長一倍以上，內容完全從魯迅出發，提出了三個要點，（一）魯迅作品如何服務于整個革命事業；（二）魯迅作品的民族形式與個人風格；（三）魯迅的博與專。

矛盾這篇報告，比較特殊的舉出魯迅兩段文字，和現在的中共統治大有關聯。矛盾首先提到：「在一九二五年，魯迅曾經莊嚴地宣佈：『我們目下的當務之急，是：一要生存，二要溫飽，三要發展。苟有阻礙這前途者，無論是古是今，是人是鬼，是三墳，是五典，百宋千元，天球河圖，金人玉佛，祖傳丸散，秘製膏丹，全部踏倒他。（忽然想到）』」

矛盾在浩如烟海的魯迅著作中特別舉出這一段，相信一定有深意存焉。

很明顯地，大陸人民今天情況，溫飽已經談不到了，就是生存也受到絕大威脅，兩年來飢餓而死的人盈千累萬，矛盾那會不知道，在此種情形下，自然而然就想到魯迅那一番話，魯迅並不是神仙，魯迅的文章也不是劉伯溫的燒餅歌，但是這段文字卻指出大陸人民尤其是知識份子奮鬥的方向，所謂「三墳、五典、百宋千元，天球河圖、金人玉佛、祖傳丸散，秘製膏丹。」說穿了和馬列主義同是一類的東西，今天三墳，五典早已打倒了，剩下的只有馬列主義，矛盾的意思是號召知識份子更要踏倒他。

其次，矛盾又提到「魯迅很重視文學藝術的特徵，以及把文藝作爲手段爲政治服務的特性，並嚴格地把文藝和其他革命宣傳工具區別開來。」並舉出魯迅在「文藝與革命」（一九三八年）中寫道：「我以爲一切文藝都是宣傳，而一切宣傳卻並非全是文藝，這正如一切花皆有色（我將白也算作色），而顏色未必都是花一樣。革命之所以于口號、標語、佈告、電報、教科書……之外，要用文藝者，就因爲它是文藝。」這一段話又是今日整個大陸文壇縮影，實在說今日大陸所謂的文藝，那一篇不是宣傳品，其千一律的八股體，處處離不掉馬恩列史毛的陰影，文藝的本身早被扼殺了，甚至連軀殼也不存在，人所共知矛盾是個名作家，但是矛盾十二年未有一篇創作，內心憤懣可以想到，於是今天乘紀念魯迅這個「好日子」發洩出來了。

民族精神

斷橋

民族精神四個字，此刻正已叫滿天價響，響遍了自由中國每個角落。

各中等學校，各國民學校的教室牆壁上，都掛滿了發揚民族精神的先賢遺像。這些用鏡框裝飾的音容宛在的先賢，如張騫，班超，郭子儀，岳武穆，文天祥，史可法諸人之爲民族流汗竹壯烈史跡，不用提，皆深深地刻印在學子們的心版上矣！

不但此也，教育部且把四書審定爲中國文化基本教材，列爲高中學生必修課程；此項措施，蓋亦爲的是配合發揚民族精神，欲發揚民族精神勢必須先瞭解中國固有的文化，此乃教育當局明智之舉也！

大人先生們，無論演講，說話，或在報刊發表論著，莫不强調發揚民族精神，瞭解固有文化之重要！其大聲疾呼，血脈憤張，臉紅脖子粗之尊容，其擲地有聲之讜言宏論，頗疑彼等被岳少保，史閣部之鬼魂附身，令人肅然起敬！眞個若無斯人，中華民族恐怕要在五分鐘內滅亡，中國固有文化典籍被人當做人參補腎丸的廣告傳單哩！

至于，大人先生們住洋房，且實行「一長二車」制，西其裝，革其履，嘴說洋話，口啣洋烟，洋大人一句話，且奉爲聖旨綸音，遺！遺！千萬別見怪！須知「安步當車」，「簞食瓢飲」，「曲肱而枕」，乃是春秋時代的民族精神呀？要是孔子，顏子生于飛彈時代之自由中國，還不是照樣「一長二車」，吃大菜，睡西夢思床嗎？「聖之時者也」！這句話最要得緊，換句話說，說洋話，抽洋烟，坐洋車，仍然是爲了發揚孔子學說。

再者，大人先生們不惜破壞國家法令，走後門，抄小路把他們的少爺，小姐送到月亮比中國圓的新大陸留學，其主要用心，也還是爲了民族精神與文化，怎麼不是？一丁點兒都不用懷疑呀！在新大陸結婚，生子，從此變成華裔美人。因爲，在美利堅合衆國複雜的民族，添注些黃帝後代的新血液，不正是民族主義之擴展，民族精神之光大發揚嗎？

所以，大人先生們發揚民族精神之「豐功偉績」，誠不可沒！吾輩哀哀小民且擦亮眼珠子等着瞧吧！一旦大人先生們的嗓子喊啞，一旦大人先生們宏言讜論扔進字紙簍兒，一旦他們的寶貝兒子，女兒登報聲明跟他們脫離父子女關係，只得一命嗚呼！到斯時，我們的民族精神，固有文化得以發揚矣！

左宗棠與台灣

李仲侯

且以形勢言，孤峙大洋，而七省門戶，關係全局甚非淺鮮，其中如講求軍備，整頓吏治，培養風氣，疏濬利源，在在均關緊要，非有重臣專駐之，則辦理必有棘手，以臣愚見，惟有衰保垣所請，將福建巡撫改爲台灣巡撫，所有台灣一切應辦事宜，概歸該撫經理，庶事有專責，於台防善後，大有裨益，至該地產米甚富，內地本屬相需，若協濟餉項，各省尚通有無，亦萬無不爲籌解之理，委任官員，請照江蘇成例，各官到閩之後，量缺多少，簽分發往，學政事宜，並歸巡撫兼營，勘轉命案，即歸台灣道就近辦理，其餘一切建置各隸各部之政，從前已有成議，毋庸更張，專候論旨定案，即飭次第舉行」。

相傳此摺拜發時，已值左公痛勢彌留，未幾即痛逝閩垣，大星遽隕，薄海同悲，具徵藎臣謀國，鞠躬盡瘁，死而後已之精神。旋得旨，下軍機大臣總理各國事務王大臣六部九卿，會同各省督撫議奏，是年九月軍機大臣醇親王奕環，額仰「勒」和希，閻敬銘，張之洞，北洋大臣李鴻章等聯銜奏稱：「臣等查台灣爲南洋樞紐，延袤千餘里，民物繁富，通商以後，今昔情形，迥然不同，宜有大員駐紮控制，若以福建巡撫改爲台灣巡撫，專其責成，似屬相宜，恭候欽定，如蒙俞允，所有一切事宜，應由該督撫詳細致議，奏明辦理」，旋奉懿旨；「醇親王奕環等遵籌海防善後事宜摺內奏稱，台灣要道，台灣爲南洋門戶，關係緊要，自應因時變通，以資控制，將福建巡撫改爲台灣巡撫，常川駐紮，福建巡撫事宜，即使浙總督兼管，所有一切事宜，該督撫詳細籌議，奏明辦理」，至此台灣建省方成定局，而左公此疏，亦成了台灣建省第一項重要文獻。（三，完）

× × ×

婚俗什詠

筱臣

時序一進入了初冬，這是香港人結婚的日子，凡屬結婚的好日子，各酒樓均已預先訂座，爲之一空，祇是現在的結婚儀式，較爲簡單，不似從前古禮的複繁，這也可說時代的進化。

古人對男女婚嫁至爲鄭重，有所謂「六禮」，其次序：一曰納采（行聘），二曰問名（男方具書遣使問女之名）三曰納吉（卜於廟得吉兆，使復於女家，婚姻之事於是乎確定），四曰納徵（徵者成也，使人納幣以成婚），五曰請期（婚期選定吉日，徵求女家同意，六日親迎（新郎親至女家迎新婦歸）。這種繁文縟節，無非表示婚禮是在莊嚴肅穆中進行。

更有從議婚至偕老分爲三十八事的，經過的階段實爲繁複，滿人筆記中的「婚俗雜詠」，即有類似的紀錄，茲擇其富有奇趣的，選錄於下：

議婚云：鳳凰吉兆叶和鳴，嘉藕天敎早結成！寄語令狐休說夢，從來名士配傾城。」

定聘云：「事諧鸞鳳緣成，綰臂金釧約定情了，惱煞嬌憨諸女伴，故開庚帖喚郎名。」

納徵云：「越羅蜀錦又吳綾，棗餅花糕美並登；家雁和鳴禽比翼，配將朋酒吉羊稱。」

裁衣云：「耆番作爲嫁衣裳，熨貼裁成細酌量；好事隣家諸女伴，添花添彩爲人忙。」

完帳云：「芙蓉寶稱牙牀，仔細憑伊刀尺量，堪笑逢人章俗例，酬勞至竟索奢償。」

安床云：「七寶裝成一色鮮，合歡從此訂同盟，安排恰稱黃金屋，好待瑤池降玉仙。」

接親云：「金雞報曉乍朝曦，騎從如雲左右隨，忙裏不知親迎早，燈花猶認月初移。」

上轎云：「笙歌簫鼓鬧華堂，幾次催倩喜娘；恰似神仙初下嫁，雲輿擁出杜蘭香。」

拜堂云：「腰肢無力柳，纖纖轉鳳迴鸞禮數謙；吹到春風剛下拜，弓鞋無那露雙尖。」

鬧房云：「汝伴沉醉戲伴癲，演出輕狂樣百千；自是新郎熬不得，解圍須費一囊錢。」

卸妝云：「相看紅燭照雙行，消向菱花卸晚妝；紐扣許多都自解，內重衣帶待檀郎。」

佳期云：「神仙眷屬會蓬萊，暮雨朝雲擁楚台；訪得天台好消息，桃花含笑阮郎來。」

晨妝云：「歡枕初酣意正濃，鷄聲催破夢重重；懶開鸞鏡羞梳洗，暗覺春光上玉容。」

廟見云：「華堂待曉燭光高，榛栗修儀禮拜勞；喜職舅姑傳好語，百年琴瑟祝兒曹。」

進房云：「珊珊環珮雜鳴璫，女伴相扶入繡房；悄語低聲囑夫婿，今宵辛苦莫輕狂。」

回門云：「聯歸省遊門眉，戚眷爭從隔耀親；柔否檀郎稱第一，深居久慣較豐姿。」

謝酒云：「綺席雙開孔雀屏，鳳凰台上笑提瓶；諸君莫强新郎醉，宿後前宵尚未醒。」

申謝云「重中佳禮豈尋常，此日華堂復舉觴；最惱無端衆賓客，酒闌猶要看新郎。」

調羹云：「三朝厨下學調和，奈未諳姑食性何；笑向小姑先借問，羹湯也許試嘗麼。」

十日云：「同心結帶忽經旬，伉儷情緣想倍親；屈指芳時符一兩，行雲女也解宜春。」

滿月云：「溫柔鄉裏樂遊仙，燕婉歡聲一月傳；小別也應相慰藉，惱人無那夜如年。」

會親云：「蒹葭玉樹話相因，初見翻如得舊姻；恰比朱陳村兩姓，蘿蘿松柏誼彌親。」

謝媒云：「叨勞月老爲聯婚，撮合良緣賴美言；今日愧無持贈物，明年湯餅饋鷄豚。」

生子云：「充早巳兆佳兒，湯餅筵開喜物奇；共羨宜男符吉語，更將環膝盼含飴。」

偕老云：「百年連理樹成蔭，爲報孫枝巳滿林；好是鴻光稱舉案，新詩聊譜入瑤琴。」

以上自議婚至調羹，爲婚禮之一段，餘事創描述婚後纏綿，男歡女愛的綺麗風光，而描寫女兒新嫁娘的心理，更是迴環曲折，歷歷如繪。

我想凡屬新郎新娘，在新婚之期，緊張，神秘，嬌羞，愉快各情交織之下，確有如上詩所云的各種情態。新婚宴爾的夫婦們，我想讀了以後，必然更會增加今後伉儷的和諧。

秋瑾遺跡

道南

今年是開國的五十週年，使我們想起烈士秋瑾女士在他故鄉的遺跡，春秋佳日每每令憑弔的人肅然起敬！

軒亭口，在紹興市區橫街的十字街口，聳立着一塊高大的石碑，上刻着「秋瑾烈士紀念碑」七字，這裡叫軒亭口，是秋瑾就義的地方。秋瑾被捕後，清政府派了紹興知府，和山陰會稽兩縣知縣，在深夜會審這個女革命家，威脅利誘，她始終屹然不動。一九〇七年七月十五日淸晨，秋瑾就在這裡從容就義，時年才三十一歲。

風雨亭，在軒亭口對面的臥龍山上，她的友好根據她在就義前寫的「秋風秋雨愁煞人」的詩句，建立了一座「風雨亭」，來紀念這一代女俠。亭柱刻有國父孫中山先生所撰的長聯：

「江石矢丹忱，多君首贊同盟會；
軒亭留碧血，恨我今招俠女魂！」

如今風雨亭，已成爲人們馨香憑弔的勝地。

和暢堂，秋瑾的家就在紹興城南的和暢堂，這所祖遺的房屋，雖然不十分巍峨，但頗爲淸潔，秋瑾住着三間南房，書齋寢室連在一起。她廿年時代所作的像「莫重男兒薄女兒，平台詩句賜蛾眉，吾儕得此添生色，始信英雄亦有雌」。這些詩句，就是在這裡所寫的。

山川風物

海嘯慶談薈

病院生活憶語

諸葛文侯

我生平未檢查過身體的健康情形，因爲無論你的體格怎樣好，一經醫師詳細檢驗後，總是發現許多毛病，弄到自己神經緊張，念茲在茲，心神不寧的。最近客游台北，就便參觀專爲軍人而設的「榮民總醫院」，見其規模宏偉，設備完善，殊表贊美之意，該院主持人乃再三勸我入院檢查身體一次。我說行年雖逾周甲，尚無病痛，唯自幼即患小腸脫出症（中國俗語叫作疝氣病），以其並無痛苦，等閒視之，不知有無特效葯可以治療？該院鄒副院長莞爾而對曰：「就現代醫術看，此乃所謂癬疥之疾，一施手術即霍然而癒，不成問題。然若養癰貽禍，則到老來一旦抱病，觸發小腸脫出之後，不復縮進，那是可以制命的！」余謂：有是哉，長痛不如短痛，願受一割而就醫焉。

首先入院作全身檢查，認爲我的心臟血壓皆正常，可勝刀圭之任，乃決定十月十一日施手術。先夕護士小姐送來一張保證書教我簽字，內容是聲明若因開刀而發生意外時，各安天命，與醫院無涉云云。猛憶及吾友台北名律師吳鼎愼兄在台大醫院的一段故事，心裡不免有些嘀咕。吳兄曾入台大醫院割治胃疾，一切皆已準備妥當，他在定期施手術的前日，瞧着院中懸有「吳某某明日開刀」的一塊牌子，心中爲之一怯，連夜棄其衣物而潛出醫院，再也不願施手術了。我呢，不欲示弱，硬着頭皮簽字，但照例還須親人連署作證，我並無家屬在台，祇好把管理榮民醫院的「行政院退除役軍人就業輔導委員」副主任委員趙孟元先生的名字填作保證人，護士小姐似有難色，認爲不合規定。我告訴她，趙主任是我的老鄉，他又是送我進醫院來的人，可以作保的。例行手續就此完畢，唯有靜候「開刀」了。

次晨，替我施手術的自由中國外科第一把交椅大國手張先林醫師來看我，說這是小手術，教我莫害怕，我故作壯語，表示滿不在乎的意態，實則內心上總覺得有些不自然哩！繼而護士小姐將我送上手術室，半身麻醉之後，張大國手全身披掛，只露着兩眼，左右隨侍幾位助手，他將我的右下腹割開，從上腹部一層層地針縫腸子，隨縫隨講道理給助手們聽，我雖不感覺痛楚，却淸晰聽其語意，知道肚皮巳經破開了。護士小姐急以毛巾掩蔽我的雙目，經過半小時功夫，手術即告完成。（一）

內僑警台報字第〇三一號內銷證
自由報
THE FREE NEWS
第一八三期
中華民國僑務委員會頒付
台教新字第三二三號登記證
中華郵政台字第一二八二號執照
登記為第一類新聞紙類
（逢星期三、六出版）
每份港幣壹角
台灣零售價新台幣貳元
社長：雷嘯岑
督印人：黃行寰
社址：香港銅鑼灣高士威道二十號四樓
20 CAUSEWAY RD 3RD FL
HONG KONG
TEL. 771726　電報掛號：7191
承印者：四風印刷廠
地址：香港灣仔高士打道二二一號
台灣分社
台北市西寧南路壹壹柒號二樓
電話：三〇三四六
台郵撥儲金戶九二五二

關於文藝輔導機構

陳紀瀅

一、

陽明山第二次會談，以教育新聞為主，未將文藝包括在內，有人譏為「文藝落選」。陳院長在立法院於答覆李委員曼瑰質詢時說：「陽明山第二次會談沒有邀請文藝界人士參加，是因為這次會談以教育為主，如文藝，音樂，戲劇，電影，繪畫，門類甚多，如逐一邀請，會場也容納不下，這不是陽明山會談不重視文藝。」又說：「有關文藝的問題，近年來政府雖很注意；但沒有什麼表現，現正考慮在教育部增設一個輔導機構，以作積極的倡導。」

有人問我：「你為甚麼不替文藝界講話，促起政府的注意？」我答道：「有李委員的質詢，和陳院長的答覆，已經夠了，何必再饒舌？」我又說：「我們從事寫作誰是看政府的顏色而動筆的呢？今後沒人請你會談，難道你就停止工作了嗎？」真的，文藝工作是一種志趣，不應涉及名位思想，假若一定要走俗路，那便可悲！我絕對諒解政府舉辦陽明山會談的苦心，邀請誰與不邀請誰確實無關宏旨，我所以關心的乃是政府究竟對於文藝事業已否有新觀念；假如有，我們的道義責任便有了移轉去處；假如仍然沒有，無妨竭力呼籲，呼籲之無效，也就不必替時代担憂，讓它自然發展，等到肉變成膿以後，也許會開刀。這種論點雖跡近消極，但確合乎中國的處世哲學與人情。為自己爭地位，總非文士本份；為事情發言，則義不容辭！

二、

據港報載：陽明山第二次會談時，陳副總統向與會人士說了一個訪美時的小故事：陳副總統問一位美國民主黨議員：「你們美國政治家，對非洲小國家比對中華民國為重視，究竟有什麼理由？」那位美國民主黨議員答覆得很坦率簡單，他說：「因為非洲國家天天在叫，你們中華民國不叫。」

假如這個故事會感動了陳副總統甚至於影響了我們今後在國際上的肆應方法，自然不失為陳氏此次訪美重要收穫之一。因而聯想到政府處理國內問題，凡事是否也需要「叫」才注意？才重視？我認為一個領導世界的國家，如果光憑別人叫囂決定自己的政策，那個國家一定在領導上發生了問題；同樣，一個政府也只憑人民吵吵鬧鬧才辦事，那個政府一定也表現了它的無能。所以我企盼陳副總統從一則親身經歷的小故事中，吸取智慧，己所不欲，勿施於人。

三、

誠然，近年來政府對文藝問題雖很注意，但沒有什麼表現。陳院長不諱言事實，為負責國事者的光明磊落風度。同時他說正在考慮在教育部增設一個輔導機構，以作積極的倡導。我們雖然還不明瞭這個所謂輔導機構的性質，甚至於懷疑一旦成立後它是否能担當一部份積極性的工作，但樂觀厥成。有一個機構負起責任來，總比投奔無門好得多。

如衆所週知，若干年來，在政府部門中，始終沒有一個主管文藝事業的專管機構。文化擴而大之，凡觸及到文化有關問題，無論請示與商談，必須邀到四五個機構以上才能談得攏。譬如出版歸內政部，新聞刊佈歸新聞局，但登記則又屬內政部，但廣播則歸交通部管轄，而文學，戲劇，電影，音樂與美術等，雖列入教育部社教司執掌，但有名無實，遇事仍須邀其他機關會商。因為社教預算全年才五十幾萬，而它的執掌又僅限於消極性的補助。原來在訓政時期，文化事業曾由黨部負責，行憲以後，黨部文運機構停止，政府內的職司則並未加強。因此，多年以來，在政府方面是只管教育，不管文化，只管學校教育，而社會教育每年僅能運動一週。文藝事業也就因此久處於無人理睬的狀態下，自由則自由矣，但在我們整個文化事業極端脆弱情況中，奄奄一息，戰鬥作用實在微乎其微。

「文化」一詞，含意至廣；但若除去文藝修談文化，則等於捨本逐末。目前舉世不僅以文藝為戰鬥武器，同時也藉以發揚民族文化；至於以電影，音樂，出版物賺取外滙，增加國家財政收入，更是最現實的例證。而我們搬運故宮文物向外展覽，以爭取友情。這些東西也無一不是中國藝術品。所以，非不知，是不為也。

四、

近年來，常聽到政府增設文化機構之議。對於增設機構我認為並非重要，因為政府若不肯編列較多預算，就是勉強另成立一個「文化部」，只是安置幾個人而已！假若僅為統一事權，達到一種消極目的，加強教育部社教司（或易名為文化司）的職掌就成了，何必多費事？如果想做一番事業，希望發生些積極作用，那麼僅成立一個「輔導機構」顯然還不夠。「輔導」二字，就含有消極意義，預示無責任感；既無責任感怎能會積極的倡導？

我們鑒於國內外情勢，任何消極目的，已不適用於今日。所有有益於爭取勝利的步驟都應以積極精神來推行。有人若問：「國家窮到這個樣子？哪來的錢再設機構？」在歐美諸國，文化事業多半是民間自己舉辦啊！政府何必多管閒事？

對於前一問，原則上，我承認國家財政的確困難但我不承認絕對困難，因為我們有若干地方還嫌太浪費！有些不急之務，動輒千八百萬元。試想建築一個什麼館和一個什麼場的經費，若移作辦文化事業，能辦多少事啊！更有人計算過，假如把一個兵士的軍費，移來成立一個文化部，則這個部每月可拍兩部電影，培養一個到兩個交響樂團，天天可有話劇和國劇演出，並且可出版十本以的書籍，至於美術展覽更為易事。它的影響力也許超過一團兵力若干倍，但也許是無形的！

對於後一問，我認為在工商業不發達的今日，政府若坐視無視，這些賠錢事業，在短期內，很難有轉機。因此可知這完全是觀念問題，假若我們仍然把文藝事業目為點綴品，只當它是娛樂，則聽其自生自滅可矣，否則，若覺着它不比辦教育為次要，就應該比照國家教育預算來增列經費，開創文化事業。我深信只要每年節省一筆不急之務的開支，足夠設立一個部而有餘，如其不信，請核算一下！

五、

凡曾經與共匪打過交道的國人，都知道我們失敗的根源雖屬多端，但敗於文化宣傳則居首要，而匪共利用文藝為宣傳尖兵，迄今仍努力不懈！我們接受了痛苦經驗，就應該避免再蹈覆轍，矯正前非，如果既知之，而聽之，那眞是令人不可思議的事了！

（五十年十一月三日）

漫画天下　南施

不殺雞何以儆猴？

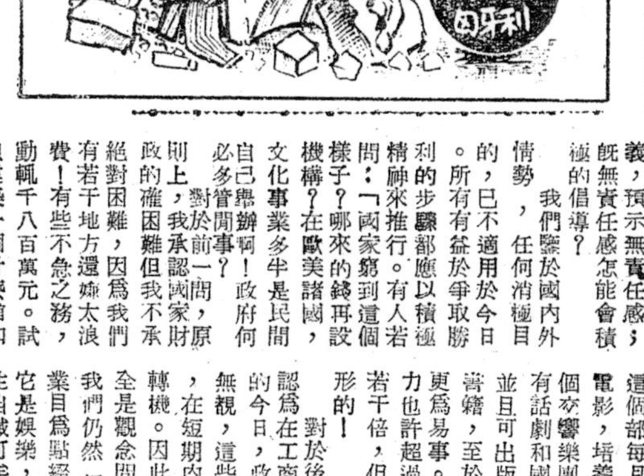

騎在史太林頭上！

自由談

台灣的三多

馮五先生

細心體察台灣各方面的現實情況，我發覺當地有三種事象特別多：

一曰會議多。任何大小的行政機構，一天到晚不聞人語，但聞開會之聲，除了法定的例會以外，左一個檢討會議，右一個小組會議，還有所謂綜合會議，聯席會議，定期會報等等。會議的情形是專門說廢話，旨在爭權卸責，浪費時間，永遠解決不了問題的。會議的目的是在一面偽裝工作緊張姿態，一面備作推諉責任的地步。總而言之，實行瞎混主義而已！

二曰政績報告書多。各個行政衙門以及國營、公營企業機構，隨時編印散發一些所謂工作報告或紀要之類的專書，內容可謂無善不備，有美皆收。至其統計圖表之完備，紙張印刷之精美，更屬不可多得。然按諸事實，卻係一派自欺欺人的誑詞，沒有絲毫價值之可言。我估計各機關每年為着印製這類無聊刊物所耗費的公帑，必不在新台幣千萬元以下，因為有些刊物還是到國外去印製的。這筆經費足夠一座大學或一家工廠的一年開支了。

三曰繁文縟節多。一年四季皆有「慶祝」「紀念」之類的玩藝，如農民節，勞工節，商人節，記者節，婦女節，建軍節，青年節，教師節，光復節，國父誕辰，總統誕辰，國慶紀念這些名正言順的曠典，例應大舉慶祝，不惜糜費之外，還有這個團體的成立紀念日，那個學校的創建紀念日，也非大事宣傳慶賀一番不可。至於名公鉅卿們的個人生辰或婚喪典禮，大家更是趨赴唯恐不先，應酬深怕或後，而無謂的簽名運動，尤其風靡一時。此外更有聖誕節，復活節這些洋派慶典，亦照樣大搞特搞。住在台灣一年三百六十天之中，總有一百八十天忙着這類節目，相率張皇幽渺，樂此不疲，我不明白這對於反共復國究有多大的裨益呢？

綜觀這三多的情形，住在台灣的人，恍若置身極樂世界中，殆已不知有漢，遑論魏晉！然而大人先生們卻隨時侈言節約救國之道，強調「毋忘在莒」之義，這不是自我諷刺嗎？憑着這些繁文縟節，配以各級行政機關的官樣文章，再加上琳瑯滿目，洋洋盈耳的標語口號，反共復國的工作，盡於是矣。這與唸孝經以退黃巾賊的心情，有以異乎？本報上期所刊陳涉先生大作「讓大家活得光彩」一文，希望自由中國執政黨及從政人員能有革面洗心的新作風表現出來，確屬憂國憂民的心聲，足以代表海內外一般反共人士的意志。袞袞諸公如其真有讓大家活得光彩的興趣，而不願使自己成為歷史罪人，當務之急，即請先改革上述的三多生活始！

護憲勇士，推己及人
監院檢討會幕後種種

（本報記者台北航訊）監察院從本月四日起，舉行爲期一個月的檢討會議。于院長在檢討會開幕的那天，呼籲全體監委做一個「護憲勇士」的名御史，不爲力屈，不爲利誘，否則，就對不起在前綫保衛國土的戰士了。語重意長，怎不叫人省惕？

該會議開始的第一天，首先被轟的不是外人，而是監察院秘書長劉凱鍾。監委王澍霖針對「監委院工作報告」書印刷錯誤的地方，加以檢討。劉秘書長起立說明印刷錯誤的原因，不料因而反起一場頗有火葯味的指責，要不是主席副院長以「疏忽」出而圓場的話，這場風波可能弄得無法收拾。據一位監察委員曾私語記者，秘書處值得檢討的地方太多了。比方說，該院這次修理房子，就沒有公開招標，顯然不符合規定。如果監察院本身不依照規定，試問，又怎麼可以去監督政府機關？這不過是許多事件中的一個例證而已！因此，少數監委們甚傳有「易長」的醞釀，所謂易長者，係指于院長而言。

爲甚麼少數監委不滿意于院長呢？說來眞是話長。有人認爲：若是于院長早幾年領導全體監委爲「護憲勇士」，則監院過去許多重大案件，就不會無疾而終了，而醞釀「倒閣」的傳說也就不至發生。故監委檢討秘書處不是沒有原因的。

預料這次檢討會，有幾個老問題，可能較往年更認眞的檢討，如監院行使監察權的問題，如高地院改隸問題，如民意代表兼任公營事業董監事問題，如公營機關集體貪污等。

監察院行使監察權是中華民國憲法賦予的特權，按常理而言，不應有問題的。但自從監委陳大榕以司法行政部調查局嘉義調查站，嘉義地院，台南高分院審理嘉義市民林成舟涉嫌經營地下錢莊案，均有違誤，最高法院推事歐陽經宇等故入人罪，違法失職，特提案彈劾，移送懲戒會辦理。嗣以破彈劾人歐陽經宇等不遵守法定程序，擅在報端披露意見，因而引起監察院對司法官行使監察權的問題。監委對於此一問題，極爲重視，會研究處理辦法及交換意見，現在原則上仍遵照憲法及監察法規定辦理，但監察院的糾彈案，實質上已失去其作用了。基於此，該院除在檢討會檢討外，並採取有效的制裁。

高地院改隸問題，經司法院大法官會議解釋在案，但迄今尙未實行。據監察委員透露，有關方面正在研究這個問題，且有人主張：採取法國革命前所行之制度。因而監委特別重視這個問題的發展。

民意代表兼任公營事業機構董監事的問題，如立法委員兼任公營機關董事長，若按照憲法第七十條規定：「立法委員不得兼任官吏。」準此，立法委員兼任公營機關董監事，即爲違法。可是事實上，立法委員與省議員兼任金融機關董事長與總經理及經理者，卻不乏之人。所以監委將在檢討會中提出來檢討，以爲改革政風的張本。

省公路集體貪污舞弊案，陶百川委員在檢討會上，曾提出兩點意見，檢討監察院調查委員。陶委員認爲：該案涉嫌人員，多係處長，廠長，科長級的公務員。但處長廠長以上的高級員，即公路局局長副局長，有沒有涉嫌，應予調查，可是調查報告關於這一點沒有報告，値得懷疑，他不相信主管官員（指局長）連失職包庇的行政責任也沒有。而審計人員有沒有涉嫌？他的看法是：如果審計人員沒有涉嫌，就是審計制度有問題，否則，絕不會兩全其美的。陶委員的意見，經大會決議：「本案併交院務小組。」

監察院爲加強懲治貪官污史，主張加重處刑。現有刑法有關公務員侵畧，竊取或盜賣公有財物之處，認爲刑輕科重，不足以收懲儆之效，似應修改刑法有關條款。以侵佔公有財物數額多寡，而定徒刑輕重，俾能懲一儆百，而收刑期無刑之效。同時，公務員侵佔公有財物，必須負賠償之責任，除其依法偵辦外，並將其個人所有財產予以依法強制執行。

此外，今年該院檢討會議前夕，確有幾件事與往年不同，比如在會議前，該院大事修理內部，把這幢古老的房子，粉刷一番，使人走進監察院大廈沒有「破落戶」之感。而該院爲了維持議場秩序，實行憑「證」出入，於是，工作人員有「工作」證，列席員有「列席」證，新聞記者有「記者出入證」，各式各樣的證，滿目琳瑯，此一新措施，據說，是委員們所一致主張的。但委員們例外，不需要「證」可以大搖大擺出入議場。

儘管花樣翻新，是不是甘心維持議場秩序？這就要看與會者是不是一律守法，及其中有沒有「特權」階級而定了。（本報記者公冶長寄）

寶島怪事

▲特權紳士罵女推事：新竹地院法庭上，有前縣議長鄭玉田，在神聖而莊嚴的法庭上，公然辱罵女推事黃雅卿，被處拘役三天，以示司法尊嚴，可是，這位曾任縣議長的「紳權」十足，地方法院院長，將圖書室作爲拘役所，特別爲他擺床舖，以看守所所長辦公室作爲他的會客室，三天之內，訪客盈庭。這是受拘役三天呢，還是受優禮三日？如此受罰，小老百姓也來一個，行嗎？

▲包公再世：女推事黃雅卿，裁定處鄭玉田拘役三天之後，奇怪的是竟有人贈送她的錦旗，上書「包公再世」，女推事不納，她要送錦旗的鄭紹棠，將錦旗贈給鄭彥棻部長，說那是鄭部長的領導有方。被罰拘役者姓鄭，送錦旗者也姓鄭，再加上鄭部長便是三鄭，且看這三鄭如何下台吧！

▲鄭玉田三日拘役開釋之日，有縣政府主任秘書及現任議員數十人均到看守所迎接，大擺接風酒宴。場面動人。昔日有「紳權」，地方紳士可以自由出入衙門，爲人說項，乃至咆哮公堂，目無法紀，官吏本於「爲政不得罪巨室」的做官要訣，古今同然。「紳權」便是「特權」之一種。法律之前人人平等云乎哉！（燕謀）

中國國慶在巴拉圭

·衛國·

（南美通訊）巴拉圭是南美的心臟國家，二次世界大戰後已成爲西德、日本、法、意、西等國移民們的樂園了。在地球上，台灣和巴拉圭兩地之間的距離最遠；因此華僑旅居巴拉圭者僅有兩家。彼等經營商業，出售國產古物、飾物及名貴衣料，係當地聞名之「中國商店」，即現在阿根廷總統法朗蒂西訪巴拉圭時，其夫人爲「中國商店」尊彩，法朗蒂西總統並親函該店負責人，對該店讚譽備至，至今仍珍藏於該店中。兩家華僑對推展國民外交之功甚大。本年十月十日係中華民國開國五十週年的紀念日，兩家華僑店舖特休假一天慶祝，兩幅巨大的「青天白日滿地紅」的國旗在巴京亞松森的商業區內中國店舖門前，迎風招展，有「鶴立鷄羣」的感覺，頗爲引入注意。

我國與巴拉圭國自一九五七年七月八日建立邦交以來，關係漸趨密切，我國於一九六〇年五月在巴京亞松森設立大使館。本年八月十八日在巴京簽訂中巴文化專約，歷屆聯合國大會中，巴拉圭係堅決支助我代表權的國家之一。即我競選連任經社理事席次所獲有限數票中，巴拉圭即係其中一票。巴拉圭係拉丁美洲反共最堅決的國家，和歐洲的西班牙，亞洲的中華民國，被譽爲歐亞美三洲反共堡壘，良有以也。

十日上午我駐巴拉圭祕書江偉民，在祕魯駐巴拉圭名譽領事巴里奧千那及智利駐巴拉圭使館隨員沙拉諾（其夫人爲巴拉圭司法勞工部部長之妹）陪同下赴巴拉圭國有廣播電台，在該台台長接待下，於十月十日上午十時十分播出我五十年國慶特別節目。情況良好。該台台長面洽江祕書願日後作更進一步合作。該台聽衆遍及巴拉圭全國，及南美阿根廷，智利，烏拉圭，巴西等國，頗收宣傳功效。

我駐巴拉圭大使館所舉辦之國慶酒會於晚間七時起舉行。因我駐巴拉圭大使館代辦孫公使邦華係海外僑選國大代表，在拉丁美洲使館服務三十五年以上，亦係我國唯一之拉丁美洲問題專家，奉派爲我國出席聯大第十六屆常會代表團顧問出在紐約，故酒會由孫公使夫人主持。到有巴拉圭國防部長，衛生部長，執政黨主席，各國駐巴拉圭外交團，領事團，軍事顧問團全體團員。巴外長薩板納因公出在烏拉圭首都蒙地維的亞開會，由巴拉圭外交部代理次長沙隆及巴外長夫人等代表巴外長向孫夫人致賀。巴拉圭總統史托斯納除致電蔣總統致賀外，並特致送使館大花籃壹個（按：駐巴各國使館計達數十個之多，於國慶日收到巴拉圭總統花籃者僅烏拉圭與我國兩國，極感光榮）並派親信禮官艾思弟加里維亞爲代表到使館面向江祕書轉致史托斯納總統致賀之意。

我國慶酒會共收到各界贈送花籃八十七個，禮品四件共九十一種。到有貴賓七百餘人，各政要首長及駐巴使節均攜巳成年（十五歲以上）之女公子赴會。名媛淑女，交聚一堂，此酒會被巴拉圭各界譽爲「全巴拉圭美人的大集合」，「巴京亞松森春節（按：自九月起巴拉圭進入春季，宴會甚多）最盛大的宴會」。

酒會中並放映「四十九年國慶閱兵」及「今日台灣」等國產影片助興。貴賓尤其是軍人出身的巴拉圭國防部長，巴西駐巴拉圭大使，美，阿，巴西等國駐巴拉圭軍事武官，及軍事顧問團人員，對我國軍陣容之壯大，訓練之優良，至爲敬佩。紛向曾在金門服務現爲後備軍官之我駐巴拉圭祕書江偉民致賀。

全球名貴香檳酒，威士忌酒，中式點心、珍品任意無限供應。賓主歡洽，溢於言表。酒會延至深夜廿三時半，貴賓始陸續辭去。

章士釗晚年頹唐

（本報特訊）投共的一般所謂民主黨派子們，在過去十餘年中，比較地膺受折磨凌辱不多者，要算以寫「居然吾郡成豐沛」的無聊詩句之章士釗（行嚴）爲首屈一指了。但最近毛共宣傳喉舌「人民日報」，突對章氏下攻擊，說他在民國十四年跟魯迅筆戰時，竟不知「每下愈況」這句古話的意義。共黨最喜歡算舊賬，尋瑕疵的，八年前，章氏在「人民政協會議」席上，談到政治上的貪污問題，說了一句「物必先腐而後虫生」的古老話，即被共黨唆使王崑崙，黃紹竑等出面檢討鬥爭，指章氏所說的語意違背了唯物史觀，理由是物雖不腐亦可以生虫呢！如今「人民日報」忽又藉「每下愈況」這句古文來攻擊章氏，用意似在使章氏不安於秧歌王朝「文史館」副館長的職位，同時亦是嫉視他近兩年來不時到香港，徜徉優游，虛耗公帑，而對統戰毫無所獲吧？

隨着「人民日報」攻訐之聲而來的，又有章氏家嬬吳弱男的河東獅吼，隨時大發雌威。原來章氏與一妾住在北平，大嬬吳弱男年近八旬，久居杭州頤養，不預外事的。詎最近她亦老興勃發，搬到北平去居住，卻不顧與章妾共處，而別立門戶，要行嚴每天來家裏報到一次，章氏在積威約之勢的情境下，只好奉命維謹。但以自己行年八十之故，飲食起居需人照應，這類任務自然是妾不如妻，因而章氏常常誤卯，以致不能按時赴大婦處報到，以致構成「室人交遍謫我」的痛苦狀態，無以自遣，而與弱男卻對入大罵章行嚴「嘸不良心」。

章氏日常嗜食英國餅干暨舶來品的朱古列糖，然大陸上沒有這些貨品。他另有一位如夫人是住在香港的，乃吩咐海隅的朋友隨時購寄兩種食品給章氏，可是，又怕因此引起共黨的檢討指斥，即教朋友們購寄食品時莫寫章士釗的名字，而分別寄給章氏的兒子章可，及其秘書陳天佐二人代收之，自然會交與章氏的。詎料大陸人民正在極端飢餓之中，章可，陳天佐收到這些食品後，明知是章老漢之物，亦佯爲不懂竅，自行享受了。章行嚴迭接港方朋友惠寄食物的信件，卻不見物品到來，仔細查詢，廉得其情，曾對兒子與秘書加以詰責，而那二人聲言那「明明是寄給我們的，我們當然受用。」章氏一氣之下，急函港方如夫人轉告各友，嗣後切勿寄食品給他，以免淘氣傷心。這也可以證明大陸上的飢饉情況是何等嚴重啊！（悠悠生）

新聞界的趣聞

最近英國的雅麗珊郡主，代表英女王訪問香港時，港政府曾舉行記者招待會，介紹各報的主編人員跟郡主相見，按照秩序，每次介紹兩位記者向郡主握手致敬。適逢香港時報主編人劉某與新晚報（共黨宣傳刊物）主編人羅某一同趨前，港督向郡主介紹道：「這是反共的香港時報劉先生，這是擁共的新晚報羅先生。」郡主愕然曰：「哦，你們是敵對者。」劉氏答道：「我們是朋友。」聞者爲之大笑。在這種典禮中，來賓祗能答話，不能發問的，所以這段趣事亦就到此爲止了。

※短篇小說※

君子好逑

朱韻成

未婚夫婦張羅完了，也搭嘴進來。多了這兩把嘴就顯得熱鬧多。未婚夫婦的說話聲音好像兩搭滿天飛的搭子：吳志剛這邊搭上一分半分鐘；張芷君那邊搭上一分半分鐘；然後相互間又搭上分半分鐘。吳志剛和張芷君幾乎一直沒有說話，只陪着笑笑。

吳志剛看着陸老三眉毛眼睛鼻子嘴巴亂走的肥臉，很感訝異：一向在女人面前縮頸彎身抹咀抓腮結結巴巴的陸老三，竟會那麼眉飛色舞！

「……唔，嘿嘿，在大學裏我跟志剛是同寢室的，我睡上舖，他睡下舖。有一夜裏，唔，夜裏，我睡得好好的，忽然有甚麼東西猛撞我的床板，一下子把我嚇醒過來，一身冷汗，原來，唔。嘿嘿，原來是志剛半夜裏做夢和人打架，一腳踢去：：哈哈！」

大家都笑了。吳志剛想起那一回事，也輕快地笑着。

「……眞不懂志剛躺着怎能踢這麼高，又那麼重？他的大脚趾都踢出血來，結果歪着脚，過了一個多禮拜。……」

張芷君一直都微笑着，但總是怯生生地；她老像不好意思笑的樣子。

晚飯可說是吃得很開心的：除了有一兩次沈默的時候，吳志剛覺得很滑稽，很空虛，很無聊。他覺得自己在做夢，又像在做戲。「我眞像個小丑。」他暗裏跟自己說：「這種傻事只留到幾年後給人笑談罷了。」

他仍然陪着笑，可有點洩氣了。他看看張芷君，她的咀角掛着虛浮的微笑，但眼神却惶惑不定：難道她也覺得自己在做小丑戲嗎？

陸老三難得的健談和笑話竟顯得有點可厭了。

「我買了九點半「所羅門王」的票，時間差不多，該走了。」陸老三終於站起來。「你們都沒有看過這部片子罷？——喂！」他轉過身去叫堂官會賬。

「老三，讓我來！」吳志剛站起來追過去。但陸老三錢已掏出來交給堂官了。

「這，哎，老三，這怎麼行？」

「這次由我，下次（他把聲音壓低了。）該我吃你的喜酒了。」（三）

哥哥的故事

汶津

「爸爸，」我指着報紙第一版的一則啓事說：「您瞧！」

顯然日趨蒼老的爸爸瞧了一眼我那激奮的神色。

「見鬼！這些個新式的廣告，專會把那些天曉得的漂亮話套了色，用大號字排出來，他們假裝不知道那些最糟的評語！哼，我想那又是一本書，一本年青人寫的書！」

「不，不，」我不知怎麼又有點猶豫起來。「這是哥—」果眞，有些不對的東西出現了。爸爸的臉部起了劇震；咀部四週的肌肉蠕動着，我眞怕他會迸出「這畜生！」三個鐵釘似的字眼，但最後一秒鐘他遏止了自己。

我想他是冒火了，雖然還不像維蘇威火山爆發那樣。可是那時間竟是如此的短，—爸爸恢復了原來的嚴肅。

他急切地抓起老花眼鏡，却裝着毫不在意的模樣，我好容易把湧到喉頭的笑聲歛了回去。每次，幾乎都是這樣。

爸爸讀到那則訂婚啓事了。我的心和那幾個在爸爸鏡框邊緣晃動的紅喜字二樣，跳動在我的胸腔裡。

「哼！」爸爸重重的發了一聲，把報紙擱下了。我看着他的神色，一顆汗珠不知從那個角落滴了下來。我想我又該接受一頓冗長的教訓了。這會子我只好相信自己有那種耐性。好久，我的眼睛儘量不看那張報紙，也不看爸爸的臉。終於，他下了決心似的，向我揮揮手。

我退出房間。我閃在房門的一側，屛息地注視着。

終於我看到爸爸的臉像一束橡皮筋似的鬆弛了下來。連他自己恐怕都不覺得的歎了一口氣。他又拿起那份報紙。

我也不喜歡哥哥。但是說眞的，他實在有點喜歡他。他永遠有那麼機靈的一個頭腦，想得出那麼多永遠不膩人的玩意兒。可是每當他判定我又犯了「娘娘腔」的時候，我可就有得受的了。他總是向我發脾氣。「這正是男子漢大丈夫的氣性！」他屢次三番鄭重地向我宣言。他是愛發脾氣，可是他不受人家的脾氣。爸爸也有讓人夠受的脾氣，哥哥可不肯領教，總是不肯。爸爸也發我的脾氣，那更容易滿足些！我想。我都受的，並不是說我都受得住，我只是受。我想假使我有了個弟弟或兒子，我也會發的。哥哥說這是一種高貴的遺傳。他驕傲地發脾氣，可是他不受別人的，絕對不受。

終於他走了。「一輩子也不回來了！」最後一次他恨恨的在門口說。他總說爸爸最好去管理動物園，而他不是一隻動物。我說我也不是。他說我倒像隻兎子或者綿羊什麼的。要是有個弟弟妹妹什麼的，我也會很神氣的對他們這麼說—我總是想。

那年秋天，媽不幸去了天堂。爸爸從不相信「見鬼的」天堂，不過那次他流着傷心的淚說：媽是值得進天堂的—「除了你媽就沒有別個配」。從此他更恨透了哥哥。他一口咬定是哥哥害壞了媽，儘管誰都有數媽是患了絕症過世的……

我看到爸爸閉着眼睛端坐在沙發裡。我希望自己不再想些什麼。

爸爸沒有午睡。我也睡不着：我想起我跟哥哥的童年，我想起爸爸「倒豎起鬍髭」（這是哥哥的文章）大發脾氣，我想起了媽的喪禮……這恐是我生平最吃重的一次。[illegible]門了。傍晚的時候，一別三年的哥哥站在我的面前。他不是單個兒來的，一個女人跟他一道站在門口。

從那一秒鐘開始，我的神經便像被髮夾鉗住了那麼緊張。我甚至忘記了看一看那個陌生的女人。我的眼光凝注在爸爸和哥哥之間的一點—假如眞有那麼一個中點的話。

爸爸巍然的從椅子上站起來。項上的幾絲白髮，不經意的漂游着。

「爸爸！」哥哥突然衝了過去，擁住了什麼。他們一起擁住了些什麼。

我第二次看到爸爸滴那麼多熱烘烘的眼淚。

我想爸爸總是想通了些什麼。哥哥也一定想通了些什麼。

我也得去想通些什麼。

人生舞台

・羅蘭・

日前，某電影公司招致男女演員，看了報上描寫試鏡時的情形，覺得十分有趣。先是每位「準明星」各自在草地上做漫步狀，又突然舉手高呼再見，並做憂鬱狀；然後再微笑，呈充滿希望狀。一會兒，演員又應導演之令，作突然狂喜狀，手對草地上一指說，「啊！原來是你……」

據報上說，參加考試的人，除少數受過訓練，或極有表演天才的之外，多數表情古怪，動作失常，笑料極多。可見演戲人才之難求，也可見當衆表演之不易。其實表演者，也無非是佯笑假哭，乍悲又喜，言不由衷之謂也。試想，我們平常誰沒有言不由衷的時候呢？誰沒有强顏歡笑，將悲做喜的時候呢？又誰沒有鞠躬如也，狀至奉迎，心實厭惡的時候呢？而且，當斯時也，我們的表演豈不也極其自然神似嗎？爲什麼一旦被導演指揮着，去做喜怒哀樂諸表情時，反而侷促不安，手足無措，動作僵硬起來了呢？細想起來，其中道理却又簡單，原來，我們在日常生活中虛僞作態時，只有自己是在演戲，而考場上的準明星們却是「人家都知道你是在演戲」既然人家都知道是在演戲了，倒反而不好意思充分大膽的表露我們先天的演戲才華了！我想這個道理大概不錯吧？

在人生大舞台上，串演了半生悲歡離合的我們，演戲的經驗不可謂少。由小時候學習應對進退的禮貌開始，就是在學習演戲，演得最好的是最乖的孩子。長大之後，走入社會，戀愛結婚，掙錢養家，演戲的機會就更多了。比如說，會見生人的時候要客氣週到，和僚屬談話的時候要道貌岸然，對上司應對要謙恭和氣，在客人面前要小心歛束，做客人的時候要彬彬有禮；店員對待主顧，醫生對待病人，都得隨時不忘職業上的微笑。他如受挫折時仍得强顏鎮靜，吃官腔時不能怒形於色，失戀之後要表示「輸得起」等等之類消極的演戲尚不在話下。因此，我們都已經是有經驗的演員，雖然不一定是成功的演員，却正如銀幕上的演員一樣，演技佳妙的人，所得的采聲多，扶搖直上的可能性也大。我們雖不想在銀幕上做成功的演員。人生舞台上的演員演技越佳妙，越被人認爲是正常的，值得追隨模做的人物；而那些少數不肯演戲的，要隨時流露出眞性情用眞面目和世人相見的人，反而被世人目爲瘋子。

因此，我們如想見容於這個世界，如想被人目爲正常，就必須隨時不忘裝腔作勢，努力訓練表演技巧，以求澈底遮掩自己的眞性情，而博得人生舞台最佳演員的令譽，直到劇終幕落，才得下裝休息，返樸歸眞。

說酸

劉超

狐狸吃不到葡萄，說葡萄是酸的，酸溜溜的，連口水也流了出來。狐狸如此，人類亦然。當你和女人談戀愛，談的火熱火熱，突然女的變卦，把你丟開。你就在背後說那女人如何如何的不好，所有的壞名詞惡點都從你的咀裏飛出。更有，當有個漂亮女人被男人挽住，人家問你如何，你把鼻頭一聳，臉一擺：「不過是個女人而已。」凡此皆與狐狸吃不了葡萄，說葡萄是酸的是同樣的道理。

其實，就事論事，就物論物。酸的本身就是酸。女人懷孕時，喜歡吃「酸」梅，「酸」菜，「酸」梅湯。越酸越好，酸的才夠味道。病在床上，什麼都不想吃，但對酸的却不拒絕。暈了船，嘔吐復嘔吐，一吃了酸的，胃就好起來。酸能開胃。吃不下去，有了酸味就能下嚥。

醋是酸的。罵人妒忌，說是歡喜吃醋，與酸葡萄的含意相同。但醋能調味，醋能解酒。醉的眞是嘔吐，話也說不清爽，[illegible]地在動，屋在倒，但醋到胃裏，大醉變成小醉，小醉變成微醉。所以醬米油醋茶，而醋也是其中的成份之一。

如果在運動會上，自以爲丟了香蕉皮，滑倒別個運動員而自己獲得第一，結果却滑倒了自己。這麼說來，吃不到葡萄而說是酸的，倒沒有什麼了。

山川風物

大陸文壇近況

沈尹默教訓臧克家

龍翔

毛澤東抄了一首魯迅詩給日本鬼子，臧克家就趕快寫篇文章大捧，筆者在前兩期本報寫過「臧克家拍馬留禍根」，曾斷定會有麻煩，果然，墨瀋未乾，臧克家的眞麻煩來了。十一月一日人民日報刊出沈尹默一篇文字，題目是「也談毛主席贈日本朋友的魯迅詩」，毫不留情指出臧克家解釋的錯誤。

該詩第一句「萬家墨面沒蒿萊」，臧克家解釋說是人民都在臉上刺墨，完全和囚徒一樣，漸漸死亡在蒿萊中。沈尹默指出這是錯誤的解釋，墨面並不是在囚徒臉上刺字，而是指一般人民蓬頭垢面。沒蒿萊是指人民沉沒在草莽中，沒有出頭日子。

第二句「敢有歌吟動地哀」，臧克家解釋是魯迅不敢歌吟，沈尹默以爲不是的，是說過着這樣日子的人們，自然是怨恨塡胸，大家不過極端隱忍住，不敢發出怨聲來，其實他們悲哀的呻吟，若果一齊發出，是可以搖撼大地的。」

沈尹默接着又說：「這裏的『敢』字是『敢嗎？』的意思。魯迅是熟讀古典文學的，他所用的動地哀，是出自李商隱『瑤池』詩，黃竹歌聲動地哀。」這段話明白挖苦臧克家未讀熟古典文學，更不記得李商隱的瑤池詩。

前面兩句解釋錯了，後面自然也就跟着錯下來，總之，魯迅的詩是代人民而言，臧克家硬說是「夫子自道」，這一錯和郭沫若解釋「毛瘟詩」有異曲同工之妙，所不同的毛瘟詩中間兩句「坐地日行八萬里，巡天遙看一千河」是毛澤東描寫自己，郭沫若却說是寫的一名懶漢，結果撞了大板。這次臧克家幸而捧的魯迅是死人，否則會有更大麻煩。

沈尹默的學識自非臧克家可比，人格更高出臧萬倍。可是這次也大恭維毛澤東一番，沈文在結尾的說：「我們敬愛的毛主席以一首生氣勃勃的詩，更加形象化了，把這一圓活飛動的草書，猶如在天的飛龍一般，人們的眼中，所起的作用，自然更加偉大而有力，我想日本朋友們得到這一份禮物會理解到這一點的。」

沈尹默是名書法家，曾被于右老譽爲當代書家第一人，他偏恭維毛澤東的字寫得好，讀者們看了自然會明白是恭維還是挖苦，毛澤東那筆狗搖尾巴的字，沈先生却說是天上飛龍一般。更妙的是特別提醒去北平拍馬的東洋鬼子，要他們理解到這一點。這一點是什麼呢？大概指這條「飛龍」終究會攪得日本天翻地覆的，希望日本鬼子不要爲虎作倀。鬼子中間若有明白人，應該領會沈先生這番好意，至少不作開門揖盜的蠢事了。

倡建民國的楊衢雲

劉公木

「興中會第一任會長楊衢雲（見馮自由著革命逸史初集第四頁，商務四十二年二月台一版），原名合吉，後改爲飛鴻，字肇春，衢雲是其號。清咸豐十一年（歲次辛酉，一八六一年）十一月十八日生於福建省，漳州府，海澄縣，三都鄉，精拳術，勇公義，幼從其父游水公讀於鄉，十四歲時即到香港讀書，因少年就在民主之窓的香港，耳濡目染，乃有民主作風，因而首先倡建民國。

中法戰後（清光緒十一年，歲次乙丙），衢雲憤清庭腐敗，立志「反清復漢」，越五年，乃與旅澳州華僑謝讚泰（廣東中山縣人，飛船發明人）等十六人組輔仁文社於香港，以開發民智爲主旨。光緒十八年二月十五日更設機關於香港，百子里第一號二樓，以爲革命運動中心，楊被推爲會長。

治中日甲午戰後，堂堂大國，反受制小小日本，革命黨人從事革命益加激烈，團結全國革命勢力之思想遂形成，於是楊衢雲領導的輔仁文社，乃與孫中山領導之興中會合併，仍稱爲興中會。設總機關於香港士丹頓街十三號，店名乾亨行。中山先生駐廣州專任軍事，楊衢雲先生駐香港任接應及財政。至光緒八年二十三日因第一次廣州運動成熟，將在廣州起義，擬選會長，名之曰：「伯理璽天德」，此職預定爲合衆政府大總統，結果，楊衢雲當選。

他於乙未重陽節第一次廣州起義失敗後，即將聯絡國內會黨之事委託孫中山先生負責，親自到越南之西貢，新加坡，印度之墨特斯，加侖布，加爾各答，南非的尊士堡，彼得馬尼士堡等地，宣傳革命宗旨，並在各地設興中會分會，翌年十月始離非洲東返，抵日本時，復用中國合衆政府名義，印傳單寄及長江流域各省，以奠立世界各地革命基礎。

在八國聯軍入北京之前一年，亦是楊衢雲殉國前一年（光緒二十五年，己亥年冬，湘人畢永年和哥老會龍頭（即首領）李雲彪，楊鴻鈞，張堯卿，辜天祐有推孫中山爲首領之議？孫中山先生等亦責其於第一次廣州起義領導無方，致使失敗，楊衢雲乃辭興中會會長，並荐中山先生自代。

清光緒二十六年（歲次庚子，一九〇〇年），惠州三洲田起義失敗，興中會將領多匿居香港，清吏乃集矢衢雲，粵督德壽懸賞以殺楊，同志多勸其暫避。衢雲概然說：「男兒死則死矣，何避爲？吾寧授徒以養妻子，不忍虛糜公款，俾立一好模範爲同人先云。」終不肯走，乃於同年十一月二十日被清廷派出之兇手陳林，刺殺於香港結志街五十二號二樓英語教授室，享年四十。葬於香港墳場第六三四八號。

錢的攷驗

黑子

什麼東西能考驗一個人？除了時間之外，那就是金錢。

誰都能感覺到，朋友是愈老愈好。愈是老朋友，彼此認識的愈深，瞭解的也清楚，情誼也愈濃厚，就像酒一樣，愈是陳年愈香，愈美好，也最令人嚮往了。這說明了時間是永恒的，不變的。所謂日久見人心，時間可以考驗一個人。

但是爲了考驗一個人，爲了交一個朋友，如果你用時間去考驗他的友誼是否眞誠的話，即使不費掉你一輩子，也會去掉你的半生。可是，如果你使用金錢的話，你很快就可以得到一個答案。

爲什麼？因爲這個世界是一個錢的世界，有錢，萬事恒通，無錢，一籌莫展。一個人生活要錢，成家要錢，立業更要錢。一個人如此，一個家庭，一個社會，一個國家，又何嘗不是如此？如果沒有錢，什麼事都辦不通。這個世界鬧成這個樣子，爲了什麼？爲了戰爭。戰爭爲了什麼？爲了獨立生存。獨立生存爲了什麼？爲了理想的生活境界。

有人說戰爭打的是士氣，又有人說打的是武力，其實戰爭打的第一個是錢，第二個是錢，第三個還是錢！有了錢，就沒有你，有了錢，我就是一個主人了。不管這錢是怎樣得來，是香還是臭的，祇要是花花綠綠的鈔票，或黃澄澄的金子，誰不愛？誰不欲據之爲已有？因此，有了錢也就有了安全感；有了後盾，可以恃之無恐。俗語說：有錢可以使鬼推磨。怪不得人人都喜愛錢，並且不顧一切手段，不顧寡廉鮮耻，去拼命弄錢，因爲錢可以解決一切問題。

有了錢，什麼辦不到的事情都可是辦到，錢的確是魔法無邊，神通廣大。

多少人在說啊：錢這個東西算什麼，生不帶來，死不帶去，可是說的人儘管說，然而有幾個能做到不愛錢，不要錢？可見這個世界，還是一個錢的世界。

如果你要考驗一個朋友，借錢給他吧！

近人癖好

筱臣

筆者既已於十月二十一日的本欄以「奇癖談趣」爲題，述及前人筆記中有若干人的奇癖，殊堪發噱。茲篇所述的則爲近人的癖好，或許爲讀者所熟知的，舊事重提，或將感到更爲親切，大致不會認爲杜撰罷。

詩僧蘇曼殊，他一生的癖好除詩酒外，還以嗜吃著名，所以又有糖僧之稱。不過曼殊的吃，也與他之書畫一樣，不能列入正宗，他的吃法，似乎又都是小品的吃法。看過他的書扎的人，都可以知道他喜歡吃的東西是朱古力，摩爾登糖，冰淇淋，八寶飯，紅燒牛肉之類。他的胃病本來由於好吃而獲致的，病中還不聽醫生的勸告，喜歡偷偷的吃。這位詩人的生命，也終於便吃掉了。曼殊雖然能畫，但不肯爲人寫作，要想得到他的畫的人，就只有請他吃些東西了。

近代著名的大書法家李瑞淸（即淸道人），他是江西臨川人，辛亥革命之後，以遺老身份，寓居上海法租界，以鬻書爲活。他的嗜好，平日最喜歡吃帶有甜味的福建菜，每天都要光顧那家福建菜館「小有天」，因而有一副對聯：

「道道非常道；天天小有天。」

這聯傳誦一時，成爲藝林佳話。現在正是肥蟹上市的季節，淸道人對於蟹更有特殊嗜好，食量之大可以一頓吃一百隻大蟹，因此又贏得「李北海」（百蟹）的雅號。

現在台北的監察院院長詩人于右老，也有食的嗜好，詩酒同流，數十年如一日。抗戰之前，此老在南京國民政府作官，曾經幾次作蘇州之遊，蘇州的詩友們陪他老人家玩玩虎邱靈岩諸大名山，又乘船到木櫝去，在那家有歷史性的名家飯店以「巴肺湯」一菜著名。巴魚，有人說是河豚之一種，但味絕鮮美，毫無毒質，右老吃得酒酣耳熱之際，給石家飯店的主人寫下了下面的一首詩：

「老桂花開天下香，尋花走遍太湖旁，錦舟木櫝猶堪起，多謝石家巴肺湯。」

石家莊飯店，乃因此更加名滿江南，勝利後也有不少的人去到蘇州，據說石家飯店依然無恙，而且于老先生的一幅墨寶，也依然高懸在那裡。祇是如今的石家飯店，自然是由公營而變爲烏有了，石家飯店的巴肺湯，再也沒有人可以想到了。

梁任公的嗜好，則爲喜歡打麻將，據他的學生某君述及一九一八年，他坐日本的忙喜丸去歐州，也每日看書超過八小時，完後或約一行諸人打麻將，玩橋牌及下棋，下棋祇有找蔣百里先生，但他的棋藝頗高，同行的人都下他不過，祇有玩麻將了，但玩的時間，決不超過一點鐘，也不算輸贏。

據盧毅安先生說：梁任公在橫濱新民叢報住三樓，常與同事學生們打牌，雖不甚計勝負，但亦常至通夜，有一次他說要趕稿子，叫大家先打，等到稿子完再參加，一直打到天明，他才下來接，一部「中國之武士道」，巳脫稿了。各段是從史記鈔出來的，下面新史氏的批語，幾七八千字都是他的親筆。他同大家開玩笑，你說你們荒廢光陰於麻將之時，我一本書都寫好了。但他在北京時，從不肯參加段祺瑞一萬元麻將的局面，亦從不肯打長期的麻將，所以北京的賭場，他是從不涉足的。

至於近人嗜好之多，而且說來極堪噴飯的，則莫如已往伏法的漢奸褚名誼。民國二十五年，國民大會代表選舉總事務所成立，蔣作賓爲主任，褚名誼以汪精衛關係，得爲副主任，但他並無實際責任，僅備員副署而已。

褚生平無所長，每過有慶祝大會遊藝會必到，到必有表演，如踢毽子，打太極拳，放風箏之類，皆爲其拿手傑作。

褚原不善平劇，然過票友彩排，亦喜粉墨登場，湊湊熱鬧。某次演「空城計」褚飾司馬懿，一出台，即擬揚鞭入城，管場的人爲之焦急萬分，大喊：「秘書長，進不得城！」時褚爲行政院秘書長，觀衆爲之閧堂大笑。

二十三四年間，影星蝴蝶在上海，褚常與之糾纏，蝴蝶不之理。會香港美人魚楊秀瓊入京，乘馬車遊明陵及中山陵，褚親爲執鞭駕車，洋洋自得，京中人常引爲笑話，即當面即予以譏笑，他亦不引以爲忤。

褚生平喜着奇裝，穿長統馬靴，見人則，抱手作揖，狀至滑稽，當時有人爲之作「寶塔體詩」，寫其生活怪狀，維妙維肖，殊爲幽默，錄之於下：

「踢，太極，司馬懿，風箏，蝴蝶，雜耍數第一，趕馬車得得，穿馬靴打躬作揖，觀其面其愚不可及，裙帶關係往還更親密，察其行斯人也而有斯疾！」

病院生活憶語（二）

諸葛文侯

手術施行既畢，我被置臥於小床上，推到隔壁房裏停留半小時，四五位護士小姐團繞着我前後左右，笑嘻嘻地詢問我生平有甚末羅曼史，要我向她們談談；又有一位小姐持着我的手臂諦視道：「你瞧，你的皮膚比我們女人還要細嫩呀！」言畢大笑。我當時很詫異，這兒的護士小姐幹嗎如此對病人開頑笑呢？繼而領悟到這是她們爲要減少病人的緊張或痛楚心情故意作此諧趣之談，藉以創進病人的輕鬆情緒，乃係基於病理與心理學而然，可見她們是受過良好訓練的。

我在病床上料想着麻藥消散之後，創口一定會發生痛症的。可是，經過三天了，毫不感覺痛苦，蓋得力於連日不斷的注射消炎與止血針藥，又有葡萄糖與維他命C兩種針葯同時併進，因而安然無憂，此爲現代醫葯進步之賜，亦證明榮民醫院設備確屬完善也。歷時一週後，醫生來拆腹部創口的線，他先告訴我，拆綫是要痛的，但結果依然不痛，醫生笑謂：「想不到你的抵抗力這末堅強啊！」我樂得充英雄，答以「我們革命黨人，死且不怕，何況區區拆綫之事。」旁立的護士小姐亦樂了，她說「這老先生眞強項！」當時我不覺表現了一點阿Q精神，思之啞然。

每天睡在病床上看書，一日，護士長董女士指着我枕邊的「自由報」上文字中所署「馬五先生」筆名笑問道：「這就是你的名字呀！」我大詫，詢以怎樣知道是我呢？她說：「我的公公告訴我的。」經仔細打聽，原來她是羅佩秋（時賢）先生的少奶奶也。我在施手術之前，寫過一篇皮黃戲評送交台北「聯合報」，亦署「馬五先生」筆名，過了一星期纔刊出來的，醫院裡的督導長喬小姐是北方人，我不認識她，她問我：「你在病中還能夠寫文章嗎？」我否認有此事，她說：「昨兒我在聯合報讀到你的大作哩！」有位台省籍的護士小姐丘美喜，從事夜班工作，我說她那名字不大好，應該收換一個字，把「喜」字易爲「熙」字，「熙」字就雅緻了。她詳詢「熙」字的意義後，大爲高興，說是馬上要寫信給父親，請他向主管機關辦理更換名字的手續，並聲明這是「馬五先生」的意思。我告訴她，馬五先生並非達官貴人，大可不必聲明，她表示非聲明不可。如是，我每天向她學習閩南話——即台灣話，她亦循循善誘，有教無類，這是病中的一項收穫也。

南嶽衡山

漁翁

山川風物

衡山、縣名晉，置、宋、齊、梁、陳、皆因之、隋廢、唐復置，即今湖南衡山縣。城西北三十里，曰「南嶽」，舜南巡狩至此，漢武帝移南嶽於霍山，隋文帝復以衡山爲南嶽，以沿至今。山有二十七峯，跨長沙衡陽間，回雁爲首，嶽麓爲足，宇宙之名山也。

由山脚至山頂，沿途闢一「之」字形大道，可乘車，坐轎，或杖藜步行，每屆夏季，登此山避暑者，不絕於途。半山有一「鄴侯祠」，爲唐朝李泌讀書處，再上曰「南天門」，最高峯即「上封寺」，登臨四顧，心曠神怡。

寺左角一峯，有石台，上書「觀日出處」四字，除落雨與起霧外，可看日出美景，與東嶽泰山之「日觀峯」無二致。在天未明時，光候於石基上，漸漸由遙遠東方，顯見一團紅色，出由紅色幻變爲五顏六色，最後成爲光芒四射之朝日，浮沉雲海，待升上三竿，則光滿大千矣。

山中古刹，數以百計，有一寺內，珍藏印度「貝葉經」，葉上繪有百數佛像，面目生成，歷久而不變色，爲南嶽最珍貴之古蹟。

內僑警台報字第〇三一號內銷證

自由報

THE FREE NEWS

第一八四期

中華民國僑務委員會頒發台僑新字第三二三號登記證
中華郵政台字第一二八二號執照登記為第一類新聞紙類
（半週刊每星期三、六出版）
每份港幣壹角
台灣零售價新台幣貳元
社長：雷嘯岑
督印人：黃行富
社址：香港銅鑼灣高士威道二十號四樓
20 CAUSEWAY RD 3RD FL HONG KONG
TEL. 771726　電報掛號．7191
承印者：田風印刷廠
地址：香港灣仔高士打道二二一號
台灣分社
台北市西寧南路壹叁叁號二樓
電話：三〇三四六
台郵劃撥儲金戶九二五二

政治反攻的先決問題

雷嘯岑

無可諱言的事實，中華民國政府自從遷移到台灣以後，各級行政機關——連同公營企業機構在內——的行政效率，其低能頹散情形，視過去在大陸時期尤有甚焉。法令滋彰，權責混淆，暮氣沉沉，毫無振作現象，大家因循苟安，得過且過，所謂良心血性，幾乎成了歷史名詞，不復存在於一般公務人員的腦海中了。憑着這樣的服務精神，不特不配談政治反攻的話，即令局勢丕變，有利於軍事反攻的時候來臨，亦必然被這種腐敗低能的政治影響所牽累貽誤，而深感事倍功半的困苦。所以，中華民國的軍事建設儘管突飛猛進，為中外人士所讚許，但政治機能若不澈底改善，前途還是未可樂觀的。執政黨現正舉行四中全會，聲稱要集中全黨全國的力量，爭取大陸革命的勝利與成功，用意仍是側重於政治反攻運動，至為明顯。我認為咱們本身的政治機能必須去腐生新，方足以適應大陸上反共革命運動的新形勢，否則縱使共匪自行崩潰，讓我們重現對日抗戰勝利後的「接收」史事，結果亦非失敗不可！然則改革政治之道如何呢？語其綱要，不外數端。

制度問題

一般的政治制度，憲法上已有整然的體系規定，無所用其更張的，主要是在憲法規定以外的若干法制不健全，多流弊。譬如決策與執行機關的權責必須釐然有別，換言之，黨政關係應該劃分清楚，殊途同歸。決策機關只管政策，不問政務，執行機關遵循政策以處理政事，這原是政黨政治的常軌。然而我們現在的實際情形，決策與執行機關的權責互相混淆，莫可究詰，許多政事皆不能取決於主管的行政部門，而必須請示於決策機構，而決策機構並不是憑政策以指導行政首長，只算總賬，不查流水簿的，相反地事無鉅細，躬預其役，雖微末事務亦得過問。這樣一來，行政部門乃樂得不負責任，遇事向決策機關推，芝麻綠豆般的事情，非經過幾個月的公文旅行，亦無處理的結果，試舉一例，以概其餘：本報於去年二月中旬創刊後，即依法向僑委會申請登記，按法理言，登記的作用就是願意接受政府監督管理（報紙內銷另案辦理），與政策不相干，准否皆極簡單的。可是，我親自到台北等候了三個月，尚無下文，原因是僑委會不能單獨處理這項例行公事，須取得決策機關某一門部的正式復文同意，方敢核發登記證。請問這是甚麼樣兒的行政效率呢？因此之故，一般行政人員即產生「多做多錯，少做少錯，不做不錯」的思想，而相率以開會為服務之本，請示為負責之本。大事請示總裁，小事請示黨部，將政治上的決策與執行職責，混為一談，而給官僚份子尋到了爭權卸責的不二法門，以權利可享時，即以主管機關的資格，拼命攘奪，若追究責任，就說是黨部決定的，他不過奉命行事而已。藉黨部為盾牌，而功則歸諸己，過則諉於黨，流弊之大，可勝言哉！

次為人事制度始終未能奠立，章法淩亂，仕途駁雜，吾人試閉目靜思，自辛亥革命成功，民國肇建到現在，五十年來，政治上用人是否有一定的標準呢？不問賢愚，也不講究適材適任，更無所謂資歷才學問題，至於品格德行之說，尤其不值一顧。但憑，所謂「人事關係」——包括各種不可告人的私誼，如裙帶與家奴關係等因素——實行「所識窮乏者得我」的徇私勾當，而以國計民生為兒戲。古代明君賢相那種旁求俊乂，徵辟隱逸的惜才求才之風，固已渺不可見，即唐宋以來，直到滿清時代，那些以開科取士暨汗馬功勞為文武吏途進身之階的嚴格法制，亦蕩然無存了。現代歐美諸文明國家，厲行憲政之治，實施政黨政治，然其人事制度亦有軌範可尋，不是隨便胡來的，英國政府的人事制度有條不紊，體系井然，即其明證也，目前咱們政府雖無一定的人事制度，却有危害人事制度之奠立的人事法令：一為「人事凍結」令，把在台灣服務的各級公務人員弄成終身職，不發生新陳代謝作用，政府等於養老院，恍若一池死水，缺乏蕩漾流動的機能，唯有日趨腐朽而巳。二為「公務人員保障法」，行政首長對其僚屬連調動一下的權力亦沒有。曾聞一位部長級的政務官相告訴：他發覺所屬某一單位主管人有貪瀆情形，為防患起見，乃予以調部服務。詎銓敘機關出而干涉，謂該員縱有貪汙瀆職情事，非依法送交法院審判確定後，亦不得調職，庶符公務員保障法規云。如此這般的搞法，而欲求行政效率之強化，蔚成政治革新的氣象，不是做夢嗎？

政風問題

由於上述政治制度與法令之缺陷離奇，乃使一般行政官吏感覺荊棘載途，諸多牽絓，雖有良能之士，亦無從施展抱負，有以自見，祇好隨俗浮沉，但求無過。不然，就是動輒得咎，誹謗叢集，終至知難而退。如是乎，高級的行政首長誰也不肯負責治事，日唯患得患失；腐心於邀寵固位，逢迎應酬工夫。萬一遇到立監委員們的質詢糾彈，僅有推責任的說法；如最近經濟部長[illegible]對着立法院會，[illegible]經濟界有「特權階級」存在，而不以失職尸位為可恥，即係駭人聽聞的新官僚主義。至於一般中下級階層的官吏，反正有「人事凍結」令的護符在身，只要不出大岔子，鐵飯碗決不會扎破的，自樂得因循偷惰，不求有功，為掩飾耳目，避免輿論指摘計，不妨隨時召開會議，彙集發言紀錄。這便是成績，也就是上峯考核功過，釐定賞罰的主要根據！大小的行政官吏們，既以敷衍塞責，媚上悅俗為服務守則，精力自然過剩；心情亦頹安閒，羣居終日，唯有消遣之道。如是乎，除却開會說廢話之外，又想出許多方法來消磨時間，排遣寂寞，對於人民請求辦理的任何事項，愛拖延多久就多久，喜歡怎樣留難，即毫無顧惜的恣意留難，一項細微問題或例行公事，亦得邀請若干「有關機關」派員會商若干次，一個知識青年申請出國留學，從鄉鎮公所到中樞，須經過十幾道機關的核示。一個工商業者申請開設工廠營業，須塡寫無數張的表格，走遍五六道衙門，等候一年半載，才可獲得到答復。這是一般的公生活狀態。至於私生活呢，大家講享受，求安樂，孜孜汲汲於繁文縟節，靡然從風，恬不為怪。薪俸微薄，不足以應付，卻想方設法找外快，接紅包，沒有權力機會以從事貪瀆的，亦不妨監守自盜，窃取公帑，享用於一時。翻開台灣的報紙，幾乎每日祇有這類新聞可觀。我每聞大人先生提倡節約之聲，就覺得可笑已極。普通人民日常生活，莫不是量入為出的，節約與否，更屬切身利害關係，他自己早有決定，用不着別人告誡勸導，只有官員們貪圖享受，才是節約的對象呀！

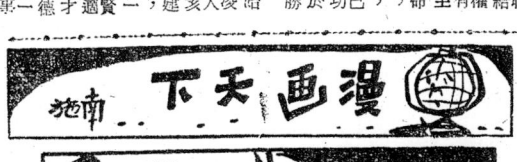

腐化，偷惰，貪汚，此為今日普遍的政風表現，而人類與生俱來的良心血性，被環境掩沒剝蝕淨盡了。這才是政治上的危險病症。我不相信貪汚行為完全是待遇菲薄所致，許多無從奢靡貪瀆的小公務員，並未聞有餓死者，那又如何解釋呢？

改革的要訣

先把黨政關係劃分清楚，決策與執行的權責釐然有別，不相混淆。然後訂立一套進退黜陟的人事制度，嚴格實行，決不寬假，而將現行多如牛毛的法令規章，重新審定，該廢的廢，該存的存，應修改的予以修改，總以集中事權，簡化手續為原則。談到用人標準，至少亦須注意於適材適任，做裁縫的決不宜教他當伙伕，才不才固屬不易言，適不適却顯而易見。即如過去在政治上據高位，司要職一二十年的達官貴人，十之八九，現在都應該讓他們休息休息，不再阻塞賢路，使政治上構成推陳出新的波瀾壯闊的復興氣象。至於待遇問題，現在從房屋到日常生活必需品，實際上都是配給制了，我認為取消薪金，一律改為供給制，亦不致增加國庫很大的負担吧？對於防制貪汚問題，嚴刑峻法皆屬末務，最要是在激發公務人員的良心血性，養成有所不為的廉恥精神，這全靠在上者以身作則，親賢遠佞，不齒虛偽，像唐太宗當面指斥近臣宇文士及為佞人的作風，祗要表現一次，則風聲所播，羣倫自然知恥自愛了。

漫画天下

一片片的切，然後一片片的吃

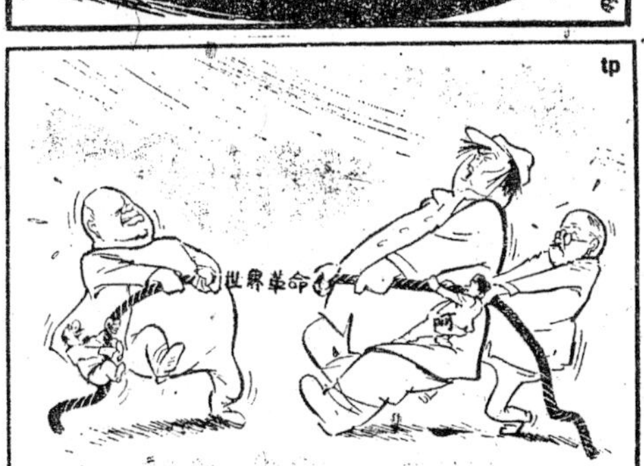

他們在玩着拔河比賽

讀自由

共產世界的內鬨

俄酋赫魯歇夫正在莫斯科挖毀史達林的墳墓，不讓史魔的尸骨掩埋列寧墓旁，並將俄國各城市中凡冠以史達林名字的地名，一概更改掉，表示他所倡說反個人崇拜思想的澈底性，可算壯烈也矣，同時，阿爾巴尼亞的共黨頭目霍查，却效法赫酋的反史行為，把赫酋過去在阿京文化宮所放置的奠基石予以撤除，又將他在阿京公園手植的白楊樹亦拔去了，表示阿共與赫酋不兩立的心情。這叫作以其人之道，還治其人之身，狗咬狗，鬼打架，沒有甚末可說的。

不過，赫魯歇夫的反史達林運動，無論其動機如何，用意安在，不能不說是一種大胆的冒險行為，且對共產主義的發展前途，具有無比的危險性。[illegible]但從共產制度設想，却貽患滋大！因為共產政權所賴以創建、存在、發展的唯一動力，即係個人專政獨裁的偶像崇拜思想，而以不斷整肅、鬥爭手段來遏制內部的反抗意識，在共產黨人的心目中，領袖是至高無上的權威者，是神化的血肉之軀。所以，列寧雖然做了許多違背馬克斯主義的革命工作，共產黨人還是奉戴為無產階級的教主，馬克斯的學說雖然跟人類社會的進化律不相符合，今日依然視之為萬能的上帝。然共產政權的中心力量是唯心論，決非唯物史觀，如今俄共既可以反史達林，阿共又可以反反史者，他日何嘗不可以反列寧，反馬克斯呢！偶像崇拜的思想魔力一經毀壞，共產制度的內傷症就特別嚴重，因而加速其自行潰敗死亡的進度，殆可斷言。

明乎此，毛共與阿共的反赫運動，即屬勢所必至，理有固然，殊不足怪了。赫酋未得反史之益，先受反史之害，他個人的成敗得失固不足道，但共產世界的思想武器從此起銹挫鋒，漸漸地成為強弩之末，這却是自由人類的一大幸事，且可增加反共運動的勇氣與信心，殊堪注視也。

馬五先生

師資奇缺，待遇過低

不敢樂觀的台灣當前教育

政府主管當局一提起教育，每沾沾自喜的說出大、中小學各增多少所，大、中、小學學生各若干，比台灣剛光復時增加百分之幾。其實，台灣教育是不是値得如此樂觀，頗有疑問。

國校，現在因缺教室，四年級以下，或爲三部制，或爲四部制。二部制是每天上半天課；四部制是每天只有兩節課。如果初小四年，全是二部制，名爲讀四年，實只二年，加上高小兩年，不過四年，亦即是說：目前台灣國校畢業生，在校念書最多僅四年而已。是國校就學時間無形打了折扣。中學呢？也已有兩部制現象，六年的中等教育，已不再是眞的讀六年書了，若不增建足額教室，學生生讀書年限打折扣，欲提高其水準，不亦難乎？且學生若在學內時間短，在校外時間長，在校所學的一套，常會被社會惡習所抵銷。如此，誰敢担保其必無太保學生，問題少年呢？

記得我讀小學時，全校僅六班，同學不到二百人，但圖書館有兩個教室大，內擁有地方報，全省性報紙，全國性報紙，南洋報紙，英文報計十多種；雜誌兩書架，約三、四十種；圖書，不須借，而可任意翻閱的圖書，有兩書架，須按手續借閱的，又有八、九書架，內有萬有文庫全集……等。其中有許多畫報，插圖很美觀，色彩很鮮艷，內容很新穎，很能引人入勝，且因可任意翻閱，整天開放，下課時，或課外時間，爲了滿足好奇心，爲了解決無聊，常到是處翻閱，雖不一定看懂，却無形增進了不少見識，更重要的是無形中養成了看書的習慣。

而今，台灣很多國校，根本沒有圖書館，即使有其名，圖書也不出借，在國校六年（實僅四年）只讀了數十本教科書，如此孤陋寡聞，想成績好，豈不是做夢！中學雖較好些，但很多中等學校，有二、三千個學生，圖書館，却設在容不下數十人的斗室中，報紙只有五六份，雜誌不過十餘種（包括無內容由人情用勢力推銷的書刊），書籍不過數萬冊（包括舊教科書及硬推銷的書籍在內）。學生欲借書，一星期限一天或二天，看書興緻來時不得借，輪到借書時，却不一定有興緻，如此這般，怎麼能養成學生看課外書的習慣。現在中學生所看之課外書，亦微乎其微。大學、也好不了多少，在台擁有圖書最多的大學，據說是台大。但台大圖書館多係日文書籍，大學第一外文是英文而非日文，日文書籍，是否每個學生都能看，不無問題。一般的說，現在台灣各級學校，圖書都甚貧乏，這是不容否認的事實。至於實驗室、工作室、體育館、各科專門教室，或根本沒有，或虛有其名，即有設備，亦因陋就簡。有人說：「欲爲文學家，須入圖書館；欲爲科學家，須進實驗室。」然而我們的各級學校，對圖書館及實驗室，却不重視，這豈不是一隱憂？

建學生宿舍，使學生不必天天受到等車、擠車、披星帶月，風吹雨打之苦，往返跋涉之勞，既可增加學習時間，復可減少染到惡習，更可減少車禍及其他意外糾紛。且若學生經常在校，則易管理，有錯容易糾正，增建學生宿舍，實不失爲提高學生水準，減少問題學生的一種方法。然而當前各學校，具有足額學生宿舍者少，亟盼教育先進「登高一呼」。

教師待遇不足維持，演成國校教師實施惡性補習；大、中學校教師兼課，兼差，終日僕僕風塵，東奔西走。兼以無法自購書報，學校沒有宿舍，國家不重視學術，以致大都見異思遷，不安於位，毫無繼續研究，缺乏專業精神。因此之故，有些過去名教授（或名教師），因沒有繼續研究，新的沒有補充，舊的却又忘掉，如今最多只能販賣些舊知識，過時貨，連自已都跟不上時代，不知今世何世，自難再享有名教授的徽號。等而下之，曩昔水準較佳之教師，因一再研究，從前所積聚一點點實貨，已被時間侵蝕殆盡，將要顯一顯「買空賣空」的手法來「誤己誤人」了。不能養成純良校風，不能將壞教師改造爲好老師，反而使好老師變爲壞老師，這是教師待遇過低之弊。也是時代的悲劇。

有人說：台灣師資甚缺。如果單指大學師資，則不得其詳，但中小學則不可一槪而論。倘專指受過專業訓練的師資缺乏，或屬事實。然而蔡元培，王國維，徐志摩，林紓，辜鴻銘，梅貽琦，張伯苓，嚴復，蔣夢麟，吳經熊，王寵惠，胡適，林語堂，這些名聞中外的教授，並不都是出身師資。可見沒有受過專業訓練的人，只要品性純良，學有專長，確願獻身教育者，即可執教。因之，吾人以爲能找到受過專業訓練的師資，固屬可喜的，否則，找一夠水準的人任教，也未可厚非。目下三十五省人才集中台灣，允稱人才濟濟，[illegible]知識份子在台辦補習班糊口者之多；大學教授失業者亦有之；大學畢業生失業者有之；至可說是人才浮於事，是人才浪費。若[illegible]台灣，自暴自棄者甚多，[illegible]小學師資缺乏，其誰能信？「劣幣驅逐良幣」式的淘汰師資、小圈子主義盛行，國家、社會、校長、家長、學生均不尊師，才是造成師資缺乏之眞正原因。

一個國家如果有良好的教育，青少年都[illegible]受良好的教育，身體健全，[illegible]國家[illegible]；日本之勝俄，[illegible]越王勾踐滅吳，十年生聚，十年教訓，[illegible]可見教育對國家之盛衰存亡，關係甚大。丁茲從事反共復國之際，望舉國上下，正視教育，改進教育，實所厚望。

劉公本

香港與大陸

△由中共策動之寄肥田料運動，此刻正給予港澳僑胞以莫大痛苦。寄肥田料以噸計，每噸港幣三百元，僑胞有一時無法籌措三百元者，則其在大陸[illegible]人乃不免要忍飢挨餓。最奇怪者，則爲若干僑胞所接到之家書，衆口一辭，催寄肥田料粉。蓋以寄肥田料一噸，則大陸家人可分配米九十斤也。有某君迭接家書，着寄肥田料，憤而回信給其家人，謂將寄糧包，而不寄肥田料，然其家人乃急來信懇請，謂仍以寄肥田料爲佳。足見中共乃以肥田料爲爲要挾，手段毒辣之至。

△因大陸飢饉，近日來逃亡者甚衆。香港當局對此輩逃亡者，如當場拿獲，例須解上法庭，法官本諸人道主義，亦多寬大爲懷，或判釋放者甚衆，或判罰欵，良以此等投奔自由之事，乃由人類求生意義所驅使，亦無可如何也。

傳陽明山第三次會談將延期

三黨合作。尚有距離

（本報記者台北航訊）陽明山第三次政治會談，原定十二月舉行，現在可能因陳兼院長健康的關係而延期舉行了。此間政治圈內且一度傳說：駐美大使葉公超將代理行政院長的職務；或行政院改組；或任命王東原爲台灣省主席，現任周主席出面組閣云。這些傳說，都被事實否定了。不過，陳兼院長已進入榮民總醫院檢查身體卻是事實。

陽明山第三次會談之延期舉行，不完全是因爲陳兼院長的健康而延期。所謂第三次會談，也就是黨派會議，既是黨派會議，就必須邀請各黨各派的領導者參加，可是，青年黨李璜和左舜生，民主社會黨創黨人張君勱，都遠居國外，他們在原則上可以回國一趟，甚至參加第三次會談也沒有問題，但是，他們希望在未返國之前，必須三黨共同制定反共建國綱領。換句話說，若是共同綱領沒有達成協議之前，則青年黨與民社黨在海外的重要人士，是不可能回來的。反之，一旦三黨達成協議，則他們可以立即返國一行。

三黨之間，對共同制定反共建國綱領有沒有距離呢？據說，執政黨希望他們回來談這個問題，最好在陽明山第三次政治會談中提出，由該會談達成某種協議，然而，青年黨與民社黨方面，則希望事先達成協議。

國民黨爲促進在野黨——青民兩黨——內部團結起見，最近，用行動與事實來表示其誠意。比如，青年黨臨時全國代表大會代表，有十多位因入境證沒有辦妥，致未能回國參加十一月二十八日那天的大會。這件事，係該黨中央黨務委員會方面負責人所擱置。十一月一日，青年黨臨時全國代表大會臨時秘書長劉永濟及重要幹部如王嵐僧等多人，應國民黨秘書長唐縱之邀，當時，劉永濟等曾就留港代表入境問題，請唐秘書長予以協助，唐秘書長除口頭答應外，並希望青年黨今後多多合作。翌日，青年黨籍監察委員丁俊生赴警備總部辦理留港代表入境手續時，未及一小時，入境手續全部辦好了。這件事，加强了青年黨人團結就是力量的信心。其次是：民社黨因召集第三次全國代表大會而經費發生了問題，於是，該黨有人主張：向行政院索取四十八年度的宣傳費，但行政院認爲有困難，却又不好拒絕，因爲這筆宣傳費行政院沒有理由拒絕，於是乃以變通辦法，由行政院於十一月一日借了四十萬元給民社黨。由此觀之，執政黨對團結友黨問題，的確是煞費苦心。

青年黨主流派方面，以「刷新政綱，改進制度，促成團結，報效國家」的口號，來加强黨的「獨立」，而後力求健全黨務，進而發展組織。該黨將從黨內民主與建立法度着手，同時倡導黨內節約與廉潔的風氣，這就是青年黨今後自處之道。

至於民社黨黨內團結問題，該黨中常會決定三原則：一黨內團結應該是沒有條件的，二、除中央總部外，其他如向構父「中央改造會」委員會，劉政原的「主席團」聯誼會等機構，依黨章都應自動取消，以示團結之誠意，三，所有老黨員，都歡迎歸隊。而黨員個人今後不得隨便發表有關黨的政策性的談話。該黨原定於今年十二月底召開第三屆代表大會，目前，已有顯著的變動，且可能延至明年二、三月間舉行。據說，該黨全代會延期的原因是：張君勱不能在今年底返國，張氏不返國的原因，係基於三黨共同制定反共建國綱領一事，進展甚緩。質言之，民社黨三屆全代會延期召開，暗示陽明山第三次會議非被迫延期不可。陽明山政治會談，若是沒有在野黨領導人物參與，將失去其時代意義，這是知識份子一致的看法。

最近，張君勱將有一部鉅著問世，這本書關係我國儒家哲學思想很大，也影響我教育部明年所舉行全球性的漢學會議。因此，有人對三黨共同合作暨陽明山第三次政治會談仍表示樂觀，而青民兩黨黨內團結，也盼望不會有什麼了不起的問題，因爲青民兩黨極大多數的幹部都覺悟了。

（本報記者公冶長）

採訪外記

・本報駐台記者・

▲監察院一年一年的總檢討會，定於十一月四日在該院議場舉行。這種會議每下愈況，已流爲「形式」主義與「公式」化，因爲近年來的幾位「名御史」，久未聞其聲，這大概是歲月無情的緣故吧！至於監委們，却有不少的事表現得太冷漠了。比如糾正電力的加價案，就沒有盡到應盡的責任，甚至還以此案胎死腹中爲邀功呢！又如某委員「奉命調查」某案時，其迅速可謂空前，短短的幾天內，就提出一篇查無其事的報告。再次如該院司法委員會糾正某單位審判某案違誤的糾正案，竟不敢公開內容，却閉門不響送進行政院的大門去。這裏所舉者，不過爲該院許多未盡職權一二事例，不知該院是不是提來檢討呢？此間人士極爲關注。

▲台北市西門町一帶，是最繁華的地區，也是公子哥兒們的好去處。每當華燈初上，人如潮湧，尤其音樂咖啡館的生意特別茂盛，這種富有誘惑的地方，別有一種風味，以最低廉的代價，可以得所需要的享受，但必須由識途老馬做嚮導，否則，做了冤大頭仍不得其門而入。在百業蕭條聲中，該業可算得上一枝獨秀。如某同業，即以此起家而成爲數百萬的富翁了。

最近，這一帶地方却出現了「阻街女郎」，若不知其底蘊者，還以爲大家閨秀呢！儘管警察先生們來回巡邏，卻無法識破伊人廬山眞面目呀！孔子曰：食色性也。誠哉斯言！

▲民社黨副主席蔣勻田，日前接獲該黨領袖張君勱來信表示：他是否回國一行？將視國民黨有沒有誠意與青年民社兩黨合作而定，所謂「合作」，係指國，青，民三黨共同制定反共綱領而言。

因此，民社黨在十月底所舉行的中常會，曾就第三屆全國代表大會事，要重提出來討論，作原則性的彈性的決定，看樣子恐怕要延期到明年春間才能召開三次全代會。否則，除非共同綱領提前獲得協議，張君勱可能在今年底返回台灣。若是在野黨爲團結而召開的全代會不在十二月初完成，則陽明山第三次會談，勢必有所變更。

（十月三十一日）

立委劉兆勳提臨時動議

揭發金融機關十大非法案件

（本報記者台北航訊）最近，金融機關如中央信託局，台灣銀行，華南銀行，台灣合作金庫等，連續發生監守自盜，貪污舞弊案件，迄未聞對主管官員有所處分，因此，立法委員劉兆勳特提臨時動議，要財經兩部主管列席報告，並備質詢。

邇來金融機關人員貪墨之風頗熾，像中央信託局，盜賣倉庫財物者有之，挪用公欵者有之，貸欵舞弊者有之，動輒數十萬元，多達數百萬元，儘管貪污者繩之以法，而高級人員卻連行政責任也不負，誠法治國家之奇聞也。茲就各金融機構所發生的重大貪污事件，分別敘述如下。

中央信託局部份

據劉委員所附資料中計有：一，高雄辦事處主任趙雅虔，把倉庫內價值八，八百萬元新台幣的鋼鐵，暗中轉借給祥泰鋼鐵公司週轉。這批鋼鐵原係唐榮鐵工廠所抵押在中央信託局的。後因祥泰鋼鐵公司陷於破產邊緣，而無法償還，該局高級主管才發覺，派人調查，除這批鋼鐵舞弊「失踪」的情形，經報紙揭發，但進一步的眞相下文沒有了。二，中央信託局福利社主任蔡慶棟，會計李亦亮二人，自四十四年起，共同連續挪用公欵一百八十多萬元。三，該局信託處營業科副主任高新民，利用職務上的便利，套取員工優利存款四十多萬元。四，該局易貨處副理謝滔，襄理公第三科主任陳增元，辦事員潘懋源等三人，在辦理福隆紡織公司外銷購料墊欵時，該局因抵押品不足，僅核准先提美金十萬元，但他們竟私自向交通銀行提得新台幣八百萬元（合美金二十萬元）交給福隆公司。事為該局易貨處經理林榮基發覺而追究責任。此案發生後，經濟部工礦組，中信局，交通銀行，福隆公司債權人等，會舉行一次會議，會中以該公司過去外銷成績甚佳，決定請中信局監理繼續經理而福隆紡織公司董事長符逸冰，將貸欵經過公佈：查外貿會批准給福隆公司的外銷貸欵是美金一百萬元，後因交通銀行缺乏頭寸而祇貸給美金二十萬元。福隆公司財團登記值新台幣三千四百萬元，以此抵押八百萬元貸欵，中信局是可以放心的。五，該局高雄辦事處主任趙雅虔及該處儲運課長陳葛武二人，於任內與唐榮鐵工廠勾結舞弊。趙雅虔擅自將廢鐵售與唐榮鐵工廠，其價欵多係由該處以轉賬方式貸給唐榮鐵工廠，使唐榮可不用一文而獲得廢鐵，而趙雅虔則從中提取回扣，使公家遭受數千萬元之重大損失，直到唐榮週轉失靈，始將該案揭穿。六，中信局退職人員林楠，以中國竹化工業公司負責人的名義，運用過去故知舊識的關係，向該局申請貸欵一百萬元，以該公司基地房屋作抵押。但到期卻以無力償還為理由，相應不理，中信局只好替他墊欵還債，而林楠則潛赴香港，溜之大吉。該局依法封查其廠房時，始知受騙。所謂「中國竹化工業公司」廠產，原係竹籬編成，根本不值分文。這筆貸欵係該局易貨處副理黃其鯤與職員梁振時所主辦的。

華南商業銀行部份

華南商業銀行部份：該行台中分行經理吳憲璜，副理郭西林，襄理莊錫福等，與大雪山林業公司秘書兼財務部經理楊根深主計主任林耀星，副管理師王沐昌共同舞弊貪污。吳憲璜得知大雪山林業公司將籌鋸木工廠之美援欵項五千萬元，無息存於台灣銀行台中分行，乃託人介紹與大雪山林業公司秘書楊根深等三人接洽，並邀楊等至台中醉月樓酒家飲宴，經多次接洽，楊等始允以新台幣一千萬元存入華南台中分行，月息一分五厘歸公，另議定由吳憲璜每月付給酬金一萬五千元，交由楊根深，林耀星，王沐昌三人朋分花用。楊根深等將一千萬元存入華南台中分行時，未立即辦理存欵手續，後來補辦時，亦未加蓋大雪山林業公司總經理王敏慶的印章，僅由財務部經理人印章，向華南台中分行辦理存欵手續。同時，把存欵單交由吳憲璜代為保管。因而吳憲璜乘機用「陳敏」之假名，辦理抵押貸欵八百五十元。

台灣省合作金庫部份

台灣省合作金庫部份：該庫大稻埕支庫中山代理處副主任周錦海，假借同鄉楊賢福（女）之名，向該庫申請貸欵六萬元，而此欵領到後，又侵佔為己有。

台灣銀行新發行的百元大鈔，其中竟有未印好的百元鈔票流通於市面：沒有印台灣銀行四個字，沒有負責人的印章。因此，輿論譁然。有人說，為了配合觀光事業而發行百元大鈔，如果沒有大鈔，觀光客捧了大堆小鈔到處亂跑不好看！但是拿了一張未印齊全的鈔票又笑掉人的牙！

此外，台北縣南港鎮某銀行王成收支處主管員王松年，串通同事祈凌雲，偽刻某工兵廠廠長趙國才，暨會計人員嚴遵裔，曾俊生，陳澤偉等人私章，並囑羅文光及王雄二人，設法偷出銀行空白支票，以某兵工廠名義，填寫支票七十二萬零三十九元九角六分，向銀行提出，共計盜取公欵一百零陸萬四千零三十九元九角六分，其中以少數分給羅文光，王雄，祁凌雲數十萬元，自己除在東雲閣酒家包一個酒女外，復借二十萬元給他的朋友許企俠，在北投開一家工業社，專制女用尼龍絲襪，但卻蝕本光了。此事被該銀行總行派員查賬時才發現，但王王松等已潛逃高雄，計劃偷渡香港，此時祁凌雲等三人存心黑吃黑，每人向王松年要五萬元，而偷渡香港的船資要二十萬元，王松年見他們趁火打劫，心有不甘，雙方發生「內鬨」，致偷渡不成，而被治安當局逮捕。

這十件案件，其中華南台中分行經理吳憲璜與王松年，都是因為喜歡上酒家玩女人而弄得身敗名裂。而中信局的六件案子中，有一半是監守自盜挪用公欵：另有一半是官商勾結，共同舞弊。而這些舞弊貪活者，都是副理經理或主任之類的中級幹部及高級人員，但比他們更高一級的主管應負失職包庇之罪嫌，可是卻沒有看到政府對他的處分？這就難怪立委要動肝火了。（本報記者公治長）

監察院檢討會誌詳

（本報記者台北航訊）兩天來，監察委員在檢討會上，充分地自我檢討一番。第一回合是于鎮洲委員檢討鄭景福委員的調查中壢車禍報告。于委員對鄭景福委員於本月六日下午化了三個小時的時間，到中壢去調查火車站車禍，翌日在院會上提出報告，這種負責精神，使人敬佩，不過，這場死傷近百人的大車禍，僅短短的三小時，查出一個頭緒來，甚至說非某某等職務疏忽云云，這未免太草率而有點武斷，這種精神也是空前的。于氏說，將來監察院可能因該車禍者被判刑而需要更正了，這豈不是監院盛德之累嗎？於是，他向主席李副院長建議，對監委調查報告要慎重些！陳達元委員也支持于鎮洲委員的意見，他認為該中壢車禍案，應該在全部調查完畢後，再提出報告也不遲啊！這樣，院會才可確定糾正與否！

于鎮洲委員對秘書長劉凱鍾來了一個「先禮後兵」，他說于院長請來了一位很精明幹練的秘書長先生，尤其在處理院內事務方面，的確很節省，可是，一個案子，前任秘書長沒有移交，現任劉秘書長在接受移交時為什麼不注意呢？是不是職務上的疏忽呢？于委員對監察院人事方面，也提出來檢討。監院部份職員，在升遷時，有的年年高升，有的十二年來，卻「原封不動」仍舊如故，沒有升遷，這是不是公平呢？

省政府以左道傍門的非法方法，採購西德朋馳牌汽車三百輛，目前已進入議價成交階段，此一消息，經報紙公佈後，又引起監察院的注意。陳志明委員在七日的院會上，又提出這件事來檢討，他建議大會，不妨再查一查。因為這件事被監院知道了，曾經派委員陳恩元，楊羣先二人調查過，並在本年七月間監察院六八七次院會中提出報告，因而當中秘密被揭穿了，而省政府也不那麼熱心，也不那麼積極了。

據說，有一位政府大員，為了報答呂某將其母由匪區救出來的恩典，所以，幫他的忙，使他發個小財，此說固無證據可以覆按，但種種蛛絲馬跡，卻又不能不信那回事。

監察院許多重大案件，為什麼提不出來呢？這次，監委們在檢討會上，毫不保留地把提不出來的緣故說出來了。黃寶實委員引用韓愈的兩句話：「中朝大官老於事，詎知感激徒婀娜。」說明其中原委。監察院不但「老大」了，而且有人為了奉迎不惜以「護航」姿態出而干擾。所以，有許多案件被擱置了。（上）張健

宦君續夢

第三回：

拒諫飾非，列鼎烹功狗
成王敗寇，作狀笑沐猴

就當整個大陸民不聊生之際，中共高級頭目中間，也起了一場鬥爭，屬於湖南系的核心份子，背上了反毛的罪名被整肅了，要算是高崗饒漱石事件之後一場大獄。

原來劉少奇繼任「主席」之後，眼見各省大躍進，人民公社都到了山窮民盡之境，就向毛澤東建議派遣政治局委員率領一批高級幹部分赴各省作一次普遍性的考察，澈底研究出人民公社的毛病何在，以便採取措施，予以挽救。

毛澤東的原則是不能廢除三面紅旗，無論情況如何惡劣，都要強撐下去。不過，若能想出辦法挽救，當然更好。所以對於劉少奇的建議也就馬上同意，只是附加了兩點意見，第一，最好派本省人回本省，沒有政治局委員的省份，派中央委員。第二，先擇幾個省，作為重點試驗，然後再作普遍調查。

劉少奇把這個計劃在政治局提出，全體無異議通過，當時決定先從湖北，湖南兩省着手，湖北由董必武率領，團員有鄭位三，徐海東，楊獻珍。湖南由彭德懷率領，團員有陳代遠，黃克誠，洪學智。

老狐狸回到湖北見了王任重，把來意說了一遍，就要展開調查。王任重說道：「關於這個問題，黨中央未會決定之前，我已經組織了一個萬人檢查團，分赴各縣市作了一次澈底調查，資料現在，我要主管同志抄一份給你就是了。」

老狐狸一聽這不像話，我們是奉黨中央命令下來調查的，你的資料如何作數，假若各省都像這樣，就不用組團下去調查，只坐在「北京」蒐集資料不就成了。

不過，老狐狸曉得王任重是毛澤東的紅人，得罪不得，也就含糊說道：「好吧！你先把有關資料送來我們研究一下再說吧！」

到了第二天，王任重來一批資料，都是萬人檢查團的報告，各地人民公社大慶豐收，人民都過着豐衣足食的日子，公共食堂每餐四菜一湯，炊事員都穿上白制服，殷勤伺候。社員們飯後有的看報，有的打乒乓球，悠哉游哉，十分愜意。

老狐狸看過，默默無言，就把資料交給其他三人，徐海東一看勃然大怒，說道：「王任重怎麼把招待艾德里蒙哥馬利那一套手法拿來對付我們，人民公社如此美好，我們又何必來調查，既然這樣，明天我們回到我們黃陂縣去看看。如若不對，我們就是報黨中央，說王任重矇蔽上級，要求予以適當處分。」

鄭位三上氣不接下氣說道：「人民公社情況實在很差，任重同志諱疾忌醫的作風，是要不得的。」

（四九）

今日大陸

據「河北日報」消息：該省井陘三礦採區今年一月至九日的原煤產量沒有依計劃完成，現正引起中共追究，認為一採區的領導「在辦公室研究得多，深入現場和羣衆一起解決問題少，因而使許多措施不能實現」。

該報列舉一採區領導的兩大缺點：（一）一採區在採四層煤時，確實遇到了責土頂，底鋪得不好，容易冒頂，頂板不易控制的困難。如果他們依靠羣衆認眞調查研究，改進搭棚子的方法，加強管理工作，頂板事故是可以避免的；至少是可以減少的。但是他們沒有這樣做，從思想上就認為自然條件不好，沒有辦法克制；放鬆了主觀努力，因而，事故不斷發生，生產越來越被動。（二）一採區也制定了一些管理制度，但是由于在制訂時，沒有認眞地動羣衆討論，總結羣衆的經驗，加上執行中缺之嚴格的責任制度，以致有些制度流于形式。例如為了使機電設備運行時及時注油，過去曾添了幾十個油筒，由于沒有專人管理，大部份都損壞，散失了，注油制度也就流于形式了。（自聯社）

黃道周逸事

·劉壽·

明末在福州扶立唐王的忠臣黃道周，乳名首吉，字幼平（平一作玄），係福建，漳州府漳浦縣銅山島（即今福建省，東山縣）人，曾築石室於東山縣之海峽中一小島（即今東山縣十八名勝之一，所謂「石僧拜塔」下「黃石齋先生讀書處」。）世人稱其爲石齋先生。

他小時家境淸寒，三餐無菜佐食，恐人笑之，乃以木刻成鷄腿狀蘸醬油以爲菜，天天如是，某夕，鄰嫗失鷄，遂疑首吉偷其鷄，搜其家，始知爲「木鷄腿」，非眞的鷄腿。而首吉因恐再有類似無妄之災發生，即遷往東山縣北方海中孤島之石室中（即今東山名勝「黃石齋先生讀書處」）。

明末，貪污之風甚盛，惟考試尙存幾分公道。蓋斯時主考尙不敢埋沒眞才實學之士。因此學台下車伊始，必先訪查轄內名士，紳童，暗記其名，如來應試，即錄取之，祈掩人耳目。首吉赴漳州考秀才時，學台（即主考）探知其係飽學之士，原想取之爲附生（即秀才），惟試卷彌封，無法知其爲何人，只得依字取之，不料誤取他人。首吉落第後，仍折節苦讀，三年後赴考時，乃在首吉之「首」字旁加「走」爲「道」，「吉」字之外加「冂」爲「周」，其名因改爲道周。

黃道周先生精天文，生前曾在其故里漳浦縣城，用石建一「天地盤」，聞野老言，天地盤係測陰晴，度風雨之器，宛如今之氣象台，民國三十一年，筆者途經該縣，曾往觀之，其盤仍完好如初，惜無人能應用之，睹物思賢，益佩其天文學造詣之深也。

黃先生亦曾在漳浦縣銅山島（今改爲福建省東山縣）之北（即今東山縣城），關帝廟右前方海岸上建一風筒石，其石高逾仭，重數千斤，圓形，該石豎於一小石上，南連陸地，北臨深不可測之海峽，搖搖欲墜，風筒石倒影海中，如小孩常玩之陀螺，曩昔風吹即轉動，因名之爲「風筒石」。後因被頑童用石塞其下，須人推之，方能旋轉，風吹已不能旋轉自如矣。抗日期中，日寇曾用兩艘炮艇之纜綁該石，開足馬力以拉之，尙無法將該石拉落海中，可見重心安得異常恰當，其物理學精博勝常也。鬼斧神工，眞嘆觀止。

（註：亦有人反對舊說，認爲該「風筒石」並非黃道周所建，而係天生自然，或不知名之先賢所製；因黃石齋先生成名，乃將一切榮譽歸之。此等說法，亦近情理，惜少佐證，因並誌之以待考。）

辮子考

·周燕

明亡後，滿淸入主中國，第一件大措施便是「剃頭辮髮」之令，强廹漢人薙髮辮子，遂謂辮髮之制。當時有留頭不留髮，留髮不留頭的口號，當時志士仁人因爭取民族自由的犧牲者，不知凡幾。後即謂辮髮之制始於滿季，其實不然也。

按「辮髮」乃夷狄之制，周秦以前早有之，論語云：「微管仲，吾其披髮左衽矣，」左傳亦云：「東方曰夷，披髮朱身。西方曰狄，披髮，朱身」左傳亦云：辛有適伊川，見被髮而耕於野者，曰：不及百年，此其戎乎！其禮先亡矣。」迨至漢時，外族始有「辮髮」之俗，漢書終軍傳：「殆將有解編髮削左衽而篡化者焉。」漢書西南夷傳：「自相師以東北至於蕭俞，名爲舊昆明，編髮隨畜遷徙。」，晉書東夷傳亦云：「俗皆編髮」。編髮者，乃結髮爲辮，較之披髮又進代一步矣。

南北朝時，北朝之俗，民皆「辮髮」，南朝人詆之爲「索頭」，或稱索虜」。晉書東夷傳：「肅愼氏俗皆編髮。」南朝有「索虜傳」。李延壽南史：「高昌男子，辮髮繫之於背。」通鑑魏紀文帝二年：「宋魏以降，南北分治，各有國史，五相排黜。南謂北曰索虜，北謂南曰島夷。」是惟辮髮以夷狄爲始，殆無可疑。宋史鍾澤傳：「見編髮者殺之。」宗所殺者，金人也，滿淸自稱金後裔，故亦有辮子。至於「辮髮」而又剃頭，則以宋爲始。湯鑄「建炎德安守禦錄」云：「建炎二年十二月，有北來羣賊數萬人，皆剃頭辮髮，作金人裝束。」觀此可知「剃頭辮髮」本自金國，大金國志云：「金俗編髮垂肩，留顱髮，繫以色絲，富人用珠金飾，婦人辮髮盤髻。」金代此辮髮式限於男子，女人則與唐宋傳統「椎髮」頗多近似。所異者，「椎髮」位於頂，不結辮，金之盤髻，必先「辮髮」，位於腦後。滿淸乃金之後裔，故亦沿用其制。然而滿朝下薙髮令者。則爲漢奸孫之獬討好主子的醜陋行爲，孫乃第一批迎降者，他爲了効忠，首先將髮梳成豚尾，同列的漢官因鄙視之，而拒其歸漢班；又欲側身滿人之列，又被入旗的新貴排斥出來，於是孫奸便老羞成怒，上了一本，主張一律薙髮，多爾袞見奏，正中下懷，立予接納。此後抗拒薙髮之鬥爭，慘烈犧牲者，皆此奸之造孽也。

民國成立，厲行剪辮，國人尤有不忍遽去者，甚而悽然下淚者，蓋不知辮髮乃夷狄之俗，蒙羞久矣。可歎也夫，直到張勛復辟失敗，辮帥下野，辮子軍紛紛逃生，辮子才告壽終正寢。

屎屁談趣

·介人

談到屎屁，大家都有點諱談，因這些臭東西與下體有關，出品又那麼穢褻，談上口來總不免有傷大雅。萬不得已牽及，也要曲折隱諱稱解手，淨身，大便，出恭⋯⋯這連串忌諱的字眼，大家都已用慣習以爲常了。

其實屎屁儘可不必諱言，齊物論的莊子說：「道在糞溺」，實在說，屎屁兩字，有它的含義與道理，也值得人們檢討與玩味的。例如歷史上就有下面的一段幽默的事：

唐朝魏元忠盛極一時，有郭霸者，生性卑鄙，嘗以奔走權貴之門爲能事。一日聞元忠病，即趨探訪，匿以「元忠之安危，可於糞上判之，糞甘可憂，糞苦無傷也。」郭霸乃拈元忠之糞而嘗之曰：「魏公之糞果苦，可占勿葯。」因此，乃得元忠之信任。

類似上述的還有，經濟類篇載：「一士人參王士開疾，値醫曰：「王傷寒極重，他葯無效，應服黃龍湯（人糞），王有難色，士人曰：「此物甚易服，」舉而盡。士開感其成，爲強服，遂得愈。

至於用屎屁以調侃八股文及試帖詩的，則有人以「出恭」爲題，各賦詩一聯。某甲素主盛唐，極講究唐韻的，先作一聯云：

大風吹屁股，冷氣入膀胱。

某乙研究宋詩，常講貼切，亦作一聯云：

板窄屎流急，坑深糞落遲。

遲字本來是多字，某乙幾經推敲，然後酌定遲字。此聯雖形容盡致，但是格調已低。某丙致力試帖詩，專貼題面，絕不理會題旨，其聯云：

七條嚴婦律，四品受夫封。

上句用「七條「的命意，含有「出」字，下句則以淸制，官四品妻封「恭人」，含有「恭字」，則又類似詩鐘的分詠格，這種牽强附會，眞是狗屁不通，對於試帖詩的諷刺，可說是刻劃入微。

又同一笑話：陳銳（湖南人）「抱碧齋雜記」云：殿廷考試以五言八韻爲最重，工緻典雅，別出心裁，輓近刻劃太甚，幾成魔道。相傳「出恭」詩有警句云：「執杖鄉人禮，垂竿釣者容。七條嚴婦戒，四品受夫封。⋯⋯」此一記錄，與上述大同小異。另外還有諷刺附庸風雅的，則爲淸末，官吏有科甲與捐班出身的分別，出身捐班知縣，適冬日大雪，故作淸雅，吼雪煮茶，忽吟其詩曰：

「老天下雪非下水，賚在壺內變成水，老天若要圖省事，當初何不就下水？」

詩成，送與科甲出身的同官求和，同官即就原調奉和一首云：

「老兄吃飯非吃屎，吃在肚內變成屎，老兄若要圖省事，當初何不就吃屎？」

前一首詩可說是俚俗不可入目，後一首則罵得極爲刻毒，這也可說文人刻薄，但亦可收入屎屁詩話。

至於屁，自然是與屎相連的，要痾屎必先放屁，放了屁自然痾屎，祗是在稠人廣東之中，放了一個臭屁，致令穢氣四聞，遇者掩鼻，這是令人極其難堪大煞風景的場面，這眞如「何典」所說：「放屁放屁，眞正豈有此理。」吳稚老看到這種名句，因之而大受感動並予以注意。其原文是一闋「如夢令」的詞：「不會談天說地，不喜咬文嚼字，一味放臭噴蛆，且向人前搗鬼，放屁放屁，眞正豈有此理。」正是該書第一回的題詞。

吳稚老曾幾次向人說：我做文章乃在小書攤上看了這一部小書「何典」得到了這個秘訣。劉半農對此亦頗感興趣，他序「何典」說：我讀完了，將此筆墨與吳（稚老）文筆相比，眞是不差，驢頭恰對馬咀。

因之，劉半農亦有一首關於屎屁的打油詩一首，那是諷刺一般食古不化的。詩爲：

「古人亦是人而已，古人放屁未必香，怎把古人乾屎撅，檢來細嚼當臘腸。」

另外還有一首詠屁詩，値得附帶述及的。廣東三水縣有林觀過其人，向有神童之目，七歲能文，在市上賣詩自炫，有人戲令其詠放屁，林觀過詠曰：

「覩之不見名曰希，聽而不聞名曰夷，不管若自其口出，人皆掩鼻而過之。」

集句天衣無縫，饒有餘味，應該稱是詠屁詩首屈一指，値得鄭重介紹的。

上節曾述及嘗糞的故事，這眞够得上「馬屁拍足，苦頭吃盡」這一句俗話，可笑亦復可憐。關於拍馬屁的故事，另又據「笑府」上載，士死見冥王，王忽撒一屁，士郎拱揖進詞曰：伏惟大王高聳尊臀，洪宣寶屁，依稀絲竹之音，彷彿麝蘭之氣。」王大喜，命牛頭卒引去別殿，賜以御宴，至中途，士顧牛頭卒謂曰：「看你兩角彎彎，好似天邊之月，雙目烱烱，渾如海外之星。」卒亦喜甚，扯士人衣曰：「大王御宴甚早，先生家下吃過酒頭了去。」這位做屁文章的秀才，可算是善於拍馬屁了。

病院生活憶語（三）

諸葛文侯

我住在榮民醫院一個月之內，從檢查身體到割治痔疾，經過各部門的醫術考驗，知其一切設備皆係最新式的，而其管理方法尤堪讚佩，試舉一例以明吾說之不謬。

有若干親朋來探視我，每隨帶一些食品如蛋糕，鷄蛋等，供我不時之需。然我素來不吃蛋糕，而此物容易腐壞，不能庋藏，棄置未免可惜，亦太無禮。乃詢明護士中之有家室者，擬轉贈給她們家裏的兒童們作點心，似屬應該的。可是，護士長董女士答復我，說本院規則對於病人任何一種贈品，皆不得接受，紀律所在，歉難遵命。我聞之不禁感慨萬千，拍案驚奇也。台灣不特政治界盛行「紅包主義」，即如某一公立醫院，病人若有急症或須施行手術，事前亦得向主要醫生致送紅包，否則沒人理會！除非是現任的名公鉅卿，此外即免來光顧。這種貪污行爲，在台灣司空見慣，決不稀奇，社會人士亦已多見少怪，認爲家常便飯了。唯有榮民醫院，醫師却不彈此調，連病人送一盒蛋糕給護士小姐亦婉拒不受。這證明該院領導人的廉潔精神，貫澈於每個工作人員之身，風行草掩，身教翕從。假使政治界的領導階層人物，都能向榮民醫院看齊，貪污風氣還愁不能肅淸嗎？即此亦可知所謂因待遇菲薄而迫使貪贓受賄的說法，決不正確，在榮民醫院工作人員的待遇，亦跟一般公務人員不相上下，何以該院醫師就不接受紅包，護士小姐拒收病人致送的區區食物，而謹守院規，不敢踰越呢？貪官不死，國難不止，我要大聲疾呼地告訴世人，不可忽視這件小事的意義，祗要領導階層沒有貪污習氣，廉潔政治絕對能夠建立的！

榮民醫院的職責，原是專替軍人服務的，近亦闢有五十個病床給普通民衆就醫。全院有護士小姐四百名，她們起碼都是初級中學畢業後，再經過專業訓練者，集體住在醫院側的一座大廈中，生活規律化。院內各部門我都親自領教過，規則整肅，秩序井然，環境亦淸潔靜謐，以視台北市內某大醫院嘈雜紛亂，判若霄壤，就其設備與管理情形而言，允稱遠東第一而無愧。據老友朱騮先（家驊）兄在榮民醫院檢查身體時告訴我：日本東京的「帝大醫院」現在更糟糕之至，手術室隨便讓旁人進去觀覽，川流不息，大家圍繞着佇看病人施手術，有如看馬戲班的表演。這是他去年在該院就醫之際，目擊此情，其他各部門的狀況亦可想見矣。

內僑警台報字第〇三一號內銷證

自由報

THE FREE NEWS

第一八期

中華民國僑務委員會頒發
台教新字第三二三號登記證
中華郵政台字第一二八二號執照
登記爲第一類新聞紙類
（半週刊每星期三、六出版）
每份港幣壹角
台灣零售價新台幣弍元
社長：雷嘯岑
督印人：黃行奮
社址：香港銅鑼灣高士威道二十號四樓
20 CAUSEWAY RD 3RD FL HONG KONG
TEL. 771726　電報掛號．7191
承印者：四風印刷廠
地址：香港灣仔高士打道二二一號
台灣分社
台北市西寧南路壹叁柒號二樓
電話：三〇三四六
台郵撥帳戶九二五二

論主義與制度之爭（上）

王厚生

共產黨善於鬥爭，他們鬥爭別人，別人也鬥爭他們，同時，他們也長於自相鬥爭。十月間，俄共第二十二屆代表大會時，赫魯曉夫爲首的俄共當權派公然鬥爭阿爾巴尼亞工人黨（即共產黨）。阿共不服，還擊俄共。繼而，赫魯曉夫等再度對已經腐朽的史太林施行鞭韃，並將其屍體遷出紅墳。近來，不僅在俄國國內，即東歐共產國家都對史太林實行死後鬥爭，拆毀其銅像，廢改以史太林命名的地名。在阿共和中共方面，反其道而行之，對於史太林，仍極崇拜。這種情形反映共產黨的互相鬥爭已至無法掩飾之程度。

如謂共產黨代表勞工階級則今日共產黨的互相鬥爭，豈不等於勞工階級的互相鬥爭？則馬克思主義上之階級鬥爭說至少應加修正，即除勞工階級與資產階級之間的鬥爭外，應增加勞工階級之間的互相鬥爭。而所謂階級立場和階級利益，實無其事。如謂共產黨對於階級立場和階級利益發生模糊觀念，從而引起思想上路綫上的分歧，那末，何不讓二個以上的政治團體來代表勞工階級呢？記得一九五六年二月俄共第二十屆代表大會後，據法新社巴黎是年五月二十六日所傳，謂蘇俄有四名院士建議組織一個獨立的新黨，不受共黨的嚴格限制，以爲防止個人崇拜的有效方法。這個建議未被採納四院士則遭開除黨籍的處分。蘇俄眞理報於同年七月六日發表達六欄的社論，反對多黨制度。當然，在這件事上，俄共犯了很大錯誤。現在，共產黨並勞工階級而無法代表，無法有一致意見，則共產黨更不足以代表農民階級和新興的中產階級（註）尤昭然若揭。

共產黨長於相互鬥爭既已成爲公開的事實，史太林的屍體既被搬遷，「偉大性」蕩然無存，則共產黨今後的問題將會怎樣？這或許是許多人心中的疑問。我個人不免對此問題具有敏感，自有一種看法，茲畧抒所見於下：

首先，我覺得，要討論共產黨陣營的今後問題，應將共產制度和共產主義分別論之。就共產制度而論，赫魯曉夫等的做法是形同玩火，十分危險的。因爲欲維持共產極權制度，即不能亦不應打倒像史太林那樣的偶像。一旦偶像被毀，極權制度便有難以維繫人心之虞。況且，所謂共產陣營，除俄國外，還有一系列衛星國家。將來，俄國如何維繫這一系列衛星國家，成爲一大問題。赫魯曉夫反對個人崇拜，貶謫史太林，他本人永遠不能成爲一個偶像，他的未來下場，說得好，頂多是一個退休的總理。現在義大利共產黨已有所醞釀，他們不但譴責阿國共產黨，且對俄共的大國沙文主義也有所指責，在他們的言論和主張中，有三點値得注意：甲，民族共產主義的自治。乙，神話的或虛僞的一致性已非其時。丙，國際共產主義的多頭中心。就這三點來看，第一點可說是狄托主義的路綫，因爲它們現在強調「獨立自主」，赫魯曉夫也有辭退「老大哥」的表示。俄共大會此次對阿爾巴尼亞的猛烈抨擊，站在俄共的立場，似欲懲戒阿共的叛離行爲，因叛離和自治之間有些區別。第二點所指乃是事實，即極權國家一向以外表的，虛僞的一致性爲滿意，其實，極權制度的危機也在此。第三點是所謂polycentrism，聽說赫魯曉夫所痛恨中共者即在此。在俄共，似乎主張各國共產黨可以「獨立自主」，但不應另建中心，中心只有一個，在莫斯科。在中共，既被准許「獨立自主」，不可能不另建中心。以這點論，中共已經實際破壞共產制度，因爲一旦建立多頭中心，赫魯曉夫就無法維繫一系列衛星國家，也等於說，整個共產陣營勢必拆伙了事。赫魯曉夫以前表示不做「老大哥」，是否與此有關，不得而知，但多頭中心與共產制度之間的矛盾是顯而易見的。所以，如果中共和阿共認爲赫魯曉夫等毀棄史太林，足以危害共產制度的繼續存在，那末，多頭中心的建立也同樣足以損害共產制度的維持。假定中共中央本身不犯這個重大錯誤，則爲維持共產制度計，毛澤東和霍柴之流確應與赫魯曉夫等拼老命，單單責罵「修正主義者」，是不够的。更應具備當年十字軍東征的精神，爲神聖被褻瀆，鼓勁世界共產黨徒對莫斯科進行衛道行動，武裂進攻。毛澤東和霍柴之流有此勇敢有此氣魄嗎？我大大懷疑。

但是，如果就共產主義而論，問題便大不相同了。而且，我們可以肯定的說，赫魯曉夫等人的做法是十二萬分的正確，毛澤東和霍柴之流的實行是十二萬分的錯誤。今日，是二十世紀六十年代，全世界的政治，經濟，社會和文化狀況已大異於十九世紀後半期（馬克思恩格斯合著的「共產黨宣言」發表於一八四八年），根據辯證唯物論的觀點看社會發展，則馬克思主義的教條已有很大部分不能適用於今日的時代環境，因此，共產主義也應該有辯證的發展，也應有新的內容和新的詮釋。在戰爭與和平這個問題上，亦應作類似看法，而不該執著於列寧的教條。

我們知道赫魯曉夫已訪問西方多次，但最先訪問英國，會到法國，先後訪美二次。第一次訪美，在艾森豪任內，由當時美國駐聯合國首席代表洛奇氏陪同，參觀美國各地與人民生活，作實地瞭解，回國以後，就自嘆勿如，承認美國資本主義無論在工業農業方面，確有俄國不能企及的地方，他稱讚美國生產玉蜀黍的農業技術，也稱道美國工業的方法（如自動化），離美時，携帶了好幾十箱的美製品，用專機運回。後在公共場合，又承認資本主義的穩定性。赫魯曉夫第二次訪美在一九六〇年九月，那次是出席聯大會議。赴美時，乘輪船，經波羅的海和大西洋抵紐約，同船有東歐共黨領袖多人（霍柴不在內），在海上十多天，他們一定討論了許多當代世界的問題。關於當代資本主義社會的情形。難免有所討論。該次訪美，赫魯曉夫似以識途老馬之姿態，嚮導東歐其他共黨領袖到美國觀光。

東歐共黨領袖雖無考察全美國之機會，但看了紐約，已差不多了。因爲從紐的華爾街，股票市場，現代企業機構之管理和經營方法，大致可見當代資本主義之面目。赫魯曉夫等看了資本主義，同看共產主義，作何感想，無法知道，但他們欲以國家或政府的行政力量從速建設共產主義，以期超過美國，已爲衆所周知之事。從一九五六至一九六〇年，原是蘇聯的第六個五年計劃時期，這計劃已於一九五七年九月加以放棄，代之以赫魯曉夫的七年（從一九五八至一九六五年）經濟計劃。俄共十月代表大會通過新綱領，欲以二十年時間從事建設，追上和超過美國。俄國能否如願以償，須看將來的事實，但俄國立志勝過美國，這不是壞事，無人可以阻止。但勝過美國要有方法或途徑，改正現行的方法或另闢途徑，或許正可說明赫魯曉夫今日的新作風。毛澤東的方法或途徑已經證明無效或此路不通，誠如美國助理國務卿詹遜在十一月十六日所說，共產主義在中國大陸的失敗可能產生深刻的反嚮，不僅在亞洲，且在全世界。明白說來，在五十年代，世界上有許多經濟不發達而新興獨立的國家，常有一錯覺，認爲失去一些政治自由，而能迅速發展國家的經濟，不失是可循的途徑，現在，這種錯覺已被中共的失敗事實沖走了。以這點論，毛澤東的確做了大有害於國際共產主義的壞事，赫魯曉夫恨他，迫他，實在也極應該。

漫画天下　南施

媽媽對兒子說：「你們誰有興趣去學外交？」

赤魯曉夫說：「孩子別哭，快到手了！」

自由談

國際「老千」

南斯拉夫總統狄托，印度總理尼赫魯，近日又在開羅大寶其野人頭，跟埃及總統納塞舉行所謂「不加盟國家」的高層會議了。所謂「不加盟」也者，即招搖撞騙，搔首弄姿的掩飾詞耳。他們每次自說自話地作狀集會，目的就是敲詐美國大少爺的經援和軍援，兼對國際大流氓蘇俄撒嬌示意，表示他們具有不可輕侮的能力，不應小覦的。他們乃是十足的「老千」行爲。

整個國際局面，是在流氓與大少爺對立爭雄的形勢中，英國紳士與法國小姐雖然跟大少爺親近合作，但害怕打架，遇事教大少爺忍讓爲佳。流氓呢，表面上裝出捲袖揮拳的模樣，講打講殺，內心裏却十分怕死，只是站在遠距離地位，向着大少爺罵山門，吐口沫而已。大少爺有的是家當，金銀財貨山集，生活優裕，享樂慣了，也沒有冒險犯難的勇氣，祇想藉金錢來制服流氓。如是乎國際老千們即得着施展騙術的大好機會了！

這次「不加盟國家」舉行高層會議的重要課題，據說是因爲美國有停止對南斯拉夫的軍經援助計劃，而尼赫魯剛從華盛頓訪問出來，他們要聽聽尼氏在美國和甘迺迪總統晤談的內幕情報，以便協商今後應該採用怎樣的一套騙術，才可見效。

這羣國際老千們，最怕是局面穩定，眞正地大家和平共處，他們即喪失了行騙的機會。所以他們經常對美國在外交上稍爲表示強硬主張時，即悍然大聲指摘，認爲好戰，而對蘇俄不斷地試爆巨型氫彈，却悶聲不響，用意就在使國際局勢緊張不安，才好向美國大少爺繼續勒索敲詐。我們可以肯定的說，如果沒有這些僞裝中立姿態的國際騙徒，今日的世界局勢決不致弄成這麼糟糕，而共黨結即在美國少爺之幼稚淺薄，缺乏領導自由國家的才智，致令國際老千到處活躍，貽害人羣，敎猱升木，是誰之過歟？

馮五先生

果真是「善行難作」？
章勳義伐材濟僑案原委

（本報記者台北航訊）牽涉尼歸國僑領章勳義所謂「濟僑圖利」，關係印尼歸僑救濟的「阿里山埋沉殘木掘伐」問題，從去年十月立法委員的質詢，一直到歸僑的檢舉，關係人的控訴，到今年八月份監察院的調查糾正，和最近章勳義對監察院糾正案的駁復，本案已經引起了社會各方面，尤其是五千印尼歸僑的注目與批評。立法院僑政，經濟兩委員會尚在對本案加以審慎研討，行政院則在最近的問題發生之後，已命令僑務當局對「印尼歸僑救助會」嚴加監督。據聞：現已決定由僑委會，內政部，經濟部與省政府合組監督小組，負責監督工作。

流言紛飛　立委質詢

這件事情的癥結是這樣的：章勳義於四十七年初，由山林管理所課長陳光宗介紹引領，與伐木商朱水途等相識，由朱等供給資料，以章勳義個人名義，用救濟歸僑為理由，申請開採阿里山的埋存殘木，計六個林班兩萬立方公尺左右，經行政院於四十八年原則批准，章即於四十九年自組惠僑木林公司，自任董事長，計劃進行採伐。四十九年十月間，外間流言紛飛，並經立法委員廿二人提出質詢案，指責行政院批准林班與章勳義的不當與章有利用救濟名義以牟利的嫌疑，以及印尼歸僑的控訴，才在僑委會與內政部監督之下成立「印尼歸僑救助委員會」，接辦木材開採案，以印尼歸僑聯誼會的理監事與顧問二十餘人為當然委員，章勳義，楊少珍，李啓賢，饒簡，黃根源等五人為常務委員，並由章勳義為召集人及對外簽約代表。

章勳義與木商朱水途合作不成，便轉與木商鄭阿財接洽，並於去年七月間向鄭阿財借去新台幣二十萬元，同意將木材交鄭掘伐。監察院在糾正案中說：「雖章勳義認該借款為私人借款，但如此大筆款項，既無收據，又無抵押，利息，且長時期未歸還，如無特殊關係，與常理不合」。

原來領工工價其他木商每立方公尺只要八百九十餘元，糾正案指出：「章勳義與鄭阿財所訂合約，每立方公尺木材成本高至新台幣一千一百元，每立方尺成本虛報二百餘元，該六個林班埋存木材，據云實有二萬立方公尺以上，而此成本一項，即虛報四百餘萬元，亦即政府損失救濟資金四百餘萬元，為辦理人員所吞沒」。

藉公濟私　影響至巨

故認為「藉公濟私，影響救濟資金至巨」。因為歸僑救濟金的唯一來源，就是這六個林班採伐得來的木材售價除去工價，稅項，與林務局所得後，所得的餘額。所以最後全得救濟金的多寡，視工價與售價的高低。工價越高，售價越低，則救濟金越少。反之，則救濟金越多。

章勳義對這項糾正在駁覆中則說：借款係私人性質，用在惠僑公司十一萬，救助會五萬，都是用之於公，並且已於本年五月間將二十萬全部歸還。

本年三月七日，章勳義代表救助會與管局山林管理處簽訂合約，準備招工採伐。在救助會常務委員會討論發包時，常委黃根源堅持公開招標比價，但受到拒絕，最後僅答應通知鄭阿財及已向救助會請求承辦包工之兩家伐木商報價，但報價函要寄章家裏親啓。該兩木材商于接到救助會通知報價後，以外間早即紛傳章與鄭阿財預有默契，怕章將報價洩漏給鄭，失卻公開比價意義，即函請救助會改採合選公平方式，但未獲答覆。救助會常委會下次會議時，鄭阿財與另兩木商之函早被章拆開，黃根源雖力請復按前議登報公開招標，當衆開標，均被否決，當即多數通過，以每立方公尺一千一百元的工價，由鄭阿財承包，黃根源因而提出辭去常務委員的職務。

。監察院糾正文亦承認：該會不用公開招標是處理不當，有讚一特政存給予救濟歸僑的者源，交由早有默契之鄭阿財包辦，以違到其目的」。章對義在申明中說：這是一比較工價」，是因為鄭阿財具備領工條件特優，才決定給他做的。

本屆省運笑話連篇

問題之多而嚴重，空前未有。祇希望到此為止，不但空前，而且絕後，就阿彌陀佛了。

※※※

（本報記者台南航訊）一年一度，今年在高雄舉辦十六屆全省運動會早閉幕了。本屆省運，一開始就引起社會的不滿，輿論幾乎沒說過一句好話，其予人印象之惡劣，以及問題之多而嚴重，空前未有。祇希望到此為止，不但空前，而且絕後，就阿彌陀佛了。

先談高雄市綜合運動場，耗資一千二百萬元，高雄市建設局長黃坤榮以為符合國際標準了，但輿論比如中央日報，則認為「相距何止千里」。這運動場，不夠理想之處多得很，如跑道有長短，如地質太鬆，這些缺點已成為選手們最感困擾的事，也是選手們所指為影響成績的最大原因。所以本屆田徑賽的成績，出人意外的平凡。

拉角之事，更令體育界人士憂心如焚。消息有的說，某些縣市為了多爭取一塊金牌，竟不惜以違背運動道德的手段來拉「明星選手」誠省運會最大的污點。其次是選手們臨陣豎白旗，如田徑中的男標槍決賽，向大會報到的選手，申請參加標槍賽的有二十七人，但參加競賽的選手只有二十人，另一位選手在預賽時即豎起白旗表示棄權，而真正逐鹿者不過十九人而已。而拳擊十二場決賽，其中有七場因一方選手棄權而無「戰事」。有人諷評謂之「放水」。

各縣市為了「拉角」不惜重金禮聘選手，選手們動輒藉抗議而集體棄權，至於大會如何呢？這裏列舉兩個例子來說明大會的作風和觀念。頒獎：是奧林匹克的傳統精神中的禮儀，但省運大會臨時請了一位老職員，代表大會頒獎，在頒獎時，既未升旗，也沒有奏樂，唯一的頒詞是：「你們都站好了，我隨便掛一下就算了」這兩句話是那位代表大會頒獎的職員說的。似此，形同兒戲，還談什麼禮儀？此外，屏東女選手陳秋妹，在跳高賽時，把左下臂跌斷了，大會報告員漠不關心的說：「屏東代表隊注意你們的一位選手在跳高的時候，在場地受傷了，你們趕快派人去照顧。」陳秋妹由屏東代表隊的幾個人攙扶着，咬牙忍痛，流着眼淚離開場地自行覓車就醫，這就是大會為選手服務的真實情況。

台灣省運會年年在舉行，可是近三年的成績，太使人失望。比如田徑賽，除了兩位老國手謝天性與吳錦雲外，其餘選手可以說毫無進步。選手們平時缺少正常的訓練，他們不是臨時抱佛腳就是「開快車」，來數行省運的來臨，有的選手甚至用什麼「土法子」來訓練自己，一旦談到要訣，則不知道這回事了。至於榮譽感和合羣性等運動守則，更談不上了。而游泳賽在過去三年中，就沒有產生過一項全國性的新紀錄。像經費比其他縣市充裕的台北市，就因沒有人重視這項運動出而倡導，教練既沒有，而游泳場不是被改作其他用途，就是被封閉起來，現有游泳池像太平池校雖然作有限度的開放，卻祇許放水一半，這當然不能供選手平時訓練之用。為什麼不把水放滿呢？據說，該校因為怕放滿了水會淹死人的，這才是天大的笑話！在這樣情形之下，省運紀錄會有奇蹟出現嗎？

至於本屆省運大會，從參加選手三千五百五十人去分析，確打破了歷屆省運紀錄。但這不能說是進步，反而顯示其濫。像台北市選手三百多名，其中有資格登場亮相表演者，祇有數十人而已，餘皆是隔岸觀戰的觀光客！屏東的足球隊和基隆的網球隊竟不戰而逃。田徑場上竟有「齊步走」的故事。二十四歲的吳阿民原係業餘運動員，為花蓮縣田徑隊的選手。花蓮縣政府竟「正式宣佈」「公告天下」，如吳阿民在十項運動中獲得六千分，決奬一千元，花蓮縣府直視為職業運動員了，怎不叫人笑掉牙齒？「吃空缺」的風氣，竟亦出現於省運會。因為大會裁判員每人每天僅領到四十元的車馬費，事實上不足以支付，因而裁判長不得不為部下裁判員謀福利，才有多掛幾個空名，多領交通費及津貼。故亦因此而有裁判員棄權的怪事發生了。（公冶長）

名為領工　實為包辦

依照林務法令規定，經營林業業經訂立合約後，原申請人不得將權利轉讓他人或與人隱名合夥，否則取消合約。但掘木自本年五月份與鄭阿財簽約開工，所有設備等生產費用，救助會的開支和救濟米的發放，都用鄭的錢來支付。由鄭代出全部資本，保證產品價格，及代售生產成品，代付開支，代償債務，似已超越過了「領工」的地位。監察院糾正案全文，在「要求當場決定鄭阿財為領工」文下，以括弧按：「名為領工，實為包辦」字樣，且謂「據黃根源文內所將：只有鄭阿財一人開列係件價目：：：等語，旦見所謂領工，實為包辦，亦即變相之轉讓或與人合夥」。章對義的駁復說：對方完合居於僑觸地位，只知為道地「領工」，絕無招商「包辦」。此案中，又傳某常委得鄭阿財賄欺一筆。楊少珍當委在上立法院的申辯書中，力自無其事，他說鄭阿財去年年底，由鄭滙給他四千元，以作逸該會常委新年禮物的代金，其中二千元轉交派根源不收，揚

少珍乃託宋谷青將四千元都帶去還了鄭阿財，並擊回有收據。關於六個林班埋藏的材量，監院糾正文及立法院的質詢，都說是有二萬立方公尺，但據章勳義的駁覆，卻說只有八千餘立方公尺，出入數字相當的大。

該弄清楚　不好再拖

立法院僑政，經濟委員會於上月三十日舉行聯席會議，審查本案，舜衡等委員列席官員提，。對政府會中出質詢，一致抨擊政府救助歸僑沒有政策，對印尼歸僑救助會挖掘阿里山埋存殘木案，現在鬧得烏烟瘴氣，就是因為沒有政策所致。而事件發生後，政府也沒有盡到職責，任其自生自滅，這種隔岸觀火的作法，實在要不得。政府拍賣資源來救濟歸僑，為什麼不由政府來辦，而交由歸僑來辦？這種救濟按衛，是大錯特錯的。委員陳素說：政院會核定僑委會，內政部，經濟部，省政府四個機構成立監督小組，但開會時，省府竟不出席，四個機構都不合作，讓其自主自滅，這是失職，應予嚴究。章勳義過去在印尼英勇反共，入獄，因而犧牲重大，所以被「反共僑領」。今為受此案牽涉，對令譽不無影響，現在既經立法院提出質詢，監察院提案糾正，章勳義也有辯復，政府又有了新的監督機構，此事總不好再拖下去，應該弄清楚了，該是還給章勳義一個清白，或是讓法律懲戒玩法之人。（呂）

實至名歸功在國家
嚴慶齡雙喜臨門

（本報記者台北訊）中國機械工程學會，於本月十五日將該會成立九年來的第一枚機械工程獎章，贈給台北裕隆汽車製造公司董事長嚴慶齡，確認他在自由中國創辦的這第一家汽車製造廠，對國家社會的貢獻不可磨滅。而同時，嚴慶齡又當選連任中國工程師學會常務理事了，真是實至名歸，雙喜臨門。

嚴慶齡是上海市人，他而今向年富力強，僅五十五歲。他是德國留學生，在柏林工業大學得到「國投工程師」學位。歸國後起先在上海經營機械和紡織工業，曾任上海大隆機器製造廠工程師，（後來做到總經理）製造過整套的棉紡紗錠，成本低而效率高，成為有名氣的機器製造專家。

嚴慶齡是八年前在台北創辦裕隆汽車製造公司的，現在該公司擁有最新式的工作母機三百餘台，以及其他設備幾千件，擁有工人一千多人，可以年產汽車五千輛，是台灣唯一的汽車製造公司。該公司已出產的汽車為國家節省了外滙美金六百萬元。

據中國機械工程獎章委員會主任委員說：嚴慶齡了不起，他不但學識好，意志尤堅強，要做什麼事非做成功不能休。比如他辦汽車工業，不知賠了多少錢，費了幾許心血，但他就要把它辦下去，終於他成功了。而且不但是他個人的成功，也是國家社會的成功。但嚴慶齡卻很謙虛，頻說他從事機械工業這許多年，貢獻太少，深感慚愧。（正）

出國風氣太猖獗
想方設法做洋人

是何心哉值得注意

（本報記者台北通訊）政府新近頒佈一項命令，規定公務人員及其子女不得轉入其他國籍。政府頒佈這項命令的背景，據說：是因為最近有許多人申請變換國籍所致。而這些改換國籍者所用的方法，極盡異想天開之致，有的人花錢在外國買一張國籍證，過了相當時期，便以「回國」的姿態到外國去做外國人；有的人把子女過繼與外國人；有的把女兒嫁到外國去等等。所以才有將軍千金下嫁洋丘八，「聖人」招洋女婿的事發生。這種自己恨不能變為洋人也要設法把子女變成洋人的心理，可恥得可怕。

在民國三十七、八年，中共將要席捲大陸，情況十分混亂的時候，有「辦法」的人都爭先到外國去，遠走高飛，惟恐不及，台灣是沒什麼人想來的。到後來，台灣日漸安定，許多人又爭着要來了。這幾年來，台灣的力量日漸強大，安全更趨鞏固，人民生活也更見繁榮了。然而出洋的風氣，卻又猖獗起來了。這畢竟是什麼見不得人的怪心理在作祟，值得注意，值得研究。（文，十一、十二、）

台灣省糧食增產率趕不上人口增加率

楊繼曾認玩弄數字遊戲　是諱疾忌醫徒弄壞事情

（本報記者台北航訊）台灣糧食增產率趕不上人口增加率，將是一個危險。這是經濟部長楊繼曾提出的警告。楊部長對於省糧食局以安定人心爲由而編製不正確的生產數字，向人民謊報說是食米增加率超過人口增加率，玩弄數字的欺騙行爲，甚不以爲然。另外監察委員也在同時就糧政問題提出建議，主張政府設法控制大量糧食，以免一旦發生災變，接濟不及而影響民食。

主管台灣糧食行政的糧食局長李連春，對於有關糧食局一切統計數字，背得滾瓜爛熟，如數家珍，不論任何時間，任何場所總能提出一連串的數字作根據來支持他的看法。尤其是每逢糧價上漲，或遇天災水旱的時候，他必定要發表一些「安定人心」的言論，不是說天晴有利於收穫，就是降雨有益於播種的話，最後總是舉出一些糧食生產和食糧豐收的統計數字出來，拍拍胸脯保證沒有問題。雖然漲上去的糧價，並不因爲他的保證而回復，但由於沒有人能提出更權威的數字，因之儘管不少人持懷疑態度，卻從來沒有人能正面駁倒他，以致使他繼續玩「數字魔術」。這次，經濟部長楊繼曾是第一個正面駁正他的人。

經濟部長楊繼曾，三日下午在行政院新聞局記者招待會上表示：農產品增加受到限制，台灣人口的增加已超過了糧食生產。這一事實，看遠一點，是一個大問題。數年來，美援小麥的進口，每年都在廿五萬到三十萬噸，這表示一部份人以吃麵代替食米。而去年糧價漲了百分之五十。

楊部長說：第一期四年經建計劃，即民國四二年至四五年，米每年均增加率爲三．五%，同時期人口之平均增加率爲三．七%，第二個四年計劃，即四六年至四九年，米每年平均增加率爲一．六%同期人口平均增加率爲三．五%四二年到四九年，米之平均增加率爲二．五%，同期人口之平均增加率爲三．六%，不論如何計算，米的增產速率均遠落在人口增加率之後，決不容諱疾忌醫。如作統計比較，人口的增加是幾何式的，而糧食的增產是算術式的，而向人民謊報說是食米增加率超過人口增加率，那是玩弄數字的欺騙行爲，這如玩火一般危險，絕非解決問題之道。

楊部長強調：今年是豐年，二百萬噸的食米生產目標可以達到，並且目前還有二十萬噸的存糧。祇是糧食的增加率是往下降的，也就是說糧食生產沒有人口增加快，但也沒有危險，也不必爲了「安定人心」而去說不切實際的話。他說，他所說的糧食與人口比例，是講事實，不是說那個有功，那個有罪。而且農業生產是經濟部主管的職掌之一，經濟部絕不會搞一個數字來，說自己主管部的農林生產不行。

楊部長還指出：國民所得大部用於消耗，平均個人所得其收入五三%是用於吃去了。楊部長雖然沒有指出是什麼人在「玩弄數字」，但大家都知道在糧食問題上對「數字學」最具權威的「政府官員」，是台灣糧食局長李連春。

台灣人口增加率過速，早在五、六年前，蔣夢麟先生就首先坦白提出過。當時不但沒有得到政府的正視，甚至還有人認爲是危害聳聽，以致蔣老先生不得不說出：「即使殺了我的頭」也要說「老實話」。時至今日，人口的增加超過糧食增產的事實，大家不能不正視了，一年產生一個高雄市的人口，是一個不小的壓力。經濟部長楊繼曾，不久之前以經濟主管首長的地位，在向我們的國會（立法院）提出的報告中指出了這個問題，可以說是政府方面，正式承認台灣人口問題，逐漸形成嚴重性的第一人。

有開日報的小評，在談到「糧食數字」的時候說：「楊繼曾部長和李連春局長，在他們主管業務的崗位上，都是有貢獻的能員。不過，看法可以不同，數字則應該不能成兩樣，如果眞有人拿「上古時代的數字」來開玩笑，則在核子時代的今天，倒是一個值得追究的問題」！

現在的問題是，中央的經濟主管用「數字」來證明了糧食增產不及人口增產的危機；及監委們指出「如發生重大災害，糧食供應己失常態，仍將存糧輸出，則易滋人民誤會，難獲諒解」，應加注意之時，不知道向以「報喜不報憂」爲作風的省糧食局長，又將玩一套什麼樣的「數字」來爲自己「宣揚」和辯護哩！（吳越）

監察院檢討會誌詳

（本報記者台北航訊）葉時修委員在檢討委員提案爲什麼會少？爲什麼委員提案情緒不高呢？他指出其中因素很多，但主要的是：有人藉詞提案資料不充分而暗中阻擾；有些重大的提案，不是受了外界的影響就是黨部（指國民黨）的關係，或者有些人深知「明哲保身」的做人道理，或者因委員們年紀老了，做事情比較溫和些，基於上述原因，大家對提案不感興趣了。同時，糾彈案件送到政府後，效率也不大。葉委員以高地兩院隸屬司法院一事爲例時說，高地院改隸司法院遲遲不執行的原因，係司法行政部不放鬆高地院人事行政權所致。按理說，大法官會議解釋令，如果行政院不執行，固然是違法的行爲，但又有什麼辦法呢？這種五權憲政體制，顯然有點動搖了。

二

監察委員們，本月八日在檢討會上，大聲呼籲消滅貪官污吏，咸主張用重典來制裁不肖官員。

馬空羣委員痛斥台北市議會議長暨議員，慰留涉嫌去車案主角黃啓瑞，是一件不可思議的事。他認爲民意代表如此行爲，無異在鼓勵貪官污吏，這樣的沒有是非，沒有公道，簡直是最嚴重的荒唐；另外，有權有勢者也支持貪污不法之徒，他們通常以家醜不可外揚爲理由，並且想盡方法來掩護貪污者，甚至大事化小，小事化無。他說：這樣將下去，不但無法完成反共復國使命，將來，恐怕死無葬身之地了。他很痛心的提出警告說，有些人「護航」而忘記自己的立場，將成爲歷史上的罪人。於是，他希望監察院同仁要自我檢討，摸摸良心，反省一番，有沒有做了對不起自己的事，有沒有盡到一個監察委員的責任。若是自己做不正常的事，將何以去糾彈貪官污吏！做一個「名御史」，必須「威武不能屈，富貴不能淫」。

陶百川委員指出：監察院在兩年內，如不能挽回惡劣的政風，將致國家陷入永不翻身的境地；反之，若在兩年中，把貪污之徒剷除一乾二淨，將來國家的前途還是有希望的。因此，監察院必須把失職的官吏掃除；糾正貪污浪費，偏私及不良的措施。如不及時把這五點糾正過來，國家的前途將不堪設想。陶委員主張：修改監察法第三條，增設巡迴小組，每一縣市設一巡迴小組，由監察委員二人，秘書與審計各一人，共同組成，經常派駐各縣市，監督縣市政府，就地處人民書狀，督促警察人員，稅吏與法院做到公平合理，並促進地方政治走上軌道，這樣不僅增加人民對政府的向心力，而且可以避免爲友邦人士公開指責。他認爲赫樂遜指責我政府，批評我們，是事實也是善意的。

張一中委員說：貪污的情形，是大家知道的。貪污是不可原諒的，尤其那些見錢就愛的官員，應該殺頭。不過，政府官員有一部份是潔身自愛的，另一部份人兩種原因促成的，而不是見錢就愛。一種是「紅包」促成的；一種是待遇太低促成的。在吃不飽的情形下，有的人就不得不貪污了。如惡性補習，是這種原因促成的。教員的待遇低，爲了維持一家生計，他那裏安心教書呢？爲了減輕負担，只好動腦筋補習了，這樣造成學童對老師不尊敬，不信任。然而，政府機關首長，卻有特支費可拿，於是造成「特權」階級。像台灣省政府，首長大人，都有兩三個公館，兩三部電話機，兩部小包車，試問這不是特權階級嗎？又如現行所得稅法，就是「特權階級」的護身符。財產越多的富翁，反而不負担稅金，升斗小民，卻負担稅金。這種不公平的現象，促成貧者愈貧，富者越富，這都是不合理的，但是政府卻充耳不聞。

台籍監委陳江山指出：今天的貪污案件，已經到了集體貪污，無官不貪的地步了。如果最高當局沒有決心的話，是沒有辦法的。（下）　張健

宣君續夢

拒諫飾非，列鼎烹功狗
成王敗寇，作狀笑沐猴

第三回：

老狐狸回頭看下楊獻珍，問道：「獻珍同志，你的意見怎樣？」

楊獻珍原是老留俄學生，畢業後留在蘇共遠東局任翻譯工作，和中共並無直接淵源，一九五〇年毛澤東去莫斯科叩賀史太林七十壽辰，當時帶的譯員是陳伯達，本來在中共黨內，一向推陳伯達爲頭號理論家，可是在會談時，史太林偶然詢及「馬列經典」中的問題，毛澤東固然瞠目不知所對，陳伯達也張口結舌，回答不出。

史太林看見中共頭目對理論修養太差，會後就把楊獻珍介紹給毛澤東見面，說明要派楊獻珍回國，協助中共提高理論水平。拜壽之後，毛澤東就帶着楊獻珍回來，最初派任馬恩列史學院院長，以後改爲中共中央高級黨校，仍由楊獻珍任校長。中共八全大會，楊獻珍當選第一名候補中央委員，賴若愚死後，補爲正式中委，有關理論方面的問題，大部份都由楊獻珍作最後解釋。所以握有一種潛在的權力，外界不易看得出來。

老狐狸當然知道楊獻珍的身份，對他十分恭敬，現在看到徐東海和鄭位三主張澈底清查，勢必和王任重發生衝突，就向楊獻珍請教，如何解決。

楊獻珍笑道：「海東位三兩位同志的理論都很正確，只是未同實際問題相結合，我們首先要了解，基層組織是由省委會掌握，省委會不合作，我們沒有絲毫辦法。海東同志要回黃陂視察，不錯，黃陂是你的家鄉，但是經過十多年的變化，舊的人事關係已不存在，你回去等於到了外省，當地幹部事先得到省委會指示，佈置幾處人民公社等你去視察，結果還不是和報告的資料一樣。」

楊獻珍一席話說的徐海東銳氣全消，鄭位三也連連點頭表示佩服。

老狐狸搶着問道：「獻珍同志，像這類情況蘇聯是否發生過，老大哥的先進經驗又是怎樣呢？」

楊獻珍微笑道：「這個問題，我不便多說，只舉一個現成的例子。今年蘇共中委會開會時，赫老曾經處分了幾個自治共和國的黨委書記，都是爲了謊報農業收成，其中有一個被開除黨籍，原來他爲了邀功，曾派人到其他地區高價收買了產品及牛奶上繳，最初還受到嘉獎，後來被查出，赫老簡直氣瘋了。假若發生在五年前，一定會槍斃他，總算他的運氣好，只開除黨籍了事。」

楊獻珍說過，大家一齊嘆息，徐海東說道：「眞是天下老鴉一樣黑，怪不得反動份子說社會主義出懶漢，這種情況想來眞是可怕。」（五〇）

縣長爛污賬　議長打圓場

府會一家說得好漂亮　公歟私歟大家心裏知

（本報記者新竹航訊）新竹縣的彭縣長在此次的議會總質詢中，有一筆爛污賬被揭發，如一周年紀念時，縣長毛巾贈送，花上一萬餘元，收回扣就有四千餘元，如上年度結餘的十萬餘元，分由各主管的空頭支票報銷，以致各承辦人「敢怒而不敢言」。

彭縣長更在事務組安插私人的事亦被於質詢時揭出來了，陳某在每月爲報銷六萬元的臨時費，而不敢再從事是項工作下去，並提出辭呈。其所[illegible]

[illegible]專案調查小組。但此事經議長鄭火龍一再制止，並提出「府會一家」口號來，做好做歹，希望將此事以大化小，以小化了。鄭議長同時還以私人情感，來和提出質詢的議員，作私人的和議。

鄭火龍議長爲什麼如此，原來是以爲他與彭縣長關係甚厚，在彭縣長競選時，鄭火龍就出了不少的力，拉了很多的票。政治觀察家說：「要集中選票，方可打倒對方」。然鄭火龍之所以如此對彭縣長出力，原也是有取有予，爲自己打下議會裏的基礎。

[illegible]就解決了呢？眞所謂人民眼睛是雪亮的。彭縣長的一筆爛污賬，都是民脂民膏，而且，我們在新竹縣內，不難發現到貧苦的人民，和面待開發的鄉村的苦處，番湖村一例。番湖村位於高山，風大沙人，而交通卻大不方便，學童們要從山上山下，數公里的地，步行很久，要是刮風下雨，學童就更苦了。然則爲什麼不修路呢？這是認眞需要的、台灣報刊亦會有提出，但都被推以「無錢」二字了事。然則彭縣長的一筆爛污賬，不是錢麼？（勞克）

太平天國紀念堂

郭威廉

滿清末葉，以洪楊爲首，發難金田，建都金陵的太平天國，昔謗之爲洪楊之亂，今則譽之爲民族革命的了。究竟爲功爲罪，確實値得推敲的。

今人爲紀念太平天國，在廣西桂平建築了一座雄偉的紀念堂，本文所述，局限於此，不談別的。

太平天國紀念堂是民國三十二年興工，次年春落成，春之三月二十九日舉行了一次隆重的揭幕典禮，紀念堂建築在桂平城郊左靠中山公園，右有抗戰殉國烈士紀念碑，佔地甚廣，採中西合璧形式，正門有「太平天國紀念堂」七個大字，是當時廣西省主席黃旭初的手筆。禮堂可容數百人，另外設有圖書館，太平天國文獻陳列室，以及職員宿舍等。

在紀念堂裏，有關太平天國的文獻却很少，僅有一篇起義的檄文，此文注明係金田村黃石鳴家錄秘藏，眞僞莫辨，但在此湊合一下，使該堂的建立有了根據，原文照抄如下：

「忖思未拜上帝以前，未嘗擾害良民。既拜上帝之後，何嘗劫掠城鄉。不過志甘泉石，自成世外之逍遙，性樂烟霞，別有有無名之天地。於是托蹟穎水箕山，聊劾巢由之洗耳。潛蹤西山北海，暫比夷齊之採薇。孔子云：「天下有道則見，無道則隱。」何乃爾等愚官劣宰，捉我同幫，押死公堂，輕如鼠蟻，誰不爲痛心哉！故不得不糾集英雄，結盟豪傑，以爲報仇之舉。爾乃復起官兵，聯絡團練，與我頡頏，相爭上下，豈不謂我營中無人乎？抑知我文官二百，人人有安邦定國之才，武將千員，個個有擎天跨海之勇。雄兵三萬，勢若天丁。戰士數千，威如猛虎。恰似一天星斗，固若銅城。恍猶四海洪波，堅如鐵柱。以此制敵，何敵不摧？以此攻城，何城不克？諒爾小小蛇兒，烏能與蛟龍鬥勝？微微犬子，何敢與虎豹爭能！大帥一出，望風而逃陣。官心驚而胆裂。壯士竄走以狼忙。抛盔城之戈甲，棄滿地之刀槍。屍墳亘港之岸，血滿長城之窩，無面目見關中父老，何顏入將府之廳堂。倘能各安本分，息戰停征，免蒼生之塗炭。至若執迷不悟，興兵動將，使庶民遭殃，軍威所至，定掃蕩江爲平壤，踏闔邑作坵荒」。

君子好逑

朱韻成

到了電影院，陸老三掏出四張票，給兩張吳志剛說：「你先陪張小姐進去罷，我們得去買點東西，轉一轉就來。」然後壓着嗓門，拍拍吳志剛的肩膊說：「放自然點，祝你成功！」

進了電影院電影已經開映了。吳志剛暗地鬆了口氣：總算有兩個多小時的安寧了。他端坐着一本正經的看着，看了好久才發覺左邊兩個位子一直空着，直到散場陸老三和王小姐都沒有來。

散場後他們隨着人潮湧出去。他纔發覺她大概有他耳根那麼高。他看着她的側臉，想：「我和她眞陌生啊！」他只覺得說不出無聊，現實生活與電影中的絢燦相去多遠啊！她偶爾別過頭來看他，和他的目光相觸。他們都微微笑了笑。他覺得她的笑容中有些甚麼歉意而悲涼的東西。

外面是深夜，浮泛着一股涼意。他們默默無言的走着，漸漸走出人潮。街上靜靜的，行人寥落，只這裏疏落地點綴着些小吃攤，黃澄微弱的燈光很寂寞。

在一個街角上他們遇着一對年青的夫婦。

男的大概三十還不到，推着輛台製半新舊的單車，單車橫槓的小籐椅上坐着個四五歲的孩子，小頭幌來幌去，睡着了。女的稍後跟着，手彎裏抱着個兩三歲的女孩，也睡着了。兩夫婦的脚步遲滯，蹣跚從世界的另一角走來，無限的疲乏，但還有無盡的前路似的。

目送他們走過，吳志剛忽然渾身戰慄了起來：他好像已看見再過幾年自己也推着部這樣的單車，睏倦地走着，在他身後一個女人抱着孩子，無言地跟着，像兩個沒有生命的幽靈……生活多累人啊！他向前展望，只看見灰茫茫的一片，交織着無盡的工作、平庸、腐蝕、老邁、疲乏……啊！這無盡無止的灰色的日子啊！

而也却打扮得像個擦亮的錦鍋，既無聊又滑稽，任人擺佈，，做一齣莫名其妙的小丑戲，爲的是甚麼呢？把無盡無止的勞役的軛套到自己的頭上嗎？……他環視周圍，茫然地不曉自己在甚麼地方。只有兩邊樓宇中間的天上的星是熟悉的，却又顯得多冷淡啊！……（四）

五嶽紀畧

漁翁

五嶽者，即中嶽嵩山，東嶽泰山，南嶽衡山，西嶽華山，北嶽恒山是也。按東南西北四嶽，爲昔日天子巡狩之所，中嶽爲邦畿之鎭，隨帝都而移，唐虞夏以霍太山爲中嶽，殷以嵩高爲中嶽，周以吳山爲中嶽，東遷後，又以嵩高爲中嶽，秦漢以來仍之。

古人云：「六經讀罷方拈筆，五嶽歸來不看山」，余以學問之道無窮，雖畢讀六經，而猶以爲不足。五嶽之高，余登其四，遊罷歸來，仍不忘者，蓋高者有高者之雄偉，低者有低者之雅致。劉禹錫所謂「山不在高，有仙則靈」也。爰將五嶽之勝蹟，略記於次：

嵩山在河南登封縣境，爲太室，少室兩山之總稱，兩山對峙，相距約十餘里。史記：「昔三代之君，皆在河洛之間，故嵩高爲中嶽」。因洛陽居全國之中心，自古有「中州」之稱。在太室山南麓，有「嵩陽書院」建於五代周時，初名「太室書院」，宋更名，與睢陽、白鹿、岳麓，並稱爲全國四大書院。院前有「漢柏」一株，樹身合圍三十五尺，漢武帝曾以「大將軍」封之，至今枝蒼葉茂，爲此山最古老勝蹟。中岳廟長而寬，有宋代所鑄之四鐵人，凛凛有生氣。大塔寺，少林寺，均有一千四百餘年之歷史，尤以寺內磚砌成之塔，今尚屹然完整，亦爲嵩山古蹟之一。

泰山，亦曰「岱宗」，在山東泰安縣北，最高處爲「丈人峯」，將出羣峯之表，又有東西南三天門，東西中三溪，爲山之最勝者，其餘峯巒溪洞，不可勝數。唐明皇封禪泰山，張說爲封禪使，說婿鄭鎰，原官九品，因說驟遷五品，明皇怪而問之，鎰無以對，黃旛綽曰：「此泰山之力也」。後人謂妻之父爲泰山，本此。歐陽修云：「泰山有丈夫峯，故以泰山爲妻父」。山上古蹟最多，中天門有「八仙橋」，「斗母宮」，「玉母池」，「孔子登臨處」等，二天門有古松五株，傳秦始皇以「五大夫」封之。南天門有「玉皇頂」，在此可看東海浴日美景。清代某名士觀日後，曾留題云：「朝仍甫斂，洪濤不驚，水面霞光，燦爛萬道，旭輪突現，霄漢頓清。」可爲此地寫照。

衡山在湖南衡山縣西北三十里，舜南巡狩，至於南嶽，漢武帝移南嶽之名於霍山，隋文帝始以衡山爲南嶽，山有七十二峯，跨長沙衡陽間，回雁爲首，岳麓爲足，宇內之名山也。南方氣候較熱，此地最適宜於避暑，五至八月間，遊人不絕於途，亦有在山上卜築別墅者。半山有「鄴侯祠」爲唐李泌讀書處，再上曰「南天門」，最高處爲「上封寺」，寺左角，有石台，上書「觀日出處」四字，除落雨與起霧外，可看日出美景，始由遙遠東方，顯見一團紅色，再由紅色幻變五顏六色，最後成爲光芒四射之朝日，浮沉雲海，待升上三竿，便光滿大千。至山中古寺，數以百計，有一寺內珍藏印度「貝葉經」，所繪佛像，歷久不變色，爲南嶽最珍貴之古蹟。

華山，在今陝西華陰縣南，以其西有少華山，故又名之曰「太華」。山海經：「太華之山，削成而四方，其高五十仞，其廣十里」。水經注：「華山遠而望之若華狀」，其西一峯，高出雲表，蒼松古柏，迴繞其間，成爲天然之勝境。漢延熹八年，所立華山廟碑，據唐徐浩古迹記，爲蔡中郎書，遒逸秀拔，爲華山二千餘年之勝蹟，惜已燬，餘畧而不書。

恒山，在山西渾源境，距城二十五里，亦曰常山，以避漢文帝諱也。自唐峪口入，約三里，曰「懸空寺」爲北魏時所建，寺北有「太白祠」，祠旁巨石上，鐫「壯觀」二字，爲李白所書。出峪口，即「羅漢洞」，塑列十八羅漢像，再上爲「停旨嶺」，石壁上刻「恒宗」兩字。循此道前進，不一里，即「果老嶺」，傳張果老曾騎驢過此而得名。恒山最高峯，達二千餘公尺，登極遙望，五台諸峯，盡在眼底。全山有十八景，非走馬看花，所能一窺全貌。

筆者除西嶽未獲攀登外，所有東南北中各嶽，均領略名山風味，尤其三遊南嶽，在上封寺住過相當時間，曾作五古一首，鐫在崖石上：「幾度登南嶽，山花笑又來；黎明觀日出，薄暮看雲回。貝葉珍存古，鄴侯址未灰；爲憐風景好，一步一徘徊！」忽忽不覺爲二十五年事，往事追思，感慨萬千！

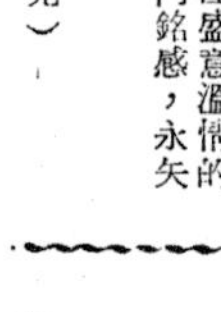

山川風物

鎮海樓之憶

道南

鎭海樓在廣州市區之北，越秀山上，爲明代永嘉侯朱亮祖所建。樓凡五層，俗稱之爲五層樓。越秀山上還有一座觀音閣（今已拆毀，即水塔所在地），故俗又稱越秀山爲觀音山。

相傳這樓是用以「鎭壓紫雲黃氣之異，消沉霸氣」。還說，建樓之後，鍾毓百粵，文化之盛，媲美中州。這當然又是風水之說無稽之談。

至於五層樓，建築以後五百年來幾經變亂，興廢靡常，但它依舊巍然獨存，而一向爲文人雅士寄情吟詠之所，歷來佳作殊多，不及備錄。最膾炙人口的，聯云：

「萬千劫危樓尚存，問誰摘斗摩星，目空千古？

五百年故侯安在，祇我憑欄看劍，淚灑英雄。」

近人則有黨國元勛胡漢民先生的題聯云：

「五嶺北來，珠海最宜明月夜；

層樓眺望，白雲仍是漢時秋。」

上兩聯氣壯如虹，寄慨無窮，當與鎭海樓並垂不朽。

其次則有廖仲愷的題詞，調寄「一剪梅」云：

「疊閣層樓倚曉風，山上烟籠，江上霞紅，興亡閱遍古今同。文只雕龍，技只屠龍！莫問當年舊主公，昔日名隆，今日樓空，惟餘小鼠穴其中。更靜潛踪，夜靜穿墉。」

今天的廣州，已爲社鼠城狐竊據，血腥遍地，不圖廖仲愷當年諷刺陳炯明的詞句，又可移作中共的寫照了。

海嶠譚叢

病院生活憶語（四）

諸葛文侯

住在醫院裏一個月，生活固然清閒輕鬆，但亦感覺寂寞，唯一的消遣就是看書。吾友趙孟完兄對我最關切，他把「退除役官兵輔導委員會」所存的新唐書借給我閱覽，使我獲益不淺，因在醫院讀書，特別細心領會，記憶力亦比較高強些。此外台北作家張潄菡女士迭次來看我，每次帶一本她所寫的小說相贈，計有「意難忘」與「七孔笛」兩種，我都看過，其中尤以「意難忘」的故事最令人感動。她說：原來書中的女主角李明珊的結局更淒慘，嗣有許多讀者，在報上看過這篇小說後，寫信給她說是太殘酷了，令人不忍卒讀，她於印成書本時，乃將眞實故事畧予變更了一點。我笑她未免「婦人之仁」，她亦不否認。

護士小姐多喜歡看小說，我榻前所置的說部，還有熊式一先生送我的「天橋」，魏希文先生的「我永遠存在」——寫的是吾友劉文典先生在大陸遭共黨鬥爭的故事——她們都借去看了。張著的「意難忘」，她們早已看過，有一天張潄菡女士到醫院來，跟我閒談了半小時辭去，我告訴護士小姐，這位便是「意難忘」小說的作家，她們很失望似的說道：「你早不給我們介紹一下，認識認識，失之交臂，可惜啊！」有位護士小姐看過了魏著「我永遠存在」後，對我談論劉文典教授眞了不得，我問她對政治小說亦感覺興趣嗎？他說：「我也是中國人呢！」每當深夜五更時分，我偶爾不成眠，便向那位值班的台籍護士小姐學習台灣話，學了好幾夜，現在只會說一句「卡定衛」（打電話），其餘都忘記了。上了年紀的人，記憶力總歸差些了。但對於院中各位護士小姐的智識水準，及其服務之周到，印象是很深的。

當我出院以前的幾小時，護士小姐引來一位陌生的探病者，他一手持着雨傘，一手提着一簍水菓，我以爲他走錯了病房，不敢招呼，他却聲言特來探望「馬五先生」的。我楞了，問他尊姓大名，答言姓趙名天池，現在離此大約數華里的一家電廠工作，十年前流亡香港時，常在報上閱讀馬先生的文字，心儀有日，近聞馬先生臥病營民醫院，特地步行前來省識一番，藉慰私衷云。我聽罷既感且慚，不知用甚末語言來表達我對他這種盛意溫情的謝悃，眞教我五內銘感，永矢弗諼啊！

（完）

內僑警台報字第〇三一號內銷證

自由報

THE FREE NEWS

第一八六期

中華民國僑務委員會發行
台教報字第三二三號登記證
中華郵政台字第一二八二號執照
登記為第一類新聞紙類
（半週刊逢星期三、六出版）
每份港幣壹角
台灣零售價新台幣弍元
社　長：雷嘯岑
督印人：黃行霆
社址：香港銅鑼灣高士威道二十號四樓
20 CAUSEWAY RD 3RD FL
HONG KONG
TEL. 771726　電報掛號．7191
承印者：田風印刷廠
地址：香港灣仔高士打道二二一號
台灣分社
台北市西寧南路壹零肆號二樓
電話：三〇三四六
台郵撥儲金戶九二五二

論主義與制度之爭（下）

王厚生

赫魯曉夫等人的思想見解無論被稱為二十世紀共產主義，或新共產主義，然其基本精神仍是辯證的，發展的，唯物的，重視客觀和現實情況的。所以，這種無論叫做什麼的共產主義，在基本上，仍符合馬克思主義的精神。以這種辯證的變化的進步的觀點討論戰爭與和平問題，情形也復一樣。「只要帝國主義仍然存在，就仍然存在着侵略戰爭的土壤」。

這一帝國主義與戰爭的議論屢見於莫斯科宣言，當然不能說赫魯曉夫等並不同意這一說法。理論上，不僅赫魯曉夫等同意此說，我覺得，我們大家都可以完全同意這一說法的。世界上有帝國主義存在，焉得不發生戰爭？這是當然的道理，用不着再費唇舌。但，關鍵不在理論，而在事實，即在「誰是帝國主義」的問題。在中共，自然視美國為今日世界上主要的「帝國主義」，在俄共和赫魯曉夫，是否同意這一看法，不無疑問。俄共今天所企求者，是與美國舉行首腦級談判（見葛羅米柯在俄共大會的致詞），假使中共對美國的看法是正確的，則俄共對美國所企求者便是錯誤的。美國是俄國的敵人或對頭，這是不錯的，但這種敵對形勢由於互爭世界霸權而造成，而不在美國是「帝國主義」。美國是在整軍備戰，這也是不錯的，但美國的民主自由制度在本質上不容許有好戰求戰的舉動。可是，共產黨勢力在世界各地的不斷伸張處處打擊美國，使美國不得不為它自身和整個自由世界的利益，重整軍備，且抱定決心，為了自由和權益，不惜和俄國一戰。我們未忘美國整軍備戰的歷史，在一九五〇年六月二十五日北韓越三八線侵略南韓之前美國是二次戰後復員最快最澈底的國家。所以，所謂有帝國主義存在便有侵略戰爭的土壤，並不專指某一國，明白言之，這句話根本沒有主詞，可以隨意使用。俄國是帝國主義，便有侵略戰爭；中共是帝國主義，也同樣有侵略戰爭。這樣的理論，完全正確，大家可以同意，而且，還有眾多的歷史事實可以證明。第二次世界大戰後，俄國在世界各地的帝國主義擴張行為，造成許多地區的戰爭，南北韓之戰，南北越之戰，匈牙利十月反共革命的大流血，以及目前尚待解決的寮國內戰等等。中共與印度的邊境糾紛，尼赫魯即指為帝國主義。時至今日，我們可以說，作為帝國主義國家，不限於資本主義國家，任何國家，不論其政治和社會制度，凡有侵略他國領土，損傷他國主權完整、掠奪他國經濟資源，以及假藉武力欲以強制手段改變他國政治和社會制度者，都是帝國主義。就此意義來講，俄國對於中共的種種壓迫和搾取行為，足可構成帝國主義。難道毛澤東可以否認這點？資本主義發展至最高階段，成為帝國主義，這是列寧時代的陳舊說法，這已成為教條，與當今的世界形勢不相適合，亦即無法用以解釋當代的世界政治問題。如西方資本主義國家於戰後紛紛放棄殖民地，應作何解釋呢？俄國革命迄今已四十餘年，歷經五個五年計劃，工業上無疑具有規模，俄國今天為它本身的經濟利益着想，急需推銷工業品，同時也急需工業原料。俄國在戰後培植的一系列衛星國家，實際即是它的殖民地，它的市場，和它的搾取對象，這不是帝國主義是什麼？事實根據多到不可勝計，毛澤東一定比我們了解得更為清楚。

毛澤東和瞿柴之流犯了一個莫大的錯誤，即他們有心且竭力想維持共產制度，想維持從東到西從北到南的龐大共產集團，以與西方自由世界抗衡，抑且更進一步，赤化整個世界。因此，他們有意無意地拋棄馬克思主義的基本精神，漠視當代世界的一切變化和一切新事物，強欲將十九世紀的陳舊共產主義適應他們現行的共產制度，故不惜搬用陳舊的教條，為制度作辯護。在他們，制度高於一切，主義其次，硬把作為最高原則的主義來適應可變應變的制度，是企圖將歷史巨輪倒退，當然是十二萬分的荒謬！而且，在他們的這一做法上，未嘗沒有自相矛盾的地方，即是在他們想維持現行的共產制度，可是，他們的做法實際上也大大損害了現行的共產制度。這在上面已經點明過了。

赫魯曉夫等反是，他們是以辯證唯物論的精神推動共產主義前進，可根據當代的（非陳舊的十九世紀的）共產主義另行設計一套新的共產制度，這一套新的共產制度包括反對個人崇拜、司法逐步獨立（特務、警察之權已告削弱、非經合法之訊問不得隨意逮捕任何人）、更改舊章、自由批評、起用新人、元老和政敵實行退休辦法、與西方世界進行文化接觸、「和平共處」下的經濟競賽等等。

當然，這是作者個人的看法，未必是赫魯曉夫等的真意，但按照赫魯曉夫等的思想主義講，應該是如此的路線，赫魯曉夫也可能使各國共黨各行其是，多頭中心，換句話說，是民族主義高潮的影響，所以國際共黨不得已而另闢途徑的。但不管怎樣，俄共確有另立新共產制度的事實和趨勢。拿俄共的新共產制度與中共阿共的現行共產制度作一比較後，我覺得毛澤東和瞿柴之流，實為時代的落伍分子，的確如赫魯曉夫所說，應當立即下台。赫魯曉夫等人的新共產主義和新共產制度，在我看來，是共產主義的自由化（LIBERALIZATION），雖然，共演變速度還不合我們理想，但無可懷疑的，這是大時代壓力和鐵幕內部廣大民眾普遍要求自由的人性生活的結果，這是時代的浪和潮，無可遏抗。在表面上，共產主義是衰退了，不錯，陳舊的過時的共產主義及其制度是要衰落的，然在實際上，共產主義或許更加穩定，亦即是說，新的共產主義及其制度，在新的客觀環境和新的民眾基礎上可能鞏固起來。因為，無論什麼主義或制度，唯有迎合時代和民眾要求，才有真正的永存基礎。基於這一理由，既譴史太林和整肅「反黨集團」，殊有其時代意義存在，中共和阿共的無理取鬧，應同受整肅處分，而明瞭世界大勢的中共阿共黨員們，應在改正中共阿共的政治路線上有所盡力。

註：驟看起來，到今日仍談新興中產階級，有些滑稽。我們只知中產階級的興起至少已有一百年的歷史，西方民主政治的確立，即曾得力於中產階級的興起。可是，本文所說的新興中產階級係指共產國家的情形而言，我們都知，現今實行共產革命的國家不是工業特別發達的國家，相反地乃是農業國家。共產黨在農業國家取得政權後，為了改變落後的現狀，無不推行經濟建設和工業化。所以本文所謂的新興中產階級是指共產國家經工業化過程而產生的一種新興階級。有些報導指出，在俄國，這種新興中產階級在俄國頗具勢力，在其他共產國家中，也有類似情形，唯其影響力因工業化程度不同而有所歧異罷了。

漫画天下　南施

勢頭不佳，轉移目標。

看他從背後的一嚇

自由談

民族敗類

馮玉先生

據聞現時在台灣的仕官人家和豪商巨賈們，多有設法改入外國籍者——唯一是入美國籍——按照中華民國國籍法，原是允許人民擁有雙重國籍的，在平時，中國人願意入外國籍，固無所謂，然此時此事，卻不能容忍，何以故呢？

我發覺今日一些住在台灣的政治人物，以及少數亦官亦商的知識份子，口裏儘管高呼「反共復國」、「打回大陸」的口號，心裏對於反攻復國這項歷史任務，不特不肯努力，根本就沒有信心——然認定台灣的安全決無問題——因為美國絕對不會讓台灣落於共黨之手的。所以這羣人朝夕念茲在茲的急務，只有一項：即如何搞錢！有了錢，一面在台灣盡情享受，過着「國家事，管它娘」的紙醉金迷生活；同時即有方法弄得一張護照在身，以備必要時，遠走高飛，到外國去作寓公，第一目的地當然是美國。今日政治上的貪污風氣之所以盛行，最大原因，實基於是，所謂待遇菲薄，殆之使然的說法，乃係皮相觀察之談也。

這類沒有民族思想和國家觀念的傢伙，雖然有了造孽錢，也準備了放洋的護照，仍認為尚非萬全之計，唯恐政府一旦禁止私人隨便出國，那就糟了。如是乎又想出一條妙計來：實行改入外國籍。既是黑髮黃膚的洋人身份，中國政府即不能阻止他前往第二「祖國」去，也就無法吊銷他的護照呢！

這是中華民族的敗類，對國家只有腐蝕殘害的作用，據諸四夷不與同中國，固屬無關宏旨。但為整飭政風，振奮人心起見，我認為不能忽視，必須加以制裁，否則戾氣所鍾，勢將使全國人民的反共救國精神，趨於麻木不仁之境，貽患寧堪設想！制裁之法，應飭外交部所有遞出的護照，詳加審查，凡屬沒有外交任務，或非政府臨時因公派遣出國服役，以及不是在外國求學的學生，一律提交行政院予以註銷公佈，此外，凡屬中國人，於此時申請改入外國籍的，十九都是貪官污吏奸商市儈，他們既然昧於大義，要在國家危難之際，逃避責任，即沒有享受法律保障的資格了。除卻不許改變國籍外，並按軍律課以臨陣脫逃之罪。

對賣國奸民寬大，即是對愛國義民殘酷，政府若要改進政治風氣，激勵民眾愛國精神，宣言、文告、訓詞都是無用之長物，非以事實行動來表現其新作風不可，懲貪肅奸，此其時矣！

「白蟻」不除。援款不來
台北市宅會遇到了難題

冗員和佔屋不付款的特權份子，都是市宅會的「白蟻」。

市宅會原來何嘗有心對付「白蟻」的？無奈再不能拖了何！

（本報記者台北航訊）台北市國民住宅興建委員會的工作成績早就受到市民的詬病，省府雖然幾次下令整頓，但市政府均未予理會，仍然我行我素。一直到前幾天，消息傳來：美國安全分署猶未同意將歷年來所撥國民住宅貸款之八千餘萬元中之四千萬元贈予省政府。安分署根據鼓勵好人之原則，所承諾之贈予條件，係省府須將應收未收之房款收回，並保證收回未屆期之應收房款，同時應將已蓋未售之房屋售出後，始能獲得該贈予款。因此省府再下令台北市政府，澈底整頓台北市國民住宅興建會。台北市政府也鑒於自己如果不加整頓的話，這筆鉅款眼見便要失去，不敢對省府的命令置之不理，特在市府內成立了一個專案小組來進行整頓。

德政益了特權份子

政府遷台以後，對於國民生活各方面都照顧得很週到，惟有對於「住」的問題，始終缺乏一套完整的政策。由於大陸來台的人多及人口自然的增殖率大，使得「住的問題」一天嚴重一天，「違章建築」到處都是，政府特別成立了一個別的國家所無的「拆除大隊」，專門負責拆除未經申請准建的所謂「違章建築」的工作。這種拆人房屋的工作，產生許多弊端，也遭受到許多人的不滿。後來，政府發覺光是拆人房子不是辦法，必須要為人民蓋房子，解決大家住的問題，才能使「違章建築」不致於產生。於是從中央到地方，都成立了國民住宅興建的機構。這本是一套治本的好辦法，可惜政府的一番德政，又只是便利了一些特權份子，真正需要房屋居住的人民卻挨不攏邊，使政府視興建市宅為長途，只好一一結束這一工作。台北市國民住宅興建會，是小數留下來的機構之一。

台北市國民住宅興建會經費的來源，主要是土地增值稅和美援的貸款。據統計：市府自民四十七年遵照省令征收土地增值稅，至本年八月二十一日為止，共計征收一億零十五萬一千三百元。但截至同日為止，市府專戶存儲在土地銀行的土地增值稅專款，僅有六千五百三十二萬八千五百二十二元，被挪用墊付的錢達三千四百八十餘萬元。據負責官員統計，土地增值稅專款，本市每月可征收二百萬元。至於美援貸款，已經獲得八千餘萬的新台幣。因此，市宅會的經費可說是很充裕，如果真的有心為人民謀福利的話，是可做出一番使市民感戴的工作來的。

挪用經費　安置冗員

台北市政府把市宅會當做一個「挪用經費，安置冗員」的地方。據悉：國民住宅興建委員會現有職員六十三人，其中「專員」有二十七人就是「掛名」不做事的，還有「專員」八人，雖然沒有在國民住宅會擔任實際工作，卻被借調在市府工作。

市政府墊付挪用款項，據市府說：其中墊付歷年市宅週轉金一千六百餘萬，歸還市庫一千三百萬，購買三張犁土地價款三百四十餘萬，撥充一般財源（殯儀館用地）二百萬元，均經省府核准，部份也已歸還。至於國民住宅自辦理以來，有些「特權」份子住屋而久不繳款或繳而不足，頗使行政單位為之頭痛；而安全分署不願使彼輩「特權」份子繼續破壞國民住宅計劃，故有四千萬貸款改為贈予的附帶條件。

整頓要點　汰冗追欠

省府早在今年六月和十月兩次指示，市府整頓要點，但市府均不予理會，又於日前下令澈底執行，省府限在兩週內成立執行小組，其執行要點首先為裁汰拿乾薪的職員，其次為追回二千餘萬元的的貸款。市政已派主計室、秘書室、業務檢查室、工務局、財政局，及人事室等單位主管，市府秘書陳光華、古廷正等人，於十六日成立專案小組，由古廷正為召集人，調查市宅會賬目中「挪用」、「呆賬」和「懸賬」的真相。

台北有家日報的短評，把國民住宅會這事稱為「國民之恥」。它說：我們自己的土地增值稅被隨便亂用，美援是美國人民納稅來的錢，別人犯不著拿錢給我們亂花，就好像不願意把銀子送給一個狂嫖濫賭的朋友一樣，所以別人才有贈予的附帶條件。冗員和佔屋不付款的「特權」份子，都是市宅會的「白蟻」，如果「白蟻」不加清除，市宅會終有一天會被他們蛀蝕垮掉。（吳越五十一，十七）

一幕醜惡的洋把戲

所謂「台灣民族」、「台灣共和國」也者，既幼稚，復謬妄，心勞日拙，臭而不可聞也。

※※※

（本報紐約特訊）近年來，美國有些滿懷幼稚思想的妄人，隨時製造一些「台灣民族」的名詞，宣傳台灣省人要獨立自主，因而在美國留學的台灣省籍學生，亦被殖與中國其他各行省的留學生不相往來，而另行設置所謂「台灣學生俱樂部」以控制之，又將瀰踪在日本東京的漢奸廖文毅接到美國去，目的只想實現其單相思的所謂「台灣共和國」計劃。然結果鬧出一場醜劇，痛感心勞日拙的悲哀。事雖已成過去，殊有報導之必要。

本年十月下旬，我國陳副總統決定訪美的消息公佈後，忽有留美的台省籍學生陳德，在美移民局律師導演下，舉行記者招待會於紐約，倡說台灣人民要脫離中國而獨立自主的理由。當陳德致詞剛告完畢，即有台灣省籍學生黃某某，起而指斥陳德的言論決不能代表台灣省人。在座的記者頗表驚疑，以為黃君等或係中國其他省份的留學生，特來冒充台籍者，黃君乃以台灣話發言[illegible]陳德跟他辯論；陳德當場尷尬異常，瞠目不知所對，急向坐在身旁的那位美國爛律師細聲請示如何答復。各記者覩此情形，相與哄笑，有的起身走了，一場醜劇演到半途倉促閉幕，弄成沒趣之至。

後來陳副總統抵美時，陳德又會夥同十餘台省籍學生，到聯合國大廈之前，表演了一下請願自主的把戲；因有記者招待會的醜劇在先，亦就沒人理睬，而那位導演的爛律師更為之頹喪失望，徒留笑柄而已。（誠齊寄自紐約）

胡適之流年不利乎

燕謀

（本報記者台北航訊）文人相輕，自古已然，我還要加一句「而今尤甚」。文人相輕，不外有兩種情形，一是相等的相輕，標榜文章是自己的好，學問是自己比人高，自我陶醉的想法；二是不相等的相輕，即是對方的聲名比自己高，如果給他來一次筆墨攻擊，至少也可以收到一筆自我宣傳的效果，不知其中底蘊者，以為某人竟將某權威學者駁倒了，這還了得！這是基於沽名釣譽的心理而相輕者。

有自由中國第一號學人之譽的胡適之博士，近來真是流年不利，不久以前，在他主持的中央研究院發生了一件經濟糾紛，有的刊物報導「中研院的濫帳」，雖經胡氏聲明否認，但也是一件不體面的事。最近又連續引起兩件筆墨官司。一件是他在九月十日出版的「民主潮」雜誌上，寫了一篇短文，紀念他的老友曾慕韓先生，曾為青年黨領導者，民主潮又為青年黨的刊物。這篇文章是「懷念曾慕韓先生」，文字很短，其中謂「……過於頌揚傳統文化，可能是替反動思想助威。」……「關於這一段話，曾引起了部份立委不滿，立委林棟已正式在立院的教育委員會中向教育部長提出質詢，並已引起部份立委們的重視。這樣一來，乃使「民主潮」大增銷數，立委人手一冊，部份立委雖不同意胡博士的論點，但大家卻不確知他們不同意的是那一點。

部份立委儘管對胡氏的論點表不滿，同時，卻亦人有為胡氏辯論，胡氏本人倒沒有反辯一言。如徵信新聞報「今日春秋」以「胡適之沒有錯」為題。說「民主潮雖然是青年黨的刊物，但青年黨是友黨，不僅是友黨，而且還是反共最早的黨，曾慕韓也是反共的領袖之一」。但是不滿胡氏論點的人，究竟是反對他不該在青年黨的刊物發表文章呢？還是反對他的論點？這篇文章很短，不妨將原文再引一點，讓大家來評判一下也好：

「慕韓是一位可愛的朋友。在三十年前，我對他的議論曾表示一點懷疑：我慕他過於頌揚中國傳統文化了，可能替反動思想助威。我對他說：凡是極端國家主義的運動，總都含有守舊的成份，總不免在消極方面排斥外來的文化，在積極方面擁護或辯護傳統的文化。所以我總覺得，凡提倡狹義的國家主義或狹義的民族主義的朋友們，都得特別小心的戒律自己，偶一不小心，就會給頑固份子加添武器了。當時我拜託朋友轉告慕韓一句笑話：不要讓人們笑我們是「黑頭老年」。」

因為胡博士和曾慕韓是老朋友，值曾氏逝世十週年紀念，且受民主潮社的拜託才撰的一篇短文，而且胡氏在民主潮上發表文章並非止此一次，以前也會有文章發表過。但胡氏這次卻未料到會出此麻煩來。依筆者的看法，立委諸公的不滿，並非因他在青年黨的刊物上發表文章，亦不是「過於頌揚傳統文化，可能替反動思想助威……。」這兩句話。可能是因為下面的「……所以我總覺得，凡是提倡狹義的國家主義或狹義的民族主義的朋友，都得特別小心。」前者「國家主義」為青年黨信奉的主義，後者則是國民黨信奉的主義。不滿胡氏之論點在此，不知讀者以為然否？

第二件風波，是十一月六日，胡氏在中韓越泰四國舉行的「亞東區科學教育會議」上的演詞內容，又引起國內部份學者特別關切。這篇演講題目是「發展科學需要改善社會」。在此篇演講中，胡博士對於東方文明的看法，以及「技術的哲學」等，提供意見。最近有東海大學教授徐復觀和立委廖維藩，都在尋找胡氏演講原稿。原來胡氏的原稿是英文稿，報紙多是摘要刊登，而且落的多不一致。徐復觀託立委李文齋找胡氏講稿內容，李文齋委員則請當日採訪立院新聞的記者打聽。徐復觀也是善打筆墨官司的學人，於是有的人以為，很有可能一場學術性的筆戰，不久即將登場。

我們鼓掌歡迎公開的為學術而筆戰，如前有某人寫了一本「胡適與國運」小冊子，並不是論戰，而是秘密的罵街。這種筆墨官司，就要為人們所厭惡而嗤之以鼻了。（匡謬）

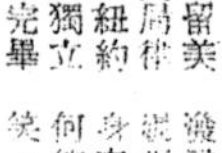

「非法」「同意」
「事實」「強辯」

——採訪外記。——

▲立法院司法委員會召集人梁肅戎，於本月九日在司法委員會全體委員會議上，質詢司法行政部長鄭彥棻，他不但強調軍法機關不得對一般司法案件進行偵查，且指出軍法機關不具備法律上的地位，按照規定，無權偵審。進一步梁委員還指出警備總部不具備司法警察的法定地位。他問鄭部長對此有什麼看法？當時，鄭部長以「同意」梁委員的看法來答覆。

▲為了計算糧食增產數字與人口增加的比例問題，經濟部長楊繼曾與台灣省糧食局長李連春，天天在報紙上論戰，就在雙方由冷戰進入熱戰的時候，台灣銀行董事長尹仲容也說話了，他是支持楊部長的。而這場少有的「唇槍舌劍」，正在難分難解的當兒，監察院巡迴監察經濟組巡迴監察意見發表了。監察院的意見：台灣糧食，除美援小麥不計外，四十九年度至五十年九月份，米糧入超，計七萬三千零五十一公噸。另肯定的指出：糧食與人口不能維持平衡，已為不可否認的事實。

▲因青年黨團結問題引起台北幾家日晚報的注意，撰文評論，不料，卻導致一場筆戰。青年黨的「民主潮」與民社黨的「民主中國」於本月十六日出版的一期上，以社論答覆輿論界的責望。「民主潮」說青年黨不能強大而日益趨於衰微的原因是：「環境不允許」，是「自由中國人民不能自由組黨的政治環境使然」。而「民主中國」列舉「證據」來說明「民社黨分裂了」的因素外，並說「與論界亦不能推掉責任」，因為「那一般自命無黨無派的報紙，不是仰承政府的鼻息，為文捧場替政府做試探工作，便是吞吞吐吐的不知所云」。若「要想使政黨政治有聲有色，就不免有點貢賣了」。話中有刺，看來還有下文。（本報駐台記者健）

曹德宣倡自清運動

曹啓文說：「如果我們負言責的人，將目前視爲太平盛世，粉飾太平，那才是歷史的罪人」。

——監察院檢討會續誌之一

勞勞車馬未離鞍，臨事方知一死難；
三百年來傷國步，八千里外弔民殘。
秋風寶劍孤臣淚，日落旌旗大將壇；
海外塵氛猶未息，諸君莫作等閒看。

這首李鴻章的詩，是著名監察委員曹德宣在自我檢討時而引用的。他說此時此地，正爲吾人最好的寫照。曹委員說：「諸位主張同寅應該自律自愛，正己才能正人，這才能發揮監察效率，實在最重要的事。我主張來一個自清運動，把所有護航，徇私，兼差種種違法犯紀行爲，一切杜絕，以自振作而來改造社會貪污腐敗積習，千萬不要再蹈軍閥時代國會議員，被人收買利用，豢養成所謂走狗猪仔之作風，是乃自掘墳墓，又何能監察他人？正如吳大宇委員所說的『我們同人要培養公正是非的作風』，以正社會觀聽，改正當局錯覺。曾國藩曾說過：『天下之亂也，必先由於是非顚倒，黑白不分，而後災禍從之』。我們要堅守崗位來改正社會，左右他們，而不能爲他們所左右；更不能同流合污，被惡勢所同化。」

曹委員認爲：「最高民意代表，尤其是襲承歷史上御史的監察委員，一言一行，確有領導作用。人人果能公正廉明，正氣凜然，則貪官污吏，必爲側目歛跡，社會風氣亦有潛移默化之可能。曾國藩曾說，風俗之轉移，繫于一二人心之所向。況我們有八、九十個人，果能都潔身自好，奉公守法，競趨於義的話，則社會焉有不競趨於義的？凡在上而居領導地位者，果能不貪污，則誰敢貪污？是以今日之貪官污吏日增，與青少年犯罪之橫行無忌，追源禍始，其居領導地位者又焉能辭其責任？所以有人說，若是所有的黨員，人人不貪污，則台灣就無貪污。若是中央，地方所有受訓的幹部人員，都能遵照總統的訓示而無貪污，則台灣所有的官吏就很少有貪污了。吾今日再進一步而伸言，若是民意代表果眞克盡厥職，人人能夠奉公守法，本照大無畏的精神幹下去的話，則一般貪官污吏也就自然要減少了」。

曹啓文委員說：如果「我們負管責的人，將目前視爲太平盛世，粉飾太平，那才是歷史的罪人。這一塊復興基地，乃民族生死存亡，歷史文化絕續之所繫，如仍當作太平盛世，那眞是直『把杭州當汴州了』，可能我們的遭遇還要較南宋更爲悲慘。今天本院委員能蒿目時艱，關心國事與院務，縱然局勢危險，祗要我們能自今天開始，克盡職責，並不爲晚。」

曹啓文委員根據監察院的「統計數字來看，糾彈案件不多，是不是大家年紀較老大，太老成持重不敢幹，還是政治環境太壞，不能幹呢？這不是主要原因。主要原因是大家受一種觀念的拘束，認爲這樣做了，將影響國家觀瞻與外援。當然這裏面免不了有人情。」「如果爲了朋友的情面，爲了自已利益而護航，我不相信有此事；如果有此事情，希望大家能互相監督和檢舉。」監察委員應如何自勉？他認爲「今後應該能對各民意機關代表進行調查，將調查事實送到法院辦理。」「能如此做法，監察院的風氣即可扭轉過來。民主國家權在民意機關，民意機關能樹立良好的風氣，立法院立法正派，監察院糾彈正派，省縣市議會也正派，有這樣多人監督政府，監督的人正派，政治不清明也不行。」（本報駐台記者公冶長）

談諸葛亮

汶津

諸葛亮是中國家喻戶曉的一位歷史人物。他的著名，至少有三個原因：一、他的偉大人格和事業，二、三國演義的義務宣傳。三、人們對於失敗者的同情。關於第三點，畢竟不太重要，因爲他的目的雖沒有達成，他的努力不能說是完全失敗的。關於第二點，三國演義卻把諸葛亮神化了，變成一個呼風喚雨的術士，而且使他成爲風流才子的典型。其實「綸中羽扇」是那位小喬的郎君周瑜的打扮，蘇東坡在赤壁懷古一詞已說得很清楚。諸葛先生則是一位平實而穩健的儒生，他的一貫作風是穩紮穩打，他的才華也不容易外露，他有多方面的知識，而沒有神出鬼沒的花巧。唯有這樣的人，才會獲得劉先主的全面信任啊。

「分久必合，合久必分」實在只是中國一貫的歷史哲學的一種通俗的說法。我們傳統對時間的觀念是循環的，近乎圓而不似綫。諸葛亮也正是在大勢轉圜的當兒的一位關鍵人物。他冷靜，明智，也有相當魄力，但際遇雖使他得人深信，卻未能畀予最有利的局勢。蜀漢原是三國中最小最貧最弱的地區，文化又落後，全部地區只是今天的雲貴四川和陝南。其中四川的全面開發，諸葛是大功臣，而其他區域則限於物力和時間，未能兼顧。蜀漢的貧弱雖然在他的治下有所改善，但他究竟不是有三頭六臂的「天人」，左右又缺乏得力的助手，所以回天乏術，卻落得個「鞠躬盡瘁」的美名，時勢乎，英雄乎，歷史原是那麼的微妙！

諸葛先生的忠心耿耿，五尺童子都知，但就整個事勢來看，先主死前的囑言，總是縈縈於後人之耳：「可以輔之則輔，不可則代之可也。」如果他不囿於傳統的君臣之義，能毅然以身爲天下先，則蜀漢消極的氣氛，極可能有所改變。何況他信而誠，用法雖嚴而人民不怨，待部屬也公正無私，如懲愛將馬稷，放讒人李嚴，都非胸襟偏狹者所能及。尤其李嚴之輩，意在負義忘恩，雖有小慧，適足掣肘，諸葛的出六祁山原多屬以爲守之計，再加此輩宵小在後，眞個爲難了他老人家。而眞正的可用之才又不多，五虎將不過稍愈，文才訓吏渺不可得。嗣後廖化充先鋒，更不可問了。巧婦難爲無米之炊，臥龍先生豈無才難之歎！而他本人又過於精明勤愼，事無小大不肯放手任人，過勞是其一，無以爲繼又更嚴重。魏延並無「反骨」，正史上未見他有任何反志，倒是楊儀不可測。但四肢發達，頭腦不免簡單些，不足付予大任。他的出子午谷直叩長安的奇計，一方面是孔明不敢大意，怕一失足而再傷蜀漢已甚可憐的元氣，一方面也是因爲魏延平日在他心目中不過一介武夫罷了。姜維才也不甚大，而且諸葛的幾套眞功夫也沒有眞正傳到手。自古庸君和小人總是兩相情願，所以諸葛亮死，蜀的喪鐘就隨之等着敲響了。

諸葛的才智畢竟是多方面的。陳壽說他「長於治戎，短於奇謀。」治兵在於使其心服，孔明能御將是不可置辯的事實，一則是他的人格，一則也有權術的後盾。「奇謀」呢？也許是天性謹愼（有些不凡的事業的確需要幾分冒險精神才能過癮），也許是自信心過強，不屑用之。不過他倒是深通「政治戰」的。七擒孟獲顯然不在強調其戲劇性，而是敏銳的心理觀察的結果。孔明對於他人（不論敵已）的個性似乎有卓越體察，所以演義上把他描成「料事如神」的奇人，還可說是捕風捉影的成績。而八陣圖（大概是以地勢和氣候的變化在蜀與邊界上故佈的疑陣）木牛流馬（是水的運糧工具，大概運用了滑車和槓桿原理，省時省力，又不易爲外行的敵人所劫取。）等的發明，又足見他能消融天文、地理、物理各方面的一些知識（該是他個人悉心探究的收穫），而運用到關係國家民生的關目上去。他眞不像一個二、三世紀時代的人！可惜獨木難支大廈；而在歷史上，他還是留下一個大政治家的典範！——人格、眼光、胸襟、才幹，兼長於一身。五百年一王者，我不知如以此來譽諸葛先生是否向歷史表錯情了。

中國教育史上創舉
臺將出現夜間大學
採行學分制．不受年齡限制
不能免兵役．畢業可得學位

（本報記者台北航訊）我國大學教育史上的一項新制度，自由中國第一所夜間大學，將於明年春天在台北成立。

這所大學的特點是：就讀該校的學生，將不能免除兵役，採行學分制，不受學年的限制，主要目的是在提高各機關工廠工作人員的素質。

教育部一位高級官員向記者表示：該部正在積極籌備這件事。他說，這所大學可能在寒假裏開學，盡量利用現有大學的校舍和設備。他並指出，教育部設立夜間大學，是在給一般已經就業，但是有志繼續進修的人一個深造的機會，所以無論是學制，辦法和各種設施，都和現有的一般大學有點不同。

他說：這所大學的主要對象，將不是高中剛畢業的學生。在校學生不能免役，也沒有年齡限制。同時所收的費用，也可能比普通公立大學來得高。

這位官員表示：夜間大學雖然儘量利用現有大學的校舍和設備，但在事實上還是要添置設多設備和增用人員。他說：考取夜間大學的學生，只要修完學分，便可畢業。至於教授，將視各科系的需要，儘量聘請有關工廠裏的技術人員，工程師或對某一問題有特殊研究的專門人才兼任。這位高級官員表示，現在各大學教授工作都很繁忙，我們將儘量避免請他們兼任夜間大學的課，以免影響他們的研究工作。這所獨立的夜間大學，各院系將分設在性質相近的各學院，每一科系都將配合實際的需要設置。

教育行政當局對教育制度忽然敢作這樣大的革新，這在全國上下都瀰漫着一股「多做多錯，少做少錯，不做不錯」的風氣，不肯負責多一番事的今天，教育行政當局確是要有擔當的勇氣，才敢來做這種打破傳統的事。

據悉：教育行政當局設立夜間大學的計劃，並不是最近才完成的，這是參酌國外的制度，因應付當前需要，以及青年的要求，社會各界的督促，經過教育行政當局的深思熟慮，早就着手在進行計劃，最近不過是把它公開罷了。

廬君續夢

第三回：

拒諫飾非，列鼎烹功狗
成王敗寇，作狀笑沐猴

四個人商議了半天，感到無計可施，下鄉調查沒有用處，根據王任重資料上報，又怕將來分担欺騙的責任。

停了一時，還是楊獻珍說道：「這件事據我看，我們還是下鄉走一趟。不過，卻不必單獨行動，可以把王任重找來，要他派人帶路，他要我們去什麼地方參觀，就去什麼地方參觀，將來有了問題，責任也不在我們，因爲我們去過的地方，人民公社確實都很好。追究責任是湖北省委會有意朦蔽，我們最大的過失，只是犯了主觀主義，充其量不過由黨予以警告了事。絕不會出大問題的。」

楊獻珍說過，三人想想也只好如此。老狐狸拍拍楊獻珍肩膀說道：「獻珍同志，到底你同老大哥在一起時間久，學的先進經驗多，算是替我們解決一項困難。」

董必武說過打個電話給王任重，要他派人帶路，要到各處去看看。王任重接到電話不由得笑起來，當時和張平化張體學兩人說道：「這幾位欽差大臣商量一陣沒兒唸了，還要向我們低頭。體學同志回到人委會，派幾名精明同志，引導他們在武昌，漢陽周圍幾個安排給外國人看的人民公社走一趟算了。」

張體學縐眉說道：「假若他們臨時的變了卦，不肯在附近參觀，一定要到邊遠鄉村，又怎麼辦？」

王任重哈哈笑道：「體學同志，你放心吧！他們初來之時，氣勢洶洶，我沒有買賬。他們回去一商量，思想搞通了，所以又向我低頭。現在絕不敢吹毛求疵了，你帶他們去東邊，他們決不會要求去西邊的。」

張體學還在遲疑，張平化插嘴說道：「任重同志，這次來的視察團團員地位相當高，我們隨使派幾個人帶路究竟不太好。依我的意見起碼也派一名省委書記去作嚮導，假若遇到什麼問題，也可以就近處理，你認爲怎麼樣？」

王任重點點頭：「既然這樣，就請你去好了，視察時無論發生什麼問題，由你全權代表省委會處理。」

第二天，張平化出馬帶着視察團在武漢周圍兜了一個圈子，先後也看了十幾個人民公社，果然很好，社員進餐都有四菜一湯，餐後還有一個鐘頭休息，社裏養的雞鴨成羣，牛馬茁壯，人民都滿面堆歡，問起生活情況，都十分滿意。

視察一遍又回到武漢，董必武召集三人商量道：「我們是不是就按照視察的情況報上去。」

鄒位三和徐海東不開口，楊獻珍道：「不按照這個情況報又報什麼呢？橫豎我們只視察這些地方，表面情況確是如此，其他地方再苦我們不知道，有問題只怪張平化與我們無干。」（五一）

擠的文明

燕謀

人類文明愈進步，則「擠」的更厲害。洪荒之世，草萊初開，當其時也，是地大物博，人少事簡；當然無所謂「擠」了。在理想中的小農經濟社會，「人人甘其食，美其服，安其居，樂其俗，鄰國相望，雞犬相聞，民至老死不相往來。」這時候也用不着擠。

有所謂聖人者興，制禮作樂，規定上下有分，男女有別。廣泛提倡「讓」德，講求「耕者讓畔」、「行者讓路」、「揖讓而升」。當此時也，已顯然有點地小、物少、人衆了。照道理說，「擠」的現象應當於此時發生。然而就因爲禮讓之教；幾發揮了超乎法律的規範作用，稍爲體面一點的人，誰也不肯擠。即使偶爾認爲也有一擠的必要時，也不敢干冒天下之大不韙。只有市井無賴，才找尋熱鬧的機會去擠一擠，其目的也無非是藉端生事，希望討一點便宜，以滿足一下他們下流的欲望而已。

在我們中國，普遍的表演着擠的活劇，只是近二三十年的事。參加擠的行列，也不限於市井無賴了。尤其現在的自由中國，擠實際已成了大衆生活的一部份。除了極少數擁有特權者外，誰也不能保障他今生今世一次也不擠。求職求事要擠；升學留學也要擠；升官發財更要擠；出入公共場所要擠；上車下車要擠；城市裏的五彩繽紛，形形色色，無有不擠；鄉村裏買田買地，申請國民住宅也要擠。

擠，但不知是「擠」發生文明，還是文明產生了「擠」？有人說：擠的本身，就是代表了一種文化；這種文化是農業文明漸次崩潰，而工業文明倘姍姍來遲之際，必不可免的現象。譬如牛車代表農業文明，汽車代表工業文明，在純農業文明社會，絕對不會發生擠牛車的事件，正如在純粹工業文明社會大家生活優裕，十家人就七八家有車，絕對不會發生擠汽車的事件一樣的。但如在兩種文明脫節之際，牛車的數量銳減了，且大都成了載運糞土的工具，同時汽車的數量有限，成爲特權階級的禁臠，此時撥出幾部和人口數目極懸殊比例的破車，賜以「公共」之佳名，藉作都市之點綴，市民們不利用它嗎？牠又偏偏是爲市民利用的；市民們要利用牠嗎，牠又供不應求，非擠不能登車。然則你我他焉得而不大擠特擠？

君子好逑

朱韻成

走在他身旁的是一個陌生的女人，他不知道她的性格，長處短處和生活，更不知道內裏裝着的是顆怎樣的心靈！而他所以要和她走在一起，只因爲他們都過了適當的結婚年齡，要找一個人來嫁娶罷了！

他眞想三步兩步跑回家去。但他又不忍把張芷君丟在街上；她也沒有甚麼過錯啊！看完電影她一直都沒有說話，他倒有點喜歡她的沈默。

「你住在那裏？我送你回去。」他說。

「那邊，再走五分鐘就到了。」她答，用手指了指前方。

他把她送到她家的巷口。夜深，周圍一個人都沒有。她轉過身來跟他說：「到了。我家便在裏面，不用再送了。有空請常來玩。」

街燈下，她還是那麼怯生生地笑着。

「對不起。」他覺得有點歉意。

她畧有點吃驚地看了看他：「對不起？」然後又怯生生地笑了：「該我說對你不起，別人都說我死板。……但我知道你的感覺；我們今晚都像在做戲，像兩個小丑。」

他出奇的看着她，「你怎會知道？」

「我們都是同一類人罷？我想。」她想了想說。

相對站了一會，好像沒有話好說。她說：「再見。」

「再見。」他看着她轉過身去。但她立刻重新轉過身來，笑着問：「他們告訴你我幾歲了？我很想知道。」

「二十五。」

「不，他們撒了謊：我二十八了。——再見！」

他目送她走進巷子，消失在暗陬中。忽然他追過去喊：「張小姐！」

他追上了她。巷裏的燈光很暗，遍處都是樹影，她站着面向他，只是個黑色的影子。

「張小姐，明天你有空嗎？」他問。想着：這便是人的生活，這便是我的生活，無論怎樣，人生總多多少少的有着殘缺。那麼來罷，灰色的無盡無止的日子！

（五、完）

祝詞拾趣

漁翁

唐樂章：「祝詞以信，明德惟聰」，詩曰「工祝致告」，凡以吉祥語頌禱於人者，皆曰祝，如三多九如之類。

三多者，多福，多壽，多男子也。莊子天地篇：「華封人祝堯曰、『使聖人富，使聖人壽，使聖人多男。』」九如者，詩有之：「天保定爾，以莫不興，如山，如阜，如岡，如陵，如川之方至，以莫不增，如月之恒，如日之升，如南山之壽，不騫不崩，如松柏之茂，無不爾或承。」此詩有九如字，今人祝頌之詞，曰三多與九如者，本此。

祝頌之文字分聯，詩，詞，但統稱之曰祝辭，往往用之於作壽，添丁之慶典上者，有莊恭者，有詼諧者，茲輿最滑稽，最通俗者，寫在下面，以佐筆談。

明葵軒瑣記載：唐伯虎對門，一富翁之母七十壽誕，求詩於伯虎，伯虎援筆書曰：「對門老婦不是人」。富翁見書而驚。又書曰：「好似南山觀世音。」富翁乃由驚而喜。第三句云：「兩個兒子都是賊。」見之又不禁失色。再續曰：「偷得蟠桃壽母親！」富翁即持之去，如獲至寶。

二百年後，又有一故事，即乾隆時某相國爲其母祝壽，賀客盈庭，紀曉嵐亦在座，衆賓以紀才思敏捷，又號稱「滑稽之雄」，請詠祝壽詩，紀不「思索，即提筆書曰：「這個婆娘不是人」！客見之大驚，紀又書曰：「九天仙女下凡塵」，衆意稍釋。第三句：「生下兒子去做賊」，滿座愕然！正相互批評間，忽續云：「偷得蟠桃壽母親」。於是賓主咸稱紀之心靈手敏，盡歡而散。

按唐伯虎，明吳縣人，弘治中舉於鄉；文章風采，照映江左。紀曉嵐，爲淸乾隆進士，河間人，亦以文名。此故事屬唐，則紀有拾人牙慧之，好在紀之才學，不居唐下，均以大筆手稱，故兩存之。

淸康熙初，褚石農堅瓠集載：明永樂間，有才子解縉者，一日早朝，帝以其善詠吟，開口即成章，乃曰：「卿知夜來宮中有喜事乎？可作一絕。」解以皇上有喜，必生太子，即詠之以詩曰：「君王昨夜降金龍。」帝曰「女也」。解曰：「化作嫦娥下凡塵」。帝曰：「死矣」又續曰：「料是人間留不住」。帝笑曰：「已投之水中矣」。解復續曰：「翻身跳入水晶宮」。此詩與唐伯虎紀曉嵐祝壽之作，體裁相類似，足見文人之善變耳。

湖南王湘綺，爲淸代能文章而尚風流者，晚年，在湘潭故里，築一別墅，名「湘綺樓」。有縣令余幹藩，以六月六日逢四十歲，求王一聯，以作紀念，王應之曰：「六月六日四十歲；一琴一鶴百里侯」。隨手寫來，即成佳構。又王曾布衣出遊，一日，至離城六十里之石塘村，適有王姓婦於十一月十一日作古稀壽，滿堂壽聯雖多，無有佳句，乃向主人借文房四寶，欲書一賀聯，主賓認爲係遊學之徒，藉此以求資助者，雖給以紙筆，但不重視，王在衆賓環睹間，從容書一上聯云：「開王母生辰，十一月，十一日。」衆賓以其對主人開玩笑，均不予以禮貌，待續下聯：「祝禱人壽誕，八千春，八千秋。」衆乃爲之愕然！請署名，見「王王秋」三字，王秋即湘綺之別號，主人即延之上座，至今猶傳爲佳話。

淸末，在湘省之南，有一小村姓陳，人數不多，而頗富裕，修一家廟，落成之後，製額爲「鄰我後人」四字，設讌遍請城鄉人士，濟濟一堂，頗稱一時之盛，席間祝額，以「鄰我後人」四字冠首，就中有一拔貢，亦素尚詼諧者，祝曰：「鄰者無別，我有話說」，衆賓大笑，續曰：「後生莫笑，人發千百」。亦俗亦當時祝詞中之，里巷傳誦，尚在人口。

祝賀詞聯，端正嚴肅者，往往不能流傳，惟有諧俗，滑稽之語，易爲人所記憶，而作茶餘酒後暢談之資料。

海嶠樓談薈

「自由人」生死記（一）

諸葛文侯

在香港發行的「自由人」半週刊，誕生於中華民國四十年三月七日，夭折於四十八年九月十二日。世人多驚詫惋惜此一異軍突起的反共文化別動隊倏告消散，因而揣測紛紜，疑竇叢生。我以「自由人」十四個發起人之一，且始終按期撰稿不懈，又曾一度主持其業務的箇中人，特根據一切事實，記述其生與死的經過情節，聊以徵信云爾。

當民國三十九——四十年之間，毛共暴力席捲了中國大陸後，香港這一自由天地的小島，成了反共非共人士留止的集中地，人口忽由六十萬激增到兩百萬以上。這些亡命客十九都是些知識份子，大家緬懷國難家仇，惓念新愁舊恨，無論相識與否，皆有「海外存知已，天涯若比隣」的親切之感，彼此志切匡復，樂於傾蓋談心，當時所謂座談會乃風起雲湧，隨處可見。咱們這十幾個人亦未能免俗，即於香港高士威道廿號四樓——現在的本報社址——每逢星期六下午，舉行文化座談會，交換對於時事的意見，並無紀錄，也無決議，大家各抒所懷，暢言其志，自由自在，了無拘束。參加座談的人士，除卻共黨份子及其同路人，各黨各派和社會賢達都有，而以新聞從業人員佔多數，談來談去的結果，認爲有創辦一種刊物以闡揚民主自由思想，奠定反共圭臬之必要，即定名爲「自由人」。說幹就幹，各人盡其力之所及，分負籌措開辦費的職責，最多的籌到港幣兩千五百元，最少的壹百元，共得一萬七千餘元，除一萬元繳交政府作保證金之外，「自由人」半周刊就憑着這七千元的資金，堂而皇之的正式開張了。

初期「自由人」的稿件，都是分由發起人担任撰寫的，其中以左舜生先生與我寫的較勤而久，每期總得侍候一段，成舍我先生則包寫第二版的文稿兼主編工作。至於言論宗旨，在反共的大前提下，自由立言，無所制約，但頭條政論以及專談政治問題的大文章，作者必須用眞姓名，表示負責。所以「自由人」的風格，確實是十足的百花齊放，百家爭鳴，彼此對於現實政治的觀點和主張縱有不同，然感情十分融洽，毫無猜忌心理。每週的文化座談會照樣舉行，而且參加人愈來愈多，風聲所播，一些歐美和日本、南韓的新聞記者或學人，來到香港時，必託人介紹跟咱們這羣自由文化人士談談，「自由人」竟奄有「中外聞名」的地位，可謂意外收穫。因此，我曾經在一次座談會中很興奮的說道：「中國若教咱們這些人來組織聯合政府，一定可奏反共救國之功。如果舉行『政治協商會議』，當更無失敗之理啊！」當時在座的左舜生先生——他過去在大陸上參加過「政治協商會議」的——頗以愚言爲不謬，嘅然頷首作共鳴的反應。可是，後來事實證明我的說法係書生之見，不切實際。這是後話，暫且不表。

編者與讀者

台北蕭昆光先生惠鑒：十一月九日損書敬悉。本報所列「海嶠樓談薈」中，述叛將陳明仁事，涉及前中正中學校長黃雍，乃以黃負恩從逆，且於蠱惑明仁叛國後，復潛來海隅游說國軍宿將某某等投共，計雖不售，行實可恥，故聯帶筆伐而口誅之，固與中正中學無關也。來函謂中正中學創立以來，從未向外募捐暨領取政府配給物資糧食，或係事實。但黃雍藉學校名義，於對日抗戰期間，領取政府之米糧，布疋等，以及託詞學校經費困難，向工商界朋友中之富庶者不時借貸金錢，確有其事。「閒話叛將陳明仁」作者，於對日抗戰時期曾在重慶從事教育行政工作，有其親歷之事證可指，亦有當年貸鉅款於黃氏之朋友旅居海外，決非信口雌黃。唯黃氏是否將所取物資財貨用之於學校，則不可知矣。至談薈中所謂「釀成神州陸沉之禍」云云，係指黃雍這類資格最老之「天子門生」假藉中正中學名義而爲非作歹，並非謂中正中學有此責任也。原文俱在，省覽即明。承教特復，希亮察之。

——編者——

內僑警台報字第〇三一號內銷證
自由報
THE FREE NEWS
第一八七期
中華民國僑務委員會[illegible]
台教新字第三二三號登記證
中華郵政台字第一二八二號執照
登記為第一類新聞紙類
（本週刊每星期三、六出版）
每份港幣壹角
台灣零售價新台幣弍元
社長：雷嘯岑
督印人：黃行憲
社址：香港銅鑼灣高士威道二十號四樓
20 CAUSEWAY RD 3RD FL
HONG KONG
TEL. 771726　電報掛號．7191
承印者：田風印刷廠
地址：香港灣仔高士打道一二二號
台灣分社
台北市西寧南路壹壹零號二樓
電話：三〇三四六
台郵供館企戶九二五二

形勢不弱·弱在鬥志

——論中南半島局勢

駱燕前

高棉元首施漢諾王子，前兩天對一位印度記者表示他相信西方國家在東南亞的鬥爭已告失敗，寮越已來不及挽救了，他將目覩胡志明入駐西貢云云。施漢諾是一個好作浮言乖行以吸引世界注意的人物，但他這幾句話却並非全無依據。

他所依據的事實，可能是西方國家近幾年來在東南亞政策上所表現的歧異，以及西方民主國家一向怕戰爭的態度。一九五四年越戰失敗的記憶猶新，當前寮局的發展也足使人氣短。若說一九五四年的西方國家不敢或不肯為越南而戰，則今天的西方國家又何能為蕞爾小邦的寮國和殘存的越南而戰？而這兩個在被侵吞中的小國却大概只有經由戰爭的方式才得以保存。

但西方國家何以不敢或不能在這些地方進行一次有限度的戰爭呢？這恐怕並不是因為軍事上的劣勢，而是因為他們道德上的衰弱。

目前中南半島上的戰爭和一九五四年以前幾年間的戰爭，在本質上是全然不同的。前此的戰爭是法國殖民主義者和越南人之戰，也正是因為那裏面包含着殖民地人民爭取獨立的意義，所以共產黨人乃得充分加以利用。在那樣的戰爭中，要希望東南亞國家站到法國那方面去是不可能的。當前的戰爭却完全相反，是一種新的帝國主義勢力想把已經獲得獨立的人民重陷於奴役地位的侵略戰，這一侵略不單威脅着南越的生存，同時也使東南亞其他國家為他們自己的前途危懼。這種脣亡齒寒的關係鼓起了他們不惜一戰的決心。

泰國之不惜為保全寮國而戰已是週知之事，菲律賓也經一再顯示其欲與共產黨相週旋的決心，其對寮共已如此，對越共自不必說。甚至馬來亞聯邦總理拉曼也表示將盡一切可能援助越南。此外與越南邦交密切而利害相關的南韓和中華民國，也必然願意對這場戰爭有所貢獻。

有了這樣的形勢，何以還不能打出一場可操勝算的局部戰爭呢？西方以泰國為作戰的根據地，總比共方以河內為根據地便利得多，美國的軍事接濟總也比蘇俄對共產黨的接濟便利得多，這都是顯而易見的事。

我們亦知道，西方所顧慮的大概有兩點。第一是這可能蔓延而為大戰。為了越南這彈丸之地而召致一場毀滅性的大戰實在不值得。因而有些人主張寧可讓越南喪失，甚至寧可讓整個東南亞喪失，也不可輕冒大戰的危險。第二是，即使戰事不至於蔓延而成為大戰，也將曠日持久，無從獲得勝利的結束。因為共方的戰略後方——中共以至蘇俄——既然不受打擊，則其兵源物資的接濟也將永無窮盡。這兩點顧慮都有其不可抹煞的理由，但也都是道德力量衰弱的表現。

毀滅性的大戰誠然可怕，但除非西方國家硬定下了寧可投降也決不從事毀滅性戰爭的決策，否則僅是這對毀滅性戰爭的恐怖心理，也就可以召來毀滅性的戰爭。因為步步退讓終將縮至無法退讓的地步。東南亞可以放棄，難道北非中東也可以放棄？即使中東、北非可以放棄，難道北歐西南歐也可以放棄？南美洲亦可以放棄？步步退讓即是步步趨於軟弱。而且毀滅性的大戰之可怕，並不只對西方國家為然。難道共產黨就不怕毀滅嗎？若干有見識的政治家認為祇須西方國家強硬起來，共黨便只有知難而退，幾年來的若干事實也正證明其如此。其次，作為局部戰爭來打，則寮、越的戰事實在可以打到天荒地老。但為什麼共黨不怕消耗，而西方國家却那麼樣怕消耗？可以預見的是共黨因為物力較劣的關係，人力的消耗將遠較西方和東南亞國家為多。

而且這裏還有兩點對反共集團十分有利的因素。第一是中共現正處在其竊據大陸以來最為脆弱的時候，物質的匱乏造成了精神的疲敝。這說來話長，但誰只要翻閱一下中共的報章，便可以感到一種慘黯的氣氛。當年參加韓戰的銳氣現在已經沒有了。一個拖延無功的域外戰爭，會引起他們內部怎樣的變化，誰也不敢說定。其次是中俄共的齟齬，前此還有人不肯相信，現在却是十分顯著了。別的不說，他們對東南亞的政策也不一致。最近尼赫魯在美國會提到俄共不願意中共東南亞擴張勢力。這話的真實性如何還有待歷史作證。但寮國的局勢却可以為尼赫魯的話作註脚。在那裏支援寮國叛軍的是俄共而不是中共。寮越的共黨所仰靠的如果以莫斯科為主，那真是萬里迢迢，緩不急啊！

有了這兩點於敵不利於我有利的因素，則這個局部戰爭其實是不難打的。退一步說，就是打不贏，也決不至於敗（有如韓戰那樣）充其量也不過再來一次多邊會議，各歸原防而已。各歸原防，則自由世界保存寮越的目的也就達到了。代價也許不少，但生存是必須付出代價的，而且對方所必須付出的代價恐怕更要多。

戰爭是敵方帶來的，作戰的地點是在自由世界境內，自由世界一開始便可站穩了合乎道義的立場。這樣的戰爭如果還須以屈讓來避免，那自由世界道德力量之衰微也就太可怕了！

美國如果真有挽救東南亞危亡局勢的意志和魄力，首先即須摒棄所謂「不單獨行動」的舊有策略，毅然負起領導自由世界的責任，再不要表現虎頭蛇尾的言行，給敵人以「紙老虎」的印象。回憶當年越戰方酣，奠邊府危急之際，美國艾森豪政府聲言要以實力干預，美國的航空母艦亦開到了河內，氣勢甚盛，繼而託詞「不單獨行動」，竟坐視越南的半壁江山陷於越共之手。迨寮國的戰亂發生，甘迺廸政府亦再三表示美國為保全寮國的和平自由而不惜一戰，繼乃藉口寮國地區不適宜於機械化部隊作戰，勸寮王跟共黨組織聯合政府，贊成寮國中立了。如今越南岌岌可危，美國當又宣稱要以武力應援，且派遣軍事大員到越南來視察，好像劍及屨及，硬是要參戰的模樣，萬一英法這些盟邦表示一下異議（法國外交部長最近已有「越南的事應由越南人自行處理」的言論），美國是否又會臨時改變態度，而聲言不單獨行動呢？實在令人不能無疑。

沒有道德力量作中心，就無從激發自由人類的奮鬥精神，也就不能發揮美國的領導作用。東南亞前途的吉凶禍福基於此，整個自由世界的安危亦繫於此也。

新的泰山石敢當——大馬來西亞

聯合國在剛果的狼狽相

自由談

不必要的虛面子

馮五先生

有些人把咱們中華民國在聯合國的席位看得很重要，認為應該不惜任何代價來維護它。我却有莫測高深之感。

國際間的一切問題，都是講現實重勢利的，自古已然，於今尤甚。當聯合國創建初期，西方一般號稱為世界列強的國家，個個對我國表示親近推崇之不遑，至於那些剛從殖民地生活中翻身起來的新興之邦，更對我國極盡瞻依仰止之能事。可是，到了今日，連那落後的緬甸佬亦居然不把我們看在眼裏了。毛共儘管經常臭罵「美帝」「英帝」，而這些每以自由世界領導者自居的先進列強，却對毛共獻媚承歡，甘作唾面自乾的「衰仔」，而且隨時胡扯其所謂「中國代表權問題」，希望毛共及早進入聯合國，跟他們「和平共處」哪！

聯合國成立到現在，除却供作幾個強權國家從事宣講吵鬧的場所而外，幾曾為維護世界和平秩序而表現過甚末正義公道的作為呢？當年韓戰發生之際，即令蘇俄沒有「杯葛」聯合國那回事，美國亦還是要出兵參戰的，只不用聯合國的旗號而已。

西德至今未能加入聯合國，但其國際地位逐日增高，所謂西方列強也者，對西德莫不另眼看待，盡力拊循，多所遷就，決不敢背着西德政府而與德共政權進行如「華沙談判」那類出賣朋友的勾當。這證明聯合國席位之有無，對於一個國家的聲望和國際地位，並沒有甚末了不起的關係，問題就在自身是否有自立自強的能力與作法？不此之圖，而付出得不償失的代價，以期有一種虛面子，又讓那些強權主義者每年侈談所謂「中國代表權問題」，嘵嘵譁咋，有如打擺子一樣，到時候就發作起來，我們縱然呆在聯合國大廈中，也要嚐到粵語所謂「畀人唱衰咗」的滋味，所為何來呢？

而今而後，咱們再不要做懦種，必要時就毅然退出聯合國，我行我素，自求多福，雖失敗亦是光榮的。老實講，自己若不爭氣，沒有示人以不可輕侮的能耐，縱使勉強佔有聯合國席位，敬陪末座，結果亦祇有嘔氣受侮的份兒，對於反共復國問題，絕無絲毫稗益之可言也。

（寶島之窗）

現代銀行死人借欵

司法奇譚：原告被告均勝
官場現形：台北九代同堂

▲台中高分院，創奇妙惡例：同爲一審，同一法官，同一判決，原告被告，先後均爲勝訴。你以爲奇怪不奇怪？此一漏網新聞，記者在與二位律師之閒談中獲得。有一件民事案子，訴訟標的償三萬元，但是被告方面以伍萬元之紅包送給推事，因弄出怪事件。此案本已宣判原告勝訴，公告於公告欄；不料第二天此一公告宣判竟不見了，竟又重開辯論，重爲宣判，則第二次宣判爲被告勝訴。因之原告不服，要上訴最高法院。收受紅包的法官，乃以三萬元償還原告，始將此事勉強平息。從此案一則可知紅包利害，再則可見人之死愛面子，不顧坦坦白白償還三萬元債務，而甘願偷偷摸摸送出五萬元紅包。此乃錢多之歟？

▲九代同堂：台北市政府的官場現形記：從兼代市長周百鍊起，有九個單位主管均爲兼代，因名「九代同堂」。古有「三代同堂」、「五世其昌」成爲佳話，而今這「九代同堂」，卻並非美談。此九代之中，除了周代市長是名正言順的兼代之外，其餘八代，有兼有代，有代又有兼，兼兼代代，代代兼兼，此豈非是說此八代官兒眞是「才高八年」，「學富八車」，其餘市府大小官兒皆飯桶也！

▲台北市第三分局，有警員自殺，警方宣稱爲因負債二千元無法償還而尋短見。人們非常同情，而新聞記者偏偏愛揭底牌，尋着此線索追、追追追，追出來了。原來這位國民褓姆的警員的頂頭上司，要他在其轄區內，刮油水二千元奉上，可是這位褓姆沒有其他警員技術高明，不得要領，二千元竟無法交代，因恐其飯碗打翻，不如乾脆早死爲快，免得活着多受洋罪也。可惜者，他的死諫未留下明白的遺書，雖然死了，卻是寃枉也！

▲官吏五害：監察院檢討會，在綜合檢討會中，監委余俊賢，綜合紅包的來源有五：一司法，二警察，三稅吏，四地政，五縣市辦執照官員。此五害者，由於五毒之來也。接着名御史陶百川提出「國家興亡政理六條」，陶委員因見於國家當前政治上的五大弊病，坦誠指出，慷慨激昂云：

（一），敗亡之由：一、國家之敗，由官邪也；官之不德，寵賂彰也。二、國家之敗，由吏怠也；吏之失職，賞罰廢也。三、國家之敗，由財盡也；財之匱乏，鋪張過也。四、國家之敗，由人私也；人之偏私，榜樣少也。國家之敗，由法弛也；法之不行，自上犯也。五、國家之敗，由政壞也；政之不修，人不臧也。

（二），救治之道：一、救官之邪，祇須嚴懲貪污，不用小人。二、救吏之怠，祇須改善彼過，信賞必罰。三、救財之盡，祇須減少消費，杜絕浪費。四、救人之私，祇須用人惟才，天下爲公。五、救法之弛，祇須行法修制，先民服也。六、救政之壞，祇須起用眞才，廣開言路。今日監察院，稱爲「陶百川時代」，觀此政運六條，非過言也。小民希望多出幾個陶百川才好。

▲現代銀行發生死人借欵：華南銀行台中分行，前經理吳憲璜，涉嫌大雪山林場高級職員貪污瀆職案，其在庭供詞，如一篇傳奇小說，他除以銀行爲私人保險箱外，最奇怪者，有一次他竟用其已死去的妻子陳緻的名義，借了一筆一百萬元的信用貸款。銀行放款，有資格借得到的，百不得一。他竟以一個死人名義借去一百萬元，沒有担保，沒有抵押，借得如此鉅款，足以顯得這位經理上峯信任之專，分層負責之濫。一個死人申請一百萬元信用貸款，各級人員圖章，各關通過，照蓋不誤。天下事無奇不有，堂堂現代銀行，居然發生死人借欵的離奇故事，世人眞會笑掉牙了！

（本報記者台北航訊）司法行政部長鄭彥棻在立法院司法委員會上表示：財務法庭成立後，辦案績效，均見增强云云。他說：「台灣高等法院所屬各地方法院，財務法庭執行征收稅務案件，四十九年舊受案件九千二百九十一件，新收案件三十二萬五千六百二十九件，（平均每月收案二萬七千一百三十五件）合計應執行案件三十三萬四千九百二十件，應執行金額二億二千七百四十萬零二千六百九十元一角九分（平均每案金額六百八十元弱），已執行結案三十二萬四千九百二十六件，執行征收起金額五千七百三十二萬八千九百五十八元七角。」此一數字，如果加以比較，則顯示大戶欠稅沒有繳，而法院也有「法外施恩」之譏。因爲三十二萬四千九百二十六件欠稅案，平均每一案以六百八十元計，則應執行征收起金額二億二千多萬元，若而未征之金額七百多萬元事實上，征收金額五千多萬元，相差達三倍左右。尚有一億七千多萬沒有進行征收。

去年財務法庭執行征收稅務案件情形已如上述，而今年度是不是進步呢？如果鄭部長在立法院的報告正確的話，「績效」「增强」仍未見。鄭部長說：「五十年一至六月份，舊受案件九千九百九十四件，新收案件五十九萬九千八百五十七件，合計應執行案件六十萬九千八百五十一件，應執行金額二億零七百五十四萬零五百三十三元九角三分。已執行結案三十五萬三千八百五十件，執行征收起金額六千四百三十萬零六千零八十八元四角二分」。儘管執行結案佔總額百分之五十八以上，但征收金額佔應征收總金額祇有百分之三十一弱。

這樣比較對照，是否予人啓示：（一）大戶欠稅，即法院亦沒奈何？（二）政府稅收負担，窮人比有錢人負擔要多要重，因而造成貧者愈貧，富者愈富？（三）欠稅案件日增，原因何在？是社會道德日趨下游？還是社會經濟不景氣？

監察院司法委會年度工作報告
軍法官憑八個字混飯吃
一曰「不足採信」再曰「難任狡展」
主張軍法案件亦實行寃獄賠償法

司法官辦案有沒有違法失當呢？答覆是肯定的。據監察院司法組巡察報告稱：最高法院「發回更審案件較多」，致影響訴訟進行」云。如「楊西榮之兇殺案件，曾發回更審六次」之多。「此項發回更審案件，一方面固由於原審法院（台灣高等法院）對事實之認定，未臻明確，即輕率判決」所致。「但據傳聞最高法院庭推中，或有以發回更審爲迅速結案之方法者」。因此，張秉智委員主張「非常上訴案件，經撤銷原判者，應查核原辦推事，有無枉法裁判情形」，而「課以責任」。他建議「由監察院函最高法院檢察署將此項案件，非常上訴理由書及判決書，抄送副本送監察院，以備審閱」。

儘管監察院於今年兩次提案糾正治安機關司法警察人員刑求，但司法機關首長對司法警察人員卻有「獎而不懲」。張委員指出：「年來各地方法院院長及首席檢察官……五十年度，各地檢處報請獎勵之司法警察人員共三十一人，其中記大功者一人，記功者五人，嘉獎者二十五人，但未見對該管區內之司法警察人員，有何懲處。有獎無懲，已失考核意義。而法院院長報請獎懲司法人員者，則尤屬少見」。

監察院對加重課刑而減少訴訟案件的意見，表示異議，而主張：「如能儘量勸導息訟，消釋嫌怨，或逕依違警罰法處運」。像「刑法第六十一條及告訴乃論之案件，除竊盜詐欺外，可斟酌情形，令被告爲刑事訴訟法第二三二條第二項各款規定：向被害人道歉；立悔過書；向被害人支付相當數額之撫慰金。儘量勸告平息訟事，爲不起訴處分」。「近年來司法機關雖亦曾注意及此，致力推行，惟成效未見顯著」。比如，「五十年度一審法院受理民事案件，包括執行，共十九萬九千三百六十六件，較四十九年度增加三萬七千八百十九件。刑事案件共九萬八千一百四十九件，較四十九年度增加一萬七千八百五十三件」。

監察院司法委員召集人黃寶實在報告該會年度工作時稱：「軍法方面，有兩件糾正案……表示接受我們的意見，但對我們所持之意見，均一一予以相反的辯解……就表面上看，雖然已接受我們的糾正，但是我們所持的糾正意見，都被他們一一推翻。在這年來，司法委員會處理案件，軍法方面是最傷腦筋的事情，軍法機關的人員，多半持了一種固執的成見，無論從程序方面，從法律見解方面，對於某案子的糾正，他總是自以爲是。根據本席年來調閱軍法案卷的結果，我發現軍法官八個字的訣竅，凡是對於被告所提之證據，所列舉的理由，他一概用四個字對付：『不足採信』。而他自已根據的新證，對被告人的推論，認爲是『難任狡展』。軍法官就根據這八個字來混這一碗飯吃。自寃獄賠償實行後，軍法方面不實用，辯護制度，也是半開門的。所以，對於軍法方面的改進，還待於全體同仁的努力，尤其司法委員會的委員更要加倍努力。」

刑求沒有了嗎？黃委員說：「據有關機關講，現已不用刑具。事實上是有的，祇是備而不用，陳列在那裏，給被告人心理上的威嚇：你吃得消這一套，就照你的供；吃不消這一套，就要跟我們合作。所謂照他們所寫的口供招供，這就叫做刑求口供；這個口供來源，是來自刑訴法得採被告人的自由。現在經本院糾正後，行政院已經有命令交給司法警察機關不得刑求」云。可是「我們尚停滯在刑求階段。除了刑求之外，我們還糾正疲勞訊問，即不分晝夜，不眠不休的訊問，使得被告人精神恍惚，不但生理上受到刑罰，精神上也受到刑罰。」

因此，張秉智主張「對於非軍人及軍人之軍法案件，亦參照寃獄賠償法，擬案，實施賠償，以重人權」。（本報記者張健生）

如此胡來，成何話說！
省議會竟拒記者旁聽
輿論譁然，選民亦表憤慨

「本報記者台中航訊」省議會居然拒絕新聞記者採訪該會各審查委員會的消息，已引起選民的憤慨和輿論界的評擊。

省議會二屆四次大會於十一月二十日開幕，首先通過省議員陳世叫（宜蘭）、張富（桃園）兩人所提出的臨時動議：修改該會旁聽規則第十三條條文。把原來的條文「本會各審查會議，非經許可，不得旁聽。」修改爲「本會各審查會議，除業務有關人員，經審查委員會事前邀請者外，一律拒絕旁聽。」在場議員五十五人，除李萬居、郭再新、許世賢、魏東安等七人反對及另二人棄權外，大會以四十六票通過。因此，輿論譁然，羣起而攻之。

據來省議會的消息說，該提案通過後，在各方面指責下，原提案人叫苦連天，自認倒霉。因爲有關方面，在黨團會議上表示：前次該會審查會發覺省府各廳處長有二部小包車的經費，而刪除預算，事經報紙發表後，不但國人驚訝，即國際人士也大吃一驚，致影響政府威信，所以希望黨籍議員提案修正旁聽規則，並且決定由一位山地籍省議員潘某提出。不料，潘議員卻缺席大會，於是改由陳世叫、張富二人提議，豈知卻招致多方面的反感，眞是啞子吃黃蓮，有苦說不出。故陳、張二人逢人就打恭作揖的解說此一修改旁聽規則的來龍去脈一番。（本報記者康先）

由民事進入刑事
許振乾案內幕
靈機一動麥克麥克
東京歸來東窗事發

【本報記者台北航訊】新竹客運公司總經理許振乾與股東之間發生糾紛，被控套購外滙，與侵占他人的財產，原來如此這般。原該公司係日產，台灣光復前，由日人與台胞共同投資合營。光復後，由政府接收，後來開放民營。但日本政府對凡「中、日」人民合營的株式會社，其中屬於中國同胞投資部份，都準備賠償；可是新竹客運公司方面不知道這回事，舊投資人更不清楚。詎許振乾於前次赴日本考察時，曾有日人提到新竹客運公司舊有投資人爲什麼不向日本政府索取股金呢？他於是靈機一動，以該公司負責人資格領到一筆可觀的賠償金。他沒有想到日本方面把這件事通知新竹客運公司股東；所以當他於今年六月間返國時，事情爆發了。此一糾紛，已由民事進入刑事階段了。

又高等法院以下各級法院，應隸屬司法院，早經大法官會議於去年五月間解釋在案。當時，行政院以時間匆促籌備不及爲託詞。然而不是那麼一回事，據監察委員陳大榕說：高地院遲遲未改隸司法院最重要原因，「就是推事的任用權，仍屬於司法行政部」。不但如此，還有人在行政院小組會議上主張：推事任用權，可以仿照法國的辦法。法國是由總統兼任法官任用委員會的主任委員，所有法官的任用，都提到法官任用委員會來決定云云。陳委員認爲：這是很希奇的事情，行政院太不好了，大家都站在本位主義上來爭權，至於合法不合法這就不管了。這種主張的另一理由是：法國是大陸法系，我國也是大陸法系啊！如此邏輯，聞者捧腹不已。（本報駐台記者長民）

美國學校招收我國學童　轉學華校尚未辦妥
當中困難說來卻亦話長

（本報記者台北航訊）美國學校招收我國學童就讀的問題，已經遷延經年，迄今尚未獲得解決。台北市教育局，奉到教育部經教育廳轉下的命令，分別通知目前在台北美國學校就讀的六至十二歲兒童七十八人之家長，於本學期轉學到住地附近各國校，並統限於十一月十日辦理轉學，但迄至今日為止，這些學童家長還未遵命辦理，仍在「華洋雜處」的一堂受課。

美國學校開始只是一些美僑兒童讀書的地方，最初人數亦很少，後來因為美國人來台日多，學校便擴充了。我國一些富豪公子，官宦千金，也都紛紛進入該校就讀。因此，該校已經不是一些純粹的「美僑學校」了。中國學童進入該校就讀，受到評議的地方，是因為破壞了我國的「教育制度」，逃避了國民應接受「義務教育」的義務。議會，立法委員的質詢及社會輿論都針對這一點而發。

由於美國學校並未向我國政府立案，所以，在該校讀書的學童，不能取得我國學籍，仍祇為「未受國民義務教育」。我國教育當局，曾經循過外交途徑向美國學校交涉，希望他們來辦好立案手續，以便學生們能正式取得我國學籍。美國方面，為了敦睦邦交，遵重我國學制，也有心遵照我國法令辦理立案手續，並曾經派人向我國教育行政當局研商立案事宜，結果，卻由於中美學制、課程內容等等，未盡能符合彼此情況，所以立案之事，又被耽擱下來，成為一個懸而未決的案子。我國方面，希望他們能稱為「美國僑民學校」，專門收容美國僑民學生，不再收容我國學生。但據說：由於學程連貫延續的問題，中途轉學有不便之處。當然，我國學生的家長不願讓子女離開該校，也是一個大的因素。

台北市教育局在幾個月前，曾奉教育部禁止我國學齡兒童就讀美國學校的命令，當即通知美國學校協助辦理。這件通知是在這學期開學以前就送達了，以便能在本學期開學以前辦好分配學校編級就讀的工作。但據說：由於公文中譯英的手續，該校公文處理人員，誤將此件公文當普通件處理，到最近才被該校負責當局發現。美國學校知悉後，與教育局非常合作，立即開到該校小學部我國籍六至十二歲學生七十八人的名單，住址等，詳報教育局。教育局乃根據美國學校所提報告，分別通知各該學童家長，應於十一月十日以前持通知單，攜同學童前往分配學校編級就讀。教育局已令知美國學校，自十一月十一日起，停止對我國籍應予轉出之學童施教。

很多學童家長，十日到教育局去見盧啟華局長，請求延期轉學。他們說：學童因為國文程度較差以及其他的許多原因。盧局長答覆他們：教育局已飭各國校對學童轉入手續，儘量予以便利，年齡限制可也放寬，不能跟進的課程加以補授，希望大家都能共同遵守政府法令。至現在美國學校中學部就讀的我國學生，因中學教育並非國民義務教育，故並不禁止繼續在該校就讀。惟市教育局為便利美國學校中學部我國籍學生，轉入我公私立學校，接受我國人相同的教育，已通令各公私立學校，在五十年度第一學期開學後一個月之內，能辦妥學生轉學手續者，一律從寬處理，逾期不再受理。

但省議會教育考察團議員四人，十一日至陽明山考察時，曾至設在士林的美國學校參觀，發現我國的學童仍在繼續上課，該校麥艾樂校長向他們表示：有關學童轉學的問題，校方仍在與中國政府接洽中。顯見得這次政府的命令是否能貫通，還得要經過一番努力哩！

現在許多在海外僑居地不知有多少我國僑童想接受我國教育而不可得；但在我們自己國內，有這麼好的教育環境，偏不去接受的現象發生。無論如何，生為中國人，他的父母就應該使他有機會接受應受的國民義務教育。（本報駐台記者吳越）

不放過一個貪官污吏　不放鬆一個豪紳奸民
監委主先斬後奏
——監察院檢討會續誌之二

假定監察院糾彈案的升降數字，可以作為選民考核監察院的話，去年監察院一定是不及格了。關於糾彈案件，糾舉案件，糾正案件，民國四十一年一共八十一件；四十二年八十三件；四十三年五十九件；四十四年五十四十；四十五年五十四件；四十六年五十四件；四十七年四十四件；四十八年四十二件九件；四十九年四十件。這不是一條直線上升，而是走下坡路的斜線。九年前的糾彈案，比今天多一倍強，怎不叫人感傷！

因此，劉行之委員主張「先斬後奏」了。所謂先斬後奏，是發揮「上方寶劍」調查權的權力。陳訪先委員認為：「本院委員遇到值日時間，核閱公文能慎認真，不稍疏忽，審凡應辦案件，能切實調查，遇有糾彈案件，都認真參加審查，不使之流會，大家保持認真態度，不草率決定，不放過一個貪官污吏，不放鬆一個豪紳奸民，盡心盡力，矢「慎矢勤」，這樣才有一點績效。」

貪污事件太甚，進而促使財政收支差額越來越大。金越光委員說：「五十年度實際支出八十五億二千零六十萬元，收入為八十四億。在這八十四億裏面，包括下列幾項：稅庫收入四十一億多，專賣收入十四億多，國家行局轉投資收入五億一千多萬，此外，還有我們盟友美援九億多，合起來是八十四億」。而「四十九年實虧了二億八千多萬」。五十年度「預算數收支相差是一億一千多萬」。但四十九年度「發了四億」短期公債，「五十年度預定五億」短期公債。由此知可，財政赤字是不可能拉低的。（本報駐台記者公治長）

笑

一笑而得千古之妙諦，一笑而合百年之知己，都是人生快事，然亦都可遇不可求。

年前曾為學生出了一題作文：「哭與笑」，意外地發現了一、二卓越的此中能手。這些時候來，常想自己動手一試，卻無奈腦海中老是盤旋着那幾位高足的妙文。他們曾討論哭笑的先後問題，分析哭、笑的成因和種類，有一位甚至還刻劃初嬰能哭不能笑時的微妙心理（上帝有知，也當驚歎其設想之妙），更使我不敢輕易落筆了。

最近時常懷念剎那而逝的一閃微笑，又勾起了我的舊日心緒。老當益壯的前輩們每每奉勸人們要每日大笑三次，才能延年益壽。小伙子們一聞此語，必然怪笑一塲，以示響應。此刻我的背後又揚起那種不可名狀的笑聲了。有人一口氣笑上數十秒，旁聽者不免「替古人担憂」，一起瞪着眼向他行注目禮，好容易看到他喘過一口氣來，那知不過兩秒鐘，又繼續作接力笑了。這到底是病態，不足為雅人道。

希臘有一位喜劇作家菲利門，據說他對於滑稽可笑的事物特別敏感，以致當百歲的高年，竟因看見他的驢子吃無花果，大笑不止而死。考據家們如果有閒，不妨考一考程咬金老先生的故事是否受此影響，也可作為中西文化交流的一例吧。

笑是不是就等於美，實在有待考驗。人們覺得嬰兒美不勝言，僅僅是他的微笑使然嗎？不，他的嚎啕大哭，乃至他撒尿時的表情，都是極美極美的。笑得自然，醜的臉孔也似乎美了。笑得勉強，旁人的感受就不免夾點苦澀味。據說其他動物都沒有笑這一態，然則做一個人畢竟有生趣得多。笑也許竟可以當作文明的一種標誌吧？君不見尖頭鰻之流，對笑別有一功，且極盡神秘變化之能事麼？在此花花大千世界中，甚麼怪事沒有？試想許多倚笑為生的人物，卻是活得最悲慘，最空虛的！

有人的笑像地下潛流，絕不輕易流露。有人的笑則恍如噴泉，有飄逸瀟洒之致。還有一種譬若懸崖飛瀑的，一瀉千里，不可收拾。體氣有所不同，笑貌也難苟合罷了。

胖子多滑稽，瘦子則往往在嚴峻中微示幽默。所以笑幾乎是胖哥們的專利品。胖子不但會自己笑得全身都富有彈性似的，更有將笑菌傳染給旁人的本領。不管你才喪了親朋也好，才失了戀人、丟了職業也好，他老兄一陣靈感爆發，便逼得你沒有不笑的自由。這種笑，我無以狀之，姑稱它為莫名其妙的笑吧。

物以稀為貴，笑也不能例外。整天「格格格」笑得喘不過氣來的人物，怕不是伊人眼中的好對象吧。偶一展齒而笑，始覺千金難匹。準此而論，周幽王豈不值得後人大大的同情？

據說笑要甜在心裏，才是第一流的。甜在心裏，然後溢於顏面，乃至閃現在言辭之間。少女的笑，不知御使了多少詩人的筆墨。孩子的笑，也可以使母親忘卻了自身懷六甲開始的一切苦楚與辛勞。三笑訂姻緣的傳說，如果和三箭定江山相提並論，倒是極富諧趣的。「美人有文韻，有詩意，有禪機……即一顰一笑，皆可以開暢玄想。」明人的深悟人生藝術，由此可見一斑。那可真不是自然界的風、花、雪、月可以掠美的。

一笑而得千古之妙諦，一笑而合百年之知己，都是人生快事，然也都可遇不可求。勸人一笑忘憂，安知不是強作解人；予人一笑會心，卻會有不測的奇緣。臨死瀕危可以笑，但那種笑或許更近乎哭；殺人肆虐也可以笑，那種笑又是瘋狂的註腳。「惡紫之亂朱」，什麼才是笑的正色呢？

笑者酵也（按：這是仿說文解字式的註釋）。心裏有些東西發了酵，形之於外就叫做笑。發酵過當，笑就成了鬧；發酵適度，笑即是妙。走筆至此，真不知何所云然矣。奈何？只有一笑了之！

汶津

廬君續夢

第三回：拒諫飾非，列鼎烹功狗　成王敗寇，作狀笑沐猴

湖北省視察情況十分良好，報上去毛澤東大為開心。可是，湖南視察團的情況就完全不同了。

彭德懷卒領黃克誠，滕代遠，洪學智組成的代表團到了長沙，省委第一書記周小舟率領全體高級幹部接進省委會，舉行過接風宴之後，晚間代表團單獨把周小舟找來作了一次懇談。

周小舟在湖南系算是第三代人物，共黨佔領湖南時，省委書記是黃克誠，周小舟任副書記，黃克誠調去北平任副總參謀長，周小舟繼任省委書記、後來改稱第一書記。一九五八年八大二次會議又被選為候補中委，他在中共黨內地位雖然不高，卻是湖南系的中堅份子，個性十分剛強，一九五八年底在武漢舉行的省委書記會議及中共六中全會他都挺身而出勸毛澤東廢除人民公社，曾被毛澤東罵了幾次。今天代表團一到，周小舟就想抓住機會，提出廢除人民公社的建議。又因他同彭德懷、黃克誠的關係過於密切，談話沒有顧忌，所以見面就拼命倒苦水。

彭德懷等未離開北平之前，必曉得人民公社鬧得不聊生，但是尚不料壞到如此程度，當時聽了周小舟的會報，還覺得有點過份。

黃克誠先搶着問道：「小舟同志，人民公社缺點是有的，但也不致一無是處，像你說的這麼嚴重。我們這次回來是調查事實，作為中央的參考，你不要言過其實，因為這是要負責任的。」

周小舟被黃克誠一激，頭上青筋根根都露出來，憤憤說道：「就算把我拉去砍頭，我都要這樣講，你們不信可以親自下鄉去調查，我建議你們先去韶山沖，看看毛主席的左鄰右舍是怎樣說法，然後各回到各人家鄉，同至親好友談談，到時候你們再以為我是造謠，我願受處分就是了。」

彭德懷笑道：「這個辦法到有趣，我多年未去過韶山沖了，聽說這幾年建設得十分完備，乘這個機會去看看也是好的。」

滕代遠以前去過韶山沖，已三十多年了。黃克誠同洪學智始終未曾去過，對這塊「聖地」神往已久，當時都欣然同意，第二天由周小舟帶路，坐一輛汽車直奔韶山沖。

從長沙去韶山沖過去原是山僻小徑，現在修成寬敞馬路，夾道栽了成排白楊，遠遠望去十分壯觀。

滕代遠嘆道：「這條公路修得比粵漢鐵路還直，可見工作同志實在下了功夫。」

周小舟只是冷笑。行了半天工夫，車子開到韶山沖，先到人民公社黨委書記辦公大樓，房子相當考究，進了辦公室不由把彭德懷等嚇了一跳，原來裏面電風扇，收音機，沙發椅，電冰箱，一應俱全。

滕代遠笑道：「這間房子比起國務院民主人士担任部長的辦公室還講究，小舟同志怎麼還說人民公社窮困。」

周小舟一言不發，仍是冷笑。這時公社黨委書記毛南強過來招呼。手裏拿着一捲文件，笑嘻嘻地說道：「這是我們公社的有關資料，現在我先向各位領導同志會報。然後再陪大家去參觀。」（五十二）

海嶠譚談

「自由人」生死記（二）

諸葛文侯

「自由人」以初生之犢的氣質，刊行不久，即在海內外博得頗多的讀者，而以台灣方面的發行紀錄為最佳。同時外來稿件亦以台灣讀者的作品最為踴躍。這使咱們十幾個發起人莫名興奮，認為吾道不孤，得遂書生報國的願望於萬一，內部意志非常齊一而和諧，真能表現着「有錢出錢，有力出力」的奮發精神，並不需要甚未有形的組織，而大家共赴一的，毫無歧見。祗為着報社對外關係，公推年紀較長的王雲五先生為發言人，託名曰「董事長」（實則並無公司組織）；未幾，王雲老到了台灣，改推左舜老承其乏。他們是發起人之中的兩位長者，衆望所歸，祗好為大衆服務，義不容辭。

談到經費問題，區區七千元港幣的開辦費，不到三個月便告賠蝕淨盡，因為辦刊物註定是要經過賠錢階段的。至於賠錢時期的久暫，那就看內容如何，換言之，即看銷路能否發達了。在最初一二年之間，曾為「自由人」經費幫過大忙的朋友，計有端木愷，吳開先，王新衡三位先生，他們充着跟發起人的友誼關係，以及對「自由人」的言論思想表示共鳴之故，向各方面募款接濟，完全是給老友們撐腰捧場，唯力是視。這時候，十四個發起人之中，除王雲老赴台以外，全體皆在香港，人多自然亦容易想辦法，況且大家都是曾經滄海的文化陣營中的老兵，小小的困難局面，滿不在乎。關於報社的建構方面，計為主編一人，由發起人輪流担任，係義務職（後來變了），另設置有給職的助理編輯一人，文書兼庶務會計一人，工友一人，全部職員，如此而已。但業務日趨發展，刊物內容亦日益充實。這算是「自由人」的茁壯時期，值得留戀的。

在這茁壯時期中，「自由人」亦曾經發生過一次意外事情：某年雙十節前的一天上午，忽有當地政府的武裝警察若干名，由一位洋籍警官率領着，前來「自由人」社搜察，形勢頗為嚴重。維時伍憲子，左舜生二先生適在「自由人」的客廳內，坐候我回來商量一項文稿，警察不許他們走開，聽候檢驗，他們遭軟禁了一小時，連伍憲老身上的一件文稿亦被搜去了；同時捕去本社職員顧君，嗣又傳我到警署問話，（這時我是「自由人」主編者），究竟為了何事，全不知道。我生平未被官府傳訊過，祗好懷着一股緊張心情，親去投案。幸而外國衙門講究理性與法治，重視個人的人格尊嚴，並未把我當作犯人看待，一位洋幫辦訊問我，却很客氣地說是「請你來協助我們解決一項問題」（中華民國治安機關的大小官員，應該到香港來學習，何必枉費精神和財力，遠去歐美參觀考察呢？）迨我詢明實情，原來是因我撰寫的一篇雙十節宣言草稿，鉛印了幾百份，分別送由文化界人士自由簽名，準備刊在報紙上的，治安機關誤認為是要在市街上散發的政治傳單，非查禁不可。經我說明後，那位洋幫辦馬上跟我握手道歉，並將搜去的宣言稿暨各種文件一小袋，亦全部還給我了。

談談「戀」「愛」

燕謀

男女相悅，今者謂之「戀愛」；似乎是：戀也是愛，愛也是戀，二者是一而二，二而一的。其實不然。「戀」與「愛」，乃是二種截然不同的情感。戀只是對於可愛者的一種依依之思，或是不捨之情。戀的表現是回憶的，怯懦的，隱忍的，哀愁的。而愛，則是富有俘虜了可愛者或者是被俘虜於可愛的氣慨與情調。愛的表現是具體而現實的，勇敢而魯莽的，熱烈而愉快的。

在咱們中國人的情感中，最豐富的是「戀」，最缺乏的是「愛」。咱們的情聖賈寶玉先生，最怕的是開筵坐飛觴醉月，其原因是「天下沒有不散的筵席」，與其酒闌人靜之後，越發顯得蕭條寂寞，何如根本就不多此一舉？因此咱們可以說賈寶玉和林黛玉，始終都沒有真正的愛過，而只是彼此在偷偷摸摸地相戀。他倆都沒有相愛的勇氣，正如他們彼此都不願參加熱鬧的聚會一樣的。賫玉對於黛玉的積極表示，那是在黛玉死了以後的事。這很顯然的是「戀」而非「愛」了。假若他能以當和尚的勇氣和決心，在黛玉面前表示非黛玉不娶，那才算是真正的愛。當然，果真如此，紅樓夢便不成其為「紅樓夢」了。而我在此說中國人富於「戀」的情調，也便失去了一個有力的證據。

周顒與諸名士集會新亭，其時大江以北均已陷於胡羯，顗慨歎着說：「風景不殊，舉目有山河之異！」諸名士皆唏噓泣下，此即所謂「新亭對泣」的故事也。諸名士感情流露，撫今思昔，猶覺在眼前。這感情仍然是懷念故國的感情，這實可算是諸名士的對故國之戀。然而當河山未破，國勢方興之日，諸名士也曾有過對於國家之愛麼？國破家亡，興衰易勢，而後撫今思昔，愴懷心目，若不勝情。而如此卑怯的，只知追懷故往之情，就情操而言，實在是最為下品了。我們大陸錦繡山河未淪赤禍之際，袞袞大員，恆以「應變」，看誰跑得快，三十六「著」，走為上策。而今則望海興歎，哀思故國，此又與那一般諸名士之流，如五十步與百步耳！

生離死別的悲今都古，歷來都是我們文學中的第一等題材。李商隱的無題錦瑟諸作，據說這都是他的愛情詩。然而含義隱晦，撲朔迷離，難得確解。大概這也是有得於「樂而不淫，哀而不傷」那些「詩教」的佳作。只憑這些美妙鏗鏘的字句，就是可能比美於萬花筒與八音盒，又何有於抒愛之情達愛之意？可見我們的好文學作品，大都是只對過去的，死亡的，既往而不復可見的，表示出沉痛而無可奈何的「戀」；至於對當前最可愛的現實，不是不敢正視，就是當面扮演起捉迷藏的把戲來，說起來又是何等可憐而可笑呢！

諸如此種懷「戀」情調，實在即是一種憑弔情調。憑弔不免於憂傷，憂傷則不免於哀痛，哀痛就不免於泣下沾襟或淚隨聲下。賈誼陳時事，而首言可為痛哭者一，可為流涕者二，可為長太息者六。歐陽修五代史，更是滿紙「嗚呼」。四十年前的學生作文，幾於不「嗚呼」則不能下筆。這不能盡歸之於偶然吧！流於傷感哀愁的「戀」之情調，實有使之然而然者。所以我們可以說，在中國人的心田中，是有着密茂的「戀」之荒草，而缺乏「愛」之幼苗。有傷感的森林，而絕少喜慶歡娛的花樹。歷史上無愁天子製「無愁曲」，該是皆大歡喜之作了吧！可是歌唱起來，「音淌窈窕極盡哀思」，曲終樂闋，也是「無不殞涕」的。就此提到咱們的國樂，「國」的成分越多，聽起來愈使人迴腸盪氣，不忍卒聽。有人說中國只有哀樂，實在不是過論。奇怪得很，為什麼咱們要「不堪回首」，而不作「一往無前」，單憑委曲的「戀」而不熱烈的「愛」呢？

據傳聞，北平有一對青年男女，因相愛受阻於雙方家長因而雙雙自殺。事後雙方家長却為他倆結了冥婚，盛事鋪張，成為當時各報社會頭條新聞。由此一事，可見天下為父母者，對於子女，也竟有以「戀」為「愛」者。要知，「戀」之為物，雖出之於父母，猶不免殺其子女，而況不為父母者乎？在此，我們可以正告國人，若不把「戀」之情操，轉換為「愛」，國家民族的前途，是十分黯淡的啊！

哀難翁

吉庭

余客香島，歷十寒暑。大風之後，放步郊外，見年近八十老人，臥於草廬中，案上有詩三十首，歷述流離之苦。問之，不以姓名告，僅言其身世之大概。即舉莊周養生論以慰之。歸寫長句，凡二百八十言，命曰「哀難翁」。

海上風濤鬢上霜，飄零我亦感徬徨。
消愁到處尋名勝，忽見白頭臥草房。
案上有詩三十首，自嗟自作不平常。
問之不肯道名姓，好似五柳傲羲皇。
但云行年八十一，在清弱冠列名庠。
壯綰銅符封百里，晚年桃李滿門牆。
一家四代三十口，除我老幼在家鄉。
至今嶺外音書絕，不知聚散與存亡。
自憐萍水無知己，寧死不食嗟來糧。
又不仲連蹈東海，相信前途有曙光。
苟延期待福星照，語罷低頭淚滿眶。
我聽同病傷心語，此情此景倍悽涼。
即舉莊周養生論，從頭於以慰衷腸。
並祝珍重千金體，莫因世事感滄桑。
有唐一代多離亂，贏得文人散四方。
試讀杜甫還鄉句：「捲漫詩書喜欲狂！」
他日得遂團圓願，福無量兮壽無疆。
此翁含笑為我謝，默默無言惟手揚。
我去三步猶回首，彼此相顧兩茫茫。
歸寫長歌天色晚，有勞明月照滄浪。

潼關

道南

被人稱為晉豫陝咽喉的潼關，是我國中原第一雄關，位於有名的「九曲黃河」的第七曲灣上。潼關建築於黃河濱，渡河到河東是晉南天險「風陵渡」，出潼關小東門邊，就是河南閿鄉縣的邊界。潼關的形勢，確實險要，它可以說是大西北的咽喉，實為軍事上的重鎮。潼關的城墻，依山建築，背後便是有名的太華山。關山之間，穿行之一條豫陝公路，那是僅有的一線平地。關前便是滾滾奔流的黃河。崔顥詩：「以從陝路去，河繞華陰流」。是對於潼關的最好素描。其實許渾的「秋日赴闕題潼關驛樓」詩，更可一讀。許渾說：

「紅葉晚蕭蕭，長亭酒一瓢；殘雲歸太華，疏雨過中條。樹色隨關迥，河聲入海遙；帝鄉明日到，猶自夢漁樵。」

登上潼關的城樓，看看四週的草色，一壁是崔巍的高山，一壁是傾流的黃水，白雲悠悠，真有不識鄉關何處之感。

小東門上「潼關」二字，係晉朝王右軍手筆。相傳曹操割鬚棄袍於潼關，被馬超追至潼關東六十里的「吊橋鎮」，在東門曾以戟擲曹操，誤中棗樹，至今大可兩人合圍的棗樹，尚生存於東門黃河邊上，戟印尚在樹身裏。宋末有人立碑於樹下，用以供後人的憑弔。

山川風物

徵稿小啟

有內容有意義之隨筆、散文、掌故、小說、雜感等類文字，本刊均所歡迎。請用有格稿紙繕寫，如需退還，請附信封及郵票。一千六百字左右的隨筆，比較容易刊出，過長則以篇幅所限，請特別留意。

閒話四靈

漁翁

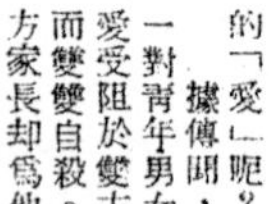

禮云：「麟，鳳，龜，龍，謂之四靈」，以麟角鳳毛，謂世稀有之物，龍可騰空，龜能長壽，皆為天地間之祥瑞，故以靈稱之也。

麟，獸名，牡曰麒，牝曰麟，似鹿而大，牛尾馬蹄，有肉角一，背毛五彩，不履生草，不食生物，聖人出，王道行，則出現焉。今非洲有獸狀似鹿，頸與前足皆長，頭高於地一丈五尺以上，好食嫩芽，名麒麟，日本人譯之亦然。

韓愈獲麟解，有曰：「麟之為靈昭昭也，詠於詩，著於春秋，雜出於傳記百家之書，雖婦人小子，皆知其為祥也。」孔子作春秋，絕筆於獲麟，故謂春秋為「麟經」。據北史文苑傳：「學者如牛毛，成者如麟角」，蓋以牛毛多而麟角少也。又金鑾故事，「徐陵四歲，寶志上人摩其頂曰：『天上石麒麟也』」。杜甫詩：有「並是天上麒麟兒」句，足見麒麟之可貴。謂之靈物，誰曰不宜？

鳳，鳥名，古稱鳳凰，為瑞禽，有聖王出，則鳳凰見，如麟然。雄者曰鳳，雌者曰凰。凡有羽之虫三百六十中，以鳳凰為之長。

鳳之特點在乎毛與壁，南史：「宋孝武帝嗟賞謝鳳之子超宗曰：殊有鳳毛」。世說：王劭風姿似其父導，桓溫曰：「大奴固自有鳳毛」，鳳毛麟角，為世所稀也。又宋書符瑞志：「鳳，仁鳥也，其雄曰即即，雌曰足足，晨鳴曰發明，晝鳴曰上朔，夕鳴曰歸昌，昏鳴曰固常，夜鳴曰保長」。聞其聲，則喜氣洋洋矣。

楚狂接輿以鳳比孔子，曰：「鳳兮鳳兮，何德之衰！」譏孔子不能隱居也。鳳為德徵，故有以樓名者，鮑照詩：「鳳樓十二重，四戶八綺窗」。有以池名者，李昉詩：「十年身到鳳凰池」。又有以女子之鞋而名者，王珪詩：「試穿金縷鳳頭鞋」。此外唐代詩人李杜，有鳳凰台詩，綦母潛有延章鳳闕賦，皆膾炙於人口。

龜，為介虫之長，腹背皆有甲，僅露頭尾出入之孔，甲之表面，蔽以紋片，頭似蛇，色綠，性遲鈍，耐饑渴，壽至百歲外，古用龜以卜，故以靈物稱之。（上）

內僑警台報字第〇三一號內銷證

自由報

THE FREE NEWS

第一八八期

中華民國僑務委員會頒發
台僑新字第三二三號登記證
中華郵政台字第一二八二號執照
登記爲第一類新聞紙類
（半週刊每星期三、六出版）
每份港幣壹角
台灣零售價新台幣貳元
社長：雷嘯岑
督印人：黃行富
社址：香港銅鑼灣高士威道二十號四樓
20 CAUSEWAY RD 3RD FL
HONG KONG
TEL. 771726　電報掛號．7191
承印者：田風印刷廠
地址：香港灣仔高士打道二二一號
台灣分社
台北市西寧南路壹壹叁號二樓
電話：三〇三四六
台郵撥儲金戶九二五二

甘迺廸政府的新調停外交

．宋文明．

自甘迺廸政府執政後，在美國的外交上出現了一種新穎的作風。這種新作風便是：美國對於自由國家之間的紛爭，積極担負起了一種調停者的角色。尤其自本年秋季以後，甘迺廸政府對於這類調停工作，更是表現得特殊的起勁。茲先舉若干事實如下：

第一，當本年七月中旬巴基斯坦總統阿育布訪問美國時，甘迺廸總統即主動提出印度與巴基斯坦之間的克什米爾爭執問題，表示美國欲調和雙方的歧見，並先探詢巴國的態度。

第二，本年九月，甘迺廸總統突宣佈派現任駐加拿大美大使麥濟德，銜命訪阿富汗與巴基斯坦，就地調停兩國爭執；使巴基斯坦對阿富汗的絕交與經濟封鎖，不致帶來更惡化的局面。

第三，本年十月，美主管非洲事務助理國務卿威廉斯在訪問北非期間，曾與阿爾及利亞臨時政府及法國方面分別接觸，調和雙方對撒哈拉問題的僵持局面，以使雙方能早日恢復和平談判。

第四，當本年十月底柬甫寨與泰國再度絕交，以及柬、越兩國爭執趨於尖銳時，美國務院便採取調停步驟，緩和各方爭執，使此局勢不致影響整個東南亞的安定。

第五，本年十一月初，美國務卿魯斯克在乘赴日本參加美日間閣員級經濟委會及順道訪問韓國之機會，會設法協調日韓長期糾紛，以使兩國能早日建立正常外交關係。

第六，本年十一月二十二日，美國務院兩位高級官員與印尼駐美大使曾舉行一次會唔，並當即聲明美將採取主動步驟，設法調處印尼與荷蘭間有關新幾內亞的領土爭執。

以上這些行動的連續發生，使人對美國的當前外交，不禁產生一種與過去完全不同的印象。因爲在過去數年，美國艾森豪政府雖在萬不得巳情況下，也偶一爲之，嘗試從中調處其他自由國家間的爭執，但這種作法祗是少數的例外，並不是一種常見的現象。如一九五三年秋，美國曾專派當時國務院的顧問小胡佛，從中調處伊朗與英國間的石油爭執，而卒獲圓滿解決。隨後，當土耳其發生反希臘暴動，致使兩者關係陷於惡化時，美國也經由北大西洋公約組織及一般外交途徑，曾對此一事件作過調處。不過除此之外，當時美國政府似儘量設法避免捲入他國爭執，不願使自己與該項爭執發生直接牽連。縱使某一事件的解決非由美國使用其影響力量不可，美國亦寧願在聯合國範圍或其他國際組織體係內解決，而不願直接負起單獨調停的任務。當時美國所以保持這種態度，自然有它的理由與看法；如今甘迺廸政府完全放棄過去這種態度，而改採一種新的態度，同樣也有它的理由與看法。這種改變的理由，假若不是由於甘迺廸政府對一般問題的看法與過去美國政府有所不同，便是由於世界當前情況有了重大變化，廹使甘迺廸政府不得不改絃更張，對友邦之間的爭執另覓積極的和解途徑。再分而析之，其主要理由及其目標有如下數項：

首先，甘迺廸政府希望經由美國這種外交上積極調處，能使美國友邦之間的若干長期紛爭儘速獲得解決，積極消除它們之間一項不和因素，藉使它們由此達成密切團結。如巴基斯坦與印度，韓國與日本之間的長期紛爭，不僅相互抵銷了若干有用的財力與精力，而且也嚴重損害到該一地區的共同國際合作。因此祇有把它們之間這種糾紛加以澈底解決，這些國家的相互關係才能獲得根本改善。尤其如柏林等危機尚未獲到和解，美蘇間冷戰正趨於高潮期間，美國實在不願在自由國家間的任何爭執上分散了自己的精力，以致削弱美對蘇俄的外交運用。

其次，甘迺廸政府也希望經由美國這種調處，能使自由世界內所發生爭執的各國，不致由某種不可控制偶然變化而走上極端，以致牽動整個局勢。如其中巴基斯坦與阿富汗，柬甫寨與泰越兩國，阿爾及利亞臨時政府與法國，以及印尼與荷蘭間有關新幾內亞的爭執，在表面上雖屬普通的糾紛，而實含有重大的爆炸因素。如巴阿爭執不獲解決，勢使巴基斯坦放棄對阿富汗的經濟封鎖，阿富汗在無可奈何之下，祇有完全依靠蘇俄，向蘇一面倒。柬甫寨與泰越兩國的衝突若不立即予以緩和，以柬甫寨政府首長施亞努的衝動性格，他很可能一如他所說，會向共黨尋取軍事援助，直使東南亞全區震動。阿爾及利亞臨時政府與法國間的爭執，同樣亦包含有這種危機。至於印尼對新幾內亞的要求，近年來由於印尼向蘇俄購買大批軍火，積極加強海空軍之故，其態度已日超激烈。此時此際，美國若不立予外交調處，尋求雙方的合理解決，一場戰爭危機可能已廹於眉睫。由於這種事實，所以美國對於友邦間這些爭執，絕不能等閒作壁上觀。

另外，甘迺廸政府的所以近來特別傾向於外交上的調停活動，恐怕也與聯合國內部的情勢有關。因美國知道，若不把這些國家的爭執在尚未嚴重化以前加以調處，最後便有可能會提交聯合國來處理。但現在這一由亞非集團佔絕對多數的聯合國，巳不是過去西方集團所能控制的那時候的聯合國所能比擬。在過去由西方集團控制的情形下，聯合國對會員國間一切爭執的處理，可能不會與美國的要求相去太遠。但在現時亞非集團控制下，聯合國這種處理就可能與美國要求背道而馳。因此與其等到將來由聯合國調處這些問題而違反美國的意思，還不如美國趁早動手，實行直接調停，以確保美國在該地區的利益。

美國甘迺迪政府的現時熱中於外交調停，期使友邦間的爭執在不引起國際其他反應前，能大事化小，小事化無，這種用心與動機，原亦無可厚非。但至現時爲止，這種調停活動的成果與反應，並不十分合乎預期的理想。對巴基斯坦與阿富汗爭執的初步調停的嘗試，巳正式宣告失敗，下一步計劃如何，倘未露出端倪。對日本與韓國糾葛的更進一步調停，巳被韓國所公然拒絕。對印巴間的調停，尚未顯出新的發展。對荷印之間的調停，仍未正式着手，結果如何，尚未可知。祗有對柬泰兩國及阿爾及利亞與法國間和談問題的調停，畧有若干進展，但是否就此完全打開解決問題的門戶，亦未可逆料。由此可知調停其他國家間的爭執，絕不是一個簡單問題，而美國由這種調停外交究竟能獲得多大收穫，自然亦是一大疑問。

總之，美國甘迺迪政府的積極負起一種調停者角色，在自由各國間充分發揮外交上的縱橫捭闔作用，不論其未來實際表現如何，確是一値得特別注意的問題。這一新的外交作法將不祗影響美國與其他自由國家的外交關係，和聯合國的未來前途，而且也暗示美在外交政策上的某種新想法，企圖經由美與自由國家間的雙邊往還及美國本身的強大經濟與外交力量，設法繼續保持美國的世界領導地位。

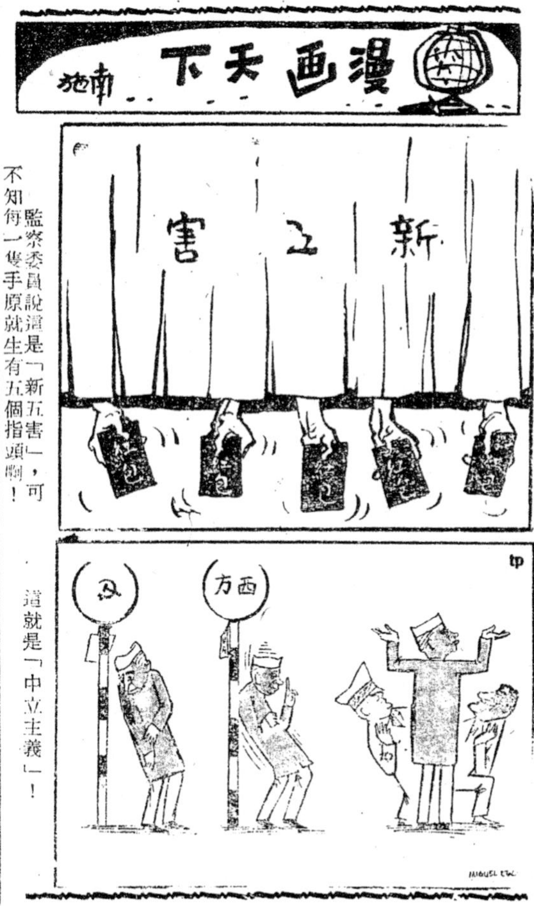

監察委員說這是「新五害」，可不知每一隻手原就生有五個指頭啊！

這就是「中立主義」！

自由談

無關宏旨的事

馬五先生

倡言「兩個中國」之說的美國副國務長官鮑爾斯巳解職了。有人如果認爲此人之被炒尤魚，乃表示美國對遠東政策——尤其是對華政策將有所改變，那就未免天眞得可愛而又可憐！

所謂「兩個中國」之議，首倡於杜魯門當政時代，而試行於艾森豪政府。君不見當年艾森豪政府與毛共舉行「華沙談判」時，曾公然宣稱美國與毛共談判台灣問題不需要中華民國參加之言論乎？又不聞美國在華沙談判中，早巳秘密向毛共提出「兩個中國」的建議，而以毛共不用武力進攻台灣爲交換條件的內幕消息乎？混入鮑爾斯一面由於作官心切，好出鋒頭，一面因爲他當年從印度大使卸職回國，經過台灣小住之際，咱們政府當局對他太冷淡，心裏很不高興，這才發憤寫出他那篇「中台國」的建議文章，聊以譁衆取寵，且對我稍修私怨云爾。

接替鮑爾斯職務的哈里曼，美國輿論認爲他最近跟俄共集團處理寮國問題表現很好——好處就是實現了寮共參預政權的聯合政府，也就是奠定了「兩個寮國」的基礎。只要寮共不大力反美，讓美國的商品能在共黨統治區域銷行，卽使出現三個寮國，亦無所謂的。等情據此，誰能說哈里曼對遠東問題的思想和主張，會比鮑爾斯高明嗎？

國際間只重勢利，外交上專講力量，所謂正義公道，實係政客們藉以騙人的鬼話。立國於世界，至少亦須奄有成事不足，敗事有餘的搗亂能力，庶可免「人爲刀組，我爲魚肉」的惡運。對內不能培養國力，創造國力，而示人以不可輕侮的氣象，光是俯仰由人，倚賴強權主義者以圖存，結果卽隨時有被出賣犧牲之可能。我主張此時我政府應該聲明廢棄「不以武力爲反攻大陸的唯一手段」那項中美聯合公報，同時提議修改中美安全互助協定，一是皆以平等互助爲原則。必如此，才是立國的大道。至於鮑爾斯之去職與否，固屬無關宏旨也。

紅包大過道理 有錢可贏官司

稅務人員逼人送他紅包

監察院檢討會續誌之三

（本報記者台北航訊）監察委員余俊賢在檢討政治措施的時候，很沉痛的指責司法界的黑暗與無法無天。他說：「就司法人員來說，人家都認爲沒有錢送紅包，什麼有理的官司都要敗訴，有了錢的話，無理也變成有理了。法院是保障人民生命財產的，這項工作非常神聖而重要，最近司法方面對此雖有改進，但這種改進仍嫌[illegible]。希望司法機關對貪污瀆職的司法人員，應嚴格辦理，所謂「知法犯法，罪加一等」，能處以重刑，必能有所振奮。不要讓一條竹篙打死一船人，由少數人而影響整個司法的名譽」。

對於稅務人員，余俊賢委員說：「如果不給他好處，明明是做十萬元生意，他說一百萬，使你無法負担下去，逼着你送紅包。送紅包可以把十萬元的生意，只要報兩萬元的稅就可以了。這種情形繼續下去，不但影響國家稅收，而且予老百姓極爲惡劣的印象，和影響政治社會風氣很大。揆其原因，過去稅務人員都是臨時工作人員，生活不安定，正當收入不多，如不改善待遇，也無異鼓勵他們作弊。」

錢用和委員責指內政部控制新聞是不對的，但是她主張指導新聞。錢委員說：「關於控制新聞的問題，我覺得新聞愈控制愈不好。我是辦教育的，對於學生管理，愈是限制他太嚴，這個不能做，那個也不能做，學生就會故意搗亂。所以一切事情，我們不要採取消極的控制，應該予以疏導。比方說，新聞記者爭取消息是他的任務，而行政機關由於事情沒有充份的準備，不願意馬上發表亦非完全沒道理；但如因此就說這個新聞不可以發表，那個新聞也不可以發表，這對個人來說是可以的，如果是對國家，新聞記者也有愛國的熱忱，行政方面有困難，大家互相諒解，權衡輕重先後緩急，予以發表。」

錢用和又說：有時候，「新聞記者爲了爭取消息，對於一件事情，沒有充份考慮，就發表了。」這亦不對。比如，「上次陽明山匪情資料展覽會，我在報上看到，那個人在匪區做地下工作，那個報是那個人在匪區地下工作者辦的。這種新聞怎麼可以登出來呢？像此類情形，內政部應予以指導。」（本報駐台記者公治長）

在野黨分裂誤了佳期

陽明山第三次會談 最快亦要明年元月

傳張左李有默契大家一致行動

（本報記者台北航訊）國民黨四中全會於十一月十二日在陽明山舉行，爲時一週，早已閉幕了。國民黨原擬在今秋舉行第九次全國代表大會，後來改變計劃，將九全大會延期而改開四中全會。此一改變，黨的中常會有討論，當時一般觀察家認爲，改開四中全會的原因是與國際局勢有關，然現在國際局勢已漸趨明朗，似非決定性因素，其中主要原因還是國內的團結問題。

執政黨四中全會的主要議題，據說包括三大項目：（一）國際局勢及外交政策之檢討；（二）從政黨員政績之檢討；（三）陽明山第三次會談。此中要以第三項爲具體而實際。國民黨人原來的構想，是在陽明山三次會談之後舉行九全大會，其時亦正值在野的兩黨所舉行的全國代表大會前後不久，則屆時可以形成政治大團結的局面，三黨亦極可能根據陽明山會談的結論，研訂「反共抗俄行動綱領」，或者類似的宣言文告。但是後來情勢發展，欠理想，青年黨由於「非常派」與「人主流派」之爭，現已形成，難以收拾的分裂局面，因而執政黨構想的九全大會只好延展舉行日期，乃決定改開四中全會。

陽明山會談的決定性，可以說要以第三次會談的實質爲基準，現正積極籌備中。但一般預測本年底將無法召開，最快將在明年元月裏舉行。代表人數之多少，據執政黨的一位決策人士透露稱：第三次陽明山會談人數約爲五十人，計國民黨十人，民社黨十人，邊疆十人，海外代表十人。國民黨方面及邊疆海外代表均無問題，如孫科陳立夫等均被邀之列。青年黨的李璜、左舜生以及民社黨的張君勱亦居海外，他三人又屬於兩在野黨，究竟是算海外代表名義呢？抑算黨的代表名額？卻未明白表示。最近執政黨和在野的青民兩黨接觸頻繁，交換意見，據悉國民黨方面希望在野的青年，民社兩黨能夠由全黨一致推出代表來爲最好，因爲青年，民社兩黨內部迄未團結，如果不能以黨內推出代表參加，而由執政黨主動邀請兩黨各派人士，深恐引起是非，故希望由該兩黨內一致推出代表出來爲好。關於國內代表沒有大的問題。

問題是在於海外的張君勱與李璜、左舜生等，據悉他們三人早有一種默契，要回國參加陽明山會談，大家一致行動。但據記者獲悉在野黨領導人士透露，李、左、張之是否返國參加陽明山第三次會談，最基本的因素，乃在於事前能否獲得協議，因爲他們三人必須要談好先決問題始允參加。其真正的問題雖未明白表示，據推測則爲政治的革新，以及言論自由等問題，而並非個人或各黨的什麼條件。且據青年黨領導人士透露，如果執政黨有誠意擴大團結，必須派遣具有代表性的人員到海外邀請，爲了積極進行，這代表人員必須實能代表執政黨的意見，說話算數，如果以事事必須請示的人員到海外傳話送信，則將徒勞無功。但據說張君勱氏在美國最近曾患胃出血症，已漸趨康復，只要如上述的先決問題獲致協議，他可以返國參加。

陽明山第三次會談的積極準備，開始於國民黨四中全會閉幕之後。雖然延邀的人士有些未必能來，但三次會談之召開則勢在必行，海外各黨派領袖都能返國參加，則團結的聲勢壯大自不待言，縱然在未盡如理想之下，也必須召開的。（本報記者周燕謀）

張君勱胃病

曾入醫院現經出院 台北朝野大表關注

（本報記者台北航訊）據來自美國方面的消息說，民主社會黨主席張君勱，因患胃潰瘍，於十一月一日進醫院治療後，現已出院，醫囑其須靜休一個月，以期完全恢復健康。張氏生病消息傳來，台北朝野，深表關注。

消息說：張氏的身體平時很少有病有痛，這次的病，因爲自從世界日報負責人李大明去世後，他就成爲該報台柱，每月須寫二十稿以上的社論，太累了。

消息還說：關於這次政府對外蒙入會問題，放棄使用否決權，雖香港及東南亞的僑報多責難政府當局「失策」，但他卻撰文支持政府此一不得已的措施，說是應該諒解當局的苦衷。據說因爲他深知，國際間是講求現實而不談道義的；必需在你自己有無求於人的實力量之時，也纔是你所持的正義伸張的時候。

另外又有消息說：張君勱這次的病，與要出版一本英文書籍也大有關係。張君勱已是七十多歲的人了，他爲了要出版這本書，天天自己校對，所以身體支持不了。（本報駐台記者建人）

新聞自由是爭來的

省議會拒記者旁聽案件 聲明對各報記者不適用

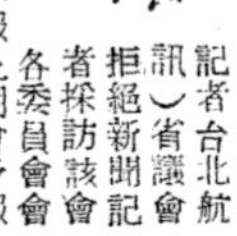

（本報記者台北航訊）省議會拒絕新聞記者採訪該會各委員會會議的消息，本報上期曾予報導。這事情後來有了一百八十度的大轉變，議長黃朝琴公開宣佈：該會通過的那件案子，對各報採訪新聞的記者，不適用了。此事經過，頗有值得報導之處。

原來，省議會二屆四次大會，十一月廿日下午在首次會議中，通過由議員陳世叫，張富兩人所提，足以影響新聞採訪自由的案件。他們提案時說：近來分組審查時，若干與會議無關人士輒要求列席旁聽，使出席議會及備詢人員，「均難暢所欲言」，因此，要求將該會旁所規則第十三條修正爲「本會各審查會議，除業務有關人員經審查會事前邀請者外，一律拒絕旁聽。」

在討論此提案時，李源棧議員雖曾提出詢問：該項規定新聞記者是否可以例外？提案人陳世叫對此未作正面答覆，僅稱一般須事先得到邀請方可旁聽。徐堅議員反對這樣修正，他說民主國家的議會，除有關國家機密者外，沒有保持秘密的理由，該一提案沒有必要提出。但經表決結果，在場五十五位議員，四十六人表示贊成，六票反對，二票棄權，仍然通過了。

當該案通過後，各報採訪議會新聞的記者，均認爲該案嚴重影響新聞採訪工作，因此，乃請議會秘書長陳翔冰解釋，陳秘書長作了一個無可奈何的表情說：該案將使議會在執行時發生困難。

由於多數議員的覺醒，特別由於新聞記者們的力爭，議長黃朝琴於次（廿一）日下午第三次會議開始時公開宣佈：該會首次會議所通過的提案，各報採訪新聞的記者，不受限制。黃議長表示：新聞記者負有採訪任務，故不在拒絕旁聽之限。有關採訪工作，議會仍給予原有的便利。

黃議長所作宣佈，對於議會所通過的案子，算是作了一個一百八十度的轉彎，但得來亦頗不容易，是曾經過議員的激辯並幾乎大打出手的場面才獲得的結果。

廿一日上午的大會，開始由周主席施政報告後，議員李源棧即向議會秘書長陳翔冰提出詢問，他認爲廿日通過該案之先，他曾向陳世叫議員詢問，該規則修正後，記者採訪是否將受限制？池說他當時聽到陳議員說記者不屬於旁聽，而是採訪，因此才投票贊成通過此案。何以各報於事後訪問秘書長，經解釋亦須經過邀請，才能旁聽？他認爲，如果記者亦須經過邀請才能去旁聽，議會確實在限制新聞自由，他也不會贊成此案了。

接着，許世賢女議員亦說：如果該案不是針對新聞記者採訪，就應該在文字裏明白規定記者不受限制。所以，她主張將該條文再加修正。

議長黃朝琴徵求議員們的意見，對新聞記者是否可另作規定，劉盛財議員表示反對，他說經大會通過的提案，非經合法程序不能變更。同時他指責李源棧議員的提議不當。劉議員說話時聲音特別大，並且以手擊桌。因此引起李源棧的反感，大聲指責劉盛財不該干涉別人。於是兩人互比聲音大，劉盛財居然大叫「幹你娘！」三字經好幾句，李源棧氣得要去打他。一時秩序大亂，經議長擊法鎚後才慢慢平息下來。議長即宣佈散會，一切問題留待下午解決。而到當日下午，黃朝琴便作了上項一百八十度大轉彎的宣佈了。（本報駐台記者吳越）

台北周代市長也搞封鎖新聞

還聲明說非封鎖是管制

（本報記者台北航訊）台北市自代市長周百鍊上任以後，對於報上報導的市府新聞，非常注意，如果有未經他事先知道的消息見了報，負責單位的主管就會挨罵。比如：教育局長盧啓華，因爲向記者透露要有四百萬才能修好颱風損壞的學校教室，便被周百鍊在朝會上當衆拍桌罵了一通。地政科向記者談到市府爲了鼓勵都市土地建築房屋，將要收空地稅，第二天見報後，周百鍊亦大光其火，把有關單位主管，都叫到市長辦公室，大罵一通。而此後，市府大小官員，無不「守口如瓶」，見到記者不是打拱作揖，就是老遠避開。尤其各單位主管每天早上看報，便是先看有無消息刊出，以免挨罵。

因此，事實是，今天市府各單位主管，雖然沒有一人接到周代市長「封鎖新聞」的指示，但是，市府官員遇到記者，總是三緘其口，生怕走漏了消息。

當新聞記者們因爲得不到新聞向讀者交待，而向代市長周百鍊發出呼籲時，他特別發表一篇聲明，鄭而重之說他不是封鎖新聞，而是管制新聞，以免說多做少，名不符實。他還說希望在報上看到的市政新聞，都屬於代表市政進步的一面云云。

這亦被人作爲話柄，加以嘲笑，說新聞記者不是「御用」的，報紙也不是「公報」，要想報上刊登你進步的消息，惟一的辦法是要你自己有進步，否則，無論是「管制新聞」也好，「封鎖新聞」也好，都不會見效的。（本報駐台記者吳越）

自然增殖率全世界第一
人口的密度全世界第三
周至柔叫「人口颱風」
強調我們不能讓建設的成果
全為人口颱風所吹失！

（本報記者台中航訊）「我們不能讓建設的成果全為人口颱風所吹失！」台灣省政府主席周至柔在台灣省議會二屆四次大會施政報告時發出此一人口壓力的警報。

周主席說：台灣的人口自三十六年至四十年，出生率遽然提高了百分之十一．六六，而全省經濟活動人口只佔總人口百分之三十一。這是生之者寡，食之者衆的情勢。

關於人口增加率，與世界各地比較，有一個極為特殊的現象。在西方工業發達國家，死亡率低，生育率也低；在若干經濟落後國家，生育率高，死亡率也高；周主席指出，本省的現象極為特殊：生育率高，死亡率低。因此，本省人口的自然增加率，居世界最高位，人口密度是每平方公里三百人，僅次於荷蘭與比利時。

這陣颱風已吹向中等教育，為適應社會的需要，今年將着重初級中學容量的增加。

因為教育的擴展，加重了財政的負擔。周主席指出：憲法規定教育科學文化經費，在省不得少於省預算總額百分之二十五，在市縣不得少於其預算總額百分之三十五。如今在省預算中，教育科學文化支出已佔百分之二九．五四，在縣市預算中，教育科學文化支出所佔的比率均已達百分之三六．七九，多數已超過百分之四十。

同樣的，交通，衛生，公共工程的支出也不斷增加，並已在政府預算中，形成了日益沉重的負担，情形愈來愈嚴重。

生之者寡　食之者衆

在土地方面，本省山地多於平地，依據農業年報的統計，目前本省直接生產用地，已達百分之二．七，建築及交通水利等用地佔百分之四．六。因此，現在的耕地面積雖比三十九年增加了百分之八．一八，平均每一農民所有的耕地却降為〇．一六公頃。周主席說：目前我們還能負起這個沉重的担子，但是，却不能因此忽略未來的更多更大的影響。

依據省政府的統計，全省經濟活動人口只佔總人口百分之三十一，這不是一個高數字。將來人口的颱風將更影響到勞動力的運用與青年的就業。

經濟部長楊繼曾指出：台灣稻米增產率，遠較人口的增殖率落後，如以民國四十二年到四十九年，米之平均增加為百分之二．五，同期人口之平均增加率為百分之三．六。將來總有很大的危機出現。外貿會主任委員尹仲容指出：台灣食米本來是出超，由最高每年出口三千二百萬美元，到今年則反而進口一千一百多萬美元，它反映糧食因水災減產與人口增加所產生的供求不平衡。就在這些事實面前，台灣糧食局長李連春，還是在玩弄他自己的一套統計數字，一口咬定「糧產絕對超過人口增加，還有餘糧可以外銷」。以致揚繼曾，責其為「玩弄數字」，尹仲容也說：「如果他的數字正確，那就是經濟理論有錯誤」。

及今努力　是否已遲

農復會主任委員蔣夢麟博士日前就人口問題應記者之請發表意見說：現在來談解決台灣人口問題，已經略嫌稍遲了，問題的癥結不僅是米的問題供應。由於人口的增加，隨着而來的是教育與就業問題，尤其是工業趨向自動化之後，對於就業問題，也就越發顯得嚴重起來了。因此，應該將土地，生產，人口三者連貫起來，從大的問題着眼。

人口的壓力，現在終於壓得政府中人忍不住叫苦起來，繼楊繼曾部長與尹仲容主委一再公開談論後，周主席亦第一次提出人口增加過劇的問題，甚至以「颱風」為喻，可見此一問題在他心目中可怕到何種程度。雖然周主席面對這個趨勢，提出的兩個最有效方法是：第一是集中力量，光復大陸；第二是在大陸尚未光復前，齊一步驟，建設台灣。這都是大做法，但目前我們急切需要的，卻是希望政府中人正視此一問題，及早拿出一項合理有效的人口政策來。（戈實，十一，二十三）

人口壓力問題種種

由於人口壓力的增加，各種問題都接踵而至。

首先發生在教育方面的問題，周說：當這一陣人口颱風，吹向國民學校的時候，隨着學齡兒童就學率的提高，立刻形成嚴重的教室荒。近四年來，為了容納這些學童，省政府除規定的增班補助外，並以三對等方式補助各縣市，總共建築了八千多間教室，約等於現有全省國民學校教室總數的三分之一。現在

移民南美計劃
準備開步走了

（本報記者台北航訊）人口壓力沉重聲中，畢竟台灣省的剩餘勞力有多少？據內政部長連震東二十二日在立法院向立委員報告說：台灣現在的剩餘勞力，已達百萬人以上。

為了安置剩餘勞力，醞釀已久的我國移民南美計劃，現已開始實際行動，內政部已成立一個特別委員會，主持其事。一個由台糖公司組織的農業考察團，由劉淦芝率領的六位農業專家，於十一月廿七日自台北出發赴南美巴拉圭考察，開始移民南美計劃實施的第一步。同時，一隊由國軍退除役官兵五十人組成的移墾隊，也即將開始往花蓮光復鄉墾區訓練，並隨時準備啓程前往巴拉圭，作為首批移墾的先鋒隊。（本報駐台記者吳越）

畢竟誰的神經不正常？
一警員向總統請願
被其同事關進醫院

（本報記者台北航訊）近月以來，警察界係多事之秋，繼集體收受紅包案後，一連串出了警官警員自殺案，和警員請願案等……。自殺警察官員的謎底，現在仍撲朔迷離，殊令人惶惑。至於一位警員到總統官邸請願，而遭羣警及上官攔截被鎖在醫院的事件，內情十分複雜，其舉措亦堪人猜疑。

緣有台北市警察第四分局安東街派出所警員鍾世超者，於十一月十八日上午，與其姊及姊夫王雲端等三人，到士林總統官邸請願，不料在公共汽車站時即被分局的同寅發現，三人剛到達總統官邸時，該分局中有二十餘人趕到，將鍾世超截回警局；十二時許，又由十餘人將鍾世超送入松山錫口療養院，關入第二號隔離房，門上加鎖，有如關囚犯。據鍾世超之姊及姊夫稱：鍾世超並無神經病象徵，何以要將他送入院中鎖起來？深感不解。

十九日上午，鍾世超在錫口療養院接受記者訪問時，亦不承認他有神經病。他說他請願的動機是基於愛國心，因為他和他姐夫的家庭常受到不法份子的騷擾，因此乃有請願之念。他說他的妻子陳甜近亦受不良份子利用，而與他分居，住在苗栗，近日又到台北來與他吵鬧。他懷疑有人要謀害他。有一次吃麵時曾有中毒等情事。鍾在談話時，精神甚為緊張，談話內容不甚完整；不知是否有所保留的呢？抑或精神上真有毛病？據該院值班護士稱：鍾住院後倒沒有吵鬧的現象。只是十八日他禁食一天。

據鍾世超的姐夫王雲端對記者稱：鍾世超請願有兩次，前一次在十月十一日，其請願書交給總統官邸的侍衛轉呈。又稱：鍾世超並無神經病。而鍾與王家人，十餘年前就信奉基督教，鍾世超一度且曾作過傳教工作，在警界已有十餘年之經歷。

記者再三追問他請願的內容如何，他不願告知，但僅稱與分局無關。據警局稱：鍾確有神經病，請願內容荒謬不經，語無倫次，因此將他送入療養院休養。

究竟鍾世超有無神經病呢？這是問題的關鍵。但現在還弄不清楚。應該不是以神經有毛病為由而強行把人家送入醫院而致妨人身自由吧？（本報駐台記者周燕謀）

中山廿九人逃亡
被共軍悉數屠殺

（本報記者澳門快訊）據自中山來到澳門的某君稱：十一月十五日，中山洪澳鄉發生數十人民逃亡被共軍屠殺的大慘劇，震動中山四區。

緣有二十九名逃亡者，其中包括共幹，民兵及農民等，並有婦孺在內，在洪澳竊風帆擬偷渡前來澳門，不幸當眼看即可出境之時，為岸上共軍發覺，開槍制止；逃亡者中的半數亦携有槍械，因實行還擊，致發生一場劇烈的槍戰。但逃亡者所携彈藥畢竟有限，終以彈盡無法抵抗，致被共軍開機槍全數將之擊斃，無一得告生還者。情形備極悲慘。

此一消息，係由一名於十一月廿五日抵本澳唐家灣的農民某君所透露，某君因尚需返回中山，故不能透露其真實姓名。據謂：此一大慘劇，使中山四區一帶大為震動，共軍頗有得色，老百姓恨之刺骨，雖敢怒不敢言，而口耳相傳，聞者切齒。（麟）

盧君續夢

第三回： 拒諫飾非，列鼎烹功狗　成王敗寇，作狀笑沐猴

周小舟歪頭看着毛南强，冷冷說道：「這幾位同志都是自己人，這次奉到毛主席命令回來觀察，就為了要弄清楚真象，作為研究之用。你把招待洋鬼子的那套東西收起來，把你社裏情況坦白講一講，我們好想辦法解決。」

毛南强面紅耳赤說道：「書記同志，你要我講什麼呢？除了假的，還有什麼話好說呢？」

周小舟說道：「我先問你一件事，你們社裏糧食還能吃多長時間，你要照實說，因為我們要到糧倉去點驗。」

毛南强端詳一下周小舟，又向大家橫掃一眼，冷然伸出一個手指頭。

彭德懷「噢」了一聲：「還能支持一年，總算不錯。」

毛南强搖搖頭，却一言未發。

黃克誠笑道：「大概只能支持一個月了？假若能支持一年，到不緊張了。」

毛南强又搖搖頭，仍未開口。

大家臉上都變了色。洪學智嘆口氣：「怪不得小舟同志叫苦，原來鄉間糧食只能支持一個星期了。」

彭德懷再看毛南强仍舊把頭搖了一搖。

這一來不用說別人着急，周小舟也沉不住氣了，喝道：「你怎麼儘是搖頭，你們社裏的糧食總不至於只够吃一天的了！」

毛南强把手放下來，苦笑道：「書記同志，你要我講實話，我現在真講實話了，坦白告訴你吧：我們的糧食只能吃這一餐了！」

一句話好似平地響了春雷，一羣人登時目瞪口呆，說不出話來。停了半晌，還是周小舟問道：「別的公社總還剩下十天半月的糧食，你們怎麼吃光了？」

毛南强嘆口氣道：「書記同志，鄉間情況你應該明白，人民公社社員半年來經常都是吃野生植物，野生動物，大家連番薯都未見過，那能見到糧食。所以每一個公社多少總可以留一點糧食，以備急用。只有我們公社特別，人所共知是毛主席家鄉，不論東洋鬼子，西洋鬼子，非洲的黑鬼，經過長沙總要到這裏來看看，他們每來一次，我們就要損失一些糧食，當他們參觀時，總不能木薯，田鼠，黃鼠狼捧出來吃，全體社員都吃大米飯，還要做够四個菜。大家經常許久都未見過大米，抓住機會就拼命往肚裏倒，當着外國鬼子面又不能攔住他們，不許吃飽，試想一次要多少糧食？每月碰上兩次就不得了哩！還有國內各地參觀團，也要應付，今天為了幾位領導同志來觀察，糧倉裏共總剩了兩麻袋米，我令炊事員全部煮上了。炊事員同志還問我再有人參觀怎麼辦？我說只有過了今天再想辦法了。現在書記同志你一定要我坦白說，我可是全說出來了，你看怎麼辦吧！」

周小舟看着黃克誠，黃克誠又看着彭德懷，大家都說不出話來。停了一會，滕代遠插嘴問道：「毛同志，人民公社何以搞得這樣慘？是普遍的情形還是個別的現象？你在基層應該比較了解，最好能把病源說出來，以供上級參考。」

毛南强還未答覆，只見一個白髮老叟，挂着拐杖走進來，問道：「那位是彭老總，我想見見他。」（五十三）

閒話四靈

漁翁

據彼滿清皇帝對大臣之犯有過失者，嘗傳旨申斥曰：「烏龜忘八蛋」，成爲辱罵之辭。又明人闕莊駒陰冗記云：「三山士人鄒唐好諧謔，嘗爲一老翁題像曰：「精神炯炯，老貌堂堂，烏中白髮，龜鶴呈祥」。老翁謝之，懸諸中堂以爲榮。忽有人對翁橫讀之，乃爲「精老烏龜」。翁即取而毀之，以烏龜是侮辱之代名詞，爲任何人所不能忍受者。

然而，龜爲長壽之徵，誰不願龜齡永享，鶴算綿長，故陸放翁以龜名其堂，人問之，則曰：「龜有三義焉。自述云：『拜賜妻章紆舊紫，養成鶴髮掃餘青。』龜貴也。長幾云：『早年着學仗下馬，末路幸似泥中龜』。龜閒也。雜興云：『鼻觀舌根俱得道，悠悠誰識老龜堂』。龜壽也」。陸以此三義而名廬，傳爲佳話。他如唐之李龜年，陸龜蒙，宋之呂龜祥，王元龜等，以龜而自名者，不可勝數，是則龜雖爲侮辱之物，以其爲四靈之一，而又爲人所重視焉。

龍，爲麟虫之長，能興雲雨，利萬物，韓愈文：「雲龍之所能使爲靈也，若龍之靈，則非雲之所能使爲靈也；然龍弗得雲，無以神其靈矣」。故易曰：「雲從龍」，又曰：「飛龍在天，大人造也」。後人即以君上喻之。

左傳：「深山大澤，實生龍蛇」。以喻非常之人。昔劉備訪世事於司馬德操，德操曰：「識時務者在俊傑，此間有伏龍鳳雛」。備問爲誰？曰：「諸葛孔明與龐士元也。」於是訪伏龍於草廬者凡三，卒得之以成三分鼎足之局。

在天者，有角元氏房心尾箕，爲蒼龍之宿。在地者，山勢蜿蜒起伏，有來龍去脈之說，劉禹錫陋室銘：「水不在深，有龍則靈」。是龍之爲物，較麟鳳龜，更高出一等矣。

物有四靈，已如上述。而人亦有四靈者：宋之詩家徐照，號靈渾，有芳蘭軒集；徐璣，號靈淵，有二薇亭集；翁卷，號靈舒，有西巖集；趙師秀，號靈秀，有清苑集。皆永嘉人，稱爲「永嘉四靈」。四庫提要，謂其詩大率宗唐之姚合，寫景於瑣屑，寄情於偏僻，雖刻意雕琢，而取徑太狹，不免破碎尖酸之病。因關四靈，故附錄之。（下）

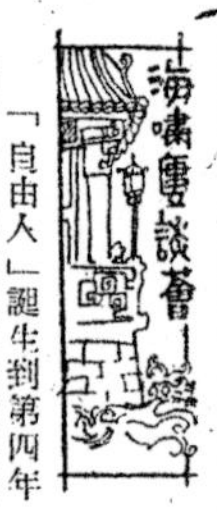

「自由人」生死記（三）

諸葛文侯

「自由人」誕生到第四年，原有十四個發起人陸續移居台灣的已有大半，他們照樣地不時撰寫文章寄來發表，初時倒也沒有甚末不愉快的情事。繼而由於本刊的言論方針是百家爭鳴之故，住在港台兩地的人，觀感上就不免有些出入了。譬如批評現實的庶政得失，在香港的同人看來，祇要是不違背反共愛國的大原則，即不妨暢所欲言，未遑瞻顧，認爲這是民主憲政常軌，有時候縱或引起政府當局的不快，亦無所謂，因爲言者無罪，聞者足戒也。但台灣同人受着環境的影響，心情却與港方不盡相同，且有位居政要者，處境尤與一般的自由人各別。在這一階段中，「自由人」亦曾發生幾次言論風波，如馬五先生批評台灣的「揚子公司」官商勾結舞弊，談到過去上海的孔家「揚子公司」，又跟那位昌言「審判必須配合國策」的司法行政部長，大打其筆墨官司；如發起人之一的某君從台北化名寄來的文稿中，對現實政治主張「革命」。這些都是大遭時忌的！

一日，董事長王雲老由台北致函「自由人」主編者，說旅台同人業經會議決定，擬將「自由人」遷赴台灣出版，囑即結束港社，並將原有繳存港政府的保證金滙往台灣云云。

主編人當將此函送交港方代董事長左舜老暨其他幾位發起人查閱後，召集會議商討一切，嗣經詢謀僉同，贊成「自由人」發行台灣版——將來亦可在海內各地區照辦——港版自不必停刊，即由左舜老以此意函復王雲老。然台灣版並未發行，而「自由人」的聯合陣線，從此乃滋生了裂痕，且隨着時間的推演，裂痕逐漸擴大。原任主編人某君旋辭職，另由旅港的原發起人某人找來一位「檻外人」承其乏。這時候的「自由人」可說是害着感冒症，不復如往日那種精神煥發堅強的狀態了！

個人的生活情況如果蹇運來臨，遇事總是不順遂，有形無形地朝着下坡路走，團體亦然。龍一說過，「自由人」的生命力就是每週一次的文化座談會，任何問題皆在每次座談之間，協商處理，沒有不能解決的。詎知此時忽有上述那位推薦主編的原發起人，竟以自封代表台灣在海外領導文化運動的姿態，要在外面另搞一種擴大的文化座談會，志在立功邀寵，乃把原有「自由人」座談會的基本成員拉去了很多，又任意遺棄一部分，而「自由人」座談會即被拆散分化，宣告垮台。至於那所謂擴大座談會呢，不到兩個月，經一名被邀參加座談的先生，散放一句謠言，說這是台灣拿錢來收買文化人的玩藝。台灣風聲所播，許多人因此裹足不敢問津，所謂擴大座談會也就無疾而終，歸於幻滅了！

停車坐愛楓林晚

磊庵

「停車坐愛楓林晚，霜葉紅于二月花」。這是唐杜荀鶴的詩句。我南京寒舍的大門，正對着鷄鳴寺；北極閣，那山上山下的丹楓和烏柏。一到秋深，便都染碧成朱，不到木落蕭蕭。總是鋪滿了無數疋蜀錦似的，顯出別有一種的繁華景色；今台灣四季皆春，紅樹之夢，已膠着在腦海裏多少年，怎不令人感慨系之。

當在髫年，我隨先君宦遊西浙，常聽人家說：紅葉要到南北二京去看。此時還是光宣之際，北平的西山，香山，尚列爲禁地，不是獨騎雅兒者所能前往；迨後公路開闢，平綏線又在山間經過，不但紅葉可以在車箱裏憑窗眺望，連翠微山的怪石嶙峋，岫雲寺的壯麗建築，也無不盡收眼底，頓使三春風和日暖。大家遊頤和園看太平花的羣衆，都湧擠到小湯凉山的一條大路上來。而尤以例假之日，學生們的遠足。他們多活潑潑地，成羣結隊于嫣紅姹紫之紅葉叢中，而西山乃變成學校中的校園。

南京棲霞山，它是南唐棲霞居士修道之處。故寺名棲霞寺，山名棲霞山。有「寺以人名，山以寺名」之諺。其地距南京城四十華里，正在京滬線上，鐵路局設有小站；又有馬路可通馬車行一小時即達，此山與隔江之靈巖山對峙。成爲近郊之風景區；每當秋高氣爽。紅葉滿林，便遊人如織；停在大行宮，夫子廟等處之馬車，不用車轎，任客上下，所費甚微。遊山玩水，大忌風馳電掣的目不暇給，所以遊川東之三峽。川南之峨眉，川西之青城，川北之劍閣。最好就是乘坐滑杆。固然還抵不上芒鞋竹杖的安步當車，但至少還不至于失卻本意。蘇州的天平山，正在太湖邊上，以多古梅着名。山不甚峻，而遊人都乘藤轎，由年青女子肩行，轎之左右前後，全沒遮攔。這才是蘇州人的聰明。

有些人說，棲霞山以紅葉名，但還不如說它以佛地名，那千萬棵楓樹，與千萬棵烏柏，便多在月池與千佛嶺之上。江乘記謂此山本名攝山，因其山形方正，四面重嶺包圍，形圓如繖，遂以物象命名。唐代宗之大曆間，有僧人名鄒和尚者，跨白驢登山，結茅以居，須鹽米之屬，輒書條具欵，駄驢背赴市，人知爲鄒驢，取平價，繫物于鞍，縱驢歸山。一日，驢踐山下黃氏蕉苗，黃誚償于鄒，鄒曰：「汝未知以蕉爲糖，驢價當十倍，吾語汝，塞責可乎」？試之果驗，遂流傳其法。事見唐王灼糖譜。大層早于南唐數百年，而山中之達磨洞，崖壁之達摩象，舍利塔，更無不早于唐朝；隋王劭撰之舍利感應記云：「隋文帝潛龍之際，有婆羅門沙門，與以舍利一顆，後乃感于神尼智仙，重于佛法之嘗，故隋興後，于仁壽元年，詔天下于三十州建舍利塔，塔內作神尼象焉」。其塔高五丈餘，計八面七級，第一級墻壁鐫涅槃諸變，二級鐫四大天王，三級以上，各鐫佛像數尊，均倍極工綴，有類敦煌三界寺石室。亦有謂爲青頭虎頭之遺稿，而寺僧依樣葫蘆者，故清人謂「紅樹因佛地而傳，佛地因紅樹而著」，實不能不謂肯要之談。

但此山也有一件比較輕鬆之事：山之後面，有一個香君亭，爲雲亭山人孔尚任所撰桃扇傳奇中秦淮名妓李香君舊遊之所。商丘侯方域，如畢冒辟疆，桐城方以智，宜興陳定生，各以氣節相尚，稱爲四大公子。香君能辨忠奸，俠而美慧，嬌小玲瓏，人譽之爲小扇墜。渠與侯有終身之約。袁隨園與楊笠湖，並爲她打過一椿筆墨官司，隨園文中，有「香君雖妓，豈可厚非哉！當馬阮勢強時，獨能守公子之節，卻僉人之聘，此種風概，求之士大夫，尚屬難得，不得以出身之賤而薄之。昔汪錡，變童也，能執干戈以衞社稷，孔子許其勿殤。毛惜惜妓女也，能罵賊而死，史登列傳。足下得見香君以爲榮，未必非好善慕古之心，乃必以好色狎邪自揣，何其居心之不淨而自待之薄也。……來札一則曰貞魂，再則曰貞魂，香君之貞與不貞，足下何由知之？郎非香君，是一個四十歲許之淡粧女子，其貞與不貞，亦非足下所聽知也。足下苟無邪念，雖嚮壁私謂何妨？苟有邪念，則跪之牀下者，何不可拖之膝前耶」！我還記得在抗戰勝利之明年，適從合肥回到南京，與二，三知交，乘着一輛破車，至香君亭之前，前後後，作數小時憑弔，時當重陽節近，秋老江南，暗誦那桃花扇中老漁夫所唱：「城郭蕭蕭，正對着夕陽道。野火頻燒，護墓長楸多半焦……問秦淮舊日窗寮，破紙迎風，壞檻當潮，目斷魂銷。當年粉黛，何處笙簫！罷燈船端陽不鬧，收酒旗重九無聊。白鳥飄飄，綠水滔滔，嫩黃花有些蝶飛，新紅葉無個人瞧」。似水光陰，忽忽又十餘寒暑，天涯飄泊，老病羈孤，悲逝者之不作，傷旅況之無聊，更不是幾壑漁唱，盡能衷曲于萬一矣。

談壽

吉庭

莊子云：「上壽百歲，中壽八十。」但人壽不過百年，即有之，亦鳳毛麟角耳。孔子云：「吾十有五，而志於學，三十而立，四十而不惑，五十而知天命，六十而耳順，七十而從心所欲」。說到七十，就不再繼續下去，認七十爲高齡。

杜工部「曲江對酒」有曰：「酒債尋常行處有，人生七十古來稀。」他居官無以爲樂，惟典衣沽酒，盡醉江頭，以酒債未償，乃平常事，惟人生難活到七十歲，不如隨過而安，及時行樂的好。袁簡齋是個風流才子，他活到七十以上，很自豪的道：「韓蘇李杜從頭數，那個詩人七十春」。

因此，「古來稀」三字，是指用腦力的智識份子而言的。智識份子，泰半逐逐於富貴，眷眷於虛榮，汲汲於享受，偶一橫逆，便消極悲觀起來，這是易於促短壽數的最大原因。

可是也有不盡然的。益壽之方，離不開達觀兩字。達觀是人生延年的妙丹。古之人最達觀的，莫若莊周，所著「南華經」，一味逍遙快活，無往而不自得，凡讀過「逍遙篇」和「養生論」的，便知道他是個無憂無慮的曠達人物。其次宋朝的陸放翁，是個愛國詩人，他也逍遙物外，隨遇而安的，所詠秋思曰：「日長似歲閒方覺，事大如天醉亦休。」足見其曠達的一斑。縱有天大的事，一醉便可了之。所以他倆的壽晉遐齡，是有由來的。

再說智識份子在二十到三十歲的時候，便問他的學業怎樣？到了三十至五十歲，便問他的事業如何？五十以上的，便問他的年齡多少？我爲了避免客來問年起見，在壁上貼了一首詩：「人面黃花一笑同，心如鐵石氣如虹；客來問我年多少？五十三齡即此翁。」雖在飄泊中，而猶自然而然的抱着樂觀，採山釣水，弄月吟風，保持着廬山眞面目，將來回返故鄉，獲得從心所欲，也學袁簡齋說兩句豪語：「同庚多不在，獨我慶長春。」

七美古塚

道南

七美，是台灣澎湖縣治下一個小島，距離馬公本島最遠，孤懸於台灣海峽中間。以前本來名叫大嶼，民三十八年，經當時縣長劉燕夫氏，爲表揚七美人的節烈，呈准政府，改名爲七美嶼，並且那裏設立一個鄉治。

關於「七美」名稱的由來，則有段近似傳奇的故事。

據說：在明朝嘉靖年間，沿海一帶經常遭受倭寇的剽掠，人民深受其害。後經俞大猷戚繼光兩將軍合力兜剿，寇勢始戢。某年，戚將軍大敗倭寇於浙閩海間，倭船敗逃台灣海峽，澎湖守將猝不及防，遂爲所佔。倭既佔澎湖後，復四出劫掠，大嶼亦蒙其害。

有日，寇駕舟至大嶼，除掠奪財物外，復擄女以淫。時大嶼有七女子，匿於山洞中，奈寇追索既急，奔逃無門，又不願受其淫辱，遂相偕投入山脚之水井自盡，以期保全貞節。

倭寇於飽掠之餘，呼嘯而去，鄉人驚魂甫定，始發覺此七女已抱貞而死，乃推土掩井以葬，並爲墓塚。

未幾，此由古井所形成之墓塚上，忽現奇跡，生長了七株青花樹，成年開放，從不凋謝。鄉中人都非常奇怪，悟爲七女所化，爲民族氣節的象徵，共議立一石碑於該處，題爲「七美人塚」。從此這一段節烈的事實，才被宣揚週知，永垂千古。

詩人張默君於憑弔之餘，曾有句云：「七美女兮白璧姿，抱貞拒賊兮死隨之，英魂永寄孤芳樹，井上長春兮開滿枝」。

山川風物

內僑警台報字第〇三一號內銷證

自由報

THE FREE NEWS

第一八九期

中華民國僑務委員會核發
台教新字第三二三號登記證
中華郵政台字第一二八二號執照
登記為第一類新聞紙類
（半週刊每星期三、六出版）
每份港幣壹角
台灣零售價新台幣弍元
社長：雷嘯岑
督印人：黃行靈
社址：香港銅鑼灣高士威道二十號四樓
20 CAUSEWAY RD 3RD FL
HONG KONG
TEL. 771726　電報掛號．7191
承印者：田風印刷廠
地址：香港灣仔高士打道二二一號
台灣分社
台北市西寧南路壹壹零號二樓
電話：三〇三四六
台郵撥儲金戶九二五二

從核子戰爭談西德戰畧地位

·郭甄泰·

西德位居歐陸中心，為西歐之屏障，北大西洋公約各國之前線地帶。蘇俄如不能席捲西德，即須循「由北平經加爾各答，是到歐洲最近之路」的列寧攻擊計劃前進，征服世界之道路，迂迴曲折，事倍功半，曠日持久。加以西德現在工業發達，經濟安定，人民充分就業，外滙充裕，冠於歐洲各國，為西歐繁榮之櫥窗，民主國家自由燈塔之象徵，巍然屹立，不特饑餓困窘之東德將日趨萎縮，不能存在，東歐各蘇俄附庸國家，相形見絀，亦必將望風怨懟，難以自保。不寧惟是，西德人民素質優秀，體格強健，經過數十年來之訓練，富有攻擊精神及作戰經驗，在二次大戰時，據西德酒女沈克安（Siagen）根據她出征丈夫的家書說，俄寇是不堪一擊的，她的丈夫永遠是一個勝利者，歷經俄境的許多戰役，他祇是前進，沒有後退。由此可知德軍當年攻俄直抵莫斯科所向披靡之情形。蘇俄至今對於西德擴充軍備，談虎色變，大有芒刺在背，寢饋不安之勢，良非無因。現在西德地位，在北約各盟國中已日益重要，自西柏林問題發生後，和戰前途與西德態度如何，關係重大。美國作戰計劃，依恃德國之協助者甚多，希望德國亟速擴充軍備之意願至為殷切。值此時會，從核子戰爭觀點，以檢討西德之戰畧地位，以決定西方國家對西德之擴軍政策，即自然形成為世界上最重大之問題。

一、西德在未戰前之勝利

西德對蘇冷戰早已開始，並已在各方面贏得重大之勝利，舉其大者，約如下述：

（一）政治上之勝利。自東德「殺寇」政權成立迄今十二年中，由東德逃到西德之人口約為二百九十萬，其不經移民手續賴親族關係移居者，尚約有一百萬人。東德人口不過一千七百萬，逃亡者業已佔其四分之一，此種大量之人口移動，實為歐洲有史以來所未有。而就逃亡者之年齡計之，在二十五歲以下者佔百分之五十，在四十歲以下者佔百分之七十，其中二分之一為產業工人，餘為各種職業工人，包括醫師、牙醫、工程師，技術人員與學校教員等。本年間逃至西德之十五萬人中，即有教員一千，醫師五百人。東德因此壯丁之損失，各廠工人減少，並有因工人不足而停工者，食物生產，直線下降，學校缺乏教師，甚至整個村落沒有一個醫師。現在東德每十萬人口者僅有醫生七十五人，西德則有一百三十一人，東德整個經濟都因勞動力匱乏而陷於癱瘓。這種情形，顯示共黨陣營共同經濟建設計劃之失敗，間接即足以影響以蘇俄為首的東歐各共產國家的生存，更可以顯示東德共產主義自稱「人間天堂」之崩潰，西德民主政治被稱為「在崩潰中的帝國主義」，「人間地獄」之成功。長此以往，東德領土勢必將變為廢墟，無以立國，此為西德政治上之勝利。

（二）經濟上之勝利。東德自一九五零年以來已有四百萬人逃至西德，其中大部分又均為四十歲以下之有生產能力者，已如前述。因之西德農業生產方面，生產力大為提高，欣欣向榮。東德則因食物生產急劇減少，人民生活日益困苦，主食之番薯、肉類、乳酪、蛋類等於今年五月間即已停止配給，阿登諾總理為此曾於七月十三日向東德各地餽贈乳酪一千萬磅，以資救濟。至於工業生產，西德現已凌駕西歐各國之上，在過去十年內，生產量增加到百分之一百四十九，戰時損失的元氣早經恢復。從以許曼計劃的實施，歐洲共同市場之建立，原子合營，使西德工業生產更為蓬勃而有生氣，儲蓄之外滙最多時曾達七十億美元，全世界各國刮目相看，為之咋舌不已。西德經濟如此繁榮，人民生活程度逐漸提高，東德相形之下，勢將無法使人民誠心擁護，此為西德經濟上之勝利。

（三）軍事上之勝利。北約組織對蘇俄的作戰計劃為「退卻作戰」，即美英認為：「西德決不能守」。「在北約聯軍能夠動員之前，已被蘇俄一陣集中的核子攻擊，及隨之而來的集中的機械化部隊所摧破，非退過萊因河很難制止俄軍的緒戰優勢，但在西德南部的多山林地區，則情況稍可緩和，因為在那裏可以和來自意大利的兵力結合起來，退至阿爾卑斯山區游擊」。這一區域也就是北約留給西德的最後基地。此項作戰計劃，如果實行，其結果西德將有三千萬以上的人口被捲入鐵幕，聯軍此時必須被迫用核子武器反攻。因此，西德三千萬以上的人口，必然的要陷於消滅的命運。西德光復如為一種核子戰爭的光復，一種陸沉的光復，西德對此自然要竭力反對，但美英對於此項作戰計劃，因兵力及地理所限關係，始終未有改變。現在，此項北約作戰計劃，自甘迺迪總統執政注重普通武器戰爭後，業已根本推翻。「盟國將堅守他們的陣地以對付蘇俄地面部隊」，「預定將在德國堵截任何的共產黨攻勢三十至六十天，然後被迫決定使用核子武器與否」，已為美國新建軍計劃國會撥款之根據。甘迺迪總統說：「如果戰爭開始的話，那將要在莫斯科而非西柏林」。「我聽說西柏林在軍事上是守不住的：：其實祇要勇敢的人願意使它守得住，任何危險地點都是守得住的」。由此可知，北約對俄作戰計劃，業已採取現地防禦，而非退却攻勢防禦之戰畧，西德三千萬人已不致作無謂之犧牲，西柏林必要堅守。凡此改變原因，大部均為西德兵力增強及各方運用之結果。因此西德於未戰爭前，在軍事上業已獲得更大之勝利。

二、西德之兵力

西德之兵力據美國總統甘迺迪說：「西德現在祇有九個師，與蘇俄部隊數目比較，少得太多，並沒有核子武器，僅有一枝不關重要的空軍，幾乎沒有海軍，我相信祇有兩艘或三艘潛水艇……我看不出目前該國對蘇俄如何能構成一項軍事威脅」。是的，由表面上看來，西德兵力並不十分強大，但西德軍事潛力，則極為可觀。就人口言，西德人口共有五千餘萬，在歐洲除蘇俄外，無國可比，必要時最低限度可以出兵五百萬，在法國陸軍五十萬陷入阿爾及利亞泥淖無法拔出時期內，對於遏阻蘇俄攻勢自將發生莫大之作用。據西德國防部長史特勞斯所發表，截至一九六零年止，西德總兵力已達二十七萬六千人。此中計有陸軍十七萬二千人，海軍兩萬四千人，空軍六萬四千人，協同防禦軍一萬六千人。按照德國建軍係分兩期完成，第一期至一九六三年底陸軍擴充至二十二萬人，空軍擴充至八萬人，海軍擴充至二萬五千人，共為三十二萬五千人。第二期再增加兵員十七萬五千人，合計共為五十萬人。現在西德部隊於組訓了五年之後，已擁有三十一萬人，一九六二年即將達三十五萬人。今將西德建軍各種兵種預定計劃，分述如次：

（一）陸軍。西德陸軍預定擴充為十二個師，計為六個裝甲師，六個機械化步兵師，三個空降旅，總計三十七萬人，一九六一年底完成。現有五個步兵師，二個裝甲師，一個山岳師，一個傘兵師，均歸北約節制使用。

（二）海軍。海軍預定為二萬五千人，一九六二年底完成，計有艦隻一百八十艘，包括兩個驅逐艦隊及一枝小小型潛艇

（以下轉入第二版）

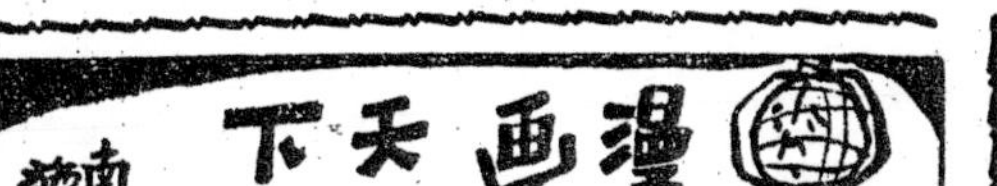

各有千秋

中立巨頭說：「利益是我們的」

空谷足音

馬五先生

美國總統甘迺迪最近對新聞記者說，他相信美國政府在一九五〇年以前的幾年內，如能盡力援助中華民國穩定政局，即不致使一個對美國友好的地區，突變為美國的仇敵，終於破壞了亞洲的均衡局勢云云。這是近十餘年來我們初次聽到美國當局談論對華政策的明智說法，既感慨，也佩慰。

一個政治人物如果能夠察知自己過去所作所為的錯誤，從而實行改革糾正，便不失其為負責任，有抱負的大政治家。甘迺迪先生之言，表示他是個有膽量有氣魄的行政元首，但他能否成為世界上的大政治家，尚待事實行動來證明。不過，站在中國人的立場，聽到他這種不文過飾非的言論，也就認為空谷足音，具有無限的親切興奮之感了！

中國問題鬧成現在這種情況，羅斯福始作俑，杜魯門傳衣鉢，馬歇爾鬧意氣，艾契遜之徒則助桀為虐事實俱在，斑斑可考。這般人都是民主黨的政治大員，他們亦非存心要把中國送給俄共集團，原因是民主黨人皆有一種自命為開明前進的幼稚思想，而對共產主義的本質及其世界革命的策畧等等，一概昏然無知，以為世界各處的共黨都跟美共、英共一樣，沒有甚末可怕的。所以他們對於發生共禍的友邦，動則教友邦組織聯合政府，讓共黨參預政權，便認為相安無事了。否則指為不民主，是腐敗低能的政府，不值得美國援助。不援助也就罷了，還要使用種種手法來打擊友邦的反共政府呢！一九四九年杜魯門政府的對華白皮書之發表，不啻是直接給毛共以竊據中國大陸的強大「美援」，每一個崇尚自由生活的中國人，世世子孫都不會忘記的！我聽着台北那條「羅斯福路」，心裏就要冒出無名之火，恨不得馬上予以拆毀掉。

甘迺迪先生既然洞見過去美國對華政策的錯過，而且已經嘗到惡果了。亡羊補牢，尚未為晚，今後能有改絃易轍的對華新措施嗎？企予望之矣！

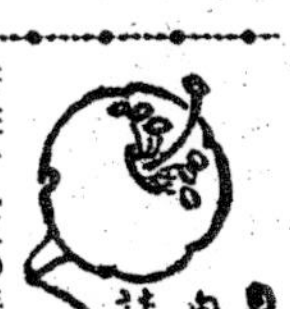

報業增張冷戰　政府要懲貪汚

——寶島浮雕之一——

陽明山會議後，爭得面紅耳熱的新聞自由問題，雖暫告結束，但報紙增張問題，却在緩緩發展中。台北有一家大報，根據權威的消息來源，已忙碌了一番，雖然並非不緊張，但已有計劃地準備迎接明春的大報面孔了。

今日我們的新聞紙有外銷能力，而且可喜地也能自製國產高速輪轉機，解凍似乎是時候了。但，問題多呢！資力不夠雄厚的報館怎禁得起增張競爭？

外埠的六家報紙，便已發出呼聲，反對限制令的解除了。這是報業間的戰爭，最低限度可算冷戰；如何發展，還很難說。據知，有力量而且有興趣競爭的，只是一、二家大報而已。

國內外一片掃除貪官汚吏聲，在菲律賓的大選中，加西亞被馬克柏皋擊敗了麼？非也，而是貪汚擊敗了加西亞。因馬氏的致勝武器，即是無情地攻擊加西亞政府的貪汚。在韓國，朴正熙訪美行，雖然在白宮及國務院受到禮遇，但在接洽私人投資方面，却碰了財團的一個軟釘子。財團代表人對朴氏說：如果在未來的歲月中，閣下領導的政府確能在清除貪汚方面有所作爲，私人投資當願考慮。

在台灣，忠實逆耳的郝樂遜（台灣美援機構負責人）之言，確已發生了振聾。連週監察院的委員諸公們，在一年一度的工作檢討中，都振臂高呼，向貪官汚吏們宣戰。另據台北英文中國日報透露：政府已有決心與計劃，制定法令嚴懲枉法貪汚之徒，包括無期徒刑之判定與首長責任之追究云云。（石金寄自台北）

·台灣冬天裏的春天·
印尼歸僑李秀英斷潢絕港重生記

——台灣航訊——

正當從韓國回來的李秀英小姐以「亞后」榮銜，悠遊花都，週旋於黃髮碧眼的社交壇坫的時候，在台北，又赫然出現了一位李秀英，悵撫新殘的左臂，頻揮珠淚，向社會人士訴說她自身的辛酸遭際。

從韓國回來的李秀英的生平，被人稱爲是頗戲化的「仙履奇緣」故事，報章騰載，巷議街談。但另一位不幸的李秀英，她的身世又如何呢？

說起來，這位祖籍廣東，旅居印尼的李秀英小姐，倒也是位不平凡的人物，曾經做出過令人肅然起敬迥異尋常的事蹟。

年紀青青　英勇事蹟

那是民國四十六年的事，那時她就讀印尼打拉根中山學校。那年的雙十國慶日，她和另五位同學，以一雙堅強的手臂，在親共的印尼蘇卡諾政權領土上，不顧橫暴對印尼當局的壓制，毅然將祖國青天白日國旗升上長空飄揚。這一愛國舉動，使整個打拉根城都轟動了！但她因此被印尼憲兵「看管」；至去年三月，全家便被該地政府以反共「罪名」，驅逐出境，而返回台灣省來。

李小姐有年逾花甲的父母，與三位幼弱的弟妹。返回台灣之後，一家生計，便落她一肩承挑。而她才不過是一位十八歲的姑娘哪！最初，她在台北耐絲內衣工廠任繼織女工，後來該廠停工了，她便轉入百代企業工廠工作。今年三月二日下午，不幸的事情發生了，她的左手自肘部以下，被無情的電機生生切斷，她終身殘廢了！接着，失業、病痛、債務，包圍了她和她的家人，使她們瀕臨於生活絕境。

不幸遭遇　社會溫情

李小姐的不幸遭際，於十一月廿日在台北各報刊載後，像一塊巨石投向靜止的池水，它迅捷的激起了沖天的浪花。社會各階層人士，無不哀誠熱烈的向她伸出救援之手，或捐贈款項，或登門探望慰問候……以各項方式，表白內心的一份眞摯同情。

一位名叫徐成章的軍人，將自己積蓄的五百元台幣，捐贈給李小姐，他在信中說：「昨天閱讀報章，見到小姐之遭遇不幸，使人讀後，感動萬分。我雖是一個月入有限的軍人，在這裏儘一點棉薄力量，以表心意。」

另一位軍人鄧萬興寄了一百元台幣，並寫了一封很長的信安慰李小姐，信上說：「人生的禍福是意想不到，現在妳的禍既臨頭，是需要忍受的。『毋爲缺失了的左臂而悲傷，毋爲已傾倒的牛奶而嘆息』。希望妳讓悲哀與痛苦永遠遺忘……。」

一羣華僑實驗中學的學生，更發動了全校性援助李秀英小姐的募捐運動，並邀請李小姐能夠到他們的學校裏唸書，希望教育廳能夠幫助李小姐解決升學的問題。而內政部傷殘重建院，而決定於十二月給李小姐贈送輕巧的與塑膠的義肘各一付。這像是雪中送炭，又像是錦上添花了。

終身志願　教育事業

短短四天之中，各界所捐贈的款項，已接近三萬元，並且還繼續在增加之中。李秀英小姐原以爲已陷入斷潢絕港，但一夜之間，却呈現在她眼前的是，柳暗花明的境界。這不是幻境，而是現實；這不是仙界，而確在人間！李小姐激動地說：「我不知道該說些什麼話，才能表白對祖國同胞的感謝與敬意。我現在唯一的感覺是快樂和幸福！」

她並傾訴，當苦難以無可抗拒的力量壓向她時，她並沒有低頭，但這些日子的晚上，她反而軟弱的哭了，大衆熾熱的情誼，把她堵住淚水的一道堅實的牆垣熔化了。今後她盼望能夠進入師範學校繼續升學，將來終身從事於教育事業。確實，希望的火炬，已重新在她的心坎深處熊熊點燃。

幾天來，寶島正受着入冬以來的第一個寒流侵襲，但每一個人的心裏都揚溢着一股春日的溫馨，因爲，我們的社會是溫暖的，我們的人心是善良的，不幸的李秀英獲幸福，就又是一個例證。（賴光臨）

李萬居等回青年黨
回隊聲明登不出來

（本報記者台北航訊）青年黨革新派這次在台灣所召開的臨全大會，他們有一件自認是很得意的傑作的事，爲把去年參與搞新黨——中國民主黨的主力份子之一李萬居、夏濤聲及郭雨新三人拉了回來。三人都參加了該黨革新派所召開臨全大會，而且李萬居與夏濤聲均被選爲政策顧問，郭雨新則被選爲評議委員。

對於此一得意傑作，該黨革新派甚爲重視，決定擴大宣傳，藉收號召之功。因此乃發表一項「回隊聲明」，送交中央社及各報。但結果却沒有一家刊出。據該黨該派的某位人士說：「這必然是有人向報館打了招呼，否則如此重要消息，各報焉有不登之理」？（本報駐台記者識謀）

顧維鈞來港休假
謝絕應酬不見記者

（本報特訊）現任海牙國際法庭大法官，前任中華民國駐美大使顧維鈞，到香港作例行休假已月餘了。他是偕其夫人同來的——顧夫人就是二次大戰時在菲律賓殉難的我總領事楊光泩的未亡人——完全謝絕社交應酬，中外的新聞記者皆不見面，只跟幾個老朋友往還而已。因此，他的行踪，始終未被新聞記者界發現。

顧氏今年已七十五歲，但精神仍健旺，聽覺與視覺皆沒有毛病。他住在香港郊區的海邊，還隨時作海水浴。據說他再過一個月左右便要遄返海牙任所。

台省有幾樣不合理的事

——坐車不付錢一也　不考試留學二也　無執照建屋三也——

（本報記者台北航訊）在台灣省，也是有若干不大合乎道理的事情，比如（一）軍公教人員與學生；坐火車，汽車，享受折扣的優待，這大家雖認爲天公地道，很應該。但是另還有些人，能夠不要票而坐車，如公路局就有此情形。原來這些人均接用得到贈送的票，自己用不完，可以送給別人使用。還有些人憑条子換票，或者根本不買票，就是換票也是記賬的。這種作法，就實在不是應有的現象了。一般以爲，如對警察與議會人員，和省議員等民意代表，給他們優待一點，或者車票給打個折扣，就夠了，何必要送票給他們呢。現在公路鐵路因虧本要一再加價，這等於是由大家來負担這少數人的車資了。而票價愈高，要求送票者愈多，如此循環，那還了得？所以，交通部應切實整頓，不能讓這些不合理現象存在了。

另有（二）台北市的七號公園預定地，與延國際學舍，蓋那許多大房屋，據說根本就沒有建築執照。還有不少人在馬路預定地蓋房屋，市府居然不敢過問，更不能拆除。至於普通老百姓，即使在馬路邊蓋了房屋，也要臨到拆除的命運，同是一樣不合道理的事。

還有（三）在留學考試方面，留學要經過考試，這是對的。但有的人不經過考試，仍可以到美國去留學，少數人的父母；替學子女搞到不考試而留學，而引起社會的激憤不平，這是說不過去的事。比方有音樂天才的，有藝術繪畫天才的，應該到國外去深造，但是他們的出國，也要經過教育部的天才測驗，才准出國，這才公平的。

考試原是很公正的辦法，用人行政部門經過考試。升大學更應經過考試，考試雖不一定絕對的正確，至少總有一個標準，像現在對退除役軍人，僑生及邊疆子弟，都有加有加分的辦法，同樣亦不能算是合理的。（本報駐台北記者張健）

從核子戰爭談西德戰畧地位

（上接第一版）艦隊，現有大小各式艦艇共一百五十艘，其任務爲掃除德國以北波羅的海中蘇俄潛艇一百五十艘和其他八百五十艘艦隻。據西德國防部長說：「蘇俄波羅的海艦隊配有中程及短程火箭，假如蘇俄作核子攻擊，可以使西德造成極大損失」，因此西德現在亟需要北極星潛艇，以對抗蘇俄飛彈在波羅的海的恫嚇。就現在西德海軍之軍力言，尚不足以担負其應負之任務。

（三）空軍。西德空軍預定有作戰飛機一三二六架，及兩個空運大隊，兩百架教練機。現有六萬四千人，戰鬥機六百架。道尼爾飛機廠所製造的運輸機，現巳被改裝爲轟炸機，曾在剛果出現。明年六月底可以成立空軍二十八個中隊，至一九六四年可達十萬人，有噴射戰鬥轟炸機七百架。

（四）核子武器

德軍現正亟需核子武器，以謀增高其戰畧地位，美國並已運用一種新方式予以供給。此新方式係在北約組織旗幟下，使美德軍混合編組。現在美國所有駐歐戰鬥部隊均配以兩團德軍，美國之第七軍並轄有美軍兩師及德軍兩師，因此德軍實際上業已獲有使用核子武器之權利。此外美國復將予西德陸軍以強力之核子武器放送工具，包括陸軍發明之五百里射程潘興飛彈在內，因此德國陸軍不久亦將配有核子武器，形成北約盟國最重要之主力。空軍裝備有勝利女神防空飛彈及屠牛士中程飛彈等，轟炸機現巳能自製，此等飛機於必要時，可隨時與美空軍比翼作戰。海軍現尚無核子配備，但西德正擬以九億元至二十億元購買四艘北極星飛彈潛艇，此項價格包括有每艘裝有十六枚北極星飛彈在內，條件爲西德承允迅速軍艦軍備，並爲協助美國減少其國際支付之差額，每年向美國採用六億元以上之軍用物品等，談判正在進行之中。

三、西德在核子戰爭中之戰畧地位。

西德部隊擁有核子武器，爲蘇俄所反對，當美國飛彈部隊進駐西德時，俄共會公然加以干涉，並且不斷的大肆叫囂說：「如果西德軍隊裝備核子武器，並准許美國在其境內設立飛彈基地，即將遭遇到蘇俄飛彈及核子武器的攻擊」。最近赫魯雪夫於答覆英工黨議員函中，說出蘇俄對德國問題談判的底牌六條件中第五條即爲：「禁止東西德擁有核子武器」。對於西德之擁有核子武器，備致恐懼之意。今後西德部隊如擁有核子武器，陸軍擁有北極與飛彈，海軍擁有北極星潛艇，空軍擁有轟炸機，而西方打普通武器戰爭時，西德可供給以五百萬之陸軍，打核子戰爭時，西德有報復之能力，有不懼恫嚇之勇，有與蘇俄同歸於盡之決心，赫魯雪夫虛聲恫嚇，即將無所施其技。現在西德如無美軍之並肩作戰，固不能抵禦蘇俄之攻勢，但美軍如無西德軍力之支援，亦無法在歐洲戰場上談攻守，特如英法北約等各國家，如無西德之屏障，更將直接暴露於蘇俄威脅之下，必須於投降或毁滅二者之中，任擇一可怖之抉擇。因此之故，西德軍力，獨立時固不能威脅蘇俄，與美軍配合，則既可節省其人力，免除重洋運輸之苦，復可加強其威力與戰鬥精神，無異於爲虎添翼。至於核子武器，現在西德雖尚缺乏，但訓練，購買均在準備之中，咄嗟之間即可變爲核子國家，在將來核子戰爭中，西德業巳居於舉足輕重關係重大之地位。西方各國特如美國，如蘇俄仍繼續威脅西方民主國家，不放棄其赤化世界，征服世界之企圖，而對於西德之整軍政策，核子裝備，必須予以全力之支持。北極星潛艇購買談判，更必須速決定，不可猶豫。設使西德有核子武器，其控制權當然仍在美國之手，此等於西德出錢，北約使用，既可以遏阻蘇俄兇燄，屏藩西歐，復可以支援美軍，達到不戰而可以爭取世界和平之目的。一舉數利，美國求之不得，當不致犧而不予也。

莫斯科處心積慮

南越境共黨游擊隊居然使用人海戰術

（本報記者西貢航訊）在十一月初於福成省的一次戰役中，越共遊擊隊（共實是北越正規軍）居然使用了人海戰術，是見共黨集團爲禍南越之積極。但在此役中，南越官軍卻打了一場勝仗，打死共軍超過一百名，爲越共在D戰區所遭受的慘敗。

據可靠消息稱：十一月二日上午七時三十分，越南共和軍隊（卽南越官軍）降落傘第一小團，在進攻到福成省新淵區，在巴拉處時，發現越共軍隊，並與之發生很激烈的戰爭。這次越共包括有近一千名正規軍，與南越官軍經過四小時之劇烈戰爭，其中曾有多次白刃戰（肉搏）及衞鋒戰，但均由於官軍所擊敗的。據悉由於南越官軍技術訓練與肉搏勇敢，高明，由開始起官軍採取主動，卽已控制局勢，結果共軍棄下戰場屍骸在一百具以上。另根據尚有各種武器在共軍屍骸身上所搜獲之旗號及資料，獲悉該批部隊曾經參與日前之福成掠劫騷擾行動。南越官軍繼續向越共的I戰區，正在展開追擊的行動。

據越南共和國一位軍事發言人報告：十一月二日在西貢北部福成省的一個重要戰爭中，越南的降傘部隊與共黨游擊隊作戰，共黨游擊隊被打敗了，共黨傷亡重大。這位發言人說：共黨游擊隊一百多人被擊斃，受傷的很多，游擊隊向叢林退走。卻同時又稱：官軍受傷的降傘部隊傷亡的，只是共黨傷亡的三分之一。約一千共軍的三三團，參加戰事，埋伏人，在叢林中攻擊較少的降落傘部隊。該發言人又稱：共黨試圖分三次大規模進攻降傘部隊時，如中共在韓戰時，所使用的人海戰術。

從被擊斃的共軍身上搜出的文件，表示此批共軍就是九月攻下及掠劫福成省府的那支共軍，有些尚配帶紀念他們在九月參加作戰的徽章。

另建祥的消息：根據一項可靠消息來源與及南越官方最近所獲之情報，獲悉現在越共部隊潛伏南部已久之份子，正在遭遇不少阻礙。

根據若干蓋有「要密」秘章之報告書，越共在西部的司令部，由於民衆對他們冷淡，感到煩惱。越共曾提出很多項理由，但最值得注意的是「農村民衆對於部隊充份不滿；除若干騷擾外，根本未打過一次大勝仗。」至于地方游擊隊，現有如蟹之去爪一般。同時根據越共的資料說：南部人民不積極戰鬥。梅智曾經要求武元甲速加派援軍，俾騷擾南部。

此外，又有一項消息稱：越共內部發生不安事件，由於黃文藝與梅智之間，正在暗中勾心鬥角，互爭領導叛軍的權力云。（達）

香港與大陸

大陸買火柴論根數 並僅在自由市場才能買到

香港糧包以花生爲多

▲近兩月來，香港的僑胞寄回大陸接濟親屬的食物，是以花生爲最多，原因是大陸上的花生產量亦因農民怠工而「絕產」了。花生不但可以充饑，又可以榨出油來，僑胞寄花生回去，無論親屬或共黨都很歡迎。

▲有些僑胞寄錢回到大陸的，若收款人是住在通都大邑，倘可收到。如果是住在小鄉鎮或農村裏，當地共幹每每私刻收款人的圖章，暗中冒領，這情形已給許多人發現了。

▲凡是寄錢到大陸，而收款人又住在通都大邑的，共黨認爲有外匯可以源源榨取，每次匯款到達後，卽給收款人一張「優待券」，允許他到「國營」的商業機構去購買一點市面上買不到的東西，如猪肉、布疋之類，以資鼓勵。

▲大陸人民買火柴是要論根數的，而且要在所謂「自由市場」才可買到。最近有從大陸來到海關的人，偶在餐館內瞧見櫃台邊擺着大堆火柴，聽任顧客自由取用的情形，大爲驚異，說是了不得的事情。有人告訴他，這就是資本主義社會的豬欄生活呀！他的表情頗爲尷尬。（山田）

司法審判必須獨立

監察院檢討會續誌之四

（本報記者台北航訊）監察委員們，對司法獨立審判問題，好像興趣很濃厚，余俊賢、陶百川、陳大榕等多人，連日來不斷抨擊司法審判不獨立，而且因少數司法人員的不肖，成爲新五害之首，因而引起司法行政部長鄭彥棻和國民黨中央的喚否，不得不以「社論」來分別呼籲國人不能以「偏概全」。

然而監委卻列舉事實來支持其檢討意見。王枕華委員說：「我感覺到檢察官解釋法令太寬」太自由了。「比方明明是犯罪而且有證據的，把他解釋成不犯罪，這是偏左了。但有些明明一點罪沒有，卻把他解釋爲有罪，這又是偏右了。假定這樣下去，我國的法律，都等於是白廢。這話是有根據的。比如電影檢查處，監察院提糾舉案，證據有三十一件之多，法院卻把它打回來了，既不承認也不採信。我們的證據，有駐日大使的證件，但不採信。請想一想，檢察官的權是多麼的大啊！於是該案竟以不起訴處分了。當原告携同監察院的糾舉案到法院去告訴，而調查局竟調查了。結果，電檢處的科長逮捕了。他只根據我們糾舉的部份犯罪事實而被押進法院。從這一件事情上看，就「以證明，檢察官的偵查有時偏左或偏右了；這樣的解釋，使我們的法律失去功效。」

黃寶實委員指出：司法院與司法行政部對高院以下各級法院改隸所爭執的問題，「關於非訟事件如財務法庭隸屬的問題。後來，司法行政部又提出司法人員人事任用權，應屬於司法行政部。我們在巡察的時候，鄭彥棻部長也說過，如果法院隸屬於司法行政部而人事任免不歸司法行政部管轄，那麼，司法行政部還有什麼存在的必要？今天我可以說，如果兩級法院的人事歸司法行政部管轄，司法院不是也可以提出同樣的理由嗎？近又有人提折衝方案，檢察處屬於行政院，關於人事問題，由司法、行政兩院成立共同委員會。此制是仿效法國。但我不曉得法國法院有沒有苦打成招，疲勞詢問的事情？」黃委員說：「司法行政部『爲什麼』不學人家，而對於便利自己的馬上學過來？眞會做文章。」

黃委員指責「司法配合國策」的口號不當。他認爲：「司法是沒有什麼國策的，否則就要影響獨立審判了。反之，司法如有國策，則此所謂國策者，應該就是獨立審判。把高地兩院隸屬於行政院，根本上不符合憲法的精神。部長雖然一再強調法官要注意獨立審判，但是他不肯放鬆高地兩院人事的任免權，這樣還是要威脅司法獨立審判的。所以儘管他希望司法能獨立審判，但是這樣的做法，無異於緣木求魚。」依然和我們的希望「背道而馳。又說：任何國家在司法上都應該有獨立的審判，五五憲法的精神也寄託於此。如果大法官可以作狹義的解釋，行政院希望佔一點小便宜，或擴張權力，這種種都非國家之福。主持國家大政的人，應該顧全規模體制，今天我國的憲法，正是規模體制。我們要反共，固然要有飛彈，但是尤其不能沒有憲法。因爲唯有一切遵行憲法，才能號召人心。司法官爲五害之一，假定這種制度繼續存在下去，法官貪污無法根除。我們要懲治貪污，把貪污的人送到法院去，而法院的人又要貪污，那不是黑吃黑嗎？因此，法院非要改隸司法院不可。同樣，法院必須要能獨立審判，然後貪污才可望能肅清。」（本報駐台記者公治長）

談左懋第

一心

左懋第，字蘿石，明末登州萊陽人。性頗異，以進士爲韓城縣令。剿匪有功，擢僉都御史。時清兵入關，崇禎帝已殉國於煤山，滿人在北京稱帝。明朝羣臣立福[illegible]

瘟君續夢

第三回： 拒諫飾非，列鼎烹功狗　成王敗寇，作狀笑沐猴

彭德懷一楞，當時想不起來是誰，周小舟佾佾說道：「這是毛主席二叔父，通稱毛二白的，你過去沒有見過嗎？」

彭德懷猛然一驚，連忙起身說道：「二伯，我是彭德懷，你老不認識了。」

毛二白過來拉着彭德懷的手說道：「彭老總，你發福了，衣服又穿的這樣光鮮，我可眞是不認得了。」

滕代遠和黃克誠、洪學智二人根本不認識毛二白，也不敢過來招呼，只好坐在傍邊靜聽。

毛二白喘息一下，說道：「彭老總，我知道你同大喇子是三十年的患難弟兄，不是你和朱老總，他也打不出來天下。可是今天世界搞得這樣糟，你們怎麼不勸勸他呢？」

彭德懷一句話說不出，只是苦笑。

毛二白又接着說道：「我今年八十歲了，從清朝光緒皇帝起，慈禧老佛爺算起，見過多少世面，從來也未見過搞得如此的。」

彭德懷有點着急，顯得坐立不安。

毛二白不理會彭德懷，又繼續說道：「彭老總，咱們湖南省的人提起張敬堯就恨得咬牙切齒，不錯，張敬堯的第七師實在壞透了頂，張敬堯兄弟幾人也都是刮地皮大王，但是也只是長沙城內一些商家富戶，咱們韶山冲的人就沒吃過虧，依然安居樂業，不會像今天人人沒飯吃！吃了早飯，還不知道晚飯在那裏。過去猪都不肯吃的番薯藤，現在連人都吃不到了，這還成什麼世界？這樣搞法，天下還能坐得久嗎？彭老總，你說我說的對不對？」

彭德懷渾身直冒冷汗，[illegible]也不是，[illegible]也不好，翻眼直瞅周小舟。

周小舟也覺得讓毛二白再說下去實在不安，連忙起身攔道：「二伯，你休息一下，彭老總又不走，有話今晚再談吧！」

毛二白不理周小舟，只擺了擺手，仍繼續說道：「今天好容易碰上你，我要好好同你敘敘家常，你不要嫌老頭子囉嗦，這些話說出來很有關係。我家多少代都是耕讀傳家，到了大喇子，無大善，亦無大惡。平平穩穩在韶山冲過了幾十代。先兄在世，棄農從商，賺了錢就放印子錢，重利盤剝小民，我常常勸他，結果鬧得手足失和，他放他的債，我教我的書，半生很少往來。可能就因爲這件事缺了德，才生下大喇子這個混世魔王。」

毛二白說到這裏，面色蒼白，身子微微發抖。彭德懷不由得嗐了一聲，滕代遠等也都站起來，毛二白不理這些，喘口氣又繼續說道：「大喇子年輕時候，既不能種地，又不肯經商，更不肯好好上學，最後沒有路可走，只有這樣一條路了，[illegible]

彭德懷[illegible]也不能[illegible]了，起身就想走出去。

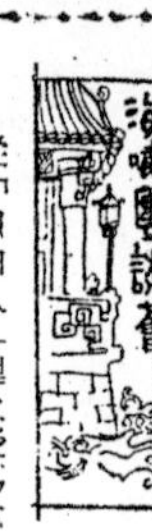

「自由人」生死記（四）

諸葛文侯

從「自由人」誕生後第六年後起，由於前述各種原因——即座談會被拆台，住在港台兩方的原發起人意志不統一，主編人純係一位「客卿」等等，內部精神渙散，經費頓告支絀，而原發起人某氏，復私自介紹一個朋友到「自由人」來工作，按月支薪，名之曰「助理編輯。」如是，連同原有的主編和助編各一人，乃形成一國三公的多頭制，不特經費更加困難，言論與編輯方針亦就表現漸凌亂之象。繼而「自由人」刊出一篇關欄文章（據主編人說，是由澳洲讀者投寄來的），題目叫作「從三無到三不」，內容是根據胡適之先生所寫政論文字，希望蔣總統實行黃老之學的「三無主義」的意思，主張再推廣而實行「三不主義」。住在台灣的原發起人認為此文殊不妥，未便共同負責，相率聲明退出「自由人」。這時候，「自由人」乃由外感症進而陷於內傷的肺癆病了。

未幾，那位以海隅文化運動領導人自命者，又妙想天開，并不徵求發起人的同意，擅行拉來兩位與「自由人」無關的朋友，到編輯部實行監督編務，審核各種稿件，由一國三公變成了「五公」，主編人更樂得不負責任，隨便對付。這兩位朋友自忖他們是義務幫忙性質，既無名位，且須致力於自己的事業，即不能以全副精神傾注於「自由人」的編務上，他們幫忙了短時期，感覺沒有意義，也發生不了多大的作用，祇好打退堂鼓，敬謝不敏。實則古今萬國的報業界，幾曾見有這種莫名其妙的措施呢？這是政治上的官僚作風，移用到文化界來，沒有不糟糕的！

當這「從三無到三不」的文字風波發生之際，台北方面有人以「新聞傳單」的方式，在報紙上撰寫長篇記事專刊，敘述「自由人」的內幕情形，對我大事指摘，這當然是「自由人」內部人士的傑作——也只是一二人的私意而已。我聞後既詫異，又好笑，因為那傳單內指摘我不該寫文章批評「揚子公司」，更不該跟那位主張司法審判要配合國策的部長大人打筆墨官司，以致「自由人」受到官方嫉視。用意是要把「自由人」所有遭時忌，惹官非的責任都推到我身上，希望官方以我為罪魁，而證明其餘在台的關係人都是忠貞份子。號稱為崇奉民主自由思想的「自由人」主幹人物，乃有這般言行，假使大家一旦在政治上實行共事掌權的話，若不鬧出張耳、陳餘的悲劇來，那才怪呢！這可見俗語所謂「秀才造反，三年不成」，確有至理存焉，而近代的知識份子何以總是役於人，卻不能役人的所以然，亦足以領悟矣。

談眼鏡

漁翁

眼者，目也，為人與動物之視官，其內部之構造，如照相機然，有凸面之水晶體，以攝物影而達於瞳孔後之網脈，經視神經而傳於大腦，乃生視覺。凡見物而注視之者，謂之目。漢書：「范增數目羽擊沛公」。謂動目以示意也。後漢書許劭傳：「曹操微時，常求劭為己目」。謂求人以品題也。又南史載：「檀道濟見收，憤怒氣盛，目光如炬。俄頃間，引飲一斛，乃脫投幘地，曰：「乃壞汝萬里長城」。今以為有遠大識見者之喻。

眼為人生五官百體中之最重要部份，古云：「一目十行下」，謂其眼力之高。劉禹錫詩：「減書存眼力，省事養心王。」又白居易詩「眼界吞秦原」。謂能雄視於天下也。

可是，人到五十以上，則目光已散，減少視覺，乃有眼鏡之補救，以玻璃片或水晶為之，所以助目力者，相傳出自西域，亦名靉靆。據洞天清錄集載：「靉靆，老人不辨細書，以此掩目即明」。又方輿勝覽云：「滿加刺國出靉靆」。滿加刺即今之馬來亞。明時始傳入我國，已有五百餘年之歷史。

按眼鏡可分三種：一，用凹面玻璃，以補眼球內水晶體之凸隆過度，使得明視在遠之物，謂之「近視鏡」。二，用凸面玻璃，以補水晶體之過薄，而增其凸度，使得明視目前微細之物，謂之「遠視鏡」。大抵老年人所用，故又稱之為「老花眼鏡」。三，用平面玻璃，以防塵埃，避光線，謂之「平光鏡」，為少壯人所用，又稱「太陽鏡」。

我國於清初，即有眼鏡之流行，當時認為稀奇，以得一副為快。康熙時，仿製水晶鏡，由內廷監造，凡年邁眼昏之臣，方得恩賜一具。外間不明製法，人民無從購得，故視為珍貴之品。

乾隆末，翰林院大考，以眼鏡為詩題，應試者中，有阮元者，以乾隆年逾八十，倘未用眼鏡，為投機獻媚計，五言末云：「聖人原未御，目力壽徵多」。帝閱之大喜，擢為第一名，傳為美談。

隨園主人袁子才，少年解組，克享退齡，初時目光甚健，賦有嘲眼鏡詩一首：「眼光原自在，爭仗鏡為能；縱使窮千里，終嫌隔一層。有繩先繫鼻，無淚已成冰；徐偃不亡國，瞻然便可憎。」荀子：「徐偃王目可瞻焉。」蓋以徐為近視也。

數年後，有贈袁眼鏡一具，戴之便爽心目，於是又賦頌眼鏡時一首：「老眼忽還童，雙睛出匣中；春冰初照影，秋月巳當空。細字黃昏得，孤花薄霧融；今生留盼處，敢不與君同。」一嘲一頌，不數年間，難免無龍鍾衰老之傷感！

同時李調元童山詩集，有詠眼鏡詩云：「眼昏無治法，得鏡忽雙清；全洗看花霧，偏添小楷明。玻璃鏡未薄，靉靆帶來輕；愛爾從予久，新加老友名。」又李一時失鏡，徬徨不知所之！乃賦五言古歌，有曰：「箑令手生涼，鏡令目生光；閏五出門後，二物常攜將。箑雖不離手，偶失亦無傷；鏡若不在目，遂覺兩目盲。豈真為鏡盲，而視早茫茫；有則細字過，無則廢參詳。我有水晶鏡，來自西海洋；巧匠琢磨成，日月來雙眶。昨朝出錦城，偶失青石坊；失鏡如失目，徧求為徬徨。……」足徵眼鏡為人間所重視，尤其老年人不可一日須臾離也。

筆者，五十以前，不用眼鏡，見人之配鏡，亦如袁子才之嘲笑。迨五十又五，則不能辨細字，始用凸面玻璃之老鏡焉。偶得句云：「把筆安排先用鏡，得魚自是不忘筌。」蓋筆者，有時登山頂，效牧童牛背之歌，有時步水涯，作漁父鴨頭之釣，故每詠而不離本行焉。

好聯五則

燕謀

或有以對聯為小道者，誠然；然非大手筆，必無可觀。下述五聯，各擅勝場，書之以博一粲。

左文襄雖受曾文正羽翼，然負才不肯下，自言不受曾滌生節制，自領一軍，曾有咨致文正云：「貴部堂實屬調度乖方之至。」文正不以為侮，手書一聯贈之：「當欲黑，勿欲白；知其雄，守其雌。」文襄得之甚喜。人皆美文正襟度為不可及也。文正卒，文襄挽以聯云：「知人之明，謀國之忠，自愧不如元輔；同心若金，攻錯若石，相期無負平生。」亦深致其綿折之意焉。

湖南王湘綺先生，一生趣事頗多，其與周媽之艷事，天下人皆知之。然當其長湖南書院時，風傳周媽有外遇，湘綺聞之勿喜，乃面學生，厲聲曰：「誰謂周媽行為不端，我將來必為之修貞節牌坊者。」及湘綺卒，周媽倩人挽以聯云：「忽然歸，忽然出，忽然向清，忽然親袁，恨你一事無成，空有文章驚四海；是君妻，是君妾，是君執役，是君良友，嘆我孤懷未盡，憑誰紙筆定千秋」！哀怨婉轉，迴腸蕩氣之作也。

有遊學先生，四方飄泊，到處無家，一日天晚，欲借宿某家，主人曰：「借宿無問題，但須對好一聯。」先生請命題。曰：「北客南來，看日影西沉，誰為東道」？先生應聲對曰：「冬寒夏暑，觀主人春色，來打秋風。」不僅工整而已。

唐伯虎代商人寫對：「生意如春意；財源似水流。」商未慊，謂必須淺顯而易明者。唐再書云：「門前生意，好似夏日蚊蠅，隊進隊出；櫃裏銅錢，要像冬天蝨子，越來越多。」商人大喜捧去。

短篇小說

抽樑不換棟

夏商周

說起來那已是半月以前的事情了，有一天我到表伯父家去談一件生意。論起我們本是至好的親戚，三言兩語也儘夠了，無須多費唇舌的，偏是他老人家對於談生意一道最饒興趣，一絲不苟，就算我是的表侄——一個晚輩，他也毫不放鬆，正是所謂親戚歸親戚，生意歸生意，斤斤論兩他老人家分毫不讓，好像他生怕我沾了他的邊兒，佔了他的便宜似的。

但有一件事，他對我的手法稍稍不同，那就是只要我過個五七天不去他那邊探望表妹，他老人家保準在深夜之中，打電話吵醒我的甜睡，用一種安詳的腔調說：

「玉田，這麼早就睡了？工作累了你？早休息當然好，不過，不過你別忘記，今個是第六天，你又未來看望你表妹了。嘻嘻，明天，明天可別忘記呀。」

談生意的時候，表伯父對我很冷；談表妹的時候，表伯父對我很熱，一冷一熱，我時常認為他老人家大有可能患染了嚴重的忽冷忽熱症的。

且說那天當我和表伯父談完了這件生意時，累得我渾身出汗，疲憊不堪，恰如一個兵士打了一場硬仗下來，對於一切心灰意懶，最渴望的一着就是要有一個短期內即可恢復疲倦的休息。表伯父愈是看出我的窘境，似乎愈為得意，他不惜把我折磨死，這才更顯出他的勝利。我心裏老大的不高興，卻又不便發作，為求解脫，我立即向他告辭了。

表伯父把我送出客房，當我在院心之中走不上三步時，只聽他老人家叫道：

「慢着！」

我停下腳步，轉過身來。表伯父向前走了三步，和我平身了，莞爾笑道：

「玉田，有點乏累了麼？不要緊，年青人生龍活虎，乏累不當一回事。可是你——你今個總算又跟表伯父學了一手生意經。知道麼，生意就是這樣講的啊。」

「謝謝表伯父。」我只能這樣敷衍一句，心裏面老大的不高興。

「敢正你該謝謝表伯父，因為我們是親戚，換了外人，我才不多嘴呢。」

天曉得，表伯父還自認對我高看了，所以才多嘴，殊不知他再多嘴，連我的命都將要丟了。表伯父確乎很為得意，只見他伸出多皺的手掌，慢慢撫摩剛剛刮過鬍鬚的尖咀巴，然後打手勢叫我聽他一句壓低聲音的言語：

「走了麼？也不到樓上去看看表妹？」（一）

蔡鍔與楊度

吉庭

湖南居長江中心，山有衡岳九嶷之勝，水有洞庭三湘之秀，山水鍾靈，代產聞人，遠者勿論，有清一代，曾左彭胡，挽國勢於危殆，咸稱中興之名臣。清末民初，黃克強宋教仁輩，奔走革命，功在黨國。迨民五袁世凱稱帝時，擁袁倒袁者，層見疊出，而尤以楊度蔡鍔為其中之主角人物。

楊度字皙子，湖南湘潭人，為王壬秋之高足弟子，郁郁多文，尤嫻於辭令，素有「智多星」之綽號。性好動，清末與康有為梁啟超等談新政，娓娓動人。失敗後，同亡命於日本，仍開會結社，以保皇黨自居。及辛亥革命回國，任總統府顧問，所擬計劃，深得袁世凱之贊賞，而以上賓待之。袁僭號洪憲時，即竭誠擁戴，為「六君子」勸進要角。當籌備大典之初，召各省督軍進京，而袁所顧慮者，蔡鍔也，以楊與蔡同鄉，囑其往來酬酢，不惜重金，於是楊奔走不遑。嘗假「錦春園」邀蔡暢飲，並以小鳳仙作陪，意在用美人計而說服之，後事未成，袁憂憤死，楊亦從比一蹶不振而沒落矣。

蔡鍔字松坡，湖南邵陽人，為梁任公最得意之門下士。戊戌政變後，以翰墨不能收維新之效，乃投筆東渡，習軍事學，歸國，任滇協統，即今之旅長。武昌起義，被推為雲南都督。足智多謀，為袁所忌，用調虎離山計，命入京參政，加昭威將軍。袁稱帝時，蔡首先擁戴，同時為避袁之猜疑，暱小鳳仙，卜晝卜夜，流連忘返，卒得間入滇，擇定四年十二月二十五之「有」日，豎起義旗，宣布獨立，電文中有「成則為一旅之興夏，敗則為五百之殉田」等語，可與諸葛武侯之「出師表」，後先媲美。

袁死後，依法由黎元洪繼任總統，蔡被任為四川督軍兼署民政長。惜天不永年，以喉疾卒於日本，年三十五。任公祭文中有曰：「松坡年少多才，苟非優游於昆明池上，不致短命死矣。」果爾，原為避袁偶作狹邪遊，而竟因此以促壽，乃國家民族之一大損失。小鳳仙亦哭之以聯云：「不幸周郎竟短命，早知李靖是英雄。」鳳仙一名妓耳，以松坡故，得名列國史，亦幸運也。

內僑警台報字第〇三一號內銷證

自由報

THE FREE NEWS

第一九〇期

中華民國僑務委員會登記證台教新字第二三三號
中華郵政台字第一一二八二號執照登記為第一類新聞紙類
（星期六出版）

每份港幣　角
台灣每份台幣　元

社長：雷嘯岑
督印人：黃行宣

社址：香港銅鑼灣高士威道二十號四樓
20 CAUSEWAY RD 3RD FL HONG KONG
TEL. 771726　電報掛號 7191
承印者：田風印刷廠
地址：香港灣仔高士打道二二一號

台灣分社
台北市西寧南路壹壹本號二樓
電話：三〇三四六
台郵撥帳戶九二五二

「兩個難題」讀後感

·唐昌晉·

前東海大學校長曾約農先生，曾在報上發表「兩大難題」一文，其所觸及的方面甚多，而尤注視於個人與國家權力之消長，大國與小國之分合，道德與宗教之衰落等問題。作者不揣謭陋，畧述其觀感以就正於大雅君子。

一

在第一次世界大戰期間，美國威爾遜總統曾宣佈民族自決這一原則。當時很得到一般弱小民族的擁護，戰後如像奧匈帝國的拆夥，土耳其帝國的瓦解，可說就是這原則的實行。時至今日，亞非兩洲蓬蓬勃勃的民族運動，還是以民族自決為鵠的，足見其影响之深遠。嚴格說起來，這原則並不完全對。在多數民族壓迫少數民族，殖民地國女壓迫土著民族的情況下，民族自決口號確能代表每個被壓迫民族的呼聲。可是由於天然資源分配之不均勻，開發資源的技術之不可一蹴而幾，以及國防力量之脆弱等等，少數民族與落後民族在獨立之後，往往不能自存。為此，我建議足以左右世界政治的領袖們，國與國、民族與民族之間，應儘可能加強聯繫，或甚至組成聯邦聯盟一類的政治形態，早日泯除無政府狀態的國際關係，並使落後地區得擺脫貧窮的威脅。惟下列諸原則須確切遵守：（一）盡力保存各民族之固有文化，縱有不適合現代文明生活之處，亦只應任其自然淘汰，絕不得施行暴政予以摧殘；（二）警察法官稅吏與教員應由各民族自行担任，以期絕對符合自決原則；（三）資源的開然，軍隊的徵訓，外交的決策，由各民族以同等權利組成之共同機構統一劈劃。所謂同等權利，即代表人數相等，發言權及表決權相等之意。如此，多數民族不致壓迫少數民族，先進民族不致壓迫落後民族。美國參議員之選舉以州為單位，殆即此意。不然的話，在然勤獨立戰爭之前，由于小州之害怕被大州兼併，一定不願與大州聯合的。

二

二十世紀共產主義之崛起，實挾民族主義以俱來，這與西方帝國主義的壓迫有極其密切的關係。就中國情形來說，我們自立國以來，曾先後遭到兩種不同的勁敵。在鴉片戰爭以前，北方游牧民族由於飢寒逼迫，不斷向南侵畧，曾使我們數度嚐到亡國的痛苦滋味，因為他們驃悍好鬥，且善騎射，機動性彈，所以我們務農的老祖宗總是敵不過他們，即使起而抗戰，收復失土，也不能維持長久。此處要附帶一提的，西方若干歷史學家及專欄作者，竟將此片段抗戰史實誤認為是構成中華民提骨幹的漢族在對外侵畧，並要西方國家族高警覺，担心中華民族然勤另一次的「黃禍」云云。如非別有用心，誠愚不可及。要知道，戰爭是沒有絕對勝利的，縱能掠得敵人的城池，本國的精壯的國民總不免死傷，是以過去許多好戰的民族，如波斯，如巴比倫，如馬其頓，如羅馬，如蒙古，到今天幾乎都減不了，而我們民族生生不息，繁衍至四億五千萬人口，即係由於先哲以「存亡續絕」垂訓，以「愛好和平」所致。要是我們民族曾醉心于對外侵畧的話，那末不可能繁衍到今天如此衆多的人口。由於固有文化的薰陶，相信我們民族將來也不會這樣做，所以西方國家不必以捕風捉影之「黃禍」的名詞來自相驚疑。不過在中共統治之下又當別論，因為他們好大喜功，以為征服世界職志，對整個人類確是一大尅星。自由世界應趁它羽毛未豐滿之前，一舉將它擊潰。

我們民族所遭遇到的第二個勁敵，即以鴉片戰爭為序幕而入侵中國的西方帝國主義者。他們憑着兵艦大砲的威力，迭次侵襲中國，要不是碍於美國門戶開放政策的宣佈，以及顧慮到分贓不勻而會遭致火併，他們很可能一舉而將中國瓜分掉。是以當時的封圻大吏如張之洞等，亟亟以興辦鋼鐵廠兵工廠為務，其目的即在對付西方帝國主義者。今日毛共在工業化幌子下勵行其奴役政策，亦是全靠愛國主義這道靈符來發揮其暴力。換言之，許多青年之甘受共匪奴役，其動機是在要強國，要防制帝國主義者再來殖害，並不一定相信共產主義。再看看其他亞非地區，他們之間或向蘇俄送秋波，主要亦是在羨慕蘇俄工業化之成就，並非熱衷於馬列邪說。倘西方國家還不及時幫助他們創辦工業，他們為求加速全民族的經濟發展，遲早會倒向共產集團這一面（當然是飲鴆止渴的辦法）。專替共黨宣傳的拉鐵摩爾就曾作過這樣的預言。要是西方害怕若干落後地區得了他們的經援再倒向共產集團，那末經援與軍援配合運用好了。總之，西方工業國家是要靠落後地區來營養的，亞非落後地區之全部赤化會對他們產生如何嚴重的後果，實不待智者而後明。

三

今日由於宗教之式微，導致道德的墮落，實乃近代文明之一大悲劇。究其根源，首應歸咎於十八世紀啓蒙運動對人性的解放。我常覺得，人類的天性裏面有善的成份，同時也有惡的成份，孟子所揭櫫的四端，固然構成人性的重要部份，可是食色也是源於人性。食色本身並不就等於罪惡，但絕大多數的罪惡都起於貪財與好色。以宋儒的語彙來說，天理是人性，物慾何嘗不是人性。（王夫之謂「物慾即天理」，義同。）人性既然有善有惡，如果不加分辨，一任其自然發展，勢必演成人慾橫流，風氣敗壞的現象，終至不可收拾。今日少年犯罪之猖獗，自殺他殺案件之衆多，即由於此。因此我懷疑杜威發展個性的教育理論，（這是啓蒙運動一脈相傳的思想體系。）而主張在教育上應儘量發揮其塑型作用，使每個人的行為能符合社會集體的利益，同時也能符合個體的利益。孔門之倡導孝弟，即是一種塑型作用，有子說：「其為人也孝弟，而好犯上者鮮矣；不好犯上，而好作亂者，未之有也。」這說明孔子及其弟子都看出人們有犯上作亂的傾向，孝順父母就是養成小孩服從長上的習性，使其日後能適合社會集體的生活。宗教在防範人性中惡的成份的發展上（塑型），其功亦不可磨滅。所以我對任何宗教非常尊重，甚至連迷信也不主張破除，因為宗教與迷信能約束人們的意念，其効力遠非「禮」「法」所能企及。是以啓蒙運動者之倡導能除宗教對人性的束縛，流弊滋大，得不償失。

其次，文藝復興運動所引起人們對自然科學的研究興趣，同樣予宗教以致命的打擊。因為自然科學是以物質為研究對象的，從事自然科學研究的人們，每于不知不覺之中，易養成其處處從物質觀點着眼的思想習慣，而忽畧了看不見摸不着的精神生活。推極其致，人們不惜以各種手段追求物質生活的滿足。另方面，由於科學研究而導致的工業革命，對人們的思維也產生了不良的影響，即把人類看成機器，根本不理會他的七情六慾，更麻痺了一切同情心，于是以唯物主義為經典的共產集權政治便應運而生。由此可見文藝復興運動帶來了現代文明，同時也帶來了現代罪惡。

中國是個古老的民族，其閱歷較別的民族深，其智慧自較別的民族高，所以老子主張剖斗折衡，一般先哲輕技藝而專講做人的道理，確有至理。蓋人生的幸福，原為建築在安定與自我滿足上，在安然的話，縱使每個人不能享受較充裕的物質生活，如今日的瑞典一樣，但犯罪仍是免不掉的。但科學技術的發展，加強了軍備競賽的劇烈，要是共產集團不放棄其征服世界的野心，終必使整個人類陷於毀滅的命運。

漫画天下　南施

尼赫魯可以休矣

俄國大兵靴子裏的東德共黨

自由談

國際的大雜院

中東的科威特島，石油產量極豐富，素為英國的保護地，最近才由英國發表聲明，承認該島居民實行自治生活，把原有駐在該島的英軍亦撤退了。繼而伊拉克政府宣稱科威特原是伊國的土地，頗有予以佔領之意，英國又派兵前往該島警戒。由此觀之，科威特雖在有政治上的自治地位，卻尚未具備着獨立國家的資格，事實顯然，無可掩飾的。

然而，英美兩國竟向聯合國安理會推薦科威特為會員國，卻被蘇俄指為「未具備獨立國的條件」而予以否決了。事後英美方面斥蘇俄此舉為「可恥」的行動。若以外蒙古亦可以加入聯合國為例證，則蘇俄之否決科威特入夥，誠屬對英美太不「界面」，認為可恥，良有以也。可是，英美明知外蒙古沒有獨立國的資格，只為着討好蘇俄，而假藉所謂「收穫站」的讕言，贊成它加入聯合國，不惜開罪中華民國政府及其人民，毫無顧忌。如今俄帝卻不客氣，否決英美所推薦的「友邦」參加世界政府，這正合乎廣東人的一句俗語：「面係人的畀，架就自己丟」，真是可恥之至啊！像外蒙與科威特之類的政權亦可以加入聯合國，那末，歐洲的蒙納卡羅，亞洲的尼泊爾，更應該以獨立國的資格，成為聯合國構成員之一了。祗因他們沒有可供強權主義者作工具之必要，也就不足齒數，而如德、韓、越等被強權主義者宰割分裂的國家，竟不及一個酋長統治下的科威特小島的身價，得以申請加入聯合國呢！看看這些情形，再看看聯合國的憲章與職責，即知所謂聯合國也者，已被三數強權國家弄成一座大雜院，裏面一塌糊塗，怪象百出，連落子館都不如了。若說它能夠維護人類和平，消弭世界糾紛，豈非夢囈？

這樣的聯合國，加入與否皆無所謂。我們如果為着聯合國辯論所謂中國代表權問題而或憂或喜，那就是一大傻瓜，也就是沒有出息的儒種。似此薰蕕同器，牛驥同皂的聯合國，實在羞與為伍，必要時乾脆退出之為愈！

馮五先生

萬惡紅包爲首，百善廉政爲先；澈底洗心革面，興亡一髮之間。

消滅特權階級，剷除社會不平；各循合理合法，才能萬衆一心。

監委葉時修呼籲
消滅特權階級
他的六言四句曰：「消滅特權階級，剷除社會不平；合情合理合法，才能萬衆一心」。

×××台北航訊×××

以上兩首詩，是監察委員葉時修在檢討政治設施時的開場白。第一首是說貪污，第二首是痛斥「特權份子」。他指出：「在遠東國家中，韓國、菲律賓的貪污風氣，較其他國家爲烈，我們的台灣省好一點。但韓國自朴正熙執政以後，在杜絕貪污方面，已收效甚著，雖然很多人對韓國的政變不同情，但鑒於朴正熙的作風，他認爲是一個好的轉變。菲律賓自馬嘉柏杲當選總統以後，也表示澈底杜絕貪污，懲辦貪污人員，否則，寧可被槍斃。故菲律賓新總統上台之後，也可能有好的轉變。我們的貪污風氣，雖比他們稍微好一點，社會上及監察院對貪污亦均痛心疾首，言論攻擊，不遺餘力，這固然可以收到精神上的效果，但除監察院對貪污風氣抨擊以外，還要繼之以法律的行動，對貪污下總攻擊令，庶幾社會上的貪污風氣，才可望爲之轉變。」

葉委員提出「特權階級」的檢討說：「貪污者被大家攻擊，而特權階級自己則引以爲榮，甚至還有人認爲榮宗耀祖，實在幼稚可笑。所謂「特權」，就是在法律以外，享受一般人所不能享受的東西；這對國家言，是有害的。茲舉例證明之：

（一）有位紅得發紫的要員，在台北、台中和中興新村都有房屋，在台中、台北的都是高級日式住宅，在中興新村分配到的是甲種房屋。然而一般小職員，他們每月祇能領四十元的房租津貼而已。

（二）今天我們的國家，無論如何不能說是繁榮充裕，但有的人可以有兩三部汽車，台中有一輛，台北也有一輛或二輛。如果這些車子是自己化錢去買的，那我們祇能說是一種奢侈，但這些「特權階級」的人所使用的汽車，卻是公家化錢去買的。爲什麼要讓他們養尊處優？有一位要員，把在台北的汽車，供子女上學，供太太應酬跳舞、打牌；在台中的車子他自己使用，有時往來台北、台中，他亦不願坐火車，要坐小轎車，也就是「特權階級」的心理在作祟。

（三）公營事業以及那些有收入的機關，往往花數十萬元的頂費，租房屋給極少的人去住，卻不將這些錢拿去蓋類似以前在南京時所建築的公教新村，讓多數的人去住。

至於「經濟建設方面，也有「特權」。例如：（一）甲工廠設立以後，製造某種產品，質料既不好，價格又高，那末應該准許其他做同樣產品的工廠設立，以符自由競爭的原則。但是現在不准第二個工廠設立，說是避免競爭。外貨又不能進口，這種經濟上的措施，也是「特權思想」作祟。（二）有的工廠可以盡量的向銀行貸欵，有的確實週轉不靈，但借不到一文錢。揚子公司能借到幾千萬元的貸欵，結果倒閉，使公家受到損失；但同時高雄有幾家製造三夾板的工廠，卻借不到貸欵。最近的唐榮也是一例。這不是「特權」是什麼？尤其是唐榮，更是特權之特權。」

葉委員說到最後，他很感慨地指出：「從今天政治情形來看，是有特權的存在，由於這種特權的習慣與風氣，造成社會種種不滿與不平的心理，使人心離散，對反攻復國和建國的前途有甚大的妨得，希望各位注意。」（本報駐台記者張健生）

世界未來的趨勢 儒家思想定抬頭
日本鐵道總裁十河過港 中日人士多人座談紀感

（本報專訊）日本現任國有鐵道總裁十河信二，在二次大戰前久住中國，朋友很多。本月二日他從巴黎出席國際運輸會議後道返本國，路過香港小住，本報社長雷嘯岑與旅港的前任交通銀行高級職員李北濤，事前曾接得十河的電報，希望在香港跟一些中國朋友晤面話舊。李雷二人即於本月三日設宴爲十河氏洗塵，陪客多係十河的老友，計有黃旭初，左舜生，吳蘊齋，楊管北，嚴欣淇，劉丕基等。

在宴會中，十河以歡暢興奮的心情，從世界大勢談到中國問題，一面徵詢大家的意見，同時表示他自己的見解，極其誠懇而精闢。首先他認爲柏林事件決不會引起嚴重的戰爭行爲，因赫魯歇夫正被鐵幕內部的紛爭問題所困擾，而美國亦以避戰爲急務。但美俄決無法長久的和平共存下去，乃可斷言。

美國大學生讀漢文論語

他談到世界未來趨勢，認定東方文化——尤其是中國的儒教思想——一定要抬頭，理由是他今春在美國訪問時，親自看見兩項事實：一是日本的佛學大家鈴木大作現在美國担任大學教授，學生們要求鈴木不要用英語講授，而改用日語，說是這樣就可以透澈領悟佛學的精義。二是美國許多大學生皆閱讀漢文的「論語」，使他大爲吃驚，他問學生們「看得懂嗎？」答以「當然懂得。」繼而他到英國聽到史學家湯恩比的言論，指出西方文化已告沒落，必須接受東方文化才行，因孔子，釋迦牟尼，耶穌都是東方人啊！

十河又說：他在美國時，逢人就承認日本軍閥挑起二次世界大戰的過錯，以致嘗到失敗的痛苦滋味，而美國在戰後不念舊惡，對日本竭力援助，實在感激之至，但有一點却不能感謝，即美國人強調民主自由主義，然又到處強迫別人遵從美式的自由生活，竟不許別人有選擇政府形式之自由。他慨然謂：「美國憑這樣的作風來領導自由世界，怎末成呢？」

大陸上青年 五倫剩一倫

十河談到中國問題，他問在座的朋友們：「毛澤東一般人都是讀過孔孟之書的，難道他們現行這種殘民以逞的暴虐統治行爲，就不能改變麼？」楊管北氏認爲決不可能！理由是毛澤東這般人的心目中，或許尚有些孔孟學說的影子，但下一代的中國青年，被毛共訓練成了「野生動物」，對於中國舊有文化思想，完全莫名其妙。如中國人素來講究「五倫」之義理的，然現時大陸上年在三十歲以下的青年腦子裏就只有「一倫」的印象，除却夫妻之誼以外，對於父母，兄弟，兒女，朋友等，皆視爲鬥爭對象了。如此這般，共產黨的暴政又怎能夠變呢？楊氏並舉出了若干例證。十河乃主張設法改造青年思想，而以目前風行全球的「道德重整運動」爲不二法門，他以日本青年學生現在南美一帶訪問的「虎劇團」爲例，認爲很成功。這些青年原係「日本全國學聯」中最左傾的份子，去年反對艾森豪總統到日本訪問的大動亂，就是他們搞出來的，嗣經社會各方面指導解說後，這般人大爲省悟，如今已變成了極端反共的份子。

念大陸山河 憾未去新界

十河並報告他上月在台灣晉謁蔣總統時，亦會談到此項問題，當時蔣總統很鼓勵他，聲言人生七十方開始，勸他多多努力（十河今年七十八歲了）。最後十河說道：「無論世界局勢如何變化，今後亞洲人應該團結起來，以中日兩國的親密結合尤關重要。如此，即可望實現孫中山先生所倡導的大亞細亞主義的理想，進而創造世界大同的「生活」。是日由下午七時談到十一時，賓主暢所欲言，盡歡而散。十河於四日離港時，猶以未能到新界去遙望一下中國大陸的山河爲一殘念云。

電視猶未開辦 已經在打對台
——寶島浮雕——

民國五十一年台灣將有電視了。台灣電視公司已正式展開籌備工作（省政府管轄）。但同時，教育部的教育電視實驗台，也以迅雷不及掩耳的速度，宣佈展開籌備工作。而且，據英文中國日報透露：估計該台的開辦基金爲一百三十三萬美元。

這就是說，台灣將來的電視台有兩個。

未來，雙軌齊頭並進，殊途同歸，眞是競而不爭。唯問題是：台灣電視公司與日本廠商合作，必然產生許多流弊，而且又劃出教育部份，很難令人樂觀。而教育電視台，若無娛樂節目作支柱，也很難望會受大衆所歡迎，其發展當有限度。然則何不同心合力辦一個電視台，把它做好，熔娛樂教育於一爐？

據教育部社教司負責人透露：未來的教育電視台，工程方面有交通大學電子研究所負責，節目則由中國電視工程所（補習班性質）負責。有人認爲後者頗有不妥，因爲今日新聞教育最高學府國立政治大學新聞系，也有電視人才之培養，況歐美從事實際電視工作人員，泰半出自大學影劇系與藝術系，而師大藝術系與國立藝專的編導科與戲劇科，亦有的是人才，如何棄而不用，捨枝求葉？（石金十二月二日）

省議會連出怪事
請願不得要領，憤而自殺 見人連割兩刀，嚇極奔逃

（本報記者台中航訊）這十一月的下旬，北國已是冰封萬里嶺放寒梅的季候了；但在這亞熱帶的中台灣，却正秧針出水，山花滿開，青青的麥浪在抽穗。

尤其是省議會所在地的霧峯，天幕更是翠藍；議會大廈，璀璨華麗，池園亭閣之勝，是台灣第一流的建築。在香港，講中國式建築，可能無與媲美。

照說，具有這種高度文明和高度氣質建築的台灣省最高民意機構，該有許多代表全省一千一百萬人民意志精神的表現，爲我們的民主自由多增光彩，但事實上却不然。這回二屆四次大會中發生兩件怪事，就的確使人遺憾。

第一件：是本月二十日的大會中，通過限制旁聽，及後來因爲有些議員發覺錯了決定加以修正時，引起的一片爭吵，互相辱罵（編者按：此事經過本刊經已發表於十二月二日出版的一八八期）後來，限制記者採訪的決議算是修正了，可是堂堂的議壇已經刷不去村野，而代議士的風度，如此亦可想見。

第二件：是二十四日的上午十時，有一個貧苦的台中市民高仁義帶着他的妻子到省議會請願，當着黃朝琴議員說：他二年前因心臟病以士官的身份奉准退伍，把三千餘元的退伍金在台中市精武路搭間竹屋棲身，不久被警察拆除；後來經過求情准許重建，又以求募的方式得欵四千，在原地再蓋起二間房子，且經戶籍登記，列爲水源街三號之一，最近又遭拆除。曾經求見台中市警察局長碰壁；在無路可走的情況下，携同妻子到省議會呈情。

是時正值省議會大會休息，黃議長走出議場之際，高仁義向黃議長訴苦，沒有得到什麼有利反應，於是將預備的小刀片取出，向右邊頸部連割兩刀，企圖自殺。黃議長見此情形，嚇得掉頭就跑。幸而站在議場外的駐衛警員即時發覺，忙將高仁義手中刀片奪去，把他送到醫護室治療，救了高仁義的性命。在當時，若非那警員眼明手快，而黃議長已掉頭不顧，高仁義就算不死，亦必受很重的傷，總算不幸中之萬幸了。

這件事發生後，馬上轟傳議壇，部份省議員對這件自殺事件表示重視；黃議長却表示：人民請願案，應該照程序來處理。其中，台北市的郭岐、陳愷兩議員，對這種處理方式認爲不大妥當，「以死來博取同情，如果視爲普通的請願案，經過登記、公文、再交程序委員會研究是否應該受理的話，未免稍嫌遲緩」。希望大會對此案儘先調查處理。但這意見，未爲黃議長採納，大會仍然進行工作報告。

後來，省議會秘書處派員向高仁義詳詢請願原委後，最後才決定由台中市籍的省議員賴榮木、徐灶生就該案程序問題協助處理。

從兩起事件，可以看出一個統一的觀點：對人不尊重，對自由不尊重。一個代表全省民意的機關之省議會，居然忽視這些事情，無論如何是說不過去的。（文野、十一、廿六、台中）

黃朝琴豪華新車
花了四十五萬鉅欵 引來輿論交相指摘

（本報記者台中航訊）省議會議長黃朝琴，新近以四十五萬元的鉅欵，由國外購進一部一九六一年全淺藍色，流線型的「別克」牌新車，豪華壯麗，却引起輿論交相指摘。

去年省府購車的預算送到省議會審查，議員們認爲不必買太好的車，結果將每輛十八萬元的預算删爲十二萬元。如今議長竟以四十五萬元買一部車，連許多議員都覺得此事不足爲訓。（吳越寄）

青年黨慶起糾紛 幾乎發生流血事件 朝野震驚轟動一時

（本報記者台北航訊）青年黨繼「六四」事件後，本月二日，該黨兩派由於是否集會紀念三十八週年黨慶之爭，幾乎發生流血的事件，震驚朝野，轟動一時。

事情的經過是這樣的：該黨「革新派」於十一月二十六日發出通知，定十二月二日在台北市金華街二五六號中央黨部舉行創黨三十八週年紀念。上列通知發出後，該黨主席之一的陳啓天（保守派領袖之一）即於十二月一日在台北各報刊登啓事說，「查本年十二月二日，爲本黨創黨三十八週年紀念，茲爲防範黨內非法份子前來滋擾起見，經決定不在黨部舉行慶祝儀式，並婉謝外賓蒞止。乃忽發現有人假冒本黨名義，僞刻印信，由王嵐僧以所謂『執行長』，擅發通知，聲稱於是日舉行慶祝，顯係別有用心。除報請治安機關予以嚴密注意外，倘希本黨同志及社會人士勿爲所惑」云云。

接着該黨革新派，以同樣的方式，刊登啓事，并發表聲明；啓事中指保守派「破壞本黨信譽，務希本黨同志勿爲所欺」。

本月二日，金華街青年黨中央黨部門前，清晨即有治安人員往來巡察，而該黨部大門則於前一天晚上就封閉了，不許任何人自由出入。是日上午九時，該黨革新派李不韙等一大羣人抵達金華街，但因黨部大門緊閉，警察一字長龍，排在大門前及左右圍墻，致不得其門而入。他們即在門外大叫開門，並用拳頭擂門，亦毫無反應。此時，警方調來大批警察和憲兵，以及各治安機關便衣人員亦紛紛趕到，首先將金華街四週幾條道路加以交通管制，許出不許入，情形頗爲嚴重。據此間報紙稱，治安人員有二三百人之多，而刑警大隊長王魯翹與市警局長張鏞中、督察長陳孝籌等，亦親臨現場巡視指揮。

該黨革新派當向台北市警四分局長楊仲舒要求兩點：（一）調查佔據黨部者的身份，如屬青年黨黨員，當然無話可說，如有非該黨黨員的「職業打手」，應予嚴辦。（二）該黨主席胡國偉，係曾經參加陽明山第二次會談的人，因被保守派霸佔黨部失去行動自由，且有生命的危險，請警方派人營救出來。這兩點警分局長楊仲舒沒有肯定的答覆，於是他們指責警察不公平，袒護「不法份子」。到十一時許，他們宣佈在黨部門前馬路上舉行慶祝，先在大門上掛出巨幅國旗，但又爲門內的人從門縫中搶去扯破，羣情又趨激動。

當李不韙主席在慶祝會上致詞時說：我們有家不能回，現在黨也不能回了！此語一出，這位七十八歲老人乃潸然流淚，全體黨員也哭了，在場的治安人員和新聞記者們，也多有受感動者。李不韙曾兩度拼着老命去打門，這位老人平時走路尚須人扶持，這天他不知道從何而來的精神，如不是大家拉住，定要發生不幸事件。

十二時許，王嵐僧站在欖子上宣佈散會時說，今天是三十八週年黨慶，而在馬路上來紀念，……這話沒有說完，大家再度哭了，尤其陳祖詒哭得最傷心。他一直到下午二時半獨自徘徊在那裏。

事後，該黨兩派互指對方應負造成事件責任。同時兩派口頭上均稱願意和平息爭，解決問題。

此外，胡國偉於當天下午六時始恢復行動自由，並接見中央日報記者林星山與聯合報記者李勇訪問，但翌日兩報的「訪問記」卻不相符。再者，青年黨台北方面爲慶祝創黨紀念而轟動社會，該黨另一派卻在台南舉行省代大會，眞是妙聞也。（本報記者公治長）

鳴謝啟事

本會開幕荷蒙

督憲柏立基爵士主持剪綵軍政長官紳商賢達寵臨指導惠貺多珍榮感之餘謹此鳴謝

香港中華廠商聯合會主辦

第十九屆

香港工業出品展覽會

會　長　朱石麟

副會長　董之英

王澤流

梁祖卿

顧翊羣看台灣經濟 強調人口問題嚴重

（本報特訊）吾國旅美學人顧翊羣氏，素以財經專家著稱，月前他回台灣小住，對於台灣的經濟情況，留心考察，認爲人口問題十分嚴重，近致函海隅友人暢述所見，殊堪注意也。他說：

「執事對國家與經濟學雙方面力求深造，此正爲當前吾人共同努力之鵠的。鄙見生態學(ecology)與人口學(demography)二者，值得留意。蓋普通談經濟發展之學者，每不注意社會經濟發展後所引起之各種副作用。中國古代「道高一尺，魔高一丈」之垂訓，實堪爲現代迷信科學主義者之座右銘。

「弟最近返台灣，曾赴各地參觀，對農村經濟，因土地改革，與應用現代科學方法而發達，印象甚深。然同時台灣人口增加之速，以及社會風氣之丕變，亦使弟甚抱杞憂。據台糖公司友人告弟，謂該公司所遭遇之困難問題，爲其他任何國家糖業生產者所不能想像。蓋台灣因人口增加，而米對糖乃至雜糧對糖之價格比率，均逐漸上升。農民自種蔗而改種其他作物，俾其收益究以增加，爲自然趨勢。結果台糖公司祇得走向自營農塲之一途，而從事水利工程，將沙地坡地等土質欠佳者開發，並從事新蔗種之培養，以及各種副產工業之樹立。進行過程中，遭遇無數困難，端賴該公司同人應用現代科學，堅強毅力，方克解決云云。此種精神，在其他企業中（例如台電公司等）亦有表現，甚值得吾人欽佩。

「第人口問題之嚴重性，並不因台灣經濟發達而減輕。據聯合國糧農組織本年七八月份合刊第六頁所論，假定台灣人口每年增加率維持於千分之三十五，同時總再生產率 gross reproduction rate（即每一女人在其一生能生育時期所生嬰孩數）亦不下降時，則六十七年後（即二〇二八年時）人口將爲目前之十倍，而在一萬萬人以上。此種估計，固不足爲憑，第當前世局之緊張，人口上升爲一重要因素，已無可否認。鄙見爲補救此種情形，政府之立法或行政措施，不易發生效果，甚或引致流弊，故吾人當從教育方面着手，而確認其爲一道德的問題，即父母應知節制，與注重子女之品質，而勿從事濫生，以增加自身與會社與之負扭。

「目前西方基督教已認可人工避孕，天主教則主張夫婦自動避孕，不同室而反對人工避孕及墮胎，但各宗派一致承認人口問題之嚴重性。憶弟近過港，在新亞書院座談時，唐君毅先生會發揮議論，亦主人應精神向上努力，俾人口增殖不致過度。弟深信在本世紀如此種趨勢不能和緩化，則各國之間，縱不打原子戰爭，而其內部分裂、革命、饑饉、貧窮、仍將無可避免也」。

十九屆工展會 五日隆重揭幕

港督親臨剪綵并致詞 強調對港工業有信心

（本報專訊）一年一度轟動香港的華資工展會，本年爲第十九屆，於十二月五日下午四時，在熱鬧隆重儀式下，由會長朱石麟主持開幕禮，并請由港督柏立基爵士行剪綵禮，并致詞。

港督在致詞中，勉勵本港廠商發展多種商品類型，適應競爭環境，並開闢貿易來大量發展港貨的新市塲，以維持本港生計。

港督表示對香港工商業應付新挑戰，製造新機會之能力，深具信心。並說過去十二個月的歷程，足以證明他的此種信心。

會長朱石麟的開幕詞中，曾表示盼能平抑工商利息，及從速釐訂工業長遠政策，及設立永久性之工展塲所，以利發展香港工業。

港督於剪綵後，即由該會名譽會長周錫年爵士，利銘澤，關祖堯，郭贊，顏成坤，簡悅强，余達之，鄭光，徐季良，溫達明，會長朱石麟夫婦，副會長王澤流夫婦，梁祖卿等陪同巡視會塲一週，並由余達之等分別解答會塲內各項陳列品及有關事宜。直至下午五時許，總督伉儷暨女公子巴巴拉小姐始興辭而去。

十九屆工展會於五日下午七時正式開放後，不少市民即前往參觀，計至十時半止，三小時半的時間內，購票入塲的觀衆共有一萬八千五百四十四人。

工展會攤位裝飾比賽，定于六日上午五時開始評判，評判員五人，計爲工商業管理處長晏嘉士，勞工處長鄧亮同，李福球夫人，利榮森先生，利國偉先生等。比賽結果，六日下午即可公佈。比賽評判時，工展會名譽會長余達之，溫達明，徐季良，鄭光，會長朱石麟，副會長王澤流，梁祖卿，及若干部長，均陪同攤位裝飾比賽評判員，巡視各街道。

寡君續夢

第三回：拒諫飾非，列鼎烹功狗　成王敗寇，作狀笑沐猴

可是毛二白坐在門首的椅子上，把路擋住了。他揮手叫彭德懷坐下，說道：「彭老總，你不用担心，有罪都是我的，你一定要聽完再走。」

彭德懷無奈只好坐下，毛二白繼續說道：「彭老總，你們幾位不要怪我老頭子不知忌諱，胡言亂語，我實在有苦衷，不能不同你說。因爲我知道你同大喇子無話不可說，求你把我說好話，帶給大喇子知道。」

彭德懷暗暗叫苦，一時又沒有辦法拒絕，坐在那裏宛似熱鍋上的螞蟻。

毛二白說道：「本來天塌壓大家，全國老百姓都餓得半死不活，我們韶山冲的人隨着挨餓，也是活該。我担心的是大局一變，我們要首先遭殃，那就寃枉了。」

周小舟聽到越說越不對路，插嘴勸道：「二伯，不要把話扯得太遠了，那會有這樣的事。」

毛二白搖搖頭：「周書記，你沒有讀過古書，那知道歷史上的事，我講幾段你聽：歷史上五胡亂華，有一種羯族，盤據在黃河兩岸，建立個朝代叫後趙，後趙的皇帝石勒，石虎比大喇子還要兇。可是石虎一死，兒子幼弱，大權落到漢人手裏，一夜之間，羯族就被殺光了，甚至有些漢人長得和羯人相像的，也陪着遭了殃。

「還有一次是金兀朮進中國，殺的人雖沒有大喇子多，作的孽也不少。金國到了末年，快要亡國時，漢人起來吶喊一聲，黃河兩岸的女眞人，兩三天時間大人小孩殺光還不算，連女眞人的墳墓都被掘盡了。你說老百姓的力量可怕不可怕？」

毛二白說的故事，這批人從來未聽說過，當時也有些毛骨悚然。

彭德懷起身說道：「二伯，你老也該累了，回去休息一下，我們晚上再談吧！」

毛二白微笑道：「彭老總，還有一段，讓我說完好吧！」

彭德懷無話可說，頹然再坐下。

毛二白又說道：「我想將來到了那一天，老百姓吶喊一聲起了事，方圓百里的人都會殺奔韶山冲來，不用說活着的人一個不留，恐怕死了的屍骨也要被挖出來，幾十代的人都受大喇子一個人的累，你說寃枉不寃枉！」

毛南强也聽急了，連忙攔道：「二公，你別想的太遠了，誰還同死人結仇。」

毛二白冷笑一聲：「你知道什麼？現放着彭老總在這裏，你問問他，陝北米脂縣李自成的祖墳還有沒有？」

彭德懷不敢插嘴，只有連連點頭。

毛二白的話說完了，胸中氣憤也平些。喘息一下起身說道：「彭老總，我走了，晚上我們再談。今天我講的話，你到北京千萬說給大喇子聽。」

彭德懷連聲應「是」，恭恭敬敬送走了毛二白，眼看他的背影轉進了小巷，回頭擺手叫警衛員：「找司機來，開車快走。」

毛南强陪笑道：「飯已預備好了，吃了晚飯再走吧！」

彭德懷連話也不答，一頭鑽進小汽車，大家陸續上了車，連夜開回長沙。（五五）

皮簧念字法

民國四十八年春天，老友諳言學權威趙元任兄嫂見過，談及皮簧戲念字的情形，元任兄說與平常念字有些不同的地方。我說您這話一點也不錯，他不但與平常說話不同，而且與那一種戲念字也不同。不過這話說來太長；按吾國各種戲，念字法，國家毫無規定，一點系統也沒有，都是該種戲創始自什麼地方，就念該處之方言，這是一定的情形也永遠沒有人干涉或整理。這種風氣自古已然，來源甚遠。例如詩經中的國風，雖然三代前後統一了一千多年，但各國的詩，還是夾雜着各本國的方音；此看各詩中之語助詞等等，便可明瞭。此事經晉韻學家及經學家諸公，早已說過，不必我再饒舌。因為彼時國家沒有考覈甄選等等的制度，國民各隨其習慣，不易統一。漢朝以後，到了唐朝，已有考試的制度；為齊一起見，便定出每字的準念法來，至此國家才算有了些規定。雖然學者私自吟詩作文，不見得那樣嚴格，但應試的詩文，則不會有太大的出入。所以自彼時以後，一直到現在，文人的詩賦詞曲等等，都須受韻書的約束，各字都有一定的念法。但民間的戲曲歌謠等等，因為用不着受政府的考覈，也沒有人干涉；所以都不管那些，多是照平常的習慣，愛怎麼念就怎麼念。例如：

國劇藝術彙考

·齊如山·

各省的地方戲及小調等等，都是念各該地域的方音，亦曰土音。

梆子腔始自陝西，他便念西北一帶之音；總之是北平等處念高音的字，他都念矮音，北平等處念矮音的字，他都念高音。再如中東一，與庚青不分等等，例子還多。

崑腔本應叫作南北曲，可是俗名都叫作崑腔。北曲完全按中原音韻的念法，可以說完全是北方音。南曲則照洪武正韻的念法。

弋陽腔，簡言之曰弋腔，俗名高腔或高調，則完全按中原音韻的念法，所以非北曲不能唱高腔。

以上所舉幾種，都是各該戲劇最初的念法，日後傳到別的地方，演唱久了，當然就有了變化。這也是一定的情形，一則是所有的演員，都是各該本地人，傳授一兩輩之後，自然就難免夾雜上本地土音；二則是在該地演久了，就要遷就本地人的耳音，於是就更難免夾雜上本地音，日再久就可變了質。例如北方山西，河北，河南，山東幾省的梆子腔，雖然都是來源於陝西的秦腔，但是念字變了許多。（一）

短篇小說

抽樑不換棟

夏商周

我沒有好氣的心裏說道：「看表妹？看你我都已看夠了！」心裏的氣話，當然不能說出口外，何況表伯父是長輩，我是晚輩，晚輩對長輩總得客氣些，總得禮貌些才是。再說他老人家叫我去看表妹却是好意，我不該一筆抹殺。於是我笑笑，心平氣和的說道：

「多謝表伯父栽培，多謝表伯父提示，但今個，小侄頗需休息。再見。」

「再見。」

我轉身，走向大門口。我聽到身後的關門聲，大抵表伯父已經回去了，不會再來麻煩我了，我的心中彷彿輕鬆了不少。

「慢走，」我將將走到大門口，樓上傳來一種屬於女性的呼叫聲。不用人說我辨聲識人，知道是驚動了表妹的大駕了。方才我跟表伯父在院心交談的幾句話，一定是叫表妹聽到了，當時她想我會上樓探訪她的，所以她不出聲，及後聽到我說再見，看見我將出門了，她可不能靜待一邊[illegible]勢了，所以喊我「慢走」，定是另有話說的。

「表哥，」表妹從窗口伸出一只蓬鬆亂髮的頭，而帶惱色道。「你來了，也不上樓來看看我？你的眼睛就只有爸爸，那裏還有我？難道我叫人見着害怕不成？」

表妹的語氣不尋常，表妹的雙眉皺滿了怒意。不應付一下，看來是再也出不得大門了。

「表妹，你看你說的那裏話，」我趕緊開了腔，一面揚手。「我的眼中幾時沒有看上你？」說着說着，三腳兩步上了樓，進了表妹的閨房，緩了緩氣，我一五一十說明了事實的經過。事實是表伯父對我談生意，老愛搭架子，顯自己。他那裏知道談一次生意把我折磨個半死。我太乏太累，所以連上樓的勁兒都提不起來了。我足足說了五分鐘，口乾舌燥，咕嚕咕嚕喝完一大杯茶，方稍稍有了一點兒精神。

表妹滿意於我的訴苦，她的雙眉滿含笑意，她的言語也變得柔和了。單只在數說表伯父的事情上，表妹常常是和我態度一致的。她甚至於有一次陪我遊山的時候，說出來表伯父嫌貧愛富的心思，根據她的說法，表伯父認為我須得在三年之後賺夠三萬塊錢的時候，才可以和她談婚事的。天知道，我對表妹一向都是抱着敬鬼神而遠之態度的。

「既然如此，」息了怒的表妹這時說道，「是爸爸的不是，我也不怪你了。你又乏又累，何必回去休息，就先在我的床上躺一躺罷，這也用得你客氣？」（二）

評詩趣話

漁翁

詩為心聲，不僅僅在乎平仄之調協，詞句之工穩，而必須尋求題旨之所在，一氣呵成，否則，不可與言詩矣。

有某少年，好吟詠，每見物而賦，不假思索，雖聲韻尚合，而語無倫次，令人費解。一日，偶成五言律詩一首，就評於老詩人之前，其詩云：「有足不能行，無心看太陽，騎鹿思母舅，過渡想姨娘，五兩臥牆下，三分棄道旁，隔鄰王媽媽，一夜罵天光。」為這位老詩人所不解，囑注釋後再評。

少年曰：「余村有一跛者，雖雙足尚在，而不能行，又有一盲人，終歲見不到太陽，我有母舅，面長似鹿臉，故騎時而思舅，又姨母腳大如船，每過渡而亦有所思，家飼一豕，以五兩金購之，日臥於牆下，所着草履，值錢三分，因破壞而棄之道旁，隔鄰王媽，因失一雞，自暮至旦，罵一夜而不絕口，此即見物見事之作也。」

老詩人聞之，在捧腹含笑下而評之曰：「詩有五言七言之分，謂每句五字七字之詩也。如五古，五絕，五律，七古七絕，七律皆是，五言起於李陵蘇武，詩品：『逮漢李陵，始著五言之目。』韓愈詩：『五言出漢時，蘇李首更號』。七言起於漢武柏梁台詩，見滄浪詩話。」

老詩人又曰：在五言七言中，有肥瘦之分，如五言太瘦，可增為七言，若七言過肥，則減為五言，試舉一例，古有五言詩：「久旱逢甘雨，他鄉遇故知，洞房花燭夜，金榜題名時」。此詩所謂久旱者，未指定時間，應增為「十年久旱逢甘雨」。所謂他鄉者，究離家若干遠？應增為「萬里他鄉遇故知」。第三句洞房花燭，為人人所貴有，不算稀奇，祇有僧人望洋興歎，應增為「和尚洞房花燭夜」，方稱絕妙。末句金榜題名，為讀書人所專有，士人題名，亦不算稀奇，惟農人能登金榜者，為可貴，應增為「農夫金榜題名時」。此詩太瘦，故應由五言而增為七言也。」

再曰：「唐代詩人杜牧之所賦清明七絕云：「清明時節雨紛紛，路上行人欲斷魂，借問酒家何處有？牧童遙指杏花村」。此詩過肥，既云時節，即含有清明在內，應予刪去。行人當然在路上，路上兩字，是多餘的。既有『何處有』之疑問？亦不必來『借問』二字，第四句：『牧童遙指杏花村』，過於肯定，除却牧童兩字，任何人都可以遙指，來得廣泛而有伸縮餘地。故此詩應由七言而減為五言也。」

少年曰：「聞命矣，然則我之五律，瘦乎？抑否增為七言乎？」老詩人曰：「爾詩不瘦，毋庸打腫臉充胖子。」少年固請，欲得一好評，以增聲價，老詩人不耐，乃曰：「爾將詩焚之，以其灰給狗吞下，從狗尾後打出可矣。」換言之，謂之「打狗屁」。少年俯首退，爾後再不敢提筆作詩矣，老詩人引古刺今，評語毋乃過苛乎！

海訊

鍾槐村

太息驪珠黯海門，王郎砍起漢家魂；
一呼投命千人共，浪響蒼涼月色昏。（一江山）

割肉寧無飼虎悲，祗從取舍定安危；
萬千歸義紛辭廟，憤悱天聲起海湄。（大陳列島）

迸送春潮成色雄，忍言三舍退為功；
賦詩帥氣情猶昨，換眼空桑寂寞紅。（南麂）

浪擊蛟龍一角天，低昂星斗賭厓船；
騰徽小試關深計，記取艱難破賊年。

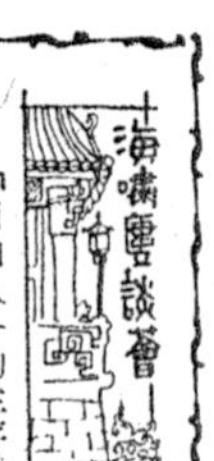

「自由人」生死記（五）

諸葛文侯

「自由人」的生存發展情況，既因外感內傷不斷地襲來，精神萎靡，形勢日非。原有的發起人之中，本以執政黨人士佔多數，而內部意見分裂，是非迭起的原因亦基於此。住在台灣的諸公，曾因刊登文字的問題而聲明退出「自由人」，採取不聞不問的態度；住在香港的亦不免氣沮心寒，大失所望，僅以維持殘局的觀感，在寫作上勉強敷衍從事。可是，誰也不願提議收場，祗好聽其自然而已。這時候，「自由人」已呈現着奄奄一息的狀態，負債日多，內容逐漸減色了。

當此危急存亡之秋，主編者不知是由於稿件實在缺乏呢？抑或別有用意？「自由人」曾將海外其他刊物中對執政當局批評攻擊的文章，隨時予以轉載，這是向所未有的作風。良以一個具有獨立性的報刊——尤其是政治性很濃厚的刊物如「自由人」者，若常常轉載別家的文章以充篇幅，專就報業而言，格調亦落於下乘了。這在執政當局看來，「自由人」不管是成了反對政府言論的「走私」工具，因為「自由人」在台灣銷行，而那些被「自由人」轉載文章的海外刊物，却是未許內銷的。這其間，可急壞了一個原發起人，他素來以領導海外文化運動自命，更以「自由人」的大老闆自居，在海外時侈談民主自由，到了台灣又得表示忠貞氣概，「自由人」有此被視為「走私」反對言論的現象，他就不免受到當局的責難，認為他領導無方，有虧職責，這怎末得了呢？

恰好這時「自由人」經費越更困難，主編人無可為計，乃表示辭職告退之意。如是乎，在上述那位「大老板」吩咐之下，召集旅港的原發起人和主編人開會商量，「大老板」極力主張停刊。代理董事長左舜生先生此時已主持着另一刊物，對「自由人」連年來的內部糾紛亦洞悉其隱，他不復如過去的愛護心情了。我呢，對於「自由人」的事情除每期寫點短文外，早已不加過問，停刊與否，毫無所謂。此外諸在座者怵於經費問題，亦就贊成關門收場。最後大家談到用甚末理由來聲明停刊的問題，左舜老認為不必說理由，即以「本報於某年某月某日停刊」的詞句宣告社會可也。大家同意這種辦法，即席擬定啟事，刊諸下期的報端，而煊赫一時的「自由人」，乃從此短命死矣！（完）

山川風物

吳鳳廟

道南

享譽台灣二百多年的義人吳鳳廟，這是為世人所熟知的，他的故事，實在太動人了，這若干年來，一直照耀在每一個台灣人的心坎上。

在嘉義北門的火車站，車站前有大木牌，繪吳鳳像，朱衣白馬，藹然仁者，下面朱字一行「吳鳳成仁途中」，文法很費解，陳定山先生在十年前曾有詩云：

「聞道成仁有直途，威儀如見客衣朱，此鄉蕃俗全淳厚，日靜山長太古初。」

陳定山先生並說：「吳鳳成仁，是向這條路去的嗎？但這裏距離現在所稱為吳鳳鄉的尚遠，說吳鳳成仁的經過中，是穿這套朱衣的嗎？文法更是牽強，我意六字直言，恐怕是日本人留遺下來的日本文獻使人看了不快的，實在太多了，必需要芟去或更正。」

以上是十年前的往事，現在嘉義的吳鳳廟（又稱阿里山忠王祠），已經加以修飾，煥然一新。蔣總統題賜「捨生取義」，匾額「吳鳳廟記」，係已故賈景德院長撰文書丹。廟旁紅花英樹，綠草如茵，與天光山色十分調和。左右隙地，闢為公園，栽了不少奇花異卉，點綴着亭台池榭，噴泉藤架，使這令人崇敬的吳鳳故鄉，變為幽美雅靜的風景區。

吳鳳殉難處，是在一個平坦的田隴裏，有一塊長圓形的天然石，上面刻着「義人吳鳳終焉之地」，令人肅然起敬！

內備警台報字第〇三一號內銷證

自由報

THE FREE NEWS

第一九一期

中華民國僑務委員會登記證
台僑新字第三二三號登記證
中華郵政台字第一二八二號執照
登記為第一類新聞紙類
（本報刊每星期三、六出版）
每份港幣壹角
台灣零售價新台幣弍元
社長：雷嘯岑
督印人：黃行寬
社址：香港銅鑼灣高士威道二十號四樓
20 CAUSEWAY RD. 3RD FL
HONG KONG
TEL. 771726 電報掛號．7191
承印者：四風印刷廠
地址：香港灣仔高士打道二二一號
台灣分社
台北市西寧南路壹叁壹號二樓
電話：三〇三四六
台郵撥儲金戶九二五二

拯救越南的途徑和方法

·雷嘯岑·

近數月來，越共威脅南越的行動日益激化，不特越南邊境地帶經常發生局部戰鬥，即西貢近郊亦隨時受到共軍侵擾，且曾在市區內乘機竊發，投彈殘害過美國駐越軍事顧問團的職員。美總統甘迺迪除發出「美國決不放棄越南」的強硬聲明外，並派遣軍事大員泰萊將軍到越南實地考察，擬訂拯救越南詳細計劃；日前又由國務院發佈關於越南問題的藍皮書，指出越共企圖征服越南的各項情形，而認為這問題不是孤立的，呼籲自由世界應該共同防衛越南。美國當局這種積極態度自屬無可懷疑，問題在拯救越南危局的途徑和方法如何而已。

一

「前事不忘，後事之師」，過去美國當局在寮共動亂激化之際，亦曾採取積極應援的行動，劍及履及，理直氣壯，大有不惜以實力干預之勢。然而不旋踵即以寮國不適宜於機械化部隊作戰的理由，主張和平談判，贊成寮國組織聯合政府，實行中立主義了！寮共的支持者就是中越共，跟現時越南的共禍來源是一體的，越南的社會情形亦與寮國相伯仲。美國當局根據泰萊將軍的建議，決計不使用美軍直接介入越戰，而以軍經援助為能事，同時督促吳廷琰政府大力從事內政改革。這方法在理論上不能說不對，可是，事實上一定利少害多，殷鑑不遠，請看中國大陸之淪陷經過，即思過半矣。

一旦越共大舉進攻時，它挾着中共暴力的後援，喬裝越共身份，源源而來，朝發夕至，自非越南現有的兵力所能抗衡制勝的。到那時，美國是否又以各種理由——如說吳廷琰政府未能澈底改革內政，以致得不到民眾的支持；對於美國的軍經援助不善運用，多所浪費貪墨等等——認為除非美國直接派兵參戰，決無挽救可能，加以俄帝與中共的恫嚇威脅，美國對遠東問題既不單獨行動，即唯有鈔襲舊文章，而主張和平談判，教吳廷琰組織聯合政府，讓共黨參預政權呢？這並非神經過敏之言，在中國與寮國的史事俱在，不得不令人憂心忡忡也。

二

不必諱言的事實，亞非地區諸新興國家，無論軍事，政治，經濟各方面的情況，由於文化落後，產業貧乏之故，都是極不健全，甚至於現代國家的雛型建構亦不具備的。美國若以本身的文明程度和民主生活方式為指標，憑着自己的尺度以衡量別人，認為落後地區的軍隊缺乏作戰能力，以及人民容易被共黨蠱惑，皆係政治不民主，經濟多貪污所使然，那就不免於「學院派」的書生之見，與實際不相符合。我們決不否認創進政治民主與經濟平等生活為消弭社會動亂的基本原則，但要建設政治經濟的進步生活，不是像搖電話一樣，這邊撥動號碼，那邊馬上就有應聲那末簡易的事，它必須有和平安定的環境，一定限度的時間，按步就班，循序漸進纔行的。倘在戎馬倉皇，戰亂勃發之秋，而欲以漫無計劃的內政改革為博取戰爭勝利的唯一途徑，便有未見其利，先受其害的危險。

這個「中立主義者」練十八般武藝

他們都在糾纏着

上月廿日合眾國際社自西貢發出的電訊，報導一位越南政治人物的意見，說是：「美國如不改變其對落後國家發展民主政治所採取的方法，則共產主義不僅在越南，而且將在整個東南亞取得全面之勝利」；「自由世界指摘越南沒有民主，吾人以為越南面臨共黨威脅時所採取之措施，可能不為自由世界所了解，盡自由世界僅看到一種發展之類型」；「一個國家於面臨戰爭時，必須以適當之武器作戰，而非追隨各項戰略目標」。這些說法，在我們身受共禍最深切的東方人看來，決不是一種文過飾非的詭辯之詞，殆有妥當性存焉。過去美國特使馬歇爾在中國調解內亂時，目擊共產黨在各省區大舉稱兵，攻城略地的現實情形，還要極力要求執政黨組織聯合政府，讓共黨參加，且許其對施政計劃享有否決權，認為這樣才是民主生活，即可以消弭共黨的叛亂行為。我政府當局不同意，他就憤然回國，指為頑固派，主張停止援華，連我政府斥資在美國購買的軍需品，亦一律禁止出口，又用外交白皮書指摘中華民國政府貪污低能，認為不值得援助，聲言一筆勾消，更教駐華大使司徒雷登留在南京，不隨我政府撤退，以與毛共進行妥協，且表示美國願以四十億美元援助毛共政府，這樣終使毛共很迅速地竊據了整個大陸。基於這項歷史教訓來觀察美國今日的援越計劃和方法，能說上述越南人士的話，完全是詭辯的頑固見解嗎？

三

實行民主政治與發展自由經濟，固然具有遏制共產主義邪說橫流的潛能，也有反擊共黨釀亂宣傳的效力，但這不是咄嗟之間一蹴可幾的事，必須平日經之營之，持久努力不懈，庶幾有豸。像越南這些新興之邦，即令沒有共禍，而在和平安定的環境中進行民主改革和建設，亦至少非有二十年以上的時間，不足躋於現代民主國家之列，非不為也，是不能也。當茲共禍猖獗，四郊多壘，人民求生逃死之不遑，乃責其以民主改革為抗禦共軍進攻的唯一武器，此與唸孝經以退黃巾賊的思想有以異乎？美國對於接受美援的友邦如越南者，若認為內政需要改革的話，平時即須督促協助，積極進行，即以此為援助的先決條件亦未嘗不可。然而，事前為要避免俄帝的宣傳攻訐，聲稱美援決不附政治條件，一旦受援國家遭遇共軍侵略，需要美國予以軍事應援時，又指友邦的政治不民主，非實行改革即無軍事勝算。似此先後緩急不分的領導作風，我不相信美國當局見不及此，卻懷疑這又是準備於必要時臨難撤手退卻的一種藉口罷了！

越共大舉進攻南越是遲早間事，吳廷琰政府此時縱然做到西方先進文明國家的民主政治建設，亦難免於共黨的軍事威脅。美國既不欲派兵參戰，吳氏現有兵力殊無制勝把握，前途岌岌可危，東南亞公約原係一張廢紙，沒有絲毫作用，相反地，一二東南亞公約的成員，且在東南半島隨時跟美國搗蛋不合作，甚至與共黨暗中勾搭以對抗美國呢！若要拯救越南，除非美國以軍經力量積極應援吳廷琰，而將內政改革問題置於次要，將來中共如介入越戰，美國即贊助東南亞自由國家如泰國，菲律賓等，奮起參戰，打一場韓戰式的局部戰爭，必可立於不敗之地。所謂激起俄帝出面干涉，觸發世界大戰之說，原係姑息主義者危言聳聽，自我恐嚇。大戰的時機如其成熟了，隨時隨地皆可以發生，否則現時美軍雖然在柏林橫衝直闖，耀武揚威，也不過引起俄共集團的抗議而已。美國對東南亞局勢敢於毅然以天下為己任，不受西方國家的牽制阻撓嗎？非如此，越南前途是凶多吉少的！

自由談

教育上的大問題

今年八月末，我在台北陽明山第二次會談中的休息時間，偶與七八個台大學生——他們是臨時調來服務的——閒話於草坪上，我問他們對於學校生活有無特殊的感想否？其中一位女生答道：「我們最感覺困惑的事，就是一般教師們除卻依時上下課堂之外，對於吾儕青年人立身行己，處世接物這類做人的道理，沒人給我們指導。」我問她是那一科系的學生，答曰哲學系，其餘各位有習文科的，也有習理化科的，大家對於這一問題，表示具有同感。我正要打開話匣子談談個人的見解，而繼續會談的鈴聲大作，祇好各歸崗位，彼此盡在不言中。這問題至今縈繞心胸，未能忘卻。

我幼時進過私塾，又曾迭見父叔輩的書院生活狀況，那些私塾先生和書院的山長們，決不以販賣知識學問為畢其能事，對於學童員生們的生活規範，以及立身行己之道，諄諄訓誨，務期學識實踐化，而師生之間情誼融洽，親切敬愛，有如父兄子弟然。迄今思之，恍如隔世了！

舊時的塾師和山長，生活安定，社會地位亦很崇高，人們尊師重道，發乎情，止乎禮義，相習成風，視為當然，雖達官顯宦，見着老師亦不能不折節致其敬重之意。教書先生基於這種自尊心與責任感，即不願以教書匠或詩書販子自居，而要殫精竭慮，以教導學生們希聖希賢，蔚成大器，揚名當代，利濟羣倫。現代的學校建制，效法於重商主義的西方國家，視教師為商品，按照授課鐘點計酬，缺了課即須扣錢，然其所得又不足以贍養室家妻孥，廹得四出兼課，越多越好。談到社會地位，實同九儒十丐，大學教授還不及一個奸商市儈之受人重視，精神與物質生活皆列下等。如此這般的教育法制與社會風氣，作教師者那兒還有閒情逸興，來指導學生的人生修養工夫呢？學校裏雖有訓導長，根本不講究學問德行，日唯以組織控制學生的行動思想是務，酷似軍官之管訓大兵，沒有個性發展之餘地，求了人的大學生，自雖接受還隨實教方法，而深感人生意義的空虛了！

馬五先生

在台北市議會答覆質詢　林衡道失言兼失態　黃啟瑞被戴紅帽子

（本報記者台北航訊）三個多月前因案被停職的台北市長黃啟瑞，頃又被市府主管保密防諜工作的「安全室主任」兼文獻會主委戴上一頂紅帽子，說他思想有問題，在市議會中掀起一場空前未有的波濤，如何了結，尚不可知。

台北市議會五日舉行第三次大會，質詢市府文教部門工作，台北市政府安全室主任林衡道，以台北市文獻委員會主任委員資格列席答覆質詢時，公開指責前任主任委員黃啟瑞，在任內所編的「台北文物」季刊，所登載文字，違反反共抗俄國策，思想有問題，而引起了軒然巨波。

林衡道在議員們步步緊迫的質詢之下，他非常激動地說：「好吧，那我就講出來，黃啟瑞在兼主任委員任內，編的刊物，讚揚魯迅、郭沫若、謝雪紅等匪類文字。我忍受不住，我是反共抗俄，我要改進」。（後二句不成話，足見其神經緊張）他又說：「黃啟瑞這樣的人，怎能不貪污」？這些話說出來，全場嘩然，會場激動情形，爲市議會成立以來所罕見。

在台灣，被戴「紅帽子」是一件很嚴重的事情。何況這頂帽子又是市政府主管「防諜」工作的官員送給前任市長的？

情緒緊張得很

林衡道那天的答覆質詢，也許是由於他第一次見這樣的大場面，所以差不多一開始就顯得情緒很緊張，答話時往往支吾其詞，甚至答非所問。他的言語和態度，使許多議員既氣憤，又有些啼笑皆非。在爲時不過一小時又十五分鐘之內，他會五休息度，而且看起來總是無法鎮靜下來好好答覆問題。

到林衡道作了驚人宣佈，說黃啟瑞有思想問題後，議場嘩然。林衡道也發現情形有些不妙，想乘機溜走，但議員不放過他。有的議員爲追問他這件事，還要求議長張祥傳迴避，說是林主委指前任兼主委黃啟瑞有問題，張議長則是前任副主委，或與所指有關，故請其廻避。結果張祥傳眞的退席，而副議長當時又適不在場，乃推年長的議員陳秋火代理主席。這時議場已亂做一片，議員們既追問林衡道，新聞記者亦包圍他採訪，他更加應付不來了。

空前笑話場面

議員陳鄭岐說：這是他做議員十一年來所從未見過的笑話場面。議員陳鴻韜不知是故意挖苦林衡道呢，還是眞的有意替他打圓場，說：「林主任委員今天列席表演的，是失態和失言的。因爲他的血壓太高，大家原諒他。失言的，叫他道歉一下，就算了吧」！

林衡道最後說：「我因爲第一次列席議會，不週到的地方請大家多多原諒」。他是準備就此收場了，但議員們還想問下去，以時已十二時多了，便宣告散會，準備當天下午繼續詢問。

可是下午，林衡道可不來了。一齣笑劇於是未完而散，不會繼續演出。而第二天（六日），林衡道卻在台北市各報刊出一則「緊急啟事」，文曰：「本人昨（五）日列席台北市議會第三次大會，於答覆議員質詢時，曾提及市文獻會過去所印行「台北文物」第三卷第二，三期刊」有讚揚魯迅、郭沫若、王萬得，謝雪紅等之文字，顯有違背反共抗俄國策之事實云云，惟並未指責任何人有思想問題。爲恐外界誤會，謹特鄭重聲明如上」。

臨時動議兩點

如此一來，在市議會的風濤更大起來了。顯然，林衡道是希望藉此否認推卸責任的。但他怎麼亦推不脫，因爲他早一天在議會公開指責黃啟瑞思想有問題的話，會經用國語報告兩次，閩南語報告一次；當時在議場的各報記者都圍着他訪問，錄音帶也有紀錄。乃他竟然推得乾乾淨淨的，因此更引起市議員的不滿，大吵大鬧，結果通過一個臨時動議，決議：（一）通知林衡道到會說明登報的理由及其依據；（二）在該案未了結前，文獻會的預算暫予凍結，不准動用。

顯見好戲還在後頭。

有人去問黃啟瑞是否有控告林衡道誹謗的意思？他表示不準備控告，他說：這件事的內容與經過，社會上都知道得清清楚楚，何必理他？（正宗）

議長新車掀底牌　原來是政治手法　風潮似大・其實易了

（本報記者台中航訊）台灣省議會議長黃朝琴，新自美國購買價值美金一千一百元（合台幣四十五萬元）的「別克」牌豪華轎車一輛，前三天由台北議長的「官邸」開到台中省議會時，引起正在舉行大會的議員們驚嘆和不滿的消息，業已見諸台省各報，輿論一致指責，此事已見上期本報。在那些小評大論中，以「玻璃墊上」專欄說得最尖刻，其中有謂：「會直言領導階層奢侈的郝樂遜，你算老幾？可惜的是，國家淪入三四等的地位，有點兒不大配合！」

省議會一向對於會內的事務性的消息，保密得夠緊，何以這回把那汽車的底價都搞出來了？？去年，該會副議長謝東閔花台幣廿七萬購新車一輛，大家都不聲不響。而議長今年買這部新車就引起「內鬨」呢？這不單是因爲車子太漂亮，有調節空氣設備，冬暖夏涼，過份安逸引起的羨妬，而是有其「內在」的原因。這原因，台灣的報紙都沒有說出。

原因起自省議會的多數議員，今年春天二屆三次大會時，有個決議案：全體議員出國考察議會政治。這決議見報後，當時遭受新聞界的批評，指爲不當。後來省議會集會時，沒有再提這件事，看起來，好像是「順應輿情」，其實乃爲內部問題，行不得也！

有一部份議員當時曾經推出代表向議長黃朝琴提出要求說：出國考察的經費，由我們自己出，但是希望議會的經費能撥一部份出來，津貼我們每人三萬元。議長當時說：沒有這筆預算，從哪兒來這筆錢呢？沒有答應。有些議員懷了恨。這次是機會來了，於是就對這部車子出氣，明的暗的提出兩大理由，公開的理由是：剛挑剔完省政府買車花錢太多，現在自己來個「十彩豪華」，實在說不過去。不公開的理由認爲：七十二位議員加上事務人員出國，頂多不過八十個人，每人津貼三萬，共二百四十萬。這筆錢說沒有預算不肯拿，也就罷了。然則議長一個人花四十五萬買這漂亮的車子去享受，是應該的？難道這筆錢是有預算的？所以就把這消息轟出，給顏色議長看。

這件事還祇發生了三天，看起來風潮方興未艾，其實祇要有人打打圓場，自可不了而了。這在台灣官場，亦祇是「小事」而已。反正化的是納稅人的錢。

記者報導這「內幕」的動機，是有感於向新聞界吐露這事件的議員先生，動機並不純潔，既不是爲納稅人說話，也不是愛惜外滙，祇是一種政治手法，値不得恭維。（文野、十二、一、中興新村）

黃啓瑞被戴紅帽事　傳說起於派系恩怨

（本報記者台北航訊）台北市文獻委員會新任主委林衡道在議會公開給前任市長兼主委黃啟瑞戴紅帽子之事（編者按：見另條），有人說係起於派系恩怨，並亦與下屆市長寶座之爭奪有關。

據說：林衡道主演的這一幕，可說是四年前的「舊話重提」。因爲，在四十五年歲尾，黃啟瑞會奉派爲出席聯合國大會中國代表團的顧問，遠赴美國紐約，當時適值國民黨內爲台灣省各縣市長選舉提名期間，因黃啟瑞尚未返國，此時他的政敵便抓住機會，向黨內狠狠告了一狀，「罪名」正與林衡道所說的相同。當時還是黃啟瑞返國以後，向黨內提出一份「說明書」詳加解釋，才復風平浪靜，黃啟瑞也順利的獲得了黨的提名競選台北市長的。

熟悉台北政情的人透露：現任台北市府安全室主任林衡道，過去多年就與現任市長周百鍊接近，到市府去工作，也是周百鍊代理市長之後才去的。又周百鍊上台之後，與市議會之間就不太融洽，與議長張祥傳之間更是不愉快。尤其是周百鍊支持林衡道做台北市文獻會主任委員，使張周之間的不愉快更加表面化了。

按：台北市文獻會的主任委員，一向均是由市長兼任，副主任委員爲議長兼任。黃啟瑞因案停職，周百鍊卻不依慣例代理市文獻會主任委員，而以代市長身份將原市長兼職免去，派安全室主任林衡道去兼主任委員，同時仍然聘市議會議長張祥傳爲副主任委員，無形中把與市長居於平行地位的議長，降低了三級，反成爲市單位主管的下屬。因之到目前爲止，張祥傳拒絕接受聘書。有人說：那天林衡道的「出洋相」，是由幾位議員把林衡道私下和一兩位議員的談話，硬逼了他在議會上公開說出來的。而第二天的實行「凍結文獻會預算」，當然也是給周百鍊一點顏色看。

據說，此次之事，可能不無私人恩怨，但要緊還是派系之爭，而且有關下屆市長爭奪。在林衡道這方面，認爲這是給黃啟瑞的一個打擊，讓他沒有「東山再起」機會。在市議會若干人方面，則是利用來使周百鍊失面子。因爲據說張祥傳也有問鼎下屆市長的意思。

「台北文物」季刊是不是如林衡道所說的有讚揚郭沫若等之文字？記者時至台北市文獻會訪問。該會職員林有財檢出一本「台北文物季刊」第三卷的合訂本給記者看，合訂本中缺第三期；第二期是四十三年八月二十日出版，是「北部新文學新劇運動專號」。問到何以缺第三期？林君因係四十六年才到該會，表示不淸楚。

記者訪問一位以前在市文獻會工作過的人說：四十三年出版第三卷時，還是吳三連做市長兼主任委員，黃啟瑞當時是議長兼副主任委員。故要說責任，應該是吳三連的，而非黃啟瑞的。

至於林衡道其人，與台灣文獻方面的關係很深，是板橋林獻堂本家，前任台省文協會主委林熊祥的大公子。同時他也是文協委員。過去曾經從事安全工作，故這次能出任市府安全室主任。（本報駐台記者吳越）

寶島之窗

本報駐台記者吳越

自稱窮科長　却有小星伴月

△台北縣議員連壁光在縣議會中質詢兵役科長龍炎武，指他先是在深丘里用公欵租了一座倉庫，後來嫌不夠寬敞，乾脆另購一棟倉庫，並假公濟私，把小老婆搬進去住，還時常聚賭抽頭，這成什麼話？

龍炎武在答詢中坦然承認兵役科以公欵租倉庫，買倉庫，甚至把自己小老婆搬進去住，這些都是事實。但他否認有聚賭抽頭情事。龍炎武解釋說：因爲我當窮公務員，有兩個老婆，所以打這種窮主意，有什麼辦法呢？

第二天龍炎武看到報上登出他的消息，勃然而怒，對前往縣府採訪的記者賞以三耳光，並聲稱：「我不但要打你，我有手槍，還要用手槍幹掉你們這般記者！」

辯護聲未了　爆出兩宗貪案

△監察委員余俊賢在監察院總檢討會提出「新五害」之說，司法人員高踞「五害」之首。司法行政部長鄭彥棻出來辯護，指此話實爲以偏概全，爲了少數不良份子而汚蔑全體，極不應該。就邏輯而言，鄭部長的話，自極正確。怎奈少數司法官自不爭氣何！如前天一日之間，竟有兩位司法人員瀆職被控的新聞見報：

台南高分院刑二庭庭長蔡國揚，因審理一心亭殺人案被告之女控以瀆職罪，案由最高檢處署發交台南地檢處偵辦，已被停職查辦。

新竹地方法院檢察處檢察官林汝東，因承辦一宗三千坪土地案中的糾紛，被檢舉涉嫌收受賄賂瀆職，經司法行政部發交高檢處轉飭新竹地檢處嚴密偵辦中。

林衡道什麼病？

文獻安全距離大遠　居然得兼熊掌與魚

（本報記者台北航訊）林衡道算錯舊賬，亂指黃啟瑞思想有問題之後，有的市議員，公開指其有神經病，而且說：代市長周百鍊是內科醫生出身，林某是否有神經病，周百鍊應予查查淸楚，不可馬虎。

但另又有輿論指出：林某一身兼長文獻會與安全室兩者，此兩機構，性質距離天遠，林某即使沒有神經病，在職務上他要兩件事情都做好，亦非「精神分裂」不可。而可怪的是，做此安排的，竟然還是醫生市長。（平）

烟酒公賣局預決算審議權應誰屬之爭

省議會陳情團到了台北

（本報記者台中航訊）監察委員金越光十一月廿七日在監察院綜檢討會中指稱：本省菸酒公賣局預決算審議權，應屬中央，並認爲「現在由省議會審議是反客爲主，抵觸憲法」。引起省議員們的憤慨，紛紛發言，指責金越光信口開河，曲解憲法。主張省議會應有所表示，用以抗議。最後經大會馬上作成決議案：「監委金越光昨在監察院綜檢討會中，對本會要求審議公賣局預決算案，肆意詆譭，離間民心，藐視本會，有失民意代表風度，應將本會發言記錄，送請監察院予以糾正」。

廿九日，這則決議全文見報後，金委員亦不示弱，又在監察院會場，對台北各報採訪新聞的記者發表談話說：「省議會既然有決議要送監察院來糾正，將靜候此項決議的送達」。金委員表示：監察委員在院內發言，院長是否有權糾正，倒是值得研究的問題。他認爲：「專賣是日據時代的產物，前東南長官公署時委托省辦，其預算應由中央立法機關審議。」他仍然堅持他廿七日在監察院所提的意見。

省議員們看到這則新聞，更是憤慨不可遏，於是組成「爭取省公賣局預決算審議權代表團」，十二月二日，由台中浩浩蕩蕩的前往台北，分赴中央各有關單位提出陳情。這代表團，共十個人，由副議長謝東閔召集。

這樣劍及履及的場面，是近年省議會所罕見的。此項中央與省級的爭執，暗潮由來已久。在幾年來的明爭暗鬥中，夾在中間受苦的是公賣局。每年，經省議會審議的預決算，中央總是要重審一番，不是把預算提高，就是把決算減少，總要改動一些。在平時，省方監督嚴，中央也查賬，搞得公賣局七葷八素，兩姑之間，實難爲媳！

如今，這樣短兵相接，公賣局倒鬆口氣，反正那一邊勝，就侍候誰，從一而終，免得拉扯。所以在公賣局方面，成了看兩情「鬥劍」。

形成這種不妥協的局面，雖然是金光越的一席話，但主要是各有夙志。且看省議員們廿八日表現的激昂言論，就可以了然了。

那天，李源棧手拿報紙，首先發言，指出金越光委員在監察院綜檢討會上所提的各點，要求全體議員爲維護省議會的尊嚴，有所行動。此議一出，全體議員紛紛舉手，爭先發言。

張振生指責金越光有分裂省與中央的意圖。郭國基大聲疾呼要求全體議員不要「神經痲痺」，針對此一事實據理力爭。賴淵平認爲金委員的意見才是眞正的「反賓爲主」。他說：「這等於借用了醬油，結果把碟子一齊拿走」。

郭雨新議員的意見更大，認爲監察委員的任期早就滿了，所以不能代表眞正的民意，應予改選。

後來，議長黃朝琴主張採納徐灶生議員的意見，以記錄送監察院，請予糾正。以示抗議。才了結這場不可收拾的風波。

今天，十人代表團已赴台北，結果如何，要待下回分解。但是使人感觸到，中央當局應急早修訂財政收支劃分法，這不但使中央與省杜絕此類的爭執，也使縣市鄉鎮各級政府收支，能得適度的均衡。（文野、十二、二）

五十元鈔即將出籠

經暫定於下月初發行

鈔票有橫的直的兩種

繼百元大鈔發行之後，現又準備發行一種五十元面額的大鈔票。據金融界可靠人士透露稱：中央銀行準備委託台灣銀行發行新台幣五十元面值大鈔，經暫定於五十一年一月四日開始發行，其發行數量暫定爲一億元。

據透露：即將發行的五十元大鈔，已經印製兩種，一種圖案和文字爲直型的，另一種是橫型的。直型的一種，將在金門馬祖外島發行，發行後並限在外島使用流通；橫行的一種，則在台灣省內發行。

爲什麼發行同額五十元大鈔有兩種不同型式？據一位熟悉內情的人士透露說：

按照國際的慣例，凡國家銀行發行的鈔票，大多是橫型的，這雖然沒有什麼明文規定，但相沿已久，殆已成爲習慣。我國過去在大陸上中央，中國，交通，農民四家銀行發行鈔票，都是橫型的，甚至屬於各省地方銀行發行的鈔票也是橫型的，祗有「關金」一種採用過直型，以示與一般鈔票的幣值單位不同。

台灣銀行在三十八年遵照政府命令改革幣制，發行新台幣，爲了與老台幣相區別，始將新台幣改爲直型，使人易於辨認。最近將發行的新台幣五十元大鈔，因係中央銀行今年七月一日在台北復業後，第一批委託台灣銀行發行的新面額鈔票，所以決定恢復爲橫型。同時從中央銀行復業後，新印一元鈔票也已經改版爲橫型，將來十元卷在廢卷收回後，更換發出的新十元卷，也將改爲橫型。

關於即將發行的五十元新台幣何以會有直型的呢？因爲原有一批直型的五十元鈔票是在三十八年已印製好了的，發行當局爲了節省一筆可觀的印刷費，決定廢物利用，而限在外島發行的。

台灣銀行在今年六月中旬發行的新台幣百元大鈔，當時曾引起一些人士的關心，認爲百元大鈔發行，一則將刺激人心，二則影響物價。但百元大鈔已出籠半年多，發行數已達一億八千萬元，事實證明新台幣的幣值穩定。

不過此次台灣銀行鑒於前次百元大鈔發行時，因準備工作做得不夠，致發生了若干技術上的錯誤，所以這次發行五十元大鈔時，發行準備更爲妥善周詳，相信在過新年的時候，將會有新鈔票使用了。（本報記者燕謀寄）

工展會火警

損失超過百萬元

本月二十左右可重開

（本報專訊）第十九屆工展開幕第三天，十二月七日下午四時許，突發生大火，工展會場三分之一的三十多個攤位及貨物，竟付之一炬，其餘因救火而遭受水漬波及者亦不少，損失估計超過百萬元以上，爲本港舉辦工展有史以來最大之一場火警。且工展會場設計裝置別出心裁的大會門樓，亦付之丙丁。

工展會自火警後，即由警方將會場封閉，以便清理災場。之後，工展會當局與政府有關當局接洽，會場亦已交還大會接收，大會人員亦已遷回會場辦公，並決定加緊辦理善後，展開受災廠商攤位登記事宜，及重建各攤位工作，決快馬加鞭期早日重新開放展覽。但一般估計，恢復展覽時間，當在兩星期後，大約在聖誕節前，可以恢復展覽。

廠商會會長朱石麟，副會長梁祖卿，王澤流等均在會場監督清理工作，據王副會長表示：「無論如何，工展會之展出時間，維持三十天（因受火災影響而停止之展出日期，不計算在內），至於是否延長期間，有待大會與有關方面交涉後才能決定。同時，大會並規定未受災波及的攤位，一律不准將貨物搬出會場。」

工展會場失火的原因，現在差不多已確定爲電線洩電，官方雖未有正式公佈，但綜合分析的結果，電線出毛病是最可能的原因。此次工展會大火，係由第十街之星光實業公司攤位開始，當時因風勢關係，以致波及中華鉅記，三友實業社，甄古記，東亞太平毛絨，左顯記，金門麪包，振生五金機器，集大莊，香港鋁業聯營，太平餅干，利工民，光明電炬廠，權記行食品，李裕興織造，榮記蔴雀，白花油，寶生園蜂場，南華食品，梁蘇記，伊人聯合製衣廠，萬國美術館，陳斗業局，全新織造，海棠化裝，德聯有限公司，樂士實業，龍鳳織造廠，喜樓堅，致生公司，遠東麪包，福和五金，中華漆廠等各攤位，及大會門樓與茶水部一部份。

監院本身有毛病

監委中有人要加檢討

（本報記者台北航訊）監察院一年一度的檢討會，正如火如荼的進行，精采演出，不一而足。茲據悉：監委中有決定針對監察院自身毛病加以檢討者，因爲監察院內部，亦并非全無問題。

據說：監察院內部的問題。如人事方面：（一）勞逸不均，是非不明，賞罰不分。（二）紀律廢弛，職員在辦公室演全武行，從樓上打到樓下。（三）官僚作風，有的人把公事積壓半年，有的人在酒家大打出手，但均未見處分。

某監委會私下感歎：監察院已經到了「金玉其外，敗絮其中」的階段了。如人民訴狀，經職員分別送給正在開會的委員們批示後，即隨着會議結束而束之高閣。又如「欺善怕惡，除良安暴」，亦是監察院的不良風氣，像此次要放砲者，傳說都可以獲得意外的收穫。（本報記者健生）

瘟君續夢

第三回：　拒諫飾非，列鼎烹功狗　成王敗寇，作狀笑沐猴

回到長沙，進了省委會，彭德懷一拍桌子，向周小舟叱道：「你把我們領到那裏去，是什麼意思。」

周小舟陪笑道：「彭老總，千萬不要誤會，我的用意只是希望各位領導同志了解眞象，韶山冲的情況，可以作爲典型。那知道遇見這個老傢伙，討了一場沒趣。」

滕代遠繃着臉說道：「小舟同志，今天這場是非，你的責任很大。你同毛老頭子一定見過多次面，常聽他發牢騷，何必把我送去聽？將來回到北京，毛主席怪下來，誰担得起？」

黃克誠看見周小舟下不來台，有心代爲解圍，搶着說道：「今天這場事情，我們幾個回去都不講就是了。」

彭德懷看看黃克誠，長嘆一口氣。

洪學智笑道：「事情已過去了，何必再爲它煩惱。我感到有興趣的是，毛老先生何以叫做毛二白？」這個號是誰杜撰的？小舟同志一定知道。

周小舟笑道：「這個問題恐怕要找郭沫若來考證」了。光我聽說來源就有三種：第一，他名字叫毛仁白，把仁字掉去站人旁，就變成了毛二白。第二，他排行第二，年齡這麼大，誰見面都要喊聲二伯，伯白同音，就成了二白。第三，自從我們政府成立，毛主席當了主席，別人向他道喜，他一定搖頭晃腦的說：『廉者不飲盜泉之水，仁者不棲惡木之陰，他幹他的主席，與我何干？我是一淸二白的』。此外還有什麼原因，我就查不出了。」

周小舟說過，大家不由得都笑起來。

洪學智問道：「彭老總，你們三位是不是回到自己家鄉去看看，我留在長沙搜集些資料」。

彭德懷看看滕黃二人，黃克誠說道：「算了吧？回到家鄉遇見毛二白這種人，祇有多生閒氣。」

滕代遠皺着眉頭道：「回去視察明知道有麻煩，可是形式上總要這樣作一作，不然，我們回到北京怎麼報呢？總不能說到韶山冲看一遍就夠了。韶山冲人民公社萬不能代表整個湖南，有人打起官腔，我們怎麼說？」

彭德懷想想也有理，祇好按照原來計劃進行，三人分別回到本縣看看。滕代遠回到麻陽，黃克誠回到永興，彭德懷又去了湘潭。不過彭德懷這次學乖了，祇在湘潭城內住了幾天，沒有回到本村去，親戚朋友來找，一概不見，到落了個耳根淸淨。

滕、黃是眞眞回到故鄉，過了兩天都回來了。四個人又開了一次會，彭德懷先開口問道：「你們兩人家鄉怎麼樣？」

滕代遠嘆口氣：「草根樹皮都吃光了，大部份人都吃觀音土，人也不像人了，腰腫得似水牛腰，脚腫得似大象的脚，一些親戚朋友見了我，什麼話不說，蹲到地下就哭，當場就哭死了兩個。」

黃克誠搖搖頭：「你們家鄉有觀音土吃還好，我們家鄉連死人都吃了。合作社把人肉應市充牛肉賣，人民明知道也祇好買了當牛肉吃，因爲不吃人肉就沒有東西可吃。」

彭德懷長嘆一口氣。

黃克誠悽然說道：「彭老總，假若早知道革命革出來這樣的結果，不如在作戰時被國民黨槍彈打死了還好些。」（五六）

國劇藝術彙考

·齊如山·

再如四川之川腔，雲南之滇腔等等，也是由陝西之秦腔傳去，但對於念字，變化更大。這因爲是黃河以北幾省，語言彼此相去較近，所以變化小，四川雲南等省之言語，去陝西較遠，所以變化特別顯著大。

這才談到皮簧。所有的國劇中，以皮簧念字爲最亂。蓋因其本身不夠獨立，容易吸收他處的東西。所以變化更大。皮簧到了北平，變化更爲複雜：第一他不是由一路傳去的。第二他傳到北平之後，常與其他的腔調混合，就更容易發生變化。茲在下邊大畧談談：

所謂不是一路傳去者，也有切實的證據。

第一路是由陝西傳到山西，又由山西傳到北平。此一路傳來最早，大約在明朝中葉以後。他傳來的原因，是因山西幫的商家在明清兩朝，在國家在市儈，均佔極大的勢力，可以說是國家財政，都在他們掌握之中。在社會中，又有勢力，又有財力，一切娛樂的事業，多由他們出主意。在明朝，他們聽南北曲雜劇傳奇，日期久了，難免厭煩，在明朝中葉以後，又把皮簧介紹到北平。這可以算是皮簧最初傳入北平。不過在明朝始終未十分發達。滿淸康熙以後，才漸漸的興盛起來。彼時所演者，都是這一路的皮簧，後來通通呼爲京調或京派，他的念字，多偏於北方音。最晚的名脚，即是張二奎，後來便稱爲奎派。這一派的脚色，說起話來，念字都講究洪武正韻，字正腔圓，不知道什麼叫作徽調漢調，言外有看不起他們的意思。楊月樓便是張二奎的徒弟。最末了的名脚是許蔭棠。民國以後與別的派同化，也就沒有奎派這個名詞了。

第二路是楊州傳去的，大約在乾隆年間，最出名的班子，有春臺，和春，三慶，四喜，號稱四大徽班。最出名的脚色，爲高朗亭諸人。此見於淸宮昇平署的檔案，或梨園義地之碑誌等處者很多。他們雖然都名曰徽班，但主要還是唱崑腔，兼帶唱皮簧，總之各脚的藝術，都是以崑腔爲基本工夫，可是也都能唱皮簧。他所以名曰徽班者，因爲他們所唱的皮簧，是安徽省的一派，亦名徽調。安徽的皮簧，原根當然也始自陝西之漢南，但來源有兩路：一是由漢南傳到漢口，順着大江，傳到安徽。一是由洵陽，安康，紫陽等縣，直接傳入安徽。（二）

短篇小說

抽樑不換棟

夏禹周

承表妹好意相留，眞的是恭敬不如從命，我祇有聽他擺佈了。但歇一歇之對我實在需要。我對於表妹確有戒心，說穿了，我並不喜歡她。可是她總像一條籐蘿，把我看做一棵樹，非想把我攀上不可。她如果攀上我，盤旋纏繞，糾纏不淸，脫不得身，麻煩再也沒個完了。她儘管說表伯父對我持有嫌貧愛富的心思，骨子裏，表伯父早已向我表白過，我什麼時候開口求婚，他什麼時候答應做主，連結婚用費他都答應大量接濟了。

可是我不。我不贊成表妹的任性，我更怕表妹的糾纏，我對她所持的態度是遠遠避開，各走各路。表妹給過我不少氣受了，前事之師，令我不能忘懷。最厲害的一次，便是跳舞事件。那一次我陪她去舞廳跳舞，她非跳到打烊不可，我卻說早一點兒回家的好，免得表伯父不放心。你猜她怎麼說？忠言逆耳，她非但不加採納，反倒任性的當着大家的面前，打了我一個淸脆的耳光，使我在全廳人的面前栽了觔斗。多可怕！我回手麼？把她痛打一頓麼？這固然痛快，卻又將被譏爲辣手摧花或是缺乏紳士風度了。明明是她侮辱了我，我還是忍了下去，多缺德。事後她後悔了，回到家中立即送上兩個熱吻，用表歉忱。請想想，我又不是一個小孩子，打一巴掌給個甜棗吃，那不行，我一直都是耿耿於心的。基於這個原故，我此刻名義上雖是躺在表妹的床上休息，想藉此歇之，實際上反而神經更緊張，生怕過一刻後她再擺佈出別的花花道道兒。

門上彈出輕輕的響聲，我以爲是表伯父來了，我想他看看女兒看看我，然後把一切都笑在不言中，留給我們窮，他再悄悄的下樓，等於是向兩個年青人淘淘氣的。但是不對。來的人卻是老王。說起老王，他本是我的朋友，介紹他和表妹認識的人是我，請他們一同去跳舞的人也是我，我的心中本有一個打算，是想抽樑換棟，以他代我，等他們往來多了，我就可以如願而退了，更希望的是他們以後能夠婚配。老王和表妹果然一見鍾情，頭兩次請客邀我做陪，後來自然然的拋開了我，我眼見一對情侶同遊同往，也就更爲心安理得了。

籐蘿對我不再糾纏，至少是減少了麻煩，對於我無異是減少了負担。人世之上，倘若有人向我出題，問我一生之中最感到愉快的事情是什麼，那麼我可以毫不掩飾的說：把自已不愛的女友介紹鍾情於她的男人，最爲愉快。

這結果，誰都可以想知，我和老王各得其所。在我，一身輕鬆，少受表妹的氣，在他是情有所鍾，甘爲愛情的奴隸，受點氣，在他反而更是甘之如飴的。（三）

整理文獻豈容隨便

——讀一篇『弁言』書後——

丘也山

今天從書架上檢出台灣銀行經濟研究室編印之台灣文獻叢刊第二十二種夏琳所著『海紀輯要』這本書，開卷即見周憲文先生的『弁言』這樣說：

『海紀輯要』的原抄本現存中央研究院歷史語言研究所。去年，我們傳抄一冊，準備作爲台灣文獻叢刊第一種排印；後來，爲了取得該所的同意，所以延擱下來。去年十二月，該所來函同意，我們才開始標點，發排。其間，台南市文獻委員會已經傳抄排印出版（見『台南文化』第五卷第四期）。本書的校對，因原抄本不在手頭，即以『傳抄本』及『台南本』參考之爲。姑舉兩例：（一）篇名，傳抄本僅作『海紀輯要』，台南本則有『卷之一、卷二、卷三』字樣，我們改作『卷一、卷二、卷三』。（二）作者，傳抄本或作『泉南夏琳元斌』纂（卷一），或作『泉南夏琳元斌纂』（卷二、卷三）；台南本則僅『卷一』有『泉南夏琳元斌撰』字樣；我們三卷統改爲『泉南夏琳元斌纂』。這樣處理，如由校勘學的眼光看來，是不甚妥當的；但是，我們現在祇能這樣做；我們但求『實質的意義』沒有錯誤。我們所引爲惶惑的，是由同一抄本傳抄的兩本抄本，何以竟有如上所述的距離？這是一可注意的問題。

讀上述『弁言』，使人有不能已於言者。查『海紀輯要』一書，係台灣重要史料，台銀經濟研究室當初『準備作爲台灣文獻叢刊第一種排印』，就表示其對於本書的重視。當全書排好，加以校對之時，因原抄本不在手頭，即以『傳抄本』及『台南本』參考之爲，雖所修訂之『篇名』與『作者』未必正確，而亦可見其處理態度的審愼。若謂『這樣處理，如由校勘學的眼光看來，是不甚妥當的；但是，我們現在祇能這樣做；我們但求「實質的意義」沒有錯誤。我們所引爲惶惑的，是由同一抄本傳抄的兩本抄本何以竟有如上所述的距離？這是一可注意問題。』云云，即可把問題丟在一邊，便算『已盡其能事』，則筆者殊未敢苟同，而認其爲『責有未盡』。即就其本身而言，又何嘗能『自圓其說』？

我們治學必須有的態度：個人固應該『謹嚴』；機關團體尤不宜『隨便』。個人如偶因精神、時間、經濟等的不繼，而影響其工作之未能澈底，猶有可說。而機關團體對於所事之『可爲而不爲』，或『藉故而逃避責任』，則實在說不過去。何況從事文獻整理工作，原本就負有『研訂』或『校勘』的任務，豈能就這樣子放棄而『打個脫手網』麼？

我們再看『弁言』開頭就說，『海紀輯要』的原抄本現存中央研究院歷史語言研究所。而中央研究院明設於『近在咫尺』的南港，每天有多次直達班車往來，交通方便，費時無多，車資亦少，派員前往商借原抄本校對訂正訛誤，乃屬輕而易舉之事。今周先生明知，『這樣處理』用，『校勘學的眼光看來』，『不堪妥當』，而祇謂『我們現在祇能這樣做』；試問，這能說台銀經濟研究室已『善盡厥責』嗎？整理文獻，尤其是機關團體整理文獻，祇能做到這一地步，難道就能算盡美盡善不成？如此做作，中途而輟，而不求澈底完成，那我們當初何必去整理？又何須去整理？更何貴乎整理？

至於『由同一抄本傳抄的兩本抄本，竟有如上所述的距離，雖『是一可注意的問題』；但也無須『引爲惶惑』的。祇要我們肯實心實地去做，則問題並不嚴重，且也不難解決。事情很顯然，而且很簡單。我們先得明瞭的是：兩本傳抄本既不是同爲一人所抄，則其中間有相異，滿或大有出入，實在也值不得什麼驚奇，更何須乎『惶惑』？其原因也很顯明，不是抄者『掉以輕心』，便是『工作做欠周到』所致。倘台銀經濟研究室工作人員稍稍不怕麻煩，設法將向中央研究院歷史語言研究所將原抄本借來，詳細校對一番，則一切問題便迎刃而解了。

整理文獻，編印古籍，要能校勘無訛，嘉惠後學，那才是功德無量啊！

海嶠雲談

外國朋友的故事

諸葛文侯

日本現任國有鐵道總裁十河信二，最近經過香港小住，跟咱們幾個中國的老友見面談天，娓娓不輟，曾說出所經歷的兩項故事，頗爲有趣。

二次大戰結束後，日本無條件投降，盟軍佔領日境，設總部於東京，實行審判戰犯，十河亦在受審之列。國際法庭指出他列大罪狀：一是指他在戰前久任南滿鐵道會社常務理事，有許多欺壓中國人的行爲；二是指他在南滿某地有一所私人的鑛場，於二次大戰期間，曾經雇用兩百名華軍俘虜，施以奴役虐待。

十河對於第一項罪名，他問法官有何事證否？法官告以這是想當然的自由心證主義。十河即謂：「我在中國很久，無論居留何處，從來沒有強佔民房，不租給金的行爲，今天儘可向中國人招告，看看有無受害人出面指控我？但現時盟軍在東京，祇要看中了任何一所房屋，不管是公有或私有的，馬上強令原住者於五天內搬讓，并不給予分文租金。即此一端，庭上指控我的罪案便難成立吧？」當時法官的表情頗爲尷尬。對於第二項罪名，十河說：「我在滿洲所經營的鑛場，共有六百名鑛工，中日戰爭發生後，曾經雇用了兩百名華軍俘虜作工亦是事實（另有日人和韓人各二百名。）當戰爭末期，日軍佔領下之東三省及日本國內，物資極端缺乏，鑛場裏的工人們生活自感困苦，我於每十天之內，總是想法子買些牛肉給工人們吃，那些華工因我未將他們作俘虜看待，一視同仁，特別表示感激，乃集體聯名送給我一張『感謝狀』，現仍保存着，請庭上查閱之。」結果十河藉這張華工的感謝狀作證，得免判罪，恢復自由了。

十河又說，他過去在美國游歷時，總想瞭解美國社會各階層的實際狀況。某日他走進一間教堂，跟一位神父談話，認爲任何宗教都是教人行善的，深堪贊佩。那神父卽謂：「你對宗教很有認識，如非教徒，亦可受洗了。」他答言受了洗是否能夠成神呢？如其受洗之後，依然還是個凡人，則受洗與否，似屬無關宏旨。」神父聽罷勃然大怒，教他趕快走出去，嗣後不許再來胡講！他祇好啞然辭出，不想再說甚末。但他深深地瞭解到，這就是美國今日領導自由世界的思想與作風：凡屬自由國家，如要跟美國作朋友，卽須實行美國的生活方式，不得違誤。我國東方文化所垂訓「己所不欲，勿施於人」的人生哲學，美國人是不講究的！說罷相與拊掌大笑。

我國已故銀行家周作民，與十河友誼極深厚。當年周氏去世的消息傳到東京之際，十河正賦閒着，他曾在東京上野公園爲周氏舉行了一次盛大的追悼會，當天下午儀式剛告完畢，他的國有鐵道總裁任命令，卽發表了。十河認爲這是巧合，亦可謂老友在天之靈的護祐也。

張飛酒

漁翁

耒陽，今縣名，漢置，元改州，明改縣，居湘省之南，爲粵漢鐵路之一站。古蹟最多，有蔡倫造紙池，杜甫墓，鳳雛亭等。鳳雛者，龐統士元也。

三國志：「劉備訪世事於司馬德操，德操曰：儒生俗士，豈識時務？識時務者在乎俊傑，此間自有伏龍鳳雛。備問爲誰？曰：諸葛孔明，龐士元也。」備以龐貌不揚，備以耒陽縣令委之，而龐不懌，到任百日，不理縣事，日惟寄情於杯中物。備聞之，卽派張飛前往查辦，又恐張飛性暴燥，命孫乾隨行。

張飛，字翼德，少與關羽俱事先主，雄壯威猛，爲蜀漢之惟一勇將，而魏程昱稱之爲「萬人敵」。張飛奉命與孫乾抵耒陽，而龐猶醉臥於衙內而未醒，張飛詰之曰：「君爲民父母，何日飲酒而不理縣事耶？」龐卽將百日之案件，在一日內，逐一批判，不遺。張嘆曰：「魯肅所謂龐士元非百里才，良非虛語。」

張亦嗜酒，日入酒肆中。龐以耒陽所釀之酒，濃而精，俗稱「火酒」，有麻醉性，通常飲用者過量，能使神經衰弱，肝質變硬，有害於衛生。乃密令各酒坊，將所釀之酒，以三分之二水滲入，使之淸淡可口，如今日之汽水然。邑人以雖多飲亦無甚關係，卽今日所改稱之曰「水酒」。坊間所標「張飛酒」而產生；故又名之曰「張飛酒」，爲人人所樂飲焉。

山川風物

內僑警台報字第〇三一號內銷證

自由報
THE FREE NEWS
第一九二期

中華民國僑務委員會頒發
台教新字第三二三號登記證
中華郵政台字第一二八二號執照
登記爲第一類新聞紙類
（年週刊每星期三、六出版）
每份港幣壹角
台灣零售價新台幣貳元
社長：雷嘯岑
督印人：黃行篤
社址：香港銅鑼灣高士威道二十號四樓
20 CAUSEWAY RD 3RD FL.
HONG KONG
TEL. 771726　電報掛號．7191
承印者：田風印刷廠
地址：香港灣仔高士打道一二二號
台灣分社
台北市西寧南路壹壹奉號二樓
電話：三〇三四六
台郵撥儲金戶九二五二

論藏印邊界糾紛問題

．金達凱．

最近中共與印度又發生了關于領土問題的糾紛，十一月二十八日印政府發表檢討中共關係的白皮書，對中共侵入印度北疆提出强硬抗議。十二月六日中共外交部亦發表「關于中印邊界問題的聲明」及自一九六一年八月以來有關藏印邊界的八個照會，對印度提出相反的指責。

與此同時，印度國會反應激烈，不僅國大黨議員向尼赫魯急切質詢，即在野的自由黨，社會黨及人民社會黨亦提出嚴厲指責。甚至印共亦改變態度，由該黨總書記高斯發表聲明，指責中共侵略，要求中共立即結束對印邊的侵犯行動。而一般印度報紙，如「印度時報」、「印度斯坦時報」、「政治家報」、「甘露市場報」、「印度快報」、「印度教徒報」、「國民先驅報」、「論壇報」等，從十一月二十二日到十二月五日的兩週時間內，連續發表了近四十篇社論和專文，主張印度同中共「斷絕外交關係」，對中共「採取軍事行動」。孟買印人更在中共總領事館門前舉行示威，要求封閉中共使領館。從政府至民間廣泛掀起一次激烈的反共運動。中共方面，除發表有關文件外，亦發動各附庸黨派以至班禪等傀儡份子，撰文攻擊印度，也形成了一個全面性的反印運動。

這是當前中共與印度關係惡化的基本形勢，也是自一九五九年它們發生糾紛的另一次高潮。雖然目前尚在宣傳戰和冷戰的階段，但如果雙方互不讓步，則因糾紛的僵持，叫罵的加劇，邊境局勢的緊張，難免不發生較大規模的軍事衝突。而此種衝突一旦發生，則勢必迫使印度改變其中立態度，進一步靠近自由陣線，從而對東南亞局勢亦將產生重要的影響。

中共與印度發生爭執的邊界有三：一是不丹以東的中印邊境，即所謂「麥克馬洪線」；二是西藏阿里地區與印度接壤的邊界，即沿喜馬拉雅山脈的邊界；三是西藏和新疆同印度拉達克地區相接的邊界，即由喀喇崑崙山出口，到空喀山口，向南到帕里河附近，包括阿克賽欽地區的一段邊界。這三個地區的邊界糾紛，一部份是歷史上的懸案，一部份則是印度乘大陸局勢混亂之際，特別是乘一九五一年中共進入西藏初期，未能控制西藏之際，實行逐步侵佔而造成的。在當時，尼赫魯以爲中共在國際關係上需要印度幫忙，對于鞭長莫及的邊界，將作爲對印度的酬庸，而不會認眞計較。因此，印度在中立主義的招牌下，對中共入聯合國問題，監督韓國停戰和甄別戰俘問題，以及在亞非會議上，對中共無不大賣氣力。同時在一九五四年與中共簽訂藏印通商和交通協定以及有關換文中，除承認中共在西藏的佔領權利外，並將印度在西藏所經營的郵政、驛站、電報、電話等企業及其設備讓于中共，以換取毛澤東的好感。然而中共是過河拆橋的，當其鎮壓下西藏反抗運動後，矛頭立即指向印度的頭上來。週前尼赫魯說中共「出賣了印度」，當係這些不能見人的幕後交易的暴露。

這次中共與印度糾紛的再起，顯係由于下列原因：第一，一九五九年前後，中共還需要利用印度以進行國際統戰，利用尼赫魯的中立主義路線以拉攏亞非國家，所以當時還不敢過份得罪印度，適可而止。而現在中共則以緬甸爲其在中立主義國家活動的牽線人，故寧在滇緬邊境問題上對緬甸讓步，而不願在藏印邊境對印度讓步。第二，年前中共會有「解放」錫金、不丹兩小國，建立「喜馬拉雅聯邦」的傳說，雖未獲證實，但其最近與尼泊爾關係的改進，自是對印度的一種孤立。同時通過所謂「中尼邊界條約」，在拉薩與喀德滿都間建立直通公路，更增加了對印度的威脅，印度向以尼泊爾的保護國自居，自不甘臥榻之側，容中共的酣睡。第三，尼赫魯爲爭取美援，同時爲應付下屆大選，所以也需要藉藏印邊界糾紛，以引起美國重視，及以民族利益來爭取選民的同情。所以客觀地說，這次中共與印度間的糾紛，一方面固是中共的對外擴張所引起，但另一方面，印度對西藏的領土野心，也是發生爭端的一原因。

目前中共的基本態度是：堅持西部的邊界，放鬆東部的邊界。一九六〇年四月周恩來與尼赫魯在新德里會談時，曾表示印度如放棄拉達克之一萬五千方里地區，則中共將不要求麥馬洪線南部之三萬六千方里的地帶。這就是說，中共僅要求保留西部的，關係西藏和新疆的交通孔道的一段邊界，對于東部廣大地區仍願放棄主權，以作爲「交換」的條件。從而承認一九一四年西姆拉會議，由英國片面決定，當時中國代表並未簽字的所謂「麥克馬洪線」。本年十一月三十日給印方的照會，所謂警告印度的，也還是說如果印度不停止在西部拉達克地區的軍事活動，則中共將在東部越過麥克馬洪線，也很明顯地說明其是準備在東段邊界讓步的。但印度既不願放棄東段，也不願放棄中段和西段，這樣中共雖賣國有心，然因西段邊界對它們的重要性，難以再讓，所以造成年來堅持和日益擴大的僵局。

在目前情況下，假如藏印邊境發生了戰爭，則印度顯然佔有戰略和戰場上的優勢。這些優勢，表現于下列三方面：

一、印度內陸距離印邊境較近，可以減少交通和補給上的困難，容易發揮軍事的攻擊性。

二、可利用西藏軍民的反共情緒，特別是達賴的反共號召，以達到牽制共軍的目的。

三、可以迅速得到美國的援助，將東南亞的反共圍堵聯成一氣，壯大其聲勢。

反之，中共在戰略形勢上則顯然處于劣勢：一、大陸內地距西藏較遠，運輸補給困難，不能大量集中兵力。二、西藏境內以至川康之間，有藏人特別是康巴族人的潛在反抗。三、無法利用印共在印度後方進行破壞工作，還從高斯發表反對中共行徑的聲明可以得到證明。

但是印度目前正與葡萄牙屬地果阿發生糾紛，戰爭亦有一觸即發之勢。所以對于中共還是不敢相迫。因此藏印邊境問題，雙方似沒有一戰的趨勢，也無必戰的決心，其結果還是僵持下去。

至于自由中國政府，對此最好暫作緘默，靜觀其發展。如輕言出兵援印，不僅不會爲對方接受，且會爲世人竊笑的。

赫魯曉夫：「你怎要把蒼蠅惹到頭上來？」
毛澤東：「你們待把我怎樣？」

自由談

談美共登記問題

美國政府最近命令美共以「蘇俄共產黨支部」的名義登記，否則依法控訴，拘捕訊究。這大概是爲要預防共黨從事內部顚覆活動的行政措施，似屬理所應爾。然而，愚滋惑焉。美國當局素來對於發生共禍的友邦，總認爲乃是由於政治不民主所使然，而主張跟共黨組織聯合政府，即可望天下太平，國泰民安的。等由准此，美國如害怕美共釀亂，更應該依其高度的民主生活方式，讓共黨參預政權，實行曲突徙薪之計才是。顧何以竟採取高壓手段，而教美共以「俄共支部」自居，得無有「躬自薄而厚責於人」之嫌乎？不特此也，美國人士是強調自由人權的。對於共黨叛亂的國家，且以民主自由的觀點，認爲共黨應予優容感化，不必出以制裁的行動。美國現在是和平統一，民主自由的國家，誠如前任美國副總統華萊士在我抗戰首都重慶時所說的：「你們爲甚末這樣害怕共產黨？美國亦有共黨，我們就不怕它！」美共既不可怕，又何必有此勒令登記之舉呢？我想，假使這辦法創始於沒有共禍的自由國家，美國朋友一定指爲這是蹂躪人權，不合民主自由生活之所爲吧？

我總覺得美國朋友對於共黨的本質和其革命方法，始終未能認識清楚。即如限令美共以「俄共支部」名義登記這回事，就是不切實際，世界各處的共黨，本質上都是俄共的第五縱隊，登記與否，是一樣的。美共現時沒有武力，鄰境亦無强大的共產政權予以支持，所以鬧不出大亂子來。美政府祗要調查詳明，知道誰是共黨份子，必要時實行逮捕懲處就得了，硬要他們自承爲俄共支部而向政府登記，未免畫蛇添足之譏。萬一他們少數份子如命登記，多數人置之不理，政府若加以控訴，他們就不承認是共黨，而援引憲法第五條作護符，那你又怎末辦呢？

共產黨人是沒有道德和法律觀念的。你不打倒他，他就要打倒你，一切無關宏旨的應付手段，都是白費心機，毫無用處也。

馮五先生

到處都是貪案

今日政風眞不好
居然議員拿紅包

（本報記者台灣航訊）台省省縣市議會都正在開會，或者剛開過會。從省縣市議會議員所提質詢中，可以看到，今天的政風，確實壞到不敢恭維，所謂特權份子與紅包案件，居然到處皆是。

而且，非但官吏貪污之風甚熾而已，即民意代表的議員們，亦有集體接受紅包之事發生！這該叫人怎麼說去？

特權與紅包都是官僚政治制度的產物。凡是官僚份子，都以享受特權爲無上的光榮。特權與紅包是成正比例的，即特權越大越多者，其接受紅包的機會，亦越多而越大。

省議員陳愷於本月六日在省議會質詢主計處長沙德堅時，即稱：「按全省主計人員每月任免調動，平均有三十件，即平均每日一件。其中每一任免，都可弄錢，而且爲數殊爲驚人。如最近農牧局主計主任一缺，即係由主任秘書黃大鈞及人事主任王應錚轉知全省所屬主計人員，在此期間，參加逐鹿積極活動者，就某人辦公抽屜內所登記之底冊，即有五十四人之多。據說每人送紅包最少三十元；其中以某縣稅捐處主計主任紅包四萬元爲最高標價。然而僅此一件，紅包達二十五萬元以上。」

再如新竹縣議員陳天賓於本月五日在縣議會質詢該縣政府人事室主任倪應銘時說：「新竹縣北埔鄉公所有一個兵役課長黃榮敏，在十一月間，因爲要活動調到縣政府工作，曾向縣府人事室主任倪應銘接洽，但對方要求活動費一萬元，黃榮敏「小兒科」，只願出五千元，所以沒有成功。」

陳議員繼續指出：「竹東中學二重埔分校教員倪家駿，因爲要活動做該校的主任，曾於本年八月十三日下午八時，親自送給人事室主任倪應銘西裝料一套，另新台幣二千元。人事室主任收了後，還要求另外給四萬元，作爲送給縣長和教育廳的活動費用。」

又如苗栗縣議員湯慶松質詢人事時說：「人事室少數人員，藉着工作上的便利，隨便洩露國校人事調動秘密。其中以黃運財劣跡最多，竟然竹槓敲到議員頭上，連鄒應郎議員也被其敲到苑裏吃花酒。」

湯議員指出：「人事室黃運財經常透露人事升遷秘密，藉機取利，我曾三次提出質詢，而人事室主任李德進口頭上表示查辦，卻未聞有所行動。因此，我懷疑李主任袒護他的部屬。」

至於議員集體接受紅包之事，發生在高雄市議會。那是有一位議員宋長治提議開放市場肉攤，特權份子爲恐肉攤開放斷了財路，於是向議員們採取「銀彈攻勢」，把宋議員的提案否決了。此事現已鬧了出來，由治安機關調查中。但據高雄地檢處首席檢查官說，議員非公務員，即使接受紅包是實，亦不負刑法上的瀆職罪，除輿論制裁與罷免之一途外，無足懲處之者云云。（本報駐台記者公治長）

教師會館成了旅館

教師住宿要先辦書面登記
許多房間卻留給花錢客人

（本報記者台中航訊）日月潭教師會館，原是教師福利的機構，居然對外營業，引起社會不滿，並經省議員賴淵平提出指責，要求立即停止營業行爲。

賴議員指責時說：這種福利就妙！據說各中等學校和國民小學的教員想趁假期之便去欣賞一下日月潭的風景，在教師會館住一宿，卻要先辦書面登記，然後再由教育廳通知有沒有空房，等通知到，往往假期過了，只有臨風懷想。原來教師會館的房間很多，是要留着對外營業的。「這是一種什麼福利？」賴淵平憤怒地說：「當初教育廳長劉眞一再對大家說：教師會館不但絕對不對外營業，也不招待任何客人，完全是給全省各中等學校和國校教員們休假住的。如今教員們住的機會並不多，卻開起旅社來了！」

他說：我們就算不談教員們的福利，但是稅務制度不容破壞。日月潭教師會館既沒有辦理商業登記，又沒有領統一發票，怎該做生意？那會館的外型和設備，比有名的涵碧樓漂亮十倍，豈非佔盡名勝風光，廣招來客？一方面生意興隆，一方面又不納稅，連營業執照就不要，那附近別的旅社就全完了！他激勵地對財政廳長說：「馬上阻止教育廳做生意，不容許有特權存在！」

財政廳說：如果是做生意，當然要領執照，納稅。關於福利問題，請問劉廳長。

又，從去年春天起，主管經濟部門的政府高級官員，就在說台灣的工業已經在「起飛」了」。但事實上，仍然還是一種理想而已。政府的口號是「以農業支持工業，以工業發展經濟」。話是不錯，然而不會辦到，最低限度，距離此種理想，還相當遠。而由於人口急劇增加，就業大成問題，「生之者寡，食之者衆」，物價的指數相對上昇，稅項的負担亦多了，國民所得乃隨之降低。

省議員林蔡素女，本月八日質詢省政府時，對於此一問題，提出具體數字，說明國民負担重，要求省政當局，針對事實，切實改革。她說：

以省預算而言，三十九年度，爲三億六千六百多萬元。五十年度增爲四十九億七百多萬元。十二年來，增加了十三倍。國民每年的平均負担，由三十九年的四十八元，至五十年增加到四百二十元，十二年來增加八倍。而國民所得不過增加了五倍。同時，物價的指數則增高到十一倍。故因物價上漲的因素，國民所得反形降低，再加上對政府負担增加八倍以上，其負担很重，當可印證。（十二、九、文野）

「中國民主黨」壽終正寢

高玉樹率領部曲投奔民社黨
四項條件與蔣勻田一拍卽合

（本報記者台北航訊）年前曾甚囂塵上躍躍欲成立起來的新黨，早已消聲匿跡。據來自權威人士的透露：籌組新黨活躍人士之一的高玉樹，已率領當年熱心之士六十途位，投奔民主社會黨。據聞此筆政治買賣，條件相當。透露此一驚人消息者，係現任民社黨主席團之一的某君。據說月前自青年黨部份人士的革新運動開始，將前青年黨參加新黨活動的李萬居等三位主力份子爭取回隊後，便刺激了民社黨。因此，民社黨爲了擴大聲勢，也樂得與高玉樹談條件以爭取之。

民社黨副主席蔣勻田，答應高玉樹如次條件：一、保證使加入的六十餘新黨人士全部以代表資格參加民社黨全代會。二、保證高玉樹當選副主席。三、保證六十餘餘新黨人士能三分之一當選中央執監委員。四、省黨部中兩位副主委及組織處長應由新黨人士担任。

不特此也，蔣勻田還已履行條件，巳任命原任「中國民主黨」常務委員的王地、李秋遠爲民社黨台灣省黨部副主任委員，另派原任「中國民主黨」執行秘書李賜卿爲台灣省黨部組織處長，協助主委楊金虎發展民社黨黨務。

據透露此消息的某君稱：原來高玉樹先以此四項條件與共本人提出過，但被拒絕了，以爲那是一種政治買賣；其人只歡迎新黨人士參加民社黨，但反對整批交易的政治勒索。

按某君以及劉某，向某，孟某，李某，朱某等人，卽所謂徐傅霖派，十年前開始卽與蔣勻田所領導的一派分庭抗禮，雖然互相勾心鬥角，但彼此倘能保持同志間的道義感；而爲了蔣勻田接納了高玉樹一批人的要求，他們言下對蔣勻田乃深表不滿了。

爲什麼蔣勻田與高玉樹一拍卽合？此中亦有淵源。在年前新黨籌組之初，蔣勻田卽應李萬居，高玉樹，雷震等人之請，作爲幕後的「高級顧問」，在那時開始，蔣勻田和高玉樹等一般地方知名之士結了不解之緣。今天高玉樹扶了新黨一北人馬投奔民社黨，向蔣勻田表示靠攏，其能一拍卽合者，主要原因卽在此。

另一方面，民社黨正籌備召開第三次全國代表大會，該黨內部雖正力求團結，但權利之爭仍在所難免；爭權利何必須以實力作後盾，後盾卽羣衆——選票。蔣勻田掌黨幾十年，識途老馬，高玉樹肯來，他爲有不納之迎？當然，在高玉樹，他此舉也是利用民社黨以抬高其政治地位，以培養其政治勢力。蔣高既互相需要，於是而一拍卽合，乃勢之必然。搞政治的人總是往熱處鑽的，所謂新黨既無能爲力，另關門路，各找出路，勢所必然。而如此一來，曾經爲海內外注目的所謂新黨，至此卽宣告壽終正寢了。（本報駐台記者匡謬）

世衰道微

教授有女徵配偶　條件但求帶出國

▲世衰道微，陰盛陽衰，今日寶島尤甚。如有小姐徵婚，應徵信如雪片飛來，其中包括各種各樣的光棍，堪稱徵婚之盛事也。不僅此也，小姐徵婚的條件，尤其令人咋舌，有六大條件者，如某「愛國藝人」以及名伶之流是也。近有某大學教授，爲其十七歲幼女徵婚，其條件甚簡單，一切不拘，只有兩個條件：一是華僑，二是有錢能帶出國。如果說這是出自一個普通人家倒還罷了，而竟出自一位最高學府的教授，眞可見世衰道微已到極點了。

官場醜態

大官多行三三制　老婆公館與汽車

▲官場醜態，太可鄙了。省議會質詢大官有不平等的「三三制」待遇，台北有公館，台中有官邸，中興新村有官府，此待遇不平之一也；大官大員多有三個太太，三所公館自然必須三個太太料理，此不平等待遇之二也；三部汽車，三公館三太太，自然必須三部汽車，此不平等待遇之三也。至於三份差事，一身兼數職，更無論矣。此與台北市府之有「九代同堂」，皆新的官場現形記也。

▲省議員蕭添財在省議會中爲全省念五萬光棍請命。蕭議員向民政廳長陳賜卿質詢時稱：目前台灣全省男性比女性多出念五萬七千九百念三人，也就是說，每一百男人中將有五個曠男找不到對象；認爲這是造成今日社會不安定的重要原因之一。他希望民政廳長與衛生處長共商改善方法。民政廳長與衛生處長對此，均感「心有餘而力不足」，不了了之。（本報駐台記者燕謀）

龍劇旋風·巾幗光彩

體壇暮氣·但餘打風

▲自從楊傳廣的倦勤消息自美傳來後，年來台灣的體壇，眞是一片暮氣。若說還有點朝氣，就是表現在球場上的「打」風，然而這眞令人洩氣。

全國體協理事長楊森眞的不幹了，他已表示決定自本月九日起再也不去全國體協辦公了。這應是寶島體壇低潮的終點。願有力氣，有頭腦的年青體育家們，能拿出一點勇氣與智慧來，認認眞眞做點事情。

回顧年來的體壇，眞令人傷心。在三個月中就有五個球員被罰球監。而搞體育的運動家們，卻不願意運動，不少人心灰意冷的說：一動什麼，搞不出名堂來」。豈不令人嘆惜！

楊森辭職的原因是既沒有錢（體協經費）又沒有人肯幫忙。楊森曾淘神費力，是眞的。他計劃中的「中央體育館」，「功虧一簣」，是他掛冠的重要原因。「將軍一去，太樹飄零」。像關頌聲那樣的人，台灣居然就找不出來了。

▲今年的歐洲光彩，是來自東方。李秀英的美艷奪目，傾倒萬邦俊士。而王素珍的智慧風光，更席捲了歐洲。轟動歐洲的中國道德重整青年工作團所演出的「龍」劇，即是出自王女士的手筆。

「龍」劇眞是一股旋風，席捲了歐洲。在瑞士上演的時候，數易場地，最後移到容納二萬人的露天足球場上，才勉強容下了四面八方來看戲的人。在德國，瑞典上演的時候，有的學校停課集體前往觀劇，議員包機前往演出地欣賞，眞可說是「萬人空巷」。

該劇是集王女士所撰的「萬象更新」與「藍螞蟻社會」二劇，再由其本人改編而成。

王女士的藝術天才，曾深獲已去世的世界道德重整會發起人布克曼博士所讚賞。然而王女士原僅爲一普通主婦，她走入社會僅數年即獲此輝煌的成就，的確難能而可貴。（石金．十二月八日）

中共份子積極推動 赤化砂撈越的陰謀 圖控制農民受打擊

（本報古晉通訊）十一月底，砂撈越英國政府發表白皮書，揭發中共企圖赤化砂撈越的陰謀；它們已經滲入砂撈越的政黨和工會了，它們又想控制農民，但被砂撈越英國政府斷然而無情的加以阻遏了。

白皮書清楚的揭露，中共是早於七年之前的一九五四年，就制訂了如何奪取砂撈越政權，赤化砂撈越的。但它們並不冒進，自以爲時機成熟了，然後於此時實施它們的最有力的步驟。但「螳螂捕蟬，黃雀在後」，砂撈越英國政府對它們擋了駕，向它們宣告：此路不通。

中共的具體步驟，是要組織一個農民團體，名稱叫做農民協會。砂撈越英國政府，經過詳細的調查，明瞭它們的底蘊之後，對它們說不許可登記──它們沒有合法的登記，就不能在合法的糖衣之下幹它們那種見不得天日的勾當。

在砂撈越的現有政黨和工會中，中共已經把它們的份子滲透進去了。這也是一項危機所在。但砂撈越英國政府以爲，由於砂撈越政黨及工會的大部份人，都實在與共產黨無關，所以在中共份子雖然滲入了，暫時還沒有多大的危機，危機是在將來。但這個申請登記的農民團體的農民協會，卻簡直就是中共份子一手在那裏搞的，野心勃勃，非立刻給它們打擊不可。

從中共的做法顯示，它們是要以這農民團體做爲政治武器，利用所謂文娛活動，向農民灌輸主義的毒素，把農民眞正控制在它們手裏。注意：砂撈越的成年人口；有四分三是農民。中共果眞控制了砂撈越農民，它們就幾乎可以隨心所欲，爲所欲爲。

砂撈越英國政府的情報透露，中共原來的計劃，在此一農民團體成立之後，以及在它們對農民的掌握已經七七八八之後，它們還會正大光明的搞「統一戰線」，而由控制統一戰線，進而取得政權。

中共份子動手搞這個農民團體時，它們佈置得很好，比如砂撈越的四家中文報紙，就都大鑼大鼓的表示支持這個組織中的農民團體，把它的好處說得天花亂墜。中共份子當時確實顯得有「手揮五弦，目送飛鴻」之妙。它們顯然的認爲：那個農民團體的成立已經在望了。

砂撈越農民中，華人只佔七分一而已。爲此，砂撈越通知中共份子，這個團體中，不能不有土人在內。結果它們弄來了六個土人做這團體的中委會委員，但這六人中的一半在被查詢時，居然對此農民團體的章則也盲然一無所知。中共的陰謀，因而被證實了。亦因而，砂撈越英國政府，斷然的對它們饗以閉門羹。

雖然中共赤化砂撈越的陰謀遇到了打擊，但大家都知道，它們不會就此罷休的。它們還會想方法進行其鬥爭的。

曾有不少人稱譽北婆三邦是「現世桃園」。是的。但共產黨人是不會讓「桃園」存在的。它們正像一羣螞蟻一樣，在那裏啃嚙着，一口一口的做着「工作」，希望終於把這「桃園」吞下肚去。（建民）

兩車三館等閒事 高官夜夜樂台中

（採訪外記）

▲據靈通方面透露：代表全省一千一百萬人民的本省最高民意機關的議員先生，在本月初，曾發生一幕「鴻門宴」，並差一點上演「鐵公雞」的尷尬場面。

緣有煤礦業鉅子之省議員某者，當晚三盃黃湯下肚後，當場表演「相聲」節目，指名道姓，大罵某甲。而某甲者，也是省議員，也就不甘示弱，即席還以「顏色」。正在雙方你一言我一語，鬧得難分難解的時候，執料半路上殺出一個程咬金之議員某乙來！某甲於是來了一合回馬槍，與某乙幾乎上演全武行。當時兩人一個捲袖手，一個拍桌子，聲勢洶洶，緊張熱烈，要不是在場的議員同仁們做魯仲連，說好說歹，拉住扯住的話，好戲已經演出來了。

▲霧峯與中興新村一帶的居民，於下述一景，已經見慣不驚了，這即是：每當夕陽西下，華燈初上之際，那些省府大員與省議會大員（長字輩皆大員也）的一輛又一輛爭妍鬥麗的汽車，載着紙醉金迷的台中市飛馳而去，車如流水，又像一條長龍。他們到那裏去呢？原來大多是去到夜總會，或地下酒家消遣的，每天總要到午夜兩三點鐘才興盡而返。

因此新近流行起來的「兩車三館」與三妻四妾，在他們看來，算得什麼！

▲新竹縣議會議員彭瑩煥質詢時說：糧食局每年都派人到全省各鄉鎮去實地調查稻谷的收成。但是，調查的結果，不論實際的收成如何，其調查數字必須年年增加而不許減少。比如：去年每甲土地收成爲一萬斤，而今年必須填報爲一萬二千斤。比如：今年實際收成爲一萬斤，也必須填報爲一萬二千斤。彭議員說，此種不合情理的硬幹法，是虛僞做假粉飾太平的新官僚作風。

▲桃園縣議員薛德順，在議會縣政總質詢時，其中一段話，倒很有意思。他說：「一年一次的暑期國校人事調動，縣教育科官員皆『援例』至北投『會商』。我想不透爲什麼要去北投？如果爲了『清靜』，大可選擇在山地復興鄉；如果說北投的小姐漂亮，桃園中壢素有『美人窩』之稱。所以，不管是爲了開會及吃喝玩樂，儘可在縣內『研商』，庶不致「肥水」落入「外人田」。

▲中央日報的社會版，從十二月一日開始，連續不斷的揭發台北縣私立大同育院院長許英懲罰院童的消息，社會頗爲轟動矚目。但因此，該院院長許英把中央日報告了一狀，說該報對他個人及該院誹謗。該案由台北地方法院審理中。

許英不但控告中央日報而已，她還說要招待各報記者參觀該院，作實地採訪，俾便使該院眞相大白於天下。

不料正於此時，中央日報記者因到該院採訪新聞，又與該院職員發生糾紛，雙方向警方互控傷害。但中央日報未發表互控消息，卻成了民營報的花邊新聞。至於許英對中央日報控訴的官司，是否會在外和解，目前還沒有消息。（本報駐台記者健生寄）

香港與大陸

前中共廣州市長朱光 現在南昌做警察局長

他垮台係爲了偷到香港來玩

（本報專訊）前任中共廣州市長朱光，目前的職務爲南昌市警察局長。朱光正以誠惶誠恐的心情，戰戰兢兢的在幹着這個警察局長。

朱光做廣州市長時，曾與從香港回去的某著名女藝人糾纏不清。他又附庸風雅，動不動要織幾句詩。香港的共報，曾因此肉麻當有趣的稱之爲「風流市長」。豈料高帽成了讖語，朱光之從廣州市長的高位栽下來，毛病正可說是出在「風流」上，差一點不會使得他就此一蹶不起，長沒草萊。

原來，朱光當年顯然太得意忘形了，他居然斗胆的偷跑到香港來玩了一週！正是七天「風流」千日災，他回到廣州後就出岔子了。

由於朱光畢竟是廣州市長，雖然他是偷跑來的，總算一路之上，沒有受到留難。但亦正因爲他是偷跑來的，他一到香港，就使得在香港的共幹目瞪口呆，不知道是怎麼一回事。直到朱光重行進入鐵幕，他們這才透過一口氣來。當然，他們立刻就把朱光在香港出現的消息反映到「上面」去了。「上面」，更何嘗因此嚇了一跳！

那時，朱光的頂頭上司，是陶鑄。陶鑄立刻把朱光叫去問話，問他知不知道這個舉動的嚴重性？問他假使在香港發生了什麼事豈不丟「黨」的人？問他畢竟爲了什麼偷跑到香港的？

朱光知道不可隱瞞，他乾脆承認到香港是爲玩的，說是他原以爲來去幾天，可以神不知鬼不覺。朱光此時亦知道他已經闖了大禍；逃亦逃不了，他於是自我檢討，承認錯誤，並自動的要求「下放」，「改造」。

朱光就這樣離開了廣州。

朱光「下放」後去過好些地方，其中包括新疆。他「下放」到新疆「改造」約半年光景。因爲他的表現還令他的上級滿意，這才又器爲翻過身來，被委做南昌市的警察局長。

朱光如今是再亦沒有心情做「詩」了。

工展會決爭取 聖誕節前重開

此次火災有幸有不幸 有的很慘有的反賺錢

（本報專訊）火災後的工展會，迄今猶在停頓中。據悉：工展當局及參展各攤位廠商，原則決定儘可能的加工重建，要趕在聖誕節前重新開放，做一筆好生意。

此次工展火災，損失至今缺乏官式統計，但超過百萬元應無問題。個別參展商家的損失，有的確可以當得起一個慘字。比如某某社，爲做工展生意，攤位佈置，不惜工本，藉廣招徠，連同貨品，約值五萬元光景，竟付之一炬。該攤位未買一文保險，血本全付丙丁，的確夠慘。如何善後，茫費張羅。

但在此次火災中，亦有的攤位，反而因火災大賺其錢的。如某家也算著有名聲的製衣廠的攤位，連裝修及貨品在內，其價值不超過四萬元，但該攤位買有保險十五萬元之多，眞夠麥克麥克了。雖據聞保險公司正想方設法希望少賠一點，卻未必能夠如願。何況即使七折八扣的賠，該攤位亦必賺無疑。

另有某成藥攤位，老板早一天就催買保險了，但女老闆說現在太忙，過兩天再買不遲。豈料一下子就起火成災。結果老闆與女老闆因此還互相埋怨一頓，而以失財免災自我安慰了事。

瘟君續夢

第三回：拒諫飾非，列鼎烹功狗　成王敗寇，作狀笑沐猴

彭德懷沉吟一下，問道：「我們回到北京怎麼說？」

黃克誠說道：「這種情形還再隱瞞嗎？只有照實說。」

滕代遠皺着眉頭說道：「彭老總，這件事非照實說不可，別人能騙毛主席，我們不能騙他。他垮了我們勢必同歸於盡，前天毛老頭子講的話並非沒有道理。」

彭德懷一拍桌子：「好了，我們回去完全說實話，誰隱瞞一點就是馬列主義的叛徒，湖南省的罪人。」

四個人不再耽擱，由長沙坐火車連夜趕回北平。到前門車站剛下車，楊奇清已在等候，見了面就說：「彭老總，主席派我在這裏等候，要你們一下車就去見他。」

彭德懷愕然道：「什麼事這麼緊張」。

楊奇清苦笑道：「我也不知道，不過主席臉色不大好看，你們講話留點神。」

四人無話可說，跟着楊奇清一車開去「主席官邸」，進了辦公室只見毛澤東正低頭看手錶，面前烟灰缸已堆滿了烟蒂。田家英看見四人進來，說一句：「主席，彭老總回來了。」

毛澤東轉過頭來先把四人打量一番，向沙發上指指，彭德懷四人挨次序坐下。楊奇清和田家英一道退出去。

毛澤東問道：「你們到湖南視察情況怎麼樣，聽說你們專程到舍間去了一趟，和老而不死的二家叔又待了半天，大概搜集的資料很多了。」

四個人面面相覷，停了一下，彭德懷壯壯胆說道：「一切經過情形，主席已經知道得很清楚，我們到韶山冲去只是想瞻仰主席故居，絕沒有意思搜集什麼材料。」

毛澤東一拍桌子：「你們到了韶山冲，什麼人不找，專找那個老不死的二頑固，他同我們家作對已經有六十年，我小時候跟他上學不知挨了他多少板子，到今天他還破壞我，你們偏偏去找他，不是有心和我搗蛋是什麼？」

滕代遠插嘴說道：「這一點主席不要誤會，我可以證明，我們到韶山冲去是周小舟同志引導的，到地方之後剛坐下二伯就來了。他發他的牢騷，彭老總未接一句，我們幾個人根本未同他交談。再說老年人發牢騷，講幾句閒話又何必重視？這點怎麼能成爲一個事件。」

毛澤東又向四個人掃射一眼，冷冷說道：「好吧─現在放下二頑固的事不提，你們先報告一下視察的經過。」

室內沉默了兩分鐘，還是彭德懷開口說道：「主席，就我們看見的情形，鄉下實在太苦了，人民眞連番薯都沒得吃，長此下去，將來的情況眞不能想像。」

毛澤東歪着頭說道：「依你看，有什麼辦法挽救。」

彭德懷看看其餘三個人，他們都在低頭靜聽。彭德懷無奈何只好硬着頭皮說道：「根據鄉下幹部的反映，問題不在鄉下沒有東西吃，而是自從實行人民公社之後，大家對於活下去失掉信心，假若不能把這心情扭轉過來，明年災荒必然更嚴重。」

毛澤東噴了一口烟圈，追問道：「怎麼扭轉呢？你大概已經想出辦法了。」

彭德懷眼看事到如今，不說也不成了，只有硬着頭皮說道：「最好是解散人民公社」。（五七）

國劇藝術彙考

·齊如山·

這路比前一路勢力較大，戲班及人員都較多，因爲他未經過漢口，所以他念字，一點湖北音也沒有。因安徽在前明，直隸南京，與江蘇爲一省，崑腔始自江蘇，所以彼處戲界人都唱崑腔，後來才兼唱皮簧。然他們的念字，仍多是崑腔的念法，後來傳到北平，也仍是照原來的習慣。這一派是於乾隆年間，才到北平；最初只在宮內演唱，後來才在戲館子中出演。在嘉慶以後，同治以前，北平的皮簧，以此派爲中堅，出來的名脚也最多。咸豐同治年間，出名之脚，總有二三十位，如程長庚，徐小香，胡喜祿，梅巧玲，王九齡，俞菊笙，楊隆壽，盧勝奎，時小福等等皆是。所有這派脚色，念字多是崑腔的念法，說見後。

第三路是由湖北直接傳到北平，號稱漢調。這派到北平最晚，人也最少，最出名的脚色，可以說是祇有余三勝一人，大約與程長庚他們，一個時期到的北平，而三勝則稍晚。爲什麼這一派來的晚呢，因爲咸豐以前，北平沒有漢調，雖然在同治光緒時代，北平戲班，有註明湖廣班的，但口頭則說徽班。實因乾隆嘉慶年間，由南方來的戲班，都是由揚州北上的，揚州屬江蘇，故戲班中江蘇人最多，又與安徽接近，故安徽人亦不少。此非武斷，以前不必談，現祇把道光以後的名脚，舉出幾位來，作一個證明：

楊鳴玉——江蘇揚州，小花臉極出名。
胡喜祿——江蘇揚州，青衣極出名。
朱蓮芬——江蘇蘇州，崑旦後兼皮簧青衣。
羅巧福——江蘇蘇州，梅巧玲之師。
徐小香——江蘇蘇州，小生極出名。
梅巧玲——江蘇泰州，花旦極出名。
時小福——江蘇蘇州，青衣極出名。
王九齡——安徽桐城，老生極出名。
程長庚——安徽潛山，老生極出名。
楊月樓——安徽潛山，小樓之父。
楊桂慶——安徽合肥，桂雲之父，小朵之祖，寶森之曾祖，四輩名脚。（三）

短篇小說

抽樑不換棟

夏商周

可是老王進屋之後，一見我大模大樣躺在表妹的床上，竟然向我皺起極爲不快的眉頭。當然是他有些不以爲然，或者也可以說是看不過眼的。其實這是他多心，我反而蒙了不白之寃。不過老王究竟也有一手，皺眉之後，稍一轉眼，居然陪出笑臉，和坐起來的我握了握手，樣子裝得很親切了。如此這般，我把來此小躺的經過向他表白一番，一面加油加醋的說，因爲表妹說及他將來訪，我正想跟他見見面，所以也樂得在此一候。

「不信你問表妹？」我向站在窗邊的表妹噘噘嘴，表妹未置可否，這等於默認，等於幫了我的忙。

老王果然冰釋了，有說有笑，非請我晚上去跳舞不可。我故意問他請的是哪位好舞伴，他向表妹聳聳嘴巴：

「令表妹呀！」

看來他們來往的情形不算壞，這是我最歡迎的。我這時答應了一聲「好」，聲說到時候必定到場相晤，就此站起身來，向老王向表妹說聲晚上見，一溜烟的走了。我一走開，他們可以更輕鬆些；至於晚舞我是否到場，聰明的讀者們可以猜到，我必然將是一個缺席者的。

四個多月的時間一晃就過去了，老王早已成爲表伯父家的貴客，表伯父對我稱讚老王，可見老王大有希望，前途樂觀。他自己更是三日一小包，五日一大包，陸續不斷的送給表伯父和表妹一些東西，彼此親親熱熱賽過家人。「篠蘿到底攀上了你，」我心中說，「看你老王多麼幸運。」幸災樂禍，我準備等他請我喝喜酒了。

且慢，事情還有呢！有一天老王打電話非邀我去一家餐室茶敘不可，說有要緊事情須得與我面商。一聽他那語聲的緊迫，我就猜到一定是他要向我宣佈婚娶的吉期了，所以我急不及待愉快的趕上前去。到了那裏，見了老王，倒是出人意外，他不是笑臉相迎而是一個人坐在那邊悄悄的以巾拭淚呢。

「老王，」我吃驚的叫出來，坐了下去，簡直有點兒莫名其妙了。「你這是怎麼一回事？」

「她——她不愛我。」他用最低的抽泣聲音說，看看別人，卻一眼也不看我。我知道，他說的人是表妹，是——那條篠蘿。

老王這話當然不會是假的，看他那副尊容，就可以了解他心中何等的難過了。他失戀了，難道是表妹另外有了意中人不成？可是據我所知，除了老王之外，表妹還不會有第二個蜜友可以和他爭一日之短長的。這事情叫我如墮五里霧中，摸也摸不清邊際。（四）

江南雋味譚

磊庵

南京，武進，湖州，長興這些有山的地方，每到晚秋，就有一種價廉物美的野生的鮮菌出賣，其名曰雁來菌，說是鴻雁來時的應時食品。

菌即菇之一種，蘑菇，冬菇，草菇，香菇，都是做菜的，惟價錢太貴，遠不如雁來菌這樣廉而易致。它的市價，一斤只賣三、五角小洋，放在滾水裏一滾，加些麻油，味道勝過雞汁。豆腐，青菜，算是家常小菜，可是你放了幾隻雁來菌在內，不由你不吃的眉飛色舞。

南京中山門外，每到夕陽西下，便有山農一籃一籃的把雁來菌提進城賣。你把它洗淨之後，用醬油煮過，十天半月，不會變質；吃粥固好，吃麵更爲相宜。大家說雞鳴寺的素麵好吃，還不是因爲放了些菌湯在裏面？因之，一到雁來菌上市之後，便有很多遊人乘着秋高氣爽，到台城，北極閣一帶去欣賞風景，觀看紅葉，肚子餓了，順便走上雞鳴寺去，在對着玄武湖一面的樓閣，選個雅座，一壺雨前清茗，幾碟五香花生，把「幾家烏柏岸，一艇白萍洲」的野趣，盡收眼底。或更携幾個知心好友，兒女家人，喊碗菌麵來做做點心，眞是惠而不費，其味無窮。

劍南集中，有「小甕餉紅丁」的一句詩句，紅丁就是菌的別名。菌外形似傘，也像一個「丁」字。假定它沒有特別撩饞之處，當做餉人的禮物，固然不會，若還要寫入這位愛國詩人的詩什裏去，那就太不近情了。

太湖區域，蕩灘上都長滿了蘆荻，縱深約有三里五里，圍着湖岸，一望無際；所以沿湖的七個縣份，每到秋收，便有很多候鳥名叫黃雀的飛來給你嘗新。

黃雀又名黃花雀，牠最喜歡吃新熟的稻穀，蘆灘以上的較高地帶，全是湖田，白天在田裏吃飽了肚子，晚間就飛到蘆荻上過夜。當地居民，看出了牠的行動，便乘隊捕捉。牠性好合羣，麕集之處，沒有幾萬，也有幾千，假定手法高，機會巧，每一個人，一晚捕捉三百兩百隻，還算不得是大捷。

據那些捕捉黃雀的慣家告訴我：口號叫捏黃雀，捏就是以手去捻，去掩。所以捏黃雀的，總是趁着黑夜，邀三兩個同道，換上蘆靴，繫好口袋，悄悄地深入蘆荻叢中去，用極嫻熟的手法，先捏住牠的喉嚨，不放牠有一些鳴聲，手到成擒，百發百中。尤其是起了風的夜裏，蘆葉已給風吹得瑟瑟作響，灘上浪花泛濫，也不斷發出吼聲，此時得到了這天然掩護，不間是良工，是賤工，沒有不裝滿口袋，滿載而歸的。縱是稍有疏忽，捏的不大周密，指頭縫裏，走漏了一些聲音，好在風聲起處，蘆棵已動，盪得和波浪一樣，一陣風來，黃雀也跟了風聲，起一陣啾唧，風聲不斷，啾唧也不斷，設或你能心靈手敏，大刀闊斧的長驅直入，不怕牠會高飛接翼。明天過來的大街小巷，總是黃雀成市，價賤如泥了。

黃雀的吃法，也有炸脆和清蒸的，有用酒糟漬起，藏着備不時之需的，可是你要嘗嘗牠的肥美之味，還是清蒸爲是。黃雀骨脆，麻雀骨硬，上海食品公司裝在罐頭裏出賣的，那便全是麻雀，牠的味差，老吃客一嘗便知。因爲黃雀到了晚秋，已肥得腹背多長滿了黃油，當地人稱之爲兩面黃，決不是穿屋的麻雀所可同日而語的。

海嘯舊談會

官場中的是非（一）

諸葛文侯

數十年前，重慶即有由教會創設而相當著名的兩所私立中學校：一在南岸南山，名曰「廣益中學」，校長楊廣齡，留英學生；一在北岸曾家岩，名曰「求精中學」，校長楊仲熙，留美學生。這兩校的支持者都是耶穌教會，校長又係同宗，且均屬四川籍。可是，在對日抗戰發生以前，兩校校長因爲本校學生賽球的糾紛事件，積怨成仇，互相齟齬，總想利用機會把對方打倒，暗鬥甚烈。我於蘆溝橋事變前兩年就奉檄入巴蜀子役，而岳家又是重慶人。當地有許多親戚朋友的子弟皆在這兩校讀書，曾對我閒談上述兩位楊校長敵對嫉視的內幕情形甚詳，但我並不認識這兩位校長。

迨民國三十年，我奉命主持重慶市的教育行政事宜，由於職務上的關係，常常跟兩位楊校長晤面周旋，果然發覺他們在有意無意之間，彼此詆諆指摘，而以楊廣齡尤爲露骨。我心裏有數，決不作左右袒，且從而調護彌縫之，所以他倆始終對我表示親切尊敬的態度。

民國三十一年春間，我因事晉謁教育部長某公時，他忽然吩咐我，謂私立求精中學辦理不善，應予查封，我當時頗爲驚詫。蓋求精中學係在市內，校址宏敞，設備亦不亞於一般的私立中學——實際比市立中學還好——該校董事長是川省知名之士何北衡，而此時且新辦了「求精商學院」，與中學混合辦公。這些情形，渝市各文武機關以及社會各界人士皆有目共覩的，如果市府隨便予以查封，物議一定沸騰，教會方面更要說話，似非安定首都秩序之道。然既奉長官面諭，亦未便拒卻，祇說回去商量辦理。我回到教育局，召集主管科長和督學們秘密會商，報告前情，他們一致認爲沒有查封的事實和理由，期期以爲不可。如是，我乃採取拖的辦法，一面命令該校儘量增加設備，一面慎選師資，以便隨時派員視察督導焉。過了兩月，部長又問我爲何尚未查封求精中學呢？我說：這學校是美國教會主辦的，一旦查封，實爲嚴重的處分，理由若不充足，是否有引起美方向我政府說話之虞，似乎值得考慮，因該校並無大的過錯。部長說：查封了由教局收回自辦，並不妨害學生學業。我說：教部給一道命令，我不會有問題的。部長亦未置可否。此後我基於良心與正義公道，在未奉到部令以前，即不便查封該校，也不敢露出教部要查封該校的詞色，祇是每與楊仲熙校長晤面時，即指述該校有某些缺點，希望迅速改進，以臻完善，用意就在爲將來奉令實行查封該校的張本也。楊校長曾不時約我赴該校視察，又參觀內部一切設備和授課情形，且詢將來擬改爲商科大學，說來津津有味，洋洋自得，我唯有笑頷之而已。

文壇軼話

聯聖方地山

介人

筆者前談張大千，曾經提及方地山，他名爾謙，一字無悶。他的弟弟名爾咸，字澤山。兄弟二人從小都極聰慧，人家稱地山爲大方，澤山爲二方。後來他即以大方自號。

提起大方，可以說當時南北文人中，無人不知。而他的弟弟，反而有些人不知道。據說他的弟弟比他的才華更高，十五歲即中解元。大方早年的作品，已膾炙一時，他的聯尤有盛名，被尊爲聯聖。他曾題焦山四面佛有聯云：

面面皆空，佛也須有靠背；
高高在上，人到此要回頭。

袁寒雲是他的學生，後來又成爲好友；他有一聯贈袁寒雲，嵌「大方寒雲」四字，聯爲：

「大方」大大莫能容，但一味模糊，不怕就當天「大」事；
「寒雲」寒寒成切骨，要十分忍耐，方知自有歲「寒」心。

贈歌女來福聯云：

人既惠然肯；
吾亦自求多。

如此俗不可耐的名字，他做來十分有趣。又題春華樓酒樓聯云：

年少當知努力愛；
酒酣不覺置身高。

他一生所作之聯，爲數大約總有幾萬，隨手拈來，均成妙諦。他時常笑嘻嘻對人說，我是天天與人作對的。

內備警台報字第〇三一號內銷證

自由報

THE FREE NEWS

第三九一期

中華民國僑務委員會核准
台教新字第三二三號登記證
中華郵政台字第一二八二號執照
登記為第一類新聞紙類
（本週刊逢星期三、六出版）
每份港幣壹角
台灣零售價新台幣貳元
社長：雷嘯岑
督印人：黃行寬
社址：香港銅鑼灣高士威道二十號四樓
20 CAUSEWAY RD 3RD FL HONG KONG
TEL. 771726　電報掛號·7191
承印者：四風印刷廠
地址：香港灣仔高士打道二二一號
台灣分社
台北市西寧南路壹壹零號二樓
電話：三〇三四六
台郵撥儲金戶九二五二

俄共建設共產主義社會的大騙局

·周之鳴·

俄共新綱領第二部分，題為「蘇聯共產黨建設共產主義社會的任務」，以新綱領本身來說，這是主要的部分，但所說的任務，依馬恩列史理論來說，卻全是社會主義時期所應有的。蓋依馬克斯的唯物史觀公式，共產主義社會的物質技術基礎，應該在社會主義社會胞胎裏建立完成，今新綱領既說俄共的任務還在建立共產主義的物質技術基礎，可見俄共自十月革命迄今尚未完成社會主義建設的任務，所謂「社會主義在蘇聯完全地和最終地勝利了」，已經「完成社會主義建設和進入全面開展共產主義建設時期」，這是說謊！

更可笑的，早在一八四五和四八年，恩格斯和馬克斯當時就說已可實行共產主義了。列寧在一九二〇年也說「共產主義就是蘇維埃政權加上電氣化」，至少十年至多二十年，就可不備「會最終奠定俄國共產主義的基礎」，且能「建成共產主義社會」。史達林在一九三六年說「我們在基本上已經實現了共產主義的第一階段即社會主義」。在一九三九年又說「在生產技術和工業發展的速率方面，我們已超過了各主要的資本主義國家了」，「再于最近十年至十五年中，在經濟方面也超過了牠們」，就可「從共產主義的第一階段，過渡到共產主義的第二階段」。但無論馬克斯列寧斯大林都只開了一張空頭支票並沒有兌現！尤其俄共的「第三個五年計劃」，既說它使「蘇聯進入了發展的新時期」，即「由社會主義逐漸推進至共產主義的時期」，更說它可以「在經濟上趕上並超過歐洲各最發展的資本主義國家及美國」，「以保證在與資本主義的歷史競賽中，取得共產主義的最後勝利。」但其結果，更是痴人說夢，一樣是張空頭支票！是則，今日俄共新綱領又如何？它為「建立和發展共產主義的物質技術基礎」，所謂的必要是工業。」，在最近十年內大約增長一倍半，並將超過美國目前工業生產水平；在二十年內，不少于五倍，並將遠遠超過美國目前工業總產量。」農業「總產量在十年內要增加一倍半左右，而在二十年內要增加兩倍半。在頭十年內，蘇聯將在按人口平均計算的主要農畜產品方面超過美國。」這個目標幾全與列寧、史達林以及第三個五年計劃所說的一樣。然根據以往例子，和如後所述事實，我們斷定這張共產主義建設的支票不僅同樣是空頭，且也是一大騙局！誠然，俄共必將擴大生產，但它自己說主要的是在「發展重工業」，而重工業的主要任務，則第一在「充分保障國防的需要」。因之，農業的發展，也必着重在「使工業有豐裕的原料」，而不在「使居民有豐裕的質量優良的食品」。這說明俄共工農業的發展，目的決不在提高人民物質水平，充分滿足人民生活需要，而是在加强充實侵略自由世界的武裝力量。

這一點，在它所說提高人民物質福利方面任務一節，可得進一步的證明。它先宣傳「保證蘇聯的生活水平比任何資本主義國家都高」。其途徑說是第（一）「提高勞動者個人報酬，同時降低零售價格，不再向居民徵稅」；第（二）「擴大在社會成員之間無償地進行分配的社會基金」。但後者原是從個人報酬的「實際收入」中剝扣的，所謂提高個人報酬即等于零。同時它不又特別强調「生產的贏利」與「企業得到一定的利潤」「以及「國家投資」，「財政資金」與「國防費用的必要，增加」麼？降低物價，不再徵稅，都是空話！繼而誇稱蘇俄已經「沒有寄生階級」。但赫魯歇夫本年一月十七日在俄共中央會議上，都坦白承認仍有「「過寄生生活」的「壞現象」。最後大胆開出支票：「蘇聯的國民收入總額，在最近十年內將幾乎增加一倍半，而在二十年內將增加四倍左右。在二十年內，按人口平均的實際收入將增加兩倍半以上。」此外更開了十張免費供養兒童，教育，醫療，住宅，公共交通工具，工人職員公共午飯，以及補助金，助學金，對喪失勞動能力的人給予物質保障等等。」但後面有一個但書，即「所擬定的綱領在和平的條件下是可以順利實現的。國際局勢的複雜化和由此而引起的國防費用的必要增加，可能延遲提高人民福利計劃的實現。」這不是為齊加強征服世界的武力，早已預定把所有一切諾言，一筆勾銷了麼？

新綱領強調如何要把「社會主義國家」轉變為「社會主義勞動者的全民組織」，「無產階段專政」變為社會主義民主轉，以使「全體公民積極參加國家的管理，參加經濟和文化建設的領導」。但只要承認負責管理國家機關和社會組織的領導工作「是一種特殊的職業」，縱然規定蘇維埃代表，各級領導機關以及社會團體領導工作人員，每次選舉須改選一定人數並限制連任，其為特殊階級的本質，絲毫不變。何況又有但書規定無限制「可以重新選舉他」？更可注意的，一方宣稱如何「全面發展和完成社會主義民主」，「盡量發展個人的自由和蘇聯公民的權利」，一方卻又強調「要使國家完全消亡，既要創造內部條件－－建立起發達的共產主義社會，又要創造外部條件－－在國際舞台上使資本主義和共產主義之間的矛盾得到有利于共產主義的最終的解決。」這不和上面所述一樣，為齊征服整個自由世界，又把全部民主自由的空口諾言公開一筆勾銷了？

它說「黨在民族關係方面的任務」，是在「繼續全面發展蘇聯各民族的經濟和文化，保證它們在各個生活領域內進行愈來愈緊密的兄弟般的合作和互助，團結和接近，竭力鞏固蘇維埃社會主義共和國聯盟。」但只要承認存在有破壞民族合作團結的「民族主義和沙文主義」，「民族狹隘性和排他性」，「把舊東西理想化和抹殺各族人民在歷史上的社會矛盾的傾向」，「陳腐的風俗習慣」，以及「民族特殊化的表現」等等，不僅難以「互相幫助」建立共產主義物質技術基礎，且必將瓦解「蘇聯各社會主義兄弟民族的大家庭」！

俄共承認「就在社會主義制度勝利以後，在人們的意識和行動中仍然存在着阻礙社會前進的資本主義殘餘。」這證明它的社會主義制度事實上並未獲得真正的勝利，而那些「資產階級觀點和習氣的殘餘」，「資產階級思想和道德的各種表現」，「利己主義的觀點和習氣」，「私有心理」，迷信和偏見的殘餘」等等，既然還存在于思想，教育，科學和文化各方面，也必使未來的所謂共產主義建設完全失敗。況且迄今尚未樹立科學的世界觀」，又如何能夠促使「勞動人民的共產主義覺悟的提高」？如說俄共幹部可以以身作則，則既承認個個都是「「過寄生生活」的「特殊職業」者，更何能做個「最好的勞動榜樣」，「發揚社會主義全體成員的共產主義勞動態度」？

這綱領不僅說「蘇共把蘇聯內共產主義建設看作是整個世界社會主義體系各國人民創建共產主義社會這個事業的一個組織部分」，並說「這一個走向共產主義的國家正在促進和加速整個世界社會主義體系向共產主義前進。」然而，俄共經過了四十多年的社會主義建設，都還沒有把過渡到共產主義的物質技術基礎建立起來，向有能力支援附庸國那家共產主義而非？所謂「蘇聯的共產主義建設符合社會主義大家庭的每一個國家的利益」，只是以此為幌子，對附庸國的政治、經濟、文化各方面，實行其進一步的控制搾取與奴化而已。

又賞一次閉門羹

前門刺虎 後門進狼

自由談

戴高樂讚

馬五先生

世人多以法國總統戴高樂賦性剛愎，我亦不否認。

但是，戴高樂決非稚魯愚頑，妄自矜狂的武夫，而是有胆有識，擇善固執的政治家，他的剛愎性倩，有些地方我覺得很可愛。

戴氏的總統地位，原係由駐在法屬北非一帶的法國軍人們捧起來的。後來那般軍人反對他允許阿爾及利亞人民自治的政策，公然謀叛，他就毫不姑息地予以懲處，必須貫澈既定的決策。當英美與蘇俄各國大唱其禁止原核子武器試爆的裁軍濫調時，他卻急起直追，悉索敝賦以進行原子彈的製造爆炸。蓋英美俄皆以擁有原子武器為構成世界強國的唯一條件，而以國際間的支配者自居，法國自不甘俯仰由人。英美俄自己已經造出若干原子武器，享有睥睨一切的強國地位了，卻擺出悲天憫人的偽君子態度，教別人莫再搞這類玩藝兒，戴高樂置之不理，不亦宜乎！

最近英美為着柏林問題，急於要跟蘇俄談判，好像世界大戰迫在眉睫的樣子，戴高樂卻當伊嘸介事，反對談判之舉，即令是試探蘇俄的和平意念，他亦視為多餘的事。他認定赫魯歇夫如果決心要打大戰，西方國家縱然把西柏林整個奉送給俄帝，亦不會得到和平，否則再三舉行談判，還不是廢話一嚕？他這種識力和定見，決非淺薄幼稚的政客之流，所能望其項背啊！

綜觀上述戴高樂的言行，能說他是個不明是非，不講道理的剛愎武夫嗎？他不好戰，卻不像英美當局之畏戰如虎；他不逞強，亦不像英美當局之色厲而內荏；他不以強權主義者自居，但憎惡強權主義者之怕強欺弱，苟安自娛。自由世界如果多有幾個戴高樂式的當政人物，就不會形成現時這種隨着俄帝所奏音樂而跳舞的怪象了。

當戴氏出山執政之初，我懷疑他或許是歐洲的李承晚，經過時間的觀察結果，證明他是當代不可多得的一個政治家，殊堪贊美也。

知恥近乎勇・過則勿彈改
縣市議會本身有問題
不實踐諾言甚至會也懶得開
祇敷衍塞責變成有名而無實
九個月中報出差七百七十六天

（本報記者台北航訊）台省各縣市議會，正在效法監察院，作自我檢討。從各縣市議會議員的此種自我檢討中，可瞭解到代表選民行使政權的台省各縣市民意機關內部，頗有問題存在。

新竹縣議會有兩位議員，分別檢討同仁不實踐競選諾言，競選之後，連出席會議也懶得來了。又指責議長、副議長不該把包車視為禁臠。

新竹縣議員葉樹滋說：「我們在競選時，都口口聲聲說要為人民服務，但事實上，大家拿了開會費卻不盡言責。難怪老百姓不滿。我希望鄭火龍議長能起帶頭作用，領導大家準時開會。」他說：「同仁們不是缺席便亦姍姍來遲，上午要遲至十時半，下午到三時半以後才能湊足法定人數，每天開會時間不到三小時，而且很多人缺席。」

彭瑩煥議員說：「縣議會的小包車是四十七萬縣民的汗血錢買來的給縣議會公用，不是給正副議長專用的。」

苗栗縣議員劉順清質詢議長沈佩鍊時稱：「議會成了有名無實的機構，議員的質詢與提案，縣府以及各主管單位，亦只是敷衍塞責而已。議會所提案件，不是『酌情辦理』，便是『參考研究』，結果一事無成，議會形同虛設。」

又說：「由於縣府各單位視議員的質詢案如同『廢話』，所以引起許多議員的不滿。」這就是「議員所以不出席，或出席不發表意見的理由。這也是縣府不尊重議會，而議會本身不求振作的結果。」

但沈議長說：劉議員的話是無的放矢，侮辱神聖的議壇。雙方因此爭得面紅耳赤，結果倒由苗縣縣長林為恭出面打圓場，風波始了。

台中縣議員尤世景提出「議員在質詢中對縣府護航的問題」來自我檢討。他認為質詢縣政是各議員應有的職責，如果民意代表竟為政府官員護航，殊失議員身份。」

尤議員檢討「增加議員縣政調查研究費每月六百元的問題」時說：「這雖是全省通例，受之當然有理，但應該反躬自問：領了這筆錢，究竟調查研究些什麼？如果沒有，實在受之有愧」。因此他建議王子癸議長，應擬訂一項縣政調查研究計劃，分別交由議員們調查研究，俾使縣政能夠改善。

尤議員指責議會成立專案小組之頻繁，與議員出差的機會不均，他說：「五屆議會自今年二月成立以後，已組成十多個專案小組，而小組委員係由議長指派，有的身兼幾個小組，有的則連一個小組都沒有份。各專案小組的調查出差日數，已達七百十五天之多；而王議長在這短短的九個月中，也報了出差一百七十六天，而有的則一天也沒有出差，實在太不公平。」

高雄市議會議員居然有集體接受紅包之事傳出，更加駭人聽聞（編者按：此事大畧經過，見上期本報）。

但高雄市議會卻發聲明自我辯解，說：一、如何使市民在合理的管理下，買到「便宜肉」，為市議會一致努力的目標。二、修正案修改後仍有限制，並非全部開放。三、修正案通過後，獲利者為部份新的特權者，並非全體市民。四、放寬的尺度，見仁見智，在此尺度上沒有所謂「正義」；因為放寬的尺度，意見紛歧，致某一意見（指宋長治議員等）不能得過半數通過，而被否決，不能視為「正義」被出賣云云。

此所謂不能視為「正義」被出賣者，即指已鬧得滿城風雨的「紅包」而言。此事正由治安機會調查之中，應該不會不了了之吧？

台中市議會中正堂偷工減料，因而要追求賠償問題，中市議員要求市政府務必根據省府命令，向前任市議會議長張啓仲，追回賠償款三十萬元。市議員們指出：省政府要市府追回賠償的命令已經下來了很久，市政府何以至今未有執行？是否還其中有什麼顧忌呢？又說：這事情說起來也是議會自己不爭氣；而市政府不追，難道這就是所謂「府會一家」麼？（本報駐台記者健生）

不可「一竹竿打翻一船人」
壞的警察只是少數
多數警察都是好人

（本報台北航訊）打開近來的報紙一看，都在紛紛的指責警察，好像警察的代名詞就是「壞」。這殊有失公道，輿論界於下筆之時，應勿情感衝動；心平氣和，客觀一點，也才能得其公與平。

這當然並不是說輿論罵警察，便是不公道。也並不是說所有警察都是好的。但是無可否認的，好警察畢竟還是多數，祇是少數壞警察敗壞警風而已。「害羣之馬」，其實何只警界有之？別的機關、團體的份子，難道個個都是好人？

這幾年來，好警察為老百姓服務的好事情，也實在不少。就拿颱風災害來說，多少警察因搶救老百姓而受傷，有些是報章雜誌表揚了，但有很多因受風寒而生病的不在內；至於為了警力的不足，拖病工作的，更大有人在。他們為什麼會生病？還不是因為幫助老百姓？

他如：孩子迷途了送他回家拒收車費；替貧病交迫，為他送院，為他募捐；為整理交通，忍氣挨罵等等；不都是警察在做嗎？

現在老百姓對警察稍為不滿意，一個電話到警察局的督察室，督察們是專管警察的，於是就調查、詢問。在這種制度下，警察們就兢兢業業的，總想往好的路上走。其中當然有少數壞警察，利用職權做不法事情，但若老百姓真的自己守法，壞警察又奈何我？一竹竿打翻一船人，應該麼？（仁）

陶希聖訪李萬居
閒話「家常」一個多小時

（本報記者台北航訊）本月九日，國民黨中常委陶希聖，特走訪新近病愈重新歸隊青年黨的李萬居，兩人談了的一個多小時。據悉他們所談的都是「家常話」，從國民經濟生活到國際間大事，從陽明山第三次會談到青年黨糾紛，都談了。還談過旅居海外的張君勱，左舜生等近況。（本報記者健寄）

監委內「檢」不避親
審計人員也是一害
舉出大堆劣跡包括偽造文書，打秋風歛財，貪污攪錢；因而原來很窮的如今濶了！

（本報記者台北航訊）監察院年度檢討會已經結束了。這次檢討會，確有若干收穫。監委們檢討審計部的，更是大公而無私，箭頭對着自己人，很難得因而值得加以追紀。

陶百川委員認為審計部的工作太不理想，他希望（一）于院長和蔡審計長嚴格執行人事退休制度，以發生新陳代謝的作用。（二）增加審計人員，強化稽察制度。

關於地方縣市政府設立審計室的問題，陶百川說：立法院曾於四十四年舉行一次審計會議，此後就未見下文了，現在由於事實的需要，他建議于院長和蔡審計長在未來的一年中，應與立法院聯繫，對縣市政府設審計室的問題，有一個交代。他感慨系之的說：如果不能設審計室，乾脆修改審計制度，縮小審計權，讓縣市議會查賬，亦未始不可。

陶百川在發言中，公開稱讚審計部兩位小職員做事認眞，請于院長召見他們，予以慰勉。他也公開抨擊審計部的錯誤。他說：兩年前，審計部派一位廳長出席在澳洲舉行的國際會議，因為沒有旅費，該部虛報稽察費三萬五千元，送給這位廳長作飛機票款；這筆「偽造文書」的款項行政院批准了。試問：若是行政院知道此事，將來審計部有什麼道義力量和勇氣去糾正行政院變造課目？他問：這件「偽造文書」的案子，不知道于院長怎樣處理的？于院長曉不曉得這件事？如果是監察院長批准的，就犯了重大的錯誤。

于鎮洲委員指責審計部專員龐儀山，在外面賣書，二塊錢一本的書賣三十元；出差時接受招待；結婚時普徧散發帖子，乘機打秋風歛財。

于鎮洲還痛責審計部從四十四年起，派審計處九個人抽查縣市政府財務，六年來沒有換人，都是這九個人，因而日久玩生出毛病了。如稽察軍事工程的三人，與管理購置的幾個人，這些人，起初都很窮，現在傳說蓋了洋房，整天吃喝玩樂，生活很奢侈，而且常跑審計長的公館。對於這些傳說，應提高警惕。于鎮洲希望大家有則改之，無則加勉。

葉時修委員認為，蔡審計長不應該參加由財政部長嚴家淦所主持的財務聯繫會議，因為參加該會，與獨立行使審計權是有妨礙的。

葉時修說，監察院為了獨立行使審計權，曾費了很多的心血，很多的口舌，向行政機關爭取，而今蔡審計長參與該會，無異抵消監委們的努力。奇怪的是：蔡審計長只知道向監察院爭取審計權，至於參加財務會議與列席立法院被質詢等情形，卻不據理力爭了。

葉時修還說：審計部批准外交部為歡迎艾森豪而修理圓山飯店金龍廳的報銷，沒有加以調查，是不應該的。他猛烈抨擊少數審計人員也是一「害」！該部對于外勤人事方面，應該嚴加督導。如果審計人員貪污，監察院若因自己人而不整飭，這簡直是不成話了！

吳大宇委員指責審計人員沒有盡到責任。他說，政風敗壞，影響政府聲譽。他希望政府任何措施，要從自己愛惜聲譽做起。但是，在近一年來，發生許多不好的事情，這些事情，很少是政府主管機關自己檢舉的，也不是審計人員揭發的，而是治安機關偵破的。他認為這是很壞的現象！如果審計工作做得好，這些事情是可以防患於未然的。是以，今天政風之敗壞，是監察院和審計部的一大諷刺。

陳志明委員指出：審計部最討厭的是監察院，覺得監察委員常常管他們，檢討他們。可是外界給他加個鎖鏈，他倒願意套上去。目前，審計部只是畫「諾」蓋章而已！以前監察院檢討審計部的意見，究竟做了幾件？

金越光委員認為審計部把有關審計法令彙編成冊，向外出售，所得款項作為改善員工生活費，這涉嫌利用職權派銷，將何以自解？這是不是「只許州官放火，不許百姓點燈」呢？他希望審計部應有一個交代。否則，自己不正，焉能正人啊！（本報駐台記者公治長）

台灣點滴
本報駐台記者吳越

稅局眞爛污
人死了還追稅

▲台北縣新店鎮催繳戶稅，有人死了五年，並且家屬已遷離他處，可是戶稅尚未取消。又如頂城里二鄰居民張伯銘，死了五年，家屬早已他遷了，可是現在還要來催繳戶稅。又如十四張路百忍里十六號劉永漢的戶稅，每年均繳納，可是此次催繳的稅吏，卻說他從四十四年起即未曾繳稅。幸得劉永漢為人仔細，繳過的稅單，平時保管妥慎，尚未丟掉，於是拿出來一查對，原來是稅局的底冊不確。

這兩事，前者還可一笑置之，而後者，若非劉永漢有稅單為憑，說不定又要以欠稅之名移送法辦了。而稅吏收了稅，不將稅單底冊註銷，那些已收的稅款，是不是已入了庫，倒是疑問了。

▲密醫偽藥害人不淺，一向為政府所嚴禁，人民所痛絕，認其罪與「謀財害命」相等，誠有百害無一利。如勉強說它有一利的話，那就是自殺者買到偽藥，而死不成了。

失業男子劉知行，自三日藏身在一間廢屋樓上，服下大量安眠藥，但因所購的是偽藥，四十三粒安眠藥不但未死成，連催眠的作用也沒有。是偽藥救了他一命。然後他又想躺在樓板上餓死，餓了四天，挨不過饑餓之苦，結果乃實行吊頸而死。

▲省府民政廳主計主任孫爾業挾女在台中市府賓館「一夜春宵」，又是春光外洩，以致省議員及台中市議員，分別在省市議會中提出質詢，騰傳衆口，大煞風景。

孫爾業在賓館挾女度宿被議員嚷開之後，惟恐上級問罪下來不得了，於是急中生計，使用「移花接木」手段，拖出市長甥女來做擋箭牌。市議員質詢市長：把官家接待貴賓的行台，竟作了男女幽會之所，以致滿館春光，「賓館」豈不成了「楚館」？硬拉良家婦女作自己的擋箭牌，在道德和人格上，都說不過去！而且此舉動更影響了別人家庭生活的圓滿！

邱欽洲市長漲紅了面孔說：他不知道他的甥女會如此糊塗，中了別人圈套。假如當時他知道的話，一定要每人賞給兩記耳光！

邱欽洲還說：孫爾業拿良家婦女來作擋箭牌，簡直近於無法無天！

台中市警察局已組成專案小組，調查孫爾業所持賓館鑰匙的來源與所偕帶的女人究係何人。水落石出快了。

主任太風流
賓館化為楚館

一個不願打一個不願挨
公車票佣金調整內幕
畢竟如何解決要看市議會了

（本報記者台北航訊）市公共車處爲降低車票代售佣金，而與全市四百多間代售處發生的糾紛，現仍未獲圓滿解決。此事雖然看來只是變方當事者的爭執，但因代售車票者指責車管處爲「片面變更合約」之「違約者」，涉及「權利」問題，並且關係近千從業者之生活，頗爲各界所重視。現在各代售車票處，正向市議會請願，要求恢復原定佣金率；而公車處預算也正在議會審議中，結果如何端視議會如何處理。

其實，據記者所悉：車管處並無意降低佣金，不過車管處首當其衝，代人受過，成爲「怨府」，實在是「啞子吃黃蓮」有苦說不出。此種內幕情形，台各報尚無深入報導。

台北市四百多間車票代售處在九月初，分別接到公車處「北市車業字四三六七號」通知一件，略以「自四十八年九月起調整車票代售佣金後，支出甚鉅，奉命重訂佣金率」，並自九月十日起施行。按代售佣金，並非一律，售出票數少的佣金高，售出票數多的佣金低，其平均佣金率約當百分之三點六。調整後，平均佣金率便降低爲百分之三了。

各代售處接獲此一通知後，雖然大家都不滿意，但因平日彼此缺乏聯繫，故無法表示意見。還是幾個平日售票較多的代售處，如中山堂，台北兩站，中央市場等站，因爲受到減低佣金收入的影响較大，所以自動的出來設法爭取。他們預備好了給公車處的「陳情書」，守候在公車處的門口，待各代售處來購票時，便請他們簽署，聯名向公車處請求恢復原來佣金率。

公車處對代售處的請求，並無具體答覆，因此各代售處曾傳出要以「停售車票一日」的方式來表示抗議，結果他們又想到此一方式的影响太大，且難博取八十萬市民的同情，乃又自動放棄此一方式，改而向市議會請願。

在「陳情書」中，代售處指責公車處「於每次調整票價時均不信守約定擅予核減」，並指出四十四年十一月，四十五年五月，四十八年九月及次年九月，先後四次以「片面之不成理由之理由，擅自違約核減」。又列舉烟酒、獎券等代售佣金以證明公車佣金爲最低者。公車票代售工作，工作時間在十八小時以上，需二人輪售，每月平均佣金僅六百元左右。其述及工作之辛勞情形則爲「天未明而又到班，夜已深而不克離去，不分晴雨不問年節，遭寒風之侵襲，受炎日之烤晒，食無定時，寢無安所，在鳥籠式之票亭內，既不能立又不得臥，飲水入厠均成問題，且時有被惡徒襲劫之危險」。因此，要求公車處收回成議，以昭公允而示體恤云云。

記者就此一問題訪問公車處祕書夏欽三，票務股長楊海瑞，及業務課經辦代售業務之劉明川等。他們找出一份「代售合約」給記者看，合約第一條訂有「按照票價訂定佣金率按月調整付給代售佣金」。如照此一規定看來，佣金率似未訂死，公車處的調整並不發生「違約」情形。但就另一角度來看，合約中所謂「按月調整」應係指「視代售車票數量」調整佣金等級，如此，當然算是「公約」了。

據說：減低代售佣金，並不是公車處的意思，而是奉上級命令行事。實際上，公車處也希望維持原來平均百分之三點六的佣金云云。

又據悉：台北市政府對於公車處的要求，是既不希望他能賺錢來繳市庫，也不願意花錢來補助他，只希望他做到「自給自足」。然則，今天公車處自己認爲不必降低佣金都有盈餘，市政府主計部門卻偏要它這樣做，它又不能不依從，這就難了。

還有一層，一方面各代售處在向市議會請願，另方面，公車處送市議會審議的預算中，對於代售佣金，仍按百分之三點六編列，並無降低。則此事實在不無矛盾。且看市議會的畢竟如何決定。（本報駐台記者吳越）

馬來今年剿共成績
比上一年更加滿意
投降的馬共增加了一倍

（本報吉隆坡通訊）馬來亞聯合邦當局，對於本年度剿除泰馬邊境馬共的成績，大爲滿意；說這乃是泰馬兩國密切合作，有以致之。另還表示：相信今後亦會有滿意的成績，甚而更好的成績。

據聯合邦官方公佈：自本年初起至本月十日爲止，在泰馬邊境，馬共份子有四十二名被「肅淸」了，其中包括投降者三十九名，被俘獲者一名及被打死者二名。同時期內，官軍與馬共份子接觸的次數，是九次。

這成績，比之上一年，確實要好得多了。

上一年，馬共份子被「肅淸」的是二十六名，其中包括投降的二十名及被打死的六名。至於上一年官軍與馬共份子的接觸次數，則爲二十次。雖然接觸的次數多，成績卻還比不上今年。

在今年向馬來亞官軍投降的三十九名馬共份子中，有兩個是「支委」階級，他們的名字爲小虹與光友（按均譯爲青），另有六名是婦女，多爲投降的馬共份子的太太，她們本身亦是馬共份子。

爲什麼今年馬共份子向官軍投降的，竟倍於上一年呢？馬來亞聯合邦官方的分析，很是有趣，據說有如次的三項原因：

（一）在官軍的不斷圍困進剿下，這些馬共份子對於匿居森林的生活，感到厭倦了，所以投降的就多了。

（二）爲經過十多年的叛亂鬥爭，着着失敗，這些馬共份子對於叛亂前途，已失掉了信心，因而就紛紛出而投降了。

（三）馬共有一個「復員計劃」，在這計劃中，它們允許那些有病的和厭倦森林生活的人，走出森林，於是就使得投降的馬共增多了——這裏須要注意的，儘管馬共的「復員計劃」允許那些有病和厭倦森林生活者離開隊伍，但卻並非鼓勵他們向官軍投降。所以，這三十九個投降者，還是出於他們志願的，並非「奉命投降」的。馬來亞聯合邦官方的解釋，這若非由於不投降而要「混」出來不容易得手，便是因爲他們知道，在投降之後，可以得到馬來亞政府很「安逸」的待遇所使然。

今年之內，雖然官軍與泰馬邊境的馬共份子接觸的次數，趕不上上一年的多，但官軍卻破獲了許多處馬共份子的營寨，休息處，糧食供應處及武器庫等；這些，當然都構成對馬共的沉重打擊。

馬來亞聯合邦官方還說：這幾年來，馬共份子由於自知不敵，他們是儘量的在避免和官軍接觸的，今年的情形，也是如此。據推測，馬共之所以出此，意在保存其實力，待期而動。

也因之，馬來亞聯合邦官方認爲，這些殘餘的馬共份子（估計爲五百名光景），實在還不但構成對馬來亞的威脅，對於泰國，同樣也是威脅。所以認爲必須繼續嚴密注意他們，而絕對不可以對他們掉以輕心。

而祇要泰馬雙方都能夠繼續密切合作，繼續不斷的給馬共殘餘份子以重大的壓力，使他們更覺前途確實完全無可爲，則今後他們跑出森林向官軍投誠的，就必然會更加的多，剿共成績，就必然會更加的美滿。（麒）

香港與大陸

廣州黃金一兩
要共幣九百元

▲據甫自廣州來香港之某君透露：在廣州自由市場上，鷄每斤價人民幣七元，猪肉每斤爲人民幣四元七角。合爲港幣，依中共的官價，鷄每斤超過十五元，猪肉超過十元。當然這種「奢侈」食物，只能於「自由市場」中買得到。

▲另據本報所獲來源祕密的消息，黃金在廣州，亦已成爲非常搶手之物，每兩價炒至人民幣九百元，而且極不容易買到。

▲中共爲爭取外滙，決定以「贖參」方式放人出國，每人取價三千至五千港幣——必須收取港幣，不要人民幣。如有被認爲可靠的担保，中共甚至可以先放人，後收款。

工展今日重開
工作人員通力合作
攤位重建紛紛完成

（本報專訊）火災後重建之工展會，進行頗爲順利，經鐵定於本月二十日重開。大會經通函各部職員，依時報到，恢復工作。大會宣傳部爲增進觀衆興趣，特定重開之日爲「兒童日」，是日兒童入場，各贈糖果一包，以示歡迎與慶祝。

工展大會當局爲加緊火災善後與重建工作，曾舉行會董緊急會議多次，並成立淸運組及福利組，前者由利功甫、張循然爲正副主任，後者由余兆甚、顏玉瑩、李思勁、楊木盛爲正副主任。大會會長副會長亦每日輪流駐會督導一切。工展會建設委員會主委曹紹松、公安部長雷少明，公用部長黃鎮波，總務部副部長黃勵材，及新成立之淸運與福利兩組負責人等，均日夜在場，推動工作；同時各參展廠商，亦以二十日重開爲不可更易之目標，通力合作，各盡所能，重建工作因而特別順利，亦特別迅速。

八十英尺高之工展大會大門樓，已於十四日完成，並經試燈，十八日晚將試霓虹光管，重放光明。被災攤位亦紛紛重建完成，二十日重行開放，絕無問題。

瘟君續夢

第三回：拒諫飾非，列鼎烹功狗
成王敗寇，作狀笑沐猴

、一句話未說完，毛澤東從圈椅上一躍而起，指着彭德懷罵道：「勸我解散人民公社，你把我綁去殺了都作不到！你的反黨意識我早就看出來了，不過，好似毒草一樣，今天才露出地面就是了。」

彭德懷的脾氣也不好，對下級軍官，一點不如意就跳着脚罵，民主人士吃他的苦頭更多，所以在中共政權裏面有個混號「彭自王」。不過，他這個自王一見到毛澤東就變成了泥塑的神像，無論怎樣挨罵都不敢還口。可是，今天情況卻有點不同，第一，在湖南親眼目睹到鄉下的慘狀，眞眞的老百姓活不下去，到了最後非起來硬拚不可，可能一夜之間就完了。過去潘復生曾公開說人民公社實行之後，黨已坐在火山上。現在脚底下已在發熱，火山卽將爆發，與其將來同歸於盡，到不如現在說出來好些。第二，毛澤東已經指明他有反黨意識，就算現在退縮，也來不及了，終究也要帶上反黨帽子。

彭德懷想到最後，決計和毛澤東拚了，當時繃着臉說道：「主席，請你考慮一下，我勸你解散人民公社，並不是爲了人民，還是爲了黨，也更是爲了你。怎麼能算反黨呢？我要反黨還要等到今天嗎？」。

毛澤東不料彭德懷敢同他拌嘴，摸起桌上茶盃就向彭德懷擲去，一擲未中，落在長沙發上，茶水卻在沙發上泛濫起來，幾個人坐不住，只好都站起來。

彭德懷輕輕一句話，何以使毛澤東發這樣大的脾氣，這裏面另有原因。當毛澤東初到井崗山落草時，用計併吞了王佐，袁文才一百多條破槍，在周圍作些打家劫舍的勾當，談不上什麼發展，後來朱德在廣東被國軍擊潰，走投無路也跑到井崗山來，朱德人數雖然不多，究竟是正規軍叛變的，和毛澤東率領的草寇相比，要强得多，這一來就形成喧賓奪主之勢，毛澤東就想出鬼主意，和朱德殘部合編爲工農紅軍第一師，後來又改稱第四軍，由朱德任軍長，毛任政治委員。朱德是個粗人，總以爲軍裏面軍長是最有權力的了，那知道毛澤東曲曲折折訂出許多條例，軍中大權完全操於政委之手。朱德心中當然不服，毛澤東也不能自安，他過去火併王佐、袁文才，有了經驗，恐怕朱德照樣來一次，把他幹掉。當時毛澤東睡覺都不敢睡在一個地方，一夜要換好多處，心情十分緊張。

就在這時，彭德懷担任國軍旅長，駐防平江，突然率隊叛變，也投到井崗山來。彭德懷帶來的兵，雖然不足一旅，但比較朱毛合股要大上幾倍。彭德懷不但是湖南人，又生在湘潭，和毛澤東是小同鄉，在朱毛之間，自然和毛的關係近些。這一來毛澤東的地位算是穩固了。

以後毛澤東乘機整肅異己，大殺反對派，捏造「富田事變」，「AB團」等名詞，把反對他的共黨黨員全部殺死，甚至於朱德一名衛士都被當作AB團殺了。毛澤東濫殺的結果，激起了部份黨員及大多數嘍囉的憤怒，大家要起來和毛澤東拚命，但因爲烏合之衆，聚不到一起，逐個的被毛澤東撲滅，當時毛澤東所倚使的衛隊，就是彭德懷的部下，毛澤東把他們當成劊子手使用。（五八）

國劇藝術彙考

齊如山

其餘尚多，不必多舉。至北平及北幾省籍貫之脚色，不在此範圍之內，更不必談。總之，凡由南邊到北平者，多是江蘇安徽人。由湖北到北平之脚本很少，出名之脚，只有余三勝一人。此外汪大頭（桂芬）之父汪年寶，雖原來也是湖北籍，但他是在北平學的戲，於漢口調無干。以後就是譚鑫培了。這一派念字最不講究。余三勝初到北方，也是領一班人同來，約共十餘人，都沒有學過崑曲，念字多夾雜湖北土音。在咸豐同治年間，北平戲界對於這一派頗輕視。從前傳流着譏諷這派的笑話很多，茲只舉大家都知道的一事如下：

一次有人對余三勝說，您昨天有一個字念錯了。他說：我「拉個」字又錯了。問者說，您這個字就錯了。蓋譏其把「那」字念成「拉」字了。按LN不分，乃是四川湖北一帶的通病。譚鑫培自是一代的大名家，但他是在北平學的戲，號稱三慶班的徒弟，戲界老輩都說，鑫培是學長庚中年的唱法，桂芬是學長庚老年的唱法。我沒有聽過長庚，他們這話，我不敢下斷語。但鑫培一生最佩服的是長庚，那是一點也不錯的。總之他學的是徽調，程長庚派，與漢調無干，不過因為他原籍是湖北。

鑫培的父親名志道，唱老旦，與余三勝一同到的北京，但無名，因他腔調不受聽，故外號叫天，原意不是一個好字眼。鑫培襲之，乃出了大名。他又因為相傳二簧，始自黃陂黃岡，他原籍又是彼處，遂想藉以自雄，乃創了幾句唱工，夾雜湖北音，後人盲從，也就都學他，其實這是胡來的事情。第一他自己所念所唱，通通都是徽派，偏於崑腔的念法，忽然夾雜幾個湖北音，彼時的方家，聽着當然刺耳。第二是他以前沒有這種唱法，不但北京沒有，（余三勝無此唱法，）連湖北本省的漢調，如余洪元等名老生，也沒有這種唱法。總之譚所唱念都不能算是漢調。在北平眞夠漢調的，只有余三勝一人。雖然傳說皮簧始自黃陂黃岡，但北平簡直可以說是沒有唱湖北調的，有亦只他一人。（四）

短篇小說

抽樑不換棟

夏商周

果然如此，老王等於給我說出驚人的消息，喝喜酒的事情遙遙無期甚而是絕無可能的了。天有不測風雲，人有旦夕禍福，恍如平靜的海航上翻了船，都是叫人不能置信的。

「老王，你說的可是眞話？」儘管我承認他說的不是假話，而且那副哭像更是有力的證明，證明了一個失戀人的悲痛，我還是這麼問了一句。

遇上這等傷面，兩方都感到了難堪，時間的鐘錘錘得我意亂心煩，去不能去，坐也坐不安。我心中想，介紹他們相識的人是我，難道他們感情破裂了還得找我做簽證不成？再不然，老王是否有叫我給他做說客的打算，打算再說合他們之間的往還？……

總之，我坐在老王對面進退維谷的情形，勝過和表伯父辭生意。不過我的心中到底也有了決定，決定在可能範圍之內，只要老王需要我出頭的話，我一定盡最大的努力，再為他效勞，包括向表妹的說服工作在內。

其實這只是出於我的猜想，老王並無這般意圖。他邀我見面，不過是向我這介紹人報告經過，猶之乎應該有個交代就是了。還有，他希望我問問表妹，到底愛不愛他？問問郎可，不是向她說服，也不是勸解。

「五分鐘，也許十分鐘，」他少氣無力的說，「她就要來了，我，我不想見她，準備先躲出去，拜託你老兄，問問令表妹，她是不是還愛我，然後，你再打電話通知我一聲就行了。」

「沒有問題，等着聽好消息罷。」我一力承當，目送着他帶着一副狼狽像退出餐室。

八分鐘後，表妹真的趕來了，當她看見我的時候，顯然有點兒意外，不免露出些吃驚的神色，但她左看右看過全室之後，終於和我點點頭坐下了。不等她開口，我搶先告訴他，我是受人之託特地等待她的大駕的，那個人就是約她來此的人，但現在他中途退席了，託我問她一句話，不錯，只是一句話：她究竟愛不愛他？

表妹並不理睬我，安安詳詳回答伙計，她需要的是一盃檸檬茶。茶來了，伙計走了，我替她加了四塊方糖。直到這時，表妹這才在一聲「謝謝」之後，低聲說道：

「問我究竟愛不愛他？請你告訴他，我從來沒有過。」

「請你多考慮，你們的來往很不錯。」

「瞎說，」表妹撇撇嘴。「我早已考慮好了，我愛的那個人就是你！你想躲我麼？算是你錯了主意。走，先陪我看一場電影去。」（完）

哭

汶津

最近有機會接觸到大陸上進行的簡體字，除了難認之外，更深憾它們破壞了中國文字的美感。我總覺得我們的楷書創製人絕不是一個學究，而是一位藝術家。諸如喜怒哀樂驚懼憂愧等抽象表情的字眼，莫不一見會心。至於哭笑，更妙。

這個「哭」字，像是孩子在號啕大哭，雙腿張開，癱坐在地上，臉部耻不堪言狀。這樣的哭，幼年時代誰都不能免疫的。哭是一種綜合發洩的方式，表情加聲音，加淚水，甚至還外加四肢和身體的動作。

雅人之哭，是一件有時間性的藝術品，可供觀摩，可資默化；少女之哭，是一種美的變幻，可供憐香惜玉，可化鐵石心腸；老人之哭，是一種莊嚴，可為天地代言，可向兒孫垂訓。

一犬二口，成何體統；日啼夜哭，不免煞氣。不哭的人，精神有問題，哭得太多，神經也有毛病。該哭則哭，哭要哭得有份量，哭完了果能一掃鬱怨，這才是上品之哭。若只知鼓勵淚腺，煽惑聲帶，暴亂肌肉，只能謂之哭匠。哭匠之哭，猶如廉價的情感；尼丹凱之流的表演，如果沒有眞摯的感受，怕也不會獲得什麼藝術品價吧。

哭的發生，因人而異，就如人們對于顏色的愛好有所不同一樣。我每次讀到狄更斯筆下法國大革命前後的情景，便不禁潸然。人類是何等的悲慘可憫！又一次聽說以往北平一專練自行車技藝的卓越藝人（一度為宣統的自行車老師），最後竟流落在街頭為人修理舊車。別人聽得津津有味，我却淚沾眶睫。唉，千里馬常有，而伯樂不常有！天下多少天才，埋沒於愚蠢、偏私的世俗中。「是可忍，孰不可忍？」知識份子之淚，正當為此而灑啊。

十餘歲少年的哭，有的出自無知；他們處處以為自己受到不平的待遇，奢望高，能力又不足，所以不免一哭，但倒底是否哭得有道理，他們可未必能先行審察。

還有受了委屈而掉淚的，因為成人往往不能為年輕的一輩設身處地一番，結果使小心靈受了「莫須有」的損傷。此種哭，說來幼稚，如果細想當年光景，您也不會予以苛責吧。

不幸的是，哭也會成為人們的工具。以哭賺取同情，是其一目。長年求乞的婦孺，最會這一功，但這難道不是對自己人格的一種貶抑？想想古人不食嗟來食的風範，今人未免太不肖了。更不堪言的，哭竟成了一種威脅，一種武器。小弟妹們最善于玩這一套：兄姊有玩具兮，不易奪也，我其啼之哭之，父母焉得不轉投我？此種心計，要不了幾歲大的孩子，小腦袋裏早就裝着了。天眞可怨，成年的男女也這一手，就成了「恐天下不亂」。本來，女子是哭得最美的，但當哭被描寫成女子的利器時，一切就太不羅曼的克了。

孟姜女哭倒萬里長城的故事，如今已傳揚國際了。而慈母孝子之哭，也往往能感動天地。中國人重人倫，講孝道，焉能不聯帶的研究一下「哭道」？哭之為用也大矣，但長江大河、滔滔不絕之哭，也未免悖乎中庸。

哭得幽然，哭得自在，都是不易多得的醇境。至於上企化境焉者，必是哭天哭地之高人了。不為己哭，不為人哭，而為宇宙造物哭，為大化命運哭，則又幾近乎無所為而哭。

有人以不哭自豪，當然稚年的事不屑提它；有人則以善哭著稱，「哭笑人」雖不多聞，帶雨梨花之類的妙解，倒是層出不窮。但不知天下是否有嗜哭之人，並勸人日哭三次，以為增壽之方，那倒也別添生趣呢。

願天下有心人能暢快的一哭。

海嶠叢談

官場中的是非（二）

諸葛文侯

民國三十一年暑期，各級中學生依法舉行會考，事前教育部有令指示：會考以集中幾個適當地點為原則。我乃按照渝市內外的交通關係，劃分為三個會考場所。試題皆由教育局擬定，我親擬一道初中國文試題為「我所認識的奇怪人物」，限用白話文寫作，以為這可使少年學生容易發揮他的才情和個性，寫來亦不吃力。詎會考完畢後，教育部接連下來兩道命令指摘我，一是不應該集中考試，使學生冒暑跋涉，殊屬失當；二是不應該擬出這樣的初中國文試題，有礙青年身心之發育。此外凡遇到教局對教部的任何呈核事項，總是多所挑剔，甚至故意留難，殊出意外。

未幾，我偶於一個公共場合中遇蔣教育部長，在過去，他見到我總是喜笑顏開，說話不少的，這次他對我向其鞠躬為禮，竟佛然掉頭不顧，好像不屑跟我打招呼的模樣，我很奇怪，心想教部近來突然對我多所指摘，不近情理，而部長忽爾視我為路人，原因何在，苦思不得，繼乃恍然悟到一定是因我未遵照他的私意查封求精中學這回事，認我是個不忠貞的部屬。從此我乃決心告退，不願再作此不講是非公道的公務員，同時亦偵查某部長何以對求精中學深惡痛絕至此。

經偵查結果，使我旣好笑，又好氣，官場生活眞是卑鄙齷齪，豈有此理！

原來重慶市自民國二十八年五月三日起，直至三十年秋間，日寇飛機不斷地前來轟炸，晝夜不息，而以夏季為更甚。渝市南岸的「廣益中學」，位在深林之中，從未受到敵機空襲過，該校校舍係西式建築，楊廣齡校長全家住在校內，他的太太又擅長西菜烹飪。楊校長以避空襲為理由，每年夏季皆迎接教育部長及其眷屬住居南山的廣益中學校內，且將校長住宅讓出來，夫婦二人早晚侍候着部長和夫人，欵待殷勤，無微不至。旣是同屋共處甚久，大家談話的機會自然很多，楊氏口辯捷給，兼善表演，他乘機向部長敍述了許多對求精中學不利的話，也捏造了不少關於求精校長楊仲熙的各種誣惡，刻意誹謗中傷。楊廣齡還有一種絕技，他對人談論某項問題時，話到激昂處，淚涔涔然下，兩足跺地不已，若不知其為人者，每受感動而寄予同情之心。我們這位教育部長原是個書生，對於兩校過去為着學生賽球糾紛而結下深仇大恨的故事，完全不知道，只在楊廣齡夫婦連年殷切接待的盛情之下，乃聽信了楊氏的浸潤之譖，竟教我無故把求精中學查封掉，所謂君子可欺以其方也。即此可見官場中的是非，實係黑漆一團，莫可究詰，稍有良心血性的人，決不能置身於這種狗屁倒灶的亂世政治界啊！（完）

山川風物

庚桑洞

南道

宜興有兩個聞名全國的洞，一個是庚桑洞，一個是善卷洞。這裏且說庚桑洞。

庚桑洞又名「張公祠」，位於宜興城外之孟峯。據亢倉子序說：「庚桑楚始居長疊之山，後隱毗陵孟峯，著書九卷，號庚桑子，一名亢倉子，道成仙去。」後有張果老隱修洞中，傳亦道成仙去，因又有「張公祠」之稱。

自「果老殿」下石階十餘級，卽至「海王廳」，又名「天遂大場」，為全洞最寬濶處，可容二三千人，上有石頂，如黍幕高張，有名曰「大屋脊」。其間鐘乳纍纍下垂如貫珠，均作躍龍，潛虬，奔獅，蹈象，怪鸞，蓮花，鐘鼓，飛仙諸狀。廳側有水鼻，旱鼻，盤腸，地道，虎壁諸洞，穿遊其中，曲折幽深，莫窮其勝。

海王廳之屋脊軒豁間，石髓紺霏，滴滴下降，當中石乳變垂，酷似宮燈花籃，古色斑爛，晶瑩凝結，尺寸距離，不爽絲毫，眞是「鬼斧神工」。

自海王廳更前行，則豁然開朗，仰望洞口，四方環山，人處其間，恍如置身盂中。相傳有宜興人徐伯休，因入洞遊覽而迷途洞中，經儲南强先生入洞尋了三天，始將迷途雅客尋到，雖然尚未餓死，但已經是奄奄一息了。在出洞後，徐寫詩一首告訴人說：

「此洞卒溜溜，來者不可遊；欲知其中苦，請問徐伯休。」

這雖然是笑談，由此亦可見庚桑的洞奇譎了。

自由報

THE FREE NEWS

內僑警台報字第〇三一號內銷證

第一九四期

中華民國僑務委員會登記證
台報新字第三二三號
中華郵政台字第一二八二號執照
登記爲第一類新聞紙類
（每星期三、六出版）
每份港幣壹角
台灣零售價新台幣貳元
社長：雷嘯岑
督印人：黃行寬
社址：香港銅鑼灣高士威道二十號四樓
20 CAUSEWAY RD. 3RD FL
HONG KONG
TEL. 771726　電報掛號．7191
承印者：田風印刷廠
地址：香港灣仔高士打道二二一號
台灣分社
台北市西寧南路壹壹柒號二樓
電話：三〇三四六
台郵劃撥儲金戶九二五二

把戰火帶到大陸去！

·雷嘯岑·

吾生不幸忝爲知識份子，且習政治之學，又以擇業不愼而作新聞記者。記者的職責是所謂「文章報國」，三句話不離本行，提起筆來便要談政治，談政治更喜歡說實話，吐眞言，而不知媚世趨時以取悅於流俗之見，自以爲赤忱愛國，不含些許私念，必如是而良心乃安，俯仰無愧。至於所言是否有價值，生效用，那就非我所知了。

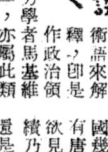

一

本年九月初，海內外文化敎育界人士在台北陽明山第二次會談中，一致通過「要求政府及早反攻大陸」的建議案，情形甚爲熱烈。我想今日全國各界人士之中，對反攻大陸這回事最感覺焦急的，殆莫過於蔣總統了！理由很簡單，光復大陸是他註定的歷史使命，也是他無可諉卸的職責。政府播遷台灣以來，生聚敎訓已有十多年了，國軍的裝備與訓練，在友邦人士的觀察中，亦認爲進步迅速，能力高強，視任何國家的現代化軍隊皆無遜色。可是，國人祗聞國軍不斷地從事於大規模演習，而今歲不征，明年不戰，人心即爲之抑鬱煩悶，對政府當局自不免多所責難，文敎界人士呼籲政府及早反攻大陸，就在使當局者提高警覺，再不好荏苒因循下去，以致一般民衆由失望而怨望，終於對政府滋生離心傾向，這是很可慮的問題。夷考史事，南宋所以能夠長期的維持偏安之局，就因爲有岳飛，張浚這些主戰派，隨時給予敵人以軍事壓力之故；鄭成功在台之日，能夠聲震遐邇，使滿室寢饋不安，即在他隨時出兵中原，表現其反攻復國的志氣，而獲得內陸同胞的歡迎贊助。今日國軍之未能及時反攻大陸，當然決不是政府當局存心偷惰苟安，而是有許多困難因素，一時不易克服，最大的困難就是受着「中美安全互助協定」的束縛，此乃人所共知的事。不過，大舉反攻的軍事行動雖然有顧慮，難道我們就沒有把戰火帶到大陸去，在沿海地帶採取局部突擊戰鬥之自由嗎？縱受犧牲一部分實力，而風聲所播，使大陸同胞相信政府並未忘記他們的非人生活，用行動來證明弔民伐罪的決心，這對於振奮人心士氣，促進毛共區域動亂不安的敗象，實有莫大的效用存乎其間也。

假使我們從事小規模突擊游擊的軍事行動，都要受到「中美安全互助協定」的制約，非徵得友邦同意不可。那末，我們便不妨問問友邦政府當局，他們在華沙跟毛共進行關於所謂臺灣問題的談判，事前曾經徵得我政府同意否？臺灣原係屬於中國版圖的，何勞友邦越俎代庖？大陸亦非外國領土，爲甚末國軍竟無戡亂救民之行動自由呢？八九年前，美總統艾森豪聲明過：「駐在臺灣海峽的美國第七艦隊，再不作大陸共黨的安全庇護所了！」然事實上毛共以大砲狂轟金門；我軍亦是捱打而不能出擊，而中美安全互助協定卻成了間接庇護毛共的「法定」工具，事之可怪可恥，孰有甚於此者乎？

二

世人每以共黨暴虐統治，終必激起民衆「及汝偕亡」的革命行動，作爲共黨非敗亡不可的有力論據，實而似是而非，不切實際。一般人民被共黨控制着腸胃，實行飢餓政策，隨時在超額勞役的死亡線上掙扎之中，奄奄一息，而且手無寸鐵，旁多監視，革命之說，談何容易？二次大戰中期，俄共軍隊被德軍打得落花流水，史達林決定棄守莫斯科，要把政府遷赴古比雪夫的荒島去了。這時候俄國人民亦未聞有自動起來革命者，因爲共黨的秘密警察與特工們，積威約之漸，對付老百姓的力量是綽有餘裕的。

促使共黨暴政崩潰的主要因素，一定是它的軍隊發生叛變，民衆從而響應助勢，陷於分崩析離的現象。可是，這種情況之構成，必須先受到外來的實力打擊，纔有可能。共軍平日豐衣足食，形成特殊階段，而特務孔多，監視嚴密，縱有反叛之心，亦不敢隨便流露的。惟有一旦膺受外來的武力威脅，需要他們替共黨負弩前驅作戰的時候，這才是他們棄暗投明的大好機會。二次大戰初期，俄共軍隊在前線向德軍集體投降的人數，超過二百萬人，即其明證。假使希特勒當時不以征服者自居，虐待俄軍俘虜，而將他們建議爲「俄國人民解放軍」，跟他們併肩作戰，俄共政權早就徹底毀滅了。這說明我們今日要消滅毛共政權，必須以實力反攻大陸，才可望藉[illegible]各種勝利因素，卻不宜以守株待兎的心情，指望大陸人民起來革命，讓我們坐收勝利之果。老實講，我們若不能先把戰火帶到大陸去，而寄望於大陸人民之自動革命，這種革命行動縱或發生，那必然得到了共軍的同情共鳴，勢不可侮，他們亦就不需要國軍去應援了。

美國與毛共已經搞了若干年的華沙談判，唯一課題就是要毛共聲明不以武力進攻臺澎地區而已。這種「兩個中國」的陰謀詭計，至今仍在進行中。美國祗是重視臺灣這塊戰略地區，並無所愛於中國，更無暇過問中國大陸人民生活情況是自由人抑是奴役？似此「人爲刀俎，我爲魚肉」的不合理現象，我們如不予以打破，即時時有被犧牲出賣之可能，要打破這種國際陰謀，唯一方法就是把戰火帶到大陸去！

因此之故，大規模的軍事反攻，固須審愼周詳，謀定而後動，然局部戰鬥儘可獨行其是。美國如不贊成，我們就請他先把華沙的美，毛談判停止再說。臺灣是中華民國行省之一，如有問題需要談，中華民國政府才是談判的主權者，別國不必瞎操心。不特此也，連年來政府常以團結海內外反共力量相號召，然效用不甚著。此無他，人心煩鬱，對國事多抱消極失望態度之故。祗要反攻的號角一響，不論規模大小，也不管進展如何，海內外的人心立即聞訊振奮，共赴一的，一切關於內政上的爭論，乃至於黨派成見，政治恩怨，當將一掃而空了。煩鬱的時間越久，是非就越多，意志即更不容易團結，此乃必然的趨勢。

美國祗是希望我們永遠守住臺灣，偏安一隅，又利用我們作籌碼，暗中對毛共進行妥協，但期毛共願與和平共存，貿易通商，甚末共產不共產，毫無所謂，即使毛共再屠殺幾億的中國人民，也不算是甚末大問題啊！中華民國政府的職責是要反共救國，解放大陸人民的。十年生聚敎訓之後，恰逢大陸上人禍與天災並發，飢饉連年，民不聊生，若國軍還是止於演習，安於挨打狀態，久而久之，不特師老兵疲，鬥志消歇，而一般官吏更將以偷惰貪污爲能事，不復有還我河山的意念了。「[illegible]者事之賊也」，我們必須想方法打破現時這種俯仰由人的局面，自求多福，而以把戰火帶到大陸去爲上策。否則六十萬大軍長此偏促於臺澎蕞爾之區，撫髀興歎，無路請纓，無論從那一方面設想，都是不上算的事。

漫画天下

南施

第一個縱火的是他

史達林的幽靈在推動

自由談

談帝王之學

所謂帝王之學，用現代術語來解釋，即是作政治領袖的本領，西方學者馬基維里的「原君論」，亦屬此類。

善言帝王之學的名家，以中國爲首屈一指，如老子，韓非皆其最著者。老子之說，精微奧妙，非有大智慧的人，很不容易躬行實踐，及其弊也，政治上可能搞成暮氣沉沉，毫無生機，馴致因循腐敗，一塌糊塗。韓子援道以入法，尊術尙力，失之谿刻，但其所持「術不欲見」的義理，允符帝王之學的要訣。

據有政治領袖地位的人物，無論是叫作帝王也罷，稱爲主席，總統也罷，對人處事，總不能不運用權術，古今一揆，無間新舊。然權術只可當藥方，卻不可視爲家常便飯，否則其術昭然可覩，終有衆叛親離之日。我國幾千年來的帝王群中，祗有唐太宗李世民深得「術不欲見」的三昧，因而他的治績乃爲後世所豔稱，到今日還是前無古人，或可說後無來者。馬基維里的「原君論」，專門講究權謀術數，殊不足取，唯其說適合於人性中的劣質作用，每爲一般缺乏雄才睿智的政治領袖們所遵循耳。

政治領袖要怎樣才可以做到「術不欲見」的成果呢？最重要的一着，就是如韓非所指示的「明君不躬小事」，如此即不致察察爲明，而其術亦不易爲人所共見。所以韓非說：「下君盡己之能，中君盡人之力，上君盡人之智」。盡人之智的這道工夫，除卻古代帝王中的李世民以外，近代政治領袖孫中山先生可謂具備了。誠如愼到之言：「君之智未必盡賢於衆也，以未最賢而欲以善盡被下，則不贍矣。若使君之智最賢，以一君而盡贍下則勞；勞則有倦，倦而衰，衰則復返於不贍之道也。是以人君自任而躬事，則臣不事事，是君臣易位也，謂之倒逆，倒逆則亂矣。人君苟任臣而勿自躬，則臣皆事事矣，是君臣之順，治亂之分，不可不察也。」

持其大體，挈其綱領，覈其名實，明其功過，居常欿然若不足，藉以盡衆人之智與力，這就是不顯見的術，而帝王之學乃臻於大成境界矣。

馬五先生

台灣點滴

斯文掃地　竟比教員爲娼

▲教育科長比擬不倫，教員變成公娼私娼。

台南市惡性補習風氣猖獗，由地上轉入地下後，市府教育科取締無策，致引起各方指責，連司法機關首長亦曾予公開檢舉。市府教育科長羅旭升爲求辯解，口不擇言，竟公開向外宣稱，南市惡性補習好比公娼化私娼，致無法認定與取締。

羅旭升的話，南市教育界人士極端的不滿，認其使教壇蒙羞，有意侮辱。市長辛文炳也認羅旭升有辱斯文，太失體統，聲稱將報請省教育廳予以議處。

但據羅旭升科長稱：關於他將國校的惡性補習比作公娼私娼難以認定與取締，用語雖有欠當，然這種比擬，過去教育廳劉眞廳長在某次會議中提到惡性補習問題時，也曾如此說過，並非他所「創始」，他不過偶然失言「學說」而已云云。

放下成佛　立地出手打人

▲「神」雖正直，下令驅逐「白吃神」。

桃園縣景福宮舉行三十六年一次的大拜拜，轟動全縣人民，境內外四十餘尊神佛，被邀作客。景福宮神主「開漳聖王」怕有未邀之神前來白吃，破除「神面」，特下手令一道張貼天宮壇右邊，曉諭境內外諸神，凡未接到請柬者，不得擅入貴賓席——天公壇，一切食宿恕不招待，如有違者將「依法嚴懲」。

另一道手令係下達境內之「山神土地」，由於請了很多貴賓來桃納醮，境內神佛往來如梭，如一一加以迎送，勢必浪費時間和精神，並將影響到本身工作。因此要大家免去「俗套」，安心工作，以防「宵小」在建醮期間非法活動。

▲基督佛祖各顯神通，兩派弟子演出「宗教戰爭」。

台北市迪化街市民賴豐田與楊紅同巷居住，賴信基督，楊信佛教，平日即因信仰不同時起爭執。日前二人相遇，楊詢賴某祈禱有何用處？賴某亦諷刺佛教向偶像禮拜。於是互爭「眞理」，並無結果。

當晚，楊某「金剛怒目」，帶了兩人到賴某住所將他打了一頓，要他知道「佛」的威嚴。賴某受辱不甘，乃思以牙還牙。於十二日用鐵錘向楊紅頭上來一「當頭棒喝」，也要令他知道「基督」的權威。不料一擊過重，楊紅腦袋開花，賴某楊人後即往警所自首，傷者送醫急救，頭蓋骨折裂，腦震盪，有生命危險。（吳越）

省議會質詢農林時　賴榮木罵得痛快

被罵者大雪山公司協理　天不怕地不怕胡作亂爲

（本報記者台中航訊）省議員賴榮木於議會責罵大雪山林業公司協理陳希劍一幕，罵得陳希劍滿頭大汗，差一點下不來台。

省議員賴榮木係十二月十四日在省議會質詢農林時演出這一幕的，他說：大雪山林業公司有一位陳希劍協理，身兼福利會主任委員，不但對員工不謀福利，而且與去職只有十多天的總經理王敏慶和主辦人員串通勾結，將福利基金四十四萬移用於高利貸自肥。到現在，雖然王敏慶已經離職，但這筆欵尚未能收回。同時，大雪山林業公司，居然爲一個協理拿出台幣二十萬元來爲他押租房子，這房子在台北，陳協理在台中，根本就不需要住，所以又轉租於人圖利，浪費政府公帑！

又說：另外，陳協理與空軍試驗所的軍官串通，以僞造公文向大雪山林業公司申購木材三千立方公尺圖利。賴榮木說：此事由陳協理一手包辦，不需證明，特別予以供應。這件舞弊案，試驗所方面分贓不均，爲人檢舉，那空軍官已被扣押，陳希劍却逍遙法外，高踞現職，看來神通確實很大！

賴榮木議員說：陳希劍貪污有術，鈔票很多，於是每天在台中花天酒地，包一個名叫「白蘭」的舞女陪著玩。

賴榮木議員至此指著陳希劍大聲喝道：「聽說你是一位高官高位的親信，所以天不怕，地不怕，胡作胡爲！究竟有法律沒有呢？」

賴榮木議員又氣沖沖的說：「你答覆我！大家都像這樣搞，國家還有希望？」

因爲省議會的規定官員答覆議員質詢只有十五鐘，輪不到陳希劍，只見他兩目睜睜，滿頭大汗，差一點就下不來台。（文野十二月十五日）

台北罷免副議長風潮　起因並非僅爲「護航」

最後攤牌戰殆不可免

（本報記者台北航訊）台北市議會二十七名議員，十四日簽署提案，要罷免現任副議長周財源。這是市議會有史以來從未見過的大風潮。提案書十四日送達市府後，十六日市府（規定需於三日內）已將副本送達議會，並應於十日內召開臨時會議，討論此罷免案。

罷免理由書，列舉四點理由：

第一是指他十三日主持大會時，推翻議會議決程序，違反衆意，故意宣佈散會，剝奪議員職權，而盡「護航」之能事。

第二指周財源主持會議時，常以惡聲加辱同仁，有失議員體面，破壞議會尊嚴，實無資格再領導全體議員。

第三是市府放租土地涉嫌官商勾結，決定由副議長召集小組調查，因涉及他個人利害，故拖延不進行調查，以利掩護其劣跡。

第四指他赴香港觀光費用，竟向市府藉名支領補助費一萬元，以肥私囊。

罷免提案，由國民黨外議員張詩經提出，簽署該案的國民黨員有沈應松等十二人，黨外議員謝世輝等十五人。

周財源是得國民黨提名議長張祥傳的支持而當選爲副議長的。據說他這次風潮係由於：（一）與部份同仁之間，由於過去議員競選時候，因爲爭奪選票，而結下怨仇。（二）當選副議長後，在若干案件的處理上，有欠公允，因而引起很多議員的不滿。（三）還有一個流傳在議會的傳言，說是周財源在競選副議長時，曾經向同仁許下過「諾言」，但當選之後，却一直沒有實現，被目爲口是心非，私下已經不信任他。傳說得最盛的，當然還是（四）說周財源是周百鍊在市議會「護航隊」的「總指揮」。其實，站在政黨政治的立場，國民黨籍的議員爲國民黨籍的市長「護航」，那倒是應該之至的。這四項說法，可能都有些關係，而無一說是居於壓倒地位的。

罷免周財源的消息，他本人十三日深夜才獲悉，當即星夜拉了議長張祥傳去追蹤那份簽署書，結果還是被提名罷免的人用「金蟬脫殼」之計，避開了張祥傳的勸解，仍在十四日提了出來。張祥傳爲保護「副座」周財源，大賣其力，他已同簽署罷免案的議員表示，如果不能撤銷對周財源的罷免案，則請將議長一同罷免；張祥傳並表示，否則他將自動提出辭職，以表示對周財源盡道義支持。另外國民黨方面，亦決定要支持周財源。

根據法令規定，罷免案尚未提出會議之前，可以申請撤銷，但必須要是全體簽署人一致簽署請撤銷書，有一人不同意，即不能撤銷。如此則縱然國民黨的簽署人同意撤銷，而有一個黨外人不同意，則提出會議討論便必不可免了。而在議會討論時，雖然可由會中決定撤銷，但必須出席會議的全體人員都同意才行。看來要撤銷罷免是做不到了。但罷免案規定應有全體議員過半數出席投票，投票總數三分之二以上「同意罷免」者爲通過，否則爲否決。周財源與國民黨而今希望的，當然就是最後攤牌戰的否決這一罷免案。

據熟悉議會情形的人推斷：周財源這次可能是「有驚無險」，不致眞的遭到罷免的命運，不過是一些議員個人藉這一手，洩洩心中的積憤，給他一個難堪，同時也表示對周財源所「護航」的周百鍊及其支持者的不滿意而已。

但那些黨外人士，倒是志不在小。據說他們十六日在北投「一逸邨」開了一整天的座談會，不但有心要把周財源就此罷免掉，而且有心要推選一位黨外人士做副議長——有消息說：如果周財源眞的被罷免了，他們將在蔡萬林與紀明二人之中，推一人出面競選。（本報駐台記者吳越）

果眞報業流年不利麼

好幾家報館出了事

有的被控誹謗罪，有的記者挨打，有的記者受恫嚇。

（本報記者台北航訊）台北有好幾家報社都出了些事，有的被控誹謗案，有的新聞記者被打，有的新聞記者被恫嚇，故有人說：今年新聞業是流年不利。

中央日報因報導台北縣私立大同育幼院董事長兼院長許英（女），管理不善情形的新聞，被許英向台北地院刑庭自訴誹謗案，定于本月十六日開庭調查。涉入此一糾紛而展開筆戰的，有聯合報與英文中國郵報。該兩報的新聞報導，恰恰與中央日報的新聞，背道而馳。

當許英於本月四日提出控訴後，曾有立法委員出面調解，但未爲許英接受。許英係湖北人，平時頗爲活躍，她曾表示此次要把官司打到底，寧可接受法律裁判，而不願受誹謗云云。該案極爲各方重視。

自立晚報因發表郵政局所謂集體貪污案而被控誹謗，大華晚報社長耿修業被訴誹謗一案，已經台北地院於本月十一日開庭調查過了。

繼新生報記者因報導台北縣兵役科長龍炎武醜行被毆辱後，省議員黃占岸於本月十三日在省議會公開指着徵信新聞記者程某說：「我們議員說唐榮，都要引起徵信新聞的批評。程記者要注意，命只有一條」云。黃議員並說：「徵信新聞報拿了台灣銀行五十萬元，所以替台灣銀行說話。」徵信新聞爲此，特致函省議會，要求把黃占岸議員有關恫嚇部份發言錄音，妥爲保存，以免湮滅。徵信新聞的函說：

一、貴會議員黃占岸於本月十三日下午在議場發言有涉及本報之處。故請特黃議員是日發言錄音全部，惠允轉錄。並請貴會對是項錄音妥爲保存，以免湮滅。

二、查黃議員是日發言係在公開會議中，故並無守密之必要，所請當蒙惠允。

徵信新聞並特別發表一篇火辣辣的社論，說明其立場，兼示抗議。社論中指出：此一問題，「不止於單純的一人之無教養與一家報館之受恫嚇了」。又說：「十一年來，我們在艱難中成長，但是，可以向讀者告慰的是，本報從不曾接受過任何方面的私惠。今天以民意代而接受津貼，以人民表的資格，而專備一人一家之顧問，拿了津貼而又恬不知耻，反過來血口誣人，要一手掩盡天下人耳目，向政府不斷勒索，無厭誅求，我們眞不知世間還有是非廉耻」云云。

聯合報連年來的運氣，亦可謂不很佳。自從分屍案被訴涉嫌誹謗經調處和解後，前月因報導有關方面對我國處理外蒙問題，曾引起一場「政治性」的糾紛；本月上旬又因發表立法院外交委員會秘密會議中有關外交新聞，引起外交委員會的不滿，且有委員主張把這件事交治安機關調查，又有委員主張追究洩露外交秘密消息的責任。但此事現正有人從中斡旋，諒不致擴大。（本報記者健生）

歲月容易過．國事管他娘

寶島而今有種風氣　老的少的都愛做壽

（本報臺北航訊）歲月催人老，亦催人死。從大陸來到寶島的人，稍有名氣的，不是已經作古，便亦七老八十，自秋而冬了。然而許多人愈老愈不服老，但亦實在是很怕老，於是而逸興遄飛，你給我做壽，我亦給你做壽，若干人已似乎忘了大陸生民水火，實行要終老是鄉了。比較年輕的一代，特別是女性，雖然最恨「一年容易過，春光留不住，對年齡從不說眞話，但她們「新派」，年年都要開個舞會，熱鬧一番。這些人當然亦沒想到大陸吃苦的同胞們。這老的與年青的兩代，對於生日，雖然表現的方式有別，其不值得恭維，則殊無二致。（塵）

由寮共蘇伐努馮出面

共產集團在泰東北

居然大搞武裝叛亂

（本報曼谷通訊）泰國當局在東北幾個府搜捕共黨份子事，由於官方未有正式消息發表，曼谷各報，各自憑其所能獲悉之情報加以報導，以至「言報報殊」，莫衷一是。同時市上傳聞，尤其衆多，且竟有謂共黨份子實行與前往搜捕之軍警開仗者，捕風捉影，人心疑懼。警副總監乃巴碩上將，乃命警廳發言人乃練，於十六日招待記者，有所說明，其大要如次：

（一）當局此次係在東北部的莫肯府（即烏隆府）色軍府及洛坤拍儂府三府進行搜捕共黨疑犯及謀叛份子。

（二）此次搜捕，係上次在東北部的搜捕工作之繼續。按上次當局即已逮捕共黨疑犯及謀叛份子百餘人，其首領乃空乃通攀亦被緝獲，兩人並經伏法，處以極刑。此次係搜捕其餘黨者。

（三）當局獲有充分證據，證明乃空、乃通攀及其徒衆，係得寮共支持，由寮共給予武器援助，在東北部進行訓練，準備異動者。爲防止情勢惡化，當局乃有此次繼續搜捕之舉。

（四）搜捕係由上列三府行政長官，內地警察，邊防警察，公安局數方面協力於十四日凌晨開始進行，迄至十六日晨爲止之報告，已經拘獲之共黨疑犯及謀叛份子，共計爲九十一名，計在莫肯府拘獲者八名，在洛坤拍儂府拘獲者四十二名，在色軍府拘獲者四十一名。彼輩中之首要將解來曼谷發落，餘衆則就地加以審訊。

（五）搜捕尙在繼續進行中，何時結束未可知，直至「捕完爲止」——此語爲泰國國務院長乃沙立元帥於十五日之談話。乃沙立元帥當時還說，此次搜捕，係彼本人接獲各該府尹報告後下令進行者。據未證實之傳說，此次搜捕之黑名單上所列爲一百五十九人，其中有前「民代」在內。果其然也，除已就逮之九十一名外，漏網者尙有六十八名。

（六）此次拘捕並未有開火事件，僅乃蓬警准尉率警員在洛坤拍儂府塔拍儂縣拘捕乃攀時，該犯抓起一挺手提輕機槍，企圖拒捕，幸當其尙未發射出子彈之際，警員已迫近其身，將其制服，否則難免有流血事件發生。警方當時繳獲之該挺機槍爲法國式，有子彈四十六發。

另據確息：此批獲寮共支持的謀叛份子及共黨疑犯，在洛坤拍儂府與寮國交界的湄公河畔，設有一總部，囤積有不少軍火。彼等利誘威脅無知民衆，在該地接受武裝訓練，顯係企圖武裝叛變。其最後目的，則傳說紛紜，有謂係欲割據一方，建立泰國蘇維埃政權，亦有謂係欲將泰東北地，與寮國合併受寮共領袖蘇伐努馮之領導。

姑不問此兩傳說孰是孰非，但彼等係共黨份子，則無可疑。彼等獲得寮共的軍火等接濟，亦屬事實。然而寮共也者，衆所週知目前正獲得以蘇聯爲首的共產集團的種種援助，包括軍事援助，財政援助，軍事人員甚至部隊的援助，其中特別賣命的是越共。而越共也者，人所共知，則又直接接受蘇聯與中共的援助，特別是中共的援助，以地利關係，源源不絕，滾滾而來。

是則，泰共之獲寮共援助也者，實在就是獲得以蘇聯爲首的共產集團的援助，不過此時僅由寮共出面而已。共產集團居然已如此其明目張胆，在泰國實行動亂，此則大可注意者也。（麓）

香港與大陸

▲據由廣東鄉間來港之某君稱：中共最近在廣東各縣，對於配糧辦法，又出新的花樣。過去配糧，每戶照人口每月配給食糧一次，內包括白米、番薯及其他雜糧等等。最近中共鑒於每月配糧，手續麻煩，耗時費力，乃決定改爲每戶接人口每年配給糧食一次，計每人每年配谷子二百市斤，作爲一年之食糧，由各戶自己去碾谷成米。

按二百市斤谷子，可以碾出白米一百五十斤左右，則每月約得配米十二斤，每日約爲六市兩而已。如此份量，當然不足一飽，但中共對此就根本不理會了。

▲大陸各地因糧食奇缺，人民生活，萬分困難，致野草樹葉均被吃光。少壯者不堪飢餓，挺而走險，實行偷竊或打劫，故大陸各地搶劫之風，甚爲普徧。在湖南衡陽，郴縣一帶街市上，如有人持包子饅頭等食物在街上吃時，經常會被人從後搶而食之，大家亦已見怪不怪。

省議員要農林部門

腳踏實地增產糧食

（本報記者臺中航訊）經濟部長楊繼曾月前曾就臺灣省人口與糧食增產的比較發表過談話；指出第一期四年經濟計劃期間（四十二年至四十五年），食米每年增加率是百分之三點五，同期人口的每年平均增加率是百分之三點七，因此大家都看不出糧產不足的嚴重性。但第二期四年計劃（四十六年至四十九年）的米平均增加率是百分之一點六，同期人口平均增加率是百分之三點六，大家就感到問題的嚴重。楊繼曾因此肯定指責省糧食當局，不應玩弄統計數字，掩飾食糧問題的嚴重性。

這問題透過新聞報導後，引起了社會的普徧注意。省議員郭雨新，本月十四日在省議會質詢農林部門時，曾就此一問題，面質糧食局長李連春，並提出糧食增產的具體數字說：

就本省自四十二年至四十九年米產量而言，四十二年是一百六十四萬餘公噸，四十三年是一百六十[illegible]萬餘公噸，四十四年是一百七十一萬餘公噸，四十五年是一百七十八萬餘公噸，四十六年是一百八十三萬餘公噸，四十七年是一百八十九萬餘公噸，四十八年是一百八十五萬餘公噸，四十九年是一百九十一萬餘公噸。由此數字，可以看出產量的增加率並不，大但是李連春推測至五十六年的人口將達一千三百九十餘萬人，同時指出至五十六年米產量可達二百五十五萬餘公噸，因此表示懷疑李連春的這種推論是否能夠成爲事實。

這位在省議會以直言著稱的宜蘭籍新雨新議員說：今天的糧食問題，因受人口的壓力，已形嚴重，而糧食局偏偏說沒有問題，並且堅持糧產一定可以超過人口的增加率，更表示有餘糧可以外銷，這種驚人的意見，「究竟是要邀功？抑是爲穩定米價？」但是事實證明，糧食確已趕不上人口的增加率，我們在米糧輸出方面可以看出：四十七年輸出十七萬餘公噸，四十八年輸出十六萬餘公噸，四十九年僅輸出僅三萬餘公噸。至本年初，雖有稍微輸出，但在同時，進口米就化了一千一百多萬，不獨一般反應不佳，就是在糧食政策上，也是一大矛盾。

郭雨新說：其次足以顯示本省糧食嚴重性的，是糧食局除由泰國進口食米和大豆外，每年進口美援小麥就達二十至二十五萬公噸。（記者按：美援進口小麥該是二十八萬至三十萬公噸，還有黃豆該是每年進口十八萬至二十萬公噸，黃豆進口楊繼曾似亦未曾提及，記者係由採訪有關方面所悉）現在已有數近百萬的人口改變食米的習慣而改吃麵粉。公教人員的實物配給，到現在還在搭配麵粉，可以印證糧食供應的嚴重性。

郭雨新要求農林部門從速腳踏實地改善糧食政策，切實增加糧食生產，提高單位生產面積，從速開發邊際土地與海埔新生地，應付人口增加的長期趨勢。（文野）

工展會重開

觀衆如潮湧

平均每小時達萬人

（本報訊）香港華資工業第十九屆工展會，于十二月二十日下午六時在冬季和暖之夜中重開，中斷十三天的工展會，從此宣告恢復。會場景依色舊，觀衆有如潮湧，分東、西兩條長龍排列入場，人數之多爲開幕以來所僅見。二十日晚成人入場二萬三千八百五十一人，小童超過二萬人，破歷屆一晚入場人數記錄，平均每小時有一萬人進場。觀衆對于工展會重建工程能迅速完成，盛讚不已。

二十日定爲兒童日，由下午六時至十時三十分，凡進入工展會參觀兒童，均獲滑糖菓餅乾禮品一包。此種禮包由嘉頓糖菓餅乾公司、鄧平記糖菓餅乾公司、甄沾記糖菓餅乾公司、紅棉麵飽餅乾糖菓公司、振興有限公司、祥興糖菓公司等贈送，于工展會大門樓派送。

二十一日爲第一次觀衆幸運日，由上午十時至晚間十時三十分，凡購買門票進入工展會參觀者，均可能獲得幸運號碼聯根，其另一聯根則投入幸運箱中，俾以博取幸運。

二十一日晚九時，第一次觀衆幸運抽獎，于工展會禮堂公開抽獎，由觀衆主持，工展會宣傳、公安、稽核部亦派員監督，以示公允。

瘟君續夢

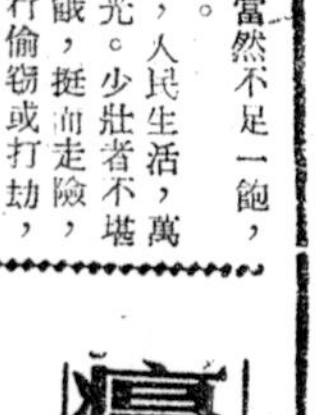

第三回：拒諫飾非，列鼎烹功狗　成王敗寇，作狀笑沐猴

不但對內鎮壓，對外抗拒國軍搜捕，也靠彭德懷打頭陣，毛澤東當時把彭德懷當成擎天一柱，塡詞稱之爲「惟我彭大將軍」。以後毛澤東的權力越鞏固，彭德懷的價值越低，到了一九五八年出版「毛主席詩詞十九首時，把那首「惟我彭大將軍」的詞也刪掉了。

彭德懷對毛澤東忘恩負義的作風，當然憤慨，可是，又不敢發作，明知道毛澤東心狠手辣，稍微露點形跡，就會成爲高崗之續，今天實在忍不住了，順口還了這麼一句，那知道直揭了毛澤東的瘡疤。

毛澤東的習慣是受人小恩小惠，故意掛在嘴邊，念念不忘，例如他那位師範時代的老師符定一，當毛澤東讀書時曾幫過一些小忙，中共政權成立之後，被封爲政協委員，以後又選爲人民代表，每次開會毛澤東總要走過去和他打個招呼，表示不忘師門。另一位是章行嚴，當毛澤東由長沙去北平時，行老曾送了二十元路費，一直到了三十八年，章行嚴被政府派爲和談代表隨張治中去北平談判時，毛澤東見了面就說：「行老，我尙未還你賬哩！」以後對行老確實特別優待，總計中共佔據大陸後，「民主人士」能隨便到香港來的，只有行老一人，據說路費也由「毛澤東選集」的版稅支付。像這些小地方，毛澤東頗知道沽名釣譽，可是，他受人大恩就不言報了。

毛澤東在江西突圍北竄時，能順利在陝北立足，第一個功臣應該算是高崗。可是，高崗畧微有一些居功之意，馬上毛澤東就動手把他除掉了。

這些情形彭德懷並非不知，今天實在是氣極了，口不擇言，掀出三十年前舊賬。這一來毛澤東如何受得了，擲了一盃不中，馬上又拿起烟灰缸，滕代遠也忍不住了，挺身遮住彭德懷，擺手說道：「主席不要發這麼大的脾氣，冷靜一點，容我解釋一下。我們這幾個人從在井崗山起，跟隨主席到現在，經過三十年的鬥爭，到今天剩下的同志實在不多了，我們不但無心反黨，實在也不可能反黨，我們的命運已經和主席聯在一起，主席的事業一天天擴展，我們的地位也一天天上升。萬一主席垮了，我們也必然同歸於盡，試問我們爲什麼要反對主席。」

滕代遠這番話說得委婉盡致，毛澤東的氣漸漸平了，手裏的烟灰缸也放下了。

滕代遠接着說道：「主席要冷靜思攷一下，不能淨聽鬼話，各級幹部報告的農工業大躍進全是假的，到鄉間一看就知道了。農村收成不但沒有增多，反而減少，咱們湖南老百姓已經吃草根樹皮，試想黃河兩岸的人民還吃什麼？這樣下去，若不設法改良，明年會出問題的。」

毛澤東冷笑一聲：「會出什麼問題？」

局勢發展到此，滕代遠的話也非說完不可了，只好又硬着頭皮說道：「眞是逼急了，到時候怕有民變呢？」

毛澤東「哼」了一聲，順手燃着一支茄力克，噴口烟圈悠然說道：「你談到現在，都還不錯，只是這句話又外行了。人民如何變得起來？幾百萬軍隊還怕彈壓不住，負責軍事幹部，大多數都是湖南人，更是萬無一失。」（五九）

國劇藝術彙考

·齊如山·

上邊所談的三派，京腔，徽調，漢調，念字都各有不同，京腔多北方音，漢調鄂湖北音，徽調多與崑腔合，然亦不完全照崑腔的念法，固然可以說是比他兩派講究，也可以說是更亂，此在後邊再談。到了光緒年間，那兩派也就歸併了這一派，此後北平的皮簧，是已融合在一起；固然各人的腔調，都有些不同，而念字則沒有什麼分別了。

皮簧始自陝南，余早有文詳論，茲不再贅。他原來的念字法，未能詳考，經過幾路各地區的變化，到了北平，因傳來的經過地區不同，湊在一起，自然更亂。他雖然亂，但總算有了規定，他的規定是什麼呢？就是：

按音韻說，他遵守十三道轍；

按聲母說，他遵守尖團字。

現在先談談這兩件事情的來源。

十三道轍這個名詞，可以說是不見經傳，雖明朝即有這類的名詞，但也不是有價值的正經書，因爲從前作有韻的文字，如詩賦詞曲等等，各朝有各朝的韻書，唐有唐韻，宋有禮部韻畧，元有中原音韻，明有洪武正韻，清有佩文詩韻，所有應試的韻文，都非「從他不可，無所謂十三道轍。可是民間自己編製一種歌謠或小曲等等，就不管他了，左右我不是應考試，不但音韻，連平仄都很隨便，大約都是各人照各人本鄉的土音來編，一直到現在，還是如此。這一省的民謠小調，他省的人念着就不合轍，幾千年來就是這種情形，這當然是文字雖然統一，而言語未能統一的毛病，可是歷朝政府沒有干涉，學人也沒有理會。

現在才說到本題，這十三道轍又是怎麼個來歷呢？據我的考查，乃是始自清朝，不過這話說也很長，然因爲從前沒有人寫過，也沒有人談過。從前所以沒有人寫沒有人談者，一則因爲這完全是民間的俗文，不足登大雅之堂；二則是雖然有人整理，然始終未能成一種學說，故知音尚少，所以也有附帶清談談的必要。（五）

邛都憶往（一）

李候仲

三十七年我去西昌，一住就是三年。我總覺得這個城市有點特別。西昌漢時名邛都郡，在清爲寧遠府，處川西極邊。後來西康建省，改隸西康省。劉文輝設有屯墾委員會在此；寧屬十縣，凡百政務，無所不管，實則是他私人抽收鴉片煙稅專設的一個機構。

西昌城區不大，祇有東西兩街較爲繁盛，每逢三六九日當墟，四方商販雲集，人潮洶湧；平常都是冷清清的，每當西風殘照，黃塵漲天，則極目荒涼，顯示一片塞上風光。我是舊曆元宵節到的，詰朝正值開年第一次大趕集，人特別多。離西昌城五十里外，都是夷人卜居（猓猓之一種，爲上古九黎三苗遺族，要算我國最古的土著）來趕集的黑夷女郎，兩耳掛着數磅重的銀質大耳墜；臂膀上帶的金鉈條，看樣子有斤多重（實則內是空的）；穿着用碎錦鑲成的百摺長裙，像古時舞衣，迎風飄颺，曳地而行；背上負着一個篾兜，裝滿了出售的東西或購進的什物；有些把哺乳的嬰孩，放在兜內，任他嬉笑啼哭。他們大都身體健美，步履輕盈，擠在人叢中，好像花蝴蝶一般，穿來穿去。黑夷男子則挑着柴薪或青稞豆麥之類，沿街求賣，身上披着一件擦耳挖，這是他們唯一的衣着家當，用牛羊毛織線以手工織成，無論寒暑都披在身上，日蔽風雨，夜代衾裯，實際就是一大幅長毯，若釋氏的袈裟然。他們把貨物脫售後，就三五成羣的盤坐在人家屋簷下，旁若無人的喝着老酒，蠻語啁啾，不知說些什麼。入夜則狗一般蹲在人家門前打盹，一直到天明始散去。

市場上購買貨物，除公務員尚用紙幣外，民間交易，買賣貨物，大都比較棉紗論價，購物的人把一大餅棉紗，分成數十支甚至數百支，人手一把，去交換貨物，棉紗用久，成了一團糟，還見在市場上拋來拋去。大宗交易則用銀錠，土人所謂窩窩頭，大約有普通蒸籠那末大，平的一方有些蜂窠眼，就是前清時候所用的馬蹄銀子。

寧遠府本以寧遠河得名，這條河緊繞西昌城根流過，年久失修，淤沙滯積，要在春夏水發，才見一泓濁流，人馬仍可徒涉。靠這條河的東岸，每當趕集，就是擺的舊貨攤，約摸有半里路長，簡直是集古今中外舊貨的大成，凡農人的舊犁耙，小兒的尿布，婦女的裹腳帶，都有得買，破銅爛鐵與周鼎漢彝，雜然並陳，乍見之下，真是傷心慘目，不忍卒睹，內地人爲它取了一個街名，叫「傷心街」。到了趕集日，我們願去逛逛的，也祇有這條街。

可是，這裏也有幾種出色的特產！黃水塘的板鴨，色香味，都要勝過南京板鴨。冕寧產火腿，可與金華火腿媲美。尤其是這裏的日用土產百貨，真是便宜得驚人，政府把法幣改作金元券時，市上的肥豬肉和邛海出產的大鯉魚，每斤都祇賣兩角錢。加之有四季如春的氣候，淳樸無華的習俗，所以內地人到了這兒，就等於進了避秦的桃源，感覺別有天地，留戀地不肯輕易舍去。

冬至感懷

漁翁

在一年中，有夏至，有冬至，夏至日長夜短，冬至日短夜長，兩成反比例。但是，夏至被人所冷落，一到冬至，則家家戶戶，殺雞宰羊，如同歲首一般。所以粵人有「冬大過年」語，北方也有「冬至大過年」的口頭禪。因爲我國從前有一時代以冬至爲歲首的；後來雖然改變，而積重難返，仍一樣被人重視。

冬至，又稱「長至」。顏氏家訓云：「長至之日，無父拜母，無母拜父」。老學庵筆記曰：「唐人多至前一日亦謂之除夕。及至元代，漸漸衰廢，到明清兩朝，仍舊熱鬧起來」。據孫氏儀範載：「家無大小，必市食以享先，諸凡儀文，加於常節，故有冬至大過年之諺」。又清嘉錄云：「郡人最重冬至節，先日，親朋各以食物相饋遺，間有懸掛祖先遺容者。」足見明清兩代，對冬至重於平常的節日。入民國，又規定是日爲「冬節」。現在，雖不甚普徧，卻未忘掉這一節令，要以廣東人爲最熱烈。

過冬節，回溯前代故事，值得吾人之警惕者，事見晉書：「周顗之母李氏，於冬至日舉觴賜三子，曰：爾等並貴，列吾目前，吾復何憂。」李氏在危難中，率三子周顗、周嵩、周謨，渡過江來，脫離危險地帶，同時三子皆顯貴，佳節團敘，其樂可知，認爲偏安江左，可以永享榮華。不料嵩應聲曰：「恐不如尊者，伯仁（顗字）志大而才疏，名重而識闇，好乘人之弊，此非自全之道。嵩性抗直，亦不容於世。惟阿奴（謨）碌碌，當在阿母目下耳。」後來王敦作亂。王導詣台待罪，顗申救甚至，而導不知，迨泰詔詣石頭見王敦，敦問導周顗何如？導不答，遂被害。同時嵩與謨之前途，亦如所言。

彼兄弟生當東晉之亂世，旣有自知之明，而不去明哲保身，以報國而殺身，誠非自全之道。今世局之擾攘，更甚於往昔時，凡流亡海隅者，雖逃出鐵幕，而猶貴不矜不伐，必信必誠，保此七尺軀，以作復國還家之打算，對周母之居安忘危，顗嵩之戀變無方，引爲警惕。

古之詩人，每逢「一陽氣轉，六管灰飛」之際，吟詠出來的佳句不少，如顏侍郎冬節詩：「至節佳家講物儀，迎來迎去費心機。」馬臻冬至即事：「天街曉色瑞烟濃，名紙相傳書賀冬。」曹子建獻襪頌：「玉趾既御，履和蹈貞。行踐祿邁，勛以福並。南門北戶，西巡王城。翱翔萬域，聖體浮輕。」他們把賀冬之風，描寫於紙上，饒有雅趣。

「小至」（冬至前一天日「小至」），杜甫有七律一首，爲詠冬節的名句，至今猶膾炙人口。詩云：「天時人事日相催，冬至陽生春又來。刺綉五紋添弱線，吹葭六管動飛灰。岸容待臘將舒柳，山意衝寒欲放梅。雲物不殊鄉國異，敎兒且撥掌中盃。」所[illegible]添線者，冬至[illegible]日長，以女工刺綉，添一線之功也。所[illegible]吹灰者，以[illegible]管內吹之，灰飛向東，至後則[illegible]向上也。又晉冬[illegible]一陽生，岸柳山梅皆特舒放；彼父子在異鄉，觀[illegible]烟景[illegible]

[illegible]蕭蕭風雨雨相催，海上濤頭去又來。[illegible]一陽還氣轉，六管飛灰[illegible]堤邊柳[illegible]梅[illegible]也，放歌縱酒[illegible]

談術士葉如音（一）

諸葛文侯

葉如音，南京夫子廟之職業命相士也。其人畧識之無，固與一般江湖術士無殊。然賦性朗爽，凡向其叩詢命運休咎，每能依其所見而肯定論斷之，當否雖未可必，人頗賞其大胆。三十年前，愚于役南京，初識葉氏，常以妄言妄聽之消閒觀念，隨伴友輩中之好談命運者，不時成爲葉氏座上客。對日抗戰勝利還都後，復遇之於其舊居夫子廟一小旅社中，操業如故，談吐猶昔，然垂垂老矣。迨民國四十一年在海隅閱及大陸報紙紀載，知葉氏已被共黨屠殺，論階級成份與職業，似無殺身之理，殆與其口不擇言之個性不無關係歟？

憶現行憲法頒行，第一屆總統大選之際，競選副座者多人，程潛亦濫竽其中，旅京湘人爲之助選甚力，吾友衡陽李況松先生（已遭共黨殺害）尤熱心勸進。繼而諸競選者忽相率宣告退出，造成政治風波，大選工作乃停頓若干日。某夕，李況老曾挽愚同往葉如音處，袖出程潛生庚八字，探詢競選副總統之成敗運會，葉審諦有頃，頻頻搖首謂「不成」！旋用鉛筆書一語於其左掌中，斜舉以視愚云：「將有方面之任」。洎後程氏落選，又受爲湖南省主席兼綏靖公署主任，果爲葉所論斷，愚甚異之。

民國三十七年冬臘，徐蚌大戰國軍敗績，未幾，傅作義以平津重鎮歸降於共黨，全國震動，中樞準備遷都，人心洶擾。愚與友人王君於某日午間往晤葉如音，擬談論國運問題，至則座中有一衣履豪華之青年方請葉氏推究命運，謂係代其商業機構之主人乞教者。愚旁坐竊聽其說。葉氏將生庚八字錄列於紙上後，詫謂：「此人週身都是財，可惜缺欠了雷，否則像蔣總統那種地位他都有望啊！」青年問：「你看我們老闆能夠發多少財呢？」葉言：「有富甲一鄉一縣者，亦有富可敵國者，貴居停之財富，似可甲一省也。」青年久談不去，且謂尚攜帶有數張八字須繼續請葉推算云，愚不耐枯坐，挽王君外出品茗後再來，經過一小時許，愚等重履葉寓，座中已無人，葉啞然曰：「你們知道剛才那位青年人教我推算的八字是誰的？」愚謂不過一富商鉅賈耳。葉曰：「非也，乃是宋子文的。初時那青年人見有你二位在座，不肯明說，二位出去後，他又把宋家男女老少的命運教我推算了三數人，臨別才告訴我第一張八字實係宋主席的（時宋任廣東省主席兼行營主任），他是宋的秘書」。

愚聞葉言，料其必有若干議論發表，差堪排遣此時對國事前途之煩鬱心情，即正襟危坐而詰之曰：「根據子平學而論，宋子文今後在政治上尚有大發展否？」

山川風物

九疑山

道南

湖南寧遠縣九疑山，又名蒼梧，爲大舜陵寢所在。九疑山在縣城之南五十里，舜陵即在田隴之中，四週萬山環繞，青蔥秀。

水經注云：「九疑山羅巖九峯，各導一溪，岫壑負阻，異嶺同勢，遊者疑焉，故曰九疑。」是而是地之不易尋探，可想而知。

距舜陵一里許爲九疑洞，鄉人稱九疑洞狀「龍」，去看過的人當知所傳非虛。洞門斜出作扇形，其廣數，乃龍的張嘴。門上有下垂之石鐘乳，與落地而突出的石鐘乳，乃龍的牙齒。有巍然矗立的石岩一，乃龍的舌。洞口在門深處的中央，由此外望見天一方，豬牙錯落。顯頂凸出不平，皆潤以水氣，光線折射，頗呈金碧輝煌之觀。口直徑不逾三尺，才可容身，口下有三尺斜坡，爲龍之咽喉，人須伏地而行，始可入內，此奇觀。坡內有流水，是則龍之涎。入內則已步入龍身，暗無天日，且滑溼，須持火把，所經之處，時而山邱，時而河流，驚險萬狀。洞內石鐘乳所成之物，琳瑯滿目，美不勝收，多「菩薩」之屬，其中以「石田」爲最肖，俗稱仙人所使用的田畝，田中間有土堆狀，是則仙牛之糞。亦絕肖。

此外復有所謂「風洞」、「雷洞」，洞中據云有河流九條，河內尚有魚類。置身其間，如入恐怖之谷，隨時有傾跌不測之虞，所以遊跡罕至。

內僑警台報字第〇三一號內銷證

自由報

THE FREE NEWS

第一九五一期

中華民國僑務委員會頒發
台教新字第三二三號登記證
中華郵政台字第一二八二號執照
登記爲第一類新聞紙類
（半週刊每星期三、六出版）
每份港幣壹角
台灣零售價新台幣弍元
社長：雷嘯岑
督印人：黃行富
社址：香港銅鑼灣高士威道二十號四樓
20 CAUSEWAY RD 3RD FL. HONG KONG.
TEL. 771726　電報掛號．7191
承印者：田風印刷廠
地址：香港灣仔高士打道二二一號
台灣分社
台北市西寧南路壹壹零號二樓
電話：三〇三四六
台郵掛號金戶九二五二

從表揚好人好事問題說起

劉浩然

一

近年來，台灣方面不時傳出「表揚好人好事」的消息，被表揚的都是些躬行實踐四維八德之義理的「謂匹夫匹婦，誠盛事也。可是，這類事純係社會風俗厚薄的民德問題，關鍵在平日的教育功能，以及那一時代的生產力和生產關係是怎樣的情形？大概人們在生活環境安定的承平之世，謀生的途徑與方法比較廣泛而簡易，再受着家庭，學校，社會各種教育潛力的薰陶，大家都有向上發展的心情，而使人性的惡劣部分歸於隱蔽了。「衣食足而後知榮辱，倉廩實而後知禮義」，人人自動的有所不爲，見賢思齊，知恥自愛，而一般在社會上具有領導力量的智識份子，又能以身作則，潛移默化，發生示範作用，善良的社會風氣，並不需要政府來表揚而自然形成，民德歸厚矣。

台灣表揚出來的好人好事，總不外孝敬父母，友愛弟兄，拾金不昧，急公好義，忘己救人等等德行，這原是人生份內的事，在一個風俗醇厚的社會中，大家視爲義所應爾，人知之亦猶是，人不知亦猶是，只求心安理得，絕無沽名要譽之意，有些人衙以「無名氏」的名義斥資作慈善事業，即其例證。若夫好人好事可資爲宣傳口實，而需要政府特加表揚，這就是人心陷溺，風俗澆漓的衰亂之世的象徵，雖不能說是不足爲訓，但其效用卻甚微弱。這與衰世官吏隨時侈言自身廉潔的意識形態，殊無二致，官吏的基本守則就是要廉潔的，夸夸於自謂爲廉吏，好像是一項了不起的美德，然而官吏應該是以貪汚爲本份，而以廉潔爲例外不是麼？凡是移風易俗的工作，身教的影響尤其重要，一落言詮，便無足觀了。

二

我們對於好人好事決不漠視，而且由衷地表示讚美，但不認爲僅以表揚的方式，即可望獎致移風易俗的成效。政府連年在台灣表揚好人好事，民間亦盡力宣傳，然台灣社會上發生的姦盜命拐案件，與夫兇殺強奪的情節，翻開當地報紙看看，幾乎無日無之，亦可謂愈演愈烈，這不是一種強烈的對照嗎？社會道德之墮落，唯生的關係最多，而唯心的成分很少，亂世的人生觀，由於謀生不易，總是煩鬱偏激，殊不正常，安份守己者飢寒堪虞，行險徼幸者富貴可致。在這種現實生活環境之下，少數的好人好事，決不足以激發人們嚮往之心，無論怎樣表揚宣傳，都難以產生很大的示範作用。正本清源，還是以發展生產力，改善生產關係爲首務，不患寡而患不均，不患貧而患不安，祗要能實現國父所倡民生主義的基本法則，人民的生活稍得安定，羣衆的生計容易開拓，而社會的風俗自然隨之趨於善良，乃可斷言。大陸淪陷的原因固多，然吾黨執政二十餘年間，未能實現民生主義的法可於什一，實係最主要的因素。照目前台灣的經濟建設情況，與其人口逐年激增的比率，懸殊過甚，民生問題如無適當的籌劃隔處，社會問題即相應日益嚴重，而風俗之不易歸於善良，自屬意料中事，專靠表揚好人好事來遏制頹風，變革惡俗，行嗎？

政府一面表揚好人好事，同時亦裴除壞人壞事，庶幾乎可以刺激社會大衆的好善心理，而使移風易俗的願望不致完全落空。當期台灣徵還社會上的流氓，這是善政，但教育界的流氓——太保學生——何以又熱視放縱呢？放縱一個教育界的流氓，其所給予社會大衆的惡劣觀感，雖懲處千百個普通流氓亦不足以資補償的。因爲太保學生都是些所謂上流社會人家的子弟，而以出身類官門第者爲最多，這些民族敗類，仗有父兄親戚在政治社會上的特權魔力，非法橫行，肆無忌憚，等到人言嘖嘖，衆怒難犯之時，大不了又以玩法的手段，送到外洋去留學。似此不法行於豪貴，刑不及於大夫的畸形風氣，影響於社會人心者何等深切著明呢！準此以衡量政府表彰好人好事的效能，寧無得不償失之嘆乎？

三

所謂好人好事的範疇，原不外乎孝悌忠信，禮義廉恥這些庸言庸行。我們撇開社會結構與經濟生活關係不談，專就正人心，厚風俗的說教作用而論，政府一面表揚民間的好人好事，同時須積極致力於政治風氣之改善，才是深中肯綮的要着。假使吏途龐雜，紀綱淩夷，是非混淆，邪正無分，而期望社會大衆皆能以四維八德爲生活圭臬，結果必無是處，以身教者從，以言教者訟，此理甚明，毋待饒述。

凡百政事，都需人執行，任用好人即可以做出好事，若使壞人在位，而欲政治修明，決無是理。人的好壞標準，固屬難言，然就其日常生活的自然表現，亦可以體察其品格的高下爲何如。平日對人接物，昧良鮮恥，無所不爲之人，一旦從政，未有不胡行妄爲，貽害蒼生的。今之用人者，視人品德行乃迂腐不足道，而以奸滑機巧爲幹練，奴顏婢膝爲忠貞，僞言諂語爲功績，政治上祗見黨同伐異，派系林立，排擠傾軋，告訐構陷之風大作，無所謂正義公道，無所謂是非善惡，因而構成爲會國濫，指述的衰敗政風：「獨舉目斯世，求一攘利不先，赴義恐後，總慣耿耿者，不可亟得，或僅得之，而又屈居卑下，往往抑鬱不伸，以挫以去以死；而貪饕退縮者，果驟首而上，而富貴，而名譽，而老健不死！」

政府對人民提倡忠孝，先得注意政治人物有無不忘不孝的言行？諸如朝秦暮楚，有奶是娘的投機份子，父母死亡而好官自爲，無動於衷的涼血守[illegible]，若不予以整飭摒棄，又從而寵信之，拔擢之，那人民對於政府教忠教孝的說法，便不會發生絲毫異趣。政府表揚民間急公好義，拾金不昧的行爲，而政治上大小貪官汚吏在多有，賄賂公行，紅包第一，甚至人民因病要到官立醫院就醫，亦非先向主治醫師行賄不可。民衆眼睛雪亮，觀察明確，誰復重視官方表揚好人好事的工作呢？以，我認爲政府與其汲汲於表揚社會上的好人好事，倒不如切實獎勵政治上的好官好事，藉資號召。十步有蘭，十室有芳，林林總總的文武百官中，未嘗沒有一些知恥明義，有不爲的正人君子。這類人不屑自炫自媒，蠅營狗苟，更不屑走邪路徑以求發達，砥礪自守，勉盡職責，多是屈居下位的。政府綜覈名實，闢誠佈公，擇其賢苦加以不次之擢遜能非當的獎掖，而風，播，感召必深，聲衆與官吏當一例舊民顧做好人好事了。勉改革社會風氣，必須由上而下，重實踐，尙自然，若流於形式主義，即或標語口號，毫無作用之可言也。

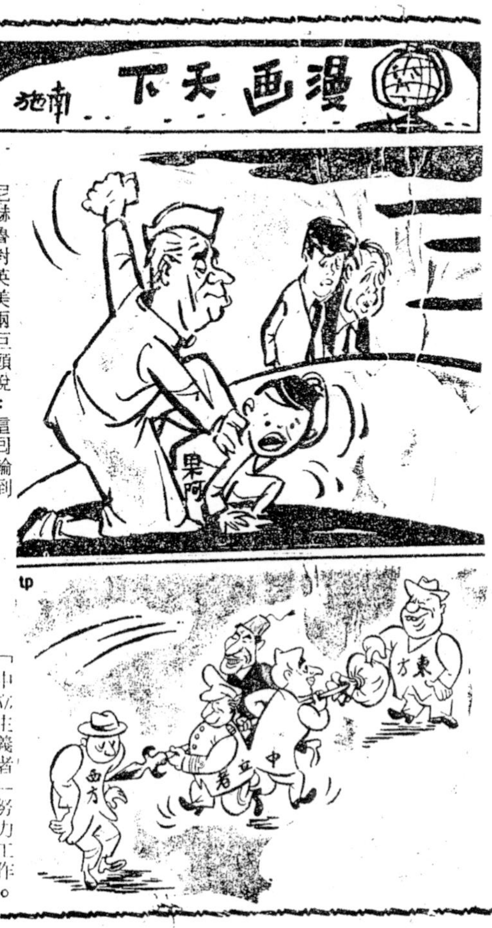

尼赫魯對英美兩巨頭說：這回輪到你們做「中立主義」信徒了。

「中立主義者」努力工作。

自由談

世界快要大亂了！

馮子先生

素來以「和平中立」的小丑姿態，在國際間招搖撞騙，多所賣弄的尼赫魯，居然以陸海空軍進攻葡屬果阿，而聲稱並非侵略行爲。所以，俄帝與中共皆致電尼赫魯祝賀！——恭賀他以武力手段解決國際糾紛之成功，而替俄共集團創造了一條向外擴張的捷徑。

尼小丑認爲果阿原係印度的領土，五百年前被葡萄牙佔去的，他今天用武力奪回果阿，即不算是侵略行爲。等由准此，不特印尼的蘇卡諾可用武力進佔荷屬新幾內亞；伊拉克的賈山亦可用武力奪取約但，科威特島；而中共更可以派兵佔領錫金，尼泊爾；俄共尤其有理由藉武力襲取伊朗與俄羅斯毗鄰的若干土地，甚至可以用武力進攻美國新設的阿拉斯加州。因爲按照五百年前的歷史而言，上述這一系列的土地，都不是現在的所屬情況也。

英美等國，近十餘年來視尼赫魯爲「過河卒子」，多所縱容鼓勵，要把這個小丑角捧爲「亞洲領袖」，今日他乃恃寵而驕，妄自矜狂，不惜無視聯合國憲章，而使英美當道深感受窘，「有晒表情」。這是強權主義與姑息主義的混合產物，勢所必至，殊不足怪。

舊有「國際聯盟」之垮台，肇禍於英法縱容日本帝國主義以武力侵佔我東三省，鼓勵強力者隨便欺壓弱小民族國家，戾氣所鍾，意大利亦以武力進攻阿比西尼亞而佔領之。把持「國聯」的英法，各懷私圖，互逞歧見，而所謂國際聯盟也者，就在全世界徧傳烽煙的局勢中，好似患着腦溢血症，忽爾死亡了！

歷史事實是可能重現的。我們看看現在把持「聯合國」的幾個大國，除蘇俄是唯恐天下不亂以外，英美在聯合國的作風，與過去英法在「國聯」的所作所爲，又有多少不同呢？印度的武力侵略行爲得逞，眼見印尼進攻新幾內亞即在旦夕之間，而中東一帶隨時皆可以爆發戰禍，再配以寮、越之亂象方亟，剛果之砲火連天，若說這世界會有和平秩序出現，那除非太陽是西邊出來的？

中華民國工商界參觀香港工展代表團謝啟

本團此次應邀來港參觀中華廠商聯合會主辦之第十九屆香港工業出品展覽會辱承各界友好寵賜盛宴殷勤款接並多所指教感紉良深茲已于本月廿四日公畢返國不及一一詣辭謹此鳴謝尚乞鑒諒是幸

中華民國工商界參觀香港工展代表團謹啓

國代忙於修憲 內容傳有七大點

（本報記者台北航訊）最近國大代表們忙得「不亦樂乎」，十二月十八十九日剛開完了「憲政研討會」的第六次綜合會議，通過了「有關修憲各案綜合整理報告」。二十二日二十三日又有「光復大陸設計委員」舉行第八次全體委員會議，大部國代爲該委員會的組成份子。二十五日與二十六日又要舉行第二次研討會。

國代近日之忙，是忙於修憲，在未開會之前的一些研討與設計，大多是秘密進行，各種會議，均拒絕記者採訪，但其內容從若干間接來源，約有下列幾點：

（一）刪除現行憲法第二十七條，國民大創制複決兩權「俟全國有半數之縣市曾經行使創制複決兩項政權時，由國民大會制定辦法並行使之」的規定，使國大提前行使創制複決兩權。

（二）國民大會每年集會一次，並得自動召集臨時會，開會時得邀請有關院會首長列席備詢，又將設立各種委員會，使國民大會在性質上由非常設機構成爲常設機構。

（三）總統對院與院之爭執，得經召集會商未獲解決時，得諮請國民大會複決，使國民大會成爲院與院間權責的最後協調者。

（四）行政院移請立法院覆議案，如立法院維持原議，行政院得呈總統諮請國民大會複決；如複決結果仍維持原議，行政院長應即接受或辭職。

（五）將立法院對行政院長及監察院審計長任命之同意權，以及監察院對司法院長、大法官、考試院長及考試委員任命之同意權，全部移轉於國民大會，使國民大會成爲能發揮制衡作用的唯一機構。

（六）大法官對憲法，法律及命令的解釋，國民大會亦得複決之。使大法官會議實質上成爲國民大會的一個附設委員會。

（七）最後有少數國代主張，立監委員由國民大會選舉，而且國大代表亦有被選舉權。

以上幾點，爲憲政研討會所擬議的修憲內容。照此修改，政權機構無疑的是一個大變化。以國大代表的看法，以爲立監兩院的權太大。依據以前大法官的解釋，國民大會與立監兩院均爲「國會」；既然國民大會也是「國會」，但總覺權力太小，是居於冷宮的國會，與立監兩院較之河相形見冷的一頭國會。因此，在上次國民大會開會後即成立了「憲政研討委員會」，研討到現在，肯在加強國民大會之權力。」一般人認爲，此非無國大代表在爭權而已。現在部份輿論已有反應，多有主張「此時此地，不宜修憲」的。但國大代表們仍在積極努力以赴，結果如何，還得稍待時日。（本報駐台記者匡謬）

取締惡補離題尙遠
欲求生效正本清源
亂開支票欺人自欺

（本報台北航訊）近年來台灣所發生的「取締惡性補習問題」，不僅各級行政主管，各級民意代表都一再表示取締和禁絕的決心，就是最高當局也曾提示，副總統兼行政院長並爲此而奔走了一個根深蒂固的教育負責人。依理，上下一致注意，這問題該早已解決了；然而，事實上大謬不然。十一月二十五日民族晚報還有一則題爲「啞然失笑」的短評有云：「教育行政座談會談了兩小時『如何取締惡性補習』，結果是咬文嚼字，一事無成。——難怪座談會人士自己也啞然失笑了」。

台灣行政效率的逐漸減弱，做一個老百姓的心理也感覺異常沈重。然而政府當局，民意代表卻常「立異鳴高」，「亂開支票」，結果弄成「自欺欺人」，眞是不可思議之事。筆者以爲這原因有如下列：

一年來台灣社會消費的提高，不可遏制；例如十年前看到陣雨時期，小姐們穿的新木屐不肯打濕，而把牠提在手裏，赤足行走。但現在則都是高跟皮鞋，遇雨搭車，毫無吝色。男子也都是西裝革履，很少見穿黃卡其制服的。

（二）一個年富力強的國校教員，叙薪月不過四百元左右，但假使收補習生全班的半數二十五名，每名最少一百元，那麼他的收入就等於正薪的六倍。

就（一）（二）兩點分析，消費的提高和額外收入，等於鴉片煙吃上了癮。毒品上癮，雖嚴刑峻法也禁絕不了。何況惡補沒有違犯法律？

（三）現在社會日趨商業化，是以達官貴人，民意代表都以接近工商人士而搭上一脚以謀經濟上有助益爲得計，唐榮鐵工廠的大批顧問就是一個實例。筆者目睹一個不懂國語故向不與外省籍人招呼的教員老母，見補習生的自行車放在露天（教員宿舍普徧的狹仄）而天忽然下雨，她就大聲的喊着「落花！落花（台語下雨）」，躕跚的爲自行車遮蓋坐墊。教員太太爲補習生燒茶備水，更是日常的工作。他們的觀念，招補習生等於商業上招呼顧客。

（四）報紙上天天有「貪污」的報導，很多人曾是或大或小的領導人物。教員們認爲以自己勞力增加收入，當然比貪污收入「合理」而「高尚」。

就（三）（四）兩點分析，是客觀環境的影響，使他們對書本上的「尊師重道」「教育原理」都置諸腦後，乃至不擇手段的（威脅利誘）招生補習。

所以，要談「禁絕惡補」，須從這幾點加以認識，正本清源，因勢而利導之，否則空口說白話，徒然暴露自欺欺人的行政低能和政風墮落而已。（太原生）

民社黨蔣勻田先生來函

（來函照登）

嘯岑先生大鑒：久未晤教，時切舊思。頃閱十二月十六日自由報有：「高玉樹率領部曲投奔民社黨，四項條件與蔣勻田一拍即合」一則台北通訊，全係讕言中傷，抄自此間一地方性之黃色雜誌，似非先生所主持之政論刊物所應採。二十年來，勻田每爲黃色報紙誣衊之對象，似非先生所主持反共刊物之對象。爰敢略舉事實，請予更正：（一）十年前高玉樹同仁第一次競選台北市長，即係民社黨所提名，足以說明民社黨無待此時爭取高玉樹矣。副主席之產生，全靠選票，勻田愧無才德控制全黨，憑何以副主席位置許人？此乃不辯自明之常識。（二）李秋遠同仁兩年前已被民社黨由台北縣黨部主委升任爲台灣省黨部組織處長；李賜卿同仁由台北市黨部主委升任爲省黨部財務委員會主委，其現職之重要：一則不亞於副主委，一則不亞於組織處長，事亦至明。至於省級黨務人事之更調，可能隨時有之，然皆白盡義務，非可高比朝黨，談何履行條件？且照民社黨黨章，省級正副主委人選均須先提常會同意，始能委託。常會記錄俱在，當可隨時提供證明，以戳讕言。至於王地先生雖係台籍名人，民社黨亦誠求才若渴，然非本黨黨員，何能破格借重？此誠無知之流言也。民社黨爲國家對外撐持多黨之局面，雖歷盡艱苦，而不敢自棄，雖迭遭拆散，而不顧自遺，倘爲個人之利益與安全計，早已無意於此矣！至謂勻田爲民主黨運動之幕後人，目的若在陷害，則本可置之不辯；目的若在指事，則勻田之才識淺薄，何敢當之。請以同情之感，代爲披露此函。敬頌

撰祺

弟 蔣勻田再拜 十二，二〇

縣市財政備極困難
走投無路提高田賦

（本報記者台北航訊）省政府十九日決定的提高田賦征實，是在走投無路無可如何的情形下，所做出來的痛苦的決定，加之他又是「取之於民，用之於民」，各方面的反應都顯見很好，根本就沒發現有什麼人表示反對；省議會的必然會加以批准，絕無疑問，充其量亦不過是對提高額打一個無關緊要的折扣。

民國三十三年，中央政府規定的田賦賦額每元征收稻穀的比率，爲每元折合稻穀二一點六公斤。台灣光復後，政府以台省農民歷經日本多年剝削，爲減輕其負担計，特准田賦賦額每元征收稻穀的比率，爲每元折合稻穀一四點一六公斤。現在省政府的決定，正是把賦額提高到中央政府前所規定的那個標準——即每元折合稻穀二一點六公斤，仍包括帶征公學糧及防衛捐在內。尤其重要的是：增收之數，完全用之於各縣市的經濟建設，而且此一「用」，又實在既應該又切需，因而大家都認爲非擁護不可。

依據現行財政劃分辦法，田賦一項的收益，五成歸縣市，三成統籌分配，二成歸省。而增加的田賦收入部份，前決定完全留歸縣市，並規定只能用於經濟建設。換句話說：省政府此舉純然祇是爲縣市籌措建設經費而已。

台省各縣市的財政，情形備極困難。比如地方財政的正常收入之主要來源的稅捐，全省二十二個縣市的全年收入，總共僅達十億零三千萬元。而各縣市的支出，僅教育文化一項，即佔去了八億七千萬元；其餘支出，當然少得不得了。各縣市財政，以台北市情形較佳，如將台北市除外，而稅捐收入總數是七億四千萬元，而教育文化的支出則共七億五千萬元，根本已經超支了。稅捐以外的其他收入，全省各縣市，全年總計亦僅有二億六千萬元，其不足以應付一般支出，顯而易見。因此，各縣市的經濟建設支出，乃是省的補助。

省政府對各縣市的補助，目前已達九億五千萬元之鉅，這在省而論，已經是慷慨萬分了，但在各縣市而論，卻仍感杯水車薪。比如各縣市的經建支出，除較佳的台北市而外，首位是台南縣，爲二千一百五十萬元，第二位的台中市已不足二千萬元，最差的桃園縣，而僅有二百六十八萬元。縣市經建辦的是有許多可或少的經建工作，如小型水利之類，在在關係農民收入之增減，但以目前各縣市財政的窘困情形，不必說新的建設，連原有建設的維持費，都大成問題，不想辦法，前途眞不得了。各方面對省政府此舉均表示擁護，正就爲此。

省農會理事長又兼爲省議員的朱萬成，他本身就是一個自耕農。他對省政府的決定就表示擁護，他說：近年政府用在農業開發上的錢很多（記者按：依政府數字，自民三十九年迄今爲一百五十六億餘元），使得農民生活獲得很大的改善，現在爲了充實縣市經建而提高田賦徵實額，目的還是爲了農民，農民自然擁護。但他以爲（一）對三七五減租的保留地，不宜增加田賦賦額；（二）其餘則希望不要加得太多，俾能獲得更好的效果。（麟）

林衡道失言丟官
安全主任自不安全

（本報台北航訊）台北代市長周百鍊，二十日批准市府安全室主任林衡道在市文獻會主任委員的兼職。這位任期只有兩個多月的主委，因月初在市議會指摘四屆市長黃啓瑞「思想有問題」，引起軒然大波，事後即稱病請假，現則提出辭職了。林衡道辭職之迅速被周百鍊批准，一方面爲平息副議長周財源之事，另一方面市議會凍結了文獻會預算，必須由林衡道親爲說明才「解除凍結」，林衡道如何說得明呢，所以，他終於三十六着，辭職爲上着了。（越）

黃信介口不擇言
不但侮辱了議員和選民
也把自己顯得半文不值

（本報駐台記者航訊）台北市議員黃信介，在台北市政府公開對報紙記者發表談話，要以十五萬元活動費，競選台北市副議長，並且預定每張票付出二千元的代價，收買議員的選票。他還自稱他是花了六十萬元而以最高票當選爲市議員的，「錢花得多，相對的票也得到多，以最高票當選」。同時他又說：「因爲我花得起錢，所以許多國民黨籍的議員，已經向我示意了」。他說：「在罷免市議會副議長簽署後，我請黨外人士到北投聚會，那天用了將近一萬元」。他把即將到來的副議長選舉情形和議會比做魚市場，他說：「至於選舉時的行情，那就像中央市場標售鮮魚一樣，臨時看行情而定」。

黃信介說了這樣口不擇言的話，如果不是「憤世嫉俗」，便是「快人快語」。但他這些話不但已刺傷議會同仁，他要當選決無可能，甚至他選區的選民，亦認爲他的話「不無侮辱選民」之嫌，已有人在醞釀罷免他；而且，他亦還把他自己糟踏了，原來神聖的民意代表者，竟如是其半文不值。而這亦是此次台北市議會罷免副議長周財源案的節外生枝。（吳越，二十日）

××寶島之窗××

師道之不振也，久矣！
年終無獎相率怠課　男校長役使女教員

▲省議員梁許春菊在省議會質詢教育時指出：她在各地考察教育時，各地校長均一致承認，目前的國校教員缺課情形非常普遍，而其原因，則是由於沒有年終獎金的關係。她說：過去有年終獎金，規定如請假或缺課過多，以扣發年終獎金作為抵制。但今年年終獎金取消了，教師們對於請假缺課沒有了顧忌，而校長們對這種情形，也無法加以管理，因此，形成了嚴重的怠課現象。

▲省議員梁許春菊和王國秀，在議會中向教育廳劉眞廳長建議，請改善女教員的地位。她們說：女教員沒有享受到男教員同等待遇，這次她們去考察教育時，發現各地校長把女教員當下女使喚，命與客人倒茶、敬烟，當着一大羣女議員的面，命令女教員做下女的工作，這是很不公平的，而且對女教員是一種侮辱。梁議員說：這是日據時代的陋習，務請劉廳長加以勸導改正。王國秀說，政府為了提高女權，定每年三月八日為婦女節，但同為婦女的女教員卻沒享受放假一天的待遇，亦是不公平的。

劉廳長在答覆時表示：男校長無權把女教員當下女使喚，婦女節女教員也應該放假，他一定下令改過。

按以往曾有校長讓女教員陪酒的新聞，那才侮辱到家哩！

▲南投鎮民代表會，十八日復會後，即將通過鎮公所一筆數達三萬一千六百三十一元的所謂「代表獎勵補助費」。這一筆錢，並非半年前民意機構吵鬧的變相待遇，而是他們私人購買書刊及日報費用全部交與鎮公所報銷，而且公然列入該鎮新年度總預算。據鎮公所職員透露：書刊報紙是縣府財政科有力職員推銷，不編入預算，縣府補助款就有問題，而且代表們也會找麻煩，故祗有等待審計機關剔除後再說。這是縣府職員利用職權，鎮民代表非法自私自利的開支，卻要用來增加鎮民負担的惡例。

已據南投縣府查出，推銷書報的財政科員是黃富國，已經縣府報升為「安全室」股長，推銷的報紙每份較售價還高二元。

▲國立政治大學，原定十六日舉行本年度全校運動大會，該校因現在已屆雨季，為了愼重起見，事先向省氣象局探詢十六日天氣如何？據氣象局答覆的預報是：寒流來襲，氣溫降低，還得風雨交加的最壞天氣。政大為了屆時不致「煞風景」而決定改期。但到了十六日，竟是風和日麗的好天氣，且最適宜於戶外運動，因此政大的師生們啼笑皆非，認為沒有利用好天氣，覺得萬分可惜，對氣象局的預報更覺得不可「置信」。本年還剩下來只有幾天了，政大正為着選擇「好日子」而感到困惑。（吳越。十二月二十日）

在果阿事件的鼓勵之下
西新幾內亞戰禍難免
蘇加諾政府蓄勢欲發

（本報雪梨通訊）早幾天就有消息說：印尼的蘇加諾政府，準備在十二月十九日對爭奪西新幾內亞（印尼稱之為西伊里安）的步驟，作重要的宣佈。現在，由於突然而來的印度尼赫魯興兵打下了果阿的刺漸，蘇加諾更加得到鼓勵，他確實很有可能也要實行動武去拿新幾內亞了。

據雪梨有資格的觀察家的看法，除非果阿事件有不利於印度的發展，否則，印尼之亦揮動干戈去攻打西新幾內亞，儼然已只是時間問題。而要果阿事件出現不利於印度的發展，這機會差不多就並不存在。

印尼與荷蘭關於西新幾內亞之爭，從印尼獲得獨立之時，便已開始，到現在十一年了。如果將有這麼一天，印尼眞的去打西新幾內亞了，因為那將並不像印度打果阿的有如獅子搏兎，可以手到擒來，印尼而動武去拿西新幾內亞，除非荷蘭願意禮讓，將很難免戰事會曠日持久。而眞的戰事久懸不決，就亦難免會夜長夢多，說不定會搞出大禍事來。

新幾內亞是全世界的第二個大島；第一大島為冰島的格陵蘭。新幾內亞位居歐、亞、大洋三洲的水路交通孔道，極具戰略價值。二次大戰時，日本準備進窺澳洲，便是以新幾內亞為其跳板。印尼與荷蘭爭奪西新幾內亞，由於蘇聯集團支持印尼，澳洲特別關切而敏感，正是為此。

新幾內亞全島面積達三十一萬二千二百餘方哩，分為東西北三部份，東部屬澳洲，西部屬荷蘭，北部原屬德國，戰後交由澳洲代管。西新幾內亞比之東部及北部之和略大，人口七十萬。全島多森林，西部更多屬原始地區，自從盤古開天地以來，未經開發，天然資源確實頗為豐富。

西新幾內亞居民為巴布亞族；無論人種、語言、文化，均與印尼不同，印尼力爭該地應歸印尼，其實缺乏根據。平情而論，任由當地居民自治進而獨立建國，始為應循的道路。

印尼自荷蘭手中掙脫束縛獲致獨立地位之翌年，即一九五〇年，蘇加諾就宣稱一年之內要拿到西新幾內亞，但荷蘭不理會他的需索。一九五四年，印尼把問題提到聯合國，經過一番辯論，印尼的要求被否決了。一九五六年二月十三日，印尼片面廢止荷印聯盟，一週後更宣佈廢止荷印間一切財經協定，同年十月二十八日，印尼以武力恫嚇，謂非收回西新幾內亞不可，並在其國內掀起反荷運動。印尼共黨控制之工會，且居然接管荷蘭人企業，包括銀行等；其後由印尼政府收為國營。同時荷蘭在印尼僑民，亦完全被逐離境，造成荷印間最緊張的局面。

一九六〇年二月，赫魯曉夫訪印尼大施爛藥，蘇加諾更宣佈與荷蘭斷絕外交關係，揚言將以「革命方式」進行西新幾內亞的「解放」。今年一月七日，蘇聯宣佈與印尼簽訂協定，以三至四億美元價值的軍火供給印尼，並公然以此批軍火與西新幾內亞之爭連在一起。蘇加諾由於內政搞不好，亦往往藉挑動西新幾內亞問題，轉移人民視線。蘇加諾武力奪取西新幾內亞的可能性，確實早就存在，目前的危機更大。

荷蘭以西新幾內亞與印尼無干，不肯以之交予印尼，而主張（一）交聯合國託管，或（二）任由其獨立，成立巴布亞國。印尼對此兩擬議，均堅決反對，謂非交予印尼不可。現在因果阿事件的刺激，蘇加諾已成立「解放西伊里安總部」，調兵遣將，只候最後的進兵令了。畢竟印尼眞的要訴之武力嗎？雪梨以及全澳洲人士對此深感關切。（正）

香港與大陸

▲據最近由江蘇來香港的一位同胞說：大陸各地糧食奇缺，就以他自己所親歷的來說，人民生活眞是異常困苦，個個枯瘦如柴，而共產黨仍要驅使他們去田野間做生產工作，並派共幹巡邏督工，人民在此情形下，只有忍氣吞聲去工作，用消極的怠工方法來抵抗。他們每天工作時，輪流派一個人出來放哨，看到共幹離開工地，一聲暗號，大家就在田野間睡覺或者談天，一見到共幹來了，又一聲暗號，一齊起來做工作。其實這種情形，共幹們也早就知道的，但是他們裝聾作啞，從來就不敢加以干涉，因為他們知道自己家裏的父兄子弟們，也是同樣地受着這種痛苦哩！

▲據一位粵北方面逃來香港的某君說：我們家裏每個人的衣服越穿越重，蚊帳用紙縫，因為我們每人每年才配一尺五寸布，你想區區一尺五寸布，那裏足夠做一件衣服，連一條內袴也不夠呢！大家衣服破了，補釘疊補釘，一件衣服竟超過原來的重疊好幾倍了。對於做蚊帳，那更不消說了，爛了連補的東西也沒有，只好用紙來糊上，所以我們的蚊帳變成紙製的了。

工展會花絮

金錢牌攤位最為吸引人

▲榮獲本屆攤位裝飾比賽冠軍之金錢牌熱水瓶廠，大為遊覽各界人仕所讚美。此一冠軍攤位，乃由著名藝術家周士心君所設計，其陪襯背景以直形方角織條為主的，色彩有藍、白、黃等幾種，加以閃閃生光之電銘銅柱，令人有清新的感覺，且配合適中，非常美觀新穎。到工展遊覽者，對該廠的六座不同姿勢之新潮派抽象藝術石膏像及其攤位設計之壯觀，確實深留印象。該攤位設第二街。（坤）

振興廠舉辦公開攝影賽

▲振興糖果餅乾公司主人何智煌，為增加雅興，特舉辦第十九屆工展開幕日，港督伉儷參觀其攤位時之鏡頭，作公開徵求攝影比賽，其辦法如下：

冠軍：銀行禮券三百元另本公司出品鮮牛油克力架四罐。

亞軍：銀行禮券一百五十元另本公司出品火腿雞蓉麪四盒。

季軍：銀行禮券七十元另本公司出品牛油曲其士四罐。

優異：各獎本公司禮券二十元另本公司出品嗜喱吉祥果一打。

簡則：參加者請寄十二吋相一張，並附底片（以督憲伉儷在攤位參觀者為準）。

評判：敦請業餘攝影名家簡慶福、劉懷廣、汪石羊，担任。

收件：本月二十五日起至二十八日止。

揭曉：一九六二年元旦日在本攤位。

收件處：工展會場本攤位，領獎日期另行公佈。

德聯新出品塑膠面撲克

▲德聯有限公司參加本屆工展，位於第二街。該公司展出其出品之各款撲克牌及橋牌以來，以製作達世界最高水準，而其經多年研究後創製之塑膠面，防水可洗，極為觀衆矚目，大受歡迎。（坤）

瘟君續夢

第三回：拒諫飾非，列鼎烹功狗　成王敗寇，作狀笑沐猴

就在這時，黃克誠突然插嘴說道：「萬一軍隊靠不住呢？」

毛澤東從圈椅上一躍站起來，走到黃克誠面前指着他的臉問道：「你講什麼？軍隊怎會靠不住？你是得到什麼情報，還是你自己估計的？」

黃克誠自知這句話說重了，當時也有點後悔，一見毛澤東如此認眞，更不知怎樣回答，停一時，定了定神，勉強說道：「我只是估計；不過，我也有事實根據。因為我們自從實行徵兵制之後，士兵都是從農村徵來的，他們的父母妻子都在鄉間。人民公社實行之後，農村已經斷了糧食，這種情況，士兵們一定知道得很清楚。試想想他們如何能安心？萬一有點風吹草動，可能會有變的。」

毛澤東「哼」了一聲：「你既然曉得有這種可能性，為什麼不想想辦法？你身為總參謀長，管的什麼事？」

黃克誠陪笑道：「就因為看出問題的嚴重，彭總同我們幾個才敢大胆向主席建議，可否把三面紅旗暫時收起來，過了這一個階段再推行也不遲。」

毛澤東一面聽，一面瞪着大眼注視着黃克誠，聽到最後冷笑道：「你比彭德懷還要反動！他只勸我廢除人民公社，你卻要拔掉三面紅旗，想壓根把我掀掉，改竪三面白旗是吧！我看透了，軍隊要變是假的，你們幾個變了才是眞的。」

黃克誠不敢再開口，洪學智忍不住了，說道：「主席無論怎樣處分我們，都沒關係。只希望主席別太意氣用事，既不相信別人，不妨自己到鄉下去看看，人民公社究竟是什麼情形，那些畝產十萬斤的消息到底是眞的還是假的？這是一個根本問題，不只關係到主席本身，也危及整個的黨。」

毛澤東一拍桌子：「你們今天吃了誰的藥了，一個一個起來和我拌嘴！怎麼用得着我自己去看，前天董必武一批人從湖北回來已經說得清清楚楚。難道人家都是瞎子，只有你們四個人是千里眼，順風耳。」

滕代遠眼看儘是這樣爭吵下去也不是辦法，陪笑說道：「主席沒有別的事情吩咐，我們就回去了。剛才談的問題，我們決不會向外洩漏一個字，請主席放心。」

毛澤東的氣略平了一點，說道：「好吧！你們回去寫個報告送上來。」

四個人剛想轉身走，一聽到要寫報告，覺得問題大不簡單，黃克誠問道：「主席，我們的報告怎樣寫？」

毛澤東一翻眼：「那還不容易！有利於社會主義建設的就寫，不利於社會主義建設的不寫，有利於人民內部團結的寫，擴大人民內部矛盾的不寫，擁護三面紅旗的寫，反對三面紅旗的不寫，牢記這幾點，就不會錯了。」

四人面面相覷，無言可說。少停一時，還是滕代遠開口說道：「我們回去商量一下再寫吧！」

彭德懷搖搖頭，說道：「我看最好弄清原則再寫，免得將來麻煩。」

黃克誠點點頭，同意彭德懷的見解，這時毛澤東卻有點不耐煩了，問道：「你們為什麼不走？」

黃克誠問道：「請問主席，人民公社社員吃草根樹皮的事，能不能寫進報告？」

（六〇）

[illegible]朝進關之初，怕民間不肯服從，想用法[illegible]，把他的好處，播散到民間。他以爲最好是用民間的歌謠小調。調查許久，雖然各種小調都想利用，但最末還是選中了大鼓書，作爲基本應用的利器。於是特別設立了機關，一則招集能歌之人，到各處去歌唱，二則招考青年人學唱。往各州縣去唱，都每人發給一張龍票，即是執照，地方官見到這種執照，就得招待，幫他安排塲所歌唱，命人來聽，替滿政府宣傳。不過這種歌唱的人，因爲拿着國家的錢糧，到各處除供給吃住外，一文錢也不許接受。這種人俗名叫作唱票的，又名玩兒票；北平戲界票友二字，就是來源於此。這行人從前去的最多的地方，是京東一帶，滿廷怕在中原站不住，須往回撤時，這是他最要緊的一條歸路，果能把這條路沿路地方的人民，都能宣傳的不讐視不反對他，則回去時較爲安全，所以他極注重這一帶的地方。一直到現在，京東的大鼓書，特別發達者，即是因此。此事我從前另有文詳述之，茲不多贅了。

國劇藝術彙考

·齊如山·

他們想研究各種小調，當然就要注意到音韻。最初所注意的，只有河北省的各種歌唱，所有的音韻，與那一種韻書，也不能相合，乃按照各種歌唱，所有的韻，歸納成了十三種，最初只十二種，如雍正年間出版的五方元音一書，便是只分十二韻，把灰堆與一七兩韻，仍合在一起。五方元音這部書，因爲文人認爲他不足以登大雅之堂，所以沒有人理會他，且大多數人都沒有見過他。按這部書固然不能說他高明，但在字書中，他總算是很特別，他的來源，尤其特別，幾幾乎可以說是外國人研究中國音韻，作出來的這樣一部書。略述如下：

前邊談過，滿朝入關之後，研究北方的民謠歌唱，始知與各種韻書，都不相同，乃命人照北方民間歌唱的音韻，編纂成書，以便製各種歌曲時應用，（如大鼓書，小調等等）才編成此書。此話並非武斷，有幾種證據如下。

（一）此書於河北省民間社會及商家，確極方便。但只於河北省各地，用着最合式，若河南，山西，山東等省，雖然也可用，但因方言土音的關係，就有不落協調的地方了。總之他是完全照河北省的方言纂成的。一部字書或韻書，完全照一個地方的土音纂成，自古尙無前例，他所以如此者，大致就是因爲研究小調，且又極注重河北省的小調，所以才如此編成。（六）

邛都憶往（二）

李侯仲

西昌地處僻陬，氣候溫和，四時如春，得天獨厚，加以對外交通閉塞，民性保守，一切物產資源，多未開發，地下寶藏尤富，如羅里，龍達，哈廠出產塊金，冕寧出產煤鐵，會理之銅，鹽源之鹽，在數百年前早已著名。在內地各處所產之[illegible]沙金鑛，大都滲有雜質甚多，需經淘洗鍛煉，纔成純金，而羅里等礦所產金塊，乃屬純金質料，出礦即可上市，無須提鍊。西昌近郊有好幾處，均大量出產無烟煤，投諸爐中，火勢熊熊，如燃柴塊一般，無半點烟氣，較諸焦煤更勝。民國三十七年，川康滇三省邊區政務設計委員會組織之鑛探隊，向西昌轄境探勘過半年之久，據報各礦未經開採者尙有二百六十餘處，除金、銀、銅、鐵、錫、煤外，更有鋁、錳、鎢、銻、硫磺、石油、石棉各礦，可見其地蘊藏之厚矣。

因天時溫和，這裏的各種植物，更易蕃茂，我僅舉幾件小玩意談談：譬如仙人掌，在內地所常見的祗能當作盆景供奉，罕見有高大者，西昌郊外，無論山巓水涯，滿坑滿谷，盡是此物，節外生枝，若張蓋然，到處長得非常茂盛，大者高達丈餘，軀幹向兩邊擴展，好像一張青翠的屛風，農家防止牛羊踐踏園圃，種以作籬，有圍上里多路者，儼若城牆然。

有一種霸王鞭，本係草本植物，枝幹直挺，四面長出稜角，高丈許，有如台灣之椰子樹，道傍院落，隨地皆是，拱立道左，臨風搖曳，遠望之，恍若對人作迎接狀。

最令人感覺有趣的，一到秋末冬初，各家屋頂上，都纍纍然躺着特大的葫蘆瓜，這樣大的瓜，我在內地，確屬見所未見。有一天距西昌八里路的黃水塘，一位姓蔡的先生約我吃午飯，看到他家廚房裏所有水缸及舀水洗菜洗盤等各種用具，均用葫蘆瓜製成，輕巧耐用。他還引我去其內室，參觀一個特別大的葫蘆瓜，告訴我，這隻瓜已經裝了一石五斗米，瓜口還餘三四寸深的空隙，他說平素裝兩石米是常事。這種瓜，就是蔬菜類中之所謂匏瓜，莊子曰：「魏王貽我大瓠之種，我樹之成而實五石」。古人的話，到這裏纔獲得了證實。

我曾在西昌市上見到的山梨，本地人叫作水冬瓜，大約重上十來斤，其形長圓，酷似冬瓜，其味甜蜜與梨無異。水蜜桃亦可看到好幾斤的。石榴亦較內地有大上四五倍的。葡萄品種最佳，如以之釀酒，可與法國葡萄酒頡頏。五六十斤重一個的南瓜擺在菜攤上，是最平凡而無足奇的事。西昌這地方所產的各色水菓菜類，我想和任何地方比賽，都可獲得冠軍。

吃白趣話

漁翁

詩有之：「投我以桃，報之以李。」謂朋友間之贈答也。朋友間，往而不來，來而不往，均謂無禮。如常食他人之物，而無一度報答者，俗稱之曰「吃白」。白，素也，有無所有之意，如客白，也白之類。在官塲中，主管官，常作主人翁，以其有特別費，作應酬之需，幕僚往往赴宴而不還席，皆笑爲吃白者。

相傳過去有一窮秀才，好飲食，每遇宴會，姑無論被邀與否，皆往參加，時人以「不速客」稱之。在一二次，主賓尙相得益彰，待屢作不速客，就不免令人生厭，而思有以規避之。

一日，有文酒之會，爲避窮秀才計，在江心舟上舉行。該窮秀才以是日無人設宴，放步江干，忽見舟中有人烟，欲去謀一午餐，奈何漢太廣，無一葉之舟，可以渡過，乃取一木箱，坐在其中，順水飄流。江上人見有一箱，即往取之，詎窮秀才從箱內出，皆愕然！至此，已無法推卸，祇得邀其入席。

席間，有一文友提議，今日之會，以「烏烏黑黑，淸淸白白，容易容易，難得難得」十六字爲題，各作八語，如不成，罰以今日之酒費，衆附議。首先，一文友曰：「天上落雪，烏烏黑黑，落在地上，淸淸白白，雪化爲水，容易容易，水變成雪，難得難得」。又一文友曰：「墨筆寫字，烏烏黑黑，寫成之後，淸淸白白，墨以成字，容易容易，字以成墨，難得難得」。一一題畢，輪至窮秀才，稍假思索，乃曰：「坐在箱內，烏烏黑黑，把我打開，淸淸白白，我吃你的，容易容易，你吃我的，難得難得。」衆聞之，均捧腹大笑。以此人不招即來，揮之不去，無以名之，名之曰「聖賢愁」。以聖人，賢人，見之亦不免生愁。於是在窮秀才門前，題「聖賢愁」三字。因此，聖賢愁，成爲窮秀才之固有綽號。

在塵寰上的人類，有聖賢，才智，平庸，愚劣之分；聖賢，爲人間之先知先覺者，對此窮秀才，尙愁眉不展，其他更無論矣。事聞於天，八仙中之呂道人與韓湘子，聯袂下降，在窮秀才門口，大設宴席，如他來參加吃白，期有以難之。開筵時，該窮秀才聞酒肉香而出，笑曰：「二公蒞臨敝處，有失迎迓，特來奉陪，借花獻佛，以盡賓主之誼。」二仙曰：「今日飲酒，須各有所詠，如詩不成，今日之酒資，歸其負担。」

呂仙抬頭望，見門上懸「聖賢愁」三字之額，即以此爲題，始由呂仙詠「聖」字云：「耳口王，耳口王，樽中有酒我先嘗，席上無餚來下酒，割隻耳朵作一盤。」其次韓仙接着詠「賢」字云：「臣又貝，臣又貝，樽中有酒我先醉，席上無餚來下酒，割隻鼻子配一配。」窮秀才見之，大驚！今日遇此二人，割耳，割鼻，情勢嚴重，惴惴然忐忑不安，而猶不知此乃天上之飄飄者。

二仙詠畢，催窮秀賦「愁」字甚迫，認爲此舉，足以制其平日好貪口腹之慣技，誰知窮秀才情急智生，即賦「愁」字云：「禾火心，禾火心，樽中有酒我先斟，席上無餚來下酒，就把眉毛扯一根」。而二仙以其詩雖有成，我倆割耳，割鼻，爾僅扯一眉毛了之，於情於理，均有未合。窮秀才笑曰：「我平日吃人之白，歷數十年，無有異議，今逢二位割耳，割鼻，才有一毛之扯，否則，「一毛不拔」矣」。二仙竟亦無奈，祇好重返上蒼。

俗云：「閻王奈不何窮鬼」。天上神仙，人間聖賢，都不能說服一窮秀才。今之人，欲不勞而慣吃他人之白，官塲中，有領乾薪而不服務者，亦好吃國家之白，豈亦窮秀才之遺風所流傳歟！

談術士葉如音（二）

諸葛文侯

葉諱：頃聞彼青年人尙未以眞象見告時，曾叩詢宋氏命運，聲言「我們老闆準備增加資本，擴張營業，可以嗎？」余囑其轉告貴居停，此時不特不能擴大公司組織，且以及早收縮爲佳。愚笑言：「君得悉係當今顯要宋子文之命數後，觀點自不相同矣。葉曰否否！余仍堅持原有論斷，宋「最近必然去職，無疑也。愚又言：宋氏係貴戚，現在粵省綜持軍民兩政，地居衛要，職亦繁重，値茲緊張局勢，中樞豈可輕率更換封疆大吏乎？葉答以「我是就命運推究，其他因素未便考慮。總之，宋氏在三幾個月內若不垮台，請你們來下掉我的招牌就是！」越三十八年元月，蔣總統決計引退，宋子文先行請辭去本兼各職，距葉如音算命時期，猶不及兩閱月也。

旣而愚詢葉氏亦知蔣總統之生庚八字否耶？答言知之。叩其命運云何？葉諱：「我不能說，因爲我是一名老百姓，若對國家元首的命運作某點欠佳的論斷，乃大不敬。若說恭維話，全國人乃至全世界的人，多恭維他，亦無需乎我來贅說了。」愚笑謂同行王君曰：葉如音雖不學，亦通達世故人情，聆其對答之詞，可與一般使節在國際坫壇間之外交詞令媲美也。時維冬臘，氣候苦寒，葉寓顧客寥寥，愚素稔葉氏健談，當提出國運問題與之商討，葉氏果滔滔不懈，認爲天下還須大亂。愚謂亂象亦有止境乎？葉乃暢述其怪論一段曰：「中國現代的大亂時期，當以滿淸入關奪得統治權之年爲起點，非經過三百一十八載後，決無太平日子可過」。詰其何所據而云然？答曰：「滿淸入關君臨華夏的第一任皇帝是順治，把順字拆開來就是三百一十八，這幾個字，我的根據即在此」。愚聞而大笑曰：果如君所推論，吾輩將有如陸放翁所吟詩句「但悲不見九州同」之感傷矣！葉以促急語調對曰：「決不然！將來收拾中國動亂局面，奠立永久和平秩序的領導人物，皆係鬚髮皤白，年在七十以上的滿淸時代出生者，至於民國肇建後誕生的，居於次要了。」按自滿淸入主中華迄辛亥大革命之年，計有二十帝，歷時二百六十八載，若依葉如音所言，今歲已屆大亂消除之秋矣。順治入關稱帝在農歷九月，倘以滿足十二個月爲一年，則來歲九月方滿三百一十八年之數。葉如音怪論是否有若干近乎事實，殆難言也。愚因憫其慘遭非命，而詑其善爲他人卜休咎，獨不能推究自身禍福而趨避之，豈所謂良巫之子死於鬼者乎？是知命運之說不足以盡信，姑備一說以作消遣聊天之資則可！（完）

西施遺蹟

南道

浙江諸暨縣苧蘿村是西施的故鄉，離縣城只四里，出南門沿浣江行，不到二十分鐘就到了。浣江實際只是一條小河，在周朝時叫做「若耶溪」，江水碧綠青澈。江邊有一座兀立的崖壁，壁下相傳是西施當年浣紗的地方。

壁上刻着「浣紗」兩個大字，雄勢飛騰，位置妥善。據說是晉朝王羲之所題，後因年久剝落，由明朝一個諸暨縣令唐僖臣重新仿寫的，字蹟也亦已模糊。

據漢朝趙曄所著「吳越春秋」和其他有關文獻記載，苧蘿山下有東西二村，村人多施姓，西施是西村人，因此叫「西施」。她原名夷光，生長在一家貧苦農民家裏，父親砍柴，母親浣紗，西施也經常幫同母親到溪邊洗濯。

在抗戰以前，苧蘿山上有座西施殿，後為日寇焚燬，但殿裏西施石像被村民搶救了出來，特地爲它造了三間瓦屋供奉。這三間瓦屋現尙完好，正屋裏可以看到端坐的女人像，頭上還戴鳳冠，西施石像是彩色的，像的前面有一張香案，案上有一個石頭做的香爐，都是當年西施殿的故物。

在苧蘿山南面，大約一里路之遙，有一座「浣溪亭」，這是民國十四年諸暨的一位前淸舉人陳蔚文集資重建的。亭內一匾高懸，上有「浣溪亭」三字，匾下有一副對聯道：

「浣紗有古蹟；
救國出眞人。」

山川風物

自由報

內僑警台報字第〇三一號內銷證

THE FREE NEWS

第一九六期

中華民國僑務委員會頒發
台救新字第三二三號登記證
中華郵政台字第一二八二號執照
登記為第一類新聞紙類
（半週刊每星期三、六出版）
每份港幣壹角
台灣零售價新台幣貳元
社長：雷嘯岑
督印人：黃行寬
社址：香港銅鑼灣高士威道二十號四樓
20 CAUSEWAY RD 3RD FL HONG KONG
TEL. 771726　電報掛號 7191
承印者：四風印刷廠
地址：香港灣仔高士打道二二一號
台灣分社
台北市西寧南路壹壹本號二樓
電話：三〇三四六
台郵掛號金戶九二五二

談俄帝壓迫下的阿爾巴尼亞

・王厚生・

十一月七日，阿爾巴尼亞勞動黨中央委員會第一書記霍查發表長篇演說，紀念俄國十月革命四十四周年和阿共成立二十週年。霍查談到阿國內政、外交政策、和戰問題、赫魯曉夫反對個人崇拜、南斯拉夫修正主義、阿蘇關係等等。

赫魯曉夫在蘇共第二十二次代表大會上公開蘇阿之間的分歧，指責阿爾巴尼亞勞動黨領導人反對蘇共第二十次代表大會所採取的路線，明白言之，阿共不同意蘇共對史達林的死後批評。霍查在七日的演說中，照例有所辯駁，語氣和措詞的尖銳，可使中共的毛澤東、劉少奇、周恩來之流打消調停的念頭。十二月十一日，俄國正式與阿爾巴尼亞斷絕外交關係。可以說，在短期內，俄阿關係已無法改善。斷絕兩國的外交關係，由俄方採取主動，表示俄共中央對周恩來於十月十九日在俄共大會所作的呼籲再度不予理會。

根據霍查所說，蘇阿關係之不協調始於蘇共第二十次代表大會的「反對個人崇拜」，一九五八年時，為南斯拉夫的現代修正主義也發生不同意見，到一九六〇年六月的羅共大會（在羅京布加勒斯特召開），赫魯曉夫親自出席，就公開攻擊阿爾巴尼亞勞動黨了，霍查說：「他用捏造的和片面的譴責，企圖使馬克思列寧主義政黨屈膝，採取草率的未經好好權衡和研究的態度來詆毁兄弟黨的代表」。布加勒斯特會議以後，蘇聯「在經濟、政治和軍事各方面，施加一個又一個的壓力」，蘇阿關係從此大見惡化。

蘇聯怎樣對阿爾巴尼亞這樣的小國「施加一個又一個的壓力」呢？我覺得應該用霍查自己的話來說明，同時，也可以使大家知道，毛澤東的「一面倒」政策是多麼的錯誤！

霍查說（原文見十一月十七日人民日報）：「這樣，在經濟方面中斷了蘇聯向我國提供的用於第三個五年計劃的一切貸款，其目的在於破壞我國的經濟計劃；毫無理由地單方面撤回了在阿爾巴尼亞工作的全部蘇聯專家，這些專家對我國經濟十分重要的，並且我們曾正式請求他們留下；蘇聯方面以讓我們從今年起開始償還過去的貸款（雖然按照現有文件規定，應在一九七〇年後開始償還）作為最後的藉口，幾乎也完全斷絕了換貨貿易關係；取消了在蘇聯學習的所有阿爾巴尼亞留學生和軍事學員的助學金，等等。隨着經濟壓力而來的還有軍事方面的壓力與限制性措施」。

這段話豈不是清清楚楚地說明一項事實，即共產主義國家是非常容易變成帝國主義的，經濟的也是軍事的帝國主義。除上述的各種壓力外，蘇聯報刊「近一年半來對阿爾巴尼亞進行了嚴密的新聞封鎖。……似乎地球上根本不存在阿爾巴尼亞人民共和國」。

霍查還說：「歐洲社會主義國家的某些領導人，也追隨赫魯曉夫對阿爾巴尼亞人民進行的這些反馬克思主義的敵對行動。他們正在聯合起來，想盡一切辦法來從經濟上、政治上和軍事上孤立阿爾巴尼亞，在阿爾巴尼亞周圍建立一條防疫封鎖線」。

霍查雖然以馬克思列寧主義的堅決保衛者自命，但他可會細想今日世界上還有比此更毒辣陰險的帝國主義？我們認定，毛澤東所曾嘗的俄國苦頭不在霍查之下，所以，當阿爾巴尼亞「在考驗性的時期」，他才願給予經濟上的援助。中共今日的處境，何嘗不是「在考驗性的時期」，然而，中共今日靠誰幫忙救命呢？明白的說，靠西方資本主義，說得更明白點，是靠西方帝國主義；既然如此，中共還有什麼資格再罵南斯拉夫依靠西方帝國主義呢？如果拿西方帝國主義和俄國帝國主義作一比較，中共以為何者較為仁慈呢？

赫魯曉夫在蘇共大會上指罵阿爾巴尼亞與帝國主義有聯系，欲為三十塊銀幣把自己出賣給帝國主義。霍查在他的演說中駁斥道：「阿爾巴尼亞勞動黨在整個革命道路中，過去和現在始終為反對帝國主義及其走狗而進行堅決的鬥爭。它過去、現在和將來決不向任何人伸手乞求施捨，更不會向帝國主義及其同盟者伸手乞討：……但是，儘管如此，我們告訴赫魯曉夫，如果需要的話，阿爾巴尼亞人民及其勞動黨將以野草過活，而決不為三十塊銀幣出賣自己。因為他們寧願光榮站着死，不願忍辱跪着生」。他更反唇相譏說：「我們對敵人從未抱有幻想，我們沒有和敵人擁抱親吻過，我們沒有阿諛奉承過敵人，沒有拍過他們的臂膀，從來沒有在敵人面前屈服過」。

霍查的話，顯然與事實不符，阿共的崛起和取得政權，最先是依靠南斯拉夫狄托的扶持，一九四八年後，獲史達林的全力支持，與赫魯曉夫發生意見衝突後，俄國和其他東歐國家的援助中斷，現在正尋求中共的援助，而中共卻如霍查所說，正在向西方乞求援助。赫魯曉夫的確拍過敵人的臂膀，和敵人有過擁抱親吻的情形，這也證明赫魯曉夫對敵人抱有幻想。如果我們再舉出南斯拉夫和波蘭為例，那末，今天共產集團內部的一種明顯趨勢；就是爭向西方資本主義拉攏關係和討取好處。阿爾巴尼亞是間接從中共手上取得一點加拿大麥子，而中共能夠賒賬購糧，更說明資本主義國家的金融信用制度對中共這樣的所謂「共產國家」大有益處，而所購的麥子又是剩餘糧食，亦說明中共受資本主義農業生產制度（非集體農場或人民公社）的恩惠不小。假使中共有足夠的外滙，那末，西方資本主義國家可以大量供應，不虞缺乏，尤其是「美帝」，多的是剩餘農產品。當然，美國的農產品有過剩，決不是因為「無產階級」無力購買夠包果腹」致，而是美國農民的生產力和生產方法優越所造成。中共購買加拿大的麥子，使加拿大政府減輕阻倉存儲的負擔，真是多謝「共產國家」的惠顧！緩和資本主義的「內在危機」。假使馬克思、恩格斯地下有知，看到這種共產主義國家被迫向資本主義國家購買大宗過剩生產品的情形，他們必同聲主張將「共產黨宣言」和「資本論」等著作擲到毛廁裏去！

霍查在演說中還透露幾點：匈牙利在十月反共革命前夕，主張撤換賴柯西和由卡達爾担任匈共第一書記職位者，即是赫魯曉夫。一九五八年南共公布新綱領，蘇共首先發難，抨擊「現代修正主義」，但第一個發出不談論南斯拉夫修正主義的指示者，也是赫魯曉夫。俄共強迫所有共產黨和工人黨接受其「機會主義觀點」（霍查評語），否則，「不惜施加壓力、恫嚇和粗暴的攻擊」。

俄國是帝國主義，已有霍查指點得明明白白。當匈牙利發生十月反共革命時，俄軍施行無恥的殘酷的鎮壓，南斯拉夫副總統卡達基即於當時撰文，直指俄國的帝國主義行為。這裏，我無法引用原文，但願指出，毛澤東的是非之心和勇氣還及不到卡達基和霍查之流：我不知道，現在他採取的是什麼世界觀。

俄阿絕交之前，阿爾巴尼亞派往中共的外交使節必循經由莫斯科的航線，絕交後，改走羅馬、仰光至昆明的航線。二十二日，阿國部長會議副主席凱萊齊和貿易部長熙杰拉等四人抵北平，分任阿國的經濟代表團正副團長，此行目的在尋求中共的經濟援助。為了進一步加強有關的經濟合作和發展航運關係」，於二十六日簽訂「關於組織中阿輪船股份公司的協定」，阿共的霍查和謝胡（總理）前於二十五日致電「中華人民共和國今天已成了一個偉大的世界強國」，又稱阿爾巴尼亞「有像偉大的中國人民這樣忠實的國際主義的朋友，必將克服任何困難和在阿爾巴尼亞建設社會主義和共產主義」。

俄帝施加壓力，必欲制阿共於死命，中共為阿共解困，受俄帝之忌，乃預料中事。中共何若這樣？原因簡單，即中共和阿共同受俄帝迫害，同病相憐，祇差毛澤東沒有風流人物的氣質而巳。

漫画天下

南施

摘帽容易，背包袱難。

看這一對傢伙的神氣！

自由談

拙劣的領導作風

外蒙古政權的外交部長，近在聯合國會議席上首次發言，指斥美國駐軍南韓是「侵略」行為。吾聞其語，不禁啞然。

外蒙古傀儡政權之得混入聯合國，完全叨着美國大力贊助之光，理由是要以外蒙作為「收聽站」——聽取關於俄帝與中共方面的實際情形。如今美國收聽到的，卻係對着寺廟罵和尚的反美言論，而且罵上門來，不必利用任何方法即聽得很清楚。我不知道富爾布萊德之流對此作何感想？

美國拚命勸告中華民國對外蒙不使用否決權的唯一作用，說是藉以換取俄帝不反對茅里特尼亞進入聯合國，因而可以博得非洲十二個新興之邦一致支持中美拒絕毛共入會的主張。可是，當聯大表決美國所策動的「五國提案」時，非洲那十二個新邦之中，就有七個棄權，消極反對美國的意見。美國費盡心機教我們不要否決外蒙政權參加聯合國，結果得不償失，險些兒大栽跟斗，徒然給中國人留下一種難以磨滅的惡劣印象而已。

十年以前，美國杜魯門政府極力主張邀請毛共加入聯合國，艾契遜聲言這是「程序問題」，無須經過大會決議，更不能使用否決權，用意就在防制中華民國從中反對。不料毛共基於其「世界革命」的戰略，始終不接受美國的妥協好意，反對「美帝」到底，也不承認美國倡導的「兩個中國」計劃；華沙的美毛談判舉行了若干年亦無結果。如是乎又掉轉話頭，聲言毛共加入聯合國這椿事乃係「實質問題」，非通過大會決議不可了！我們若將最近十餘年間美國對毛共政策的矛盾言行，綜合觀察一下，能免於撲朔迷離，莫名其妙之感乎？

有人說，美國憑這樣的作風來領導自由世界，太不成吧？假如果不是美國這種領導方法，俄帝決不致奄有現在的聲勢，而自由人類的災難亦必然減少多了，可慨也夫！

馬五先生

科學發展所需要的社會改革

(Social Changes Necessary for the Growth of Science)

胡適

編者按：本報近來接到了幾篇文章，都是反駁胡適之先生在「亞東區科學教育會議」的講詞，但不免偏頗臆測之辭，未能觸及核心問題，似與學說辨難之義不合。胡先生講演詞原是英文，台港的中文報紙皆未全部譯載過，茲將台灣「文星雜志」所刊胡先生校正的譯文予以轉載，聊供留心此問題者參考焉。

「科學發展所需要的社會改革」，這題目不是我自己定的，是負責籌備的委員會用給我的題目，這題目的意思是問：在我們遠東各國，社會上需要有些什麼變化才能夠使科學生根發芽呢？

到這裏來開會的諸位是在亞洲許多地區從事推進科學教育的，我想一定都遠比我更適合就這個大而重要的題目說話。

我今天被請來說話，我很疑心，這是由於負責籌備這個會議的朋友們大概要存心作弄我，或者存心要我在諸位的會議開幕的時候做一次「魔鬼的辯護士」（註一），要我說幾句怪不中聽的話，好讓諸位在辯論的審議中把我的話盡力推翻。

我居然來了，居然以一個「魔鬼的辯護士」的身份來到諸位面前，要說幾句怪不中聽的話給諸位去盡力駁倒，推翻。

我願意提出一些意見，都是屬於智識和教育上的變化的範圍的——我相信這種變化是一切社會變化中最重要的。

我相信，為了給科學的發展鋪路，為了準備接受、歡迎近代的科學和技術的文明，我們東方人也許必須經過某種智識上的變化或革命。

這種智識上的革命有兩方面。在消極方面，我們應當丟掉一個深深的生了根的偏見，那就是以為西方的物質的、唯物的文明雖然無疑的占了先，我們東方人還可以憑我們的優越的精神文明自傲。我們也許必須丟掉這種沒有理由的自傲，必須學習承認東方文明中所含的精神成分實在很少。在積極方面，我們應當學習了解、賞識科學和技術絕不是唯物的，乃是高度理想主義的，乃是高度精神的；科學和技術確然代表我們東方文明中不幸不很發達的一種真正的理想主義，真正的「精神」。

第一、我認為我們東方這些老文明中沒有多少精神成分。一個文明容忍像婦女纏足那樣慘無人道的習慣到一千多年之久，而差不多沒有一聲抗議，還有什麼精神文明可說？一個文明容忍「種姓制度」到好幾千年之久，還有多大精神成分可說？一個文明把人生看作苦痛而不值得過的，把貧窮和行乞看作美德，把疾病看作天禍，又有些什麼精神價值可說？

試想像一個老叫化婆子死在極度貧困裏，但臨死還唸着「南無阿彌陀佛！」——臨死還相信她的靈魂可以到阿彌陀佛所主宰的極樂世界去，——試想像這個老叫化婆子有多大精神價值可說！

現在正是我們東方人應當開始承認那些老文明中很少精神價值或完全沒有精神價值的時候了；那些老文明本來只屬於人類衰老的時代，——年老身衰了，心智也頹唐了，就覺得沒法子對付大自然的力量了。的確，充分認識那些老文明中並沒有多大精神成分，甚或已沒有一點生活氣力，似乎正是對科學和技術的近代文明要有充分了解所必需的一種智識上的準備；因為這個近代文明正是歌頌人生的文明，正是要利用人類智慧改善種種生活條件的文明。

第二、在我們東方人是同等重要而不可少的，就是明白承認這個科學和技術的新文明並不是什麼強加到我們身上的東西，並不是什麼西方唯物民族的物質文明，是我們心裏輕視而又不能不勉強容受的，——我們要明白承認，這個文明乃是人類真正偉大的精神的成就，是我們必須學習去愛好，去尊敬的。因為近代科學是人身上最有精神意味而且的確最神聖的因素的累積成就；那個因素就是人的創造的智慧，是用研究實驗的嚴格方法去求知，求發現，求絞出大自然的精微秘密的那種智慧。

「真理不是容易求得的」（理未易察）；真理決不肯自己顯示給那些憑着空空的兩手和沒有訓練的感官來摸索自然的妄人。科學史和大科學家的傳記都是最動人的資料，可以使我們充分了解那些獻身科學的人的精神生活——那種耐性，那種毅力，那種忘我的求真的努力，那些足令人心灰氣餒的失敗，以及在忽然得到發現和證實的刹那之間那種真正精神上的愉快、高興。

說來有同樣意味的是，連工藝技術也不能看作僅僅是把科學智識應用在工具和機械的製造上。每一樣文明的工具都是人利用物質和能力來表現一個觀念或一大套觀念或概念的產物。人會被稱作能製造器具的動物（註二）。文明正是由製造器具產生的。

器具的製造的確早就極被人重視，所以有好些大發明，例如火的發明，都被認作某位偉大的神的功勞。據說孔子也有這種很高明的看法，認為一切文明工具都有精神上的根源，一切工具都是從人的意象生出來的。周易繫辭裏說得最好：「見乃謂之象；形乃謂之器；制而用之謂之法；利用出入，民咸用之，謂之神。」這是古代一位聖人的說法。所以我們把科學和技術看作人的高度精神的成就，這並不算是玷辱了我們東方人的身份。

總而言之，我以為我們東方的人，站在科學和技術的新文明的門口，最好有一點這樣的智識上的準備，才可以適當的接受、賞識這個文明。

東方的人最好有一種科學技術的文明的哲學。

大約在三十五年前，我曾提議對幾個常被誤用而且很容易混淆的名詞——「精神文明」，「物質文明」，「唯物的文明」——重新考慮，重新下定義。所謂「物質文明」應該有純中立的涵義，因為一切文明工具都是觀念在物質上的表現，一把石斧或一尊土偶和一隻近代大海洋輪船或一架噴射機同樣是物質的。一位東方的詩人或哲人坐在一隻原始舢板船上，沒有理由嘲笑或藐視坐着近代噴射機在他頭上飛過的人們的物質文明。

我又說到，「唯物的文明」這個名詞雖然常被用來譏貶近代西方世界的科學和技術的文明，在我看來卻更適宜於形容那些落後的老世界的文明。因為在我看來那個被物質環境限制住了，壓迫下去了而不能超出物質環境的文明，那個不能利用人的智慧來征服自然以改進人類生活條件的文明，才正是「唯物的」。總而言之，我要說一個感到自己沒有力量對抗物質環境而反被物質環境征服了的文明才是「唯物」得可憐。

另一方面，我主張把科學和技術的近代文明看作高度理想主義的，精神的文明。我在大約三十多年前說過：

「這樣充分運用人的聰明智慧來尋求真理，來控制自然，來變化物質以供人用，來使人的身體免除不必要的辛勞痛苦，來把人的力量增加幾千倍幾十萬倍，來使人的精神從愚昧、迷信裏解放出來，來革新再造人類的種種制度以謀最大多數的最大幸福，——這樣的文明是高度理想主義的文明，是真正精神的文明。」（註三）

這是我對科學和技術的近代文明的熱誠頌讚——我在一九二五年和一九二六年首先用中文演說過並寫成文字發表過，後來在一九二六年和一九二七年又在英美兩國演說過好幾次，後來在一九二八年又用英文發表，作為俾耳德教授編的一部論文集「人類何處去」裏的一章。

這並不是對東方那些老文明的盲目責難，也決不是對西方近代文明的盲目崇拜。這乃是當年一個研究思想史文明史的青年學人經過仔細考慮的意見。

我現在回過頭去看，我還相信我在大約三十五年前說的話是不錯的。我還以為這是對東方和西方文明很公正的估量。我還相信必需有這樣的對東方那些老文明，對科學和技術的近代文明的重新估量，我們東方人才能夠真誠而熱烈的接受近代科學。

沒有一點這樣透澈的重新估量，重新評價，沒有一點這樣的智識上的信念，我們只能夠勉強接受科學和技術，當作一種免不了的障礙，一種少不了的壞東西，至多也不過是一種只有功利用處而沒有內在價值的東西。

得不到一點這樣的科學技術的文明的哲學，我怕科學在我們中間不會深深的生根，我怕我們東方的人在這個新世界裏也不會覺得心安理得。

（註一）「魔鬼的辯護士」是中古基督教會的一種制度。中古教會每討論一種教義，必要有一個人担任反駁此種教義，讓大衆盡力駁他。

（註二）語出法國哲學家Bergson。

（註三）這段引文的原文出在適之先生的一篇論文。此篇的大意又見於收在「文存」第三集的論文「我們對於西洋近代文明的態度」及另幾篇文字。

突如其來・驚震政壇
省議會正在醞釀
罷免台省籍監委

（本報台北航訊）從上月發生煙酒公賣局預決算審議權應屬省立法機關抑屬中央立法機關問題開始，台灣省議會中，便不時爆出立委與監委任期已過，應該改選的聲音。但這種聲音大概都只是個別省議員的牢騷話而已，並未成案，所以亦還不會真正吸引大家的注意，而在台北市罷免副議長周財源的攤牌戰前夕，突然傳出台省議會正醞釀罷免台省籍的監察委員，這只就好像晴天霹靂，震驚政壇了。

這事情還就是從公賣局預決算審議權之爭而來，但大家担心其內幕或許更不止此而已。據消息，罷免台省籍監察委員之事，係由一個非國民黨籍的省議員名鄭宋柳者，草擬了一個如此主張的提案，刻正徵求其同寅連署之中，省議會二十二日已經休會，要到元月八日始重開，畢竟這位議員的提案能否找得到法定人數連署，而提出於省議會，現在還不知道，當然更說不上這罷免案究竟通得過通不過。

鄭議員草擬的主張罷免台省籍監察委員的理由，大意是說：監察院現任監察委員，係行憲後於民國三十七年由省參議會選出，迄今已十四年之久。依據憲法規定，監委任期為六年，現在却已超過法定任期八年了。又依據憲法第九十一條規定「監察委員由各省市議會，蒙古，西藏地方議會及華僑團體選舉之」。省議會有選舉，罷免之權。又說最近監察院在討論本省有關問題時，其內容有荒謬之處，而本省籍監委未曾加以糾正，影響內政不少，國家前途實深堪虞云云。

按台省籍監委現有五人，其名單為丘念台，陳嵐峯，陳慶華，陳江山及李緞。他們對於此事，大概都表示有突如其來之感。如丘念台說：我們並不戀棧，但是如果現在醞釀罷免這類問題，對國家而言，的確不是好事。又說：監委任期是一個個的問題，不是台灣一省的問題。李緞說：他們五位台省籍監委，正準備就此交換意見，將來倘若大家均認為有需要的話，還可能為此發表一項共同聲明。（麒）

台灣之窗

本報記者吳越

稅吏營商　生財有道

▲彰化人吳玉田，認為兵役人員辦理兵役之徵集，多徇私舞弊，有失公允，乃上書總統，要求下令澄清吏治。該吳玉田之陳情書，由總統府轉台灣省政府，轉各縣市注意改進，公文到達台中市後，再由市府轉區公所，轉各里遵照。但公文中引用吳玉田上書全文，將其中徇私舞弊之「舞弊」二字，竟誤為「無幣」，據說是無心，却好似有意，一時傳為笑柄，實則啼笑皆非。

▲南投縣稅捐處有些稅務員，在南投鎮兼營商店，包括有：自由車業，百貨業和米廠。稅捐處因看在自家人份上，十分捧場，一度曾拚命在該號購買單車配給處內外職員，這種事公家損失不算，而在自由車業中，由於失去公平競爭機會，更造成了怨聲載道現象。至於兼營百貨店的稅務員更不成話，他們連奶罩，三角褲都要村里幹事為他推銷。

▲十六日集集鎮警分局長乘警車自南投帶一筆公款回鎮，集集鎮長也搭便車同返，到鎮後鎮長先下車回家，局長至另一局後，發現公款失去，立即電分局刑警查詢，刑警到鎮長家後，其妻答以鎮長尚未回家，但臥室又傳來鎮長聲音，結果在鎮長屋內堆藏房中發現該款。據鎮長說是他與代表會主席同乘警車去南投時，他「檢」到代表會主席的款子，準備次日送還的。經刑警查對代表會主席公款仍在，並未丟失；而鎮長「拾」之款又與局長「失」款數目相符，刑警只好說聲「對不起」，將鈔票拖去還了局長。局長因鎮長為一鎮首長，且同在一個辦公大廈中辦事，經日來再三思考，亦已不願多說什麼了。

公文旅行　兩字之差

北市罷免風波過去 府會關係仍待改善

（本報記者台北航訊）台北市議會議員張詩經提案罷免副議長周財源，經議員沈應松等二十六人連署後，終因調解不成而付諸表決，結果因「不同意罷免」者佔多數給否決了，這場政治風波乃告平息。

十二月二十三日，由台北市兼代市長周百鍊召開的市議會臨時會，在台北國軍英雄館舉行，六十二位議員中，除周財源廻避與王有諒因病未能出席外，到會者六十位議員，投不同意罷免票者四十八人，投同意罷免票者十一人，另外一人投廢票，罷免案遂遭否決。

按照規定，罷免案之提出，應敘述理由，並有議員總數三分之一以上的簽署，始得向市政府提出。市政府收到罷免案在三日內，將副本送達市議會，如果市議會適在休會時，須由市政府於十日內召開市議會臨時會，舉行投票。而副議長周財源收到罷免理由書後，在五天內提出答辯書，送市政府，市政府遂將之連同罷免理由書一併印送各議員。此次市議員罷免副議長周財源的程序，都符合上述規定。

市議會為罷免副議長周財源案而由市政府召開的臨時會，會場秩序不能算好，火藥氣味也很濃厚，形同台北中央魚市場那麼嘈雜。國民黨籍議員與非國民黨籍議員，在議場中唇槍舌劍，為了法令問題，為了程序問題，大家爭得面紅耳赤，空氣之緊張，發言之激烈，都是以往所少見的。而黃信介與黃奇正兩人更幾乎打起架來，結果還是維持秩序的警察人員在場拉開勸開了。

罷免案提出的因素，據此間報界傳出消息謂；因為周財源在競選副議長之前，曾許下「許多諾言」，但在當選後竟「沒有實現」，這是遠因。至於罷免書所舉四項理由（編者按：均見本刊一九四期）則是近因了。

而在罷免案未最後攤牌之前，市議員黃信介又有一次「公開漫談」，居然有他準備以十五萬元，每票花二千元以競選副議長，及他是花六十萬元獲選市議員的云云（編者按：見本刊一九五期）以致節外生枝，引起國民黨籍四十一位議員公開的譴責，並要求黃信介議員公開答覆。但黃信介於二十三日臨時大會發表「辯正聲明」卻把這些統統否認了；他說：「議員之應該代表選民講眞話，做正事，是其本職，亦是我的個性。選舉而利用不正當勢力甚而憑藉金錢為工具，這是民主政治之恥辱，亦是我深惡痛恨的。偶然在與一個記者發表幾句『公開的漫談』，原是一種道破時弊的『諷刺言論』，本人純以光明正大的態度競選，承蒙選民正義支持，而得以最高票之榮譽當選。對選民之愛護，惟恐報效不週，豈有『賄選』之『妙論』？日前的漫談，既未具體指出任何人花錢，且報章記載，實在與當時漫談不符，然而國民黨領導單位竟利用此漫談，作為政治冷戰之法寶，實在令人百思不解。為此特予辯正聲明如上」云云。這節外的枝，固然如此混過了，但眞的是「報章記載」「不符」嗎？不但報紙不能承認，市民亦未必肯相信的。

罷免案攤牌後，台北市議會與市政府因「失和」而鬧出罷免副議長的風波，暫時已成過去了，但變方的「裂痕」如何彌補？這就要看周代市長的做法而定了。假定眞如一些報紙所說他「斷了議員的財路」，則「府會」之間的關係，仍然未可樂觀。

（本報記者公治長）

在中呂宋的五省地區 菲共突積極活動 官軍正嚴密搜剿

菲共頭目拉描傳仍匿馬尼拉

（本報馬尼拉通訊）菲律賓中呂宋地區，虎克黨（菲共）活動突趨積極，其勢頗為猖獗，菲保安隊正予最密切的注視，並加緊佈署，期能相機予以澈底的打擊，而將之消滅。

在中呂宋的丹轆與邦邦牙兩省，新近曾連續發生三起暗殺的事件，有三人慘遭暗殺，現經官方證明，全係菲共所為。為此，菲第一保安司令賈錫雅上校，曾召集中呂宋的丹轆、邦邦牙、蜂牙絲蘭、蕊描怡絲夏及武六干等五省的保安司令與參謀官舉行緊急會議，並下令動員保安隊一千名，立即行動，嚴密佈署，撒下天羅地網，以全面進剿菲共。五省保安隊並經在邦邦牙省的馬牙籠社設立共同指揮部，派由武那克中校負責進剿的軍事行動。

據賈錫雅上校表示，菲共此種猖獗的活動，如不加以阻遏，則對菲律賓經濟，將有很不利的影響。現保安隊正積極而全面的進行偵報行動，一俟時機成熟，即進行全面的軍事行動。第一保安司令部的心理作戰小組，現經分佈於中呂宋的若干被目為「危險」的地區。全菲保安司令甘布准將於與賈錫雅上校會商，聽取報告後，經決定親往那些「危險」地區視察，包括邦邦牙、武六干、丹轆及蕊描怡絲夏等省在內。據甘布准將透露，菲共的暗殺活動，係由「希遜司令員」所親自指揮者。

菲共何以突然增強活動？官方的解釋為：「這仍然是季節性行動，因目前正是稻穀的收割期，菲共希望藉此活動以恫嚇農民，使其一如菲共所希望的交出食米」。保安隊目前除積極佈署軍事進剿外，對於在菲共「黑名單」內的人物，均派兵加以保護。

官方又透露說，目前在中呂宋地區活動的菲共份子，有二百四十七名。另外據說菲共在中呂宋尚有約萬名「支持者」，時常暗中對菲共通聲氣，加以袒護。菲共目前的主要根據地，係在亞拉悅山一帶地區，保安隊亦正對此地區嚴加注視。全菲保安司令部並經下令懸賞緝購下列菲共頭目：（一）帛洛。泰洛克，又名帛冷司令員，賞格一萬元。（二）敏哈民均那朗，又名希遜司令員，賞格一萬元。（三）包示珍諾・黎文洛，又名孫武朗司令員，賞格五千元。（四）施殺溜・馬那朗，又名亞示描示描示司令員，賞格五千元。（五）馬連諾・施順，又名黎馬司令員，賞格五千元。（六）基斯多巴黎・拉哥律斯，又名千芒司令員，賞格五千元。（七）美仁描戈描戈（女），又名美莉，又名劉拉，賞格五千元。（八）李巴拉亞那拉（女），又名仁達，賞格二千元。據全菲保安司令部說，任何人凡能指示上列菲共匪居地因而加以捕獲者，均可獲得此項獎金。

另有消息：帛洛・泰洛克（帛冷司令員）與敏哈民均那朗（希遜司令員）發生內鬨，彼此爭奪菲共第二號頭目的地位，變方的部下現均在中呂宋區，是否暫行火併，尚未可知。至菲共第一號頭目拉描，本月初旬曾一度在馬尼拉街頭，傳係因為生病，前來馬尼拉醫治者。但當保安隊聞訊立刻與警察聯絡，派出多人在馬尼拉及郊區加洛干社搜查時，有消息說，拉描卻男扮女裝，混過關脫了。又一說拉描尚未能逃走，故保安隊及警察，仍繼續在加洛干社嚴加注意中，而且擴大搜索的範圍及於郊區各社。（平）

香港與大陸

▲今日大陸，皮鞋膠鞋已視為無上珍品。港澳僑胞返內地探親，携帶雜物，鞋為必不可少者。在深圳上火車，車站工人將行李逐件自火車窗外遞入，一不留神，鞋就不見了，以此往往與旅客發生爭吵；如旅客堅持不走，則工人亦無辦法，只有交出皮鞋了事。

▲曾經被共產黨大吹大擂的「人民公社」，此刻已近於解體了。據近日來自大陸的難胞稱：由於大躍進之變為大躍退，生產萎縮，危機四伏，中共已不敢再堅持三面紅旗，廣東地區某些村鎮，且准許人民保留兩分地，作自種蔬菜之用。此類自種蔬菜，因農民小心栽培之故，比較集體農場的農作物特別長得肥大，共黨幹部看見，起先很生氣，繼後亦就見怪不怪，不敢說什麼了。

▲大陸搶劫之風盛行，中共已不能控制。港澳僑胞返內地探親，如携帶食物過多，十九必遭搶劫，甚者有性命危險。此種情形，連中共報紙亦有刊載的了。

工姐競選 報名踴躍

首次服裝表演 元月五日舉行

（本報訊）第十九屆工展會主辦十九屆工展小姐選舉，十二月二十六日上午十時三十分起開始報名，凡于參展攤位服務小姐，均歡迎參加，報名處在工展會宣傳部。連日以來，報名者頗為踴躍。

按：工展小姐選舉報名，由二十六日開始，本月三十一日下午三時止截報名，由明年一月二日上午十時三十分開始投票，一月十一日[illegible]時三十分止截[illegible]十二日公佈選[illegible]，第十九屆工[illegible]宣告誕生。

（又訊）[illegible]屆工展會服裝[illegible]一次會議，于[illegible]二十五日下午[illegible]假座工展會大[illegible]行，由宣傳部[illegible]亮主持，參加[illegible]士，對于服裝[illegible]換意見至詳，[illegible]案如下：（一[illegible]次服裝表演定[illegible]一月五日下午[illegible]假座工展會大[illegible]行。（二）參[illegible]表演表演員，[illegible]年一月三日下[illegible]，舉行閉門練[illegible]工展會敦請儀[illegible]指導各表演員[illegible]（二）凡自備服[illegible]服裝表演廠號[illegible]製服裝用料，[illegible]港出品為原則[illegible]買船來製造衣[illegible]加服裝表演者[illegible]將不准出場。

瘟君續夢

第三回：

拒諫飾非，列鼎烹功狗

成王敗寇，作狀笑沐猴

毛澤東一聽，宛似被蠍子螫了一下，頓時脖子臉通紅，一拍桌子罵道：「混賬，為什麼專門嘔我。是不是想去北大荒。」事情發展到此，幾個人也就拚上了，黃克誠冷笑一聲：「主席不必說去北大荒，就算送去延安升仙洞，我們也這樣說。」毛澤東一聽黃克誠提到「升仙洞」，頓時打一個寒噤，面色由紅而白，半晌，喘息着說道：「好吧！你們竟然打算反黨到底，就不能怪我無情了。」說過，就按電鈴叫田家英。

黃克誠提起升仙洞，何以犯了毛澤東的大忌？原來這裏面包含了一段血淚慘史。當中共在江西受不了國軍圍剿，突圍西竄時，盤據在豫北鄂北自稱為紅四方面軍的一股，也同時西竄，這兩股共軍雖然同一番號，都是以共產黨為核心組成的，但是兩股隔離太遠，既未配合一起作過戰，大小頭目都未曾互相調換過，實際上是兩股絕不相同的武力，唯一維繫力量就靠馬恩列史等列祖列宗的經典學說，平時各自稱尊，還可相安，一旦在北竄途中會了面，馬上就發生爭執，光是逃竄路線，兩股就有不同意見。毛澤東主張向陝北逃，因為那裏有土共劉子丹建立的根據地，紅四方面軍的頭目張國燾，徐向前則主張向新疆，認為新疆接近蘇聯，緩急便於照料。兩股爭執不下，結果只好各走各路，毛澤東平安抵陝北，建立起陝甘寧邊區根據地。紅四方面軍西竄卻受到馬家軍的迎頭痛剿，大敗虧輸，張，徐不得已帶着殘兵敗將奔向陝北。這一來算是落到毛澤東手上，就訂了一個整套計劃消滅紅四方面軍：第一步引馬歸林，把紅四方面軍幹部拉過來一部份。第二步驅虎入阱，遣主力外走，向新疆方面逃竄，窮抵河西走廊，被馬家軍包圍，最後在倪家營子一仗，全軍覆沒，只剩下一些高級頭目，逃進祁連山，結果又凍死一部份，剩了幾十個人，由祁連山逃去蘇聯，過了一年多由外蒙回到陝北。這批人成了驚弓之鳥，再也不敢反對毛澤東，大部份後來也都發達了。紅四方面軍主力西竄之後，剩下老弱殘兵不到一萬人，變成了待宰之羊，一夜之間全部被捉起來，除去張徐等大頭目及不滿十八歲的小鬼，無一倖免。毛澤東當時處決這批人的辦法，是送到延安北邊的一個山洞裏活埋。這樣既省子彈，又不露聲色，對外就宣稱渡黃河去山西打閻錫山去了。

當時毛澤東定的暗號，活埋某人，就說「送他升仙去」。於是專門活埋人的山洞，也由毛澤東賜名為「升仙洞」。那時在陝北，聽說升仙洞，無人不膽戰心驚。連後來因為「野百合花」雜文而開禍的王實味，也被送去了升仙洞。統計毛澤東在延安的十五年間，「升仙洞」活埋的大致有兩萬人左右。加上井崗山的萬人坑，瑞金的掛屍林，經毛澤東直接處決的中國人，總不會少於十萬人。在陝北地區當時就流傳一種謠言，說毛澤東是張獻忠轉世，因為上次殺人還不夠，所以三百年後又重來了。這段謠言漸漸傳的毛澤東也知道了。

（六一）

此外還有一種證據，就是編此書之樊騰鳳，住在北平，他既住北平，似乎應該以北平土音爲準，但是不然。有許多字不是北平的念法，而是河北省的念法，如側仄等字，在北平都是尖音，而書中則爲團音，此與河北省念法，完全一致。再如尖音字，分硬軟兩種，茲此司硬尖音也，集妻西軟尖音也，北平土音，凡軟尖音都念團音，此書中則爲尖音，與河北省念法一致。

（二）此書乃奉命令所編，斷非自動的編纂。因爲編者樊騰鳳，固然不夠一位學者，而在文人中也不是特別高明的，以這樣的人，自動的著作一部書，這種思想是不容易有的事情，可是他搜羅的河北省的方音，也相當詳盡，也確費了很大的一番工作，這不是一位平常讀書人所能作到的，是可斷定是有人指使他作，且供給錢財，否則不易纂成。肯出此款者，一定是一機關，按國家常常命令儒臣纂書，但這樣一部小書值不得，則必是一較小之機關，是亦可推斷，即是研究小曲之機關無疑。

國劇藝術彙考

·齊如山·

（三）書前頭有年羹堯的一篇序文。這部書是雍正年間出版——彼時正是年羹堯赫赫無比的時候，他肯出名爲這樣一種不甚高明的小書作序，則當然這部書的來歷是不平凡的，一定是一與政府有關係的機構。這個機構亦不會太高，太高的機構，不會編這樣一部書。由此亦可推斷，他是研究小曲的機構所爲，因爲別的機構，絕不編這類的書。

（四）他與康熙字典，有相當的關係，所有的音韻，有時不避古韻，可是與康熙字典大致相同；固然不能說，完全一致，但相同之點極多，茲舉一種如下。所謂與古韻不合者，以中東與庚青兩韻，自古便分的界限很嚴，到現在南方還是如此，而他則合而爲一，以中東爲合口音，以庚青爲開口音，與康熙字典十二攝，庚攝第四中所列之字，完全相同，而與北方土音，亦極爲一致。

爲什麼要這樣不憚煩瑣的淡五方元音呢，就是因爲他與十三轍，有聯帶的關係，也可以說是一個來源。（七）

邛都憶往（三）

李仲侯

邛海瀘山，爲西昌近郊唯一名勝，也是賞玩山水最好的去處，一逢例假或春秋佳日，接輿連軫，眞是勝友如雲。先談邛海：它在西昌南郊，離城不過五里路。一出城門，即望見邛海如一面大圓鏡似的擺在面前，沿途楊柳垂絲，綠蔭夾道，行不久，前面已是一片汪洋，小舟短艇，爭着迎客，你奪我攘，煞是有趣。如遇夏季，靠西岸一帶，盡是荷花，紅白相間，其香特著，微風飄盪，在數里外已是濃香馥郁，你未放棹，已感到有點飄飄然了。這個海，其實祇能算是一個湖，它比三萬六千頃的太湖，面積還要小一半，湖的半徑大約自十五里至二十里，全面積約六萬多方里。這湖水極晶瑩，一望無涯，並無太湖中的那許多島嶼，景色滓幽而澹遠，小艇輕舫，煙波夕照，人在其中，確能處處感覺在一幅優妙的山水畫圖中。全湖既通明透澈，好像造物好奇，在這裏擱下一面大鏡子。如果是白日泛舟，不但把你人身的衣褶鬚眉照得清澈無比，而且水內有城郭衣冠，樓台亭樹，若隱若現的在你眼底晃動，仔細去端詳，恍惚各處還可看出幢幢人影，往來活動。這種水底海市蜃樓的出現，我曾訪問過當地人士，詳其究竟。據說，這個湖，爲古時邛都縣治所在地，在隋時，一夕突告陷落，登時巨浸稽天，城郭人民，皆已不知下落，後來湖中就有這些異狀發現。

按邛，莋都是古時西南夷兩個大國，史記西南夷列傳載：「自滇以北，君長以十數，邛都最大；自嶲以東，君長以十數，莋都最大」。漢武帝經略西南，滅南越，誅且蘭邛君，並殺莋侯，冉駹皆驚恐，請臣置吏，乃以邛都爲越嶲郡，莋都爲沉黎郡，冉駹爲汶山郡，廣漢西白馬爲武都郡。辭源載：「邛都在今之西昌東南，莋都在今之漢源東南」。即今越嶲縣距西昌亦不過二百里。而古時之邛都在西昌附近，殆無疑義。

邛海西岸，由西昌行轅建有無數精巧玲瓏的房舍，好些都用現代化的工程建築，點綴於佳山水之間，相映成趣。其中有一幢特大的，曾爲蔣委員長巡視西昌駐蹕之所，室內一切用具，均仍維原來現狀，每逢星期三六日開放，任人參觀。室外有古松數十株，虯髯龍鱗，拏雲蔽日，殆數百年物。松濤盪漾，如千百隻古琴掛樹，發出清脆之音響，終宵如聞絲竹，風景絕幽至美。

「邛海泛月」，爲西昌八景之首，泛舟最好在湖西長滿荷花的時候，萬朵蓮花，亭亭玉立，一片清香，撲鼻欲醉。此時如在黃昏，則皓月一輪，冉冉向東山升起，映出環湖的四圍山色，長天一碧，羣峯盡青，水光與月色，融和協調，清風徐來，水波不興，此際一舟容與，若行又止，使人動泛槎銀河，徜徉月宮之遐想，眞是飄飄若仙，殆若不知置身人世間矣。

隨園談往

漁翁

有清一代，文化以乾隆時爲最盛，一般文學之士，風起雲湧，而以袁子才，紀曉嵐，爲其中之特出者，故有南袁北紀之稱。

袁名枚，字子才，號簡齋，清錢塘人，以進士出宰江寧。而性好山水，不爲五斗米折腰，年少辭官，築別墅於江寧城北之小倉山，援「隨遇而安」之義，命曰「隨園」。

隨園，爲清初江寧隋公之園，乾隆時巳坍廢，臙屋數椽，開設茶肆，袁以三百金得之，於一片荒地之上，開池沼，起樓台，一造三改，蔚爲大觀。而園之基地，即「謝公墩」；李太白悅謝家青山，欲終焉而不果者，即此處也。

按謝公墩，在江蘇江寧縣城北隅，金陵圖經：「謝安石居半山，有墩曰謝公墩」。後王安石亦居半山，有詩云：「我名公字偶相同，我屋公墩在眼中，公去我來墩屬我，不應墩姓尚隨公。」是則隨園之基地，由謝公墩而隋公園，已數易其主矣。

園中以「小倉山房」爲主室，袁宴客，多在此處。房左有「夏涼冬燠所」，蒼松翠竹，蠻花野草，迴繞於四週，雖炎夏而不熱，壁嵌玲瓏木架，上置古銅爐百尊，冬溫以火，煖氣盎然，爲袁朝夕把筆寫作之所在。

園有「柳谷」，以柳枝交垂於谷間而得名。有軒三楹，面山臨流，極稱幽雅，自題一聯云：「不作公卿，非無福命都緣懶；雖成仙佛，爲讀詩書又戀花」。以弄月吟風，尋花問柳而不諱，足見瀟洒自然，而有風流才子之稱。

此地房屋，皆就天然佈置，不假人力。如「六松亭」，以結松成之，其枝幹之披拂，儼然綠瓦之參差。又有銀杏一株，大可十圍，蔭垂數畝，因依幹而結屋，嘯傲其間，饒有神趣。

園內花草，四季不斷，自海棠開時，天氣漸暖，由是而珠篠，而牡丹，而芍藥，而繡球，相繼著花，堪資玩賞。而食物亦無一不備，樹上有果，土上有蔬，池中有魚，籠中有雞，過不速之客，可咄嗟立辦，不須「盤餐市遠無兼味」之歎也。

相傳園內嘗有鬼聲出叢竹間，而袁吟咏自若，且語人曰：「幽明本異路，吾何惡於彼？彼何惡於吾？何怖也！況明者爲人，幽者爲鬼，明者可居，幽亦可居，何必禁彼之不居於此也？各行其是而已。」

又說，有狐作祟，各處陳設，多移動，袁曰：「爾果能佈置勝吾者，吾將德之；否則，將效韓文公驅鱷故事。」一日晨起，見房內整飭一新，有前楹有「此地有崇山峻嶺，茂林脩竹；是能讀三墳五典，八索九邱」之聯，先巳裝池剝蝕，亦糊以裱精美矣。袁驚異而詩許之。

袁彌留時，語二子曰：「余身後得保此園三十年，余願足矣」。迨咸豐癸丑，太平軍陷金陵，此園即鞠爲茂草，溯袁於嘉慶丁巳卒，巳五十五年矣。袁又曰：「余身後墓道立碑時，毋庸注官銜，僅書「清故袁隨園先生之墓」九字，千載後，必有知我者」。後兵燹，賴未題官銜而無恙，蓋有先見之明也。

袁優游此園，垂四十餘年，夏涼冬溫室，左圖右史，妻妾繞膝，桃李盈門，壽八十以上。歷代文人之獲清福者，莫袁若矣。

今隨園雖巳成邱墟，而以袁之「隨園詩話」，與「小倉山房文集」，廣流傳於後代，一般人所口誦心維不已。地由人傳，人因地名。文豪與名勝，往往並垂於不朽。

袁死後，毀譽迭興，有以「風流才子」名，有以「名教罪人」譏之者，就中惟王船山之輓詩最爲允當，句云：「一身毀譽騰衆口，生來福慧有千秋。」又云：「一代傳人傳巳定，莫憑遺行苦吹求」。袁地下有知，當亦啞然首肯矣。

海嶠墨談薈

綜覽吾國史乘紀錄，歷代的統治階級中，最不講究養士之道，使一般幹政治生活的士大夫，昧廉鮮恥，不知名教與氣節爲何物，殆莫過於明朝了。所以，朱明亡國的情形亦最慘，而以士大夫的表現尤屬可恥到了極點。崇禎帝朱由檢臨死之前，修言「君非亡國之君，臣盡亡國之臣」，卻不明瞭這是他的列祖列宗早已種下了惡因，讓他來親嘗惡果而已。

「荆駝逸史」一書，記述明末亡國經過事實纂詳，可補正史缺失，執筆者都是當時預聞政事的士大夫，顧亭林其尤著者也。我費了兩晝夜工夫，一口氣將它讀完後，不禁掩卷太息痛恨者久之，明季士類之頑劣醜惡，有若是夫！

南明亡國醜史（一）

諸葛文侯

當崇禎帝殉難於煤山，李自成被吳三桂聯合滿清兵擊潰南遁，清軍統帥多爾袞進佔北京，不敢貿然南下之際，全國領土大部分完整如常，自江浙兩湖以迄川黔滇桂粵閩等地區，仍係大明江山的精華所在，而南京陪都的一切建制及其所擬諸文武官員，亦與中樞無異。此時祇要擁立一個新君，號召四方，以討賊復仇爲急務，大家同心協力，共赴國難，天下事絕對大有可爲的。然而，馬士英以「鳳陽總督」勾結闖賊降將高傑，劉賊總兵劉澤清等爲聲援，藉擁戴福王之功，入朝專政，竟置討賊復仇大業於不顧，除替福王造宮殿，選淑女，陳戲樂以外，日唯植黨營私，傾陷異己，對於戡定內亂（流寇），抵禦外患（清兵）的軍國大計，無所措意，坐視清軍羈縻吳三桂，勞徠關內漢人，一面追剿流賊於西北，同時徐作南下進攻金陵的軍事佈署，而馬士英輩憒然罔覺，雖有高傑，劉澤清，左良玉，劉良佐等所謂「四鎮」兵力，僅使其制擬蘇皖一帶，作爲務制內部之用，從無西向以討賊寇，北向以防清兵的計議。史可法名爲「督師」，因與馬士英不相投洽，憂讒畏譏，虛位而已。此外若干舊有閣臣如高宏圖，姜曰廣，錢謙益，趙之龍，張愼言等，盡是些官僚份子，患得患失，而趙之龍以「綜持戎政」的國防部長職位，且暗中向清軍方面通款輸誠，後來清將豫王多鐸進軍金陵時，趙之龍就是南朝迎降的總代表！他爲着表示自己效順滿人的忠貞意志起見，首先薙髮留辮，然被多鐸當面斥其無恥，又以文告聲明清軍並不限制漢人一定要薙髮，這不啻公開揭示明朝一般文武大吏的醜態可掬也。

至於那位福王，每日在宮中飲燒酒，淫幼女，棄供奉之外，聽信馬士英的教唆，把崇禎朝指爲魏閹逆黨的著名人物阮大鋮，楊維垣等予以重用，而黨爭的惡作劇又搬到南朝來熱烈表演了。黨爭之不足，復有太子南來事件發作，激起兵變，因而促進了南明覆亡的速度。

珊瑚潭奇觀

道南

山川風物

當台灣正重視觀光事業，吸引遊客之際，烏山頭水庫的珊瑚潭，是值得介紹的。這一塊未經人工雕琢的遊覽勝地，湖光山色，確是十分美麗。

珊瑚潭的面積約一千公頃，有聞名世界的日月潭面積的四倍大。而日月潭祇是一個平鏡的湖面，珊瑚潭則更是引人入勝。它山中有湖，湖中有山，山壁曲徑，完全是天然的奧妙。搭乘遊艇，環湖一匝，三小時未必能窺全豹。假如從飛機上看下去，便似一塊碩大無比的珊瑚。

這珊瑚潭也是灌溉西南部一帶農田水利達十萬公頃的烏山頭水庫，也便是嘉南大圳主要的水源，它在曾文溪上游大埔溪的右岸，設導水路將溪水由烏山嶺隧道導入曾文溪之四支流，至烏山頭，建一大堰堤截止溪流，利用天然溪谷，在山巒環繞的凹地，築成一大水庫，貯積該溪流之雨水。另外濁水溪水源是由雲林縣林內鄉和莿桐鄉重興村的濁水溪堤岸，開設進水口，將溪水直接導入給水路幹線，以供灌溉。

當嘉南大圳灌溉區域農田用水的時候，便會放水。放水時景氣，比之山壁瀑布，尤爲美麗，比海寧的潮水更要偉大，白銀一片，一瀉千里，蔚爲奇觀。以珊瑚潭不但風景優美，其經濟上的價值，也決不亞於日月潭的發電廠，可惜沒有招待遊客的設備，宣傳也還不夠，問津的人就比較少了。

史地傳記類　PC0275

自由人（十）

編　　者 / 陳正茂
責任編輯 / 邵亢虎
圖文排版 / 彭君浩
封面設計 / 陳佩蓉

法律顧問 / 毛國樑　律師
印製經銷 / 秀威資訊科技股份有限公司
114台北市內湖區瑞光路76巷65號1樓
電話：+886-2-2796-3638　傳真：+886-2-2796-1377
http://www.showwe.com.tw
劃撥帳號 / 19563868　戶名：秀威資訊科技股份有限公司
讀者服務信箱：service@showwe.com.tw
展售門市 / 國家書店（松江門市）
104台北市中山區松江路209號1樓
電話：+886-2-2518-0207　傳真：+886-2-2518-0778
網路訂購 / 秀威網路書店：http://www.bodbooks.com.tw
國家網路書店：http://www.govbooks.com.tw

2012年12月復刻版
定價：2500元
版權所有　翻印必究
本書如有缺頁、破損或裝訂錯誤，請寄回更換

Copyright©2012 by Showwe Information Co., Ltd.
Printed in Taiwan
All Rights Reserved

國家圖書館出版品預行編目

自由人 / 陳正茂編. -- 一版. -- 臺北市 : 秀威資訊科技,
2012. 12-
冊 ; 公分. -- (史地傳記類)
BOD版
ISBN 978-986-326-020-2(第1冊 : 精裝). --
ISBN 978-986-326-016-5(第2冊 : 精裝). --
ISBN 978-986-326-017-2(第3冊 : 精裝). --
ISBN 978-986-326-018-9(第4冊 : 精裝). --
ISBN 978-986-326-019-6(第5冊 : 精裝). --
ISBN 978-986-326-022-6(第6冊 : 精裝). --
ISBN 978-986-326-023-3(第7冊 : 精裝). --
ISBN 978-986-326-024-0(第8冊 : 精裝). --
ISBN 978-986-326-025-7(第9冊 : 精裝). --
ISBN 978-986-326-026-4(第10冊 : 精裝). --

1. 報紙 2. 香港特別行政區

059.92　　　　101021409

讀者回函卡

感謝您購買本書，為提升服務品質，請填妥以下資料，將讀者回函卡直接寄回或傳真本公司，收到您的寶貴意見後，我們會收藏記錄及檢討，謝謝！

如您需要了解本公司最新出版書目、購書優惠或企劃活動，歡迎您上網查詢或下載相關資料：http:// www.showwe.com.tw

您購買的書名：________________________________

出生日期：________年________月________日

學歷：□高中（含）以下　□大專　□研究所（含）以上

職業：□製造業　□金融業　□資訊業　□軍警　□傳播業　□自由業
　　　□服務業　□公務員　□教職　□學生　□家管　□其它______

購書地點：□網路書店　□實體書店　□書展　□郵購　□贈閱　□其他

您從何得知本書的消息？

□網路書店　□實體書店　□網路搜尋　□電子報　□書訊　□雜誌
□傳播媒體　□親友推薦　□網站推薦　□部落格　□其他__________

您對本書的評價：（請填代號　1.非常滿意　2.滿意　3.尚可　4.再改進）

封面設計____　版面編排____　內容____　文／譯筆____　價格____

讀完書後您覺得：

□很有收穫　□有收穫　□收穫不多　□沒收穫

對我們的建議：________________________________

____

____

____

請貼
郵票

11466
台北市內湖區瑞光路 76 巷 65 號 1 樓
秀威資訊科技股份有限公司 收
BOD 數位出版事業部

(請沿線對折寄回，謝謝！)

姓　名：____________　年齡：________　性別：□女　□男

郵遞區號：□□□□□

地　址：________________________

聯絡電話：(日) ____________ (夜) ____________

E-mail：________________________